6/62

Spec. Stud

ROBERT DARMSTAEDTER
KÜNSTLERLEXIKON

ROBERT DARMSTAEDTER

KÜNSTLERLEXIKON

MALER – BILDHAUER – ARCHITEKTEN

FRANCKE VERLAG BERN
UND MÜNCHEN

VORWORT

Im Gegensatz zu den gebräuchlichen Kunstwörterbüchern befaßt sich das vorliegende Werk ausschließlich mit den einzelnen Künstlern. Es verzichtet auf alle Sachwörter (Begriffserklärungen, historische Abrisse usw.), um eine desto größere Auswahl an Künstlernamen bringen zu können. Nicht zuletzt möchte es Besitzern von zusammenfassenden Kunstgeschichten als eine Art Ergänzungsband mit einer ausführlicheren Zusammenstellung von Daten und Fakten dienen, die dort aus Raumgründen meist fehlen.

Jeder der aufgeführten Künstler ist mit den Hauptdaten seines Lebens und seiner künstlerischen Entwicklung vertreten, ferner mit einer Charakterisierung seines Stils; von den bedeutenderen Meistern werden auch die Hauptwerke (meist mit Orts- oder Museumsangabe) oder zumindest Beispiele ihrer Kunst genannt. Häufige Verweise und Angaben, wie «beeinflußt von», «Schüler von», sollen der historischen Einordnung der Künstlerpersönlichkeit, nicht ihrer «Abstempelung» dienen. Die Literaturangaben am Schluß der einzelnen Artikel weisen den Weg zu einem eingehenderen Studium.

Eine Hauptaufgabe mußte es sein, aus der großen Zahl der bildenden Künstler aller Völker und Zeiten eine den Kunstfreund deutscher Zunge interessierende Auswahl in einem handlichen Band zusammenzustellen. Ferner kam es auf eine Zusammenraffung des biographischen Materials zu Kurzbiographien und – soweit die in Betracht kommenden Stoffsammlungen veraltet waren – auf eine Aktualisierung der Tatsachen und der Beurteilung gemäß dem heutigen Stand des Wissens an.

Hauptquelle für die Daten und Angaben bildete das grundlegende biographische Kunstlexikon, der «Thieme-Becker», und dessen Fortsetzung, der «Vollmer». Auf diese, von ersten Sachkennern zusammengestellten Werke wird nachdrücklich verwiesen (vgl. das Literaturverzeichnis, wo auch die übrigen nachstehend erwähnten Werke aufgeführt sind). Was die Zusammenfassung und Aktualisierung des Stoffes anlangt, wurden alle sich bietenden Hilfsmittel verwendet, darunter natürlich die bisher erschienenen «Kunstwörterbücher», «Kunstführer» usw., die durch das neue Werk keineswegs ersetzt werden sollen. Wertvoll waren hierbei die großen Enzyklopädien und Speziallexika für einzelne Sachgebiete oder bestimmte Epochen. Ferner wurden nach Möglichkeit die wichtigsten Handbücher, Museums- und Ausstellungskataloge, Zeitschriften u. a. benützt.

Die Auswahl des Stoffes mußte trotz allem Bemühen um Objektivität notwendigerweise subjektiv bleiben. Jeder Benützer wird den einen oder andern der ihm wichtig erscheinenden Künstler vermissen – ein Übelstand jeder Auswahl; ganz zu schweigen von bedeutenden Künstlern, die dem Verfasser entgangen sein mögen. Vor allem suche man unter den zeitgenössischen Künstlern nicht mehr als eine Auswahl der Hauptvertreter der einzelnen sich abzeichnenden Richtungen. Für weitere Auskünfte muß auf die Speziallexika verwiesen werden. Wenn einige wenige Künstlergruppen und -gemein- schaften mit aufgenommen wurden, obwohl sie, streng genommen, nicht in ein biographisches Lexikon gehören, so geschah dies, um am jeweils geeig- neten Ort darauf verweisen zu können.

Falls sich dieser Band den Kunstfreunden als nützlicher Helfer erweisen sollte, würde sich der Verfasser für seine Mühe reichlich belohnt finden. – Er möchte auch an dieser Stelle Dr. A.-M. Cetto und Dr. E. M. Stephan für einige wertvolle Hinweise danken.

Lausanne, im Juli 1961   ROBERT DARMSTAEDTER

EINFÜHRUNG
ZUM GEBRAUCH DES LEXIKONS

Zur alphabetischen Ordnung : Schwierigkeiten beim Aufsuchen von Künstlern ergeben sich erfahrungsgemäß bei den frühen Italienern, wo der Eigenname durch den des Vaters oder des Ortes der Herkunft oder einen Beinamen ergänzt wird, z. B. Andrea del Sarto. Wir sind nicht der heutigen Tendenz gefolgt, konsequent den Eigennamen als Stichwort zu verwenden. Wenn bisher die Einordnung unter dem bekannten Beinamen erfolgte, so sind wir dieser Verfahrensart gefolgt, ordnen also z. B. Andrea del Sarto bei Sarto ein. Schwierigkeiten werden sich nicht ergeben, da zahlreiche Hinweise das Aufsuchen erleichtern.

Die Umlaute : ä ö ü werden wie ae oe ue behandelt.

Das niederländische ij, welches früher im Deutschen mit einem y wiedergegeben wurde, verwenden wir nur bei den weniger bekannten Meistern; wo sich das y eingebürgert hat, wie bei van Dyck, behalten wir es bei.

ABKÜRZUNGEN

1. Literatur

Bénézit	Bénézit, Dictionnaire des peintres, sculpteurs, etc.
Boll. d'Arte	Bollettino d'Arte
Enc. Ital.	Enciclopedia Italiana
Gaz. des B.-Arts	Gazette des Beaux-Arts
Marle, Ital. Schools	R. van Marle, The Development of the Italian Schools of Painting
Österr. Jb.	Jahrbuch der kunsthistorischen Sammlungen des allerhöchsten Kaiserhauses (ab 1926 Jahrbuch der kunsthistorischen Sammlungen in Wien)
Preuss. Jb.	Jahrbuch der Preußischen Kunstsammlungen
Th.-B.	Thieme-Becker, Künstlerlexikon
Venturi	A. Venturi, Storia dell'Arte italiana
Vollmer	Vollmer, Künstlerlexikon
Zschr. f. Kunstwiss.	Zeitschrift des deutschen Vereins für Kunstwissenschaft (seit 1947 Zeitschrift für Kunstwissenschaft)

2. Die wichtigsten sonstigen Abkürzungen

Akad.	Akademie
A. P.	Alte Pinakothek
Arch.	Architekt
Ausst.-Kat.	Ausstellungskatalog
Cat.	Catalogo, Catalogue
Gal., Gall.	Galerie, Gallery, Galleria
hg.	herausgegeben
hist.	historisch
Hrsg.	Herausgeber
Jb.	Jahrbuch
Jh.	Jahrhundert
Kat.	Katalog
Luxemb.	Luxembourg-Museum
K.-F.-Mus.	Kaiser-Friedrich-Museum
N. P.	Neue Pinakothek
Pal.	Palazzo, Palais, Palast
Realenc.	Realencyklopädie
realist.	realistisch
romant.	romantisch
Slg., Slgn.	Sammlung, Sammlungen
sog.	sogenannt
Zschr.	Zeitschrift

LITERATUR

Die großen biographischen Lexiken

Thieme-Becker, *Künstlerlexikon*. Allgemeines Lexikon der bildenden Künstler von der Antike bis zur Gegenwart, hg. von U. Thieme und F. Becker (später von H. Vollmer), 37 Bde., 1907—1950.

Vollmer, *Künstlerlexikon*. Allgemeines Lexikon der bildenden Künstler des 20. Jahrhunderts, 5 Bde., 1953—1961.

Bénézit, *Dictionnaire des Peintres, sculpteurs, dessinateurs et graveurs*. Nouvelle édition, 8 Bde., 1948–1955 (keine Architekten; enthält wichtige Beiträge besonders für französische Künstler).

Künstlerlexiken einzelner Länder

A. v. Wurzbach, *Niederländisches Künstlerlexikon*, 1906–1911.

C. Brun, *Schweiz. Künstler-Lexikon*, 4 Bde., 1905–1917.

Künstlerlexikon der Schweiz des 20. Jahrhunderts, bearbeitet von E. Plüß (im Erscheinen begriffen; wird künftig das Hauptquellenwerk für biographische Angaben über Schweizer Künstler bilden).

Einbändige Wörterbücher der Kunst mit Sachwörtern und Künstlerbiographien

J. Jahn, *Wörterbuch der Kunst*, Kröner-Verlag (4. Aufl. 1953), das bekannte Sachwörterbuch mit biographischen Beiträgen (Aufführung von Hauptwerken, Literaturhinweisen usw.). – In derselben Art etwa das früher erschienene: Vollmer, *Kunstgeschichtliches Wörterbuch*, 1927. – Knapper in den biographischen Angaben: B.D. Swanenburg, *Der Kunstführer*, 1956 (mit Abbildungen). – E. Schaffran, *Taschenlexikon der Kunst*, 1953. *Das Große Buch der Kunst*, G. Westermann Verlag, 1958 (mit Abbildungen und kunstgeschichtlichen Abrissen).

Speziallexiken für einzelne Sachgebiete oder Zeitabschnitte

Knaurs Lexikon alter Malerei, von J. Fernau, 1958 (mit Abbildungen). *Knaurs Lexikon moderner Kunst*, 1955. – M. Seuphor, *Dictionnaire de la peinture abstraite*, 1957 (dt. *Knaurs Lexikon abstrakter Malerei*, 1957). – M. Seuphor, *Plastik unseres Jahrhunderts*, 1959 (mit biographischem Teil und Abbildungen).

Enzyklopädien

Die bekannteste in dt. Sprache ist *Der Große Brockhaus*, 16. Aufl., 12 Bde., 1952–57, in welchem Künstlerbiographien mit Angabe der Hauptwerke, wichtigster Literatur usw. sich finden. – Genannt sei ferner: *Schweizer Lexikon*, 7 Bde., 1945–48.

Enciclopedia Italiana di scienze, lettere ed arti, 35 Bde., 1929–49, mit vielen von ersten Kennern verfaßten Künstlermonographien; wertvoll besonders die italienischen,

z. T. mit Abbildungen und Farbtafeln. – *Enciclopedia Universale dell'Arte*; im Erscheinen begriffen, enthält erschöpfende Monographien über einzelne bedeutende Künstler, mit reichem Abbildungsmaterial, bis 1958 5 Bde. erschienen.

Handbücher

Handbuch der Kunstwissenschaft, begründet von F. Burger u. A. E. Brinckmann, 1913–30, wissenschaftliche Übersichten über Einzelgebiete; in dieser Reihe u. a.: Brinckmann, Barockskulptur; K. Escher, Malerei der Renaissance in Ober- u. Mittelitalien; E. Hildebrandt, Malerei u. Plastik des 18. Jahrhunderts in Frankreich; Pevsner/Grautoff, Malerei des Barock in den romanischen Ländern; Willich/Zucker, Baukunst der Renaissance in Italien.

Propyläen-Kunstgeschichte, 1924–35: kurze Übersichten über größere Sachgebiete, mit biographischen Angaben über einzelne Künstler und Abbildungen; aus der großen Reihe seien u. a. genannt: E. Bock, Geschichte der graphischen Kunst, 1930; W. v. Bode, Kunst der Frührenaissance in Italien, 1923; M. J. Friedländer, Altniederländische Malerei; G. Glück, Kunst der Renaissance in Deutschland, den Niederlanden, Frankreich usw., 1928. M. Osborn, Kunst des Rokoko, 1929. G. Pauli, Kunst des Klassizismus und der Romantik, 1925.

Springer, *Handbuch der Kunstgeschichte* (viele Aufl.).

Woermann, *Geschichte der Kunst aller Zeiten u. Völker*, [2]1922, 6 Bde.

Übersichten über die Kunst einzelner Völker oder über einzelne Sachgebiete

K. Bauch, *Abendländische Kunst* 1954. – Bazin, *Kunst aller Zeiten u. Völker*, 1957. – *Bruckmanns deutsche Kunstgeschichte*, 1942 ff. (mit Beiträgen von E. Hempel, A. Feulner, Th. Müller, O. Fischer, F. Roh, H. Kohlhausen). – Burckhardt, *Der Cicerone* (viele Aufl.), das klassische Werk über die italienischen Kunstdenkmäler. – Delogu, *Italienische Malerei*, [3]1948, mit Biographien einzelner Künstler. – Dehio, *Geschichte der deutschen Kunst*, [4]1930–34, das Standardwerk zur deutschen Kunst. – Ders., *Handbuch der deutschen Kunstdenkmäler*, 5 Bde., 1905–12 (neu hg. v. E. Gall, 1935 ff.). – Hamann, *Geschichte der Kunst*, 1932. – Ders., *Deutsche Malerei vom Rokoko zum Expressionismus*, 1925. – Heidrich, *Alt-Niederländische Malerei*, 1910. – Ders., *Vlämische Malerei*, 1913. – Hofmann, *Plastik des 20. Jahrhunderts*, 1958. – Ders., hg. *Fischer Lexikon, Bildende Kunst* 2–3, 1960–61: Einführung in die Probleme der Kunst in Stichworten. – Hourticq, *Geschichte der Kunst in Frankreich*, 1912. – R. van Marle, *The Development of the Italian Schools of Painting*, 1923–38. – *Neue Kunst nach 1945*, hg. v. W. Grohmann, 1958. – R. Oertel, *Die Frühzeit der italienischen Malerei*, 1953. – W. Paatz, *Die Kunst der Renaissance in Italien*, [2]1953. – Pevsner, *Europäische Architektur*, 1957. – Ders., *Wegbereiter moderner Formgebung*, 1957. – W. Pinder, *Deutsche Plastik vom ausgehenden Mittelalter bis zum Ende der Renaissance*, 1924–28. – Ders., *Die Kunst der Dürerzeit*, 1953. – A. C. Ritchie, *Masters of British Painting 1800–1950*, 1956. – A. Stange, *Deutsche Malerei der Gotik*, 1934 ff. – Waldmann, *Englische Malerei*, 1927.

Ausstellungskataloge

Abbildungs-Katalog der Jahrhundertausstellung Berlin 1907 (dt. Kunst von 1775–1875, hg. v. H. v. Tschudi). *Aufbruch zur modernen Kunst*, München 1958 (Leibl u. s. Kreis; Jugendstil; Blauer Reiter, Expressionismus u. a.). – *Les Sources du 20ᵉ siècle*, Paris 1961 (Wegbereiter zur modernen Kunst vom Jugendstil an). – *Documenta II*, Kassel 1959 (Ausstellungs- u. Abbildungskataloge der Maler u. Bildhauer moderner Kunst).

Kunstzeitschriften

Sele Arte, 1953 ff. – *L'Arte*, 1898 ff. – *The Art Bulletin*, 1913 ff. – *The Burlington Magazine*, 1903 ff. – *Gazette des Beaux-Arts*, 1859 ff. – *Connaissance des Arts*. – *Das Kunstwerk*. – *Die Kunst und das schöne Heim*. – *Kunst und Künstler*. – *Jahrbuch für bildende Kunst*. – *Jahrbuch für Kunstwissenschaft*. – *Le Musée de Poche*, 1955 ff. – *Pantheon*, 1928 ff. – *La Revue*. – *Vorträge der Bibliothek Warburg* (seit 1937 *The Journal of the Warburg and Courtauld Institute*). – *Zeitschrift für bildende Kunst*. – *Zeitschrift des dt. Vereins für Kunstwissenschaft* (seit 1947 *Zeitschrift für Kunstwissenschaft*). – *Zeitschrift für schweiz. Archäologie und Kunstgeschichte*.

A

Aachen (Achen), Hans v., dt. Maler, Köln 1552 bis 1615 Prag, Hauptvertreter des internationalen höfischen Manierismus des 16. Jh., bildete sich in Venedig, Rom u. Florenz; ebda. 1574–88 tätig. 1588 ging er nach Köln zurück; etwas später am Hof in München; 1592 ff. Kammermaler Kaiser Rudolfs II.; als solcher 1601 in Prag, wo er, abgesehen von Reisen nach Italien, dauernd verblieb. A. schuf mythol., allegor., bibl. Szenen, Genredarstellungen u. Bildnisse. Er war zu s. Zeit hochgeschätzt; die besten Stecher arbeiteten nach s. Gemälden u. Zeichnungen. A. ging von den niederl. Romanisten aus, in Venedig bes. von Tintoretto beeinflußt, in Rom von Michelangelo, ferner von → Correggio u. a. Er war ein geschickter Eklektiker, bedeutender in s. Bildnissen. U. a. vertreten in Köln, Wien, München, Schleißheim, Augsburg, Hamburg, Hannover, Karlsruhe, Amsterdam, Brüssel, Florenz. Religiöse Werke: *Kreuzigung Christi*, Köln, Antoniterkirche. *Erweckung des Lazarus*, ebda., Wallraf-Richartz-Mus. *Anbetung der Hirten*, Wien, Kunsthist. Mus. *Kreuzigung*, München, Michaelskirche. Allegor.: *Sieg der Wahrheit*, 1598, Schleißheim, Gal. Mythol.: *Ceres u. Bacchus*, Wien, Mus. Bildnis: *Bildnis eines Bürgermeisters*, Köln, Wallraf-Richartz-Mus.
Lit.: R. A. Peltzer in: Österr. Jb. 1912.

Aalto, Alvar, finn. Arch., * Kuortane 1898, bedeutendster finn. Baukünstler der Gegenwart, tätig in Helsinki u. in den USA, wo er als Lehrer an der Yale-Universität wirkte. A. geht künstlerisch von den Ideen v. d. → Veldes aus, vertritt unter den neuen Richtungen nicht die der strenggeometrischen Gebilde (→ Le Corbusier), sondern die der freien individuellen Formen, die stark in die Umgebung eingebunden werden (F. L. → Wright). Er gilt als Hauptvertreter der modernen Baukunst. Hauptwerke: *Studentenheim* in Cambridge (Mass.). *Volksbibliothek* Viipuri (Wiborg), 1935. *Finn. Pavillon auf der Pariser Weltausst.* 1937 u. auf der *Ausst. New York*, 1939.
Lit.: Ed. u. Cl. Neuenschwander, *Atelier Aalto*, 1954.

Aaltonen, Väinö, finn. Bildhauer, * Karinainen 1894, Hauptmeister der modernen Plastik in Finnland, Schöpfer bedeutender Denkmäler u. Bildnisbüsten, tätig in der Nähe von Helsinki. Hauptwerke: Bronzestatue *Nurmis*, Helsinki, Athenäum. Bronzebüste *Sibelius*, Göteborg, Mus. Denkmal *Aleksis Kivi*, Helsinki.
Lit.: O. Okkonen, 1925. Ders., *Finnische Kunst*, 1943.

Abadie, Paul, franz. Arch., Paris 1812–1884 ebda., Hauptvertreter der historisierenden Bauweise des 19. Jh., Nachfolger → Viollet-le-Ducs in der Wiederbelebung der mittelalterlichen Stile. Werke: Neuroman. Kirchen: *Angoulême, Bergerac, Bordeaux*. Rathäuser: *Angoulême, Jarnac*. 1874 mit dem Bau der *Sacré-Coeur-Kirche*, Paris, beauftragt, dem Hauptbau neuroman. Stiles in Frankreich.

Abaisi, da Baisio, ital. Holzschnitzerfamilie, 14. bis 15. Jh., aus der Provinz Modena, tätig in Ferrara. Die bedeutendsten Vertreter:
Giovanni da Baisio (oder Baiso), † um 1390, fertigte das *Chorgestühl* v. S. Domenico in Ferrara, 1384, ein Hauptwerk der Holzschnitzkunst des 14. Jh.
Tommasino da B., † um 1423, schuf *Schränke* für die Sakristei des Klosters S. Bartolo b. Ferrara; *Chorgestühl* für die Kirche dei Servi in Ferrara, 1405/06 (1598 zerstört).
Arduino da B., † 1454, Sohn des Tommasino, der berühmteste Holzschnitzer s. Zeit in Norditalien. Werke: *Lesepult* für den Chor des Domes v. Ferrara, 1406; *Bücherschrank* für Lionello d'Este, 1435; *Chorgestühl* v. S. Francesco in Ferrara u. v. a.

Aba-Novak, Vilmos, ungar. Maler u. Radierer, Budapest 1894–1942 ebda., Vertreter der modernen ungar. Malerei. Landschaften, Stadtansichten, figürliche Kompositionen, bes. auch Fresken. Begann im impressionist. Stil, später expressionist. beeinflußt. Vertreten in Budapest, Gal. u. Landesmus.
Lit.: E. Kallai, *Neue Malerei in Ungarn*, 1925. *Kat. Ausst. Ungar. Malerei d. Gegenw.*, Berlin 1942/43. Vollmer, 1953.

Abbate, Niccolò dell', gen. Messer Niccolò, ital. Maler, Modena um 1512–1571 Fontainebleau, bedeutender Vertreter des oberital. Manierismus, 1552 Mitarbeiter u. Nachfolger → Primaticcios (Schule v. → Fontainebleau). In s. Stil ging er von den oberital. Manieristen aus, von → Correggio beeinflußt, war in Frankreich die ausführende Hand Primaticcios u. hat dort dessen Stil verbreitet. Religiöse, mythol. Werke u. Landschaften. Beisp.: *Martyrium der Apostel Peter u. Paul*, 1547, Dresden, Gal. Landschaften mit mythol. Figuren, Rom, Gall. Borghese; Paris, Louvre; London, Nat. Gall. Handzeichn., Entwürfe für Teppiche u. Emailarbeiten in London, Brit. Mus.; Paris, Louvre.
Lit.: Venturi IX, 6, 1933. H. Bodmer, *Correggio u. d. Malerei der Emilia*, 1942. Ders., *Die Landschaften des N. d. A.* in: Pro arte, 1945.

Abbati, Giuseppe, ital. Maler, Neapel 1836–1868 Florenz, Vertreter des gemäßigten Realismus, ausgebildet an der Akad. Venedig. Schilderungen aus dem Naturleben u. Bauernszenen in zurückhaltender Freilichtmalerei, in einer etwa mit J. → Breton zu vergleichenden Art. Vertreten in den Gall. d'arte mod. v. Florenz u. Mailand.

Abbé, Salomon van, holl.-engl. Stecher, Buchillustrator u. Maler, * Amsterdam 1883, ansässig u. naturalisiert in London. Darst. aus dem Leben der Richter, Polizei-, Zoll- u. Aufsichtsbeamten.

Abbey, Edwin Austin, amerik. Maler, Philadelphia 1852–1911 London, Nachfolger der → Präraffaeliten, seit 1883 in England tätig. Hauptwerk: *Bilder aus der Geschichte des hl. Grals* in der Bostoner Bibliothek. Vertreten in New York, Metrop. Mus.; Boston, Mus.; London, Nat. Gall.; ferner Illustrationen zu den Werken engl. Dichter.
Lit.: E. V. Lucas, 1921.

Abbiati, Filippo, ital. Maler, Mailand 1640–1715 ebda., Meister des oberital. Barock, Schüler des C. F. → Nuvolone in Mailand, Lehrer → Magnascos. Hauptwerk: *Kuppelfresken in S. Alessandro Martire,* Mailand (gemeinsam mit Federigo Bianchi), ferner Altarbilder in Padua, Pavia, Bergamo, Turin, Mailand.

Abel, Adolf, dt. Arch., * Paris 1882, tätig in München, Schüler der Techn. Hochschule Stuttgart u. von → Wallot in Dresden, seit 1925 Stadtbaudirektor in Köln, seit 1930 Prof. der Techn. Hochschule München. Werke: Der neue *Universitätsbau* Köln, 1928; Kraftwerke u. a.

Abel de Pujol, Alexandre-Denis → Pujol, Abel de.

Aberli, Johann Ludwig, schweiz. Maler u. Radierer, Winterthur 1723–1786 Bern, Vertreter der Berner Kleinmeister, Schüler H. Meyers in Winterthur u. J. Grimms in Bern, war sehr erfolgreich mit s. in Umrissen radierten, getuschten u. in 3 Farben kolorierten Schweizer Landschaften (sog. Aberlische Manier). Unter s. zahlreichen Schülern sind zu nennen: J. J. → Biedermann, → Lory d. Ae., P. → Birmann, H. → Rieter, die ebenfalls zu den Berner Kleinmeistern gerechnet werden. Gemälde im Kunstmus. Bern; Rad. u. Zeichn. bes. in den graph. Slgn. v. Bern, Basel, Winterthur, Zürich.
Lit.: B. Geiser, Diss. Bern, 1924. F.-C. Longchamp, 1927. W. Hugelshofer, *Schweizer Kleinmeister,* 1943.

Abildgaard, Nicolai, dän. Maler, Kopenhagen 1743 bis 1809 Frederiksdal, Klassizist des ausgehenden 18. Jh., der durch s. pädagog. Tätigkeit – seit 1789 Direktor der Akad. Kopenhagen – die dän. Kunstentwicklung entscheidend mitbestimmte; Lehrer → Thorwaldsens. Sein Hauptwerk, Malereien für Schloß Christiansborg, verbrannte 1794. Tafelbilder: *Philoktet,* 1775; *Ossian,* Kopenhagen, Gal.

Achen, Hans v. → Aachen, Hans v.

Achenbach, Andreas, dt. Maler, Kassel 1815–1910 Düsseldorf. Ehemals beliebter Landschafter der Düsseldorfer Schule. Knüpfte an die Holländer des 17. Jh. an, was zeitweilig als Befreiung vom klass. Akademismus empfunden wurde. Seestücke, Strandu. Küstenbilder. Starke Begabung, die sich aber in äußerlicher Routine immerfort wiederholte. Werke: Bes. stark vertreten in Düsseldorf, Gal.: *Hardanger Fjord,* 1835; Berlin, Nat. Gal.: *Holl. Hafen,* 1866; Dresden: *Amsterdamer Gracht;* Karlsruhe: *Untergang des Präsidenten,* 1835. Ferner München, N.P. u. v. a.
Lit.: Rosenberg, *Aus d. Düsseldorfer Malerschule,* 1890. G. Voss, 1896. O. Fischer, *Geschichte d. dt. Malerei,* 1942.

Achenbach, Oswald, dt. Maler, Düsseldorf 1827 bis 1905 ebda., Bruder v. Andreas → A. Begann als Schüler s. Bruders, dann viele Reisen, Studien nach der Natur. Seinerzeit sehr geschätzt wegen s. südital. Landschaften u. Genrebilder: Feste, Prozessionen usw. Sehr begabt, erliegt aber wie s. Bruder den Konzessionen an den Publikumsgeschmack. Werke: Gut vertreten in Hamburg, Kunsthalle: *Ital. Klostergarten,* ca. 1860. Bremen: *Mondscheinlandschaft,* 1845. Berlin, Nat. Gal.: *Marktplatz in Amalfi* u. v. a.
Lit.: Cäcilie Achenbach, 1912. O. Fischer, *Geschichte d. dt. Malerei,* 1942. J. H. Schmidt, 1944.

Achmann, Josef, dt. Maler u. Holzschneider, * Regensburg 1885, ansässig in Schliersee. Studierte 1912 bis 1914 an der Akad. Paris. Hrsg. der Zschr. «Die Sichel». Hauptsächlich Landschafter, von → Cézanne beeinflußt. Vertreten in München, Staatsgal.

Acht, René-Charles, schweiz. Maler, * Basel 1920, Vertreter der abstrakten Kunst, war an der 5. Biennale der Jungen in Sao Paulo (Brasilien) beteiligt.
Lit.: M. Seuphor, *Dict. peint. abstr.,* 1957.

Ackermann, Max, dt. Maler u. Graphiker, * Berlin 1887, Vertreter der abstrakten Malerei, tätig in Stuttgart; studierte 1906 bei H. van der → Velde in Weimar, 1908 bei Richard Müller in Dresden, war 1918/19 Mitglied des «Blauen Reiter». Begann 1919 zu radieten: Sittenbilder in der Art von → Dix u. G. → Grosz, doch weniger ätzend; 1928 Begegnung mit → Kandinsky; später Übergang zur abstrakten Kunst, die A. «absolute Kunst» nennt.
Lit.: Ausst.-Kat. dt. Malerei u. Plastik d. Gegenw., Köln 1949. Ausst.-Kat. dt. Künstlerbund, Berlin 1950. W. Grohmann, 1955. M. Seuphor, *Dict. peint. abstr.,* 1957.

Adam, Nördlinger Künstlerfamilie; deren bedeutendster Vertreter:
Albrecht, dt. Maler, Nördlingen 1786–1862 München. Tier- u. Schlachtenmaler. 1810ff. Hofmaler des Vizekönigs von Italien, Augenzeuge des russ. Feldzugs 1812. Für den König von Bayern malte er die

Schlacht an der Moskwa im Festsaalbau der Münchner Residenz, 1835. Im ital. Krieg 1848/49 Maler im österr. Hauptquartier: *Schlachten von Custozza u. Novara* u. Bildnis des *Feldmarschalls Radetzky*. Letztes Bild: *Schlacht von Zorndorf* im Maximilianeum, München. Bilder in München, N. P.; Berlin, Nat. Gal.; Hamburg, Kunsthalle; Stuttgart, Schloß.

Adam, Georges-H., franz. Bildhauer, * 1904, von → Brancusi beeinflußt. *Liegende*, 1948/49, Paris, Mus. nat. d'art mod.
Lit.: *Ausst.-Kat. Maeght*, Paris 1949. *Ausst.-Kat. Stedel. Mus.*, Amsterdam 1955. C. Giedion-Welcker, *Plastik d. 20. Jh.*, 1955.

Adam, Lambert-Sigisbert, gen. A. l'aîné, franz. Bildhauer, Nancy 1700–1759 Paris, tätig in Rom unter → Bernini, übertrug dessen Hochbarockstil nach Frankreich. Hauptwerk: *Neptunsbrunnen* im Park von Versailles, 1740. Werke in Paris, Louvre; in Potsdam, Schloß Sanssouci u. a. Sein Bruder *Nicolas-Sébastien*, gen. A. le jeune, war s. gelegentlicher Mitarbeiter.

Adam, Robert, schott.-engl. Arch., Kirkcaldy 1728 bis 1792 London, bedeutend als Arch. u. Innendekorateur, nach dem eine neuklass. Stilrichtung, die er zus. mit s. Bruder *James* begründete u. die einen nachhaltigen Einfluß auf die engl. Kunstentwicklung hatte, benannt ist (Adamstil). 1754 ff. Studien an antiken Monumenten in Italien u. insbes. am Diokletianspalast in Spalato, Dalmatien, über den er ein Werk herausgab: «The ruins of the Palace of Diocletian», 1764. Aus diesem archäol. Studium entwickelte er Bauprinzipien, in denen klassisch-antike Elemente mit der engl. Tradition sich glücklich verschmolzen. In einer sehr umfangreichen Bautätigkeit verwirklichte er s. Ideen sowohl an Bauwerken wie in allen Teilen der Innenausstattung: Stuckornamentik (an Wedgwood erinnernd), Möbel usw. 1762–68 Hofarchitekt, 1773 u. 1778 gab er mit s. Bruder zus. eine Serie Radierungen mit Beschreibung s. wichtigsten Werke heraus.
Werke: In Edinburgh die *Universität* (*College*).InLondon: die Häuserreihe v. *Adelphi-Terrace*, ein Teil v. *Portland Place*, das *Haus der Mrs. Montagu* am Portman Square; bes. reizvoll s. Landhäuser mit Innenausstattung: *Lansdown House*, Kenwood; *Lutton House* (1767); *Keddleston Hall* (b. Derby, 1761–65).
Lit.: P. Fitzgerald, *The life and work of R.A.* R. Blomfield, *A history of Renaiss.-architecture in England* 11, 1897. H. Muthesius, *Das engl. Haus*, Berlin, 1905. J. Swarbrick, *R. A. and his brothers*, 1916. A. T. Bolton, *Architecture of R. and James A.*, 1922. J. Lees-Milne, 1947. N. Pevsner, *Europ. Arch.*, 1957.

Adam, Victor-Vincent, franz. Maler u. Lithograph, Paris 1801–1866 Viroflay, Schüler J. B.→ Regnaults.

Bekannt durch s. Historienbilder aus den Napoleonischen Kriegen in Versailles, von denen mehrere durch Lithogr. weite Verbreitung fanden.

Adam, William, schott. Arch., tätig Ende 17. bis Anf. 18. Jh., Stammvater der schott. Architektenfamilie, schuf in klassizist. Stil: *Königl. Krankenhaus*, Edinburgh.

Adam, William Patrick, schott. Maler, * Edinburgh 1854, haupts. Landschaftsmaler: *Morning* (Morgen), Edinburgh, Nat. Gall. *Venice* (Venedig), Aberdeen, Art Gall.

Adams, William, engl. Keramiker, 1745–1805, Schüler von J. → Wedgwood, der hervorragendste Staffordshire-Töpfer u. Erfinder des «Adams Blue». Seine Jasper(-ware)-Erzeugnisse meist v. ihm selbst entworfen, mit «Adams» oder «Adams u. Co» signiert, zeichnen sich durch strenge u. klare Formen in klass. Zeichn. aus.
Lit.: W. Turner, 1904.

Adan, Juan, span. Bildhauer, Taragona Mitte 18. Jh. bis 1816 Madrid. Klassizist akadem. Charakters, bildete sich in Rom; 1814 ff. Direktor der Akad. S. Fernando, Madrid. *Brunnen mit Gruppe des Herkules u. Antaeus* in Aranjuez. *Reiterstatue Karls IV.* im Escorial. *Heiligenstatuen u. Madonnen* in den Kathedralen v. Malaga, Granada u. Jaen.

Adelcrantz, Carl Fredrik, schwed. Arch., Stockholm 1716–1796 ebda., Vertreter des schwed. Klassizismus, leitete die äußere u. innere Vollendung des *königl. Schlosses Stockholm*, baute die *Adolf-Friedrich-Kirche*, ebda., 1768–74 (Zentralkirche); das *königl. Opernhaus*, Stockholm, 1774–82 (1892 niedergerissen). Seine klassizist. Richtung von Bedeutung für die Kunstentwicklung Schwedens.
Lit.: C. R. Nyblom, o. J.

Adriaen van Utrecht → Utrecht, Adriaen.

Aegeri (Egeri) Karl, schweiz. Glasmaler, * Zürich (?) um 1510/15, † 1562 ebda., schuf Glasgemälde in Renaissancestil: *Standesscheiben* für das Rathaus zu Stein a. Rh.; *Glasgemälde* für d. Kreuzgang des Klosters Muri; vertreten in Zürich, Landesmus.

Aelst, Pieter oder Pierre van Edinghen, fläm. Teppichwirker, leitete 1497 ff. ein bedeutendes Atelier. Hauptwerk: Serie der *Taten der Apostel*, nach den Kartons von Raffael, 1515/16–1519, für die Sixtin. Kapelle, Rom, bestimmt, heute im Vatikan. 7 Wandteppiche im South Kensington Mus., London.
Lit.: E. Müntz, *Les tapisseries de Raphaël au Vatican*, 1897. H. Göbel, *Wandteppiche I. Die Niederlande*, 1923.

Aelst, Willem van, niederl. Stillebenmaler, Delft um
1625 bis nach 1683 Amsterdam, malte im Stofflichen
fein charakterisierte Stilleben, aus Wildbret, Fischen,
Früchten, Blumen u. Tischgerät zusammengestellt.
Werke: in vielen europ. Mus., bes. in Amsterdam,
Den Haag u. Rotterdam. Beisp.: *Früchtestück,* Kassel,
Gal. *Stilleben* v. 1651 in Kopenhagen, v. 1653 in
Berlin.
Lit.: W. Bernt, *Niederl. Maler d. 17. Jh.*, 1948.

Aertsen, Pieter, niederl. Maler, 1508–1575 Amsterdam, Stilleben- u. Genremaler, namentlich Szenen
aus dem Bauernleben in kräftigem Naturalismus,
vielfach mit bibl. Szenen im Hintergrund. Schüler
des Allart Claesz, 1535 in die Antwerpener Lukas-
gilde aufgenommen, 1555 ff. wieder in Amsterdam.
Zu s. Zeit ungemein geschätzt, s. großen Altarwerke
im Bildersturm zerstört. Werke: *Kreuztragung mit
zahlreichen Figuren,* 1552, Berlin. *Eiertanz* 1557, Amsterdam. *Figur einer Köchin,* 1559, Genua, Pal.Bianco.
Christus bei Maria u. Martha, 1559, Brüssel. *Christus
u. die Ehebrecherin,* 1559, Frankfurt, Städel.
Lit.: I. Sievers, 1908. M. J. Friedländer, *Altniederl.
Malerei* 13, 1936. R. Genaille in: Gaz. des beaux-
arts, nov. 1954.

Aeschbacher, Hans, schweiz. Bildhauer, * Zürich
1906, Vertreter der abstrakten Plastik, kam um 1945
zur ungegenständlichen Kunst, seit 1953 nehmen
die Stelen oder Menhire, jene «Türme aus gebündel-
ten Keilen», einen großen Raum s. Produktion ein.
Vertreten in den Mus. Bern, Biel, Zürich, Dortmund
u. a.
Lit.: M. Joray, *Schweizer Plastik d. Gegenw.*, 2 Bde.,
1955–59. H. Fischli/M. Seuphor, 1959. M. Seuphor,
Plastik unseres Jh., 1959. Schweiz. Lex. d. 20. Jh.

Aëtion, griech. Maler u. Erzbildner, 2. Hälfte 4. Jh.
v. Chr., Zeitgenosse des → Apelles. Es ist zwar kein
Werk des A. erhalten, aber die antike Überlieferung
rühmt ihn als einen der bedeutendsten Maler. Die
Hochzeit Alexanders d. Gr. mit Roxane, einer
baktrischen Prinzessin, stellte er in einem Bilde dar,
dessen Anmut hoch gepriesen wurde. Wir kennen
die Komposition aus der Beschreibung Lukians,
nach der → Raffael u. → Sodoma versuchten, sie
nachzuschaffen. Alexander reichte Roxane, die auf
dem Brautlager saß, einen Kranz. Neben ihm stand,
auf Hymenaios gestützt u. die Fackel haltend, sein
Freund Hephaistion.
Lit.: Pauly-Wissowa, *Realenc.* 1. E. Pfuhl, *Mal. u.
Zeichn. d. Griechen*, 1923.

Afro, eig. A. Basaldella, ital. Maler, * Udine 1912,
gehört zu den führenden Vertretern der abstrakten
Malerei in Italien; hatte 1941–44 den Lehrstuhl für
Mosaikmalerei an der Akad. Venedig inne; gehört
der von Corrado Cagli gegründeten sog. 2. röm.

Schule an. Begann unter dem Einfluß des Kubismus;
auch surrealist. Tendenzen; ging allmählich zur
Abstraktion über. Vertreten in Rom, Gall. mod. u.
Detroit, Inst. of Arts.
Lit.: Vollmer, 1953. W. Hofmann, *Zeichen u. Gestalt,*
1957. M. Seuphor, *Knaurs Lex. abstr. Mal.*, 1957.
Neue Kunst nach 1945, hg. v. W. Grohmann, 1958.

Agasias, griech. Bildhauer aus Ephesos, 1. Jh.
v. Chr. Von ihm signiert der sog. *Borghesische
Fechter*, Marmorstatue, Paris, Louvre. Wahrschein-
lich handelt es sich um eine Marmorkopie eines
Originals aus Erz aus der Zeit des → Lysipp.
Lit.: Löwy, *Griech. Plastik,* 1911. L. Curtius, *Klass.
Kunst Griechenlands* (Handb. d. K. W.), 1938. G.
Lippold, *Griech. Plastik* in: Hb. d. Archäol. III, 1,
1950.

Agasse, Jacques-Laurent, schweiz. Maler, Genf
1767–1849 London, neben W. A. → Toepffer u.
→ Massot Hauptvertreter der Genfer Schule zu
Anfang des 19. Jh. Bildete sich 1786–89 in Paris bei
J.-L. → David aus, 1790 erstmals in London, wohin
er später ganz übersiedelte. Genrebilder im Bieder-
meierstil, Historien u. Porträts, wandte sich aber
ganz bes. der Tiermalerei zu u. wurde ein hervor-
ragender Pferdedarsteller, der in England mit
→ Stubbs u. S. → Gilpin rivalisieren konnte. Gut
vertreten in Genf, Mus., ferner in Winterthur.
Lit.: D. Baud-Bovy, *Peintres genevois* 2, 1902.
L. Gielly, *L'Ecole genevoise de peinture*, 1935. Huggler/
Cetto, *Schweiz. Malerei im 19. Jh.*, 1942.

Agneesens, Edouard, belg. Maler, Brüssel 1842 bis
1885 Uccle, Schüler von → Portaels, beeinflußt von
→ Meunier, Vertreter des belg. Realismus, entfaltete
eine reiche Porträtistentätigkeit in Brüssel. 1869 in
Petersburg. Vertreten in Gent, Mus.

Agnolo, Baccio d' → Baglioni.

Agorakritos, griech. Bildhauer aus Paros, Ende
5. Jh. v. Chr., Schüler des → Phidias, Schöpfer
großer Götterbilder. Hauptwerk: *Statue der Nemesis
von Rhamnus ;* davon Bruchstücke erhalten in London,
Brit. Mus. u. Athen, Nat. Mus. Anderes berühmtes
Hauptwerk: *Sitzende Göttermutter im Metroon* (Tempel
der Göttermutter) zu Athen. Von ihr ist nichts erhalten; doch haben wir eine Vorstellung davon aus
späteren Kopien (z. B. Marmorrelief aus Athen,
Berlin, Mus.). Der Heratypus der sog. *Hera Barberini*, Rom, Pal. Spada, geht viell. auf ein Werk des
A. zurück.
Lit.: L. Curtius, *Klass. Kunst Griechenlands* (Handb.
d. K. W.), 1938.

Agostiniello, eig. Agostino Beltrano, ital. Maler,
Neapel um 1616–1665 ebda., Meister des neapol.

Barock, Schüler → Stanzionis, malte Fresken u. Tafelbilder für Kirchen in Neapel.
Lit.: G. Ceci in: Th.-B. 1909.

Agostino di Duccio, auch *Agostino da Firenze* gen., ital. Bildhauer, Florenz 1418–1481 ebda., Meister der florent. Frührenaissance, unter dem Einfluß → Donatellos. Von → Alberti für den *Innenschmuck des Tempio Malatestiano* in Rimini, voll. 1454, beigezogen. Hauptwerk: Fassadenschmuck der v. Alberti entworfenen Kirche *S. Bernardino* in Perugia, 1457–61. Ferner: Reliefs der *Domfassade v. Modena.*
Lit.: A. Pointner, 1909. C. Ricci, *Il Tempio Malatestiano,* o. J. A. Venturi 6, 1908.

Agostino di Giovanni, ital. Bildhauer des 14. Jh. aus Siena, nachweisbar 1310–50, Meister aus der Schule der Pisani. Hauptwerk: *Grabmal des Bischofs Guido Tarlati,* Arezzo, Kathedrale, 1330 (zus. mit Agnolo di Ventura). Mit s. Wandsarkophag, dem Bildnis des Verstorbenen, den Engeln, welche die Vorhänge des Sarkophags zurückziehen u. den Reliefs aus dem Leben des Verstorbenen ist dieses Grabmal eine kompositorische Neuheit von großer Kühnheit. Weitere Werke, meist gemeinsam mit Agnolo di Ventura: *Wandgrabmal Papst Gregors X.,* ebda. Grabmäler in der Kathedrale v. Pistoia. Werke in Siena u. Florenz. Auch Architekt.
Lit.: A. Venturi IV, 1906.

Agostino Veneziano, eig. A. dei Musi, gen. A. V., ital. Kupferstecher, * um 1490, 1514–40 in Venedig nachweisbar, Hauptschüler des M. A. → Raimondi. Er stach nach → Raffael, → Giulio Romano, → Bandinelli u. a. Neben figürlichen Darst. auch antike Architekturen, die A. eifrig studierte, ferner Ornamentstiche. Bes. bekannt s. Grotesken; s. Stiche fanden weite Verbreitung u. trugen zur Kenntnis der ital. Renaissanceformen im Norden bei.
Lit.: A. Brinckmann, *Die prakt. Bedeutung d. Ornamentstiche* (Stud. z. dt. Kunstgesch. 90), 1907. L. Pulvermacher in: Th.-B. 1931.

Agrate, Marco d', ital. Bildhauer des 16. Jh., aus Agrate (bei Monza) stammend, * um 1500, tätig in Mailand. Marmorstatue des *Geschundenen Bartholomäus,* 1562, Mailand, Dom (von raffinierter anatom. Exaktheit). *Grabmonument des Mailänder Senators Giov. del Conte* in der Cappella di S. Ippolito in S. Lorenzo, Mailand, 1556–58.
Lit.: F. Malaguzzi-Valeri in: Th.-B. 1907.

Agresti, Livio, ital. Maler, 16. Jh., tätig in Rom u. Forlì um 1550–80, Vertreter der Manieristen im Gefolge → Michelangelos, in s. Art an → Vasari erinnernd, schuf Werke für Kirchen in Rom, von denen kaum etwas erhalten ist. Dagegen ist einiges in Forlì erhalten, in der Pinac. ebda., im Dom zu Terni u. a.

Agricola, Christoph Ludwig, dt. Maler, Regensburg 1667–1719 ebda., Vertreter der «Heroischen Landschaft», unter Einfluß von → Poussin u. C. → Lorrain. Liebte kräftige Lichtwirkungen u. romant. Stimmung mit Ruinenbeiwerk u. oriental. Staffage. Zu s. Zeit sehr beliebt, ständig auf Reisen in England, Holland, Frankreich. Werke in vielen Mus.: Dresden, Kassel, Wien, Schwerin, Florenz, Neapel usw.

Agricola, Filippo, ital Maler, Urbino 1776–1857 Rom, Vertreter des Klassizismus. Altarbilder; vor allem bedeutende Bildnisse. Werke: *Altarbild in S. Giovanni in Laterano,* Rom. *Bildnis Gräfin Perticari,* Rom, Gall. d'arte mod. Weitere Werke ebda.

Agricola, Rudolf, dt. Bildhauer, * Moskau 1912, Schüler von G. → Marcks in Halle, 1933 von R. → Scheibe in Frankfurt; in s. Stil von → Kolbe ausgehend, von → Maillol beeinflußt, schuf haupts. Akte. Vertreten in Hamburg, Kunsth., u. Frankfurt, Städt. Gal.
Lit.: H. W. Keiser, 1943. *Ausst.-Kat. dt. Malerei u. Plastik,* Köln 1949.

Ahlers-Hestermann, Friedrich, dt. Maler, * Hamburg 1883, Schüler von → Matisse in Paris, wo er bis 1914 lebte. 1918 ff. in Hamburg ansässig, 1928 bis 33 Prof. an den Kölner Werkschulen. Bildnisse, figürliche Kompositionen, Landschaften, Stilleben. Seine Kunst verarbeitete Einflüsse der → Fauves, des Kubismus u. a. Kunstströmungen selbständig. Werke in den Mus. v. Berlin, Darmstadt, Hamburg, Köln, Stettin, Wiesbaden u. a.

Aichel, Johann Santin → Santini, Giovanni.

Ainmiller, Max E., dt. Maler, München 1807–1870 ebda., bedeutender Glasmaler, schuf u. a. *Fenster für den Kölner u. Regensburger Dom* u. für die *Paulskirche* in London. Auch s. Architekturbilder waren sehr beliebt. Vertreten in München, N. P.

Aition → Aëtion.

Aiwasowskij, Iwan, russ. Maler, Feodosia (Krim) 1817–1900 ebda., bedeutender Meer- u. Landschaftsmaler, Spätromantiker. Werke in Leningrad u. Moskau.
Lit.: O. Wulff, *Neuruss. Kunst,* 1930.

Aix, Meister der Verkündigung von → Meister der Verkündigung von Aix.

Aizelin, Eugène, franz. Bildhauer, Paris 1821–1902 ebda. Bildwerke in Stein u. Marmor für Kirchen u. öffentliche Bauten in Paris u. a.
Werke: *La danse,* 1863, Paris, Théâtre du Châtelet. *Die hll. Gregorius u. Cyrillus,* 1863, ebda., Trinité-

Kirche. *Psyché*, 1863, Quimper, Mus. *Büste Horace Vernet*, 1871, Paris, Institut de France. *Sainte Geneviève u. Saint Honoré*, 1875, ebda., Saint-Roch. *L'idylle*, ebda., im Hof des Louvre. Werke im Luxembourg-Mus., Paris; Reims, Montpellier, Nantes u. a.

Ajdukiewicz, Sigmund, poln.-österr. Maler, Witkowice 1861–1917 Wien. Genrebilder aus dem poln. Leben, ferner Bildnisse, Illustrationen u. a.

Aken, Hieronymus van → Bosch, Hieronymus.

Alamagna, Giovanni d', ital. Maler dt. Abstammung, * Padua 1450, mit A. → Vivarini zus. Begründer der sog. Schule von Murano, deren Hauptmeister → Crivelli war, tätig in Murano. Es sind nur Werke erhalten, die A. in Ateliergemeinschaft mit Vivarini schuf. Hauptwerke: *Thronende Madonna mit Kirchenvätern* (mit Vivarini) 1446, Venedig, Akad. *Altäre in S. Zaccaria*, Venedig. *Krönung Mariä*, 1440, Venedig, Gall. *Thronende Madonna mit Kind*, Mailand, Mus. Poldi-Pezzoli.
Lit.: E. v. d. Bercken, *Malerei d. Renaiss. in Oberital.* (Hdb. d. KW), 1927. R. v. Marle, *Ital. schools of paint.* 17, 1935.

Alaux, Jean, franz. Maler, Bordeaux 1786–1864 Paris, nicht sehr bedeutender Akademiker, für den Louis-Philippe eine Vorliebe hatte. Er ließ ihn mehrere hundert Schlachtenbilder für Versailles malen, die Kuppel des Senatspalastes mit dekorativen Malereien schmücken, u. a.

Albani, Francesco, ital. Maler Bologna 1578–1660 ebda., einer der Hauptschüler der → Carracci. Ausgebildet vom Manieristen → Calvaert, schließt sich später der Carracci-Schule an u. wird ein wichtiges Glied der Schule. Um 1600 folgte er Annibale → Carracci nach Rom, blieb dort bis 1616 u. ging dann wieder nach Bologna. Er war an der Ausmalung des Pal. Farnese, Rom, u. vielen anderen Werken der Carracci beteiligt; auch zahlreiche eigene Altarwerke, haupts. in Bologna u. Rom. Berühmt durch s. Landschaftsbilder mit mythol. Szenen, Puttenreigen usw.: *Rundbilder der 4 Elemente*, Gall. Borghese, Rom u. Turin, Pinac., 1635. Ähnliche finden sich in allen größeren Slgn. Galt als einer der ersten Maler s. Zeit; die Nachwelt hat sich diesem Urteil nicht angeschlossen.
Weitere Werke: *Taufe Christi*: Bologna, Pinac. *Hl. Familie*: Mailand; Dresden; Paris; Florenz, Pitti. *Hl. Sebastian*: Forlì, Pinac. *Entführung der Europa*: Florenz, Uff.; Leningrad, Eremitage; Dresden; Mailand. *Apollo u. Daphne*: Louvre. *Bacchus tröstet Ariadne*: Karlsruhe.
Lit.: H. Tietze, *Annibale Carraccis Galerie* in: Österr. Jb. 1906. Pevsner, *Barockmalerei* (Handb. d. K. W.). G. Delogu, *Ital. Malerei*, 1948.

Albers, Josef, dt. Maler, Graphiker u. Kunstpädagoge, * Bottrop (Westf.) 1888, Meister des Konstruktivismus, tätig in New Haven (Conn., USA). 1923ff. Lehrer am Bauhaus in Weimar, später in Dessau bis zu dessen Auflösung 1933, emigrierte nach den USA, 1933–48 Prof. am Black Mountain College (North Carolina) u. 1950 ff. am Inst. of Fine Arts der Yale-Universität in New Haven. A. steht künstlerisch der Richtung H. → Arps nahe, war beeinflußt vom Konstruktivismus der De → Stijl-Gruppe u. schuf in s. Bauhauszeit vor allem farbige Glasfenster (leitete die Werkstatt für Glasmalerei). In den USA entwickelte er s. Stil weiter als Gebrauchsgraphiker u. Entwerfer von Gebrauchsgütern. Er gilt als einer der besten Kunstpädagogen. Werke: *Farbige Glasfenster* am ehem. *Bauhaus;* im *Ullstein-Haus*, Berlin; im *Grassi-Mus.*, Leipzig.
Lit.: *American abstract artists*, 1946. *Coll. of the Société Anonyme, Yale Univ. Art Gall.*, 1950. *Knaurs Lex.*, 1955. M. Seuphor, *Dict. peint. abstr.*, 1957.

Alberti, Leone Battista, ital. Arch., Kunstschriftsteller u. Gelehrter, Venedig 1404–1472 Rom, Mitbegründer der ital. Renaissance, aus vornehmer florent. Familie, in Padua u. Bologna seine universale Bildung vertiefend, studierte 1432–34 die antiken Denkmäler in Rom, später haupts. in Florenz lebend, in geistigem Austausch mit dem Humanistenkreise u. mit Künstlern wie → Brunelleschi u. → Donatello. A., der auf allen Gebieten humanist. Kultur schöpferisch tätig war, war auf dem Gebiete der Kunst der einflußreichste Theoretiker s. Zeit; in s. eigenen Bauwerken, welche den Geist der Antike aufs stärkste vermitteln, war er richtungweisend. Für viele Große s. Zeit lieferte er Bauentwürfe; die Ausführung überließ er meist andern.
Hauptwerke: für Sigismondo Malatesta entwarf er *S. Francesco* in Rimini, 1446–55, als Ruhmestempel der Malatesta in klass.-antiken Bauformen; für Lodovico Gonzaga: *S. Andrea* in Mantua, eine Kirche, die in vielem Vorbild wurde sowohl für den Petersdom wie für die ganze Kirchenbaukunst der Folgezeit: Tonnengewölbe, Kuppel, große Pilasterordnung, Tempelgiebel an der Außenfront usw. (voll. nach A.s Tode); für Giovanni Rucellai: *Pal. Rucellai*, Florenz, ca. 1446–51, mit beispielhafter Fassadengliederung: Pilaster u. Rundbogen; Fassade v. *S. Maria Novella* in Florenz, voll. 1470. Kunsttheoret. Schriften: «Della pittura», Basel 1540, dt. Ausg. v. H. Janitschek, 1877, eine in Florenz um 1435 entstandene Schrift über die neuen Aufgaben der Malerei. «De re aedificatoria», Florenz 1485, dt. v. M. Theuer, 1912, eine um 1450 entstandene Schrift über die Baukunst u. die antiken Vorbilder.
Lit.: G. Mancini, *Vita di L. B. A.*, 1911. W. Fleming, *Begründung d. mod. Ästhetik u. Kunstwiss. durch A.*, 1916. Venturi, 1927. M. L. Gengaro, 1939. J. v. Schlosser, *Kunstliteratur*, 1924. Wittkower in:

Journal of the Warburg and Courtauld Inst. 4, 1941. N. Pevsner, *Europ. Architektur*, 1957 (mit Bibliogr.).

Albertinelli, Mariotto, ital. Maler, Florenz 1474 bis 1515 ebda. Hochrenaissancemeister aus dem Umkreis Fra → Bartolommeos, mit dem er 1509–12 in Werkstattgemeinschaft arbeitete. Hauptwerk: *Heimsuchung*, 1503, Florenz, Uff. Ferner: *Verkündigung*, 1497, Volterra, Dom. In der Akad., Florenz: *Madonna mit Heiligen; Verkündigung*, 1510. Weitere Gemälde in Paris, Louvre; Wien u. a. Mus.
Lit.: F. Knapp, *Fra Bartolommeo u. die Schule von S. Marco*, 1903. A. Venturi IX, 1, 1925. H. Bodmer, *Opere giov. e tarde di A.* in: Dedalo 1929.

Albertis, Sebastiano de, ital. Maler, Mailand 1828 bis 1897 ebda., Soldaten- u. Schlachtenmaler im Stil des Realismus. Beispiel: *Reiterangriff bei Montebello*, Rom., Gall. d'arte mod.
Lit.: G.Nicodemi, 1935.G.Delogu, *Ital. Malerei*,1948.

Alberts, Jakob, dt. Maler, Westerhever (Schleswig-Holstein) 1860–1941 Malente-Gremsmühlen, «Maler der nordfries. Halligen, der Marschlandschaft u. ihrer Bewohner», in Düsseldorf, München u. Paris ausgebildet, in Berlin u. Hamburg tätig, in mehreren dt. Mus. vertreten.
Lit.: G. Frenssen, 1920.

Albiker, Karl, dt. Bildhauer, * Ühlingen (Baden) 1878. Bedeutender Plastiker der Richtung → Kolbes, 1900 bei → Rodin in Paris, 1919–45 Prof. an der Akad. Dresden, tätig in Ettlingen (Baden). Verbindet in s. Kunst die lockere Modellierung Rodins mit strengem Aufbau der Figur (→ Maillol), schuf vor allem Akte u. Bildnisse, von bedeutendem Einfluß namentlich als Lehrer.
Lit.: *Ausst.-Kat.*, Mannheim 1939.

Albrecht, Karl, dt. Maler, Hamburg 1862–1926 Königsberg, spätimpressionist. Landschaftsmaler, ausgebildet an der Weimarer Kunstschule, 1905 ff. Lehrer an der Akad. Königsberg, schuf Landschaften, Stilleben, Bildnisse.

Alcopley, eig. Alfred L. Copley, dt.-amerik. Maler, * Dresden 1910, 1937ff. in den USA, dort naturalisiert, 1952ff. in Paris, Vertreter der abstrakten Kunst.
Lit.: M. Seuphor, *Ecritures, dessins de A.* in: Les Nourritures terrestres, 1954. Ders., *Deux peintres américains*, 1956. Ders., *Dict. peint. abstr.*, 1957.

Aldegrever, Heinrich, dt. Kupferstecher, Goldschmied u. Maler, Paderborn 1502–1555 Soest. Gehört zu den sog. → Kleinmeistern der dt. Renaissance. Ließ sich frühzeitig in Soest nieder, wo er eine große Tätigkeit entfaltete. Er bildete sich an → Dürer u. dessen Nürnberger Kreis, später ließ er

L. v. → Leyden u. → Raimondi auf sich einwirken u. nahm manierist. Stileigentümlichkeiten an. Charakteristisch dafür s. Folge *Hochzeitstänzer*, 1538, die westfälische Edelleute in ital. Grandezza zeigt. Blätter aus dem Volksleben, antike u. bibl. Historien. Als Ornamentstecher eine der stärksten Begabungen s. Zeit, mit reicher Formphantasie. Seine Ornamentstiche dienten als Vorlage für Töpferarbeiten, Ofenplatten, Goldschmiedearbeiten, Waffen. Seine Bildnisstiche kulturhist. interessant. Nur wenige Malereien von ihm bekannt.
Lit.: M. Geisberg, *Die Münsterischen Wiedertäufer u.A.*, 1907. H. Zschelletzschky, *Die figürl. Graphik A.s*, 1932. Ders., *Das graph. Werk H. A.s* (Studien zur dt. K. G.), 1933. M. Geisberg, 1939. R. Fritz, *A. als Maler*, 1959.

Aldenrath, Heinrich, dt. Maler u. Lithograph, Lübeck 1775–1844 Hamburg, Schüler von J. J. Tischbein, schuf haupts. Miniaturen u. Bildnisse.

Alechinsky, Pierre, belg. Maler, * Brüssel 1927, tätig in Paris, Vertreter der jungen Ecole de Paris; abstrakter, stark von der ostasiat. Kalligraphie beeinflußter Künstler.
Lit.: *Knaurs Lex. abstr. Mal.*, 1957. M. Brion, Ecole de Paris in: *Neue Kunst nach 1945*, hg. v. W. Grohmann, 1958.

Aleksejew (Alexejeff), Fedor, russ. Maler, Petersburg 1753–1824 ebda., Schüler von → Moretti in Venedig, begann mit Theaterdekorationen u. wandte sich später Stadtansichten in der Art Bernardo Belottos (→ Canaletto) zu, was ihm den Namen des «russ. Canaletto» eintrug.

Alemagna, Giovanni → Alamagna, Giovanni d'.

Aleotti, Giovanni Battista, gen. *Argenta*, ital. Arch., um 1546–1636 Ferrara, im Dienste des Herzogs Alfons II. von Este, Erbauer des *Teatro Farnese* in Parma, 1618, einem der größten Theater Europas, in dem er die klass. Elemente des antiken Theaters mit den Bedürfnissen des neuen verband. Ferner: *Universität in Ferrara*, 1587. *Grabmal Ariosts*, Ferrara. *Biblioteca comunale* in der Universität.

Alessi, Galeazzo, ital. Arch., Perugia 1512–1572 ebda. Hauptbaumeister der Spätrenaissance in Genua. Ausgebildet unter → Michelangelo in Rom, 1551 in Genua, nahm führenden Anteil an der baulichen Erneuerung der Stadt. Die bedeutende Kirche *S. Maria di Carignano* ist wesentlich s. Werk. Viele Genueser Paläste im Hochrenaissancestil mit leicht frühbarockem Einschlag: *Parodi-Spinola, Cambiaso, Doria, Sauli, Villa Pallavicini*. In Mailand: Kirchenbauten u. *Pal. Marini*, beg. 1558, mit schönem Säulenhof (jetzt Municipio).

Lit.: Willich/Zucker, *Baukunst d. Renaiss.* (Handb. d. K. W.), o. J.

Alexander, John White, amerik. Maler, Alleghany City b. Pittsburgh 1856–1915 New York. Von → Whistler beeinflußter Künstler, bedeutend als Porträtist: Bildnisse *Walt Whitman*, New York, Metrop. Mus.; *Rodin*, Cincinnati, Mus. *Dame in Grau*, Paris, Luxembourg-Mus. Ferner *Wandgemälde in d. Library of Congress*, Washington.

Alexandros, griech. Maler aus Athen, bekannt nur aus der Künstlersignatur eines 1746 in Herculaneum gefundenen Gemäldes auf Marmor im Stil des 5. Jh. v. Chr.; doch handelt es sich wahrscheinlich um eine Kopie aus der frühen Kaiserzeit.

Alfieri, Benedetto Innocente, ital. Arch., Rom 1700–1767 Turin, Hauptvertreter des ital. Spätbarock in Turin, das. Mitarbeiter → Juvaras u. → Lanfranchis, später ihr Nachfolger u. Hofarch. Kennzeichen s. Stiles sind Strenge u. Klarheit der Formen. Das von ihm erbaute *Neue Theater* in Turin, 1740, galt lange Zeit als schönstes Theater Europas. Weitere Werke: *S. Giovanni Battista*, Carignano. *Pal. Ghilini*, 1732, Alessandria. Entwurf der *Fassade v. St-Pierre*, Genf.
Lit.: G. Chevalley, 1916 (ital.).

Algardi, Alessandro, ital. Bildhauer u. Arch., Bologna 1602–1654 Rom, der neben → Bernini bedeutendste Bildhauer s. Zeit in Rom. Ausgebildet in Bologna, zuerst als Kleinkünstler berühmt. Der Höhepunkt s. künstlerischen Tätigkeit fiel unter die Regierung Papst Innozenz X. (1644–55), als Bernini vorübergehend in Ungnade fiel u. A. an dessen Stelle trat. Er erhielt große Aufträge u. galt als der erste Bildhauer Roms. A. ist auch in s. Stil der Antipode Berninis; er vertritt eine klassizist. Richtung. In s. Hauptwerk, der *Vertreibung Attilas*, von → Raffael beeinflußt. Seine Vorliebe f. das Detail u. saubere Technik lassen ihn für das Porträt bes. geeignet erscheinen. In s. Atelier hatte er viele Schüler: Ercole → Ferrata, Domenico → Guidi, Girolamo → Lucenti, Giuseppe Peroni, Baratta u. a.
Werke: *Marmorbüste des Kardinals Zacchia*, 1626, Berlin (ehem. K.-F.-Mus.). *Bronzestatue Innozenz X.*, nach 1645, Rom, Konservatorenpalast. *Grabmal Leos XI.*, Ende 40er Jahre, Rom, St. Peter. *Brunnen im Damasushof* des Vatikans. Marmorrelief der *Vertreibung Attilas durch Papst Leo I.*, 1650, Rom, St. Peter. Ferner Werke in Bologna, S. Maria della Vita; Genua, S. Carlo; Perugia, S. Domenico u. S. Pietro. Von geringerer Bedeutung als Arch.: *Entwurf der Fassade v. S. Ignazio*, Rom.
Lit.: H. Posse in: Th.-B. 1907. A. E. Brinckmann, *Barockskulptur*, 1919. Fr. Schottmüller, *2 Büsten v. A. im Berliner Schloßmus.* in: Jb. d. preuß. Kunstwiss.

44, 1923. G. Sobotka, *Bildhauerei d. Barockzeit*, Wien 1927.

Aligny, Théodore, gen. Th. Carnelle d'Aligny, franz. Maler u. Radierer, Chaumes 1798–1871 Lyon, Schüler von → Regnault u. Watelet, war eine Zeitlang in Rom, malte hauptsächlich griech. u. röm. Landschaften mit Rekonstruktionen antiker Denkmäler u. mit mythol.-hist. Szenen; auch Landschaften aus der Schweiz u. aus dem Walde von Fontainebleau; Einflüsse auch von → Ingres; von A. auf → Corot. Werke in Paris, Louvre u. a. franz. Mus.

Ali Riza-J-Abbasi → Riza, Abbasi.

Alibrando (Alibrandi), Girolamo, gen. Il Raffaello da Messina, ital. Maler, Messina 1470 bis um 1524 ebda. Schüler → Leonardo da Vincis in Mailand, → Raffaels in Rom; in Venedig, Ferrara u. Parma, später in Messina tätig. Hauptwerk: *Darstellung im Tempel*, 1519, Messina, Mus.
Lit.: A. Muñoz in: Th.-B. 1907. L. Biagi in: Enc. Ital. 1929. A. Venturi IX, 5, 1932.

Alkamenes, griech. Bildhauer, 2. Hälfte 5. Jh. v. Chr., galt im Altertum als bedeutendster Schüler des → Phidias u. Fortsetzer s. Kunst. Sein berühmtestes Werk war die sog. «Aphrodite in den Gärten». Es ist kaum etwas von s. Kunst erhalten, sei es im Original, sei es in röm. Kopien. In dem Fragment einer schönen Gewandfigur aus parischem Marmor der Akropolis von Athen glaubt man einen Überrest s. Gruppe *Prokne u. Itys* zu erkennen. In Pergamon wurde eine Kopie s. *Hermes Propylaios* gefunden. Die röm. Kopie einer *Artemis Hekate* befindet sich in Berlin. Die röm. Marmorfigur eines Diskuswerfers, Rom, Vatikan. Mus., hat man, ohne ganz zureichende Gründe, mit s. berühmten *Ehernen Siegerstatue des Eukrinomenos* in Beziehung gebracht.
Lit.: L. Curtius, *Klass. Kunst Griechenlands* (Hdb. d. KW), 1938.

Allan, David, engl. (schott.) Maler, Alloa 1744 bis 1796 Edinburgh, war 1764–77 in Italien, Schüler von G. → Hamilton in Rom, seit 1777 in London, seit 1780 in Edinburgh, malte neben Bildnissen vor allem Genrebilder aus dem schott. Volksleben, womit er eine neue Gattung begründete u. Vorläufer → Wilkies wurde; auch «der schott. Hogarth» gen. Gut vertreten in Edinburgh, Nat. Gall.
Lit.: C. Gordon, *D. A. of Alloa, the Scott. Hogarth*, 1951.

Allan, William, schott. Maler, Edinburgh 1782 bis 1850 ebda. Genre- u. Historienbilder; befreundet mit Walter Scott, dessen Bildnis er schuf (London, Nat. Portr. Gall.).

Allegrain, Christophe-Gabriel, franz. Bildhauer, Paris 1710–1795 ebda., Vertreter des Rokoko. Bildwerke in der Art von → Pigalle; dieser war s. Schwager u. arbeitete an zahlreichen s. Werke mit. Eigene Werke: *Badende*, 1767, Marmorstatue, Paris, Louvre. *Diana*, ebda.

Allegrain, Etienne, franz. Maler, Paris 1644–1736 ebda., Landschaftsmaler im klass. franz. Stil, vertreten in den Mus. von Paris (Louvre), Versailles, Dijon, Alençon, Tours, Besançon.

Allegretto Nuzi → Nuzi, Allegretto.

Allegri, Antonio → Correggio.

Allemand → L'Allemand.

Allers, Christian Wilhelm, dt. Maler u. Lithograph, Hamburg 1857–1915 Karlsruhe, schuf Porträts u. Genrebilder, als Lithograph die Zyklen: *Spreeathener* (30 Bl.); *Hochzeitsreise in die Schweiz* (30 Bl.) u. a.

Allio, Donato Felice d', ital.-österr. Arch., * um 1690, † um 1780 Wien (?), von einer aus dem Valtellin stammenden Familie, die wohl schon längere Zeit in Wien ansässig war. Vertreter des österr. Spätbarock, Schüler J. B. → Fischer v. Erlachs, Hauptwerk: *Salesianerkirche* in Wien, 1730 voll., eine der bedeutendsten Barockkirchen Wiens.

Allori, Alessandro, ital. Maler, Florenz 1535–1607 ebda. Schüler des → Bronzino, bildete sich in Rom weiter an Bildwerken der Antike u. an → Michelangelo, 1560 ff. wieder in Florenz. Werke: Fresken in Florenz, S. Maria Novella; in SS. Annunziata: *Jüngstes Gericht* u. *Christi Geburt*. In der Villa Poggio a Caiano (b. Florenz), 1585: *Ereignisse aus dem Leben großer Männer des Altertums*. Tafelbilder in den Uff.: *Hochzeit zu Kana, Opfer Abrahams*. Porträts, ebenfalls in den Uff.: *Porträt der Bianca Capello;* ebda. Kartons für Teppiche.
Lit.: H. Voss, *Die Malerei d. Spätrenaiss. in Rom u. Florenz*, 1920. A. Venturi IX, 6, 1933.

Allori, Cristofano, ital. Maler, Florenz 1577–1621 ebda. Sohn u. Schüler von Alessandro A., arbeitete mit starken Farbeffekten. Hauptwerk: *Judith*, Florenz, Uff. Bibl. Szenen u. Porträts in den Uff. u. im Pal. Pitti, Florenz.
Lit.: H. Koritzer, Leipz. Diss., 1926.

Allston, Washington, amerik. Maler, Waccamaw (Südkarolina) 1779–1843 Cambridge (Mass.), kam 1801 an die Londoner Akad., trat zu B. → West in nähere Beziehung, dann Aufenthalt in Rom, mit → Thorwaldsen befreundet, 1813 nach Amerika zurück. Hist. Bilder im klassizist. Stil; s. Bestes gab

er in Bildnissen: *Benjamin West*, Boston, Athenäum; *Coleridge*, 1814, London, Nat. Portr. Gall.

Alma-Tadema, Lawrence, holl.-engl. Maler, Dronrijp 1836–1912 Wiesbaden, Schüler der Antwerpener Akad. unter → Wappers u. de Keyzer, dann von H. → Leys, 1870 in England, wo er bald heimisch wurde. Seine Spezialität: antike Sittenbilder in genrehafter Auffassung mit peinlich getreuer Wiedergabe aller stofflichen Einzelheiten, entsprach dem damaligen Zeitgeschmack u. brachte ihm Ruhm u. Ehren. Seine zweite Gattin *Laura* A. (1852–1909) malte Genrebilder, s. Tochter *Anna* Landschaften, Figurenbilder u. Bildnisse.
Lit.: H. Zimmerer, 1902. Standing, 1905.

Alsloot, Denis van, niederl. Maler, * um 1550, † um 1628 in Brüssel, wo er tätig war, Meister der fläm. Landschaft u. von Landschaften mit mythol. Staffagefiguren, 1599 ff. im Dienste des Erzherzogs Albert u. dessen Gattin Isabella. Beispiele: *Fastnachtszug auf dem Eise*, Madrid, Prado. *Große Landschaft mit Wald u. See*, ebda. Werke in den Mus. von Antwerpen, Brüssel, Wien, London (Victoria u. Albert Mus.), Nantes.
Lit.: A. v. Wurzbach, *Niederl. Künstlerlex.* W. Bernt, *Niederl. Maler d. 17. Jh.*, 1948.

Alt, Franz, österr. Maler, Wien 1821–1914 ebda., malte Architektur- u. Landschaftsaquarelle, Bruder Rudolfs v. → A., Schüler s. Vaters Jakob → A., schuf vor allem Veduten aus Wien. Hauptwerk: Zyklus *Wien einst u. jetzt*.

Alt, Jakob, dt. Maler, Frankfurt a. M. 1789–1872 Wien, schuf Landschaftsaquarelle u. Ölbilder, Vertreter des Biedermeier. Bilder in Wien, Österr. Gal. u. Kunsthist. Mus.
Lit.: W. R. Deusch, *Mal. d. dt. Romantiker*, 1937.

Alt, Rudolf v., österr. Landschafts- u. Architekturmaler, Aquarellist, Wien 1812–1905 ebda. Bedeutender Meister des österr. Biedermeier. Schüler s. Vaters Jakob → A., schuf zus. mit s. Bruder Franz → A. (1821–1914) Ansichten von Wien, den österr. Ländern u. Italiens in kleinformatigen Bildern, haupts. aber in Aquarellen u. Steinzeichnungen. Arbeitete in miniaturhafter Treue, doch ohne Kleinlichkeit u. gelangte allmählich zu einer immer freieren Licht- u. Luftmalerei. Er erinnert an s. Altersgenossen → Menzel u. erhielt die Beinamen: der «österr. Menzel» und der «Canaletto Wiens». Zur Entwicklung der Landschaftsmalerei Wiens hat A. wesentlich beigetragen. Bilder in vielen Mus., vor allem in Wien.
Lit.: L. Helvesi, 1905. A. Rössler, 1921. O. E. Deutsch in: Th.-B. 1907. R. Hamann, *Dt. Malerei vom Rokoko bis zum Expressionismus*, 1925.

Alt, Theodor, dt. Maler, Döhlau 1846–1937 Ansbach, schuf unter → Leibls Einfluß, mit dem er befreundet war, einige ausgezeichnete Genrebilder u. Bildnisse. Bekanntestes Werk: *Atelier des Malers Hirth du Fresne,* 1870, Berlin, ehem. Nat. Gal.

Altdorfer, Albrecht, dt. Maler, Kupferstecher u. Baumeister, Regensburg um 1480–1538 ebda., Haupt der sog. → *Donauschule.* In s. Werk gehen Naturgefühl u. romant. Stimmungsmalerei eine einmalige Verbindung ein. Vorherrschen der Landschaft gegenüber den Figuren: auf s. Gemälde des *hl. Georg* ist die Figur nur noch Staffage in der Landschaft. Große Freiheit gegenüber der Tradition wahrt er sich in s. bibl. Szenen. 1506 beginnt die Reihe der datierten Arbeiten, 1511 Reise in die Alpenländer. Wahrscheinlich ist eine Reise nach Italien vor 1526. Großer Werkstattbetrieb in Regensburg. Ratsherr u. städt. Baumeister ebda. (*Schlachthaus* v. 1527).
Hauptwerke: in Berlin: *Ruhe auf der Flucht,* 1510: Hl. Familie am Brunnen rastend, mit spielenden Engeln, in reicher Landschaft. *Geburt Christi,* um 1515: Nachtszene m. romant. Beleuchtungseffekten. *Kreuzigung,* um 1526. In München: *Hl. Georg, den Drachen bekämpfend,* um 1510: die Figur nur noch Staffage. *Geburt Mariä,* um 1520: Die Wochenstube der hl. Anna in ein Kirchenschiff verlegt. *Maria in der Glorie,* nach 1525. *Alexanderschlacht,* 1529: weiter Landschaftsausschnitt mit phantastischer Wolkenpracht.
Lit.: H. Voss, *A. u. Wolf Huber,* Lpz. 1910. H. Tietze, Lpz. 1923. M. J. Friedländer, *A. A.,* o. J. O. Benesch, *Der Maler A. A.,* 1943. H. L. Becker, *Die Handzeichnungen A. A.s,* 1938. *Kat. Gedächtnisausst. A. u. s. Kreis,* München 1938. L. v. Baldass, 1941. *Zeichn.,* Gesamtausg. v. F. Winzinger, 1952.

Altdorfer, Erhard, dt. Holzschneider, Regensburg um 1485–1562 Schwerin, Bruder des Albrecht → A. Bibelillustr.: Holzschnitte für Lübecker Prachtbibel, 1533–34.
Lit.: W. Jürgens, 1940.

Altenstetter, David, dt. Emailleur u. Goldschmied, Colmar um 1547–1617 Augsburg, ca. ab 1568 tätig ebda., schuf bedeutende Silberplatten mit durchscheinendem Tiefstichemail. Werke: *Emailplatten am Prachtschrank in Elfenbein* (des Chr. Angermaier), 1601, München, Nat. Mus. u. am *Pommerischen Kunstschrein,* Berlin, Kunstgew.-Mus.; wahrscheinlich auch die der *österr. Kaiserkrone,* 1602, Wien, Schatzkammer.

Altheim, Wilhelm, dt. Maler, Groß-Gerau 1871 bis 1914 Eschersheim bei Frankfurt, wo er tätig war, schuf Bilder aus dem dt. Bauernleben; in Stil u. Art der Darstellung zu vergleichen mit F. → Boehle.

Beisp.: *Nach schwerer Arbeit,* 1898, Frankfurt, Städel. *Das Vesperbrot,* 1900, ebda.

Altherr, Heinrich, schweiz. Maler, Basel 1878–1947 Zürich, Studium in München, Prof. in Stuttgart, ab 1939 in Zürich. Bilder in Stuttgart, Zürich, Basel; Fresken in Zürich, Heilbronn, Basel u. a. Im Stil Einflüsse → Marées u. später der Expressionisten. Beisp.: *Bildnis Wölfflin,* Basel, Gal. *Jüngstes Gericht,* Wandgemälde, Heilbronn, Friedenskirche.
Lit.: W. Überwasser u. W. Braun, 1938.

Altichiero da Zevio, ital. Maler, Zevio bei Verona um 1320 – ca. 1385. Nachfolger → Giottos u. Begründer der altverones. Malerschule. In der malerischen Behandlung hat A. den Stil Giottos weitergebildet, durch s. Vorliebe für das Genre wurde er zu einem Wegbereiter → Pisanellos. Große Einwirkung auf Zeitgenossen u. Nachkommen.
Werke: Hauptdenkmäler in Padua, wo er zus. mit s. Schüler → Avanzo die Fresken der Cappella S. Felice in S. Antonio malte: *Kreuzigung* u. *Szenen aus dem Leben des hl. Jakobus,* 1376. In der Cappella S. Giorgio: *Szenen aus dem Leben Christi, der Maria u. der hll. Georg u. Katharina,* 1377. In Verona: Fresken in S. Anastasia: *Ritter vor der Madonna kniend,* nach 1380.
Lit.: P. Schubring, *A. u. s. Schule,* 1898. Schlosser, *Oberital. Trecentisten,* 1921. L. Coletti, *A. e Avanzo* in: Riv. d'arte, 1931. L. Bronstein, 1932. P. Toesca, *Il Trecento,* 1951. R. van Marle, *Ital. Schools* 4, 1924.

Altobello da Melone, ital. Maler, tätig in Cremona um 1497–1517: *Fresken* im Dom zu Cremona u. andern Kirchen der Stadt; im Stil beeinflußt von Lor. → Costa u. → Mazzolino, später von → Romanino; verschiedene Zuschreibungen.
Lit.: A. Venturi IX, 3, 1928.

Altomonte, eig. Hohenberg, Martin, österr. Maler, Neapel 1657–1745 Heiligenkreuz, bedeutender Kirchenmaler des österr. Barock. Im Stil schloß er sich der Richtung → Marattas an. Vor allem Altarbilder in Wien u. a. Sein Sohn u. Schüler *Bartolomeo* (1701–83) setzte s. Werk in zahlreichen Kirchen u. Klöstern Österreichs fort.
Lit.: J. Klaus, 1916.

Altripp, Alo, eig. Friedrich Schlüssel, dt. Maler u. Graphiker, * Altripp a. Rh. 1906, tätig in Wiesbaden, Vertreter der abstrakten Kunst. Werke im Mus. v. Wiesbaden.

Alunno di Domenico → Bartolomeo di Giovanni.

Alunno, Niccolò di Liberatore, gen. A., ital. Maler, Foligno um 1430–1502 ebda. Bedeutender Vertreter der umbrischen Schule, bildete sich unter dem

Einfluß des in der Nähe von Foligno arbeitenden B. → Gozzoli, in späteren Bildern Anklänge an C. → Crivelli u. → Vivarini. Altarbilder meist auf Goldgrund, von herbem Ausdruck.
Werke: *Madonna mit Kind u. Heiligen*, Triptychon, um 1460, Assisi, Dom. *Verkündigung*, 1466, Perugia, Pinac. *Passionsszenen*, Triptychon, 1487, London, Nat. Gall. *Krönung Mariä*, 1492, Foligno, S. Niccolò. Werke in Mailand, Brera; Paris, Louvre; Bologna, Gall.; Boston (USA), Mus.; Cambridge (USA), Fogg Mus. Zeichn. in Berlin, Kupferstichkabinett u. London, Brit. Mus.
Lit.: R. Ergas, 1912. E. Jacobsen, *Umbrische Malerei d. 14.–16. Jh.*, 1914. U. Gnoli, *Pittori e miniatori nell'Umbria*, 1923. R. Marle, *Ital. Schools* XIV, 1933.

Alvarez y Bougel, José, span. Bildhauer, Paris 1805–1830 Burgos, Sohn des → A. y Cubero, schuf mythol. Figuren in klassizist. Stil: *Amor*, Mod. Mus., Madrid. *Samson mit dem Löwen kämpfend.*

Alvarez y Catala, Luis, span. Maler, Monasterio del Helmo 1836–1901 Madrid, Historien- u. Genremaler, 1898 ff. Direktor des Prado-Mus., schuf Geschichtsbilder in koloristisch reizvollem, von → Fortuny beeinflußtem Stil. Werke: *Isabella in der Certosa zu Burgos*, 1863, Madrid. *Philipp II. im Escorial*, 1869, Berlin, ehem. Nat. Gal.

Alvarez y Cubero, José, span. Bildhauer, Priego 1768–1827 Madrid, Meister des Klassizismus, schloß sich in Rom → Canova an, 1816 Hofbildhauer, 1826 Direktor der Akad. S. Fernando in Madrid. Werke: *Statuen des Königs Karl IV. u. der Königin Maria Luise. Grabmonument der Herzogin v. Alba. Büsten Karls IV., Ferdinands VII., Rossinis.* Mythol. Figuren: *Apollo, Venus, Diana* usw.

Alxenor, griech. Bildhauer, Ende 6. Jh. v. Chr. Auf den aus Naxos stammenden Meister geht ein im Nat. Mus. in Athen befindliches Grabrelief eines bärtigen, in einen Mantel gewickelten Mannes zurück, der s. Hunde eine Heuschrecke reicht.

Amadeo (Omodeo), Giovanni Antonio, ital. Bildhauer u. Arch., Pavia 1447–1522 Mailand. Abwechselnd in Mailand, in der Certosa von Pavia u. in Bergamo tätig. Führender Meister der lombard. Frührenaissance-Dekoration, der an allen großen Bauaufgaben s. Zeit in Oberitalien beteiligt war. Die *Fassade der Certosa v. Pavia* ist zu einem großen Teil s. Werk, 1491 nach s. Entwurf beg. In s. Stil beeinflußt von A. → Rizzo u. den → Mantegazza. Hauptwerke: *Fassade der Certosa v. Pavia* u. ein großer Teil der Skulpturen das., 1491 beg. *Colleoni-Kapelle* in Bergamo; *Grabmäler des Condottiere u. s. Tochter Medea*, ebda. *Sarkophag des hl. Lanfrancus* in der Kirche dieses Heiligen in Pavia, 1498. *Hof des Pal.*

Bottigella (jetzt *Rossi*), Pavia, 1498. Vielfach am *Mailänder Dombau* beschäftigt.
Lit.: F. Malaguzzi, 1904. Ders. in: Enc. Ital. 1929. H. Lehmann, *Lombard. Plastik im letzten Drittel d. 15. Jh.*, 1928. U. Middeldorf, *Ein Jugendwerk d. A.* in: Festschrift H. Kauffmann, 1956.

Amalteo, Pomponio, ital. Maler, Motta di Livenza 1505–1588 S. Vito in Friaul, Schüler u. Nachfolger des → Pordenone, schuf große kirchl. *Freskenwerke:* in S. Maria de' Battuti in S. Vito, 1535 voll.; in der Kirche v. Prodolone, u. a.; *Orgelflügel* im Dom v. Udine, 1553/55. *Altarwerke:* im Dom v. Cividale, 1546; im Dom v. Motta, 1556; im Dom v. Pordenone, u. a.
Lit.: V. Querini, 1955. B. Berenson, *Venetian Schools* I, 1957 (Phaidon).

Aman-Jean, Edmond, franz. Maler, Chevry-Cossigny 1860–1936 Paris, Schüler von L. O. Merson, schuf dekorative Werke u. sehr geschätzte Damenporträts in zarten fein nuancierten Farben; beeinflußt vom Neo-Impressionismus, von M. → Denis für dekorative Werke, von → Vuillard u. a. für Porträts. Beisp.: *Damenbildnis*, Paris, Luxembourg; *Bildnis Verlaines*, Metz, Mus.; *Damenbildnis*, Stuttgart, Mus. Vertreten in allen bedeutenderen franz. Mus.; in mehreren Mus. der USA u. a.
Lit.: M. Mermillon, 1927. Bénézit, 1948.

Amati, Carlo, ital. Arch., Monza 1776–1852 Mailand, neoklassizist. Baumeister; s. Kirche *S. Carlo* in Venedig, 1836–47, ist ein Rundbau nach dem Vorbild des Pantheon.

Amatrice, Cola dell' → Cola dell'Amatrice.

Amberger, Christoph, dt. Maler, um 1500–1561/62 Augsburg. Renaissancemaler der Augsburger Schule, ausgebildet unter dem Einfluß → Burgkmairs u. der venez. Malerei. Bedeutender Porträtist, dessen Bildnisse weiche malerische Behandlung u. eine vornehme Auffassung zeigen. Werke: Porträts in Berlin, Gal.: *Karl V.; Der Kosmograph Sebastian Münster.* Wien, Augsburg u. a. Gal. Ferner: Tafel d. St. Annakirche zu Augsburg mit *Christus u. den klugen u. törichten Jungfrauen*, 1560. *Madonnen* in der Augsburger Gal.
Lit.: Haasler, *Der Maler Ch. A.*, 1893. Winkler-Deutsch, *Dt. Malerei d. 16. Jh.*, 1935.

Ambrogi, Domenico, ital. Maler, Bologna 1600 bis 1680, malte histor. Bilder, Landschaften, Fresken; auch Kupferstecher.

Ambrogio da Fossano → Borgognone.

Ambrogio da Milano, ital. Bildhauer aus Mailand, Meister der Frührenaissance, tätig Ende 15. bis

Anf. 16. Jh. in Urbino, Ferrara, Venedig u. Todi. Seit 1472 führte er den *dekorativen Schmuck im Palast* der Herzöge von Montefeltre in *Urbino* aus: Hauptportal, Skulpturen, Friesornamente, Schmuck der Türen, Fenster, Kamine (nach Zeichnungen des → Laurana?). Ferner *Denkmal Lorenzo Roverella*, 1475, S. Giorgio, Urbino (zus. mit A. → Rossellino); *Grabmal des Grafen Orsini*, 1499, Dom zu Spoleto u. a.
Lit.: A. Venturi 6, 1908. P. Toesca in: Boll. d'arte, 1921. L. M. Tosi in: Enc. Ital. 1929.

Ambrogio de Predis → Predis.

Ambrosi, Gustinus, österr. Bildhauer u. Graphiker, * Eisenstadt 1893, tätig in Wien, seit seinem 7. Jahr taubstumm, Bildnisbüsten u. lebendige Akte; von → Rodin u. dem ital. Barock inspiriert.
Lit.: F. Karpfen, 1923. H. H. Stifter in: Bergland 12, 1930. Vollmer, 1953.

Am Ende, Hans, dt. Maler, Trier 1864–1918 im Kriegslazarett, Mitglied der → Worpsweder Malerkolonie; Stimmungslandschaften.

Amerighi, Michelangelo → Caravaggio.

Amerling, Friedrich v., österr. Maler, Wien 1803–1887 ebda. Bedeutender Porträtist der Biedermeierzeit, Schüler der Wiener Akad., der sich bei → Lawrence in London u. → Vernet in Paris weiterbildete.
Lit.: G. v. Probszt, 1927.

Amiet, Cuno, schweiz. Maler, Solothurn 1868–1961 Oschwand, wohl der bekannteste Vertreter schweiz. Malerei seit → Hodler, studierte bei → Buchser in Feldbrunnen, an der Akad. in München, arbeitete in Paris u. Pont-Aven, 1893 ff. in Solothurn, seit 1903 auf der Oschwand. Er malte figurale Kompositionen, Landschaften, Bildnisse. In s. Stil stand A. allen Einflüssen der Zeit offen. Seit der Münchner Akademiezeit mit G. → Giacometti befreundet; in Paris wirkte er Seite an Seite mit den → Nabis, in Pont-Aven wurde ihm die Kunst → Gauguins vermittelt, bald darauf die van → Goghs u. des Neoimpressionismus. 1893 lernte er Hodler kennen, der ebenfalls auf ihn Einfluß ausübte. 1906 Mitglied der → «Brücke». Trotz aller Einflüsse vermochte A. stets s. eigenen Stil zu wahren, der einen Ausgleich zwischen den Bestrebungen der Franzosen, der → Derain, → Vlaminck, → Matisse u. dem dt. Expressionismus darstellt. Vor allem spricht aus s. Bildern die leuchtende, starke, lebensbejahende Farbe. A. ist gut vertreten in Bern, Kunstmus.; Zürich, Kunsth.; Solothurn, Mus. u. a. Größere Wandbilder: *Zyklus des Jungbrunnens*, in den Loggien d. Kunsth. Zürich, 1918. *Sgraffitto der Obsternte* am

Kunstmus. Bern. Ferner auch Plastiken u. ein umfangreiches graph. Werk.
Lit.: C. v. Mandach, 1925. A. Baur, 1943. G. Jedlicka, 1948. W. Haftmann, *Malerei im 20. Jh.*, 1954. A. Tatarinoff, 1958. *Schweiz. Kstlerlex. 20. Jh.*

Amigoni, Jacopo, ital. Maler u. Kupferstecher, Venedig 1675–1752 Madrid, malte in der dekorativen Manier von → Ricci u. → Solimena *mythol. Deckengemälde in Schleißheim, Nymphenburg* u. a. Altargemälde in Augsburg, Benediktsbeuren u. a. 1729 ff. in London vor allem als Bildnismaler tätig, 1747 ff. für den span. Hof in Madrid: Werke in Aranjuez u. im Prado.
Lit.: H. Voss, *A. u. die Anfänge d. Malerei des Rokoko in Venedig*, in: Preuß. Jb. 39, 1918.

Amman, Jost, schweiz.-dt. Maler, Radierer, Holzschneider, Zürich 1539–1591 Nürnberg. Ab ca. 1560 in Nürnberg ansässig, wo er für die Buchproduktion haupts. Holzschnittillustrationen arbeitete. Ungemein fruchtbarer Künstler, der im manierist. Zeitstil gefällige Illustrationen lieferte, teilweise allerdings Serienproduktion. Zu s. Zeit sehr geschätzt, heute vor allem kulturhist. interessant. Werke: Illustrationen zu: *Livius. Berühmte Frauen des A. T. Frankfurter Bibel,* 1564. *Geschlechterbuch,* 1568. *Beschreibung aller Stände,* 1568 (Neuausg. 1896). *Frauentrachtenbuch* (Neuausg. 1880). *Kartenspielbuch* (Neuausg. 1880).
Lit.: K. Pilz, *Die Zeichn. u. d. graph. Werk des J. A.,* 1933 (Anz. f. schweiz. Altertumskunde, N. F. 35). Ders. in: Mitteil. d. Vereins f. Gesch. der Stadt Nürnberg 37, 1940.

Ammanati, Bartolommeo, ital. Arch. u. Bildhauer, Settignano 1511–1592 Florenz, bedeutender Baumeister des Frühbarock u. manierist. Bildhauer, Schüler → Bandinellis in Florenz u. → Sansovinos in Venedig, 1544–46 in Padua, von 1560 an dauernd in Florenz. Vermählte sich mit der Dichterin Laura Battiferri. Als Baumeister schuf er viele Paläste in Florenz, aber auch in Rom u. a. O. Er wandte in der Außenarchitektur Rustika an Fenstern, Toren u. Hausecken an, kraftvolle Gesimse zur Horizontalgliederung, Pilaster u. Halbsäulen zur vertikalen Belebung der Fassaden. A. hat zur Entwicklung der Frühbarockarchitektur, namentlich im Palastbau, neben → Palladio u. → Alessi Wesentliches beigetragen. Als Bildhauer weniger bedeutend, stark von → Michelangelo beeinflußt.
Hauptwerke des Arch.: In Rom: *Pal. Ruspoli; Fassade des Collegio Romano.* In Florenz: Pal. Pitti: *Gartenhof der Rückseite,* 1558–70, *Renaissancefenster* im Erdgeschoß u. a.; die *Pal. Vitali, Pucci, Guigni, Grifoni* (um 1557) u. a. Ferner die Arnobrücke *Ponte S. Trinità,* 1567–70.
Hauptwerke des Bildhauers: In Florenz: *Neptun-*

brunnen der Piazza della Signoria, 1571–75. In Rom: *Grabmal des Kardinals del Monte* in S. Pietro in Montorio; *Brunnen* vor Porta del Popolo. In Padua: *Grabmal des Benavides* in der Eremitani-Kirche. Werke auch in Venedig, Pisa, Neapel.
Lit.: E. Vodoz, 1942. F. Baumgart, *Gesch. d. abendländ. Plastik*, 1957.

Amsler, Samuel, schweiz. Kupferstecher, Schinznach 1791–1849 München, das. Prof. der Akad. Stiche nach → Thorwaldsen, → Raffael, → Overbeck.

Ancher, Michael, dän. Maler, Ruthsker 1849–1927 Skagen. Impressionist. Landschaften, Bilder aus dem Strand- u. Fischerleben.

Anderloni, Faustino, ital. Kupferstecher, Brescia 1766–1847 Pavia, stach hauptsächlich für naturwiss. Werke.

Anderloni, Pietro, ital. Kupferstecher, Sant'Eufemia bei Brescia 1784–1849 Cabiate bei Mailand, schuf eigene Bildnisblätter u. Stiche nach Gemälden von → Raffael, → Tizian, → Poussin.

Anderson, Alexander, amerik. Holzschneider, New York 1775–1870 Jersey City, Begründer der amerik. Holzschneidekunst. Holzschnitte nach → Riedinger, → Teniers, → Holbein.
Lit.: Burr, 1893.

Anderson, Charles, amerik. Maler, * Oxford (Ohio) 1874, Vertreter des Impressionismus. Werke in den Mus. v. Chicago, St. Louis u. a.

Andlau, Peter Hemmel v., dt. Glasmaler, nachweisbar 1447–1505, früher irrtümlich Hans Wild gen., der wohl fruchtbarste Glasmaler s. Zeit, eine Werkstatt in Straßburg unterhaltend, die Fenster nach Ulm, Augsburg, Salzburg, Lothringen lieferte. Sie sind von hoher technischer Qualität, stilist. von den Niederlanden abhängig, namentlich von Rogier v. d. → Weyden. Erhalten: große Fenster in Tübingen, Ulm, Nürnberg, München, Salzburg.
Lit.: H. Wentzel, *Meisterwerke d. Glasmalerei*, 1951. P. Franke, *P. H., Glasmaler v. Andlau*, 1953.

Andokides, griech. Töpfer u. Vasenmaler, 2. Hälfte 6. Jh. v. Chr., wichtiger Neuerer: Bahnbrecher des rotfigurigen Stiles in Attika. Dies beweisen 6 von ihm signierte Gefäße, wovon eines schwarzfigurig u. 3 rotfigurig sind, während zwei beide Techniken gleichzeitig aufweisen. Daneben gibt es unsignierte Werke, die mit Recht dem A. zugewiesen werden, welche die Entwicklung vom schwarzfigurigen zum rotfigurigen Stil deutlich belegen. Auch in den bildlichen Darstellungen bietet er Dinge, die im

archaischen Stil bis dahin ungewohnt waren, z. B. Gesichter in Vorderansicht, Verschränkungen u. Verkürzungen bei bewegten Figurengruppen. Hauptwerke: *Amphoren* in Berlin, Altes Mus.; München, Vasenslg.; Paris, Louvre.
Lit.: Pauly-Wissowa, *Realenc.* 1. L. Curtius, *Klass. Kunst Griechenlands* (Hdb. d. KW), 1938.

Andrea di Bartolo, ital. Maler, tätig Ende 14. – Anf. 15. Jh. in Siena, † 1428 ebda., Sohn des → Bartolo di Fredi; von ihm ein Gemälde mit *Verkündigung, S. Maria Maddalena u. S. Antonio Abbate* in der Opera di SS. Pietro e Paolo in Buonconvento. *Altar*, Siena, Gall. *Verkündigung*, New York, Slg. Jerkes.
Lit.: G. De Nicola in: Th.-B. 1907. Ders. in: Rassegna d'arte senese XIV, 1921. R. v. Marle, *Ital. schools* 11, 1924.

Andrea da Bologna, ital. Maler, in Umbrien u. den Marken tätig 2. Hälfte 14. Jh., von → Giotto beeinflußt, schuf die *Dekorationen der Cappella di S. Caterina* in der Unterkirche v. Assisi mit Bildern aus der Geschichte der Heiligen, um 1368.
Lit.: F. Filippini in: Boll. d'arte V, 1911. J. B. Supino, *La basilica di S. Francesco ad Assisi*, 1924. R. v. Marle, *Ital. schools* IV, 1924.

Andrea del Castagno → Castagno, Andrea del.

Andrea di Cione → Orcagna.

Andrea da Firenze, eig. Andrea di Buonaiuti, ital. Maler des 14. Jh., schuf ein *großes Freskenwerk* im Kapitelsaal von S. Maria Novella zu Florenz, der *Span. Kapelle*, 1366–68, eine Darstellung der kirchlichen Doktrin in dominikan. Sicht, mit dem Triumph des hl. Thomas v. Aquin; ferner *Fresken aus der Rainer-Legende* im Campo Santo in Pisa. In s. Stil abhängig von S. → Martini u. den Sienesen.
Lit.: P. Taurisano, *Il capitolo di S. M. Novella in Firenze* in: Il Rosario 36, 1916. P. Toesca, *Il Trecento*, 1951. R. Oertel, *Frühzeit d. ital. Malerei*, 1953.

Andrea di Niccolò di Giacomo, ital. Maler, 15. Jh., sienes. Künstler, * um 1440, erwähnt bis 1514. Schüler des → Matteo di Giovanni Bartolo, arbeitete mit → Giovanni di Paolo für das Ospedale della Scala in Siena. Werke: *Großes Altarbild* mit Christus am Kreuz u. Heiligen, 1502, Siena, Gall.

Andrea da Salerno → Sabatini, Andrea.

Andreoli, Giorgio di, ital. Kunsttöpfer u. Majolikamaler, Intra um 1465–1553 Gubbio, tätig in Gubbio, wo er eine berühmte Majolikawerkstatt unterhielt, deren Erzeugnisse vor allem wegen der Lustreglasur beliebt waren. Es war ein handwerksmäßiges Verfahren. Die Bedeutung A.s als ausübender Künstler ist gering. Majolikagefäße, die aus s. Werkstatt hervorgingen, u. a. in: Gubbio, Pesaro, Arezzo, Brescia, auch in Venedig, Wien, Berlin, Braunschweig, London, Oxford, Paris.

Angelico, Fra Giovanni da Fiesole, eig. Guido di Pietro, meist mit s. Mönchsnamen Fra Angelico gen., Vicchio 1387–1455 Rom, Hauptmeister der Frührenaissance. Trat 1407 in das Dominikanerkloster in Fiesole ein, 1414–18 in Cortona, dann wieder in Fiesole tätig, malte 1436–45 Fresken im Markuskloster v. Florenz, 1445 in Rom, 1447 in Orvieto, dann in Fiesole u. 1452 in Rom. In s. Kunst entwickelte er sich unter dem Einfluß Lorenzo → Monacos, vielleicht auch → Starninas u. des Umbrers → Nelli. Auch mochte die sienes. Kunst mit S. → Martini auf ihn eingewirkt haben. In s. Kunst 3 Epochen: 1. die archaisch gotisierende; 2. Reifezeit: Fresken in S. Marco; 3. späte klass.-röm. Phase mit den Fresken der Kapelle Nikolaus V. Er malte religiöse Bilder u. Fresken.
Hauptwerke: Thronende Madonna, sog. *Madonna der Flachshändler,* 1433, Florenz, Uff. *Krönung Mariä,* ebda. u. Paris, Louvre. *Madonnenaltar,* Florenz, Mus. di S. Marco. *Fresken im Markuskloster,* Florenz, 1436–45. *Madonnenaltar,* Perugia, Pinac. *Madonna,* 1438–39, Florenz, Akad. *Jüngstes Gericht,* ebda. u. Berlin, staatl. Mus. *Fresken für die Altarwölbung* der Cappella Nuova des Doms in Orvieto, 1447, u. in der *Nikolauskapelle* des Vatikans, 1455 voll.: *Darst. aus der Geschichte der hll. Laurentius u. Stephanus.*
Lit.: W. Hausenstein, 1923. F. Schottmüller, 1923 (Klass. d. K.). R. Papini, 1925. M. Wingenroth, 1926. I. M. Trunk, 1927. E. Schneider, 1933. D. Tumiati, 1934. G. Bazin, 1941 (franz.). A. Bertini-Calosso, 1940. J. Pope-Hennessy, 1952. A. Banti, 1953. G. C. Argan, 1955 (dt., mit Bibliogr.).

Angelis, Domenico de, ital. Maler, 2. Hälfte 18. Jh., aus Ponziano, tätig in Rom, malte Fresken für Paläste u. öffentliche Gebäude im Zeitstil: Übergang vom Rokoko zum Klassizismus. *Deckengemälde im 1. Saal der Gall. Borghese,* Rom; Deckenmalereien der *Villa Borghese.* Darst. im *Vatikan.*

Angers, David d' → David d'Angers, Pierre-Jean.

Angst, Charles Albert, schweiz. Bildhauer u. Kunstgewerbler, * Genf 1875, begann mit Entwürfen für Möbel mit ornamentalem u. figürl. Schmuck im Jugendstil, später Statuen, Büsten, Bauplastik, von → Rodin u. a. beeinflußt: Giebelfeld *La Justice* am Bundesgerichtsgebäude Lausanne, 1925. Vertreten in schweiz. Mus. u. Paris, Jeu de Paume.

Anguier, François, franz. Bildhauer, Eu (Normandie) 1604–1669 Paris, in Italien ausgebildet, an den Arbeiten am Louvre beteiligt, schuf bes. Grab-

bauten im ital. Renaissancestil: *Grabmal des Herzogs v. Rohan,* Versailles, Mus.

Anguier, Michel, franz. Bildhauer, Eu (Normandie) 1612–1686 Paris, Bruder von François A., vielseitig tätiger Bildh., bes. geschätzt s. dekorativen Arbeiten: *Plast. Schmuck der Porte Saint-Denis,* Paris.

Anguissola (Anguisciola), Sofonisba, ital. Malerin, Cremona 1527–1625 Palermo, Bildnismalerin, Schülerin von B. → Campi u. B. → Gatti, von → Correggio beeinflußt, tätig in Cremona, Madrid, Palermo u. Genua. Werke in Neapel, Mus.; Rom, Gall. Borghese; Gall. Doria. Richmond, Slg. Cook, u. a. *Selbstbildnis,* 1554, Wien, Hofmus.
Lit.: H. Posse in: Th.-B. 1907. A. Venturi IX, 6, 1933.

Anker, Albert, schweiz. Maler, Ins (Kt. Bern) 1831 bis 1910 ebda., Genre- u. Bildnismaler, Schüler der Ecole des beaux-arts, Paris, u. von Ch. → Gleyre ebda., spezialisierte sich auf Genredarstellungen aus dem Bauernleben des Bernbiets. Später malte er auch feine Porträts u. Figurenbilder in Interieurs (Kinderbilder); s. Palette hellte sich unter dem Einfluß des Impressionismus auf. Ferner *Illustr. zu Gotthelf.* Gut vertreten in allen schweiz. Mus. Werke: *Dorfschule,* 1864, Bern, Kunstmus. *Gemeindeschreiber,* Lausanne, Mus. *Kaffeevisite,* 1879, Basel, Mus. *Die Armensuppe in Ins,* 1893, Bern, Kunstmus. *Pestalozzi, sich der verwaisten Kinder annehmend,* 1906, Zürich, Kunsth.
Lit.: Rytz, 1911. M. Quinche-Anker, 1924. C. v. Mandach, 1941. H. Zbinden, 1943. F. Schmalenbach, *Neue Studien über Malerei d. 19. u. 20. Jh.,* 1955. *Kunstmappe I,* mit Einfg. v. E. Briner, 1960.

Anreiter, Alois v., österr. Maler, Bozen 1803–1882 Wien; Bildnisse, feine Miniaturen in Öl auf Elfenbein; später große Aquarellporträts.

Ansaldo, Andrea, ital. Maler, Voltri 1584–1638 Genua. Barockmaler, dessen haupts. in Genueser Kirchen u. Palästen vorkommenden Malereien in Kolorit u. im Bildaufbau den Einfluß von → Rubens, van → Dyck u. → Veronese aufweisen.
Lit.: R. Longhi in: Pagine d'arte, 1917. M. Labo in: Boll. municipale, Genua, 1925.

Anselmi, Michelangelo, auch M. da Lucca u. M. da Siena gen., ital. Maler, Lucca 1491–1554 Parma, Renaissancemeister der Schule von Parma, erhielt s. erste Ausbildung in Siena durch → Sodoma, tätig in Parma, schuf haupts. Altarwerke für die dortigen Kirchen. In s. Stil entscheidend von → Correggio beeinflußt, später auch von → Parmigianino. Werke: Fresken im *Oratorio della Concezione,* 1533–34, Parma. *Madonna m. Kind* in Engelsglorie u. mit Heiligen, Paris, Louvre. *Kreuztragung,* Parma, Akad.; ebda. weitere Werke.

Ansuino da Forli, ital. Maler, tätig in Padua 15. Jh., *Fresken in der Eremitanikirche,* Padua; beeinflußt von florent. Frührenaissancemeistern (→ Castagno, Paolo → Uccello, Fra Filippo → Lippi); später auch von → Mantegna.
Lit.: G. Fiocco in: Enc. Ital. 1929.

Antelami, Benedetto, ital. Bildhauer, tätig haupts. in Parma 1178–1200, der bedeutendste ital. Plastiker der roman. Zeit. Sein Hauptwerk ist der *plastische Schmuck des Baptisteriums v. Parma* (vielleicht auch der Bau selber), 1196 ff. An den äußeren Portalen, den Türstürzen, dem Gewände u. im Innern sind bibl. Zyklen in Reliefs dargestellt, die ikonographisch u. stilistisch den Einfluß der südfranz. Plastik der Romanik (Arles, St-Gilles) verraten. Die sehr umfangreichen Arbeiten teils auch von Gehilfenhand. Weitere Werke: *Relief der Kreuzabnahme,* wahrscheinl. von einer Kanzelbrüstung, 1178, Parma, Kathedr. *Bischöfl. Thronsitz,* ebda. *Reliefs an der Domfassade* in Fidenza (früher Borgo S. Donnino gen.). *Giebelfeld des Hauptportals* v. S. Andrea in Vercelli; weitere Werke ebda.
Lit.: A. Venturi in: Th.-B. 1907. L. Testi, *Il battistero di Parma,* 1916. A. Kingsley Porter, *Lombard arch.,* 1917. Ders., *Romanesque sculpt. of the pilgrimage roads,* 1923. P. Toesca, *Storia dell'arte ital.* 3, 1927. G. Delogu, *Ital. Bildhauerei,* 1942. G. de Francovich, 1951.

Antenor, griech. Bildhauer, tätig in Athen 2. Hälfte 6. Jh v. Chr., Meister der Übergangszeit des spätarchaischen Stils zum frühklass., Sohn des Malers Eumares. 506 erhielt er von Kleisthenes den Auftrag, die Tyrannenmörder Harmodios u. Aristogeiton darzustellen. Diese Bronzegruppe wurde von Xerxes 480 v. Chr. nach Susa entführt. Später ist von → Kritios u. Nesiotes an dessen Stelle ein neues Denkmal erstellt worden. Erhalten ist von A. nur eine signierte *weibliche Marmorfigur (Kore),* welche aus dem Perserschutt der Akropolis ausgegraben wurde (Athen, Akropolis-Mus.). Sie weist einen strengen monumentalen Stil auf, ähnlich dem des Ostgiebels des Apollotempels zu Delphi, der deswegen viell. auch dem A. zuzuweisen ist.
Lit.: Schrader, *Auswahl archaischer Marmorskulpturen,* 1913. L. Curtius, *Klass. Kunst Griechenlands* (Hdb. d. KW), 1938.

Anthemios, griech.-byzant. Arch., tätig 6. Jh. n. Chr., aus Tralles in Lydien, erstellte mit Isidoros von Milet im Auftrag Kaiser Justinians den Neubau der Sophienkirche in Byzanz (Konstantinopel), die *Hagia Sophia,* 531–37, einen komplizierten Kuppelbau, der der Langhausform zuneigt. Es ist der bedeutendste Bau der frühbyzant. Zeit. Der Innenraum stellt eine der gewaltigsten Raumgestaltungen aller Zeiten dar. Seit der Eroberung Konstantinopels durch die Türken 1453 diente die Hagia Sophia als Moschee; die Ausstattung mit Inkrustationen u. Mosaiken blieb zum Teil erhalten; seit 1934 Museum; weitere Mosaikreste wurden planmäßig aufgedeckt.
Lit.: G. A. Andrealdes, *Die Sophienkathedrale,* 1931 (Kunstw. Forschungen, 1). R. W. Zaloziecky, *Die Sophienkirche,* 1936. A. M. Schneider, *Die Hagia Sophia,* 1939.

Anthoons, Willy, belg. Bildhauer, * Mecheln 1911, Vertreter der abstrakten Plastik, entscheidend beeinflußt v. H.→Laurens.«Blockhaft verharren die Formkräfte in s. Holz- u. Steinskulpturen» (Hofmann).
Lit.: M. Seuphor, 1954. Ders., *Plastik unseres Jh.,* 1959. W. Hofmann, *Plastik d. 20. Jh.,* 1958.

Antico, Pier Jacopo Alari Bonacolsi, gen. A., ital. Medailleur, Bildhauer u. Goldschmied, um 1460-1528 Gazzuolo. Tätig am Hofe der Gonzaga in Mantua u. Bozzolo. Schuf Medaillenporträts u. bronzene Statuetten, meist nach antiken Vorbildern in nüchtern-eleganter Klassizität u. akkuratester Ausführung. Hauptwerke: Gruppe des *Herkules-Antäus,* Wien, Hofmus. *Göttin des Verkehrs,* Berlin, ehem. K.-F.-Mus. *Prachtvase,* Bronze, Modena, Gall. Estense.
Lit.: C. v. Fabriczy, *Medaillen d. ital. Renaiss.,* o. J.

Antokolsky, Mark Matwejewitsch, russ. Bildhauer, Wilna 1843-1902 Bad Homburg, Meister hist. Gestalten in realist. Auffassung, studierte an der Petersburger Akad., 1871 in Rom; in Petersburg u. Paris tätig. Hauptwerk: *Iwan der Schreckliche,* 1871, Leningrad, Kopie in London, South Kensington Mus. Ferner: *Christus vor dem Volk, Peter d. Gr., Spinoza,* alle in Leningrad.
Lit.: O. Wulff, *Die neuruss. Kunst,* 1932.

Antolinez, José, span. Maler, Sevilla 1635–1675 Madrid, Meister des span. Hochbarock, Schüler des F. → Rizi, beeinflußt von → Murillo u. → Coello, malte religiöse Werke, einige Genrebilder u. Landschaften. Werke: *Johannes der Täufer,* Valencia, Kathedrale. *Immaculata,* Madrid, Prado; München, A. P. (1668); Madrid, Mus. Lazaro (1675). *Martyrium des hl. Sebastian,* Madrid, Mus. Cerralbo. Weitere Werke in Madrid, S. Andrea, Akad. S. Fernando, Prado; in den Mus. v. Aachen, Amsterdam, Kopenhagen, München (A. P.) u. a.

Anton v. Worms → Woensam.

Antonello da Messina, ital. Maler, Messina 1430 bis 1479 ebda., tätig in Sizilien u. Neapel, 1475–76 in Venedig u. Mailand. Porträts u. Altarbilder mit Landschaften. Schon s. frühen Werke zeigen eine genaue Bekanntschaft mit der niederl. Kunst, die ihm vermutlich in Neapel vermittelt wurde. An leuchtendem Ton der Landschaften u. realist. Charakteristik der Bildnisse ist A. mit v. → Eyck u.

Rog. v. d.→Weyden zu vergleichen. Seine Bedeutung liegt darin, daß er die venez. Malerei der Frührenaissance entscheidend beeinflußte, indem er sie mit der Technik u. den künstlerischen Werten der altniederl. Ölmalerei bekannt machte.

Hauptwerke: *Großes Triptychon mit Thronender Madonna*, 1473, Messina, Mus. *Madonna mit Heiligen*, 1475–76, Wien, Kunsthist. Mus. *Kreuzigung*, 1477, London, Nat. Gall. *Männerbildnis*, sog. *Condottiere*, 1475, Paris, Louvre. *Hl. Hieronymus*, London, Nat. Gall. *Hl. Sebastian*, Dresden, Gal. *Bildnisse* in Berlin, Rom, London, Paris, Mailand. Bilder ferner in: Antwerpen (*Kreuzigung* v. 1475), Palermo, Paris, Piacenza, Rom, New York, Philadelphia, Washington, Denver (Col.), Richmond (Slg. Cook) u. a.

Lit.: N. Scalio, *A. e la pittura in Sicilia*, 1914. S. Bottari, 1939 (ital.). J. Lauts, 1940. C. Brandi, *Cat. della mostra dei dipinti di A.*, 1942. G. Fiocco, *Colantonio e A.* in: Emporium 3, 1950. L. Venturi, *La peinture italienne*, 1950. B. Berenson, *Venetian schools I*, 1957.

Antonello de Saliba, ital. Maler, tätig um 1480–1535 in Messina u. Venedig, Nachfolger des → Antonello da Messina, Schüler des → Jacobello, beeinflußt von Giov. → Bellini u. → Cima da Conegliano. Vertreten in den Gal. v. Bergamo, Berlin (*Madonna mit Kind*), Cambridge (Mass.), Frankfurt, Messina, Mailand (Ambrosiana), New York, Philadelphia (Slg. Johnson), Venedig (Akad).

Lit.: B. Berenson, *Venetian schools* I, 1957.

Antoniazzo, Romano, ital. Maler, tätig in Rom zwischen 1461 u. 1510, bedeutender Vertreter der Frührenaissance, von B. → Gozzoli u. Piero della → Francesca beeinflußt, später von → Perugino u. → Ghirlandaio, schuf kirchliche Freskenwerke u. Altäre, namentlich für röm. Kirchen. Hauptwerke in Rom: *Fresken in S. Maria sopra Minerva; in S. Giovanni in Laterano; in Santa Croce in Gerusalemme*. Tafelbilder: *Madonna mit Kind u. Heiligen*, Rom, Gall. Naz.; Rieti, Mus.; S. Francesco in Subiaco. Ferner: *Madonnen* in: Rom, Vatikan. Gal.; London, Slg. Benson; Lugano, Slg. Schloß Rohoncz.

Lit.: A. Venturi VII, 2, 1913.

Antonio da Negroponte, venez. Maler des 15. Jh., Vertreter der in Venedig wirkenden → Squarcione-Schüler, zu vergleichen mit M. → Zoppo u. G. → Schiavone, von G. → Bellini u. den → Vivarini beeinflußt. Von ihm ist ein großes Tafelbild in Temperafarben erhalten: *Thronende Madonna mit Kind*, S. Francesco della Vigna, Venedig.

Antonio Veneziano, ital. Maler, tätig in Siena, Florenz u. Pisa im ausgehenden 14. Jh., dessen Stil sich mit dem des → Altichiero u. → Avanzo berührt. Er malte *Fresken mit Szenen aus dem Leben des hl. Rainer* im Campo Santo in Pisa, 1384–87.

Apelles, griech. Maler, aus Kolophon in Lydien, tätig 2. Hälfte 4. Jh. v. Chr., neben → Polygnot der berühmteste Maler der Antike, tätig haupts. in Ephesus, kam 340 v. Chr. an den makedon. Hof; Hofmaler Alexanders d. Gr. A. schuf Götter- u. Heroenbilder, allegor. Darstellungen, zahlreiche Bildnisse Philipps von Makedonien u. Alexanders d. Gr. Die berühmtesten s. Werke waren die *Aphrodite Anadyomene* im Asklepiosheiligtum in Kos u. der sog. *Alexander mit dem Blitz* im Artemision zu Ephesus. Er schuf ferner eine jagende Artemis, bewegte Reiterbilder u. v. a. Von den Bildern hat sich nichts erhalten, bisher ist auch keine Kopie aufgefunden worden. Eine sichere Vorstellung von s. Kunst kann man sich nicht machen. Als höchste Qualität wurde ihm die natürliche Anmut nachgerühmt, die ihn zum Hauptmeister der ionischen Malerei machte. Technisch bediente er sich der Temperamalerei u. schuf durch eine dunkle Lasur eine einheitliche Stimmung des Bildes. Es gab zahllose Anekdoten über ihn; die Schilderung des Lukian in seiner «Verleumdung des Apelles» regte → Botticelli zu s. Gemälde an.

Lit.: Brunn, *Geschichte d. griech. Künstler*, 2, 1889. E. Pfuhl, *Malerei u. Zeichn. d. Griechen* 2, 1923.

Apollodoros, griech. Maler, tätig um 400 v. Chr., gen. Skiagraphos (Schattenmaler), gilt als Erfinder der Illusionsmalerei; von s. Werken nichts erhalten. Lit.: E. Pfuhl, *Malerei u. Zeichn. d. Griechen* 2, 1923.

Apollodoros, von Damaskus, röm. Arch. aus Syrien, tätig um 100 n. Chr., einer der hervorragendsten Baumeister der röm. Kaiserzeit, errichtete unter Kaiser Traian außer einer berühmten *Donaubrücke* (pontes Traiani) am Eisernen Tor zahlreiche Bauwerke in Rom: die *Traiansthermen*, einen *Zirkus*, ein *Odeion* (theaterähnliches Gebäude) u. a. Sein Hauptwerk: das *Forum Traianum*, eine der großartigsten Platzanlagen des Altertums, 107–113 n. Chr. In der Mitte des hallenumgebenen Hofes das Reiterstandbild des Kaisers; die eine Seite begrenzt von der Basilica Ulpia, dahinter die Traianssäule, deren Basis später die Asche des Kaisers umschloß. A. überwarf sich – wahrscheinlich beim Bau des Venus- u. Romatempels – mit dem Kaiser Hadrian, wurde verbannt u. später hingerichtet.

Lit.: W. Zschietzmann, *Die hellen. u. röm. Kunst* (Hb. d. K. W.), 1939.

Apollonios, griech. Bildhauer aus Athen, 1. Jh. v. Chr., späthellenist. Meister zweier erhaltener Bildwerke: des berühmten *Torso im Belvedere* des Vatikans, Rom, u. des *Bronzenen Faustkämpfers* im Thermenmus., ebda.

Lit.: W. Amelung, *Kat. d. antiken Skulpt. im Vatikan. Mus.* 2, 1908. R. Carpenter, *Memoirs of the American Acad.*, 1927.

Apollonios aus Tralles, griech. Bildhauer des 1. Jh. v. Chr., der zus. mit Tauriskos von Tralles eine Gruppe darstellte, von der eine Marmorkopie, um 200 n. Chr., der sog. *Farnesische Stier,* Neapel, Nat. Mus., erhalten ist. Diese Gruppe, welche die theban. Zwillinge Amphion u. Zethos darstellt, wie sie Dirke an einen wilden Stier fesseln, ist eine entstellte u. modern ergänzte Kopie des Originals.
Lit.: Studniczka in: Zschr. f. bild. Kunst, 1903.

Appel, Karel, holl. Maler, * Amsterdam 1921, gehört zu den wichtigen Vertretern der abstrakten Malerei; wird der jungen Ecole de Paris zugerechnet, lebt in Paris.
Lit.: *Neue Kunst n. 1945,* hg. v. W.Grohmann, 1958.

Appiani, Andrea, ital. Maler, Mailand 1754–1817 ebda., Hauptmeister des Klassizismus in Mailand, Hofmaler Napoleons; religiöse u. mythol. Fresken u. Porträts. Für s. kühl-klassizist. Stil griff er auf → Raffael u. dessen Schule zurück. Werke: *Psyche-Fresken* im Schloß v. Monza. Deckenfresko: *Der Parnass,* 1811, Mailand, Villa Reale (im 2. Weltkrieg zerstört). *Anbetung,* Kirche v. Arona.
Lit.: G. Berchet, *Cat. delle opere di A. A.,* 1818. G. Nicodemi, *La pittura milanese dell'età neoclassica,* 1915. G. Delogu, *Ital. Malerei,* 1948.

Apt, Ulrich, d. Ä., dt. Maler, † 1532 Augsburg, wo er tätig war u. eine vielbeschäftigte Werkstatt innehatte, in der auch s. Söhne *Jakob* u. *Ulrich d. J.* mitarbeiteten; im Stil Verwandtschaft mit der Kunst → Holbeins d. Ä.
Werke: *Beweinung Christi,* München, Staatsgal., u. Lugano, Slg. Schloß Rohoncz. *Anbetung der Könige,* Paris, Louvre. *Geburt Christi,* Windsor. *Bildnis eines alten Mannes,* Slg. Liechtenstein, Vaduz. *Bildnis eines jungen Ritters,* Berlin, ehem. staatl. Mus.
Lit.: K. Feuchtmayr, *Die Malerfam. A.* in: Münchner Jb. d. bild. Kunst, 1919/20. Ders. in: Augsburger Kunst der Spätgotik u. Renaiss., 1928 (Beiträge z. Gesch. d. dt. Kst., Bd. 2). W. Pinder, *Die Kunst der Dürerzeit,* 1953. A.Stange, *Dt. Malerei d.Gotik* 8, 1957.

Arca, Niccolò dall', da Bari, ital. Bildhauer, * 2. Hälfte 15. Jh., † 1494. Bolognes. Meister, der s. Namen nach s. Hauptwerk, der Arca (Sarkophag) di S. Domenico in S. Domenico, Bologna, erhielt. Der Sarkophag selbst war ein Werk des Fra Guglielmo, eines Schülers des N. → Pisano, 1265–67. A. erhielt 1469 den Auftrag, eine Marmorbekrönung dazu zu schaffen. Den reichen architekt. Aufbau mit Puttenfiguren u. Früchtekränzen vollendete er bis 1473. An den Statuen, von denen er 14 zur Ausführung brachte, arbeitete er bis an s. Lebensende. Übrige Werke: In Bologna: *Beweinung Christi,* Terrakottagruppe aus lebensgroßen Gestalten, 1463, S. Maria della Vita. *Madonnenrelief* in Terrakotta, 1478, am

Pal. Comunale. *Grabplatte* im Mus. civico u. a. A., der hervorragendste Bildhauer Bolognas, stand in s. Frühwerk, der Beweinung, → Donatello nahe. In krassem Naturalismus schildert er die Gewalt des Schmerzes. In s. Hauptwerk dagegen schließt er sich J. della → Quercia an u. erreicht eine Meisterschaft der Ausführung, die s. Werk den besten Florentiner Arbeiten ebenbürtig macht.
Lit.: C. Gnudi, 1942 (ital.).

Archelaos, griech. Bildhauer, aus Priene, tätig um 125 v. Chr.; von ihm gibt es ein signiertes Marmorrelief mit Apollon u. den Musen u. einer Huldigung der Künste an Homer, die sog. *Apotheose Homers,* London, Brit. Mus.
Lit.: Amelung in: Th.-B. 1908. Pauly-Wissowa, *Realenc.,* 2.

Archermos, griech. Bildhauer des 6. Jh. v. Chr., aus Chios, der nach der antiken Überlieferung als erster die *Siegesgöttin* fliegend dargestellt hatte. Ein Statuensockel mit s. Künstlerinschrift ist in Delos gefunden worden; unweit davon eine geflügelte Nike, Marmor, Athen, Mus., die sich jedoch mit dem Sockel nicht vereinigen läßt: sie kann nur indirekt mit dieser Nike des A. zusammenhängen. Weitere Statuensockel von A. sind in Athen u. Paros gefunden worden.
Lit.: Amelung in: Th.-B. 1908.

Archipenko, Alexander, russ.-amerik. Bildhauer, * Kiew 1887, gehört zu den Begründern moderner abstrakter Plastik. Nach Studien in Moskau, 1908 in Paris, 1920 in Berlin, 1923 ff. in Amerika, vor allem in New York u. Chicago, tätig. 1912 ff. übertrug er Ideen des Kubismus auf die Plastik. Mit s. «Skulptomalereien» versuchte er unter Verwendung verschiedener Materialien Plastik u. Malerei zu verquicken. Hauptmotiv s. Plastik: Weibliche Torsi.
Lit.: H. Hildebrandt, 1923. E. Wiese, 1923. K. Raynal, 1923. C. Giedion-Welcker, *Plastik d. 20. Jh.,* 1955. W. Hofmann, *Plastik d. 20. Jh.,* 1958. G. Habasque in: L'Oeuil 1961 (Juni).

Arcimboldi, Giuseppe, ital. Maler, Mailand um 1530–1593 ebda., von Kaiser Ferdinand I. als Hofmaler berufen, als Bildnismaler geschätzt. Seine Spezialität waren Zusammensetzungen menschlicher Köpfe u. ganzer Gestalten aus Blumen, Früchten oder Tieren. Diese grotesken, surrealist. anmutenden Bilder gut vertreten in Wien, Hofmus.
Lit.: B. Geiger, 1954 (ital.). F. C. Legrand u. F. Sluys, 1955 (franz.). B. Geiger, 1960 (dt.).

Arfe, span. Goldschmiedefamilie dt. Herkunft; Hauptvertreter:
Enrique, der wahrscheinlich aus Harff bei Köln eingewanderte Stammvater der Familie, um 1500–1543

in León arbeitend. Er schuf vor allem große silberne Kustodien (custodias), Tabernakel, in denen die Monstranzen mit der Hostie ausgestellt wurden. In s. Stil Vertreter der Spätgotik. Hauptwerke: *Kustodien der Kathedralen v. León* (1506); *Cordoba* (1513–18); *Toledo* (1515–24).

Antonio, 1510–1570, Sohn des Enrique, fertigte prächtige silberne Kustodien, u. zwar im sog. plateresken Stil (Silberschmiedstil), dem Stil der 1. Phase der span. Renaissance, der stark mit arab. u. got. Elementen durchsetzt war. Hauptwerke: *Kustodien der Marienkirche zu Medina de Rioseco* u. *der Kathedrale v. St. Jago de Compostela* (1540–54).

Juan de A. y Villafañe, León 1535–1603 Madrid, Sohn des Antonio, Hauptvertreter der span. Hochrenaissance, 1596 von Philipp II. nach Madrid berufen, schuf ebenfalls silberne Kustodien im strengen klass. von Italien beeinflußten Stil der Hochrenaissance, ferner sonstiges Kirchengerät, Statuen u. Porträtbüsten aus Bronze. Auch bedeutender Kunstschriftsteller (Hauptwerk: Lehre von den Proportionen).

Hauptwerke: *Kustodien der Kathedralen v. Avila* (1564 bis 1571); *Sevilla* (1580–87; die prächtige Kustodie wurde im 17. Jh. verändert); *S. Pablo in Burgos* (1588 bis 1592); *Valladolid* (1590). Bronzestatuen: *Statuen des Herzogs u. der Herzogin v. Lerma*, für die capilla mayor v. S. Pablo in Valladolid, heute im Mus. v. Valladolid. Statue des *Erzbischofs Sandoval*, Lerma, Colegiata. *Hl. Michael*, Salamanca, Mus. *Großes Prozessionskreuz* für die Kathedrale v. Burgos, 1592.

Lit.: Sanchez Canton, *Los Arfes*, 1920.

Aristokles, griech. Bildhauer, Ende 6. Jh. v. Chr. Von ihm gibt es eine signierte Grabstele mit Reliefdarstellung des Aristion, den Speer in der Linken, vorwärtsschreitend in reiner Profilansicht, die sog. *Aristionstele*, um 510 v. Chr., Athen, Nat. Mus. Es handelt sich um eines der hervorragendsten Werke des archaischen Stils.

Lit.: L. Curtius, *Klass. Kunst Griechenlands* (Handb. d. K. W.), 1938.

Aristonothos, griech. Töpfer, tätig in Argos im 7. Jh. v. Chr. Von ihm ist ein signiertes Gefäß erhalten, ein *Krater* (Napf) *aus Caere*, Rom, Konservatorenpal. Auf der einen Seite ist die Blendung des Polyphem, auf der andern eine Seeschlacht dargestellt. Der Meister gehört in s. Stil der orientalisierenden Periode an, die den Übergang vom geometrischen zum schwarzfigurigen Stil der griech. Vasenmalerei bezeichnet.

Lit.: Pauly-Wissowa, *Realenc.2*. Sauer in: Th.-B. 1908. E. Buschor, *Griech. Vasenmalerei*, 1918.

Armitage, Edward, engl. Maler, London 1817–1896 Tunbridge Wells. Schüler von → Delaroche in Paris,

malte hist. u. bibl. Bilder, auch Freskenwerke für Kirchen Londons, für das Parlamentsgebäude, die Guildhall, die University Hall, ebda. In s. Stil von Delaroche u. → Vernet beeinflußt.

Werke in den Mus. v. London (Nat. Gall.), Bristol, Glasgow, Leeds, Liverpool, Sheffield u. a.

Armitage, Kenneth, engl. Bildhauer, * 1916, Vertreter der jungen engl. Plastik; «s. Gruppen sind zu dünnen Wänden verschmolzen, aus denen insektenartige Gliedmaßen herausragen» (Hofmann).

Lit.: C. Giedion-Welcker, *Plastik d. 20. Jh.*, 1958. R. Penrose, 1960 (mit Bibliogr.). W. Hofmann, *Plastik d. 20. Jh.*, 1958.

Arnold, Karl, dt. Maler u. Zeichner, Neustadt b. Coburg 1883–1953 München, hervorragender Karikaturist, Schüler von → Löfftz u. → Stuck in München, 1907ff. Mitarbeiter an: «Simplizissimus», «Jugend», «Lustige Blätter» u. a. 1913 Gründungsmitglied der «Münchner Neuen Sezession», 1917ff. Teilhaber des «Simplizissimus».

Lit.: R. Davies, *Caricature of to-day*, 1928. H. R. Westwood, *Mod. caricaturists*, 1932. Vollmer, 1953.

Arnold von Westfalen, dt. Arch., † 1480; 1470–80 in den Diensten des Kurfürsten Ernst u. des Fürsten Albrecht von Sachsen. Er entwarf u. leitete die Errichtung vieler Bauwerke in Sachsen. Hauptwerk: *Albrechtsburg* in Meißen, 1471 ff., das erste Schloß in Deutschland, das sich von den Bedingungen des festen Hauses lostrennt, um einen würdigen u. bequemen Wohnsitz für den Landesherrn zu schaffen (Dehio). A. fußt auf der Spätgotik, legt aber unabhängig von der ital. Renaissance die Grundlagen für einen neuen Stil.

Lit.: R. Bruck in: Th.-B. 1908. G. Dehio, *Gesch. d. dt. Kunst* 2, 1921.

Arnolfo di Cambio, ital. Bildhauer u. Arch., Colle di Valdelsa um 1250 bis gegen 1301 Florenz, als Arch. ein Hauptmeister der florent. Gotik, der an allen bedeutenden Bauten Anteil hat; als Bildhauer ebenfalls ein Hauptmeister, der den Stil N. → Pisanos weiterentwickelt. Hauptwerke als Arch.: *Entwurf des Doms*, Florenz, 1294ff. Bauleiter von *S. Croce* u. *Pal. Vecchio*, 1298. Hauptwerke als Bildhauer: *Grabmal des Kardinals de Braye*, Orvieto, S. Domenico. *Tabernakel von S. Paolo fuori le mura*, 1285 u. von *S. Cecilia*, 1293, Rom.

Lit.: H. Keller in: Preuß. Jb. 55/56, 1934/35. W. Paatz, *Werden u. Wesen d. Trecento-Arch. in Toskana* in: Florent. Forsch. N. F. 1, 1937. P. Metz, *Die florent. Domfassade v. A. d. C.* in: Preuß. Jb. 59, 1938.

Arnolfo di Firenze, ital. Bildhauer, 13. Jh., wird heute fast allgemein als identisch mit A. di → Cambio (dessen bildh. Werk) angesehen.

Arp, Hans, franz. Bildhauer, Maler u. Graphiker, * Straßburg 1887, Hauptvertreter der modernen abstrakten Plastik, arbeitete 1912 mit den Künstlern des «Blauen Reiter» zus., 1916 Mitbegründer der Dadabewegung in Zürich, 1922 ff. meist in Paris lebend, Mitglied der surrealist. Gruppe. 1931 gehört er der Gruppe «Abstraction-Création» an. 1948 erschien in New York s. Monographie «On my way»; 1952 ebda. «Dreams and projects» (dt. «Unsern Täglichen Traum»), Erinnerungen, 1956.
Lit.: C. Einstein, *Kunst des 20. Jh.* (Propyläen Kunstgesch.), 1925. C. Giedion-Welcker, *Contemporary Sculpture*, 1955. Dies., *Plastik des 20. Jh.*, 1955. Dies., *H. A.*, 1957. *Knaurs Lex.*, 1955. W. Hofmann, *Plastik d. 20. Jh.*, 1958. J. Lévy, *Surréalisme*, 1938. M. Seuphor, *L'art abstrait*, 1949. Ders., *Dict. peint. abstr.*, 1957 (mit Bibliogr.). Ders., *Plastik unseres Jh.*, 1959. G. Buffet-Picabia, 1953. Cathelin, 1959 (Mus. de poche).

Arrigo Fiammingo, eig. Hendrick van der Broeck, niederl.-ital. Maler, Mecheln (Malines) um 1530 bis 1597 Rom, Schüler des F. → Floris, kam um die Mitte des Jh. nach Italien, tätig in Florenz, Perugia, Orvieto u. Rom, gehörte in s. Stil dem florent. Manierismus an, beeinflußt vor allem von → Vasari, brachte einiges von der flandrischen Tradition hinzu. Hauptwerke: *Kreuzigung*, Perugia, Pinac. *Anbetung der Könige*, 1564, ebda. *Martyrium der hl. Katharina*, 1580, Perugia, S. Agostino. Karton für ein *Glasgemälde* im Dom v. Perugia.
Lit.: U. Gnoli, *Pittori e miniatori nell'Umbria*, 1923.

Arthois, Jacques d', niederl. Maler, Brüssel 1613 bis 1684 ebda., Meister großformatiger Waldlandschaften mit bibl. Staffagefiguren. Unter dem Einfluß des Lodewyk de → Vadder gebildet; schuf s. bibl. Bilder meist für Kirchen.
Lit.: *Ausst.-Kat.* «paysage flamand», Brüssel 1926. W. Bernt, *Niederl. Maler d. 17. Jh.*, 1948.

Asam, bayerische Künstlerfamilie des 17. u. 18. Jh. Die wichtigsten Glieder sind die Brüder: *Cosmas Damian*, Maler u. Arch., Benediktbeuren 1696–1739 Kloster Weltenburg u. *Egid Quirin*, Bildhauer u. Arch., Tegernsee 1692–1750 Mannheim. In Rom ausgebildet, 1715 ff. in München ansässig, wirkten sie zus. bei der Dekoration bayerischer Kirchen u. Klöster. In einigen Fällen stellten sie auch den Architekturentwurf her u. schufen ein Gesamtkunstwerk von malerisch-märchenhafter Pracht. Dieser Stil ist von den Brüdern selbständig aus dem ital. Spätbarock entwickelt worden u. stellt sie in die erste Reihe der Meister des bayerischen Spätbarock. Hauptwerke: *Klosterkirche Weltenburg*, 1717, von Cosmas Damian entworfen, von beiden gemeinsam ausgeführt. *Klosterkirche Rohr*, 1718, von Egid Quirin entworfen, von beiden dekoriert, Hochaltar von

Egid Quirin. *Johann-Nepomuk-Kirchlein* in München, neben dem von ihnen selbst erbauten *Wohnhaus der Künstler*, 1733–35, das prächtige Spätwerk.
Lit.: O. Endres, *Untersuchungen d. Baukunst d. Brüder A.*, Diss. München 1935. C. Lamb, *Die Asamkirche in München*, 1937. E. Hanfstaengl, *Cosmas Damian A.*, 1939. Dies., *Die Brüder A.*, 1955. Gute Würdigung bei W. Pinder, *Dt. Barock*, o. J. Hege/Barthel, *Barockkirchen in Altbayern u. Schwaben*, o. J. E. Pevsner, *Europ. Arch.*, 1957.

Ashbee, Charles Robert, engl. Arch., Kunstgewerbler u. Schriftsteller, * Isleworth 1863–1942, gehört zu den Wegbereitern des engl. «modern style». Er gründete 1888 im Ostende Londons die Schule des Handwerks: School of handicraft, die er 1902 nach Chipping Campden in den Cotswolds verlegte. Hier versuchte er eine Wiederbelebung des Handwerks. Als Arch. schuf er vor allem Einfamilienhäuser im neuen Stil; in Deutschland: zus. mit B. Scott das *Großherzogliche Schloß* in Darmstadt; in der Buchdruckerkunst schuf er die «Essex House Press».
Lit.: N. Pevsner, *Wegbereiter mod. Formgebung*, 1957.

Asper, Hans, schweiz. Maler u. Zeichner für den Holzschnitt, Zürich 1499–1571 ebda., bedeutend haupts. als Bildnismaler der nachholbeinischen Zeit, bekannt s. Bildnisse schweiz. Reformatoren. Im Stil von H. → Leu d. J. beeinflußt. Werke: Bildnisse *Ulrich Zwingli*, *Heinrich Bullinger*, Zürich, Zentralbibliothek.

Aspertini, Amico, ital. Maler, Bologna 1475-1552 ebda., Meister der Bologneser Malschule, wahrscheinlich Schüler des → Francia, beeinflußt von → Costa u. E. → Roberti. *Fresken in S. Frediano* in Lucca, 1506, u. zahlreiche Altarbilder: *Anbetung des Kindes mit Heiligen*, Bologna, Pinac. *Anbetung der hl. drei Könige*, ebda. *Anbetung der Hirten*, Berlin, staatl. Mus.
Lit.: A. Venturi VII, 3, 1914. C. Ricci, *Gli Aspertini* in: L'arte 18, 1915. L. Frati in: L'arte 21, 1917.

Aspetti, Tiziano, ital. Bildhauer, * Padua 1565, venez. Bildhauer aus der Schule→ Sansovinos, tätig in Venedig, Padua u. Pisa. Im Stil beeinflußt von A. → Vittoria, später von der Paduaner → Donatello-Schule.

Asplund, Eric Gunnar, schwed. Arch., Stockholm 1885–1940 ebda., Hauptvertreter der «funktionalistischen» Richtung der modernen schwed. Baukunst, errichtete viele moderne Bauten in Stockholm u. Göteborg. Hauptwerke in Stockholm: *Stadtbibliothek*, 1927. Bauten der *Stockholmer Ausstellung*, 1930. *Kapelle des hl. Kreuzes*, 1940. *Bakteriolog. Institut* u. *Krematorium*. Erweiterungsbau des *Rathauses*

in Göteborg. *Volkskirche*, ebda. Ferner Entwürfe für Möbel u. kunstgewerbl. Gegenstände.
Lit.: G. Holmdahl u. a., 1950. E. De Maré, 1955. Vollmer, 1953.

Asselijn (Asselyn), Jan, niederl. Maler, Dieppe 1610–1652 Amsterdam, Vertreter der letzten Phase der holl. Landschaftsmalerei, in Rom von C. → Lorrain beeinflußt, entnahm die Motive s. Bilder der Umgebung Roms.

Assereto, Gioacchino, ital. Maler, Genua 1600–1649 ebda., Meister des genues. Frühbarock, Schüler des A. → Ansaldo, zu s. Zeit der bedeutendste Maler Genuas; viele Altarbilder in dortigen Kirchen. Beisp.: Fresken *Wunder der hl. Jungfrau* in S. Agostino, Genua.

Athanodoros → Hagesandros aus Rhodos.

Atlan, Jean, franz. Maler,* Constantine (Algerien) 1913, † 1959, gehörte der jungen Ecole de Paris an, der Richtung des «abstrakten Expressionismus». Lit.: M. Ragon, *L'architecte et le magicien*. A. Verdet (Mus. de Poche), o. J. *Knaurs Lex. abstr. Malerei*, 1957.

Auberjonois, René, schweiz. Maler, Montagny b. Yverdon 1872–1957 Lausanne, einer der bedeutendsten westschweiz. Künstler der 1. Hälfte des 20. Jh., studierte in London u. Paris, 1901–1914 in Paris tätig, dann in Lausanne. Er begann mit hellfarbigen pointillist. Bildern, welche von den franz. Nachimpressionisten, bes. von → Bonnard, aber auch von M. → Denis beeinflußt wurden. Später entwickelte er in der Auseinandersetzung mit dem Kubismus u. den → Fauves s. ihm eigenen Stil strenger plastischer Formen u. gedämpfter, oft dunkler Farbgebung. A. schuf vor allem Figurenbilder, ferner Stilleben, Landschaften u. Bildnisse. Bedeutend als Zeichner. Ferner Unterglasmalereien, Pastelle, Lithographien, Buchillustrationen.
Werke in den schweiz. Museen, vor allem in Lausanne, Bern, Basel, Zürich, ferner in Paris (Jeu de Paume).
Lit.: C. F. Ramuz, 1943. P. Budry, *Dessins de R. A.*, o. J. Ausst.-Kat. Lausanne 1958 u. Zürich 1958.

Aublet, Albert, franz. Maler, * Paris 1851, † 1937 (?), Schüler von L. → Gérôme, schuf vor allem liebenswürdige Genrebilder; ferner Bildnisse, geschichtl. u. religiöse Gemälde, Buchillustrationen («Fort comme la mort» von Maupassant, u. a.). Werke in den Mus. von Paris (Petit Palais), St-Etienne, Philadelphia, Quebec.

Aubry-Lemcote, Jean-Baptiste, franz. Lithograph, Nizza 1787–1858 Paris, lithographierte in virtuoser

Technik nach eigenen Zeichnungen u. Gemälden von → Girodet-Trioson, → Prud'hon u. a.

Audran, franz. Kupferstecher-Familie des 17. bis 18. Jh.; hervorragendste Mitglieder:
Gérard A., Lyon 1640–1703 Paris, Schüler s. Vaters *Claude* A. u. des C. → Maratta in Rom, Hofkupferstecher Ludwigs XIV., Meister der malerischen Wirkung, einer der größten Reproduktionsstecher, stach nach P. da → Cortona, → Lebrun, → Mignard, → Coypel u. a. In s. Art stachen auch s. Neffen *Benoît* A., 1661–1721, u. *Jean* A., 1667–1756. Ein späteres Mitglied der Familie, *Michel* A., Paris 1701–1771 ebda., gehörte zu den besten Teppichwirkern der Pariser Gobelinmanufaktur.
Lit.: Duplessis, *Les A.*, 1892.

Auliczek, Dominik, österr. Bildhauer u. Porzellanplastiker, Policka (Böhmen) 1734–1804 Nymphenburg, 1764 Nachfolger → Bustellis an der Porzellanmanufaktur Nymphenburg. Er schuf einige der großen Gartenfiguren im Nymphenburger Park u. modellierte Porzellanplastiken.
Lit.: Bassermann-Jordan, 1901.

Auvera, van der, niederl.-dt. Bildhauerfamilie, die haupts. in Würzburg arbeitete; ihre bedeutendsten Vertreter:
Jakob, Mecheln um 1700–1760 Würzburg, das. Hofbildhauer. Er arbeitete mit an der Ausstattung des Würzburger Schlosses u. schuf viele Skulpturen, dekorative Arbeiten u. a. in Würzburg u. Umgebung. Vom ital. Barock, bes. von → Bernini beeinflußt. Werke: *Kolossalbrunnen* im Kloster Ebrach. *Chorstühle* im Dom v. Würzburg (1749). *Portalskulpturen* an der Neumünsterkirche; der Peterskirche, des früheren Jesuitenkollegiums u. a. in Würzburg.
Johann Wolfgang, † 1756 Würzburg, ausgebildet in Rom, Würzburger Hofbildhauer, beteiligt am plast. Schmuck der Residenz in Würzburg, schuf die *Kanzel* der Benediktinerabtei in Amorbach; einen *Ölberg* im Würzburger Friedhof; *Skulpturen* in den Schloßanlagen in Würzburg, Veitshöchheim u. an Würzburger Kirchen; *Hochaltar* der Klosterkirche Tückelhausen, um 1750; Marmorgrabmäler u. a. Auch in Mainz tätig.
Lit.: Dehio, *Hb. d. dt. Kunstdenkm.*, 1, 1905 (Neuausg. v. E. Gall. 1935).

Avanzi(o), Jacopo, ital. Maler, tätig in Padua um 1370, Schüler von → Altichiero, malte mit ihm zus. *Freskenzyklen* in Padua.

Avanzi, Jacopo degli, auch Jacopo da Bologna gen., ital. Maler des 14. Jh. aus Bologna, nicht zu verwechseln mit Altichieros Genossen in Padua. Von ihm eine bez. Tafel mit *Kreuzigung* in Rom,

Gall. Colonna; einige andere Zuschreibungen.
Lit.: L. Coletti in: Enc. Ital. 1930.

Avanzini, Bartolomeo, ital. Arch., Rom Anf. 17. Jh.
bis 1658 Modena, Nachfolger des → Palladio, schuf
in Modena den *Pal. Ducale,* 1635, mit einem der
schönsten Höfe Italiens (J. Burckhardt). *Collegio di
S. Carlo,* ebda., 1664.

Aved, Jacques-André-Joseph, franz. Maler, Douai
1702–1766 Paris, bedeutender Porträtist, von fläm.
Eltern, verbrachte s. Jugend in Holland, war an der
holl. Schule geformt. In Paris Freund → Chardins,
mit dem er vielfach gemeinsam arbeitete. Werke:
Rameau, Dijon, Mus. *Mme Crozat,* Montpellier, Mus.
J. B. Rousseau, Versailles. Werke in den Mus. Paris
(Louvre), Versailles, Montpellier, Valenciennes,
Amsterdam (Rijksmus.), Den Haag (Mauritshuis).
Lit.: V. Wildenstein, 1924.

Avercamp, Hendrick van, niederl. Maler, Amsterdam 1585–1635 Kampen, bes. beliebt durch s. hell-
tonigen Winterlandschaften, die von Schlittschuh-
läufern u. a. Figuren belebt sind; ferner farbige
Handzeichn. mit Eisszenen. Mit A. van de → Venne
u. E. van de → Velde leitete er die holl. Landschaftsmalerei des 17. Jh. ein. Bilder u. a. in Amsterdam,
Rotterdam, London, Köln.
Lit.: C. J. Welcker, 1933. W. Bernt, *Niederl. Maler
d. 17. Jh.,*, 1948.

Avont, Pieter van, niederl. Maler, Mecheln 1600 bis
1652 Antwerpen, fläm. Kleinmeister, der oft mit
J. → Bruegel, Lucas → Uden u. a. zus. gearbeitet
hat, denen er die Figürchen in ihre Landschaften hin-
einmalte. Werke in Antwerpen, Gent, Leningrad,
Eremitage; Lyon, Neapel, Wien, Kunsthist. Mus.;
Vaduz, Gal. Liechtenstein.

B

Babberger, August, dt. Maler u. Graphiker, Hau-
sen im Wiesental 1885–1936 Karlsruhe; Landschaften, Figürliches, Akte, Bildnisse, Blumenstücke u. a.; auch Wandmalereien; von → Hodler
u. → Marées beeinflußt, schloß sich später den
Expressionisten an.
Lit.: W. Schäfer, *Bildh. u. Maler in d. Ländern am
Rhein,* 1913. Vollmer, 1953.

Baburen, Dirck, niederl. Maler, Utrecht um 1590 bis
um 1622 ebda., Meister derber Genreszenen in der
Art des → Honthorst, Schüler von P. → Moreelse,
um 1619–20 in Rom, dort Einfluß → Caravaggios;
er schuf in Rom mehrere große Altarblätter (in
S. Pietro in Montorio). Hauptvertreter der Cara-
vaggio-Art in Holland.
Lit.: H. Voss, *Malerei d. Barock in Rom,* 1924.

Bacchiacca, eig. Francesco Ubertini, gen. il B.,
ital. Maler, Florenz 1494–1557 ebda., Meister er-
zählerischer Darst. meist in kleinen Formaten, vermutlich Schüler → Peruginos, beeinflußt von
A. del → Sarto u. → Franciabigio. Später erfuhr er
den Einfluß des Manierismus (→ Vasari, → Pontormo), so daß er stilist. dem Frühmanierismus zu-
zuzählen ist. Werke: *Josephsgeschichte,* Rom, Gall.
Borghese u. London, Nat. Gall. *Kain u. Abel,*
Bergamo, Gall. *Magdalena,* Florenz, Pal. Pitti. *Madonna,* Dresden, Gal. *Taufe Christi,* Berlin, staatl. Gal.
Lit.: H. Voss, *Mal. d. Spätrenaiss.,* 1920. A. Venturi
IX, 1. A. McComb in: The art bull. 8, 1926.

Baccio d'Agnolo → Baglioni.

Bachelier, Jean-Jacques, franz. Maler u. Ornamentzeichner, Paris 1724–1806 ebda., malte haupts. Blumen, Früchte, Jagdstücke. Leiter der Porzellanmanufaktur von Sèvres, gründete 1766 die Ecole des
arts décoratifs in Paris.

Bachelin, Auguste, schweiz. Maler, Neuchâtel
1830–1890 Bern, Schüler von → Gleyre u. → Couture in Paris. Sein eig. Gebiet sind militär. Szenen u.
Darstellungen aus der schweiz. nationalen Tages-
geschichte u. Genreszenen.

Baciccio (Baciccia), Giovanni Battista, eig. Gaulli,
ital. Maler, Genua 1639–1709 Rom, Meister großer
Freskenwerke u. bedeutender Bildnismaler, kam
früh nach Rom, wo er sich unter dem Einfluß
→Berninis ausbildete. Sein Hauptwerk sind die
Deckengemälde der Kirche Il Gesù in Rom, 1668–83, im
großartig-dekorativen Hochrenaissancestil → Cor-
tonas. Deckengemälde von *SS. Apostoli,* um 1700.
Altargemälde für S. Andrea al Quirinale u. a. Kirchen
Roms. Porträts: *Klemens IX.,* Rom, Accad. di
S. Luca. *Bernini,* ebda., Gall. naz. *Kardinal Leopoldo
de' Medici,* Florenz, Uff. *Prinzessin Aldobrandini,* ebda.,
Pitti; Wiederholungen in Rom, Gall. Corsini u.
Wien, Kunsth. Mus. Werke in Dijon, Karlsruhe,
Rouen, Wien (Gal. Czerni) u. a.
Lit.: H. Voss, *Malerei d. Barock in Rom,* 1924.
N. Pevsner, *Barockmalerei in Italien* (Handb. d. K. W.),
1928. A. Bertini-Calosso in: Enc. Ital. 1930.

Backer, Adriaen, niederl. Maler, Amsterdam
1635/36–1684 ebda., Neffe des → Jacob B.; Korpo-

rationsstücke, Porträts, allegor. u. hist. Darstellungen. Werke im Rijksmus., Amsterdam u. Bürgerwaisenhaus, ebda.

Backer, Jacob Adriansz., niederl. Maler, Harlingen 1608–1651 Amsterdam, Schüler → Rembrandts. Bildnisse u. Schützenstücke: *Gruppenbild der Regentinnen des Waisenhauses*, Amsterdam. *Schützenstück*, Rathaus, ebda.
Lit.: K. Bauch, 1925. W. Bernt, *Niederl. Maler des 17. Jh.*, 1948.

Backhuisen, Ludolf → Bakhuyzen, Ludolf.

Backofen, Hans, dt. Bildhauer, Sulzbach, vor 1460–1519 Mainz. Hauptvertreter der Spätgotik (sog. spätgot. Barock). Seine Werkstatt in Mainz, nachweisbar 1505–19, entfaltete eine weithin wirkende Tätigkeit, haupts. Grabmäler u. Kreuzigungsgruppen. Er ging vermutlich aus einer älteren Mainzer Bildhauerschule hervor. Die Entwicklung s. Kunst zu Monumentalität u. plast. Kraft steht im Gegensatz zu der s. Zeitgenossen →˙ Riemenschneider u. weist auf den Barock; hierin → Grünewald vergleichbar. Werke: Grabdenkmäler im Mainzer Dom: *Bischof Henneberg* (gest. 1504); *Bischof Ulrich v. Gemmingen*, 1515–17. Kreuzigungsgruppen: *Eltville*, 1506; *Domhof in Frankfurt*, 1509; *Peterskirchhof* ebda., 1512; *Wimpfen*, 1510 u. 1517.
Lit.: P. Kautzsch, *Der Mainzer Bildh. H. B. u. s. Schule*, 1911. G. Braune-Plathner, Diss. Halle 1934.

Bacon, Francis, engl. Maler, * Dublin 1910, tätig in London, Hauptvertreter der engl. abstrakten Malerei; surrealist. beeinflußt.
Lit.: *Neue Kunst nach 1945*, hg. v. W. Grohmann, 1958. *Ausst.-Kat. Documenta II, Malerei*, Kassel 1959.

Bacon, John, d. Ä., engl. Bildhauer, Southwark 1740–1799 London, Vertreter des Klassizismus, tätig in London, schuf Bildnisstatuen u. Grabmäler, u. a. *Denkmal William Pitt*, London, Westminsterabtei. *Dr. Johnson*, ebda., St. Pauls-Kathedrale.

Bacon, John, d. J., engl. Bildhauer, London 1777 bis 1859 ebda., Sohn John B. d. Ä., schuf Büsten, Statuen u. allegor. Darstellungen. Mehrere Werke in der St. Pauls-Kathedrale u. in der Westminsterabtei.

Badile, Antonio, ital. Maler, Verona um 1516 bis 1560 ebda. Schüler des F. → Torbido, gen. il Moro. Tätig in Verona. Von der venez. Kunst, bes. von → Tizian beeinflußt, Lehrer → Veroneses, auf dessen künstlerische Entwicklung er einen gewissen Einfluß hatte. Seine Werke haupts. in Verona.
Lit.: A. Venturi 9, 1929.

Baegert, Derick, dt. Maler, * Wesel (oder Darup im westl. Münsterlande) um 1440, tätig am Niederrhein u. in Westfalen, nachweisbar 1470–1515 in Wesel; s. Werk früher irrtümlich den Brüdern Dünnwege zugeschrieben. B. schuf mächtige Altartafeln u. war der bedeutendste Meister s. Zeit am Niederrhein; in s. Stil geht er von D. → Bouts aus, bildet ihn aber eigenständig weiter.
Werke: Hauptwerk ist der große *Altar der Probstei-Kirche* in Dortmund (vor 1480 entstanden?) u. das große *Gerichtsbild* für das Rathaus von Wesel, 1493–94. Weitere Werke in Kirchen von Kalkar u. Xanten. In Mus. befinden sich: Antwerpen, Mus.: *Tafel des Nikolai-Altars* für Kalkar. In München, A. P.; Nürnberg, German. Mus. u. Brüssel, Mus.: *Teile des Kreuzigungsaltars* für St. Lorenz in Köln. In Slg. Schloß Rohoncz, Lugano: *Teile eines Altars*, viell. für die Matena-Kirche zu Wesel.
Lit.: *Ausst.-Kat. D. B. u. s. Kreis*, Münster 1937. O. Fischer, *Geschichte d. dt. Malerei*, 1942. A. Stange, *Dt. Malerei d. Gotik* 6, 1954. W. Pinder, *Dt. Kunst d. Dürerzeit*, 1953.

Bähr, Georg, dt. Arch., Fürstenwalde 1666–1738 Dresden. Bedeutender Barockbaumeister; s. Hauptwerk die *Frauenkirche*, Dresden 1726–38 (1945 zerstört), der erste monumentale Kirchenbau des Protestantismus: Zentralbau, künstlerisch hochbedeutsam namentlich die Außenansicht mit der Kuppel. Wichtigster Profanbau: *Hôtel de Saxe*, Dresden, um 1720 (zerstört).
Lit.: W. Möllering, *G. B., ein protest. Kirchenbaumeister d. Barock*, Diss. Dresden 1933. W. Lange, *Der gerichtete Zentralbau G. B.s*, Diss. Berlin 1940. W. Hager, *Die Bauten d. dt. Barocks*, 1942.

Baenninger, Otto Charles, schweiz. Bildhauer, * 1897 Zürich, tätig ebda. Einige Zeit Mitarbeiter → Bourdelles in Paris, schuf Bildnisbüsten, Denkmäler, Figürliches. Werke u. a. in Zürich, Kunsth., Bern, Kunstmus., Schaffhausen (*Bronzetüren* des Münsters).
Lit.: Vollmer, 1953. Cingria, 1949. M. Joray, *Schweiz. Plastik d. Gegenwart*, 2 Bde., 1955–59. Seuphor, *Plastik unseres Jh., 1959. Schweiz. Künstlerlex. d. 20. Jh.*

Baer, Fritz, dt. Maler, München 1850–1919 Pasing, Landschafter der Münchner Schule, bildete sich unter → Baisch; wie dieser stark beeindruckt von den Meistern der Schule von → Barbizon, bes. → Dupré u. → Troyon. Seine Landschaften sind ganz auf zarte Töne gestellt; innerhalb weniger Farben großer Reichtum an Nuancen, von nobler dekorativer Wirkung. In zahlreichen dt. Museen vertreten.

Baertling, Olle, schwed. Maler, * Halmstad 1911, Vertreter des → Konstruktivismus, begann als Expressionist, später unter dem Einfluß F. → Légers,

dem franz. Kubismus u. schließlich → Mondrians, der ihm den Weg zur abstrakten Kunst weist. Tätig in Stockholm.
Lit.: T. Nilson, 1951 (schwed.). E. Wretholm, 1951 (schwed.). M. Seuphor, *Dict. peint. abstr.*, 1957.

Baertson, Albert, belg. Maler, Gent 1866–1922 ebda., malte Landschaften, Stadt- u. Küstenbilder. Auch meisterhafte Pastelle u. Zeichnungen.

Baglione (Baglioni), Giovanni, ital. Maler, Rom 1571–1644 ebda. Werke in vielen röm. Kirchen u. Palästen. Als Maler wenig interessant, von → Caravaggio beeinflußter Epigone, aber bedeutend als Schöpfer eines Quellenwerkes über Künstler, welche 1572–1642 in Rom arbeiteten.
Werke: Ein Hauptwerk das *Altarbild* in Il Gesù, Rom, um 1603: *Auferstehung Christi.* Außerdem Werke in Perugia, Mantua, Loreto. Als Biograph: «Le vite de' pittori, scultori, architetti ed intagliatori dal pontificato di Gregorio XIII (1572) fino a' tempi di Papa Urbano VIII (1642)», Rom 1644.
Lit.: H. Voss, *Malerei d. Barock in Rom*, 1924.

Baglioni, Baccio d'Agnolo, ital. Architekt u. Bildhauer, Florenz 1462–1543 ebda. Hauptvertreter der florent. Hochrenaissance, der sich an → Cronaca anschloß. Stand mit → Raffael u. a. führenden Künstlern Roms in Verbindung. Mit Antonio da → Sangallo tätig am Florentiner Dom. Errichtete haupts. Paläste in einer harmonisch u. fein ausgeführten Bauart. Hauptwerke: *Pal. Bartolini*, 1520, mit Rustikapilastern u. schwerem Kranzgesims; *Pal. Ginori*; *Pal. Giuntini*; alle in Florenz. *Villa Castellani* auf Bellosguardo b. Florenz. Holzschnitzerei: *Chorgestühl in S. Maria Novella*, Florenz, 1491–96. *Orgellettner*, für dies., z. T. heute im South Kensington Mus., London.
Lit.: W. Limburger, *Die Gebäude v. Florenz*, 1910.

Bagnacavallo, Bartolomeo Ramenghi, gen. B., ital. Maler, Bagnacavallo 1484–1542 Bologna. Reiht sich den → Francia-Epigonen u. Manieristen an, die von → Raffaels Spätstil ausgingen. Auch → Garofalo hatte Einfluß auf ihn. Arbeitete haupts. in Bologna. Hauptwerke in Bologna: Nischenfiguren (*Heilige*) in der Sakristei v. S. Michele in Bosco; *Kreuzigung*, 1522, in S. Pietro; *Madonna mit Heiligen* in d. Pinac. In Dresden, Gal.: *Madonna in der Glorie mit Heiligen.* Bilder in Berlin, Gal.; Paris, Louvre. Zeichn. in den Uff., Florenz.
Lit.: Gruyer, *L'art ferrarais*, 1897. Venturi IX, 4, 1929. A. Foratti in: Th.-B. 1933.

Baily, Edward Hodges, engl. Bildhauer, Bristol 1788–1867 Holloway. Klassizist. Meister, Schüler → Flaxmans, der Bedeutung erlangte durch Porträtstatuen u. -büsten berühmter Männer.

Hauptwerke in London: *Säulenstandbild Nelsons* am Trafalgar Square; *Grabdenkmal Lord Hollands* in der Westminsterabtei. Ferner Standbilder von *Sir Robert Peel, Stephenson* u. a. Mehrere Porträtbüsten in der Nat. Portr. Gall.
Lit.: Art journal, 1867. S. Redgrave, *Dict. of artists*, 1878. Th.-B. 1908.

Baisch, Hermann, dt. Maler u. Radierer, Dresden 1846–1894 Karlsruhe, Landschafter der Karlsruher Schule, Schüler der Stuttgarter Akad., weitergebildet unter → Rousseaus Einfluß in Frankreich, empfing die entscheidenden Eindrücke an der Münchner Akad. unter → Lier, 1880ff. als Prof. an der Karlsruher Akad. Er schuf silbergraue feintonige Stimmungslandschaften, durch leuchtend farbige Punkte in den Details hier u. da reizvoll belebt. Werke in den Mus. v. Stuttgart, Berlin, München.

Bakhuijzen, Hendrik van de Sande → Sande Bakhuijzen, Hendrik.

Bakhuyzen (Backhuisen), Ludolf, niederl. Maler u. Radierer, Emden 1631–1708 Amsterdam, Schüler von A. van → Everdingen, neben Willem van der → Velde der bedeutendste Marinemaler s. Zeit; außerdem einige Werke mit bibl. Themen, Porträts, Radierungen u. Handzeichnungen. Beisp.: *Holländ. Schiffe im Hafen v. Amsterdam*, Amsterdam, Rijksmus.; *Holländ. Schiffe auf hoher See*, London, Nat. Gall. Gut vertreten in Amsterdam, Dresden, London, Paris, Berlin, Wien.
Lit.: W. Bernt, *Niederl. Maler d. 17. Jh.*, 1948.

Bakst, Leon Nikolajewitsch, russ. Maler, Bühnenbildner, Illustrator, St. Petersburg 1866–1924 Paris, begründete mit Alex. Benois, Ssomoff u. Sseroff die Künstlervereinigung u. Zschr. «Mir Isskusstwa» (Die Weltkunst), bekannt geworden durch s. Aquarellentwürfe zu Kostümen für das Russ. Ballett. Illustrationen zu: Gogol, *Die Nase*, u. a.; Buchschmuck, Plakate usw.
Lit.: A. Levinson, 1923 (dt. 1925). C. Einstein, 1927.

Baldassare Estense, ital. Maler u. Medailleur, Reggio Emilia um 1437 bis um 1504 Ferrara, tätig 1461–69 in Mailand für die Sforza, darauf in Ferrara als Hofmaler; 1472–79 in Reggio Emilia, dann wieder in Ferrara. Von ihm nur eine Medaille Ercoles I. erhalten u. einige Porträts in: Hannover, Kestner-Mus.; Mailand, Slg. Trivulzio; Richmond, Slg. Cook.
Lit.: A. Venturi VII, 3, 1914.

Baldinucci, Filippo, ital. Kunstgelehrter, Florenz 1624–1696 ebda., setzt in s. «Notizie de'professori del disegno», 1681–1728, auf Grund neuer Quellen → Vasari fort.
Lit.: J. v. Schlosser, *Kunstliteratur*, 1924.

Baldovinetti, Alesso, ital. Maler, Florenz 1425 bis 1499 ebda. Von → Castagno u. Domenico → Veneziano beeinflußter Meister. Technische Versuche spielen bei ihm eine große Rolle. B.s Reiz liegt im herben zeichnerischen Stil u. im liebevollen Eingehen auf die Landschaft.
Hauptwerke in Florenz: *Fresken im Vorhof der Annunziata*, 1460–62: *Anbetung der Hirten*. Fresken in der *Chorkapelle von S. Trinità. Dreifaltigkeit mit Heiligen u. Engeln*, 1470/71, Akad. *Thronende Madonna* u. *Verkündigung*, Uff. In Paris, Louvre: *Madonna in Landschaft*.
Lit.: E. Londi, 1907 (ital.). B. Berenson, *Drawings of the Florentine painters* I. W. Weisbach in: Th.-B. 1908. Van Marle, *Italian schools* XI, 1929. R. Wedgewood Kennedy, 1938 (engl.).

Balducci, Giovanni (oder G. di Balduccio, G. da Pisa), ital. Bildhauer, 1. Hälfte 14. Jh. Der in Pisa geborene Meister arbeitete 1317–18 in der Dombauhütte in Pisa unter G. → Pisano, → Tino di Camaino u. Lupo di Francesco, später haupts. in Mailand. Sein Einfluß war so bedeutend, daß er als Bahnbrecher des von Giov. Pisano ausgehenden neuen Stils in Norditalien zu bezeichnen ist.
Hauptwerke in Mailand: *Sarkophag (Arca) des hl. Petrus Martyr* in S. Eustorgio, 1339 voll. Rest des *Grabmonuments für Azzone Visconti* im Pal. Trivulzio. Ferner: *Grabmal des Guarniero* in S. Francesco b. Sarzana. *Statuen* in der Vorhalle des Doms v. Cremona.
Lit.: Venturi in: Th.-B. 1908.

Baldung, Hans, gen. Grien, dt. Maler, wahrscheinlich Schwäbisch-Gmünd 1484/85–1545 Straßburg, der – neben Grünewald – führende Meister am Oberrhein. Nach Lehrzeit 1504–07 in Nürnberg, vermutlich in → Dürers Werkstatt in Straßburg. 1512–16 in Freiburg i. Br., um dort s. Hauptwerk, den Hochaltar des Münsters, zu schaffen. Neben Altären u. kleineren religiösen Werken mythol.-allegor. Darstellungen, bedeutende Bildnisse, Zeichnungen für den Holzschnitt u. Glasgemälde. Zeitweise berührt B. sich mit Dürer, mit dem er befreundet war, teils auch mit dem romant.-expressiven Stil der → Donauschule, zeitweise mit Grünewald. Charakteristisch für s. Stil: Die Steigerung got. Stilelemente zu barocker Ausdruckskraft.
Hauptwerke: Hochaltar des Freiburger Münsters, mit *Marienkrönung*, 1512–16. *Beweinung*, 1515, Berlin, staatl. Gal. *Ruhe auf der Flucht*, Nürnberg, German. Mus. *Frau u. der Tod*, 1517, Basel, Mus. *Die Eitelkeit*, Wien, Kunsthist. Mus. Berühmtester Helldunkelholzschnitt: *Die Hexen*, 1510.
Lit.: H. Curjel, 1923. C. Koch, *Die Zeichn. B.s*, 1941. H. Perseke, *B.s Schaffen in Freiburg*, 1941. O. Fischer, ²1943. Ausst.-Kat., Karlsruhe 1959.

Balen, Hendrik van, fläm. Maler, Antwerpen 1575 bis 1632 ebda. Schüler des A. van → Noort, Lehrer A. van → Dycks u. F. → Snyders. B. gehört zu den niederl. Romanisten, war zweifellos auch selber in Rom. Bes. geschätzt s. figurenreichen mythol. u. bibl. Darstellungen in kleinem Format auf Holz oder Kupfer, in sorgfältigster Ausführung, in frischen u. durchsichtigen Farben. Häufig hat er mit anderen Malern zusammengearbeitet, die die Landschaftshintergründe ausführten, bes. mit J. → Bruegel. In s. späteren Werken zeigt sich der Einfluß s. einstigen Schülers van Dyck.
Werke: Altargemälde: *Hl. Familie*, Kathedrale Antwerpen. Kleinere Werke: reich vertreten in Wien, Gal. *(Jupiter u. Europa)*; München, N. P. *(Hieronymus)*; Dresden *(Diana mit Nymphen)*; Paris, Louvre *(Göttermahl)*. Ferner Den Haag, Mus.; Brüssel, Gal.; Amsterdam, Mus.; Berlin, Gal. Kassel, Gal. *(Diana u. Aktäon*, die Landschaft v. Bruegel) u. a.
Lit.: Van Lerius, *Biogr. d'artistes*, 1881. R. in: Th.-B. 1908. W. Bernt, *Niederl. Maler d. 17. Jh.*, 1948.

Balestra, Antonio, ital. Maler u. Kupferstecher, Verona 1666–1740 ebda. Von → Maratta ausgebildet, war außer in Verona viel in Venedig tätig. Seine Werke finden sich in den Kirchen v. Venedig, Vicenza, Padua, Verona, Brescia u. a. B. war ein mittelmäßiger Eklektiker, zu s. Zeit sehr beliebt u. ein erfolgreicher Lehrer. R. → Carriera war u. a. s. Schülerin. Werke in Venedig: *Anbetung der Hirten*, S. Zaccaria. *Madonna mit Heiligen*, S. Maria dei Gesuiti.
Lit.: L. Ozzola in: Th.-B. 1908.

Ball, Thomas, amerik. Bildhauer, Charlestown b. Boston 1819–1911 Montclair (N. J.), gilt als Hauptvertreter der amerik. Plastik des 19. Jh., schuf Denkmäler u. Bildnisbüsten. Hauptwerke: *Reiterstatue Washingtons*, Boston. *Washington Monument* in Methuen (Mass.). *Lincolndenkmal* im Lincoln Park in Washington; Replik in Park Square, Boston. Weitere Denkmäler in Boston, New York, Philadelphia, Concord u. a.
Lit.: E. v. Mach in: Th.-B. 1908. C. R. Post, *History of European and American sculpture* 2, 1921. A. Fitz Gerald in: Enc. Ital. 1930.

Ballà, Giacomo, ital. Maler, * Turin 1871, führender Futurist; entscheidend für s. künstlerische Laufbahn wurde eine Begegnung mit → Severini u. → Boccioni in Rom. Sein Bild *Hund an der Leine*, 1912, New York, Mus. of mod. art, erregte s. Zeit Aufsehen als 1. Versuch einer futurist. (→ Futuristen) Bewegungsanalyse; der Mechanismus des Gehens soll prozessual anschaulich gemacht werden; S. benützte dazu Elemente des synthetischen Kubismus.

Lit.: N. Tarchiani in: Enc. Ital., 1930. L. Venturi, *Pittura contemp.*, 1948. Knaurs Lex., 1955. E. Seuphor, *Dict. peint. abstr.*, 1957.

Ballu, Théodore, franz. Arch., Paris 1817–1885 ebda., Vertreter des historisierenden Stils des 19. Jh. Hauptwerke in Paris: Kirche *La Trinité* in Spätrenaissancestil, 1861–67; *Saint-Ambroise* in roman. Stil, 1863–69; Wiederaufbau des alten Stadthauses, des *Hôtel de Ville*, 1874–82, zus. mit Deperthes im franz. Renaissancestil, mit genauer Wiederherstellung der Fassade des alten Stadthauses, beg. 1533 nach den Plänen des Italieners Domenico Boccadoro da Cortona.
Lit.: G. Gromort in: *Hist. gén. de l'art franç. 2*, 1922. M. Allemand in: Enc. Ital. 1930.

Balmer, Wilhelm, schweiz. Maler, Basel 1865–1922 Röriswil (Bern), Schüler von Hackl u. → Löfftz in München, seit 1902 in Florenz, seit 1908 in Röriswil ansässig, schuf vor allem Porträts, namentlich Kinderbildnisse. Ferner Genrebilder u. dekorative Fresken: die bekanntesten sind die am *Basler Rathaus* u. die des *Ständeratssaales* im Bundeshaus in Bern (letztere gemeinsam mit A. → Welti). Vertreten in den Mus. von Basel u. Genf.
Lit.: H. Troy in: *Schweiz. Künstler-Lex.* 1908 u. 1917. P. Ganz in: Die Garbe, 1922. Ders. in Enc. Ital. 1930.

Baltard, Louis-Pierre, franz. Arch., Paris 1764–1846 Lyon, Vertreter des klassizist. Stils, erbaute den *Justizpalast* in Lyon, 1836–42. Auch Maler u. Radierer.

Baltard, Victor, franz. Arch., Paris 1805–1874 ebda. Schüler s. Vaters, des Arch. Louis-Pierre → B. (1764 bis 1846), gehört der historisierenden Schule des 19. Jh. an, leitete die Restaurierungen der mittelalterlichen Kirchen St-Germain-des-Prés, St-Eustache, St-Etienne-du-Mont. In s. eigenen Bauten verband er kühne moderne Eisenkonstruktionen mit einem historisierenden Stil: *Halles centrales*, 1852 bis 1859 Paris; *Flügelbauten des Hôtel de Ville*, ebda. Sein Hauptwerk, die Kirche *St-Augustin*, ebda., 1860–71, mit von Eisenkonstruktionen getragenen Kuppelgewölben, galt als eine der kühnsten Schöpfungen moderner Baukunst.
Lit.: G. Gromort in: Histoire gén. de l'art franç., 1922.

Balthus, eig. Balthasar Klossowsky, franz. Maler, * Paris 1903, poln. Abkunft, Sohn des Malers u. Kunstschriftstellers E. Klossowsky, wuchs in Paris auf, bildete sich unter dem Einfluß → Derains, → Bonnards, der Kubisten u. des Surrealismus u. entwickelte einen eigenen ausdrucksvollen Stil, malte haupts. Figürliches, Porträts, aber auch Landschaf-

ten u. Stilleben. Vertreten in New York, Mus. of mod. art u. a.
Lit.: J. T. Soby, 1956 (*Ausst.-Kat. New York*, m. Bibliogr.).

Baluschek, Hans, dt. Maler, Zeichner u. Graphiker, Breslau 1870–1935 Berlin. Szenen aus dem Leben der Berliner Vorstadt.
Lit.: H. Esswein, 1904. Wendel, 1924.

Balwé, Arnold, dt.-holl. Maler, * Dresden 1898, aus holl. Familie, studierte an der Akad. Antwerpen, dann Schüler K. → Caspars an der Münchner Akad. Beeinflußt von Caspar u. van → Gogh, schuf haupts. Landschaften mit figürlicher Staffage, auch Bildnisse, Stilleben u. Blumenstücke.

Balzico, Alfonso, ital. Bildhauer, Cava dei Tirreni b. Neapel 1825–1901 Rom. Standbilder u. Bildnisbüsten, u. a. *Reiterdenkmal des Herzogs Ferdinand v. Genua*, Turin, 1867. *Bronzestandbild des Dichters Massimo d'Azeglio*, ebda., 1872. *Marmorstandbild Vincenzo Bellinis*, 1886, Neapel.
Lit.: G. Tutino in: Th.-B. 1908. N. Tarchiani in: Enc. Ital. 1930.

Bamberger Meister. An der bildnerischen Ausschmückung des Bamberger Domes im 13. Jh. hatten vor allem 2 Generationen hervorragender Meister Anteil; der führende Meister der älteren Generation wird Meister der Bamberger Georgenchorschranken genannt; der der jüngeren Generation Meister der Bamberger Heimsuchung (→ Heimsuchungsmeister). Ferner: Meister der Ekklesia und Synagoge; Meister der Adamspforte; Meister des Fürstenportaltympanons.
Lit.: → Heimsuchungsmeister; s. auch die betreff. Art. in: Th.-B. 1950.

Banco, Maso di, ital. Maler u. Bildhauer, 1. Hälfte 14. Jh., Schüler → Giottos, erfuhr aber auch den Einfluß der Sienesen. Seine Darstellungen aus der *Legende des hl. Silvester* u. des *Kaisers Konstantin* in S. Croce, Florenz, gelten als eines der wichtigsten Werke der florent. Trecentomalerei. Ferner: *Kreuzabnahme*, Florenz, Uff.
Lit.: P. Toesca, *Florent. Malerei d. 14. Jh.*, 1929. W. Suida in: Th.-B. 1930.

Banco, Nanni di, ital. Bildhauer, um 1373–1420, Schüler s. Vaters Antonio di Banco u. Niccolò d'Arezzos, gehört zu den Bahnbrechern der Frührenaissance in Florenz. Seine *Statue des Lukas* zeigt noch überwiegend den Stil Niccolòs; später intensives Studium antiker Vorbilder, wodurch er eine bedeutungsvolle Stellung neben → Ghiberti u. → Donatello einnimmt.
Hauptwerke: *Evangelist Lukas*, 1408–15, Florenz,

Dom. Seine Statuen an *Or San Michele*, Florenz: *Gruppe von vier Heiligen*, 1408ff. *Der hl. Eligius*, 1415, *die hll. Philipp u. Petrus*. Über dem Nordportal des Florentiner Domes: *Madonna della Cintola*, 1414–20. *Verkündigungsengel mit Maria*, Dom-Mus., Florenz. Lit.: F. Knapp in: Th.-B. 1908. G. Pachaly, 1907. O. Wulff, *B. u. die Anfänge d. Renaissanceplastik in Florenz*, Preuß. Jb. 34, 1913.

Bandel, Ernst v., dt. Bildhauer, Ansbach 1800–1876 Neudegg b. Donauwörth, Schüler der Münchner Akad., in Rom weitergebildet, 1827–34 in München, dann in Berlin u. Hannover tätig. Hauptwerk: *Hermanns-Denkmal im Teutoburger Wald*, 1. Modell 1830, architekt. Unterbau 1846 voll., Einweihung des Denkmals 1875. Mit dieser s. Lebensarbeit hat B. wohl das beste Kolossaldenkmal s. Zeit geschaffen. Lit.: H. Schmidt, 1900. P. Kuhn in: Th.-B. 1908.

Bandinelli, Bartolommeo, gen. Baccio B., ital. Bildhauer, Florenz 1493–1560 ebda. Nachahmer → Michelangelos, mit dem er zu rivalisieren trachtete. Von den Medici gefördert, erhielt er bedeutende Aufträge, ließ aber vieles unvollendet liegen. Sowohl → Cellinis Ausfälle gegen ihn wie auch die auf B.s eigene Angaben zurückgehenden Notizen → Vasaris verlangen Kritik. B. hatte haupts. zeichnerisches Talent, welches in s. *Prophetenreliefs an den Chorschranken des Doms*, Florenz, 1555, zur Geltung kommt. Ferner: *Porträtstatuen der Medici* u. *Papst Leos X.* im Pal. Vecchio. *Adam u. Eva*, für den Hochaltar des Doms bestimmte Marmorskulpturen, die aber als indezent entfernt wurden, 1551, Florenz, Nat. Mus. *Bacchus* (aus einem Adam umgestaltet), Pal. Pitti. *Herkules u. Cacus*, Kolossalgruppe auf der Piazza della Signoria, Florenz, 1530–34. Ein Teil der *Chorschranken* in der Opera del Duomo. Lit.: A. Venturi X, 2, 1936. W. R. Valentiner, *B., rival of Michelangelo* in: Art quarterly 1955.

Bandol (Bondol, Bondolf), Jan, gen. Jean oder Hennequin de Bruges, niederl.-franz. Maler des 14. Jh., aus Brügge, 1368ff. in Diensten Karls V. von Frankreich, der ihn zum Hofmaler ernannte. Für dessen Bruder, den Herzog Ludwig v. Anjou, schuf er die *Teppiche mit Darstellungen der Apokalypse*. Es waren 103 Bildteppiche, die in den Jahren 1376 bis 1379 entworfen wurden, wovon 73 in der Kathedrale v. Angers erhalten sind. Lit.: P. Durrieu in: Th.-B. 1910.

Banks, Thomas, engl. Bildhauer, Lambeth 1735 bis 1805 London, Vertreter des engl. Klassizismus, 1772–79 in Rom, dann in Petersburg, ca. 1781ff. in London tätig. Beisp.: *Achilles, den Verlust der Briseïs beklagend*, Kolossalstatue in der Royal Acad., London, Werke in der Westminsterabtei u. St. Paul.

Lit.: E. Esdaile, *Engl. monumental sculpt. since the Renaiss.*, 1928. A. Popham in: Enc. Ital. 1930.

Bantzer, Carl Ludwig, dt. Maler, Ziegenhain 1857 bis 1941 Marburg. Maler des hessischen Bauerntums, begann als romant. Historienmaler, widmete sich später beinahe ausschließlich der Darstellung des hess. Landlebens, 1897ff. Prof. der Akad. Dresden. Beisp.: *Wallfahrer am Grabe der hl. Elisabeth*, 1888, Dresden, Gal. *Schwälmertanz*, 1898, Marburg, Mus. *Abendmahlfeier in hess. Dorfkirche*, 1899, Berlin, ehem. Nat. Gal. Mehrere Werke in Dresden, Gal.

Baratta, Francesco, ital. Bildhauer, Carrara um 1590–1666 Rom, geschickter Schüler → Berninis, schuf u. a. *Statue eines Flußgottes*, für den von Bernini entworfenen Brunnen auf Piazza Navona, Rom; *Statuen* für die Kirche S. Niccolò da Tolentino, ebda.; *Basrelief* für die Kirche S. Pietro in Montorio, ebda.; eine Serie von *Statuen* für Dresden (dort meist im Großen Garten aufgestellt) u. v. a. Lit.: P. Campetti in: Enc. Ital. 1930.

Barbalonga, Antonio, ital. Maler, Messina 1600 bis 1649 ebda., Vertreter des röm. Barock, Schüler des → Domenichino, dessen Manier er sich ganz zu eigen machte, tätig in Rom u. 1631ff. in Messina, schuf große religiöse Werke für Kirchen Roms u. Messinas. Werke in Rom: *Himmelfahrt Mariä*, S. Andrea della Valle. *Altarbild* in S. Silvestro a Monte Cavallo. In Messina: *Hl. Philipp Neri*, Chiesa dell'Oratorio. *Pietà*, 1634, ebda. *Bekehrung des Paulus*, Klosterkirche S. Anna. Weitere Werke in Rom, Messina, Palermo, Comiso, Piazza Armerina, Madrid (Prado) u. a. Lit.: H. Voss, *Malerei d. Barock in Rom*, 1925. L. Biagi in: Enc. Ital. 1930.

Barbari, Jacopo de' (in Deutschl. Jakob Walch gen.), ital. Maler u. Kupferstecher, Venedig 1440/50 bis vor 1516 Brüssel. Schüler → Vivarinis, viell. auch → Bellinis, bis 1500 in Venedig tätig, dann in Deutschland u. später in Brüssel. Wichtig als Vermittler der ital. Frührenaissance nach dem Norden. Er hatte einen bedeutsamen Einfluß auf das kunsttheoretische Denken → Dürers, den er zum Studium der Antike anregte. Als Stecher auch unter dem Namen des «Meisters mit dem Caduceus» bekannt, Werke: in Berlin (*Madonna mit Kind u. Heiligen*). Dresden (*Der segnende Heiland*). München, A. P. (*Rebhuhnstilleben*, 1504). Neapel, Mus. (*Selbstbildnis*); ferner in Venedig. Holzschnitt: *Großer Plan v. Venedig*, 1500. Lit.: P. Kristeller, *Das Werk d. J. de B.*, 1896. A. de Hevesy, 1925 (frz.). E. Brauer, *J. de B.s graph. Kunst*, Diss. Hamburg 1933. L. Servolini, 1944.

Barberini, Giovanni Battista, ital. Bildhauer, *Laino

di Val d'Intelvi b. Como, † 1666 Cremona, schuf eine *Plastische Passionsszene* in S. Agostino in Cremona; *Ornamentskulpturen* am Hochaltar von S. Petronio in Bologna; andere Arbeiten ebda.; *Stuckarbeiten u. Statuen* im Pal. dei Sordi in Mantua u. a.
Lit.: H. Hofmann, 1928.

Barbey, Valdo-Louis, schweiz.-franz. Maler u. Bühnenbildner, *Valeyres (Schweiz) 1883, Schüler Eugène Burnands u. G. → Desvallières, schuf Figürliches (Akte), Marinen, Landschaften, Stilleben, Interieurs. In Paris, Luxembourg, mit 2 Werken vertreten: *Die Weltkarte* u. *Hafen v. Marseille.*
Lit.: Vollmer, 1953.

Barbieri, Giovanni Francesco → Guercino.

Barbizon, Schule v., auch Schule v. Fontainebleau, Bezeichnung für einen Freundeskreis franz. Maler, welche das «paysage intime» pflegten, ca. 1830ff., ihre Motive vielfach im Waldgebiet v. Fontainebleau suchten u. im Dorfe B. wohnten. Hauptvertreter: → Corot, → Millet, → Rousseau, → Dupré, → Diaz, → Daubigny, → Troyon.

Bardi, Antonio di Giovanni Minelli de', ital. Bildhauer, * Padua um 1480, 1500ff. Gehilfe s. Vaters Giovanni Antonio bei der Ausschmückung von S. Antonio in Padua. In Zusammenarbeit mit → Sansovino schuf er ebda. das *Relief der Erweckung des ertrunkenen Knaben,* 1520–28. In Bologna schuf er gemeinsam mit Antonio da Ostiglia *15 Halbfiguren v. Propheten* für das Hauptportal v. S. Petronio.

Bardi, Giovanni d'Antonio Minelli de', ital. Bildhauer u. Arch., Padua um 1460–1527 ebda., an der Ausschmückung des Hochaltarchores von S. Antonio in Padua beteiligt (diese Arbeiten nur noch teilweise u. verändert erhalten). Terrakotta-Bildwerke: 3 große Terrakotta-Statuen in Padua, Mus.: *Christus u. die Apostel Petrus u. Johannes.* 2 polychrome *Terrakotta-Altäre der Eremitani-Kirche* in Padua. *Terrakotta-Altar,* Boston, Slg. Gardner.
Lit.: A. Moschetti in: Th.-B. 1908.

Barelli, Agostino, ital. Arch., * wahrscheinlich Bologna 1627, † um 1687 Bologna, wurde vom Kurfürsten Ferdinand Maria von Bayern nach München berufen, wo die *Theatinerkirche* S. Cajetan 1663–75 nach s. Plänen gebaut wurde (Fassade von E. Zuccalli). «Mit der Theatinerkirche tritt der ital. Barockstil die Herrschaft in Alt-Bayern an» (Dehio). Ferner: Lustschloß in *Nymphenburg;* seit 1702 erweitert von → Viscardi. Später war B. in Bologna tätig.
Lit.: G. Dehio, *Handb. d. dt. Kunstdenkmäler* 3, 1908 (neu hg. v. E. Gall, 1935 f.). L. M. Tosi in: Enc. Ital. 1930.

Barentsz, Dirk, niederl. Maler, Amsterdam 1534 bis 1592 ebda., gehört zu den bedeutendsten Meistern des Gruppenporträts.

Bargheer, Eduard, dt. Landschaftsmaler, * Hamburg 1901, in Forio auf Ischia tätig, Schüler von → Ahlers-Hestermann, verbindet in s. Kunst Abstraktion mit Naturnähe.
Lit.: F. Baumgart, 1955. Ausst.-Kat. Documenta II, Malerei, Kassel 1959.

Barile, Antonio, ital. Bildhauer, Bildschnitzer u. Intarsiator, Siena 1453–1516 ebda., bedeutender Vertreter der Dekorationskunst der Hochrenaissance, schuf Möbel u. Holzschnitzereien in Siena, die zu ihrer Zeit so berühmt waren, daß B. zur Ausstattung von → Raffaels Stanzen im Vatikan berufen wurde. Hauptwerke: *Chorgestühl der Taufkapelle im Dom v. Siena,* 1483–1502 (einzelne Teile heute in der Kirche S. Quirico d'Oria). *Geschnitzte Holzpilaster,* um 1511, Siena, Akad. *Orgellettner,* 1511, Siena, Dom. *Intarsientafel mit Selbstbildnis* (vom Chorgestühl des Sieneser Doms), Wien, Mus. f. Kunst u. Industrie. Werke in Siena, Akad.
Lit.: A. Venturi VIII, 1, 1923. P. Campetti in: Enc. Ital. 1930.

Barisanus v. Trani, ital. Bildhauer u. Erzgießer, 2. Hälfte 12. Jh., Schöpfer der *Bronzetüren der Domkirchen von Trani, Ravello u. Monreale.* Diejenige von Trani wird um 1175 datiert, die von Ravello ist inschriftlich datiert 1179; die von Monreale wird wohl gleichzeitig mit der 2. Bronzetür des →Bonannus anzusetzen sein. Sowohl ikonographisch wie stilistisch sind byzant. Vorbilder, wahrscheinlich Elfenbeinplatten, verwandt (evtl. nur nachgegossen).
Lit.: A. Venturi II. A. Muñoz in: Th.-B. 1908. P. Toesca, *Storia dell'arte* 1, 1927.

Barker, Thomas, gen. Barker v. Bath, engl. Maler u. Lithograph, Pontypool 1769–1847 Bath; Landschaften, Porträts u. Genrebilder. In s. Landschaften schloß er sich → Gainsborough an; s. Genrebilder, wie *Der alte Tom, Die Zigeunerin, Der Holzhauer* waren sehr beliebt u. wurden auf Porzellan- u. Tongefäßen vielfach nachgebildet. Werke in London, Nat. Gall.; South Kensington Mus.; Tate-Gall.
Lit.: A. Popham in: Enc. Ital. 1930.

Barker, Thomas Jones, engl. Maler, Bath 1815–1882 Haverstock Hill/London, bedeutender Pferde- u. Schlachtenmaler, Schüler s. Vaters, des Genremalers → Thomas B., weitergebildet bei H. → Vernet in Paris, dem er sich in s. Kunst anschloß.

Barlach, Ernst, dt. Bildhauer u. Graphiker, Wedel (Holstein) 1870–1938 Rostock. Führender expressionist. Plastiker, Schüler der Dresdner Kunstakad., mehrere Aufenthalte in Paris; eine Reise nach Rußland 1906 entscheidet s. künstlerische Richtung; 1910ff. in Güstrow. Bedeutend auch als Lithograph u. Dichter. Das Werk B.s ist im wesentlichen Ausdruck der Erdgebundenheit des Menschen u. die ekstatische Überwindung derselben. Beisp.: *Ekstatiker*, Holzplastik, 1916, Zürich, Kunsth. *Die gefesselte Hexe*, 1926. *Die Verlassenen*, früher Berlin, Nat. Gal. *Der Beter*. Graph. Zyklen: *Die Wandlungen Gottes*. Holzschnitte: *Walpurgisnacht*. Selbstbiographie: «Ein selbsterzähltes Leben», 1928 u. 1948. Lit.: C. D. Carls, 1931. R. v. Walter, o. J. F. Schult, 1948. P. Fechter, 1957. Ders., *Zeichn. v. B.*, o. J., W. Flemming, 1958 (Slg. Dalp).

Barna da Siena, ital. Maler, 14. Jh., wirkte in Arezzo u. S. Gimignano, wo er über der Arbeit an s. Hauptwerk, den *Fresken der Kollegiatskirche*, 1380 den Tod fand. Es handelt sich um einen Zyklus von 30 Szenen aus der Passion Christi. Einflüsse von → Duccio, → Lorenzetti u. S. → Martini. In Arezzo ist eine *Kreuzigung mit Heiligen* im bischöfl. Palast erhalten.
Lit.: A. Venturi V, 1907. G. de Nicola in: Th.-B. 1908. P. Bacci, 1927. E. Cecchi, *Trecentisti Senesi*, 1927. E. Brandi in: La Balzana 11, 1928. S. L. Faison, *B. and Bartolo di Fredi* in: The Art Bull. 14, 1932. M. H. Hodgeri, *Die Fresken v. B. in S. Gimignano*, 1938. J. Pope-Henessy, *B., the Pseudo-B. and Giovanni d'Asciano* in: The Burlington Magaz. 1946.

Barnaba da Modena, ital. Maler, 14. Jh. Vertreter der oberital. Malerei des Trecento, schuf Madonnenbilder, die von der sienes. Kunst, insbes. → Lorenzetti, beeinflußt sind, tätig in Ligurien u. Piemont zwischen 1362 u. 1383. Nach Pisa berufen zur Vollendung der von → Andrea da Firenze begonnenen Camposanto-Fresken; doch hat er sie nicht ausgeführt.
Werke: *Madonnen* in: Frankfurt, Städel; Berlin, staatl. Mus. (1369); Turin, Pinac. (1374); S. Giovanni Battista in Alba (1377); Genua, SS. Cosma e Damiano; Pisa, Mus. Ferner: *Auferstehung*, Slg. Pasini (früher Sterbini) Rom. *Pfingsten*, London, Nat. Gall. *Altar* v. 1374 *mit Krönung der hl. Jungfrau, Dreieinigkeit, Jungfrau u. Kind, Kreuzigung* ebda. *Johannes d. T.*, 1377, Alba. Werke in Pisa, Genua, Savona, Ventimiglia, Tortona, Modena, Köln.
Lit.: A. Venturi V, 1907. Ders. in: Th.-B. 1908. R. v. Marle, *Ital. Schools* IV, 1924. L. Bertini in: Enc. Ital. 1930. R. Oertel, *Frühzeit d. ital. Malerei*, 1953.

Barocci(o), Federigo, ital. Maler, Urbino, um 1526/1535–1612 ebda., bildete sich in Urbino, Pesaro u. Rom an → Michelangelo, → Tizian, → Raffael, kehrte nach Urbino zurück u. nahm dort ständigen Aufenthalt. Er schloß sich in der Malweise eng an → Correggio an u. schuf eine religiöse Malerei von

lichter, pastellartiger Farbenschönheit, die vom reifen Manierismus zum Barock überleitet u. für die spätere Malerei schulbildend wirkte, wahrscheinlich auch für → Rubens, an den s. Farbgebung erinnert. Außer den religiösen Werken für die Kirchen von Urbino usw. Bildnisse u. Zeichnungen.
Werke: *Hl. Sebastian*, 1557, Urbino, Dom (noch stark an Correggio erinnernd). *Kreuzabnahme*, 1569, Perugia, Dom. *Madonna del Popolo*, Florenz, Uff., (Hauptwerk der Frühzeit). *Verzückung des hl. Franz* (Originalstich danach erschien 1581), Urbino, Pinac. *Martyrium des hl. Vitalis*, 1583, Mailand, Brera. *Noli me tangere*, 1590, Florenz, Uff. *Tempelgang Mariä*, um 1594, Rom, S. Maria in Vallicella. *Kreuzigung*, 1596, Genua, Dom. Ferner: *Geburt Christi* in Mailand, Ambrosiana u. in Madrid, Prado. Bilder in Turin, Ferrara, Bologna (*Madonna del Gatto*), London, Nat. Gall. u. in Chantilly. Porträts: *Herzog v. Urbino*, Florenz, Uff. *Kinderporträt eines Prinzen*, 1605, Florenz, Pal. Pitti. Reichste Slg. v. Zeichn. in den Uff.
Lit.: W. Friedländer in: Th.-B. 1908. A. Schmarsow, 1909. Ders., *B.s Zeichn.*, 1910–14. H. Voss, *Malerei d. Spätrenaiss. in Rom u. Florenz*, 1920. W. Friedländer, *B. u. Tintoretto* in: Jb. d. Kunstw. 1, 1923. Pevsner/Grautoff, *Barockmalerei* (Hb. d. K.W.), 1928.

Baroncelli, Niccolò, ital. Bildhauer, * Florenz, † 1453, Meister der Frührenaissance, war laut → Vasari Schüler des → Brunelleschi, kam früh nach Ferrara, wo er in Dienst des Lionello d'Este trat. Sein Meisterwerk, das *Reiterdenkmal Niccolòs III. v. Este*, wurde erst nach s. Tode fertig (1796 vernichtet). Die Bronzegruppe: *Christus am Kreuz zwischen Maria, Johannes u. Heiligen* im Dom v. Ferrara wurde nach dem Tode B.s von Domenico di Paris ausgeführt (1468 voll.).

Baronzio, Giovanni, ital. Maler, 14. Jh., † um 1362, Verbreiter giottesker Kunst in der Romagna, schuf das Polyptichon mit *Thronender Madonna*, 1340, in Urbino, Gall. Zugeschrieben werden ihm: *Kruzifix* in S. Francesco in Mercantello. *Altar*, ebda. Ausmalung von *S. Maria in Porto fuori*, Ravenna.
Lit.: R. Oertel, *Frühzeit d. ital. Malerei*, 1953. R. v. Marle, *Ital. Schools* 4, 1924.

Barozzi, Giacomo → Vignola, Giacomo.

Barraud, François, schweiz. Maler, La Chaux-de-Fonds 1899–1934 Petit-Lancy (Genf); Stilleben, Landschaften, Bildnisse, Figürliches (bes. Akte), saubere, altmeisterliche Technik. Bilder in den Mus. von: Genf, Lyon, Paris (Mus. du Jeu de Paume). Lit.: L. Florentin, 1931.

Barraud, Maurice, schweiz. Maler, Genf 1889–1954 ebda., malte mit Vorliebe den Genfersee, Figürliches, bes. Akte u. Bildnisse in pastellfarbigem zartem Farbenvortrag, beeinflußt von → Renoir, →

Degas, → Matisse. Bilder in Genf, Luzern *(Fresken in der Bahnhofhalle)*, Neuchâtel, Winterthur, Zürich, Elberfeld u. a. Ferner Graphik u. Illustrationen.
Lit.: A. Bovy, 1940. F. Carco, 1943. P. Cailler u. H. Davel, *Catal. illustré de l'oeuvre gravé et lith. de M. B.*, 1944.

Barrias, Félix-Joseph, franz. Maler, Paris 1822–1907 ebda., Hauptvertreter der akad. Historienmalerei in Frankreich, schuf größere Freskenwerke, Porträts u. Buchillustrationen. Schüler von L.→Cogniet. Freskenwerke in Paris: *Deckenschmuck des gr. Saales u. des Lesesaales im Hôtel du Louvre*, 1855. Fresken in den Kirchen: *St-Eustache*, 1855; *La Trinité*, 1877. Vertreten im Luxembourg-Mus., ferner in Versailles, Autun, Nantes, Laval, Rouen, Tarbes u. a.
Lit.: F. Monod in: Th.-B. 1908.

Barrias, Louis-Ernest, franz. Bildhauer, Paris 1841 bis 1905 ebda., wie → Falguière, → Frémiet u. a. auf die florent. Frührenaissance zurückgehend, Schüler Caveliers u.→Jouffroys. Mythol. u. religiöse Figuren, Denkmäler, Grabmäler, Bildnisbüsten u. a. Vertreten im Luxembourg-Mus., Denkmäler in Paris (Tuileriengarten u. a.).
Lit.: S. Lami in: Th.-B. 1908.

Barry, Charles, engl. Arch., London 1795–1860 ebda., Bauten in hist. Stilen. Hauptwerk: *Parlamentsgebäude*, 1840–52, London, in engl. Spätgotik. Bauten in ital. Renaissancestil in London: *Travellers Club*, 1820, *College of Surgeons, Bridgewaterhouse* u. a.

Barry, Edward Middleton, engl. Arch., London 1830–1880 ebda., Sohn von → Charles B. u. Vollender v. dessen Parlamentsgebäude. Weitere Werke: *Covent Garden Theatre*, 1859–60, London. *Opernhaus* in Malta. Teile der Nat. Gall., London, u. a., auch Schlösser u. Landhäuser.

Barry, James, engl. Maler, Cork (Irland) 1741–1806 London, Schüler → Wests in Dublin, bildete sich in Rom u. schuf Historienbilder in klassizist. Stil, u. a. den *großen Bilderzyklus* in der Society of Arts, London (1777–83). Theoretisch wandte er sich 1775 in einer Schrift gegen Winckelmann.

Bartels, Hans v., dt. Maler, Hamburg 1856–1913 München; impressionist. Bilder aus dem Leben der holl. Fischer.

Barth, Carl, dt. Maler, *Haan b. Solingen 1896, tätig in Düsseldorf, schuf bes. Landschaften u. Bildnisse. Schüler von H.→ Nauen in Düsseldorf, gilt als Vertreter eines «magischen Realismus», beeinflußt von → Chirico. In vielen dt. Mus.
Lit.: H. Peters, 1948.

Barth, Paul Basilius, schweiz. Maler u. Lithograph, * Basel 1881, Schüler von P. → Halm u. Knirr in München, 1904–06 in Florenz u. Rom 1906–14 in Paris; von → Cézanne, → Gauguin, van → Gogh beeinflußt, schuf Figürliches, Bildnisse, Landschaften, Stilleben. Vertreten in schweiz. Mus.
Lit.: H. Graber, 1932.

Bartholdi, Frédéric-Auguste, franz. Bildhauer, Colmar 1834–1904 Paris; in den Gründerjahren Spezialist für Kolossaldenkmäler. *Löwe von Belfort*, 1878. *Freiheitsstatue*, New York, 1886 aufgestellt. Ferner patriotische Denkmäler, Grabmäler u. a.
Lit.: S. Lami in: Th.-B. 1908. J. Ach-Dostal in: Enc. Ital. 1930.

Bartholomé, Albert, franz. Bildhauer u. Maler, Thiverval 1848–1928 Paris, begann als Maler in der Art von → Bastien-Lepage, wandte sich nach dem Tod s. Gattin (1886) der Bildhauerei zu. Berühmtes Hauptwerk: *Monument aux morts*, 1899, für den Friedhof Père-Lachaise, Paris.

Bartlett, Paul Wayland, amerik. Bildhauer, * New Haven 1865, † 1925, Tierplastiken u. Monumentalskulpturen, tätig in Paris. Sohn des Bostoner Bildhauers *Truman H. B.*, Schüler von → Frémiet u. J.→ Carriès. Berühmtestes Werk: *Dying Lion* (Sterbender Löwe), Tiergruppe im Jardin des Plantes, Paris. Statuen: *Kolumbus*, Washington, Library of Congress. *Michelangelo*, ebda. Reiterstatuen: *Washington*, Philadelphia. *Lafayette*, Paris, Tuileriengarten. Werke in mehreren amerik. Museen.
Lit.: E. v. Mach in: Th.-B. 1908.

Bartning, Otto, dt. Arch., Karlsruhe 1883–1959 Darmstadt, führender moderner Baumeister: vor allem Kirchenbauten, aber auch großzügige Industrie- u. Krankenhausbauten. Kirchenbauten: *Stahlkirche auf der Pressa*, Köln, 1928. *Dänische Kirche*, Berlin. *Evangel. Rundkirche*, Essen, u. v. a. Krankenhausbauten: *Kinderkrankenhaus*, Berlin-Lichterfelde. *Krankenhaus für das Rote Kreuz*, Luxemburg.
Lit.: E. Pollak, 1926. G. A. Platz, *Baukunst d. neuesten Zeit*, 1927.

Bartolini, Lorenzo, ital. Bildhauer, Vernio b. Savignano (Toskana) 1777–1850 Florenz, Hauptvertreter des ital. Klassizismus nach → Canova, 1797 in Paris, wo er sich mit → Ingres befreundete. Das. Auftrag für eine Büste Napoleons u. ein Relief der *Schlacht bei Austerlitz* für die Vendôme-Säule, Paris. 1808 sandte ihn Napoleon nach Carrara, um dort eine Bildhauerschule zu gründen. Später siedelte er nach Florenz über, 1839 Prof. der Akad. ebda. Seine bedeutendsten Nachfolger: G. → Dupré u. P. → Fedi.
Weitere Werke: *Große Gruppe des Neoptolemos,*

Mailand, Mus. Poldi-Pezzoli. *Kolossalstatuen Napoleons*, Bastia auf Korsika u. in Amerika. *Büsten* von: *Ingres, Byron, Frau v. Staël* u. a. Werke in Florenz: in d. Pitti-Gal.; im Portico degli Uff.; auf öffentl. Plätzen; in S. Croce; in der Gall. d'arte mod. u. a. Lit.: G. Scartabelli, 1852. F. Bonaini, 1852. M. Tinti in: *Rassegna d'arte* IX, 1922.

Bartolo, Domenico di → Domenico di Bartolo.

Bartolo, Giovanni di → Giovanni di Bartolo.

Bartolo, Taddeo di → Taddeo di Bartolo.

Bartolo di Fredi, ital. Maler des 14. Jh., Siena um 1330–1410 ebda., Meister der Sieneser Trecentokunst, Schüler → Lorenzettis, schuf große Freskenzyklen u. Altartafeln. Sein Stil ist der der Lorenzetti-Schule mit einem ausgeprägten Sinn für lebhafte Erzählung. Hauptschüler: sein Sohn → Andrea di Bartolo u. → Taddeo di Bartolo; stark von ihm beeinflußt: → Sassetta.
Hauptwerke: *Freskenzyklen in der Collegiata von S. Gimignano:* Szenen aus dem A. T., um 1356. *Fresken in S. Agostino,* ebda.: Szenen aus dem Leben der Jungfrau Maria. Tafelbilder: *Darstellung im Tempel,* Paris, Louvre. *Anbetung der Könige,* Siena, Akad. *Krönung der Jungfrau,* ebda., Gall. *Tod u. Himmelfahrt Mariä,* Boston, Mus. *Altar mit Taufe Christi u. a. Szenen,* 1382, Montalcino, Stadthalle. Lit.: R. v. Marle, *Ital. Schools* 2, 1924. R. Oertel, *Frühzeit d. ital. Malerei,* 1953.

Bartolomeo, Neroccio di → Neroccio.

Bartolomeo di Giovanni, ital. Maler, 15. Jh., Florentiner Meister aus der Schule → Ghirlandaios. Ehe der Meister identifiziert war, gab ihm Berenson den Notnamen «Alunno di Domenico» (Schüler des Ghirlandaio).
Werke: *Kreuzigung mit Heiligen,* Kassel, Gal. *Thronende Madonna mit Heiligen,* Richmond, Slg. Cook.

Bartolomeo Veneto, ital. Maler, tätig um 1502 bis 1530 in Venedig, Ferrara u. Mailand, unter dem Einfluß → Bellinis, → Costas u. der → Leonardo-Schule, schuf haupts. Madonnenbilder u. hervorragende Porträts. Vertreten in den Gal. v. Bergamo (*Madonna mit Kind,* 1505); Cambridge, Cleveland, Dresden (*Salome*), Florenz (Uff.), Frankfurt (*Weibl. Brustbild,* sog. Lucrezia Borgia); Lugano, Slg. Schloß Rohoncz (*Madonna mit Kind*); London, Nat. Gall. (*Bildnis des Lodovico Martinengo,* 1530); Mailand, Brera u. Gall. Crespi; Rom, Gall. Naz.; ebda., Gall. Orsini (*Bildnis eines Unbekannten*); ebda., Gall. Doria-Pamfili; New York, Washington u. a. Lit.: B. Berenson, *Venetian Paint. in America,* 1916. Ders., *Ital. pictures,* 1932. Neuausg. *Venetian Schools* 1,

1957, G. Swarzenski, *B. V. u. Lucretia Borgia* in: Städeljb. 11, 1922. E. Michalski, *Zur Problematik des B. V.* in: Zschr. f. bild. K. 61, 1927/28. A. L. Mayer, *Zur Bildniskunst des B. V.* in: Pantheon 11, 1928.

Bartolommeo, Fra, mit dem Beinamen Baccio della Porta, ital. Maler, Florenz 1472–1517 ebda. Einer der Hauptmeister der Hochrenaissance, Schüler → Rossellis u. → Peruginos, namentlich von → Leonardo beeinflußt. Das Ende Savonarolas erschüttert ihn so tief, daß er 1500 Dominikanermönch wird u. der Kunst entsagt (wie → Botticelli). Nach einigen Jahren beginnt er im Kloster zu malen, zuerst in Arbeitsgemeinschaft mit → Albertinelli. Er malt fast ausschließlich Altargemälde, wählt ruhige Motive, Repräsentationsbilder der Madonna oder des Heilands, gliedert streng architektonisch u. hebt durch Licht u. Schatten die Plastizität der Gestalten; dabei geht er s. eigenen Weg u. wird in manchem richtungsweisend für die andern klass. Meister (→ Raffael).
Hauptwerke: *Vision des hl. Bernhard,* 1504, Florenz, Akad. *Madonna mit zwei Heiligen,* 1508, Dom zu Lucca. *Madonna mit Heiligen,* 1509, S. Marco, Florenz. *Verlobung der hl. Katharina,* 1511, Louvre. *Vermählung der hl. Katharina,* 1512, Pal. Pitti, Florenz. *Christus als Salvator Mundi,* 1516, ebda. *Beweinung Christi,* 1515, ebda. *Madonna della Misericordia,* 1515, Lucca, Pinac. Hervorragende Handzeichnungen, haupts. in den Uff., Florenz.
Lit.: F. Knapp, 1903. H. v. d. Gabelentz, *B. u. d. Florentiner Renaiss.,* 1922. B. Berenson, *The drawings of the Florentine painters,* 1938.

Bartolozzi, Francesco, ital. Kupferstecher, Florenz 1727–1815 Lissabon, in Venedig ausgebildet, 1764ff. in London, 1802ff. in Lissabon. In s. malerischweichen Punktiermanier, die er eingeführt hat u. die viel nachgeahmt wurde, hat er Stiche nach S. → Ricci, C. → Dolci, den → Carracci u. a., Bildnisse nach → Reynolds, → Gainsborough, A. → Kauffmann u. a. geschaffen.
Lit.: T. W. Tuer, 1881. H. Bailly, 1907. A. Bandi di Vesme, 1928. A. Calabi, 1929.

Bartsch, Wilhelm, dt. Maler, * Kiel 1871, Landschafts- u. Marinemaler, studierte an den Akad. Karlsruhe u. Düsseldorf, zuletzt ansässig in Worpswede. Werke in Hannover u. Witten (Ruhr).

Barwig, Franz, österr. Bildhauer, * Schönau 1868, † 1931, Meister realist. Holzplastiken, vertreten u. a. in Wien, Staatsgal. u. Österr. Mus. f. Kunst u. Industrie; Essen, Folkwang-Mus.; Hamburg, Kunsthaus.

Barye, Antoine-Louis, franz. Bildhauer, Paris 1795 bis 1875 ebda. Hervorragender Tierbildner, meist

in Bronze. Brach mit der akad. Tradition u. suchte das Tier in dramat. Bewegungsmomenten darzustellen, oft in Kampfsituationen. Hierin beeinflußt von den romant. Malern, etwa → Delacroix, u. wie dieser auf → Rubens zurückgreifend. Werke in Paris: *Tiger, der ein Krokodil zerreißt*, 1831, Louvre. *Der Jaguar*, Luxembourg-Mus. Viele Kleinbronzen im Louvre.
Lit.: A. Alexandre, 1889. Roger-Balla, *L'oeuvre de B.*, 1890. Kay, *B., life and works*, New York, o. J. Ch. Saunier, Paris 1926.

Barzaghi, Francesco, ital. Bildhauer, Mailand 1839–1892 Precotto, Schüler von → Vela, schuf Genrefiguren u. Porträtstatuen; auch Monumentalskulpturen. Werke: *Francesco Hayez*, Mailand, Piazza di Brera. *Alessandro Manzoni*, ebda., Piazza S. Fedele. *Denkmäler Vittorio Emanuele*, in Genua, Bergamo, Lodi, Udine. *Reiterstandbild Napoleons III.*, Mailand, Hof des Senatorenpalastes.

Basaiti, Marco, ital. Maler, um 1470–1531, Schüler des A. → Vivarini; bildete sich bes. an den Werken Giov. → Bellinis. Tätig in Venedig; schuf Bildnisse u. Altarbilder, deren bes. Reiz in den Landschaften liegt. Werke: sehr gut vertreten in der Akad. Venedig: *Berufung des Jakobus u. Johannes*, 1510. *Gethsemane*, 1510. *Der hl. Georg*, 1520. Ferner im Mus. Corrèr, ebda.; Bergamo, Gall.; Mailand, Ambrosiana; Padua, Gall.; Berlin, Gal. (*Hl. Sebastian.*); Palermo, New York, Philadelphia, Washington u. a.
Lit.: A. Venturi 8, 1915. B. Berenson, *Venetian painting in America*, 1916. Ders., *Ital. pictures*, 1932; Neue Ausg. *Venetian Schools I*, 1957 (Phaidon).

Baschenis, Evaristo, ital. Maler, Bergamo 1617 bis 1677 ebda., tätig in Bergamo. Malte Stilleben mit Musikinstrumenten, in der Art → Caravaggios: z. B. in Bergamo, Akad. Carrara, um 1650.

Bassa, Ferrer → Ferrer Bassa.

Bassano, eig. Da Ponte, ital. Malerfamilie in Bassano. Begründer der Familienwerkstatt ist *Giacomo* B., Bassano 1510–1592 ebda. Bedeutender Meister der venez. Spätrenaissance. Schüler des → Bonifazio dei Pitati in Venedig, bildete sich an den großen Venezianern, → Tizian, → Tintoretto usw. Unterhielt eine große Werkstatt in Bassano, in der er s. Söhne beschäftigte, deren bekannteste *Francesco* (1557–1623) u. *Leandro* (1549–92) sind. B. erhob das Genrebild zu einer besonderen Gattung: Bäuerische Idyllen, feine Tierdarstellungen, Landschaften, oft mit starken Beleuchtungseffekten u. bibl. Sujets.
Werke: *Flucht nach Ägypten*, 1536, Bassano, Mus. *Große Kreuzigung* für S. Teonisto, Treviso, 1562

(Kirche durch Bombardement zerstört). *Anbetung der Hirten*, 1568, Bassano, Mus. *Der gute Samariter*, London, Nat. Gall. *Christus am Ölberg*, Venedig, Akad. *Die hll. Markus u. Laurentius empfehlen zwei Stadthäupter v. Vicenza der Jungfrau*, 1573, Vicenza, Mus. *Taufe d. hl. Lucilla*, vor 1580, Bassano, Mus. *Der Maler mit s. Familie*, Florenz, Uff. Ferner in vielen ital. Gal.: Venedig, Mailand, Modena, Padua u. a. sowie in München, Augsburg, Wien, Kopenhagen, Prag.
Lit.: L. Zottmann, *Kunst d. B.*, 1908. S. Bettini, *L'arte di B.*, 1933. W. Arslan, 1931. *Dipinti dei B. nel Mus. Civ. Bassano, Kat.*, 1952. B. Berenson, *Ital. pictures*; Neue Ausg. *Venetian Schools* 1, 1957 (Phaidon). Pevsner/Grautoff, *Barockmalerei* (Hb. d. K. W.), 1928.

Bassen, Bartholomeus van, niederl. Maler, Den Haag um 1600–1652 ebda., Architekturmaler, der sich auf Innenansichten holl. Kirchen u. perspektivisch interessante Bilder von Prachtsälen spezialisierte. Die Staffagefiguren oft von: E. v. de→ Velde, A. → Palamedesz u. a. Werke in Amsterdam, Rijksmus.; Den Haag, Utrecht, Budapest, Glasgow, London, Hampton Court u. a.
Lit.: E. W. Moes in: Th.-B. 1909. W. Bernt, *Niederl. Maler d. 17. Jh.*, 1948.

Bassetti, Marcantonio, ital. Maler, Verona 1588 bis 1630 ebda., Meister des verones. Frühbarock, Schüler des → Brusasorci, bildete sich in Venedig u. Rom weiter, in Verona tätig, schuf viele Altarwerke für die verones. Kirchen (heute meist im Mus. v. Verona). In s. Stil zeigt sich der Einfluß der → Carracci. Hauptwerke: *Der ungläubige Thomas*, 1627, Verona, Mus. *Madonna mit Heiligen*, 1628, ebda.

Bastiani (Sebastiani), Lazzaro, Venedig (?) um 1430–1512 ebda., in Venedig tätiger Meister, beeinflußt von J. → Bellini u. → Squarcione, später von Gentile Bellini, bemerkenswert als Lehrer → Carpaccios. Aus s. Schule gingen ferner hervor: B. → Diana u. J. Bello. Er schuf vor allem Altäre: *Grablegung Christi*, Venedig, S. Antonio. *Madonnen-Altar*, ebda., Redentore-Kirche. *Jungfrau mit Heiligen*, 1484, S. Donato, Murano. Bilder in: Venedig, Akad. u. Mus. Corrèr; Bergamo, Gall. Lochis (*Krönung Mariä*, 1490);Verona, Mus.;Mailand,Brera; Wien, Akad.; Philadelphia, Slg. Johnson, u. a.
Lit.: L. Venturi in: Th.-B. 1909. E. v. d. Bercken, *Mal. d. Renaiss. in Oberital.* (Handbuch d. K. W.), 1927. M. Brunetti in: Enc. Ital. 1930. B. Berenson, *Ital. pictures*; Neue Ausgabe *Venetian schools* 1, 1957 (Phaidon).

Bastien-Lepage, Jules, franz. Maler, Damvilliers 1848–1884 Paris, verband in s. Bildern geschickt → Millets Bauernmalerei mit der Malweise des be-

ginnenden Impressionismus u. erntete große Erfolge, während die Vorkämpfer des Impressionismus noch kaum beachtet wurden. Bekannte Werke: *Heuernte*, 1878, Paris, Luxembourg; *Kartoffelleserin*, 1879; ferner Bildnisse u. a. Werke in vielen franz. Mus.; in Dublin, im Haag, New York u. a.
Lit.: A. Theuriet, 1885. L. de Fourcaud, 1885. H. Arnic, 1896. G. Geffroy in: Th.-B. 1909.

Bataille, Nicolas, franz. Teppichwirker, in Paris tätig um 1363–1400. Das bedeutendste Werk, das aus s. Werkstatt hervorging, ist heute noch zum großen Teil erhalten: der sog. *Apokalypsenteppich*, Angers, Kathedrale, 1376–81, mit Szenen aus der Apokalypse des hl. Johannes, nach Entwurf des Hofmalers Hennequin de Bruges (Jan → Bandol). Lit.: A. Lejard, *Les tapisseries de l'Apocalypse de la cathédrale d'Angers*, 1942.

Bathykles, griech. Arch. u. Bildhauer, 6. Jh. v. Chr., aus Magnesia, welcher das berühmte Heiligtum des Apoll, den sog. *Amykläischen Thron*, bei Amyklai in der Nähe v. Sparta erbaute. Die Reste sind ausgegraben worden.
Lit.: E. Buschor-W. v. Massow, *Mitt. d. dt. archäol. Inst.*, Athen 1927.

Batoni (Battoni), Pompeo, ital. Maler, Lucca 1708 bis 1787 Rom, Freund u. Gesinnungsgenosse Winckelmanns u. → Mengs, bildete sich an → Raffael u. der Antike. 1760ff. Werkstatt in Rom, der gefeiertste ital. Maler s. Zeit. Religiöse u. mythol. Darstellungen, bedeutende Porträts. Der dekorativen Oberflächlichkeit des Spätbarock stellte er s. etwas kalten akad. Klassizismus gegenüber. Hauptwerke: *Sturz Simon des Magiers*, 1761 voll., Rom, S. Maria degli Angeli. *Doppelbildnis Josephs II. u. Leopolds v. Toskana*, 1769, Wien, Hofmus. *Büßende Magdalena*, Dresden, Gal. *Hl. Familie*, Mailand, Brera. Auch in Berlin; Florenz, Pal. Pitti u. Uff.; Madrid, Prado; Paris, Louvre u. a.
Lit.: E. Emmerling, Diss. Köln 1932.

Battenberg, Ugi, dt. Maler u. Bildhauer, * Alzey 1879, ansässig in Frankfurt a. M. Bildnisse, Interieurs, Blumenstücke, Stilleben, Landschaften.

Battke, Heinz, dt. Maler u. Graphiker, * Berlin 1900, tätig in Florenz, Schüler C. → Hofers in Berlin, 1935ff. in Florenz, haupts. Bildnisse u. Stilleben; ging vom Expressionismus aus u. näherte sich später dem Surrealismus. Werke in den Mus. von Dortmund, Düsseldorf, Witten, Wuppertal. Lit.: Vollmer, 1953. Die Kunst u. d. schöne Heim 50, 1951/52.

Bauchant, André, franz. Maler, * Châteaurenault 1873, nach H. → Rousseau Hauptvertreter der sog.

modernen Naiven, ursprünglich Gärtner, begann mit 46 Jahren zu malen, wurde von Diaghilew beauftragt, die Dekorationen für das Ballett Apollon Musagète zu entwerfen. Bilder mit bibl., mythol. u. hist. Sujets, bes. auch Blumenbilder. In vielen Mus. verteten. Beisp.: *Der Blumenzüchter*, 1922, Zürich, Kunsth. *Das Schiff der Kleopatra*, 1939, New York, Mus. of mod. art.
Lit.: W. Uhde, *5 primitive Meister*, 1948.

Baud-Bovy, Auguste, schweiz. Maler, Genf 1848 bis 1899 Davos, Schüler von B. → Menn; vor allem Darsteller der schweiz. Landschaft; vertreten in schweiz. Mus.; ferner Lyon, Paris (Luxembourg). Lit.: Huggler/Cetto, *Schweiz. Malerei im 19. Jh.*, o. J. (1942).

Baudouin (Baudoin), Pierre-Antoine, franz. Maler, Paris 1723–1769 ebda., Meister des franz. Rokoko, Schüler → Bouchers, bevorzugter Maler der Marquise de Pompadour, Darsteller galanter Szenen u. von Genrebildern, fast ausschließlich in Gouachemalerei. Seine Bilder wurden in Stichen von → Moreau le jeune, Delaunay, Simont u. a. verbreitet. Bekannte Bilder: *Le coucher de la mariée. La fille querellée. L'enlèvement au couvent. Annette et Lubin. Le carquois épuisé* u. v. a. Zeichnungen im Louvre, Paris.
Lit.: W. v. S. in: Th.-B. 1909. G. Fontaine in: Enc. Ital. 1930.

Baudry, Paul, franz. Maler, La Roche-sur-Yon 1828–1886 Paris, schuf dekorative Malereien u. Akte, Schüler von → Drolling, geschickter Eklektiker. Hauptwerke: *Decken- u. Wandbilder im Foyer der Großen Oper*, Paris. Vertreten u. a. im Luxembourg-Mus.

Bauer, Mari (Marius), holl. Maler, Radierer u. Lithograph, Den Haag 1867–1932 Amsterdam, schuf als Radierer Illustrationen zu: 1001 Nacht; Flaubert, Saint-Julien; Villiers de l'Isle-Adam u. a. Kat. s. graph. Arbeiten hg. v. E. J. v. Wisselingh, 1928. Als Maler Impressionist; vertreten in Amsterdam, Rijksmus. (3 Bilder); Stedel. Mus.; Mus. mod. Kunst.

Baugin, Lubin, franz. Maler, Pithiviers um 1610 bis 1663 Paris, von s. Zeitgenossen. «Le petit Guide» gen., weil er Guido → Renis Werke nachahmte. Ebenso ließ er sich stark v. → Parmigianino u. → Correggio beeinflussen. Werke in Mus. v. Paris, Aix, Dijon, Nancy, Orléans, Rennes, Rouen u. a.

Baum, Otto, dt. Bildhauer, *Leonberg 1900, Schüler der Stuttgarter Akad., 1946ff. Lehrer ebda.; Bildnisbüsten, symbol. Werke, Tierplastiken u. a. Ist bestrebt, das organische Gewachsene in geometrische

Elementarformen einzuordnen. Werke in den Mus. v. Stuttgart, Ulm, Berlin (Nat. Gal.).
Lit.: F. Roh, 1950.

Baum, Paul, dt. Maler u. Graphiker, Meißen 1859–1932 S. Gimignano, begann als Impressionist, wurde unter dem Einfluß → Signacs Neoimpressionist u. Pointillist. Werke in den Mus. v. Dresden, Bremen, Weimar.
Lit.: C. Hitzeroth, 1937. Vollmer, 1953.

Baumberger, Otto, schweiz. Maler, Zeichner u. Graphiker, * Zürich-Altstetten 1889, vor allem vielseitiger u. fruchtbarer Graphiker. Lithographien, Holzschnitte, Radierungen u. a. Schuf Plakate, Illustrationen, angewandte u. freie Graphik. Als Maler vertreten in Zürich, Kunsth.
Lit.: Vollmer, 1953.

Baumeister, Willi, dt. Maler, Stuttgart 1889 bis 1955 ebda., bedeutender Vertreter der abstrakten Kunst, «Konstruktivist», Schüler von A. → Hölzel in Stuttgart, mehrfache Reisen nach Paris, die ihm die Kunst → Cézannes nahebrachten, auch Bekanntschaft mit → Le Corbusier u. → Léger, 1928–33 Prof. der Kunstschule in Frankfurt a. M. Um 1936 schloß er sich der abstrakten Kunst an, um 1945 suchte er eine Verbindung konstruktivist. u. surrealist. Tendenzen. 1946 ff. Professor der Akad. Stuttgart. Werke in Köln, Wallraf-Richartz-Mus.; Frankfurt, Städel.
Lit.: W. Grohmann, 1950. Ders., 1952. Roh, 1954. *Knaurs Lex.,* 1955. W. Hofmann, *Zeichen u. Gestalt,* 1957. M. Seuphor, *Dict. peint. abstr.,* 1957. *Neue Kunst nach 1945,* hg. W. Grohmann, 1958.

Baur, Johann Wilhelm, dt.-ital. Kupferstecher u. Miniaturmaler, * Straßburg Anf. 17. Jh., † 1640 Wien, 1631–37 in Italien, dann in Wien tätig, zuletzt als Hofmaler. Als Kupferstecher von → Callot, viell. auch von St. della → Bella beeinflußt. Als Maler schuf er Miniaturen in Deckfarben: Landschaften, Seestücke, Folgen zur Geschichte des Cyrus, des Tankred, des Pastor Fido u. a. Werke in Paris, Louvre; Wien, Akad.; Zeichn. in Wien, Albertina; Straßburg, Mus.

Bause, Johann Friedrich, dt. Kupferstecher, Halle a. S. 1738–1814 Weimar, 1766 ff. in Leipzig, wo er an der Akad. lehrte, der bedeutendste Bildnisstecher s. Zeit; arbeitete auch viel nach fremden Vorlagen.

Bayer, Herbert, österr. Maler, Typograph, Reklamegestalter, * Haag (Österr.) 1900, 1925–28 Leiter der Klasse für Typographie u. Reklamegestaltung am Bauhaus, 1938 ff. in Aspen (Col., USA) tätig.
Lit.: A. Dorner, *The way beyond art. The work of H. B.,* 1947. Vollmer, 1953. *Die Maler am Bauhaus,* 1959.

Bayeu y Subias, D. Francisco, span. Maler, Zaragoza 1734–1795 Madrid, klassizist. Meister aus dem Umkreis von A. R. → Mengs, schuf umfangreiche Decken- u. Wandgemälde in den Schlössern von Madrid, Aranjuez, S. Ildefonso, El Pardo; ferner in der Franziskanerkirche Madrid, im Kreuzgang der Kathedrale in Toledo, der Kathedrale del Pilar in Zaragoza u. a. Hofmaler u. Mitglied d. Akad., Schwager → Goyas. Slg. s. Tafelbilder im Prado in Madrid (25 Bilder).
Lit.: M. v. B. in: Th.-B. 1909. A. S. Rivero in: Enc. Ital. 1930. E. Lafuente Ferrari, *Breve hist. pint. españ.,* 1953.

Bazaine, Jean, franz. Maler, * Paris 1904, Vertreter der gegenstandslosen Malerei.
Lit.: P. Courthion, *Peintres d'aujourd'hui,* 1952. E. Seuphor, *Dict. peint. abstr.,* 1957. *Documenta II, Malerei,* Kassel 1959. *Kunst nach 1945,* hg. v. W. Grohmann, 1958.

Bazille, Frédéric, franz. Maler, Montpellier 1841 bis 1870, gefallen in der Schlacht v. Beaune-la-Rolande, Studiengenosse von → Monet, → Renoir u. → Sisley im Atelier → Gleyre. In s. Stil zwischen → Courbet u. dem reifen Impressionismus. Hauptwerk: *Réunion de famille,* 1867, Paris, Louvre.

Baziotes, William, amerik. Maler, * Pittsburgh 1912, tätig in New York, Vertreter der amerik. Abstrakten, des «action painting», angeregt von primitiver Kunst, kam um 1940 zur vollen Abstraktion. Vertreten in New York, Mus. of mod. Art.
Lit.: Th. B. Hess, *Abstract Painting,* 1951. Ausst.-Kat. Amerik. Mal., Berlin 1951. Die Kunst u. das schöne Heim 49, 1951. Vollmer, 1953. M. Seuphor, *Knaurs Lex. abstr. Malerei,* 1957. *Neue Kunst nach 1945,* hg. v. W. Grohmann, 1958.

Bazzani, Giuseppe, ital. Maler, Mantua um 1690 bis 1769 ebda., Vertreter des Spätbarock in Mantua, wo er tätig war. Haupts. von → Rubens u. → Veronese beeinflußt, schuf Fresken u. Altartafeln für Kirchen in Mantua: in S. Barbara: *Vision des hl. Romuald;* in S. Egidio: *Verkündigung* u. 4 weitere Gemälde; in S. Pietro: *Taufe Christi* usw. Ferner vertreten in den Mus. v. Venedig; Florenz, Uff. (*Darstellung im Tempel* u. *Christus am Ölberg*); in London, Nat. Gall. (*Der hl. Antonius v. Padua u. das Christkind*); in Mantua, Bologna, Mailand, Rom u. a.
Lit.: G. Pacchioni in: Enc. Ital. 1930. H. Bünemann in: Die Kunst u. d. schöne Heim, 55. Jg. 1956/57.

Bazzi, Giovanni Antonio → Sodoma.

Beard, William Holbrook, amerik. Maler, Painesville (Ohio) 1823–1900 New York; Bildnisse u. humorist. Tierbilder.

Beardsley, Aubrey, engl. Zeichner, Brighton 1872 bis 1898 Mentone. Autodidakt, fand frühzeitig, angeregt von den → Präraffaeliten u. dem japan. Holzschnitt, s. eigenen, rein zeichnerischen Umrißstil; zeichnete für die Zschr. »The Yellow Book« u. »The Savoy« u. illustrierte Dichtwerke. Sein Stil hatte starken Einfluß auf die Entwicklung der Buchillustration u. des Jugendstils. Hauptwerke: Illustr. zu Wildes *Salome*, 1894; Johnsons *Volpone*, 1896; Popes *The rape of the lock*, 1896; zu *Lysistrata*. Die gesammelten Zeichn. ersch. 1899–1901: *The early and the late work of B.*, hg. v. Lane.
Lit.: H. Esswein, 1908. C. L. Hind, *A. B. The uncollected work*, 1925. H. Macfall, 1927. R. Ross, 1932. E. Hölscher, 1949.

Beaudin, André, franz. Maler, * Mennedy 1895, bedeutender Vertreter des Kubismus. Entscheidend für s. künstlerische Entwicklung die Bekanntschaft mit J. → Gris. B. verzichtet nicht, wie der klass. Kubismus, auf ausgesprochene Farbigkeit.
Lit.: *Knaurs Lex.*, 1955. *Documenta II*, Kassel 1959.

Beaumetz, Jean de, burgund. Maler, † 1396, Hofmaler Philipps des Kühnen v. Burgund, tätig in Arras, Valenciennes, Paris, haupts. für die Kartause v. Champmol b. Dijon.
Lit.: Ch. Sterling, *Oeuvres retrouvées de J. d. B.* in: Bull. des Mus. Royaux des Beaux-Arts, 1955.

Beaumont, Claudio Francesco, ital. Maler, Turin 1694–1766 ebda., Schüler von F. → Trevisani, beeinflußt von → Vanloo u. → Natoire.

Beauneveu, André, franz.-burgund. Bildhauer u. Maler, tätig 1360–1403, stammte aus Valenciennes und arbeitete für die franz. Könige u. für den burgund. Hof. Hauptwerke: Als Bildhauer: *Grabstatuen franz. Könige* in St-Denis, Paris. Als Maler: *Miniaturen für den Psalter des Herzogs v. Berry*, vor 1402, Brüssel, Nat. Bibliothek.
Lit.: G. Troescher, *Burgund. Plastik d. ausgeh. M. A.*, 1940. G. Ring, *La Peinture franç. du 15e siècle*, 1949 (Phaidon).

Beccafumi, Domenico, ital. Maler u. Bildhauer, Siena 1486–1551 ebda. Meister der Spätrenaissance bzw. des Manierismus, geschult an → Perugino u. Fra → Bartolommeo. Später Einflüsse von → Michelangelo, → Sodoma u. → Rosso Fiorentino. Tätig meist in Siena. Um 1518 bildet sich s. eigener Stil: Heftig bewegte Bilder mit Freude am Schrecklichen u. Unheimlichen. Später, unter Einfluß des → Raffaelkreises Beruhigung des Stils; in den letzten Lebensjahren plastische Arbeiten.

Hauptwerke: *Stigmatisation der hl. Katharina*, um 1512, Siena, Akad. *Szenen aus der Geschichte Mariä*, Freskenzyklus im Oratorium S. Bernardino, Siena. Zwischen 1520 u. 1530 entstanden: *Christus in der Vorhölle*, Siena, Akad. *Engelsturz*, ebda. *Jüngstes Gericht*, Siena, S. Maria del Carmine. Spätzeit: *Szenen aus der röm. Geschichte*, 1529–35, *Deckenbilder* im Pal. Pubblico, Siena. Entwürfe für *Bodenbelag des Doms v. Siena*: Kartons in der Akad., ebda. *8 Bronzeengel*, ca. 1548 ff., für den Sieneser Dom. Bilder in Florenz, Pitti-Gal.; München, A. P.; Berlin, staatl. Gal.; Paris, Louvre; Wien, Gal. Liechtenstein. Florenz, Uff.: *Selbstbildnis*. Zeichn. in Berlin, Kupferstichkabinett.
Lit.: N. Pevsner, *Mal. d. 17. Jh. in Italien*. (Hb. d. K. W.), 1928. A. Venturi IX, 5, 1932. G. Delogu, *Ital. Malerei*, 1948.

Becerra, Gaspar, span. Bildhauer u. Maler, Baeza 1520–1571 Madrid, in Italien geschult, Schüler → Vasaris, 1561 ff. in Kastilien tätig, Hofmaler Philipps II. Fortsetzer von → Berruguetes Stil, wie dieser von → Michelangelo beeinflußt. Hauptwerk: *Retablo Mayor* (Großer Altar) *der Kathedrale v. Astorga*, 1558–69.

Bechtejeff, Wladimir, russ. Maler, * Moskau 1878, bildete sich autodidaktisch in München, gehörte mit → Kandinsky, → Jawlensky u. a. zu den Mitbegründern der «Neuen Künstlervereinigung München», aus der später der Kreis des → «Blauen Reiter» hervorging. Er schuf Szenen aus Geschichte, Sage u. russ. Volksleben, Landschaften u. a.; beeinflußt vom Kubismus. Vertreten u. a. in Hamburg u. Barmen, Mus.

Beck, Leonhard, dt. Maler u. Zeichner für den Holzschnitt, Augsburg um 1475–1542 ebda., in Augsburg tätiger, von → Burgkmair beeinflußter Meister, 1512–18 Mitarbeit an den von Kaiser Maximilian in Auftrag gegebenen Holzschnittbüchern. Diese Leistungen mittelmäßig, besser als Maler: *Drachenkampf des hl. Georg*, Wien, Kunsthist. Mus. *Anbetung der Könige*, Augsburg, Gal.
Lit.: E. Buchner u. K. Feuchtmayr in: Augsburger Kunst d. Spätgotik u. Renaiss., 1928.

Becker, August, dt. Maler, Darmstadt 1822–1887 Düsseldorf, Schüler der Düsseldorfer Akad. unter → Schirmer. Landschafter, der mit Vorliebe Hochgebirgslandschaften bei ungewöhnlicher Beleuchtung (Alpenglühen usw.) malte. Werke in Köln, Wallraf-Richartz-Mus.; Darmstadt, Hannover.

Becker, Curt Georg, dt. Maler, * Singen 1904, studierte in Krefeld an der Kunstgew.-Schule, gehörte dem → Campendonk-Kreis an, 1924 Schüler von → Nauen in Düsseldorf, tätig in Hemmenhofen am

Bodensee, beeinflußt von → Matisse, schuf Landschaften, Bildnisse, Figürliches, Blumenstücke u. Buchillustrationen (zu Bürgers *Münchhausen*).

Becker, Karl, dt. Maler, Berlin 1820–1900 ebda., Hauptvertreter der Historienmalerei des 19. Jh., malte in einem an die venez. Malerei des 16. Jh. anknüpfenden historisierenden Stil (→ Makart) Bilder aus der Renaissance, der dt. Reformation, aus dem alten Venedig u. a. Werke: *Juwelenhändler beim Senator*, Berlin, Nat. Gal. *Dürer in Venedig*, ebda. Weitere Werke in Berlin, Nat. Gal.; Breslau, Köln, Königsberg u. a.
Lit.: R. Hamann, *Dt. Malerei vom Rokoko bis zum Expression.*, 1925.

Becker, Peter, dt. Maler u. Lithograph, Frankfurt a. M. 1828–1904 Soest i. W., Schüler des Städelschen Kunstinstituts in Frankfurt a. M., schilderte die dt. Landschaft, vor allem in Aquarellen, auch Ansichten alter Städte. Werke in Frankfurt (Städel u. Hist. Mus.), Kassel u. a.

Becker-Gundahl, Karl, dt. Maler u. Illustrator, Ballweiler 1856–1925 München, Schüler von W. v. → Diez u. G. → Max in München, 1909ff. Prof. der Akad. ebda. Malte realist. Bilder; vor allem Mitarbeiter der «Fliegenden Blätter», Mitbegründer der Münchner Sezession. Später schuf er Monumentalkompositionen für Kirchen. Werke in München, Staatsgal. Fresken in der Moritzkirche, Augsburg; Michaeliskirche, Nürnberg u. v. a.

Beckmann, Max, dt. Maler u. Graphiker, Leipzig 1884–1950 New York. Führender Expressionist, studierte in Weimar u. Berlin, wo er sich der Sezession anschloß, 1916ff. in Frankfurt a. M., emigrierte 1937 nach Amsterdam, 1947 nach den USA. Ausgehend vom Impressionismus, etwa der Art → Corinths, wandte er sich während des 1. Weltkriegs dem Expressionismus zu u. fand s. eigenen Stil: Dichtgedrängte Figurenbilder, im Kompositionsschema auf altdt. Malerei zurückgehend, von stark zeitkrit. Haltung. Allmählich Herausbildung einer eigenen Symbolwelt, die in einer Folge großer Triptychen mit mythol. Themen sich ausspricht.
Hauptwerke: *Die Nacht*, 1918–19. *Vor dem Maskenball*, 1922. *Die Argonauten*, 1950. Graph. Zyklen: *Die Hölle*, 1919. *Stadtnacht*, 1922. *Die Apokalypse*, 1943. *Day and dream*, 1946.
Lit.: *B.-Mappe*, hg. v. d. Marées-Gesellsch., 1919. Glaser, Meier-Graefe, Fraenger, Hausenstein, 1924 (mit Werkverzeichn.). W. Schöne, 1947. H. Clarman, 1948. B. Reifenberg u. W. Hausenstein, 1950 (mit Werkverzeichn.). P. Beckmann, 1955. E. Göpel, 1958. G. Busch, 1960. L.-G. Buchheim, 1960.

Beckmann, Wilhelm, dt. Maler, Düsseldorf 1852

bis 1942 Berlin, Schüler von E. → Bendemann; Historienbilder u. Porträts. Zus. mit andern Schülern Bendemanns schuf er Wanddekorationen im Cornelius-Saal der Berliner Nat. Gal.; ferner Wandmalereien im Gürzenich-Saal zu Köln, 1884-86. Werke u. a. in Schwerin, Mus.

Bedoli, Girolamo, ital. Maler, nannte sich auch Mazzola nach s. Lehrer Ilario Mazzola, Parma um 1500–1569 ebda., Hauptmeister das. nach → Parmigianinos Tod, dessen manierist. Stil er weiterführte, während er später stark zu → Correggio neigte. Altarwerke, namentlich für die Kirchen v. Parma, aber auch Bildnisse v. hoher Qualität.
Hauptwerk: *Unbefleckte Empfängnis*, 1533–38, ehem. Hochaltar des Oratorio della Concezione, jetzt Parma, Pinac. Weitere Werke in Parma: *Hochaltar v. S. Alessandro*. Fresken: *Geburt Christi* u. *Anbetung der Hirten* in Madonna della Steccata; Gewölbefresken in der Kathedrale. Ferner vertreten in den Gal. v. Dresden, Neapel, Budapest, München, Chantilly, Mailand (Ambrosiana, Brera), Parma, Wien (Gal. Harrach).
Lit.: Venturi IX, 2, 1926. L. Fröhlich-Bum in: Th.-B. 1930 (unter Mazzola).

Beeldemaker, Adriaen, niederl. Maler, Rotterdam 1625–1701 Den Haag; Genrebilder mit Tierstaffage.
Lit.: W. Bernt, *Niederl. Maler d. 17. Jh.* 1, 1948.

Beer, österr. Architektenfamilie des 17. u. 18. Jh., bildet mit den → Thumb u. → Moosbrugger die Vorarlberger Schule im süddt.-österr. Kirchenbau des Barock.
Franz, bedeutendster Vertreter der Familie, Bezau 1660–1726 ebda., Erbauer der *Klosterkirche Weingarten*, 1715.
Lit.: W. Hager, *Bauten d. dt. Barock*, 1942.

Beer, Georg, dt. Arch., 16. Jh., Meister der dt. Frührenaissance, Hauptwerk das *Neue Lusthaus* im Schloßgarten in Stuttgart, 1593 voll., 1846 abgebrochen. Ferner *Lust- u. Jagdschloß in Hirsau*, um 1592–95. *Collegium illustre* (Kathol. Konvikt), 1588–92, Tübingen.
Lit.: G. Dehio, *Geschichte d. dt. Kunst* 3, 1926.

Beer, Jan de, niederl. Maler, Antwerpen um 1490 bis 1542 ebda., Vertreter des Antwerpener Manierismus. Werke: *Anbetung*, Mailand, Brera. *Geburt Christi*, Richmond, Slg. Cook. *Anbetung*, Köln, Mus. *Verkündigung Mariä* u. *Geburt Mariä*, Lugano, Slg. Schloß Rohoncz.
Lit.: M. J. Friedländer, *Altniederl. Malerei* 11, 1933.

Beerstraten, Anthonie, niederl. Maler, tätig in Amsterdam um 1639–1665, Meister großer Winterlandschaften.

Beerstraten, Jan Abrahamsz., niederl. Maler, tätig in Amsterdam 1622–66; große Stadtansichten u. Seebilder; vertreten im Rijksmus., Amsterdam. Ferner: Leipzig, München, Rotterdam, Kopenhagen u. a.
Lit.: W. Bernt, *Niederl. Maler d. 17. Jh.*, 1948.

Bega, Cornelis, niederl. Maler, Haarlem 1620–1664 ebda. Genrebilder aus Dorfkneipen u. ä. in der Art des → Ostade, dessen Schüler er war. Werke in Amsterdam, Rijksmus. Ferner: im Haag, Augsburg, Kassel, Paris, London, Frankfurt u. a.
Lit.: W. Bernt, *Niederl. Maler d. 17. Jh.*, 1948.

Begarelli, Antonio, ital. Bildhauer, * Modena Ende 15. Jh., † 1565 ebda., tätig in Modena, Schöpfer einer Großzahl überaus realist. Tongruppen, einer Lieblingsgattung in Modena, seit → Mazzoni sie zu künstlerischer Höhe geführt hatte. In der malerischen Anordnung s. Passionsdarstellung von → Correggio beeinflußt. Hauptwerke: *Kreuzabnahme*, Ton, 1531, Modena, S. Francesco. *Beweinung Christi*, 1544–46, ebda., S. Pietro.
Lit.: A. Venturi 10, 1935.

Begas, Karl, dt. Maler, Heinsberg b. Aachen 1794 bis 1854 Berlin, Vertreter der romant. Schule, lernte bei → Gros in Paris, schuf Fresken in Berliner Kirchen; Gemälde bibl. Stoffe, die er in der Art der → Nazarener malte; Historienbilder, Genrebilder u. Bildnisse, die für das Biedermeier charakteristisch sind.
Lit.: R. Hamann, *Dt. Malerei vom Rokoko bis zum Expression.*, 1925.

Begas, Karl, dt. Bildhauer, Berlin 1845–1916 Köthen, Schüler s. Bruders Reinhold, in Rom weitergebildet, schuf Genregruppen, Bildnisbüsten u. dekorative Denkmäler (Siegesallee in Berlin).

Begas, Reinhold, dt. Bildhauer, Berlin 1831–1911 ebda., Sohn des Historien- u. Genremalers Karl → B., Schüler von → Rauch, tätig in Berlin. Hauptvertreter einer neubarocken Richtung; zahlreiche Monumentalwerke, Denkmäler, Bildnisstatuen, meist in Berlin. *Schillerdenkmal*, 1871, Berlin. *Alex. v. Humboldt*, 1883, ebda.

Beham, Barthel, dt. Kupferstecher u. Maler, Nürnberg 1512–1540 in Italien, sog. → Kleinmeister. Tätig in Nürnberg, 1527 ff. in München u. Landshut. Bildete sich an → Dürer, malte als Hofmaler in München Fürstenbildnisse (Gal. Schleißheim), s. Bedeutung liegt aber in s. Kupferstichen bibl., antiken u. genrehaften Charakters: *Maria mit dem Kinde, am Fenster sitzend.*
Lit.: Pauli, *B. B. Krit. Verz. s. Kupferstiche*, 1911.

Beham, Hans Sebald, dt. Kupferstecher, Holzschneider u. Maler, Bruder von Barthel → B., Nürnberg

1500–1550 Frankfurt. Nach der Anzahl s. Werke der fruchtbarste Graphiker s. Zeit. Bibl. u. antik-mythol. Szenen. Seine Ornamentstiche waren weitverbreitet u. wurden vielfach im Kunstgewerbe verwandt.
Lit.: Pauli, 1901 u. 1911.

Behmer, Marcus, dt. Zeichner u. Radierer, * Weimar 1879, Vorkämpfer der Erneuerung der buchkünstlerischen Gestaltung in Deutschland; Illustrationen, Bucheinbände, Exlibris, Groteskzeichnungen für den «Simplizissimus». Vertreter des Jugendstils, von der engl. Buchkunst u. vom «modern style» beeinflußt.
Lit.: Vollmer, 1953. Die Kunst u. d. schöne Heim 49, 1950/51.

Behn, Fritz, dt. Bildhauer, * Klein-Grabow 1878, bedeutender Tierplastiker.
Lit.: H. Schmidt, 1922. G. J. Wolf, 1928.

Behrens, Peter, dt. Arch. u. Kunstgewerbler, Hamburg 1868–1940 Berlin, Vorkämpfer einer neuen, sachlich gerichteten Gesinnung in Baukunst u. Kunstgewerbe, tätig in Düsseldorf, Wien, Berlin. Namentlich Industriebauten: *Verwaltungsgebäude der Höchster Farbwerke*, 1924, Höchst. *Industriebauten für die AEG*, 1908, Berlin.
Lit.: F. Hoeber, 1913. P. J. Cremers, 1928. Vollmer, 1953.

Behzad, 1468–1515, der bedeutendste Miniaturmaler Persiens.
Lit.: E. Kühnel, *Miniaturmalerei im islam. Orient*, 1923. L. Binyon u. a., *Persian Miniat. Painting*, 1933.

Beierlein (Beuerlin, Peuerlin, Päuerlin), Hans, dt. Bildhauer, um 1450–1508, von 1470 an in Augsburg nachweisbar. Hauptmeister der Spätgotik ebda., schuf vor allem bedeutende Grabmäler in Rotmarmor mit Reliefdarstellungen im malerischen Stil der Spätgotik. Lehrer von Loy → Hering.
Werke: *Grabmal Bischof Friedrichs II. v. Hohenzollern* (gest. 1505), Augsburg, Dom. *Grabmal des Bischofs Heinrich v. Lichtenau*, 1509, ebda. *Grabmal Wilhelms v. Reichenau* (gest. 1496), Eichstätt, Dom. Weitere Werke ebda., ferner in Neuburg, Roggenburg, Ingolstadt, Moosburg, Landshut, Altötting.
Lit.: Ph. M. Halm in: Münchner Jb. d. bild. Kunst 6, 1911. A. Feulner, *Dt. Plastik d. 16. Jh.*, 1926. G. Dehio, *Geschichte d. dt. Kunst* 3, 1926. W. Pinder, *Dt. Kunst d. Dürerzeit*, 1953.

Beijeren, Abraham van, niederl. Maler, Den Haag 1629 bis um 1675 Alkmaar, Maler von Stilleben mit Fischen, Früchten, Blumen, Fleisch u. kostbaren Stoffen; in s. Stil beeinflußt von de → Heem u. s. Lehrer de Putter.
Lit.: W. Bernt, *Niederl. Maler d. 17. Jh.*, 1948.

Bella, Stefano della, in Frankreich Etienne de La Belle gen., ital. Zeichner u. Radierer, Florenz 1610 bis 1664 ebda., sehr fruchtbarer Graphiker auf den Gebieten des Genrehaften, Sittenbildlichen, Aktuellen; auch Darstellungen von Hoffestlichkeiten, Landschaftsveduten u. Ornamentstiche. 1633–39 in Rom, 1639–1650 in Paris, sonst meist in Florenz tätig. Sein Stil knüpft an den → Callots an, s. Stiche oft geistreich mit leichter Hand hingeworfen, oft auch bloße Routinearbeit. In Paris hat er 1641 im Auftrag Richelieus die *Belagerung v. Arras* u. 1646 die *Ansicht des Pont-Neuf* radiert.
Lit.: Vesme, *Peintre-graveur ital.*, 1906.

Bellange, Jacques, lothring. Maler u. Radierer, 17. Jh., tätig in Nancy um 1602–17. Seine dekorativen Malereien für den lothring. Herzogshof sind zu Grunde gegangen. Einige Bilder in den Kirchen v. Nancy erhalten. Bekannt sind Radierungen im Zeitstil des Manierismus, auch Zeichnungen in Nancy, Mus.; Paris, Ecole des beaux-arts; Rennes, Mus.; Orléans, Mus. u. a.

Bellangé, Hippolyte, franz. Maler, Paris 1800 bis 1866 ebda., Schlachtenmaler, Schüler von → Gros, verherrlichte die napoleon. Zeit in Schlachten- u. Genrebildern aus dem Soldatenleben; in s. Lithographien von → Charlet beeinflußt.
Lit.: Adeline, 1880.

Bellano, Bartolomeo, ital. Bildhauer, Padua um 1434–1497 ebda., wahrscheinlich Schüler des → Donatello; in Florenz, Rom u. Perugia tätig, 1469 ff. in Padua. Er begleitete Gentile → Bellini nach Konstantinopel. Für. S. Antonio in Padua schuf er mehrere Bronzereliefs, 1485–88; ferner *Grabmal Roccabonella*, 1498, in S. Francesco, ebda. Zuschreibungen.
Lit.: A. Moschetti in: Th.-B. 1909. Ders. in: Enc. Ital. 1930. L. Planiscig, *Venez. Bildh. d. Renaiss.*, 1921. Ders., *Bronzeleuchter im Dom zu Pistoia* in: Preuß. Jb. 1928.

Bellechose, Henri, burgund., aus den Niederlanden stammender Maler, tätig um 1415–1440, haupts. in Dijon. Hofmaler der Herzöge v. Burgund, vollendete das Altarwerk des J. → Malouel für die Kartause v. Champmol.
Lit.: P. Durrieu in: Th.-B. 1909. A. Weese, *Skulptur u. Malerei in d. roman. Ländern* (Handb. d. K. W.), 1927. G. Ring, *La Peint. franç. du 15ᵉ siècle*, 1949.

Bellegambe, Jean, niederl. Maler, Douai um 1480–1535 ebda., schuf Altäre im niederl. Stil. Werke in den Mus. v. Douai, Lille, Arras, Brüssel, Berlin, New York.
Lit.: Dehaisnes, 1890. P. Wescher in: Gaz. des beaux-arts 1932.

Belling, Rudolf, dt. Bildhauer, *Berlin 1886, gehört der kubist. Richtung an; anfänglich von → Archipenko u. → Boccioni beeinflußt, 1934 ff. in Istanbul, das. Prof. der Akad.
Lit.: *Ausst.-Kat. Folkwang-Mus.*, 1956. A. Kuhn, *Die neuere Plastik v. 1800 bis zur Gegenwart*, 1922. W. Hofmann, *Plastik d. 20. Jh.*, 1958.

Bellini, Gentile, ital. Maler, Venedig um 1429 bis 1507 ebda., ältester Sohn des Jacopo → B., schuf Legendenbilder, die in der Fülle ihrer Gestalten u. ihren frischen Farben eine wirklichkeitsgetreue Darstellung zeitgenössischen venez. Lebens bieten. Eindruckvolle Porträts. Hauptwerke: *Wunder des hl. Kreuzes*, 1494–1500, Venedig, Akad. *Predigt des hl. Markus*, Mailand, Brera. *Prozession auf dem Markusplatz*, Venedig, Akad. *Bildnis Sultan Mohammeds II.*, 1479–80 in Konstantinopel entstanden, London, Nat. Gall. *Caterina Cornaro*, Budapest, Mus.
Lit.: G. Gronau, *Die Künstlerfam. B.*, 1909. H. Tietze u. E. Tietze-Conrat, *The Drawings of the Venetian Painters*, 1944.

Bellini, Giovanni (*Giambellino*), ital. Maler, Venedig um 1430–1510 ebda., Hauptmeister der venez. Frührenaissance, Schüler s. Vaters Jacopo → B. u. s. Schwagers → Mantegna in Padua, von letzterem stark beeinflußt, in dieser Frühphase auch Einwirkung → Donatellos. Später entwickelte er, namentlich unter dem Einfluß des → Antonello da Messina s. ihm eigenen malerischen Stil mit leuchtenden warmen Farben. Hauptmotiv: die von Heiligen umgebene Madonna, die Santa Conversazione. Auf anderen Bildern hervorragende Landschaftshintergründe u. feine Porträts. Lehrer → Giorgiones, → Tizians, → Palma Vecchios u. v. a., schulbildend für die venez. Malerei der Folgezeit. Hauptwerke: *Pietà*, um 1470, Mailand, Brera. *Madonna*, 1487, Venedig, Akad. Altarwerke: *Thronende Madonna*, Frarikirche, 1488; *Sacra Conversazione*, 1505, S. Zaccaria, beide in Venedig. Weitere Altarwerke in den Kirchen Venedigs u. in der Akad., ebda. In London, Nat. Gall. u. a.: *Christus in Gethsemane; Bildnis des Dogen Loredan.* In Berlin, staatl. Gal.: *Pietà; Auferstehung*, um 1480; *Madonna*. In Washington, Nat. Gall.: *Das Götterfest*, 1514 (Spätwerk, an dessen Landschaft Tizian mitgearbeitet hat). Mailand, Brera: *Madonna*, 1510. Zeichn. in Florenz, Uff.; Frankf., Städel; London, Brit. Mus.; Wien, Albertina u. a.
Lit.: G. Gronau (Klass. d. K.), 1930. C. Gamba, 1937. L. Dussler, 1949. R. Pallucchini, 1949 (*Kat.-Ausst. Venedig*). B. Berenson, *Venetian schools I*, 1957 (Phaidon). G. Fiocco, 1960. Ph. Hendy u. L. Goldscheider, 1945 (Phaidon, engl.). *Enciclop. Univers. dell' Arte* II, 1958.

Bellini, Jacopo, ital. Maler, Venedig um 1400 bis 1470 ebda., Schüler des → Gentile da Fabriano,

Werkstatt in Venedig; zeitweise auch in Florenz, Verona, Ferrara u. Padua tätig, das. von → Donatello beeinflußt. Am bedeutsamsten s. Skizzenbücher, die einen einzigartigen Einblick in die Arbeitsweise eines Frührenaissancekünstlers geben (Studium der Perspektive, der Natur, der Antike).
Hauptwerke: *Kreuzigung*, Verona, Gall. *Madonnen* in Venedig, Akad. u. Florenz, Uff. Silberstift- u. Federzeichn.: *2 Skizzenbücher*, eines in Paris, Louvre; das andere London, Brit. Mus.
Lit.: C. Ricci, 1908. Golubew, *Die Skizzenbücher J. B.s*, 1912. H. Simon, *Chronologie d. Arch.- u. Landschaftszeichn. in d. Skizzenbüchern B.s*, Diss. München 1936.

Belliniano, Vittore, eig. Vittore di Matteo, gen. B., Meister aus dem Umkreis der → Bellini, † 1529 Venedig, vertreten in Bergamo, Gall. Lochis; Paris, Louvre, u. a.
Lit.: A. Venturi VII, 4, 1915. L. M. Tosi in: Enc. Ital. 1930.

Belotto, Bernardo → Canaletto II.

Bellows, George Wesley, amerik. Maler, Columbus (Ohio) 1882–1925 New York; impressionist. Landschaften, Bildnisse u. a.

Bellucci, Antonio, ital. Maler, Pieve di Soligo 1654–1726 ebda., Meister des Spätbarock, schuf Deckenfresken u. mythol. Bilder; ferner kirchliche Werke für Vicenza, Verona u. a., kam 1709 nach Wien, das. österr. Hofmaler (*Bildnis Kaiser Josefs; Deckengemälde für Pal. Liechtenstein*); später auch in Düsseldorf u. in England tätig (*Deckengemälde im Buckingham-Pal.*). In s. Zeit gehört B. der venezian. Schule der Zeit vor Tiepolo an. Vertreten in den Gal. von Augsburg, München, Schleißheim, Nürnberg, Pommersfelden u. a.
Lit.: G. Fiocco, *La pitt. venez. del Seicento e Settecento*, 1929.

Belvedere, Andrea, ital. Maler, Neapel 1642–1732 ebda., Blumen- u. Früchtemaler; Schüler von → Ruoppoli.

Benczur, Julius, ungar. Maler, Nyiregyhaza 1844 bis 1920 Budapest, Historienbilder u. Bildnisse in der Art s. Lehrers → Piloty. Bilder in Budapest, Mus.

Bendemann, Eduard, dt. Maler, Berlin 1811–1889 Düsseldorf, Historienmaler der älteren Düsseldorfer Schule, studierte bei W. → Schadow in Düsseldorf, 1829–31 in Italien, tätig in Düsseldorf u. Berlin, 1838 ff. Prof der Akad. Dresden, 1859–67 der Akad. Düsseldorf. Von den → Nazarenern u. frühen Romantikern beeinflußt schuf er große Gemälde,

bes. alttestamentl. Themen. Vorzüglicher Bildnismaler. Hauptwerke: *Die trauernden Juden im Exil*, 1832, Köln, Wallraf-Richartz-Mus. *Wegführung der Juden in die babylon. Gefangenschaft*, 1872, Berlin, Nat. Gal. Vertreten ferner in den Gal. v. Dresden, Düsseldorf u. a.
Lit.: J. Schrattenholz, 1891. R. Hamann, *Dt. Malerei vom Rokoko zum Expressionismus*, 1925.

Benedetto da Maiano → Maiano, Benedetto da.

Benedetto da Rovezzano → Rovezzano, Benedetto da.

Benemann, Wilhelm, dt. Kunsttischler, 1785 ff. in Paris tätig, Möbel im Stil Louis XVI; großartiger, aber auch schwerer als diejenigen → Rieseners.

Bening, Alexander, niederl. Maler, † 1519, Gründer der Miniaturistenschulen von Gent u. Brügge; zahlreiche Bilderhandschriften.
Lit.: P. Durrieu, 1891.

Bening, Simon, niederl. Maler, Gent 1483–1581 Brügge, Sohn des Alexander → B., einer der bedeutendsten Buchillustratoren des 16. Jh., schuf für Karl V. 1537 ein Wappenbuch des Goldenen Vlieses. Stundenbücher («livres d'heures») mit Miniaturen von B. in zahlreichen Bibliotheken erhalten.

Benlliure y Gil, José, span. Maler, Cañamelas (Valencia) 1855–1946 Rom, Schüler von F. Domingo, 1878 ff. in Rom, malte Genreszenen aus dem span. u. ital. Volksleben, Kirchenbilder, Bildnisse u. phantastisch-visionäre Darst. Werke in den Mus. Madrid, Valencia, München (N. P.).

Benozzo Gozzoli → Gozzoli, Benozzo.

Benson, Ambrosius, niederl. Maler ital. Herkunft, † 1550 Brügge, tätig ebda. 1519 ff.; religiöse Werke in der Tradition von → Rogier van der Weyden u. G. → David, beeinflußt von → Memling u. Meistern der ital. Hochrenaissance. Hauptwerke: *Madonna mit Propheten*, Antwerpen, Mus. *Beweinung Christi*, Madrid, Prado. *Bildnis eines Mannes*, Lugano, Slg. Schloß Rohoncz.
Lit.: M. J. Friedländer, *Altniederl. Malerei XI*, 1933. G. Marlier, 1957.

Benvenuti, Pietro, ital. Maler, Arezzo 1769–1844 Florenz, als Klassizist in Florenz tätig, malte religiöse Werke, dekorative Fresken u. Porträts. Befreundet mit → Canova u. beeinflußt von → Carstens u. J. L. → David. In Florenz Ausmalung des *Herkules-Saales* im Pal. Pitti u. Deckenmalereien der *Cappella dei Principi* in S. Lorenzo, 1827–36; *Selbstbildnis* in den Uff. Porträts in der Gall. Corsini, Rom.

2 Gemälde im Dom v. Arezzo; weitere in Arezzo, Pinac. u. Pal. Vescovile.
Lit.: N. Tarchiani in: Th.-B. 1909. Ders. in: Enc. Ital. 1930.

Benvenuto di Giovanni, ital. Maler, Siena 1436 bis um 1518 ebda., Vertreter der Sieneser Malerschule, Schüler des → Vecchietta, beeinflußt von Francesco di Giorgio u. → Girolamo da Cremona, schuf große Altarwerke: *Große Himmelfahrt Christi*, 1491, Siena, Akad. (Hauptwerk). *Verkündigung*, 1466, Volterra, S. Girolamo (heute Pinac.). *Geburt Christi*, ebda., Dom. *Madonna mit Heiligen*, 1483, Siena, S. Domenico. *Thronende Madonna*, 1475, Montepertuso, S. Michele Arcangelo.
Lit.: A. Venturi VII, 1, 1911. G. Delogu, *Ital. Malerei*, 1948. J. Pope-Hennessy, *La Peint. Sienn. du Quattrocento*, 1947.

Bérain, Jean, franz. Arch., Zeichner u. Ornamentstecher, St-Mihiel (Lothringen) 1637–1711 Paris, Erfinder u. Entwerfer für alle Zweige des Kunstgewerbes, befreite die Dekoration vom massigen Stil → Le Bruns u. → Le Pautres u. leitete damit die Entwicklung zum Régencestil ein. Werke: Seine Stiche erschienen als «Oeuvres de J. B.», 1711.

Berchem (Berghem), Nicolaes, niederl. Maler, Haarlem 1620–1683 Amsterdam, malte vor allem ital. Gebirgs- u. Flußlandschaften mit Hirten u. Herden in warmer sonniger Beleuchtung, auch Genreszenen u. holl. Winterlandschaften. Werke in den Gal. v. Amsterdam, Berlin, Dresden, Leningrad u. a.
Lit.: W. Bernt, *Niederl. Maler d. 17. Jh.*, 1948.

Berckheyde, Gerrit, niederl. Maler, Haarlem 1638 bis 1698 ebda. Städteansichten; berühmt für s. hellfarbigen Straßen- u. Platzprospekte: *Blumenmarkt in Amsterdam*, Amsterdam, Rijksmus. Weitere Werke in Amsterdam, Den Haag, London u. a.
Lit.: W. Bernt. *Niederl. Maler d. 17. Jh.*, 1948.

Berckheyde, Job, niederl. Maler, Haarlem 1630 bis 1693 ebda., Bruder Gerrit → B.s, malte Landschaften, Genreszenen u. Architekturen, berühmt für s. Kircheninterieurs in kühlem Helldunkel: *Inneres der Kirche zu Haarlem*, Dresden, Gal. Werke in Amsterdam, Rijksmus.; Leningrad, Dessau u. a.

Berg, Claus, dt. Bildschnitzer, Lübeck um 1475 bis nach 1532. Bedeutender Meister des lübischen spätgot. Barock, ca. 1504–32 im Dienste des dän. Hofes. Hauptwerke: *Allerheiligen-Altar* in der Knudskirche in Odense, um 1520. *Apostel* im Dom zu Güstrow, nach 1532.
Lit.: H. Deckert, *Lübisch-baltische Skulptur am Anf. d. 16. Jh.* in: Marburger Jb. f. Kunstwiss. 3, 1927.

Th. Struck, *Zur Kenntnis C. B.* in: Mitt. d. Ver. f. lüb. Gesch. 15, 1939/40.

Bergen, Dirk van, niederl. Maler, * Haarlem 1645, † um 1690, malte Landschaftsbilder mit Tieren im Stil A. v. de → Veldes u. N. → Berchems.

Bergh, Johan Edward, schwed. Maler, Stockholm 1828–1880 ebda., Landschaften aus Schweden; im Stil beeinflußt von → Gude, → Achenbach u. → Calame. Hauptwerke in den Mus. v. Stockholm u. Göteborg.

Bergh, Sven Richard, schwed. Maler, Stockholm 1858–1919 ebda., begann als realist. Landschaftsschilderer, später von der neuromant. Richtung, namentlich von → Böcklin, beeinflußt.

Berke, Hubert, dt. Maler, * Buer 1908, Vertreter der abstrakten Kunst, Schüler von P. → Klee in Düsseldorf 1932–33, Mitglied der Gruppe «Zen 49», tätig in Alfter b. Bonn. Seine Kunst wurde als «gemalte Graphik» bezeichnet.
Lit.: G. Händler, *Dt. Maler d. Gegenwart*, 1956. M. Seuphor, *Dict. peint. abstr.*, 1957.

Berlage, Hendrick Petrus, niederl. Arch., Amsterdam 1856–1934 Den Haag, Mitbegründer der modernen Architektur in Holland, die auf einer strengen, sachlichen Baugesinnung beruht. Seine *Amsterdamer Börse*, 1898–1903, bedeutete einen Stilwandel von der historisierenden Baukunst des 19. Jh. zu einer auf konstruktiven Elementen beruhenden. B. schrieb: «Gedanken über Stil in der Baukunst», 1905.
Lit.: Wattjes, 1916 (holl.). J. Havelaer, 1927 (holl.). N. Pevsner, *Wegbereiter moderner Formgebung*, 1957 (Neuaufl.).

Bermejo, Bartolomé, span. Maler, um 1430 bis nach 1495. Aus Andalusien gebürtig, wo er wohl auch ausgebildet worden war u. ihm die Technik der niederl. Ölmalerei u. die Kunst J. v. → Eycks vermittelt wurden. Von ca. 1474 an in Saragossa, 1486 ff. in Barcelona tätig. Dort setzt er die Tradition → Dalmaus fort: Verbindung der niederl. Kunst mit dem typisch span. Realismus, Mitbegründer einer nationalspan. Malerei. Werke: *S. Domingo de Silos*, 1474–77, Madrid, Prado. *Pietà*, 1490, Barcelona, Kathedrale. *Ecce Homo*, Vich, Mus.
Lit.: M. v. Böhm in: Th.-B. 1909. E. Tormo in: Arch. españ. de arte, 1926. E. L. Ferrari in: *Breve hist. pint. españ.*, 1953.

Bernard, Emile, franz. Maler, Lille 1868–1941 Paris, machte 1886 die Bekanntschaft van → Goghs u. → Gauguins, mit dem er in der Folge in Pont-Aven arbeitete; vielseitiger anregender Geist, der als einer

der ersten auf van Gogh u. Cézanne hinwies, viell.
auch Einfluß auf die Stilbildung Gauguins hatte; er
malte in dem für Gauguin charakterist. Stil kräftiger
Farbflecken mit schwarzen oder blauen Konturen;
schuf auch Plastiken, Holzschnitte, Kunstgewerbl.,
Buchschmuck u. Illustrationen; gab die Zschr. «La
Rénovation esthétique» heraus. In s. späteren Zeit
rückgewandt, stellte er sich gegen alle modernen
Strömungen der Kunst ein. B. ist u. a. in den Mus.
von Paris (Mus. d'Art mod.), Lille, Algier, Amster-
dam vertreten.
Lit.: Knaurs Lex., 1955. J. Rewald, *Von van Gogh zu
Gauguin*, 1957. Ausst.-Kat. sources du 20ᵉ siècle,
Paris 1960/61.

Bernard, Joseph, franz. Bildhauer, Vienne 1866 bis
1931 Boulogne-sur-Seine, bedeutender Plastiker, der
vorzugsweise nackte weibliche Figuren schuf, aber
auch Porträtplastiken, Aquarellmalereien u. Graphik (Kaltnadelstiche). Werke in Paris, Luxembourg u. Mus. des arts décoratifs; in franz. Mus.;
ferner Chicago, Art Inst. u. a.
Lit.: T. Klingsor, 1924. R. Cantinelli, 1928. Bénézit,
1953. Vollmer, 1953.

Bernáth, Aurél, ungar. Maler u. Radierer, * Mar-
cali 1895, gilt als Hauptvertreter des ungar. Expressionismus, schuf visionäre, phantastisch sich
auftürmende Landschaften u. a.
Lit.: J. Genthon, 1934. Vollmer, 1953.

Bernini, Giovanni Lorenzo, ital. Bildhauer u. Arch.,
Neapel 1598–1680 Rom, Hauptmeister des ital.
Barock, Schüler s. Vaters, des Bildhauers *Pietro* B.,
mit dem er 1604 nach Rom übersiedelte. Nach ersten
Arbeiten für Scipione Borghese, Nepoten Pauls V.,
vor allem im Dienste der Päpste Urban VIII. Bar-
berini, 1623–44; Innozenz X. Pamfili, 1644–55;
Alexander VII. Chigi, 1655–67. 1665 Reise nach
Paris, wo er für Ludwig XIV. Entwürfe zur Louvre-
fassade ausarbeitete, denen später aber die des
C. → Perrault vorgezogen wurden. B. hatte einen
großen Werkstattbetrieb mit vielen Schülern u.
Gehilfen, unter ihnen zeitweise → Borromini, C.
→ Rainaldi, die Bildhauer → Duquesnoy, Morelli,
→ Baratta u. a. B. brachte in der Baukunst den Barock-
stil auf s. Höhepunkt: Einordnung aller Details
unter die Gesamtidee. Im einzelnen blieb er den
Renaissanceformen treu (im Gegensatz zu Borro-
mini). Seine großartigen Bauten, Platzanlagen u.
Brunnen haben das Stadtbild Roms wesentlich mit-
bestimmt. In der Skulptur wegweisend für die
ganze weitere Entwicklung: die Einzelfigur oder
Gruppe wird dem Raumganzen eingeordnet. Starke
Bewegung u. Plastizität werden verbunden mit
malerischen Effekten in der Gesamtwirkung.
Werke: Frühzeit: *David*, 1619. *Raub der Proserpina*,
um 1622. *Apoll u. Daphne*, 1625, alle in Villa Bor-

ghese, Rom. *Porträtbüste Scipione Borghese*, ebda.
Marmorbüste der *Costanza Buonarelli*, Florenz, Mus.
naz. Marmorstatue *Urbans VIII.*, Rom, Konservatorenpal. Arbeiten als Arch. in Rom: Entwurf
für die *Fassade v. S. Bibiana* u. *Statue der Heiligen* für
den Altar, 1625, ebda. *Bronzetabernakel*, 1633 voll.
u. *Kathedra Petri*, 1656–65, in St. Peter. *Hauptfassade der Propaganda Fide*, 1627. *Umbau des Pal.
Barberini*. Aus der Zeit s. größten Reife: Dekoration
der *Familienkapelle der Cornaro*, 1644–47, mit Gruppe
der *Verzückung der hl. Teresa*. Der *große Brunnen auf
Piazza Navona*, 1647. Sein arch. Hauptwerk: *Kolonnaden vor St. Peter*, 1667. Dekoration der *Scala Regia*,
1663–66, Vatikan. *Pal. Chigi* (Odeschalchi), 1665.
Zeit der Reise nach Paris: *Marmorbüste Ludwigs XIV.*
1665, Versailles; Entwurf der Louvrefassade (nicht
ausgeführt). Spätwerke: *Grabmal Alexanders VII.*,
1671–78. *Grabmal der hl. Ludovica Albertoni*, 1675/76,
S. Francesco a Ripa, Rom.
Lit.: F. Baldinucci, *Vita di G. L. B.*, 1682, hg. dt.
v. Riegl, 1912. F. Pollak, 1909. E. Benkard, 1926.
Boehn, 1927. *B.s Handzeichn.*, hg. v. Breuer u.
Wittkower, 1931. R. Pane, 1953. W. Weisbach,
Kunst d. Barock (Propyl.), 1924. A. E. Brinckmann,
Barockskulptur (Hb. d. K. W.). N. Pevsner, *Europ.
Arch.*, 1957.

Berruguete, Alonso, span. Bildhauer, Maler u.
Arch., Paredes de Nava um 1486–1501 Toledo, Sohn
des Malers P. → B., bildete sich in Florenz u. Rom,
bes. an → Michelangelo, seit 1520 wieder in Spanien,
tätig in Zaragoza, Valladolid, Salamanca u. seit
1539 in Toledo; Hofbildhauer Karls V., galt bei s.
Zeitgenossen als der größte Künstler Spaniens. B.
schuf Altäre, Chorgestühl, Dekorationen. Als Maler
Manierist, beeinflußt von → Leonardo u. A. del
→ Sarto; sehr bedeutend auch als Bildhauer; als
Dekorationskünstler Meister des sog. «platereken»
(goldschmiedeartigen) Stiles: eine Weiterentwicklung der Renaissance-Dekoration unter Benutzung
altspan. Motive u. zugleich Überleitung zum span.
Barock. In der figürlichen Plastik ist die Kunst B.s
eine Weiterentwicklung von Michelangelos Stil.
Hauptwerke: *Chorgestühl der Kathedrale v. Toledo*,
1539–48, zus. mit F. → Vigarni, mit Alabasterreliefs.
Hochaltar der Klosterkirche S. Benito; davon Teile im
Mus. v. Valladolid. *Grabdenkmal des Kardinals Tavera*,
1554, in der Kirche des Hospitals S. Juan Bautista in
Toledo.
Lit.: R. de Orueta, 1917. G. Weise, *Span. Plastik aus
7 Jh.*, 1925.

Berruguete, Pedro, span. Maler, Paredes de Nava
um 1450–1503 Madrid. Kam früh nach Italien,
arbeitete am Hofe Federigo da Montefeltros in Urbino, kam in Berührung mit der Kunst P. della
→ Francescas u. war auch mit der niederl. Malerei
vertraut. Von 1483 an wieder in Spanien, arbeitete

in Toledo, zeitweise in Avila. Bedeutender Vertreter der italianisierenden Richtung der span. Renaissance-malerei; Vater Alonso → B.s.
Hauptwerke: *Szenen aus dem Leben des hl. Thomas v. Aquin*, um 1500, Retabel der Kirche S. Tomás in Avila. 10 Tafeln anderer Altäre in Madrid, Prado: unter ihnen *Hl. Thomas; Hl. Petrus Martyr*. In Palencia, Bischöfl. Palast: *Leben der Jungfrau Maria*. In Urbino, Bischöfl. Palast: Porträt *Federigo da Montefeltro*. London, Nat. Gall.: *2 artes liberales*; in Berlin, staatl. Gal.: 2 weitere *artes liberales*.
Lit.: C. Gamba in: Dedalo, 1927. R. Lainez, 1935 (span.). Hulin de Loo, *P. B. et les portraits d'Urbin*, 1942. D. Angulo, *P. B. en Paredes de Nava*, 1946. E. L. Ferrari in: *Breve hist. pint. españ.*, 1953. J. Lassaigne, *La Peint. espagn.* 1, 1952 (Skira).

Bertholle, Jean, franz. Maler, * Dijon 1909, Vertreter der abstrakten Kunst, gehört zum Kreise der Künstler um → Bissière, tätig in Paris.
Lit.: Descargues, 1952 (Presses littéraires de France). M. Seuphor, *Dict. peint. abstr.*, 1957. J.-L. Ferrier, 1959 (Musée de Poche).

Bertoldo di Giovanni, ital. Bildhauer, Florenz (?) um 1420–1491 Poggio a Caiano b. Florenz, Früh-renaissancemeister der Kleinkunst, Schüler → Dona-tellos, tätig in Florenz: Medaillen, Plaketten, Sta-tuetten. Lehrer → Michelangelos; in manchen s. feinsten Werke ist die Jugendkunst Michelangelos vorgebildet.
Werke: *Bronzerelief einer Reiterschlacht*, Florenz, Mus. naz. (Bargello). Weitere Reliefs: *Kreuzigung*, ebda. *Grablegung*, ebda. *Triumph des Bacchus* (Kinder-bacchanal), ebda. Statuetten: *Arion*, ebda. *Herkules*, Berlin, ehem. K.-F.-Mus. Medaillen: Denkmünzen auf *Sultan Mohammed II.*; auf die *Pazzi-Verschwörung*. Weitere Werke in Venedig, Mus. arch.; Modena, Mus. Estense.
Lit.: W. v. Bode, *Florent. Bildh. d. Renaiss.*, 1921. Ders., *Bronzestatuetten d. Renaiss.*, 1907–12. Ders., *B. u. Lorenzo dei Medici*, 1925. L. Planiscig, *Piccoli bronzi del Rinascimento*, 1930.

Bertram, Meister B., dt. Maler, Minden um 1345 bis 1415 Hamburg, Hauptmeister der norddt. Malerei Ende 14. Jh., 1367ff. Stadtmaler v. Hamburg. Zwei Altäre von ihm sind erhalten: *Grabower Altar*, ur-sprünglich Hochaltar der Petrikirche, Hamburg, 1379, jetzt Hamburg, Kunsth. Auf 24 kleinen Feldern Geschichte der Stammeltern u. der Patri-archen, Szenen aus dem Marienleben. *Passionsaltar*, um 1394, für die Johanniskirche, Hamburg, heute Hannover, Landesmus. Der *Harvestehuder Altar*, Hamburg, Kunsth., wird s. Werkstatt zugeschrieben u. der *Buxtehuder Altar* einer von ihm abhängigen Hand. B. zeigt in s. Malerei derb-naturalist. Ver-gegenwärtigung des bibl. Geschehens, Ansätze zu

einer räumlichen Durchgestaltung der Komposition. Ital. Einflüsse, wahrscheinlich über die böhmische Malerschule u. die Miniaturmalerei des 14. Jh.
Lit.: A. Lichtwark, 1905. A. Rohde, *Der Hamburger Petrialtar u. M. B.*, 1916. F. A. Martens, 1936. A. Dorner, 1937. G. Dehio, *Gesch. d. dt. Kunst 2*, 1921. O. Fischer, *Gesch. d. dt. Malerei*, 1942.

Bertrand, Gaston, belg. Maler, * Wonck 1910, Vertreter der belg. abstrakten Malerei, tätig in Brüssel.
Lit.: R. L. Delevoy, 1953. Ders., 1955. M. Seuphor, *Dict. peint. abstr.*, 1957.

Beruete, Aureliano de, span. Maler u. Kunstschrift-steller, Madrid 1845–1912 ebda., malte Land-schaften im Stil der franz. Impressionisten. Werke in den Mus. v. Madrid, Sevilla, Paris, München.

Besnard, Albert, franz. Maler, * Paris 1849, † 1934, Schüler → Cabanels, schuf Porträts, weibl. Akte, Interieurs, große dekorative Wand- u. Decken-fresken u. ein bedeutendes graph. Werk. Stark vom Impressionismus beeinflußt. Werke: *Fresken* in der Ecole de pharmacie, Paris; im Mus. des arts dé-coratifs, ebda.; in der Mairie des 1. Arrondissements, ebda. u. v. a.
Lit.: A. Roger Marx, 1893. G. Mourey, 1906. C. Mauclair, o. J.

Besozzo, Michelino Molinari da → Michelino da Besozzo.

Bestelmeyer, German, dt. Arch., Nürnberg 1874 bis 1942 München, Vertreter des Neubarock, Schüler von → Thiersch, 1922ff. in München tätig. Hauptwerk: *Erweiterungsbau der Münchner Universität*, 1906–09.

Betto di Biagio, Bernardo → Pinturicchio.

Beukelaer, Joachim, niederl. Maler, Antwerpen um 1533–1573 ebda., Meister der Genredarstellung in der Art des P. → Aertsen. Werke in den Gal. v. Antwerpen, Stockholm u. a.

Beuroner Kunstschule, begründet von → Lenz, Wüger u. Steiner, um die kathol.-religiöse Malerei neu zu beleben.

Bevilacqua, Ambrogio, ital. Maler, tätig in Mailand um 1485–1502, von → Borgognone u. → Foppa ab-hängiger Vertreter der älteren lombard. Maler-schule.

Bewick, Thomas, engl. Holzschneider u. Zeichner, Cherryburn 1753–1828 Newcastle, verfeinerte die Technik der Holzschneidekunst.
Lit.: Thomson, 1882. Dobson, 1884.

Beyer, August v., dt. Arch., Künzelsau 1834–1899 Ulm, leitete 1880–90 als Münsterbaumeister in Ulm den Ausbau des Hauptturmes nach den alten Rissen, in der Folgezeit bis 1893 den Ausbau des Hauptturmes des Berner Münsters nach den Plänen des M. → Ensinger; ferner die Wiederherstellung der Kilianskirche in Heilbronn, 1888–95.

Beyer, Wilhelm, dt. Bildhauer u. Porzellanmodelleur, Gotha 1725–1806 Schönbrunn, ausgebildet in Paris u. Rom, wo er mit Winckelmann in Verbindung trat. Um 1760ff. einer der bedeutendsten Modellmeister der Porzellanmanufaktur Ludwigsburg, 1767 in Wien. Hauptwerk: Gartenskulpturen für Schönbrunn, 1773–80. Sein Stil zeigt den Übergang vom Rokoko zum Klassizismus.
Lit.: L. Balet, *Ludwigsburger Porzellan*, 1911. E. M. Kronfeld, *Park u. Garten v. Schönbrunn*, 1922.

Beyeren, Abraham van → Beijeren.

Biagio, Bernardino → Pinturicchio.

Bianchi-Ferrari, Francesco de', ital. Maler, Modena um 1460–1510 ebda., von E. → Roberti beeinflußt, schuf große Altäre für die Kirchen Modenas. Sein Hauptwerk ist das Altarbild mit *Thronender Madonna u. Heiligen* in S. Pietro in Modena. Weitere Werke: Altartafel mit *Kreuzigung*, Modena, Gall. *Thronende Madonna mit Heiligen*, Berlin, ehem. K.-F.-Mus. Altar mit *Verkündigung*, Modena, Gall. (s. letztes Werk, von anderem Meister voll.).

Bianchi, Mosè, ital. Maler, Monza 1840–1904 Verona, malte Genrebilder, Landschaften u. Porträts. Schüler Bertinis; in s. Stil etwa zu vergleichen mit → Meissonier.
Lit.: G. Marangoni, 1924. A. Colasanti in: Enc. Ital. 1930. Delogu, *Ital. Malerei*, 1948.

Bianco (Bianchi), Bartolommeo, ital. Arch., Como um 1590–1657 Genua, baute das. die Paläste *Balbi Senarega* (voll. im 18. Jh. v. Corradi) u. *Durazzo Pallavicini* (vormals Balbi); ferner das *Jesuitenkollegium*, ebda.

Biard, François, franz. Maler, Lyon um 1798–1882 Fontainebleau, Maler des ethnographischen Genres: Reisebilder aus aller Welt; ferner Sittenbilder, die gelegentlich das Karikaturhafte streifen.

Biard, Pierre, franz. Bildhauer u. Arch., Paris 1589 bis 1609 ebda., schloß sich in Rom den Nachfolgern Michelangelos an. Hauptwerk: *Lettner-Aufbau* in St-Etienne-du-Mont, Paris, 1600–05. Ferner: Bronzestatue *Renommée*, ebda., Louvre.

Bibiena (Bibbiena), Galli da, ital. Künstlerfamilie; deren wichtigste Mitglieder:

Alessandro, Arch. u. Maler, Padua 1687 bis vor 1769, ältester Sohn von → Ferdinando B., baute im Dienst des Kurfürsten von der Pfalz in Mannheim den *rechten Flügel des Schlosses* u. die *Jesuitenkirche,* ebda., im Barockstil.
Antonio, Arch. u. Maler, Parma 1700–1774 Mailand, schuf Theaterbauten u. Dekorationen in Bologna, Siena, Pistoia, Florenz, Wien. Jüngster Sohn von → Ferdinando B.
Ferdinando, Arch. u. Maler, Bologna 1657–1743 ebda., Erbauer des *Hoftheaters zu Mantua,* 1731; zahlreiche Theaterdekorationen u. Szenerien für Feste in Bologna, Parma, Barcelona, Wien. Vater von → Alessandro, → Antonio u. → Giuseppe B.
Giuseppe, Arch. u. Maler, Parma 1696–1756 Berlin, Meister der Barocktheater-Dekorationskunst, schuf Dekorationen, Theaterprospekte, Szenerien für Festlichkeiten in Wien, Prag, Dresden, München u. Berlin. Er veröffentlichte «Architetture e prospettive», 1740. Sohn von → Ferdinando B.

Bicci, Neri di → Neri di Bicci.

Bida, Alexandre, franz. Zeichner u. Aquarellist, Toulouse 1813–1895 Barr. Szenen aus dem Orient u. Illustrationen zur Bibel, Schüler von → Delacroix.

Bidauld, Joseph, franz. Maler, Carpentras 1758 bis 1846 Montmorency, besuchte die Ateliers der → Vernet, war 1785–91 in Rom, malte Landschaften mit Figuren- u. Tierstaffage; ital. Veduten; Landschaften in Sepia u. Aquarell; im Stil von Cl.-J. → Vernet u. Hubert → Robert beeinflußt. Vertreten in Paris, Louvre u. in vielen franz. Mus.
Lit.: Michel, *Hist. de l'Art* VIII, 1, 1925.

Biedermann, Johann Jakob, schweiz. Maler u. Graphiker, Winterthur 1763–1830 Zürich, Maler von Schweizer Landschaften, zu den Berner Kleinmeistern gehörend, Schüler von J. R.→ Schellenberg u. → Rieter in Bern, tätig in Zürich u. Winterthur. Beisp.: *Der Pissevache-Fall*, Winterthur, Kunstmus. Lit.: W. Hugelshofer, *Schweiz. Kleinmeister*, 1943.

Bienaimé, Luigi, ital. Bildhauer, Carrara 1795 bis 1878 Rom, Schüler → Thorwaldsens in Rom, schuf anmutig-idyllische Gruppen u. Gestalten aus der Mythologie.

Biermann, Eduard, dt. Maler, Berlin 1803–1892 ebda., Hauptvertreter der Berliner romant. Landschaftsmalerei (Aquarelle), malte auch dekorative Fresken im Neuen Mus., Berlin; Schüler von → Schinkel.

Biermann, Gottlieb, dt. Maler, Berlin 1824 bis 1908 ebda., Schüler von Wach u. → Cogniet in Paris, malte Genrebilder u. weibl. Bildnisse. Werke in Berlin, Nat. Gal.

Bierstadt, Albert, dt.-amerik. Maler, Solingen 1830–1902 New York, Schüler der Düsseldorfer Schule (Landschafter) unter –> Lessing, –> Achenbach u. Leutze, malte Landschaftsbilder aus Nordamerika.

Bièvfe, Edouard de, belg. Maler, Brüssel 1808 bis 1882 ebda., Hauptvertreter der romant. Historienmalerei in Belgien, Schüler des Bildhauers –> David d'Angers in Paris. Hauptwerke in Brüssel, Mus.

Bigi, Francesco –> Franciabigio.

Bihari, Sándor, ungar. Maler, Rezbanya 1856 bis 1908 Budapest, in Wien u. Paris ausgebildet. Genreszenen aus dem ungar. Volksleben.

Bijlaert (Bijlert, Bylert), Jan van, niederl. Maler, Utrecht 1603–1671 ebda., Schüler von Abr. –> Bloemaert, war mehrere Jahre in Rom, dort unter dem Einfluß der Caravaggisten, malte Genreszenen (Soldaten mit Dirnen, musizierend, beim Spiel, bei der Weinprobe), Bildnisse (Gruppenbilder), bibl. Darstell.; vertreten in den Mus. von: Amsterdam, Braunschweig, Kassel, Utrecht (Marienkirche) u. a. Lit.: E. W. Moes in: Th.-B. 1911 (Bylert).

Bilders, Johannes Warnardus, niederl. Maler, Utrecht 1811–1890 Oosterbeek. Landschaften aus den Niederlanden in romant. Auffassung; in den meisten holl. Gal. vertreten.

Biliverti, Giovanni, ital. Maler, Maestricht 1576 bis 1644 Florenz, Schüler des –> Cigoli, der meist in Florenz tätig war u. kirchliche Werke schuf, z. B. *Vermählung der hl. Katharina*, 1642, im Chor der Annunziata, Florenz. *Kreuzauffindung*, um 1640, in S. Croce, ebda. Werke in: Florenz, Pal. Pitti u. Uff.; Pisa, Dom; in den Gal. v. Madrid, Wien, Leningrad. Lit.: Geisenheimer in: Th.-B. 1910.

Bill, Max, schweiz. Arch., Bildhauer u. Graphiker, *Winterthur 1908, führender moderner Künstler, der die Ideen des Bauhauses weiterentwickelte, studierte in Zürich u. am Bauhaus Dessau, Rektor der Hochschule für Gestaltung in Ulm, welche das Bauhaus in Dessau fortführen will, 1951–56, seitdem in Zürich tätig. Als Plastiker u. Maler der dominierende Meister der «konkreten Kunst». Werke in Zürich, Kunsth. u. v. a. Lit.: T. Maldonado, 1955 (mit ausführl. Bibliogr.). M. Seuphor, *Dict. peint. abstr.*, 1957. Ders., *Plastik unseres Jh.*, 1959. M. Joray, *Schweizer Plastik d. Gegenw.*, 1954–59.

Billing, Hermann, dt. Arch., * Karlruhe 1867–1946 ebda., Erbauer der *Kunsthallen in Mannheim* u. *Baden-Baden* u. der *Universität Freiburg i. Br*; knüpft in s. Kunst an die süddt. Barocktradition an. Lit.: K. Martin, 1930.

Binck, Jakob, dt. Maler u. Kupferstecher, Köln um 1500–1569 Königsberg, ausgebildet unter dem Einfluß der Nürnberger Kleinmeister (–>Beham), als Porträtist am preuß. u. dän. Hof tätig, schuf neben Bildnissen zahlreiche Kupferstiche, viele davon nach fremden Vorlagen: –> Dürer, Beham, –> Raimondi u. a.

Bindesböll, Michael Gottlieb, dän. Arch., Ledöje (Seeland) 1800–1856 Kopenhagen, Hauptmeister des dän. Klassizismus, Schüler der Kopenhagener Akad., weitergebildet auf Reisen in Deutschland, Frankreich, Italien, Griechenland. 1838ff. in Kopenhagen. Das. Hauptwerk: *Thorwaldsenmuseum*, 1838–47.

Birmann, Peter, schweiz. Maler u. Graphiker, Basel 1758–1844 ebda., Meister der Alpenlandschaft, gehört zu den Berner Kleinmeistern, Schüler von –> Aberli in Bern. 1790ff. gab er graph. Vervielfältigungen im Selbstverlag heraus, zunächst der eigenen Arbeiten, später auch der s. Sohnes *Samuel* u. a. Lit.: A. Hagenbach, *Basel im Bilde s. Maler*, 1939. E. Gradmann u. A. M. Cetto, *Schweiz. Malerei u. Zeichn. im 17. u. 18. Jh.*, o. J.

Birolli, Renato, ital. Maler, * Verona 1906, Hauptvertreter der ital. Abstrakten, Mitbegründer des «Corrente», in Paris beeinflußt von –> Cézanne, dem späten –> Picasso, von –> Pignon; 1947 Mitbegründer des «Fronte Nuovo delle Arti»; abstrakt seit ca. 1952; wird gelegentlich mit –>Bazaine verglichen. Lit.: S. Bini, 1941. A. Tullier, 1951. L. Venturi, *Pitt. contemp.*, 1947. U. Apollonio, *Pitt. mod. Ital.*, 1950. Vollmer, 1953. Seuphor, *Knaurs Lex. abstr. Malerei*, 1957. *Neue Kunst nach 1945*, hg. W. Grohmann, 1958.

Bissen, Herman Vilhelm, dän. Bildhauer, Schleswig 1798–1868 Kopenhagen, Meister des Klassizismus, schloß sich in Rom, 1824–34, –> Thorwaldsen an, schuf Figuren im klassizist. Stil; seit 1848 erstrebte er eine nation.-dän. Kunst, zugleich größere Naturnähe. Hauptwerke: *Denkmäler Friedrichs VI. u. VII.*, Kopenhagen. *Bildnisstatue* v. *Öhlenschläger*. Werke in Kopenhagen, Glypt. Lit.: Ph. Weilbach, 1898.

Bissier, Julius, dt. Maler, * Freiburg i. Br. 1893, schließt sich 1929 der abstrakten Kunst an, Freund von W. –> Baumeister u. O. –> Schlemmer. 1939ff. in Hagnau (Bodensee), 1934–46 ausschließl. Tuschpinselarbeiten.

Lit.: K. Leonhard, 1948. *Das Kunstwerk* 8–9, 1950. *Ausst.-Kat. dt. gegenstandsloser Malerei u. Plastik d. Gegenwart,* Freiburg 1950. Vollmer, 1953. M. Seuphor, *Dict. peint. abstr.,* 1957.

Bissière, Roger, franz. Maler, * Villeréal 1888, Hauptvertreter der abstrakten Kunst, kam um 1910 nach Paris, schloß sich für kurze Zeit 1922 → Braque u. den Kubisten an, lehrte 1925–38 an der Akad. Ranson in Paris, zog sich 1939 aufs Land, in s. Heimat zurück u. schuf dort Aufsehen erregende Kompositionen aus zusammengestückelten Stoffresten u. a.
Lit.: M. P. Fouchet, 1955. J. Lassaigne, 1956 (Kat. Gal. J. Bucher). M. Seuphor, *Dict. peint. abstr.,* 1957.

Bissolo, Francesco, ital. Maler, * um 1470, † 1554 Venedig, Schüler des Giov. → Bellini, dem er sich in der Malweise eng anschloß; später auch Einflüsse → Palma Vecchios.
Hauptwerke: *Krönung der hl. Katharina v. Siena,* 1513, Venedig, Akad. *Thronende Madonna mit Engeln,* 1516, Cappella Madonna del Campo auf der Insel Lagosta. *Thronende Madonna zwischen Heiligen,* S. Floriano b. Treviso, 1528. Halbfigurenbilder der *Madonna mit Heiligen,* Venedig, Akad. u. Leipzig, Gal. *Altarbild des Domes v. Treviso,* um 1530. Weitere Werke in Venedig; Akad.; ebda., Mus. Corrèr; in mehreren Kirchen Venedigs; Verona, Gall.; Mailand, Brera; Berlin, staatl. Mus.; Hampton Court, Wien, London (Slg. Benson) u. a.
Lit.: G. Gronau in: Th.-B. 1910. A. Venturi VII, 4, 1915. B. Berenson, *Venetian paint. in America,* 1916. L. Coletti in: Boll. d'Arte VIII, 1928–29. G. Fogolari in: Enc. Ital. 1930. B. Berenson, *Venetian schools* I, 1957 (Phaidon).

Blake, William, engl. Maler u. Kupferstecher, London 1757–1827 ebda., 1771 ff. als Kupferstecher ausgebildet, begann um 1775 zu malen, 1800–03 in Felpham (Sussex), sonst in London tätig. B. verkündet mit s. Kunst eine mystische Weltanschauung, die er auch als Dichter aussprach. Künstlerisch liegt s. Stärke vor allem in der reichen phantasievollen Erfindung u. in s. Zeichnung. Er illustrierte Schriften von Young, Blair, Dante u. a. Sein Einfluß auf einzelne Geister sowohl s. Zeit wie auch später war groß. Er war befreundet mit → Flaxman u. → Füßli, der von ihm beeindruckt war; später verehrten ihn die → Präraffaeliten als ihren Vorläufer; Künstler des Jugendstils u. des Expressionismus ließen sich von ihm anregen. B. ist gut vertreten in der Tate Gall., London.
Lit.: H. Richter, 1906. A. G. B. Russell, *Die visionäre Kunstphilosophie des W. B.,* 1906. Ders., *The Letters of W. B.,* 1906. Ders., *Paintings and drawings of W. B.,* 1909. G. Keynes, *Bibliographie zu B.,* 1921. Ders., *B. studies,* 1949. D. Figgis, 1925. L. Binyon,

Designs of B., 1926. Ders., *The drawings and engravings of W. B.,* 1929. J. M. Murry, 1933. M. O. Percival, *W. B.s Circle of destiny,* 1938. N. Frye, *Tearful symmetry,* 1947. B. Blackstone, *Engl. B.,* 1949. H. M. Margoliouth, 1951.

Blakelock, Ralph Albert, amerik. Maler, New York 1847–1919 ebda., von den Meistern der Schule von → Barbizon, insbes. von → Rousseau beeinflußter Landschafter.

Blanchard, Jacques, franz. Maler, Paris 1600–1638 ebda., ging mit s. Bruder *Jean Baptiste* (um 1595 bis 1665) nach Rom; auch in Venedig u. Turin tätig; beeinflußt bes. von den Venezianern (Tizian). Vertreten in Paris, Louvre; den Mus. von Nancy, Rouen, Toulouse, u. a.
Lit.: Ch. Sterling, *Les peintres Jacques et Jean B.,* Vol. 1, 1961.

Blanchet, Alexandre, schweiz. Maler u. Graphiker, * Pforzheim 1882, aufgewachsen in Genf, war 1905 in Paris, suchte strenge, auf monumentale Wirkung ausgehende Form, freskenartig gedämpfte Farben; Figürliches, Akte, Bildnisse, Stilleben, Wandbilder (Sitzungssaal des Bundesgerichtsgebäudes Lausanne), Buchillustrationen. Werke in schweiz. Mus. u. Hamburg, Kunsth.
Lit.: H. Graber, 1925. W. George, *Quelques artistes suisses,* 1928. F. Fosca, 1929. *Schweiz. Künstlerlex. d. 20. Jh.*

Blauer Reiter, Künstlergemeinschaft «Der B. R.» in München 1912 gegründet. (Bezeichnung nach einem Gemälde von Kandinsky.) Es gehörten dem Kreis u. a. an: → Kandinsky, → Marc, → Macke, → Klee, → Campendonk. Neben der «Brücke» in Dresden ein hist. bedeutsamer Zusammenschluß expressionist. Künstler.
Lit.: L. Grote, *Ausst.-Kat.* «*Der B. R.*», München 1949. P. F. Schmidt, *Geschichte d. mod. Malerei,* 1952. Knaurs Lex., 1955. L.-G. Buchheim, *Der B. R.,* 1959.

Blechen, Karl, dt. Maler, Kottbus 1798–1840 Berlin, von → Schinkel u. C. D. → Friedrich beeinflußter Landschafter der Romantik. Italienaufenthalt 1827–30 für die Entwicklung s. Stiles bestimmend, tätig in Berlin. In seinen großformatigen Bildern noch von romant. Stimmung erfüllt; in s. unbefangenen Naturstudien dagegen u. in kleinformatigen Bildern zeigt er sich als Vorläufer der Impressionisten. Beisp.: *Zwei Mädchen am Strande ruhend,* Berlin, ehem. Nat. Gal. *Walzwerk b. Neustadt-Eberswalde,* Skizze, ebda. Sehr gut vertreten in den staatl. Mus., Berlin (ehem. Nat. Gal.).
Lit.: G. J. Kern, 1911. *K. B. Leben, Würdigung, Werk,* hg. v. d. Nat. Gal. Berlin, 1940. W. R. Deusch, *Malerei d. dt. Romantiker,* 1937.

Bleibtreu, Georg, dt. Maler, Xanten 1828–1892 Charlottenburg, Schlachtenmaler, Schüler von → Schadow u. Th. → Hildebrand in Düsseldorf. Bilder aus dem dt.-dän. Krieg 1849, aus den Kriegen v. 1866 u. 1870–71, vertreten in Berlin, ehem. Nat. Gal. Hauptwerke: *Aufruf an mein Volk, Waterloo, Sturm auf St-Privat, Übergang nach Alsen* u. a.
Lit.: Pietschker, 1876.

Bléry, Eugène, franz. Malerradierer, Fontainebleau 1805–1887 Paris, belebte die Malerradierung in Frankreich aufs neue. Er stand den Malern von → Barbizon nahe, Lehrer von Ch.→ Méryon. Gesamtwerk im Cabinet des Estampes, Paris.

Bles, Herri met de, in Italien *Civetta* gen. (s. Künstlerzeichens wegen: Käuzchen), niederl. Maler, Bouvignes (oder Dinant) um 1480 bis nach 1521 Lüttich (?), gebildet unter dem Einfluß des J. → Patinier, längere Zeit in Italien tätig, malte Landschaften, die im Stil von Patinier ausgehen, in den Farben von großer Leuchtkraft. Hauptwerke in den Mus. v. Amsterdam, Antwerpen, Dresden, Hamburg.
Lit.: Wurzbach, *Niederl. Künstlerlex.* M. J. Friedländer, *Altniederl. Mal.* 13, 1936.

Bloch, Carl Heinrich, dän. Maler, Kopenhagen 1834–1890 ebd., Hauptvertreter der dän. Geschichtsmalerei. Hauptwerk: *Christian II. im Gefängnis,* Kopenhagen, Mus.

Bloemaert, Abraham, niederl. Maler, Dordrecht 1564–1651 Utrecht, neben → Wtewael Hauptvertreter der Spätphase des niederl. Manierismus, unter dem Einfluß der Romanisten, namentlich des F. → Floris gebildet, später auch von den Caravaggisten beeinflußt, hatte ein bedeutendes Atelier in Utrecht inne, Begründer der Utrechter Malerschule. In s. Kunst liebte er anfangs heftig bewegte Kompositionen, später Hinwendung zur Klassik u. Aufhellung der Farben. Religiöse u. mythol. Gemälde. Hauptwerke: *Niobe,* 1591, Kopenhagen, Gal.; *Judith,* 1593, Wien, Staatsgal.; *Auferweckung des Lazarus,* 1607, München, N.P.; *Christus in Emmaus,* 1622, Brüssel, Gal.
Sein Sohn *Cornelis,* 1603–1684, war Kupferstecher in Utrecht u. in Italien.
Lit.: G. Delbanco, 1928. W. Bernt, *Niederl. Maler d. 17. Jh.,* 1948.

Bloemen, Jan Frans van, gen. *Orizzonte,* Antwerpen 1662–1749 Rom. Klassizistische Campagna-Landschaften mit Hirtenszenen.
Lit.: W. Bernt, *Niederländ. Maler d. 17. Jh.,* 1948.

Blondeel, Lancelot, niederl. Maler, Arch. u. Graphiker, Poperinghe 1496–1561 Brügge. Bilder im Stil der niederl. Frührenaissance, lieferte den *Entwurf* für den überaus reichen *Kamin im Saale des «Vrye»* in Brügge, Justizpalast (ausgeführt 1529 von Guyot de Beaugrant). Bilder: *Martertod einer Heiligen,* 1548, Amsterdam, Rijksmus. *Legende der hll. Cosmas u. Damian,* 1523, Brügge, St-Jacques.
Lit.: A. Michel, *Hist. de l'Art* 5, 1912.

Blondel, François, franz. Arch., Ribemont 1618 bis 1686 Paris, Erbauer der *Porte Saint-Denis,* Paris, 1672.

Bloteling (Blooteling), Abraham, niederl. Kupferstecher, Amsterdam 1640–1690 ebda., bedeutender Bildnisstecher, tätig in Amsterdam u. 1672–78 in London. Bekannte Bildnisse: *Frans Hals, G. Flinck, G. van den Eeckhout, Admiral C. Tromp* u. a.

Blümelhuber, Michael, österr. Graphiker, Christkindl 1865–1936 Steyr, Hauptmeister des österr. Stahlschnittes.

Blumenthal, Hermann, dt. Bildhauer, Essen 1905 bis 1942 in Rußland gefallen, Schüler von E. → Scharff in Berlin, entwickelte einen persönlichen archaisierenden Stil.
Lit.: Ch. A. Isermeyer, 1947. H. Platte, *Plastik,* 1957.

Bluth, Manfred, dt. Maler, * Berlin 1926, Vertreter der abstrakten Kunst, Schüler von W. → Geiger in München.
Lit.: G. Händler, *Dt. Maler d. Gegenw.,* 1956.

Boccaccino, Boccaccio, ital. Maler, Ferrara um 1467–1524 Cremona, Hauptmeister der Renaissance in Cremona, ausgebildet in Ferrara unter dem Einfluß der Venezianer (→ Bellini, → Cima da Conegliano, → Giorgione). Tätig in Cremona, Ferrara, Venedig, von 1506 an dauernd in Cremona.
Hauptwerke: *Fresken im Dom v. Cremona,* 1506–18, mit Szenen aus dem Marienleben. Weitere religiöse Werke: *Thronende Madonna mit Heiligen,* Venedig, S. Giuliano u. Akad., ebda. *Vermählung der hl. Katharina,* ebda. *Kreuztragung Christi,* London, Nat. Gall. Porträt: *La Zingarella,* Florenz, Pitti-Gal. *Bildnis einer Dame,* Wien, Kunsth. Mus.
Lit.: F. Malaguzzi in: Th.-B. 1910. A. Venturi VII, 4, 1915.

Boccaccino, Camillo, ital. Maler, Cremona 1501 bis 1546 ebda., Sohn u. Schüler von → Boccaccio B., 1522–24 Schüler → Correggios in Parma, beeinflußt von → Pordenone. *Gemälde im Chor v. S. Sigismondo,* Cremona, 1537. *Selbstbildnis,* Florenz, Uff.

Boccati, Giovanni, ital. Maler, * Camerino um 1420, tätig in Perugia, umbrischer Meister der Frührenaissance, stilverwandt mit B. → Bonfigli, vertreten in

Perugia, Pinac.: *Madonna in der Pergola* u. *Madonna m. Engelorchester.*
Lit.: U. Gnoli, *Pittori e miniatori nell'Umbria*, 1923 (m. Bibliogr.). Ders. in: Enc. Ital. 1930. *Ausst.-Kat. Crivelli*, Venedig 1961.

Boccioni, Umberto, ital. Maler, Reggio Calabria 1882–1916 Verona. Mitbegründer des Futurismus u. Theoretiker der Bewegung. Er schrieb: «Futurist. Malerei u. Skulptur» (Pitt. e scult. futuriste, 1914). Lit.: G. C. Argan, 1953. W. Hofmann, *Zeichen u. Gestalt. Die Mal. d. 20. Jh.*, 1957. M. Raynal, *Peint. mod.*, 1953 (m. Bibliogr.).

Bocion, François, schweiz. Maler, Lausanne 1828 bis 1890 ebda., Landschaften vom Genfersee u. der ital. Riviera, vertreten in den schweiz. Mus. Lit.: P. Budry, 1925. M. Huggler u. A. M. Cetto, *Schweiz. Malerei im 19. Jh.*, 1942. F. Schmalenbach, *Neue Studien über Mal. d. 19. u. 20. Jh.*, 1955.

Bock, Hans, d. Ä., schweiz. Maler elsässischer Herkunft, Zabern um 1550 bis um 1624 Basel, nach wahrscheinlicher Lehre im Elsaß in Basel als Geselle des H. H. Kluber, der ihm den → Holbeinstil vermittelte; tätig in Basel. Bedeutend als Porträtist von Basler Zeitgenossen. 1608–11 schmückte er das Basler Rathaus mit Wandbildern, die schon früh verdarben. In s. mythol. u. hist. Bildern gehört B. dem Manierismus an. Beisp.: *Bildnis Ratsherr Melchior Hornlocher u. Gattin*, 1577, Basel, Mus. *Allegorie des Tages*, 1586, ebda. Lit.: Schmidt/Cetto, *Schweiz. Malerei u. Zeichn. im 15. u. 16. Jh.*, o. J. (1940).

Bockhorst (Boeckhorst), Jan van, niederl. Maler, Münster 1605–1668 Antwerpen, → Rubensschüler, der in dessen Atelier arbeitete u. kirchl. u. mythol. Bilder in der Art Rubens malte. Lit.: W. Bernt, *Niederl. Maler d. 17. Jh.*, 1948.

Bode, Leopold, dt. Maler, Offenbach 1831–1906 Frankfurt a. M., einer der letzten Nachfahren der dt.-röm. Malerei, Schüler Jak. Beckers u. → Steinles in Frankfurt: Bilder aus Sage u. Geschichte u. *Illustr.* (Aquarelle) *zu Fouqués Undine u. Shakespeares Wintermärchen.*

Bodmer, Paul, schweiz. Maler u. Lithograph, * Zürich 1886, schuf haupts. große Freskenwerke: *Fresken* im Fraumünsterkreuzgang, Zürich: *Szenen aus der Gründungssage des Fraumünsters*, 1921–28. Weitere Folgen ebda., voll. 1932 u. 1939. Fresko in der *Aula der Universität Zürich*, 1933. Fresken im *Gemeindehaus Zollikon*, voll. 1944. Bilder in den Mus. v. Basel, Bern, Zürich. Lit.: E. Poeschel, *Die Fresken v. P. B. im Fraumünster-Kreuzgang*, 1941. E. Arnet, 1946. G. Wälchli, 1954.

Bodmer, Walter, schweiz. Bildhauer, * Basel 1903, Konstruktivist; haupts. Drahtplastiken. Mus.: Antwerpen, Stuttgart, Turin, Zürich u. a. Lit.: W. Möschlin, 1951–52. C. Giedion-Welcker, *Plastik d. 20. Jh.*, 1953. M. Joray, *Schweizer Plastik d. Gegenw.*, 1954–59. M. Seuphor, *Plastik unseres Jh.*, 1959 (m. Bibliogr.).

Bodt, Jean de, franz. Arch., Paris 1670–1745 Dresden. Vertreter des klassizist. Barock, Schüler von → Mansart in Paris, ging 1685 nach Holland, 1689 mit Wilhelm III. v. Oranien nach England, 1698 nach Berlin, trat 1728 in kursächsische Dienste. Er vollendete das von Nering begonnene *Zeughaus* in Berlin u. schuf 1701 den *Verbindungsbau im Hof des Stadtschlosses*, Potsdam. Lit.: G. Dehio, *Hb. der dt. Kunstdenkmäler* 2, 1906, (neu hg. v. E. Gall, 1935).

Böblinger, Steinmetzfamilie des 15. Jh., bedeutendste Mitglieder: *Hans,* † 1482 Böblingen, 1463 Bauleiter der *Frauenkirche* in Eßlingen, deren Turm zu den schönsten got. Türmen zählt. *Matthäus,* Sohn von Hans, *Altbach b. Eßlingen, † Eßlingen 1505, 1478 ff. Meister am Ulmer Münster; er veränderte den Entwurf U. v. → Ensingen für den Westturm, mußte aber, als dieser einzustürzen drohte, vor der Volkswut fliehen. Erst im 19. Jh. wurde der Turm nach s. Plänen vollendet. Lit.: Pfaff, *Die Künstlerfam. B.*, 1862. Egle, *Die Frauenkirche zu Eßlingen*, 1898. Pfleiderer, *Das Münster zu Ulm*, 1905. G. Dehio, *Gesch. d. dt. Kunst* 2, 1921.

Böcklin, Arnold, schweiz. Maler, Basel 1827–1901 S. Domenico bei Fiesole, Schüler J. W. → Schirmers in Düsseldorf, weitergebildet in Antwerpen, Brüssel, Genf (bei → Calame), Paris; war 1850–57 in Rom, dann wechselnder Wohnsitz, vor allem in Basel, München, Zürich u. Florenz tätig. B. begann mit Landschaften in der Art der Romantiker, nahm in Rom die Tradition der «heroischen» Landschaft auf, wobei ihm die Figur nicht bloße Staffage, sondern Stimmungsausdruck war. Nach und nach entwickelte er s. eigenen Stil, in steter Auseinandersetzung mit dem von ihm abgelehnten Impressionismus: das ganze Bild auf einen einzigen Stimmungsausdruck hin durchkomponiert; Farben von ungebrochner Leuchtkraft; die Gestalten, mit Vorliebe die des antiken Mythos, als Symbole der in der Natur wirkenden Kräfte. Später erweitert sich der Themenkreis: außer den anspruchsvollen symbol. Darst. auch zarte Landschaftsstudien, Porträts, humorvolle Szenen, einige Plastiken. Die Kunst B.s bedeutet eine Erneuerung u. Weiterführung der romant. u. klass. Kunst («Neuromantik» und «Neuklassik»).

Einige Hauptwerke: *Pan im Schilf*, 1859, München, N.P. *Villa am Meer*, 1864, München, Schack-Gal. *Triton u. Nereide*, 1873, ebda. u. Berlin, staatl. Mus. *Gefilde der Seligen*, 1878, Berlin, ehem. N.G. *Toteninsel*, mehrere Fassungen, seit 1880 (eine in Basel, Mus.). *Ruinen am Meere*, mehrere Fassungen, seit 1882. *Spiel der Wellen*, 1883, München, N. P. *Vita somnium breve*, Basel, Berlin, München (Schack-Gal.) *Der Krieg*, 1896, Zürich, Kunsth.
Lit.: H. A. Schmid,[2] 1922. Ders., *B.s. Handzeichn.*, 1922. F. v. Ostini, 1904 (Knackfuß-Monogr.). J. Meier-Graefe, *Der Fall B.*, 1905. G. Floerke, 1921. L. Justi,[2] 1927. W. Barth, 1928. H. Wölfflin, *Der klass. B.* in: Gedanken zur Kunstgesch., 1940. Ders. in: Kleine Schriften, 1946. M. F. Schneider, *B., ein Maler aus dem Geist d. Musik*, 1943. *Ausst.-Kat.*, Basel 1951.

Boedas, griech. Bildhauer, 4. Jh. v. Chr., Sohn u. Schüler des → Lysipp. Es ist überliefert, daß er einen betenden Knaben schuf. Man wollte in der schönen *Erzstatue eines betenden Knaben* in Berlin eine Kopie dieses Werkes sehen, aber zu Unrecht.
Lit.: Pauly-Wissowa, *Realenc.* III. Amelung in: Th.-B. 1910.

Boehle, Fritz, dt. Maler u. Graphiker, Emmendingen 1873–1916 Frankfurt a. M., suchte unter dem Einfluß der Neuromantiker einen altmeisterlichen Stil zu entwickeln. Seine Radierungen u. Holzschnitte, in welchen er nach Art der altdt. Meister die Bauern schilderte, wurden recht volkstümlich. Schüler von → Diez u. → Hildebrand in München.
Lit.: R. Klein, 1909. R. Schrey, *Das graph. Werk*, 1914. Ders., 1925.

Böhm, Dominikus, dt. Arch., * Jettingen 1880, tätig in Köln, Schüler von Th. → Fischer in Stuttgart; bekannter Kirchenbaumeister; charakteristisch für s. Stil: schwere wuchtige Formen, sowohl im Außenwie im Innenbau. Beisp.: *Herz-Jesu-Kirche* in Bremen-Neustadt; *St. Engelbert* in Essen; *Heilig-Kreuz-Kirche*, Bocholt.
Lit.: A. Hoff, 1930.

Boehm, Joseph Edgar, österr.-engl. Bildhauer, Wien 1834–1890 London; 1859 in Paris, 1862 in London, das. Hofbildhauer u. Prof. der Akad. Viele große Denkmäler wie die *Reiterstatue Eduards VII.*, Bombay. *Monument des Herzogs v. Wellington*, London. Statuen der *Königin Viktoria* u. a.

Böhm, Pál, ungar. Maler, Nagyvárad (Großwardein) 1839–1905 München, Genremaler, der Szenen aus dem ungar. Bauern-, Fischer- u. Zigeunerleben schuf; seit 1871 in München tätig. Vertreten u. a. in den Mus. von Budapest, Köln, Manchester.

Boethos, griech. Bildhauer aus Chalkedon, tätig Ende 3. Jh. bis Mitte 2. Jh v. Chr., Meister liebenswürdiger Werke, vor allem Kinderbilder in Bronzeguß. B. steht stilist. am Anfang des sog. antiken Rokoko. Von s. beliebtesten Werk, dem *Knaben mit der Gans*, gibt es mehrere gute Marmorkopien (Rom, Vatikan; München, Glyptothek; Paris, Louvre), die s. lebendige Naturbeobachtung zeigen. Ferner: *Bronze-Herme* mit geflügeltem Knaben (signiert), Tunis, Mus. du Bardo. Wie es scheint, hat B. auch getriebene Gold- u. Silberwerke verfertigt (Toreutik) u. Kameen geschnitten.
Lit.: Pauly-Wissowa, *Realenc.* III. Amelung in: Th.-B. 1910. W. Klein, *Vom antiken Rokoko*, 1921. W. Zschietzschmann, *Hellenist. u. röm. Kunst* (Handb. d. K. W.), 1939.

Böttcher, Christian Eduard, dt. Maler, Imgenbroich 1818–1889 Düsseldorf. Genrebilder aus dem rheinischen Volksleben im Stil der älteren Düsseldorfer Schule; s. Lehrer waren → Hildebrand u. → Schadow. Werke in Köln, Wallraf-Richartz-Mus. u. a.

Boffrand, Germain, franz. Arch., Nantes 1667–1754 Paris, Hauptvertreter des Régencestils, Schüler von → J. Hardouin-Mansart, Hofarch., erbaute zahlreiche Schlösser im klassizist. Stil. Als Innenarch. ein Meister der Rokoko-Ornamentik. Hauptwerke: *Hôtel de Soubise*, Paris, 1706, heute Nat. Arch., *Schloß u. Kathedrale in Nancy*, 1723. Hauptleistung der Innendekoration: *Ausstattung* einiger Räume des *Hôtel de Soubise*, um 1735. Er schrieb: «Livre d'architecture», 1745.
A. E. Brinckmann, *Baukunst d. 17. u. 18. Jh.*,[5]1930. A. Michel, *Hist. de l'Art* 7, 1923.

Bogaert, Martin van den → Desjardin.

Boilly, Louis-Léopold, franz. Maler u. Lithograph, La Bassée 1761–1845 Paris. Genrebilder aus der Zeit der Revolution u. des Directoire sowie Bildnisse, bes. auch lithographierte Porträts.
Lit.: Harrisse, 1898.

Boissieu, Jean-Jacques de, franz. Maler u. Radierer, Lyon 1736–1810 ebda. Landschaften, Zeichnungen u. Radierungen nach Landschaften von → Ruisdael, → Dujardin, v. de → Velde u. eigenen Werken.
Lit.: *J.-J. de B. Cat. raisonné de son oeuvre*, 1878.

Bol, Ferdinand, niederl. Maler, Dordrecht 1616 bis 1680 Amsterdam, einer der Hauptschüler → Rembrandts, s. frühen Arbeiten sind denen Rembrandts stark angeglichen: *Jakob vor Pharao*, Dresden, Gal. *Jakobs Traum*, ebda. *Ruhe auf der Flucht*, 1644, ebda. Entwickelt sich zu einem etwas kalten Akademiker. Bedeutender Bildnismaler: *Regentinnen des Leprakrankenhauses*, 1649, Amsterdam, Rijksmus.

Regentinnen des Armenkrankenhauses, ebda. Weitere Bildnisse im Rijksmus.
Lit.: Wurzbach, *Niederländ. Künstlerlex.* K. Bauch, *Der junge Rembrandt u. s. Zeit,* 1961.

Bol, Hans, niederl. Maler u. Radierer, Mecheln 1534 bis 1593 Amsterdam. Ausgezeichnete Miniaturlandschaften u. kleine Landschaftsradierungen, z. B. *Ansicht v. Antwerpen,* 1572, Brüssel, Mus.; *Dorfansicht,* Berlin, ehem. K.-F.-Mus. Ferner Werke in den Gal. v. Dresden, Stockholm, den Kupferstichkabinetten v. Berlin, Dresden, Kopenhagen, München, Paris, Wien.
Lit.: H. Hymans in: Th.-B. 1910.

Boldini, Giovanni, ital. Maler, Ferrara 1845–1931 Paris, bedeutender Porträtist, aber auch Genre- u. Landschaftsdarstellungen; um 1869 in London, wo er als Bildnismaler wirkte u. die engl. Porträtisten studierte; um 1872ff. in Paris tätig. In s. Stil auch von den Impressionisten beeinflußt. B. hinterließ Pastellbilder, Aquarelle u. viele Zeichnungen. Werke in Paris, London, Florenz, Lugano, Bellinzona.
Lit.: E. Somaré, *Storia dei pittori ital. dell'Ottocento,* 1928. Cardona, 1931. M. Tinti in: Emporium 1934. *Lo studio di B.,* 1937.
G. Delogn, *Ital. Malerei,* ³ 1948.

Bologna, Giovanni da, gen. *Giambologna,* fläm.-ital. Bildhauer, Douai 1529–1608 Florenz, bedeutender Spätrenaissancekünstler, 1554 in Italien, 1556ff. im Dienste der Medici meist in Florenz tätig. Marmor- u. Bronzewerke, auch Kleinplastiken in jenem internat. manierist. Stil, der von → Michelangelo abhängt. B. hebt sich durch feine Leistungen hervor, in vielem auf den Barock hinweisend.
Hauptwerke: *Neptunsbrunnen,* 1563–67, Bologna. *Fliegender Merkur,* 1564, Florenz, Nat. Mus. *Kolossalgruppe des Okeanos u. der Stromgötter,* 1576, für den Giardino Boboli, heute Florenz, Nat. Mus. *Raub der Sabinerinnen,* Marmorgruppe, 1581, Florenz, Loggia dei Lanzi. *Reiterstandbild Cosimos I.,* 1594, vor dem Pal. Vecchio, ebda. *Lukas,* Bronze, Or San Michele, 1601, ebda. Weitere Figuren u. Brunnen in Florenz, Bronzestatuetten im Mus. naz., ebda.
Lit.: A. Desjardins, 1883. P. de Bouchaud, 1906.

Bolswert, Boëtius van, niederl. Kupferstecher, Bolsward um 1581–1659 Antwerpen, gehört, wie auch sein Bruder Schelte van B., zu den berühmtesten → Rubensstechern.

Boltraffio, Giovanni Antonio, ital. Maler, Mailand 1467–1516 ebda., bedeutender Renaissance-Bildnismaler, Schüler → Leonardo da Vincis, malte Bildnisse u. Altarbilder, z. B.: *Madonna zwischen Heiligen,* 1500, Paris, Louvre. *Madonna,* London, Nat. Gall.

Bildnisse: *Girolamo Casio,* Mailand, Brera. Viell. auch von B.: *La Belle Ferronnière,* Paris, Louvre.
Lit.: W. Suida, *Leonardo u. s. Kreis,* 1929.

Bombois, Camille, franz. Maler, * Vénarey-les-Laumes 1883, einer der hervorragendsten Pariser «peintres naïfs», konnte sich nach didaktischen Studien erst um 1924 ganz der Malerei widmen; malte mit Vorliebe dörfliche u. kleinstädtische Straßenansichten mit nur bescheidener figürlicher Staffage, aber auch Akte, Figuren aus dem Zirkus- u. Artistenleben, Stilleben u. a. Werke: *Die Angler,* Kassel, Gal. *Sommerliche Flußlandschaft,* Zürich, Kunsth.
Lit.: W. Uhde, *5 primitive Meister,* 1947.

Bon, Bono → Buon.

Bonannus v. Pisa, ital. Bildhauer u. Bronzegießer des 12. Jh.: *Bronzetür* des südl. Querschiffes des Domes v. Pisa, 1180, mit 24 Reliefs aus der bibl. Geschichte u. *Bronzetür des Domes v. Monreale.* In s. Stil ist B., der viell. auch den Campanile des Pisaner Domes erbaute, von lombard.-roman. Plastik beeinflußt.
Lit.: A. Böckler, *Bronzetüren v. Bonannus u. Barisanus,* 1952.

Bonascia (Bonasia), Bartolomeo, ital. Maler, Holzbildhauer u. Arch., um 1450–1527, in Modena tätig, gehört, wie u. a. auch F. di → Cossa, einer von P. della → Francesca beeinflußten Malergruppe der Emilia an. Werke: Gemälde u. Fresken in Modeneser Kirchen u. Klöstern, indes nur ein Werk beglaubigt: *Pietà,* 1475, Modena, Gall.
Lit.: A. Venturi, *Storia dell'Arte* VII, 3, 1914.

Bonatz, Paul, dt. Arch., Solgne 1877–1951 Berlin, bedeutender Vertreter des «Neuen Bauens», Schüler der Techn. Hochschule München (Th.→ Fischer), 1902ff. in Stuttgart tätig, 1908ff. Prof. der Techn. Hochschule ebda. Sein bekanntestes Werk: *Der neue Bahnhof* in Stuttgart, 1913–27. Ferner: *Stadthalle* Hannover, 1911–14. *Bürohaus des Stummkonzerns* in Düsseldorf (1. Hochhaus in Deutschland), 1923–25. *Kunstmuseum Basel.*
Lit.: G. Graubner, 1931. F. Tamms, *P. B. Arbeiten aus d. Jahren 1907–37,* 1937. G. A. Platz, *Baukunst d. neuesten Zeit,* 1927. Vollmer, 1953.

Bone, Muirhead, engl. Radierer, * Partick b. Glasgow 1876, Schüler der Kunstschule von Glasgow, 1901ff. in London tätig, schuf vor allem Landschaften u. Stadtansichten; s. Vorbild war → Meryon; später bediente er sich vorwiegend der Kaltnadeltechnik. Bes. s. Architekturblätter zählen zu den technisch feinsten s. Zeit. In Mappenform erschienen *Etchings of Glasgow,* 1899 u. a.

Lit.: C. Dodgson, *Cat. of the etchings of M. B.*, 1909. Forts. (bis 1916) in: The print coll. quarterly 9, 1922. F. Wedmore, *Etchings*, 1911. H. W. Singer, *Die mod. Graphik*, 1914.

Bonfigli, Benedetto, ital. Maler, Perugia um 1420 bis 1496 ebda., umbrischer Meister der Frührenaissance, beeinflußt von Fra → Angelico u. B. → Gozzoli. Sein Hauptwerk sind die *Szenen aus dem Leben der hll. Herkulanum u. Ludwig v. Toulouse*, Fresken in der Priorenkapelle im Pal. Comunale, Perugia. Ferner: *Verkündigung*, Perugia, Akad. *Anbetung*, ebda. *Madonna mit Heiligen*, ebda., *Anbetung der Könige*, London, Nat. Gall.
Lit.: W. Bombe in: Th.-B. 1910. Ders., *Geschichte d. Peruginer Malerei*, 1912. R. v. Marle, *Italian schools* 14, 1933.

Bonheur, Rosa, franz. Malerin, Bordeaux 1822 bis 1899 Schloß By b. Fontainebleau, bedeutende Tiermalerin im Gefolge → Troyons, die großen Erfolg bes. auch in England u. Amerika hatte. Werke in vielen Mus.: *Rinderherde in Cantal*, 1848, Paris, Louvre. *Zugtiere in Nièvre*, 1849, ebda. *Pferdemarkt*, 1853, New York, Metrop. Mus. *Wagen mit 6 Pferden*, London, Wallace Coll.
Lit.: A. Klumpke, 1908.

Bonifazio de'Pitati, auch B. Veronese gen., Verona 1487–1553 Venedig, Meister der venez. Hochrenaissance, Schüler des → Palma Vecchio. Hauptwerke: *Gastmahl des Reichen*, Venedig, Akad. *Auffindung des Moses*, Mailand, Brera.
Lit.: G. Ludwig in: Preuß. Jb. 22/23, 1901/02. A. Venturi 9, 1928. D. Westphal, 1931.

Bonifazio Veronese → Bonifazio de' Pitati.

Bonington, Richard Parkes, engl. Maler, Arnold b. Nottingham 1802–1828 London, hervorragender Landschafter, studierte 1816ff. an der Pariser Akad. u. im Atelier von → Gros, war 1822 in Italien, tätig meist in London. B. hatte eingehend die Koloristik der späten Venezianer studiert; seine schlichtnatürlichen Landschaftsgemälde u. Aquarelle hatten großen Einfluß nicht nur auf die engl. Maler, sondern auch auf die Meister der Schule von → Barbizon. Beisp.: *Verona*, London, South Kensington Mus. *Die Seine bei Rouen*, ebda., Wallace Coll. Werke in den größeren engl. Gal.; im Louvre, Paris u. a.
Lit.: A. Bouvenne, *Cat. de l'oeuvre de R. P. B.*, 1873. Hédiard, *Les lithographies de B.*, 1890. H. Stokes, *Girtin and B.*, 1922. R. P. Dubuisson, 1924.

Bonnard, Pierre, franz. Maler u. Graphiker, Fontenay-aux-Roses 1867–1947 Le Cannet, Hauptmeister des Nachimpressionismus, Schüler der Akad. Julian in Paris, wo er mit P. → Sérusier, M. → Denis

u. E. → Vuillard zusammentraf u. mit ihnen das Werk → Gauguins bewunderte. 1892 schloß er sich den → «Nabis» an. Er begann mit Arbeiten dekorativ-kunstgewerblicher Art, die teilweise dem Jugendstil angehören, den er später in s. Buchgraphik weiterentwickelte. Das Stoffgebiet s. Malerei umfaßte Figürliches, Porträt, Landschaft, Stilleben; beeinflußt war er von → Cézanne, den Impressionisten u. den → Fauves; mit einem Teil s. Werkes gehört er wie Vuillard zu den «Intimisten». Sehr stark u. von großem Einfluß war B. als Graphiker: *Illustrationen zu Daphnis u. Chloe* ; zu: *Parallèlement* u. v. a. Werke in den Mus. v.: Paris; London, Tate Gall.; Brüssel; Essen, Folkwang; Zürich; Kopenhagen; in den USA u. v. a. Mus. der ganzen Welt.
Lit.: L. Wert, 1919. F. Fosca, 1921. Q. Coquiot, 1922. C. R. Marx, 1924. Ch. Terrasse, 1927 (m. Kat. d. Graph.). A. Lhote, 1944. P. Courthion, 1945. J. Rewald, 1948. C. Roger-Marx, *B. Lithographe*, 1952.

Bonnat, Léon, franz. Maler, Bayonne 1833–1922 Château de Monchy-St-Eloi. Religiöse Malerei u. Porträts, Schüler von L. → Cogniet in Paris. Wandmalereien im *Panthéon*, Paris; im *Palais de Justice*, ebda., in mehreren *Kirchen*. Religiöse Gemälde u. Bildnisse berühmter Männer, wie *Thiers*, 1877, Paris, Louvre; *Victor Hugo*, 1879, Paris, Luxembourg; *Pasteur*, *Puvis de Chavannes* usw. Gut vertreten in Paris, Louvre u. Luxembourg u. franz. Provinzialmus.

Bono da Ferrara, ital. Maler, tätig in Padua Mitte 15. Jh., Schüler des → Pisanello in Verona, der → Squarcione u. → Mantegna in Padua, unter deren Leitung er an der Ausmalung der Eremitani-Kirche in Padua mitarbeitete. Werke: *Fresken des hl. Christophorus* in Padua, Eremitani-Kirche. *Hl. Hieronymus in der Wildnis*, London, Nat. Gall.
Lit.: Enc. Ital. 1930. E. v. d. Bercken, *Malerei der Renaissance in Oberitalien* (Hb. d. K.W.), 1927.

Bononi (Bonone), Carlo, ital. Maler, Ferrara 1569 bis 1632 ebda., Meister des ferraresischen Frühbarock, Schüler des G. → Mazzuoli, beeinflußt von → Veronese, der → Carracci-Schule u. von → Caravaggio, tätig haupts. in Ferrara: *Fresken u. Altarbilder* für die ferrares. Kirchen S. Maria in Vado; S. Benedetto; S. Domenico; Werke in der Pinak. v. Ferrara (*Hochzeit zu Kana*, 1632), den Mus. v. Modena, Bologna, Mailand (Brera), Florenz (Uff.) u. a.
Lit.: Enc. Ital. 1930. N. Pevsner, *Malerei d. 17. Jh. in Italien* (Handb. d. K. W.), 1928.

Bonsignori, Francesco, ital. Maler, Verona um 1455–1519 b. Verona, tätig das. u. ca. 1490ff. in Mantua, beeinflußt von → Vivarini, Giov. → Bellini

u. → Mantegna. Altarwerke für Veroneser Kirchen, Madonnenbilder u. Bildnisse. Werke: *Altarbild* in S. Bernardino, Verona; in SS. Nazaro e Celso, ebda. *Madonna* in S. Eufemia, ebda. *Jungfrau mit Kind u. Heiligen*, London, Nat. Gall. *Bildnis eines venez. Senators*, ebda. *Bildnis eines Gelehrten*, Lugano, Slg. Schloß Rohoncz. Ferner in Verona, Mus.; Florenz, Mus. naz.; Bergamo, Gall. u. a.

Bonvicino, Alessandro → Moretto.

Bonvin, François, franz. Maler u. Radierer, Vaugirard 1817–1887 Saint-Germain-en-Laye, gehört zu den franz. Kleinmeistern, Maler, welche realistische Darstellungen in kleinen Formaten schufen (→ auch A. Vollon u. Th. Ribot). B. malte in der Art der alten Holländer Genrebilder aus dem Leben des Volkes, Stilleben u. einige Landschaften. Beisp.: *La Cuisinière*, Mulhouse, Mus. *Les Forgerons*, 1857, Toulouse, Mus. *La Lettre de recommandation*, 1859, Besançon, Mus. Werke in Paris, Luxembourg u. mehreren franz. Mus.
Lit.: E. Nelaton, *F. B., raconté par lui-même*, 1927. H. Focillon, *La peint. au 19e et 20e s.*, 1928. Michel, *Hist. de l'Art* VIII, 2, 1926.

Bordone, Paris, ital. Maler, Treviso um 1500 bis 1571 Venedig, Meister der venez. Hochrenaissance, Schüler → Tizians, gebildet auch an → Giorgione u. → Palma Vecchio, schuf Altarbilder, mythol. Szenen, Historienbilder, Porträts. Bedeutender, aber ungleich arbeitender Meister; in s. besten Werken hat er alle Qualitäten der venez. Schule: reiche Farben, feine Landschaften, gute Bildnisse. Hauptwerke: *Jünglingsbild*, Florenz, Uff. *Frauenbildnisse*, London, Nat. Gal. u. Wien, Kunsth. Mus, *Diana*, Dresden, Gall. *Der Ring d. hl. Markus*, Venedig, Akad. *Anbetung der Hirten*, Treviso, Dom.
Lit.: B. Berenson, *Italian pictures*, 1932. E. v. d. Bercken, *Mal. d. Renaiss. in Oberital.* (Hb. d. K. W.), 1927.

Borduas, Paul-Emil, kanad. Maler, * Hilaire, Rouville County 1905, Vertreter der amerik. abstrakten Malerei, gründete 1940 mit → Riopelle zusammen in Montreal die Bewegung der «Automatisten». Vertreten in New York, Mus. of mod. Art.
Lit.: *Neue Kunst nach 1945*, hg. v. W. Grohmann, 1958.

Borglum, John Gutzon Mothe, amerik. Bildhauer, * Idaho (USA) 1867, bildete sich in Paris, tätig in New York. *Reiterstandbild des Generals Sheridan*, 1908, Washington. Vertreten im Metrop. Mus., New York.
Lit.: A. Adams, 1929.

Borgognone (Bergognone), eig. Ambrogio da Fossano, gen. il B., ital. Maler, Mailand um 1445

bis 1523 ebda., Hauptmeister der lombard. Schule vor → Leonardo, Schüler → Foppas, beeinflußt von → Zenale, tätig in Mailand, um 1488–95 in der Certosa von Pavia. Stilistisch noch ganz der älteren lombard. Kunst: Foppa u. → Mantegna verpflichtet; von der Kunst → Leonardos – selbst in s. späteren Werken – kaum berührt. Am besten in den einfachen Andachtsbildern, thronenden Madonnen u. ruhigen Zustandsbildern.
Werke: *Fresken* in der Certosa v. Pavia; in der Chornische v. S. Simpliciano, Mailand, mit *Krönung Mariä.* Altarwerke: *Kreuzigung*, 1490, Certosa v. Pavia; *Thronender Ambrosius mit Heiligen*, 1490, ebda.; *Kreuztragender Christus*, Pavia, Akad.; vielteiliges Altarbild mit *Thronender Madonna*, 1498, Bergamo, S. Spirito; *Madonna*, Mailand, Ambrosiana; *Himmelfahrt Mariä*, ebd., Brera; *Thronende Madonna*, Berlin, ehem. staatl. Gal.; *Jungfrau mit Kind u. Heiligen*, um 1490, London, Nat. Gall. (wohl aus d. Certosa v. Pavia stammend). Weitere Werke in der Kirche Incoronati, Lodi; der Collegiata in Melegnano; den Gal. v. Bergamo, Pavia, Turin, New York u. a.
Lit.: Beltrami, *Ambrogio Fossano*, 1895. Zappa in: L'arte, 12, 1909. A. Venturi VII, 4, 1915. E. v. d. Bercken, *Mal. d. Renaiss. in Oberital.* (Handb. d. K. W.), 1927. Berenson, *Oberital. Maler d. Renaiss.*, 1925. E. Modigliani in: Enc. Ital. 1930.

Borgoña, Felipe de → Vigarni, Philippe de.

Borgoña, Juan de, span. Maler, tätig 1495 bis 1533 in Toledo, ausgebildet in Italien, im Stil etwa → Berruguete vergleichbar. Hauptwerke: *Wandgemälde im Kapitelsaal der Kathedrale v. Toledo*, 1508 bis 1511 u. *Retabel der hl. Epiphanie*, ebda.

Borrassa, Luis, span. Maler, Anf. 15. Jh., Hauptmeister der katalan. Schule; s. Tätigkeit in Barcelona 1396–1424 bezeugt, wo er ein großes Atelier hatte u. für König Juan I. v. Aragon arbeitete. Zahlreiche bedeutende Altarwerke. Sein Stil unter dem Einfluß der sienes. Kunst, die B. vielleicht in Avignon kennenlernte. Hauptwerke: *Petrusaltar*, 1410, Tarrasa b. Barcelona, S. Maria. Retabel *Todos los Santos*, 1411–16, S. Cugat del Vallés. Retabel v. *Guardiola*, 1404, Barcelona, Mus. *Altar v. S. Clara*, 1415, Vich, Mus. Weitere Werke in Vich, Mus. u. Barcelona, Mus.
Lit.: M. v. Boehm in: Th.-B. 1910. J. Gudiol, 1925. J. Lassaigne, *La peinture espagnole*, 1952.

Borromini, Francesco, schweiz.-ital. Architekt u. Bildhauer, Bissone b. Lugano 1599–1667 Rom. Hauptvertreter des röm. Hochbarock. Schüler C. → Madernas, zeitweise unter → Bernini tätig, dessen bedeutendster Gegenspieler er später wurde. Er vertrat die Forderungen des Barock mit der äußersten Konsequenz: jede gerade Linie wird vermieden, geschwungene Fassaden, gebrochene Giebel, Verschmelzung mehrerer Raumkörper werden gesucht. Seine Kunst vor allem für das Rokoko in Frankreich u. Deutschland beispielgebend. Hauptwerke: Kirchenbauten: *S. Carlo alle quattro fontane*, Rom, 1638–41, Fassade v. 1667. *Oratorium des hl. Philipp Neri*, Rom, um 1638 bis 1650. *S. Ivo*, Rom, 1642–60. Weiterbau an *S. Agnese*, Rom, 1652 ff. *Collegio di Propaganda Fide*, Weiterbau des v. Bernini beg., 1649 ff. Weltliche Bauten: *2. Hof des Pal. Spada*, Rom, 1638. *Gartenseite des Pal. Falconieri*, Rom, 1650–58. Lit.: E. Hempel, 1924. H. Sedlmayr, *Die Architektur B.s*, 1930. Ders., 1939. G. C. Argan, 1952. N. Pevsner, *Europ. Architektur*, 1957 (m. Bibliogr.).

Bosch, Hieronymus, eig. van Aken, niederl. Maler, Hertogenbosch um 1450 bis um 1516 ebda., Hauptmeister der altniederl. Malerei. Religiöse Bilder, allegor. u. sittenbildliche Szenen, die mit großartiger Phantasie u. künstlerischer Kraft mit grotesken Inhalten, oft sinnbildlicher Bedeutung, durchsetzt sind. 1488 ff. in Hertogenbosch nachweisbar, scheint den größten Teil s. Lebens dort verbracht zu haben. Er war schon zu Lebzeiten berühmt u. bes. in Spanien beliebt. Sein Einfluß war groß. In s. Sittenbildern Vorläufer → Brueghels, in s. feinen Landschaftsschilderungen jener → Patiniers. Hauptwerke: *Anbetung der Könige*, Madrid, Prado. *Kreuztragung Christi*, Wien, Kunsthist. Mus. *Jüngstes Gericht*, ebda. u. in Brügge. *Versuchung des hl. Antonius*, Lissabon, Mus. *Johannes auf Patmos*, Berlin, staatl. Mus. Sittenbildl. u. allegor. Werke: *Der verlorene Sohn*, Rotterdam, Mus. Boymans. *Das Narrenschiff*, Paris, Louvre. *Der Heuwagen*, Escorial. Lit.: M. J. Friedländer, *Altniederl. Malerei* 5, 1927. W. Fraenger, 1937. Ders., 1947. Ch. de Tolnay, 1937. L. v. Baldass, 1943. Ders., [2]1959. J. Combe, 1946 (franz.). R. Delevoy, 1960 (Skira). C. A. Wertheim-Aymès, 1957. W. Fraenger, *Das Tausendjähr. Reich*, 1947. Ders., *Der Tisch d. Weisheit*, 1951.

Boscoli, Andrea, ital. Maler, Florenz um 1550–1606 ebda., Vertreter des florent. klassizist. Manierismus vom Ende des 16. Jh., der in s. Malerei dem Santi di → Tito folgte. Er malte religiöse Bilder, oft als liebenswürdige Genrebilder gestaltet, wie z. B. *Geburt Mariä*, Florenz, Gall. Pitti. *Hl. Sebastian*, ebda., Uff. *Selbstbildnis*, ebda. Werke in den Kirchen v. Florenz, Pisa, Fabriano.

Bosio, François-Joseph, franz. Bildhauer, Monaco 1769–1845 Paris, von → Canova beeinflußter Klassizist, Schüler von → Pajou, tätig in Paris als «premier sculpteur du Roi», schuf das *Bronzestandbild Ludwigs XIV*. auf der Place des Victoires, Paris, 1822. Ferner Büsten von *Napoleon, Josephine, Hortense* u. a. *Basreliefs an der Vendôme-Säule. Bronzequadriga auf dem Triumphbogen* (Arc de Triomphe du Carrousel). *Bronzegruppen* im Tuileriengarten. Marmorstatuen im Louvre. Lehrer von A.-L. → Barye. Lit.: G. Geffroy in: Th.-B. 1910. A. Michel, *Hist. de l'Art* VIII, 1925.

Bosschaert, Ambrosius, d. Ä., niederl. Maler, Antwerpen 1573–1621 Den Haag, vor allem feiner Blumenmaler wie auch s. Söhne *Ambrosius d. J.* u. *Abraham*.

Bosse, Abraham, franz. Stecher, Tours 1602–1676 Paris, der beste Schilderer des Lebens zur Zeit Ludwigs XIII., tätig bes. von 1629 bis nach 1645 in Paris. Der größte Teil s. rund 1500 Stiche ist nach eigenen Zeichnungen gefertigt. Er schildert sowohl das Volksleben wie das der höheren Gesellschaft in etwas steifer Art, doch kulturgeschichtlich interessant. Werke: Einige seiner Folgen: *Le mariage à la ville; le mariage à la campagne*, 1633. *Die vier Lebensalter*, 1636. *Die vier Jahreszeiten*. Ferner Kostümfolgen: *Le jardin de la noblesse française*. Einzelbl.: *Der Ball, Palais Royal, Besuch bei der Wöchnerin*. B. schrieb ein Lehrbuch der Radierung: «Traité des manières de graver en taille douce», 1645, sowie eines über Perspektive. Lit.: G. Duplessis, *Cat. de l'oeuvre de A. B.* 1859. A. Valabrègue, 1892.

Both, Jan, niederl. Maler, Utrecht um 1618–1652 ebda., Landschaftsmaler, Schüler von A. → Bloemaert, ging nach Rom u. wurde Spezialist für von warmem goldenem Licht durchflutete ital. Landschaften. Im Stil von C. → Lorrain beeinflußt.

Bottengruber, Ignaz, dt. Porzellanmaler des 18. Jh., tätig 1720–29 in Breslau, um 1730 in Wien, 1736 ff. wieder in Breslau. Schmückte China-, Meissner u. Wiener Porzellan mit figürlichen Darstellungen: mythol. Szenen u. Rokoko-Ornamentik.

Botticelli, Sandro, eig. Alessandro Filipepi, ital. Maler, Florenz 1444 (oder 45)–1510 ebda. Hauptmeister der florent. Frührenaissance, Schüler Fra Filippo → Lippis. Beeinflußt von → Pollaiuolo u. → Verrochio, bildete er s. eigenen Stil aus. Seine frühen Bilder entstanden im Auftrag der Medici: Madonnen, Porträts, die berühmte *Anbetung der Könige*, welche die Porträts vieler Medici enthält, u. vor allem s. allegor.-mythol. Bilder, in welchen er s. Eigenstes gab: ein tief poetisches Fühlen u. eine reiche Phantasie. 1480 von Papst Sixtus IV. nach Rom berufen, um zus. mit den hervorragendsten Künstlern s. Zeit an der Ausmalung der Sixtina mitzuwirken. Hier offenbarte er s. reiches Können der Komposition, des Porträts, des Einordnens der Figuren im Raum. Sein größtes zeichnerisches Werk sind die *Dante-Illustrationen* für Francesco de Medici.

B. war ein Anhänger Savonarolas, u. s. letzten Bilder, aus der Leidensgeschichte Christi, scheinen unter dem Eindruck von Savonarolas Persönlichkeit entstanden zu sein. Bald nach dessen Verbrennung hat B. das Malen ganz aufgegeben. Werke: Jugendwerke: *Judith*, 1470–72, Uff. *Hl. Sebastian*, 1474, Berlin, Gal. *Madonna mit Jesusknaben u. Johannes*, um 1472, Louvre. – Mythol.-allegor. Bilder: *Der Frühling*, um 1478, Florenz Uff. *Geburt der Venus*, um 1485, ebda. Weitere mythol. Bilder in London u. Berlin. Fresken der Sixtin. Kapelle, Rom, 1481–82: *Aus dem Jugendleben des Moses, Reinigungsopfer*. – Religiöse Bilder: Madonnen: *Madonna della Melagrana*, um 1482, Uff. *Madonna del Magnificat*, um 1485, Uff. – *Thronende Madonna mit Heiligen:* in den Uff., 1483; mit den beiden Johannes, 1485, Berlin, Gal. *Anbetung der Könige*: die berühmte, mit den Porträts der Medici, um 1477, in den Uff.; eine andere in London. *Krönung Mariä*, 1490, Uff. — Spätwerke: *Pietà*, in Mailand u. München, beide nach 1500. Porträts: *Giuliano de Medici*, um 1485, Berlin; *Cosimo de Medici*, Uff. Weitere Porträts in Frankfurt, Berlin, London. – Zeichn.: *Federzeichnungen zu Dante* in Berlin, Kupferstichkabinett u. Rom, Vatikan. Bibliothek.
Lit.: Wilh. v. Bode, Berlin, 1921. Klass. d. K., hg. v. Bode, 1926. C. Gamba, ital. u. franz. Ausg., o. J. L. Venturi, Phaidon-Band, 1937. J. Mesnil, 1938 (franz.). S. Bettini, 1942. E. H. Gombrich, *B.s Mythologies* in: Journ. of the Warburg and Courtauld Inst. VIII, 1945.

Botticini, Francesco, ital. Maler, Florenz um 1446 bis 1497 ebda., Meister der florent. Frührenaissance, Schüler des → Neri di Bicci, von → Verrocchio, → Botticelli u. a. beeinflußt, schuf liebenswürdige Madonnenbilder in der Art Botticellis u. größere Altarwerke. Werke: *Madonna mit Kind u. Engeln*, Florenz, Pitti. *Der junge Tobias mit den drei Erzengeln*, ebda., Uff. *Der büßende Hieronymus mit Heiligen u. Stiftern*, London, Nat. Gall. *Himmelfahrt Mariä*, ebda. *2 Engel* (von einem Renaissancealtar), Empoli, Mus. *Anbetung der Könige*, Chicago, Art Inst. Lit.: E. Kühnel, 1906. P. Bacci in: Boll. d'Arte, 1924/25. R. van Marle, *Ital. Schools* 13, 1931. Berenson, *Drawings of the Florentine painters*, 1938.

Bouchardon, Edme, franz. Bildhauer, Chaumont 1698–1762 Paris, Schüler von → Coustou, 1723–32 in Rom, wo er die Antike studierte, seitdem meist in Paris tätig. Seine Werke zeigen den beginnenden Klassizismus, dem Rokoko gegenüber größere Einfachheit u. Ruhe. Hauptwerke: große, mit Figuren ausgestattete *Brunnenanlage in der rue de Grenelle*, Paris, 1739. *Christus, Madonna u. Apostel*, ebda., St-Sulpice. *Amor*, ebda., Louvre. *Reiterdenkmal Ludwigs XV.* für die Place de la Concorde (zerstört). Ferner: Bildnisbüsten, Grabmäler, Reliefs.

Lit.: C. de Caylus, 1762. A. Riserot, 1910. P. Vitry in: Arts et Artistes, 1910. A. Michel, *Hist. de l'Art* 7, 1925.

Boucher, François, franz. Maler, Paris 1703–1770 ebda., Hauptmeister des franz. Rokoko, Schüler von → Lemoine, bildete sich in Italien weiter unter dem Einfluß von → Tiepolo, nach s. Rückkehr von Mme de Pompadour gefördert, Inspektor der staatl. Gobelinmanufaktur, 1765 Direktor der Akad. u. «peintre du Roi», Gemälde mythol. Inhalts — in Wahrheit galante Szenen, Schäferszenen mit Nymphen u. Liebesgöttinnen — u. Porträts. In s. Stil von → Watteau beeinflußt, an den er als Maler keineswegs heranreicht. Dafür aber hervorragender u. vielseitiger Dekorateur. Modelle für Sèvres-Porzellane, Entwürfe für Gobelins, Theaterdekorationen usw. Er war ferner ein feiner Zeichner (auch Landschaften), Illustrator u. Radierer (180 Bl.). Reich vertreten im Louvre, wo sich s. Meisterwerke, wie *Venus in der Schmiede Vulkans*, 1732; *Diana nach dem Bad*, 1742; *Raub der Europa*, befinden. Dekorationen in Schloß Fontainebleau *(Decke Salle du Conseil)* u. Schloß Versailles *(Chambre de la Reine)*. Ferner vertreten in London, Wallace Coll. *(Bildnis Mme Pompadour* u. a.) u. in München, A. P. *(Ruhendes Mädchen)*.
Lit.: E. et J. de Goncourt, 1862 (Neuausg. 1881). P. de Nolhac, 1915. Fenaille, 1925. L. Réau, *Dessins de F. B.*, 1928. Ders., *La peint. franç. au 18e siècle* 2, 1926. E. Hildebrandt, *Mal. u. Plastik. d. 18. Jh.* (Hb. d. K. W.), 1930.

Boudin, Eugène, franz. Maler, Honfleur 1824–1898 Paris, begann um 1845, angeregt von→Millet, nach der Natur zu malen; mit → Monet u. → Jongkind war er 1862 in Honfleur, seitdem besuchte er regelmäßig Honfleur, Trouville u. die Bretagne u. malte Seestücke u. Küstenbilder, wobei er den feinsten Lichtreizen nachging. → Corot nannte ihn «le roi des ciels». Monet wurde von ihm angeregt. Gehört zu den wichtigsten Vorläufern des Impressionismus. Gut vertreten im Mus. Le Havre. Dort: *Der Hafen von Le Havre*. Weitere Werke: *La plage de Trouville. Le port de Bordeaux. Le coucher du soleil* usw.
Lit.: G. Cahen, 1900. G. J. Aubry, 1922. L. Cario, 1929. Cl. Roger-Marx, 1927.

Bouguereau, Adolphe William, franz. Maler, La Rochelle 1825–1905 ebda., Maler hist., religiöser u. genrehafter Motive, Schüler von → Picot; nach vielversprechenden Anfängen wurde s. glatte süßliche Kunst mehr u. mehr zur Routine; typischer Vertreter des Akademismus. Bilder in Paris, Luxembourg.
Lit.: M. Vachon, 1900.

Boulanger, Gustave Rodolphe, franz. Maler, Paris 1824–1898 ebda., Schüler von Jollivet u. → Delaroche, weitergebildet in Rom, malte antike Historienbilder, algerische Szenen, *20 Tanzbilder* im «Foyer de la danse» der Großen Oper in Paris.

Boulanger, Louis, franz. Maler u. Lithograph, Vercelli (Piemont) 1807–1867 Dijon, Schüler von Guillon-Lethière u. A. → Dévéria; romantische Bilder: *Mazeppa*, 1827, Rouen, Mus.; *Le Sabbat*, Paris, Mus. Victor-Hugo; Bildnisse (die beiden *Dumas*); Illustrationen zu Werken von V. Hugo u. a.

Boulenger, Hippolyte, belg. Maler u. Radierer, Tournai 1837–1874 Brüssel, Schüler von → Navez, ausgezeichneter Landschafter, der sich in Tervueren bei Brüssel niederließ, wo sich seitdem auch andere Landschafter vereinigten (Schule von Tervueren); beeinflußt von den Meistern von → Barbizon. Reich vertreten in Brüssel, Mus.; auch Antwerpen, Mus. u. a.
Lit.: M. Devigne in: Enc. Ital. 1930.

Boulle, André-Charles, franz. Kunsttischler, Paris 1642–1732 ebda., arbeitete seit 1672 als «ébéniste du Roi» für den Hof in Versailles kostbare Möbel von einfacher Grundform mit reichen Einlagen an farbigen Hölzern, Elfenbein, Schildpatt usw.; Zimmereinrichtungen in Versailles, Fontainebleau, im Louvre. Seine besten Arbeiten datieren 1690 bis 1710. Sehr gut vertreten in Paris, Louvre u. Mus. Cluny.
Lit.: H. Havard, *Les B.*, 1893. A. Feulner, *Kunstgesch. d. Möbels*, [3]1930. F. de Salverte, *Les ébénistes du 18e siècle*, [3]1934/35.

Boullée (Boulée), Etienne-Louis, franz. Arch., Paris 1728–1799 ebda., gehört der Kunstströmung an, die sich gegen den Prunk des «style Louis XV» (Rokoko) wandte, um zu einem nüchternen schmucklosen Klassizismus zu gelangen (Revolutionsarchitektur; → auch Ledoux); zu vergleichen mit der von → David eingeleiteten Strömung in der Malerei. B. baute Häuser in Paris (*Hôtel Brunoy*) u. Schlösser (*Schloß Tassé* in Chaville; *Schloß Perreux* in Nogents.-Marne). S. Ideen kommen aber nicht in s. ausgeführten Werken zur Geltung, sondern nur in Zeichnungen u. theoret. Werken.
Lit.: E. Kaufmann, *Three Revolutionary Architecs* in: Transactions of the American Philosophical Society, New Series, 42, 1952. H. Rosenau, Hg. von *B.s Treatise on Architecture*, 1953. N. Pevsner, *European Architecture*, 1943. Ders., *Europ. Architektur*, 1957.

Boullogne (Boulogne, Boulongne), Bon, franz. Maler, Paris 1649–1717 ebda., Vertreter der dekorativen Barockmalerei, ging früh nach Rom u. der Lombardei u. wurde nachhaltig von den Bolognesen – den → Carracci –, von → Correggio u. a. beeinflußt. Nach Frankreich zurückgekehrt, arbeitete er an der

Ausschmückung des großen Treppenhauses u. der Schloßkapelle in Versailles mit; ferner in Marly u. in Trianon, der Invalidenkirche in Paris u. a.; Werke im Louvre, im Mus. v. Tours u. a. franz. Gal.; ferner in: Leipzig, Schloß Sanssouci, Leningrad u. a.

Boullogne (Boulogne, Boulongne), Louis, d. Ä., franz. Maler, Paris 1609–1674 ebda., dekorativer Barockmeister, schmückte gemeinsam mit s. Söhnen die große Galerie des Louvre, Paris, mit den *Taten des Herkules*. Werke in den Mus. v. Le Mans, Niort, Troyes.

Boullogne (Boulogne), Boulongne, Louis, d. J., franz. Maler, Paris 1654–1733 ebda., Sohn u. Schüler von Louis d. Ä. *Dekorative Deckengemälde für die Schloßkapelle in Versailles*, ferner vertreten in Fontainebleau, Chantilly, Schloß Trianon u. in Meudon; im Louvre; in den Mus. v. Dijon, Rennes, Rouen, Tours usw.; Stuttgart, Berlin, Leningrad u. a. – 162 Zeichnungen im Louvre.
Lit.: H. Stein in: Th.-B. 1910. Caix de Saint-Aymour, *Les B.*, 1919.

Boullogne (Boulogne), Valentin de → Valentin de Boullogne.

Bourdelle, Emile, franz. Bildhauer, Montauban 1861–1929, Schüler von → Falguière u. → Rodin, versuchte die Linie der klass. Kunst mit den neuen Wirkungen Rodins zu verbinden. Der bevorzugte offizielle Denkmalkünstler s. Zeit mit außerordentlich vielen Aufträgen, die mitunter ins Überpathetische u. Theatralische abgleiten. Zu s. besten Leistungen gehören: *Herakles, den Bogen spannend*, 1909. *Reliefs am Théâtre des Champs-Elysées*, 1912.
Lit.: Auricoste, 1955.

Bourdon, Sébastien, franz. Maler, Montpellier 1616 bis 1671 Paris, in Rom unter dem Einfluß von → Poussin u. C. → Lorrain ausgebildet. 1637 ff. in Paris, das. 1648 Mitbegründer der Akad. 1652–54 in Stockholm Hofmaler der Königin Christine. Zahlreiche Kirchenbilder in Paris, Historienbilder, Porträts, Genrebilder, 45 Radierungen u. Stiche. Eklektiker, der s. Stil vor allem aus → Caravaggio u. den Bolognesen zusammenstellte.
Werke: Reich vertreten mit bibl. Szenen u. Historienbildern im Louvre: *Opfer Noahs, Anbetung der Hirten, Kreuzabnahme, Salomon opfert den heidnischen Göttern, Bildnis Descartes, Selbstbildnis.–Bildnis Fouquets*, Versailles, Schloß. 38 Handzeichn. im Louvre. Werke ferner in den Mus. v. Lyon, Marseille, Nantes, Genf, Den Haag, London, Madrid, Florenz, Uff.; Kassel, Wien, Amsterdam.
Lit.: Ponsonailhe, 1883. H. Stein in: Th.-B. 1910.

Boussingault, Jean-Louis, franz. Maler u. Graphiker, Paris 1883–1944 ebda., Freund u. Ateliergenosse von → Dunoyer de Segonzac, malte Bildnisse, Akte, Landschaften, Stilleben; gehört zu den bedeutendsten Graphikern der ersten Jh.-Hälfte.

Bouts, Dirk, niederl. Maler, Haarlem um 1420 bis 1475 Löwen, Hauptmeister der altniederl. Schule, ca. 1450 in Löwen, wo er Stadtmaler wurde. Stilistisch ein Fortsetzer der Brüder v. → Eyck, doch schloß er sich zeitweise auch Rogier v. d. → Weyden an. Minutiöse Darstellung der Erscheinungswelt u. reiche Farbgebung. Feine Landschaftsdarstellungen, die schon auf die Malerei des 17. Jh. hinweisten.
Hauptwerke: *Großer Abendmahlsaltar,* 1464–67, Löwen, Peterskirche. *Gefangennahme u. Auferstehung Christi* (2 Tafeln eines für Köln bestimmten Altars), 1464, München, A. P. Flügelaltar mit *Anbetung der Könige,* sog. Perle v. Brabant, ebda. – London, Nat. Gall.: *Bildnis eines Mannes,* 1462, u. a. Madrid, Prado: *Geburt Christi,* u. a. Brüssel, Gal.: *2 Gerechtigkeitsbilder.* Berlin, staatl. Gal.: *Christus im Hause des Simon.*
Lit.: M. J. Friedländer, *Altniederl. Malerei* 3, 1925. L. Baldass, *Die Entwicklung d. D. B.* in: Österr. Jb. 6, 1932. W. Schöne, 1938.

Bracht, Eugen, dt. Maler, Morges b. Lausanne 1842 bis 1921 Darmstadt, bedeutender Landschafter, Schüler von → Schirmer in Karlsruhe u. von → Gude in Düsseldorf. Auch als Lehrer bedeutend. Vertreten in Berlin, ehem. Nat. Gal.
Lit.: M. Osborn, 1911. G. Biermann in: Dt. Kunst u. Dekoration 31, 1913.

Bracquemond, Félix, franz. Radierer u. Lithograph, * Paris 1833, † 1914, bedeutender u. fruchtbarer Radierer; stach auch nach Bildern von Corot, Ingres, Delacroix u. v. a.; kunstgewerbliche Entwürfe für Stoffe, Schmuck u. a.
Lit.: H. Béraldi, *Les graveurs du 19ᵉ siècle* 3, 1885.

Braekeleer, Adrien de, niederl. Maler, Antwerpen 1818–1904 ebda., Neffe u. Schüler von F. → B. d. Ä., Genrebilder in der Art von H. → Leys. Beisp.: *Der Hufschmied,* Antwerpen, Mus. *Die Vorleserin,* 1846, Stuttgart, Gal. *Küchenszene,* Hamburg, Kunsth.
Lit.: H. Hymans in: Th.-B. 1910.

Braekeleer, Ferdinand, d. Ä., Antwerpen 1792 bis 1883 ebda., zuerst Historienmaler; wandte sich dem Genre zu, das er mit Humor u. feinem Kolorit in der Manier der altfläm. Meister pflegte. Er schuf auch eine Anzahl Radierungen nach eigenen Gemälden. In vielen Mus. vertreten, u. a. in Antwerpen, Brüssel, Gent, Amsterdam, Berlin, Hamburg.
Lit.: H. Hymans in: Th.-B. 1910.

Braekeleer, Henri de, belg. Maler, Antwerpen 1840–1888 ebda., Sohn von F. de → B., Maler verist. Bilder im Sinne von → Meissonier. Er war Schüler von H. → Leys u. studierte die alten Holländer. Gut vertreten in den Mus. Antwerpen u. Brüssel.
Lit.: C. Lemonnier, 1905. G. van Zype, 1923. Ch. Conrardy, 1957.

Braith, Anton, dt. Maler, Biberach 1836–1905 ebda., Tierdarsteller, ausgebildet in Stuttgart u. München. Werke: *Ein Ochsenzug,* 1870, Hamburg, Kunsth. *Der brennende Stall,* 1883, Berlin, staatl. Mus.

Brakelaer → Braekeleer.

Bramante, eig. Donato d'Angelo Lazzari, ital. Arch. u. Maler, Fermignano b. Urbino 1444–1514 Rom, Hauptmeister der ital. Renaissance, in Urbino als Baumeister bei L. → Laurana ausgebildet u. unter dem Einfluß des P. della → Francesca als Maler. In Mailand, wohin er um 1476 kam, entwickelte er s. Baustil in der Auseinandersetzung mit roman.-lombard. Bauten u. war damit entscheidend an der Entstehung des Frührenaissancestils beteiligt. Als Maler: einige wenige, aber bedeutende Werke. Um 1499 in Rom, entwickelte hier unter dem Eindruck der Antike s. Baustil weiter u. wurde zum Begründer der röm. Hochrenaissance-Architektur. Sowohl durch seine Mailänder Bauten u. Gemälde wie durch seine röm. Bauten hatte B. eine überaus große Breitenwirkung.
Hauptbauten in Mailand: Die achteckige *Sakristei von S. Satiro,* 1482ff., in welcher er zum 1. Mal s. Zentralbauidee verwirklichte, die er immer wieder neu aufgriff. *Chor von S. Maria delle Grazie,* 1492–98, mit welchem Bau er eine Idee → Brunelleschis weiterentwickelte. Hauptbauten in Rom: schon s. 1. Bau, der Rundtempel v. S. Pietro in Montorio, der sog. *Tempietto,* 1502, ist eine charakteristische Schöpfung der antikisierenden Hochrenaissance. *Klosterhof mit Kreuzgang von S. Maria della Pace,* 1504. Durch seine Anbauten am *Vatikan. Palast* bestimmte er wesentlich dessen äußeren Eindruck. Schließlich begann er den *Neubau von St. Peter.* Nach seinem Entwurf sollte die Peterskirche ein griech. gleicharmiges Kreuz mit großer mittlerer Kuppel werden u. damit der gewaltigste, wunderbar gegliederte, Zentralbau. Der Bau wurde 1506 begonnen u. war beim Tode B.s nur bis zu den Pfeilern gediehen, welche die Mittelkuppel tragen sollten. Diese Pfeiler blieben bestehen, wenn auch der Bauplan unter den späteren Architekten geändert wurde. Sowohl Antonio da → Sangallo wie auch → Michelangelo hielten zunächst an den Ideen B.s fest; wesentlich wichen erst C. → Maderna u. D. → Fontana vom ursprünglichen Entwurf ab: Der Zentralbau kam nicht zur Ausführung. Werke als Maler:

Helden- u. Philosophengestalten aus der Casa Prinetti, Mailand, Brera. *Christus als Schmerzensmann*, Klosterkirche v. Chiaravalle b. Mailand.
Lit.: H. v. Geymüller, *Die ursprüngl. Entwürfe f. St. Peter*, 1875–80. C. Baroni, 1944. A. Venturi VIII, 2, 1924, W. Suida, *Bramante pittore e il Bramantino*, 1953. O. H. Förster, 1956. Ders. in: Enc. Univ. dell' Arte 2, 1958. O. Kerber, *Von B. bis Hildebrandt*, 1947. N. Pevsner, *Europ. Arch.*, 1957.

Bramantino, eig. Bartolommeo Suardi, ital. Maler u. Arch., tätig haupts. in Mailand Anf. 16. Jh., Hauptmeister der lombard. Malerschule, wahrscheinlich Schüler von → Butinone, kam darauf ins Atelier → Bramantes, dem er als Gehilfe nach Rom folgte (1507–1512; daher s. Beiname). Wieder in Mailand, war er das. der angesehenste Künstler, 1525 zum Hofmaler der Sforza ernannt. Aus s. bedeutenden Werkstatt gingen u. a. hervor: G. → Ferrari u. → Luini. Der Stil B.s machte mancherlei Wandel durch; ausgehend von Butinone u. → Foppa wurde er von → Bramante beeinflußt; zu s. eig. Stil gelangte er aber erst unter dem Einfluß → Leonardos, dessen Sfumatomalerei er wie kaum ein anderer erfaßte. Seine letzte Stilphase gehört schon dem Frühmanierismus an.
Aus s. frühen Epoche: *Anbetung des Kindes*, um 1490, Mailand, Ambrosiana. Zu s. wesentlichen Werken gehören: *Anbetung der Könige*, um 1500, London, Nat. Gall. *Die Kartons zu den 12 großen Teppichen mit Monatsdarst.*, Mailand, nach 1503, Pal. Trivulzio. Aus s. späteren Epoche: *Kreuzigung*, um 1518–19, Mailand, Brera. *Hl. Familie*, um 1518–19, ebda. *Flucht nach Ägypten*, Madonna del Sasso, Locarno. *Madonna mit Heiligen*, Mailand, Ambrosiana.
Weitere Werke in Köln, Wallraf-Richartz-Mus.; Wien, Akad. u. a. Zeichn. in Berlin, Florenz, Mailand, Venedig, Wien. Einziges erhaltenes Werk der Arch.: *Grabkapelle der Trivulzi*, Vorbau von SS. Nazaro e Celso, Mailand, 1519.
Lit.: W. Suida, *Die Jugendwerke* in: Österr. Jb. 1904. Ders. *Die Spätwerke*, ebda., 1905. N. Pevsner-Grautoff, *Malerei d. 17. Jh. in Italien* (Hdb. d. K. W.), 1928. E. v. d. Bercken. *Mal. d. Renaiss. in Oberitalien*, 1927 (Hdb. d. K. W.). W. Suida, *Bramante pittore e il Bramantino*, 1953.

Brancusi, Constantin, rumän. Bildhauer, Pestisani 1876–1957 Paris. Nach Besuch der Bukarester Kunstakad. von 1904 an in Paris. Zunächst → Rodin nahestehend, tritt er ca. 1906 mit dem Kubismus in Berührung, der ihn s. eigenen Stil finden läßt: äußerste Stilisierung u. Typisierung einfacher Themen: Ei, Fisch, Vogel usw. werden zum reinen Symbol erhoben. Werke: *Schlummernde Muse*, mehrere Fassungen, 1906–1910. *Der Kuß*, 1912. *Der Goldvogel*, 1919. *Fisch*, Bronze, 1926. *Vogel im Raum*, um 1940, Zürich, Kunsth. *Phoque* (Seehund), 1943.

Lit.: V. G. Paleolog, 1947 (rumän.). C. Giedion-Welcker, *Plastik d. 20. Jh.*, 1955. Dies., *C. B.*, 1958.

Brand, Johann Christian, österr. Maler, Wien 1722 bis 1795 ebda., Meister der spätbarocken Landschaftsmalerei, von der franz. Kunst beeinflußt; Werke in Wien, Kunsth., Mus. u. Slg. Harrach; Breslau, Dessau, Prag u. a.

Brandt, Josef v., poln. Maler, Szczebrzeszyn 1841 bis 1915 Radom, Schüler von F. → Adam u. → Piloty in München, wo er 1867 ein Atelier eröffnete, das zum Mittelpunkt der poln. Malerkolonie in München wurde. Bilder aus dem poln. Kriegsleben (Gefechte, Lagerszenen) u. Genrebilder. Werke in den Mus. v. Berlin, Dresden, Hamburg, München u. a.

Brangwyn, Frank, engl. Maler u. Graphiker, * Brügge 1867 als Sohn eines engl. Arch., † 1956 Ditchling, Schüler von William → Morris, schuf dekorative Wandgemälde in London: im House of Lords; in der Börse, u. a.; ferner realist. lebensvolle Ölbilder, in welchen er vor allem das Leben der Seeleute und Arbeiter darstellte: *The Burial at Sea* (Begräbnis auf hoher See), Glasgow, Gall.; bedeutende Radierungen, namentlich Architektur- und Landschaftsdarstellungen: *Tower Bridge ; Die Seufzerbrücke ;* Holzschnitte, Lithogr.; Illustrationen zu Büchern; Innendekorationen und Kunstgewerbliches. Werke in engl. Gal.; ferner in: München, Stuttgart, Paris (Luxembourg), Sydney, Venedig. Lit.: L. Bénédite, 1905. W. Shaw-Sparrow, 1910. Ders., *Prints and Drawings*, 1918. H. Furst, *The Decor. Art of F. B.*, 1925. W. Gaunt, *Etchings of F. B.*, 1929. Vollmer, 1953 u. 1961 (Nachtrag).

Braque, Georges, franz. Maler, * Argenteuil 1882, Hauptmeister des franz. Kubismus, studierte 1910 in Paris an der Ecole des beaux-arts unter → Bonnat, schloß sich zunächst dem Fauvismus an, Freundschaft mit O. → Friesz, kam 1908 dem Werk → Cézannes nahe u. entwickelte unter diesem Eindruck zus. mit → Picasso den neuen, Kubismus genannten, Stil. Diese Bezeichnung knüpfte sich an eine Kritik Louis Vauxcelles über ein Bild B.s im Jahre 1908. Gemeinsam u. in gegenseitigem Austausch eroberten sich B. u. Picasso bis 1914 die neue Sehweise. Aus dem 1. Weltkrieg kam B. verwundet 1917 zurück u. verfolgte seitdem seinen Weg selbständig. Im ganzen gesehen wurde s. Malweise gegenständlicher, s. Motivwelt weiter. Bis etwa 1920 schuf er ausschließlich Stilleben, seitdem trat auch die Landschaft u. der Mensch in s. künstlerische Welt. Beeinflußt wurde er von → Matisse, dem späteren Picasso u. der Antike; technisch kam vielerlei hinzu: schon in der klass. kubist. Epoche vor 1914 hatte B. die Technik der «papiers collés» entwickelt, nach 1930 kamen Gipsreliefs, Keramiken

u. Bildhauerarbeiten hinzu. Das Werk B.s ist sehr umfangreich; er ist in vielen Mus. der ganzen Welt vertreten, bes. wichtig: New York, Mus. of mod. art; Mus. von: Paris, Washington, Basel, Frankfurt, Köln u. a.
Lit.: C. Einstein, 1934. F. Ponge, 1946. H. R. Hope, 1949 (m. Bibliogr.). M. Raynal, *Peinture moderne*, 1953. F. Laufer, 1954. M. Gieure, 1956. Ders., *G. B. Dessins*, 1956. A. Verdet, 1956. G. C. Argan, 1957. Für die Plastik: St. Fumet, *Sculptures de B.*, 1951. C. Giedion-Welcker, *Plastik d. 20. Jh.*, 1955. J. Leymarie in: Enc. Univers. dell'Arte 2, 1958.

Braun v. Braun, Matthias, österr. Bildhauer, Ötz (Tirol) 1684–1738 Prag, schuf ausdrucksstarke Barockbildwerke, haupts. in Prag: *Atlanten am Palais Clam-Gallas ;* Werke in der Nikolauskirche u. auf der Karlsbrücke.

Bray, Jan de, niederl. Maler, Haarlem 1627–1697 ebda., Sohn u. Schüler von Salomon de B. – Porträts u. Gruppenbildnisse, die an Qualität denen des F. → Hals nahekommen. Werke in den Mus. von Amsterdam, Braunschweig, Hampton Court u. a.
Lit.: W. Bernt, *Niederl. Maler d. 17. Jh.*, 1948.

Breitner, George Hendrik, holl. Maler, * Rotterdam 1857, † 1923, Hauptvertreter der holl. Impressionisten, Schüler von W. → Maris, pflegte bes. das Amsterdamer Stadtbild. Werke in den Mus. von Amsterdam, Den Haag u. a.

Brekelenkam, Quirin Gerritsz. van, niederl. Maler, Zwammerdam um 1620–1668 Leiden. Maler von Genrebildern, wahrscheinlich Schüler von G. → Dou, schilderte das kleinbürgerliche Leben, bes. der Handwerker u. Arbeiter. Im Stil von G. Dou, → Rembrandt, P. de → Hooch u. a. beeinflußt. Beisp.: *Die Schneiderwerkstatt*, Amsterdam, Rijksmus. *Küchenszene*, 1642, Dublin, Mus. *Die Greisin*, Madrid, Prado. Werke in den meisten größeren Mus.; u. a. in Amsterdam, Leiden, Kassel, Braunschweig, Karlsruhe, München, Paris, Genf, Bern.
Lit.: E. W. Moes in: Th.-B. 1910. Bénézit, 1949. W. Bernt, *Niederl. Malerei d. 17. Jh.*, 1948.

Brendel, Albert, dt. Maler, Berlin 1827–1895 Weimar, bedeutender Tiermaler, bildete sich 1854–70 in Paris u. → Barbizon unter dem Einfluß von → Rousseau, → Millet u. → Troyon, leitete 1881–84 die Weimarer Kunstschule, in vielen dt. Mus. vertreten.

Brenninger, Georg, dt. Bildh., * Velden (Niederbayern) 1909, Schüler von Hermann → Hahn an der Münchner Akad., schuf Figürl., Bildnisbüsten u. a.; von archaischer Kunst beeinflußt.
Lit.: H. Eckstein, *Maler u. Bildh. in München*, 1946. Vollmer, 1953.

Breton, Jules, franz. Maler, Courrières 1827–1906 Paris. Darstellungen vom Bauernleben im Artois u. in der Bretagne.

Breu, Jörg, d. Ä., dt. Maler u. Zeichner für den Holzschnitt, Augsburg um 1475–1537 ebda., Ging von H. → Holbein d. Ä. aus, später von → Burgkmair beeinflußt u. schuf mit den Orgeltüren der Fuggerkapelle in Augsburg, um 1520, ein originelles Werk (wenn er ihm zugeschrieben werden darf). In s. späteren Entwicklung schließt er sich den Manieristen an. Werke: *Orgeltüren*, Fuggerkapelle, Augsburg, um 1420. *Ursula-Altar*, Dresden. *Madonna m. weibl. Heiligen*, 1512, Berlin. Ferner Einzelholzschnitte u. Buchillustrationen: *Kriegsu. Jagdszenen Kaiser Maximilians ; 22 Randzeichnungen für das Gebetbuch Kaiser Maximilians.*
Lit.: Buchner, *Der ältere B. als Maler*, 1928 (Beiträge z. Gesch. d. dt. Kunst, 2). O. Holtze, *Die Kunst J. B.s d. Ä.* 1940 (Pantheon, 25). G. Dehio, *Gesch. d. dt. Kunst 3*, 1926.

Breu, Jörg, d. J., dt. Maler u. Zeichner für den Holzschnitt, um 1510–1547. Seine Arbeiten lassen sich von denen s. Vaters nicht deutlich abgrenzen.

Breuer, Marcel, dt.-ungar. Arch. u. Entwurfzeichner für Möbel, * 1902, tätig in Cambridge (Mass. USA), studierte bei → Gropius am Bauhaus in Weimar, war 1925–28 Lehrer am Bauhaus Dessau; 1935–37 in London, von 1937 an Prof. an der Zeichenschule der Harvard Univers. in Cambridge (Mass.). Extremer Anhänger der «Neuen Sachlichkeit». Hauptwerk: *Theater in Charkoff*. B. schrieb: «Art in Our Time», 1939, u. a.

Breuer, Peter, dt. Bildschnitzer. Zwickau (?) um 1472–1541 ebda., führender Bildschnitzer der Spätgotik in Sachsen. Beeinflußt von → Riemenschneider u. G. → Erhart. Hauptwerk *Beweinung Christi*, Zwickau, Marienkirche.
Lit.: W. Hentschel, 1951.

Breughel → Bruegel.

Brianchon, Maurice, franz. Maler, * Fresnay (Sarthe) 1899, Schüler v. E. Morand, von → Bonnard beeinflußt, schuf Landschaften, Stilleben, Porträts, Theaterszenerien, Entwürfe für Tapisserien usw. Feiner Kolorist, der mit einfachen Farbtönen u. klass. Kompositionen viel Schönes schuf.

Brignoni, Serge, schweiz. Maler, * Chiasso (Tessin) 1903, Schüler von V. → Surbek in Bern; 1923–29 in Paris, beeinflußt von → Chirico, schuf surrealist. Bilder.
Lit.: Vollmer, 1953.

Bril (Brill), Paul, fläm. Maler, Antwerpen 1554 bis 1626 Rom, Landschaftsmaler, der die Verbindung zwischen der niederl. Landschaftskunst eines → Patinier, → Coninxloo usw. u. C. → Lorrain u. → Poussin anderseits darstellt. Zeitweise von → Elsheimer u. auch von Annibale → Carracci beeinflußt, pflegte er in großen Freskenzyklen u. Tafelbildern die heroische Landschaft mit religiöser Staffage, die «ideale Landschaft». Tätig in Rom. Hauptwerke: *Landschaftsfresken*, Rom, S. Cecilia. Landschaftsbilder in vielen Mus. In Wien, Kunsthist. Mus.: *Landschaft mit Merkur u. Argus* u. a.; München, A. P.; Paris, Louvre; Florenz, Uff. u. a.
Lit.: A. Mayer, 1910. R. Baer, 1930. W. Bernt, *Niederl. Maler d. 17. Jh.*, 1948.

Brion, Gustave, franz. Maler, Rothau (Vogesen) 1824–1877 Paris, Schilderer des elsässischen Bauernlebens. Illustrierte u. a. die Werke Victor Hugos.

Briosco, Andrea, gen. Riccio → Riccio.

Briot, François, franz. Zinngießer, Damblain um 1550– um 1616, ca. 1580ff. für die Herzöge von Württemberg-Mömpelgard in Mömpelgard tätig, Hauptmeister der Edelzinnbearbeitung. Hauptwerk die sog. *Temperentiaschüsseln* in Zinn mit Darstellungen der Temperentia, der Minerva u. der 7 freien Künste; auf der Rückseite s. Porträtmedaillon.
Lit.: Memiani, *F. B., Caspar Enderlein u. d. Zinn*, 1897.

Broederlam, Melchior, niederl.-burgund. Maler, nachweisbar 1381–1409. Bedeutender Maler der Vorvan-Eyckschen-Zeit. In Ypern geboren u. dort auch meist tätig. Hofmaler der Grafen v. Flandern u. der Herzöge v. Burgund. Das einzige authentische von ihm erhaltene Werk sind 2 Flügel vom *Altar für die Kartause v. Champmol*, um 1392–99, Dijon, Mus.: der eine zeigt *Verkündigung u. Heimsuchung;* der andere: *Darstellung im Tempel u. Flucht nach Ägypten.* Das in Tempera gemalte Werk zeigt den Stil der burgund. Miniaturmalerei.
Lit.: J. Schaefer, *Les primitifs français du 14e et 15e siècle,* 1949.

Bronzino, Agnolo, ital. Maler, Monticelli b. Florenz 1503–1572 Florenz. Hauptmeister des florent. Manierismus, Schüler des Raffaellino del → Garbo, dann des → Pontormo, dessen Mitarbeiter er wurde bei der Ausmalung der Certosa b. Florenz, 1522 ff. Außer Aufenthalten in Pesaro, 1530–32, Rom, 1546–48 u. a., in Florenz tätig, wo er ein bedeutendes Atelier leitete. Er schuf religiöse u. allegor. Gemälde u. Fresken u. war ein feiner Porträtist. In s. Stil unter dem Einfluß Pontormos u. → Michelangelos.
Hauptwerke: *Kreuzabnahme,* 1545, Besançon. *Christus in der Vorhölle,* 1552, Florenz, Mus. S. Croce. *Fresken* im *Pal. Vecchio*, Florenz, 1545–64. Porträts: *Cosimo I. Medici,* Florenz, Pitti; Berlin u. Lucca; *Porträts der Medici,* Florenz, Uff. u. Lucca, Mus. Viele weitere Porträts in den Uff., Florenz. Werke ferner in London, Nat. Gall.; Mailand, Brera; Paris, Louvre; Wien, Staatsgal.
Lit.: H. Schulze, 1904. F. Goldschmidt, *Pontormo, Rosso u. B.,* 1911. C. McComb, 1928. C. H. Smyth, *The earliest works of B.* in: Art Bull., Sept. 1949. A. Venturi IX, 6, 1933.

Brosamer, Hans, dt. Maler, Holzschneider u. Kupferstecher, Fulda um 1500–1554 Erfurt, Meister der dt. Renaissance, gehört mit s. Kupferstichen zu den sog. Kleinmeistern. In s. Stil von → Cranach, → Aldegrever u. → Burgkmair beeinflußt. B. entwarf ferner Muster für Goldschmiedearbeiten u. in s. «Kunstbüchlein» (neu hg. v. Lippmann, 1882) Muster für Trinkgefäße. Einige Bildnisse.

Brosse, Salomon de, franz. Arch., Verneuil um 1562–1626 Paris, der Erbauer des Luxembourg-Palastes in Paris, vermutl. Schüler s. Großonkels Jacques → Ducerceau, führte mit dem Bau des *Palais du Luxembourg* die Reihe der franz. Renaisanceschlösser fort; aber auch Verwandtschaft mit dem Pitti-Pal. in Florenz. Die Auftraggeberin, Maria von Medici, hatte dies ausdrücklich gewünscht. Eine Vorstufe war das Schloß zu Coulmiers-en-Brie von B., das im 18. Jh. verschwand. Hauptwerk auf sakralem Gebiet: Fassade von *St.-Gervais* in Paris, 1616–19. Sie zeigt vollständig u. entschieden die im neuen klassischen Stil ausgeführte Kirchenfront in Frankreich (3 Säulenordnungen übereinander).
Lit.: E. L. G. Charvet, 1874. Ch. Read, 1881. J. J. Guiffrey u. Ch. Read in: Bull. de la Société de l'hist. de Paris 9, 1882. H. Bouchot, 1886. J. Pannier, 1911. Michel, *Hist. de l'Art* V, 2, 1913. L. Hautecoeur, *Hist. de l'Arch. class. en France* I, 1943.

Brouwer, Adriaen, niederl. Maler, Oudenaarde 1605(6)–1638 Antwerpen, Hauptmeister der fläm. Genredarstellung, hielt sich mehrere Jahre in Amsterdam u. Haarlem auf, wo er sich F. → Hals anschloß. 1631 ff. in Antwerpen tätig. Ging vom Darstellungskreis des P. → Brueghel d. Ä. aus u. spezialisierte sich in der Folge auf Rauf-, Spiel- u. Kneipszenen, die er ungemein lebendig u., von F. Hals geschult, mit hohem malerischem Reiz wiedergab. In s. letzten Jahren auch einige vorzügliche Landschaften. Einflußreich bes. auf → Teniers d. J. Werke: *Unangenehme Vaterpflichten,* 1631–33, Dresden, Gal. *Kneipszene,* 1633–36, Brüssel, Gal. *Operation am Rücken,* um 1636–38, Frankfurt, Städel. *Dünenbild,* Brüssel, Mus.
Lit.: F. Schmidt-Degener, 1908. W. v. Bode, 1924. G. Böhmer, *Der Landschafter A. B.,* 1940.

Brown, Ford Madox, engl. Maler, Calais 1821 bis 1893 London, ausgebildet in Brügge, Gent u. an der Antwerpener Akad. unter → Wappers, 1840 bis 1844 in Paris, darauf 2 Jahre in Rom, seit 1846 in London. Durch s. Liebe zur mittelalterl. religiösen Malerei u. s. kräftigen Realismus hatte er starken Einfluß auf die ersten → Präraffaeliten u. muß zu ihren Begründern gerechnet werden. Hauptwerke: *Fußwaschung Christi*, 1852, London, Tate Gall. *Arbeit*, Manchester, Gall. *Elia u. der Sohn der Witwe*, South Kensington Mus., London. *Chaucer am Hofe Eduards III.*, London, Tate Gall. *Letzter Blick auf England*, Birmingham, Gall.
Lit.: F. M. Hueffer, 1896. H. Rossetti, 1902. R. Ironside, *The Pre-Raphaelite Painters*, 1947.

Brown, Henry Kirke, amerik. Bildhauer, Leyden (Mass.) 1814–1886 Brooklyn. Statuen u. Porträtbüsten: *Reiterstandbild Washingtons*, New York, Union Square. *Statue Lincolns*, Brooklyn, Prospect Park u. a.

Browne, George Elmer, amerik. Maler u. Graphiker, * Gloucester (Mass.) 1871, malte Landschafts- u. Seebilder in der Art der Schule von → Barbizon, später von den Impressionisten beeinflußt. Schüler von → Lefebvre u. → Robert-Fleury in Paris.

Browne, Hablot Knight, gen. *Phiz*, engl. Zeichner, Kensington 1816–1882 Hore. Berühmte Illustrationen zu Romanen von Dickens. Humorvolle Bilderzyklen. Handzeichn. im Brit. Mus., London.
Lit.: Thomson, 1884.

Brücke, Die, Künstlergemeinschaft «Die Brücke», einer der ersten Sammelpunkte des dt. Expressionismus, gegründet 1905 in Dresden von E. L. → Kirchner, E. → Heckel, Fritz Bleyl (der von 1909 an einem Brotberuf nachging), K. → Schmidt-Rottluff. 1906 schlossen sich E. → Nolde u. M. → Pechstein an. Zeitweilige Weggefährten waren: der finnische Künstler Axel → Gallén, der Schweizer C. → Amiet, Kees van → Dongen u. O. → Mueller. 1913 löste sich die Gemeinschaft wieder auf.
Zur selben Zeit wie die → Fauves u. → Picasso in Paris begeisterten sich diese Künstler für die Negerplastik u. für alle Bestrebungen, welche zur Überwindung des Impressionismus den starken Ausdruck suchten: für van → Gogh, → Munch, bes. für → Gauguin, die → Nabis u. → Fauves. Sie suchten in der Graphik, ihrem wichtigsten künstlerischen Medium, die starke ausdrucksvolle Linie, die starken Schwarzweißgegensätze, scheuten sich nicht vor Deformation der Wirklichkeit. In der Malerei suchten sie die Betonung der Fläche, die starken reinen Farben.
Lit.: Knaurs Lex., 1955. L. G. Buchheim, 1956.

Bruegel (Brueghel, Breughel), niederl. Malerfamilie. Deren wichtigste Mitglieder:
Abraham, Antwerpen 1631 bis um 1690 Neapel, Sohn von Jan d. J., Hauptvertreter der ital.-fläm. Stillebenmalerei: Blumen- u. Früchtestilleben. Vertreten in Amsterdam, Rotterdam, Turin, Stockholm u. a.
Jan d. Ä., Sammet- auch *Blumenbruegel* gen., Sohn Pieters d. Ä., Brüssel 1568–1625 Antwerpen, malte Landschaftsbilder kleinen Formates mit Figuren aus der bibl. Geschichte und Mythologie, ferner Landschaftshintergründe für die Bilder von → Balen u. → Rubens, und Blumenstilleben. In s. feinen Kunst von oft juwelenhaftem Farbenglanz, war er vom Stil der → Coninxloo u. P. → Bril beeinflußt. Hauptwerke in Madrid, Prado; Den Haag, Mus.; Mailand, Ambrosiana; München, A.P.; Dresden, Gal. In Zusammenarbeit mit Rubens entstandene Hauptwerke: *Das Paradies*, Den Haag, Mauritshuis. *Madonna im Blumenkranz*, München, A.P.
Sein Sohn *Jan d. J.*, 1601–1678, malte Landschaften u. Blumenstilleben in der Art s. Vaters.
Pieter d. J., Höllenbruegel gen., der ältere Sohn von Pieter d. Ä., Brüssel um 1564–1638 ebda., ahmte mit phantastischen Spukszenen, Bauernkirmessen, Winterlandschaften den Stil s. Vaters nach. Für die Landschaftsbilder von J. de → Momper malte er oft die Figuren.
Pieter d. Ä., Bauernbruegel gen., wahrscheinlich Bruegel b. Hertogenbosch um 1520–1569 Brüssel, Hauptmeister der älteren niederl. Genremalerei, Schüler von P. → Coecke van Aelst in Antwerpen, eines Vertreters der italianisierenden Niederländer, der Romanisten. Später arbeitete er für den Kupferstecher H. → Cock. B. war auch selber in Italien, wandte sich in s. Kunst aber ganz von der damals in Antwerpen herrschenden Richtung ab. Er schuf Bauernszenen, Sprichwortbilder, phantastische Genrebilder, tätig in Antwerpen u. seit 1563 in Brüssel. In Thema u. Ausführung ging B. in manchem auf s. großen Vorgänger H. → Bosch, auch auf die ältere Bauernmalerei zurück. Aber er zeigte in s. Malerei die traditionelle niederl. Ausführlichkeit im Detail. Kennzeichen s. Stils: lineare Betonung der Umrisse, Betonung der Flächen, primitiv anmutende Lokalfarbigkeit. Sein starker Stilwille u. s. Phantasie erhob die Bauernszenen u. Landschaften ins rein Künstlerische u. Sinnbildliche. Das Werk umfaßt ca. 40 Bilder, 100 Handzeichn. u. 300 Kupferstiche nach s. Vorzeichnungen. Die größte Slg. s. Bilder in Wien, Kunsthist. Mus.: *Bauernhochzeit. Der Bethlehemitische Kindermord. Herbstlandschaft. Winterlandschaft* u. a. Werke ferner in Neapel (Hauptwerk *Die Blinden*), Paris, Louvre; Berlin, staatl. Mus.
Lit.: M. J. Friedländer, 1921. Ders., *Altniederl. Malerei* 14, 1937. K. v. Tolnai, *Die Zeichn. B.s*, 1925 u. 1952. F. Crucy, 1929 (franz.). E. Michel, 1931 (franz.). G. Glück, ²1934. L. Bruhns, 1941. G. Jed-

licka, [2]1947. F. Grossmann, 1955 (Phaidon). F. Würtenberger, 1957. R. Delevoy, 1960.

Brüggemann, Hans, dt. Bildschnitzer, Walsrode (Lüneburger Heide) um 1480–1540 Husum. Sein Hauptwerk ist der letzte große Altar mittelalterlicher Überlieferung: *Altar für das Kloster Bordesholm,* voll. 1521, im Dom zu Schleswig; fast 16 m hoch, mit Szenen aus der Passion, z. T. Relief, z. T. Freifiguren; er zeigt niederl. sowie → dürerische Einflüsse.
Lit.: Matthaei, *Werke d. Holzplastik in Schleswig-Holstein bis 1530,* 1928f. F. H. Hamkens, *Der Bordesholmer Altar Meister B.s,* 1936.

Bruehlmann, Hans, schweiz. Maler, Amriswil 1878 bis 1911 Stuttgart. Bedeutender, zu früh verstorbener Vertreter einer auf das Monumentale ausgerichteten Malerei, Schüler von → Kalckreuth u. A. → Hölzel in Stuttgart. Tätig in Stuttgart. Auf s. Kunst wirkte → Cézanne ein, ferner wohl auch → Hodler. Werke in den schweiz. Mus., ferner in Stuttgart, München, Frankfurt a. M.
Lit.: H. Hildebrandt, 1921. L. Kempter, 1954.

Brugghen, Hendrik Ter → Terbrugghen, Hendrik.

Brunelleschi, Filippo, ital. Arch. u. Bildhauer, Florenz 1377–1446 ebda., Hauptmeister der Frührenaissancebaukunst, zuerst Goldschmied, dann Bildhauer, beteiligte sich als solcher am Wettbewerb zur Bronzetür des Baptisteriums in Florenz u. griff bei s. Arbeit auf ein antikes Vorbild zurück: *Opfer Abrahams,* Bronzerelief, 1401, Florenz, Mus. naz. (den Wettbewerb gewann → Ghiberti). B. trieb humanist. Studien, entdeckte die Perspektive, bildete sich als Baumeister an toskan.-roman. Bauten u. an den Werken der Antike, die er 1433 in Rom studierte. Sein 1. Hauptwerk: die *Domkuppel* in Florenz, 1420–36. Weitere Hauptbauten ebda.: die Kirchenbauten *S. Lorenzo,* 1420ff. u. *S. Spirito,* 1434ff. (Säulenbasiliken mit Rundbogenarkaden, an toskan.-roman. Bauten anlehnend). Mit der *Alten Sakristei* in S. Lorenzo, 1419–28, u. der sog. *Pazzi-Kapelle,* der Familienkapelle der Pazzi beim Kloster S. Croce, 1429ff., schuf B. die ältesten Zentralbauten der Frührenaissance. Ein weiterer Bau (wenn auch nicht von B. voll.) das *Findelhaus,* Ospedale degli Innocenti, beg. 1421. Die Formensprache B.s ist s. eigenste Schöpfung, er schuf damit den Frührenaissancestil. Die Wirkung B.s auf die Folgezeit war überaus groß.
Lit.: C. v. Fabriczy, 1892. H. Folnesics, 1915. L. H. Heydenreich in: Preuß. Jb. 1931. E. Carli, 1950. W. Paatz, *Kunst d. Renaiss. in Italien,* 1953. N. Pevsner, *Europ. Arch.,* 1957.

Bruni, Fedor, russ. Maler, Moskau 1800–1875 Petersburg. Malereien in der Isaakskathedrale in Leningrad (Petersburg) u. a.

Brusasorci, Domenico, ital. Maler, Verona um 1516 bis 1567 ebda., Meister der verones. Hochrenaissance bzw. des Frühmanierismus, beeinflußt von → Caroto, → Torbido u. den Venezianern, aber auch von → Parmigianino, → Michelangelo u. a. Er schuf haupts. Altarwerke für verones. Kirchen. Sein Hauptwerk ist das *Altarbild zu S. Eufemia* in Verona: Die hll. Rochus, Sebastian, Augustinus u. Monika. Ferner: *Auferweckung des Lazarus,* Fresko in S. Maria in Organo zu Verona. *Anbetung der Könige,* Verona, Pinac. Ebda. weitere Werke.
Sein Sohn *Felice,* um 1542–1605, führte das Werk des Vaters fort, oft kaum von ihm zu unterscheiden. Vertreten in Verona, Mus.
Lit.: A. Venturi IX, 4, 1929.

Bruyn, Barthel, dt. Maler, Wesel 1493–1555 Köln. Schafft zuerst unter dem Einfluß der Niederländer → Joest van Calcar, J. van → Cleve u. schließt sich später dem niederl.-ital. Manierismus an. Bedeutend als Porträtmaler. Werke: *Altarflügel,* Stiftskirche, Essen, 1522–26. *Altar im Dom zu Xanten,* 1529–34. *Altarbilder in St. Severin u. St. Andreas,* Köln. Bildnisse im Kölner Mus.; in Berlin, staatl. Gal.; Frankfurt, Städel.
Lit.: Firmenich-Richartz, 1891. *Kat. d. B.-B.-Gedächtnis-Ausst.,* Köln 1955.

Bryaxis, griech. Bildhauer u. Erzgießer, Mitte 4. Jh. v. Chr. Als junger Künstler zus. mit → Timotheos, → Skopas u. → Leochares am Mausoleum in Halikarnass tätig, u. zwar an den *Friesen der Nordfassade.* Unter Ptolemäus Soter nach Alexandria berufen, um das kolossale *Götterbild* für den neu eingeführten Sarapiskult zu schaffen. Die Metallstatue, die ein tragendes Holzgerüst als Kern hatte, war ganz schwarz-blau bemalt, um Sarapis als Gott der Unterwelt zu kennzeichnen (von Christen im 4. Jh. zerstört). Gegen s. Lebensende schuf B. die *Kolossalstatue des Apoll zu Daphne* b. Antiochia. Die Gestalt wurde durch eine vergoldete, reich mit Edelsteinen besetzte Metallhülle über einem Ebenholzgerüst gebildet, während die nackten Teile aus Marmor, die Augen aus blauen Edelsteinen eingesetzt waren. Zur Zeit Julians durch Blitz zerstört. Werke: *Fragmente vom Mausoleumfries,* London, Brit. Mus. *Signierte Marmor-Dreifußbasis,* Athen, Nat. Mus. *Kolossalbüste des Sarapis* (röm. Kopie), Vatikan. Einige Forscher schreiben ihm zu: Das Urbild des Zeus von Otricoli, Rom, Vatik. Slg.
Lit.: Pauly-Wissowa, *Realenc.* III. W. Amelung, *Ausonia,* 1908. Ders. in: Th.-B. 1911. L. Curtius, *Klass. Kunst Griechenlands* (Hdb. d. K. W.), 1938.

Bryen, Camille, franz. Maler, * Nantes 1907, Vertreter der franz. Abstrakten: «art informel» (Tachismus), gründete 1947, zus. mit Georges → Matthieu, die Bewegung der «Non-Figuration Psychique».

Lit.: M. Seuphor, *Dict. peint. abstr.*, 1957. *Neue Kunst nach 1945*, hg. von W. Grohmann, 1958.

Brygos, griech. Töpfer u. Vasenmaler, Anf. 5. Jh. v. Chr., gehört mit→Euphronios,→Duris u. Hieron (→Makron) zur Gruppe der bedeutendsten attischen Vasenmaler des rotfigurigen Stils. Wir besitzen eine Reihe signierter Gefäße, meist Schalen. Daneben werden ihm viele weitere Stücke aus stilist. Gründen zugeschrieben. In mythol. Szenen u. Symposien, auch in obszönen Bildern v. starkem Realismus, erweist er sich als höchst lebendiger Erzähler, dem Erfindungsreichtum, Phantasie u. Humor eigen sind. Hauptwerk: *Iliupersisschale*, Paris, Louvre. Weitere Gefäße London, Brit. Mus.; München, Vasenslg.; Würzburg, Wagnersche Kunstslg.

Lit.: E. Buschor, *Griech. Vasenmalerei*, 1913 (²1925). Ders., *Griech. Vasen*, 1940. G. Lippold, *Sarapis u. B.* in: Festschrift P. Arndt, 1925. E. Pfuhl u. K. A. Neugebauer, *Pytheos u. B.* in: Arch. Jb. 1926 u. 1943. L. Curtius, *Klass. Kunst Griechenlands* (Hdb. d. K. W.), 1938. E. Pfuhl, *Malerei u. Zeichn. der Griechen*, 1923. J. D. Beazley, *Att. Vasenmaler*, 1925.

Buchser, Frank, schweiz. Maler, Zeichner u. Radierer, Feldbrunnen (Kt. Solothurn) 1828–1890 ebda., einer der ersten Freilichtmaler u. Vorläufer der Impressionisten, begann, von M. →Disteli angeregt, s. künstlerische Laufbahn im wesentlichen autodidaktisch in Florenz u. Rom, auf Studienreisen u. abenteuerlichen Fahrten, die ihn durch alle europ. Länder führten; 1859–60 in Afrika als Schlachtenmaler im span. Krieg gegen die Kabylen, 1866–71 in Amerika, wo eine Reihe bedeutender Bildnisse der wichtigen Persönlichkeiten der Union entstanden, wie die der Generäle des Sezessionskrieges, *Sherman, Lee, Grant* u. *Sutter*, des Präsidenten *Lincoln* u. a. Als Ausbeute s. Reisen entstanden ferner Landschaften, Genrebilder u. vor allem reizvolle Skizzen- u. Studienblätter. Die wichtigsten Werke in den Mus. v. Solothurn u. Basel (Ölstudien u. Zeichn.).

Lit.: J. Coulin, 1928. Th. Roffler, 1928. H. Lüdeke, *F. B.s amerik. Sendung*, 1941. W. Ueberwasser, 1940. G. Wälchli, 1942. Huggler/Cetto, *Schweiz. Mal. im 19. Jh.*, o. J. (1942).

Bürkel, Heinrich, dt. Maler, Pirmasens 1802–1869 München, Vertreter der Münchner Biedermeiermalerei, schuf Genrebilder aus den Alpen, welche das Volksleben schildern, ferner Landschaften. Werke in den meisten dt. Mus.

Buffet, Bernard, franz. Maler, * Paris 1928, hat mit s. auf trübe Grautöne gestimmten Bildern, deren Motive Menschenelend u. Daseinsangst sind, in den letzten Jahren große Erfolge erzielt; unbestreitbar ein starkes graph. Talent. Hauptvertreter der figurativen Malerei in Frankr.

Lit.: Bénézit 1949. Kunst u. d. schöne Heim 49, 1951.

Bugiardini, Giuliano, ital. Maler, Florenz 1475 bis 1554 ebda., Meister der florent. Spätrenaissance, Schüler des → Ghirlandaio u. → Albertinelli, zeitweise Gehilfe → Michelangelos, dem er bei der Decke der Sixtin. Kapelle half, vollendete die Pietà des → Bartolommeo, schuf bibl. Werke u. Porträts, in Florenz, zeitweilig in Bologna tätig. Von den großen Meistern der Hochrenaissance beeinflußt, bes. von → Leonardo, Fra Bartolommeo u. Michelangelo. Hauptwerke: *Martyrium der hl. Katharina*, Florenz, S. Maria Novella. *Verlobung der hl. Katharina*, Bologna, Pinac. *Bildnis einer Nonne*, Florenz, Pal. Pitti. Weitere Hauptwerke in Bologna, Pinac.; Florenz, Uff.; Berlin, staatl. Mus.

Lit.: F. Knapp in: Th.-B., 1911. Venturi IX, 1, 1927. O. Sirén, *Alcuni quadri di B.* in: Dedalo VI, 1925/26.

Bullant, Jean, franz. Arch., * Amiens um 1500/1515, † Ecouen 1578. Hauptmeister der franz. Renaissancebaukunst, vollendete s. Studien in Rom, übernahm von antiken Vorbildern die große Säulenordnung, die «Kolossalordnung», die er als erster in Frankreich einführte. Von 1537 an dauernd in Frankreich u. bes. in Paris tätig. Er gehört zus. mit P. → Lescot u. Ph. → Delorme zu den Begründern des klass. franz. Baustils. Als Theoretiker schrieb er: «Règle générale d'architecture des cinq manières de colonnes», 1564–68. Um 1552 voll. er das *Schloß Ecouen*, wo er die Kolossalsäulenordnung anwandte. Ferner war er an den großen Bauaufgaben der Zeit beteiligt: um 1546 mit P. Lescot zus. am Bau des *Hôtel Carnavalet*, Paris; 1570 an den *Tuilerien;* 1571 bis 1574 hatte er die Bauleitung der *Schlösser von Fontainebleau* u. *Chambord* inne.

Lit.: Geymüller, *Baukunst d. Renaiss. in Frankr.*, 1898. C. Enlart in: Th.-B. 1911. A. Michel, *Hist. de l'Art* 4, 1911.

Buon, Bono, Bartolomeo, ital. Bildh. u. Arch., † 1464 Venedig, hat, teilweise in Zusammenarbeit mit s. Vater, *Giovanni* (zuerst erw. 1382, † um 1443 Venedig) an vielen Bauten Venedigs mitgearbeitet; führender venez. Meister des Übergangs von der Spätgotik zur Frührenaiss.

Hauptwerke in Venedig: Architekt. *Ausschmückung der Cà d'Oro*, seit 1424; Bau der *Porta della Carta* des Dogenpalastes, 1438 ff.; Erneuerung der *Fassade der Scuola Grande della Misericordia*, 1441–45 (ein *Tympanonrelief* davon heute in London, Victoria u. Albert Mus.) u. v. a.

Lit.: Venturi VI, 1908. P. Paoletti in: Th.-B. 1910. L. Planiscig in: Österr. Jb. N. F. 4, 1930. G. Fiocco in: Enc. Ital. 1930.

Buon, Bon, Bartolomeo, d. J., ital. Arch., aus Bergamo, † 1529 Venedig, wo er tätig war; an

vielen Bauten beteiligt; Nachfolger des → Coducci; führender Meister der Frührenaiss.
Hauptwerke: vollendete den *Neubau von S. Rocco* (Kuppel von 1489; Fassade von 1495); *Campanile von S. Maria dell' Orto*, 1503; *Wiederaufbau des Campanile von S. Marco*, 1511–14. Weiterbau der *Alten Prokuration* (von Pietro → Lombardi beg.). Mitarbeit am *Torre dell' Orologio*; an der *Scuola di S. Rocco*; *Pal. dei Camerlenghi*; *Trevisan*; Fassade von *S. Zaccaria*, u. v. a.
Lit.: P. Paoletti in: Th.-B. 1910. Venturi XI, 1, 1938.

Buonaccorsi, Pietro → Vaga, Pierino del.

Buonarroti → Michelangelo.

Buoninsegna, Duccio di → Duccio di Buoninsegna.

Buonsignori, Francesco → Bonsignori.

Buontalenti, Bernardo, mit dem Beinamen delle Girandole, ital. Arch. u. Maler, Florenz 1536–1608 ebda., Schüler → Vasaris, Schöpfer des florent. Barockstils in der Baukunst, beeinflußt von → Michelangelo, baute in Florenz: vollendete die von Vasari beg. *Uffizien;* die Fassade von *S. Trinità;* den *Pal. Nonfinito;* Festungsbauten u. Brücken im Dienst der Medici. In Pisa: *Pal. des Großherzogs;* in Siena: *Pal. Reale.*

Burckhardt, Carl, schweiz. Bildhauer, Lindau (Zürich) 1878–1923 Ligornetto, Hauptmeister der Schweiz im 1. Drittel des Jh., schuf öffentl. Denkmäler, figurale Plastiken u. a. in klass.-einfachen Formen. Hauptwerke: *Reliefs am Kunsthaus Zürich.* In Basel: *Gruppen vor dem Badischen Bahnhof. Amazone* vor der Rheinbrücke. *Hl. Georg zu Pferde,* am Kohlenberg. Werke in den Mus. v. Basel, Zürich, Winterthur u. a.
Lit.: W. Barth, 1936. Vollmer, 1953. M. Joray, *Schweizer Plastik d. Gegenw.,* 1954–59. Schweiz. Lex. d. 20. Jh., 1960.

Burgkmair, Hans, Maler u. Zeichn. für den Holzschnitt, Augsburg 1473–1531 ebda. Bedeutendster Frührenaissancemeister Augsburgs, der die neue Formenwelt der Renaissance in überzeugender Weise mit der Tradition der Spätgotik verschmolz. Nach Wanderjahren ins Elsaß (→ Schongauer) folgt ein Aufenthalt in Venedig. Es werden noch verschiedene weitere Reisen nach Venedig angenommen: *Petrusbasilika,* 1501, Augsburg, Mus., erweist schon s. Bekanntschaft mit Venedig. *Die Große Madonna,* 1509, Nürnberg, German. Mus., zeigt venez. Zierformen am Thron u. eine venez. Voralpenlandschaft im Hintergrund. *Der Kreuzigungsaltar,* 1519, Augsburg, Gal., atmet den klass. Geist der Hochrenaissance, ohne die dt. Tradition aufzugeben.

Esther vor Ahasverus, 1528, München, faßt in der reichen Prachtentfaltung alle venez. Eindrücke zus. Weitere Hauptwerke: in Augsburg: *Krönung Mariä,* 1507. In München: *Evangelist Johannes auf Patmos,* 1518. B. entfaltete auch eine große Tätigkeit als Zeichner für den Holzschnitt: 1512–18 Beteiligung an den Aufträgen Kaiser Maximilians: *Weisskunig, Theuerdank u. Triumphzug Kaiser Maximilians,* im ganzen 137 Blätter voller Erfindungskraft. Daneben viele Einzelblätter. Sehr bekannt *Der Tod als Würger,* 1510.
Lit.: K. Feuchtmayr, *Das Malerwerk H. B.s v. Augsburg, Krit. Verzeichnis d. Werke d. Meisters,* 1931. A. Burkhard, 1932. Ders., 1934. G. Dehio, *Gesch. d. dt. Kunst* 3, 1926.

Buri, Max, schweiz. Maler, Burgdorf 1868–1915 Interlaken, Schüler v. Fritz → Schider in Basel, weitergebildet in Paris u. bei A. v. → Keller in München, begann mit anekdotisch pointierten Genredarstellungen; schloß später thematisch an → Anker an, im Stil von → Hodler beeinflußt: aus dem Bauernleben des Berner Oberlandes u. Oberländer Landschaften. Beisp.: *Dorfpolitiker,* Basel, Mus.; in den meisten schweiz. Mus. vertreten.
Lit.: H. Graber, 1916. H. J. Widmer, 1919.

Burne-Jones, Edward, engl. Maler, Birmingham 1833–1898 London, führender Meister der → Präraffaeliten. 1856 ging er unter dem Einfluß Ruskins vom Studium in Oxford zur Malerei über. Zus. mit s. Freund W. → Morris bildete er sich unter → Rossetti aus. 1859 erste, 1862 zweite Italienreise (mit Ruskin). In s. Kunst fußt er auf Rossetti. Aus dem Studium der florent. Quattrocentisten (→ Botticelli), entwickelte er seinen Linienstil, der große Wirkung in die Breite hatte, bes. auch dadurch, daß er ihn in den Dienst des Kunsthandwerks stellte. Einfluß auf «modern style» u. Jugendstil.
Werke: *König Cophetua u. die Bettlerin,* 1850, London, Tate Gall. *Spiegel der Venus,* Liverpool, Gall. *Die goldene Treppe,* 1880. *Stern von Bethlehem,* 1891. Glasfenster nach s. Entwürfen finden sich vielfach in England: *Kreuzigung Christi,* 1887, Entwurf für Glasgemälde, London, South Kensington Mus. Entwürfe für Dekorationen, Teppiche, Buchschmuck usw.
Lit.: Binyon in: Th.-B. 1911. G. Pauli, *Kunst d. Klassizism. u. d. Romantik,* 1925.

Burri, Alberto, ital. Maler, * Città di Castello 1915, tätig in Rom, Vertreter der abstrakten Kunst, schuf Montagen mit angebrannten Schindeln u. Blechabfällen u. a., mit denen er die Art des Spaniers → Tapiès weiterführte.
Lit.: M. Seuphor, *Dict. peint. abstr.,* 1957.

Busch, Wilhelm, dt. Zeichner u. Maler, Wiedensahl 1832–1908 Mechtshausen, der bedeutendste humo-

rist. Zeichner Deutschlands, studierte auf den Akad. Düsseldorf, Antwerpen, München u. zog sich dann in s. Geburtsort u. von 1899 an nach Mechtshausen zurück. Er zeichnete für die «Fliegenden Blätter». In den Illustrationen zu s. eigenen, oft stark satirischen Verserzählungen schilderte er das biedermeierliche Kleinbürgertum. Einige der berühmtesten Werke: *Max u. Moritz,* 1865. *Hans Huckebein, der Unglücksrabe. Die fromme Helene. Maler Klecksel* u. v. a.
Lit.: R. Schaukal, 1904. Braungart, 1917. K. W. Neumann, 1919. F. R. Novotny, 1948. F. Bohne, 1958.

Busketus → Rainaldus.

Bustelli, Franz Anton, ital.-schweiz.-dt. Porzellanplastiker, Locarno 1723–1763 Nymphenburg, neben → Kändler der vorzüglichste Meister s. Fachs, 1755 ff. Modellmeister der Nymphenburger Porzellanmanufaktur, kam wahrsch. schon frühzeitig nach Deutschland, wo er sich am Stil der Brüder → Asam, des I. → Günther u. a. bildete. Er schuf vor allem Genregruppen von Kavalieren u. Damen u. graziös bewegte Gestalten aus der ital. Komödie. In ihnen gelangt das Wesen des Rokoko zu einem vollkommenen Ausdruck.
Lit.: Brüning, *Porzellan,* 1914. L. Simona in: *Anz. f. schweiz. Altertumskunde* 36, 1938. W. Nowak, Diss. Wien 1942.

Busti, Agostino, gen. *Bambaia,* ital. Bildhauer, Mailand 1483–1548 ebda., ging aus dem Kreise der Meister der Certosa v. Pavia (→ Amadeo u. a.) hervor. Sein Hauptwerk: *Marmorgrabmal für den 1512 gefallenen Gaston de Foix,* 1515–21; Teilstücke davon befinden sich in Mailand, Mus. archeol. (Mus. Sforcesco); in Turin, Madrid u. London. Weitere Werke: *Grabmal des Dichters Lancino Curzio,* Mailand, Mus. archeol. *Grabmal des Kardinals Caracciolo,* Mailand, Dom. *Grabmal des Capitano Mercurio Bua* in S. Maria Grande zu Treviso.
Lit.: G. Niccodemi, *Il Bambaja,* 1925. A. Venturi X, 1, 1935.

Butinone, Bernardino, ital. Maler, Treviglio um 1436–1507, Hauptmeister der lombard. Schule vor → Leonardo, der den Stil → Foppas weiterführt. Aus der Zusammenarbeit mit Bernardo → Zenale – ebenfalls Schüler des Foppa – entstanden die Hauptwerke der beiden: der *Altar v. S. Martino* in Treviglio, 1485, u. die *Fresken der Kapelle Grifi* in S. Pietro in Gessate zu Mailand, um 1492–93. *Madonna mit Kind,* Mailand, Brera. *Pietà,* Berlin, ehem. K.-F.-Mus.
Lit.: A. Venturi VII, 4, 1914. M. Salmi in: Dedalo X, 1929–30.

Butler, Reg (Reginald), engl. Bildhauer, * Buntingford 1913, Hauptvertreter der engl. ungegenständlichen Plastik, schuf Eisen-, bes. Drahtplastiken. Beisp.: *Denkmal des unbekannten politischen Gefangenen,* 1953 (B. erhielt einen 1. Wettbewerbspreis f. s. Entwurf). Werke in den Mus. von London (Tate Gall.), Ottawa, Köln u. a.
Lit.: A. C. Ritchie, *The New Decade,* 1955. C. Giedion-Welcker, *Plastik des 20. Jh.,* 1955. H. Platte, *Plastik,* 1957. M. Seuphor, *Plastik unseres Jh.,* 1959.

Buytewech, Willem Pietersz, niederl. Maler u. Radierer, Rotterdam um 1585–1625 ebda., schuf Allegorien, aber auch Landschaften u. Genrestücke in der Art der Kick u. → Codde; auch von → D. Hals beeinflußt. Seine Radierungen gehören zur besten holl. Graphik, darin Vorläufer → Rembrandts.

C

Cabanel, Alexandre, franz. Maler, Montpellier 1823–1889 Paris, Vertreter des franz. Akademismus des 19. Jh., Schüler v. → Picot, hatte großen Erfolg als Bildnismaler u. wurde der Modeporträtist der vornehmen Damenwelt des 2. Kaiserreichs. Berühmt s. akademisch glatten Akte. Sein Hauptwerk, *Venus Anadyomene,* Paris, Louvre, wurde von Napoleon III. für 40 000 Francs angekauft. Einflußreicher Lehrer der Pariser Akad. (Als Akademiker zu vergleichen etwa mit → Gleyre, → Couture, P. → Baudry u. a.) Als Porträtist von bleibendem Wert. Als Maler der idealen nackten Schönheit schritt er bei s. leichten Erfolgen weiter zur Routine u. zur Manier. Außer in Paris gut vertreten in Montpellier, Mus. Im Ausland bes. in New York, Metrop. Mus.
Lit.: H. Vollmer in: Th.-B. 1911.

Cabat, Louis, franz. Maler, Paris 1812–1893 ebda., einer der ersten Vertreter des «paysage intime», Schüler von → Flers, entscheidend angeregt von → Constable, studierte die alten Niederländer u. malte Bilder bescheidener Motive in der nordfranz. Ebene u. Küste, den Höhen u. Waldungen um Paris u. gehörte zu den Entdeckern des Waldes von Fontainebleau. Mit G. → Michel, André → Jolivard, → Flers, P. → Huet war er einer der Wegbereiter der Meister von → Barbizon. 1835 ließ er sich im Walde von Fontainebleau nieder. Später, als Folge verschiedener Italienaufenthalte, wurde er wieder mehr dem Klassizismus zugeführt u. pflegte eine idealisierende Landschaftsmalerei, welche sich der → Poussinschen Tradition näherte. 1877–85 Direktor der Franz. Akad. in Rom. Seine frühen Werke

gelten als die wertvolleren. Gut vertreten im Louvre u. in vielen franz. Museen, bes. in Amiens, Le Havre, Grenoble, Lille, Nantes, Rouen.
Lit.: O. Grautoff in: Th.-B. 1911.

Caffi, Ippolito, ital. Maler, Belluno 1809–1866 (in der Seeschlacht b. Lissa), malte kolorist. wirkungsvolle, mit Volksszenen belebte Lokalveduten (Architekturbilder) in der Art → Canalettos. Sehr beliebt war: *Carneval auf der Piazzetta in Venedig,* 1855. *Via del Corso in Rom,* Gall. naz., Rom. Als Schlachtenmaler erstrebte er stärkeren Realismus in der Betonung der Kriegsschrecken. Sein Nachlaß im Mus. civico in Venedig, Werke in Venedig, Gall. mod. u. Mus. Corrèr; Belluno, Mus.
Lit.: L. Codemo-Gerstenbrand, 1868. L. Càllari in: Th.-B. 1911.

Caffieri, Bildhauerfamilie, aus Italien stammend, in Frankreich tätig, von ca. 1660 bis zur Revolution. Die bekanntesten Mitglieder:
Philippe d. Ä., Rom 1634–1716 Paris, bei der Ausstattung der königl. Schlösser beschäftigt.
Jacques, Paris 1678–1755 ebda., Sohn von Philippe; von s. dekorativen Arbeiten im Rokokostil bes. geschätzt: Uhrgehäuse, Kommoden, Schreibtische u. Bronzebüsten.
Jean-Jacques, Paris 1725–1792 ebda., Sohn von Jacques, bekannt durch s. virtuos gearbeiteten Marmorfiguren u. ganz bes. durch s. Bildnisbüsten franz. Klassiker des 17. u. 18. Jh. in der Comédie Française.

Cagli, Corrado, ital.-amerik. Maler, * Ancona 1910, gründete 1932 – zusammen mit Gius. → Capogrossi u. Eman. Cavalli – die später als 2. Röm. Schule bezeichnete Bewegung. Sie ließen sich von ital. Quattrocentisten (Uccello, Piero della Francesca) inspirieren. 1939 wanderte C. nach den USA aus u. wurde amerik. Staatsbürger; später kehrte er nach Rom zurück, schuf hauptsächl. große Wandfresken u. Mosaiken. Im Stil bald gegenständlich, bald ungegenständlich; oft mit surrealist. Tendenz. Werke: *Mosaik-Ausschmückung der Fontana di Terni,* 1931–35; *gr. Bild für die Triennale in Mailand,* 1933.
Lit.: Das Werk 36, 1949 (Juni). U. Apollonio, *Pitt. mod. ital.,* 1950. Vollmer, 1953. M. Seuphor, *Knaurs Lex. abstr. Malerei,* 1957.

Cagnola, Luigi, ital. Arch., Mailand 1762–1833 Inverigo b. Mailand, Vertreter des oberital., von → Palladio inspirierten Klassizismus, Schüler von → Piermarini, tätig in Mailand u. Oberitalien. Hauptwerk: der Friedensbogen, *Arco della Pace* oder Arco del Sempione, Mailand, 1806, voll. 1838 (röm. Triumphbogen, auf Anordnung Napoleons beg.). *Kapelle der hl. Marcellina* in S. Ambrogio, Mailand. *Glockenturm* zu Urgnano, 1824. Sein Stil ähnlich dem des L. → Canonica.

Cahn, Marcelle, franz. Malerin, * Straßburg 1895, Vertreterin der franz. abstrakten Kunst, Schülerin von F. → Léger, schloß sich 1930 der Gruppe «Cercle et Carré» an.
Lit.: M. Seuphor, *Dict. peint. abstr.,* 1957.

Caillebotte, Gustave, franz. Maler, Paris 1848 bis 1894 Gennevilliers, Impressionist, war kurze Zeit im Atelier → Bonnats, s. bekanntestes Werk: *Les raboteurs de parquet,* 1875, Paris, Louvre; schloß sich den Impressionisten an u. malte vor allem Landschaften in der Umgebung von Paris. Seine wertvolle Slg. von Impressionisten vermachte er dem Staat.

Cain, Auguste-Nicolas, franz. Bildhauer, Paris 1822–1894 ebda., bedeutender Tierplastiker, Schüler von → Rude, entwickelte in s. Kunst die Art → Baryes weiter, bevorzugte dramatisch bewegte Kampfgruppen von Raubtieren, wie *Tiger im Kampf mit Krokodil,* 1870, Tuileriengarten, Paris. *Stier* für den Brunnen am ehem. Trocadéro, 1878. *Löwengruppe,* 1882, Tuileriengarten, alles Paris. In Genf: *Reiterdenkmal des Herzogs Karl v. Braunschweig,* 1879.

Cairo, Francesco del, gen. il Cavaliere del Cairo, ital. Maler, * b. Varese 1598, † 1674 Mailand, Vertreter des lombard. barocken Eklektizismus, ausgebildet in Mailand, eine Zeitlang in Turin tätig als Hofmaler, zur Weiterbildung in Rom u. Venedig; ließ sich in Mailand nieder, wo er eine umfangreiche Tätigkeit als Maler von Altarbildern u. als Porträtist entwickelte. In s. Stil von → Raffael, → Tizian, → Veronese u. a. beeinflußt; wirkungssicherer Kolorist. Werke in Mailand, Brera (*Selbstbildnis*); Turin, Pinac.; Parma, Gall.; Dresden, Gal.

Calamatta, Luigi, ital. Kupferstecher u. Lithograph, Civitavecchia 1802–1869 Mailand, in Paris Schüler v. → Ingres, später Prof. der Kupferstecherschule in Brüssel; seit 1862 wieder in Mailand, das Prof. an der Brera-Akad. Stach *Bildnisse v.* → *Ingres, Paganini, George Sand* u. a.; arbeitete auch nach Werken → Leonardos (*Gioconda*), → Raffaels (*Madonna della Seggiola*), → Rubens u. a.
Lit.: L. Alvin (m. Kat.), 1882. R. Ojetti, 1874. A. Calabi in: Enc. Ital. 1930.

Calame, Alexandre, schweiz. Maler, Zeichner, Lithograph u. Radierer, Vevey 1810–1864 Mentone, Hauptvertreter der schweiz. Hochgebirgsmalerei, Schüler von → Diday in Genf, dessen Art der pathetisch-romant., in kleineren Studien auch idyllischen, Naturauffassung er fortsetzte. Gut vertreten in schweiz. Mus., bes. in Genf, Lausanne, Zürich, Basel u. a. Ferner in Berlin, Leipzig, Dresden u. a. Hauptwerk: *Gewitter auf der Handegg,* 1839, Genf, Mus.
Lit.: E. Rambert, 1884. A. Schreiber-Favre, 1934.

M. Huggler u. A. M. Cetto, *Schweiz. Malerei im 19. Jh.*, 1942.

Calandra, David, ital. Bildhauer, Turin 1856 bis 1915 ebda., Schüler von G. B. → Gamba, → Balzico u. Tabacchi, schuf Genreplastiken, Bildnisbüsten, Grabmonumente u. Monumentalplastiken. Hauptwerke: *Garibaldidenkmal* in Parma, voll. 1893. *Reiterdenkmal des Herzogs v. Aosta* in Turin, 1902. Werke in Rom, Gall. d'arte mod.
Lit.: C. Ricci, 1916. Ders. in: Enc. Ital. 1930.

Calandrelli, Alexander, dt. Bildhauer, Berlin 1834 bis 1903 ebda., Sohn des 1832 aus Rom nach Berlin berufenen Gemmenschneiders *Giovanni* C., Schüler der Berliner Akad.; zahlreiche Denkmäler in Berlin: *Bronzerelief* an der Ostseite der Siegessäule. *Marmorstatue des Peter Cornelius* für die Vorhalle des Alten Mus., Berlin, 1880. *Reiterstatue Friedrich Wilhelms IV.* vor der Nat. Gal., Berlin, 1886. *Bronzestandbilder Scharnhorsts u. Roons* für die Ruhmeshalle des Berliner Zeughauses u. a.
Lit.: H. Vollmer in: Th.-B. 1911.

Calcar, Jan Joest v. → Joest v. Calcar, Jan.

Calcar, Jan Stephan v., dt.-ital. Maler u. Holzschnittzeichner, Kalkar um 1499 bis um 1546/50 Neapel, bedeutender Renaissance-Bildnismaler u. Illustrator aus dem Umkreis → Tizians, nach kurzer Tätigkeit als Landschafter in Dordrecht um 1536 in Venedig als Schüler Tizians. Später als Porträtist in Neapel. Bedeutend s. Holzschnitte zu den Werken des Anatomieprof. Vesalius, die ikonographisch von Einfluß auf spätere Künstler, u. a. auf Rembrandt, waren. Hauptwerk als Porträtist: *Bildnis des Kölner Ratsherrn Melchior v. Brauwiller*, 1540, Paris, Louvre. Hauptwerk als Illustrator: *Holzschnitte zur Anatomie des Vesalius*, 1543.

Caldara, Polidoro → Caravaggio, Polidoro da.

Calder, Alexander, amerik. Bildhauer, * Philadelphia (Penn.) 1898, tätig in Roxbury (Conn.), begann als Witzblattillustrator, ging bei s. ersten Pariser Aufenthalt, 1926/27, zu Drahtplastiken über: *Miniaturzirkus* mit Pferden, Clowns u. Akrobaten; *Josephine Baker*, 1926; kleine Holzskulpturen u. scherzhafte Gebilde aus verschiedenen Materialien, unter Einfluß von → Giacometti; war eine Zeitlang strenger Konstruktivist; erfand um 1930 – unter Einfluß von → Miró, → Arp u. a. – seine ersten «Mobiles»: bewegliche Gebilde aus Draht u. Metallteilen. Die ersten wurden mit motorischer Kraft angetrieben, später verzichtete er auf mechanisches Triebwerk: der Wind oder die Menschenhand riefen die Bewegung hervor. Mit den «Mobiles» war eine neue Kunstgattung entstanden, mit der C. sehr großen Einfluß, z. B. auf das Kunstgewerbe aus-

übte. Die Werke C.s sind in vielen Mus. der Welt. Beisp.: *Brunnen* für den span. Pavillon der Pariser Weltausstellung, 1937; *Mobile* für den Flughafen Idlewild b. New York, 1958.
Lit.: J. J. Sweeney, 1951. C. Giedion-Welcker, *Plastik d. 20. Jh.*, 1955. W. Hofmann, *Plastik d. 20. Jh.*, 1958.

Calderari, Ottone, ital. Arch., Vicenza 1730 bis 1803 ebda., Meister aus der Nachfolge des → Palladio in Vicenza, im Stil von diesem abhängig, erbaute u. a. die Paläste *Loschi* (Zileri dal Verme) u. *Cordellina*, 1776, Vicenza, u. a. Bauten ebda. Ferner *Seminar* in Verona; die Kirche *S. Orso* in Santorso; *Villen* in Breganze, Vivaro, Marostica u. a.
Lit.: S. Rumor in: Th.-B. 1911.

Calderini, Guglielmo, ital. Arch., Perugia 1840 bis 1916 Rom, bedeutender Vertreter des historisierenden Stils. Hauptwerk: der neue *Justizpalast in Rom*, 1888–1910, in Neubarock. Ferner: *Pal. Bianchi*, Perugia.
Lit.: L. Callari in: Th.-B. 1911. G. B. Milani, 1917.

Calderini, Marco, ital. Maler, * Turin 1850–1941 ebda., Schüler von E. Gamba in Turin u. A. Gastaldi, ebda., bedeutender Vertreter der Stimmungslandschaft. Werke in Rom, Gall. d'arte mod.; Venedig, Turin, Mailand, Piacenza.
Lit.: L. Callari in: Th.-B. 1911.

Calderon, Philip Hermogenes, engl. Maler, Poitiers 1833–1898 London, Sohn eines Spaniers, 1845 in London, studierte an der Pariser Ecole des beauxarts unter F. C. → Picot; haupts. Historienbilder u. Porträts, auch Genre u. Landschaften; gehörte zur Künstlergruppe der St. John's Wood School. Werke in engl. Gal., ferner in Hamburg, Kunsth.
Lit.: M. W. Brockwell in: Th.-B. 1911.

Caliari, Paolo → Veronese, Paolo.

Callcott, Augustus Wall, engl. Maler, London 1779 bis 1844 ebda., malte Landschaften aus dem Süden, von C. → Lorrain u. → Poussin beeinflußt; auch Genrebilder. Beisp.: *Der Tower von der Wasserseite*, 1821, Leeds, Gall. Vertreten in engl. Gal., ferner in Hamburg, Kunsth.; ebda., auch Landschaftszeichn., ferner in Leeds u. New York (Metrop. Mus.).
Lit.: Dafforn, 1875. M. W. Brockwell in: Th.-B. 1911.

Callot, Jacques, franz.-lothring. Zeichner, Kupferstecher u. Radierer, Nancy 1592–1635 ebda., bildete sich nach einer abenteuerlichen Jugend in Italien unter Einfluß der Manieristen, kehrte 1622 in die Heimat zurück und arbeitete, außer einem Aufenthalt in Paris, wo er für Ludwig XIII. tätig war, für

den lothring. Hof in Nancy. C.s Ruhm gründet auf s. Darstellungen aus dem Volksleben, aus dem 30jährigen Kriege u. s. prachtvollen Stadtansichten. Durch ihn wurde die Kunst der Radierung in neue Bahnen gelenkt u. zur selbständigen Gattung erhoben. Hauptfolgen: Szenen aus dem ital. Volksleben: *Capricci di varie figure*, 1617. *Misères de la guerre*, 2 Folgen, 1632 u. 1633. Einzelblätter: *Der Jahrmarkt bei Florenz* (vor der Kirche der Madonna dell'Impruneta). *Pont-Neuf in Paris*. Ferner religiöse Darstell. u. a.; das Gesamtwerk umfaßt über 1500 Bl.; Handzeichn. in Florenz, Paris, Wien.
Lit.: E. Meaume, 1860. Vachon, 1886. Bouchot, 1890. H. Nasse, 1923. O. Levertin, 1935.

Cals, Adolphe-Félix, franz. Maler, Paris 1810 bis 1880 Honfleur, Schüler v. → Cogniet, malte vor allem Arbeitsleute, Bauern, Seeleute usw. in einer an → Israels erinnernden Art, die an die alten Holländer u. → Chardin anknüpft. Werke in Paris, Louvre u. Luxembourg; Reims, Honfleur u. a.
Lit.: A. Alexandre, 1901. O. Grautoff in: Th.-B. 1911.

Calvaert, Denys, gen. *Dionisio Fiammingo*, fläm.-ital. Maler, Antwerpen um 1540–1619 Bologna, wohin er früh kam als Schüler von P. → Fontana u. Lorenzo → Sabatini, weitergebildet in Rom an den Werken → Raffaels, → Michelangelos u. → Baroccios. In Bologna gründete C. darauf eine Schule, welche Bedeutung erlangte u. in welcher u. a. → Domenichino, G. → Reni u. → Albani lernten. Er malte haupts. religiöse Bilder; im Stil ganz dem ital. Barock angehörend, mit gelegentlichen Zügen fläm. Eigenart. Sorgfältige Zeichnung u. glatte Malweise sind für ihn charakteristisch. Werke in Bologna: *Geißelung Christi*, Pinac.; *Verkündigung*, S. Domenico; *Hl. Michael*, S. Petronio. Werke in den Gal. von: Lucca, Dresden, Wien, u. v. a.
Lit.: T. H. Fokker, *Werke niederl. Meister in d. Kirchen Italiens*, 1931. Venturi IX, 6, 1933.

Camaino, Tino di → Tino di Camaino.

Camaro, Alexander, dt. Maler u. Graphiker, * Breslau 1901, Schüler von O. → Müller in Breslau, tätig in Berlin, kam vom Expressionismus mehr u. mehr zur Abstraktion, ohne das Gegenständliche ganz zu verlassen.
Lit.: Vollmer, 1953. W. Haftmann, *Malerei im 20. Jh.* 1955. *Knaurs Lex. abstr. Malerei* (Seuphor), 1957.

Cambiaso, Luca, ital. Maler, Moneglia b. Genua 1527–1585 Madrid, Hauptvertreter der genues. Spätrenaissance, Schüler s. Vaters Giovanni C., weitergebildet unter dem Einfluß der Venezianer, entfaltete eine umfangreiche Tätigkeit in Genua: große dekorative Freskenwerke, Altäre u. mythol. Bilder.

1583 von Philipp II. zur Ausmalung des Escorial nach Spanien berufen.
Hauptfreskenwerke: *Wandbilder des Pal. Imperiali*, Genua u. der *Villa Imperiali* zu Terralba. Viele weitere Fresken in Genueser Palästen: Pal. Bianco, Pal. Rosso, Pal. Balbi, Pal. Lercari u. a. Kirchliche Hauptwerke: *Malereien der Lercari-Kapelle* v. S. Lorenzo in Genua. Ferner: *Beweinung Christi*, S. Maria di Carignano. *Verkündigung Mariä*, ebda. *Darbringung im Tempel*, S. Lorenzo; alle in Genua. Hauptwerk in Spanien: *Ausmalung der Escorialkirche*, zus. mit s. Schüler Lazzaro Tavarone. Tafelbilder in den Mus. v. Genua, Rom, Gall. Borghese; Madrid, Mailand, Brera; Bologna, Akad u. a.
Lit.: W. Suida, *Genua*, 1906. L. Ozzola in: Th.-B. 1911. G. Delogu in: Emporium 65, 1927. *Ausst.-Kat. Genua* 1927. Venturi IX, 7, 1934. B. Suida Mannings, *The nocturnes of L. C.* in: The art quarterly, Herbst 1952. L. Venturi, *Das 16. Jh. (von Leonardo zu Greco)*, 1956. P. Rotondi, *Appunti sull'attività giovanile di L. C.*, 1956.

Cambio, Arnolfo di → Arnolfo di Cambio.

Cameron, David Young, engl. Maler u. Radierer, Glasgow 1865–1945 London. Er schuf feine Landschafts- u. Architekturbilder, wandte sich später der Radierung zu; beeinflußt von → Whistler. Werke in den Gall. v. Dublin, Manchester, Liverpool, Durban, Adelaide, Budapest, München u. a.
Lit.: F. Rinder, *Etchings of D. Y. C.*, 1909–12 u. in: The print coll. quarterly XI, 1924. Ders., *D. Y. C., an ill. Cat. of his Etchings*, 1932. A. M. Hind, *The Etchings of C.*, 1924.

Camoin, Charles, franz. Maler, * Marseille 1879, 1896 ff. in Paris, Mitschüler → Marquets im Atelier G. → Moreau, 1912–13 gemeinsame Reise mit → Matisse u. Marquet nach Marokko. Altersgenosse der → Fauvisten, schloß er sich diesen an, in s. Stil aber stark von → Renoir u. den Impressionisten beeinflußt. Seine bevorzugten Themen: Akte, Interieurs, Mittelmeerlandschaften voll Frische u. Poesie. Werke in: Paris, Mus. d'art mod.
Lit.: Knaurs Lex., 1955. J. Leymarie, *Fauvismus* (Skira), 1959.

Campagna, Gerolamo, ital. Bildhauer u. Arch., Verona um 1550 bis n. 1623 Venedig, Schüler von Danese Cattaneo, tätig in Padua, Verona, Urbino u. bes. Venedig, wo er zahlreiche Bronze- u. Marmorbildwerke für Kirchen schuf. Ausgehend von einem Stil manierist. langgestreckter Figuren gelangte er zu einem beruhigten Frühbarock mit Figuren voll Körperschwere. Hauptwerk: *Hochaltar v. S. Giorgio Maggiore*, Venedig, 1591–93, mit Bronzegruppe: Christus als Heiland auf der Weltkugel. *Bronzestandbild des hl. Antonius* v. Altar in S. Gia-

como di Rialto, Venedig. *Hl. Sebastian* v. Hochaltar in S. Lorenzo, 1615–18, ebda. *Pietà*, S. Giuliano, ebda. *Verkündigung*, um 1592, Verona, Mus. civico. *Apollo*, um 1575, Bronzestatuette, Berlin, ehem. K.-F.-Mus.
Lit.: A. Venturi X, 3, 1937.

Campagnola, Domenico, ital. Maler, Holzschneider, Kupferstecher u. Zeichner, Padua (?) 1500 bis n. 1562, haupts. in Padua tätig. Hauptwerke als Maler: *Fresken in der Scuola del Santo* u. *del Carmine*, Padua, von → Tizian beeinflußt. Bedeutend als Stecher u. Zeichner für den Holzschnitt, beides anscheinend nur in s. frühen Zeit. Sein Stil von → Dürer u. Tizian beeinflußt. Gehört zu den ersten Meistern, die Federzeichnungen nicht als Entwürfe, sondern als selbständige Kunstwerke hervorbrachten. Sie befinden sich haupts. in London, Brit. Mus.; Florenz, Uff.; Berlin, Kupferstichkabinett.
Lit.: H. Tietze u. E. Tietze-Conrat, *D. C.s graphic art* in: The print coll. quarterly 26, 1939. Dies., *The drawings of the Venet. painters*, 1944.

Campagnola, Giulio, ital. Maler u. Kupferstecher, Padua 1482–1515 Venedig, Meister aus dem Umkreis → Giorgiones, tätig in Padua u. Venedig. Bedeutende Kupferstiche, wie *Johannes der Täufer*, in einer interessanten Punktiermanier. Von → Bellini u. → Mantegna beeinflußt, kannte auch Stiche von → Dürer. Seine Tätigkeit als Maler umstritten.
Lit.: P. Kristeller, 1907. H. Tietze, *C.s graphic art* in: The print coll. quarterly 29, 1942.

Campaña, Pedro de → Kempener, Peter de.

Campbell, Colin, engl. Arch. des frühen 18. Jh., † 1729, Vertreter des engl. Klassizismus in der Nachfolge von → Jones u. → Wren, erbaute die *Schlösser Mereworth* in Kent; *Houghton* in Norfolk; *Wanstead* in Essex (jetzt zerstört).

Campbell, Thomas, engl. Bildhauer, Edinburgh 1790–1858 London, Klassizist, 1818 in Rom, wo er sich → Thorwaldsen anschloß. 1830 zurück nach London. Haupts. Bildnisbüsten.

Campen, Jacob van → Kampen, Jacob van.

Campendonk, Heinrich, dt. Maler u. Graphiker, Krefeld 1889–1957 Amsterdam, Hauptvertreter des dt. Expressionismus, Mitglied der Künstlergemeinschaft «Der → Blaue Reiter» 1912, war 1926–33 Prof. der Düsseldorfer Akad., seither der Akad. in Amsterdam. Bekannt vor allem s. kraftvollen Holzschnitte mit Hell-Dunkel-Kontrast. Entwürfe für Glasmalerei. Bilder in der Gal. von: Berlin (ehem. Nat. Gal.), Amsterdam (Rijksmus.), Philadelphia (USA) u. a.

Lit.: W. Schürmeyer, 1920. G. Biermann, 1921. R. Hamann, *Dt. Mal. v. Rokoko z. Expressionismus*, 1926. Vollmer, 1953. L.-G. Buchheim, *Der Blaue Reiter*, 1959.

Camphausen, Wilhelm, dt. Maler, Düsseldorf 1818 bis 1885 ebda., Schüler von → Rethel u. der Düsseldorfer Akad. unter C. → Sohn, malte genrehafte Darstellungen aus dem Reiterleben u. Schlachtenbilder. In vielen dt. Gal.: Köln (Wallraf-Richartz), Berlin (Nat. Gal.), Hamburg, Breslau, Bremen.
Lit.: H. Vollmer in: Th.-B. 1911.

Camphuysen, Govert Dircksz., niederl. Maler, Gorinchem (Gorkum) um 1624–1672 Amsterdam, Bildnisse, Genredarstellungen u. Landschaften. 1643 ff. in Amsterdam, ca. 1655 ff. in Schweden haupts. als Porträtist, ab 1665 wieder in Amsterdam tätig. Seine Genrebilder sind Stallbilder mit Bauernmädchen (Brüssel, Mus., 1650) oder Interieurs mit verschiedenen Motiven. Seine Landschaftsbilder mit Staffagen, oft mit Tieren, in der Art → Potters. Werke in Rotterdam, Kassel, Gal.; Leningrad, Eremitage; Kopenhagen, Prag, Lille, Dulwich, London, Wallace Coll.
Lit.: E. W. Moes in: Th.-B. 1911.

Camphuysen, Rafel Govertsz., niederl. Maler, Gorinchem um 1597–1657 Amsterdam, Landschafter, Bruder des Govert Dircksz. → C., malte Mondschein-, Fluß- u. Winterlandschaften, die Ähnlichkeiten mit denen van der → Neers haben; wahrscheinlich war C. dessen Lehrer. Werke in den Mus. v. Amsterdam, Utrecht, Braunschweig, Schleißheim, Stockholm, Universität.
Lit.: E. W. Moes in: Th.-B. 1911.

Campi, ital. Künstlerfamilie aus Cremona, im 16. Jh. haupts. in Cremona u. Mailand tätig. Ihre Mitglieder waren durchweg manierist. Eklektiker. Die wichtigsten sind: das Haupt der Familie Galeazzo C.; dessen Söhne Giulio, Antonio u. Vincenzo; ihr Verwandter Bernardino C. Hauptwerke der C. ist die Ausmalung der Kirche *S. Sigismondo* b. Cremona mit den Kuppelfresken des Bernardino C.
Lit.: F. Malaguzzi-Valeri in: Th.-B. 1911.
Galeazzo C., ital. Maler, 1477–1536, Meister der Spätrenaissance in Cremona, führte die Art s. Lehrers B. → Boccaccino fort. Er half diesem mit andern an der *Ausmalung des Chors im Dom* v. Cremona. Ferner: *Fresko des Abendmahles* im Refektorium von S. Sigismondo b. Cremona. *Thronende Madonna zwischen Heiligen*, 1518, S. Sebastiano, Cremona. Werke in S. Agostino, S. Abbondio, S. Giovanni in Croce, alle in Cremona; in Mailand, Brera; Bergamo, Gall. u. a.
Giulio C., ital. Maler, um 1502–1572, ältester Sohn des Galeazzo u. dessen Schüler, bildete sich unter

dem Einfluß des → Romanino, später des → Pordenone u. a. Venezianer, schließlich dem des → Giulio Romano. Sein Hauptwerk: *Madonna in der Glorie*, 1540, S. Sigismondo b. Cremona. Ferner in Cremona: *Fresken in S. Margherita*, 1547. *Fresken in S. Agata. Fresken im Dom. Hochaltar von S. Abbondio: Madonna*, 1527. Weitere Werke in Kirchen v. Mailand; in der Brera: *Madonna in d. Glorie mit Heiligen*, 1530. In Florenz, Uff.: *Bildnis s. Vaters*. Lit.: F. Malaguzzi-Valeri in: Th.-B. 1911. A. Venturi IX, 6, 1933.
Antonio C., ital. Maler, Arch. u. Bildhauer, Cremona um 1514–1591, Schüler s. Vaters, beeinflußt von s. Bruder Giulio, den Venezianern u. bes. → Correggio, 1561 in Mailand u. v. a. Städten tätig: in Piacenza, Lodi, Brescia, Mantua, Cremona. In Cremona: *Pietà mit Heiligen*, 1566, Dom. *Magdalena, Christus die Füße salbend* u. *Taufe Christi*, S. Sigismondo. *Madonna mit Heiligen*, 1575, S. Pietro. *Deckenfreske* in der Sakristei, ebda. In Mailand: *Geschichten des hl. Paulus*, in S. Paolo, 1561. *Geburt Christi*, Hauptaltar, ebda., 1580. *Beschneidung*, S. Marco, 1586. Weitere Werke in Kirchen Mailands u. in der Brera. Als Arch. wurde nach s. Zeichn. in Cremona erbaut: die *Pal. Vidoni* u. *Pallavicini*. Als Bildh.: *Stuckdekorationen* der Kirche S. Sigismondo b. Cremona.
Vincenzo C., ital. Maler, 1536–1591, 2. Sohn des Galeazzo C., Mitarbeiter s. Brüder, bevorzugte Porträt-, Blumen- u. Früchtemalerei. Werke in Bergamo, Gall. u. Mailand, Brera.
Bernardino C., ital. Maler, Cremona 1522 – um 1590, wahrscheinlich ein Verwandter der Brüder C., Schüler des Giulio, weitergebildet unter dem Einfluß des → Giulio Romano, der Venezianer, später → Correggios. Hauptvertreter des akademisch kühlen Eklektizismus, der aber doch – namentlich unter dem Einfluß Correggios – einige bedeutende dekorative Werke schuf. Tätig in Mantua, 1541ff. in Cremona, Mailand, Guastalla u. Reggio Emilia. Hauptwerke: *Kuppelfresken* für S. Sigismondo b. Cremona, 1570. Weitere Werke in Cremona: im Dom, in S. Agata u. a. In Mailand: in S. Paolo u. S. Marco; in der Brera: *Fresken* aus dem Castello v. S. Colombano. In Reggio Emilia: *Fresken im Chor v. S. Prospero*. Ferner zahlreiche Bildnisse. Lehrer der Malerin S. → Anguissola.

Campigli, Massimo, ital. Maler, * Florenz 1895, Hauptvertreter der heutigen ital. Malerei, kam in Paris früh unter kubist. Einfluß, tätig ebda. Seinen ihm eigenen Stil entwickelte er durch Neben- u. Übereinanderordnen der Figuren; diese wie Puppen oder Amphoren gebaut, jede in abgeschlossenem Rahmen. Die Leinwand pflegt C. so zu präparieren, daß sie wie poröser Stein die Farbe aufsaugt, wodurch das Bild freskenartig wirkt. C. erinnert in s. Art an etruskische Wandmalereien, an kretische, antik-archaische sowie indische Kunst. *Fresken* u. a.

im *Palais des Nations* in Genf u. im *Justizpalast* in Mailand. Werke u. a. in den Gal. v. Rom, Mailand, Zürich, Paris (Jeu de Paume), Amsterdam, Stockholm, Moskau.
Lit.: C. A. Zelenine, 1931. P. Courthion, 1938. R. Carrieri, 1941. R. Franchi, 1944. M. Raynal, 1949. J. Cassou, 1959 (haupts. Bildband). *Knaurs Lex.*, 1955.

Campin, Robert → Flémalle, Meister v.

Canal, Antonio → Canaletto I.

Canaletto I., eig. Antonio *Canal*, ital. Maler u. Radierer, Venedig 1697–1768 ebda., Sohn u. Schüler von Bernardo Canal, bildete sich in Rom weiter, 1746–47 in London, sonst meist in Venedig. C. schuf Stadtansichten, bes. von Venedig. Mit ihm stieg der handwerkliche Betrieb der Vedutenmalerei zur Kunst auf. Er bildete die wundervollen Szenerien der venez. Bauten mit großer Wirklichkeitstreue nach, wobei es ihm gelang, auch das Atmosphärische, Luft u. Licht der Stadt, künstlerisch einzufangen. Werke: *Prozession vor der Scuola di S. Rocco*, London, Nat. Gall. *Der Markusplatz*, ebda. *S. Maria della Salute*, Paris, Louvre. Reich vertreten in Dresden, Gal. u. Berlin, staatl. Gal.
Lit.: G. Ferrari, *I due C.*, 1914. L. v. Hadeln, *Die Zeichn. v. A. C.*, 1930. Enc. Univ. dell'Arte 3, 1958.

Canaletto II., eig. Bernardo *Belotto*, ital. Maler u. Radierer, Venedig 1720–1780 Warschau, der sich nach s. Lehrer u. Oheim C. nannte; beide werden daher oft verwechselt. Malte vor allem Städtebilder in der Art s. Lehrers. Nach der Lehrzeit besuchte er um 1740 Rom, darauf Turin, Brescia, Verona, Mailand, um 1745 München, 1746 ff. Hofmaler in Dresden; 1766 in Petersburg, 1767 in Warschau, das. 1770 Hofmaler. In s. Stil ist Belotto vielleicht ein wenig trockener als s. Onkel, zeigt aber die gleichen Qualitäten der äußersten Genauigkeit bei künstlerischer Höhe der Darstellung.
Glänzend vertreten in der Gal. von Dresden, wo sich s. 1747–54 gemalten Ansichten von Dresden u. Pirna befinden. Die meisten dieser Ansichten hat C. auch selber in großen Formaten radiert. Ferner vertreten in: Berlin, Frankfurt, Hamburg, München, Turin, Mailand, Wien, Vaduz, Slg. Liechtenstein; Warschau u. a. Beisp. s. Städteansichten: *Altmarkt in Dresden*, Dresden, Gal.; s. Landschaftskunst: *Oberital. Landschaft*, Mailand, Brera.
Lit.: W. v. Seidlitz in: Th.-B. 1911. H. A. Fritzsche, *Bernardo Belotto, gen. C.*, 1936. G. Ferrari, *I due C.*, 1914.

Candid (o), Peter, ursprüngl. (bis 1574) de Wit (Witte), niederl. Maler, Brügge um 1548–1628 München, ging frühzeitig nach Italien, Schüler → Vasaris ebda.; 1568 ff. in München als Hofmaler. Altar-

werke, hist.-allegor. Gemälde, dekorative Fresken u. Entwürfe für Bildteppiche. Im Stil von den niederl. Romanisten ausgehend, wurde er zu einem ital. Manieristen in der Art Vasaris, mit einigen niederl. Elementen.
Werke: Altarwerke in: *St. Michael*, München, *St. Ulrich*, Augsburg; Dom zu *Freising*. Wand- u. Deckengemälde in der *Münchener Residenz* (zerstört) u. im *Schloß Schleißheim*.
Lit.: P. J. Rée, 1890. K. Steinbart, *P. C. in Italien* in: Preuß. Jb. 58, 1937.

Candida, ital. Medailleur, * vor 1450, † nach 1504, bedeutender Meister der Renaissance, der durch s. Porträtmedaillen einen großen Einfluß auf die Entwicklung der Medaillenkunst hatte. 1477 in Brügge, später im Dienst Ludwigs XI. von Frankreich. Beisp.: Medaille des Kanzlers *Jean Carondelet*.
Lit.: F. Alvin in: Th.-B. 1911.

Canella, Giuseppe, d. Ä., ital. Maler, Verona 1788 bis 1847 Florenz. Landschaften u. Marinen, 1830 ff. in Mailand tätig. Vertreten in Mailand, Brera (*Gewitter in der Campagna* u. a.); Nantes, Mus.

Canlassi, Guido, gen. Cagnacci, ital. Maler u. Stecher, S. Arcangelo di Romagna 1601–1681 Wien, Schüler des G. → Reni in Bologna, verbrachte einen großen Teil s. Lebens als Hofmaler Kaiser Leopolds I. in Wien. Er kommt in s. Stil zuweilen s. Lehrer nahe. Tätig in Bologna, Rimini, Forlì, Rovigo, Bergamo, dann in Wien. Vertreten: in Florenz, Uff. u. Gall. Pitti. In Rom in den Gal. Doria, Colonna, Spada, Borghese. In den Mus. v. Wien, Leningrad, München, Dresden, Kassel, Madrid; Paris, Louvre; Montpellier, London, im Dom zu Forlì; in mehreren Kirchen von Rimini u. a.
Lit.: F. Noack in: Th.-B. 1911.

Cano, Alonso, gen. el Grenadino, span. Maler, Bildhauer u. Arch., Granada 1601–1667 ebda. Kam jung nach Sevilla, Schüler des → Montañez in der Bildhauerkunst, des → Pacheco in der Malerei. Als Maler: von → Tizian, → Correggio u. → Veronese beeinflußter Eklektiker, als Plastiker bahnbrechend für den span. Barock. Aus s. Schule gingen J. de → Mora u. P. de → Mena hervor. Auch als Arch. bedeutender Meister des Barock. Die prunkvolle *Fassade der Kathedrale v. Granada* geht auf s. Entwurf zurück. Bilder u. Skulpturen in den Kirchen von Sevilla, Madrid, Granada u. a. Reich vertreten im Prado-Mus. Auch in vielen europ. Mus. Hauptwerke: Gemälde: *Jungfrau Maria mit Kind*, Sevilla, Kathedrale. *Zyklus der sieben Freuden Mariä*, Granada, Kathedrale. Plastiken: *Büsten Adams u. Evas*, Kathedralfassade, Granada. *Kruzifix*, Segovia, Kathedrale.
Lit.: M. v. Boehn in: Th.-B. 1911. E. Diaz-Jimenez y Molleda, *El escultor A. C.* 1943.

Canogar, Rafael, span. Maler, * Tolodo 1934, Vertreter d. span. abstrakten Malerei, und zwar der eruptiven, nichtfigürlichen, die von → Pollock einerseits, von → Wols andererseits begründet wurde.
Lit.: *Neue Kunst nach 1945*, hg. v. W. Grohmann, 1958. D. Kunstwerk 13, 1959–60. Vollmer, 1961.

Canon, Hans, eig. Johann v. Straschiripka, österr. Maler, Wien 1829–1885 ebda., Vertreter des historisierenden Stils der → Makart-Zeit in Wien, bildete sich unter dem Einfluß von K. → Rahl, später an den alten Meistern, haupts. → Rubens u. war nach Reisejahren 1860–69 in Karlsruhe, Stuttgart u. Wien tätig. In s. Stil unter dem Eindruck der romant. Historienmalerei (→ Kaulbach, Rahl), wurde er später unter dem Einfluß Makarts zum stärksten Vertreter des Wiener Kolorismus. Er vertiefte sich derart in die Malerei von Rubens, daß seine eigene Malerei beinahe zur Nachahmung wurde. Historienbilder, Genreszenen u. Porträts. Beisp.: *Kreislauf des Lebens*, Kolossalgemälde im Treppenhaus des Naturhist. Mus., Wien. *Der Page*, Hamburg, Kunsth. *Austernesser*, Stuttgart, Mus. *Frauenbildnis*, Köln, Mus. *Bildnis W. Trübner*, 1870, Karlsruhe, Kunsth. Ferner in Mus. v. Berlin, Stuttgart, Hamburg, Karlsruhe, Köln, Prag.
Lit.: H. Fischel in: Th.-B. 1911.

Canonica, Luigi, schweiz.-ital. Arch., Tesserete b. Lugano (Tessin) 1762–1844 Mailand, klassizist. Baumeister, Schüler von → Piermarini in Mailand, Schöpfer mehrerer Bauten in Mailand, u. a. der großen *Arena* (Amphitheater), 1806–07. Gilt als der 1. Theaterbaumeister Italiens im 19. Jh.; von ihm die Theater in Brescia, Cremona, Modena, Genua u. a.
Lit.: F. Pollak in: Th.-B. 1911.

Canova, Antonio, ital. Bildhauer, Possagno 1757 bis 1822 Venedig, Hauptmeister des ital. Klassizismus, 1768 in Venedig zur Ausbildung, 1779 in Rom, wo er hinfort tätig war. Sein *Grabmal des Papstes Klemens XIV.*, 1783–87, Rom, SS. Apostoli, hatte epochemachende Bedeutung u. zeigte die Abkehr von der barocken Auffassung u. Hinwendung zum Klassizismus. In der Folge weitere Grabmäler, Gruppen u. Einzelstatuen antiker Götter, meist in Marmor; Reliefs; in napoleon. Zeit Idealbildnisse Napoleons u. s. Familie. C. bezeichnet den Übergang vom späten Barock zum Klassizismus des 18. Jh. in Italien; s. Einfluß auf die Stilbildung war ungeheuer. Hauptwerke: *Grabmal Klemens XIII.*, 1787–92, Rom, St. Peter. *Hebe*, 1796, Berlin, staatl. Mus. *Grabmal Volpato*, 1807, Rom, SS. Apostoli. *Amor u. Psyche*, Paris, Louvre. *Napoleon*, Mailand, Brera. *Pauline Borghese*, Rom, Gall. Borghese. *Perseus*, Rom, Vatikan. Kolossalgruppe des *Rasenden Herkules*, voll.

1814, Rom, Pal. Corsini. *Die drei Grazien*, um 1816, Leningrad, Eremitage. *Venus*, Florenz, Pal. Pitti. Lit.: Malamani, 1911. A. Colasanti, 1927. E. Bassi, 1943. Enc. Univ. dell'Arte 3, 1958.

Cantone (Cantoni), Simone, schweiz.-ital. Arch., Muggio di Mendrisio (Tessin), 1736–1818 Gorgonzola, klassizist. Baumeister, tätig in Genua, Mailand usw. In Genua u. a. *Fassade des Pal. Ducale ;* in Mailand die *Pal. Serbelloni-Busca* (1794), *Mellorio* u. *Pertusati*, alle im Stil des → Palladianischen Klassizismus. Villen in Brescia, Como u. Umgebung.

Canuti, Domenico Maria, ital. Maler, Bologna 1620 bis 1684 Rom, Schüler des G. → Reni, tüchtiger Meister, der Wandmalereien in Bologneser Palästen u. Fresken u. Altarbilder in den dortigen Kirchen schuf. Werke in Bologna, Mus.; Zeichn. in Florenz, Uff. u. Paris, Louvre. Auch Kupferstecher. Lit.: Brizio in: Th.-B. 1911.

Capek, Josef, tschech. Maler, Hronov 1887–1945 im Konzentrationslager Belsen, Bruder d. Dichters Karel C., begann unter dem Einfluß des franz. Kubismus und entwickelte dann einen eigenen lapidaren Figurenstil, der an den von → Masereel erinnerte, aber malerisch stärker war. Er schuf Figürliches, Stilleben, Illustrationen (zu: «Das Jahr des Gärtners» von Karel C., 1932, u. v. a.), Karikaturen, Bucheinbände, Theaterdekorationen. Lit.: K. Capek u. V. Spalu, 1935. J. Pecirka, 1937.

Capelle, Jan van de, niederl. Maler, Amsterdam um 1624–1679 ebda. Ausgebildet unter dem Einfluß S. de → Vliegers, spezialisierte sich auf Marinebilder, tätig in Amsterdam. Im Stil von de Vlieger ausgehend, schuf C. feine Strandbilder, am liebsten mit ruhig vor der Küste liegenden Schiffsgruppen, in warmer Lichtstimmung, für welche er viell. → Rembrandt verpflichtet ist. Winterbilder im Stil → van der → Neers, in welchen die winterliche Atmosphäre unvergleichlich gelungen ist. Werke in vielen Mus. Beisp.: *Ruhige See*, Wien, Kunsthist. Mus. *Stille See*, Berlin, staatl. Gal. Lit.: C. Hofstede de Groot, *Beschreib. u. krit. Verzeichn.*, 1907–28. L. Preston, *Sea and River Painters*, 1937. W. Bernt, *Niederl. Maler d. 17. Jh.*, 1948.

Capogrossi, Giuseppe, ital. Maler, * Rom 1900, tätig ebda., Vertreter der modernen ital. Malerei, schuf neben Landschaften u. Stilleben haupts. Einzelfiguren oder Gruppen von Tänzerinnen. Er strebte nach Klassik u. Monumentalität; beeinflußt von → Carrà, → Cézanne, → Picasso, → Modigliani. Seit 1950 gehört er zu den rein abstrakten Künstlern. Lit.: Vollmer, 1953. M. Seuphor, 1954. Ders., *Knaurs Lex. abstr. Malerei*, 1957. *Documenta II Kassel*, 1959.

Caporali, Bartolomeo, ital. Maler, Perugia um 1420–1509, das. tätig, beeinflußt von Fiorenzo di → Lorenzo. *Pietà,* 1486 in Perugia, Kathedrale. *Madonna mit 4 anbetenden Engeln,* Florenz, Uff. Vertreten in Perugia, Pinac. Lit.: W. Bombe in: Th.-B. 1911. U. Gnoli in: Enc. ital. 1930. R. van Marle, *Ital. Schools,* 14, 1933.

Cappiello, Leonetto, ital.-franz. Karikaturist, Plakat- u. Bildnismaler, Livorno 1875–1942 Nizza, gilt nach → Chéret als bedeutendster Plakatmaler s. Zeit, von 1898 an in Paris ansässig, naturalisierter Franzose, schuf Zeichnungen für die Zeitungen «Figaro», «Gaulois», «Rire» u. a., Buchillustrationen u. lithographierte Plakate voller Kraft u. Stilgefühl. Lit.: Vollmer, 1955.

Caracciolo, Giovanni Battista, gen. *Battistello*, ital. Maler, Neapel um 1570–1637 ebda., Vertreter der Neapolitaner Barockmalerei, schuf Altarwerke u. Fresken, namentlich in Kirchen Neapels. In s. Stil unter dem Einfluß der → Carracci u. des → Caravaggio. Werke: *Befreiung Petri,* 1606, Neapel, Monte della Misericordia. *Fresken der Cappella Loffredo* in S. Teresa agli studi, Neapel. *Fußwaschung,* 1622, Neapel, S. Martino. *Assunta,* 1631, Neapel, Mus. Lit.: R. Longhi in: L'arte XVIII, 1915. H. Voss in: Preuß. Jb. 48, 1927.

Caradosso, Cristoforo, eig. Foppa, gen. C., ital. Goldschmied u. Medailleur, wahrsch. Mondonico b. Mailand um 1452–1527 Rom. Künstlerischer Berater des Lodovico Moro in Mailand, arbeitete 1505 ff. für die Päpste in Rom. Seine Goldschmiedearbeiten, für die er berühmt war, sind von → Cellini ausführlich beschrieben, doch können ihm heute nur feine Renaissance-Medaillen mit Sicherheit zugeschrieben werden.

Caran d'Ache, eig. Emanuel Poiré, franz. Zeichner u. Illustrator, Moskau um 1859–1909 Paris, Meister der Karikatur, Mitarbeiter der «Chronique parisienne», des «Figaro», der «Caricature» u. a. Zschr. In s. Stil an W. → Busch u. an → Oberländer geschult. C. hat viele Militärszenen gezeichnet u. einige gemalt. Bekannte Folgen von Zeichnungen sind: *Voyages de M. Carnot. Histoire de Marlborough. Bric à brac. Physiologie parisienne* (1888). *C'est à prendre ou à laisser.* Lit.: Béraldi, *Les graveurs du 19e siècle* 4, 1885.

Caravaggio, Michelangelo da, eig. Merisi (auch Amerighi gen.), ital. Maler, Caravaggio b. Bergamo um 1573–1610 Porto Ercole, studierte in Mailand u. Venedig, kam um 1588 nach Rom, wo er kurze Zeit Gehilfe G. → Cesaris war. Schon s. ersten Bilder, Genrebilder, riefen Aufsehen in Rom hervor.

Die naturnahe Sachlichkeit, der oft krasse Realismus, stießen auf Widerstand, eroberten aber allmählich die Barockmalerei u. riefen eine neue Gattung hervor. Sein 1. großer Auftrag: *Matthäus mit dem Engel* für S. Luigi dei Francesi, Rom, 1590, führte mit s. neuen Stil einen Wandel der kirchlichen Malerei herbei, doch erfolgte zuerst Ablehnung (die 1. Fassung in Berlin 1945 zu Grunde gegangen). Es folgten große Aufträge, die neuerdings heftigen Widerspruch zeitigten. Ein wildes Abenteuerleben brachte frühen Untergang: C. mußte eines Mordes wegen aus Rom flüchten, hielt sich eine Weile in Neapel, dann in Sizilien auf u. starb bei der Rückkehr nach Rom an den Folgen eines Überfalles. – Altarbilder, Genrebilder, Porträts. Der Stil C.s: Plastische Modellierung der aus dem Leben gegriffenen Gestalten; Helldunkelmalerei («Kellerlicht»), s. Genrebilder machten Epoche in der europ. Malerei u. hatten eine Wirkung auf das gesamte Barock u. auf dessen Meister wie → Rubens, → Rembrandt, → Velazquez.
Hauptwerke: *Der junge Bacchus*, Florenz, Uff. *Lautenspielerin*, Leningrad, Eremitage. *Wahrsagerin*, Paris, Louvre. *Falschspieler*, Dresden, Gal. *Bildnis Großmeister des Malteserordens*, 1607, Paris, Louvre. *Bildnis einer jungen Römerin*, Berlin, staatl. Gal. *Selbstbildnis*, Florenz, Uff. *Grablegung*, 1595, Rom, Vatikan. *Bekehrung Pauli u. Martyrium Petri*, Rom, S. Maria del Popolo. *Christus in Emmaus*, London, Nat. Gall. *Madonna mit dem Rosenkranz*, Wien, Kunsthist. Mus. *Ruhe auf der Flucht*, Rom, Gall. Doria-Pamfili.
Lit.: E. Benkard, 1928. G. Kirsta u. L. Zahn, 1929. L. Venturi, 1925. A. v. Schneider, *C. u. d. Niederl.* 1933. L. Schudt, 1942. B. Berenson, 1951. R. Longhi, 1951. R. Jullian, *C. à Naples* in: Revue des arts, 1955. F. Baumgart, 1955. R. Longhi, 1957. H. Wagner, 1958. V. Mariani in: Enc. Univ. dell'Arte. 1958.

Caravaggio, Polidoro da, eig. Caldara, ital. Maler, Caravaggio um 1500–1543 Messina, Vertreter der → Raffael-Schule, ein Hauptmeister der Sgraffitotechnik für antikisierende Fassadenmalereien in Rom, in Zusammenarbeit mit Maturino; davon fast alles zerstört, doch in Stichen u. Nachzeichnungen erhalten. Erhalten ist s. Hauptwerk, die *Landschaftsfresken von S. Silvestro al Quirinale*, Rom, vor 1527: Verlobung der hl. Katharina u. Christus erscheint Magdalena. Es sind bedeutende Vorwegnahmen der heroischen Landschaft des Barock. 1527 in Messina, wo s. Stil eine eigentümliche Wandlung erfährt. Werke: Erhaltene Fassadenmalerei: *Dekoration des Pal. Ricci*, Rom. Hauptwerk der Spätzeit in Messina: *Kreuztragung*, Neapel, Mus. Zeichn. in Rom, Gall. Corsini; Florenz, Uff.; Mailand, Ambrosiana u. a.
Lit.: H. Voss, *Malerei d. Spätrenaiss.*, 1920. Venturi IX, 2, 1926. C. Gamba in: Enc. Ital. 1935.

Cardinaux, Emil, schweiz. Maler, Bern 1877–1936 ebda., Schüler von F. → Stuck in München, beeinflußt von F. → Hodler u. a., Landschafter, bes. bekannt als Plakat- u. Exlibris-Zeichner, Lithogr. u. Illustrator.
Lit.: C. A. Loosli, 1928. Vollmer, 1953.

Carducho (Carducci), Bartolomé, ital. Maler, Florenz 1560–1608 Madrid, in Spanien tätiger Manierist, Schüler des F. → Zuccari, dem er bei der Ausführung der Fresken in der Florentiner Domkuppel half u. dem er 1585 nach Spanien folgte, wohin er von Philipp II. berufen worden war, um im Escorial zu malen. Dort Fresken u. Altarbilder für die Kirche S. Felipe el Real (1718 verbrannt). Hauptwerke im Prado, Madrid: *Kreuzabnahme. Abendmahl. Hl. Sebastian.* Im Alcázar zu Segovia: *Stigmatisation des hl. Franz*, 1600. *Anbetung der Könige.*
Lit.: M. v. Boehn in: Th.-B. 1911.

Carducho (Carducci), Vicente, ital. Maler, Florenz 1578–1638 Madrid, Bruder u. Schüler von Bartolomé → C., zur span. manierist. Schule gehörend, kam 1585 mit s. Bruder nach Spanien, malte mit diesem gemeinsam den *Diego-Altar* in der Franziskanerkirche in Valladolid. 1609 Hofmaler. Um 1615 malte er gemeinsam mit Eugenio→ Caxés die *Fresken im Sagrario der Kathedrale v. Toledo*. 1620–26 viele Gemälde für Kirchen u. Klöster in Madrid, Valladolid, Cordoba, Alcalà u. a. O. 1626 begann er s. Hauptwerk: *54 Gemälde für die Kartause von El Paular* (heute in Madrid, Prado; Cordoba; La Coruña u. a. O.). Werke: in Madrid, Prado; in der Klosterkirche v. Guadalupe; Cordoba, Mus. u. a. Ferner in den Mus. v. Dresden, Edinburgh, Leningrad (Eremitage), Budapest u. a.
Lit.: M. v. Boehn in: Th.-B. 1911. E. Lafuente Ferrari, *Breve hist. pint. españ.*, [4]1953.

Carena, Felice, ital. Maler, * Turin 1879 (oder 1880), Vertreter der ital. Malerei der 1. Jh.-Hälfte, tätig in Venedig, Rom u. 1925 ff. in Florenz, Prof. der Akad. – Figurenbilder, Porträts, Landschaften u. Blumenbilder. Werke in Rom, Gall. d'arte mod., in den Gall. mod. von Florenz, Turin, Venedig; ferner: Paris, Mus. Jeu de Paume; Zürich, Kunsth.
Lit.: A. Maraini, 1930 (m. Bibliogr.).

Cariani, Giovanni de'Busi, gen. C., ital. Maler, Venedig (?) um 1485–1547 ebda., bedeutender Vertreter der venez. Hochrenaissancemalerei, stammte aus einer von Bergamo nach Venedig gekommenen Familie, wahrscheinlich Schüler → Palma Vecchios in Venedig, tätig ebda. In s. Kunst namentlich von Palma, G. → Bellini u. → Giorgione beeinflußt.
Werke: *Madonna mit Kind*, London, Nat. Gall. *Madonna mit Kind u. Stifter*, Bergamo, Akad. Carrara. *Kreuztragung*, Mailand, Ambrosiana (1519);

Bergamo, Akad. Carrara. *Auferstehung Christi mit Stifterpaar*, 1520, Mailand, Slg. Marozzi. *Madonna mit Heiligen*, Mailand, Brera. *Bildnis eines Mannes*, Venedig, Akad. *Weibl. Bildnis*, Bergamo, Akad. Carrara.
Lit.: Hadeln in: Th.-B. 1911. A. Venturi IX, 3, 1928. E. G. Troche in: Jb. d. Preuß. Kunstsamml. 55, 1934.

Carlevaris, Luca, ital. Maler u. Radierer, Udine 1665–1731 Venedig, Lehrer → Canalettos, malte noch vor diesem venez. Stadtansichten, die er mit figurenreichen hist. Szenen belebte. Bilder in Dresden, Berlin, Nürnberg usw. Veröffentlichte Ansichten Venedigs nach berühmten Gemälden, 1703.

Carlone, schweiz.-ital. Künstlerfamilie, tätig in Italien, Deutschland, Österr. u. der Schweiz im 17. u. 18. Jh.
Carlo, Scaria (Como) 1686–1775 ebda. Altarbilder u. Fresken in Wien, Prag, Ludwigsburg, Einsiedeln, Weingarten, Brescia, Asti, Scaria.
Carlo Antonio, Arch. aus Mailand, † Passau 1708. Baute in schwerem Barock mit meist von Giov. Batt. → C. ausgeführtem Stuckwerk. Hauptwerk: *Neubau v. Kirche u. Kloster St. Florian,* 1688 ff.
Diego, Scaria 1674–1750 ebda. *Skulpturenschmuck der Klosterkirchen Weingarten* u. *Einsiedeln.* Ferner: *Statuen für S. Maria di Carignano* in Genua u. für die Kirche in Scaria.
Gian Andrea, Genua 1639–1697 ebda. Fresken u. Altarbilder in Perugia, Rom, Genua.
Giovanni Battista, Hauptmeister des für die Familie C. charakterist. starkplastischen weißen Stuckwerkes. Er schuf die *Dekorationen des Passauer Domes,* 1689 ff.; der *Klosterkirche Waldsassen* 1695–98; der *Karmeliterkirche Strauburg.*
Sebastian, Arch. u. Bildhauer in Graz. Hauptwerke: *Mausoleum Erzherzogs Carl* in der Klosterkirche Seckau, 1589–1612, mit reichem Stuckwerk u. Figurenschmuck.
Lit.: M. Hauttmann, *Geschichte d. kirchl. Baukunst in Bayern,* 1921. M. Marangoni, *I Carloni,* 1925. Dehio-Ginhart, *Handb. d. dt. Kunstdenkm. in d. Ostmark,* ²1941.

Carlsund, Otto Gustav, schwed. Maler, St. Petersburg 1897–1948 Stockholm, Hauptvertreter der schwed. abstrakten Kunst. 1924 in Paris, Schüler v. F. → Léger, schloß sich später → Mondrian u. → Doesburg an, gehörte zur Gruppe «Art concret» 1930.
Lit.: O. Reutersvärd in: Kunsthist. Tidskrift, 1949. *Ausst. Kat. Gal. Artek,* Helsinki 1950. M. Seuphor, *Dict. peint. abstr.,* 1957 *(Knaurs Lex. abstr. Mal.).*

Carnovali, Giovanni, gen. il Piccio, ital. Maler, Montegrino b. Luino 1806–1873 b. Cremona, be-

deutender Vertreter der ital. Malerei des 19. Jh., Schüler der Akad. Carrara in Bergamo; in Parma u. Mailand tätig, 1845 in Paris, wo ihm die Kunst → Delacroix' zum Erlebnis wurde. Er ertrank beim Baden im Po. C. hat ein überaus großes Oeuvre hinterlassen, in beinahe jedem Genre: Religiöses, Porträts, Landschaften, Historien, Mythologisches. In s. Stil schloß er sich den venez. Meistern des 18. Jh. an, in seiner Farbigkeit von Delacroix beeinflußt. Werke u. a. in den Mus. v. Bergamo, Cremona, Mailand, Rom.
Lit.: C. Caversazzi, 1946.

Caro-Delvaille, Henry, franz. Maler, * Bayonne 1876, Schüler von L. → Bonnat, schilderte die mondäne Eleganz der Pariserin in Bildern von zarten Farben; beeinflußt v. → Whistler u. → Renoir.

Carolus Duran → Duran, Charles-Auguste.

Caron, Antoine, franz. Maler, Beauvais um 1515 bis 1593 Paris (?), Meister der Schule von → Fontainebleau, Hofmaler der Katharina v. Medici, 1540 bis 1550 in Fontainebleau tätig, malte mythol. Themen in einem von → Giulio Romano beeinflußten Stil. Leitete gemeinsam mit Lerambert die Tapisseriewerkstatt der Trinité in Paris. Von s. Werk nur wenig erhalten. Einige Porträts werden ihm zugewiesen, darunter *Bildnis einer Prinzessin,* 1577, München, A. P.
Lit.: H. Stein in: Th.-B. 1912. R. Rosenblum, *The paintings of A. C.* in: Marsyas VI, 1950–53. J. Ehrmann, 1955.

Caroselli, Angelo, ital. Maler, Rom 1585–1652 ebda., Meister aus dem Umkreis des → Caravaggio. Einige Werke in röm. Kirchen. In Wien, Staatsgal.: *Singender Mann.* Werke in Bergamo *(Judith)*; Rom, Gall. Corsini *(Allegorie d. Vanitas)* u. a.
Lit.: H. Voss, *Mal. d. Barock in Rom,* 1924.

Caroto, Giovanni Francesco, ital. Maler, * um 1480, † 1555 Verona, Hauptmeister der Schule von Verona, Schüler des → Liberale da Verona, beeinflußt von → Mantegna, → Bonsignori, → Raffael u. a. C. war eine Zeitlang in Mailand tätig u. um 1513–18 in Casal Monferrato für den Hof der Marquise v. Monferrato (von s. dortigen Tätigkeit fast nichts erhalten); sonst in Verona tätig. Hauptwerke: *Fresko der Verkündigung,* Verona, S. Girolamo, 1508. *Fresken d. Kapelle Spolverini* in S. Eufemia zu Verona: Geschichte des Tobias u. des hl. Rochus. *Altarbilder* in Verona: in S. Fermo; in S. Giorgio in Braida u. zahlreichen anderen Kirchen. *Madonnen:* in Modena, Gall., 1501; in Venedig, Akad.; in Paris, Louvre; in Frankfurt, Städel. *Auferweckung des Lazarus,* Verona, Kapelle des Bischofspalastes, 1531. *Madonna m. Heiligen,* Verona, Mus. *Hl. Familie,* ebda. *Grablegung,* ebda.

Der junge Tobias m. d. Erzengeln, Selbstbildnis mit Gattin als Betende, ebda. Werke ferner in Florenz, Uff. u. Pitti-Gal.; Bergamo, Dresden, Budapest, Philadelphia, Trient, Venedig u. a.
Lit.: M. H. Bernath in: Th.-B. 1912. A. Venturi IX, 3, 1928. C. Gamba in: Enc. Ital. IX, 1931. B. Berenson, *Pitture ital. del Rinasc.*, 1936.

Carpaccio, Vittore, ital. Maler, Venedig vor 1460 bis vor 1526 das. – Schüler Gentile→Bellinis u. Vollender von dessen Art der Historienmalerei, in der er das zeitgenöss. venez. Leben u. Treiben schildert. Dazu kommen bei ihm sonnige Beleuchtung, harmonische Koloristik u. alle Künste der Raumgestaltung: Perspektive, architekt. Hintergründe usw. Seine Hauptwerke der hist. Erzählung sind in Venedig. Werke das.: 9 Bilder aus der *Geschichte der hl. Ursula*, 1490 bis 1495, Akad. Darstellungen aus dem *Leben der hll. Georg u. Hieronymus*, 1502–07, Scuola S. Giorgio degli Schiavoni. Kirchenbilder: *Darstellung Christi*, 1510, Akad. Von Einzelbildern das berühmteste: *Die beiden Kurtisanen*, Mus. Corrèr. Weitere Bilder ebdort, in der Akad., ferner in Mailand, Bergamo, Paris, Berlin, Stuttgart.
Lit.: G. Ludwig u. P. Molmenti, 1906. W. Hausenstein, 1925. Fiocco (ital.), 1931. H. Tietze u. E. Tietze-Conrat, *The drawings of the Venetian paint.*, 1944. Enc. Univ. dell'Arte 3, 1958.

Carpeaux, Jean-Baptiste, franz. Bildhauer u. Maler, Valenciennes 1827–1875 Schloß Bécon b. Asnières, Hauptmeister der franz. Plastik des 19. Jh. Schüler von → Rude, bildete sich 1854–59 in Italien weiter, tätig in Paris. C.s Kunst ist eine Weiterbildung der von Rude u. → Barye angebahnten Entwicklung ins Barocke, Bewegte; leitete auch Einflüsse der romant. Malerei (→ Delacroix) in die Skulptur. Seine malerische Behandlung des Steins rechnet mit dem Spiel v. Licht u. Schatten, die akad. Glätte der Materialbehandlung wird aufgelöst; daher Vorläufer → Rodins.
Hauptwerke: *Ugolino u. s. Kinder*, 1863, Paris, Tuileriengarten. *Giebelschmuck des Flora-Pavillons*, Paris, Louvre. *Gruppe des Tanzes*, 1869, Paris, Fassade d. Großen Oper. *Die 4 Weltteile*, Paris, Jardin du Luxembourg. *Büsten A. Dumas d. J. u. Garnier*, Paris, Louvre. Etwa 3000 nachgelassene Zeichn. im Louvre, in der Ecole des beaux-arts u. im Stadthaus, Paris. Auch als Maler bedeutend, kommt den Impressionisten nahe. Carpeaux-Mus. in Valenciennes.
Lit.: A. Mabille de Poncheville, 1925. Mme Clément Carpeaux, *La vérité sur l'œuvre et la vie de C.*, 1925. E. Sarradin, 1928.

Carpi, Girolamo da, ital. Maler u. Arch., Ferrara 1501–1556 ebda., Spätrenaissancemeister der Schule von Ferrara, Sohn des Malers Tommaso da C., Schüler v. → Garofalo, beeinflußt v. D. → Dossi, später

v. → Correggio, → Parmigianino u. der → Raffael-Schule. Kirchliche Werke, feine Porträts, Entwürfe für Gobelins; auch als Arch. tätig. Zunächst in Bologna haupts. als Porträtist, ca. 1530 ff. in Ferrara. In s. Stil verschmolz er die Elemente der Kunst Correggios, Parmigianinos u. Raffaels geschickt mit der ferrares. Tradition.
Hauptwerke in Bologna: die Altarbilder in *S. Salvatore* u. in *S. Martino* von 1530: *Anbetung der Könige*. Als Arch. baute er in Ferrara: *S. Francesco*; den *Pal. Crispi* (nach s. Plänen); die *Pal. Centa, Trotti*, Teile des *Kastells*; s. Hauptwerk, der *Pal. Belvedere*, ebda., 1599 abgetragen. Er baute in streng klassizist. Geschmack. Als Maler vertreten in Florenz, Pitti-Gal.; Ferrara, Pinac.; sehr gut in Dresden, Gal.; Rom, Kapitol. Gal. u. a.
Lit.: G. Baruffaldi, 1841. Bernath in: Th.-B. 1912. A. Serafini, 1915. H. Voss in: Staedel-Jb. 3/4, 1924. B. Berenson, *Ital. pictures of the Renaiss.*, 1932. A. Venturi IX, 6, 1933.

Carpi, Ugo da, ital. Holzschneider u. Maler, Carpi um 1480–1532 Bologna, schuf mehrfarbige Helldunkelholzschnitte, bes. nach Kompositionen→Raffaels u. → Parmigianinos. Für diese farbigen Holzschnitte verwendete er mehrere Platten, die übereinandergedruckt wurden u. mehrere Töne ein u. derselben Farbe ergaben; dieses Verfahren von den Franzosen «camayeux» genannt, d. h. kameenartig. Von der Tätigkeit C.s als Maler hat sich nichts auffinden lassen.
Lit.: P. Kristeller in: Th.-B. 1912. A. Reichel, *Die Clair-Obscure-Schnitte*, 1926. L. Servolini in: Rivista d'arte XI, 1929. M. Pittaluga, *L'incisione ital. nel Cinquecento*, 1930.

Carpioni, Giulio, ital. Maler u. Radierer, Venedig 1611–1674 Verona, Meister des venez. Frühbarock, Schüler des → Padovanino, tätig in Padua u. Verona. Werke u. a. in Bergamo, Mailand, Florenz, Uff.; Venedig, Dresden, Augsburg, Wien, Budapest, Bordeaux, Glasgow.

Carrà, Carlo, ital. Maler, * Quargnento 1881, Hauptvertreter der modernen ital. Malerei, gründete zus. mit → Boccioni u. → Severini 1910 die 1. Malergruppe der Futuristen u. wurde mit Werken wie *Rüttelnde Droschke*, 1912, deren Hauptvertreter. Um 1917 Übergang zur sog. «metaphysischen» Malerei, deren Hauptvertreter er neben de → Chirico u. → Morandi wurde; er strebte nach naturalist. Wiedergabe der Erscheinungswelt; einfache typische Formen, für die er auf die alte ital. Malerei zurückgriff, namentlich auf → Giotto; dieser Stil berührt sich mit dem gleichzeitigen der «Neuen Sachlichkeit» im Deutschland der 20er Jahre. Beisp.: *Pinie am Meer*, 1921, Rom, Gall. mod. Weitere Werke in den mod. Gal. von: Mailand, Turin, Venedig u. a. ital.; ferner in: Paris (Mus. du Jeu de Paume), Berlin, Los Angeles, Zürich u. a. – C. schrieb: «Pittura Metafisica», 1920. «Giotto» 1926. «La mia vita», 1943, u. a. Lit.: A. Soffici, 1928. P. M. Bardi, 1930. R. Longhi, 1945 (m. Bibliogr.). Pacchioni, 1945.

Carracci, ital. Malerfamilie in Bologna, Ende 16. Jh., gründete ebda. die berühmte «Schule der C.» oder «Schule von Bologna», eine auf dem Studium der älteren Meister, der → Raffael, → Michelangelo, → Giorgione u. a. basierende eklektische Schule. Leiter der Akad. war Annibale C.; er selbst wie auch s. Bruder Agostino u. s. Vetter Lodovico waren bedeutende Künstler. Gemeinsames Hauptwerk: *Fresken in der Galerie des Pal. Farnese*, Rom, 1595–1604. Aus der C.-Schule gingen u. a.G. → Reni, → Domenichino, → Guercino, F. → Albani hervor. Lit.: *Ausst.-Kat. Bilder u. Zeichn. der C.*, Bologna 1959.

Carracci, Agostino, ital. Maler, Bologna 1557–1602 Parma, Schüler des P. → Fontana, stark beeinflußt von → Correggio, arbeitete gemeinsam mit s. Bruder Annibale u. s. Vetter Lodovico an großen *Freskenwerken in Bologna* (Pal. Fava; Pal. Sampieri, Pal. Magnani) u. an den *Fresken im Pal. Farnese*, Rom; 1600 in Parma allein: *Deckenbilder im Pal. del Giardino* (mythol. Liebesszenen). Tafelbilder: *Letzte Kommunion des hl. Hieronymus*, Bologna, Pinac.; *Himmelfahrt Mariä*, ebda. Bedeutend auch als Kupferst.; von den Niederländern beeinflußt, schuf er in einer weichen «farbigen» Manier, z. T. nach Werken fremder Meister (→ Correggio, → Veronese u. a.).

Carracci, Annibale, Bologna 1560–1609 Rom, ital. Maler, Bruder des Agostino → C., v. → Correggio, → Tintoretto u. → Veronese beeinflußt, Leiter der Akad. Gemeinsam mit s. Bruder u. s. Vetter Lodovico führte er zahlreiche *Fresken in Bologna* aus, im *Pal. Fava*, *Pal. Sampieri* u. a. 1595 in Rom, wo er unter dem Einfluß → Michelangelos s. Malweise änderte u. einen zeichnerischen Stil mit festen Umrissen, doch starken Bewegungsmotiven, ausbildete. Eröffnete das. eine Werkstatt, wohin ihm u. a. Albani, Lanfranco u. → Domenichino folgten. Sein Hauptwerk sind die *Fresken im Pal. Farnese*, Rom, vor allem das Deckenbild: *Hochzeitszug des Bacchus u. der Ariadne.* Tafelbilder: *Christus mit Heiligen*, 1595, Florenz, Pal. Pitti. *Himmelfahrt Mariä*, 1599–1601, Rom, S. Maria del Popolo. *Christus u. die Samariterin*, Wien, Gal. Landschaften: *Bergige Landschaft*, Berlin, staatl. Gal. Bildnisse: *Lautenspieler*, Dresden, Gal. *Männl. Bildnis*, München, A.P. Lit.: H. Tietze, *A. C.s Galerie im Pal. Farnese u. s. röm. Werkstätte* in: Österr. Jb. 26, 1906. H. Voss, *Geschichte d. ital. Barockmal.* 1, 1925.

Carracci, Lodovico, ital. Maler, Bologna 1555–1619 ebda., Vetter von Annibale u. Agostino → C., Schüler von → Fontana, Gründer der Schule in Bologna. Seine Grundsätze: Neben Beobachtung der Natur tritt die Nachahmung der besten Meister. Für die Zeichnung ist → Raffael Vorbild; für die Farbgebung die Venezianer, für die Beleuchtung → Correggio. An den Freskenwerken in Bologna mit s. Vettern beteiligt. Die besten s. Tafelbilder in Bologna, Pinac.: *Predigt Johannes d. T. Verklärung Christi. Madonna degli Scalzi.* Lit.: H. Bodmer, 1939.

Carrand, Louis-Hilaire, franz. Maler, Lyon 1821 bis 1899 ebda., bedeutender Landschafter des 19. Jh., tätig in Lyon, u. zwar nur als Sonntagsmaler neben s. Brotberuf. Zu Lebzeiten vollkommen verkannt, erst viel später in s. Bedeutung erkannt. Ansichten v. Lyon u. Umgebung (v. 1880 an), auch einige Seestücke (v. 1885 an). Genrestücke von ländlichen Wirtshäusern, u. a. Ist in der farbigen Behandlung des Lichtes, in der Wiedergabe der atmosphärischen Stimmung s. Heimatstadt durchweg hervorragend. U. a. im Mus. v. Lyon vertreten, z. B.: *Bords de rivière.* Lit.: *Ausst.-Kat.*, Lyon 1904. M. Mermillon, *C. et F. Vernay*, 1925. Fix-Masseau, 1935. E. Vial in: Th.-B. 1912.

Carreño de Miranda, Juan, span. Maler, Avilés (Asturien) 1614–1685 Madrid, Meister aus dem Umkreis des → Velazquez, bildete s. Stil in Anlehnung an diesen, unter dem Einfluß v. → Rubens u. van → Dyck sowie der großen Italiener. 1669 v. Phillipp IV. zum Hofmaler ernannt, nach Velazquez der 1. Bildnismaler bei Hofe. Dekorative Fresken, viele Altargemälde für Kirchen u. Klöster u. vor allem gute Porträts. Hauptwerke sind u. a.: *Fresken im Spiegelsaal des Alcázar* in Madrid: Fabel des Vulkan u. Verlobung der Pandora (beides von F. → Rizi voll., nicht mehr erhalten). Zus. mit Rizi *Ausmalung der Kuppel der Kathedrale v. Toledo* u. der *Wölbung v. S. Antonio de los Portugueses* in Madrid. Tafelbilder: *S. Thomas v. Villanueva*, Paris, Louvre. *Taufe Christi*, Leningrad, Eremitage. *Hl. Dominikus*, 1661, Budapest, Akad. Bildnisse: *Karl II. als Knabe*, 1673, Berlin, ehem. K.-F.-Mus. (Wiederholungen in Aachen u. im Prado). *Karl II.*, Madrid, Prado. Werke in Madrid, Akad. S. Fernando; Wien, Staatsgal.; München, A.P., u. a. Lit.: A. de Beruete y Moret, *The Madrid school of painting*, 1909. P. Berjano Escobar, 1924.

Carrier-Belleuse, Albert-Ernest, franz. Bildhauer, Anizy-le-Château 1824–1887 Sèvres, Schüler von → David d'Angers, schuf: *Messias*, Marmorgruppe in St-Vincent-de-Paul, Paris, 1867. *Dekorative Figuren* im Treppenhaus u. Foyer der Oper, ebda. *Bildnisbüsten: Napoleon III., Delacroix, Th. Gautier* u. a.

Wirkte an der Porzellanmanufaktur Sèvres. Vertreten in Paris, Luxembourg u. a. franz. Mus.

Carriera, Rosalba, ital. Malerin, Venedig 1675–1757 ebda., wurde schon früh als feine Miniatur- u. Pastellmalerin berühmt. Bibl., allegor. u. mythol. Gestalten in einer anmutigen Rokoko-Auffassung. Ihre feinen Pastellbildnisse waren sehr gesucht. Die Gal. v. Dresden besaß deren 157 u. 17 Miniaturen.
Lit.: V. Malamani, 1910.

Carrière, Eugène, franz. Maler u. Lithograph, Gournay 1849–1906 Paris, tätig in Paris, bevorzugte 2 Themen: Die Darstellung v. Müttern mit ihren Kindern u. Porträts. Ursprünglich von einer leuchtenden Farbgebung ausgehend, entwickelte er allmählich einen Stil fein aufgetragener fast farbloser Helldunkelmalerei mit verschwimmenden Umrissen. Sein Ziel: die äußere Form verunklären, um das Innenleben desto stärker hervorströmen zu lassen. Seine Porträts überzeugen durch ihre feine Charakteristik. *Bildnis Verlaines,* 1891, Paris, Luxembourg-Mus. *Maternité,* 1892, ebda. Auch die lithogr. Bildnisse von hohem Reiz: *Verlaine, Daudet, Rodin* u. a.
Lit.: Ch. Morice, 1906. E. Faure, 1908. L. Delteil, *Le peintre-graveur illustré* 8, 1913. G. Séailles, 1923.

Carriès (Cariès), Jean, franz. Bildhauer u. Keramiker, Lyon 1855–1894 Paris, Meister von Porträtbüsten u. glasierten Steinzeugarbeiten, schuf zuerst Bronzebüsten (Porträts von Künstlern u. Künstlerinnen) u. später beinahe ausschließlich in glasiertem Steinzeug als Material, dem sog. «grès». Unermüdlich an der Vervollkommnung des Verfahrens arbeitend. Werke im Pal. de Luxembourg, Paris; im Mus. des arts décoratifs, ebda.; im Mus. v. Lyon; im Hamburger Kunstgew.-Mus.
Lit.: A. Alexandre, 1895. O. Pelka, *Keramik d. Neuzeit,* 1924.

Carroll, John, amerik. Maler u. Lithograph, * Kansas City 1892, tätig in New York, Schüler von Duveneck. Figürliches, Bildnisse, Landschaften. Werke in den Gal. v. Philadelphia, Los Angeles, Detroit, New York, Whitney Mus.; Indianapolis, Toledo.
Lit.: Vollmer, 1953.

Carstens, Asmus Jacob, dän. Zeichner u. Maler, St. Jürgen b. Schleswig 1754–1798 Rom, kam nach künstlerischer Ausbildung in Kopenhagen 1787 nach Berlin, 1792 nach Rom, wo er bis zu s. Tode lebte. Er schuf allegor. u. griech.-hist. u. mythol. Themen in großangelegten Kartonzeichn. C. vertrat den strengsten Klassizismus u. entwickelte einen von der antiken Skulptur u. von → Michelangelo abgeleiteten Stil reiner Umrißformen. Da er auch die Farbe für nicht kunstwürdig hielt, schuf er kaum ausgeführte Gemälde, sondern fast ausschließlich die

Kartons in schwarzer Kreide mit aufgehöhten Lichtern. Sein Ziel war ein reiner u. hoher Stil, zu dem er von dem zum Goethekreis gehörigen Kunsttheoretiker Fernow bestärkt wurde. Bei allem edlen Streben ist die Naturferne doch nicht zu verkennen. Sein Einfluß war groß. Die Wendung zum strengen Klassizismus geht von ihm aus; → Thorwaldsen wurde von ihm beeinflußt. Seine Hauptwerke befinden sich in Weimar, Kopenhagen u. Berlin.
Werke: *Die Griechen im Zelt des Achill,* 1794, Handzeichn., Bleistift u. Kreide, Weimar, Mus. *Die Geburt des Lichtes,* 1794, Kreidezeichn. weiß gehöht, ebda. *Die Nacht mit ihren Kindern,* 1795, Kreidezeichn. ebda. Die Zeichn. in Umrißstichen, hg. v. W. Müller u. a., 1864–84.
Lit.: L. Fernow, *Leben d. Künstlers A. J. C.,* 1806; Neuausg. v. Riegel, 1867. A. F. Heine, 1928. A. Kamphausen, 1941. G. Pauli, *Kunst d. Klassizism. u. d. Romantik,* 1925.

Carus, Carl Gustav, dt. Kunstphilosoph u. Maler, Leipzig 1789–1869 Dresden, das. von 1827 an Leibarzt der königl. Familie. Als Maler nicht ohne Bedeutung. Unter dem Einfluß von C. D. → Friedrich schuf er romant. Landschaften in geisterhaftem Zwielicht, die das Traumhafte wiedergeben. Seine Theorie der romant. Landschaftsmalerei entwickelt er in s. «Briefen über Landschaftsmalerei», 1831, neu hg. v. K. Gerstenberg, 1927. Werke: *Der Erlkönig,* Hamburg, Kunsth. *Goethes Grab,* 1832, ebda.
Lit.: G. Grashoff-Heins, *C. als Maler,* 1926.

Carzou, Jean, franz. Maler, * Haleb (Aleppo) 1907, zeigt in s. Bildern die Realität in übergroßer Genauigkeit, durch die er das verborgene Leben der Dinge deutlich machen will. Manchmal grenzt er an den Surrealismus, hin u. wieder erinnert er an B. → Buffet. Vertreten in den mod. Mus. von Paris, S. Francisco, Kansas City u. a.
Lit.: *Neue Kunst nach 1945,* hg. v. W. Grohmann, 1958. F. Fels, 1959. D. Kunst u. d. schöne Heim 48, 1949–50. D. Werk 46, 1959. Vollmer, 1961.

Casanova, Francesco, ital. Maler u. Radierer, London 1727–1802 Brühl b. Wien, Bruder von Giovanni Battista → C. u. des berühmten Abenteurers Giacomo C., Schüler von Simonini in Florenz, meist in Paris tätig, von 1783 an in Wien. Landschaften u. haupts. Kriegs- u. Schlachtenbilder, beeinflußt von → Wouverman, → Parrocel, Bourguignon (J. → Courtois). Werke in Paris, Louvre u. a. franz. Gal., Prag, Wien, Vaduz (Slg. Liechtenstein), u. a. – Zeichn. im Louvre.
Lit.: Z. v. M. in: Th.-B. 1912.

Casanova, Giovanni Battista, ital. Maler u. Zeichner, Venedig 1730 (oder 1728) bis 1795 Dresden, Bruder des Francesco → C., Schüler von → Piazzetta in Venedig, später Schüler u. Gehilfe → Mengs in Rom, seit 1764 Direktor der Akad. in Dresden. Bedeutender Zeichner; Zeichn. zu Winckelmanns «Monumenti antichi». Zeichenlehrer von Winckelmann u. A. → Kauffmann.

Casas y Novoa, Fernando, span. Architekt, † um 1751, Dombaumeister in Santiago, Schüler u. Nachfolger des Domingo Antonio de Andrade, gehört zu den bedeutendsten span. Arch. des 18. Jh., die im Stile → Churrigueras arbeiteten. Hauptwerk: *Westfassade* (el Obradorio) *der Kathedrale v. Santiago de Compostela,* 1738 beg.
Lit.: O. Schubert, *Gesch. d. Barock in Span.,* 1908.

Caselli, Cristoforo, gen. dei Temperelli, ital. Maler, Parma 1461–1521 ebda., wahrscheinlich Schüler des J. Loschi in Parma, später des Giov. → Bellini in Venedig. Führt die Kunst → Vivarinis fort u. ist mit F. → Mazzola die bedeutendste Erscheinung der Parmenser Quattrocentomalerei. Vertreten in Parma, Gal.: *Thronende Madonna mit Kind u. Heiligen. Fresken in der Kathedrale,* ebda.
Lit.: N. Pellicelli in: Th.-B. 1912. Ders. in: Enc. Ital. 1931.

Casorati, Felice, ital. Maler, * Novara 1886 bis 1919ff. in Turin (Prof. an der Akad.). Begann im Jugendstil unter dem Einfluß der Münchner u. der Wiener Kunst (des jungen → Kandinsky, → Klimts, auch des Spaniers → Zuloaga). Unter dem Eindruck der Werke → Cézannes Stilwandel zum Neoklassizismus um 1920; Berührung mit den Meistern der «valori plastici» (→ Chirico). Neben Stilleben baute er strenge Figurenkompositionen, Porträts, vor allem weibl. Akte stillebenartig gestaltet in ruhender oder sitzender Pose. Beisp.: *Liegender Mädchenakt,* 1932, Paris, Mus. du Jeu de Paume, *Familie des Künstlers,* 1933, Rom, Gall. d'arte mod. Beisp. s. frühen Kunst: *Le signorine,* Venedig, Gall. d'arte mod. – Werke in der Gall. mod. von Rom, Turin, Florenz, Genua; ferner Paris, Zürich, Kunsth.; Brüssel, Wien, Albertina; Budapest, Moskau, New York, Boston, Detroit, Pittsburgh u. a.
Lit.: P. Gobetti, 1923. L. Venturi in: Dedalo IV, 1923/24. R. Giolli, 1925 (m. Bibliogr.). G. Pacchini in: Artistes ital. contemporains, 1927. H. Eckstein, *Zur Malerei des heutigen Italien* in: Die Kunst für alle, März 1930. M. Sarfatti, *Storia della pitt. mod.,* 1930. A. Galvano, 1940. J. Cremona, 1942.

Caspar, Karl, dt. Maler, Friedrichshafen 1879 bis 1956 Brannenburg am Inn, bedeutender Vertreter moderner religiöser Malerei, bildete sich in Stuttgart u. München (L. v. → Herterich), 1922–37 Prof. der Akad. München, seitdem in Brannenburg am Inn lebend. Anfangs von der

→ Beuroner Schule beeinflußt; Fra → Angelico war sein Vorbild. Seit 1910 Stilwandel, s. Gestaltung wird expressionist.-visionär. Vorbilder werden → Greco, → Cézanne, → Marées.
Hauptwerke: *Wandgemälde in der Stadtpfarrkirche Binsdorf,* 1908. *Noli me tangere,* 1910, Köln, Wallraf-Richartz-Mus. *Petrus u. Paulus,* Kirche in Maselheim, 1911. *Johannes auf Patmos,* 1911, Dresden, Gal. *Noli me tangere,* 1912, Magdeburg, Mus. *Ölberg,* 1913, Essen, Folkwang-Mus. Fresko: *Weltenrichter zwischen d. hll. Petrus u. Georg,* Bamberg, Georgenchor, 1925 bis 1928. Vertreten auch in Hamburg, Kunsth.; München, N. Staatsgal.; Ulm, Mus. u. a.
Maria C.-Filser, Gattin von Karl C., * Riedlingen 1878, ansässig in Brannenburg am Inn. Landschaften u. Stilleben, Schülerin von F. v. → Keller in Stuttgart, beeinflußt von → Cézanne u. van → Gogh. Vertreten in Köln, Wallraf-Richartz-Mus.; Ulm, Mus.; Wiesbaden, Mus. u. a.
Lit.: J. Baum, *Karl u. Maria C.* in: Zschr. f. bildende K., N. F. 30, 1918. R. Oldenbourg, *Maria C.-Filser* in: Kunst f. alle 33, 1918. *Ausst.-Kat. Karl C.,* Ulm 1929.

Cassana, Giovanni Agostino, gen. *Abbate Cassana,* ital. Maler, Genua um 1658–1720 ebda., Sohn des Giovanni Francesco → C., malte haupts. Porträts u. Tierbilder, tätig in Genua, Toskana u. Venedig. Vollendete u. vergrößerte wahrsch. die «Madonna del Baldacchino» → Raffaels. Bilder von ihm wurden gestochen von P. A. Pazzi u. Perini. Werke in Venedig, Akad. (*Bildnis des Dogen Giovanni Cornèr*); in Padua, Collegio del Monte di Pietà; in den Mus. v. Leningrad, Nizza, Mainz u. a.
Lit.: O. Grosso in: Enc. Ital. 1931.

Cassana, Giovanni Francesco, ital. Maler, Cassana (Genua) um 1611–1690 Mirandola, Schüler des B. → Strozzi in Genua, den er nach Venedig begleitete. Anfangs der 80er Jahre übersiedelte er nach Mirandola. Werke das.: in der Jesuitenkirche, in S. Rocco, im Dom. Weitere Werke in Padua.
Lit.: O. Grosso in: Enc. Ital. 1931.

Cassana, Niccolò, gen. *Nicoletto,* ital. Maler, * Venedig 1659, † 1713, Sohn u. Schüler des Francesco → C., tätig in Venedig, arbeitete auch für den Hof von Florenz, zuletzt in England. Werke in Florenz, Uff. (2 *Bildnisse* u. *Selbstbildnis*); Gal. Pitti, ebda. (*Bildnis eines Malteserritters*); Leningrad, Eremitage (*Bacchanal*); Lucca, Gal. (*Frauenbildnis*) u. a.

Cassatt, Mary, amerik. Malerin, Pittsburgh (Penn.) 1845–1926 Mesnil-Théribus (Oise), Impressionistin, bildete sich in Paris zur Malerin aus, Schülerin von → Degas, in der Zeichnung von ihm u. von den Japanern, deren graph. Technik sie genau studierte,

beeinflußt, in der Farbe von → Renoir. Ihr bevorzugtes Thema, das sie auch in farbigen Rad. öfter behandelte: Mutter u. Kind. Beisp.: *Jeune mère*, Paris, Luxembourg. Werke in vielen amerik. Mus., vor allem in New York, Metrop. Mus.; Washington, Gall.; Boston, Mus.
Lit.: A. Segard, ³1914. E. Valerio, 1930. M. Brenning, 1944. A. Breeskin, *Cat. raisonné*, 1948. J. Rewald, *Gesch. d. Impression.*, 1957 (m. Bibliogr.).

Cassinari, Bruno, ital. Maler u. Lithograph, * Piacenza 1912, tätig in Mailand, Vertreter der jungen ital. Malerei, von der «Ecole de → Paris», bes. → Modigliani, u. von Kubisten beeinflußt. Gehört seit ca. 1940 der Künstlergruppe «Corrente» an.
Lit.: D. de la Sanchère, 1950. M. Ramous, 1951. A. Verdet, 1959 (Musée de Poche). *Documenta II, Kassel*, 1959 (Bd. Malerei).

Castagno, Andrea del, ital. Maler, Castagno b. Florenz 1423–1457 Florenz, gehört zu den Bahnbrechern der florent. Frührenaissance, tätig haupts. in Florenz (1442–44 in Venedig). Geht von → Masaccio aus, nachhaltig von → Donatello beeinflußt. Er malte in einem «erdhaft-monumentalen» Naturalismus u. gestaltete die derben wuchtigen Gestalten in plastischer Eindringlichkeit. In mancher Hinsicht mit P. → Uccello u. D. → Veneziano zu vergleichen.
Hauptwerke: *Fresken in S. Zaccaria*, Venedig, 1442. *Fresko des Abendmahls*, Refektorium des Klosters S. Apollonia, Florenz. Weitere Werke sind hier heute vereinigt (C.-Mus.): Fresken der *Kreuzigung, Grablegung, Auferstehung*, 1446–48. Fresken der *uomini famosi*, Kolossalfiguren berühmter Männer u. Frauen, aus der Villa Carducci-Pandolfini in Lagnaia: Dante, Farinata, Pippo Spano, Boccaccio, u. a., 1450–53, ebda. Fresko im Dom von Florenz: *Reiterbild des Niccolò da Tolentino*, 1456. Zugeschrieben: *Kreuzigung*, London, Nat. Gall. *Madonna in der Glorie zwischen Heiligen*, Berlin, ehem. K.-F.-Mus. *Porträt eines Mannes*, Florenz, Gall. Pitti u. a.
Lit.: G. Fiocco, 1927. W. R. Deusch, 1928. G. Sinibaldi in: L'arte 36, 1933. M. Salmi, *P. Uccello, C., D. Veneziano*, 1937. G. M. Richter, 1943. M. Salmi, *Gli affreschi di C. ritrovati* in: Boll. d'arte, 35, 1950. R. v. Marle, *Ital. Schools* X, 1928. *Ausst.-Kat.* Florenz 1954.

Castell, Anton, dt. Maler, Dresden 1810–1867 ebda., Dresdener Landschaftsmaler, ausgebildet unter J. C. → Dahl. Die meisten Bilder aus Dresden u. Umgebung; bevorzugte Abendstimmungen, Sonnenuntergänge, Mondschein.
Lit.: Fr. v. Bötticher, *Malerwerke des 19. Jh.*, Bd. 1., 1891. E. Sigismund in: Th.-B. 1912.

Castello, Bernardo, ital. Maler, Albaro b. Genua 1557–1629 Genua, Schüler des L. → Cambiaso, tätig in Genua; viele Werke für Kirchen u. vornehme Häuser ebda.; außerdem in Rom (1604) u. Turin tätig. Auch Bildnismaler; ferner Zeichnungen für Tassos «Befreites Jerusalem». In Rom Werke in S. Maria sopra Minerva u. in der Gall. Colonna (*Der Parnass*). 2 *Laudschaften* in Hannover, Kestner-Mus.
Lit.: F. Noack in: Th.-B. 1912. O. Grosso in: Enc. Ital. 1931.

Castello, Valerio, ital. Maler, Genua 1625–1659 ebda., Vertreter der genues. Barockmalerei, Sohn des Bernardo → C., aufgewachsen in der Tradition der genues. Spätrenaissancemalerei (→ Cambiaso), beeinflußt von P. del → Vaga, weitergebildet in Mailand unter dem Einfluß des → Procaccino u. in Parma unter dem des → Correggio. Zurückgekehrt in s. Heimat, erfuhr er auch den Einfluß von → Rubens u. van → Dyck, welche beide in Genua tätig waren u. Werke hinterließen. C. entfaltete hier eine reiche Tätigkeit: Fresken für Genueser Kirchen u. Paläste, Fassadenmalereien, kirchliche u. mythol. Tafelbilder u. a. Sein Hauptschüler → Magnasco. Werke: In Kirchen Genuas; in der Gall. Brignole im Pal. Rosso, ebda. (dort ein Hauptwerk: *Raub der Sabinerinnen*, Replik in den Uff., Florenz). Paris, Louvre (*Moses*); in den Mus. v. Oslo, Orléans, Nantes u. a. Zeichn. in Paris, Louvre; Pal. Rosso, Genua; Florenz, Uff.
Lit.: Bernath in: Th.-B. 1912. O. Grosso in: Enc. Ital. 1931.

Castiglione, Giovanni Benedetto, gen. *il Grechetto*, ital. Maler u. Radierer, Genua 1616–1670 Mantua, Schüler des → Ferrari, tätig in Genua, Venedig, Rom u. als Hofmaler in Mantua. Landschafts- u. Tiergemälde mit bibl. Themen. Von van → Dyck u. → Rembrandt beeinflußter glänzender Tiermaler; seine etwa 70 Radierungen mit Helldunkelwirkung von hoher Güte. Hauptthemen s. Bilder: *Noah mit den Tieren der Arche. Jakobs Zug mit den Herden*, in Florenz, Uff.; Dresden, Gal.; Wien, Gal.; Genua, Gal., u. a. Zeichn. in d. Albertina, Wien.

Castilho, Joao de, portug. Arch. des 16. Jh., aus Santander, † 1551 Lissabon, Schöpfer u. Hauptmeister des sog. manuelischen Baustils in Portugal, der aus einer Mischung naturalist.-spätgot. Bauweise mit Ornamenten der Frührenaissance besteht, auch indische u. maurische Einzelheiten aufweist u. eine unerhörte Pracht entfaltet. Sein Hauptwerk ist das *Hieronymitenkloster u. die Kirche zu Belém* b. Lissabon, 1517–51 (Convento dos Jeronymos de Belém); beg. 1500 v. Boytaca, 1517 ff. hatte C. die Bauleitung inne. Sein Meisterwerk: *Kreuzgang*, ebda. Ferner: Chor der *Kirche des Christus-*

klosters zu Thomar, 1519 ff., mit dem Kapitelhaus. Die Loggia der *Capellas imparfeitas* des Klosters Batalha, 1533.
Lit.: A. Haupt in: Th.-B. 1912.

Castillo, Juan del, span. Maler, Sevilla 1584 bis 1640 Cadiz, gehört zu den Wegbereitern der großen Meister der Sevillaner Malerschule, Lehrer von A. → Cano, → Murillo u. P. de → Moya. Schüler des Luis Fernandez, tätig in Granada, Sevilla u. Cadiz. Hauptwerk: *Hochaltar aus dem Kloster Montesión* mit Darstellungen aus dem Leben Mariä, Sevilla, Mus. *Altäre in der Kirche S. Juan de Alfarache* in Sevilla.
Lit.: E. Lafuente Ferrari, *Breve hist. pint. españ.*, 1953.

Castillo y Saavedra, Antonio del, span. Maler u. Bildhauer, Cordoba 1603–1667 ebda., andalus. Meister aus dem Kreise des → Zurbarán, tätig in Cordoba, schuf zahlreiche religiöse Werke für die Kathedralen u. Kirchen Cordobas, als Bildnismaler geschätzt, ferner Historienbilder, Hirtenstücke. Modellierte in Ton Vorlagen für Goldschmiedearbeiten u. a. Von Zurbarán, dessen Schüler er war, später auch von → Murillo beeinflußt. Werke: *Anbetung der Hirten*, Madrid, Prado. *Verleugnung Petri*, Cordoba, Mus. *Kreuzigung*, ebda. *Geschichte Josephs*, Bilderfolge im Prado, Madrid.

Castres, Edouard, schweiz. Maler, Genf 1838 bis 1902 Etrembières b. Genf, Schüler von → Menn. Genre- u. Schlachtenbilder, Szenen aus dem Orient, aus dem Mönchsleben; Militärbilder. Sein Hauptwerk ist das große, 1890 in Luzern aufgestellte Rundgemälde (Panorama): *Übergang der franz. Ostarmee b. Verrières in die Schweiz 1871.* Werke u. a. in den Mus. v. Genf, Lausanne, Winterthur.
Lit.: Brun, *Schweiz. Künstlerlex.*, 1905. Huggler/Cetto, *Schweiz. Mal. im 19. Jh.*, 1942.

Catel, Franz, dt. Maler, Berlin 1778–1856 Rom, Hauptvertreter der dt.-röm. Landschaftsmalerei, bildete sich 1807 ff. in Paris, 1811 ff. in Rom tätig, wo er zeitweilig mit den «Klosterbrüdern» (→ Nazarener) verkehrte, in s. Kunst von → Koch u. → Reinhart beeinflußt, warf sich aber bald ganz auf die ital. Vedutenmalerei u. auf Genreszenen. Sein bekanntestes Bild: *Die dt. Künstlergesellschaft mit Kronprinz Ludwig v. Bayern in der span. Weinkneipe auf Ripa Grande*, 1824, München, N. P. Einziges religiöses Werk: *Auferstehung Christi*, 1834, Luisenkirche, Charlottenburg. Vertreten ferner u. a. in München, N. P. u. Schackgal.; Berlin, ehem. Nationalgal.; Hamburg, Kunsth.
Lit.: *Kat. dt. Jh.-Ausst.*, Berlin 1906. Fr. Noack in: Th.-B. 1912. W. R. Deusch, *Malerei d. dt. Romantiker*, 1937.

Catena, Vincenzo di Biagio, gen. C., ital. Maler, Venedig um 1470–1531 ebda., Vertreter der venez. Hochrenaissance, unter dem Einfluß → Vivarinis, Schüler Giov. → Bellinis, von → Giorgione beeinflußt, schuf religiöse Werke u. Bildnisse.
Hauptwerke: *Großes Präsentationsbild des Dogen Loredan*, der, von den hll. Markus u. Johannes d. T. empfohlen, vor der Thronenden Madonna kniet, Venedig, Dogenpalast, Sala dei Capi di Consiglio. *Halbfigurenbilder der Santa Conversazione* (Madonna mit Heiligen), Venedig, Akad.; London, ehem. Slg. Mond; Budapest, Gal. *Hl. Christine*, 1520, Venedig, S. Maria Mater Domini. *Halbfigurenbild der Schlüsselübergabe*, Madrid, Prado. *Noli me tangere*, Mailand, Brera. *Christus in Emmaus*, Bergamo, Gall. Carrara. Bildnisse: *Männl. Bildnis*, Wien, Kunsthist. Mus. *R. Fugger*, Berlin, ehem. K.-F.-Mus.
Lit.: R. v. Marle, *Ital. Schools* 18, 1936. E. v. d. Bercken, *Mal. d. Renaiss. in Oberital.* (Handb. d. K. W.), 1927. G. Robertson, 1954 (engl.). B. Berenson, *Venetian schools I*, 1957 (Phaidon).

Cauer, Kreuznacher Bildhauerfamilie des 19. Jh.; Mitglieder:
Emil, Stammvater der Familie, Dresden 1800 bis 1867 Kreuznach, seit 1832 ebda. tätig, schuf Gestalten aus der Reformationszeit u. Märchenfiguren. Von s. Söhnen führte
Karl, 1828–1865, das Kreuznacher Atelier weiter u. schuf Denkmäler, Bildnisse u. klassizist. Statuen. *Robert*, 1831–1893, setzte 1888 ff. in Kassel die Märchenplastik des Vaters fort. Karls Sohn *Hugo*, 1864–1914, führte das *Hutten-Sickingen-Denkmal* auf der Ebernburg aus, zus. mit s. Brüdern *Ludwig* u. *Emil*, die als Denkmalplastiker in Berlin tätig waren. Roberts Sohn
Stanislaus, * 1867, Prof. der Akad. Königsberg, schuf Denkmäler, Bildnisse, Aktfiguren.

Cavael, Rolf, dt. Maler, * Königsberg 1898, Vertreter der abstrakten Malerei, vor allem von → Kandinsky beeinflußt, den er 1931 kennen lernte. Mitglied der Gruppe «Zen 49».
Lit.: *Ausst.-Kat. Dt. Künstlerbund* 1950, Berlin 1951. M. Seuphor, *Knaurs Lex. abstr. Malerei*, 1957. G. Hassenpflug, *Abstrakte Maler lehren*, 1959.

Cavallini, Pietro, ital. Maler des 13. Jh., Hauptmeister der röm. Malerei vor dem Auftreten → Giottos, schuf große kirchl. Freskenwerke u. Mosaikfolgen. C. zeigt in s. Stil eine statuarische Auffassung der Figuren, klare Verteilung von Licht u. Schatten, Andeutung des Raumes. Die byzant. Flächenhaftigkeit war damit überwunden. C., ein Wegbereiter der Kunst Giottos, war in Rom tätig; 1308 im Dienst des Hofes von Neapel. Hauptwerke: Fresken in *S. Paolo fuori le mura*, Rom, um 1270–90 (nur in Kopien erhalten). *Mosaikfolge des Marien-*

lebens in S. Maria in Trastevere, Rom, um 1291. *Fresko des Jüngsten Gerichtes* in S. Cecilia, Rom, Anf. der 90er Jahre. *Fresken von S. Maria Donna Regina* in Neapel, ausgeführt wohl von Schülern, um 1320. Lit.: F. Hermanin in: Th.-B. 1912. A. Venturi V, 1907. J. Wilpert, *Die röm. Mosaiken u. Malereien d. kirchl. Bauten* v. 4.–13. *Jh.*, 1916 (in farb. Abb.). P. Toesca, *Storia dell'arte* 1, 1927. R. Oertel, *Die Frühzeit d. ital. Malerei*, 1953. E. Lavagnino, 1953. Ders. in: Enc. Univ. dell'Arte 3, 1958.

Cavallino, Bernardo, ital. Maler, Neapel 1622 bis 1654 ebda.,Vertreter der Neapolitaner Barockschule, Schüler von A. → Vaccaro u. M. → Stanzioni, beeinflußt von → Caravaggio, → Ribera u. a.-Werke in Neapel, Gal.: *Abels Tod, Judith, Gleichnis vom barmherzigen Samariter* u. a.; Rom, Gall. Corsini: *Abschied des Tobias*; Verona, Mus.: *Christus u. die Ehebrecherin*; ferner in Braunschweig, Stockholm, München u. a.
Lit.: A. de Rinaldis, 1921. A. Venturi in: L'arte 24, 1921. O. Benesch in: Wiener Jb. 1, 1926. N. Pevsner, *Malerei des Barock* (Handb. d. K. W.), 1927.

Cavazzola, Paolo Morando, gen. il C., ital. Maler, Verona 1486–1522 ebda., Hauptmeister der verones. Malerschule der Renaissance, Schüler von → Bonsignori u. F. → Morone, schuf religiöse Darstellungen u. Porträts. In s. Stil strebt C. eine große Auffassung der Gestalten, Harmonie in Aufbau u. Farben an; in s. späteren Werken von → Raffael beeinflußt. Hauptwerke: 5 *Passionsdarstellungen*, 1517, Verona, Gall. *Fresko der Taufe Christi*, ebda. *Madonna mit Engeln u. Heiligen*, 1522, ebda. *Hl. Rochus*, 1518, London, Nat. Gall. *Männl. Bildnis*, Dresden, Gal. Weitere Werke in Verona, Mailand, Budapest u. a.
Lit.: C. Gamba in: Th.-B. 1912. B. Berenson, *Oberital. Maler d. Renaiss.*, 1925.

Cavedoni (Cavedone), Giacomo, ital. Maler, Sassuolo (Modena) 1577–1660 Bologna, Barockmeister der bolognes. Malerschule, Schüler des L. → Carracci in Bologna, soll 1510 unter → Reni in Rom gearbeitet haben, sonst meist in Bologna. Unter dem Einfluß der venez. Meister. Hauptwerke: *Geburt Christi*, Bologna, S. Paolo. *Anbetung der hl. 3 Könige*, ebda. *Madonna mit Heiligen*, 1614, Bologna, Pinac. Weitere Werke in Bologna, Pinac.; Florenz, Uff.; Modena, Gall.; Neapel, Mus.; Madrid, Prado; Paris, Louvre; München, A. P.; Stuttgart, Gal.; Wien, Mus.
Lit.: N. Pevsner, *Barockmalerei in Italien* (Hb. d. K. W.), 1928.

Caxès, Eugenio, span. Maler ital. Abkunft, Madrid 1577–1642 ebda., 1612 Hofmaler, malte 1615, zus. mit Vicente → Carducho, das *Sagrario* der Kathedr. von Toledo aus u. gemeinsam mit demselben die

Gemälde des *Hochaltars im Kloster Guadelupe*, 1618. Weitere Fresken, Altarbilder, Historienbilder. Im Prado-Mus. Madrid: *Der hl. Ildefonso, die Casula empfangend.*
Lit.: M. v. Boehn in: Th.-B. 1912.

Cazin, Jean-Charles, franz. Maler, Radierer u. Keramiker, Samer 1841–1901 Lavandou, feiner Landschaftsmaler, eine Zeitlang für eine engl. Steinzeugfabrik tätig, der er Modelle für Vasen, Schalen, Teller usw. lieferte; ließ sich 1876 in Boulogne, später in Paris nieder. Bibl. Bilder, bei denen die Landschaft eine große Rolle spielt, später sind die Figuren nur noch Begleitelement; ferner reine Landschaftsbilder, auch radierte Landschaften. Die Werke C. s enthalten atmosphärische Stimmungen von poetischem Reiz: Nebel-Regen-Abend-Stimmung. Beisp. s. bibl. Bilder: *Flucht nach Ägypten*, 1877. *Reise des Tobias*, 1878. Werke in vielen franz. Mus., ferner in New York, Metrop. Mus.; Chicago, Art Inst.; Berlin, ehem. Nat. Gal. u. a.
Lit.: L. Bénédite, 1901. H. Vollmer in: Th.-B. 1912.

Ceccharelli, Naddo, ital. Maler des 14. Jh., Meister der Sieneser Schule, Nachfolger des S. → Martini; in s. Art zu vergleichen mit A. → Vanni u. Luca di Tomé. Werke: *Altarwerk*, Siena, Gall. *Madonna mit Kind*, Richmond, Slg. Cook. *Toter Christus*, Vaduz, Slg. Liechtenstein. *Madonna*, Budapest, Mus. Zugeschrieben: *Madonna mit Kind*, Rom, Gall. Borghese. *Madonna*, Berlin, ehem. K.-F.-Mus.
Lit.: M. H. Bernath in: Th.-B. 1912. A. Venturi V, 1907. R. v. Marle, *Ital. Schools* II, 1924.

Cederström, Gustav, schwed. Maler, Krusenberg b. Uppsala 1845–1933 Stockholm. Realist. Bilder aus der schwed. Geschichte u. aus dem Volksleben. Werke in den Mus. v. Stockholm, Uppsala, Göteborg, München (N. P.).

Celentano, Bernardo, ital. Maler, Neapel 1835 bis 1863 Rom. Der jung verstorbene Künstler galt als eine der größten Hoffnungen der jungen realist. Historienmalerei, welche den Akademismus zu überwinden hoffte; deren Hauptvertreter D. → Morelli. Der künstlerische Nachlaß C.s in der Gall. d'arte moderna, Rom.
Lit.: Lubrano-Celentano, 1893. L. Callari in: Th.-B. 1912.

Cellini, Benvenuto, ital. Goldschmied u. Bildhauer, Florenz 1500–1571 ebda., lernte bei → Bandinelli u. arbeitete in verschiedenen Werkstätten in Florenz, Bologna u. Rom. 1523ff. längerer Aufenthalt in Rom, wo er für Klemens VII. arbeitete. 1537 kam er an den Hof Franz I. von Frankreich, ein 2. Mal 1540–45. Sonst meist in Florenz, wo er für Cosimo de'Medici tätig war u. eine große Werkstatt besaß. Bronzestatuen, Büsten, Marmorwerke; an Goldschmiedearbeiten nur eine bekannt. Im Stil geht er von → Michelangelo aus; in der etwas kalten techn. Meisterschaft u. den langgestreckten Körpern ist er Manierist, andere Züge s. Kunst weisen auf den Barock.

Hauptwerke: *Bronzestatue des Perseus*, 1554, Florenz, Loggia dei Lanzi. Sog. *Nymphe von Fontainebleau*, Bronzerelief, 1543–44, Paris, Louvre. *Bronzebüste Cosimos I*. 1548, Florenz, Bargello. Einzige heute bekannte Goldschmiedearbeit: das berühmte *Salzfaß* für Franz I., Wien, Kunsthist. Mus. C. hat sein abenteuerreiches Leben glänzend erzählt in seiner berühmten, von Goethe übersetzten Selbstbiographie. Außerdem verfaßte er: «Due trattati (dell'oreficeria e della scultura)», 1568, dt. Ausg. v. Brinckmann, 1867, u. De Mauri, 1927.

Lit.: E. Plon, 1882–84. Supino, 1901. H. Focillon, 1911. Th. Harlor, 1924. M. H. Bernath u. G. F. Hill in: Th.-B. 1912. A. Venturi X, 2, 1936. J. v. Schlosser, *Das Salzfaß v. B. C.* in: *Präludien*, 1927.

Cennini, Cennino, ital. Maler, * Colle di Valdelsa um 1370, Schüler des A.→ Gaddi, somit zur direkten Nachfolge → Giottos gehörend. Von ihm keine Werke beglaubigt, bekannt als Verfasser des berühmten Traktates: «Trattato della pittura», um 1400, das über Studium, Technik u. Werkstatterfahrungen der Maler des 14. Jh. der Giotto-Schule ausführlich Auskunft gibt. Ausg.: Text u. Übers. (engl.) hg. v. D. V. Thompson, 1932–33. Dt. Übers. v. A. Ilg, Quellenschriften f. Kunstgesch. 1, 1871. Lit.: J. v. Schlosser, *Kunstliteratur*, 1924.

Cerano → Crespi, Giuseppe Maria.

Cerquozzi, Michelangelo, gen. *M. delle Battaglie* oder *delle Bambocciate*, ital. Maler, Rom 1602 bis 1660 ebda. Schlachten- u. Genremaler, Schüler des → Cesari, wandte sich, nachdem P. van → Laer die sog. Bambocciatenmalerei in Mode brachte, von der Schlachtenmalerei dieser zu mit Szenen aus dem Volksleben in niederl. beeinflußter realist. Malweise, in welcher er große Erfolge hatte. Beisp.: *Zahnarzt auf Piazza Navona*, Rom, Gall. d'arte naz. Werke in den röm. Gal.; Florenz, Uff.; Neapel, Mus.; München, A. P.; Dresden, Gal. u. v. a.

Lit.: Fr. Noack in: Th.-B. 1912.

Ceruti, Giacomo, ital. Maler, 18. Jh., aus Mailand (oder Brescia), tätig um 1750 in Mailand u. Padua. Kirchliche Fresken u. Altarbilder, Stilleben u. Porträts. Werke in Padua, S. Antonio: *Altarbild mit Taufe der S. Giustina;* in S. Lucia: *Jungfrau zwischen Heiligen*. In Mailand, Brera: *Stilleben, Fruchtstück, Männl. Bildnis, Selbstbildnis;* ferner in Brescia, Gal.

César, eig. César Baldaccini, franz. Bildhauer, * Marseille 1921, tätig in Paris, Vertreter der jungen ungegenständl. Plastik.

Lit.: M. Seuphor, *Plastik unseres Jh.*, 1959.

Cesare da Sesto, ital. Maler, Sesto Calende 1477 bis 1523 Mailand, Meister aus dem Umkreis → Leonardos, um 1505–06 in Rom, wo er mit der vorraffaelischen Kunst, bes. mit der B. → Peruzzis in Berührung kam, 1505–10 in Mailand in der unmittelbaren Umgebung Leonardos. Er hat dort aufs verständnisvollste sich den Spätstil Leonardos zu eigen gemacht: die Durchbildung der plastischen Erscheinung durch malerische Mittel. Abermals in Rom, kam er in enge Fühlung mit der Kunst → Raffaels. 1514ff. in Messina u. Neapel; fand hier einige geschickte Schüler u. Nachahmer wie G. → Alibrando u. Andrea da Salerno. Von 1520 an wieder in Rom.

Werke: Kleine *Madonnenbilder* in Mailand, Brera; Mus. Poldi-Pezzoli, ebda. u. Straßburg. *Hl. Hieronymus*, Richmond, Slg. Cook. *Brustbild des hl. Hieronymus*, Mailand, Brera. Kniestücke d. *Madonna mit je 2 Heiligen*, Leningrad, Eremitage u. Slg. Countess of Carysfort. *Halbfigur einer Märtyrin*, Rom, Slg. Borghese. *Salome*, Wien, Gal. *Madonna zwischen Heiligen*, Richmond, Slg. Cook. Sein *Skizzenbuch* in der Morgan Library, New York. Schöne Rötelzeichn. in Mailand, Ambrosiana; Wien, Albertina; Windsor.

Lit.: A. Venturi VII, 4, 1915. W. Suida, *Leonardo u. s. Kreis*, 1929. B. Berenson, *Pitture ital. del Rinascimento*, 1936. G. Nicodemi, 1932. W. Suida in: Th.-B. 1936.

Cesari, Giuseppe, gen. *Cavaliere d'Arpino*, ital. Maler, Rom um 1568–1640 ebda. Berühmter Künstler des röm. Spätmanierismus, erhielt große Aufträge von den Päpsten Sixtus V., Klemens VIII., Paul V. u. schmückte zahlreiche Kirchen u. Paläste mit Dekorationsmalereien (Wandbilder u. Deckenfresken). Hauptwerke dieser Art in Rom: das riesenhafte *Fresko der Himmelfahrt Christi* in der Lateranbasilika u. die monumentalen *Fresken aus der altröm. Geschichte* im Konservatorenpalast, 1597–1636. Auch in Neapel als Freskenmaler tätig. Tafelbilder in den Mus. v. Modena, Dresden, München u. a.

Lit.: G. Sobotka in: Th.-B. 1912. N. Pevsner, *Ital. Barockmalerei* (Handb. d. K. W.), 1928.

Céspedes, Pablo de, span. Maler, Cordoba 1538 bis 1608 ebda., gehört zu den span. «Romanisten», begab sich 1565 für 7 Jahre nach Rom, begeisterte sich für → Raffael u. bes. für → Michelangelo, malte in eklektischem Stil: *Fresken in S. Trinità de'Monti* in Rom; *Fresken mit allegor. Darstell. im Kapitelsaal der Kathedr. von Sevilla*, um 1586; Hauptwerke in der Kathedrale von Cordoba: *Abendmahl*, u. a.; in

weiteren Kirchen von Cordoba; Sevilla, Mus. u. a.
Lit.: F. M. Tubino, 1868. A. Giannini in: Enc. Ital.
1931. E. Lafuente Ferrari, *Breve Hist. de la Pint.
Españ.*, 1953.

Ceulen, Cornelis Janssens van → Jonson van Ceulen.

Cézanne, Paul, franz. Maler, Aix-en-Provence 1839
bis 1906 ebda., Hauptmeister der nachimpressionist.
Kunst, 1861 in Paris, wo er sich autodidaktisch am
Studium der Barockmaler, an → Delacroix u.
→ Daumier bildete. Sein Jugendfreund Emile Zola
machte ihn mit den Impressionisten bekannt, von
denen ihn namentlich → Pissarro beeinflußte, der
ihn 1873 nach Auvers-sur-Oise mitnahm u. in die
Freilichtmalerei einführte. 1879 kehrte er in s.
Vaterstadt zurück, wo er mit wenigen Unterbrechungen dauernd blieb u. in völliger Zurück-
gezogenheit u. ohne Verbindung zum Pariser
Kunstleben schuf. C. begann mit einer romant.-
barocken Dunkelmalerei (Hauptwerk dieser Epoche:
Die Entführung, 1865). Unter dem Einfluß Pissarros
Aufhellung s. Palette; er wandte sich dem atmosphärischen Freilicht zu. Nach s. Rückkehr nach Aix
entwickelte C. s. eigenen Stil: Er erstrebte eine
rhythmisch gegliederte Verfestigung der Bildkom-
position; die Naturformen führte er auf einfache
geometrische Grundelemente zurück; die Farbe
wird zum Hauptmittel der Komposition: nicht die
Zeichnung oder Licht u. Schatten schaffen den
Bildaufbau, sondern die fein gegeneinander abgestimmten Farbwerte. Die künstlerischen Entdeckungen C.s sind allmählich Allgemeingut geworden. Alle Richtungen der modernen gegenständlichen Kunst, wie Fauvismus, Kubismus,
Neoklassik u. a. hatten C. die nachhaltigsten Impulse
zu verdanken.
Werke aus der frühen Epoche: *Enlèvement* (Entführung), 1865. *La tentation de Saint-Antoine; La
Madeleine*, Paris, Louvre. *Le nègre Scipion*, 1866–68,
Sao Paulo, Mus. Aus der Zeit des impressionist.
Einflusses: *La maison du pendu*, 1873, Paris, Louvre.
La maison du Docteur Gachet, Basel, Mus. Aus der
klass. Epoche: *La mer à l'Estaque*, 1876. *Selbstbildnis*,
1880, Bern, Kunstmus. *La Commode*, München,
Staatsgal. *Le vase bleu*, Paris, Louvre. *Le mardi-gras*,
Moskau, Mus. *Portrait de Gustave Geffroy; Le garçon
au gilet rouge; La Montagne Sainte-Victoire*, 1885–87,
London, Slg. Courtauld (andere Ex. in Zürich,
Amsterdam). Spätwerk: *Les Grandes Baigneuses*, 1905
voll. (Paris, Privatslg.). Sehr gut vertreten auch in:
Basel, Kunsth.; Berlin, Nat. Gal.; London, Tate
Gall.; Zürich, Kunsth.
Lit.: A. Vollard, 1914; dt. 1921. J. Meier-Graefe,
1910 u. ö. R. Fry, 1927. G. Mack, 1935. L. Venturi,
1936 (m. Werkverzeichn. u. Bibliogr.). M. Raynal,
1936. J. Rewald, 1936. R. Huyghe, 1936. F. Novotny, 1938. G. Jedlicka, 1939. H. Graber, *C. nach*

eigenen u. fremden Zeugnissen, 1942. J. Gasquet, *C.* 1921
u. 1926; dt. 1930 u. 1948 (Gespräche mit C.).
B. Dorival, 1948; dt. 1949. A. Lhote, 1949. K. Badt,
1956. M. Raynal, *De Goya à Gauguin*, 1951 (Skira).
G. Schmidt, *Aquarelle*, 1952. A. Chappuis, *Dessins*,
1959. A. Neumeyer, *Drawings*, 1959. Enc. Univ.
dell'Arte 3, 1958.

Chabaud, Félix, franz. Bildh., Medailleur u.
Gemmenschneider, Venelles 1824–1902 ebda.,
Schüler von → Pradier, am bildhauerischen
Schmuck der Pariser Oper beschäftigt. Für die
Hauptfassade schuf er: *Bronzebüsten berühmter Kom-
ponisten;* für die Balustraden der Seitenfassaden:
Bronzene Lichtträgerfiguren u. a.

Chadwick, Lynn, engl. Bildh., * London 1914, führender Vertreter der modernen engl. ungegenständlichen Plastik, begann unter dem Einfluß von
→ Calder mit «Mobiles», ging dann zu «insektenhaft-
skurrilen» Eisenplastiken über u. fand s. eigenen
Stil in Einzelgestalten u. Gruppen, die «ein Gleich-
gewicht von Struktur u. Masse, von strikter Geo-
metrie u. biodynamischer Transformation der Gestalt von Menschen u. Tieren erlangten».
Lit.: H. Read, 1958. C. Giedion-Welcker, *Plastik d.
20. Jh.*, 1955. L'Oeil 26, 1956. M. Seuphor, *Plastik
unseres Jh.*, 1959.

Chagall, Marc, russ. Maler u. Graphiker, * Witebsk
1887, bildete sich 1910–14 in Paris unter dem Einfluß der → Fauves, von → Matisse u. der Kubisten
(→ Picasso, → Léger u. a.). Aus den Elementen
der Kunst der Fauves, der russ. Volkskunst, jüdisch-
mystischen u. traumhaften Elementen bildete er s.
eigenen expressiv gestalteten Stil aus, der Einfluß
bes. auf die dt. Expressionisten hatte. Die Ch.-Ausst.
in der Gal. «Der Sturm» in Berlin 1914 fand einen
großen Widerhall. 1915 kehrte Ch. nach Rußland
zurück; 1922 nahm er seine Tätigkeit wieder in
Frankreich auf, unterbrochen durch einen Amerika-
Aufenthalt 1941–47; seit 1949 in Vence lebend.
Sehr bedeutend ist auch Ch.s Tätigkeit als Radierer.
Ch. schrieb: «Mein Leben», 1961.
Hauptwerke: 96 Radierungen zu Gogols «Die toten
Seelen» (erschienen 1949), 100 Rad. zu den Fabeln
von La Fontaine (beg. 1927, erschienen 1952);
Bibelillustrationen; diese Illustrationen wurden im
Auftrag des Kunsthändlers u. Verlegers Vollard aus-
geführt. Entwürfe für die Szenenhintergründe u. die
Kostüme zu Strawinskys Ballett «Feuervogel».
Werke in New York, Metrop. Mus.; Essen, Folk-
wang-Mus.; Basel, Kunsth., u. v. a.
Lit.: A. Salmon, 1928. Th. Täubler, 1922. L. Ven-
turi, 1945 (m. Bibliogr.). J. J. Sweeney, 1946. R.
Maritain, 1949 (franz.). W. Erben, 1957. J. Las-
saigne, 1957.

Chalgrin, Jean-François, franz. Arch., Paris 1739 bis 1811 ebda., Hauptmeister des franz. Klassizismus, Schüler → Servandonis, weitergebildet in Italien, tätig in Paris, 1770 ff. Mitglied der Acad. d'architecture. Sein Hauptwerk ist der Triumphbogen, *Arc de triomphe*, an der Place de l'Etoile in Paris, beg. 1806, voll. 1837 von A. Blouet, das weithin sichtbare napoleon. Siegesdenkmal am Ende der Champs-Elysées, nach röm. Vorbildern, denen gegenüber es eine gewisse Selbständigkeit wahrt. (An ihm die Hochreliefgruppe der Marseillaise von → Rude.) Weitere Werke in Paris: *Théâtre de l'Odéon*, 1799. Die Kirche *Saint-Philippe-du-Roule*, mit viersäuliger Vorhalle u. stark ausladendem Hauptgesims.
Lit.: G. Pauli, *Kunst d. Klassizismus u. d. Romantik*, 1925.

Chambers, William, engl. Arch. u. Gartenkünstler, Stockholm 1726–1796 London, klassizist. Arch. u. bedeutender Gartenkünstler, kam in jungen Jahren nach China, um Bau- u. Gartenkunst zu studieren. Später in Paris u. Italien Studium der Bauten des →palladian. Klassizismus. Als Gartenarch.: Schöpfer der romant. Gestaltung der engl. Gärten.
Wichtigste Bauwerke: *Somerset House*, London (der ursprüngliche Plan). *Kasino* b. Dublin; weitere Bauten in Dublin. Gärten: die Gestaltung der *königl. Gärten in Kew* (London). Ch. veröffentlichte: «Designs of Chinese buildings», 1753. «Dissertation on Oriental gardening», 1772 (dt. 1775) u. a.
Lit.: G. Pauli, *Kunst d. Klassizismus u. d. Romantik*, 1925. N. Pevsner. *Europ. Architektur*, 1957.

Champaigne (Champagne), Philipp v., fläm.-franz. Maler, Brüssel 1602–1674 Paris, Hauptmeister der franz. Porträtkunst, erhielt seine erste Ausbildung in Brüssel bei Jacques Fouquières, kam 1621 nach Paris u. war mit → Poussin an der Ausschmückung der Gemächer für Maria Medici im Palais de Luxembourg beschäftigt. Hervorragend als Bildnismaler; 1628 ff. Hofmaler Ludwigs XIII. In s. Stil vereinigte er fläm. Realismus u. franz. Tradition mit dem Einfluß Poussins. Nach s. Hinwendung zu den Jansenisten von Port-Royal vertiefte sich die psychologische Eindringlichkeit s. Stiles. Glänzende Stecher wie C. → Mellan, R. → Nanteuil u. vor allem J. → Morin verbreiteten s. Kunst.
Hauptwerke: *Altarbild mit Darstellung des Abendmahles*, 1648, Paris, Louvre. *Szenen aus dem Leben d. hl. Benedikt*, Brüssel, Mus. *Der tote Christus*, Paris, Louvre. *Flucht nach Ägypten*, um 1645, Senlis, Kathedrale. *Adam u. Eva, den Tod Abels beklagend*, Wien, Mus. Bildnisse in Paris, Louvre: *Die Tochter des Künstlers, Catharina v. Sainte-Suzanne u. Mutter Agnes; Richelieu; Louis XIII; Selbstbildnis*, 1668.– *Der Abt v. Saint-Cyran*, 1643, Grenoble, Mus. Werke in Paris,

Louvre; ferner in Versailles u. vielen franz. Mus.
Lit.: H. Stein in: Th.-B. 1912. H. S. Ede, *The drawings of Ch.* in: Art in America XII, 1924. W. Weisbach, *Ch. u. Port-Royal*, 1929. Ders., *Malerei d. 17. Jh.*, 1932. A. Mabille de Poncheville, 1938. Dorival, *La peinture franç.*, 1942.

Champion, Theo, dt. Maler, Düsseldorf 1887–1952 Zell a. d. Mosel, 1950 ff. Prof. der Akad. Düsseldorf, malte Landschaften von schlichter Sachlichkeit.

Chao Meng-fu, berühmter chines. Maler, 1254 bis 1322. Gilt als bedeutender Landschafter u. Blumenmaler, auch Pferdedarsteller.
Lit.: O. Kümmel in: Th.-B. 1912.

Chapu, Henri, franz. Bildhauer, Lemée 1833–1891 Paris, arbeitete in dem konventionellen Stil s. Zeit allegor. u. mythol. Figuren, Grabmäler u. Büsten. Seine besten Leistungen: Medaillen u. Plaketten.
Lit.: O. Fidière, 1894.

Chardin, Jean-Baptiste-Siméon, franz. Maler, Paris 1699–1779 ebda., Hauptmeister des 18. Jh., vertritt mit s. Kunst des Stilleben, der Genremalerei u. schlichter Pastellbildnisse die bürgerliche Richtung gegenüber der höfischen eines → Boucher. Schüler von Cazes, knüpfte an die Kunst der Niederländer an; in der Feinheit der Lichtabstufungen, der Farbenzusammenstellung u. im klaren Bildaufbau ist er über die Holländer hinausgegangen. Seine Bilder, Wunderwerke der Farbe, drücken die Poesie der einfachen Dinge zauberhaft aus. Bindeglied von der holl. Kunst des 17. zum malerischen Realismus des 19. Jh.
Werke: *La pourvoyeuse* (Die Magd), 1739, Paris, Louvre. *Die fleißige Mutter*, 1740, Paris, Louvre. *Das Tischgebet*, 1740, ebda. *Der Knabe mit dem Kreisel*, ebda. *Junger Mann, s. Bleistift spitzend*, Berlin, ehem. K.-F.-Mus. *Die Köchin*, München, A. P. *Madame Chardin*, Paris, Louvre.
Lit.: A. de Ridder, 1932. G. Wildenstein, 1933. E. Pilon, [2]1942. E. Goldschmidt, 1945.

Charlet, Nicolas-Toussaint, franz. Maler u. Lithograph, Paris 1792–1845 ebda., Schüler von → Gros, schilderte in volkstümlicher Weise das Soldatenleben der Kaiserzeit; viele s. Illustrationen dienten der Verherrlichung Napoleons u. der «Großen Armee». Ch. illustrierte auch Napoleons Tagebuch von St. Helena. Das bekannteste s. wenigen Ölbilder ist die *Episode aus dem Rückzug in Rußland*, 1836, Lyon, Mus. Sein lithogr. Werk zählt 1092 Nummern; auch die humorist. Seite des Soldatenlebens kommt zu ihrem Recht. Ch. ist mit → Raffet zu vergleichen.
Lit.: Lacombe, 1856. Dayot, 1893.

Charonton, Enguerrand, franz. Maler, * Laon um 1410, um 1447–1461 in Avignon nachweisbar. Hauptmeister der Schule von Avignon im 15. Jh. Er kommt offenbar von der Miniaturmalerei her, s. Werke erinnern an die besten Miniaturen → Fouquets. Sein Hauptwerk ist der *Triumph der Maria*, für die Kartause von Villeneuve-lès-Avignon, heute im Mus. v. Villeneuve-lès-Avignon.
Lit.: L. Desmonts in: Revue de l'art ancien et mod., 1927 u. 1935. L. H. Labande in: Gazette des beaux-arts, 1939. Ch. Sterling, *La Peint. franç., les Primitifs*, 1938. G. Ring, *La Peint. franç. du 15e siècle*, 1949 (Phaidon).

Charpentier, Alexandre, franz. Bildhauer u. Kunstgewerbler, Paris 1856–1909 ebda., an der Erneuerung des franz. Kunstgew. um 1890–1900 beteiligt, schuf Zimmereinrichtungen u. Einzelmöbel. Berühmt als Kleinplastiker: s. feinen Porträtmedaillen u. Plaketten sind sehr beliebt; Meister der gleichen Richtung: P. → Dubois, Chaplain, O. Roty u. a. Seine Medaillen in allen bedeutenden Münzkabinetten.
Lit.: O. Grautoff in: Th.-B. 1912.

Charpentier, François-Philippe, franz. Kupferstecher, Blois 1734–1817 ebda., erfand die getuschte Manier im Kupferätzen (Aquatintaverfahren). Die ältesten Blätter in dieser Manier sind: *Perseus u. Andromeda*, nach → Vanloo; *Die Enthauptung des hl. Johannes*, nach → Guercino. Ch. stach auch nach → Boucher, → Fragonard, → Berchem, → Rubens u. a.

Chase, William Merrit, amerik. Maler, Franklin (Indiana) 1849–1926 New York, Schüler von → Piloty in München, weiterentwickelt in Venedig, beeinflußt bes. von → Whistler, wurde einer der Vorkämpfer der Freilichtmalerei in Amerika u. bedeutender Lehrer. Landschaften, Bildnisse, Stilleben, Genrebilder. Vertreten in New York, Metrop. Mus. u. v. a. amerik. Mus.

Chassériau, Théodore, franz. Maler, S. Domingo 1819–1856 Paris, Schüler von → Ingres, bildete sich weiter auf Reisen in Südfrankreich, Belgien, Holland; bes. wichtig für s. Kunst eine Reise nach Algier 1846. Tätig in Paris. Ch. schuf große dekorative Kompositionen, weibl. Akte, Porträts. Vom Klassizismus Ingres' ausgehend, erfuhr er schon früh den Einfluß → Delacroix'. Seine Kunst nimmt eine Mittelstellung ein zwischen der Klassik u. der Romantik. Von s. Hauptwerk, der Freskenfolge im Pariser Rechnungshof, 1844–48, das während der Kommune zerstört wurde, sind nur noch Fragmente erhalten, unter diesen: *Der Friede*, Paris, Louvre. Weitere Hauptwerke: *Suzanne*, 1839, Louvre. *Esther*, 1842, ebda. *Das Tepidarium*, 1853, ebda. *Macbeth u.*

die Hexen, 1855, ebda. Gut vertreten auch in Avignon, Mus.
Lit.: L. Bénédite, 1932. *Cat. de l'exposition Ch.*, 1934. G. Pauli, *Kunst d. Klassizismus u. der Romantik*, 1925.

Chatelet, Claude-Louis, franz. Maler u. Zeichner, Paris 1753–1794 ebda., bedeutender Landschafter, arbeitete mit → Fragonard u. H. → Robert an der Ausg. der «Voyage pittoresque de Naples et de Sicile». Viele s. Zeichnungen von den Stechern der Zeit verbreitet.
Lit.: J. Brière u. L. Dimier, *Les peintres franç. du 18e siècle*, 1930.

Cheirokrates, griech. Arch., 4. Jh. v. Chr., führte den Neubau des *Artemisions*, des Artemistempels zu Ephesus nach dem herostratischen Brande (vor 336 v. Chr.) aus. Der Tempel zählte im Altertum zu den 7 Weltwundern, vielleicht mehr noch durch den reichen bildnerischen Schmuck als durch die Großartigkeit der Anlage. 36 Säulen waren mit Reliefschmuck an den hohen Sockeln versehen. Ein von → Praxiteles mit reichem Bildwerk versehener Prachtaltar stand vor dem Tempel.
Lit.: L. Curtius, *Klass. Kunst Griechenlands* (Handb. d. K. W.), 1938.

Chéret, Jules, franz. Maler u. Lithograph, Paris 1836 bis 1932 ebda., Hauptmeister der Plakatkunst, verwandte um die Mitte der 70er Jahre als einer der ersten die farbige Lithographie für Plakate. u. zwar lieferte er nicht nur den Entwurf, sondern zeichnete die Plakate selber auf den Stein. Er gehört zu den Schöpfern eines lithogr. Kunststils für Plakate.
Lit.: J. Chéret, *Cat. de ses œuvres orig.*, o.J. C. Mauclair, 1930.

Chersiphron, griech. Arch. aus Kreta, 6. Jh. v. Chr., begann zus. mit Theodoros u. s. Sohn Metagenes den Bau des archaischen 1. *Artemistempels* (Artemision) zu Ephesus (voll. nach einer Bauzeit von 120 Jahren). 356 v. Chr. wurde das Bauwerk von Herostrat in Brand gesetzt; wiederaufgebaut v. → Cheirokrates. Erhalten sind: *Fragmente des Artemisions* in London, Brit. Mus.
Lit.: Hogarth, *Excavations at Ephesos*, 1908. L. Curtius, *Klass. Kunst Griechenlands*, 1938.

Chiaveri, Gaetano, ital. Arch., Rom 1689–1770 Foligno, ca. 1720ff. im Dienst der Könige August II. u. August III. von Sachsen; er schuf in Dresden als s. Hauptwerk die *Katholische Hofkirche*, 1738–55, ein bedeutendes Denkmal des Spätbarock. In den Einzelformen röm. Barock, schließt sie im reichen Außenbau an dt.-got. Traditionen an. Ferner in Dresden: Umgestaltung des *Prinz-Max-Palais*, 1742 bis 1743.
Lit.: G. Dehio, *Geschichte d. dt. Kunst* 3, 1926. Ders.,

Hb. d. dt. Knnstdenkmäler, 1. 1905 (neu hg. v. E. Gall, 1935).

Chiesa, Pietro, schweiz. Maler u. Illustrator, Sagno b. Mendrisio 1878–1959 Sorengo, ansässig in Lugano u. Sorengo, schuf impressionist. Landschaften, Porträts, bes. Kinderbildnisse, aber auch Figürliches, Fresken, Buchillustrationen. Werke in zahlreichen schweiz. u. ital. Mus. Beisp.: *Dorffest*, 1903, Genf, Mus. Illustr. zu *Dante, Göttl. Komödie*. Fresken in d. *Eingangshalle zum Bahnhof Chiasso. Fresko in der Kirche von Perlen* b. Luzern. Vertreten u. a. in Mailand u. Rom, Gall. d'arte mod.; Bern, Bundeshaus.
Lit.: Th.-B. 1912. Brun, *Schweiz. Künstlerlex.*, 1905. L. Bindschedler, 1936. P. Hilber, 1947. Pietro Chiesa, 1959 (Abbild.-Bd.).

Chillida, Eduardo, span. Bildhauer, * San Sebastián 1924, Hauptvertreter der jungen ungegenständlichen Plastik, knüpft in s. Kunst an die des J. → Gonzalez an. «Er schmiedet kubisch gegliederte Male und verschränkte Gebilde aus Krallen u. Stacheln, die eine leere Mitte umklammern» (Hofmann).
Lit.: M. Seuphor, *Plastik unseres Jh.*, 1959. W. Hofmann, *Plastik d. 20. Jh.*, 1958.

Chimenti, Jacopo, gen. *Jacopo da Empoli*, ital. Maler, Florenz um 1554–1640 ebda., Vertreter des klassizist. Manierismus, der sich die Meister der Hochrenaissance zum Vorbild nahm. Ch. folgte bes. A. del → Sarto u. → Pontormo, er schuf kirchl. Gemälde u. Bildnisse, vor allem in Florenz.
Hauptwerk: *Rospigliosi-Altar* von 1613: der hl. Karl Borromäus unter den Mitgliedern der Familie Rospigliosi, Pistoia, S. Domenico. Weitere Werke: *Madonna mit Kind u. Johannesknaben*, Venedig, Akad. *Madonna mit Heiligen*, 1579, Paris, Louvre. *Darbringung im Tempel*, Empoli, Collegiata, um 1600, u. Perugia, Pinac. *Taufe Christi*, Pisa, S. Francesco, um 1603. *Selbstbildnis*, um 1604, Florenz, Uff. Ferner Werke in Florenz, Gall. Corsini, Akad., Uff., Pitti-Gal., Mus. u. Kirche S. Marco; Wien, Mus.; Madrid, Prado u. a.-Zeichn. in Florenz, Uff.
Lit.: K. Busse in: Th.-B. 1912. O. H. Giglioli in: Enc. Ital. 1931. A. Venturi IX, 7, 1934.

Chinard, Joseph, franz. Bildhauer, Lyon 1756 bis 1813 ebda., Meister des Klassizismus, Schüler von Blaise, war mehrmals in Rom, schuf Statuen, Porträtbüsten, Bildnismedaillons u. a. Sein bekanntestes Werk: *Porträtbüste der Madame Récamier*, 1802, Lyon, Mus. Statuen in Lyon; Grenoble, Mus.; Porträtbüsten in Versailles, Mus. Vertreten ferner in Paris, Mus. Carnavalet.
Lit.: Audin in: Th.-B. 1912. G. Gillet in: Enc. Ital. 1931.

Chintreuil, Antoine, franz. Maler, Pont-de-Vaux (Ain) 1814–1873 Septeuil, Hauptmeister feiner Landschaftsstimmungen, Schüler → Corots, ließ sich zus. mit s. Schüler Desbrosses in Igny nieder u. darauf in La Tournelle b. Septeuil, südlich von Mantes. Malte mit Vorliebe die weite Ebene in verschwimmenden Nebel- u. Regenstimmungen; im Louvre, Paris, sowie in vielen franz. Provinzmus. vertreten. Ferner: Frankfurt, Städel.
Lit.: H. Vollmer in: Th.-B. 1912.

Chippendale, Thomas, engl. Kunsttischler, Otley 1718–1779 London, vor 1727 das. tätig, schuf einen neuen engl. Möbelstil, den Chippendalestil, der auf vereinfachte Art die Linienführung des franz. Rokoko übernimmt, einiges aus der engl. Tradition beibehält u. sich durch gute Proportionen u. Zweckmäßigkeit auszeichnet. Als Material wird vornehmlich Mahagoni verwendet, für das Ornament Motive des franz. Rokoko u. Ostasiens. Ch.s Schrift: «The gentleman and cabinet maker's director», 1754, hat stark auf s. Zeit eingewirkt. Ende 19. Jh. Neuaufleben des Chippendalestils.
Lit.: A. Feulner, *Kunstgesch. d. Möbels*, [3]1930. O. Brackett, *Engl. Möbel*, 1927.

Chirico, Giorgio de, griech.-ital. Maler, * Volos 1888. Hauptvertreter der modernen ital. Malerei, studierte in Athen u. München, 1911 in Paris, wo er mit den Kubisten in Berührung kam u. seine ersten, die Wirklichkeit in aller Schärfe darstellenden u. sie doch in eine Traumwelt verwandelnden Bilder malte. 1917 entwickelte er mit → Carrà zus. in Ferrara die «pittura metafisica». 1918 einer der Führer der Gruppe «valori plastici»; 1924 wieder in Paris, doch wandte er sich vom Surrealismus ab u. begann 1930 mit s. Vergangenheit zu brechen. Seine Alterswerke versinken mehr u. mehr in Literatur u. Akademismus, mit Neigung zu pathetischer Theatralik. Seit 1940 in Rom. Ch. schrieb zus. mit J. Far: «Commedia dell'arte moderna», 1945.
Lit.: A. Maraini, 1940. J. Th. Soby, *The early C.*, 1941. G. Lo Duca, *Dipinti di C.*, 1945. R. Gaffé, 1946. J. Faldi, 1949 (m. Bibliogr.). M. Raynal, *Peinture moderne*, 1953 (m. Bibliogr.). Knaurs Lex., 1955.

Chodowiecki, Daniel, dt. Radierer u. Maler, Danzig 1726–1801 Berlin. In s. Radierungen Darsteller des dt. bürgerlichen Rokoko u. damit Hauptvertreter des Zopfstils. 1743 ff. in Berlin, begann mit Gemälden in der Art → Watteaus. Sein *Abschied Calas von s. Familie*, 1765, erregte großen Beifall. Seine wahre Berufung fand er aber erst, als er 1770 den Pinsel mit der Radiernadel vertauschte. Hauptwerke: Illustrationen zu Lessings *Minna v. Barnhelm*, 1769, Sternes *Empfindsamer Reise*, Lavaters *Physiognom. Fragmenten*. Ferner illustrierte er die Werke v.

Lessing, Klopstock, Gleim, Hölty, Matthisson, Schiller usw. Über 2000 Radierungen, darunter viele Einzelblätter: *Die Arbeitsstube des Künstlers*, 1771. Ferner über 2000 Zeichn.
Lit.: *Kupferstiche*, hg. v. W. Engelmann, 1926; *Handzeichn.*, hg. v. W. v. Oettingen, 1907; von Boehn, 1922; von Boehn u. Abramowski, 1926. – Schottmüller, 1912. Bredt, 1918. *C.s Briefwechsel*, hg. v. Steinbrucker u. *Reisetagebuch*, hg. v. Stübel, 1920. R. Hamann, *Dt. Malerei vom Rokoko z. Expression.*, 1925. G. Dehio, *Gesch. d. dt. Kunst*, 3, 1926.

Christoph v. Urach, dt. Bildhauer u. Bildschnitzer, 16. Jh., Schöpfer mehrerer bezeichneter Werke: *Taufstein der Uracher Stadtkirche. Holzgruppe mit dem Martyrium St. Veits*, 1519, Ehingen, Stadtkirche. *Grabdenkmal des Jörg v. Bach* († 1538).
Zugeschrieben: *der große Besigheimer Hochaltar.*
Lit.: J. Baum in: Th.-B. 1912.

Christus, Petrus → Cristus, Petrus.

Church, Frédérick Edwin, amerik. Maler, Hartford (Conn.), 1826–1900 New York. Bereiste als Landschafter Südamerika, Mexiko, Indien u. Europa, um interessante Motive für s. Kunst zu finden. Schüler von Thomas → Cole, ließ sich früh in New York nieder, von wo aus er s. weiten Reisen unternahm; gehörte zur «Hudson River School» amerik. Künstler. In seiner farbenfreudigen Kunst von → Turner beeinflußt. Beisp.: *Großer Niagarafall*, 1857, Washington, Corcoran Art Gall. *Twilight* (Zwielicht), Baltimore, Walters Gall. Auch in der Gal. der Akad., New York.
Lit.: A. Fitz Gerald in: Enc. Ital. 1931. E. v. Mach in: Th.-B. 1912. G. Isham, *Hist. of Americ. paint.*, 1927.

Churriguerra (Churriguera), José, span. Bildhauer u. Arch., Salamanca 1650–1723 Madrid, um 1689ff. in Madrid tätig, daneben in Salamanca u. a. O. Der berühmteste Propagator des Barockstils in Spanien. Er ging vom Stil G. → Guarinis aus, den er in origineller Art mit Elementen der span. Gotik u. des platéresken Stils verband. Seine Art wurde von s. Söhnen *Geronimo* u. *Nicolas*, v. Schülern u. Nachahmern in ganz Spanien verbreitet u. erst gegen Ende des 18. Jh. vom akad. Neoklassizismus verdrängt.
Werke: *Rathaus in Salamanca*, um 1722–23. *Turm der Neuen Kathedrale*, ebda. *Dekoration der großen Sakristei*, ebda. *Altar der Dominikanerkirche S. Estebán*, ebda. *S. Cajetano* in Madrid.
Lit.: O. Schubert, *Gesch. d. Barock in Spanien*, 1908. M. H. Bernath in: Th.-B. 1912. A. García y Bellido, *Avances para una monografia de los Ch.* in: Archivo español. de arte y arqueol. V, 1929 u. VI, 1930.

Ciampelli, Agostino, ital. Maler, Florenz 1577 bis 1642 Rom, Vertreter des florent. Frühbarock, 1614ff. in Rom nachweisbar, Schüler von S. di → Tito, malte in einem von diesem ausgehenden Stil Kirchenbilder. Werke in Kirchen Roms, z. B. *Hochzeit von Kana* in der Sakristei von S. Giovanni in Laterano. Ein Hauptwerk ist *Marter des hl. Bartholomäus*, 1618, Borgo S. Sepolcro, Gal.
Lit.: N. Pevsner, *Malerei d. 17. Jh. in Italien* (Handb. d. K. W.), 1928.

Ciardi, Guglielmo, ital. Maler, Treviso 1843–1917 Venedig, Hauptmeister der venez. Freilichtmalerei, bildete sich unter dem Einfluß der florent. → «Macchiaioli» (so bezeichneten sich die florent. Freilichtmaler) u. in Rom u. Neapel unter → Morelli u. → Palizzi. 1874ff. in Venedig, Prof. der Akad. — C. schuf lichtdurchflutete Bilder aus Venedig, den venez. Lagunen u. dem Voralpengebiet. Hauptwerke: *Messidoro* (Erntelandschaft), 1883, Rom, Gall. d'arte mod. *Canal Grande di Venezia*, Berlin, ehem. Nat. Gal. *Lago di Weißenfels*, Paris, Mus. Luxembourg. *Bagni di Tiberio a Capri*, Venedig, Gall. d'arte mod.
Auch s. Kinder: *Beppo*, geb. 1875, u. *Emma*, geb. 1879, sind Landschaftsmaler.
Lit.: L. Pelandi, 1911. F. Sapori, 1919. Somaré, *Storia dei pitt. ital.*, 1928. Momus, *I Ciardi*, 1922. V. Pica, *I Ciardi*, 1923. N. Barbantini in: Enc. Ital. 1931. A. Francini, 1934.

Cibber, Cajus Gabriel, engl. Bildhauer, Flensburg 1630–1700 London, Vertreter des engl. Klassizismus, Schüler von N. → Stone, Schöpfer der beiden Figuren *Melancholie* u. *Wahnsinn*, für das Bethlehem Hospital bestellt, heute London, Guildhall Mus. *Phönix* über dem Südportal der Paulskirche, London. *Relieffüllung am Monument* (eine 61 m hohe Säule, Entwurf von → Wren), London.

Cignani, Carlo, ital. Maler, Bologna 1628–1719 Forlì, der letzte bedeutende Maler der von den → Carracci gegründeten Bologneser Barockschule, Schüler von F. → Albani, dessen Gehilfe er bis 1660 war. In s. Stil von letzterem, den Carracci, → Reni, → Domenichino u. a. beeinflußt. Leiter der Malerakad. in Bologna, zahlreiche Schüler. Hauptwerke: *Fresken in S. Michele in Bosco*, Bologna. *Kuppelfresko der Himmelfahrt Mariä* im Dom zu Forlì, 1686–1706. Tafelbilder: *Joseph u. die Frau des Potiphar*, Dresden, Gal. *Pero u. Cimon*, Wien, Kunsth. Mus.— *Dekoration des Pal. di Giustizia*, Bologna.

Cignaroli, Gianbettino, ital. Maler, Verona 1706 bis 1770 ebda., einer der letzten Vertreter des venez. Spätbarock, tätig in Verona, schuf viele kirchliche Werke, haupts. für Kirchen in Verona u. Vicenza, Bergamo, Brescia, Pisa u. a. – Hauptwerk: *Rahels*

Tod, Venedig, Akad. Vertreten auch in Verona, Pinac.; Wien, Gal. u. a.
Lit.: G. Fiocco in: Enc. Ital. 1931.

Cigoli, Lodovico, eig. Cardi da Cigoli, ital. Maler u. Arch., Cigoli (Toskana) 1559–1613 Rom, Meister des florent. Frühbarock, als Maler Schüler von A. → Allori u. S. di → Tito, beeinflußt haupts. von → Baroccio. Als Arch. Schüler von → Buontalenti u. in s. Stil unter dem Einfluß des → palladianischen Klassizismus. Seine Bedeutung liegt vor allem in der Malerei; gilt als Schöpfer des florent. Barock. Begonnen hatte er als Manierist der → Michelangelo-Nachfolge.
Freskenwerke: Erstes Hauptwerk: das Fresko im Chiostro grande von S. Maria Novella in Florenz: *Christus in der Vorhölle*, um 1581. Ein spätes Freskenwerk: *Amor u. Psyche*, 1613, Rom, Pal. Rospigliosi. Tafelbilder: religiöse: *Kreuzabnahme*, 1597, Florenz, Pitti. *Joseph u. Potiphars Weib*, 1610, Rom, Gall. Borghese. Eines s. besten hist. Bilder: *Erwählung Cosimos I. zum Großherzog*, 1600, Florenz, Pal. Vecchio. Werke in Florenz, Uff. u. Mus. S. Marco; in Rom, Akad. u. Gall. Corsini.
Lit.: K. Busse in: Th.-B. 1912. G. Batelli, 1922. N. Pevsner, *Malerei d. Barock in Italien* (Handb. d. K. W.), 1927. A. Venturi IX, 7, 1934.

Cima, Giovanni Battista, gen. C. *da Conegliano*, ital. Maler, Conegliano um 1459–1517 ebda., Hauptmeister der venez. Frührenaissance, unter dem Einfluß → Vivarinis, → Montagnas u. Giov. → Bellinis. Auch → Tizian u. → Giorgione haben auf ihn eingewirkt. 1492 ff. in Venedig nachweisbar, wo er bis 1516 lebte, ehe er in die Heimat zurückkehrte. C. schuf haupts. klar aufgebaute Altartafeln, etwa mit der Thronenden Madonna u. Heiligen. Die Gestalten in deutlicher Plastik; als Hintergrund oft Fernsichten auf die Gebirge s. Heimat mit der malerischen Ansicht s. Heimatstädtchens. Alles in hell leuchtenden Lokalfarben; in s. späterer Zeit in der leuchtenden Farbglut der venez. Hochrenaissance mit Licht- u. Schattengebung.
Hauptwerke: *Madonna mit Kind u. 6 Heiligen*, Conegliano, Dom, 1493. *Taufe Christi*, Venedig, S. Giovanni in Bragora, 1494. *Madonna unter Orangenbaum*, ebda., Akad. *Madonna m. Heiligen*, München, A. P. *Konstantin u. Helena*, 1502, Venedig, S. Giovanni in Bragora. *Christus mit Thomas u. Jüngern*, 1504, London, Nat. Gall. *Anbetung der Hirten*, 1509, Venedig, S. Maria del Carmine. *Tobias u. der Engel*, 1513, ebda., Akad. *Madonna*, Paris, Louvre. Werke auch in Berlin, ehem. Nat. Gal.; Frankfurt, Städel; Paris, Louvre; Mailand, Brera; ferner in New York, Philadelphia, Richmond.
Lit.: R. Burckhardt, 1905. A. Venturi in: L'arte 1926 u. in Boll. d'arte 1930/31. A. Venturi VII, 4, 1915. B. Berenson, *Pittori ital. del Rinasc.*, 1936.

Ders., *Venetian schools I*, 1957 (Phaidon). L. Coletti, 1959 (ital.).

Cimabue, eig. Cenni di Pepo, ital. Maler, Florenz um 1240–1302, 1272 in Rom erwähnt, 1301–02 in Pisa, für dessen Dom er das einzige urkundlich belegte Werk schuf, das aber schlecht erhalten ist: *Evangelist Johannes*, Apsismosaik des Doms, vorübergehend auch in Florenz u. Assisi tätig. Allgemein zuerkannt wird ihm: *Thronende Madonna mit Engeln*, um 1260, Florenz, Uff. u. *Fresken in S. Francesco* in Assisi: Madonnenfresko in der Unterkirche; Fresken im Chor u. linken Querschiff der Oberkirche. Von Dante als einer der berühmtesten Maler s. Zeit erwähnt. Er gebraucht die überlieferten byzant. Formen mit Freiheit u. ist Wegbereiter des national-ital. Stils; Vorläufer → Giottos.
Lit.: O. Sirèn, *Toskan. Maler im 13. Jb.*, 1922. A. Nicholson, 1932 (engl.). R. Salvini, 1943 (Neuaufl. 1946). Ders. in: Enc. Univ. dell'Arte 3, 1958. E. B. Garrison, *Ital. Romanesque panel painting*, 1949.

Cingria, Alexandre, schweiz. Maler u. Entwurfzeichner für Glasmalerei u. Mosaik, Genf 1879 bis 1945 ebda. Studierte in Genf u. München, tätig in Rolle, Locarno u. Genf. Haupts. religiöse Kunstwerke in expressivem barockisierendem Stil. *Wandmalereien* in dem kathol. Kirchlein in Paudex, Waadt, u. in der Kirche in Finhaut, Wallis. *Farbige Glasfenster*, u. a. in der kathol. Hauptkirche Notre-Dame in Genf; in St-François in Lausanne; ferner in Rolle, Saint-Maurice, Carouge, Rennes (Frankreich). *Mosaik-Altarbild* in der kathol. Kirche St-Pierre in Freiburg (Schweiz).
Lit.: F. Fosca, 1930. J. B. Bouvier, 1944. R. Hess, 1946. H. Cingria, 1954.

Cione, Andrea di → Orcagna.

Cione, Nardo di → Nardo di Cione.

Ciseri, Antonio, schweiz. Maler, Ronco sopra Ascona 1821–1891 Florenz, zu s. Zeit sehr beliebter Porträtist. Auch s. religiöse Malerei in spätromant.-realist. Stil wurde sehr geschätzt: *Grablegung Christi*, Locarno, Madonna del Sasso. *Ecce Homo*, Rom, Gall. d'arte mod.
Lit.: G. Laini, 1943. Huggler/Cetto, *Schweiz. Malerei im 19. Jb.*, 1942.

Civerchio, Vincenzo, ital. Maler, Crema um 1470 bis 1544 ebda., Meister der lombard. Malerschule in Brescia, wahrscheinlich Schüler des → Foppa u. dessen Nachfolger in Brescia, beeinflußt von → Bramantino u. Giov. → Bellini. Werke: *Beweinung Christi*, 1504, Brescia, S. Alessandro. *Flügelaltar der hll. Antonius, Rochus u. Sebastian*, Brescia, Gal. *Hl. Fran-*

ziskus, Bergamo, Akad. Carrara. *Verkündigung*, ebda.
Taufe Christi, 1539, Lovere, Gal. *Madonna zwischen Heiligen*, ebda.
Lit.: M. H. Bernath in: Th.-B. 1912. Venturi VII, 4, 1915. E. v. d. Bercken, *Malerei d. Renaiss. in Oberital.* (Handb. d. K. W.), 1927.

Civitali, Matteo, ital. Bildhauer, Lucca 1436 bis 1501 ebda., der hervorragendste Meister der Frührenaissance in Lucca, tätig ebda. zu einem großen Teil mit der Ausschmückung des Domes mit religiösen Werken u. Grabmälern; um 1491–92 in Genua Ausschmückung der Johanneskapelle des dortigen Domes. Bildwerke im Stil der florent. Frührenaissance, bes. von → Rossellino u. → Desiderio da Settignano beeinflußt, ausgezeichnet durch sorgsames Naturstudium u. eine delikate Behandlung des Marmors; einige s. Werke zählen zu den anmutigsten der Renaissance.
Hauptwerke: *Relief der Gestalt des Glaubens*, Florenz, Mus. naz. *Christusbüste in Hochrelief*, ebda. *2 kniende Engel*, neben dem Tabernakel im Dom v. Lucca, 1473–76. *Relief der Madonna*, sog. Madonna della Tosse, 1480, Lucca, S. Trinità. *Altar mit dem Marmorrelief der Verkündigung*, Lucca, Pinac. Grabmonumente: *Marmorgrabmal des Pietro da Noceto*, 1472, Lucca, Dom; des *Domenico Bertini*, 1479, ebda. *Regulus-Altar*, 1484–85, ebda. *Grabmal des hl. Romanus*, 1490, Lucca, S. Romano. *Grabfigur des S. Silao*, Lucca, Pinac. Ferner: *6 Statuen der Johanneskapelle*, Genua, Dom, 1496 voll. *2 Lünettenreliefs*, ebda. u. a.
Lit.: Ch. Yriarte, 1885. E. Boselli, 1891. G. Volpi, 1893. A. Venturi VIII, 1, 1923.

Claesz, Allaert, niederl. Maler, * 1508, von van Mander erwähnt, wurde oft identifiziert mit einem A. C. signierenden mittelmäßigen Stecher; diese Identifizierung von M. J. Friedländer abgelehnt; kein Bild ist dem A. C. nachgewiesen.
Lit.: M. J. Friedländer in: Th.-B. 1912.

Claesz, Pieter, niederl. Maler, Steinfurt (Westf.) um 1597–1661 Haarlem; Stilleben, oft mit Frühstückstisch, darauf etwa ein Weinkelch, Austern, Zitrone, Besteck, fein komponiert u. farblich abgestimmt, in der Art von → Heda.
Lit.: W. Bernt, *Niederl. Maler d. 17. Jh.*, 1948.

Claude Lorrain → Lorrain, Claude.

Clavé, Antoni, span. Maler u. Lithograph, * Barcelona 1913, seit 1942 in Paris tätig, gehört zur Gruppe der jungen Vertreter der «école de Paris», die beim Figürlichen bleiben (neofigurativ). Dekore für Ballette.
Lit.: Vollmer, 1953.

Clays, Paul Jean, belg. Maler, Brügge 1819 bis 1900 Brüssel, Landschafts- u. bes. Marinemaler,

Schüler von H. → Vernet u. R. Gudins in Paris, tätig in Antwerpen u. Brüssel. Seine Lieblingsthemen waren Motive der Binnengewässer Belgiens u. Hollands. Werke in den Mus. v. Brüssel, Antwerpen, Brügge, Lüttich, Hamburg; London, Nat. Gall.; New York, Metrop. Mus.; München u. a.
Lit.: H. Hymans in: Th.-B. 1912.

Clénin, Walter, schweiz. Maler u. Entwurfszeichner für Mosaik u. Glasmalerei, * Tschugg 1897. *Wandmalereien* im Bundesbriefarchiv in Schwyz u. im Audienzsaal des Bundesgerichts in Lausanne. Vertreten in Bern, Kunstmus.

Cleve, Joos van, eig. van der Beke, früher *Meister des Todes Mariä* gen. nach s. Hauptwerk v. 1515 in der Pinak. München, niederl. Maler, * um 1485, † 1540 Antwerpen, war vielleicht eine Zeitlang in Italien, um 1523–1535 als Bildnismaler am franz. Hofe, sonst bis zu s. Tode in Antwerpen tätig. Vereinigte altfläm. Malweise mit den Errungenschaften der ital. Malerei, die er kannte, bes. → Leonardos oder dessen Schülern. Er schloß sich in s. Stil an Joest v. Haarlem u. Q. → Massys an, an letzteren bes. als Bildnismaler, in der Landschaft an → Patinir.
Werke: *Altar mit Beweinung Christi*, 1524, Frankfurt, Städel. *Tod Mariä*, 1515, Köln, Wallraf-Richartz-Mus. u. München, A. P. *Hl. Familie*, Wien, Kunsthist. Mus. *Anbetung der Könige*, Dresden, Gal. *Epiphanie-Altar*, Neapel. Mus. *Ruhe auf der Flucht*, Brüssel, Mus. *Anbetung der Könige*, Genua, S. Donato. Bildnisse: *Männl. Bildnis*, Amsterdam, Rijksmus.; Berlin, ehem. K.-F.-Mus.; Dresden, Gal. *Bildnispaar*, 1520, Florenz, Uff. *Männl. Bildnis*, Kassel, Gal. *Bildnis der Königin Eleonore v. Frankr.*, Wien, Kunsth. Mus.
Lit.: Winkler, *Altniederl. Malerei*, 1924. L. Baldass, 1925. M. J. Friedländer, 1931.

Clodion, eig. Claude Michel, franz. Bildhauer, Nancy 1738–1814 Paris, berühmt durch s. Kleinkunst: Statuetten, Reliefs; Vasen in Terrakotta, Bronze, Wachs, die zu den besten Leistungen des 18. Jh. gehören, Schüler s. Onkels L. S. → Adam u. von → Pigalle, 1762–71 in Rom, 1795–98 in Nancy, sonst in Paris. Er arbeitete auch Modelle für die Porzellanmanufaktur von Nidervilliers. Werke im Louvre, im Cluny-Mus. u. im Musée des arts décoratifs in Paris; in den Mus. v. Sèvres; Versailles; Berlin, ehem. K.-F.-Mus.
Lit.: H. Thirion, *Les Adam et C.*, 1884.

Clouet, François, Tours um 1522–1572 Paris. Schüler s. Vaters Jean → C., nach dessen Tode Hofmaler der franz. Könige, setzte dessen Stil fort u. erreichte eine Vollendung der malerischen Behandlung, die sich nur mit → Holbeins Kunst verglei-

chen läßt. Werke: Nur 2 signierte Bilder: *Bildnis des Apothekers Pierre Cutte*, 1562, Paris, Louvre. *Badeszene*, Slg. Cook, Richmond. Die übrigen Zuweisungen beruhen auf Stilvergleichen: *Bildnisse* im Louvre, in Florenz u. Wien. *50 farbige Porträt-Kreidezeichnungen*, Chantilly u. Paris, Bibl. Nat.
Lit.: E. Moreau-Nélaton, *Les C.*, 1908.

Clouet, Jean, franz. Maler, wahrscheinlich in den westl. Niederlanden um 1485–1540 Paris. Bedeutender Bildnismaler am Hofe Franz I., 1516ff. Hofmaler. Unter dem Einfluß der niederl. Malerei ausgebildet; s. Bildnisse gehen auf die Art der Q. → Massys u. J. van → Cleve zurück. Werke: Sein berühmtestes Bildnis: *Franz I.*, um 1524, Paris, Louvre, dazu Silberstiftzeichn. in Chantilly, Mus. Condé. Weitere Bildnisse in Antwerpen: *Der Dauphin Franz*, um 1525; in Hampton Court b. London; in Florenz, Uff. Zeichn.: 130 Porträtzeichn. in Chantilly, Mus. Condé.
Lit.: L. Dimier, *Histoire de la peinture de portrait en France*, 1925. A. Germain, 1942.

Clovio, Giulio, gen. *Macedo*, ital. Miniaturmaler, Grizane (Kroatien) 1498–1578 Rom, einer der berühmtesten Buchminiaturisten s. Zeit, kam 1516 nach Italien, Schüler von → Giulio Romano, 1524/26 Hofmaler König Ludwigs II. von Ungarn; später in Rom, darauf in Florenz für Cosimo I. tätig. Schmückte haupts. Gebetbücher, auch Dantes Göttliche Komödie mit Miniaturen, meist nach Kompositionen u. → Raffaels.
Lit.: J. W. Bradley, 1891. G. Cozza-Luzi, *Il paradiso dantesco nei quadri miniati e nei bozzetti di G. C.*, 1893.

Cluysenaar, Jean Pierre, belg. Arch., Kampen (Holland) 1811–1880 Brüssel, kam früh nach Belgien, Schüler von → Suys, baute, meist in klassizist. Stil, Schlösser u. Privathäuser; in Deutschland: *Theater* u. *Kurhaus* in Homburg.
Lit.: H. Hymans, *Belg. Kunst d. 19. Jh.*, 1906. Ders. in: Th.-B. 1912.

Cochin, Charles-Nicolas d. J., franz. Zeichner u. Kupferstecher, Paris 1715–1790 ebda., Schüler s. Vaters Charles-Nicolas (1688–1754) u. von Le Bas u. → Restout; 1749–51 in Italien. Rokokokünstler, der Szenen von Hoffestlichkeiten, Illustr. zu Dichtwerken u. Bildnisse zeichnete u. radierte.

Cock (Kock), Hieronymus, niederl. Radierer, Kupferstecher u. Maler, Antwerpen um 1510 bis 1570 ebda., der bedeutendste Stichverleger der Jahre 1550–70. Seine Bedeutung liegt darin, daß er den niederl. Künstlern die Vorbilder in Stichen lieferte, nach denen sie strebten: Ruinen des alten Rom; Ornamentik der Grotesken; die Malereien

v. → Raffael, → Bronzino, vor allem L. → Lombard. Er beschäftigte die tüchtigsten Stecher der Zeit: G. Ghisi, 1550ff.; Pieter v. d. Heyden, 1555ff.; Ph. Galle, 1556ff. u. a. Sein radiertes Hauptwerk: *Folge röm. Ruinen*, 1551.
Lit.: L. Burchard in: Th.-B. 1912.

Cock, Jan de (Jan Wellens oder Jan v. Leiden), niederl. Maler des 16. Jh., in Antwerpen tätig zwischen 1506 u. 1527.
Lit.: M. J. Friedländer, *Altniederl. Malerei*, 11.

Cockerell, Charles Robert, engl. Arch. u. Altertumsforscher, London 1788–1863 ebda. Hervorragender Archäologe, beteiligt an den Ausgrabungen des Tempels v. Aegina, 1811, u. des Apollotempels b. Phigalia u. a. Als Baumeister: Werke in klassizist. Stil in London, Bristol, Oxford u. a.; Kirchen auch im gotischen Stil.
Lit.: M. W. Brockwell in: Th.-B. 1912.

Codde, Pieter, niederl. Maler, Amsterdam 1599 bis 1678 ebda., Meister von Genrestücken in der Art des Dirk → Hals. Seine bevorzugten Stoffe: Offiziers- u. Söldnerstücke, Soldatenwachtstuben, Bilder aus der galanten Welt; auch Porträts in kleinen Formaten. 1637 beauftragt, das Amsterdamer Schützenstück des F. → Hals zu vollenden. Beisp.: *Soldatenwachtstube*, 1628, Den Haag, Mauritshuis u. Dresden, Gal. *Tanzgesellschaft*, Wien, Akad. u. Den Haag, Mauritshuis, 1636. Werke in Amsterdam, Rijksmus.; Den Haag, Mauritshuis; Brüssel; Wien, Akad.; Dresden, Berlin, Schwerin, Dublin, Oxford; Rom, Gall. Borghese u. v. a.
Lit.: W. Bernt, *Niederl. Maler d. 17. Jh.*, 1948.

Coducci, Mauro, gen. *Moretto*, ital. Arch., Lenna (Bergamo) um 1440–1504 Venedig, wo er seit 1469 wirkte; Hauptmeister der venez. Frührenaiss., der an vielen großen Bauaufgaben s. Zeit mitwirkte: unter s. Leitung stand der Bau von *S. Zaccaria*; der Neubau der *Scuola di S. Marco*; der *Uhrturm* (Torre dell' Orologio) auf dem Markusplatz; *Pal. Vendramin-Calergi*, beg. um 1500, und viele weitere Bauten. Sein Nachfolger war Bartolomeo → Buon d. J.
Lit.: P. Paoletti in: Th.-B. 1912. Venturi VIII, 2, 1924. G. Lorenzetti in: Enc. Ital. 1931.

Coecke (Cock, Kock) **van Aelst**, Pieter, niederl. Maler, Bildhauer, Arch. u. Kunstschriftsteller, Aelst 1502–1550 Brüssel, als Maler Vertreter des Romanismus, als Arch. baute er im Stil der niederl. Renaissance, Schüler von B. van → Orley, besuchte Italien; in Aelst, Brüssel u. Antwerpen tätig. 1533 in Konstantinopel mit dem Auftrag, die orient. Teppichweberei zu studieren. Eindrücke s. Reise gibt die Holzschnittfolge «Les moers et fachons de faire de Turcs» wieder. Als Maler werden ihm zu-

geschrieben: *Abendmahl*, 1530, Lüttich, Mus. Wiederholungen in Brüssel von 1531; Nürnberg, German. Mus., von 1550. *Christus u. die Ehebrecherin*, 1540, Gent, Mus. *Predigt Johannes d. T.*, Lille, Mus. u. a. Sein Hauptschüler P. → Bruegel d. Ä. Von s. dekorativen Skulpturen nicht viel erhalten; als Baumeister einige Entwürfe. Übersetzte die Schriften Vitruvs, 1539, u. Serlios, 1546.
Lit.: M. J. Friedländer, *Altniederl. Malerei* 12, 1935.

Coello, Alonso Sanchez → Sanchez Coello, Alonso.

Coello, Claudio, span. Maler, Madrid um 1635 bis 1693 ebda., Meister des span. Barock, portug. Abkunft, Schüler v. F. → Rizi, trat in nähere Beziehungen zu → Carreño de Miranda. In s. Kunst steht er diesem u. auch → Rubens, van → Dyck u. → Tizian nahe. 1684 Hofmaler, schuf Freskenwerke für Kirchen u. öffentliche Gebäude in Madrid (S. Cruz, Kartause v. Paular, Panaderia u. a.), von denen kaum etwas erhalten ist; ein *Deckenfresko im Vestiario der Kathedrale v. Toledo*, 1671.
Hauptwerk: Gemälde der *Sagrada Forma* (Verehrung der geweihten Hostie) in der Sakristei des Escorials, 1685. Ferner: *Apotheose des hl. Augustinus*, 1664, Madrid, Prado. *Heilige Familie, vom hl. Ludwig verehrt*, 1664, ebda. *Madonna mit Heiligen*, 1669, ebda. Werke in München, A. P.: *Hl. Petrus v. Alcantara*; Frankfurt, Städel: *Brustbild Karls II.*; Budapest, Mus.: *Hl. Familie* u. a.
Lit.: A. L. Mayer in: Th.-B. 1912. J. F. Rafols in: Enc. Ital. 1931. E. Lafuente Ferrari, *Breve hist. pintura españ.*, 1953. F. J. Sanchez-Canton, *Der Prado*, 1959.

Cogniet, Léon, franz. Maler, Paris 1794–1880 ebda., Vertreter der romantisierenden Historienmalerei, Schüler von P. → Guérin, zuerst von J. L. → David beeinflußt, wandte sich dann ganz der romant. Schule zu u. schuf Geschichtsbilder, die zu ihrer Zeit sehr beliebt waren. Einflußreicher Lehrer an der Pariser Ecole des beaux-arts. Seine bedeutendsten Schüler: L. → Bonnat u. E. → Meissonier. Einige der bekanntesten Bilder: *Aufbruch der Pariser Nationalgarde zur Armee 1792*, Versailles, Gal. *Tintoretto, s. tote Tochter malend*, 1843, Bordeaux, Mus. *Marius auf den Ruinen Karthagos*, Toulouse, Mus. Bildnisse: *Marschall Maison*, Versailles, Gal.; *Granet*, 1846, Aix, Mus. u. a.
Lit.: Delaborde, 1881. H. Vollmer in: Th.-B. 1912.

Cola dell' Amatrice, eig. Nicola Filotesio, ital. Maler u. Arch., * Amatrice (Abruzzen) um 1480–90, † um 1547, tätig in Ascoli Piceno (in den Marken), schuf große kirchliche Werke, zunächst unter dem Einfluß von → Crivelli, später von → Signorelli, → Leonardo, → Raffael u. → Michelangelo beeinflußt. Werke: *Altartafeln: in S. Vittore* zu Ascoli von 1514; in anderen Kirchen von Ascoli; auch

Fresken; Bilder in der Pinac. zu Ascoli; in Urbino, Gal.; Rom, Konservatorenpalast, u. a.
Lit.: E. Calzini in: Th.-B. 1907. U. Gnoli, *Pittori e miniatori nell' Umbria*, 1923. B. Mojaloli in: Enc. Ital. 1931. *Ausst.-Kat. Mostra di Carlo Crivelli*, Venedig 1961.

Cole, Thomas, amerik. Maler, Bolton-le-Moors (England) 1801–1848 Catskill (N. Y.), kam mit 19 Jahren nach den USA, Gründer der «Hudson River School», tüchtiger Landschafter, namentl. kleine realist. Landschaftsbilder aus der Gegend des Hudson. Vertreten in New York, Metrop. Mus., u. a. amerik. Mus.

Colin(s), Alexander, fläm. Bildhauer, Mecheln um 1527–1612 Innsbruck, bedeutender Manierist der italianisierenden Richtung (C. → Floris), arbeitete 1558 ff. den dekorativen *Schmuck für den Ott-Heinrichs-Bau* des Heidelberger Schlosses, 1564 ff. *Reliefs für das Grabdenkmal Maximilians I.* in Innsbruck. Weitere Grabdenkmäler in Innsbruck, Prag u. a.
Lit.: A. E. Brinckmann, *Barockskulptur*, 1920–21.

Colombe, Michel, franz. Bildhauer, in der Bretagne um 1430– um 1512 Tours, der bedeutendste franz. Meister der 2. Hälfte des 15. Jh. Sein Hauptwerk ist das *Grabmal Franz II.*, 1502–07, Nantes, Kathedrale, in spätgot., in reichem Maße ital. Renaissance-Elemente aufweisendem Stil.
Lit.: P. Vitry, 1901.

Conca, Sebastiano, ital. Maler, Gaeta 1680–1764 Neapel, Vertreter der Spätbarockmalerei in Rom, Schüler des → Solimena in Neapel, 1706 ff. in Rom, schuf theatralisch bewegte Darstellungen in den Kirchen Roms, Neapels, in Gaeta u. a.
Hauptwerke in Rom: *Deckenfresko in S. Cecilia*, 1725. *Altarbild der Madonna del Rosario*, S. Clemente. Ovalbild des *Jeremias* u. ein *Fresko in S. Giovanni in Laterano*. In Neapel: *Deckenfresken in S. Chiara*. In Gaeta: *Anbetung der 3 Könige*, SS. Annunziata. Ferner: *Jungfrau in der Glorie*, 1740, Parma, Gal. *Herodes u. die 3 Könige*, Dresden, Gal. Werke in den Mus. v. Augsburg, Budapest, München, Paris, Prag, Schleißheim.
Lit.: Fr. Noack in: Th.-B. 1912.

Conegliano, Cima da → Cima da Conegliano.

Coninxloo, Gillis van, niederl. Maler, Antwerpen 1544–1607 Amsterdam, bedeutender Landschafter, Haupt der sog. Frankenthaler Maler, Schüler von Gillis Mostaert, übersiedelte 1595 nach Frankenthal (Pfalz), 1595 nach Amsterdam. C. bildet den Übergang von der romant.-phantast. Landschaftsbetrachtung des 16. Jh. zur naturnahen Anschauung der Meister des 17. Jh. Hauptwerk: *Waldlandschaft*, 1604, Liechtenstein., Vaduz. Ferner: *Land-*

schaft mit dem Midasurteil, 1588, Dresden, Gal. *Waldlandschaft mit Jägern*, Liechtenstein–Gal., Vaduz. Lit.: E. Plietzsch, *Die Frankenthaler Maler*, 1910. J. A. Graf Raczynski, *Die fläm. Landsch. vor Rubens*, 1937.

Consagra, Pietro, ital. Bildhauer, * Trapani (Sizilien) 1920, Vertreter der modernen ungegenständlichen Richtung der ital. Plastik.
Lit.: Appollonio, 1957. Argan in: Connaissance 1958. M. Seuphor, *Plastik unseres Jh.*, 1959.

Constable, John, engl. Maler, East Bergholt 1776 bis 1837 London, wichtigster Vorläufer der realist. Landschaftsmalerei des 19. Jh., Schüler der Londoner Akad., bildete sich an → Ruisdael u. C. → Lorrain. Es folgt eingehendes Naturstudium: C. stellte schlichte Landschaften aus der Umgebung Hampsteads in frischer Farbgebung dar. Seine Malerei hatte den größten Einfluß auf die franz. Malerei, auf die Schule von → Barbizon, auf → Delacroix, auf die gesamte Landschaftskunst bis zum Impressionismus. Hauptwerke: meist in der Nat. Gall. in London: *Kornfeld*, 1826. *Landschaft im Tal. Heuwagen. Hampstead mit dem Regenbogen* usw.
Lit.: C. J. Holmes, 1902. Henderson, 1906. H. W. Tompkins, 1907. J. Meier-Graefe, *Die gr. Engländer*, 1908. E. V. Lucas, 1924. J. Flaxmair, 1927. A. Fontainas, 1927. J. Key Sydney, 1948. A. Shirley, 1948.

Constant, Benjamin, franz. Maler, Paris 1845–1902 ebda., Orientmaler u. Porträtist, bildete sich in Toulouse, kam 1867 nach Paris als Schüler→Cabanels, begeisterte sich für → Delacroix u. begann als Orientmaler im Sinne Delacroix'. Später wandte er sich der dekorativen Malerei u. dem Porträt zu u. hatte namentlich in der engl. Hocharistokratie große Erfolge.
Orientbilder: *Les prisonniers marocains*, 1875, Bordeaux, Mus. *Einzug Mohammeds II. in Konstantinopel*, 1876, Toulouse, Mus. *Les derniers rebelles*, 1880, Paris, Luxembourg. Dekorative Malereien in der Pariser *Sorbonne*; an der Decke der *Opéra Comique*, ebda.; im *Rathaus* in Paris; im *Kapitol* in Toulouse. Porträts: *Mon fils André*, 1896, Paris, Luxembourg. Vertreten ferner u. a. in Lille, Perpignan, Mühlhausen.
Lit.: H. Vollmer in: Th.-B. 1912.

Conte, Jacopino del, ital. Maler, Florenz 1510–1598 Rom, Vertreter der röm. Spätrenaissance, Schüler A. del → Sartos, kam um 1538 nach Rom, bes. von → Michelangelo beeinflußt. Kirchliche Malereien, bedeutender Porträtist. Hauptwerk: *Geschichte Johannes d. T.* u. anderes, Fresken im Oratorium von S. Giovanni Decollato in Rom, um 1535–41. Werke in Berlin, ehem. K.-F.-Mus.; Florenz, Gall. Pitti; London, Nat. Gall.

Lit.: Fr. Noack in: Th.-B. 1912. H. Voss, *Malerei d. Spätrenaiss. in Rom u. Florenz*, 1920. A. Venturi IX, 6, 1933.

Cooper, Samuel, engl. Maler, * 1609, † 1673 London, Hauptmeister der engl. Miniaturmalerei, Bruder des Miniaturmalers Alexander C., empfing s. ersten Unterricht von s. Onkel, dem Miniaturmaler John Hoskins, weiter ausgebildet in Frankreich u. Holland, tätig in England, wo er die Großen s. Zeit porträtierte. Bevorzugter Maler des Commonwealth – Cromwell stellte er mehrfach dar – u. des Hofes Karls II. In s. Stil schloß er sich anfänglich Hoskins an, Hintergründe u. Komposition in der Manier van → Dycks. Die Farben sind warm u. tonig; die Wirkung der tiefen Schatten ist erstmals von ihm in der Miniaturmalerei verwandt worden.
In den großen engl. Privatslgn. am besten vertreten. Die wichtigsten sind: Schloß Windsor; Slg. Duke of Buccleuch in Montagu House; Duke of Portland in Welbeck. Ferner Oxford, Universitätsgal.; Cambridge, Fitzwilliam Mus.; London, Victoria u. Albert Mus.; Amsterdam, Rijksmus. Ein – nicht gut erhaltenes – *Porträt von Cromwell*, 1656, London, Brit. Mus. *Bildnis John Milton*, Slg. Duke of Buccleuch. *Bildnis Karls I.*, Windsor.
Lit.: G. Reynolds, *Engl. portrait miniatures*, 1952.

Copley, John Singleton, amerik. Maler, Boston (Mass.) 1737–1815 London, bedeutender Porträtist u. einer der bekanntesten amerik. Historienmaler, lernte bei s. Stiefvater, dem Kupferstecher Peter Pelham, bildete sich als Autodidakt in der Öl- u. Pastellmalerei aus. Er begann mit Bildnissen der Bostoner Gesellschaft; 1774 folgte er einer Einladung B.→Wests nach London, wo er sich von 1775 an dauernd niederließ. In s. Porträtkunst schließt er sich van → Dyck u. → Lely an; als Historienmaler auch von der franz. Kunst, B. West u. a. beeinflußt. Die berühmtesten hist. Gemälde: *Tod des Earl of Chatham*, 1779–80, London, Nat. Gall. *Tod des Majors Pierson*, 1783, ebda. *Belagerung v. Gibraltar*, 1790, ebda. Werke ferner in Boston, Mus.; New York, Public Library; London, Nat. Portr. Gall. u. a.
Lit.: M. H. Bernath in: Th.-B. 1912.

Coppi, Giacomo, gen. *del Meglio*, ital. Maler, Peretola 1523–1591 Florenz, Schüler u. Gehilfe des → Vasari, als Maler von Kirchenbildern in Florenz 1576–79 in Rom, wo er die Tribüne der Kirche S. Pietro in Vincoli ausmalte: *Fresken der Geschichte des Apostels Petrus*. Werke in Florenz: *Ecce Homo*, S. Croce. *Triumph Christi*, S. Maria Novella. Ferner: *Altarbild des hl. Klemens*, 1576, Pisa, Dom. *Geschichte des wunderbaren Kruzifixes*, 1579, Bologna, S. Salvatore. *Selbstbildnis*, Florenz, Uff.
Lit.: Fr. Noack in: Th.-B. 1912. A. Venturi IX, 5,

1932. N. Pevsner, *Barockmalerei in Italien* (Hb. d. K. W.), 1928.

Coppo di Marcovaldo, ital. Maler, 2. Hälfte 13. Jh., Hauptvertreter der toskan. Malerei des 13. Jh., eröffnet die Reihe der mit Namen bekannten florent. Meister, tätig in Florenz, Siena u. Orvieto. Der vor → Cimabue tätige Meister steht in der byzant. Tradition, zeigt aber schon die florent. Wesenszüge des plastischen Sehens u. der Schärfe der Zeichnung. Seine Werke von herber Strenge u. großer Ausdruckskraft: *Madonna del Carmine* in S. Maria Maggiore, Florenz, um 1250–60 (mit großer Wahrscheinlichkeit C. zugeschr.). *Madonna,* S. Maria dei Servi, Siena, 1261. *Madonna,* S. Maria dei Servi, Orvieto.
Lit.: G. Coor-Achenbach in: The Art Bull. 28, 1946, S. 233 ff. E. B. Garrison, *Ital. Romanesque panel paint.,* 1949. C. Brandi in: Boll. d'arte 35, 1950, S. 160 ff. R. Oertel, *Frühzeit d. ital. Malerei,* 1953.

Coques (Cocx), Gonzales, fläm. Maler, Antwerpen 1614–1684 ebda., einer der bedeutendsten Bildnismaler s. Zeit, Schüler von P. → Bruegel u. D. → Ryckaerts, begann als Genremaler u. pflegte später vor allem das kleinfigurige Gruppenbild. Er ordnete s. Figuren in lebendiger Weise in reich ausgestatteten Räumen. Später bildete sich s. Kunst unter dem Einfluß van → Dycks zu höchster Feinheit u. Eleganz aus. In vielen Gal., z. B. in Berlin, Brüssel, Dresden, Kassel, London usw.
Lit.: R. Oldenbourg, *Die fläm. Mal. d. 17. Jh.,* 1918. W. Bernt, *Niederl. Maler d. 17. Jh.,* 1948.

Corbusier → Le Corbusier.

Corenzio, Belisario, ital. Maler, Neapel um 1560 bis um 1640 ebda., Hauptmeister des ausgehenden Manierismus in Neapel, von → Cesari beeinflußt, schuf viele Kirchendekorationen ebda. Werke in Neapel: *Fresken in Kloster u. Kirche SS. Severino e Sosio. Anbetung der Könige,* Kirche dei Gerolomini. *Geburt Christi,* S. Maria la Nuova. *Fresken in Monte Cassino.*
Lit.: G. Sobotka in: Th.-B. 1912. N. Pevsner, *Malerei d. 17. Jh. in Italien* (Handb. d. K. W.), 1928. A. Venturi IX, 5, 1932.

Corinth, Lovis, dt. Maler, Tapiau (Ostpreußen) 1858–1925 Zandvoort (Holl.). Hauptvertreter des dt. Impressionismus, studierte an der Königsberger Akad., in München u. Paris (bei → Bouguereau), 1890–1900 in München, seitdem in Berlin tätig. Mitglied der Berliner Sezession, an deren Spitze 1911–12. Figurenbilder, religiöse Darstellungen, Bildnisse, Landschaften u. Stilleben, Radierungen u. Lithographien, sowie Buchillustrationen. Schon früh offenbarte sich s. kraftvolles Temperament, s. starker

Sinn für die Farbe. Von → Rubens beeinflußte Figurenbilder, gute Bildnisse. Änderte später s. Malweise, wohl unter dem Einfluß des Expressionismus u. des Fauvismus: in s. berühmten Walchensee-Landschaften wird der Strom der Farben zu einem rhythmischen Wogen.
Hauptwerke: *Versuchung des hl. Antonius,* 1896. *Frauenraub,* 1904. *Florian Geyer,* 1912. Porträts: *Graf Keyserling,* 1896. *Gerhart Hauptmann,* 1900. *J. Meier-Graefe,* 1917. *Georg Brandes,* 1925. Landschaften: *Der Walchensee,* Dresden, Gal. Schrieb versch. Bücher: «Gesammelte Schriften», 1920. «Selbstbiographie», 1926.
Lit.: K. Schwarz, *Das graph. Werk v. L. C.,* 1922. G. Biermann, 1922. Ders., *Der Zeichner L. C.,* 1924. A. Kuhn, 1925. A. Rohde, *Der junge C.,* 1941. Ch. Berend-C., *Mein Leben mit L. C.,* 1948.

Corneille, eig. Cornélis van Beverloo, belg. Maler, * Lüttich 1922, tätig in Paris, Vertreter der abstrakten Malerei, wird der jungen «école de Paris» zugerechnet. Er geht in s. Kunst von Naturformen aus, die er abstrahiert.
Lit.: J.-C. Lambert (Mus. de poche). Seuphor, *Dict. peint. abstr.,* 1957. *Neue Kunst nach 1945,* hg. v. W. Grohmann, 1958. H. Read, *Gesch. d. mod. Malerei,* 1959. Vollmer, 1961.

Corneille de Lyon, niederl.-franz. Maler, * im Haag, † 1574, tätig in Lyon, bedeutender Porträtmaler, als «peintre du roi» Bildnisse aus den Hofkreisen: *Madeleine de France,* Versailles u. Blois, Mus.; *Katharina v. Medici als Dauphine,* Versailles u. Chantilly. Zeitgenosse der → Clouet, malte in einem ähnlichen Stil, in leichter Pinselführung u. durchsichtigen Farben (lasierende Malerei). Die Bildnisse mit dem porzellangleich behandelten Fleisch immer nach demselben Schema, der Hintergrund stets einfarbig.
Lit.: H. Bouchot, *Les Clouet et C.,* 1892.

Cornelisz, Cornelis (*Cornelis van Haarlem*), niederl. Maler, Haarlem 1562–1638 ebda., Manierist, bibl. u. mythol. Bilder in großen Formaten mit heftig bewegten nackten Körpern. Hauptwerke: *Bethlehemit. Kindermord,* 1590, Amsterdam, Rijksmus. *Hochzeit des Peleus u. der Thetis,* Haag, Mus. *Schützenstücke* von 1583 u. 1599, Haarlem, Mus. (Diese wichtig für die Entwicklung des Gruppenbildnisses.)
Lit.: F. Wedekind, Diss. Leipz. 1911. W. Bernt, *Niederl. Maler d. 17. Jh.,* 1948.

Cornelisz, Jakob, van Oostsanen, gen. *C. van Amsterdam,* niederl. Maler, Oostsanen vor 1470 bis 1533 Amsterdam, tätig ebda., wurzelte in s. Anfängen in der altniederl. Malerei, nahm später die Renaissance-Ornamentik auf, doch blieb s. Kunst

vom Wesen der Renaissance unberührt. Vorliebe für Kostümprunk, kokette Gebärden, leuchtende Farben. Werke: *Christus erscheint Maria Magdalena*, 1507, Kassel, Gal. *Hieronymus-Altar*, 1511, Wien, Staatsgal. *Geburt Christi*, 1512, Neapel, Mus. *Altar mit Madonna u. Engeln*, Antwerpen, Mus. Großes Fresko des *Jüngsten Gerichtes*, 1519, aus Alkmaar, Amsterdam, Rijksmus. *Salome*, 1524, Den Haag, Mauritshuis. *Saul bei der Hexe von Endor*, 1526, Amsterdam, Rijksmus. *Altar mit Madonna in Landschaft*, 1530, Stuttgart, Mus. Bildnisse: *Brustbild eines Mannes*, 1514, Antwerpen, Mus. *Männl. Bildnis*, 1533, Amsterdam, Rijksmus. Ferner: Berlin (*Marien-Altärchen*), Neapel (*Geburt Christi*) u. a.
Lit.: L. Scheibler, *Die Gemälde d. J. C.* in: Preuß. Jb., 1882. K. Steinbart, *Die Tafelgemälde des J. C. v. A.*, 1921. Ders., *Nachlese im Werke d. J. C.* in: Marburger Jb. f. K. W. 5, 1929. Ders., *Das Holzschnittwerk d. J. C.*, 1937. M. J. Friedländer, *Altniederl. Malerei* 12, 1935.

Cornelisz van Amsterdam → Cornelisz, Jakob.

Cornelisz van Haarlem → Cornelisz, Cornelis.

Cornelius, Peter v., dt. Maler, Düsseldorf 1783 bis 1867 Berlin, Schüler der Düsseldorfer Akad., 1811 in Rom, wo er sich den → Nazarenern um → Overbeck anschloß, 1819 von Kronprinz Ludwig nach München berufen zur Ausschmückung der Glyptothek, 1825 ff. Direktor der Akad. das.; 1841 von Friedrich Wilhelm IV. nach Berlin berufen, außer einigen Aufenthalten in Rom dort tätig. Der klassizist. Geschulte erwies sich schon in s. 1. Hauptwerk, den *Federzeichnungen zu Goethes Faust*, 1809–11 (1816 in Kupferstich erschienen), als Romantiker, etwa im Sinne der franz. Romantik (→ Delacroix). In Rom beteiligte er sich an der Ausmalung der Casa Bartholdy mit 2 *Fresken aus der Josephsgeschichte*, 1816–17 (heute Berlin, staatl. Mus.), ohne zum eig. Nazarener zu werden. Ihm schwebte eine dt. Monumentalmalerei vor; diese konnte er realisieren, als ihm die Ausmalung der Glyptothek in München übertragen wurde: *Fresken des Trojaner-Saales der Glyptothek*, 1820–30.
Der Stil C.' vereinigt klassizist. u. romant. Strömungen, ist stark in der Zeichnung, erfindungsreich. Es mangelt ihm der Sinn für die Farbe u., da er sich allen neuen Strömungen verschloß, wurde er allmählich akademisch u. vereinsamte bei allem äußeren Ruhm. An Hauptwerken sind noch zu nennen: *Das Jüngste Gericht*, 1836–39, Ludwigskirche, München. *Die apokalypt. Reiter*, Entwurf für Fresko, 1846, Berlin, staatl. Mus.
Lit.: H. Riegel, 1870. E. Förster, 1874. A. Kuhn, 1921. K. Koetschau, 1934. R. Hamann, *Dt. Malerei v. Rokoko z. Expression.*, 1925. W. R. Deusch, *Malerei d. dt. Romantiker*, 1937.

Corot, Camille, franz. Maler, Paris 1796–1875 ebda., Hauptvertreter der franz. Landschaftskunst des 19. Jh., geschult an der klass. franz. Kunst durch Bertin u. Michallon u. das Studium von C. → Lorrain u. → Poussin, 1825–28 in Italien, wo s. ersten Bilder entstanden, dann in den Wäldern von Fontainebleau u. in Ville-d'Avray, wo er mit den ihm befreundeten Meistern von → Barbizon das Genre des «paysage intime» schuf. Später immer wieder auf Reisen in Italien u. in allen franz. Provinzen. Seine Bilder sind klar u. einfach gebaut. In s. Anfängen noch abhängig von der Landschaftskunst Poussins, um die Mitte d. Jh. Vorliebe für poetische Stimmungslandschaft: zarte Morgen- u. Abendstimmungen in silbrigem Grau u. verschwimmender Atmosphäre, oft mit Nymphen oder antiken Idealfiguren als Staffage. In s. letzten Periode überwiegen die hervorragenden Landschaftsstudien, Naturausschnitte in frischen Farben, in denen C. zum Vorläufer der Impressionisten wird, u. reizvolle Figurenbilder.
Werke: Von s. 1. ital. Reise: *Ansichten des Forums, des Kolosseums*, Paris, Louvre. Mittlere Zeit: *Nymphentanz*, 1850, Louvre. *Spätzeit*: *Castel Gandolfo*, 1865, ebda. *Quai des Pâquis à Genève*, Genf, Mus. *Kathedrale v. Sens*. Ferner feine Porträts, Radierungen, Lithographien. Das Gesamtwerk wird mit über 2000 Gemälden (100 im Louvre), 300 Zeichnungen, 100 graph. Blättern angegeben.
Lit.: A. Robaut, *L'œuvre de C.*, 5 Bde., 1905. L. Delteil, *Le peintre-graveur illustré* 5, 1910. J. Meier-Graefe, 1930. C. Mauclair, 1930. P. Jamot, 1936. G. Bazin, 1942 (dt. m. Bibliogr.). P. Courthion, *C. raconté par lui-même*, 1946. V. Gilardoni, 1952. D. Baud-Bovy, 1957. F. Fosca, 1958. J. Dieterle, 1959. M. Raynal, *De Goya à Gauguin*, 1951. F. Fosca, *La Peint. franç. au 19e siècle*, 1956. R. Cipriani in: Enc. Univ. dell Arte, 1958.

Corpora, Antonio, ital. Maler, * Tunis 1909, tätig in Rom, gehört zu den Hauptvertretern der modernen abstrakten ital. Kunst; er schloß sich an die «école de Paris», bes. an → Bazaine, an.
Lit.: *Neue Kunst nach 1945*, hg. v. W. Grohmann, 1958. M. Seuphor, *Knaurs Lex. abstr. Malerei*, 1957. Vollmer, 1961.

Correggio, Antonio Allegri, gen. C., ital Maler, Correggio (Emilia) 1489–1534 ebda., Hauptmeister der Schule von Parma, tätig meist in Correggio u. Parma, um 1518 wahrscheinlich in Rom. Empfing ferrares.-bolognes. Schulung; als erste Lehrer bzw. Anreger werden genannt: → Ferrari in Modena; → Francia, L. → Costa, → Mantegna. Seinen eigenen Stil gewann C. um 1518: charakterisiert durch die Virtuosität, mit der das Licht behandelt wird; das von → Leonardo ausgehende Helldunkel (chiaroscuro) wird zum bestimmenden Element; heftige

Bewegung der Figuren; kühne Verkürzungen sind weitere Elemente seines in die Zukunft weisenden, den Barock vorbereitenden Stiles; sein Einfluß auf die Schule der → Carracci, die Barockmalerei u. die weitere Entwicklung der Malerei war groß. Hauptwerke: Religiöse: *Madonna mit dem hl. Franziskus*, 1514–15, Dresden, Gal. *Madonna mit dem hl. Sebastian*, um 1525, ebda. *Madonna mit dem hl. Hieronymus*, um 1527, Parma, Gal. *Die hl. Nacht*, um 1530, Dresden, Gal. Mythol.: *Jupiter u. Antiope*, um 1525, Paris, Louvre. *Danae*, um 1526, Rom, Gall. Borghese. *Jo*, um 1530, Wien, Kunsth. Mus. *Leda*, um 1530, Berlin, staatl. Gal. Freskenwerke: im ehem. Speisesaal des *Convento di S. Paolo*, Parma, 1518–19. *S. Giovanni Evangelista* mit dem in die Glorie aufschwebenden Christus, ebda., 1521–23. *Kuppelfresko mit Himmelfahrt Mariä*, ebda., Dom, 1526–30. C. ist gut vertreten in den Gal. von: Parma, Dresden, Paris, London, Wien, Berlin.
Lit.: C. Ricci, 1897 (dt.). G. Gronau, 1907. A. Venturi, 1926. S. de Vito Battaglia, *C.-Bibliographie*, 1934. H. Bodmer, *C. u. die Malerei der Emilia*, 1943. E. Popham, 1957. S. Bottari in: Enc. Univ. del l'Arte, 1958.

Cortona, Pietro da, eig. Berrettini, ital. Maler u. Arch., Cortona 1596–1669 Rom, Meister des röm. Barock, haupts. in Rom, 1640–47 in Florenz tätig. Unvergleichlicher Meister des barocken Illusionismus: Bildnerei u. Baukunst werden in die malerisch-perspektivische Wirkung miteinbezogen. Über dem wirklichen architekt. Raum eröffnen sich neue, ins Unendliche weisende Scheinräume, aus denen die Gestalten herabschweben. Als Arch. an der Ausbildung des röm. Barock maßgebend beteiligt. Hauptwerke der Malerei: Prachtsaal des *Pal. Barberini*, Rom, Fresken, voll. 1651. *Fresken des Pal. Pamfili*, Rom, 1651–54. Fresken in *S. Maria in Vallicella* (Chiesa Nuova), Rom, 1647–65. Mythol. *Deckenbilder der Säle des Pal. Pitti*, Florenz, um 1640 beg. Ferner Altar- u. Tafelgemälde. Werke als Arch.: *SS. Martina e Luca*, Rom, um 1640 (auch der Altar in d. Unterkirche). *Fassade v. S. Maria della Pace*, ebda., um 1657.
Lit.: A. Muñoz, 1921. N. Pevsner, *Barockmalerei in Italien* (Hb. d. K. W.), 1928. Ders., *Europ. Architektur*, 1957.

Cosimo, Piero di → Piero di Cosimo.

Cosmaten, Gruppe ital. Bau- u. Marmordekorationskünstler, die im 12.–14. Jh. haupts. in Rom arbeitete, deren Gewerbe häufig vom Vater auf den Sohn vererbt wurde u. bei denen der Name Cosmas häufig vorkam, daher Cosmatenarbeit. Sie fertigten kostbares marmornes Kirchenmobiliar: Kanzeln, Chorschränke, Bischofsstühle, Altäre unter Verwendung ornamentaler Mosaiken aus Steinen oder Glasfluß, offenbar unter orient. Einfluß. Beisp.: *Mosaiken der Cappella Sancta Sanctorum* beim Lateran in Rom, 1277. *Ciborium in SS. Giovanni e Paolo*, ebda. *Fußbodenmosaik des Domes v. Anagni*, um 1226. Werke, die ins Ausland gelangten: *Schrein Eduards des Bekenners*, 1270, u. *Grabmal König Heinrichs III.*, 1272, beide in London, Westminsterabtei. In Florenz arbeiteten C. die dekorativen Teile der Domfassade des → Arnolfo di Cambio.
Lit.: L. Filippini, *La scultura nel Trecento a Roma*, 1908. E. Hutton, *The Cosmati*, 1951.

Cossa, Francesco del, ital. Maler, Ferrara um 1435 bis 1477 Bologna, neben C. → Tura u. Ercole de → Roberti Hauptvertreter der ferrares. Quattrocentokunst, tätig in Ferrara u. Bologna, von der Paduaner → Squarcione-Schule u. → Mantegna, bes. von P. della → Francesca beeinflußt. 1470 ff. in Bologna, wo er mit Ercole de Roberti zus. die Bologneser Malerschule begründete. Hauptwerke: die *Fresken der Monatsdarst. von März, April u. Mai, im Pal. Schifanoia*, 1470, Ferrara. *Allegorie des Herbstes*, Berlin, ehem. K.-F.-Mus. *Verkündigung Mariä*, Dresden, Gal. *Thronende Madonna mit Heiligen*, Bologna, Pinac. Werke ferner in Mailand, Rom, London, Budapest, Philadelphia (Slg. Johnson) u. a.
Lit.: M. H. Bernath in: Th.-B. 1912. A. Venturi VII, 3, 1914. R. Longhi, *Officina ferrarese*, 1934. S. Ortolani, *C. Tura, F. C., Ercole de Roberti*, 1941. E. Ruhmer, 1959. Enc. Univ. dell'Arte, 1958.

Cossiers, Jan, niederl. Maler, Antwerpen 1600 bis 1671 ebda., bedeutender Meister religiöser Gemälde, aber auch mythol. Darstellungen, tätig in Antwerpen; in s. Stil mit → Jordaens zu vergleichen. Werke in Kirchen Belgiens, bes. in der Kirche des Beginenhofs in Mecheln: *Kreuzigung*, 1656–58, u. v. a. Antwerpen, Mus.: *Anbetung der Hirten* u. a. Brüssel, Gal.: *Die Sintflut*. Den Haag, Mauritshuis: *Triumphzug des Bacchus*. Lille, Mus.; Löwen, Mus. im Rathaus; Madrid, Prado u. a.
Lit.: K. Zoege v. Manteuffel in: Th.-B. 1912. R. Oldenbourg, *Fläm. Maler d. 17. Jh.*, 1918. W. Bernt, *Niederl. Maler d. 17. Jh.*, 1948.

Cossmann, Alfred, österr. Kupferstecher u. Radierer, Graz 1870–1951 Wien. Exlibris, Buchschmuck u. Einbände in strengem Zeichenstil, 1920ff. Prof. an der Graph. Lehr- u. Versuchsanstalt in Wien. Reich vertreten in der Kupferstichslg. der Wiener Hofbibliothek. Von ihm: «Die Magie des Kupferstichs», 1947.
Lit.: H. Röttinger, 1927. Th. Alexander, 1930 (Kat. der Exlibris- u. Gebrauchsgraphik). J. Reisinger, *Die Kupferstecher der C.-Schule*, 1950.

Costa, Lorenzo, ital. Maler, Ferrara um 1460–1535 Mantua, Hauptmeister der Frührenaissance, Schüler

des C. → Tura, beeinflußt von E. de → Roberti, kam früh nach Bologna, wo er während längerer Zeit mit F. → Francia zusammenarbeitete. 1506 als Hofmaler in den Dienst des Francesco Gonzaga nach Mantua berufen, wo er bis zu s. Tod blieb. Seine Hauptwerke befinden sich in Bologna: *Thronende Madonna mit der Familie Bentivoglio*, 1487, S. Giacomo Maggiore. *Madonna mit Heiligen*, 1492, S. Petronio. *Thronende Madonna mit Heiligen*, 1499, S. Giovanni in Monte. *Krönung Mariä*, 1501, ebda. *Hl. Petronius*, 1502, Pinac. Ferner: *Fresken im Oratorium v. S. Cecilia*, 1506, Bologna. In Mantua: *Madonna mit Heiligen*, 1525, in S. Andrea. *Beweinung Christi*, 1504, Berlin, ehem. K.-F.-Mus. *Musenhof d. Isabella v. Este*, Paris, Louvre. Werke in London, Nat. Gall.; München, A. P.; Lugano, Slg. Schloß Rohoncz.
Lit.: A. Venturi VII, 3, 1914. H. Bodmer in: Pantheon 13, 1940.

Costa, Nino (Giovanni), ital. Maler, Rom 1826 bis 1903 Marina di Pisa, Vertreter des «paysage intime» in Italien, hatte in Paris Beziehungen zu den Malern der Schule v. → Barbizon, schloß sich zeitweise auch den → Macchiaioli in Florenz an, gründete um 1890 die Künstlergruppe «In arte libertas», tätig in Florenz, Rom u. a. O. Landschaften, meist mit Figuren belebt; gehört zu den Vorkämpfern der realist. Malerei Italiens. Werke in Rom, Gall. d'arte mod.
Lit.: O. Agreste-Rossetti, 1904 (engl.). T. Sapori, 1918 (ital.). E. Somaré, *Storia dei pitt. ital. dell'800*, 1928. U. Ojetti, *La pitt. ital. dell'800*, 1929. U. Fleres in: Enc. Ital. 1931. M. Wackernagel in: Zschr. f. Kunst 2, 1948.

Cotan, Juan Sanchez → Sanchez Cotan, Juan.

Coter, Colijn de, niederl. Maler, Ende 15. Jh., tätig in Brüssel, schuf monumentale Altarwerke, die in mancher Beziehung direkt an den Meister von → Flémalle anschließen. Hauptwerke: *Altar v. St-Omer*, mit den 3 Marien am Grabe, Paris, Louvre. *Beweinung Christi*, Amsterdam, Rijksmus. Werke in München, A. P.; Stuttgart, Messina; Philadelphia, Slg. Widener u. a.
Lit.: M. J. Friedländer, *Altniederl. Malerei* 4, 1926.

Cotes, Francis, engl. Maler, London 1725–1770 ebda., bedeutender Bildnismaler unter dem Einfluß von → Reynolds. Maler der Hocharistokratie. Sehr beliebt s. Pastellporträts. Werke in London: Victoria u. Albert Mus.; Brit. Mus.; Royal Acad. Gall. Ferner in Dublin, Nat. Gall.
Lit.: M. W. Brockwell in: Th.-B. 1912.

Cotman, John Sell, engl. Maler u. Radierer, Norwich 1782–1842 London, bedeutender Landschafts-

maler, bes. Aquarelle u. Tuschzeichnungen. Zunächst von → Crome beeinflußt, um 1797 ff. in London unter dem Einfluß → Girtins, kehrte 1806 nach Norwich zurück. 1824–42 Zeichenlehrer am King's College in London. Werke im Victoria u. Albert Mus. u. im Brit. Mus., London (300 Aquarelle u. Zeichnungen).
Lit.: L. Binyon, *English water colours*, ²1946.

Cotte, Robert de, franz. Arch., Paris 1656–1735 ebda., Hauptmeister des Régence-Stils, der den Übergang vom Barock zum franz. Rokoko bildet, Schüler u. Mitarbeiter von Jules Hardouin → Mansart; dessen Nachfolger als «premier architecte du Roy» 1708. 1699 ff. leitete er die Pariser Gobelinmanufaktur. C. war an allen großen Schloß- u. Kirchenbauten s. Zeit in Frankreich beteiligt u. beeinflußte auch die Stadtbaukunst. Sein Stil bildet den Übergang vom prunkvollen Stil Louis XIV. zum elegant-behaglichen Salon- u. Boudoirstil des Rokoko. Seine Grundrisse zeichnen sich durch Zweckmäßigkeit aus; er entwarf auch Innendekorationen, Möbel, Metallarbeiten, Gobelins. C. lieferte Entwürfe zu dt. Schloßbauten u. hatte somit Einfluß auf die zeitgenössische Baukunst in Deutschland. Er schuf Entwürfe für Würzburg, hatte wesentlichen Einfluß auf den Bau des Residenzschlosses in Brühl; Entwürfe für das Lustschlößchen in Poppelsdorf; das Palais Thurn u. Taxis in Frankfurt a. M. (1732–41) u. a.
Hauptwerke: *Schloßkapelle Versailles*, 1699 von Hardouin → Mansart beg., 1710 von C. beendet. *Goldene Galerie im Hôtel de la Vrillière*, Paris (jetzt Banque de France), 1713–19. *Säulengang v. Grand-Trianon. Innenausstattung des Schlosses v. Versailles;* an ihr hatte C. wesentlichen Anteil. *Dekoration des Chors u. Hochaltars v. Notre-Dame*, Paris, 1708 bis 1714. *Kirche St-Roch*, ebda., 1734–35. Mit großer Wahrscheinlichkeit wird ihm der Entwurf zum 1728 von Kardinal Rohan beg. *Bischöfl. Palast* in Straßburg zugewiesen.
Lit.: H. Vollmer in: Th.-B. 1912. A. E. Brinckmann, *Baukunst d. 17. u. 18. Jh.* (Handb. d. K. W.), 1930. L. Hautecoeur, *Hist. de l'architecture class. en France* II, 2, 1948.

Cottet, Charles, franz. Maler, Le Puy 1863–1925 Paris, hervorragender Landschafter, vor allem der Bretagne, studierte in Paris, haupts. bei → Roll, machte 1894 eine Reise in die Bretagne u. wurde durch s. *Begräbnis in der Bretagne*, 1895, Lille, Mus. berühmt. Weitere Reisen führten ihn durch Europa u. Afrika; 1904 reiste er mit → Zuloaga durch Spanien. In s. Kunst stand C. zeitweise unter dem Einfluß der Impressionisten, doch bevorzugte er erzählerische Bilder aus dem Leben der Fischer. In dunklen, schweren Farben malte er stimmungsvolle Landschaften aus der Bretagne, Genrebilder aus dem Fischerleben, Marinen, auch Motive aus

alten span. Städten u. von der afrik. Küste. Bekannt ist s. Triptychon: *Au pays de la mer*, 1898, Paris, Luxembourg. Werke u. a. in Paris, Lille, Bordeaux, Brüssel, Antwerpen, Gent, Karlsruhe, Düsseldorf, München, Venedig, Wien, Barcelona, Philadelphia, Chicago.
Lit.: Grautoff in Th.-B. 1912. A. Michel, 1924.

Courbet, Gustave, franz. Maler, Ornans b. Besançon 1819-1877 Vevey, Hauptmeister des franz. Realismus, studierte als Autodidakt nach der Natur. Neben → Millet u. den Meistern der Schule v. → Barbizon war s. kraftvolle Kunstsprache ein entscheidender Schritt zur Überwindung des romant. Historismus u. zur Begründung des Realismus in der franz. Kunst. C. war nicht nur in s. Kunst revolutionär; er war am Kommune-Aufstand beteiligt u. 1871 angeklagt, die Vendôme-Säule gestürzt zu haben. Es folgten Prozesse u. Verurteilung; schließlich mußte er 1875 in der Schweiz Zuflucht suchen, wo er bald darauf starb. Der Einfluß C. s war überaus groß; auch auf die dt. Kunstentwicklung wirkte er ein, z. B. auf → Thoma, → Leibl, V. → Müller.
Seine epochemachenden Bilder waren u. a.: *Das Begräbnis in Ornans*, 1849, Paris, Louvre. *Die Steinklopfer*, 1851, Dresden, Gal. *Bonjour, Monsieur Courbet*, 1854, Montpellier, Mus. Fabre. *Das Atelier des Malers*, 1855, Paris, Louvre. Gut vertreten in Paris, Louvre u. Petit Palais; Hamburg, Kunsth.
Lit.: Th. Duret, 1918. J. Meier-Graefe, 1921. A. Fontainas, 1921. P. Courthion, 1931. Ders., 1948. H. Naef, 1947. M. Raynal, *De Goya à Gauguin* (Skira), 1951 (m. Bibliogr.). Enc. Univ. dell'Arte, 1958.

Courtois, Jacques, in Italien Giacomo Cortese, auch *Le Bourguignon* gen., ital. Maler burgund. Abstammung, Saint-Hippolyte 1621–1675 Rom, bedeutender Schlachtenmaler, beeinflußt von P. van → Laer u. → Cerquozzi, tätig in Bologna, Florenz, Siena, Venedig u. seit 1640 haupts. in Rom, malte zahlreiche Schlachtenbilder, die sich durch kühne Komposition u. malerische Gestaltung des atmosphärischen Lebens auszeichnen. Gut vertreten in Rom, Gall. Borghese; Florenz, Pitti u. Uff. Werke in fast allen europ. Gal., u. a. in Augsburg, Avignon, Bamberg, Berlin, Besançon, Bologna, Bordeaux, Dresden, Genf, Karlsruhe, München.
Lit.: Dussieux, *L'art franç. à l'étranger*, 1856.

Cousin, Jean, d. Ä., franz. Maler, Bildhauer u. Holzschneider, Soucy b. Sens um 1490–1560 Paris, tätig in Sens u. seit ca. 1540 in Paris, schuf Glasgemälde, Festdekorationen u. religiöse Bilder. Entwürfe für die Fenster der Kathedrale in Sens. Bilder: *Jüngstes Gericht*, Paris, Louvre. *Eva prima Pandora*, ebda. *Grabmal des Admirals Chabot*, ebda.
Lit.: → folg.

Cousin, Jean, d. J., franz. Maler, Bildhauer u. Stecher, Sohn u. Schüler Jeans d. Ä., Sens um 1522 bis um 1594 Paris, von s. Zeitgenossen hoch geschätzt u. mit → Dürer verglichen, malte Glasfenster, mythol. Bilder u. gilt als Illustrator vieler Ausgaben antiker Dichter. Zahlreiche Kupferst. wurden nach s. Zeichnungen gefertigt. Seine Schrift «Livre de pourtraicture», 1560, handelt von den Proportionen des menschlichen Körpers.
Lit.: M. Roy, *Les deux Jean C.*, 1909.

Cousins, Samuel, engl. Kupferstecher, Exeter 1801 bis 1887 London, Meister des Mezzotintoverfahrens (Schabkunst), Schüler v. S. W. → Reynolds, schuf Schabkunstblätter nach Th. → Lawrence, F. u. H. Howard, H. → Raeburn, → Landseer u. a. Hervorragend namentlich für Reproduktion von Bildnisgemälden.
Lit.: M. W. Brockwell in: Th.-B. 1912.

Coustou, franz. Bildhauerfamilie des Barock; deren wichtigste Mitglieder:
Guillaume d. Ä., Lyon 1677–1746 Paris, Mitarbeiter s. Bruders Nicolas bei den meisten Bildwerken für Versailles u. Marly. Er schuf religiöse Bildwerke, Bildnisse u. mehrere Basreliefs, welche Taten Ludwigs XIV. verherrlichen. Am Louvre sind von ihm: *Herkules auf dem Scheiterhaufen*, Marmor, 1704, u. *Statue der Maria Leszczynska*, Marmor, 1730.
Guillaume d. J., Sohn G.s d. Ä., Paris 1716 bis 1777, Schüler s. Vaters, weitergebildet in Rom; religiöse Bildwerke u. dekorative Werke für Friedrich d. Gr. *Apotheose des hl. Franz Xaver*, Bordeaux, Jesuitenkirche. *Hl. Rochus*, Paris, Rochuskirche. Ferner: *Marmorstatuen des Mars u. der Venus* in Sanssouci b. Potsdam.
Nicolas, Bruder G.s d. Ä., Lyon 1658–1733 Paris, Meister des pathet. Barockstils, Schüler s. Onkels A. → Coyzevox, weitergebildet 1683–86 in Rom, schuf für den Park v. Marly die Marmorgruppen: *Vereinigung der Seine mit der Marne*, jetzt Tuileriengarten. *Ruhender Jäger*, ebda. *Daphne*, ebda. *Bacchus*, ebda. Ferner: *Die Rosse von Marly*, Eingang der Champs-Elysées.
Lit.: M. Audin in: Th.-B. 1912.

Couture, Thomas, franz. Maler, Senlis 1815–1879 Villiers-le-Bel b. Paris, Hauptmeister der dekorativen Geschichtsmalerei, Schüler von → Gros u. → Delaroche, dessen 1847 ausgestelltes Bild *Die Römer der Verfallzeit*, Paris, Louvre, großen Erfolg erntete. C., der auf die Venezianer zurückging, war in Wahrheit nicht der Meister der Farbe, den die Zeitgenossen in ihm sahen, sondern ein großes zeichnerisches u. kompositionelles Talent u. ein Lehrer ersten Ranges. Längere oder kürzere Zeit waren u. a. s. Schüler: → Manet, die Deutschen V. → Müller, → Knaus, → Henneberg, A. → Feuerbach. Außer s. großen Gemälden u. Bildnissen führte C. Freskenmalereien in der Kirche *St-Eustache*, Paris, aus, 1847–52.

Cowper, Frank Cadogan, engl. Maler, * Wicken Rectory (Northamptonshire) 1877. Freskodarstellungen im Londoner Parlamentsgebäude; Werke in London, Tate Gall. (*Lucrezia Borgia*); Leeds, Brisbane.

Cox, David, engl. Maler u. Radierer, Birmingham 1783–1859 ebda., einer der bedeutendsten engl. Meister der Aquarell-Landschaft, auch Ölmaler, in manchem Vorläufer der Impressionisten. Gut vertreten in London, Brit. Mus. u. Victoria u. Albert Mus.; Birmingham, Manchester, Preston, Cardiff u. a.
Lit.: W. Hall, 1881. A. L. Baldry in: The Studio, 1903. L. Binyon, *Engl. water colours*, ²1946.

Coxie, Michiel van, niederl. Maler, Mecheln 1499 bis 1592 ebda. Hauptvertreter des Romanismus in Flandern, Schüler des B. van → Orley, mit dem zus. er die Entwürfe für die Prachtfenster der 4 nördl. Kapellen der Brüsseler Kathedrale lieferte. C. war in Italien u. malte 1531 in Rom *Fresken in S. Maria dell'Anima*. Später in Brüssel tätig, Hofmaler König Philipps II. v. Spanien, für den er den Genter Altar der Brüder van → Eyck kopierte. Hauptwerke: *Kirchenbilder* in der Kathedrale v. Mecheln. In Brüssel, Ste-Gudule: 2 Altäre mit *Kreuzigung Christi*, 1589, u. *Legende der hl. Gudula*, 1592, ebda. *Glasfenster* nach s. Zeichnung. *Kartons für Wandteppiche*, Florenz, Akad. Vertreten in den Mus. Brüssel, Antwerpen, Madrid, Wien, Prag, Leningrad.
Lit.: G. J. Hoogewerff in: Th.-B. 1913.

Coypel, franz. Malerfamilie des 17. u. 18. Jh., die bedeutendsten Vertreter:
Antoine, Maler u. Stecher, Sohn von Noel, Paris 1661–1722 ebda., Meister des röm. beeinflußten Barock, Schüler s. Vaters, weitergebildet in Rom unter dem Einfluß → Poussins u. der → Carracci. C. wurde am franz. Hofe sehr gefördert, 1714 Direktor der Akad., 1716 «premier peintre du Roi», lieferte viele dekorative Malereien für Schlösser, zahlreiche Entwürfe für die Gobelinmanufaktur, ferner Pastell- u. Ölbilder, die vielfach von den Stechern der Zeit reproduziert wurden.
Charles-Antoine, Sohn des Antoine, Paris 1694 bis 1752 ebda., Vertreter der allegor. u. hist. Rokokomalerei, folgte der Art s. Vaters, der er die leichte Rokokograzie beigab. 1747 Direktor der Akad. u. Hofmaler Ludwigs XV. Hauptwerke: Entwürfe für Gobelins: 28 *Darstellungen aus Don Quichotte* im Schloß Compiègne u. *Szenen aus Rinaldo u. Armida*, ebda.
Noel, Maler, Paris 1628–1707, von → Le Brun

beigezogen zur Ausschmückung von Versailles u. der Invalidenkirche sowie für die Gobelinmanufaktur.

Coyzevox, Antoine, franz. Bildhauer, Lyon 1640 bis 1720 Paris, an der Dekoration der Schlösser Zabern (1667–70), Paris u. namentlich Versailles tätig. C. arbeitete unter der Regie von → Mansart u. → Le Brun, ohne doch s. Selbständigkeit aufzugeben. Überaus zahlreich sind s. Dekorationen, Reliefs, mythol. Plastiken, Bildnisbüsten, Grabdenkmäler. Er ging vom Stil → Berninis aus u. machte ihn in gemäßigter Weise für die Prachtentfaltung am Hofe Ludwigs XIV. nutzbar. Sein Einfluß auf die Folgezeit war groß, er war Lehrmeister einer ganzen Generation tüchtiger Künstler, darunter s. beiden Neffen N. u. G.→Coustou. C. gehört zu den bedeutendsten Bildhauern der Epoche Ludwigs XIV.
Hauptwerke: haupts. im Louvre u. im Schloß v. Versailles. *Bildnisbüsten Ludwigs XIV., Colberts*, Versailles, Schloß. *Richelieu, Bossuet, Le Brun, Selbstbildnis*, Paris, Louvre. *Le Grand Condé*, Chantilly. *Grabdenkmal Mazarins*, 1689–93, Louvre. *Hirt u. Satyrknabe*, 1709, ebda. *Flötenspielender Faun; Flora*, Tuileriengarten.
Lit.: H. Jouin, 1883. G. Keller-Dorian, *Cat. raisonné*, 1920. P. Francastel, *La sculpture à Versailles*, 1930.

Cozens, Alexander, engl. Maler, in Rußland um 1717–1786 London, bedeutender Aquarellmaler. In s. späteren Landschaftsstudien in Tuschzeichnung impressionist. wirkend. Werke in London, Brit. Mus. u. Victoria u. Albert Mus.; Birmingham, Mus.; Oxford, Ashmolean Mus.
Lit.: → folg.

Cozens, John Robert, engl. Maler, London 1752 bis 1799 ebda., bedeutender Landschafter, Schüler s. Vaters Alexander, schuf namentlich Aquarelle, vielfach auf Reisen in der Schweiz u. in Italien. Seine Aquarelle erzielten ganz neue atmosphärische Effekte u. lassen ihn als Vorläufer der Impressionisten erscheinen. Er hatte Einfluß auf → Turner u. a. – Werke in London, Brit. Mus. u. Victoria u. Albert Mus.; Dublin, Manchester u. a.
Lit.: A. P. Oppé, *Alexander and John Robert C.*, 1952.

Cozzarelli, Giacomo, ital. Bildhauer, Siena 1453 bis 1515 ebda., Schüler des → Francesco di Giorgio in Siena, der in s. Kunst der Art s. Lehrers folgte; tätig in Siena. C. schuf *2 Sockel an den Chorpfeilern* des Doms v. Siena u. die *Fahnenhalter* am Pal. del Magnifico, ebda., voll. 1508. Ferner die bemalte *Terrakottagruppe der Pietà* in der Sakristei des Convento dell'Osservanza (Franziskanerkloster) b. Siena; dort auch Tonreliefs. *Johannes Evang.*, Siena, Mus.

dell'Opera del Duomo. *Hl. Sigismund,* farbige Terrakotta, ebda., Sakristei S. Maria del Carmine. Holzfigur des *hl. Nikolaus v. Tolentino,* ebda., S. Agostino. Weitere Werke in den Kirchen von Siena. Ferner: *Hl. Christophorus,* Holz, Paris, Louvre. *Weibl. Marmorbüste,* Berlin, ehem. K.-F.-Mus. (zugeschrieben) u. a.
Lit.: P. Schubring, *Die Plastik Sienas im Quattrocento,* 1907. G. De Nicola in: Th.-B. 1913. L. Marri-Martini in: Enc. Ital. 1931.

Cozzarelli, Guidoccio, ital. Maler, tätig 2. Hälfte. 15. Jh. in Siena, Fortsetzer der Kunst des → Matteo di Giovanni, schuf religiöse Bilder, meist Madonnen: *Von Engeln gekrönte Madonna,* Pitigliano, Dom, 1484 u. Siena, Gal., 1482. Altarbild mit *Madonna, Engeln u. Heiligen,* 1486, Sinalunga, Kirche der Osservanza. Weitere Werke in Siena, Pal. Pubblico u. Gal.; in den Mus. v. Boston, Budapest, Altenburg, Stockholm u. a.
Lit.: A. M. Ciaranfi in: Enc. Ital. 1931.

Craesbeeck (Craesbeke), Joos van, niederl. Maler, Neerlinter um 1605 bis um 1655 Brüssel, bedeutender fläm. Genremaler, der Bauernszenen in der Art des → Brower malte. Er erfuhr auch holl. Einfluß u. erweiterte gegenüber Brower den Stoffkreis: Szenen aus dem Bürgerstand, auch einige religiöse Bilder (unter Einfluß der → Rembrandt-Schule). In Antwerpen u. Brüssel tätig. Beisp.: *Bauer mit Bierkrug,* Berlin, ehem. K.-F.-Mus. *Zechende Gesellschaft vor Wirtshaus,* Kassel, Gal. *Der Lautenspieler,* Liechtensteingal., Vaduz. Werke in vielen europ. Mus., u. a. in Paris, Louvre; Wien, Akad.; Mus. v. Aachen, Antwerpen, Augsburg, Brüssel, Kassel, Lissabon, Madrid, München, Leningrad, Stockholm.
Lit.: K. Zoege v. Manteuffel in: Th.-B. 1913. W. Bernt, *Niederl. Maler d. 17. Jh.,* 1948.

Craig, Edward Gordon, engl. Zeichner, Graphiker u. Bühnenbildner, * London 1872, Reformator des modernen Bühnenbildes, ursprünglich Schauspieler, ging 1898 zur Graphik über u. entwarf Inszenierungen für das Theater. Er forderte eine rein künstlerische Bühnenkunst, verwarf jeden Naturalismus, Vorläufer der modernen «Stilbühne». In London u. Berlin, 1906 ff. in Florenz tätig, wo er 1913 eine Schule für Bühnenmalerei eröffnete. Später kehrte er nach England zurück; ansässig in Newport (Mon.).
Lit.: Bender in: Th.-B. 1913. J. Leeper, *E. G. C.,* Designs for the theatre, 1948.

Cranach, Lucas, d. Ä., Maler, Zeichner für den Holzschnitt u. Kupferstecher, Kronach 1472–1553 Weimar, Hauptmeister der dt. Reformationszeit neben → Dürer u. → Altdorfer. 1505 ff. Hofmaler des sächsischen Kurfürsten Friedrich des Weisen. Großer Werkstattbetrieb in Wittenberg, 1537–44 Bürger-

meister das. Zuletzt am Weimarer Hof. Anhänger der Reformation, Freund Luthers u. Melanchthons. Ausgangspunkt s. künstlerischen Entwicklung war der → Donaustil, Anklänge an Altdorfer, auch an → Grünewald. Nach einer niederl. Reise, 1508, Eindringen von Renaissancemotiven. Später großer Werkstattbetrieb, der auf Bestellung sowohl fromme Bilder wie solche antik-mythol. Inhaltes lieferte, jedoch in Massenproduktion verflachte. In den Dienst der Reformation stellte sich C. mit Bildern der Reformatoren u. mit Illustrierung der Bibel u. von Reformationsschriften.
C.s Söhne *Hans,* † 1537, u. *Lucas* d. J., 1515–86, waren s. Schüler u. Mitarbeiter. Der letztere führte die Werkstatt fort. Ihm wird jetzt das *Altargemälde mit Allegorie der Erlösung,* 1555, Stadtkirche, Weimar, zugeschrieben.
Werke: *Kreuzigung,* 1503, München, A.P. *Bildnis Dr. Cuspinian,* 1503, Winterthur, Slg. Reinhart. *Ruhe auf der Flucht,* 1504, Berlin. *Katharinen-Altar,* 1506, Dresden. *Thorgauer Sippen-Altar,* 1509, Frankfurt, Städel. *Venus,* 1509, Leningrad, Eremitage. *Bildnisse Herzog Heinrichs d. Frommen u. s. Gemahlin,* 1514, Dresden. *Urteil des Paris,* Berlin. *Apollo u. Diana,* 1530, das. *Adam u. Eva,* 1533, das. Zahlreiche Bilder mit Lucretia- u. Venus-Figürchen: Berlin, Frankfurt, Kassel u. a. *Selbstbildnis,* 1550, Florenz, Uff. Sein bestes *Lutherbild:* Kupferstich von 1521.
Lit.: E. Flechsig, *C.-Studien,* 1900. C. Glaser, 1921. M. J. Friedländer u. I. Rosenberg, *Die Gemälde v. L. C.,* 1932. Th. L. Girshausen, *Die Handzeichn. L. C.s d. Ä.,* Diss. Frankfurt 1936. H. Lilienfein, *C. u. seine Zeit,* 1942. H. Posse, 1943. Enc. Univ. dell'Arte, 1958.

Crane, Walter, engl. Maler u. Illustrator, Liverpool 1845–1915 Horsham, Schüler s. Vaters, des Bildnisminiaturisten Thomas C. († 1859) u. des Malers Linton, schloß sich in Rom den → Präraffaeliten an. Zeichner, vor allem farbige Illustrationen für Kinderbücher. Entwürfe für Tapeten, Teppiche, Stickereien, Buchausstattung. Für die Stilentwicklung des engl. Kunstgewerbes gab er entscheidende Anregungen. Werke: Zeichnungen für Kinderbücher: *Toy Books, Flora's Feast, Queen Summer.* Er veröffentlichte Lehrbücher: «Claims of decorative art», 1892. «Of the decorative illustr. of books, old and new», 1896. «The basis of design», 1898. «Line and form», 1900. Selbstbiographie: «An artist's reminiscenses», 1907.
Lit.: O. v. Schleinitz, 1902.

Crayer, Gasper (Jasper, Caspar) de, niederl. Maler, Antwerpen 1584–1669 Gent, bedeutender Meister aus dem Umkreis → Rubens', ausgebildet in Brüssel unter dem Einfluß des niederl. Romanismus u. der ital. Renaissancemalerei, später stark unter dem Einfluß von Rubens. C. war überaus fruchtbar u. hatte

eine große Werkstatt in Brüssel, 1664ff. in Gent. Zu s. besten Schülern gehört Jan v. Cleve. Er schuf fast ausschließlich religiöse Bilder für die Kirchen Flanderns. Die Landschaften in s. Bildern gelegentlich von Jacques d' → Artois u. Lucas de Vadder, die Tiere von Pieter Boel. Auch heute noch befinden sich viele s. Bilder in belg. Kirchen; Hauptslg. in den Mus. v. Brüssel u. Gent. Viele s. Werke in franz. Provinzmus.: Amiens, Arras, Grenoble, Lille, Lyon, Marseille, Montpellier. Ferner in den Mus. v. Antwerpen, Madrid, Lissabon, Paris (Louvre), New York (Metrop. Mus.), Stockholm, Turin, Wien. Einige Werke kamen nach Amberg in Bayern (St. Georg u. St. Martin). Hauptwerke: *Urteil des Salomo*, um 1620, Gent, Mus. *Pietà*, Brüssel, Mus. *Berufung Petri*, ebda. Altarbild der *Madonna mit Heiligen*, 1658, Amberg, Martinskirche.
Lit.: K. Zoege v. Manteuffel in: Th.-B. 1913. E. Heidrich, *Vläm. Malerei*, 1913. R. Oldenbourg, *Fläm. Maler d. 17. Jh.*, 1918. W. Bernt, *Niederl. Maler d. 17. Jh.*, 1948.

Credi, Lorenzo di, ital. Maler, Florenz um 1459 bis 1537 ebda., Schüler u. Gehilfe des → Verrocchio, der in Kompositionsweise u. Erfindung nicht wesentlich über s. Meister hinausging, immerhin einiges von s. Mitschüler → Leonardo übernahm. Er malte religiöse Bilder in sorgfältiger Technik anmutig u. in lichten Farben; doch haben seine Gestalten nichts Individuelles u. werden durch stete Wiederholung eintönig. Hauptwerke: *Thronende Madonna zwischen Heiligen* (vermutete Mitarbeit an Verrocchios Bild), 1486, Pistoia, Dom. *Madonnen:* Rom, Gall. Borghese; Turin, Gall.; London, Nat. Gall. *Verkündigung*, Florenz, Uff. *Madonna zwischen Heiligen*, Paris, Louvre. *Anbetung der Hirten*, Florenz, Akad. *Porträt eines jungen Mädchens*, Berlin, staatl. Mus. Werke in: Berlin, Dresden, Florenz (Uff. u. Akad.), London, Neapel, New York, Pistoia, Rom (Gall. Borghese u. Vatikan. Gal.).
Lit.: A. Venturi VII, 1, 1911. R. van Marle, *Ital. Schools* 13, 1931. G. Delogu, *Ital. Malerei*, ³1948.

Cremona, Tranquillo, ital. Maler, Pavia 1837–1878 Mailand, entwickelte sich unter dem Eindruck des → Carnovali in Venedig u. Mailand. Er läßt in s. Kunst die formauflösende venez. Tradition weiterleben. Er schloß sich bes. an → Farruffini an; mit einigen anderen bildeten sie eine lombard. Künstlergruppe, die man als verspätete Romantiker bezeichnete. Sehr beliebt war sein Hauptwerk: *L'Edera* (*Der Efeu*), Turin, Mus., welches unter dem Symbol des Efeus die Treue in der Liebe darstellt. Werke in Mailand, Gall. d'arte mod.; Rom, Gall. d'arte mod.; Turin, Mus.
Lit.: G. Pisa, 1898. U. Ojetti, 1912. L. Perelli u. P. Levi, 1913. L. Beltrami, 1929. *Ausst.-Kat. Pavia,* 1938. G. Delogu, *Ital. Malerei*, ³1948.

Crespi, Daniele, ital. Maler, * um 1590, † 1630 Mailand, Vertreter des mailänd. Frühbarock, schuf Fresken u. kirchliche Bilder, Schüler des Giovanni Battista → C. (s. Onkel?), namentlich von G. C. → Procaccini beeinflußt. Werke: Fresken: *Zyklus aus der Legende des hl. Bruno*, Kirche der Certosa v. Garegnano (Mailand). *Altarbilder* in S. Maria della Passione, ebda. *Abendmahl, Taufe Christi* u. a. Mailand, Brera.
Lit.: → folg.

Crespi, Giovanni Battista, gen. *il Cerano*, ital. Maler, Cerano um 1557–1633 Mailand, Meister der lombard. Spätrenaiss., tätig in Mailand. In s. Stil von G. → Ferrari ausgehend, von → Tintoretto, → Veronese u. → Barocci beeinflußt, aber im wesentlichen auf der Stufe des späten Manierismus verharrend, schuf kirchliche Werke. Hauptwerke: *Messe des hl. Gregor*, um 1600, Varese, S. Vittore. *Pietà*, 1600, Novara, Mus. *Taufe Christi*, 1601, Frankfurt, Städel. *Madonna mit Heiligen*, die sog. Jungfrau mit dem Rosenkranz, um 1615, Mailand, Brera. *Taufe des hl. Augustin*, Mailand, S. Marco. Werke ferner in Bergamo, Cremona, Florenz, Modena, Rom, Turin, Wien.
Lit.: N. Pevsner, *Barockmalerei in Italien* (Hb. d. K. W.), 1928. Ders. in: Preuss. Jb. 1925 u. 1928.

Crespi, Giuseppe Maria, ital. Maler u. Radierer, Bologna 1665–1747 ebda, gen. *lo Spagnuolo*, Vertreter der von den → Carracci begründeten bolognes. Malerschule, Schüler von → Canuti u. C. → Cignani. Seine eklektische Malerei – u. a. von → Guercino, → Baroccio, → Correggio, den Venezianern, beeinflußt – zeichnet sich durch heftige Bewegungsmotive bei naturalist. Durchbildung der Einzelheiten aus u. durch das Bestreben nach malerischer Gesamtwirkung bei scharfen Helldunkelgegensätzen. Malte religiöse u. mythol. Bilder u. Bildnisse. Hauptwerke: *Chiron lehrt den jungen Achill die Kunst des Bogenschießens*, Wien, Gal. *Die Sibylle u. Charon*, ebda. *Die 7 Sakramente*, Dresden, Gal. *Blendung Polymnestors durch die Trojanerinnen*, Brüssel, Mus. Werke u. a. in Dresden, Wien (Kunsthist. Mus.), Turin.
Lit.: H. Voss, o. J. (ital.). N. Pevsner, *Barockmalerei in Italien* (Hb. d. K. W.), 1928.

Cressent (Crescent), Charles, franz. Kunsttischler (ébéniste), Amiens 1685–1768 Paris, Hauptvertreter des Régencestils, Schüler v. A. → Coyzevox, beeinflußt von → Boulle u. → Gillot. Seine Spezialität waren Schränkchen mit florent. Steininkrustation. Werke: *Münzschrank*, Paris, Bibl. Nat. *Schreibtische*, Paris, Louvre u. Elysée-Pal.; Schloß Fontainebleau. *Kommoden*, London, Wallace Coll. u. Victoria and Albert Mus.; verschiedene Werke in Versailles, Mus.
Lit.: H. Stein in: Th.-B. 1913.

Crippa, Roberto, ital. Maler, * Monza 1921, Hauptvertreter der jungen ital. ungegenständlichen Kunst («expressive Abstraktion»).

Lit.: Giani, 1956. M. Seuphor, *Knaurs Lex. abstr. Malerei*, 1957. *Neue Kunst nach 1945*, hg. v. W. Grohmann, 1958.

Cristus (Christus), Petrus, niederl. Maler, Baerle um 1420–1473 Brügge, bedeutender Nachfolger des J. van → Eyck, war vermutlich um 1442 in der Werkstatt Eycks tätig, schuf Kirchenbilder u. Porträts. In s. Stil ganz von diesem abhängig, doch trockener u. phantasieärmer; tätig in Brügge. Hauptwerke: *2 Altarflügel mit Verkündigung, Geburt Christi u. Jüngstem Gericht*, 1452, Berlin, staatl. Mus. *Goldschmiedewerkstatt des hl. Eligius*, 1449. *Thronende Madonna mit 2 Heiligen*, 1457, Frankfurt, Städel. Bildnisse: *Bildnis einer jungen Frau*, um 1446, Berlin, staatl. Mus. *Bildnis eines Mönchs*, 1466, Valencia.
Lit.: E. Heidrich, *Altniederl. Malerei*, 1910. M. J. Friedländer, *Altniederl. Malerei*, 1924. P. Fierens, *La Peinture flamande*, 1938.

Crivelli, Carlo, ital. Maler, * Venedig um 1430–35, † ebda. um 1495 (oder in Fermo), eigenartiger preziöser Meister von oft starkem Empfindungsausdruck, aus der Schule des → Squarcione in Padua, dann in der Werkstatt des → Vivarini, verwirklichte wohl am reinsten das Ideal der sog. Schule von Murano. Bis 1457 in Venedig, 1468 ff. umfangreiche Tätigkeit in den Marken, bes. in Massa, Ascoli u. Camerino. Seine Figuren sind herb, in strenger Plastik gestaltet. Schüler u. Nachahmer: s. Bruder Vittore C., Pietro Alamanno, → Cola dell'Amatrice, G. → Boccati u. a.
Wichtigste Werke: Altarwerke: *Altar v. 1468 im Stadthaus v. Massa Fermana. Altar v. 1473 im Dom v. Ascoli.* Triptychon mit *Madonna u. 4 Heiligen*, 1482, Mailand, Brera. *Verkündigung*, 1486, London, Nat. Gall. *Kreuzigung Christi*, Mailand, Brera. *Madonna mit 7 Heiligen*, um 1487, Berlin, staatl. Gal. *Krönung Mariä*, 1493, Mailand, Brera. *Madonna mit der Kerze*, um 1493, ebda. (aus der Kathedrale v. Camerino; die Seitentafeln mit Heiligen in Venedig, Akad.). Werke in: Ancona, Ascoli, Bergamo, Berlin, Boston, Detroit, London, Mailand, New York, Paris, Rom, Venedig, Verona.
Lit.: G. Rushforth, 1900 (engl.). F. Drey, 1927. G. Delogu, ³1948. B. Berenson, *Venetian schools* I, 1957 (Phaidon). E. Hüttinger, *Venez. Malerei*, 1959. *Ausst.-Kat.*, Venedig 1961.

Crome, John, engl. Maler, Norwich 1768–1821 ebda., gen. *Old Crome* (zum Unterschied v. s. Sohn John Verney C.), bedeutender engl. Landschaftsmaler (→ Barbizon), bildete sich durch Naturbeobachtung u. studierte die alten Holländer: → Cuyp, → Ruisdael, → Hobbema, gründete 1803 die Schule von Norwich, deren Ausstellungen er 1805–21 regelmäßig beschickte. Er schuf schlichte, in warmen Farbtönen gehaltene Bilder, in

denen er atmosphärische Stimmungen festhielt. Sein Realismus u. s. tiefes Verständnis für den Reiz des Einfachen machen ihn zum Vorläufer des «paysage intime». Reich vertreten in London, Nat. Gall., z. B.: *Landschaft mit Windmühlenflügel, Schieferbruch, Mouseholdheide* u. v. a. Seine Rad. gab D. → Turner 1838 heraus.
Lit.: Woddersporn, 1858. H. S. Theobald, 1906.

Cronaca, Simone, eig. Simone del Pollaiuolo, ital. Arch., Florenz 1457–1508 ebda., Hauptmeister der florent. Renaissance, bildete sich in Rom an antiken Bauwerken u. schloß sich in s. Kunst dem → Brunellesco an. Sein Meisterwerk ist die Kirche *S. Salvatore* oder *S. Francesco al Monte* b. Florenz, 1487–1504, die → Michelangelo wegen ihrer reinen Verhältnisse «la bella Villanella» genannt haben soll. Ferner: Kranzgesims u. Arkadenhof des *Pal. Strozzi*, Florenz. Wahrscheinlich auch *Pal. Guadagni*, ebda.
Lit.: H. Willich u. P. Zucker, *Baukunst d. Renaiss. in Italien* (Handb. d. K. W.). W. Paatz, *Kunst d. Renaiss. in Italien*, 1953.

Cross, Henri-Edmond, eig. Delacroix, franz. Maler, Douai 1856–1910 Saint-Clair, Meister des Neoimpressionismus, Schüler v. F. Bonvin in Paris, begann mit realist. Bildern in dunkler Farbengebung, schloß sich dann den Impressionisten an u., als er → Signac u. → Seurat kennenlernte, den Neoimpressionisten. Er führte das Verfahren der Pointillismus, der Farbtupfen, streng durch. Die Farbeindrücke sollen in viele Töne aufgelöst werden, die sich im Auge des Betrachters wieder zu einem einheitlichen Ton verbinden. Unter den Neoimpressionisten ist er es, der die lebhafteste Koloristik erreicht. Mit s. Sinn für das Dekorative u. s. ungemeinen Farbempfindlichkeit Vorläufer des Fauvismus. → Matisse ging 1904 n. Südfrankr., um in der Nähe v. C. zu arbeiten. C. schuf Ölbilder u. Aquarelle, u. zwar überwiegend reine Landschaften.
Lit.: J. Rewald, *Von van Gogh zu Gauguin*, 1957. *Ausst.-Kat. Cross*, New York 1951. Knaurs Lex., 1955.

Cruikshank, George, engl. Karikaturist, Stecher u. Zeichner für den Holzschnitt, London 1792–1878 ebda., Hauptmeister der Karikatur, der Darstellung sozialer Zustände u. als Illustrator; er wirkte u. a. auf → Daumier, → Doré, Schroedter u. → Hosemann ein. Mit s. älteren Bruder *Robert* C., † 1856, fertigte er die Skizzen «Life in London». 1835 ff. ließ er den «Comic Almanac» erscheinen. In den 8 Blättern *The Bottle*, 1848, schilderte er die Folgen der Trunkenheit; Fortsetzung dazu die 8 Blätter *The drunkard's children*. Ferner: *Life of Falstaff*, 1858 (Text v. Brough). Illustrationen zu den Werken von Dickens u. a. Zuletzt wandte er sich der Genremalerei zu.
Lit.: G. W. Reid, *Complete cat. of the engraved works*

of C., 1873. Bates, 1878. Jerrold, 1882. Marchmont, *The three C.*, 1897. Douglas, 1903. A. M. Cohn, *A cat. raisonné of the work executed during the years 1806–77*, 1924.

Cruz, Juan Pantoja de la → Pantoja de la Cruz, Juan.

Cuvilliés, François de, belg.-dt. Arch., Soignies (Hennegau) 1695–1768 München. Hauptvertreter des bayerischen Rokoko. Der gebürtige Wallone wurde vom Kurfürsten Max Emanuel als Hofzwerg angestellt, kam 1715 nach München, bildete sich bei J. → Effner aus, sodann an der Pariser Akad. unter F. → Blondel zum Baumeister. 1725 Hofbaumeister. Seine Tätigkeit in München gilt fast ausschließlich der profanen Architektur. Franz. u. ital. Einflüsse, aber als Dominante doch das bayerische Rokoko. Werke: *Pal. Piosasque de Non*, 1728, München. *Pal. Holnstein*, 1733, ebda. *Amalienburg* im Nymphenburger Schloßpark, 1734, mit überaus reicher Innendekoration, in Holz geschnitzt. Die sog. *Reichen Zimmer* der Münchner Residenz. Das Münchner *Residenztheater*, 1751–53. Lit.: A. Feulner, *Bayr. Rokoko*, 1923. W. Braunfels, 1938. G. Dehio, *Hb. d. dt. Kunstdenkm.* 3, 1903 (neu hg. v. E. Gall, 1935 f.). Ders., *Gesch. d. dt. Kunst* 3, 1926 (⁴1934). N. Pevsner, *Europ. Architektur*, 1957. H. Steinmetz v. J. Lachner, *Das alte Residenztheater in München, «Cuvilliéstheater»*, 1961.

Cuylenburg (Cuylenborch), Abraham van, niederl. Maler, * um 1610, † 1658 Utrecht, tätig ebda. Landschaften mit mythol. Staffage in der Art des C. → Poelenburgh. Vertreten in vielen Gal., u. a. in Braunschweig, Glasgow, Mannheim, Schwerin, Utrecht. Lit.: K. Lilienfeld in: Th.-B. 1913.

Cuyp (Cuijp), Aelbert, niederl. Maler, Dordrecht 1620–1691 ebda., Hauptmeister der holl. Landschaftsmalerei, Haupt der Schule von Dordrecht, ging vom Stil J. van → Goyens aus, malte außer den Landschaften auch Stadtansichten, Marinen, religiöse u. geschichtliche Themen, Kircheninterieurs u. Stilleben. Am vorzüglichsten s. Weidelandschaf-

ten mit sonnendurchglühter Atmosphäre, niedrigem Horizont u. weidenden Tieren im Vordergrund. Bedeutende Werke: *Gebirgige Landschaft*, Amsterdam, Rijksmus. *Ansicht von Dordrecht*, ebda. *Tierstück*, ebda. *See im Mondschein*, Leningrad, Eremitage. *Kühe im Wasser*, Budapest. Mus. *Landschaft mit Schafen*, Frankfurt, Städel. *Bildnis eines Mannes*, London, Nat. Gall. Gut vertreten in London, Wallace Coll.; Rotterdam, Mus.; Paris, Louvre; Berlin, staatl. Mus. Lit.: C. Hofstede de Groot, *Beschr. u. krit. Verzeich.*, 1907–28. W. Bernt, *Niederl. Maler d. 17. Jh.*, 1948.

Cuyp (Cuijp), Benjamin Gerritsz, niederl. Maler, Dordrecht 1612–1652 ebda., Stiefbruder des Aelbert → C., schuf vor allem bibl. Bilder in der Art → Rembrandts; ferner Genrestücke, Reiterkämpfe u. Landschaften. Beisp.: *Befreiung Petri aus dem Gefängnis*, Kassel, Gal.

Cuyp (Cuijp), Jacob Gerritsz, niederl. Maler, Dordrecht 1594–1651 ebda., Vater des Aelbert → C., Schüler des A. → Bloemaert, hat vor allem Porträts im Stil des Th. de → Keyser gemalt; außerdem Tierbilder u. hist. Gemälde. Beisp.: *Ländliche Szene*, Amsterdam, Rijksmus. Lit.: W. Bernt, *Niederl. Maler d. 17. Jh.*, 1948.

Cuypers, Peter, holl. Arch., Roermond 1827–1921 ebda., Vertreter des historisierenden Stils des 19. Jh., baute zahlreiche kathol. Kirchen in Holland in einem frei nachgebildeten frühgot. Stil u. 1877–85 das *Rijksmuseum in Amsterdam*, in Verbindung von Stilelementen der Gotik u. der altniederl. Renaissance. Ferner: *Zentralbahnhof*, 1889, ebda.; 1875 ff. leitete er die *Wiederherstellung des Mainzer Doms*.

Czobel, Béla, ungar. Maler, * Budapest 1883, Hauptvertreter des franz. beeinflußten Nachimpressionismus in Ungarn, Schüler der Münchner Akad., dann von J. P. → Laurens in Paris. Hier studierte er die Neoimpressionisten, → Matisse, die → Fauves u. a., tätig in Holland, Berlin, Paris, Budapest. Lit.: G. E. Pogany, *Les révolutionnaires de la peint. hongr.*, o. J. E. Kallai, *Neue Malerei in Ungarn*, 1925.

D

Daddi, Bernardo, ital. Maler, 1. Hälfte 14. Jh. in Florenz tätig, aus der Werkstatt → Giottos hervorgegangen, in s. Kunst auf Giotto beruhend, auch von den Sienesen, bes. → Lorenzetti, beeinflußt. An größeren Freskenwerken sind nur 2 Wandgemälde in Florenz, S. Croce, erhalten: *Szenen aus der Legende der hll. Stephanus u. Laurentius*, 1324. Anfang der 30er Jahre wendete sich D. offenbar ganz der Herstellung

kleiner Hausaltärchen mit dem Bilde der Thronenden Madonna zwischen Heiligen u. der Krönung der Maria zu. D. u. s. Werkstatt ist es wohl zu verdanken, daß der neue Typ der «Kleinen Andachtsbilder» in Florenz heimisch wurde. Hauptwerke an Tafelbildern: *Madonna aus Ognissanti*, 1328, Florenz, Uff. *Madonnentafel in S. Giorgio a Ruballa* b. Florenz. *Altarwerk aus S. Pancrazio*, Florenz, Akad. *Krönung*

Mariä, Berlin, staatl. Mus. *Thronende Madonna*, Florenz, Or S. Michele (umstritten, ob es sich um das 1347 bezahlte Gemälde des D. handelt). *Flügelaltar*, 1333, Florenz, Bigallo. Ferner Werke in Paris, Louvre; Turin, Neapel u. a.
Lit.: Graf Vitzthum, 1903. A. Venturi 5, 1907. R. Offner in: *A critical and histor. corpus of Florent. paint.* III, 1930. Vitzthum/Volbach, *Mal. u. Plastik d. Mittelalters in Ital.* (Hb. d. K. W.). Enc. Univ. dell'Arte, 1958.

Daffinger, Moritz Michael, österr. Maler, Wien 1790–1849 ebda., bedeutender Miniaturporträtist des Biedermeier in Wien, der viele Berühmtheiten s. Zeit in Elfenbeinminiaturbildnissen darstellte. In s. Frühzeit von der → Isabey-Schule abhängig, später unter Einfluß der Engländer, entwickelte sich s. eigener Stil, der bes. der biedermeierlichen Frauenanmut gerecht wird; auch meisterhafter Rad. Hauptwerke: *Kaiser Franz I. u. Familie. Herzog v. Reichstadt*, als Knabe in blauer Uniform u. als junger Mann, Wien, Kunsthist. Mus. *Grillparzer*, mehrere Porträts, ein Aquarell, 1820; ferner *Donizetti, Rossini* u. a.
Lit.: L. Grünstein, 1923.

Dagnac-Rivière, Charles, franz. Maler, Paris 1864 bis 1945 Moret-sur-Loing, Orientmaler, Schüler von → Boulanger u. B. → Constant. Werke in Paris, Luxembourg u. v. a. franz. Gal.

Dagnan-Bouveret, Pascal-Adolphe-Jean, franz. Maler, Paris 1852–1929 Quincey. Einer der beliebtesten Porträtisten der Pariser Aristokratie s. Zeit. Schüler von → Gérôme, schuf außerdem Genrebilder, Darstellungen breton. Volkstypen, bibl. Gegenstände u. a. Werke in den Mus. v. Paris, Luxembourg; Chambéry, Mulhouse, München, N.P.; Moskau, Helsinki u. a.
Lit.: Th.-B. 1913. Bénézit, 1949.

Dahl, Johan Christian, norweg. Maler, Bergen 1788 bis 1857 Dresden, der bedeutendste norweg. Landschafter, Schüler der Kopenhagener Akad., 1818 in Dresden, wo er von K. D. → Friedrich beeinflußt wurde. 1820–21 in Italien, 1824 Prof. der Akad. Dresden, tätig das. Anfangs Romantiker, wurde D. zum realist. auf Naturstudien basierenden Schilderer der norweg. Landschaft wie auch der Umgebung Dresdens. Hauptwerke: am besten vertreten in der Nat. Gal., Oslo u. im Mus. in Bergen: *Hellefossen*, 1838, Oslo, Nat. Gal. *Sächs. Landschaft*, 1835, ebda.
Lit.: A. Aubert, 1920. Ders., *Die nord. Landschaftsmal. u. J. Ch. D.*, 1947. J. Langaard, 1937. G. Pauli, *Kunst d. Klassiz. u. d. Romantik*, 1925.

Dahl, Johann Siegwald, norweg.-dt. Maler, Dresden 1827–1902 ebda., Sohn v. Johann Christian → D.,

bildete sich in London an den Werken → Landseers, malte haupts. Jagd- u. Tierbilder.

Dahm, Helen, schweiz. Malerin u. Graphikerin, * Egelshofen 1878, ging 1906 nach München, wo sie mit den Vertretern der Künstlergruppe «Der → Blaue Reiter» in Beziehung trat, seit 1918 in Oetwil tätig; im Stil verwandt den Malern der → Brücke (→ Nolde, → Kirchner u. a.), beeinflußt von P. → Modersohn-Becker, ging seit 1957 zur teilweise abstrakten Malerei, zuletzt zum Tachismus über. Blumenbilder, Stilleben, Landschaften, Motive aus Indien, wo H. D. eine Zeitlang lebte; Graphik, Lithographien.
Lit.: W. Tappolet, 1956. D. Wild in: Die Kunst u. d. schöne Heim, Jahrg. 55, 1957. Schweiz. Künstler-Lex. d. 20. Jh.

Dahmen, Karl Fred, dt. Maler, * Stolberg b. Aachen 1917, gehört zu den Hauptvertretern des dt. Tachismus.
Lit.: *Ausst.-Kat. 30 junge dt. Maler*, Hannover 1950. Vollmer, 1953. K. Goerres in: *Junge Künstler 1960/61* (Du Mont Schauberg), 1960.

Dalbono, Edoardo, ital. Maler, Neapel 1843–1915 ebda., Darsteller des neapol. Volkslebens, Schüler v. N. → Palizzi u. D. → Morelli. Werke in Neapel, Akad. u. a. ital. Gal.
Lit.: R. Labadessa, 1913. S. Di Giacomo, 1921. E. Somaré, *Storia dei pitt. ital. dell' 800*, 1928. A. de Rinaldis in: Enc. Ital. 1931. G. Delogu, *Ital. Malerei*, ³1948.

Dalem (Dale), Cornelis van, niederl. Maler, tätig in Antwerpen um 1556–1576, interessanter Künstler, dessen seltene Landschaften, meist mit Bauerngehöften u. Staffage, an s. Zeitgenossen Pieter → Brueghel heranreichen; beeinflußt von → Dürer; figürl. Staffage meist von Gillis Mostaert oder Joachim Beuckelaer; s. wichtigster Schüler: Barth. → Spranger. Werke: *Bauernhof mit Kirchenruine*, 1564, München, A. P.; *Bauernhof*, Paris, Louvre. *Höhlenlandschaft*, Berlin, ehem. K.-F.-Mus. (vernichtet).
Lit.: L. Burchard in: Preuß. Jb. 45, 1924. F. Grossmann in: Burlingt. Magaz., Febr. 1954 (m. Bibliogr.).

Dalen, Cornelis van, niederl. Kupferstecher u. Zeichner, * um 1602, † 1665 Amsterdam, schuf Bildnisse nach → Honthorst u. a., auch nach eigenen Zeichn.; Figuren- u. Landschaftsbilder u. Illustrationen. Das Werk s. Sohnes *Cornelis* vom Werk des Vaters nicht zu unterscheiden.
Lit.: Berkhout in: Th.-B. 1913.

Dali, Salvador, span. Maler, * Figueras (Katalonien) 1904, Schüler der Kunstakad. Madrid, beeinflußt

von → Chirico u. → Carrà, 1940 ff. in New York u. Hollywood tätig. In s. Malerei verbindet D. fast photographisch getreu wiedergegebene realist. Elemente zu einer surrealist. Einheit, die von Traumphantasien genährt ist. 1944 Autobiographie: «La vie secrète de S. D.». Werke: *Zerrinnende Zeit*, 1931, New York, Mus. of mod. art. *Bildnis der Gattin des Künstlers*, ebda. *Giraffe in Flammen*, 1935, Basel, Mus. *Christus am Kreuz*, Glasgow, Art Gall.
Lit.: R. Crevel, 1931. M. Block in: Current Biography, 1940. A. O. Anguerra, 1949. J. A. Gaya Nuno, 1950. R. Santos-Torroella, 1952. J. Lassaigne, *La peint. espagn. de Vélasquez à Picasso*, 1952. Knaurs Lex., 1955.

Dalmau, Luis, span. Maler des 15. Jh., nachweisbar 1428–1460. Ende der 20er Jahre im Dienste König Alfons V. in Valencia, 1431 von diesem zur weiteren Ausbildung nach Brügge gesandt, wo er offenbar unmittelbarer Schüler J. van → Eycks war. Nach s. Rückkehr 1436 in Valencia, dann in Barcelona tätig. Die Bedeutung D.s liegt in s. Vermittlerrolle zwischen fläm. u. katalan. Kunst. Sein Hauptwerk, u. einziges beglaubigtes, ist die Haupttafel des berühmten *Retablo de los Consejeros* (der Ratsherren), 1445: Thronende Madonna mit Kind u. Ratsherren. Der Einfluß van Eycks ist deutlich bemerkbar. Heute in Barcelona, Mus. d. katal. Kunst.
Lit.: A. L. Mayer in: Th.-B. 1913. Ders., *Gesch. d. span. Mal.*, 1922. V. v. Loga, *Die Mal. in Span.*, 1923. E. Richert, *Mittelalterl. Mal. in Span.*, 1925. P. Paris, *La peint. espagnole*, 1928. J. Lassaigne, *La peint. espagnole*, 1952 (Skira).

Dalou, Jules, franz. Bildhauer, Paris 1838–1902 ebda., Schüler von → Carpeaux, floh wegen s. Teilnahme am Kommuneaufstand nach England, von wo er 1879 zurückkehrte. Von da an in Paris tätig, Hauptwerk: *Triumph der Republik*. D. führte in ihm die barocken Elemente Carpeaux' schwungvoll weiter; doch auch als realist. Darsteller des modernen Lebens bedeutend, wie vor allem die Skizzen zu s. Denkmal der Arbeit bezeugen, dessen Ausführung s. vorzeitiger Tod verhinderte. Viele Denkmäler mit Bildnisbüsten auf öffentlichen Plätzen in Paris u. der Provinz.
Werke: *Triumph der Republik* (Monumentalwerk in Bronze), 1899 voll., Paris, Place de la Nation. Denkmäler mit Bildnisbüsten: *Eugène Delacroix*, Paris, Jardin du Luxembourg. *Lavoisier*, Paris, Sorbonne. *Gambetta*, Bordeaux. – Realist. Werk: *Landmann*, Paris, Luxembourg-Mus.
Lit.: M. Dreyfous, 1903.

Dalsgaard, Christen, dän. Maler, Krabbesholm 1824–1907 Sorö, Darsteller des dän. Bauernlebens, Schüler der Kopenhagener Akad., 1892 ff. Prof. ebda. Werke: *Weihnachtsmorgen einer Bäuerin*, 1848,

Kopenhagen, Gal. u. Aarhus, Mus. *Besuch des Artilleristen*, 1857; *Pfändung*, 1860, Kopenhagen, Mus. (Hauptwerk). *Der Tischler bringt den Sarg für das Kind*, 1857, ebda. Vertreten in Kopenhagen, Mus. u. Hirschsprunggal.; Aarhus, Mus.
Lit.: Söeborg, 1902. L. Swane in: Th.-B. 1913.

D'Altri, Arnold, ital.-schweiz. Bildhauer, * Cesena (Italien) 1904, tätig in Zürich, Vertreter der abstrakten Kunst, begann unter dem Einfluß von → Haller u. → Lehmbruck, heute in der Nähe des Surrealismus u. des Expressionismus. Denkmäler in Zürich u. Leverkusen; Werke in den Mus. Zürich, Duisburg, Leverkusen u. a.
Lit.: M. Eichenberg, 1948. P. Courthion, 1952. M. Joray, *Schweiz. Plastik d. Gegenwart*, 2 Bde., 1955–59.

Dalvit, Oskar, schweiz. Maler, * Zürich 1911, Vertreter der abstrakten Kunst; Werke in schweiz. Mus.; Amsterdam, Stedelijk Mus.; New York, Mus. of mod. art.
Lit.: Vollmer, 1961.

Damophon v. Messene, griech. Bildhauer, 2. Jh. v. Chr., aus Messene, erhielt den Auftrag, den Zeus des → Phidias zu restaurieren. Er selber hat Statuen u. Göttergruppen für Heiligtümer in Arkadien, Messenien u. Achaia gearbeitet. Erhalten sind Bruchstücke einer *Kolossalgruppe aus dem Tempel v. Lykosura*, Athen, Nat. Mus., einer Gruppe der Demeter mit Despoina, Artemis u. Anytos. Ferner: *Weibl. Kolossalkopf*, Rom, Kapitol. Mus. *Weibl. Kolossalkopf*, Turin, Mus. *Weibl. Kopf*, Stockholm, Nat.-Mus. Im Stil gehört D. zum hellenist. Barock.
Lit.: G. Dickins, *Annual of Brit. School at Athens*, 1905–07. Studniczka, *Polybios u. D.*, 1911.

Dampt, Jean-Auguste, franz. Bildhauer u. Kunstgew., Vénarcy 1854–1946 Dijon, bedeutend vor allem als Kleinplastiker, schuf auch vielerlei Kunstgewerbliches, führender Vertreter des Jugendstils. Vertreten in den Mus. v. Paris (Luxembourg u. Mus. d'art mod.); Dijon, Amiens, Helsinki u. a.
Lit.: Th.-B. 1913. Bénézit, 1949.

Dance, George, d. Ä., engl. Arch., 1700–1768 London, Erbauer des *Mansion House*, London, bedeutender klassizist. Baumeister, 1732 ff. als Kirchenarch. in London tätig. Nach s. Entwürfen wurden die Kirchen *St. Luke's* 1733, *St. Leonard's*, 1737–40, *St. Matthew's*, beg. um 1740, u. a. gebaut; *Mansion House*, Amtswohnung des Lord-Mayors, 1739–52. An der Hauptfassade ein Portikus von 6 korinth. Säulen.

Dance, George, d. J., engl. Arch., London 1741 bis 1825 ebda., Schüler s. gleichnamigen Vaters, in

Frankreich u. Italien weiter ausgebildet, 1768 ff. Nachfolger s. Vaters als Stadtbauinspektor von London. Klassizist. Arch., der die Linie s. Vaters weiterführte, ebenfalls am Bau des *Mansion House* beteiligt; gleichzeitig einer der ersten engl. Arch., die auf die Gotik zurückgingen. Hauptwerke: Restaurierung von *St. Bartholomew.* Fassade der *Guildshall*, 1789. *Altes Gefängnis zu Newsgate*, 1782 voll. (1902 abgebrochen). *St. Lukas-Hospital.*

Dance, Nathaniel, engl. Maler, London 1735–1811 Carnborough House b. Winchester, Sohn des Arch. George → D., mehrere Jahre in Italien, 1767 ff. in London tätig. Bedeutende Porträts, Historienbilder u. vereinzelte Landschaften. Werke in Hampton Court; Oxford, Bodleian Library; London, Nat. Portr. Gall. u. Brit. Mus.; Manchester, Gall.

Danhauser, Joseph, österr. Maler, Wien 1805–1845 ebda., Hauptvertreter der Wiener Biedermeiermalerei, Schüler der Wiener Akad. unter Peter Krafft, malte Genrebilder in der Wiener Tradition, die später unter dem Einfluß der franz. Romantiker an farblichem Reiz gewannen, auch Porträtist. Weniger bedeutend für religiöse Werke u. Historienbilder. Hauptwerke: Sehr bekanntes Werk: *Liszt am Klavier*, 1840, mit den Bildnissen von Rossini, Paganini, Berlioz, Dumas u. George Sand. *Mutterliebe*, 1839, Wien, österr. Gal. *Testamentseröffnung*, 1839, ebda. *Der reiche Prasser*, 1836, ebda. *Das Kind u. s. Welt*, 1843, Mus. d. Stadt Wien. Zeichn.: *Beethoven auf dem Totenbett*, 1827.
Lit.: Th. v. Frimmel, *D. u. Beethoven*, 1892. A. Rössler, 1911. W. R. Deusch, *Mal. d. dt. Romantiker*, 1937.

Danioth, Heinrich, schweiz. Maler, * Altdorf 1896, † 1953, Schüler von → Babberger in Karlsruhe; *Wandbilder* in Altdorf (Tellspielhaus); Schwyz (Bundesbriefarchiv); Flüelen (Tellskapelle; Bahnhof) u. a.
Lit.: P. Hilber u. a., *Monographie z. 50. Geburtstag*, 1946. Vollmer, 1953 u. 1961 (Nachtrag). D. Werk 41, 1954.

Dannecker, Johann Heinrich v., dt. Bildhauer, Stuttgart 1758–1841 ebda., bedeutender Meister des dt. Klassizismus, 1783 nach Paris zu → Pajou, 1785 in Rom, wo er in Beziehung zu → Canova trat. 1790 ff. Prof. an der Stuttgarter Karlsakad. In s. Frühwerken Übergang vom franz. Rokoko zum Klassizismus, in der Folge ganz unter dem Einfluß Canovas; von Schiller, mit dem er befreundet war, erhielt er Anregungen. Bedeutend s. Bildnisbüsten, vor allem die Schillers. Hauptwerke: Am besten vertreten in Stuttgart. In Rom entstanden: *Ceres*, 1787; *Bacchus*, 1788, beide Stuttgart, Residenzschloß. Sein berühmtestes Götterbild: die Gruppe *Ariadne auf dem Panther*, 1806–10, Frankfurt, Bethmann'sches

Mus. (im 2. Weltkrieg zugrunde gegangen). *Nymphengruppen* für den Stuttgarter Schloßgarten, heute in Tübingen. Ferner: *Hektor*, 1795–97, Gips, Stuttgart, Mus. *Sappho*, 1797, Gips, ebda. (in Marmor 1802). Bildnisbüsten: *Schiller*, 1794, Weimar. *Selbstbildnis*, 1797, Stuttgart, Landesmus. *Lavater*, 1802 (in Marmor 1805), Zürich, Zentralbibliothek.
Lit.: A. Spemann, 1909. Ders., 1958. Th. Musper in: Zschr. d. dt. Vereins f. Kunstw. 9, 1942. Baum-Fleischhauer-Kobell, *Die schwäb. Kunst im 19. u. 20. Jh.*, 1952.

Dantan, Jean-Pierre, gen. *Dantan jeune*, franz. Bildhauer, Paris 1800–1869 Baden-Baden, Schüler von → Bosio, schuf haupts. Bildnisbüsten bekannter Männer; *Bronzestandbild Boieldieus* in Rouen, 1839; vor allem berühmt durch s. Porträtkarikaturen: *kleine Terrakottabüsten u. -statuetten*, Mus. Carnavalet, Paris.
Lit.: H. Vollmer in: Th.-B. 1913.

Danti, Vincenzo, ital. Bildhauer, Goldschmied, Arch., Kunsthistoriker, Perugia 1530–1576 ebda., ursprünglich Goldschmied, später in Florenz, wohl b. → Michelangelo zum Bildhauer ausgebildet, tätig in Perugia u. Florenz. Künstlerisch ganz unter dem Einfluß Michelangelos, später auch → Bolognas u. → Cellinis, er gehört wie diese zu den Meistern des Übergangs von der Spätrenaissance zum Frühbarock. Hauptwerke: *Bronzedenkmal Papst Julius III.*, 1555, Perugia, Dom. *Sieg der Redlichkeit über den Betrug*, Marmorgruppe, 1561, Florenz, Hof des Bargello. Basrelief in Marmor u. Bronze: *Schlangenanbetung*, ebda., Bargello, Nat. Mus. *Enthauptung Johannes d. T.*, Bronzegruppe, 1571, Florenz, Baptisterium, über der Südtüre.
Lit.: A. E. Brinckmann, *Barockskulptur*, 1922. A. Venturi X, 2, 1936.

Dardel, Nils v., schwed. Maler, Bettna 1888–1943 New York. Zeitweise in Paris tätiger Künstler, der der Ecole de → Paris nahestand. Vertreten in den Gal. v. Stockholm, Oslo, Göteborg, Malmö.
Lit.: K. Asplund, 1933.

Daret, Jacques, niederl. Maler, * Tournai um 1400, zum letzten Mal erwähnt 1468 in Brügge, Mitschüler R.s van der → Weyden bei Robert Campin in Tournai, in welchem man heute den Meister von → Flémalle erkannt hat. D. wirkte haupts. in Tournai, doch hatte er große Aufträge auch in Lille, Brügge u. Arras. Von s. Werken hat sich nur wenig erhalten; man weiß, daß er auch Entwürfe für Bildteppiche u. Festdekorationen lieferte, 1468 diejenigen für das Hochzeitsfest Karls des Kühnen in Brügge. Ein Hauptwerk hat sich erhalten: *Altar des Klosters St. Vaast* in Arras, 1434 in Auftrag gegeben. Die 4 davon erhaltenen Tafeln sind: *Heim-*

suchung mit dem Stifter, Berlin, staatl. Mus. *Anbetung der Könige*, ebda. *Darstellung im Tempel*, Paris, Petit Palais. *Geburt Christi*, Lugano, Slg. Schloß Rohoncz. Lit.: M. J. Friedländer, *Altniederl. Malerei 2*, 1925. E. Panofsky, *Early Netherlandish Painting*, 1953. *Kat. Slg. Schloß Rohoncz*, Lugano, 1958.

Darnaut, Hugo, dt.-österr. Maler, Dessau 1851 bis 1937 Wien, Landschafter, Schüler der Wiener u. der Düsseldorfer Akad., seit 1876 in Wien. Vertreten in den Gal. von Wien (mod. Gal.), Brünn, Innsbruck, Berlin (Nat. Gal.), Dresden, Mannheim u. a.

D'Arthois, Jacques → Arthois, Jacques d'.

Dasio, Ludwig, dt. Bildhauer, München 1871–1932 ebda., Schüler der Münchner Akad. Bauplastik, Bildnisbüsten, Denkmäler, Plaketten.

Daubigny, Charles-François, franz. Maler u. Radierer, Paris 1817–1878 ebda., hervorragender Landschafter, 1835 in Italien, 1840 kurze Zeit im Atelier von P. → Delaroche, wandte sich ausschließlich der Landschaftsmalerei zu u. schloß sich dem Kreis der Schule von → Barbizon an. Meister des «paysage intime», entnahm s. Motive vielfach der Pariser Umgebung. Maler der wechselnden Naturstimmungen, bes. der Frühlingsstimmung, des langsam fließenden Wassers, der blühenden Obstbäume am Ufer. In s. späteren Zeit bildete er einen breiteren skizzenhaften Vortrag aus. Er arbeitete in Paris u. Umgebung, hatte später ein Haus in Auvers u. war vielfach auf Reisen. Seine Werke in fast allen größeren u. mittleren Mus. Europas, ferner New York, Metrop. Mus., Chicago, Buffalo u. Ottawa. Seine Radierungen zeigen die gleichen hervorragenden Qualitäten wie s. Gemälde. Hauptwerke: *Die Ernte*, 1852, Paris, Louvre. *Die Schleuse v. Optevoz*, 1855, ebda. *Der Frühling*, 1857, ebda. *Frühlingslandschaft*, 1862, Berlin, staatl. Gal. *An den Ufern der Oise*, 1859, Bordeaux, Mus. *Mondaufgang*, 1861 u. weitere v. 1865 u. 1868. *Mare dans le Morvan*, 1869. Als Rad.: «Cahiers d'eaux-fortes», 1851, u. «Voyage en bateau», 1862. Lit.: J. Laran, 1913. E. Moreau-Nélaton, *D. raconté par lui-même*, 1925.

Daucher (Dauher, Dauer), Adolf, dt. Bildhauer, Ulm um 1460–1523/24 Augsburg, Hauptmeister der dt. Frührenaissance in Augsburg, ausgebildet in Ulm unter dem Eindruck von → Syrlins Chorgestühl. Zus. mit s. Schwager G. → Erhart u. H. → Holbein d. Ä. wurde ihm der *Hochaltar des Klosters Kaisheim* übertragen, 1502. Sein Beitrag daran ist nicht erhalten. Sein Hauptwerk ist das *Chorgestühl der Fuggerkapelle* in St. Anna, Augsburg, zwischen 1509 u.

1518. Teile davon, namentlich die 15 Halbfiguren, sind erhalten in Berlin, staatl. Mus. Sein 2. Hauptwerk ist der *Hochaltar der Annakirche zu Annaberg*, 1522: dargestellt ist die Wurzel Jesse, in steinernen Freifiguren ausgeführt. Im Stil geht D. von Syrlin aus, zeigt Sinn für Klarheit, geschlossenen Umriß u. dekorative Wirkung. Darüber hinaus handhabt er die Renaissance-Elemente mit großer Freiheit, so daß genaue Bekanntschaft mit venez. Kunst der Renaissance vorausgesetzt werden muß. Seine Rolle in der Augsburger Bildhauerkunst ist mit der → Burgkmairs in der Malerei zu vergleichen. Lit.: O. Wiegand, 1903. Ph. M. Halm, *A. D. u. d. Fuggerkapelle in Augsburg*, 1921. G. Dehio, *Hb. d. dt. Kunstdenkm.* 3, 1908 (neu hg. von E. Gall, 1935 f.). Ders., *Gesch. d. dt. Kunst* 3, 1926 (⁴1934). F. Baumgart, *Gesch. d. abendländ. Plastik*, 1957.

Daucher, Hans, dt. Bildhauer, um 1485–1538, hervorragender Kleinplastiker der dt. Renaissance, Sohn von Adolf → D.; s. künstlerische Schulung nicht ganz geklärt. Begann mit Epitaphien, wandte sich später der Kleinplastik u. Medaillen zu, schuf meist in Solnhofer Stein, tätig in Augsburg, Stuttgart, Wien. Seine Formenwelt ist die der oberital. Renaissance, s. szenischen Darst. sind oft Vorlagen zu → Schongauer, → Burgkmair, → Dürer, → Cranach u. a. entnommen. Sehr fein ist er im Bildnis, s. Medaillen gehören zu den besten der Epoche. Werke: Epitaphien: *Epitaph Dr. Peisser*, Ingolstadt, Minoritenkirche. Reliefs: *Urteil des Paris*, 1522, Wien, Kunsthist. Mus. *Reiterrelief Maximilians I.*, 1522, ebda. *Reiterrelief König Ferdinands*, 1522, Innsbruck, Mus. *Hl. Familie mit Engeln*, 1520, Sigmaringen, Slg. Medaillen: *Dürerkopf*, Berlin, staatl. Mus. Reich vertreten im Kunsthist. Mus., Wien u. staatl. Mus., Berlin. Lit.: G. Habich, *Die dt. Medailleure d. 16. Jh.*, 1916. Ph. M. Halm, *Studien z. süddt. Plastik* 2, 1927. → auch bei Adolf D.

Daumier, Honoré, franz. Maler, Zeichner, Lithograph u. Bildhauer, Marseille 1810–1879 Valmondois, kam jung nach Paris u. bildete sich im wesentlichen selbständig als Maler, Bildhauer u. namentlich als Zeichner. 1831 ff. Mitarbeiter an «Caricature» u. «Le Charivari». Die frühen Illustrationen in der Art der → Charlet u. → Devéria. D. begann mit politischer Satire, später kam die Sittendarstellung hinzu; s. Stil bildete sich allmählich dahin aus, daß er mit den sparsamsten Mitteln Klarheit u. Großartigkeit erreicht. Machte die Lithographie ausdrucksfähig für die große Kunst. Ferner zeichnete er für den Holzschnitt Buchillustrationen, dazu kommt namentlich 1862–65 die Malerei, in der er sich als Meister der Romantik u. zugleich als Vorläufer des modernen Realismus erweist. An bildhauerischen Arbeiten kennt man 36 kleine Tonbüsten, eine Statuette u. ein Relief. Das lithogr. Gesamtwerk beziffert sich auf annähernd 4000 Blätter.

Hauptwerke: die Serie der «*Caricaturana*», 1836–38, 100 Bl., in denen er die Günstlingswirtschaft der Zeit Ludwig-Philipps geißelt. Nach 1848 erschienen im «Charivari» die Serien der *Représentants représentés* u. der *Actualités*, 1000 Bl., in denen er die bonapartist. Umtriebe u. die Politik Napoleons III. brandmarkte. Lithogr. Einzelblätter: *Endymion*, 1842. *Hirten*, 1842. *Der amerik. Gesandte beim Kaiser v. China*, 1859. *Die Freiheit der Presse*, 1843. Ölbilder: *La blanchisseuse*, Paris, Louvre. *La révolte*, Washington, Phillips Memorial Art Gall. *Don Quichotte*, Boston, Coll. Richard C. Paine; Basel, Kunstmus. u. Winterthur, Slg. Reinhart. *Un wagon de 3e classe*, New York, Metrop. Mus.

Lit.: Das graph. Werk erschien in 10 Bden. bei L. Delteil in: *Le peintre-graveur illustré*, 1926–1930. W. Hausenstein, 1918. E. Waldmann, 1919. E. Fuchs, 1922. R. Escholier, 1923. A. Fontainas, 1923. A. Rümann, 1926. E. Fuchs, *Der Maler D.*, 1930. F. Fosca, 1933. C. R. Marx, 1938. J. Lassaigne, 1938. W. Wartmann, 1946. Ziller, 1947. M. Fischer, 1950. C. Maltese in: Enc. Univ. dell'Arte, 1958.

David, Gerard, Oudewater b. Gouda um 1460 bis 1523 Brügge. Der letzte große Brügger Meister der altniederl. Schule, wahrscheinlich Schüler → Geertgens in Haarlem, 1484 ff. in Brügge neben → Memling arbeitend, nach dessen Tod Hauptmeister ebda. Seine künstlerische Herkunft weist auf Holland, zeigt aber Einflüsse von allen großen altniederl. Meistern: J. v. → Eyck, R. van der → Weyden, van der → Goes u. a. Seine Figuren sind in feierlicher Haltung, ohne große Bewegungsmotive; am selbständigsten ist D. in der feinen farblichen Behandlung. Er hatte großen Einfluß auf die gleichzeitige Miniaturmalerei in Brügge, vielleicht war er selber Miniaturist.

Hauptwerke: *Anbetung der Könige*, vor 1497, München, A. P. *Marienaltar*, Paris, Louvre. *Madonna*, Berlin, staatl. Mus. *2 Gerechtigkeitsbilder*: Urteil des Kambyses u. Schindung des Sisamnes, 1498, Brügge, Mus. *Domherr Salviati mit 3 Heiligen*, um 1501, London, Nat. Gall. *Hochzeit zu Kana*, um 1503, Paris, Louvre. *Thronende Madonna mit Heiligen*, London, Nat. Gall. *Flügelaltar mit Taufe Christi*, um 1507, Brügge, Mus. *Kreuzigung*, Berlin, staatl. Mus. *Madonna im Kreise von Heiligen*, 1509, Rouen, Mus. *Anbetung der Könige* u. *Beweinung Christi*, London, Nat. Gall. – Zeichn. in Frankfurt, Städel u. a.

Lit.: E. v. Bodenhausen, 1905. M. J. Friedländer, *Altniederl. Malerei* 6, 1928.

David, Jacques-Louis, franz. Maler, Paris 1748 bis 1825 Brüssel, Begründer u. Hauptmeister des franz. Klassizismus, anfangs von → Boucher beeinflußt,

Schüler von → Vien, 1775–80 in Rom, dort Wandel s. künstlerischen Anschauungen unter dem Einfluß antiker Kunstwerke. Sein Name wurde bekannt durch s. *Andromache, den toten Hektor beweinend*, 1783, Ecole des beaux-arts, auf Grund dessen er in die Akad. aufgenommen wurde. Epochemachend s. *Schwur der Horatier*, 1785, der den Bruch mit dem Rokoko bedeutete u. den franz. Klassizismus einleitete. In der Revolutionszeit begeisterter Anhänger Robespierres, später Napoleons u. dessen bevorzugter Hofmaler. Nach der Restauration 1816 zur Flucht gezwungen, wandte er sich nach Brüssel, wo er den Rest s. Lebens verbrachte. Seinen von der Linie her bestimmten Stil hat D. am Vorbild antiker Plastik entwickelt; er sah vor allem auf Plastizität der Körper, auf strenge Bildordnung, in der Thematik auf Verherrlichung der antiken Mythologie u. Geschichte; die Farbe ist nur ein sekundäres Element. Lange Zeit hindurch herrschte er als unbedingtes Haupt der Klassizisten, bis s. Einfluß allmählich dem der Romantiker weichen mußte. Aus s. Atelier gingen u. a. hervor: → Gérard, → Gros, → Isabey, → Ingres. D. war daneben ein hervorragender Porträtist, dem scharf charakterisierende Bildnisse von vornehmer Haltung gelangen; diese Seite s. Kunst wird heute als die lebendigste empfunden. Seine Werke außer im Louvre in fast allen franz. Gal.; im Ausland in Antwerpen, Brüssel, Köln, London u. a. Handzeichn. im Louvre.

Hauptwerke: *Mars u. Minerva*, 1771, Paris, Louvre. *Schwur der Horatier*, 1784, ebda. *Tod des Sokrates*, 1787, ebda. *Paris u. Helena*, 1788, ebda. *Der tote Marat*, 1793, Brüssel, Mus. (mehrere Fassungen). *Raub der Sabinerinnen*, 1799, Paris, Louvre. *Napoleon auf dem Gr. St. Bernhard*, 1800, ebda. (Versailles, Gal. u. a. Repliken). *Krönung Napoleons*, 1806–07, ebda. *Amor u. Psyche*, 1817, Brüssel, Mus. *Mars, Venus u. die Grazien*, 1823, ebda. Bildnisse: *Mr. Pécoul*; *Mme Pécoul*, 1783, Paris. Louvre. *Selbstbildnis*, um 1785, Moskau. *Mme Chalgrin*, 1792, Paris, Louvre. *Selbstbildnis*, 1794, ebda. *Mr. Sériziat*; *Mme Sériziat*, 1795, ebda. *Bonaparte*, 1799, ebda. *Mme Récamier*, 1800, ebda. *Papst Pius VII.*, 1805, ebda. *Bildnis der «Maraîchère»*, 1795, Lyon, Mus. (D. zugeschrieben).

Lit.: R. Cantinelli, 1930. K. Holma, 1941. J. Maret, 1943. A. Maurois, 1948. A. Humbert, 1947. M. Raynal, *De Goya à Gauguin*, 1951. J. Adhémar, 1953. L. Hautecœur, 1954. R. Zeitler, *Klassizism. u. Utopia*, 1954. L. Rosenthal, o. J. Enc. Univ. dell'Arte, 1958.

David d'Angers, Pierre-Jean, franz. Bildh., Angers 1788–1856 Paris, ebda. ausgebildet bei dem Bildh. L. Roland u. bei dem Maler J.-L. → David, 1811–16 in Rom, wo er zu → Canova in Beziehung trat, seitdem meist in Paris tätig. Reisen führten ihn auch nach Deutschland, wo er Büsten u. Medaillen berühmter Männer ausführte. D. hat außerordentlich viele Denkmäler berühmter Männer geschaffen; als

s. Spezialität pflegte er das Bildnismedaillon, für welche Gattung er richtungweisend wurde. In s. Stil Canova u. dem Klassizismus verpflichtet, strebte er nach Natürlichkeit des Ausdrucks u. Ungezwungenheit der Haltung (in s. Bestreben nach Realismus etwa mit → Rauch zu vergleichen). Seine Bildnismedaillen sind kräftig modelliert u. oft von beinahe impressionist. Auffassung.

Hauptwerke: *Denkmal für Condé*, 1817–27, Versailles, Ehrenhof. *Giebelrelief des Pantheons*, 1830–37, Paris. *Philopoemen* (der letzte Römer), 1837, Paris, Louvre. Standbilder: *Der Schauspieler Talma*, 1827, Paris, Comédie Française. *Corneilledenkmal*, Rouen. *General Drouot*, Nancy. *Bronzestandbild Gutenbergs*, 1840, Straßburg. *Jean Bart*, 1845, Dünkirchen. Büsten: *Goethe* (in den Bibliotheken Weimar u. Dresden); *Christian Rauch, Ludwig Tieck*, Dresden, Bibliothek. Bildnismedaillen: *Victor Hugo, Mme Récamier, Bonaparte, Goethe, Schiller, Schinkel, Chamisso*. Das Gesamtwerk D.s umfaßt 55 Statuen, 150 Büsten, 70 Basreliefs, 20 Statuetten, über 500 Bildnismedaillons.
Lit.: H. Jouin, 1877. Ders., *D. et ses relations littéraires*, 1890. G. Varenne, *Les relations entre D. et Goethe* in: Etudes Germaniques 4, 1949.

Davis, Stuart, amerik. Maler, * Philadelphia 1894, führender Vertreter der Abstrakten in den USA, zuerst vom franz. Kubismus beeinflußt, seit 1938 der abstrakten Malerei zugewandt, tätig in New York, vertreten in New York, Mus. of mod. art.
Lit.: A. C. Ritchie, *Abstract paint. and sculpt. in America*, 1951. M. Seuphor, *Dictionnaire peint. abstr.*, 1957 (dt. Knaurs Lex. abstr. Mal.). E. C. Goossen, 1959 (engl. m. Bibliogr.).

Davring, Henri, dt.-franz. Maler, * Aachen 1894, eig. Heinrich Davringhausen, emigrierte 1933 aus Deutschland, gehört heute zu den franz. abstrakten Künstlern.
Lit.: M. Seuphor, *Dict. peint. abstr.*, 1957.

Davringhausen, Heinrich → Davring, Henri.

De Albertis, Sebastiano → Albertis, Sebastiano de.

De Angelis, Domenico → Angelis, Domenico de.

Debschitz, Wilhelm, dt. Kunstgewerbler, Görlitz 1871–1948 München, Vertreter des Jugendstils, von → Morris u. → Crane beeinflußt, gründete 1901 zus. mit H. → Obrist in München die Lehr- u. Versuchsateliers für freie u. angewandte Kunst.

Debucourt, Louis-Philibert, franz. Maler u. Kupferstecher, Paris 1755–1832 ebda., gehört neben → Janinet zu den bedeutendsten Farbenstechern s. Zeit,

Schüler von J.-M. → Vien, malte zunächst Bilder kleinen Formates, Szenen aus dem bürgerlichen Familienleben, wandte sich um 1785 ganz dem Farbstich zu, auf welchem Gebiet er neben Janinet der bedeutendste Meister s. Zeit war. In s. Stil ist er Rokoko-Künstler, s. Lehrer Vien, → Fragonard usw. verpflichtet, in s. Färbung hell u. zart, an bemaltes Porzellan erinnernd; s. besten Werke sind meisterhaft gestochen u. in ihrer fein charakterisierenden Art wertvolle u. amüsante Sittendarstellungen des Pariser Lebens zur Zeit des Directoire. In s. Spätzeit sinkt er künstlerisch ab, hat keine eigenen Erfindungen mehr, sondern arbeitet meist nach Vorlagen, vor allem nach C. → Vernet. Sein Werk umfaßt 558 Nummern. Die bekanntesten Farbenstiche: *Les deux baisers*, 1786. *Le menuet de la mariée*, 1786. *L'escalade ou les adieux du matin*, 1787. *La noce au château*, 1789. *La rose mal défendue*, 1791. *La promenade publique*, 1792. *La galerie du Palais Royal. Café Frascati*.
Lit.: E. u. J. de Goncourt, 1883. H. Bouchot, 1904.

Decamps, Alexandre-Gabriel, franz. Maler, Lithograph u. Radierer, Paris 1803–1860 Fontainebleau, bildete sich nach einer klassizist. Schulung selber durch Studium nach der Natur weiter. 1827 Reise nach Konstantinopel u. Kleinasien, entscheidend für s. Kunst. Er ging vor allem den Lichtphänomenen nach u. wurde – 5 Jahre vor → Delacroix – der künstlerische Entdecker des Orients. Sein entschiedener Realismus ist sowohl in der Wahl der Motive wie in der malerischen Behandlung romant. gefärbt. Das Hauptbild der Reise von 1827 war die *Ronde de Smyrne*, New York, Metrop. Mus., das im Salon 1831 ausgestellt war (von Heinrich Heine in «Kunstberichte aus Paris» beschrieben). Seit dem großen Erfolg dieser Ausst. galt er als einer der 1. Maler Frankreichs. Außer s. Bildern aus dem Orient versuchte sich D. auch an hist. Sujets (*Niederlage der Cimbern b. Aquae Sextiae*) 1834, Louvre, bibl. (*Verkauf Josephs durch s. Brüder*, 1835, London, Wallace Coll.) u. Tierdarst. (*Elefant u. Tiger am Wasser*, Louvre).
Das graph. Werk D.s umfaßt 100 Lithographien u. 20 Radierungen. D. ist gut vertreten in Paris im Louvre; in Chantilly, Mus. Condé; London, Wallace Coll.; in den Mus. v. Grenoble, Lille, Reims u. a.; in Deutschland in Frankfurt, Städel; in Amerika: New York, Metrop. Mus.
Lit.: A. Moreau, 1869. Ch. Clément, 1886. L. Rosenthal in: *La peint. romantique*, 1914. P. Dorbec in: *L'art du paysage en France*, 1925. H. Focillon in: *La peint. au 19e siècle*, 1927. P. du Colombier, 1928.

Decker, Cornelis Gerritsz., niederl. Maler des 17. Jh., † 1678 Haarlem, malte Landschaften in der Art → Ruisdaels u. → Hobbemas; s. Bilder häufig

von A. van → Ostade mit Figuren belebt. Werke in vielen Gal.
Lit.: Z. v. M. in: Th.-B. 1913.

Dedreux, Alfred, franz. Maler, Paris 1810–1860 ebda., Tierbilder, bes. Reiter, Pferde, Hunde, vertreten in Paris (Louvre), Bordeaux, Budapest, Chantilly, Leipzig u. a.

Defendente de Ferrari → Ferrari, Defendente de.

Defregger, Franz v., österr. Maler, auf dem Ederhof b. Stronach (Tirol) 1835–1921 München, studierte an der Münchner Akademie, 1863 in Paris, 1867 im Atelier von → Piloty, 1878–1910 Prof. der Akad. München, tätig das. D. hatte großen Erfolg mit s. Genrebildern aus dem Leben der Tiroler Bauern, in den 80er u. 90er Jahren der populärste Münchner Maler. Er gehört mit → Knaus u. → Vautier zu den bedeutendsten Vertretern der zu s. Zeit so beliebten Genremalerei. Namentlich in s. frühen Arbeiten erzählt er frisch u. unbefangen u. ist auch künstlerisch von Qualität; s. späteren Werke oft reine Routine; ebenso beliebt waren s. Szenen aus der Geschichte Tirols; die frische Darstellung wurde als befreiend gegenüber dem Pilotyschen Pathos angesehen. Hauptwerke: Genrebilder: *Das Tischgebet,* 1875, Leipzig, Mus. *Der Salontiroler,* 1882, Berlin, staatl. Gal. Geschichtliche: *Letztes Aufgebot,* 1874, Wien, mod. Gal. *Specktaler u. s. Sohn,* 1869, Innsbruck, Mus. *Andreas Hofers letzter Gang,* 1878, Königsberg, Mus. *Der Schmied von Kochel,* 1882, Berlin, staatl. Gal. *Selbstbildnis,* 1888, New York, Metrop. Mus. Werke in vielen dt. Mus.; ferner in Wien, Gal.; Zürich, Kunsth.; Kopenhagen, Glyptothek; New York, Metrop. Mus.
Lit.: A. Rosenberg, 1911. Bender in: Th.-B. 1913. H. Hammer, 1940. R. Hamann, *Dt. Malerei v. Rokoko z. Expression.,* 1925.

Degas, Edgar, franz Maler u. Graphiker, Paris 1834–1917 ebda., Schüler Lamothes an der Ecole des beaux-arts, bildete sich an → Ingres u. den alten Meistern, die er im Louvre u. während eines Italienaufenthaltes 1856 sah. Er begann mit Historienbildern u. Bildnissen, die streng gebaut u. in der klass. Tradition verwurzelt sind. Um 1865 kam er mit → Manet u. den Impressionisten in Berührung, denen er sich anschloß. Mit den Impressionisten hat er gemein, daß er den flüchtigen Augenblick einzufangen sucht; doch im Gegensatz zu diesen versucht er, die bewegte Welt in feste Formen einzuspannen. Durch kühne Überschneidungen gibt er einen Ausschnitt aus der Wirklichkeit, der wie zufällig wirkt. Aber er löst nicht die Formen in der Atmosphäre auf u. zerlegt nicht die Farben, wie die Impressionisten. Auch interessiert ihn nicht

die Landschaft, sondern die Menschen, u. er malte stets im Atelier. Immerhin spielte später die Farbe bei ihm eine größere Rolle als vor seiner Bekanntschaft mit den Impressionisten. 1872 ff. Bilder aus der Welt des Balletts, des Theaters u. der Rennplätze. Er war ein hervorragender Graph., die Zeichn. behält den Vorrang. Das Vollendetste waren wohl seine Pastellbilder aus der Welt des Balletts. Hier fand er den adäquaten malerischen Vorwurf für s. flüchtigen Wundergebilde. Und schließlich wurde er zuletzt noch zum Plastiker, der in kleinen Ton- u. Wachsstatuetten die flüchtige Bewegung festhielt. (Nach s. Tod in Bronze gegossen.)
Werke: *Selbstbildnis,* um 1855, Paris, Louvre. *Semiramis errichtet eine Stadt,* 1861, ebda. *Im Orchester,* 1872, Frankfurt, Städel. *Die Baumwollfaktorei in New Orleans,* 1873, Pau, Mus. *L'absinthe,* 1876–77, Paris, Louvre. *Danseuse à la barre,* um 1877, New York, Metrop. Mus. *Im Zirkus,* um 1879, London, Nat. Gall. Pastelle: *Ballett aus Robert le diable,* Paris, Louvre. *2 Tänzerinnen,* Boston, Mus. of fine arts. *Danseuse sur scène,* 1876, Paris, Louvre. *Die Plätterin,* ebda. Pastiken: *Grande danseuse habillée,* 1880, Paris, Louvre. *Danseuses bleues,* 1890, ebda. *Femme se peignant,* um 1897, Zürich, Kunsth. D. ist reich vertreten in amerik. Mus., bes. in New York, Metrop. Mus.; Boston, Mus. of fine arts; Chicago, Art Inst. Ferner Paris, Louvre; London, Nat. Gall. u. Tate Gall.
Lit.: P. Lafond, 1918. L. Delteil, *Le peintre-graveur illustré* 9, 1919. P. A. Lemoisne, 1921. Max Liebermann, 1922. H. Rivière, *Les dessins,* 1922. A. Vollard, 1924, dt. 1925. J. Meier-Graefe, 1924. P. Jamot, 1929. J. Rewald, *Works in sculpture,* 1944. Ders., *Gesch. d. Impression.,* 1957. Enc. Univ. dell' Arte, 1958.

Degler, Hans, dt. Bildhauer aus Weilheim, † 1637, tätig in München u. Weilheim, baute u. schmückte den *Choraltar u. die beiden Seitenaltäre von St. Ulrich u. Afra* in Augsburg, 1604–07. Sie sind aus Holz, reich mit Gold u. Farben bemalt, das Mittelstück eine rundplastische Gruppe, das Ganze v. rauschender phantastischer Pracht. Die Formbehandlung nicht frei von Renaissanceelementen, doch überwiegt eine volkstümliche kryptogot. Empfindung (Dehio). Ebda: *Kanzel,* 1608. *Hochaltar m. thronender Madonna,* Holz, Unterhausen b. Weilheim, 1621. Im Stil mit J. → Zürn zu vergleichen.
Lit.: M. H. in: Th.-B. 1913. G. Dehio, *Geschichte d. dt. Kunst* 3, 1926. Ders., *Hb. d. dt. Kunstdenkm.* 3, 1908 (neu hg. v. E. Gall, 1935 f.).

Dehne, Christoph, dt. Bildhauer, * um 1580/1585, † um 1626 Magdeburg, wo er tätig war. Von ihm sind mehrere *Alabaster- u. Bronze-Epitaphien* im Magdeburger Dom erhalten. Danach wurden ihm andere Werke zugeschrieben, so bes. die reiche

Kanzel in d. Stephanskirche in Tangermünde, 1619. Die Kunst D.s zeigt ital. u. niederl. Stileinflüsse.
Lit.: L. Stauch, Diss. Greifswald 1936.

Dehodencq, Alfred, franz. Maler, Paris 1822 bis 1882 ebda. Vertreter der Orientmalerei, Schüler von L. → Cogniet, Darst. bibl. u. geschichtl. Stoffe, Genrebilder u. Porträts, wandte sich ganz bes. der Orientmalerei zu u. blieb ein volles Jahrzehnt im Orient. In s. Stil folgte D. der romant. Auffassung der Orientlandschaft von → Delacroix, → Decamps u. a. – Werke in Paris, Louvre, darunter *Selbstbildnis* v. 1849; Roubaix, Mus. u. a.
Lit.: Séailles, 1909. H. Vollmer in: Th.-B. 1913. J. Alazard, *L'Orient dans la peinture franç.*, 1930. J. Combe in: Enc. Ital. 1931.

Delaborde, Henri, franz. Maler, Rennes 1811 bis 1899 Paris. Der bedeutende Kunsthistoriker, Konservator am Kupferstichkabinett der Bibl. Nat. in Paris, war als Maler Klassizist, Schüler v. P. → Delaroche.

Delacroix, Eugène, franz. Maler, Lithograph u. Radierer, Charenton 1798–1863 Paris, Hauptmeister der franz. Romantik, seit 1815 Schüler → Guérins, weitergebildet durch das Studium von → Rubens u. → Veronese; bestimmenden Einfluß auf ihn gewannen → Géricault u. → Constable. Aufsehen erregte er 1822 mit s. 1. Hauptwerk, der *Dantebarke*. Damit stellte er sich der Schule von → Ingres entgegen u. scharte die junge Romantikergeneration um sich. 1825 Reise nach London, 1832 nach Marokko u. Spanien. In s. Malstil führt er die Bestrebungen von Géricault fort; s. Temperament u. der malerischen Kraft nach berührt er sich vielfach mit Rubens. D. war sehr vielseitig u. stand mit allen künstlerischen u. literarischen Strömungen seiner Zeit in Fühlung. Die Vorwürfe für s. Historienbilder entnahm er den Dichtungen Shakespeares, Dantes, Byrons, W. Scotts. Er schuf Monumentalmalereien, religiöse Darst., Porträts, war der hervorragendste Tiermaler s. Zeit, schuf auch Lithographien zu Dichtwerken.
Hauptwerke: Die Dantebarke: *Dante u. Vergil in der Hölle*, 1822, Paris, Louvre. Weitere Werke im Louvre: *Gemetzel auf Chios*, 1824. *Freiheit, die das Volk auf die Barrikaden führt*; *Frauen von Algier*, 1834. *Einnahme von Konstantinopel*, 1840. *Ruhende Odaliske*, 1847. Monumentalmalereien: *Salon du Roi*, Paris, Deputiertenkammer, 1834–38, u. *Biblio*, ebda. *Mittelfeld der Apollo-Gal.*, 1851 voll., Louvre. *Seitenkapelle der Kirche St-Sulpice*, Paris, 1853–61. Lithogr.: zu *Goethes Faust* (17 Bl.), 1827, u. *Shakespeares Hamlet* (16 Bl.), 1834–43. Seine Tagebücher erschienen 1893–95, dt. 1903. Literarische Werke dt. 1912.
Lit.: L. Delteil, *Le peintre-graveur illustré* 3, 1908.

J. Meier-Graefe, 1922. R. Escholier, 1926. P. Courthion, 1928. Ders., 1939. F. Gysin, 1929. L. Hourticq, 1930. L. Rudrauf, 1942. J. Cassou, *La gloire de D.*, 1947. C. Roger-Marx, *Dessins de D.*, 1933. F. Fosca, 1948. J. Lassaigne, 1950. U. Christoffel, 1951. M. Raynal, *De Goya à Gauguin* (m. Bibliographie) 1951 (Skira).

Delaplanche, Eugène, franz. Bildhauer, Belleville 1836–1891 Paris, Schüler v. Duret, beeinflußt vom Realismus → Carpeaux' u. → Chapu's, schuf liebenswürdige Schöpfungen, durch die er sehr bekannt wurde, vor allem: *Eva nach d. Sündenfall*, Paris, Luxembourg. *La Musique*, Marmor, 1870, an der Großen Oper, Paris. *Sitzstatue Aubers*, Foyer der Großen Oper, ebda. *L'aurore*, Marmor, 1884, Luxembourg. *Education maternelle*, Kopenhagen, Glyptothek. Weitere Werke ebda. *Statuen am Hôtel de Ville* in Paris (Repliken in den Mus. v. Chicago u. Melbourne). Auch einige religiöse Werke wie: *Jesus u. d. Jungfrau*, 1876, Fassadengruppe der Kirche Saint-Joseph in Paris. Gut vertreten im Luxembourg-Mus., Paris; ferner in Angers, Caen, Lyon, Montpellier, Nancy; Hamburg, Kunsth.
Lit.: Bender in: Th.-B. 1913.

Delaroche, Paul, franz. Maler, Paris 1797–1856 ebda., Schüler von → Gros, tätig in Paris, der beliebteste Historienmaler s. Zeit. D. gab dramat. Szenen der Geschichte in geschickter Anordnung der Figuren. Bes. Bewunderung zollte man s. Detail- u. Stoffmalerei, u. zweifellos war er der begabteste Vertreter der illustrierenden romant. Geschichtsmalerei. Die Bewunderung für D. ist zu ersehen aus dem Bericht Heinrich Heines über den Salon 1831. Der größte Auftrag, den D. erhielt, war die Ausschmückung eines Halbrunds (hémicycle) im Saale des Palais des beaux-arts, Paris: *Apotheose der bildenden Künste*, ein Fresko mit 75 Figuren von Künstlern aller Völker, 1837–41. D. schuf ferner viele religiöse Bilder u. war der gefeiertste Bildnismaler Frankr. Vom rein künstlerischen Standpunkt aus kann die hohe Bewertung D.s heute nicht mehr aufrechterhalten werden. – Gut vertreten im Louvre, in Versailles, in Chantilly; in der Wallace Coll. in London u. a. Mus.
Hauptwerke s. Historienmalerei: *Tod der Königin Elisabeth von England*, 1827, Paris, Louvre. *Ermordung der Söhne Eduards IV.*, 1831, ebda. *Ermordung des Herzogs v. Guise*, 1835, Chantilly, Mus. Condé. Ferner: *Jeanne d'Arc im Gefängnis*, London, Wallace Coll. *Die Tochter des Herodes*, Köln, Mus. *Napoleon I.*, Leipzig, Mus.
Lit.: H. Vollmer in: Th.-B. 1913. P. Colin, *Le romantisme*, 1935.

Delaunay, Elie, franz. Maler, Nantes 1828 bis 1891 Paris, Schüler v. H. → Flandrin u. L. Lamothe,

Vertreter des historisierenden Stils, studierte in Italien die alten Meister u. schuf dekorative Malereien mit mythol. u. bibl. Szenen für Kirchen u. in Paris für die Große Oper, das Palais Royal u. das Pantheon. Werke: *Die Pest in Rom*, Paris, Luxembourg. *Flötenstunde*, 1859, Nantes, Mus. Ferner in Paris, Louvre u. Mus. du Luxembourg; in Angers, Bordeaux, Chantilly, Tours, Toulouse; Kopenhagen, Glyptothek.
Lit.: H. Vollmer in: Th.-B. 1913.

Delaunay, Robert, franz. Maler, Paris 1885–1941 Montpellier, bildete sich selbst, von den→Fauves u. → Seurat beeinflußt, schloß sich um 1909 dem Kubismus von→ Braque u. → Picasso an; um 1910 entstanden s. verschiedenen Fassungen des *Eiffelturms* – eine Fassung in Basel, Mus. –, in denen er in konsequentem Kubismus die Farbflächen in gleichmäßig aufgesetzte Quadrate zerlegte; gewann um 1911 Fühlung mit der von → Kandinsky u. → Marc gegründeten Gruppe des → «Blauen Reiter», wurde in der Folge ganz ungegenständlich. Zwischen 1914 u. 1920 längere Zeit in Spanien u. Portugal, dann wieder in Paris. Sein letztes Hauptwerk waren 10 *riesige Flachreliefs* für den Ausstellungspalast der Eisenbahn auf der Pariser Weltausst. 1937, und *Rhythmus* für das «Palais de l'air», ebda. D. gehört zu den Hauptwegbereitern der abstrakten Kunst. Von 1912 an gebrauchte Apollinaire zur Bezeichnung der Kunst D.s den Ausdruck «Orphismus». Seiner Richtung gehörte auch s. Frau, *Sonia Terk-Delaunay*, an. Von deutschen Künstlern standen ihm Marc u. → Macke nahe, die gelegentlich auch als Meister des Orphismus bezeichnet werden.
Lit.: F. Gille de la Tourette, 1950. M. Raynal, *Peinture moderne*, 1953 (m. Bibliogr.). Knaurs Lex. (s. auch Art. Orphismus), 1955. M. Seuphor, *Dict. peint. abstr.*, 1957 (m. Bibliogr.).

Delaune (Delaulne, de Laulne), Etienne, franz. Kupferstecher u. Medailleur, Paris um 1518 bis um 1583 ebda., tätig in Paris, Straßburg, Augsburg, stach meist in sehr kleinen Formaten mythol. Blätter als Vorlagen für Metallgravierungen. Künstlerisch verraten s. Stiche die Herkunft aus der Schule v. → Fontainebleau (→ Primaticcio). Der Einfluß D.s auf die Ornamentik s. Zeit war groß. Sein Sohn *Jean* im Sinne des Vaters tätig.

Delorme (de L'Orme, de Lorme), Philibert, franz. Arch., Lyon um 1512–1570 Ivry, Hauptmeister der franz. Renaissance, studierte in Rom die Bauwerke der Antike u. der Renaissance. Er führte die klass. Bauformen u. regelmäßigen Grundrisse in Frankreich ein, ohne die Tradition zu vernachlässigen. 1540 Bauaufseher am *Schloß Fontainebleau;* von D.s Werk nur erhalten: *Plafond* u. *Monumentalkamin* des Ballsaals. 1542 Baubeginn von *Schloß*

St-Maur. Es war dies einer der frühesten Musterbauten des neuen Stils, heute zerstört. 1543–44 Beginn der Bauarbeiten am *Schloß Anet* für Diana v. Poitiers, von dem erhalten sind: ein *Portal* u. die *Kapelle* (in der Ecole des beaux-arts, Paris). 1547 zum Arch. des Königs ernannt u. mit der Planung des *Grabmals Franz I.* in St-Denis beauftragt (voll. v. → Primaticcio). 1548 Aufseher der königl. Bauten in Fontainebleau, St-Germain usw. 1550 Beginn der Bauarbeiten am *Schloß von St-Germain-en-Laye* (heute zerstört). 1564 Baubeginn der *Tuilerien;* unter D. nur Mittelpavillon u. die beiden anstoßenden Gal. voll.
Lit.: H. Clouzot, 1910. Vollmer in: Th.-B. 1929. G. Glück, *Kunst d. Renaiss.*, 1928. L. Hautecœur, *Hist. de l'arch. class. en France* II, 1948. N. Pevsner, *Europ. Arch.*, 1957. Enc. Univ. dell'Arte 4, 1958.

Delvaux, Paul, belg. Maler, * Antheit 1897, Vertreter der belg. Surrealismus. Begann als Neoimpressionist u. Expressionist, wurde unter dem Einfluß → Chiricos u. → Magrittes Surrealist.
Lit.: Knaurs Lex., 1955. *Neue Kunst nach 1945*, hg. v. W. Grohmann, 1958.

Demarne (Marne), Jean-Louis, gen. *Marnette*, franz. Maler u. Radierer, Brüssel 1754–1829 Paris, bedeutender u. sehr fruchtbarer Landschafts- u. Genremaler, kam früh nach Paris, Schüler von Gabriel Briard, anfänglich Historienmaler, dann Hafen- u. Marktszenen, Landschaften mit Tierstaffagen in der Art der Holländer K. → Dujardin, A. v. d. → Velde, N. → Berchem. Werke in vielen Mus., u. a. in Paris, Louvre; Avignon, Bordeaux, Dijon, Montpellier (6 Bilder), Kassel, Dünkirchen, Budapest, Innsbruck, Leningrad (10 Bilder), Rouen, Turin.

Demuth, Charles, amerik. Maler, Lancaster 1883 bis 1935 ebda., Hauptvertreter der modernen amerik. Malerei, Schüler von → Chase, weitergebildet in Paris, beeinflußt von → Marin, schuf Kabarett- u. Zirkusszenen, Stilleben, Blumenstücke, Aquarelle u. a. Neigt in s. Malerei der «neuen Sachlichkeit» zu. Werke u. a. in New York, Metrop. Mus.; Chicago, Art Inst.; Cambridge (Mass.), Fogg Art Mus.; in den Mus. v. Brooklyn, Cleveland, Ohio, Detroit, Philadelphia.
Lit.: A. C. Ritchie, o. J. The Studio 98, 1929. J. St. Monro u. K. M. Monro, *Index to reproduct. of Americ. paint.*, 1948.

Denis, Maurice, franz. Maler, Grandville 1870 bis 1943 St-Germain-en-Laye, Schüler der Acad. Julian, dann der Ecole des beaux-arts, Paris. Durch s. Mitschüler P. → Sérusier wurde er mit den Ideen → Gauguins bekannt u. schloß sich der Künstlergruppe der → «Nabis» an. Mehrere Italienreisen in den 90er Jahren; ließ sich in St-Germain-en-Laye nieder. 1919 gründete er mit → Desvallières zus.

Werkstätten für kirchliche Kunst. In s. Kunstweise ging D. von → Gauguin aus, wurde ein Hauptvertreter der «Nabis» u. ihr bedeutendster Theoretiker, zeitweise hatte → Seurat Einfluß auf ihn. Seine Berufung fand er vor den Werken der frühen Italiener: Erneuerung der religiösen Malerei in großen dekorativen Fresken. Neben → Desvallières der große Vertreter einer modernen religiösen Kunst, als Freskenmaler setzte er die Kunst → Puvis de Chavannes' fort. Außer Fresken u. Tafelbildern Entwürfe für Glasfenster u. Wandteppiche; er zeichnete für Lithographien u. illustrierte viele Bücher, bedeutend als Kunstschriftsteller u. Theoretiker.

Hauptwerke: Große religiöse Werke: Wandmalerei der *Kirche von Le Vésinet*: Hochzeit v. Kana, 1901/03. Fresken in der Kapelle der *Kirche von St-Germain-en-Laye*, 1915–22. Wandmalereien der Kirchen: *St-Esprit* Paris, 1935; der Kirche v. *Gagny*; *St-Paul*, Genf. Dekorative Wandmalereien: Dekorationen des *Théâtre d'Art*, Paris, 1893. Allegor. Deckenbilder im *Théâtre des Champs-Elysées*, Paris, 1913. Fresken im *Völkerbundsgebäude*, Genf, 1939. Tafelbilder: *Verkündigung*, 1894, Luxembourg-Mus., Paris. *Le Minotaure*, 1918, ebda. *Die Musen*, 1893, Paris, Mus. d'art mod. *Glaube u. Hoffnung leiten die Soldaten Frankreichs*, New York, Metrop. Mus. *Baigneuses*, 1892. *La princesse dans la tour*, 1894. *Pétrarque*, Dijon, Mus. *Annonciation*, Nantes, Mus. *La Vierge à l'école*, Brüssel, Mus. Illustr. zu Dante, Claudel u. a. – Schriften: «Théories», 1913. «Nouvelles théories», 1914–21 u. a.

Lit.: Pératé, 1924. F. Fosca, 1924. M. Brillant, 1929. Ders. *L'art religieux au 20ᵉ siècle*, 1928. S. Barazzetti, 1944, P. Jamot, 1946.

Denner, Balthasar, dt. Maler, Hamburg 1685 bis 1749 Rostock, seinerzeit berühmter Bildnismaler, Schüler der Berliner Akad., malte u. a. in Hamburg, England, Amsterdam; von 1740 an in Hamburg niedergelassen. Berühmt s. miniaturhaften Technik wegen, der Treue, mit der er Fältchen, Härchen usw. – hierin von G. → Dou beeinflußt – malte, daher s. Beiname «Poren-Denner». Gute Miniaturbildnisse auf Elfenbein u. Kupfer, Bleistiftzeichn. In vielen größeren Gal. vertreten. Beisp.: *Bildnis einer alten Frau*, 1721, Wien, Kunsthist. Mus. *Bildnis eines alten Mannes*, 1726, ebda. *Selbstbildnisse* in Wien u. Braunschweig.

Derain, André, franz. Maler, Chatou bei Paris 1880 bis 1954 Chambourcy; für s. Entwicklung wird wesentlich s. Freundschaft mit → Vlaminck, mit dem er ein Atelier in Chatou teilte; gemeinsam begeistern sie sich für die Malerei van → Goghs. Bald darauf lernte er → Matisse kennen u. malte mit ihm gemeinsam in Collioure; mit diesen gehörte er zu den Hauptvertretern der→Fauves. Seit 1906 machte sich

der Einfluß → Picassos geltend; er studierte→Cézanne, die klassischen älteren Franzosen u. Italiener, aber auch die Negerkunst u. die Kunst der Primitiven; er suchte die Form zu verfestigen, strebte nach formaler u. räumlicher Klarheit u. wollte mit s. Werk das Weiterleben der großen Tradition verkünden; immer wieder durchbrachen kräftige fauvist. Anstürme die klassizist. Beruhigung. Sein Stoffgebiet war überaus weit: Figürliches, Akte, Bildnisse, Landschaften, Stilleben, Illustr. zu Büchern (*Pantagruel*), Dekorationen u. Kostüme (f. d. russ. Ballett).

Beisp.: *Die Westminsterbrücke*, 1906, Paris, Privatslg. *Das Fenster*, 1913, Basel, Mus. *Bildnis Matisse*, 1905, London, Tate Gall. D. ist gut vertreten in den Mus. von: Paris (Luxembourg), Essen, Zürich, Chicago, Detroit, Washington u. v. a.

Lit.: D. Henry, 1920 u. 1924. E. Faure, 1923. C. Carrà, 1924. A. Salmon, 1924 u. 1929. A. Basler, 1929. G. Hilaire, 1959. D. Sutton, 1960 (dt.).

Deruet (Drevet, de Ruet), Claude, lothring.-franz. Maler, Nancy 1588–1660 ebda., Geschichts-, Porträt- u. Genremaler, Schüler von Claude Henriet, eine Zeitlang in Rom, 1619 zurück nach Nancy, Hofmaler der lothring. Herzöge, später nach Frankreich berufen. Freund → Callots, v. diesem, → Bellange, → Tempesta u. a. beeinflußt. Werke in den Mus. v. Chartres, Nancy, Orléans, Versailles, Mainz u. a. Lit.: H. Stein in: Th.-B. 1913. M. Laclotte in: L'Oeil 1957 (Dez.).

Deschler, Joachim, dt. Bildhauer d. 16. Jh., † 1571 Wien, schuf vor allem bedeutende Bildnismedaillen, Vertreter der von der ital. Kunst beeinflußten Hochrenaissance in Deutschland (zu vergleichen etwa mit → Daucher, L. → Hering, Hans Bolsterer, Hans Peisser). Zwischen 1533–1547 in Venedig u. Rom, seit Ende der 50er Jahre in Wien, Hofbildhauer Maximilians.
Lit.: Th. Hampe in: Th.-B. 1913.

Deseine, Louis-Pierre, franz. Bildhauer, Paris 1749 bis 1822 ebda., klassizist. Meister, bedeutend als Schöpfer von Bildnisbüsten. Hauptwerk: *Denkmal f. d. Herzog v. Enghien*, 1816–22, Kapelle des Schlosses Vincennes. Ferner: *Einzug Napoleons in Wien*, Basrelief für den Triumphbogen, Paris. *Bacchus u. Hebe*, beide in Schloß Chantilly. *Reliefs f. d. Vendôme-Säule*. Weitere Werke in Paris, Luxembourg; Versailles, Mus.; Chantilly, Schloß; Paris, Ecole des beaux-arts u. Louvre; Mus. v. Aix, Bordeaux, Tours, Toulouse.
Lit.: H. Vollmer in: Th.-B. 1913.

Desiderio da Settignano, ital. Bildhauer, Settignano b. Florenz, um 1428–1464 Florenz, Hauptmeister der Frührenaissance, ausgebildet in Florenz unter dem Einfluß von → Donatello u. Luca della

→ Robbia, schuf Grabmäler u. Porträtbüsten, fast ausschließlich in Marmor. Gehört dem Stil nach zu jenen Frührenaissancekünstlern der auf Donatello folgenden Generation, welche bes. das Anmutige u. Zierliche pflegten, ein neues Ideal für die Dekoration in klaren schönen Formen hatten u. einen neuen Typus des jungen Mädchens schufen. D.s Eigenart ist eine raffinierte Marmorbehandlung, in der er bes. Flachreliefs schuf; er bereicherte die Ornamentik mit neuen Motiven u. bildete einen neuen Grabmaltypus aus mit Aedicula u. antiken Putten.
Hauptwerke: *Grabmal des Carlo Marsuppini*, um 1455, Florenz, S. Croce. *Tabernakel der Sakramentskapelle* v. S. Lorenzo, Florenz, 1461. *Bildnis der Marietta Strozzi*, Berlin, staatl. Gal. *Madonna mit Kind*, Turin, Pinac. u. Florenz, Bargello. *Jesus u. Johannesknabe*, Paris, Louvre. *Terrakottastatuette einer Madonna*, London, Victoria u. Albert Mus. *Marmorkamin*, ebda. *Madonna*, Philadelphia (Penn.), Mus. *Marmorbüsten junger Frauen* : in Florenz, Berlin, New York. *Lachender Knabe*, Wien, Kunsthist. Mus.
Lit.: W. v. Bode, *Florent. Bildh. d. Renaiss.*, 1921. W. u. E. Paatz, *Die Kirchen v. Florenz*, 1940. L. Planiscig, 1942.

Desjardins, Martin, eig. van den Bogaert, niederl.-franz. Bildhauer, Breda um 1640–1694 Paris, Hauptvertreter der franz. Barockplastik, ausgebildet in Antwerpen, weitergebildet in Paris, wo er tätig war, Hofbildhauer Ludwigs XIV., schuf Werke für Pariser Kirchen u. Statuen, Reliefs usw. Von s. großen Bronzestatue Ludwigs XIV. für Paris nur die *Basisreliefs* erhalten, Paris, Louvre. *Reiterstatue Ludwigs XIV.* in Lyon. *Die 4 Gefangenen*, für die Fassade des Hôtel des Invalides, Paris. *Madonnengruppe* für den Marienaltar der Sorbonne-Kirche, Paris. Weitere Werke in Pariser Kirchen; im Louvre (*Büste Pierre Mignard*); in Versailles: *Junostatue* auf der Balustrade, Statuen im Park, ebda., in der Orangerie u. a.
Lit.: E. de Taeye in: Th.-B. 1910 (unter Bogaert).

Desmarées, Georges → Marées, Georges des.

Desnoyer, François, franz. Maler, * Montauban 1894, gegenständl., in Paris tätiger Künstler, sowohl vom Kubismus wie vom → Fauvismus beeinflußt; auch Bildh. (von → Bourdelle gefördert) u. Graph.; Figürliches, Bildnisse, Landschaften, Illustrationen u. a.
Lit.: Knaurs Lex., 1955.

Despiau, Charles, franz. Bildhauer, Mont-de-Marsan, 1874–1946 Paris, Schüler von → Lemaire u. → Barrias, um 1903 Begegnung mit → Rodin, von dem er um 1907 mit einigen Marmorausführungen betraut wurde. Er begann als Porträtist, daneben Figurenbilder, meist Akte; tätig in Paris. In s. Kunst

hatten die ersten Lehrer keinen Einfluß auf ihn, auch von Rodins Art machte er sich bald frei u. suchte im Gegensatz zu dessen impressionist. Behandlung eine neue Formvereinfachung; wie → Maillol ging er auf ägypt. u. frühgriech. Vorbilder zurück. Bedeutende Anregungen erfuhr er durch Lucien Schnegg. Er gehört neben Maillol u. Jos. → Bernard zu den bedeutendsten Plastikern Frankreichs der 1. Hälfte des 20. Jh. Vertreten in Paris, Mus. du Luxembourg; London, Tate Gall.; Basel, Gal.; Rotterdam, Mus. Boymans; Detroit, Inst. of art; New York, Mus. f. mod. Kunst.
Werke: *Petite fille des Landes*, 1904. *Paulette*, 1907 (Marmorausf. 1910), Paris, Mus. d'art mod. *Monument aux morts*, Mont-de-Marsan, 1920–22. *Jeune fille*, Paris, Mus. d'art mod. *Apollo*, 1939. *Bacchante*.
Lit.: Cl. Roger-Marx, 1922. L. Deshairs, 1931. M. Gautier, 1942. W. George, 1947. C. Roger-Marx, 1954 (dt.). H. Platte, *Plastik*, 1957. W. Hofmann, *Plastik d. 20. Jh.*, 1958. M. Seuphor, *Plastik unseres Jh.*, 1959.

Desportes, François, franz. Maler, Champigneulles 1661–1743 Paris, Meister von Jagdstücken u. Tierstilleben, Schüler des fläm. Tiermalers Nicasius in Paris. 1695–96 in Warschau als Porträtist am Hofe Johanns III. Sobiesky, sonst in Paris, unter Ludwig XIV. «peintre de la vénerie». D. erinnert in s. Stilleben mit Gemüsen, Früchten u. Wildbret u. s. Tierstücken an die Flamen, insbes. an → Snyders. Ferner schuf er dekorative Gemälde für Schlösser, Entwürfe für Tapisserien u. Porträts. D. ist reich vertreten in Paris, Louvre u. in vielen franz. Mus. Ferner in München, Karlsruhe, Braunschweig, Hannover u. London, Wallace Coll.
Lit.: L. Hourticq in: Gaz. des beaux-arts, 1920. Ders., *La peinture française au 18ᵉ siècle*, 1939. G. de Lastic-Saint-Jal, *Cat. raisonné de l'œuvre de D.* (1959 in Vorbereitung).

Destre, Vincenzo dalle → Vincenzo da Treviso.

Desvallières, Georges-Olivier, franz. Maler u. Zeichner für Glasgemälde, Paris 1861–1950 ebda. Vertreter der modernen religiösen Malerei, Schüler von J. Valadon u. E. → Delaunay, beeinflußt von G. → Moreau, schuf Wandmalereien in vielen franz. u. ausländ. Kirchen, Glasgemälde u. Tafelbilder. In s. Stil auch berührt von M. → Denis u. dem Kreise der → Fauves. Beisp.: *Wandmalereien* in der Kirche von Verneuil-sur-Arre. *Glasgemälde* der Totenkapelle in Douaumont, 1927. Bild: *Bildnis der Mutter*, 1903, Paris, Luxembourg.
Lit.: Bender in: Th.-B. 1913.

Detaille, Edouard, franz. Maler, Paris 1848–1912 ebda., bekannter Militär- u. Schlachtenmaler, Schüler von → Meissonier, dessen Art er weiterent-

wickelte, bes. in bezug auf Exaktheit der Detail-schilderung u. hist. Treue. Militär- u. Schlachten-szenen aus der napoleon. Zeit, aus dem Jahre 1830, aus dem Kriege 1870–71. Beisp.: *Vers la gloire*, 1905, Ausmalung der Apsis des Pantheons, Paris. *Einzug der Großen Armee in Paris 1806*, Paris, Hôtel de Ville. Bilder der Salle D. im Hôtel des Invalides, Paris. Er veröffentlichte: «L'armée française» mit 346 Zeichnungen, 60 Aquarellen, Text von J. Richard, 1883. In fast allen franz. Mus. vertreten; ferner u. a. im Metrop. Mus., New York u. Art Inst., Chicago.
Lit.: M. Vachon, 1897. H. Vollmer in: Th.-B. 1913.

Detroy, Jean-François → Troy, Jean-François de.

Deutsch, Niklaus Manuel → Manuel, Niklaus.

Devéria, Achille, franz. Maler u. Graphiker, Paris 1800–1857 ebda., Schüler von Lafitte u. → Girodet, schuf religiöse Bilder u. Genreszenen, vor allem Lithographien für Modeblätter u. lithogr. Bildnisse. Seine Bilder u. Illustrationen fast nur noch von kulturhist. Interesse; künstlerischen Wert haben seine Porträtlithogr.: *Selbstbildnis. Victor Hugo*, 1829. *Alexandre Dumas. Liszt*, 1832. D. war auch Vignettenzeichner; er malte haupts. in Aquarelltechnik.
Lit.: H. Vollmer in: Th.-B. 1913. M. Gauthier, *A. u. Eugène D.*, 1925.

Devéria, Eugène, franz. Maler, Paris 1805–1865 Pau, Vertreter der Historienmalerei, Schüler s. Bruders Achille → D. u. von → Girodet, schloß sich den Romantikern (→ Delacroix) an u. malte vor allem Historienbilder, mit denen er großen Erfolg hatte. Hauptwerke: *Geburt Heinrichs IV.*, 1827, Paris, Louvre. *Eidesleistung Louis-Philippes vor der Kammer*, 1830, Versailles, Gal. Werke vor allem im Louvre u. in Versailles, ferner in Avignon, Nantes, Montpellier, Neuchâtel u. a.
Lit.: P. Lafond, 1897. H. Vollmer in: Th.-B. 1913. M. Gauthier, *Achille u. E. D.*, 1925.

Dewasne, Jean, franz. Maler, * Lille 1921, Vertreter der abstrakten Kunst, u. zwar der geometrisierenden Abstraktion (konkrete Kunst).
Lit.: P. Descargues, 1952. M. Seuphor, *Dict. peint. abstr.*, 1957.

De Wint, Peter → Wint, Peter De.

Deyrolle, Jean, franz. Maler, * Nogent-s.-Marne 1911, Vertreter der ungegenständlichen Kunst; er kam – wie A. → Herbin u. A. → Magnelli – vom Kubismus zur abstrakten Malerei.
Lit.: Vollmer 1953. *Knaurs Lex. abstr. Mal.*, 1957. *Neue Kunst nach 1945*, hg. von W. Grohmann, 1958.

Diana, Benedetto, ital. Maler, * um 1460, † 1525, venez. Meister aus dem Umkreis der → Bellini, schuf als s. Hauptwerk: *Thronende Madonna mit 4 Heiligen*, Venedig, Akad. Weitere Madonnenbilder ebda. Werke in: Cremona, Mus.; Pavia, Akad.; London, Nat. Gall.; Rom, Gall. Corsini.
Lit.: Hadeln in: Th.-B. 1913. A. Venturi VII, 4, 1915. B. Berenson, *Venetian paint. in America*, 1916. A. Morassi in: Enc. Ital. 1931. B. Berenson, *Venetian Schools* I, 1957 (Phaidon).

Diaz de la Peña, Narcisse, franz. Maler u. Lithograph, Bordeaux 1808–1876 Mentone, gehört zur Gruppe der Maler von → Barbizon, begann als Romantiker, wandte sich dann Naturausschnitten kleinen Formates zu, reizvolle Bilder mit jugendlichen Mädchenkörpern vor dem Waldhintergrund. Mit s. Landschaften aus dem Walde von Fontainebleau stellt er sich neben → Corot u. → Daubigny. Auch als Lithograph bedeutend, u. a.: *Album mit Kinderszenen*. Sein umfangreiches Werk ist reich vertreten in Paris, Louvre; ferner in Montpellier, Reims u. v. a. Im Ausland: Berlin, staatl. Mus.; London, Wallace Coll. u. Nat. Gall.; New York, Metrop. Mus.; Chicago, Art Inst. u. a.
Lit.: G. Hédiard, o. J. R. Ballu, 1877. H. Vollmer in: Th.-B. 1913.

Diday, François, schweiz. Maler, Genf 1802–1877 ebda. Hauptmeister der schweiz. Alpenmalerei, Schüler von → Gros in Paris, begründete mit s. Schüler → Calame die schweiz. Alpenmalerei der romant.-pathetischen Richtung. Beisp.: *Rosenlauigletscher*, Lausanne, Mus.; *Lauterbrunnental*, Bern, Kunstmus. *Das Wetterhorn*, Genf, Mus. Gut vertreten in den Mus. v. Genf, Bern, Lausanne, Basel, Zürich, Solothurn, Neuchâtel, La Chaux-de-Fonds.
Lit.: A. Schreiber-Favre, 1942. Huggler/Cetto, *Schweiz. Malerei im 19. Jh.*, 1941.

Diefenbach, Karl Wilhelm, dt. Maler, Hadamar 1851–1913 auf Capri, bekannt durch den Schattenrißzyklus *Kindermusik* u. den großen Fries *Per aspera ad astra*.

Dieffenbach, Anton, dt. Maler, Wiesbaden 1831 bis 1914 Hohwald (Vogesen), Meister des Genrebildes u. Landschafter. Als Bildhauer ausgebildet in Paris, dann als Maler in Düsseldorf unter → Jordan, schuf Genrebilder in der Art von → Knaus, 1871 ff. in Berlin, 1897 ff. in Straßburg. Bilder aus dem Leben des Landvolkes u. der Kinderwelt, später Landschaften aus den Vogesen. Werke u. a. in den Mus. v. Bremen u. Straßburg.
Lit.: Knorr in: Th.-B. 1913.

Dieffenbacher, August Wilhelm, dt. Maler, * Mannheim 1858. Schilderer des Lebens der Gebirgs-

bewohner, Schüler von –> Lindenschmit u. –> Löfftz in München, tätig 1888 ff. in München, malte Genreszenen aus dem Jägerleben in Oberbayern, auch Illustrator. Vertreten in den Mus. v. Mannheim (Kunsth.), Dresden, Schwerin.
Lit.: H. Vollmer in: Th.-B. 1913.

Dielmann, Jakob Fürchtegott, dt. Maler, Sachsenhausen 1809–1885 Frankfurt a. M., Genre- u. Landschaftsmaler, ausgebildet in Düsseldorf unter –> Schirmer, siedelte in den 60er Jahren nach Cronberg im Taunus über, wo er mit Anton Burger die sog. Cronberger Malerkolonie gründete. In s. Kunst führte er die Anregungen der Düsseldorfer Schule in Frankfurt weiter. Auch Graphiker u. Lithograph.
Lit.: K. Simon in: Th.-B. 1913. R. Hamann, *Dt. Malerei v. Rokoko z. Expression.*, 1925.

Dientzenhofer, dt. Arch.-Familie des 18. Jh., ursprüngl. aus Oberbayern stammend, welche sich in 2 Hauptzweige, einen fränkischen u. einen böhmischen, geteilt hat. Die wichtigsten Glieder der Familie, welche dem Hochbarock angehören, sind: *Christoph,* Rosenheim 1655–1722 Prag, tätig haupts. in Prag, übertrug in s. Werken Baugedanken –> Guarinis nach Deutschland u. Böhmen. Seine Hauptwerke: *Langhaus der Nikolaikirche* in Prag, 1703ff. Vermutlich auch: *Klosterkirche Brevnow*, Prag, 1709–15.
Georg, Aibling 1643–1689 Waldsassen, erbaute 1685 die *Wallfahrtskirche in Kappel* (Oberpfalz) u. war am Bau der *Martinskirche* in Bamberg tätig.
Johann, * 1665, † 1726 Bamberg, Bruder von Christoph, schuf den *Neubau des Domes zu Fulda*, 1704–12, in den er röm. Muster (–> Madernas Langhaus von St. Peter) geschickt übertrug. *Klosterkirche Banz*, 1710–18 (wenn man dieses Meisterwerk des Barock J. zusprechen kann). In kühner Weise sind hier Ideen –> Borrominis u. –> Guarinis fortgeführt. Profanbauten: *Schloß Weißenstein,* 1711 bis 1721; *Lustschloß Favorite* (zerstört); beteiligt am Bau des *Schlosses Pommersfelden.*
Johann Leonhard, *um 1655, † 1707 Bamberg, baute *St. Michael* in Bamberg; einen Teil der *Residenz,* ebda.; *Wallfahrtskirche Walldürn,* 1698; *Kloster u. Kirche Schöntal.*
Kilian Ignaz, Sohn des Christoph, Prag 1690–1751 ebda., wohl der bedeutendste Meister der Familie, hat dem Prager Barock die Signatur gegeben. Er vollendete den von s. Vater begonnenen Bau der *Nikolauskirche* in Prag, baute die *Nepomukkirche,* ebda.; die *Palais: Piccolomini,* um 1730; *Kinsky; Goltz,* ebda. In Karlsbad: *Maria-Magdalena-Kirche ; Kloster Wahlstatt* in Schlesien u. a.
Lit.: O. A. Weigmann, *Eine Bamberger Baumeisterfamilie,* 1902. Schmerber, *Die Baumeister Christoph u. Ignaz Kilian D.,* 1903. H. G. Franz, *Die Kirchenbauten v. Christoph D.,* 1942. W. Hager, *Die Bauten d.*

dt. Barocks, 1942. H. W. Hegemann, *Die dt. Barockbaukunst Böhmens 1690–1770,* 1943. G. Dehio, *Gesch. d. dt. Kunst 3,* 1926.

Diepenbeeck, Abraham van, niederl. Glasmaler, Maler u. Zeichner, Hertogenbosch 1596–1675 Antwerpen, führte 1623 ff. zahlreiche Glasgemälde für Antwerpener Kirchen aus; davon nur wenig erhalten. Bedeutender Zeichner für den Kupferstich, vor allem Illustrationen zu theolog. u. wissenschaftl. Werken.
Lit.: K. Zoege v. Manteuffel in: Th.-B. 1913. R. Oldenbourg, *Fläm. Mal. d. 17. Jh.,* 1918.

Dietrich, Adolf, schweiz. Maler, * Berlingen am Bodensee 1877, † 1957 ebda., «peintre naïf», schuf naiv-sachliche Landschaften u. Stilleben aus der dörflichen Umwelt, die eine ursprüngliche starke Empfindung ausdrücken. In vielen Mus., u. a. in Zürich, Kunsth.
Lit.: M. Riess, 1937. K. Hoenn, 1942. E. Brüllmann, 1950. *Schweiz. Künstlerlex. d. 20. Jh.,* 1959.

Dietrich, Christian Wilhelm, dt. Maler u. Radierer, Weimar 1712–1774 Dresden, Vertreter des dt. Rokoko, Schüler s. Vaters u. des Landschafters A. Thiele in Dresden, studierte in Italien weiter, dort bes. von den –> Carracci beeinflußt. Nach s. Rückkehr 1741 Hofmaler, 1765 Akad.-Direktor in Dresden. Berühmt wegen s. «Geschicklichkeit, in allen Manieren» malen zu können, d. h. man bewunderte sein Geschick, sowohl in der Art der Italiener wie in der der Holländer zu malen. Reich vertreten in der Gal. v. Dresden (ca. 50 Gemälde u. mehrere 100 Handzeichn.). Arbeitete auch für Porzellanmanufakturen. Beisp.: *Wandernde Musikanten,* 1745, London, Nat. Gall.
Lit.: Linck, 1846. G. Dehio, *Geschichte d. dt. Kunst 3,* 1930. R. Hamann, *Dt. Mal. v. Rokoko z. Expression.,* 1925.

Dietterlin, Wendel, eig. Wendling Grapp, dt. Arch. u. Maler, Pfullendorf (Baden) um 1550–1599 Straßburg; s. Fassaden- u. Deckenmalereien nicht mehr erhalten. Berühmt war s. Kupferstichwerk: «Architectura . . .», 1598, mit dem er die Formen des dt. Frühbarock verbreiten half.
Lit.: Ohnesorge, 1893. M. Pirr, *Die «Architectura» d. W. D.,* Berliner Diss., 1940.

Dietz (Tietz), Ferdinand, dt. Bildhauer, Eisenberg (Böhmen) 1709–1777 Memmelsdorf b. Bamberg, Meister des dt. Rokoko, 1736 ff. im Dienst der Familie von Schönborn in Würzburg u. Bamberg, später in Brühl u. Trier beim dortigen Fürstbischof, schuf die *Gartenskulpturen in den Schlössern Seehof,* 1747–49 u. *Veitshöchheim,* 1763–68.
Lit.: E. L. v. Stössel, 1920. H. K. Röthel, *Der Figurenschmuck d. Parks v. Veitshöchheim v. F. D.,* 1943.

Dietzsch (Dietsch), Nürnberger Malerfamilie d. 18. Jh. Der Stammvater *Johann Israel*, 1681–1754, u. dessen 5 Söhne: *Johann Christoph*, 1710–69, *Johann Sigmund, Johann Jakob, Georg Friedrich, Johann Albert* u. 2 Töchter: *Barbara Regina*, 1706–83, u. *Margareta Barbara*, 1726–95, wurden berühmt durch ihre naturgetreuen Darstellungen von Vögeln, Insekten u. Blumen.

Diez, Julius, dt. Maler, * Nürnberg 1870, † 1957 München, Schüler von → Seitz in München, tätig ebda., Prof. der Kunstgewerbeschule, führte große dekorative Fresken aus für das *Kurhaus in Wiesbaden;* für die *Universität* u. das *Dt. Mus. in München;* für die *Rathäuser in Hannover u. Leipzig.* Lit.: Braungart, 1920.

Diez, Robert, dt. Bildhauer, Pössneck 1844–1922 Dresden-Loschwitz, Meister des beginnenden Realismus, Schüler der Akad. Dresden unter Schillings, 1891–1919 Prof. der Akad. ebda., schuf haupts. dekorative Plastik, Denkmäler u. Brunnen. Berühmt war s. *Gänsediebbrunnen in Dresden*, 1879–80. Ferner: *Brunnen auf dem Albertplatz* u. *Bismarckdenkmal*, 1900–03, in Dresden.

Diez, Wilhelm v., dt. Maler, Bayreuth 1839–1907 München, Vertreter der Münchner Schule des beginnenden Realismus, Schüler der Münchner Akad., lehrte das. 1872 ff. Bekannt durch Darstellungen aus dem Landsknechtsleben, die durch Treue des hist. Kostüms u. Frische der Malweise Beachtung fanden. Schuf *Illustrationen zu Schillers Geschichte des 30jährigen Krieges*, und Bilder wie z. B. *Landsknechte*, Leipzig, Städt. Mus. *Toter Rehbock*, um 1870, Berlin, ehem. Nat. Gal.

Dijk → auch Dyck usw.

Dijk (Dyk), Philip van, niederl. Maler, Amsterdam 1680–1752 Den Haag, bedeutender Meister des Miniaturporträts auf Holz oder Elfenbein in der von s. Lehrer A. van der→Werff eingeführten porzellanartigen Technik.

Dill, Ludwig, dt. Maler, Gernsbach 1848–1940 Karlsruhe, Meister der Dachauer Künstlergruppe, Schüler von → Piloty, wurde zuerst bekannt als realist. Maler der Lagunen von Venedig, sodann als Darsteller des Dachauer Moorlandes. Beeinflußt von der schott. Malergruppe v. Glasgow, von der → Lierschule u. der Schule von → Barbizon, tätig in Stuttgart, München, Venedig, Dachau, Karlsruhe, das. 1899ff. Prof. der Akad., schuf Landschaften des Dachauer Moorlandes mit weichen verschwimmenden Nebeltönen u. Marinen. Werke in den Mus. v.: Dresden, Elberfeld, Karlsruhe, Krefeld, Mannheim, München, Freiburg, Würzburg, Pittsburgh. Lit.: Beringer in: Th.-B. 1913.

Dill, Otto, dt. Maler, Neustadt a. d. Weinstraße 1884–1956 Bad Dürkheim. Tier- u. Landschaftsmaler, Lithograph, Schüler der Münchner Akad. unter → Zügel. Jagd- u. Sportbilder, bes. Pferderennen, Raubtiere (Löwen, Tiger), Meister in der Darstellung der flüchtigen Bewegung in lockerem impressionist. Stil. Werke in München, N. Staatsgal.; Dresden, Gal.; Nürnberg, Gal.; Budapest, Mus. u. a. Als Lithograph: *Pferd u. Reiter*, 12 Bl., 1932, u. a. Lit.: H.-J. Imiela, 1960.

Dillens, Julien, belg. Bildhauer u. Medailleur, Antwerpen 1849–1904 Saint-Gilles bei Brüssel, schuf zahlreiche Bildwerke für öffentl. Gebäude in Belgien. In seinem Stil ist D. realistisch und zugleich monumental; nicht unbeeinflußt von → Meunier. Ein Hauptwerk ist die *Monumentalgruppe der Gerechtigkeit* am Justizpalast in Brüssel.

Dillis, Johann Georg v., dt. Maler, Zeichner, Radierer, Grüngiebig 1759–1841 München, bedeutender Landschafter Anf. 19. Jh., ursprünglich Eklektiker des späten Rokoko, gelangte durch Studium der alten Holländer u. bes. durch eigenes Naturstudium zu einem frischempfundenen Naturalismus. Er schuf Landschaften mit feiner Beobachtung des Athmosphärischen u. der Lichtstimmungen, Vorläufer der Münchner Stimmungslandschaft der W. v. → Kobell, I. I. Dorner d. J.,→ Wagenbauer. Gut vertreten in München, N. P. Lit.: W. Lessing, 1951. R. Hamann, *Dt. Malerei v. Rokoko z. Expression.*, 1925.

Dinglinger, Johann Melchior, dt. Goldschmied u. Emailleur, Biberach 1664–1731 Dresden, seit 1693 ebda. nachweisbar, 1698 Hofgoldschmied Augusts des Starken. Seine Werkstatt, in der s. Söhne u. Brüder arbeiteten, war eine der berühmtesten s. Zeit: Kleinplastiken in Edelmetall, Holz, Elfenbein usw. Seine Hauptwerke im Grünen Gewölbe, Dresden: *Goldenes Kaffeeservice Augusts des Starken. 2 Herkulesschalen. Chalcedonschale mit der ruhenden Diana. Obeliscus Augustalis. Tempel des Apis. Vasen.* Lit.: J. L. Sponsel, [2]1905. R. Enking, *Der Apis-Altar J. M. D.s* in: Leipz. ägyptol. Stud. 11, 1939.

Diogg, Felix Maria, schweiz. Maler u. Radierer, Urseren (Uri) 1762–1834 Rapperswil, Vertreter der klassizist. Bildnismalerei in der Schweiz, Schüler von J. M. Wyrsch in Besançon, ließ sich nach zweijährigem Romaufenthalt in Rapperswil nieder u. wurde der beliebte Porträtist des gehobenen Bürgertums, befreundet mit Lavater u. H. K. Hirzel, seinem ersten Biographen.
Werke: Bildnisse v. *H. K. Hirzel*, Zürich, Kunsth.; *Lavater*, 1794, Zürich, Privatslg.; *Joh. v. Müller*, 1797, Schloß Jegenstorf; *Pestalozzi*, 1801, Zürich, Pestalozzi Mus.; *Karl Müller-Friedberg*, 1801, St. Gallen, Mus.

Lit.: Brun, *Schweiz. Kstlerlex.*, 1905. W. Hugelshofer, 1940. Ders., *Schweiz. Kleinmeister*, 1943. E.
Gradmann u. A. M. Cetto, *Schweiz. Malerei u. Zeichn.
im 17. u. 18. Jh.*, 1944. Gantner-Reinle, *Kunstgesch.
d. Schweiz* 3, 1956.

Disteli, Martin, schweiz. Zeichner u. Maler, Olten
1802–1844 Solothurn, erlangte große Volkstümlich-
keit durch den *Disteli-Kalender* (Schweizer. Bild-
kalender), den er 1839 ff. zus. mit Felber herausgab
u. in welchem er politische Persönlichkeiten s. Zeit
karikierte. Ferner: Illustrationen zu *A. E. Froehlichs
Fabeln*, 1828; zu *Münchs Pantheon der Geschichte des
dt. Volkes.* Werke (*D.-Album* mit ca. 1500 Zeichn. u.
Aquarellen) in den Mus. v. Olten u. Solothurn.
Lit.: Zehnder, 1883. G. Wälchli, *M. D. u. Ludwig
Uhland*, 1928.

Dix, Otto, dt. Maler u. Graphiker, * Gera-Untermm-
haus 1891. Hauptvertreter des dt. Nachexpressionismus, studierte an der Akad. von Dresden u. Düsseldorf, 1925 ff. in Berlin, 1927 ff. in Dresden, wo er an
der Akad. lehrte. Seit s. Entlassung, 1933, in Hem-
mendorf (Bodensee) tätig. Sein Frühwerk gekennzeichnet durch das Erlebnis des Krieges u. die Sehnsucht nach sozialer Gerechtigkeit. In s. Stil Verismus
bis zum Karikaturhaften; um 1923 Wendung vom
Dada zur «neuen Sachlichkeit». Seine Laufbahn bis
hierher ähnlich der von G. → Gross. Später lehnte
er sich im Stil an alte dt. Meister an (→ Altdorfer).
1945 ff. Wandel zu malerisch gelockerter Form;
thematisch neben Landschaften religiöse Motive.
Beisp.: *Schützengrabenbild*, Köln, Wallraf-Richartz-
Mus. Porträt: *Bildnis H. Eulenberg.* Rad.: *Kriegs-
zyklus* (50 Bl.). Werke u. a. in Berlin, staatl. Mus.;
Düsseldorf, Gal.
Lit.: Wolfradt, 1924. F. Roh, *Nach-Expressionismus*,
1925. H. Read, *Gesch. d. mod. Malerei*, 1959.

Dobson, William, engl. Maler, London 1610–1646
ebda., Meister der Bildnismalerei, Schüler von
F. Cleyn u. Robert Peake, 1635 ff. in der Werkstatt
van → Dycks tätig, nach dessen Tod 1641 «Maler
des Königs». Außer Bildnissen auch bibl. u. hist.
Gemälde. Seine von van Dyck beeinflußte Kunst entwickelte sich zu bedeutender Eigenart. Beisp.: *Bildnis Endymion Porter* u. *Selbstbildnis*, London, Nat.
Portr. Gall. *Karl II. als Prinz v. Wales*, Windsor
Castle. Werke in London, Nat. Gall.; Nat. Portrait
Gall.

Doesburg, Theo van, eig. Küpper, holl. Maler,
Utrecht 1883–1931 Davos, gehört zu den Begründern der abstrakten Kunst, traf 1915 mit → Mondrian zus., begann 1916 seine ersten abstrakten
Bilder, gründete 1917 mit Mondrian u. a. die Zeitschrift «De Stijl», die auf die Entwicklung der
abstrakten Kunst großen Einfluß ausübte, schloß

sich später den Dadaisten an u. sonderte sich in s.
Kunst von Mondrian ab. Viele theoretische Schrif-
ten, u. a. «Grundbegriffe der neuen gestaltenden
Kunst», 1924; Manifest des «Elementarismus»,
1925.
Lit.: Barr, *Cubism and abstract art*, 1936. M. Seuphor,
L'art abstrait, 1949. Ders., *Dict. peint. abstr.*, 1957.
Raynal, *De Picasso au surréalisme*, 1950. H. Read,
Geschichte d. mod. Malerei, 1959.

Dolci (Dolce), Carlo, ital. Maler, Florenz 1616–1686
ebda., Hauptmeister der Spätblüte der florent.
Barockmalerei. Er malte Heiligengestalten, meist
Halbfiguren mit einem weich-wehmütigen Aus-
druck, technisch virtuos behandelt. Hauptwerke:
Marter des hl. Andreas, 1646, Florenz, Gall. Pitti.
Jünglingsbildnis, ebda. *Salome*, Florenz, Uff. u. Dresden,
Gal. *Magdalena*, Rom, Gall. Corsini, Florenz, Gall.
Pitti, München, A. P. u. a. *Hl. Cäcilie*, Dresden,
Gal. *Hl. Apollonia*, Rom, Gall. naz. *Selbstbildnis*,
1674, Florenz, Uff. *Susanna*, ebda. *Die Poesie*, Rom,
Gall. Corsini.
Lit.: K. Busse in: Th.-B. 1913. G. Frizzoni in: Boll.
d'Arte 1919. *Ausst.-Kat. Mostra della pitt. ital.
del sei- e settecento*, Florenz, Pitti 1922. N. Tarchiani
in: Enc. Ital. 1932.

Dolci, Giovannino di Pietro de', ital. Arch. u.
Bildhauer, * Florenz, † Rom vor 1486, ebda.
seit ca. 1450 tätig als Holzschnitzer u. Bildhauer;
unter Papst Sixtus IV. auch als Aufseher der päpst-
lichen Bauten u. als Arch. Er arbeitete gemeinsam
mit s. Bruder Marco die reichgeschnitzten *Schränke
u. Bänke der neuen Vatikan. Bibliothek* (1477–81) u.
leitete den *Bau der Sixtin. Kapelle*, 1473 ff. u. der
Zitadelle v. Ronciglione, 1476 ff.

Domela, César, holl. Bildh., * Amsterdam 1900,
Hauptvertreter der holländ. abstrakten Plastik.
Lit.: M. Seuphor, *Plastik unseres Jh.*, 1959.

Domenichino, eig. Domenico Zampieri, gen. il D.,
ital. Maler, Bologna 1581–1641 Neapel, neben
G. → Reni der bedeutendste Meister der → Carracci-
Schule, Schüler von D. → Calvaert, später von
L. → Carracci, ging 1602 nach Rom, 1630–34 u.
1635–38 in Neapel, wo er Fresken in der Cappella
del Tesoro malte, sonst meist in Rom. In s. Malerei
nimmt D. eine klassizist. Haltung ein u. gelangt zu
einem eigenen Stil von großer Klarheit. Seine Eigenart waren die feinen Landschaften, die er im Hintergrund bibl. oder mythol. Bilder anbringt, u. die auf
→ Poussin Einfluß hatten.
Werke: Größere Freskenwerke: *Fresken in S. Andrea
della Valle*, Rom, 1624–28: die 4 Evangelisten,
Geschichten des hl. Andreas u. allegor. Figuren.
Geißelung des hl. Andreas, 1608, S. Gregorio Magno,
Rom. *Fresken aus dem Leben der hl. Cäcilie*, 1614,

Rom, S. Luigi de' Francesi. *Fresken aus dem Leben der hll. Nilus u. Bartholomäus*, 1609–10, Hauptwerk, Kapelle d. hl. Nilus, Grottaferrata, Kirche. Tafelbilder: *Kommunion des hl. Hieronymus*, 1614, Vatikan. Gal. *Jagd der Diana*, um 1617, Gall. Borghese, Rom. Bibl. u. mythol. Bilder mit Landschaften: *Badende Nymphen*, Rom, Gall. Borghese. *Venus bei der Leiche des Adonis*, Genua, Gall. Durazzo-Pallavicini. *Landschaft mit Badenden*, Pal. Torrigiani, Florenz. *Landschaften mit bibl. u. mythol. Staffage* : Pal. Doria, Rom; Gal. d. Kapitols, ebda. u. a. Lit.: H. Voss in: Th.-B. 1913. Ders., *Malerei d. Barock in Rom*, 1924. L. Serra, 1921 (ital.). Ders. in: Enc. Ital. 1932. J. Pope-Hennessy, *The Drawings of D. at Windsor Castle*. N. Pevsner, *Malerei d. Barock iu Italien* (Hb. d. K. W.), 1928.

Domenico di Bartolo Ghezzi, meist D. di B. genannt, ital. Maler, Asciano um 1400 bis um 1444 Siena, erster Vertreter der Frührenaissance in der Sieneser Malerei; er führte die Tradition der sienes. Schule → Lorenzettis u. des S. → Martini weiter, war aber von der florent. Kunst u. von der oberital. des → Gentile da Fabriano u. des → Pisanello beeinflußt. Seine *Fresken im Ospedale della Scala* mit Szenen aus der zeitgenössischen Geschichte gelten als das bedeutendste Werk der sienes. Malerei der 1. Hälfte des 15. Jh. Ein weiteres Hauptwerk ist die *Thronende Madonna mit Heiligen*, 1438, Perugia, Pinac., welches den Geist der florent. Frührenaissance atmet. D. hat seinerseits beeinflußt: G. → Boccati, → Bonfigli, → Matteo di Giovanni, P. della → Francesca.
Weitere Werke in Siena, Akad. *(Madonna mit Engeln*, 1433. *Kaiser Sigismund thronend*, 1434); Dom, ebda. *(Fußbodenintarsia ;* Vorzeichn. in Philadelphia, Slg. Johnson).
Lit.: A. Venturi VII, 1, 1911. A. M. Ciaranfi in: Enc. Ital. 1932. R. van Marle, *Ital. Schools*, IX. C. Brandi, *Quattrocentisti Senesi*, 1949. M. L. Gengaro in: L'Arte, N. S. I., 1936. I. Pope-Hennessy, *La Peint. Sienn. du Quattrocento*, 1947.

Domenico Veneziano → Veneziano, Domenico.

Donatello, eig. Donato di Niccolò di Betto Bardi, gen. D., ital. Bildhauer, Florenz um 1386–1466 ebda. Hauptmeister der florent. Frührenaissance, wahrscheinlich aus den Werkstätten von → Ghiberti u. N. di → Banco hervorgegangen. 1406 ff. in Florenz beschäftigt an Bildwerken für den Dom, den Campanile u. Or San Michele. 1432–33 in Rom, wo er den Auftrag für ein Marmortabernakel in St. Peter erhielt. 1443–53 in Padua, dann in Siena u. Florenz. D. hat auf den verschiedensten Gebieten – Marmorskulpturen, Bronzeplastiken, Aktfiguren, Reliefs, Reiterstandbild – die hervorragendsten Monumente s. Zeit geschaffen, u. zwar je nach der Aufgabe in stärkstem Realismus oder in antiker Formenstrenge. Seine Kunst hat bis auf → Michelangelo u. später den größten Einfluß ausgeübt. Hauptwerke: *Evangelist Johannes*, Marmorplastik, 1408, Florenz, Domfassade. *Marmor-David*, 1409, Nat. Mus., Florenz. *Statuen für Or San Michele* : *Der hl. Georg*, 1416, Original im Nat. Mus. *Statuen für den Campanile* : *Prophetenfiguren*, vor allem der «Zuccone» (Jeremias), um 1416, Campanile. *Bronzerelief mit Tanz der Salome* an → Quercias Taufbrunnen in Siena. *Bronze-David*, als Brunnenfigur gedacht, heute Nat. Mus., Florenz. *Verkündigungstabernakel* in S. Croce, Florenz. *Puttenreliefs an der Außenkanzel* des Domes in Prato, zwischen 1433–38. *Sängertribüne des Doms in Florenz* (Dom-Mus.). Aus der Schaffensperiode in Padua: Bronzene Rundbilder, Hoch- u. Flachreliefs am *Hochaltar d. Basilica del Santo*, *Reiterstandbild des Gattamelata*, des Condottiere, auf d. Domplatz. Spätwerke: *Bronzegruppe Judith u. Holofernes*, um 1454, Loggia dei Lanzi, Florenz. *Bronze-Johannes*, 1457, Dom zu Siena.
Lit.: H. Semper, *D., s. Zeit u. Schule*, 1875. Ders., *D.s Leben u. Werke*, 1887. E. Müntz, 1885 (franz.). P. Schubring, 1922 (Klass. d. Kunst). H. Kauffmann, 1935. L. Goldscheider, 1941 (engl., Phaidon). R. Buscaroli, *L'arte di D.*, 1942. L. Planiscig, 1943. H. W. Janson, 1957 (engl.). Enc. Univ. dell'Arte 4, 1958.

Donauschule, Donaustil, im oberdeut. Gebiet, haupts. an der Donau herrschender Stil in den ersten Jahrzehnten des 16. Jh. Stärkster Ausdruck dieser Richtung das Werk von A. → Altdorfer: romant. Stimmung, Überwiegen des Landschaftlichen. Ferner W. → Huber; nahestehend die Holzschnitte u. Radierungen des Meisters HWG, des A. → Hirschvogel u. H. S. → Lautensack.

Donducci, Giovanni Andrea, gen. *Mastelletta*, ital. Maler u. Radierer, Bologna 1575–1655 ebda. Vertreter der bolognes. Malerschule, Schüler der → Carracci, beeinflußt von G. → Reni. Große Historienbilder, bes. aber kleine Bilder, die im wesentlichen Landschaften sind: duftige Abendstimmungen mit hist. oder bibl. Staffage. Hauptwerke: *2 Historienbilder in S. Domenico in Bologna*, 1616. Vertreten ferner in anderen Kirchen v. Bologna; in der Pinac., ebda; Modena, Pinac.; Parma, Gal.; Rom, Pal. Spada; Florenz, Uff.; Paris, Louvre u. a. Zeichn. in Florenz, Uff.; Paris, Louvre; London, Brit. Mus.
Lit.: N. Pevsner, *Malerei d. 17. Jh.* (Handb. d. K. W.), 1928. M. Marangoni in: Enc. Ital. 1934.

Dongen, Kees van, holl. Maler, * Delshaven b. Rotterdam 1877. Früh von den Impressionisten beeinflußt, 1897 in Paris, schloß sich 1906 den → Fauves an, Mitglied der Dresdener → «Brücke»;

malte Bilder intensiver Farbigkeit voll starken Ausdrucks. Nach Ende des 1. Weltkrieges Modeporträtist u. von der Gesellschaft gesuchter Maler. Mit großer Leichtigkeit schuf er ausdrucksstarke Bildnisse u. Landschaften, geriet indessen allmählich in die Routine des allzu Erfolgreichen.
Lit.: E. des Courières, 1921. P. Fierens, 1927. C. Doelman, 1947. J. Leymarie, *Fauvismus*, 1959.

Donner, Georg Raphael, österr. Bildhauer, Eßlingen b. Wien 1693–1741 Wien, Schüler von Giuliani, 1725–28 in Salzburg, 1728–38 in Preßburg, dann in Wien. Seine Hauptwerke hat D. in Blei gegossen. Entwickelte im Gegensatz zum Hochbarock einen den Klassizismus vorbereitenden Stil gemessener Klarheit, den s. Schüler → Oeser nach Dresden weitertrug. Hauptwerke: *Brunnen auf dem Neuen Markt*, Wien, 1737–39, mit den Allegorien der Hauptflüsse Niederösterreichs. *Andromedabrunnen* im Alten Rathaus, Wien. *Pietà*, Gurk, Dom. *Reitergruppe des hl. Martin*, Preßburg, Dom.
Lit.: A. Mayer, 1907. A. Pigler, 1929. K. Blauensteiner, 1947.

Donoso, José Ximenez, span. Arch. u. Maler, Consuegra in der Mancha 1628–1690 Madrid. In Rom ausgebildet, 1654 in Spanien, 1685 Arch. des Toledaner Domkapitels. Tätig in Valencia, Toledo, Madrid. D. war der eifrigste Vorkämpfer des Barockstils → Borrominis in Spanien u. hatte einen großen Schülerkreis. Als Maler weniger bedeutend. Werke in Madrid: *Casa Panaderia* an der Plaza Mayor, 1674, mit jetzt verwitterten Fresken von D. u. C. → Coello. *Kreuzgang des Kollegs S. Tomas. Portal v. S. Luis*, 1689. Altarbilder in Madrider Kirchen.
Lit.: O. Schubert, *Gesch. d. Barock in Span.*, 1908. A. L. Mayer in: Th.-B., 1913.

Doré, Gustave, franz. Illustrator, Maler u. Bildhauer, Straßburg 1832–1883 Paris, seit 1847 in Paris, Autodidakt. 1855 in Spanien. 1848 ff. Lithographien für das «Journal pour rire» in der Art von → Grandville u. → Töpffer. Seinen eigenen Stil einer von romant. Phantasie genährten Kunst entwickelte er in den Holzschnitten zu Rabelais *Gargantua* von 1854 u. zu Balzacs *Contes drôlatiques* v. 1855. Es folgen die Illustrationen zu Eugène Sue's *Ewigem Juden*, 1856; *Dantes Hölle*, 1861. *Cervantes' Don Quichotte*, 1863; zur *Bibel*, 1865; *Lafontaines Fabeln*, 1866; *Ariosts Rasendem Roland*, 1866. Als Ganzes bilden diese romant.-satirischen Zeichnungen eine unerschöpfliche Chronik der Epoche. Seine Gemälde weniger wertvoll.
Lit.: G. Hartlaub, 1924. J. Valmy-Baysse, 1930. G. Pauli, *Kunst d. Klassizismus u. d. Romantik*, 1925.

Dosio (Dosi), Giovanni Antonio, ital. Arch. u. Bildhauer, Florenz 1533 bis um 1609 Rom (oder Neapel), Meister der Hochrenaissance, schuf als Plastiker Wandgräber für röm. Kirchen mit vornehmen Renaissanceporträts; Hauptwerk als Baumeister: *Pal. Larderel* (früher Giacomini), Florenz, 1580, «das edelste Haus der florent. Architektur» (Burckhardt, Cicerone); ferner *Cappella Niccolini* in S. Croce, Florenz; *Cappella Gaddi* in S. Maria Novella, ebda.; den Hof des *Pal. Arcivescovile*, ebda., 1573. In s. Stil von Baccio d' Agnolo (→ Baglioni) u. → Michelangelo beeinflußt.
Lit.: G. Sobotka in: Th.-B. 1913. L. M. Tosi in: Enc. Ital. 1932. *Das Skizzenbuch des G. D. im staatl. Kupferst.-Kab. Berlin*, hg. v. Chr. Hülsen, 1933.

Dossena, Alceo, ital. Bildhauer, Cremona 1878 bis 1936 b. Mailand, berühmter Kunstfälscher, der 1928 einen Aufsehen erregenden Skandal hervorrief, nachdem mehrere unter berühmten Namen alter Meister von den Mus. v. Cleveland, Boston u. New York erworbene Plastiken als Werke D.s erkannt wurden.
Lit.: H. Cürlis, 1930. A. Jandolo, *Bekenntnisse eines Kunsthändlers*, 1939. Vollmer, 1953. M. J. Friedländer, *Von Kunst u. Kennerschaft* (Ausg. Ullstein-Buch), 1957.

Dossi, Dosso, eig. Giovanni de'Luteri, gen. D. D., ital. Maler, Dosso (?) um 1482–1542 Ferrara, Hauptmeister der ferrares. Schule zu Beginn des Cinquecento, ausgebildet wahrscheinlich von L. → Costa, tätig in Ferrara. Entscheidender Einfluß der venezian. Schule, bes. des → Giorgione, dem er sich in der geheimnisvoll-poetischen Phantastik mancher Bilder u. der romant. Empfindungsweise stark annähert.
Seine charakteristischsten Werke sind: Szenen aus Ariosts «Rasendem Roland»: das fälschlich *Circe* gen. Bild der Gall. Borghese, Rom, sowie der Slg. Benson u. mythol. Bilder wie *Apoll u. Daphne*, Rom, Gall. Borghese. Weitere Hauptwerke: *Sebastiansaltar*, Modena, Dom, 1522. *Madonna mit Heiligen*, ebda., Gal. *Ruhe auf der Flucht* u. *Madonna in Wolken*, Florenz, Pal. Pitti. *Madonna*, Rom, Gall. Borghese. *Hl. Hieronymus*, Wien, Kunsthist. Mus. *Vision der 4 Kirchenväter*, Dresden, Gal. *Hl. Sebastian*, Mailand, Brera. *Hl. Familie mit Franziskus*, Berlin, staatl. Mus. *David mit dem Haupt des Goliath*, Rom, Gall. Borghese.
Lit.: H. Mendelsohn, *Das Werk der D.*, 1914.

Dotti, Carlo Francesco, ital. Arch., Bologna 1670 bis 1759 ebda., Hauptmeister des bolognes. Barock, schuf als s. Hauptwerke in Bologna, wo er tätig war, die Kirche *Madonna di S. Luca*, 1723 ff. u. das Innere von *S. Domenico*, 1728–32. Viele weitere Bauten in Bologna.
Lit.: A. Foratti in: Th.-B. 1913.

Dou (Douw), Gerard, niederl. Maler, Leiden 1613 bis 1675 ebda., 1628–31 Schüler → Rembrandts. Ausgehend von der Malweise der Frühwerke Rembrandts, entwickelte er eine bei sorgfältigster Wiedergabe aller Einzelheiten künstlerisch hochstehende Feinmalerei. Im Spätwerk etwas maniriert pedantisch bei kühler Farbenpracht. Er schildert bes. Szenen aus dem bürgerlichen Alltag. Gut vertreten in den Gal. v. Amsterdam, Den Haag, Paris, München, Dresden, Florenz, Leningrad. Werke: *Bildnis von Rembrandts Mutter*, Amsterdam. *Bildnis von Rembrandts Vater*, Hannover. *Der Zahnarzt*, um 1650, Schwerin, Gal. *Der Marktschreier*, 1652, München, A. P. *Die junge Mutter*, 1658, Den Haag, Gal. *Blumenbegießende alte Frau*, um 1660–65, Wien, Kunsthist. Mus. *Selbstbildnisse :* 1647, Dresden, Gal.; 1663, München, A. P.
Lit.: W. Martin, 1913 (Klass. d. K.). W. Bernt, *Niederl. Maler d. 17. Jh.*, 1948.

Douffet, Gerard, gen. Chevaert, niederl. Maler, Lüttich 1594–1660 ebda., war eine Zeitlang Schüler → Rubens, in Italien von den röm. Nachfolgern des → Caravaggio stark beeinflußt. Er schuf Altarbilder, die sich in Kirchen Belgiens finden, in Brüssel, Mus.; in München, N. P. (*Kreuzauffindung*, 1624) u. Augsburg, Gal. (*Besuch Nikolaus V. am Grabe des hl. Franz*, 1627), u. a.
Lit.: G. Jorissenne in: Th.-B. 1913.

Doughty, Thomas, amerik. Maler, Philadelphia 1793–1856 New York; Landschaftsmaler, Gründer der «Hudson River School», gut vertreten in New York, Metrop. Mus. u. Brooklyn Mus.
Lit.: E. v. Mach in: Th.-B. 1913.

Doughty, William, engl. Kupferstecher u. Maler, aus Yorkshire, † 1782 Lissabon, schuf berühmte Schabkunstblätter nach → Reynoldschen Gemälden u. a.
Lit.: A. E. Popham in: Th.-B. 1913.

Douvermann, Heinrich, niederl.-dt. Bildhauer, tätig am Niederrhein 1. Hälfte 16. Jh., vermutlich aus Dinslaken stammend, 1510–44 nachweisbar als Bildschnitzer in Cleve, Kalkar – wo er 1517 das Bürgerrecht erhielt – u. Xanten. Im Stil gehört D. der letzten Phase der Spätgotik an, in der sich der got.-barocke Formwille bis zu s. letzten Möglichkeiten auslebt.
Hauptwerke: *Marienaltar* im Dom zu Xanten, voll. 1535: in der vorderen Ebene der Predella ein durchsichtiges, wunderbar fein u. lebendig behandeltes Distelgeschlinge, dahinter in der Tiefe der schlafende Jesse. Der Aufsatz nach fläm. Weise in kleine vielfigurige Szenen geteilt, im Ornament einzelne Renaissancemotive. *Altar der Nikolauskirche*, Kalkar, voll. 1521: Altar der 7 Schmerzen Mariä, über

7 m hoch, tektonische Gliederung durch Pfeiler mit Statuetten in feinster Detaillierung, Umrahmung mit prachtvollem Pflanzengewinde. In der Predella Jesse, David u. Salomo hinter einem Schleier von Ranken u. Blättern.
Lit.: C. Louis, 1936. R. Hetsch, *Die Altarwerke v. H. D.*, 1937.

Downman, John, engl. Maler, Ruabon (Wales) 1750–1824 Wrexham (Wales), kam 1768 nach London, Schüler von B. → West, tätig meist in London u. Chester. Histor.-mythol. u. bibl. Werke; auch Stoffe aus engl. Dramen u. Dichtungen; vor allem aber hervorragender Porträtist: *Sir Ralph Abercromby u. s. Sohn*, London, Nat. Gall. *Miss Abbott*, 1793, ebda., Brit. Mus.; auch in Aquarell: *Lady Hildyard*, 1792, London, Victoria u. Albert Mus.; *Baron Mulgrave*, ebda., Nat. Portr. Gall. Werke auch in der Wallace Coll. in London; 2 Bildniszeichn. in Paris, Louvre.

Drake, Friedrich, dt. Bildhauer, Pyrmont 1805–1882 Berlin, kam 1826 in → Rauchs Atelier; dessen Haupt nach dem Tode des Meisters. D. schuf Bildnisdenkmäler, im Stil glatter u. akademischer als Rauch. Werke: *Viktoria auf der Siegessäule* in Berlin (1873 enthüllt). Bronzestatuen: *Justus Möser*, 1836, Osnabrück. *Schinkel*, 1869, Berlin. *Reiterdenkmal Kaiser Wilhelms I.* auf der Hohenzollernbrücke, Köln. *Friedrich Wilhelm III.*, Marmor, 1845, Stettin; Tiergarten, Berlin, 1869.

Dreber, Heinrich, gen. *Franz-Dreber*, dt. Maler, Dresden 1822–1875 Anticoli b. Rom, 1836 ff. Schüler der Dresdener Akad. u. L. → Richters, 1843 ff. in Rom, wo er sich dem Kreis um → Reinhart anschloß. Mitglied der Lukas-Akad. ebda., schuf meist mit mythol. oder bibl. Staffagefiguren belebte Landschaften. In der klassizist. Tradition aufgewachsen nahm er Einflüsse der → Nazarener auf u. malte Landschaften in leise verschleiernder Atmosphäre. → Böcklin, wie wahrscheinlich auch H. v. → Marées, empfingen nachhaltige Anregungen von ihm, so daß er als Vermittler der Neuromantik bzw. Klassik anzusehen ist. Werke: *Landschaft mit Jagd der Diana*, um 1860, Berlin, Nat. Gal. *Röm. Wäscherinnen am Fluß*, 1864, Hamburg, Kunsth. Ferner: Dresden, Gal.; München, Schackgal.; Leipzig, Mus.
Lit.: G. Pauli, *Kunst d. Klassizismus u. d. Romantik*, 1925.

Drevet, franz. Kupferstecherfamilie des 17. u. 18. Jh., deren Mitglieder Meister einer feinen Technik, bes. in der Wiedergabe des stofflichen Beiwerks waren; einige gehören zu den hervorragendsten Stechern des franz. Barock.
Claude, 1697–1781, haupts. Bildnisstecher.

Pierre, 1663–1738, Schüler von G. → Audran u. H. → Rigaud, war ebenfalls Bildnisstecher. Er stach in virtuoser Technik die großen Repräsentationsbildnisse Rigauds: *Boileau*, 1706. *Ludwig XIV. im Krönungsornat*, 1712. *Philipp V. v. Spanien. Prinz Conti.*
Pierre-Imbert, 1697–1739, Sohn von Pierre, Mitarbeiter s. Vaters. Von s. eigenen Arbeiten sind die berühmtesten: *Bildnis Bossuets* nach Rigaud. *Bildnis der Herzogin Elisabeth Charlotte v. Orléans.*

Dreyer, Benedikt, dt. Bildschnitzer, nachweisbar 1510–1555, in Lübeck tätig, Hauptmeister der manierist. Spätgotik der lübischen Plastik, mit starker Steigerung der malerischen Tendenz. Werke: *Hl. Michael*, um 1515, Lübeck, Marienkirche. *Antoniusaltar*, 1522, Lübeck, Mus. *Lettner* in d. Marienkirche, Lübeck, 1508–20, mit drachentötendem Michael.
Lit.: Roosval in: Preuß. Jb. 1909. Deckert, *Studien zur hanseat. Skulptur u. Mal. Anf. 16. Jh.* in: Marburger Jb. f. Kunstw. 3, 1924.

Drolling, Martin, meist *D.-père* gen., franz. Maler, Oberbergheim b. Colmar 1752–1817 Paris, malte Genrebilder aus dem bürgerlichen Milieu in der Art der alten Holländer. Seine sehr beliebten Werke vielfach in Stichen u. Lithographien verbreitet. Werke in Paris, Louvre u. d. Mus. v. Aix, Bordeaux, Le Puy, Orléans, Soissons, Mühlhausen u. a.
Lit.: H. Vollmer in: Th.-B. 1913.

Drolling, Michel-Martin, gen. *D.-fils*, franz. Maler, Paris 1786–1851 ebda., Schüler s. Vaters Martin → D., 1806 von J.-L. → David, weitergebildet in Italien. Klassizist. Dekorationen, Historienbilder, Porträts. Werke: *Sopraporten für das Schloß in Versailles. Deckengemälde im Louvre*, Paris. *Fresken in St-Sulpice*, 1850, ebda. *Fresken in Notre-Dame-de-Lorette*, 1837, ebda., u. a. Bilder in den Mus. v. Amiens, Bayeux, Bordeaux, Compiègne, Lyon, Versailles, Leipzig u. a.
Lit.: H. Vollmer in: Th.-B. 1913.

Drost, Willem (fälschlich auch Cornelis), niederl. Maler u. Radierer des 17. Jh., von → Rembrandt beeinflußt. Werke: *Christus erscheint Magdalena als Gärtner*, Kassel, Gal. *Bathseba*, 1654, Paris, Louvre. *Porträt einer jungen Frau*, London, Wallace Coll.
Lit.: C. Hofstede de Groot in: Th.-B. 1913.

Drouais, François-Hubert, franz. Maler, Paris 1727–1775 ebda., der bevorzugte Modeporträtist zur Zeit Ludwigs XV., Schüler s. Vaters *Hubert* D. (1699–1767), weitergebildet bei C. → Vanloo, → Natoire u. → Boucher. D. setzte den Stil → Nattiers fort u. war bes. beliebt als Frauen- u. Kindermaler der vornehmen Gesellschaft.

Werke: *Kinderbildnisse des Grafen v. Artois u. s. Schwester*, 1763, Paris, Louvre. *Bildnis Ludwigs XV.*, 1773, Versailles, Mus. *Bildnis Mme de Pompadour*, Orléans, Mus. Werke in Paris, Louvre; Versailles, Mus.; Chantilly, Amiens, Boulogne-sur-Mer, Caen, Grenoble, Orléans; New York, Metrop. Mus.; Stuttgart, Mus. u. a.
Lit.: H. Vollmer in: Th.-B. 1913.

Dubbels, Hendrik Jacobsz., niederl. Maler, Amsterdam 1620–1676 ebda., Meister von Winterlandschaften u. Seestücken mit fein abgetönten Spiegelungen in trägen Gewässer, in der Art des S. de → Vlieger. Hauptschüler: W. → Bakhuysen. Beisp.: *Stille See*, Kassel, Gal. Werke in: Amsterdam, Rijksmus.; Darmstadt, Gotha, Bordeaux, Florenz (Gall. Pitti), Kassel, Kopenhagen, London (Nat. Gall.), Nantes, Stockholm u. v. a.
Lit.: F. C. Willis in: Th.-B. 1913. W. Bernt, *Niederl. Maler d. 17. Jh.*, 1948.

Dubois, Paul, franz. Bildhauer, Nogent-sur-Seine 1829–1905 Paris, Meister des historisierenden Stiles, Schüler von Toussaint in Paris, weitergebildet in Italien, wandte sich bes. der florent. Frührenaissance zu, 1878–1905 Direktor der Ecole des beaux-arts, Paris. Hauptwerke: *Der jugendliche Johannes d. T.*, 1861. *Statue des Gesanges* für die Fassade der Großen Oper in Paris, 1869. *Skulpturen am Grabmal für General Lamoricière*, Nantes, Kathedrale, 1868–78. *Reiterstandbild des Connétable v. Montmorency*, vor dem Schlosse in Chantilly, 1886. *Reiterdenkmal Jeanne d'Arc*, vor der Kathedrale in Reims, 1889–95. Bronzebüsten der Maler *Bonnat, Baudry*. Köpfe v. *Gounod, Pasteur* u. v. a.

Dubreuil, Toussaint, franz. Maler, Paris 1561–1602 ebda., Vertreter der sog. 2. Schule von → Fontainebleau. Malte vor allem mythol. Zyklen in den Königsschlössern, bes. in Fontainebleau, u. Kartons f. die königl. Tapisseriemanufaktur. In s. Stil vom Antwerpener Manierismus (Romanismus) beeinflußt. Von s. Werken ist wenig erhalten. Zeichnungen im Louvre, Paris.
Lit.: L. Dimier, *Hist. de la peint. franç.*, 1925.

Dubroeucq, Jacques, niederl. Bildhauer u. Arch., Mons (Hennegau) um 1500–1584 ebda., Vertreter des niederl. Romanismus, Lehrer des G. da → Bologna, schuf namentlich Chorausstattungen in belg. Kirchen. Werke in der Kathedrale v. Mons: *Reliefs am Hochaltar*, Skulpturenreste in verschiedenen Seitenkapellen, vom 1792 zerstörten Lettner stammend. *Statuen im Chor* u. an den Vierungspfeilern. *Altar d. Magdalenen-Kapelle.*
Lit.: R. Hedicke, 1904. Ders. in: Th.-B. 1914.

Dubufe, Edouard, franz. Maler, Paris 1820–1883 Versailles, Schüler s. Vaters, des Bildnismalers

Claude-Marie D. (1790–1864) u. von → Delaroche, begann mit hist. u. religiösen Bildern u. wandte sich der Bildnismalerei zu, in welcher er einen bedeutenden Ruf als Porträtist vornehmer Damen gewann, sowohl in Paris als auch in London: *Bildnisse der Kaiserin Eugénie*, d. *Schauspielerin Rachel* u. a. Werke in: Paris, Louvre; Aix, Lisieux, Metz, Reims, Rouen, Versailles, Amsterdam, Stedelijk Mus.; Sheffield u. a.

Dubuffet, Jean, franz. Maler, * 1904, Hauptvertreter der franz. abstrakten Kunst. Er selber nannte s. Kunst «Art brut»; ihr Wesen: «Reaktion gegen jede formale Tradition, vermischt mit viel Humor u. etwas Poesie» (M. Brion).
Lit.: Vollmer, 1953. M. Ragon, *L'aventure de l'art abstrait*, 1956. M. Brion, Ecole de Paris in: *Neue Kunst nach 1945*, hg. v. W. Grohmann, 1958. M. Ragon, 1958.

Duc, Joseph-Louis, franz. Arch., Paris 1802–1879 ebda., Vertreter des historisierenden Stiles des 19. Jh., Schüler von → Percier, weitergebildet in Rom, suchte in s. Bauten die Verbindung von klass.-antiken u. Renaissancemotiven. 1834–40 erstellte er die *Julisäule* auf dem Bastilleplatz in Paris; s. Hauptwerk ist die Umgestaltung des *Palais de Justice*, ebda.

Duccio di Buoninsegna, ital. Maler, † 1319, tätig in Siena, Begründer der Sieneser Malerei, 1278 erstmals in Siena erwähnt, schuf 1308–11 als s. Hauptwerk das große Altarwerk für den Dom v. Siena, dessen Mittelteil, die sog. *Maestà*, heute sich in der Opera del Duomo in Siena befindet: die Thronende Madonna mit Engeln u. Heiligen; zu Seiten Szenen aus dem Leben Christi auf vielen kleinen Feldern. Der Stil D.s hält sich an die byzant. Tradition; im einzelnen wird die byzant. Starrheit durch eine verinnerlichte Anmut u. menschlich warme Züge gemildert. Als Ausdruck des zarten Empfindens dient namentlich die Farbe, u. die Wirkung im ganzen ist die eines Mosaiks oder einer kostbaren Schmelzarbeit. Von diesem einstigen Hochaltar des Domes v. Siena sind einzelne Teile der Bekrönung u. der Predella heute in ausländischen Slgn. In London, Nat. Gall.: *Verkündigung*, von der Predella. *Blindenheilung* und *Verklärung Christi*, von der Predella-Rückseite. Andere Teile in New York u. Washington. Sein frühestes Hauptwerk: *Madonna Rucellai*, 1285 in Auftrag gegeben, Florenz, Uff. – Weitere Werke in London, Nat. Gall. (*Jungfrau mit Kind u. Heiligen*), den Gal. von Siena, Rom, Boston (USA) u. a.
Lit.: A. Venturi V, 1907. C. H. Weigelt, 1911. G. Delogu, *Ital. Malerei*, ³1948. C. Brandi, 1951. E. Carli, 1952. R. van Marle, *Ital. Schools* 2, 1924. R. Oertel, *Frühzeit d. ital. Malerei*, 1953. Enc. Univ. dell'Arte, 1958.

Ducerceau, eig. Androuet, franz. Arch.-Familie des 16. u. 17. Jh. Die hervorragendsten Mitglieder: *Jacques*, Arch. u. Kupferstecher, um 1510–84, gehört zu den Begründern der klass. franz. Baukunst, 1531–33 in Italien, von der antiken Baukunst u. → Bramante beeinflußt. Wichtig als Zeichner, Stecher u. Bautheoretiker; s. theoret. Schriften: «Livre d'architecture», 1559, u. «Les plus excellents bastiments de France», 1576–79, Neudruck 1866–73. Graph. Werk: über 800 Zeichnungen u. 2800 Radierungen, größtenteils im Cabinet des Estampes, Paris.
Baptiste, Sohn von Jacques, um 1544–1590, Hofarch. unter Heinrich III. u. Heinrich IV., am *Ausbau des Louvre* u. des *Schlosses Fontainebleau* beteiligt. Baute den *Pont-Neuf* in Paris.

Duchamp, Marcel, franz. Maler, * Blainville 1887. Hauptvorkämpfer der modernen Kunstbewegung, begann als konsequenter Futurist mit s. Bild: *Le Nu descendant un escalier*, 1913, ausgestellt in der Armory Show in New York. 1915 ff. lebte er in New York u. war, zus. mit → Picabia, Initiator der amerik. Dadabewegung. Er gilt als Erfinder des Ready-made, d. h. der Einführung von fertigen Gebrauchsgütern in die Kunst, indem er z. B. einen Flaschentrockner auf einen Sockel montierte u. in die Kunstausstellung brachte. Als Hauptwerk gilt eine Komposition von 3 Meter Höhe: auf einer Fläche aus durchsichtigem Glas sind aus Blech ausgeschnittene Fragmente montiert, 1915–1923. Ferner: *Le passage de la vierge à la mariée*, 1912, New York, Mus. of mod. art. Hauptslg. s. Werke in Philadelphia, Mus.
Lit.: K. Kuh, *Ausst.-Kat. Art Inst.*, Chicago, 1949. M. Raynal, *Peint. mod.*, 1953 (mit Bibliogr.). Knaurs Lex., 1955. W. Hofmann, *Zeichen u. Gestalt*, 1957. B. Dorival, *Les peintres du 20e siècle*, 1957.

Duchamp-Villon, Raymond, franz. Bildhauer, * 1876. Bruder von Marcel D. u. J. → Villon, begann unter der Einwirkung von → Rodin, schloß sich den Kubisten an u. versuchte die Übertragung ihrer Prinzipien in die Plastik. Als s. beste, international anerkannte Leistung gilt: *Das Pferd*, 1914, New York, Mus. of mod. art. Viele Wiederholungen, eine 1. Fassung in Zürich, Kunsth. Als meisterhaft in ihrer Art gelten auch s. Porträtbüsten.
Lit.: W. Pach, 1924. C. Giedion-Welcker, *Plastik d. 20. Jh.*, 1955. *Ausst.-Kat.* «*Three Brothers*», *Guggenheim-Mus.*, New York, 1957. W. Hofmann, *Plastik d. 20. Jh.*, 1958. M. Seuphor, *Plastik unseres Jh.*, 1959.

Duck, Jacob, niederl. Maler, Utrecht um 1600 bis um 1660 ebda., Meister der holl. Genreszene in der Art der A. → Palamedes u. P. de → Codde: Szenen aus dem Soldatenleben, Wachtstuben usw. Beisp.:

Der Pferdestall, Amsterdam, Rijksmus. *Musikalische Unterhaltung*, Dresden, Gal.
Lit.: W. Bernt, *Niederl. Maler d. 17. Jh.*, 1948.

Ducq, Johan le, niederl. Maler u. Radierer, Den Haag um 1630 bis um 1676 ebda., Tiermaler, Schüler von P. → Potter, der s. weidenden Tiere aber eher in der tonigen Weise → Dujardins malte. Beisp. *Wilder Stier*, Amsterdam, Rijksmus. *Hirt u. Herde*, Kassel, Gal.

Dünnwege, Brüder → Baegert, Derick.

Dürer, Albrecht, dt. Maler, Kupferstecher u. Zeichner für den Holzschnitt, Nürnberg 1471–1528 ebda., Sohn eines aus Ungarn eingewanderten Goldschmieds, 1486–90 in der Werkstatt M. → Wolgemuts, 1490–94 auf der Wanderschaft, die ihn nach Kolmar u. Basel führte, 1494 1. Reise nach Italien (Venedig). 1495 eigene Werkstatt in Nürnberg, Berührung mit dem Nürnberger Humanistenkreis, Freundschaft mit Willibald Pirkheimer. 1505–07 2. Italienreise mit längerem Aufenthalt in Venedig. Außer einer Reise in die Niederlande 1520–21 beinahe stets in Nürnberg tätig. D.s Kunst bezeichnet den Höhepunkt der Zeit des Übergangs von der Spätgotik zur Renaissance. Die Auseinandersetzung mit ital. Renaissance, Humanismus u. Reformation führt zu einer Vertiefung des dt.-got., des «romant.» Elementes u. als Gegenpol ein Streben nach Klassik. Ausgangspunkt von D.s Kunst ist die Nürnberger Spätgotik u. der Einfluß → Schongauers u. d. oberrhein. Kunst. Frühzeitig Einwirkungen → Mantegnas u. der Venezianer, Einflüsse, die in ihrer Wirkung zur Vertiefung des got. Elementes führen im Hauptwerk der Frühzeit, der *Apokalypse* von 1498. In der Folge Auseinandersetzung mit der Theorie der ital. Renaissancekunst, die ihm durch → Jacopo de'Barbari vermittelt wurde. Ein Hauptproblem wird die Darstellung des Nackten, Zeugnis etwa der Kupferstich *Adam u. Eva*, 1504. Es folgt die Reifezeit, welche die Synthese aller Kunstbemühungen D.s zeigt.
Hauptwerke: Von D. sind ca. 70 Gemälde, 350 Holzschnitte, 100 Kupferstiche, 900 Zeichnungen, ferner Landschaftsaquarelle u. die theoret. Werke bekannt. Der erste dt. Künstler, von dem es eine ganze Reihe höchst bedeutender Selbstbildnisse gibt, angefangen mit dem Jugendbildnis, der *Silberstiftzeichnung* von 1484, Wien, Albertina. Bedeutendste Leistung der Frühzeit: *Die Apokalypse*, 15 Holzschnitte, 1498. Auch in der mittleren Zeit sind die graph. Werke die bedeutendsten: Holzschnitte: *Die Große Passion*, 1498–1510. *Das Marienleben*, 1501–11. Kupferstiche: *Das Große Glück. Adam u. Eva*, 1504. Gemälde: *Paumgärtner-Altar*, um 1504, München, A. P. *Anbetung der Könige*, 1504, Florenz, Uff. Aus der venezian. Zeit: *Das Rosenkranzfest*,

Prag, Gal. Die Meisterstiche der Reifezeit: *Ritter, Tod u. Teufel. Melancholia. Hieronymus im Gehäuse*, 1513–14. Zeichn.: *Die Randzeichnungen zum Gebetbuch Kaiser Maximilians*, 1515, München, Staatsbibliothek. Die bedeutenden Bildnisse der Spätzeit: *Hieronymus Holzschuher; Jakob Muffel*, beide 1526, Berlin, staatl. Mus. *Ulrich Varnbühler*, 1522, Holzschnitt. *Erasmus von Rotterdam*, 1526, Kupferst. Krönung s. Schaffens: *Die beiden Aposteltafeln*, 1526, München, A. P. Hochbedeutsam sind D.s Landschaftsaquarelle u. Zeichnungen.
Lit.: Werkverzeichn.: H. Tietze u. E. Tietze-Conrat, *Der junge D. Verzeichnis d. Werke bis zur venez. Reise v. 1505*, 1928. Bibliogr.: H. W. Singer, *Versuch einer D.-Bibliogr.*, [2]1928. H. Musper, *Der gegenwärtige Stand d. Forschung*, 1952. Abbildungswerke: *Holzschnitte*, hg. v. W. Kurth, 1927. *Kupferstiche*, hg. v. H. Heyne, 1928. *Zeichnungen*, hg. v. F. Winkler, 1936–39. F. Winkler, *Des Meisters Gemälde, Kupferst. u. Holzschnitte* (Klass. d. Kunst), 1928. Darst.: E. Waldmann, 1923; Neuausg. 1933. H. Wölfflin, 1926; Neuausg. 1943. G. Dehio in: *Gesch. d. dt. Kunst*, 1926. W. Waetzold, [5]1943. E. Panofsky, [3]1948. F. Winkler, 1957. Enc. Univ. dell' Arte, 1958.

Dufresne, Charles, franz. Maler, Millemont 1876 bis 1938 La Seyne, hatte eine besondere Begabung für dekorative Flächengestaltung. Er schuf Wandbilder im Palais de Chaillot, 1937; für den Hörsaal der Ecole de pharmacie; Kartons für Wandteppiche; Dekorationen für die Oper.

Dufy, Raoul, franz. Maler, Le Havre 1877–1953 Forcalquier, Hauptmeister der 1. Jh.-Hälfte, um 1900 in Paris, bildete sich unter dem Einfluß der Impressionisten, gehörte zu den sich um → Matisse scharenden → Fauves u. gelangte schließlich zu s. eigenen heiteren dekorativen Malweise. Vertreten in Paris, Mus. d'art mod. u. v. a.
Lit.: P. Camo, 1947. J. Cocteau, 1948. M. Gauthier, 1949. Cl. Roger-Marx, 1950. P. Courthion, 1951. G. Besson, 1953. M. Raynal, *Peinture mod.* (m. Lit.), 1953.

Dughet, Gaspard, nach s. Schwager N. → Poussin auch *Gaspar Poussin* gen., in Frankreich *Le Guaspre*, franz. Maler, Rom 1615–75 ebda. Schüler s. Schwagers, tätig meist in Rom u. Umgebung, auch in Florenz u. Neapel. Er malte dekorative Landschaften für die Paläste der Großen in Rom, meist in Tempera, Meister der «Heroischen Landschaft». Annibale → Carracci, C. → Lorrain u. → Domenichino wirkten auf ihn ein. Später näherte er sich dem architekt. Stil Poussins.
Hauptwerke: *Freskenfolge mit Szenen aus der Eliaslegende*, Rom, S. Martino ai Monti (heute ziemlich verdorben). Ferner Folgen v. Landschaftsfresken in

den *Pal. Doria* u. *Colonna.* Seine Staffeleibilder in vielen Gal. vertreten, bes. gut in Rom, Pal. Doria-Pamfili; Florenz, Pitti-Gal.; Paris, Louvre; Madrid, Prado; London, Nat. Gall.; Wien, Kunsthist. Mus. (*Gewitterlandschaft*); Berlin, Gal. (*Röm. Gebirgslandschaft*).
Lit.: K. Gerstenberg in: Monatsh. f. Kunstwiss. 15, 1922. Ders., *Die ideale Landschaftsmalerei,* 1923.

Dujardin, Karel, niederl. Maler u. Radierer, wahrscheinlich Amsterdam um 1622–1678 Venedig, Schüler von N. → Berchem, ließ sich nach einem Aufenthalt in Italien in Amsterdam nieder, ging später nach Venedig. Malte ital. Landschaften mit Herden, Hirten u. Reitern; ferner Bildnisse u. Genrebilder in warmer leuchtender Farbgebung. Werke: *Trinkender Reiter vor dem Wirtshaus,* Amsterdam, Rijksmus. *Kranke Ziege,* München, A. P. *Die Scharlatane,* Kassel, Mus. *Ital. Landschaft mit Tieren,* Amsterdam, Mus. *Männl. Bildnis,* Amsterdam, Rijksmus. Über 50 Rad. v. ihm bekannt.
Lit.: W. Bernt, *Niederl. Maler d. 17. Jh.,* 1948.

Dunoyer de Segonzac, André, franz. Maler, Radierer u. Buchillustrator, * Boussy-Saint-Antoine 1884, Hauptvertreter der modernen franz. Landschaftsmalerei, Schüler von L. O. Merson u. J. P. → Laurens, tätig in Paris. Beeinflußt von den Impressionisten, den → Fauves u. den Kubisten. Etwa seit 1920 entwickelte er s. ihm eigenen Stil des dicken u. schweren Farbauftrags bei einer sehr eingeschränkten, haupts. auf den Ockertönen basierenden Palette. Mit s. klar aufgebauten Bildern schließt D. an die klass. vorimpressionist. Landschaftskunst etwa eines → Corot an. Das großartige graph. Werk beläuft sich auf über 2000 Blätter. In s. Malerei spielen die Aquarelle eine große Rolle. D. illustrierte viele Bücher. Werke in Paris, Mus. d'art mod. u. im Luxembourg; in Detroit, Chicago, Kopenhagen, Zürich u. a.
Lit.: C. Roger-Marx, 1925. Ders., 1951. Guenne, 1928. P. Jamot, 1929. W. Grohmann, 1936.

Duplessis, Joseph-Siffred, franz. Maler, Carpentras 1725–1802 Versailles, bedeutender Porträtist des 18. Jh., kam früh nach Rom, Schüler von P. → Subleyras, 1752 ff. in Paris, Rivale der → Aved, → Roslin, → Tocqué. Werke in Paris: Louvre u. Mus. Carnavalet; Versailles, Mus.; Chantilly; ferner in den Mus. v. Amiens, Avignon, Besançon, Carpentras, Aix-en-Provence, Orléans, Wien, Kunsthist. Mus. (*Bildnis von Gluck,* 1775); New York (*Bildnis von Franklin*) u. a.
Lit.: J. Bellendy, 1913 (m. Kat. u. Bibliogr.).

Dupré, Giovanni, ital. Bildhauer, Siena 1817–1882 Florenz, spätklassizist. Meister. Werke: *Toter Abel,* Marmorfigur, 1842, Leningrad, Eremitage. *Kain,*

1845, ebda. *Trauernde Sappho,* 1857. *Pietà,* 1865. *Cavourdenkmal,* 1873, Turin. *Hl. Franziskus,* 1881, Assisi, Dom.
Lit.: H. S. Friesze, 1917.

Dupré, Guillaume, franz. Medailleur, Sissonne b. Laon um 1576–1643 Paris, schuf Büsten u. haupts. Medaillen, Hauptvertreter des franz. Renaissanceporträts. Beisp.: Denkmünze *Heinrichs IV. u. der Maria de' Medici.* Gute Slg. der Medaillen: Paris, Louvre u. Cabinet des Médailles.
Lit.: E. Fleury, 1883. F. Alvin in: Th.-B. 1914.

Dupré, Jules, franz. Maler, Nantes 1811–1889 L'Isle-Adam b. Paris, gehört zu den Meistern der Schule von → Barbizon, lernte bei einem Englandaufenthalt die Kunst → Constables kennen, studierte die Niederländer u. wandte sich ganz der Landschaft, dem «paysage intime» zu. Feiner Beobachter der atmosphärischen Erscheinungen, malte mit Vorliebe Wolkenbildungen u. Lichtwirkungen am Himmel. Reich vertreten im Louvre. Schuf auch einige lithogr. Landschaften.
Lit.: J. Clarétie, 1879. L. Delteil, *Le peintre-graveur illustré* I, 1906. P. Dorbec, *L'art du paysage en France,* 1925.

Duquesnoy, François, gen. *il Fiammingo,* niederl.-ital. Bildhauer, Brüssel 1594–1643 Livorno, bedeutender Barockkünstler, Schüler s. Vaters, um 1618 in Rom, Mitarbeiter → Berninis am Tabernakel von St. Peter; er war mit → Poussin befreundet u. vertrat, von diesem beeinflußt, eine klassizist. Richtung gegenüber Bernini. Werke: *Puttenreliefs. Hl. Andreas,* Kolossalstatue an einem Kuppelpfeiler d. Peterskirche. *Hl. Susanna,* S. Maria di Loreto, Rom.

Duran, Charles-Auguste-Emile, gen. *Carolus Duran,* franz. Maler, Lille 1838–1917 Paris, malte kräftige Bilder in der naturalist. Malweise → Courbets, auch Bildnisse von eindringlicher Charakteristik, verfiel später in Routine u. schuf religiöse u. Historienbilder u. Genreszenen in akademisch glatter Malweise. 1904 Direktor der Franz. Akad. in Rom. Werke: *Dame mit Handschuh,* 1869, Paris, Luxembourg. *Triumph der Maria Medici,* 1878, Deckengemälde im Louvre, ebda.
Lit.: A. Alexandre, 1903.

Duris, attischer Vasenmaler, 1. Drittel 5. Jh. v. Chr., einer der bedeutendsten Maler des rotfigurigen Stils der Frühklassik. 31 inschriftlich bezeugte, meist mit Kampfszenen bemalte Arbeiten. Einige davon sind Meisterwerke.
Lit.: J. D. Beazley, *Attische Vasenmaler,* 1925. E. Buschor, *Griech. Vasen,* 1940.

Dusart, Cornelis, niederl. Maler, Haarlem 1660 bis 1704 ebda., malte in der Art s. Lehrers A. van →

Ostade lustige u. derbe Bauernszenen, die in der Farbgebung an J. → Steen erinnern.
Lit.: W. Bernt, *Niederl. Malerei d. 17. Jh.*, 1948.

Duyster, Willem Cornelisz, niederl. Maler, Amsterdam um 1598–1635 ebda., Genremaler in der Art des Dirk → Hals, der mit Vorliebe Offiziersszenen darstellt. Beisp.: *Lagerszene*, München, A. P. *Der Offizier*, Den Haag, Gal.

Dyce, William, engl. Maler, Aberdeen 1806 bis 1864 Streatham, besuchte 1825 u. 1827 Rom, wo er in Beziehung zu → Overbeck u. → Cornelius trat. Seine formenstrengen religiösen u. mythol. Bilder stehen in der Auffassung denen der dt. → Nazarener nahe. Sein Hauptwerk sind die *Fresken im Parlamentsgebäude*, London. Ferner: *Flucht nach Ägypten; Garten Gethsemane; Jakob u. Rahel*, Hamburg, Kunsth.
Lit.: G. Pauli, *Kunst d. Klassiz. u. d. Romantik*, 1925.

Dyck, Anthonis van, fläm. Maler u. Radierer, Antwerpen 1599–1641 London, gehört zu den größten Meistern der fläm. Kunst, als Porträtist zu den größten Meistern überhaupt, lernte in der Werkstatt des Romanisten H. van → Balen, trat um 1616 in die Werkstatt von → Rubens ein als Schüler u. Mitarbeiter, 1620–21 in London, darauf in Italien als gesuchter Porträtist, 1627 wieder in Antwerpen, 1630 Hofmaler der Erzherzogin Isabella, 1632ff. Hofmaler in London. In s. Kunst geht er von Rubens aus, bildete aber den Stil weiter zu feineren Farbnuancen, zu schlanken Figuren empfindsamer Vornehmheit. Im Bildnis ein scharfer Beobachter u. dabei von vornehmster Haltung. D. malte reli-

giöse Werke und von 1635 an fast ausschließlich Bildnisse. Sein Einfluß auf die Bildnismalerei, bes. die englische, war sehr groß.
Werke: *Kreuztragung*, 1617, Antwerpen, Paulskirche. *Ausgießung des hl. Geistes*, Berlin, staatl. Gal. *Der trunkene Silen*, Brüssel, Gal. u. Dresden, Gal. (aus der Zeit der Mitarbeit bei Rubens). *Verspottung Christi*, um 1620, Berlin, staatl. Mus. u. Madrid, Prado. *Gefangennahme Christi*, Madrid, Prado u. Richmond, Slg. Cook. *Martyrium des hl. Sebastian*, München, A. P. *Madonna del Rosario*, Palermo, Oratorio del Rosario. Aus der Antwerpener Zeit um 1630: *Beweinung Christi*, Berlin, staatl. Mus.; Paris, Louvre; München, A. P. *Hl. Sebastian*, Leningrad, Eremitage; Paris, Louvre. Porträts: *Selbstbildnisse* aus der frühen Zeit: Wien, Akad.; München, A. P. Aus der ital. Zeit: *Kardinal Bentivoglio*, 1623–24 Florenz, Gall. Pitti. *Luisa de Tassis*, Liechtensteingal., Vaduz. Aus d. Londoner Zeit: *Gruppenbildnis d. königl. Familie*, 1632, Windsor. *Reiterporträt Karls I.*, um 1633, ebda. Der letzten Jahre: *Karl I. auf der Jagd*, Paris, Louvre. *Kinder Karls I.* 1635, Turin, Pinac. *Doppelbildnis des Künstlers mit John Digby*, Madrid, Prado.
Lit.: E.Schaeffer, 1909 (Klass. d.K.). M.J.Friedländer, 1923. A. L. Mayer, 1923. E. Heidrich, *Fläm. Kunst*, 1924. W. Drost, *Barockmalerei in d. german. Ländern*, 1928. G. Glück, 1931. E. Göpel, 1940. Muñoz, 1941. Enc. Univ. dell'Arte, 1958.

Dyckmans, Joseph Laurent, belg. Maler, Lier 1811–1888 Antwerpen, Schüler von G. → Wappers, malte romant. Genrebilder in einer sorgfältigen, alle Einzelheiten genau wiedergebenden Ausführung. Beisp.: *Der blinde Bettler*, London, Nat. Gall.

E

Eakins, Thomas, amerik. Maler, Philadelphia 1844 bis 1916 ebda., Schüler der Pariser Ecole des beaux-arts unter→Bonnat u.→Gérôme; tätig in Philadelphia. Haupts. Figurenstücke u. Porträts, deren Realismus gerühmt wurde. Auch Bildhauer. Beisp.: *Die Schachspieler*, New York, Metrop. Mus. *Klinischer Vortrag von Prof. Gross*, Philadelphia, Mus. *Der traurige Gesang*, ebda., Akad.
Lit.: E. v. Mach in: Th.-B. 1914. S. Isham, *Hist. of American painting*, 1927. A. Fitz Gerald in: Enc. Ital. 1932. L. Goodrich, 1933.

Earlom, Richard, engl. Kupferstecher, London 1742–1822 ebda., gilt als unerreichter Meister der Schabkunst (Mezzotintoverfahren), arbeitete auch in Punktier- u. Crayon-Manier. Höchste Leistungen s. Frucht- u. Marktstücke nach→Snyders u. Langjan,

s. Blumen nach → Huijsum; Bildnisse nach → Rembrandt, → Rubens, van → Dyck, → Correggio u. a. Kupferstiche nach den Originalzeichnungen des «Liber veritatis» von C. → Lorrain, 1777–1819 u. a.

East, Alfred, engl. Maler u. Radierer, Kettering 1849–1913 London, Landschaftsmaler, der Schüler der Kunstschule Glasgow, in Paris der Acad. des beaux-arts u. der Acad. Julian unter → Bouguereau war u. einen nachhaltigen Eindruck der Schule von → Barbizon empfing; tätig in Glasgow u. London. Auch Landschaftsradierungen. Werke in vielen engl. Gal.; ferner in Brüssel, Budapest, Chicago, Mailand, Paris (Luxembourg), Pittsburgh, Sidney, Venedig (Mus. mod.), Zürich u. a. Beisp.: *Goldener Herbst* (Golden Autumn), London, Tate Gall.

Lit.: B. C. Kreplin in: Th.-B. 1914. A. Popham in: Enc. Ital. 1932.

Eastlake, Charles Lock, engl. Maler, Plymouth 1793–1865 Pisa, Vertreter der historisierenden Malerei des 19. Jh., 1816–30 in Rom, kehrte nach London zurück u. wurde 1850 Präsident der Akad., 1855 Leiter der National Gallery. Hist. u. religiöse Bilder mit realist. Detailschilderung, daher der «engl. Piloty» gen., ferner Genreszenen des ital. u. griech. Volkslebens, u. Bildnisse. Auch kunstliterarisch tätig. Werke in London, Nat. Gall. u. Tate Gall.; Manchester, Gall. u. a.

Ebe, Gustav, dt. Arch., Halberstadt 1834–1916 Berlin, Vertreter des historisierenden Stils des 19. Jh., schuf repräsentative Bauten der Gründerjahre, u. a. das *Haus Rudolf Mosse* in Berlin, Leipziger Platz, 1882–84, in einem gemäßigten Schlüter-Barock; sonst verwendete er auch mit Vorliebe die Formen der dt. Spätrenaissance.

Eberle, Adolf, dt. Maler, München 1843–1914 ebda., Sohn Robert → E.s, Schüler von → Piloty, malte Genrebilder u. Tierstücke. Werke in: München, A. P.; Hamburg, Karlsruhe u. a.

Eberle, Robert, dt. Maler, Meersburg am Bodensee 1815–1860 Eberfing (Oberbayern), beliebter Tiermaler des Biedermeier. Beisp.: *Heimgang einer Herde bei nahendem Gewitter*, Karlsruhe, Kunsth. Werke in den Mus. v. Bern, Solothurn, Gotha, Hannover, Karlsruhe, Leipzig, München, Mülhausen, Schwerin, Kopenhagen u. a.

Eberle, Syrius, dt. Bildhauer, Pfronten 1844–1903 Bozen, schuf für Ludwig II. v. Bayern Tafelaufsätze, Gruppen, Entwürfe für Prunkwagen, Schmuckstücke u. a. Später beliebter Denkmalplastiker des beginnenden Naturalismus um 1890.

Eberlein, Georg, dt. Arch. u. Maler, Linden 1819 bis 1884 Nürnberg, Vertreter des historisierenden Stils des 19. Jh., Schüler → Heideloffs in München, stellte die Burg Hohenzollern (1854), den Erfurter Dom u. a. Bauwerke des Mittelalters wieder her.

Eberlein, Gustav, dt. Bildhauer, Spieckershausen 1847–1926 Berlin, schloß sich in s. Kunst R. → Begas an u. schuf viele Denkmäler der Gründerjahre. Werke in Berlin, Nat. Gal.
Lit.: A. Rosenberg, 1903.

Eberlein, Johann Friedrich, Porzellanplastiker, Dresden 1696–1749 Meißen, Schüler u. Gehilfe von → Kändler, arbeitete seit 1734 Modelle für die Meißner Porzellanmanufaktur. Von allen Meißner Plastikern derjenige, der am erfolgreich-

sten aus den Eigenschaften des Materials heraus geschaffen hat (Berling).
Lit.: Berling, *Das Meißner Porzellan*, 1900. Ders., *Festschrift d. Meißner Porzellanmanuf.*, 1910. Ders. in: Th.-B. 1914.

Ebert, Karl, dt. Maler, Stuttgart 1821–1885 München, Vertreter der Münchner Landschaftsmalerei: Waldlandschaften u. romant. Gebirgsbilder. Vertreten im Mus. Stuttgart u. a.

Eberz, Josef, dt. Maler, Limburg a. d. Lahn 1880 bis 1942 München. Vertreter der modernen religiösen Kunst, Schüler von → Halm u. → Stuck in München, Ad. → Hölzel in Karlsruhe, schloß sich früh den Expressionisten an u. wandte sich der kirchl. Freskenmalerei zu; auch Glasmaler u. Hersteller von Mosaiken, tätig in München. Werke: Fenster der *Christkönigskirche* in Rosenheim, 1924. *Mosaiken in der Frauen-Friedenskirche*, Frankfurt, 1929; in der *Georgskirche*, Stuttgart, 1930–31. Graph. Folgen: *Kämpfe ; Visionen*. Buchillustr. Werke in den Mus. v. Darmstadt, Hamburg, Halle, Wiesbaden, München (Städt. Gal.), Ulm u. a.
Lit.: M. Fischer, 1918. L. Zahn, 1920. Vollmer, 1955.

Ebhardt, Bodo, dt. Arch., * Bremen 1865, † 1945, Restaurator mehrerer großer Burgen im wilhelminischen Zeitgeist: *Hohkönigsburg*, 1899–1908; *Marksburg*, 1899–1905; *Feste Coburg*, 1911–23. Hrsg. der Werke: «Dt. Burgen», 1899–1908. «Die Burgen Italiens», 1909–1928 u. a.

Echter, Michael, dt. Maler, München 1812–1879 ebda., Schüler von F. → Olivier u. Heinrich → Hess, Mitarbeiter von → Schnorr von Carolsfeld an dessen Wandgemälden in der Münchner Residenz und von → Kaulbach bei dessen Wandgemälden im Neuen Mus. in Berlin, malte für das Maximilianeum in München: *Die Ungarnschlacht auf dem Lechfeld*, 1860, und dekorative Wandgemälde. *Freskenzyklus* nach dem «Ring der Nibelungen» in der Residenz, ebda. Wandbilder im ehem. Staatsbahnhof in München; Kirchenbilder, Porträts, Illustrationen u. a.
Lit.: H. Holland in: Th.-B. 1914.

Echtler, Adolf, dt. Maler, Danzig 1843–1914 München, Sohn des Porträtmalers *Eduard* E., dessen Schüler er war; ferner der Akad. Venedig, Wien, München (W. v. → Diez), lebte 1877–86 in Paris, später in München. E. schuf Genrebilder, oft aus dem Volksleben Venedigs. Werke in den Mus. von: München, Dresden, Hamburg, Leipzig, Würzburg, u. a.
Lit.: W. Burger in: Th.-B. 1914.

Eckenbrecher, Themistokles v., dt. Maler, Athen 1842–1921 Goslar, Landschaftsmaler, Schüler von O. → Achenbach in Düsseldorf.

Eckersberg, Christopher Wilhelm, dän. Maler, Varnoes b. Apenrade 1783–1853 Kopenhagen, Begründer einer nationalen dän. Malerschule, 1810 bis 1813 in Paris Schüler → Davids, 1813–16 in Rom, wo er → Thorwaldsen nahestand, 1818 Prof. der Akad. Kopenhagen, deren Direktor 1827–29. Geschichtliche u. religiöse Bilder in klassizist. Stil; ferner Bildnisse, Landschaften, Seestücke, mit scharfer Beobachtung der Wirklichkeit.
Lit.: P. Johansen, 1925.

Eckersberg, Johan Fredrik, norweg. Maler, Drammen 1822–1870, Maler der norweg. Hochgebirgslandschaft, Schüler der Düsseldorfer Akad. (H. → Gude), vertreten in den Gal. v. Oslo, Stockholm, Bergen, Trondjem u. a.

Eckhard v. Worms, dt. Bronzegießer, 13. Jh., goß 1279 den *Taufkessel im Würzburger Dom* mit Szenen aus dem Leben Christi in 8 Feldern (mit Inschrift bez.), eine der wenigen datierten got. Bildhauerarbeiten in Erz; künstlerisch nicht von großer Bedeutung.
Lit.: W. Pinder, *Mittelalterl. Plastiken Würzburgs,* 1911.

Eckmann, Otto, dt. Maler, Entwurfzeichner, Kunstgewerbler, Buchkünstler, Hamburg 1865 bis 1902 Badenweiler, Hauptvertreter des dt. Jugendstils, besuchte die Kunstgew.-Schule in Hamburg u. die Münchner Akad., Mitarbeiter am «Pan» 1895–97, an der «Jugend» 1896–97, 1897 ff. Lehrer an der Kunstgew.-Schule Berlin. Wandte sich schon früh ganz den dekorativen Künsten zu u. dehnte s. Tätigkeit auf Innenarchitektur, Möbel, Textilien u. namentlich Entwürfe für Schriftbild u. der als Eckmann-Schrift bekannten Drucktype aus. Seine unter dem Einfluß der japan. Kunst geschaffenen rhythmisch geschwungenen Bogenlinien, mit denen er Motive von Pflanze u. Tier in freier Ornamentik behandelte, wurden typisch für den Jugendstil.
Lit.: F. Schmalenbach, *Jugendstil,* 1935. K. Klingspor, *Über Schönheit v. Schrift u. Druck,* 1949. N. Pevsner, *Wegbereiter mod. Formgebung,* 1957. E.Rathke, *Jugendstil,* 1958. *Ausst.-Kat. Aufbruch z. mod. Kunst,* München 1958.

Edel, Edmund, dt. Maler, Illustrator u. Plakatkünstler, * Stolp 1863, studierte in München u. Paris, 1892 ff. in Berlin als Illustrator an humorist. Blättern u. als Plakatzeichner tätig u. einer der ersten, die nach einem eigenen Plakatstil strebten; beeinflußt von franz. Kunst.

Edelfelt, Albert, finn. Maler, b. Borga 1854–1905 ebda., Hauptmeister der finn. Kunst des 19. Jh., studierte in Antwerpen u. bei → Gérôme in Paris.

Porträts, Bauerngruppen in der Landschaft, Szenen aus Geschichte u. Legende Finnlands. In s. Stil verrät er durchaus die franz. Schulung. Werke in den Gal. v. Helsinki, Abo, Kopenhagen, Stockholm, Paris (Luxembourg), Nizza, Mülhausen u. a.
Lit.: J. Ahrenberg, 1902. G. Strengell, 1906. J. Oehquist, 1910. J. J. Tikkanen in: Th.-B. 1914.

Edelinck, Gerard, niederl.-franz. Kupferstecher, Antwerpen 1640–1707 Paris, Hauptmeister des Kupferstichs in Frankreich, Schüler von G. Huybrecht, 1666 in Frankreich, wo s. niederl. Einfluß befruchtend wirkte. Er stach u. a. nach Bildern von Ph. de → Champagne u. Ch. → Lebrun. Über 400 Blätter von ihm bekannt.
Lit.: H. Delaborde, 1886. H. W. Singer, *Der Kupferstich,* 1904.

Edlinger, Joseph Georg v., österr.-dt. Maler, Graz 1741–1819 München, das. 1770 ff. tätig, 1781 ff. als Hofmaler, bedeutender Bildnismaler, dessen Hauptgebiet das bürgerliche Porträt war. Werke in den Gal. v. Darmstadt, München (A. P.), Nürnberg (German. Mus.) u. a. – Zeichnungen in München, Graph. Slg.
Lit.: R. Paulus in: Th.-B. 1914. R. Hamann, *Dt. Malerei v. Rokoko z. Expression.,* 1925. O. Fischer, *Geschichte d. dt. Malerei,* 1942.

Edzard, Dietz, dt. Maler, Graphiker u. Entwurfzeichner für Glasmalerei, * Bremen 1893, Schüler von A. → Hölzel in Stuttgart, → Trübner in Karlsruhe, → Beckmann in Berlin, 1922 ff. in Herrsching am Ammersee, 1927 ff. in der Provence, 1930 ff. in Berlin, später in Paris, zuletzt in Kanada tätig, schuf Bildnisse, Figürliches (weibl. Akte), Blumenstücke, Landschaften, Marinen, Straßenveduten u. a.; auch Illustrationen zu Büchern. Werke in den Gal. v. Bremen, Hamburg, Wuppertal, Grenoble u. a.
Lit.: L. Balet, 1920. Vollmer, 1955.

Edzard, Kurt, dt. Bildhauer, * Bremen 1890, studierte an der Akad. Karlsruhe, war 1910–12 in Berlin, 1912–14 in Paris, 1925–29 Prof. der Akad. Karlsruhe, 1934–45 in Bremen, seitdem Lehrer der Techn. Hochschule Braunschweig. Pflegt haupts. Akt u. Bildnis. Bevorzugte Materialien: Terrakotta u. Bronze. Von → Maillol beeinflußt; trat auch H. → Haller u. E. de → Fiori nahe. Werke in den Slgn. v. Bremen, Barmen, Dresden, Hamburg, Leipzig, Mannheim, Stuttgart, Kaliningrad u. a.
Lit.: B. E. Werner, *Dt. Plastik d. Gegenw.,* 1940. Vollmer, 1955.

Eeckhout, Albert, niederl. Maler, * Amersfoort, † um 1670, Maler von Jagdszenen und Landschaften in der Art des Frans → Post. Er unternahm 1637 eine mehrjährige Reise nach Brasilien mit dem

Prinzen Moritz von Oranien; später tätig in Amersfoort; 1655–63 im Dienst des Kurprinzen, seit 1656 d. Kurfürsten Johann Georg II. von Sachsen.
Lit.: R. Bangel in: Th.-B. 1914.

Eeckhout, Gerbrand van den, niederl. Maler, Amsterdam 1621–1674 ebda., Lieblingsschüler → Rembrandts, 1635–40, in s. Frühwerken steht er ganz unter dessen Einfluß u. kommt ihm oft sehr nahe, später verflacht er. Bibl. Darst., Genrebilder, Bildnisse. Auch Rad. u. Zeichnungen für den Ornamentstich.
Lit.: W. Bernt, *Niederländ. Maler d. 17. Jh.,* 1948.

Eekman, Nicolaas, holl. Maler, * 1889, Vertreter der modernen holl. Malerei, von van → Gogh beeinflußt.

Eesteren, Carl van, holl. Arch., Meister der geometrisch-funktionellen Richtung der Stijlgruppe (→ Mondrian), Pionier auf dem Gebiet des Wohnbaus.

Effner, Joseph, dt. Arch. u. Innendekorateur, Dachau 1687–1745 München, Hauptvertreter des Rokoko in Bayern, Schüler von → Boffrand in Paris, 1715–30 Hofbaumeister in München, lehnt sich in s. ersten Arbeiten noch enger an die franz. Kunst an, später – namentlich nach einer Studienreise in Italien – entwickelt er s. eigenen Stil, der ital. Spätbarock mit franz. Anregungen verbindet. Werke: *Umbau des Schlosses Dachau,* 1715–17. *Ausbau des Schlosses Nymphenburg,* 1714 ff. *Pagodenburg,* 1716. *Badenburg,* 1718–21. Sein Hauptwerk: *die innere Ausstattung* (haupts. in weißem Stuck) *von Schloß Schleißheim,* beg. 1719. Ferner: *Pal. Preysing,* München (v. Bomben zerstört), 1723–28. *Empfangs- u. Audienzsaal der Residenz,* München.
Lit.: M. Hauttmann, 1913. G. Dehio, *Gesch. d. dt. Kunst* 3, 1926 ([4]1934). Ders., *Hb. d. dt. Kunstdenkmäler,* 3, 1908 (neu hg. v. E. Gall, 1935 f.).

Egas, Enrique de, span. Arch., Toledo (?) um 1455 bis um 1534 ebda., einer der letzten großen Gotiker u. Begründer des plateresken (silberschmiedartigen) Stils der span. Spätgotik, Sohn u. Schüler des aus Brüssel stammenden Baumeisters Anequin E., baute 1480–92 das *Colegio de Santa Cruz* in Valladolid, in welchem sich der Einfluß der ital. Renaissance zeigt u. der platereske Stil ausgebildet wird. 1504–14 baut er am *Hospital de Santa Cruz* zu Toledo, einer der bedeutendsten Leistungen des frühplaeresken Stils. 1494–1534 Dombaumeister von Toledo; 1521–28 1. Dombaumeister der neuen Kathedrale von Granada. Er baute den *Kapitelsaal* der Kathedrale v. Toledo; entwarf 1520 den Bau der neuen Kathedrale von Granada (Baubeginn 1523); die *Capilla Real* bei der Kathedrale von Granada, die 1506–17

erbaute Grabkapelle der Katholischen Könige. Das *Hospital de los Reyes* in Santiago; die *Fassade der Universität Salamanca.*
Lit.: A. L. Mayer in: Th.-B. 1914.

Egell, Paul, dt. Bildhauer, * 1691, † 1751 Mannheim, bedeutender Bildh. des Spätbarock, 1721 ff. in Mannheim tätig, Schüler von → Permoser, über den s. Kunst hinausführt; er gehört zum Rokoko. Stuckarbeiten im *Mannheimer Schloß;* zahlreiche Zeichn.
Lit.: A. Feulner in: Zschr. d. dt. Vereins f. Kunstw. 1934. G. Jakob in: Mannh. Geschichtsbl., 1934.

Egger-Lienz, Albin, österr. Maler, Striebach-Geriach b. Lienz 1868–1926 Zwölfmalgreien b. Bozen, Schüler von → Lindenschmit, 1912–13 Prof. der Akad. Weimar, seitdem bei Bozen tätig, ging von der Münchner Historienmalerei aus, entwickelte um 1902 ff. einen monumentalen Stil, um das Bauerntum seiner Tiroler Heimat darzustellen. Hauptwerke: *Das Kreuz,* 1898–1901, Innsbruck, Landeshaus. *Die Wallfahrer,* 1902–03, Mannheim, Kunsth. *Einzug König Etzels in Wien,* 1908, Wien, Städt. Slg. *Totentanz von Anno Neun,* 1906–08, Wien, Mod. Gal.
Lit.: J. Soyka, 1925. G. Nicodemi, 1925. H. Hammer, 1930.

Eggert, Benno, dt. Maler, Holzschneider und Illustr., * Stuttgart 1885, tätig in Rosenheim, schuf hauptsächlich Landschaften, Blumen- und Früchtestücke und Buchgraphik (*Holzschnitte zum Decamerone,* 1921).

Eggert, Hermann, dt. Arch., Burg b. Magdeburg 1844–1920 Weimar, Vertreter der Bauweise der Gründerjahre. Hauptwerk war der *Frankfurter Hauptbahnhof,* 1883–88, der in s. Zeit als eine vorbildliche Leistung galt. Ferner: *Universität Straßburg,* 1875.

Ehmcke, Fritz Helmut, dt. Graphiker u. Buchgestalter, * Hohensalza 1878. Hatte wesentlichen Anteil an der Neugestaltung der Buchausstattung zu Beginn des 20. Jh., gründete 1900 mit G. Belwe u. F. W. Kleukens die «Steglitzer Werkstatt», welche gebrauchsfähige graph. Kunst in das Publikum tragen wollte, 1903 ff. an der Düsseldorfer Kunstgewerbeschule tätig, 1913 ff. an der Münchner. Schuf eine Reihe vielverwendeter guter Schriften: *Ehmcke-Antiqua, E.-Kursiv* u. *E.-Fraktur,* Holzschnitt-Titel u. Einbände, insbes. für die Verlage Diederichs u. Insel. Ferner als Arch. u. Fachschriftsteller tätig.

Ehrhardt, Adolf, dt. Maler, Berlin 1813–1899 Wolfenbüttel, Vertreter der Düsseldorfer Schule, studierte bei C. F. → Sohn u. W. → Schadow in Düsseldorf, Gehilfe → Bendemanns bei dessen Schloß-

malereien in Dresden, begann mit religiösen Darstellungen u. Genrebildern, später Historienbilder, Altarwerke, Wandgemälde; auch Illustrationen zu Dichtungen. Werke in Leipzig, Mus.; Berlin, Nat. Gal. u. a.
Lit.: E. Sigismund in: Th.-B. 1914.

Ehrlich, Georg, österr. Bildh., Maler und Graph., * Wien 1897, Schüler der Wiener Kstgw.-Schule, weitergebildet in München und Berlin, tätig in London, schuf Denkmäler, Grabmäler, Figürliches, Kleinplastik, Lithographien (zur *Bibel,* 1921), Rad. u. a. Vertreten in den Mus. von: Wien (Mod. Gal.), London (Tate Gall.), Toledo (USA), New York (im Hof der Columbia Univers.), u. a.
Lit.: Vollmer, 1955.

Eichens, Friedrich Eduard, dt. Kupferstecher, Berlin 1804–1877 ebda., stach mit zeichnerischer Genauigkeit nach Gemälden u. bes. Porträts berühmter Meister.
Philipp Hermann, 1812–1886, Bruder von Friedrich E., Lithograph, zahlreiche Blätter in Mezzotintomanier.

Eichler, Reinhold Max, dt. Maler, * Mutzschen 1872, † 1947 München, Mitglied der Münchner Künstlervereinigung «Die → Scholle». Mitarbeiter der «Jugend», schuf später dekorative Wandgemälde. Vertreten in Berlin, Nat. Gal. u. München, N. P.

Eichstädt, Rudolf, dt. Maler, * Berlin 1857, † 1924 ebda., schuf s. Zeit sehr bekannte Bilder mit Szenen aus den Befreiungskriegen: *Begegnung Napoleons mit Königin Luise in Tilsit,* 1895. *Allegor. Darstellungen* in der Ruhmeshalle des Zeughauses in Berlin u. a.

Eiffel, Alexandre-Gustave, franz. Ingenieur, Dijon 1832–1923 Paris, hat mit s. *Eiffelturm,* 1889, Paris, den großartigen Beweis geliefert, daß die absolute Zweckmäßigkeit u. konstruktive Logik des reinen Eisenbaus ihre eigene künstlerische Wirkung besitzt.
Lit.: N. Pevsner, *Wegbereiter mod. Formgebung,* 1957.

Eigtved, Nicolai, dän. Arch., Eigtved 1701–1754 Kopenhagen, Hauptvertreter des dän. Spätbarock, baute in Kopenhagen Teile des *Schlosses Christiansborg;* das *Prinzenpalais* (heute Nat. Mus.) u. 1750–55 *Schloß Amalienborg* in einem Stil, der sich dem Dresdener Spätbarock anschließt.
Lit.: M. af Morgenstierne, 1924.

Eilbertus, dt. Goldschmied, 2. Viertel 12. Jh., hervorragender Kölner Goldschmied, dessen Name sich auf einem *Tragaltar des Welfenschatzes,* Berlin, staatl. Mus., findet, wonach sich ihm u. s. Werkstatt

weitere Arbeiten zuweisen ließen. Von grundlegender Bedeutung für die roman. Goldschmiedekunst am Niederrhein.
Lit.: O. v. Falke u. H. Frauberger, *Dt. Schmelzarbeiten d. M. A.,* 1904. O. v. Falke u. a., *Der Welfenschatz,* 1930. *Der Welfenschatz,* 1935 (hg. v. staatl. Mus. Berlin).

Eilers, Gustav, dt. Kupferstecher, Königsberg 1834 bis 1911 Berlin. Sorgfältig ausgeführte Kupferst. nach berühmten Gemälden (→ Tizian, → Holbein, → Rubens, → Menzel). Auch Radierer (Bildnisse).

Eisen, Charles, franz. Zeichner, Maler u. Kupferstecher, Valenciennes 1720–1778 Brüssel, bis 1777 in Paris tätig, einer der bedeutendsten Buchillustrations- u. Vignettenzeichner des Rokoko. Sein Hauptwerk: *Illustr. zu Lafontaines «Erzählungen»,* 1762. Ferner illustrierte er eine Ausgabe von *Boileau,* 1747; *Ovids Metamorphosen,* 1767; *«Die Küsse» Dorats,* 1767. Auch dekorative Entwürfe.

Eisenhoit, Anton, dt. Silberschmied u. Kupferstecher, Warburg (Westf.) um 1553–1603 ebda., in Italien ausgebildet, 1585ff. in der Heimat tätig, schuf bedeutende Silberarbeiten, bei denen er Ornament- u. Architekturformen der Gotik u. der Renaissance verwandte; der Einfluß → Michelangelos ist deutlich. Seine Stiche weniger bedeutend, z. T. nur Kopien; sie zeigen Anklänge an → Zuccari, Lafreri, Agostino → Carracci, H. → Goltzius, B. → Spranger u. a. Hauptwerk: *Altarausstattung für die Familienkapelle des Fürstbischofs von Fürstenberg* in Paderborn, heute in der Slg. v. Schloß Herdringen (Westf.), bes. Kelch, 1588; Kruzifix, 1589; Weihwasserkessel, Rauchfaß u. a. Ferner: die Silberdeckel der 2 Meßbücher; alles Silberarbeit mit reicher Ornamentik u. Reliefs mit bibl. Szenen, allegor. u. Heiligenfiguren.
Lit.: J. Lessing, 1879. G. Vöge, *Dt. Bildwerke,* 1910. H. Baumgärtel in: Th.-B. 1914.

Eisenmenger, August, österr. Maler, Wien 1830 bis 1907 ebda., schuf große dekorative Wandgemälde in Wien, Altarbilder (in der Schottenkirche das. u. a.), auch Porträts.
Lit.: F. Pollak in: Th.-B. 1914.

Eitoku, japan. Maler der Kanoschule, 1543–1590 Kyoto, Schüler von → Motonobu.

Eligius, Pariser Goldschmied am Merowingerhofe, um 588–659. Seine berühmten Werke alle verloren. Bischof von Noyon, 640–59, u. christl. Heiliger, Patron der Goldschmiede, in der bildenden Kunst öfters dargestellt mit Hammer, Zange u. Pferdehuf.
Lit.: P. Clemen, *Merowing. u. karol. Plastik,* 1892.

Elkan, Benno, dt. Bildhauer, * Dortmund 1877, † 1960 London, begann als Maler, Schüler der Akad.

in München (→ Herterich u. Gysis) u. in Karlsruhe (F. Fehr), 3 Jahre in Paris u. 3 weitere (1907–10) in Rom; bildete sich ebda. zum Bildhauer aus. 1910 ff. in Alsbach a. d. Bergstraße, 1918 ff. in Frankfurt, seit 1933 in London tätig. Bildnisbüsten, Medaillen, Plaketten, Aktdarstellungen. Werke: *Rheinland-Befreiungs-Denkmal* in Mainz. *Bildnisbüste W. Rathenau. 2 große Leuchter aus Bronze* in London, Westminsterabtei, mit je 32 Figürchen aus dem A. u. N. T. In vielen dt. Mus., u. a. Hamburg, Düsseldorf, Berlin (Nat. Gal.), Leipzig, Mannheim.
Lit.: Vollmer, 1955 u. 1961 (Nachtrag).

Elsheimer, Adam, dt. Maler u. Radierer, Frankfurt a. M. 1578–1610 Rom, Schüler von → Uffenbach in Frankfurt, v. → Rottenhammer in Venedig, unter dem Einfluß der niederl. Romanisten ausgebildet, später von den Venezianern u. → Caravaggio beeinflußt, 1600 ff. in Rom, dort mit → Rubens, → Lastman u. P. → Bril befreundet, bildete einen eigenen Stil der Landschaftsmalerei mit Figuren, oft bei Nachtbeleuchtung, voll romant. Stimmung, meist in kleinen Formaten, aus. Er ist der wohl bedeutendste Meister dieser Übergangszeit zum Barock u. von großem Einfluß auf → Rubens, → Rembrandt, C. → Lorrain. In vielen Gal. vertreten. Werke: *Landschaft mit Flucht nach Ägypten*, Dresden, Gal. *Landschaft mit Christophorus*, Berlin, staatl. Mus. Sein «Skizzenbuch», hg. v. H. Weizsäcker, 1923.
Lit.: G. Dehio in: Geschichte d. dt. Kunst, 1926. W. Drost, 1933. H. Weizsäcker, 1936–52. F. Bothe, 1939.

Encke, Erdmann, dt. Bildhauer, Berlin 1843–1896 Neubabelsberg, schuf Bronzestatuen, Sarkophage u. a. – Werke: *Bronzestatue Ludwig Jahns*, 1872, Hasenheide b. Berlin. *Standbild der Königin Luise*, 1880, Berlin. *Bronzestatuen des Großen Kurfürsten*, 1883, u. *Friedrichs d. Gr.*, 1886, im Zeughaus, Berlin.

Ende, Edgar, dt. Maler, * Hamburg-Altona 1901, gilt als Hauptvertreter der dt. Surrealisten. In München tätig seit 1931. Illustrationen zu García Lorcas Romanzen «Das Wüstenabenteuer» u. «Die Zigeunermusik»; von → Chirico beeinflußt.
Lit.: H. Eckstein, *Maler u. Bildh. in München*, 1946. *Ausst.-Kat. Dt. Künstlerbund 1950, 1. Ausst.*, Berlin 1951. Vollmer, 1955.

Ende, Hermann, dt. Arch., Landsberg a. d. Warthe 1829–1907 Wannsee b. Berlin, Vertreter der Baukunst der Gründerjahre, schuf in klassizist. Stil zus. mit W. Böckmann u. a. das *Völkerkundemuseum in Berlin*, 1886.

Endell, August, dt. Arch. u. Dekorateur, Berlin 1871–1925 Breslau, Hauptvertreter des dt. Jugendstils, stark von → Obrist beeinflußt, baute 1897–98

das *Atelier Elvira* in München, welches für das moderne Bauen u. in s. Dekoration für den Jugendstil epochemachend war. Von Einfluß auch als Theoretiker. Er veröffentlichte 1898: «Formenschönheit u. Dekorative Kunst» in: Dekorative Kunst 2; 1906: «Die Schönheit der Großstadt». Weitere Werke: *Theater «Überbrettl»* in Berlin, 1901. *Tribüne für die Trabrennbahn Mariendorf*, 1913. *Wohnhäuser in Berlin-Westend*, 1907.
Lit.: Ahlers-Hestermann, *Stilwende*, 1941. N. Pevsner, *Wegbereiter mod. Formgebung*, 1957. *Ausst.-Kat. Aufbruch z. mod. Kunst*, München 1958.

Endell, Fritz, dt. Zeichner für den Holzschnitt u. Kunstgewerbler, Stettin 1873–1955 Bayrischzell, begann die künstlerische Laufbahn angeregt durch s. Bruder August → E. u. H. → Obrist, spezialisierte sich auf den Holzschnitt, Schüler der Acad. Julian in Paris u. von Colarossi, 1902 ff. in Stuttgart (Schüler → Hölzels), 1914–20 Aufenthalt in Amerika. Werke: Holzschnittfolge *Tod u. Trost*. Mappenwerk *Kleines Buch für kleine Leute*, 1913.
Lit.: E. W. Bredt in: Th.-B. 1914. Vollmer, 1955. *Ausst.-Kat. Aufbruch z. mod. Kunst*, München 1958.

Ender, Eduard, österr. Maler, Rom 1822–1883 London, Sohn u. Schüler von Johann → E. sowie der Wiener Akad., weitergebildet in Paris, malte vor allem hist. Szenen mit stillebenhaftem Beiwerk: *Wallenstein u. Seni*, 1844. *Tasso am Hofe von Ferrara*, 1852. Ferner Stilleben u. Porträts.

Ender, Johann, österr. Maler, Wien 1793–1854 ebda., Nachfahr der → Nazarener, Schüler der Wiener Akad., war im Orient, in Italien 1820–25 u. in Frankreich. Geschickter Vertreter der herrschenden akad. Richtung; Historienbilder, Altarblätter, Porträts u. a.

Ender, Thomas, österr. Maler, Wien 1793–1875 ebda., Landschaftsmaler u. Radierer, vertreten in Wien, Akad. u. staatl. Mus.; Berlin, Nat. Gal.

Enderlein, Kaspar, schweiz.-dt. Zinngießer u. Formschneider, Basel 1560–1633 Nürnberg, schuf in dt. Renaissancestil Nachbildungen der *Temperentiaschüsseln* von F. → Briot u. a. Vor allem verfertigte er die Formen (Formschneider).
Lit.: H. Demiani, *François Briot, K. E. u. d. Edelzinn*, 1897.

Engel, Otto Heinrich, dt. Maler, Radierer u. Lithograph, Erbach 1866–1949 Glücksburg, Landschaftsmaler, Schüler von P. → Meyerheim, später von → Löfftz u. Höcker an der Akad. München, 1896 ff. in Berlin, impressionist. beeinflußter Darsteller von Land u. Volk der Flensburger Förde; auch Buch-

illustrationen. Werke in den Slgn. v. Berlin (Nat. Gal.), Königsberg, Bielefeld, Budapest.
Lit.: W. Kurth in: Th.-B. 1914. Vollmer, 1955.

Engelbrechtsz, Cornelis, niederl. Maler, Leiden 1468–1533 ebda., gehört mit J. → Cornelisz zu den Bahnbrechern der holl. Renaissancemalerei. Seine in schillernden Farben gehaltenen Bilder zeigen hagere, langgestreckte Figuren, die in phantastischen schmucküberladenen Kostümen stecken. Bedeutendes Schulhaupt u. Lehrer des → Lucas van Leyden. *Altarwerk mit Christus am Kreuz,* 1509, Leiden, Mus. *Altarwerk mit Beweinung Christi,* um 1526, ebda. Weitere Werke in Amsterdam, Rijksmus.; Berlin, Dresden, Gent, München, Wien.

Engelhard, Wilhelm, dt. Bildhauer u. Maler, Grünhagen b. Lüneburg 1813–1902 Hannover, Schüler von → Thorwaldsen in Rom u. → Schwanthaler in München, schuf haupts. mythol. Genreszenen in plastischer Gestaltung: *Eddafries* in der Marienburg b. Hannover, 1851 u. a.

Engelmann, Richard, dt. Bildhauer, * Bayreuth 1868, ansässig in Kirchzarten i. Br. – Grabmäler u. denkmalartige Freifiguren für Parkanlagen. In s. Stil ging er von der Kunst → Rodins aus u. suchte eine kräftige Monumentalität (beeinflußt von → Maillol). Werke: *Brunnen* im Stadtgarten in Görlitz u. in Osnabrück. Mehrere *Kriegerehrenmale.* Figur *Schlafende,* München, Staatsgal. Marmorplastik *An die Musik,* Stadttheater Freiburg i. Br. Werke in den Gal. v. Düsseldorf, Nürnberg u. v. a.
Lit.: L. Burchard in: Th.-B. 1914. Vollmer, 1955.

Engert, Eduard, österr. Maler, Pless (Oberschlesien) 1818–1897 auf dem Semmering, Vertreter der dt.-röm. Historienmalerei, Schüler der Wiener Akad. unter → Kupelwieser, 1847–54 in Rom, 1854ff. Direktor der Akad. in Prag, 1865ff. Prof. der Wiener Akad. Bevorzugter Hofkünstler des damaligen Österreich, porträtierte wiederholt die Kaiserfamilie. Bilderzyklus *Figaros Hochzeit* im Opernhaus, Wien.

Engert, Erasmus, österr. Maler, Wien 1796–1871 ebda., Vertreter des Wiener Biedermeier. Beisp.: *Im Hausgarten,* um 1820, Berlin, Nat. Gal.
Lit.: W. R. Deusch, *Malerei d. dt. Romantik,* 1937.

Enhuber, Karl v., dt. Maler, Hof (Bayern) 1811 bis 1867 München, beliebter Genremaler der älteren Münchner Schule, vertreten in den Gal. v. Darmstadt, Bamberg, Berlin (Nat. Gal.), Danzig, Leipzig, Schleißheim, München (N. P.) u. a.
Lit.: H. Holland in: Th.-B. 1914.

Ensinger, Ulrich (U. v. Ensingen), dt. Arch., um 1359–1419 Straßburg, leitete 1392–1417 den Bau des *Ulmer Münsters* u. errichtete 1399ff. auf der Plattform des *Straßburger Münsters* den Nordturm bis zum Ansatz des Helms, eine der schönsten Turmkonstruktionen der Gotik. *Frauenkirche in Eßlingen:* Beginn des Turmbaues. *Matthäus,* Sohn des Ulrich, Ulm um 1390–1463 ebda., arbeitete zunächst unter s. Vater am Straßburger Turmbau; um 1420 nach Bern berufen zum Bau des neuen *Münsters,* dessen Leitung er während 25 Jahren innehatte, «der bedeutendste Bau der kirchl. Spätgotik in der Schweiz». Ferner: Weiterbau an der *Frauenkirche* zu Eßlingen: Turm bis zum Beginn des letzten Viereckgeschosses (Weiterbau durch H. → Böblinger).
Lit.: F. Carstanjen, 1893. O. Kletzl, *Das Frühwerk U.s v. E.,* 1933. W. Pinder, *Dt. Dome* (viele Aufl.). G. Dehio, *Gesch. d. dt. Kunst* 2, 1921 (⁴1930 f.). Ders., *Hb. d. dt. Kunstdenkm.* 3 u. 4; Neuausg. 1935f. J. Gantner, *Kunstgesch. d. Schweiz* 2, 1947. L. Mojon, *Das Berner Münster* (Kunstdenkm. d. Kantons Bern, 4), 1960.

Ensor, James, belg. Maler u. Radierer, Ostende 1860–1949 ebda., Hauptmeister der modernen belg. Malerei, begann unter dem Einfluß der Impressionisten, entwickelte dann s. eigentümlichen realist.-symbolist. Stil u. schuf Karnevalsszenen, maskierte Menschen, Gespenster, Monstren usw. In gewisser Weise setzt er die Tradition der → Brueghel u. → Bosch fort, gefördert wurde er von F. → Rops. Sein bekanntestes Werk ist das 2,6 × 4 m große *L'entrée du Christ à Bruxelles,* 1888. Ferner: *Le lampiste,* 1880, Brüssel, Mus. *Viandes,* 1881, Ostende, Mus. *Le bouilleux,* 1882, ebda. *Huîtres,* Antwerpen, Mus. *Stillleben,* Lüttich, Mus. Ferner in den Mus. v. Zürich, Basel, Chicago, Detroit u. a.
Lit.: E. Verhaeren, 1908. P. Colin, 1931. P. Fierens, 1943. Ders., *Les dessins de J. E.,* 1944. R. Avermæte, 1947. A. Croquet, *L'œuvre gravé de J. E.,* 1947. L. Tannenbaum, 1951. Vollmer, 1955. P. Haesaerts, 1957. J. Rewald, *Von van Gogh zu Gauguin,* 1957.

Eosander, Johann Friedrich Freiherr v., gen. *E. v. Göthe,* dt. Arch., in Livland (vermutl. Riga) um 1670–1729 Dresden, Meister des Übergangs vom Spätbarock zum Klassizismus, 1692ff. in Berlin in kurbrandenburgischen Diensten, Nachfolger → Schlüters, trat 1713 in schwedische Dienste, 1723 in den Augusts des Starken. 1707–13 *Erweiterungsbau des königl. Schlosses* in Berlin. Er erreicht künstlerisch nicht die Höhe Schlüters, doch hat er mit dem *Westportal* eine starke Wirkung erzielt: Umgestaltung des röm. Septimius-Severus-Bogens in das Großbarock. Weitere Bauten in Berlin: Vergrößerung des *Charlottenburger Schlosses,* 1701ff. *Schloß Schönhausen* b. Berlin, 1704. Erweiterungsbauten am *Schloß Oranienburg,* 1706-09. *Schloß Monbijou:* der Mittelbau, 1706, von E.

Lit.: G. Dehio, *Gesch. d. dt. Kunst* 3, 1926 (^{4}1934). Ders., *Hb. d. dt. Kunstdenkm.* 2, 1935 f. (Neuausg.).

Epiktetos, attischer Vasenmaler, Ende 6. Jh. v. Chr., gehört zu den ersten, die sich vom Silhouettenstil der schwarzfigurigen Vasen lossagen u. zur Ausspartechnik der rotfigurigen übergehen. Lit.: Pauly-Wissowa, *Realenc.* VI. Sauer in: Th.-B. 1914.

Epstein, Jacob, engl. Bildhauer, * New York 1880 als Sohn polnischer Eltern, † 1959 London, in Paris gebildet, ließ sich in London nieder. In s. Kunst von → Rodin, dann von → Brancusi u. der Kunst der Primitiven angeregt, gelangte zu einer dramatischen Bildniskunst in einer grob realist. Formensprache, mit der er vor allem in England Erfolg hatte. Werke: *18 dekorative Figuren* für das Gebäude der Brit. Medical Association, London, 1908. *Grabmal für Oscar Wilde*, 1909, Paris, Friedhof Père-Lachaise. *Mutter u. Kind*, 1913. *Bronzefigur Christi*, 1917–19. Bronzebildnisse: *Einstein, Shaw, Churchill, T. S. Eliot* u. a. Vertreten in London, Nat. Gall. New York, Mus. of mod. art. Lit.: R. Black, 1942. W. Hofmann, *Plastik d. 20. Jh.*, 1958.

Erbslöh, Adolf, dt. Maler, New York 1881–1947 Irschenhausen (Isartal). 1904 ff. in München, wo er sich bei → Herterich bildete. Mitbegründer der «Münchner Neuen Künstlervereinigung». Altersgenosse der Expressionisten; wie diese suchte er im Kampf um die Überwindung des Impressionismus dekorativ-monumentale Wirkungen; er schuf figürliche Kompositionen, Landschaften, Blumenstücke u. a. Werke in der Ruhmeshalle in Barmen, in den Gal. v. Wuppertal, Dresden (Mod. Gal.), Erfurt, Karlsruhe u. a.

Erdmannsdorf, Friedrich Wilhelm v., dt. Arch., Dresden 1736–1800 Dessau, frühklassizist. Baumeister u. Innendekorateur, bereiste mehrere Jahre lang England, Frankreich u. Italien u. war von klassizist. Bauten, bes. in England, beeindruckt. Stand im Dienste des Fürsten Leopold v. Anhalt-Dessau, begann 1768 den *Festsaal im Dessauer Schloß* in frühklass. Stil, 1769–73 das *Schloß Wörlitz*, s. Hauptwerk, nach dem Muster engl. Landsitze in feinem Klassizismus. Später gestaltete er auch eine Reihe von *Räumen in Sanssouci u. im Berliner Schloß* für Friedrich Wilhelm II. Lit.: E. P. Riesenfeld, 1913.

Erhard, Johann Christoph, dt. Maler u. Radierer, Nürnberg 1795–1822 Rom, dt.-röm. Landschafter, radierte 1811 ff. Landschaftsblätter mit feinen atmosphärischen Stimmungen, 1816–19 in Wien, 1819 ff.

in Rom, wo er s. Leben ein Ende setzte. Er hinterließ ein rad. Werk von 185 Nummern. Lit.: Apell, 1866–75, 2 Bde. B. Golz, 1926.

Erhart, Gregor, dt. Bildschnitzer, * Ulm, † wahrscheinlich Augsburg 1540, folgte 1494 s. Schwager A. → Daucher nach Augsburg, wo er seitdem eine große Werkstatt unterhielt u. einer der bedeutendsten Meister s. Zeit war; doch sind keine urkundlich erwähnten Werke erhalten, s. heute erhaltenes Œuvre ist nur stilkritisch u. mit einiger Wahrscheinlichkeit erschlossen. Stilist. beruht s. Werk auf der Ulmer Tradition, bes. → Multschers, u. weist Beziehungen auf zu → Riemenschneider u. → Syrlin d. Ä. Sein Entwicklungsgang ist ein → Holbein d. Ä. analoger: er wurzelt in der Spätgotik, übernimmt aber Renaissanceformen u. ihre heitere Anmut. Hauptwerke: *Hochaltar der Kirche in Blaubeuren*, 1493–94. *Schutzmantelmadonna für Kaisheim*, 1502–04, Berlin, staatl. Mus. *Schutzmantelmadonna*, um 1515, Wallfahrtskirche Frauenstein (Oberösterr.). Lit.: G. Otto, 1943. G. Dehio, Gesch. d. dt. Kunst 3, 1926 (^{4}1934).

Erler, Erich, gen. Erler-Samaden, dt. Maler, * Frankenstein (Schlesien) 1870. Bruder von Fritz → E., lebte nach längerem Aufenthalt in Samaden in Irching b. München, Mitglied der Künstlervereinigung «Die → Scholle», schuf großflächige impressionist. Bilder; im Engadin pflegte er bes. die Darstellung der Hochalpenlandschaft. Illustrationen für die Münchner «Jugend». Lit.: *Ausst.-Kat. Aufbruch z. mod. Kunst*, München 1958.

Erler, Franz Christoph, österr. Bildhauer, Kitzbühel (Tirol) 1829–1911 Wien, schuf dekorative Plastiken für Wiener Kirchen.

Erler, Fritz, dt. Maler, * Frankenstein (Schlesien) 1868, † 1941, lebte in Holzhausen am Ammersee, Schüler der Breslauer Kunstschule, 1892–94 in Paris, beeinflußt von → Besnard, 1892 ff. mit der stilist. Erneuerung des Kunstgewerbes beschäftigt. 1899 Mitbegründer der → «Scholle». Große dekorative Wandgemälde. Auch Bildnismaler und Illustrator für die «Jugend». *Fresken* im Wiesbadener Kurhaus, 1907. Lit.: F. v. Ostini, 1921. → auch bei Erich E.

Erni, Hans, schweiz. Maler, * Luzern 1909, Schüler von → Derain u. → Braque in Paris, Gründermitglied der Gruppe «Abstraction-Création» in Paris, verarbeitete selbständig zu einer dekorativen zeichnerischen Neuklassik Einflüsse aller modernen Richtungen. E. schuf große Wandgemälde u. Sgraffiti, Buchillustrationen u. v. a. Seine Produktion umfaßt alle Gebiete u. Techniken. Beisp.:

Wandgemälde an der Triennale in Mailand. *Sgraffito in d. Volksheilstätte Montana* (Wallis).
Lit.: A. Jakovski, *5 peintres suisses*, 1934. M. Gasser, o. J. K. Farner, 1943. C. Roy, 1955 (²1957). H. Read, 1959.

Ernst, Max, dt.-amerik. Maler u. Graphiker, *Brühl b. Köln 1891, führender Meister des Surrealismus, begegnete 1910 A. → Macke, schloß sich später den Dadaisten an u. begründete 1919 zus. mit → Arp den «Dada» in Köln, gehörte 1921ff. der Pariser Gruppe der Surrealisten an. In der «Durchreibetechnik», bei der der Bleistift über Papiere reibt, die auf Fußbodendielen, Blätter u. dgl. gelegt werden, fand er ein interessantes Verfahren, um zu graph. Strukturen von anregender Wirkung zu kommen. In s. «Collages» bildete er graph. Zyklen, in denen er Teile aus alten Holzschnittillustrationen so zusammenklebte, daß ein neuer phantastischer Dingzusammenhang entstand. 1941–45 in New York tätig, 1946ff. in Sedona (Arizona). 1950, 1953 u. öfter in Paris.
Lit.: L. Pretzell, 1951 (m. Kat.). Knaurs Lex., 1955.

Errard, Charles, franz. Maler, Graphiker u. Ornamentzeichner, Nantes um 1606–1689 Rom, Sohn des Malers Charles E. (um 1570–1630), ausgebildet in Rom, Schüler von → Poussin, 1640ff. in Paris, wo er die Oberleitung für die Dekorationen im Louvre u. in den Tuilerien innehatte, 1643 «peintre du Roy». Erhalten hat sich nur wenig von ihm: *Plafond des gr. Audienzsaales* im Palais des Etats in Rennes, 1656. Tafelbild mit 2 lebensgroßen *Allegor. Gestalten,* Rennes, Rathaus.
Lit.: J. Locquin in: Th.-B. 1915.

Erri, die Brüder *Agnolo* u. *Bartolomeo* degli E., ital. Maler des 15. Jh. in Modena. Von ihnen (heute dem Agnolo allein zugeschrieben) vielteiliger *Altar mit Krönung Mariä,* 1462–65, in der Gal. von Modena, der im Stil an → Cossa erinnert u. auch den Einfluß von P. della → Francesca zeigt. Von Agnolo ferner: *Madonna,* Padua, Gal. Von Bartolomeo: *Madonna,* Straßburg, Gal. u. *Hl. Vinzenz,* Modena, Seminar.

Erwin v. Steinbach, dt. Arch., um 1244–1318 Straßburg, 1284 u. 1293 als Werkmeister am Straßburger Münster genannt, galt früher (vgl. Goethes Aufsatz «Von dt. Baukunst», 1773) als alleiniger Erbauer des Münsters, vermutlich ist aber nur der Westfassadenriß von ihm, der 1277ff. bis zur Scheitelhöhe der Seitenportale ausgeführt wurde, bis 1298 ein Brand den Bau unterbrach. E. erweist sich nach diesem Bauriß als bedeutender got. Meister, der die franz. Bauten genau kannte, aber selbständig arbeitete. Der Einfluß des Baurisses war groß. E.s Söhne bauten nach s. Tode am Münster

weiter: *Erwin* u. *Johannes Winlin,* † 1339. Dieser begann den Bau d. Katharinenkapelle.
Lit.: G. Dehio, *Das Straßburger Münster,* 1922. H. Jantzen, *Das Straßburger Münster,* 1933. H. Kunze, *Der Stand unseres Wissens um die Baugeschichte des Straßburger Münsters* in: Elsaß-Lothr. Jb. 18, 1939. E. Beutler, *Von dt. Baukunst,* 1943.

E. S., Meister E. S., dt. Kupferstecher u. Goldschmied, tätig um 1450–1467 in Oberdeutschland, Hauptmeister des Kupferstichs s. Zeit, * um 1420 wohl in der Bodenseegegend u. tätig ebda. (Konstanz, Nordschweiz?), später in Straßburg, entfaltete eine überaus reiche Tätigkeit, über 300 Bl. aus vielen Stoffgebieten erhalten: Bibl. Darst., Madonnen, Heilige, Apostel usw., ferner weltliche: Liebesszenen, Kartenspiele, Figurenalphabete usw., auch Ornamentales aller Art. Der Meister E. S., so gen. nach dem Monogramm einiger s. Stiche, gilt als der eig. Begründer des Kupferstichs. Er erhob diese Kunst technisch auf die Höhe → Schongauers, der in manchem als s. Schüler angesehen werden muß. In s. Stil nahm er vielerlei Einflüsse auf (→ Spielkartenmeister, Anregungen aus dem Kreise des K. → Witz u. a.), verarbeitete aber alles auf s. eigene Art, einen intensiv spätgot. Stil mit gebrochenen Falten, die Kompositionen flächenhaft u. ornamental, den Goldschmied verratend. Sein Einfluß überaus groß in Oberdeutschland, den Niederlanden, Italien, Frankreich u. Spanien. Begabtester Schulnachfolger: I. van → Meckenem.
Beisp.: *Kaiser Augustus u. die Tiburtin. Sybille. Geburt Christi. Madonna mit 8 Engeln. Madonna von Einsiedeln. Der große u. der kleine Hortus conclusus. Maria am Fenster.* Folgen: eine *Ars moriendi;* 2 *Kartenspiele; Vorlage zu einer Patene* (Abendmahlsgerät) *mit Johannes d. T.*
Lit.: M. Geisberg, *Die Kupferst. d. M. E. S.,* 1923. Ders., *M. E. S.,* 1924. E. Hessig, *Die Kunst d. M. E. S. u. d. Plastik d. Spätgotik,* 1935. M. Geisberg, *Gesch. d. dt. Graph. vor Dürer,* 1939. L. Fischel, *Oberrhein. Malerei im Spiegel d. frühen Kupferst.* in: Zschr. f. Kunstw. 1, 1947. W. Pinder, *Dt. Kunst d. Dürerzeit,* 1953.

Eschke, Hermann, dt. Maler, Berlin 1823–1900 ebda., Schüler von Lepoittevin in Paris, beeinflußt von s. Mitschüler Ed. → Hildebrandt, schuf hauptsächlich Landschaften und Marinen; vertreten in den Gal. von Berlin, Danzig, Schwerin, Riga, Melbourne, Sidney u. a.
Lit.: W. Kurth in: Th.-B. 1915.

Eschke, Richard, dt. Maler, * Berlin 1859, † 1944 Jüterbog, Sohn und Schüler von Hermann → E., der Münchner Akad. und von → Kallmorgen in

Karlsruhe, Landschafts- und Marinemaler, der sich später der Freilichtmalerei anschloß.

Eseler, Niklaus d. Ä., dt. Arch., aus Alzey, nachweisb. 1439–1492, der Erbauer des Hallenschiffs der *Michaelskirche* in Schwäb.-Hall, 1439–42; des Langhauses (Hallenschiff) der *Georgs-Kirche in Nördlingen* und der *Georgskirche in Dinkelsbühl*, 1448 bis 1499. Diese Bauten gehören zu den größten Leistungen des süddt. Kirchenbaues des 15. Jh.; insbesondere gilt Dinkelsbühl als schönste Hallenkirche Süddeutschlands. Ferner: Westchor der *Jakobskirche* in Rothenburg u. a.
Lit.: Gerstenberg, *Dt. Sondergotik*, 1913. Baum in: Th.-B. 1915.

Esquivel, Antonio Maria, span. Maler, Sevilla 1806–1857 Madrid, malte religiöse Werke, vor allem aber Bildnisse. Sein bekanntestes Werk: Interieur-Gruppenbildnis «*Los poetas*», Madrid, Mus. mod. *Madonna mit Engeln*, 1856, ebda.

Esquivel, Carlos Maria, span. Maler, Sevilla um 1830–1867 Madrid, Sohn von Antonio Maria → E., Schüler s. Vaters, weitergebildet in Paris unter L. → Cogniet, malte Genreszenen aus dem span. Volksleben, Bildnisse, bibl. u. hist. Werke u. a. Vertreten in Barcelona, Mus.

Esser, Max, dt. Bildhauer, * Barth in Pommern 1885. Tierplastiker, Schüler von → Gaul; viele s. Modelle sind für die Ausführung in Böttgersteinzeug oder in Porzellan für die Meißner Porzellanmanufaktur entworfen. Beisp.: *Pfaufasan*, 1914, Berlin, staatl. Slg.

Estève, Maurice, franz. Maler, * Cullan (Cher) 1904, Vertreter des heutigen «Ecole de Paris», in den 20er Jahren stark von → Cézanne beeinflußt, später von den Kubisten u. den → Fauves, vorübergehend von den Surrealisten; gelangte zunehmend zur Abstraktion wie s. Altersgenossen → Pignon, → Gischia u. a. Vertreten in der Ausstellung «Tendances actuelles de l'Ecole de Paris» in Bern 1952. Werke im Mus. mod., Paris, u. a. Gal. mod. Kunst.
Lit.: Bénézit, 1950. Vollmer, 1955. M. Brion, Ecole de Paris in: *Neue Kunst nach 1945*, hg. v. W. Grohmann, 1958.

Etex, Antoine, franz. Bildhauer, Maler u. Arch., Paris 1808–1888 Chaville b. Paris, Schüler der Bildhauer → Bosio, → Pradier u. des Malers → Ingres, schuf dekorative Werke u. Denkmalplastik: 2 *Reliefs für den Arc de Triomphe* in Paris. *Kolossalstatue des hl. Augustin* für die Madeleinekirche, ebda. *Schiffbrüchigengruppe* im Park Montsouris. *Ingresdenkmal* in Montauban. Als Maler: religiöse Bilder.
Lit.: P. E. Mangeant, 1895.

Etty, William, engl. Maler, York 1787–1849 ebda. Hauptvertreter der engl. romant. Malerei, Schüler von Th. → Lawrence, besuchte 1822–24 Italien, bes. Venedig u. begeisterte sich für die alten venez. Maler, an denen er s. Farbgebung bildete. Glänzender Aktmaler. Hauptwerke: *Die Badende*, London, Tate Gall. *Amor u. Psyche*, Victoria and Albert Mus., ebda. *Die Unschuld*, ebda. *Odysseus u. d. Sirenen*, Manchester, Mus. *Der Sturm*, ebda. Gut vertreten in der Tate Gall., im Victoria and Albert Mus.; dort auch 300 Bleistift- u. Federzeichn.; in der Nat. Gall.; alle London; in Edinburgh, Gall. u. a.
Lit.: Gilchrist, 1855 (2 Bde., engl.).

Euphranor aus Korinth, griech. Bildhauer u. Maler aus dem Kreise → Polyklets, wirkte um 360 v. Chr. in Athen. Seine Statue des Paris war berühmt; von s. Werk ist nichts erhalten. Hypothetische Zuweisungen: *Athena Giustiniani*, Vatik. Gal., Rom. *Dionysosstatue*, Thermen-Mus., ebda. Seine Gemälde bei Plinius u. Pausanias beschrieben: figurenreiche Darstellung der Schlacht b. Mantinae.

Euphronios, griech. Töpfer u. Vasenmaler um 500 v. Chr., der bedeutendste Vasenmaler des streng rotfigurigen Stils. *Kühlgefäß mit 4 nackten Hetären*, Leningrad, Eremitage. *Krater mit Kampfszene des Herakles*, um 510, München, Glyptothek. *2 Schalen* Berlin, ehem. Altes Mus.
Lit.: W. Klein, 1886. J. D. Beazley, *Attische Vasenmalerei*, 1925. Ders., *Attic red-figured vase-painters*, 1942. E. Buschor, *Griech. Vasen*, 1940. Enc. Univ. dell'Arte, 1958.

Eutychides, griech. Bildhauer aus Sikyon, Wende 4./3. Jh. v. Chr. *Bild des Flußgottes Eurotas*, vielleicht in Nachbildungen erhalten. *Tyche*, weltberühmte Kolossalstatue für Antiochia (T. oder Schicksalsgöttin, zu deren Füßen der Flußgott Orontes aus dem Wasser auftaucht); davon viele Kopien: *Tyche v. Antiochia*, Marmor, Vatik. Mus., Rom.
Lit.: T. Dohrn, *Tyche v. Antiochia*, 1961.

Evenepoel, Henry-Jacques-Edouard, belg. Maler, Nizza 1872–1899 Paris, Schüler G. → Moreaus in Paris, vielseitiger Vertreter der belg. Malerei Ende 19. Jh.
Lit.: P. Lambotte, 1908. *Ausst.-Kat. Les sources du XXᵉ siècle*, Paris 1960/61.

Everdingen, Allaert van, niederl. Maler u. Radierer, Alkmaar 1621–1675 Amsterdam, Meister der holl. Landschaftsmalerei, Schüler von R. → Savery u. P. → Molijn, eine Zeitlang in Schweden tätig, 1651ff. in Amsterdam. Er brachte von s. schwed. Aufenthalt das nordische Gebirgsmotiv mit u. führte es in die holl. Landschaftsmalerei ein. Er

wirkte entscheidend auf → Ruisdael. Beisp. s. Malerei: *Norweg. Landschaft*, Amsterdam, Rijksmus. Beisp. als Radierer: Tierillustrationen zu *Reineke Fuchs*. Werke in Amsterdam, Dresden, Wien, München u. a.
Lit.: O. Granberg, 1902. W. Bernt, *Niederl. Maler d. 17. Jh.*, 1948.

Exekias, griech. Vasenmaler u. Töpfer, um 550 bis 525 v. Chr., der bedeutendste attische Maler des schwarzfigurigen Stils. Einige Gefäße tragen s. Signatur, andere lassen sich stilist. anschließen. Einzigartig ist das Innenbild der *Münchner Schale mit der Meerfahrt des Dionysos*, um 540, München, Glyptothek. Der Gott liegt in einem attischen Kriegsschiff. Auf s. Geheiß wächst ein Weinstock bis hoch über den Mast hinaus. Das Schiff umspielen 7 Delphine, die verwandelten tyrrhen. Seeräuber. Weitere Hauptwerke: *Geryoneus-Amphora*, Paris, Louvre: *Taten des Herakles. Halsamphora: Aias mit dem Leichnam des Achilleus*, um 540, München, Glyptothek. *Amphora*, Rom, Vatik. Slg.: *Achill u. Aias beim Brettspiel*.
Lit.: E. Buschor, *Griech. Vasenmalerei*, 1913. E. Pfuhl, *Malerei u. Zeichn. d. Griechen*, 1923. J. D. Beazley, *Attic black-figured vases*, 1929. W. Technau, 1936. Neutsch in: Marburger Jb. f. Kunstw. 15, 1950. Enc. Univ. dell'Arte, 1958.

Exner, Julius, dän. Maler, Kopenhagen 1825–1910 ebda. Genrebilder aus dem schwed. u. dän. Bauernleben, Schüler von Lund u. → Eckersberg. 1876 ff. Prof. der Akad. Kopenhagen.

Exter, Julius, dt. Maler, * Ludwigshafen 1863, † 1939 Feldwies (Chiemsee), Schüler der Münchner Akad. u. A. v. → Wagner, begann als Impressionist, verfolgte später den Weg eines symbolist. Farbenmystizismus u. schuf religiöse Werke, beeinflußt von → Besnard, → Böcklin u. a.; doch fuhr er gleichzeitig fort, realist. Bilder zu malen: Bauernbilder, Landschaften, Porträts; auch einige Plastiken. Beispiel: Triptychon *Charfreitag*, 1895, München, N. P. *Bildnis s. Töchterchens*, 1902, Bremen, Kunsth. Glasgemälde *Kreuzigung*, 1913/14, für die Kirche in Lindenberg.

Eybel, Adolf, dt. Maler und Lithograph, Berlin 1808–1882 ebda., Schüler der Berliner Akad. u. von → Delaroche in Paris (1834–39), schuf Genrebilder, Historien u. religiöse Werke, Bildnisse u. a. Werke: *Fresko* in der Kirche Sacrow bei Potsdam; *Schlacht b. Fehrbellin*, Berlin, Schloß.

Eybl, Franz, österr. Maler, Wien 1806–1880 ebda., Hauptvertreter des Wiener Biedermeier, malte Porträts u. Genrebilder, mit Vorliebe bäuerliche Szenen aus der heimatlichen Alpengegend; feine Aquarelle: Landschaftsstudien mit eingehender Naturschilderung in → Waldmüller verwandter Art; auch Porträtlithographien; gut vertreten in Wien, Österr. Gal.

Eyck, van, Brüder, altniederl. Maler, Anf. 15. Jh., die gemeinsamen Schöpfer des *Genter Altars* u. Hauptmeister der altniederl. Malerei.
Hubert, der ältere der Brüder, Maaseyck um 1370 bis 1426 Gent, nur wenige Daten über ihn bekannt, laut Inschrift auf dem *Genter Altar* (voll. 1432) als Schöpfer des Werkes bezeichnet, das er bei seinem Tode unvollendet hinterließ (→ Jan v. E.).
Jan, Maaseyck um 1390–1441 Brügge, 1422–24 im Haag nachweisbar, 1425ff. im Dienste Philipps des Guten v. Burgund, für den er verschiedene Reisen unternahm, 1430 ff. meist in Brügge. Sein 1. Hauptwerk die Vollendung des *Genter Altars*, Gent, St. Bavo, eines großen Altarwerkes mit der Anbetung des Lammes auf dem Mittelbild, mit Gottvater, Maria, den beiden Johannes, der Verkündigung, den Ureltern, Sibyllen u. Propheten u. den Stifterbildnissen. Die Hände der Brüder zu unterscheiden ist schwierig: sicher von Hubert sind: die Mitteltafel der Anbetung des Lammes; ferner die Figuren von Gottvater mit Maria u. Johannes d. T. Sehr wahrscheinlich ist, daß die Anlage des ganzen Werkes auf ihn zurückgeht, daß er ein bedeutender Maler war, noch stark verwurzelt in der Kunst des 14. Jh. u. der Miniaturmalerei. Jan dagegen erweist sich als der geniale Neuerer, der mit großen Schritten über die Tradition hinausführt: in s. *Stifterporträts* bringt er die ersten wirklich bedeutenden Bildnisse; in den Gestalten *Adams u. Evas* die ersten hervorragenden Aktfiguren, in s. Farben eine Bereicherung der Technik (wenn er auch nicht der Erfinder der Ölmalerei war, für den er lange Zeit gehalten wurde), in s. Licht- u. Raumbehandlung die Grundlage für die niederl. Malerei der Folgezeit schaffend.
Weitere Hauptwerke: *Madonna des Kanzlers Rolin*, um 1425, Paris, Louvre. *Madonna des Kanonikus van der Paele*, 1436, Brügge, Mus. Sogen. *Madonna von Lucca*, Frankfurt, Städel. Bildnisse: *Doppelbildnis des Arnolfini u. s. Gattin*, 1434, London, Nat. Gall. *Der Mann mit der Nelke*, Berlin, staatl. Mus. *Porträt s. Ehefrau*, 1439, Brügge, Mus. Miniaturmalerei: *Turiner Stundenbuch* (1904 verbrannt, nur noch in Abb.).
Lit.: J. Weale, *H. and J. v. E.*, 1908. F. Winkler, *Der Genter Altar*, 1921. M. J. Friedländer, *Altniederl. Malerei*, 1924. M. Dvorak, *Das Rätsel d. Brüder v. E.*, 1925. M. Devigne, 1926. P. Fierens, 1931. E. Renders, *Hubert v. E.*, 1933. Ders., *Jan v. E.*, 1935. H. Beenken, 1941. L. van Puyvelde, 1946. J. Lassaigne, *La peinture flamande*, 1957 (m. Bibliogr.) Enc. Univ. dell'Arte, 1958.

Eysen, Louis, dt. Maler, Manchester 1843–1899 München, Schüler des Städel-Instituts, Frankfurt, schloß sich in München dem → Leibl-Kreise an u. war 1869–70 in Paris bei → Bonnat; 1870–75 lebte er in Frankfurt u. Cronberg, später meist in Meran. Er malte mit Vorliebe Wiesen- u. Waldbilder, in heller impressionist. Art, d. außer Anregungen v. → Scholderer, → Leibl, → Thoma unverkennbar s. Pariser Schulung zeigt. Werke: *Wiesengrund,* 1877, Berlin, Nat. Gal.; *Bildnis der Mutter des Künstlers,* um 1875, ebda.; *Taunuslandschaft,* Bremen, Kunsth. Werke in d. Gal. v.: Kassel, Frankfurt, Innsbruck, Stuttgart u. a.

F

Faber, Conrad, gen. Conrad v. Creuznach, dt. Maler u. Zeichner für den Holzschnitt, Creuznach (?) um 1500–1553 Frankfurt a. M.; seit ca. 1525 tätig ebda. Meister des Renaissance-Porträts, Brustbilder in Dreiviertelansicht mit landschaftlichem Hintergrund in sorgfältiger Ausführung. Mit kolorist. Geschmack sind die prächtigen Kostüme der Patrizier wiedergegeben. Hauptwerk: *Bildnis Gilbrecht v. Holzhausen u. Gattin,* 1535, Frankfurt, Städel. Weitere Bildnisse in Berlin, Kunstgew. Mus.; Dessau, Amalienstift; München, A. P.; Straßburg, Mus.; Florenz, Pal. Torrigiani; New York, Metrop. Mus.; Dublin, Mus.; Brüssel, Mus. Lit.: K. Simon in: Th.-B. 1915.

Faber, John, engl. Kupferst., Den Haag um 1684 bis 1756 London, stach über 500 Bl. nach andern Meistern in Schabkunstmanier. Bekannt bes. die Folgen: *Beauties of Hampton Court,* 13 Bildnisse schöner Frauen des engl. Hofes, nach → Kneller.

Faber du Faur, Otto v., dt. Maler, Ludwigsburg 1828–1901 München, bedeutender Schlachtenmaler, Schüler von → Piloty in München, weitergebildet in Paris, tätig in München, schuf reizvolle kleine Schlachtenbilder u. Szenen aus dem Orient. Vertreten in Müchen, N. P.; Stuttgart, Mus. Lit.: H. Holland in: Th.-B. 1915. R. Hamann, *Dt. Malerei v. Rokoko z. Expression.,* 1925.

Fabi-Altini, Francesco, ital. Bildhauer, Fabriano 1830–1906 S. Mariano (Perugia), Vertreter des Neoklassizismus, schuf Statuen, Grabmonumente u. a. Vertreten in Rom, Gall. d'arte mod. Lit.: O. Maturo, 1907. Th.-B. 1915. V. Mariani in: Enc. Ital. 1932.

Fabre, François-Xavier, franz. Maler, Montpellier 1766–1837 ebda., Vertreter des Klassizismus, Schüler von J. – L. → David, malte Historienbilder, Landschaften u. Porträts. Seiner Vaterstadt vermachte er s. reiche Kunstslg., welche den Grundstock des Mus. v. Montpellier bildet. Vertreten in: Montpellier; Paris, Louvre; Versailles, Mus.; in den Mus. v, Lyon, Montauban, Nantes, Narbonne, Krakau. Madrid, Florenz, Uff. (*Selbstbildnis*). Lit.: H. Vollmer in: Th.-B. 1915.

Fabriano, Gentile da → Gentile da Fabriano.

Fabritius, Barent, niederl. Maler des 17. Jh., tätig um 1650–70, Meister aus dem Umkreis → Rembrandts, stilist. G. v. d. → Eeckhout am nächsten stehend, malte bibl. u. mythol. Bilder sowie Porträts. Werke: *Petrus tauft die Familie des Zenturionen Cornelius,* Braunschweig, Mus. *Verstoßung der Hagar,* 1655, Turin, Mus. *Merkur u. Argus,* 1662, Kassel, Gal. *Darstellung im Tempel,* 1668, Kopenhagen, Mus. Bildnis: *Willem van der Helm u. Familie,* ebda. Bilder ferner in den Mus. Aachen, Suermondtmus.; Bergamo; Stockholm; Frankfurt, Städel; London, Nat. Gall. Lit.: Hofstede de Groot in: Th.-B. 1915.

Fabritius, Carel, niederl. Maler, Amsterdam um 1624–1654 Delft, einer der kraftvollsten Meister aus der Umgebung → Rembrandts, dessen Schüler um 1640. Der bei der Explosion des Delfter Pulvermagazins mit ca. 30 Jahren umgekommene Meister hat Rembrandt zutiefst verstanden u. viel zu verdanken, aber einen eigenen bedeutenden Stil entwickelt. Tätig in Amsterdam, 1652–54 in Delft. Lehrer des → Vermeer van Delft. Hauptwerke: *Schildwache,* Schwerin, Mus. *Selbstbildnis,* München, A. P. u. Rotterdam, Mus. *Junger Mann mit Pelzkappe,* London, Nat. Gall. *Der Distelfink,* Den Haag, Mauritshuis. *Tobias u. Frau,* Innsbruck, Mus. *Bildnis Abraham de Notte,* Amsterdam, Rijksmus. Lit.: C. Hofstede de Groot in: Th.-B. 1915. Ders., *Beschreib. u. krit. Verzeichn.* (1907–28). H. F. Wijnman, 1931 (Oud Holland, 48). W. Bernt, *Niederl. Mal. d. 17. Jh.,* 1948.

Faccini, Pietro, ital. Maler u. Kupferstecher, Bologna 1562–1602 ebda., Vertreter der Bologneser Malerschule, Schüler der → Carracci-Akad., hatte kurze Zeit eine eigene Akad. in Bologna, tätig ebda., Werke für Bologneser Kirchen (*Martyrium des hl. Laurentius,* in S. Giovanni in Monte, 1590). In s. Stil von den Carracci abhängig, später von → Baroccio beeinflußt. Sein *Selbstbildnis* in den Uff., Florenz; Zeichnungen ebda. Lit.: H. Voß in: Th.-B. 1915. M. Marangoni in: L'arte XIII, 1910. Ders. in: Arte Barocca, 1929. Ders. in: Enc. Ital. 1932.

Facius, Angelica, dt. Stein- u. Stempelschneiderin, Weimar 1806–1887 ebda., Tochter von F. W. → F., Schülerin von → Rauch. Schuf zahlreiche Bildnisbüsten; schnitt die Medaille zum Regierungsjubiläum des Großherzogs Karl August von Weimar, 1825.

Facius, Friedrich Wilhelm, dt. Stein- u. Stempelschneider, Greiz 1764–1843 Weimar, fertigte zahlreiche Bildnismedaillen: *Goethe, Schiller, Wieland, Großherzog Karl August* u. a., Prof. u. Hofmedailleur in Weimar.

Fadrusz, Janos, ungar. Bildhauer, Preßburg 1858 bis 1903 Budapest, studierte in Wien, tätig in Budapest, schuf Bildnisstatuen u. Denkmäler. Hauptwerke: *Christus am Kreuz,* Original in Szeged; Marmorreplik in London, Brit. Mus. *Denkmal Maria Theresias,* 1896, auf dem Krönungshügel in Preßburg. *Monument des Matthias Corvinus,* 1902, Klausenburg (Kolozsvár).
Lit.: K. Lyka in: Th.-B. 1915. B. Lazar, 1925 (ungar.).

Faed, Thomas, engl. Maler, Burley Mill (Schottland) 1826–1900 London, Vertreter der schott. Genremalerei, malte empfindsame Bilder aus dem Leben der Bauern u. des Mittelstandes in der Art von → Wilkie. Beisp.: *Die Hochlandsmutter,* London, Tate Gall. *Schuld auf beiden Seiten,* ebda. Vertreten u. a. in London, Tate Gall.; Glasgow, Mus.; Sheffield, Gal.; Leicester, Mus.; Liverpool, Mus.; Montreal, Mus.; Melbourne, Mus.; Hamburg, Kunsth.
Lit.: R. Muther, *Geschichte d. engl. Mal.,* 1903. Ders. in: Th.-B 1915. A. Dayot, *La peint. angl.,* 1908.

Faes, Pieter van der → Lely, Peter.

Fagerlin, Ferdinand, schwed. Maler, Stockholm 1825–1907 Düsseldorf, gehörte der Düsseldorfer Malerschule an (Schüler von K. → Sohn) u. ließ sich in Düsseldorf nieder. F., der auch Schüler von → Couture in Paris war, schuf Genrebilder, u. zwar meist aus dem Leben der holl. Fischer. Vertreten in Stockholm, Nat. Mus.; Oslo, Nat. Gal.; Kopenhagen, Mus. Berlin, ehem. Nat. Gal.; Leipzig, Mus. u. a.
Lit.: Gauffin, 1910. G. N. in: Th.-B. 1915.

Fahlcrantz, Carl Johan, schwed. Maler, Stora Tuna (Dalarna) 1774–1861 Stockholm, der vornehmste iepräsentant der schwed. romant.Landschaftsmalerei bldete sich an → Ruisdael u. C. → Lorrain zum Gestalter der Natur des Nordens. Vertreten in den Mus. v. Stockholm, Göteborg u. a. schwed. Mus.; ferner in Oslo, Helsinki u. a.
Lit.: A. Romdahl in: Enc. Ital. 1932.

Fahrenkamp, Emil, dt. Arch., * Aachen 1885, Vertreter einer modernen sachlich-konstruktiven Bauweise, Schüler von W. → Kreis in Düsseldorf, schuf Gebäude von wuchtiger Geschlossenheit der Umrisse. Werke: *Fabrik u. Verwaltungsgebäude der Rheinstahlwerke* in Berlin; in Frankfurt, Stuttgart, Nürnberg u. Düsseldorf, 1921–23. *Fabrik der I. G. Farben* in Leverkusen. *Bureauhaus der Rhenania-Ossag-Mineralölwerke* in Berlin, 1929–30, das 1. Hochhaus in Stahlkonstruktion in Deutschland. *Entwurf für den Genfer Völkerbundspalast,* 1927 (erhielt 1. Preis). *Marienkirche,* Mühlheim/Ruhr, 1928 u. v. a.
Lit.: Wasmuths Lex. der Baukunst 2, 1930.

Fahrenkrog, Ludwig, dt. Maler, Rendsburg 1867 bis 1952 Biberach, Prof. der Gewerbeschule Barmen. Religiöse Fresken u. Bilder von teilweise stark literarischem Einschlag. Werke in niederrhein. Kirchen; in den Mus. v. Kiel, St. Gallen, Den Haag.

Faichtmayr (Feichtmayr, Feuchtmayr), dt. Künstlerfamilie: Stukkateure, Bildhauer, Arch., Radierer des 17. u. 18. Jh. aus Wessobrunn in Oberbayern. Namentlich sind Franz Xaver, Johann Michael u. Joseph Anton Hauptvertreter des bayer. Rokoko u. wirkten weit über die Grenzen Bayerns hinaus. Sie dekorierten die fränkischen Klosterkirchen in *Münsterschwarzach, Amorbach, Vierzehnheiligen,* die schwäbischen in *Zwiefalten, Ottobeuren, Salem, Neubirnau,* das *Schloß in Bruchsal.* Im einzelnen ist ihr Anteil:
Franz Xaver, Haid b. Wessobrunn 1705–1764 Augsburg: *Stuckdecke der Klosterkirche Wilten.*
Johann Michael, Haid b. Wessobrunn um 1709–1772 Augsburg, einer der genialsten Rokoko-Ornamentiker. Hauptwerke: Stuckornamente in: *Zwiefalten,* 1744–58; *Ottobeuren,* n. 1754; *Vierzehnheiligen,* 1772; *Schloß Bruchsal,* 1751–56.
Joseph Anton, Linz 1696–1770 Mimmenhausen, Bildhauer, Hauptmeister der Rokoko-Bildnerei in der Bodenseegegend, schuf u. a. die Ausstattung der *Schloßkapelle in Meersburg* u. auf der Insel Mainau. *Wallfahrtskirche in Neubirnau. Hochaltar der Franziskanerkirche in Überlingen,* 1760. *Chorgestühl der Stiftskirche St. Gallen,* 1762–68, u. der *Klosterkirche Weingarten.* Ausstattung von *Kloster Salem.*
Lit.: G. Dehio, *Geschichte d. dt. Kunst* 3, 1926. K. Sauer, *Das Werk J. A. F.s* in: Oberrhein. Kunst 6, 1934. W. Boeck, *J. A. F.,* 1948.

Faidherbe, Lucas → Faydherbe, Lucas.

Faistauer, Anton, österr. Maler, Lithograph, Entwurfzeichner für Bühnenbilder u. Bildteppiche, St. Martin b. Lofer 1887–1930 Wien, Schüler der Akad. Wien, tätig in Salzburg u. Wien, schuf Figürliches, Bildnisse, Landschaften, Blumenstücke, Stilleben u. monumentale Dekorationen. Ein Haupｱ

werk sind die *Fresken für die Vorhalle des Salzburger Festspielhauses*, 1927, heute auf Leinwand übertragen. Beisp. s. Bildniskunst: *Porträt Hofmannsthal*, 1928, Wien, Mod. Gal. Vertreten ebda., in München, Staatsgal.; Köln, Wallraf-Richartz; Prag, Gal.; Ulm, Mus. u. a.
Lit.: A. Rössler, 1947. Vollmer, 1955.

Faistenberger, österr. Maler- u. Bildhauerfamilie des 16.–18. Jh., aus Hall in Tirol stammend; bedeutende Mitglieder:
Andreas, Bildhauer, Kitzbühel 1647–1736 München. Bildwerke u. dekorative Arbeiten, meist in Holz, auch in Elfenbein- u. Alabaster; im Stil von der ital. Barockplastik (→ Pozzo, → Bernini) beeinflußt. Sein Schüler war E. Q. → Asam. Mehrere Werke finden sich in Münchner Kirchen: *Kanzel* d. Theatinerkirche, 1686; *Sebastians-Altar* der Frauenkirche; die plastischen Teile des *Hochaltars der St.-Peters-Kirche* u. a. Ferner: *Skulpturen* in der Hofkirche St. Michael in Berg am Laim (München). Alabasterfigur der *Maria Immaculata*, 1709, Roding, Pfarrkirche. *Elfenbeinarbeiten* im Bayr. Nationalmus., München.
Anton, Maler u. Radierer, Salzburg 1663–1708 Wien, in Rom ausgebildeter Barockmeister, haupts. Landschaftsbilder, vertreten in den Mus. v. Wien, Vaduz (Liechtenstein-Slg.), Aschaffenburg, Breslau, Dresden, Innsbruck, Nürnberg, Würzburg u. a.
Joseph, Maler, Salzburg um 1675–1724 ebda., Bruder des Anton → F., schuf wie dieser Landschaften in der Art des S. → Rosa. Vertreten in den Mus. von Wien, Vaduz (Slg. Liechtenstein), im Stift Melk, Erfurt, Hildesheim, Bern u. a.
Simon Benedikt, Maler, Kitzbühel 1695–1759 ebda., Vertreter des österr. Barock, wahrscheinlich Schüler von Anton Gumpp, schmückte zahlreiche Kirchen Nordtirols mit Fresken; in s. Stil von C. D. → Asam u. → Rottmayr beeinflußt. 1720ff. in Kitzbühel. Ausmalung der Kirchen *St. Johann*, 1727; *Kitzbühel*, 1739; *Rattenberg*, 1758.
Lit.: W. Hofmann, 1914.

Falat, Juljan, poln. Maler, Tuliglowy 1853–1929 Bystra, bekannt durch gute Winterlandschaften, bes. in Aquarelltechnik, ausgebildet in Krakau, München u. Rom, vertreten u. a. in Berlin, Nat. Gal.; Krakau, Mus. u. a. poln. Mus.
Lit.: G. Remer in: Th.-B. 1915. A. Kuhn, *Die poln. Kunst*, 1930.

Falck (Falk), Jeremias, dt. Kupferstecher, Danzig um 1610–1677 ebda., stach kraftvolle Bildnisse nach Werken von → Bloemaert, → Tintoretto, → Caravaggio. Tätig in Danzig, Hamburg, Amsterdam, Stockholm.

Falcone, Aniello, ital. Maler, Neapel 1600–1656 ebda., Schüler → Riberas, beeinflußt von → Cara-

vaggio, → Domenichino, vielleicht auch von Niederländern. Malte *Fresken in der Fürstenkapelle von S. Paolo dei Padri Teatini* in Neapel; in der *Sakristei des Gesù Nuovo*, ebda; *Ruhe auf der Flucht*, Sakristei des Domes, ebda. Zugeschrieben werden ihm *Schlachtendarstellungen*, Madrid, Prado u. Neapel, Nat. Mus.
Lit.: F. Saxl in: Th.-B. 1915.

Falconet, Etienne-Maurice, franz. Bildhauer, Paris 1716–1791 ebda., graziöser Rokoko-Bildhauer, dessen feine Kunst bes. im Porzellan, für das er Modelle lieferte, zur Geltung kommt. Schüler von → Lemoyne, 1766–78 in Petersburg, dort *Bronzenes Reiterstandbild Peters d. Gr.*; seit 1778 in Paris als Dir. der Akad. Weitere Werke: *Badende Nymphe* (La Baigneuse), Bronze, Paris, Louvre; auch als Fig. in Sèvres-Porzellan. *Milon u. der Löwe*, 1739, ebda. *Drohender Amor*, ebda. *Pygmaliongruppe*, Leningrad, Eremitage; auch in Biskuitporzellan von Sèvres.
Lit.: G. Pelissier, 1907. E. Hildebrandt, 1908. L. Réau, 1922.

Falconetto, Giovanni Maria, ital. Maler u. Arch., Verona um 1458 bis um 1540 wahrscheinlich Padua, Meister der Frührenaissance, viell. Schüler des → Melozzo da Forlì. Fresken in verones. Kirchen u. Tafelbilder; als Arch. viele Profanbauten in Padua. Sein Freskenstil verrät Einflüsse von → Pisanello, → Mantegna u. der Antike. Auch als Arch. griff er auf die Formen der röm. Antike zurück u. gilt als Wegbereiter der Hochrenaissance.
Freskenwerke: *Fresken* in SS. Nazzáro e Celso, 1493, Verona; im Dom, ebda., 1503; in S. Pietro Martire, ebda., 1514. Tafelbilder: *Madonna mit Heiligen*, Verona, S. Giovanni in Fonte; *Augustus u. die Sibylle*, ebda., Pinac. Weitere Bilder ebda. Bauwerke in Padua: Gartenhäuschen mit Stukkaturen u. Fresken am *Pal. Giustiniani*, 1524. *Säulenportal am Pal. del Capitanio*. Stadttore: *Porta S. Giovanni*, 1528; *Porta Savonarola*, 1530.
Lit.: G. Fiocco, *Le architetture di G. M. F.* in: Dedalo 11, 1931/32. Ders. in: Enc. Ital. 1932.

Falda, Giovanni Battista, ital. Zeichner u. Kupferstecher, Valduggia (Piemont) um 1648–1678 Rom, berühmte Radierungen mit Ansichten von Rom; die Figurenstaffage etwa in der Art → Callots. Einzelblätter u. ganze Folgen. Die bekanntesten Folgen: *Giardini di Roma*, 1670; *Fontane di Roma*, 1675.
Lit.: P. K. in: Th.-B. 1915. P. Kristeller, *Zeichn. v. F.* in: Berliner Mus. 26, 1914/15.

Falguière, Alexandre, franz. Bildhauer u. Maler, Toulouse 1831–1900 Paris, einer der ersten Realisten der franz. Schule des 19. Jh., Schüler von → Jouffroy, Ausbildung 1860–67 in Rom. Führt die Art → Carpeaux' weiter. *Statue des jungen Märtyrers Tarzisius*,

1868, Paris, Luxembourg; zahlreiche Dianen, Nymphen, Bacchantinnen; ferner Büsten u. Standbilder: *Corneille*, 1872, Paris, Comédie Franç. *Lamartine*, 1878, Mâcon. *Hl. Vinzenz von Paul*, 1879, Paris, Pantheon. *Gambetta*, 1884, Cahors. *Bizet*, Opéra Comique, Paris.
Als Maler: Bilder religiöser u. mythol. Stoffe u. bes. auch Landschaften. Am besten vertreten in Toulouse, Mus.; Kopenhagen, Glyptothek; Berlin, Nat. Gal.; in den Mus. v. Antwerpen u. Stockholm; als Maler im Luxembourg-Mus., Paris.
Lit.: L. Bénédite, 1902. H. Vollmer in: Th.-B. 1915.

Falk, Jeremias → Falck, Jeremias.

Fancelli, ital. Familie v. Bildhauern, Arch., Stukkateuren u. a. aus Settignano b. Florenz. Einige der wichtigeren Mitglieder:
Cosimo, Bildhauer, Rom 1620–1688, Schüler → Berninis, dem er in s. Kunst folgte, später mit P. da → Cortona zusammenarbeitend.
Domenico, Bildhauer, Settignano 1469–1519 Zaragoza, vielleicht Schüler des → Mino da Fiesole, um 1508 in Spanien, das. einflußreicher Vertreter der ital. Renaissance. Hauptwerke: *Grabmal des Prinzen Don Juan*, 1512 voll., in S. Tomás zu Avila. *Grabmal Ferdinands u. Isabellas*, 1522, in der Capilla Real zu Granada.
Luca, Arch., Florenz 1430–1495 ebda., der ausführende Baumeister vieler Entwürfe des → Brunelleschi: Bauten in Florenz u. Padua, auch eigene Werke.
Pandolfo, Bildhauer, aus Mantua, * 1526 Pisa, Hochrenaissancemeister ebda.
Lit.: A. Venturi VIII, 1, 1923.

Fansaga (Fanzago), Cosimo, ital. Arch. u. Bildhauer, Clusone b. Bergamo 1591–1678 Neapel, Hauptvertreter des neapolit. Barock, zunächst als Schüler → Berninis in Rom, um 1615 in Neapel, wo er Kirchen u. Paläste baute u. plastische Werke, vor allem dekorativer Art, schuf.
Hauptbauten in Neapel: *Klosterhof von S. Martino*, 1623–31. Kirche *S. Ferdinando*, 1628ff. *S. Giorgio Maggiore*, 1640 ff. *Vorhalle von S. Maria della Sapienza*, 1649. *S. Teresa*, 1652–62. Ferner: *Palast der Donna Anna Carafa*, 1642 ff., Ruine seit 1688. *Pal. Stigliano*, um 1647. Als Bildh.: *Marmorkanzel in S. Maria degli Angeli. Hauptaltar v. S. Domenico da Soriano*, 1639. *Hauptaltar v. S. Domenico Maggiore*, 1652, alle in Neapel u. v. a.
Lit.: Willich in: Th.-B. 1915.

Fantin-Latour, Henri, franz. Maler u. Graphiker, Grenoble 1836–1904 Buré, meist in Paris tätig. Altersgenosse der Impressionisten u. mit ihnen befreundet, ohne daß man ihn selber als einen solchen bezeichnen kann. Als feiner u. sehr wirklichkeits-

getreuer Bildnismaler hat er wertvolle Bildnisse der Impressionisten u. der berühmten Zeitgenossen hinterlassen. Ferner Stilleben u. Blumenbilder. Als Graphiker hat er in feinen Zeichnungen u. namentlich als Lithograph in schwebenden Zwischentönen Stimmungen u. musikalische Eindrücke wiederzugeben versucht.
Werke: Als Porträtist: *Das Atelier in Batignolles* (mit Porträts von Manet, Renoir, Monet, Zola usw.), Paris, Luxembourg. *Un coin de table*, 1872, Paris, Louvre. *La lecture*, Lyon, Mus. Lithographien mit Szenen aus Wagners Opern.
Lit.: L. Bénédite, 1902. Hédiard, *Les lithogr. de F.-L.*, 1906. A. Jullien, 1909. Mme F.-L., *Cat. de l'œuvre complète de F.-L.*, 1911. G. Kahn, 1925.

Farinati, Paolo, ital. Maler, Radierer u. Arch., Verona 1524–1606 ebda., Meister des Manierismus bzw. Frühbarock in Verona, in s. Stil von → Giulio Romano, wohl auch von → Parmigianino u. → Veronese beeinflußt. Zahlreiche Fresken u. Altarwerke für die Kirchen Veronas u. Umgebung. In Verona: *Fresken* in SS. Nazzáro e Celso; in S. Paolo; *Bilder* in: S. Giorgio in Braida; S. Maria in Organo; S. Paolo; S. Anastasia; S. Tommaso; Werke in der Pinac. zu Verona. Ferner: *Darstellung Christi im Tempel*, Dresden, Gal. *Kreuzabnahme*, 1573, Grenoble, Mus.; im Haag (Mauritshuis); Wien (Staatsgal.) u. a.
Lit.: B. Berenson, *The North Ital. painters*, 1907. Haveln in: Th.-B. 1915. G. Fiocco, *Paolo Veronese u. F.* in: Österr. Jb., N. F. 1, 1926. A. Venturi IX, 4, 1929.

Faruffini, Federico, ital. Maler, Sesto S. Giovanni 1831–1869 Perugia, Meister aus dem Kreise der → Cremona u. → Carnevali, suchte wie diese die Farbenglut der alten venez. Malerei in Historienbildern wiederaufleben zu lassen. Der frühverstorbene, freiwillig aus dem Leben geschiedene Meister hat einige reizvolle Werke hinterlassen: *Niljungfrau*, 1865. *Machiavelli u. Borgia*, 1867. *Jugend des Lorenzo de' Medici*, Rom, Gall. d'arte Mod.
Lit.: A. Colasanti in: *Ausst.-Kat.* Pesaro 1923. G. Delogu, *Ital. Malerei*, [3]1948.

Fasolo, Giovanni Antonio, ital. Maler, Vicenza um 1530–1572 ebda. Schüler u. Nachfolger des P. → Veronese, tätig in Vicenza, wo er bibl. u. mythol. Wandfresken, haupts. in Palästen, malte. Ein Hauptwerk der Tafelmalerei: *Der Teich Bethesda*, Venedig, Akad. Werke in Vicenza, Mus. In Dresden, Gal.: *Bildnis einer Venezianerin*.
Lit.: A. Venturi IX, 4, 1929. Ders. in: Enc. Ital. 1932.

Fasolo, Lorenzo, ital. Maler, * Pavia um 1463, † um 1518, in Genua seit 1494 nachweisbar, in der

Lombardei unter dem Einfluß des → Foppa geschult, auch von → Macrino d'Alba beeinflußt. Vertreten in Paris, Louvre.
Sein Sohn *Bernardino* F., * Pavia 1489, war ein leonardesker Maler, stilverwandt mit → Borgognone u. → Bramantino, Einflüsse des → Solario. Vertreten in Paris, Louvre; Berlin, ehem. K.-F.-Mus.; Genua, Akad.; Pavia, Mus.
Lit.: A. Venturi VII, 4, 1915.

Fassbender, Joseph, dt. Maler u. Graphiker, * Köln 1903, ansässig in Bornheim b. Bonn, ausgebildet an den Kölner Werkschulen unter R. → Seewald, gehört zu den führenden abstrakten Malern Deutschlands.
Lit.: Vollmer, 1955. M. Seuphor, *Knaurs Lex. abstr. Mal.,* 1957. *Neue Kunst nach 1945,* hg. v. W. Grohmann, 1958. G. Hassenpflug, *Abstrakte Maler lehren,* 1959.

Fattori, Giovanni, ital. Maler, Livorno 1825–1908 Florenz, Meister des ital. Impressionismus, der Vereinigung der → «Macchiaioli» angehörend. Landschaften, oft mit Hirten u. Tieren, Szenen aus dem militärischen Leben, Genreszenen, Bildnisse. In s. Kunst von → Signorini u. N. → Costa angeregt u., wie sie alle, von den franz. Realisten u. Frühimpressionisten.
Lit.: A. Franchi, 1910. O. Ghiglia, 1913. F. Paolieri, 1925. Soffici, 1921. M. Tinti, 1926. G. Delogu, *Ital. Malerei,* ³1948.

Fanconnier → Le Fanconnier.

Fautrier, Jean, franz. Maler, * Paris 1897, Vertreter der abstrakten Kunst, zur «Ecole de Paris» gehörend.
Lit.: Vollmer, 1955. M. Seuphor, *Dict. peint. abstr.,* 1957. M. Ragon, *L'aventure de l'art abstr.,* 1956. Ders., 1957 (Mus. de poche). *Neue Kunst nach 1945,* hg. v. W. Grohmann, 1958.

Fauves, Les «Fauves», Gruppe von Malern, welche sich erstmals im Pariser Herbstsalon 1905 um → Matisse gruppierte, 1906 im Salon des Indépendants. Sie erregten ärgerliches Aufsehen, vor allem durch das Bild von Matisse *Luxe, calme et volupté* u. wurden von der Kritik mit dem Beinamen «Fauves» (die Wilden) versehen, den sie in der Folge selber als Stilbezeichnung annahmen. Die Stilprinzipien der F.: Sie wandten sich gegen den Impressionismus, gegen illusionist. Tiefenraum u. perspektivische Augentäuschung. Die Mittel ihrer Gestaltung waren: Fläche, Kontur, Farbe; letztere war das Wesentliche. Sie suchten Vereinfachung aller Mittel, vor allem auch die reine Farbe. Ferner: Einklang von Ausdruck u. dekorativer Wirkung. Als das Haupt der F. galt Matisse, der als seine Wegweiser → Gauguin,

van → Gogh u. → Cézanne ansah. Die wichtigsten Mitglieder: → Derain, → Vlaminck, → Dufy, → Marquet, → Friesz, van → Dongen, → Manguin, → Puy, der junge → Braque, → Valtat, → Rouault. Doch verfolgten die einzelnen bald ihre eigenen Wege, von 1907 an begann die kollektive Einheit der Fauvisten zu zerbröckeln zugunsten des erwachenden Kubismus.
Lit.: G. Duthuit, 1949. Knaurs Lex., 1955. J.-E. Muller, *Le Fauvisme,* 1956. L. Zahn, *Kleine Geschichte der mod. Kunst,* 1956. J. Leymarie, 1959 (m. Bibliogr.). L. Vauxcelles, *Le Fauvismne,* 1959.

Favretto, Giacomo, ital. Maler, Venedig 1849–1887 ebda., Schüler von P. → Molmenti an der Akad. Venedig, studierte bes. die venezian. Rokokomaler; er schuf Darstellungen aus Venedig: das Treiben auf der Piazzetta, auf dem Rialto, vor der Markuskirche; oft kleine Genreszenen mit Figuren aus der Rokokozeit; die Farbgebung von duftiger Leichtigkeit. F. hatte bedeutenden Einfluß auf eine ganze Künstlergruppe, welche den Farbenzauber der älteren Venezianer wieder aufleben lassen wollte, u. a. auf → Ciardi.
Werke: *Die Anatomiestunde,* 1878, Mailand, Brera. *Al Liston* (Spaziergang auf dem Markusplatz im 18. Jh.), 1887, Rom, Gall. mod. *Nach dem Bad,* 1884, ebda. *Bildnis s. Vaters,* Venedig, Gall. mod. *Der eingeschlafene Diener,* Berlin, N. G. Werke in den Mus. v. Venedig, Mailand, Rom, London, München, Buenos Aires u. a.
Lit.: Molmenti, 1895. E. Somaré, *Storia della pitt. ital. dell' 800,* I, 1928. Ders., 1943. G. Delogu, *Ital. Malerei,* ³1948.

Faydherbe (Faidherbe), Lucas, niederl. Bildhauer u. Arch., Mecheln 1617–1697 ebda., Hauptmeister der niederl. Barockskulptur, 1636–39 in der Werkstatt → Rubens' in Antwerpen, später in Mecheln, schuf kirchliche Plastiken, Grabmonumente, Reliefs u. baute Kirchen. Der v. Rubens beeinflußte pathetische Barockstil F.s machte Schule in den Niederlanden.
Hauptwerke: In der Kirche *Notre-Dame d'Answyck* in Mecheln, die F. auch selber erbaute, 1673–78; in der Kirche St.-Rombout, ebda.: *Hochaltar* von 1665 u. das *Grabmal des Erzbischofs Cruesen.* In Brüssel: in Ste-Gudule: *Apostelstatuen.* Gut vertreten ist s. Plastik auch im Mus. von Mecheln.
Lit.: M. Libertus, 1938 (holl.).

Fearnley, Thomas, norweg. Maler, Frederikshald 1802–1842 München, studierte in Kopenhagen u. Stockholm, 1829 Schüler von → Dahl in Dresden. 1832–35 in Italien. Effektvolle Landschaften in poetischer Naturauffassung, künstlerisch dem Dresdener Kreis um Dahl zuzurechnen. Beisp.: *Labrufossen; Grindelwaldgletscher,* beide Oslo, Nat. Gal.
Lit.: S. Willoch, 1932 (norweg.).

Fechner, Hanns, dt. Maler, Berlin 1860–1931 Schrei-
berhau. Bildnismaler, Schüler der Berliner Akad. u.
→ Defreggers, begann mit Genrebildern u. wandte
sich dann beinahe ausschließlich dem Bildnis zu:
Porträts von *Virchow, Gerhart Hauptmann, Wilhelm
Raabe, Theodor Fontane* u. a. Sohn des Bildnismalers
Wilhelm F. (1835–1909).
Lit.: E. B. in: Th.-B. 1915.

Feddersen, Hans Peter, dt. Maler, Westers-Schnate-
büll (Holstein) 1848–1925 Düsseldorf, studierte an
der Akad. ebda. unter → Achenbach u. in Weimar.
Landschaften, bäuerliche Innenräume, Bildnisse, in
einem sehr naturalist., dem Impressionismus nahestehenden Stil. Vertreten u. a. in den Mus. von:
Berlin (Nat. Gal.), Breslau, Dresden, Dessau.
Lit.: G. Schiefler, 1913.

Federighi, Antonio, ital. Bildhauer u. Arch., wahrscheinlich Siena um 1420 bis um 1490 ebda., bedeutender Frührenaissanceplastiker in Siena, aus der
Nachfolge des J. della → Quercia, schuf Plastiken u.
dekorative Bildwerke. In s. von Quercia beeinflußten Stil verwandt mit → Neroccio. Hauptwerke:
die 2 reichgeschmückten *Weihwasserbecken* am Eingang des Domes von Siena, 1462–63 (denen ein ein-
facheres im Dom von Orvieto nahe verwandt ist).
3 Heiligenstatuen an der Loggia de'Nobili, Siena, 1456–
63. Relieffiguren ebda.
Lit.: G. De Nicola in: Th.-B. 1907. P. Schubring,
Plastik Sienas im Quattrocento, 1907. A. Venturi VI,
1908 u. VIII, 1, 1923. H. Keller in: W. Pinder-Fest-
schrift, 1938.

Fedi, Pio, ital. Bildh., Viterbo 1816–1892 Florenz,
bedeutender Vertreter des Neubarock, bildete sich
in Wien als Kupferstecher aus, dann als Bildhauer in
Florenz u. Rom, 1846ff. in Florenz tätig. In s. Kunst
zuerst Klassizist, fand sodann den künstlerischen Anschluß an das Barock mit s. Marmorgruppe: *Raub
der Polyxena,* 1865, Florenz, Loggia dei Lanzi (Gegenstück zu G. → Bolognas «Raub der Sabinerinnen», ebda.).

Fedotow, Pawel Andrejewitsch, russ. Maler, Moskau 1815–1852 St. Petersburg. Humorist.-satir. Sit-
tenschilderungen des russ. Kleinbürgertums. In s.
Stil angeregt von → Wilkie, → Hogarth u. der niederl. Genremalerei. Beisp.: *Die Brautwerbung des ver-
schuldeten Majors.*
Lit.: J. Kurzwelly in: Th.-B. 1915.

Fehrle, Jakob Wilhelm, dt. Bildhauer, * Schwäbisch-
Gmünd 1884. Viele Denkmäler u. Brunnen, bes. für
schwäb. Städte. In s. Stil von → Maillol beeinflußt.

Fei, Alessandro, gen. del Barbiere, ital. Maler, Florenz 1543–1592 ebda., von den Florentiner Manieristen, bes. → Vasari, beeinflußt, später von →

Cigoli. Bekanntestes Bild: *Geißelung Christi,* 1566,
Cappella Corsini in S. Croce, Florenz. Weitere Werke
in Kirchen von Florenz, in Fiesole u. a. Städten Toskanas. 3 Werke im Dom von Messina.
Lit.: W. Bombe in: Th.-B. 1915.

Fei, Paolo di Giovanni → Paolo di Giovanni Fei.

Feichtmayr → Faichtmayr.

Feininger, Lyonel, dt.-amerik. Maler, New York
1871–1956 ebda., Meister des Bauhauses Dessau,
Vertreter eines expressiven Kubismus, studierte
1887–91 an der Hamburger Kunstgewerbeschule u.
der Berliner Akad., in den folgenden Jahren in Berlin tätig als Karikaturzeichner für den «Ulk» u. die
«Fliegenden Blätter». 1892–93 in Paris an der Akad.
Colarossi; 1906–07 ebda. Kontakt mit den Kubisten.
1911 lernte er → Delaunay kennen. 1913 stellte er
gemeinsam mit den → «Blauen Reitern» am Berliner
Herbstsalon aus. 1919–1933 lehrte er am Bauhaus
(1919–24 in Weimar; 1925–33 in Dessau), seit 1936
in New York tätig.
F. begann mit Karikaturen in einer skurrilen, fabu-
lierenden Art; später vom Kubismus u. nachhaltig
von Delaunay beeinflußt. Um 1919 hatte er zu s.
eigenen charakteristischen Bildform gefunden: die
sichtbaren Formen in prismatisch gegliederte Gebilde umzusetzen; irreale Farben, wodurch s. Naturausschnitte, meist ragende Architekturen alter Städte
u. Segelschiffe, einen traumhaft visionären Charakter
annehmen. Seine Entwicklung u. Eigenart oft mit
der des J. → Villon verglichen. F. ist gut vertreten
in Köln, Wallraf-Richartz-Mus.; New York, Mus.
of mod. art u. v. a.
Lit.: A. J. Schardt u. A. H. Barr in: *Ausst.-Kat.,*
New York 1944. L. Schreyer, 1957.

Feito, Luis, span. Maler, * Madrid 1929, Haupt-
vertreter der span. Gruppe der «pintura informal»
(→ Tachismus), zus. mit Millares, → Canogar, →
Saura. F. bevorzugt dunkle schwere Farben, raf-
finierte Grau- u. Brauntöne, in einer spielerischen
Modulation von dunklen Übergängen (U. Apollo-
nio).
Lit.: M. Seuphor, *Knaurs Lex. abstr. Mal.,* 1957.
U. Apollonio in: *Neue Kunst nach 1945,* hg. v. W.
Grohmann, 1958. *Documenta II,* Kassel, 1959.

Feke, Robert, amerik. Maler, Oyster Bay (Long
Island) 1724–1769; in Newport, New York, Phil-
adelphia u. a. O. tätiger Porträtist holl. Abstammung.
Lit.: E. v. Mach in: Th.-B. 1915. J. H. Morgan,
Early American painters, 1921. H. W. Foote, 1930.

Feldbauer, Max, dt. Maler, Neumarkt (Oberpfalz)
1869–1948 München, Mitglied der Münchner Künstlervereinigung «Die → Scholle». Bilder mit Moti-

ven aus dem bayerischen Volks- u. Soldatenleben. Geschickter u. humorvoller Illustrator («Jugend») u. Plakatzeichner. In s. Stil an → Trübner anknüpfend. Vertreten in Dresden, Mod. Gal.; München, N. Staatsgal.
Lit.: E. B. in: Th.-B. 1915. Vollmer, 1955.

Felixmüller, Conrad, dt. Maler, * Dresden 1897, Vertreter eines «expressiven Realismus». Werke in den Mus. v. Dresden, Bielefeld, Düsseldorf, Nürnberg, Stuttgart, Ulm, Wiesbaden, Wuppertal, Moskau u. a.
Lit.: H. C. v. d. Gabelentz, *Malerei aus Freude, Malerei als Anklage,* 1948. A. Häberle, *Die Graphik Masereels u. F.s,* 1933.

Fellner, Ferdinand, österr. Arch., Wien 1847 bis 1916 ebda., Vertreter des historisierenden Stils der Gründerjahre, hat vor allem eine große Anzahl Theaterbauten aufgeführt im Stil der Hochrenaissance, später auch in Barock- u. Rokoko. Arbeitete 1872 ff. in Gemeinschaft mit H. Helmer (1849–1919). Werke: *Stadttheater Wien,* 1872. *Volkstheater,* ebda., 1889. *Volkstheater Budapest,* 1874. *Lustspieltheater,* ebda., 1896. Stadttheater von: *Augsburg,* 1876; *Brünn,* 1881; *Reichenberg,* 1881; *Preßburg* u. *Karlsbad,* 1882. *Prag, Dt. Theater,* 1886. *Zürich, Stadttheater,* 1890. *Wiesbaden, Hoftheater,* 1894. *Graz, Stadttheater,* 1899. *Hamburg, Dt. Schauspielhaus,* 1900. Außerdem baute er mit Hellmer die *Sternwarte* in Wien; *Sprudelkolonnade* u. *Kaiserbad* in Karlsbad; Schlösser u. Palais in Wien u. Budapest.

Felsing, Jakob, dt. Kupferstecher, Darmstadt 1802 bis 1883 ebda., Schüler s. Vaters *Johann Konrad* F. (1766–1819) u. von → Longhi in Mailand, stach nach berühmten Gemälden alter Meister u. von Zeitgenossen u. galt als einer der besten Stecher s. Zeit.

Fendi, Peter, österr. Maler u. Graphiker, Wien 1796 bis 1842 ebda., Hauptvertreter der Wiener Genremalerei des Biedermeier neben → Danhauser u. → Waldmüller. Sentimental-elegische oder still-humorvolle Szenen aus dem kleinbürgerlichen Alltag, Anekdoten aus dem Wiener Vorstadtleben, Bildnisse, Radierungen. Beisp.: *Kindliche Andacht,* Wien, Slg. d. Stadt Wien. Vertreten in Wien, Staatsgal. u. Österr. Gal.
Lit.: L. Grünstein in: Th.-B. 1915. R. Hamann, *Dt. Malerei v. Rokoko z. Expression.,* 1925.

Fényes, Adolf, ungar. Maler, Kecskemét 1867–1945 Budapest, Schüler von → Székely in Budapest, studierte auch in Weimar u. Paris (bei → Bouguereau); seit 1901 Mitglied der Szolnoker Künstlerkolonie; schuf Figürliches, Landschaften, Stilleben; zuerst Realist, später vom Impressionismus u. von → Cézanne beeinflußt. Beisp.: *Die Familie,* 1898, Buda-

pest, Mus. *Die Witwe,* 1899, ebda. Weitere Werke in Budapest u. den Gal. von: Weimar, Göteborg, Madrid.
Lit.: K. Lyka in: Th.-B. 1915. Vollmer, 1955.

Feodotow, Pawel → Fedotow, Pawel.

Ferenczy, Karoly, ungar. Maler, * Wien 1862, † 1917 Budapest, stud. in Paris und München, schloß sich der um S. → Hollósy gruppierten Künstlerschaft an, Mitbegründer der Künstlerkolonie in Nagybanya 1896, schuf Landschaften, Figürl., Porträts, große bibl. Zyklen.
Lit.: E. Petrovics, 1923.

Ferguson, William Gowe, schott.-niederl. Maler, * in Schottland 1633, † um 1695. Stillebenmaler, der 1660 nach den Niederlanden kam, sich im Haag, dann in Amsterdam niederließ u. zur Gruppe der Stillebenmaler um W. van →Aelst gehört. Vor allem Bilder mit Jagdgeräten u. toten Vögeln.

Fernandez, Alejo, span. Maler, vielleicht niederl.-dt. Herkunft, * um 1470, † 1543 Sevilla, bedeutender Meister der Schule von Sevilla, gebildet offenbar in den Niederlanden u. in Oberitalien, tätig zunächst in Cordoba, seit 1508 in Sevilla. F. verband in s. Kunst niederl. Einflüsse (Q. → Massys) harmonisch mit venez. Elementen (Giov. → Bellini).
Hauptwerke: In Sevilla: das anmutige Madonnenbild *Virgen de la Rosa* in S. Ana in Triana. Ebda. *Virgen de los Remedios, Anbetung d. Könige, 2 Heilige.* In der Kathedrale: die großen Altartafeln: *Begegnung an der goldenen Pforte. Geburt Mariä. Anbetung der Könige. Darstellung im Tempel,* um 1516. Im Alcázar: *Virgen de los Conquistadores.* In Cordoba, Mus.: *Geißelung Christi* mit dem hl. Petrus u. Stifterfigur. In Zaragoza: Triptychon mit *Abendmahl, Einzug Christi* u. *Ölberg* in der Kathedrale del Pilar.
Lit.: A. L. Mayer in: Th.-B. 1915. D. Angulo, 1946 (span.).

Fernandez, Gregorio → Hernandez, Gregorio.

Fernandez de Navarrete, Juan, gen. el Mudo (der Stumme), span. Maler, Logroño um 1526–1579 Toledo, Hofmaler Philipps II., gehörte ganz der unter dem Einfluß der ital. Renaissance stehenden Richtung an. Seine bedeutendsten Werke: *6 Apostelpaare* in der Kirche des Escorial atmen den klass. Geist der röm. Hochrenaissance u. die Farbenglut Tizians.

Fernkorn, Anton Dominik, dt. Bildhauer, Erfurt 1813–1878 b. Wien, Schüler von → Schwanthaler in München. *Reiterstandbilder des Erzherzogs Karl,* 1860, u. des *Prinzen Eugen,* 1865, in Wien; riesiger *Sandsteinlöwe* für das Schlachtfeld von Aspern u. a.
Lit.: F. Pollak, 1911.

Ferrari (de Ferrari, Deferrari), Defendente, ital. Maler, * Chivasso (Piemont) um 1490, tätig um 1510 bis 1535, Meister der Piemonteser Schule, vielleicht Schüler des M. → Spanzotti u. des → Macrino d'Alba, beeinflußt von Eusebio Ferrari u. der nordischen Kunst (→ Dürer), schuf religiöse Werke für die Kirchen Turins u. des Piemont: *Himmelfahrt Mariä*, 1516, Ciriè, Confraternità del Sudario. *Thronende Madonna*, 1519, ebda., Pfarrkirche S. Giovanni. *Anbetung des Kindes*, 1519, Ivrea, Kathedrale; weitere Werke in Turin, Kathedrale; Dom in Chivasso, Dom in Susa u. v. a. Ferner: Turin, Mus.; Vercelli, Mus. Leone; Mailand, Brera; ebda., Mus. im Castello Sforzesco; Turin, Akad.; Bergamo, Akad. Carrara. Berlin, ehem. K.-F.-Mus.; Stuttgart, Gal.; Oldenburg, Augusteum; London, Nat. Gall.
Lit.: S. Weber in: Th.-B. 1915. A. M. Brizio, *La pittura in Piemonte*, 1942.

Ferrari, Francesco Bianchi → Bianchi-Ferrari, Francesco.

Ferrari, Gaudenzio, ital. Maler, Valduggia (Piemont) um 1480–1546 Mailand, Hauptmeister der piemontes. Malerschule, ausgebildet in Mailand unter dem Einfluß → Bramantinos, → Peruginos u. a., tätig in Varallo, Novara, Vercelli, 1538 ff. in Mailand. In s. Kunst stand F. unter der Einwirkung → Leonardos, doch hat er die Kunstströmungen der Zeit auf sich wirken lassen: die ältere lombard. u. piemontes. Schule, Perugino u. → Raffael, → Correggio, → Signorelli, die Venezianer. Alle Anregungen hat er selbständig verarbeitet u. ein bedeutendes Lebenswerk hinterlassen.
Hauptwerke: die wichtigsten Freskenwerke: *Passionszyklus in S. Maria delle Grazie* b. Varallo, 1507–13. Fresko der *Kreuzigungskapelle des Sacro Monte* b. Varallo (Santuario di Varallo), 1523. *Kuppelfreske der Wallfahrtskirche von Saronno:* Engelkonzert, 1534. *Fresken mit dem Leben Mariä*, Mailand, Brera. Tafelwerke: *Marter der hl. Katharina*, Mailand, Brera. *Kreuztragung* auf dem Hochaltar der Kirche zu Canobbio am Lago Maggiore. *Madonna mit Kind u. Heiligen*, S. Gaudenzio zu Novara, 1514–15. *Vermählung der hl. Katharina*, Collegiata zu Varallo. *Abendmahl* in S. Maria della Passione zu Mailand. Ferner Werke im Dom von Como; in S. Cristoforo zu Vercelli; in der Gal. v. Turin; in Berlin, staatl. Mus.: *Verkündigung Mariä.*
Lit.: G. Colombo, 1881. E. Halsey, 1904 u. 1908. A. Venturi IX, 2, 1926. E. v. d. Bercken, *Malerei d. Renaiss.* (Handb. d. K. W.), 1927. B. Berenson, *Oberital. Maler d. Renaiss.*, 1925. M. Pittaluga, *La pitt. ital. del 500*, 1931. G. Delogu, *Ital. Malerei*, [3]1948.

Ferrari, Gregorio de', ital. Maler, Genua 1644–1726 ebda., genues. Barockmeister, bildete sich in Parma unter dem Einfluß → Correggios, malte in Genua umfangreiche Fresken in Kirchen u. Palästen. Hauptwerke: *Himmelfahrt Mariä*, Deckenfreske von SS. Giacomo e Filippo, Genua. *Triumph des Kreuzes*, Kuppelfresko von S. Croce, ebda., 1720 beg. (von s. Sohn voll.). *Mythol. Fresken* in 3 Sälen des Pal. Brignole-Sale, ebda.

Ferrata, Ercole, ital. Bildhauer, Pelsotto (Como) 1610–1686 Rom, Schüler bzw. Mitarbeiter → Berninis, → Algardis u. → Cortonas, schuf einen der *Engel* der Engelsbrücke in Rom, kirchliche Werke u. Grabmäler.

Ferrer Bassa, span. Maler u. Miniaturist, * um 1290, † 1348, wohl in Barcelona, ebda. im Dienste des aragones. Königshauses, Vorläufer der katalan. Malerschule, wahrscheinlich in Italien ausgebildet; durch ihn fand die ital. Trecentokunst Eingang in Spanien: toskan. Stilelemente (→ Giotto) und solche der Sienesen (→ Martini, → Lorenzetti) geben seiner Kunst im Verein mit span. Realismus eine originelle Note. Hauptwerk: *Wandmalerei im Nonnenkloster zu Pedralbes* bei Barcelona, 1345–46: Darstellungen aus dem Leben Mariä u. der Passion Christi u. Heiligenfiguren.
Lit.: A. L. Mayer in: Th.-B. 1915. M. Trens, 1936 (span.). J. Lassaigne, *La peint. espagn.*, 1952 (Skira).

Ferri, Ciro, ital. Maler, Rom 1634–1689 ebda., Meister des röm. Barock, Schüler des P. da → Cortona, umfangreiche Deckenfresken. Vollendete 1659 ff. die von Cortona unfertig hinterlassenen *Deckenfresken im Pal. Pitti*, Florenz (Sala d'Apollo) u. führte andere nach eigenen Entwürfen aus (Sala di Saturno, 1663–65). Als s. Hauptwerk gelten die *Gewölbefresken mit alttestamentlichen Szenen in der Kirche S. Maria Maggiore zu Bergamo*, 1667 voll.

Ferrucci, Andrea, ital. Bildhauer, Fiesole 1465–1526 Florenz, Vertreter der florent. Renaissanceskulptur. Reliefs am *Taufbrunnen im Dom von Pistoia:* Darstellungen aus der Geschichte Johannes d. T. *Altar im Dom zu Fiesole. Statue des hl. Andreas*, 1512–13, im Dom v. Florenz. *Grabmal mit Büste des Marsilio Ficino*, 1521–22, Florenz, Dom, u. des *Marcello Adriani* († 1521) in S. Francesco al Monte, ebda.

Ferstel, Heinrich v., österr. Arch., Wien 1828–1883 Grinzing b. Wien, Vertreter des historisierenden Stils der 19. Jh., Schüler von → Siccardsburg, van der Null u. Rösner. Baute 1856–79 die *Votivkirche* in Wien in neugot. Stil, später, unter dem Einfluß von → Semper, haupts. im ital. Renaissancestil; Hauptwerk: *Universität Wien*, 1871–84; ferner das *Liechtensteinpalais* u. v. a.

Feselen, Melchior, dt. Maler, * wahrscheinlich in Passau, † 1538 Ingolstadt, Meister aus dem Umkreis von → Altdorfer u. der → Donauschule.

Fetti (Feti), Domenico, ital. Maler, Rom um 1589 bis 1624 Venedig, Meister des venez. Hochbarock, Schüler von → Cigoli, ca. 1613 ff. Hofmaler der Gonzaga in Mantua, seit 1622 in Venedig. F. ging in s. Stil von der → Carracci-Schule aus, von → Caravaggio beeinflußt, von Borgianni u. → Elsheimer für s. kleinen Bilder, später von → Saraceni u. a. Venezianern. Immer aber verblieb er bei s. eigenen Stil der malerischen Schönheit u. der frischen vollen Farben.
Hauptwerke: *Moses vor dem brennenden Dornbusch,* Wien, Kunsthist. Mus. *Die Apostelfolge,* Mantua, Akad. *Speisung der Zehntausend,* ebda. Kleinformatige Bilder: *Tobias,* Dresden, Mus. *Die Arbeiter im Weinberg,* ebda. *Flucht nach Ägypten,* Wien, Kunsthist. Mus. *Der gute Samariter,* New York, Metrop. Mus. Ferner: Dresden, Gal.; Paris, Louvre; Florenz, Pitti-Gal. u. a.
Lit.: R. Oldenbourg, 1921. N. Pevsner, *Malerei d. 17. Jh.* (Handb. d. K. W.), 1928.

Feuchtmair → Faichtmayr.

Feuerbach, Anselm, dt. Maler, Speyer 1829–1880 Venedig, Schüler der Akad. Düsseldorf (→ Schadow, → Schirmer), München (K. → Rahl), war in Antwerpen u. 1851–54 in Paris im Atelier von → Couture; beeinflußt von → Delacroix u. → Courbet; 1855 mit dem Dichter Scheffel in Venedig, 1856–73 in Rom; hier studierte er die röm. Kunst u. die Antike, auch die alten Venezianer u. entwickelte s. eigenen Stil im Ringen um die Darstellung von Themen aus dem Sagenkreis der Medea u. der Iphigenie, mit den von ihm entdeckten Modellen der Nanna (Anna Risi) u. der Lucia Brunacci. 1873 an die Wiener Akad. berufen, vermochte er es nicht, gegen den beliebten → Makart aufzukommen; 1876 zog er sich, nach schwerer Erkrankung, nach Venedig zurück. F. gehört zu den Hauptvertretern der Neuklassik (bzw. Neuromantik) u. des späteren Deutschrömertums. Außer den Historienbildern u. klassischen Zustandsbildern schuf F. Landschaften, Porträts u. Freskenwerke. Seine Stiefmutter Henriette F. gab heraus: «Briefe an s. Mutter», 1911 u. «Ein Vermächtnis», 1882 (spätere Aufl.).
Hauptwerke: aus der 1. Epoche (Einfluß Coutures): *Hafis in der Schenke,* 1852, Mannheim, Kunsth.; *Tod des Aretino,* 1854, Basel, Mus. Aus der röm. Zeit: *Flucht der Medea,* 1867, Berlin; 2. Fassung v. 1869, München, N. P.; *Iphigenie,* mehrere Ex., beste Fassung in Stuttgart, Mus. von 1871; *Urteil des Paris,* 1870, Hamburg, Kunsth.; *Gastmahl des Plato,* 1869, Karlsruhe, Gal.; 2. Fassung v. 1873 in Berlin, staatl. Gal.; *Amazonenschlacht,* 1871, Nürnberg, Mus.; *Titanensturz,* 1879, gr. Deckengemälde für die Aula der Wiener Akad. Landschaft: *Heroische Landschaft,* 1855, Berlin. Porträt: viele *Selbstbildnisse,* u. a. von 1873 u. 1875 in München, N. P. *Henriette Feuerbach,*

1877, Berlin. Hauptwerke auch in d. Schack-Gal., München, u. Kestner Mus., Hannover.
Lit.: J. Allgeyer, 1904. H. Uhde-Bernays, 1911. Ders. 1913 (Klass. d. Kunst). Ders. 1922. Ders., *Beschreib. Kat. sämtl. Gemälde,* 1929. C. Neumann, 1929. K. Quenzel, 1925. L. Zahn, *Im Schatten Apolls,* 1940. H. Bodmer, 1942. E. Waldmann, 1944. U. Christoffel, 1944.

Fiammingo, Pietro → Verschaffelt, Pierre.

Fidus, eig. Hugo Höppener, dt. Zeichner u.Buchschmuckkünstler, Lübeck 1868–1948 Berlin. Vertreter des Jugendstils, Schüler von W. → Diefenbach.
Lit.: W. Spohr, 1902. A. Rentsch, *Fiduswerk,* 1925. G. Forster, 1938.

Fielding, Copley, engl. Maler, East Sowerby b. Halifax 1787–1855 Worthing b. Brighton, bedeutender Aquarellmaler, Schüler s. Vaters, des Bildnismalers *Theodore* F., wandte sich Landschaftsaquarellen zu, mit reizvoller Behandlung der Luft- u. Wasserstimmung. Die Motive fand er auf Studienreisen durch Schottland u. England. Am besten vertreten in London, South Kensington Mus. u. Wallace Coll. Auch s. Bruder *Thales* (1793–1837) war Landschaftsaquarellist.

Fiesole, Fra Giovanni da → Angelico, Fra.

Fiesole, Mino da, eig. Mino di Giovanni, ital. Bildhauer, Poppi (Casentino) 1431–1484 Florenz, bedeutender Meister der florent. Frührenaissance, Schüler von → Desiderio da Settignano, schuf feine Büsten u. Grabdenkmäler. In s. Stil Nachfolger Desiderios, doch verführte ihn s. umfangreicher Werkstattbetrieb oftmals zu handwerksmäßiger Ausübung s. Tätigkeit. Sein Werk ist sehr umfangreich. Zu s. frühesten u. besten Arbeiten gehören 3 Marmorbüsten im Mus. naz., Florenz: *Piero de Medici,* um 1454. *Giovanni de Medici im Harnisch* u. *Rinaldo della Luna,* 1461. Büste des *Lionardo Salutati* († 1466) an s. Grabmal im Dom zu Fiesole, wohl s. originellstes Werk. *Marmoraltar,* ebda., mit Maria das Kind verehrend. *Ausschmückung der Badia* in Florenz: Wandaltar, voll. 1470. Grabmal des Bernardo Giugni, † 1466. Monument des Grafen Hugo, ebda. *Tabernakel zu S. Ambrogio,* Florenz, 1481. Im Mus. naz.: *Medaillonrelief der Madonna.* 2 Reliefs im Dom zu Prato, 1473 (Kanzel). Ferner umfangreiche Tätigkeit in Rom: *Grabmal Papst Paul II. Tabernakel* in S. Marco u. in S. Maria in Trastevere. *Grabmal des Kardinals Forteguerri* in S. Cecilia († 1473). *Grabmal des Cecco Tornabuoni* in S. Maria sopra Minerva. – Werke in Berlin, ehem. K.-F.-Mus. (*Büste Niccolò Strozzi,* 1454) u. a.
Lit.: Angeli, 1904. P. Schubring, 1919. J. Burck-

hardt, *Cicerone*, 1855 (viele Neuaufl.). W. Bode, *Kunst d. Frührenaiss.*, 1923.

Fietz, Gerhard, dt. Maler,* Breslau 1910, Vertreter der gegenstandslosen Malerei, Schüler von → Kanoldt u. → Schlemmer, steht dem Kreis um → Baumeister nahe.
Lit.: G. Hassenpflug, *Abstrakte Maler lehren*, 1959.

Fijt Jan → Fyt, Jan.

Filarete, eig. Antonio di Pietro Averlino (Averulino), gen. F., ital. Bildhauer u. Arch., Florenz um 1400 bis um 1469 Rom, wahrscheinlich Gehilfe → Ghibertis, schuf 1435–45 die *reliefgeschmückte Bronzetür* am Haupteingang von St. Peter, Rom. *Bronzestatuette Mark Aurels*, Dresden, Albertinum. *Silbernes Altarkreuz*, 1449, Bassano, Dom. *Bronzeplaketten*, Wien, Kunsthist. Mus.; Berlin staatl. Mus.; Paris, Louvre. 1451ff. als Baumeister im Dienste des Francesco Sforza in Mailand: *Ospedale Maggiore*, 1451–65. Mit s. «Trattato d'architettura» ist er einer der Theoretiker der Renaissance.
Lit.: W. v. Oettingen, 1888. M. Lazzaroni u. A. Muñoz, 1908. P. Schubring, *Ital. Plastik des Quattrocento*, 1919. Ders., *Cassoni*, 1923. W. Paatz, *Kunst d. Renaiss. in Italien*, ²1954. N. Pevsner, *Europ. Arch.*, 1957.

Fildes, Samuel Luke, engl. Maler, Liverpool 1844 bis 1927 London, Vertreter der Genremalerei, bildete sich auf der Londoner Akad. u. begann als Illustrator von Zeitschriften u. Büchern (Dickens), ging dann zur Genremalerei über, haupts. Szenen aus dem engl. Volksleben, wie: *Die Hochzeit im Dorfe.* Seit 1890 wandte er sich dem Bildnis zu, wobei er an die Tradition des 18. Jh. anknüpfte. Vertreten in der Tate Gall., London (*The Doctor*, 1891).
Lit.: Thomson, 1895.

Filippino Lippi → Lippi, Filippino.

Filippo Lippi → Lippi, Fra Filippo.

Finelli, Carlo, ital. Bildhauer, Carrara 1785–1853 Rom, klassizist., in Rom tätiger Meister, Schüler u. Nachfolger → Canovas. Reliefs, Statuen, Grabmäler u. a. Für den Quirinalspalast schuf er 1812 einen *Fries mit dem Triumphzug Traians.* Werke in Mailand, Brera; Dom zu Novara; Superga b. Turin (*Marmorgruppe des hl. Michael*); Dom zu Urbino (*Statue Raffaels*); Pal. Torlonia, Rom. Zeichnungen in den Uff., Florenz.
Lit.: F. Noack in: Th.-B. 1915.

Finelli, Giuliano, ital. Bildhauer, Carrara 1601 bis 1657 Rom, Hochbarockmeister, Schüler von Pietro

u. G. L. → Bernini, dessen Gehilfe er eine Zeitlang war; dann in Neapel tätig. Seine besten Leistungen in der röm. Zeit unter dem Einfluß Berninis, später verflacht s. Stil. Werke: *Statue der hl. Cäcilie* in S. Maria di Loreto, Rom. *Büste des Kardinals Bandini*, S. Silvestro al Quirinale, ebda.; weitere Werke in röm. Kirchen. *Statuen der Apostel Petrus u. Paulus*, Neapel, Dom. *Bronzestatuen der Schutzheiligen der Stadt*, ebda. Weitere Werke in den Kirchen Neapels.
Lit.: B. C. K. in: Th.-B. 1915. A. E. Brinckmann, *Barockskulptur* (Handbuch d. K. W.), 1919. V. Golzio in: Enc. Ital. 1932.

Finiguerra, Maso, ital. Goldschmied, Florenz 1426–1464 ebda., Gehilfe → Ghibertis, berühmt wegen s. Nielloarbeiten. Galt irrtümlich (nach → Vasari) als Erfinder der Kupferstichkunst.

Finson (Finsonius, Vinson), Louis (Ludovicus), niederl. Maler, Brügge vor 1580–1617 Amsterdam, in der Art des → Caravaggio malend, vielleicht dessen Schüler, tätig in der Provence, wo er Werke für Kirchen schuf, bes. in Aix, Arles u. Marseille: *Auferstehung Christi*, Saint-Jean, Aix-en-Provence. *Marter des hl. Stephanus*, 1614, Arles, Kathedrale. *Ungläubiger Thomas*, 1613, Aix, Kathedrale. Weitere Werke in St-Trophime in Arles, in der Hauptkirche v. La Ciotat b. Marseille; Marseille, Mus.; Neapel, Mus.
Lit.: A. v. Wurzbach, *Niederl. Künstlerlex.*, 1906. A. Bredius in: Th.-B. 1915. J. Combe in: Enc. Ital. 1932.

Fiore, Jacobello del → Jacobello del Fiore.

Fiorenzo di Lorenzo, ital. Maler, Perugia um 1445 bis um 1525 ebda., Hauptvertreter der Frührenaissance in Perugia, wahrscheinlich Schüler des N. → Alunno; in s. Stil von der florent. Kunst abhängig, bes. von → Verrocchio u. → Pollaiuolo, auch von B. → Gozzoli. Seinerseits war er der Lehrer → Pinturicchios u. viell. → Peruginos u. hat ihnen die florent. Eigentümlichkeiten vermittelt. Hauptwerke: *Hll. Petrus u. Paulus*, 1487, Perugia, Pinac. *Anbetung der Hirten*, ebda. *Triptychon mit Jungfrau, Jesuskind u. Heiligen*, um 1483, London, Nat. Gall. *Thronende Madonna, von Engeln u. Heiligen umgeben*, um 1493, Perugia, Pinac. Sehr gut vertreten in der Pinac. v. Perugia.
Lit.: W. Bombe, *Geschichte d. Perug. Malerei*, 1912. Ders. in: Th.-B. 1915. A. Venturi VII, 2, 1913. K. Escher, *Malerei d. Renaiss.* (Handb. d. K. W.), 1922. B. Berenson, *Ital. pict. of the Renaiss.*, 1932. R. van Marle, *Ital. Schools* 14, 1933.

Fiori, Ernesto de, ital. Bildhauer, * Rom 1884, ursprünglich Maler, ging 1911 in Paris unter dem Eindruck der Kunst → Rodins u. → Maillols zur

Bildhauerei über, weitergebildet bei H. → Haller in Zürich, tätig in Berlin, schuf haupts. Aktfiguren u. Bildnisbüsten. In s. Kunst gehört F. zu jener Künstlergeneration, die die Einflüsse Rodins u. Maillols auszugleichen suchte, deren stärkster Exponent → Kolbe war u. zu der Haller, → Albiker, → Sintenis u. a. gehören. Werke: *Soldat*, 1918. *Selbstbildnis*, 1923. *Jack Dempsey, der Boxer*, 1925, Berlin, ehem. Nat. Gal.
Lit.: P. M. Bardi, 1950. C. Einstein, *Kunst d. 20. Jh.*, [3]1931.

Fiorillo, Johann Dominik, dt. Maler u. Kunstschriftsteller, Hamburg 1753–1821 Göttingen. Tätig in Göttingen; Braunschweigischer Hofmaler, 1781ff. Zeichenlehrer, 1784ff. Aufseher der Kupferstichslg. 1799ff. Prof. der Kunstgeschichte an der Universität. Freund A. W. Schlegels u. Lehrer der jungen Romantiker. Von ihm: «Geschichte der zeichnenden Künste», 1798–1808 u. a.

Firenze, Andrea da → Andrea da Firenze.

Firle, Otto, dt. Arch. u. Gebrauchsgraphiker, * Bonn 1889, tätig in Berlin, schuf das *Europa-Haus*, ebda. 1930–31.

Firle, Walter, dt. Maler, Breslau 1859–1929 München, Vertreter der Münchner Schule, Schüler von → Löfftz, tätig in München. Milieuschilderungen, kleine realist. Strand- u. Straßenszenen von Venedig, später beeinflußt auch von J. → Israels. Beisp.: *Morgenandacht in einem holl. Waisenhause*, 1886, Berlin, ehem. Nat. Gal. *Sonntagsschule*, Budapest, Mus. Vertreten in den Mus. v. Breslau, Düsseldorf, Duisburg, Frankfurt, Magdeburg, München, Leipzig, Bremen, Köln u. a.

Fischer, Ferdinand August, dt. Bildhauer, Berlin 1805–1866 ebda., Schüler von → Schadow u. → Rauch in Berlin, tätig ebda., schuf *4 Kriegergruppen* für den Belle-Allianceplatz in Berlin, bekannt für gute Schaumünzen.

Fischer, Hans, schweiz. Maler u. Zeichner, Bern 1909–1958 Interlaken, Schüler von O. → Meyer-Amden, beeinflußt auch von P. → Klee, wandte sich bes. der Tierdarstellung zu. Wandbilder in Schulen, im Flughafen Kloten (Zürich); schwarzweiße u. farbige Zeichnungen u. Buchillustrationen. Illustrierte Fabeln von La Fontaine; Werke von Brentano u. a. – F. signierte seine Werke: fis.
Lit.: H. Kasser, 1959. *Ausst.-Kat.* Zürich 1959. Schweiz. Kstlerlex. 20. Jh.

Fischer, Johann Michael, dt. Arch., Burglengenfeld (Oberpfalz) um 1691–1766 München, Hauptmeister des bayerischen Spätbarock, seit 1716 in München tätig. Seine Kunst bildet den großartigen Abschluß des bayerischen Barockkirchenbaus, dessen Tendenz nach einem lichterfüllten Einheitsraum er am vollkommensten erfüllt. In s. letzten Meisterwerk, der *Benediktinerkirche Rott am Inn*, 1759–62, entstehen reiche Durch- u. Einblicke, so daß die festen Raumgrenzen sich lösen u. fließend werden. Sein etwas früheres Meisterwerk, an welchem auch andere bauten, dem aber er die Prägung gab, die *Benediktinerkirche Ottobeuren*, 1744 ff., gilt nicht nur als eine der ersten Leistungen des Barock, sondern als einer der vornehmsten dt. Kirchenbauten aller Zeiten (Dehio). Weitere Meisterwerke sind: *St. Anna am Lehel*, München, 1727. *Kirche von Dießen*, 1732–39. *Klosterkirche Zwiefalten*, 1738–65. *St.-Michaels-Kirche in Berg am Laim* (München) 1759–62.
Lit.: A. Feulner, 1922. G. Dehio, *Geschichte d. dt. Kunst* 3, 1926. Ders., *Hb. d. dt. Kunstdenkm.* 3, 1908 (Neuausg. v. E. Gall, 1935f.). P. Heilbronner, 1933. E. Hempel in: Bruckmanns dt. Kunstgesch., 1942 ff. N. Pevsner, *Europ. Architektur*, 1957.

Fischer, Martin, österr. Bildhauer, Bebele b. Hopfen im Allgäu 1741–1820 Wien, klassizist. Bildhauer aus der Nachfolge F. R. → Donners, schuf zahlreiche Brunnenfiguren in Wien, ferner Statuen, Marmorbüsten, Grabmäler. *Mosesbrunnen* in Wien, 1798. *Brunnen der Hygieia*, ebda. *Mucius Scaevola*, Gartenfigur in Schönbrunn, 1778. *4 Evangelistenfiguren* auf dem Hochaltar der Michaelerkirche, Wien, 1781.
Lit.: E. T.-C. in: Th.-B. 1916.

Fischer, Theodor, dt. Arch., Schweinfurt 1862 bis 1938 München, zu s. Zeit führender Baumeister, Mitarbeiter von → Wallot (am Reichstagsbau in Berlin) u. G. v. → Seidl in München, Prof. an der T. H. München, dann Stuttgart, 1908ff. wieder in München. Schuf mit der *Evang. Garnisonkirche in Ulm*, 1911, einen beachtlichen Typus der modernen prot. Kirche; mit der *Universität in Jena*, 1908, einen modernen Universitätsbau; mit den *Pfullinger Hallen* in Reutlingen, 1908, einen Typus des großen, aber schlichten Volkshauses; war auch in Fragen des Städtebaus maßgebend. Weitere Bauten: *Bismarck-Denkmal* am Starnberger See, 1897. *Erlöserkirche*, München, 1899–1901. Schulen u. Brücken in München. *Erlöserkirche*, Stuttgart, 1907. *Kunstgebäude*, Stuttgart, 1909–11. *Landesmuseum*, Kassel, 1909–12. *Stadttheater*, Heilbronn, 1912 u. a.
Lit.: H. Karlinger, 1932. W. Fleischhauer, J. Baum, St. Kobell, *Die schwäb. Kunst im 19. u. 20. Jh.*, 1952.

Fischer v. Erlach, Johann Bernhard, österr. Arch., Graz 1656–1723 Wien, Hauptmeister des österr. Hochbarock, 1682–86 in Italien, dann Hofbaumeister in Wien, wo er eine reiche Tätigkeit entfaltete.

Seine Baukunst versuchte viele Stilrichtungen zusammenzufassen; sie war → Bernini verpflichtet, ganz bes. aber → Borromini; auch stand sie dem franz. Barock offen u. wurde von deren Klassizismus später mehr u. mehr beeinflußt. Von s. gelehrten Studien aller hist. Bauwerke legt das Kupferstich-Prachtwerk F.s «Entwurf einer histor. Architektur», 1721, Zeugnis ab. Werke: Hauptwerk ist die *Karl-Borromäus-Kirche* in Wien, beg. 1716 (voll. 1737 von → Martinelli). Weitere Kirchenbauten: *Dreifaltigkeitskirche* in Salzburg, 1694. *Kollegienkirche*, ebda., 1696–1707. Hauptwerke der weltlichen Bauten in Wien: *Palais Schwarzenberg*, 1710 ff.; die *Reichskanzlei*, 1728 ff. (Ausführung wesentlich durch F.s Sohn Josef Emanuel bestimmt). Die *Hofbibliothek*, 1722 ff. (Ausführung wesentlich durch Josef Emanuel F. bestimmt.) *Winterpalais des Prinzen Eugen*, 1696 ff. *Palais Trautson*, 1710 ff. *Böhm. Hofkanzlei* (Ministerium d. Innern), 1711 ff. – In Prag: *Pal. Clam-Gallas*, 1707 ff. Ferner: *Lustschloß Clesheim* für den Erzbischof von Salzburg, um 1700; Entwurf für *Schloß Schönbrunn*, um 1700; Entwürfe für die *Hofburg* in Wien, u. v. a.
Lit.: A. Ilg, 1895. H. Sedlmayr, 1925. Ders., *Österr. Barockarchitektur*, 1930. Ders., 1956. G. Kunoth, *Die hist. Arch. F. v. E.s*, Krit. Ausg. in: Bonner Beiträge z. Kunstw. 5, 1956. H. Sedlmayr in: Kunst u. Wahrheit, 1958 (über die Karlskirche). H. Hager, *Bauten d. dt. Barocks*, 1942. G. Dehio, *Geschichte d. dt. Kunst* 3, 1926. N. Pevsner, *Europ. Architektur*, 1957.

Fischer v. Erlach, Josef Emanuel, österr. Arch., Wien 1693 – 1742 ebda., Sohn u. wohl auch Schüler Johann Bernhard → F.s, war an vielen Werken s. Vaters mitbeteiligt; manche führte er selbständig weiter, wie die *Reichskanzlei* in Wien; ganz selbständig die *Hofreitschule*, ebda., um 1730. Er führte die dem franz. Klassizismus sich nähernde Spätrichtung des Stiles s. Vaters weiter. Einen Band: «Prospekte u. Abrisse einiger Gebäude von Wien», gab er 1713 f. heraus.
Lit.: Th. Zacharias, 1960.

Fisher, Edward, engl. Kupferstecher, Dublin 1722 bis um 1785 London, Meister der Schabkunst; hervorragende Blätter mit Wiedergaben von Gemälden von → Reynolds.

Fisher, Mark, engl.-amerik. Landschaftsmaler, * Boston 1841, † 1923, Schüler von G. → Innes u. →' Gleyre in Paris, das von → Corot beeinflußt; seit 1872 in England tätig. Um 1877 schloß er sich den Impressionisten an. Beisp.: *Badende Knaben*, Dublin, Mus. Vertreten in vielen engl., ferner in austral. Mus.

Fitger, Arthur, dt. Maler, Delmenhorst 1840–1909 Bremen, auch Dramendichter. Dekorative Wand-

malereien, haupts. in Bremen, wie die des *Ratskellers*, ebda., 1876–77. In s. Stil von → Genelli u. → Makart beeinflußt.

Fjaestad, Gustav, schwed. Maler u. Kunstgewerbler, Stockholm 1868–1948 Arvika. Landschaften aus Schweden, vorzugsweise Winterbilder, Schüler von → Liljefors u. → Larsson, ab 1898 in Arvika tätig, schuf auch Kartons für Teppiche u. Gobelins; Entwürfe für Möbel, Leuchter u. a. Werke in Stockholm, Nat. Mus.; Göteborg, Kopenhagen; Wien, Mod. Gal.; Rom, Mod. Gal; Chicago, Art Inst. u. a.
Seine Gattin *Maja*, geb. Hallén, * Hörby 1873, malte Bildnisse, Landschaften u. führte Gobelins u. Holzschnitzereien nach Entwürfen ihres Mannes u. eigenen aus.
Lit.: G. N. in: Th.-B. 1915. Vollmer, 1955.

Flamen (Flaman, Flamand), Albert, franz. Kupferstecher des 17. Jhs., angeblich aus Brügge, tätig in Paris 1648–69. Er schuf über 600 Blätter, in denen er Ätzkunst mit Stichel- und Kaltnadelarbeit verband. Außer religiösen Stoffen: Motive aus dem Tierleben; Ansichten von Paris; Schlachten u. hist. Szenen. Zeichnungen in der Albertina, Wien; Brit. Mus., London.

Flameng, Auguste (Marie-Auguste), franz. Maler, Jouy-aux-Arches b. Metz 1843–1893 Paris, Landschafter u. bes. Marinemaler, vertreten in den Mus. v. Grenoble, Mülhausen, Nancy, Rouen, Toul u. a.

Flameng, François, franz. Maler, Paris 1856–1923 ebda., Sohn von Léopold → F., Schüler → Cabanels. Szenen aus der großen Revolution u. der Zeit Napoleons. Dekorative Wandmalereien in der *Sorbonne*, 1887–88 u. in der *Opéra Comique*. Vertreten im Luxembourg-Mus., Paris; mehreren franz. Mus., in Lüttich; Sydney; Chicago, Art Inst.

Flameng, Léopold, franz. Radierer u. Kupferstecher, Brüssel 1831–1911 Courgent b. Mantes, Schüler → Calamattas, 1853 ff. in Paris, radierte nach alten Meistern u. Zeitgenossen. Graph. Gesamtwerk über 800 Blätter.

Flandrin, Hippolyte, franz. Maler, Lyon 1809 bis 1864 Rom, Hauptmeister kirchlicher Wandmalerei d. 19. Jh., 1829 ff. Schüler von → Ingres in Paris, bildete sich in Rom weiter, 1838 ff. in Paris tätig. Klassizist. geschult; unter dem Einfluß der alten Italiener nahm er sich vor, – in einer den dt. Nazarenern gleichgerichteten Bestrebung – die monumentale Kirchenmalerei zu erneuern. Seine Technik war die Wachsmalerei. Außerdem religiöse u. a. Tafelbilder sowie Porträts. Freskenwerke: Hauptwerk die Malereien in *Saint-Germain-des-Prés*, Paris,

1842–46 u. 1856–61. Ferner: *Saint-Séverin*, 1840–41; *Saint-Vincent-de-Paul*, 1849–53, beide in Paris. *Saint-Paul* in Nîmes, 1847–49 (gemeinsam mit Paul → F., P. Balze u. L. Lamothe). Tafelbilder: *Jüngling am Meer*, 1853, Paris, Louvre. *Euripide*, Lyon, Mus. *Der hl. Clarus heilt die Blinden*, 1837, Nantes, Kathedrale. *Jesus segnet die Kindlein*, Lisieux, Mus. Lit.: H. Delaborde, *Lettres et pensées de H. F.*, 1865. L. Flandrin, ²1909 (mit Werkverz. u. Bibliogr.).

Flandrin, Paul, franz. Maler, Lyon 1811–1902 Paris, Bruder von Hippolyte → F., besuchte mit diesem das Atelier von → Ingres u. Rom, wo er sich der Landschaftsmalerei zuwandte. Er schloß sich dem klass. franz. Landschaftsstil an; auch guter Porträtist. In vielen franz. Mus.

Flannagan, John Bernard, amerik. Bildhauer, Woburn (Mass.) 1898–1942 New York, tätig in New York u. Woodstock, 1930–33 in Irland, arbeitete haupts. Tierplastiken in Sandstein u. Granit. F. ging auf starke Stilisierung, auf Zusammenballung der Form aus. Vertreten in amerik. Mus.; ferner in Dublin, Nat. Gall. Lit.: J. Mellquist, *Die amerik. Kunst d. Gegenw.*, 1942. D. C. Miller in: *Ausst.-Kat. Mus. of mod. art*, New York, 1942.

Flaxman, John, engl. Bildhauer u. Zeichner, York 1755–1826 London, bedeutender Meister des engl. Klassizismus, Schüler von Stothard u. → Blake, 1775–87 in der Porzellanmanufaktur Etrura von Wedgwood tätig, 1787–94 in Rom, 1800 Mitglied, 1810 Prof. der Akad. London. Er gehörte zu den ersten Bildhauern, die, angeregt von Winckelmann, sich bemühten, im antik-klass. Stil u. Geist zu arbeiten. Größere Wirkung als mit s. oft gedanklich überladenen Bildwerken übte er mit s. Entwürfen zu Gefäßen, Vasen u. Schalen der Steingutmanufaktur Wedgwood aus. Berühmt u. von großem Einfluß auch s. von griech. Vasenbildern angeregten Umrißzeichnungen zu Homer, Aeschylos u. Dante. Hauptwerke: in London: *Grabmal Nelsons*, Paulskathedrale; *Denkmal Lord Mansfield*, Westminster; *Standbilder Joshua Reynolds u. Adam Howes*, Paulskathedrale. Umrißzeichn. zur *Odyssee*, 1793; zur *Ilias*, 1795; zu *Dante*, 1793. Gipsabgüsse s. Werke, Skizzen u. Zeichn. in der Flaxman Hall des University College, London; Zeichn. zu Aeschylos, zur Ilias u. Odyssee in der Kunstakad., ebda. Lit.: W. G. Constable, 1927. J. Gorely, *F.s Work for Wedgwood in Antiques*, 1955.

Flegel, Georg, dt. Maler, Olmütz 1563–1638 Frankfurt, wohl der früheste Vertreter der Stillebenmalerei in Deutschland, begann als Landschafter, kam mit den Flamen der «Frankenthaler Schule» zusammen, arbeitete eine Zeitlang mit L. → Valcken-

borch zus. in Frankfurt u. wandte sich schließlich ganz dem Stilleben im Sinne der Niederländer zu, in einer sachlich-nüchternen aber gerade dadurch reizvollen Art. Er malte Früchte, Blumen, Insekten, Fische, Tafel- u. Küchengerät; auch einige Porträts. Beisp.: *Stilleben*, 1589, Kassel, Gal. *Nächtliches Stilleben mit Kerze*, Karlsruhe, Gal. Werke in den Gal. v. Aschaffenburg, Augsburg, Bonn, Darmstadt, Frankfurt, Gotha, Kassel, Karlsruhe, Köln, München, Nürnberg, Stettin, Stuttgart u. a. Lit.: W. J. Müller, 1956. O. Fischer, *Geschichte d. dt. Malerei*, 1942.

Flémalle, Meister v., niederl. Maler, tätig um 1410 bis 1440, Hauptmeister der frühen niederl. Malerei, gen. nach s. Hauptwerk, den angeblich aus der Abtei Flémalle b. Lüttich stammenden Altartafeln. Früher auch *Meister des Merode-Altars* gen. nach s. 2. Hauptwerk, welches aus der Slg. Merode stammt. Die Abgrenzung dieses Meisters gegen andere, seine Lokalisierung, Datierung, Identifizierung bieten vielerlei Probleme. Früher vielfach als Schüler van → Eycks angesehen, auch heute noch von einigen Forschern mit dem jungen Rogier v. d. → Weyden identifiziert, wird er jedoch von der Mehrzahl der Gelehrten mit *Robert Campin*, tätig in Tournai, † 1444 ebda., dem urkundlich bekannten Lehrer Rogiers v. d. Weyden u. des J. → Daret gleichgesetzt. – In s. Stil findet sich eine gewisse Verwandtschaft mit den v. Eycks, die aber wohl eher aus der gemeinsamen Herkunft von der Buchmalerei am burgund. Hofe (Brüder → Limburg) zu erklären ist. Ferner Einflüsse von den am burgund. Hofe tätigen J. → Malouel u. → Bellechose sowie des Bildhauers C. → Sluter. In der letzten Phase s. Kunst ist er seinerseits von Rogier v. d. Weyden beeinflußt worden. Der Charakter seiner Werke stark religiös, sehr realistisch in allen Einzelheiten, weit mehr «bürgerliche» Kunst als die der Brüder v. Eyck. Seine Werke zeigen eine hohe techn. Vollendung, eine raffinierte Koloristik. Sein Einfluß war überaus groß, sowohl auf Rogier v. d. Weyden u. die spätere niederl. Kunst als auch auf die franz. Kunst des 15. Jh. Hauptwerke: *3 Altartafeln* (welche ihm den Namen gaben) mit der Madonna, der hl. Veronika u. der Dreifaltigkeit, Frankfurt, Städel. Seiner frühen Stilstufe werden zugeordnet: *Das Merode-Triptychon*, New York, Metrop. Mus., mit Verkündigung, Stifterpaar u. Joseph in der Werkstatt. *Madonna im Zimmer*, London, Nat. Gall. Der mittleren Stilstufe zugehörig: s. Hauptwerk in Frankfurt, sowie ein weiteres Hauptwerk: *Kreuzabnahme*, welches nur in einer kleinen Kopie erhalten ist (Liverpool, Royal Inst.), von dem aber ein Bruchstück, *Der böse Schächer am Kreuz*, Frankfurt, Städel, erhalten ist. *Thronende Madonna mit Heiligen u. Stiftern*, Aix-en-Provence, Mus. *Vermählung u. Verkündigung Mariä*, Madrid, Prado.

Der letzten Stilstufe: 2 *Altartafeln* (sog. *Werl-Altar*) mit Johannes d. T. u. d. Stifter, Heinrich v. Werl, u. Hl. Barbara, dat. 1438, Madrid, Prado. *Kreuzigung*, Berlin, staatl. Mus. Weitere Werke in Dijon, Leningrad, Berlin; Philadelphia, Slg. Johnson. Lit.: F. Winkler, *Der M. v. F. u. Rogier v. d. Weyden*, 1913. Ders., *Altniederl. Malerei*, 1924. M. J. Friedländer, *Altniederl. Malerei* 2, 1924 u. 14, 1937. A. Schmarsow, *Robert v. d. Kampine u. R. v. d. Weyden*, 1928. Renders, *La solution du problème v. d. Weyden-F. Campine*, 1931. Ch. de Tolnay, *Le maître de F. et les frères v. Eyck*, 1939. F. Winkler in: Th.-B. 1950.

Flers, Camille, franz. Maler u. Pastellzeichner, Paris 1802–1868 Annet, Meister frischer realist. Landschaftsschilderungen, die er vor der Natur malte. Er schloß sich den alten Niederländern an u. gehört – wie etwa P. → Huet u. L. → Cabat – zu den Erneuerern der franz. Landschaftsmalerei u. den Vorläufern der Schule von → Barbizon. Werke in Paris, Louvre; in den Mus. v. Le Puy, Châlon-sur-Saône, Orléans, Béziers u. a.

Fleury, Tony Robert → Robert-Fleury, Tony.

Flickel, Paul, dt. Landschaftsmaler, Berlin 1852 bis 1903 Nervi, ausgebildet in Weimar u. Düsseldorf, tätig in Berlin. Italienische Landschaften, später vor allem Landschaften aus Norddeutschland. Beisp.: *Buchenwald bei Prerow*, Berlin, Nat. Gal. *Villa Borghese in Rom*, 1877, Erfurt, Mus.

Flinck, Govaert, niederl. Maler, Cleve 1615–1660 Amsterdam, einer der bedeutendsten Schüler → Rembrandts, dem er in s. bibl. Gemälden sehr nahekommt. In s. späteren Zeit haupts. Bildnismaler bei gleichzeitiger Aufhellung der Palette. Hauptwerke: *Isaak segnet Jakob*, Amsterdam, Rijksmus. u. München, A. P. *Verstoßung der Hagar*, Berlin, staatl. Mus. *Verkündigung an die Hirten*, Paris, Louvre. Berühmtestes Bildnisgemälde: *Schützenfest zu Feier des Westfäl. Friedens*, 1648, Amsterdam, Rijksmus. Lit.: W. Bernt, *Niederl. Maler d. 17. Jh.*, 1948.

Flindt (Flint, Flynt), Paul, dt. Goldschmied u. Kupferstecher, tätig 2. Hälfte 16. Jh., † Nürnberg um 1620; von W. → Jamnitzer beeinflußter Nürnberger Meister der Hochrenaissance, entwarf, zeichnete u. stach Ornamentstiche für Pokale, Becher, Kannen; verbreitete als Kupferstecher die «gepunzte» Manier (Punzstich), bei welcher die Linien durch eingeschlagene Punkte ersetzt werden. Er gab 1592 eine Folge von 8 Blättern mit Vorlagen für Vasen heraus; 1593 eine Folge von 36 Blättern mit Vorlagen für Silberarbeiten; 1594 eine Folge mit Gefäßen; im ganzen gibt es von ihm über 200 Blätter. Lit.: Th. Hampe in: Th.-B. 1916.

Flötner, Peter, schweiz.-dt. Kleinbildner, Ornamentzeichner, Kunsttischler u. Holzschneider, im Thurgau (Schweiz) ca. 1490–1546 Nürnberg, wo er ab 1522 tätig war. Er schuf Modelle für Plaketten, eine Gattung, die er in Italien studierte; er verbreitete damit das Formengut der ital. Renaissance. Am glücklichsten bekundet sich s. Talent in s. dekorativen Entwürfen, die er im Holzschnitt veröffentlichte. Die Plaketten dienten als Vorlagen für Keramik u. Metallarbeiten. *Holzdekoration im Hirschvogelsaal*, 1534, Nürnberg. *Dekoration des Tucherhauses*, 1533–44, ebda. *Holzschuherschrank*, 1541, Nürnberg, German. Mus. *Plaketten* aus Blei, Berlin, staatl. Gal. Lit.: K. Lange, 1897. Leitschuh, *Das Plakettenwerk F.s*, 1904. Röttinger, *F.s Holzschnitte*, 1916. E. F. Bange, *F.s Holzschnitte*, 1926. Ders., *Die Handzeichn.* in: Preuß. Jb. 57, 1936. G. Dehio, *Gesch. d. dt. Kunst* 3, 1926 ([4]1934).

Floris, Cornelis, niederl. Bildhauer, Arch. u. Zeichner, Antwerpen 1514–1575 ebda., Hauptmeister der niederl. Baukunst u. Dekoration, wahrscheinlich um 1540–44 mit s. Bruder Frans → F. in Italien, tätig haupts. in Antwerpen. Als Ornamentiker führte er die röm. Groteske in den Niederlanden ein, als Baumeister schuf er mit dem *Rathaus von Antwerpen* einen neuen maßgebenden Bautypus: Verbindung von Renaissance-Palastfassade u. nord. Giebelhaus; als Plastiker hatte er einen regen Werkstattbetrieb, aus dem viele Epitaphien u. Grabmäler hervorgingen. Hauptwerke: Grabmäler: *Denkmal Herzog Albrechts I.*, voll. 1572, Königsberg, Dom (nach röm. u. venez. Hochrenaissancegräbern, 11 m hoch u. 12 m breit). *Freigrab des Königs Friedrich I.*, voll. 1552 (nur Arch.-Formen u. Großplastik in schwarzem u. buntem Marmor). *Lettner der Kathedrale von Tournai*, 1572. Baukunst: *Rathaus in Antwerpen*, 1561–1565. Lit.: R. Hedicke, 1913.

Floris, Frans, eig. de Vriendt, niederl. Maler, Radierer u. Zeichner für den Holzschnitt, Antwerpen 1516–1570 ebda., Hauptmeister des niederl. «Romanismus» u. Bruder von Cornelis → F., Schüler des L. → Lombard in Lüttich, abgesehen von einer Italienreise, 1540 ff., in Antwerpen tätig. In Italien eignete er sich den Stil der Manieristen, der Nachahmer → Michelangelos (→ Vasari usw.) an u. führte zugleich die Bestrebungen → Scorels weiter. Aus s. Werkstatt – er hatte zahlreiche Schüler – gingen viele u. ungleiche Werke hervor; die besten sind voller kühner u. origineller Einfälle. Hauptwerke: *Der Engelsturz*, 1554, Antwerpen, Mus. *Der hl. Lukas*, 1556, ebda. *Der Falkenjäger* u. *Die Frau des Falkenjägers*, beide 1558, Braunschweig, Mus. *Die hl. Familie*, Brüssel, Mus. *Das Mahl der Meergötter*, 1561, Stockholm, Nat. Mus. Lit.: Winkler, *Altniederl. Malerei*, 1924. D. Zuntz,

1929. G. Glück, *Kunst d. Renaiss. in Deutschl., den Niederlanden usw.* 1928.

Flüggen, Gisbert, dt. Maler, Köln 1811–1859 München, Schüler der Düsseldorfer Akad., seit 1835 in München, malte Genrebilder mit realist. sorgfältig gemalten Einzelheiten.

Flüggen, Joseph, dt. Maler, München 1842–1906 ebda., Sohn von Gisbert → F., Schüler von → Piloty, in dessen Art er Historienbilder malte.

Förster, Emil, österr. Arch., Wien 1838–1909 ebda., Meister des historisierenden Stils des 19. Jh., führte die florent. Renaissance in die Wiener Baukunst ein. Er baute u. a. das *Ringtheater* in Wien, 1872–73 (abgebrannt 1881). Sohn von Ludwig → F.

Förster, Ludwig, österr. Arch., Bayreuth 1797–1863 Gleichenberg (Steiermark), gründete in Wien die Schule der hist. gerichteten Architektur, die um die Mitte des 19. Jh. dem Wiener Stadtbild das Gepräge gab.

Fogelberg, Bengt Erland, schwed. Bildhauer, Göteborg 1786–1854 Triest, Meister des schwed. Klassizismus, ausgebildet in Stockholm, Paris u. Rom, das 1820ff. unter dem Einfluß → Thorwaldsens. Klass.-mythol. Skulpturen, dekorative Arbeiten, Medaillons, Porträts; wandte sich später unter dem Einfluß der Romantik der Darst. nord. Gottheiten zu. Hauptwerke: *Denkmäler Gustav Adolfs,* Göteborg u. Bremen. *Denkmäler Karls XIII., Karls XIV. Johan,* Stockholm. *Monumentalskulpturen nord. Gottheiten* (Odin, Thor, Baldr), Stockholm, Nat. Mus. Werke in Göteborg, Mus.; Helsinki, Athenäum.
Lit.: C. Leconte, 1856. J. Böttiger, 1880. G. Nordensvan in: Th.-B. 1916.

Fogolino, Marcello, ital. Maler u. Kupferstecher, wahrsch. aus dem Friaul, nachweisbar 1519–1548, beeinflußt von → Montagna, → Buonconsiglio, → Pordenone u. a. Beteiligt an der Ausschmückung des Castello del Buonconsiglio in Trient, schuf kirchl. Werke (Pordenone, Kathedrale), zugeschrieben die Ausschmückung des Colleoni-Schlosses zu Malpaga b. Bergamo. Vertreten in den Mus. v. Mailand, Poldi-Pezzoli; Venedig, Akad.; Verona, Vicenza, Bergamo; Berlin, ehem. K.-F.-Mus.; Den Haag, Mauritshuis u. a.
Lit.: Gronau in: Th.-B. 1916. B. Berenson, *Venetian Schools* I, 1957 (Phaidon).

Fohr, Karl Philipp, dt. Maler, Heidelberg 1795–1818 Rom, die hoffnungsvollste Begabung der dt.-röm. Landschaftsmalerei, ertrank ganz jung im Tiber. Erste Ausbildung in Heidelberg u. Darmstadt, kurze Zeit Schüler der Münchner Akad., 1813 in Oberital.,

1816ff. in Rom, wo er sich dem Kreise der → Nazarener anschloß u. Landschaften im Stil → Kochs malte. Hauptwerke: *Landschaft mit Hirten,* 1818, Darmstadt, Schloßmus. *Die dt. Künstler im Café Greco,* Frankfurt, Städel. Aquarelle u. Zeichn. in Heidelberg, Frankfurt, Darmstadt, Dresden.
Lit.: Ph. Dieffenbach, 1823. Graf K. v. Hardenberg u. E. Schilling, 1925. H. Hildebrandt, *Kunst d. 19. u. 20. Jh.,* 1924 (Hb. d. K. W.). W. R. Deusch, *Malerei d. dt. Romantiker,* 1937.

Foltz, Ludwig, dt. Arch. u. Bildhauer, Bingen 1809 bis 1867 München, Schüler von → Schwanthaler, restaurierte Schlösser u. Kirchen u. schuf dekorative Bildwerke für die Frauenkirche in München.

Foltz, Philipp v., dt. Maler, Bingen 1805–1877 München, Bruder von Ludwig → F., Schüler von → Cornelius, malte Wand- u. Deckenbilder in München, Ölgemälde für das Maximilianeum u. a.

Fontaine, Pierre-François-Léonard, franz. Arch., Pontoise 1762–1853 Paris, mit → Percier Schöpfer des Empirestils in vielen Einzelheiten, 1786–92 in Rom, 1793 in England, wo er die Werke R. → Adams studierte, 1794–1814 in Gemeinschaft mit Percier tätig; beide traten in den Dienst Napoleons u. begannen Erneuerungsarbeiten am Louvre, am Tuilerienpalast u. an den königl. Schlössern. Hauptwerk: *Arc de Triomphe du Carrousel,* 1806–07, nach dem Vorbild des Septimius-Severus-Bogens, Rom. Mit Percier: «Recueil de décorations intérieures», 1812. In der Innenarchitektur haben sie die Strenge des pompejan. Stils auf den Hausrat übertragen.
Lit.: M. Fouché, *Percier et F.,* 1904. G. Pauli, *Kunst d. Klassizism. u. d. Romantik,* 1925.

Fontainebleau, Schule v. F., Gruppe von ital.-franz. Malern u. Dekorateuren des 16. Jh., deren führende Meister → Rosso u. → Primaticcio, die von Franz I. nach dem Schloß F. berufen worden waren, um es auszuschmücken. Zu ihnen gesellte sich Niccolò dell' → Abbate u. franz. Künstler, welche unter ihrem Einfluß standen. Dieser vom ital. Manierismus herkommende Stil hat großen Einfluß auf die franz. Kunst ausgeübt.
Mit der *2. Schule von F.,* mit Ambroise Dubois aus Antwerpen (1543–1614), Toussaint → Dubreuil (um 1561–1602) u. Martin → Freminet (1567–1619) dringt der sog. Romanismus in der Form des Antwerpener Manierismus in Frankr. ein. Es wurde in Fontainebleau ein Dekorationsstil entwickelt, der starken Einfluß ausübte.
Lit.: L. Dimier, *Le château de F. et la cour de François Ier,* 1930. H. Baderou, *L'Ecole de F.,* 1944.

Fontana, ital. Kunsttöpfer- u. Majolikamaler-Familie des 16. Jh., in Urbino tätig, berühmt durch ihre zierlichen Groteskendekorationen, deren Muster sie den vatik. Groteskendekorationen → Raffaels entnommen hatte. Dazu figürliche Darst. Gut vertreten in London, Brit. Mus.; Paris, Louvre; Berlin, Kunstgew.mus., Florenz, Mus. naz.

Fontana, Annibale, ital. Bildhauer, 1540–1587, beeinflußt von → Michelangelo, der viel für die Fassade S. Maria presso S. Celso, Mailand, arbeitete. Werke: *Assunta* am Hochaltar, ebda. *4 große Bronzekandelaber* im Chor der Certosa v. Pavia, 1550.

Fontana, Carlo, schweiz.-ital. Arch., Brugiate b. Balerna (Tessin) 1634–1714 Rom, Hauptvertreter des Spätbarock, Schüler → Berninis, baute in Rom: die *Fassade von S. Marcello,* 1708. *Fassade v. Santissima Trinità de' Monti,* 1595. *Portikus v. S. Maria in Trastevere,* 1702. *Cappella Cibò* in S. Maria del Popolo, um 1660. Ferner: *Kathedrale v. Montefiascone. Pal.* u. *Villa Visconti in Frascati.* 1694 gab er als Baumeister an der Peterskirche ein Tafelwerk heraus: «Il tempio Vaticano e la sua origine».
Lit.: A. E. Brinckmann, *Baukunst d. 17. u. 18. Jh.,* ⁵1930.

Fontana, Domenico, schweiz.-ital. Arch., Melide (Tessin) 1543–1607 Neapel, Hauptmeister des Frühbarock, geschult an den Werken → Michelangelos, → Vignolas u. della → Portas, leitete unter Papst Sixtus V. (1585–90) als Hauptbaumeister den Bau von Palästen, Brunnen u. Obelisken, die Errichtung u. Erweiterung von Straßen u. Plätzen, womit er weitgehend das Stadtbild Roms bestimmte. Von 1592 an in Neapel tätig. Hauptbauten in Rom: *Päpstl. Pal. auf dem Quirinal,* 1585; rückseitige *Fassade des Laterans* mit Bogenhalle, 1586; *Bibliotheksbau des Vatikans,* 1587–90; *Loggien,* ebda. Kirchenbauten: *Kap. Sixtus V.* in S. Maria Maggiore, 1584; zus. mit G. della Porta Errichtung der *Kuppelwölbung der Peterskirche* nach Michelangelos Plan u. *Aufsetzung der Laterne,* ebda., 1588–90; *Aufrichtung des Obelisken* auf dem Petersplatz, 1586; weitere Aufrichtung von Obelisken u. Orientierung der Straßen danach: vor der Apsis von S. Maria Maggiore, 1587; auf der Piazza del Popolo, 1589. Hauptwerk in Neapel: *Palazzo Reale,* 1600ff.
Lit.: A. E. Brinckmann, *Baukunst d. 17. u. 18. Jh.* (Handb. d. K. W.) 1916. A. Riegl, *Entstehung d. Barockkunst in Rom,* 1922. M. Guidi, *I Fontana di Melide in Roma* 6, 1928. G. Giovannoni in: Enc. Ital. 1932.

Fontana, Prospero, ital. Maler, * 1512, Hauptvertreter des bolognes. Manierismus, Schüler des P. del → Vaga in Genua, tätig in Bologna, Rom u. Florenz. Von → Primaticcio nach Frankreich berufen, wo er aber nur kurze Zeit blieb. In s. Stil schloß er sich dem reifen Manierismus → Vasaris an. Altarbilder in Kirchen Bolognas. Beisp.: *Grablegung,* Bologna, Pinac.

Fontanesi, Antonio, ital. Maler, Reggio Emilia 1818–1882 Turin, bedeutender Landschafter, der die Werke der Franzosen, bes. → Corots, der Engländer, bes. → Constables, u. 1850, anläßlich eines Aufenthaltes in Genf, die → Calames studierte. Seine Bilder – meist einfache Landschaftsausschnitte – sind von schöner farbiger Frische. Tätig in Reggio Emilia, Paris, London, Florenz, 1876–78 in Tokio, seitdem in Turin. Beisp: *Landschaft nach dem Regen,* Florenz, Gall. d'arte mod.
Lit.: M. Calderini, 1925 (ital.). Cecchi, *Pitt. ital. dell'800,* 1926. M. Bernardi, 1933.

Fontanesi, Francesco, ital. Maler, Reggio Emilia 1751–1795, Schüler von G. → Bazzani u. P. Zannichelli in Reggio, wo er von 1772 an vorzugsweise tätig war. F. war zu s. Zeit ein berühmter Bühnendekorateur; von ca. 1780 an beherrschte er auf diesem Gebiet die mailändischen u. die venezian. Theater. Er schuf nicht nur Bühnenbilder, sondern malte auch die Vorhänge u. ganze Theater-Innenräume. Er gilt als Schöpfer des landschaftlichen Bühnenbildes (bisher meist Innenräume); seine Entwürfe sind stark romantisch, mit Vorliebe für Ruinen.
Lit.: P. Zucker in: Th.-B. 1916. M. Bernardi, 1923. C. Ricci, *La scenografia ital.,* 1930. V. Mariani in: Enc. Ital. 1932.

Foppa, Cristoforo → Caradosso, Cristoforo.

Foppa, Vincenzo, ital. Maler, Brescia 1427 bis um 1515 ebda., Hauptmeister der lombard. Malerschule des 15. Jh., tätig haupts. in Mailand, Pavia u. Brescia, stand anfangs → Bellini nahe, später von den Paduanern (→ Mantegna) beeinflußt. F. beeinflußte seinerseits → Civerchio, → Butinone, → Zenale.
Hauptwerke: Fresken: *Fresken der Portinari-Kapelle* in S. Eustorgio, Mailand, um 1462 (wahrscheinlich v. F). *Marter des hl. Sebastian,* Mailand, Brera. *Madonna,* 1485, ebda. Tafelwerke: *Kreuzigung,* 1456, Bergamo, Gal. *Beweinung Christi,* Berlin, staatl. Mus. *Urteilspruch des Traian,* ebda. *Marienaltar,* 1490, Savona, S. Maria di Castello (zus. mit L. Brea). *Thronende Madonna,* Mailand, Brera. *Anbetung der Könige,* London, Nat. Gall. (Spätwerk).
Lit.: Foulkes u. Maiocchi, 1909. E. v. d. Bercken, *Malerei der Renaiss. in Oberitalien* (Handb. d. K. W.), 1927. F. Wittgens, 1949.

Forain, Jean-Louis, franz. Graphiker u. Maler, * Reims 1852, † 1931 Paris, Beiträge für zahlreiche Pariser Witzblätter, die auch in Sammelbänden erschienen; in der Stoffwahl oft mit → Daumier verwandt, in den zeichnerischen Mitteln mit den Impressionisten. In beißend scharfer Knappheit des Ausdrucks geißelte er Zeit u. Gesellschaft. Graph.

Folgen: *Satisfaits, Doux Pays, Les Temps difficiles, Scènes de Grèves* u. v. a. Als Maler haupts. Aquarelle u. Pastelle, Buchillustrationen.
Lit.: M. Guérin, *Cat. raisonné de l'œuvre lithogr. de F.*, 1909. Ders., *F. aquafortiste*, 1912. M. C. Salamon, 1925. Ch. Kunstler, 1931. C. Dodgson, F. Draughtsman, *Lithogr.*, 1937.

Forbes, Edwin, amerik. Maler, New York 1839 bis 1895 Brooklyn, Schlachten- u. Landschaftsmaler, Schüler Taits. Schlachtenbilder aus dem Bürgerkrieg, Landschaften u. Viehstücke. Auch als Radierer geschätzt.

Ford, Edward Onslow, engl. Bildhauer, London 1852–1901 ebda., gilt neben → Thornycroft als der bahnbrechende Meister der neueren realist. Bildhauerkunst Englands, ausgebildet in München u. Italien, beeinflußt auch von den Franzosen, schuf lebensvoll charakterisierende Bildnisstatuen u. Büsten. Hauptwerke: *Irving als Hamlet*, 1883, London, Guildhall. *Statue Huxleys*, London, Naturhist. Mus. *Denkmal Shelleys*, 1892, Oxford, University College, *Büste J. E. Millais*, London, Nat. Portr. Gall.

Forest, Jean-Baptiste, franz. Maler, Paris 1635 bis 1712 ebda., ging frühzeitig nach Italien, arbeitete 7 Jahre bei Pierfrancesco → Mola u. studierte die Venezianer (→ Tizian, → Bassano), später stark von → Rubens beeinflußt, malte Landschaften mit mythol. Figuren. Beisp.: *Landschaft mit jungem Bacchus bei den Nymphen*, Tours, Mus. Nicht viele Gemälde erhalten; manche nur durch Stiche bekannt.
Lit.: Th.-B. 1916. *Ausst.-Kat. 17. Jh. in d. franz. Malerei*, Bern, 1959.

Forlì, Melozzo da → Melozzo da Forlì.

Forment(e), Damian, span. Bildhauer, wahrscheinlich Valencia um 1480–1541 S. Domingo de la Calzada, der berühmteste span. Bildhauer s. Zeit. Die künstlerischen Anfänge sind nicht geklärt. Er reiste in Italien, studierte → Donatello, siedelte 1509 nach Saragossa über, wo er wohl meist tätig war. In s. Stil neben ital. auch einige nordische (niederl.) Einflüsse. Er führte den frühplatteresken Stil (plateresk = silberschmiedartig, Bezeichnung für den span. Frührenaissancestil) in Aragonien ein. Hauptwerke: *Hochaltäre der Kathedralen del Pilar*, Zaragoza, 1509–11; *San Pablo*, ebda., um 1511; der Kathedrale in *Huesca*, 1520–34; der Kathedrale in *S. Domingo de la Calzada*, 1536–41. *Grabdenkmal des Martin Vasquez de Arce* in der Kathedrale v. Siguenza.
Lit.: A. L. Mayer in: Th.-B. 1916.

Fortuny y Carbo, Mariano, span. Maler u. Radierer, Réus (Prov. Tarragona) 1838–1874 Rom, Haupt-

meister der span. Kunst des 19. Jh., Schüler der Akad. Barcelona, weitergebildet in Rom, malte 1859–60 Episoden vom Feldzug in Marokko; in Paris 1860 u. 1866–67, wo er den Einfluß der → Gavarni, → Gérôme, → Meissonier erfuhr. Genrebilder, Schlachtenszenen, Bilder aus dem span., marokkan. u. ital. Volksleben in Feinmalerei in kleinen Formaten u. blendender Farbenpracht, die großen Einfluß ausübte. In den letzten Jahren s. Lebens haupts. in Rom tätig. Werke in den Mus. v. Madrid, Barcelona, Buenos Aires, München u. a.
Lit.: F. Davillier, 1875. Yriarte, 1886. J. Ciervo, 1920. J. Lassaigne, *La Peint. espagn.* 2, 1952.

Fossano, Ambrogio da → Borgognone.

Fosse, Charles de la → La Fosse, Charles de.

Foster, Birket, engl. Maler u. Graphiker, North Shields 1825–1899 Weybridge, 1846 ff. Zeichner für die «London Illustrated News», Illustrationen zu Dichtungen v. Longfellow, Wordsworth, Goldsmith u. a., wandte sich 1858 ff. der Aquarellmalerei zu: reizvolle Wiedergaben der engl. Landschaft, bes. Surreys, u. des ländl. Lebens.
Lit.: *B. F.-Album*, hg. v. G. Scherer, 1880. M. B. Huish in: Art Journal, Christmas Number 1890.

Foujita (Fujita), Tsugouharu, japan. Maler, Lithograph u. Radierer, * Edogawa (Tokio) 1886, war 1912 in London, seit 1913 in Paris tätig, wo er → Picasso u. Henri → Rousseau kennenlernte u. gleichzeitig die alten japan. Meister studierte. F. hat eine starke dekorative Begabung, hohes zeichnerisches Können; in s. Kunst strebte er eine Vereinigung östl. u. westl. Kunstformen an. Pflegte in s. Malerei: Akte, Damenbildnisse, Tierbilder (Katzen), Landschaften u. a. Mappenwerke: *Nus*, 1928 (8 Lithogr.); *Les Enfants* u. v. a.; Buchillustrationen. Werke in Paris, Mus. du Jeu de Paume; in mehreren franz. Gal.; in Brüssel, Chicago u. a.
Lit.: M. G. Vaucaire, 1924. P. Morand, 1928. Edouard-Joseph, *Dictionn.*, 1931. Vollmer, 1955.

Fouquet (Foucquet), Jean, franz. Maler, vornehmlich Buchmaler, * Tours um 1420, † zwischen 1477 u. 1481 ebda., der berühmteste franz. Maler seiner Zeit. – In jugendl. Jahren in Rom, wo er den Papst porträtierte, lebte dann in Tours, stand im Dienste des Königs u. verfertigte Miniaturen zu den Andachtsbüchern der Großen sowie deren Porträts. Die von den Niederlanden stark angeregte franz. Buchkunst, die am Anf. des Jh. schon sehr hoch stand, war wohl die Grundlage s. Ausbildung, dazu kam eine starke Einwirkung der ital. Kunst. Einzig beglaubigtes Werk v. ihm eine Miniaturhandschrift der Bibl. Nat. Paris. Sein übriges Werk daraus erschlossen.

Werke: das berühmteste der ihm zugeschriebenen Tafelbilder ist die *Madonna mit Kind*, um 1450, Antwerpen, Mus. (die Madonna des sehr realist. Bildes trägt nach alter Überlieferung die Züge der Agnes Sorel, der Geliebten Karls VII.); das Bild ehemals in der Kathedrale v. Melun. Pendant dazu: *Bildnis des Estienne Chevalier*, Schatzmeister Karls VII., von einem Heiligen der Madonna empfohlen, in Berlin, Dt. Mus. Im Louvre befinden sich die *Porträts Karls VII.* u. des *Kanzlers des Ursins*. Miniaturen zu: *Jüdische Altertümer des Flavius Josephus*, Paris, Bibl. Nat. *Gebetbuch des Estienne Chevalier*, Chantilly, Mus. Condé. *Bocaccio*, München, um 1459.
Lit.: G. Lafenestre, 1905. H. Bouchot, *Les primitifs franç.*, 1904. L. Dimier, *Les primitifs franç.*, o. J. F. Winkler in: Zschr. f. bild. Kunst. 55, 1920. H. Martin, *La miniature franç. du 13ᵉ au 15ᵉ siècle*, 1923. T. Cox, 1931. K. G. Perls, 1941. P. Wescher, *F. u. s. Zeit*, 1945. H. Focillon, *Le style monumental dans l'art de J. F.* in: Gaz. des beaux-arts, 1936. G. Ring, *La Peinture franç. du 15e siècle*, 1949 (Phaidon). Enc. Univ. dell'Arte, 1958.

Foyatier, Denis, franz. Bildhauer, Bussières (Loire) 1793–1863 Paris, klassizist. Meister; haupts. Denkmäler u. Bildnisbüsten. Hauptwerk: *Spartakus*, Paris, Louvre u. Tuileriengarten. Ferner *Cincinnatus*, ebda. Statue der *Jeanne d'Arc* in Orléans u. a.

Fra Angelico → Angelico, Fra.

Fra Bartolommeo → Bartolommeo, Fra.

Fragonard, Honoré, franz. Maler u. Radierer, Grasse 1732–1806 Paris, Hauptmeister des franz. Rokoko, Schüler von → Boucher u. C. → Vanloo, 1756–61 in Italien, sonst in Paris tätig. In s. Stil setzt er Boucher fort, in s. Farbe von → Rubens, → Correggio u. → Tiepolo beeinflußt. Religiöse u. mythol. Szenen, bes. beliebt s. Schäfer- u. Boudoirszenen, s. Interieurs u. Charakterfiguren. Auch feine Bildnisse u. Landschaften, Tusch- u. Rötelzeichnungen. Beisp.: *Die Musikstunde*, Paris, Louvre. *Badende Mädchen*, ebda. *Schlafende Bacchantin*, ebda. *Der gestohlene Kuß*, Leningrad, Eremitage. *Das Liebeszeichen*, London, Wallace Coll. Sehr gut vertreten in Paris, Louvre; in der Wallace Coll., London; im Victoria und Albert Mus., ebda.; in der Eremitage, Leningrad. Ferner: Washington, Mus.
Lit.: G. Grappe, 1923. G. Wildenstein, *Cat. raisonné*, 1927. Ders., *The Paintings of F.*, 1960. L. Réau, 1956. Enc. Univ. dell'Arte 1958.

Fraikin, Charles-Auguste, belg. Bildhauer, Herenthals 1817–1893 Schaerbeek, beliebter belg. Meister, Schüler von → Kessels, hat viele Denkmäler in Brüssel geschaffen, von denen das bekannteste das *Doppelstandbild der Grafen Egmont u. Hoorn* in den Anlagen des Square du Petit Sablon, 1864, ist. Ferner zahlreiche Grabdenkmäler u. Bildnisbüsten.
Lit.: H. Hymans, *Belg. Kunst d. 19. Jh.*, 1906.

Francavilla, Pietro → Franqueville, Pierre.

Francesca, Piero della, eig. Piero dei Franceschi, ital. Maler, Borgo S. Sepolcro um 1416–1492 ebda., Hauptmeister der ital. Frührenaissance, Schüler u. Gehilfe des → Domenico Veneziano, tätig seit 1442 vornehmlich in Borgo S. Sepolcro, wiederholt auch in Urbino (am Hofe des Federico), ferner in Ferrara (1449), in Rimini (1451 u. 1482), Rom (1459) u. Arezzo (bis 1466). F. achtete in s. Kunst ganz besonders auf die Probleme der Licht- u. Luftmalerei, so daß er in der Wiedergabe der Raumtiefe u. der Plastik der Figuren s. Zeit voraus ging. Er beschäftigte sich theoretisch mit der Perspektive u. legte seine Erkenntnisse in bedeutenden Schriften nieder; zusammen mit Paolo → Uccello gehört er zu den großen Theoretikern der Frührenaissance. In s. Kunst erstrebte er höchste Monumentalität; die Mittel sind Klarheit der Formen u. der räumlichen Verhältnisse.
Hauptwerke: *Altarwerk mit Schutzmantelmadonna*, um 1445, Borgo S. Sepolcro, Mus.; *Fresko mit Votivbild des Sigismondo Malatesta*, 1451, Rimini, S. Francesco; *Großer Freskenzyklus der Legende des hl. Kreuzes*, voll. 1466, Arezzo, S. Francesco; Fresko der *Auferstehung Christi*, Borgo S. Sepolcro, Pal. Munic.; *Altarwerk mit Thronender Madonna u. Heiligen*, Perugia, Pinac.; *Taufe Christi*, London, N. G.; *Geißelung Christi*, 1469, Urbino, Dom. Großes Altarwerk mit *Thronender Madonna*, Mailand, Brera; *Bildnisse des Federico da Montefeltre u. Gattin*, 1461–66, Florenz, Uff. (sein hervorragendstes Porträtwerk). Weitere Werke in Arezzo, Dom; Venedig, Akad.; Mailand, Mus. Poldi-Pezzoli u. a.
Schriften von F.: «De prospectiva pingendi» u. «Libellus de quinque corporibus regularibus».
Lit.: G. F. Pichi, 1892. C. Ricci, 1910. H. Graber, 1920. Ders., 1922. A. Venturi, 1922. M. Salmi, *P. d. F. e il Pal. Ducale di Urbino*, 1945. R. Longhi, ²1946. K. Clark, 1951. H. Focillon, 1952.

Franceschini, Marcantonio, ital. Maler, Bologna 1648–1729 ebda., Meister des Bologneser Spätbarock, Schüler von C. → Cignani, schuf große dekorative Freskenwerke für Paläste u. Kirchen, Altarbilder u. a. Er war ein großes Dekorationstalent; zu s. Zeit als Schulhaupt anerkannt, Leiter der Akad. Clementina in Bologna. F.s bedeutendste Leistung: *Fresken u. Altarbilder der Kirche Corpus Domini* in Bologna; *Dekorationen im Pal. di Giustizia*, ebda. (sehr verdorben); weitere Werke in Bologneser Kirchen. In Modena: *Deckenbild* im großen Saal des Pal. Ducale (verbrannt). In Piacenza: *Malereien*

im Kuppelraum des Domes; in Genua: Malereien in Palästen u. Kirchen; in Rom: *Kartons für Mosaiken* für St. Peter (im gr. Saal d. Cancelleria); in den Gal. von: Budapest, Dresden, Florenz (Uff.), Kopenhagen, Modena (Kirchen), Ravenna (Pinak.), Wien, Mus., u. a.
Lit.: A. Bacchi della Lega, 1909. N. Pevsner, *Barockmalerei* (Handb. d. K. W.), 1928. A. Foratti in: Enc. Ital. 1932.

Francesco di Giorgio Martini, ital. Arch., Bildhauer, Maler u. Kunsttheoretiker, Siena 1439–1502 b. Siena. Hauptmeister des Quattrocento in Siena, ist als universale Künstler-Persönlichkeit der Renaissance neben → Alberti zu stellen. Zunächst in Siena tätig, Schüler des → Vecchietta, 1477–82 Festungsbaumeister im Dienste Federigos da Montefeltro in Urbino, später meist in Siena. Als Maler schuf er Bilder mit bibl. Szenen; eine Zeitlang lebte er mit → Neroccio in Ateliergemeinschaft. In seinem Stil von → Verrocchio beeinflußt. Als Bildhauer werden ihm mehrere Reliefs zugeschrieben. Seine Bauten gehören zur Klassik der Frührenaissance. Werke: Gemälde: *Krönung Mariä,* 1472, Siena, Akad. (gemeinsam mit Neroccio). *Anbetung des Kindes,* 1473, Florenz, Uff. u. 1493, Siena, S. Domenico. Als Bildhauer: *Pietà,* Bronzerelief, um 1478, Venedig, S. Maria del Carmine. *Geißelung Christi,* Bronzerelief, Perugia, Universität. *Discordia,* Bronzerelief, London, Victoria u. Albert Mus. *2 Bronze-Engel* auf dem Hochaltar des Domes v. Siena, 1489. Als Baumeister: die tonnengewölbte Kirche der *Madonna del Calcinaio* b. Cortona, beg. 1485. Die *Rathäuser* von Ancona, 1484, u. Jesi, 1486. 1498 ff. Dombaumeister in Siena. Seine wichtigste Schrift: «Trattato dell'architettura», hg. v. Saluzzo, 1841. Werke in Florenz, Uff.; Siena, Akad.; Perugia, Pinac. u. a.
Lit.: F. Donati, 1903. A. McComb in: Art studies 2, 1924. S. Brinton, 1934–35. B. Degenhart, *F. di G. als Zeichner* in: Zschr. f. Kunstgesch., 1935. Ders., ebda., 1939. A. S. Weller, 1943. R. Papini, *F. d. G. architetto,* 1946. J. Pope-Hennessy, *La Peinture Siennoise du Quattrocento,* 1947. N. Pevsner, *Europ. Architektur,* 1957.

Francesco di Simone da Santacroce, ital. Maler, Meister der venez. Schule des 15. Jh., gebürtiger Bergamaske, der in Padua u. Venedig wirkte, * um 1440, † 1508. Unter dem Einfluß → Mantegnas, G. → Bellinis, → Giorgiones u. → Crivellis. Aus s. Werkstatt ging → Palma Vecchio hervor. Beisp.: *Thronende Madonna,* S. Pietro in Murano. *Verkündigung,* Bergamo, Accad. Carrara.
Lit.: A. Venturi VII, 3 (475 ff.) u. VII, 4 (586). G. Gombosi in: Th.–B. 1935. Enc. Ital. 1936. B. Berenson, *Ital. pictures of the Renaiss.,* 1932. G. Delogu, *Ital. Malerei,* ³1948.

Francheville, Pierre → Franqueville, Pierre.

Francia, Francesco, eig. Francesco Raibolini, ital. Maler, Bologna um 1450–1517 ebda., Hauptmeister der Bologneser Malerschule 2. Hälfte des Quattrocento, war ursprünglich ein geschätzter Goldschmied, berühmt für die Herstellung von Münzstempeln; erst spät ging er zur Malerei über, 1490 s. ersten datierten Bilder; die Ausbildung muß unter dem Einfluß der Ferraresen geschehen sein: bes. des Ercole de → Roberti, des Francesco del → Cossa u. des Lorenzo → Costa; später kam der Einfluß von → Perugino u. → Raffael hinzu. F. schuf vor allem ruhige Zustandsbilder, bes. Madonnen, in weicher Formensprache u. zarter Anmut; s. Kunst der des Perugino wesensverwandt. Aus s. Werkstatt gingen kirchliche Freskenwerke, viele Altargemälde u. ungezählte Andachtsbilder mit Madonnen u. Heiligen hervor; er beschäftigte u. a. s. Söhne *Giacomo* (um 1486–1557) u. *Giulio* (1487–1546) u. Amico → Aspertini; manches war reine Werkstattarbeit. Hauptwerke: Fresken: *Aus der Legende der hl. Cäcilie,* Bologna S. Cecilia. Altarwerke: *Thronende Madonnen mit Heiligen,* von 1490, Bologna, Pinac.; von 1494, ebda., von 1499, S. Giacomo Maggiore, Bologna. Madonnen: *Madonna mit Engeln,* München, A. P. *Madonna im Rosenhag,* ebda. Ferner: *Anbetung der Könige,* Dresden, Gal.; *Grablegung,* 1515, Turin, Gal. *Pietà,* Bologna, Pinac.; einige feine Bildnisse. Werke in den Gal. von Bologna, Mailand, Rom (Gall. Corsini), Florenz (Uff.), München, Berlin, Dresden, London, Leningrad, Budapest u. v. a.
Lit.: G. Williamson, 1901. G. Lipparini, 1913. Venturi VII, 3, 1914. G. Gronau in: Th.-B. 1916. E. v. d. Bercken, *Mal. d. Renaiss.* (Handb. d. K. W.) 1927. P. Schubring, *Kunst d. Hochrenaiss.,* 1926.

Franciabigio, eig. Francesco di Cristofano, ital. Maler, Florenz um 1482–1525 ebda., Meister der Hochrenaissance, war gleichzeitig mit → Bugiardini Schüler → Albertinellis, von beiden beeinflußt, schloß sich später eng an Andrea del → Sarto an, mit dem er eine Zeitlang zusammenarbeitete; beeinflußt auch von → Raffael, → Michelangelo u. a. F. schuf Freskenwerke, Altarbilder, Madonnen und vor allem bedeutende Bildnisse.
Werke: Freskenwerke in Florenz: im Hof der Santissima Annunziata: *Vermählung der Maria,* 1513; im *Chiostro dello Scalzo;* in der *Villa Poggio a Caiano* bei Florenz. Tafelbilder: *Verkündigung,* Turin, Gal. *Thronende Madonna mit Heiligen,* Florenz. Uff. *Verleumdung des Apelles,* Florenz, Pitti. *Vermählung der hl. Katharina,* Rom, Gall. Borghese. *Madonna del Pozzo,* Florenz, Uff. *Szenen aus der Bathseba-Geschichte,* Dresden, Gal. *Hl. Familie,* Wien, Gal. *Leda,* Brüssel, Mus. *Bildnisse* in: Berlin, staatl. Mus.; Paris, Louvre, Florenz, Pitti; London, N. G. u. a.
Lit.: G. Gronau in: Th.-B. 1916. Venturi IX, 1, 1925. C. Gamba in: Enc. Ital., 1932.

Francis, Sam, amerik. Maler, * S. Mateo 1923, Schüler von Clifford → Still in S. Francisco, seit 1950 in Paris, wo er berühmt wurde als Hauptvertreter der eruptiven nicht figürlichen Malerei (→ Tachisten). «F. malt in großen, flächigen, locker gebauten Bildern eine Fülle von nierenförmigen Gebilden, die in langsamem Geriesel, in Tropfen u. Flecken, die Leinwand herunterlaufen» (Sam Hunter). F. war mit → Pollock, → Wols, → Mathieu, → Riopelle vertreten in der Ausstell. Tendances actuelles III, Bern 1955.
Lit.: *Ausst.-Kat. Tendances act. III*, Bern 1955. M. Seuphor, *Dict. peint. abstr.*, 1957. S. Hunter, *USA, Kanada* in: *Neue Kunst nach 1945*, hg. v. W. Grohmann, 1958. *Documenta II*, Kassel 1959.

Franck, Hans → Lützelburger, Hans.

Franck, Philipp, dt. Maler, * Frankfurt a. M. 1860, Vertreter des Neoimpressionismus, haupts. Landschafter, Schüler von → Steinle in Frankfurt, gehörte zur Cronberger Künstlerkolonie, war Schüler auch von E. v. → Gebhardt in Düsseldorf, 1892 ff. Lehrer der Berliner Staatl. Kunstschule, 1912–29 deren Direktor.
Werke in Berlin, ehem. Nat. Gal.

Francke, Meister, dt. Maler, tätig in Hamburg im 1. Drittel des 15. Jh., der bedeutendste norddt. Meister s. Zeit, zeigt in s. Kunst die Einwirkung der zeitgenöss. franz. u. burgundischen Buchmalerei; s. Stil ist der internationale Zeitstil, der in der ital. Trecento-Kunst wurzelt (der «weiche» Stil). Erhaltene Hauptwerke: *Barbara-Altar*, um 1410, Helsinki, Mus. *Thomas- oder Englandfahrer-Altar*, 1424ff., aus der Hamburger Johanniskirche, jetzt Hamburg, Kunsth. (unvollständig erhalten). *Schmerzensmann*, ebda. u. Leipzig, Mus.
Lit.: A. Lichtwark, 1899. B. Martens, 1929. O. Kerber, 1939. G. Dehio, *Geschichte der dt. Kunst 2*, 1921. Ders., *Hb. d. dt. Kunstdenkm. 5*, 1912 (Neuausg. v. E. Gall, 1935 f.). W. R. Deusch, *Dt. Malerei d. 15.Jh.*, 1936. O. Fischer, *Gesch. d. dt. Malerei*, 1942.

Francke, Paul, dt. Arch., Weimar 1538–1615 Wolfenbüttel, einer der bedeutendsten norddt. Baumeister der Renaissance. Ging auf hochgot. Bauten zurück u. suchte eine Synthese von Gotik u. Renaissance. Hauptwerke: *Juliusuniversität* in Helmstedt, 1592–1597. *Marienkirche* in Wolfenbüttel, beg. 1608, «der einzige künstlerisch großgedachte Kirchenbau des Protestantismus» (Dehio).
Lit.: G. Dehio, *Geschichte d. dt. Kunst 3*, 1926.

Francken, niederl. Malerfamilie des 16. u. 17. Jh., deren Mitglieder meist in Antwerpen tätig waren u. zur Generation der jüngeren Romanisten gehörten, teils schon von → Rubens beeinflußt. Hauptvertre-

ter die Brüder Ambrosius u. Frans F. und dessen Sohn Frans d. J.:
Ambrosius, Herenthals 1544–1618 Antwerpen, Schüler des F. → Floris. Altarbilder, vor allem für Antwerpener Kirchen. Hauptwerk: *Flügelaltar mit dem Martyrium der hll. Crispin u. Crispinian*, Antwerpen, Mus.
Frans d. Ä., Herenthals 1542–1616 Antwerpen, Schüler des F. → Floris. Altarbilder in der Art des Floris, von O. van → Veen u. den Venezianern beeinflußt. Bedeutende Werke: *Altar der Frauenkirche in Antwerpen* (Kathedrale): Jesus u. die Schriftgelehrten, 1586. *Weg nach Golgatha*, Dresden, Gal. *Kreuztragung*, ebda. *Pharaos Untergang im Roten Meer*, Braunschweig, Gal.
Frans d. J., Antwerpen 1581–1642 ebda., übertrug die Stoffe der romanist. Malerei auf Kabinettformat u. malte, zuletzt unter → Rubens' Einfluß, religiöse, hist. u. bes. zeitgenössische Geschichts- u. Sittenbilder. Beisp.: *Ball am Hofe des Statthalters der Niederlande*, Den Haag, Mauritshuis. *Abdankung Karls V.*, Amsterdam.
Lit.: R. Oldenbourg, *Die fläm. Mal. des 17. Jh.*, 1918. W. Bernt, *Niederl. Malerei d. 17. Jh.*, 1948.

Franco, Giovanni Battista, gen. *Semolei*, ital. Maler, Kupferstecher u. Radierer, Venedig um 1498–1561 ebda., gehört zum Kreise der manierist. Nachfolger → Michelangelos, bildete sich in Rom unter dessen Einfluß, tätig in Rom, Urbino u. Venedig. Bilder mit allegor. u. bibl. Szenen, geschickter Dekorateur.
Werke: Allegor.: *Schlacht von Montemurlo*, Florenz, Pitti Gall. – Bibl.: *Taufe Christi*, Venedig, S. Francesco della Vigna. *Auferstehung Christi*, ebda. Lebendige Federzeichn. in Turin, Florenz u. München. Als Graph.: ca. 100 Radierungen nach Michelangelo, → Raffael u. a.
Lit.: A. Venturi IX, 6, 1933.

Francucci, Innocenzo → Imola, Innocenzo.

Franqueville (Francheville), Pierre, ital.: *Pietro Francavilla*, franz. Bildhauer, Arch. u. Maler, Cambrai 1548–1615 Paris, Schüler u. Mitarbeiter Giov. da → Bolognas in Florenz, seit 1604 am Hof Heinrichs IV. in Paris als «arch. du roy». Werke: *Orpheus*, 1598, Marmor, Louvre. *David*, 1608, ebda. *Denkmäler Cosimos u. Ferdinands I.* in Pisa. *Reliefs an den Türen* des Domes v. Pisa. *Statuen in S. Croce*, Florenz. *6 Statuen* im Dom v. Genua. *Statuen* in der Annunziata, Florenz; in S. Marco, ebda. *Statuen des Jupiter u. Janus* in der Halle des Pal. Bianco zu Genua u. a.
Lit.: A. Venturi X, 3, 1937.

Franz-Dreber → Dreber, Heinrich.

Frédéric, Léon, belg. Maler, Brüssel 1856–1940 ebda., gebildet auf der Brüsseler Akad., im Atelier

→ Portaels u. in Italien, malte große Zyklen, meist Triptychen mit Darstellungen menschlicher Armut, menschlichen Jammers usw., angeregt von sozialist. Ideen, später auch Studien des Bauernvolkes der Ardennen in realist. Malerei, angeregt vielleicht durch Werke Zolas. Hauptwerk s. Frühzeit: Triptychon *Les marchands de craie*, Brüssel, Mus. (1882 bis 1883). Vertreten in den Mus. v. Brüssel, Antwerpen, Gent, Lüttich, Paris (Luxembourg) u. a. Lit.: Muther, *Belg. Malerei im 19. Jh.*, 1904. H. Hymans, *Belg. Kunst d. 19. Jh.*, 1906. Vollmer, 1955.

Fredi, Bartolo di → Bartolo di Fredi.

Frémiet, Emmanuel, franz. Bildhauer, Paris 1824 bis 1910 ebda., bedeutender Schüler von → Rude, begann mit Tierbildwerken u. entfaltete eine sehr umfangreiche Tätigkeit auf allen plastischen Gebieten. In s. Stil Fortsetzer des Realismus von Rude u. → Carpeaux. Hauptwerke: Tierbilder: *Verwundeter Jagdhund*, 1850, Paris, Luxembourg. *Der Elefant*, 1878, Trocadéropark. *Orang-Utan im Kampf mit einem Neger*, Relief, 1895. Reiterstandbilder: *Ludwig von Orléans*, 1870, Pierrefonds. *Jungfrau von Orléans*, 1874, Paris, Place de Rivoli. *Velazquez*, Paris, vor der Louvre-Kolonnade. *Kolossalstatue von Lesseps*, 1899, Port Said (zerstört).

Fréminet, Martin, franz. Maler, Paris 1567–1619 ebda., vertritt mit einigen anderen Meistern – Ambroise Dubois aus Antwerpen, Toussaint – Dubreuil u. a. – die sog. 2. Schule von → Fontainebleau; mit ihnen dringt der Antwerpener Manierismus in Frankreich ein. Auf einem längeren Italienaufenthalt hatte er bes. → Caravaggio u. → Parmigianino studiert. Hofmaler der franz. Könige als Nachfolger Dumoustiers. Hauptwerk: *Fresken der Kapelle Sainte Trinité* in Fontainebleau.

Frenzel, Oskar, dt. Maler, Berlin 1855–1915 ebda., Schüler von P. → Meyerheim u. E. → Bracht, malte Landschaften, meist mit Weidevieh.

Fresnaye, Roger de la → La Fresnaye, Roger de.

Freudenberger, Sigmund, schweiz. Maler u. Graphiker, Bern 1745–1801 ebda., 1765 in Paris von → Boucher u. → Greuze gefördert, studierte die holl. Kleinmeister u. malte Bildnisse in Öl, Pastell u. Wasserfarben. Vor allem schuf er Szenen aus dem ländlichen u. städtischen Leben als Vorlagen für Pariser Stecher. 1773 ff. wieder in Bern, fuhr in derselben Weise fort; doch wandte er sich der Darstellung des Lebens der Bauern des Berner Oberlandes zu. In Einzelblättern u. Serien brachte er aquarellierte Umrißzeichnungen mit Szenen aus dem Leben der Berner Bauern heraus u. hatte damit einen außerordentlichen Erfolg. Gemeinsam mit → Aberli u.

→ Rieter hielt er Akademiekurse ab, in denen nach dem lebenden Modell in Berner Tracht gezeichnet wurde. Lit.: R. Nicolas u. A. Klipstein, *Die schöne alte Schweiz*, 1926. W. Hugelshofer, *Schweiz. Kleinmeister*, 1943.

Freund, Herman Ernst, dän. Bildhauer, Uthlede b. Bremen 1786–1840 Kopenhagen, Meister des Klassizismus, 1818–28 in Rom, → Thorwaldsens Schüler u. Gehilfe. Doch behandelte er nicht nur antike Stoffe, sondern mit Vorliebe nordische, wie: *Loke*, Kopenhagen, Mus. Lit.: Oppermann, 1916 (dän.).

Freundlich, Otto, dt. Maler u. Bildhauer, Stolp 1878–1943 (von der Gestapo verschleppt), «entwikkelte als Maler ein Bildkonzept aus reinen Flächenbeziehungen, nicht unähnlich den gleichzeitigen Arbeiten der «Synchromisten» (Russell, Macdonald-Wright), als Plastiker beginnt er bereits 1909 mit der Besinnung auf die urtümliche Form» (Hofmann). Lit.: C. Giedion-Welcker, *Plastik d. 20. Jh.*, 1955. W. Hofmann, *Plastik des 20. Jh.*, 1958. F. Nemitz, *Dt. Malerei der Gegenw.*, 1948.

Frey-Surbek, Marguerite, schweiz. Malerin, * Delsberg 1886, Gattin von V. → Surbek; beeinflußt von den franz. Nachimpressionisten (→ Vallotton, → Vuillard). Blumenstilleben, Bildnisse, Akte, Landschaften; Lithogr. Lit.: Schweiz. Kstlerlex. d. 20. Jh.

Friedländer, Friedrich v., österr. Maler, Kohljanowitz (Böhmen) 1825–1901 Wien, liebenswürdiger Meister des Genrebildes, Schüler v. → Waldmüller. Historienbilder, Darstellungen aus dem Wiener Volks- u. Familienleben; als «Invalidenmaler» Szenen aus dem Leben österr. Kriegsinvaliden.

Friedrich, Kaspar David, dt. Maler, Greifswald 1774–1840 Dresden, Hauptmeister der dt. Romantik, begann 1794 s. Studien in Kopenhagen u. kam 1795 nach Dresden, 1817 ff. Lehrer an der Akad. ebda. Er war fast ausschließlich Landschafter u. wohl der charakteristischste Repräsentant der dt. Romantik. Äußerlich übernahm er etwas von den Motiven der holl. Malerei (J. van → Ruisdael), doch sah er die Natur auf völlig neue Art. Er sah die Herbst- u. Winterstimmungen, Dämmerung, Nebel u. Mondschein als Zustände der menschlichen Seele, oft symbolisiert durch eine Rückenfigur, welche in die Weite blickt. Werke: *Das Kreuz im Gebirge*, 1808, Dresden, Gal. *2 Männer in Betrachtung des Mondes*, 1819, ebda. *Der Sturzacker*, um 1820–30, Hamburg, Kunsth. *Sonnenaufgang b. Neubrandenburg*, um 1830–35, ebda.

Gut vertreten in Dresden, Gal.; Berlin, Nat. Gal.; Hamburg, Kunsth.

Lit.: W. Wolfradt, 1924. K. K. Eberlein, 1925. Ders., 1940. F. Nemitz, 1938. E. Sigismund, 1943. H. v. Einem, 1950. W. R. Deusch, *Malerei d. dt. Romantiker*, 1937.

Fries, Ernst, dt. Maler, Heidelberg 1801–1833 Karlsruhe, bildete sich bei → Rottmann in Heidelberg u. 1818 ff. auf der Münchner Akad. 1823–27 in Italien einer der führenden Landschafter der dt.-röm. Malerei.
Hauptwerke: *Lirisfall b. Isola di Sora*, 1828, München, A. P. *Heidelberg*, 1829, Berlin, Nat. Gal. *Watzmann*, 1830, ebda.

Fries, Hans, schweiz. Maler, Freiburg i. Ue. um 1465 bis um 1523 Bern (?), der bedeutendste Schweizer Meister s. Zeit, 1480 Gehilfe des in Freiburg i. Ue. ansässigen Malers Heinrich Bichler, hat auf s. Wanderschaft offenbar die niederl. Kunst kennengelernt, auch die Augsburger u. Ulmer, war 1488 in Basel, 1497 ff. in Freiburg i. Ue. tätig, zuletzt in Bern. F. schuf bedeutende Altarwerke, bes. für Freiburger Kirchen; in s. Stil dem Berner → Nelkenmeister u. → Holbein d. Ä. verwandt.
Werke: *Predigt des hl. Antonius*, 1506, Freiburg, Franziskanerkirche. *Tafeln eines Marienaltars*, 1512, Basel, Mus. *Stigmatisation des hl. Franziskus* u. *Hl. Anna Selbdritt*, Nürnberg, German. Mus. Szenen a. d. *Jüngsten Gericht*, 1501–06, Schleißheim, Mus. Werke in Freiburg i. Ue., Mus. (*Hl. Christophorus*, 1503; *Hl. Barbara*); Zürich, Landesmus. (*Visionen des Johannes Ev.*) u. a.
Lit.: A. Kelterborn-Hämmerli, 1927. W. Pinder, *Die dt. Kunst d. Dürerzeit*, 1953. J. Gantner, *Kunstgesch. d. Schweiz* 2, 1947.

Fries, Willy, schweiz. Maler, * Wattwil 1907, tätig ebda., Vertreter der heutigen religiösen Malerei. 1935–45 *17 Passionsbilder*, 1945 in farbigen Reproduktionen; *Wandgemälde* (für ein *Ministerialgebäude in Bonn*; für die *Friedhofshalle in Dürnten* b. Rüti). *Glasgemälde* (für eine *Kirche in Westberlin*). Holzschnittfolgen (*Gottlose*, 26 Holzschnitte, 1930). Graph. Folgen u. v. a.
Lit.: K. Dietrich u. H. Vogel, 1954. *W. F., Werkstattbuch*, 1954. Kstlerlex. d. Schweiz d. 20. Jh.

Friese, Richard, dt. Maler, Gumbinnen 1854–1918 Bad Zwischenahn, wirkungsvolle Tier- u. Jagdbilder.

Friesz, Emile-Othon, franz. Maler, Le Havre 1879–1949 Paris, wohin er 1899 kam u. in das Atelier → Bonnats eintrat. F. schloß sich den → Fauves an; er malte eine Serie Landschaften aus La Ciotat, bis 1907, in der er vielleicht s. Bestes gab. Außerdem Stilleben, Akte, Porträts. Seine Werke

zeichnen sich aus durch Spontaneität bei gleichzeitiger starker Struktuierung (wie er sie durch das Studium → Cézannes gelernt hatte). Widmete sich auch der angewandten Kunst: Kartons für Teppiche u. a.
Lit.: M. Gauthier, 1957. J. Leymarie, *Fauvismus*, 1959 (m. Bibliogr.).

Frisoni, Donato Giuseppe, ital. Arch. u. Stukkateur, Laino 1683–1735 Ludwigsburg, wohin er 1709 von Herzog Eberhard Ludwig als Stukkateur berufen wurde, 1714ff. Oberarch. am *Ludwigsburger Schloß*, vom Herzog zur weiteren Ausbildung nach Paris geschickt, schuf die wesentlichen Entwürfe für das Schloß (1717–20; 1724 neues Projekt, das bis 1733 im wesentlichen zur Durchführung gelangte). Die bauliche Ausführung besorgte vor allem s. Neffe Paolo → Retti, den er 1717 aus Wien herberufen hatte. Ferner: die künstlerischen Bebauungspläne für die neugeschaffene *Residenzstadt Ludwigsburg*; Ausgestaltung der *Kuppel u. Fassade von Kloster Weingarten* u. a.
Lit.: Wackernagel in: Th.-B. 1916. G. Dehio, *Gesch. d. dt. Kunst* 3, 1926. Ders., *Hb. d. dt. Kunstdenkm.* 3, 1908 (Neuausg. v. E. Gall, 1935f.).

Frith, William Powell, engl. Maler, Aldfield b. Ripon 1819–1909 London, Hauptvertreter der engl. Genremalerei, schuf illustrative Darstellungen aus Dichtungen, vor allem aber als scharfer Beobachter Szenen vom Leben auf den Rennplätzen, am Strand der Modebäder, vom Getriebe der Bahnhöfe usw., in denen er alle Typen der Zeit mit unerschöpflicher Erfindungsgabe in witziger Gruppierung auf dem Bilde verteilte, so daß er bisweilen an → Menzel erinnert.

Fritsch, Ernst, dt. Maler, * Berlin 1892, Vertreter der «Neuen Sachlichkeit», doch auch vom Expressionismus berührt. Seine realist. Schilderungen von Straßen, Häusern u. Plätzen der Großstadt werden als «expressiver Realismus» bezeichnet. 1946 ff. Lehrer an der Berliner Hochschule für bildende Kunst.
Lit.: Vollmer, 1955.

Frölich, Lorens, dän. Maler u. Graphiker (schweiz. Abstammung), Kopenhagen 1820–1908 ebda., Schüler von → Eckersberg u. a. in Kopenhagen, 1840 in München, 1842 in Dresden, wo er sich unter → Schnorr v. Carolsfelds u. L. → Richters Einfluß weiterbildete. 1857–74 in Paris als Graphiker. Wandgemälde, Folgen von Radierungen (*L'Amour et Psyché*), Tierzeichnungen, Illustrationsfolgen, Darstellungen aus der altnord. Sagenwelt u. a.

Frölicher, Otto, schweiz. Maler, Solothurn 1840 bis 1890 München, Landschafter, der in München

studierte, mit → Böcklin u. → Thoma befreundet
war, 1876 nach Paris kam u. in → Barbizon arbeitete,
seitdem in München tätig. Anfangs Alpenmaler,
beeinflußt von → Achenbach, später gehörte er
der franz. beeinflußten Münchner Schule an u.
suchte s. Motive in Bayern u. a. Werke in den Gal.
v. München (Bayer. Staatsgemäldeslg.), in den
schweiz. Mus. Sein Nachlaß an gemalten u. gezeichneten Studien in Solothurn.
Lit.: H. Uhde-Bernays, 1922. Huggler/Cetto, *Schweiz.
Malerei im 19. Jh.*, 1942.

Froment, Nicolas, franz. Maler, Uzès um 1435 bis
1484 Avignon, Hauptmeister in Südfrankreich,
Stil unter dem Einfluß der Niederländer. Haupt-
werke: *Altar mit der Auferweckung des Lazarus*
im Mittelbild, 1461, Florenz, Uff. *Altar mit bren-
nendem Dornbusch* im Mittelstück, um 1475, Aix,
Kathedrale. Auf den Seitentafeln *Bildnisse König
Renés v. Anjou u. Gemahlin.*
Lit.: P. Mantz, *La peint. franç.*, 1897. H. Bouchot,
La peint. en France, 1904. Durrieu in: Michel,
Histoire de l'Art IV. Winkler in: Th.-B. 1916.
P. A. Lemoisne, *Die got. Malerei Frankr.*, 1931.
L. Chamson, 1931. L. H. Labande, *Notes sur
quelques primitifs* in: Gaz. des beaux-arts, 1933.
G. Ring, *La Peinture franç. du 15e siècle*, 1949 (Phai-
don).

Fromentin, Eugène, franz. Maler, La Rochelle
1820–1876 St-Maurice b. La Rochelle; der bedeuten-
de Kunstschriftsteller war auch ein hervorragender
Maler, Hauptvertreter der franz. Orientmalerei.
Schüler von → Cabat, beeinflußt von → Decamps
u. → Marilhat, weilte wiederholt längere Zeit in
Nordafrika u. stellte sich die Verherrlichung des
Beduinenlebens u. der Steppenpoesie zur Aufgabe,
wobei er einen starken Sinn für den malerischen
Reiz der Motive bewies. Hauptwerke in Paris,
Louvre: *Maurisches Begräbnis*, 1853. *Falkenbeize in
Algerien*, 1863 u. 1868. *Rast arabischer Reiter*, 1868
u. 1870. *Fantasia in Algier*, 1869. Hauptwerk als
Kunstschriftsteller: «Les maîtres d'autrefois», 1876;
dt. 1907ff. (2. Aufl.).
Lit.: L. Gonse, 1881. A. Ollivier, 1913. F. Dorbec,
1926. G. Assolant, 1931. M. Revon, 1937.

Frueauf, Rueland, d. Ä., altdt.-österr. Maler, vielleicht Salzburg um 1440–1507 Passau, der führende
Meister der Salzburger Schule Ende 15. Jh., tätig
in Salzburg u. wiederholt in Passau. Sein Stil beruht
auf der älteren Salzburger Tradition (K. → Laib),
doch sind ihm die Gemeingut gewordenen niederl.
Kunstelemente nicht unbekannt geblieben. Seine
klar aufgebauten Bilder mit kräftig umrissenen
wenigen Figuren, in kontrastreich gehaltenen
Farben erinnern an den Berner → Nelkenmeister.
Das 1. gesicherte Werk waren *4 Passionstafeln*,

1490–91, Wien, Kunsthist. Mus., denen sich an-
schlossen: *4 Altartafeln* mit Szenen aus der Marien-
geschichte in der Pfarrkirche in Großgmain, 1499.
Auferstehender Christus, München, A. P. Ferner
Werke in Prag, Venedig, Budapest; Lugano, Slg.
Schloß Rohoncz u. a.
Rueland d. J., s. Sohn, * um 1470, † Passau um 1545,
schuf als Hauptwerk *4 Tafeln mit Szenen aus der
Leopoldslegende*, 1507, Mus. des Stiftes Kloster-
neuburg b. Wien; sie gehören zu den schönsten
Legendendarstellungen der Zeit; die Handlung
ist vollkommen in eine märchenhafte Stimmungs-
landschaft eingebettet. Rueland d. J. erweist sich
in ihnen als den Meistern des Donaustils (→
Donauschule) nahestehend. Weitere Tafeln ebda.
Lit.: H. Voß, *Ursprung des Donaustils*, 1907. O.
Fischer, *Die altdt. Malerei in Salzburg*, 1908. L. Baldass, *Die Kunst R. F. d. Ä.* in: Pantheon 15/16,
1935. Ders., *Conrad Laib u. die beiden F.*, 1946.
E. Heidrich, *Die altdt. Malerei*, 1909. G. Dehio,
Geschichte d. dt. Kunst 2, 1921. R. Guby, *Beiträge
zur Künstlergesch. d. Passauer Maler. R. F., Vater
u. Sohn*, 1929. W. R. Deusch, *Dt. Malerei d. 15. Jh.*,
1936. O. Fischer, *Gesch. d. dt. Malerei*, 1942.

Früh, Eugen, schweiz. Maler u. Illustrator, * St.
Gallen 1914, tätig in Zürich, von → Vuillard u. →
Bonnard beeinflußt, vertreten in Zürich, Kunsth.
Lit.: Vollmer, 1955.

Füger, Heinrich Friedrich, dt.-österr. Maler, Heil-
bronn 1751–1818 Wien, bedeutender Meister na-
mentlich der Bildnisminiatur, Schüler Guibals in
Stuttgart u. → Œsers in Dresden, bildete sich in
Rom weiter. 1783 ff. Leiter der Kunstakad. u. der
Belvedere-Gal. in Wien. In s. Historienbildern ver-
trat er einen dem Rokoko verhafteten klassizist.
Stil, in s. Porträts von den engl. Meistern beeinflußt.
Bevorzugter Maler der österr. Aristokratie, reich
vertreten in den Mus. Wiens.
Lit.: A. Stix, 1925. J. de Bourgoing, *Die Wiener
Bildnisminiatur*, 1926. M. Schefold, 1957. G. Pauli,
Kunst d. Klassiz. u. d. Romantik, 1925. R. Hamann,
Dt. Malerei v. Rokoko z. Expression., 1925.

Führich, Josef v., österr. Maler, Kratzau (Böhmen)
1800–1876 Wien, führender Vertreter der → Nazarener in Wien, nach Ausbildung auf der Prager
Kunstschule 1827–29 in Rom, wo ihn → Overbeck
am Freskenschmuck der Villa Massimi mitarbeiten
ließ, bis 1834 in Prag, dann in Wien, ab 1840 als
Prof. an der Akad. F., der als Jüngster zu den
Nazarenern stieß, brachte ein Element des Volks-
tümlich-Gemütlichen mit. In Wien bildete er seine
Eigenart weiter aus, widmete seine besten Kräfte
aber nicht den Fresken, sondern religiösen Zeichnungsfolgen, von denen die früheren in Kupferstichen, die späteren in Faksimileholzschnitten er-

schienen u. ihn in ganz Deutschland populär machten.

Hauptwerke: *3 Fresken in der Villa Massimi*, 1821–28, Rom. In Wien: *Fresken in der neuen Johanniskirche*, 1844–48; im *Chor der Altlerchenfelder Kirche*, 1854–61. Tafelbilder: *Mariens Gang über das Gebirge*, 1841, Wien, Belvedere-Gal. *Der Gang nach Emmaus*, 1837, Bremen, Kunsth. Zeichnungsfolgen: *Der bethlehemitische Weg*, 13 Bl. *Er ist auferstanden*, 15 Bl. Illustrationen zur *Nachfolge Christi* des Thomas von Kempen; zum *Buch Ruth*, usw. *Szenen aus dem Leben der hl. Genovefa*, um 1825, Rad.
Lit.: M. Dreger, 1912. H. v. Wörndle, 1911. Ders., 1914. Ders. in: Th.-B. 1916. W. Tetzel, 1925. G. Pauli, *Kunst d. Klassizism. u. d. Romantik*, 1925. W. R. Deusch, *Malerei d. dt. Romantiker*, 1937.

Fuentes, Giorgio, ital. Maler, Mailand 1756–1821 ebda., war ein zu s. Zeit berühmter Theatermaler, Schüler des → Gonzaga, arbeitete an der Scala in Mailand; 1796–1805 in Frankfurt, von wo Goethe ihn 1797 vergeblich für Weimar zu gewinnen suchte; von Frankfurt ging er nach Paris; zuletzt wieder in Mailand. Im Stil Neo-Klassizist: er liebte Architekturen aus der Antike bei s. Theaterdekorationen.
Lit.: Weizsäcker-Dessoff, *Kunst u. Künstler in Frankfurt im 19. Jh.*, 1907. P. Zucker in: Th.-B. 1916.

Füssli (Fuessli, Fueslin), Johann Heinrich, in England *Henry Fuseli* gen., schweiz.-engl. Maler u. Zeichner, Zürich 1741–1825 Putney Hill bei London, kraftvoller Exponent der Vorromantik, begann als Gelehrter u. Dichter, kam 1765 nach London, wandte sich unter dem Einfluß von → Reynolds der Malerei zu, war 1770–78 in Rom, wo seine Bewunderung der Antike und Michelangelo galt u. wo er mit Winckelmann u. J. L. → David befreundet war; seit 1779 in London tätig. F. wandte sich in s. Kunst romantisch-literarischen Themen zu, schuf Bilderfolgen zu Dichtungen Shakespeares u. Miltons, zum Nibelungenlied, der Bibel, Dante u. Virgil u. a. Er suchte heroisches Pathos, übersteigerte Bewegungen, düstere Lichtstimmungen, leidenschaftlichen Ausdruck. Seine künstlerische Sprache blieb im wesentlichen die der von ihm verehrten Klassizisten → Mengs u. J. L. David; zur eigentlichen Romantik brach er nicht durch. Gegenseitige Beeinflussung mit dem ihm befreundeten → Blake ist anzunehmen. Oft wurde s. Kunst als der literar. Strömung des «Sturm u. Drang» gleichgerichtet empfunden. F. war einer der gefeiertsten Künstler s. Zeit. – Als Kunstschriftsteller veröffentlichte er «Lectures on Painting», 1801–20.
Beisp.: *Schwur der 3 Eidgenossen*, Zürich, Rathaus (Skizze im Kunsth. Zürich). *Der Nachtmahr*, 1781, Basel, Privatslg. *Titania u. Zettel*, 1793–94, Zürich, Kunsth. *Titania*, London, N. G. Gut vertreten in London, N. G.; Zürich, Kunsth.; ferner Basel, Mus.; Liverpool, Mus.
Lit.: A. Federmann, *F., Dichter u. Maler*, 1926. *Ausst.-Kat.* Zürich 1941. E. Jaloux, 1942. E. Hoffmann, 1942. M. Fischer, *Das römische Skizzenbuch F.s*, 1942. P. Ganz, *Die Zeichn. F.s*, 1947. G. Schiff, *Zeichn. F.s aus s. röm. Zeit*, 1956. Ders., *Cat. raisonné*, in Vorbereitung (1961). F. Antal, *Fuseli Studies*, 1956. J. Gantner/A. Reinle, *Kunstgesch. d. Schweiz*, 3, 1956.

Fuga, Ferdinando, ital. Arch., Florenz 1699–1781 Rom, 1717 ff. in Rom, 1730 päpstl. Baumeister; um 1750 nach Neapel berufen als Hofarch. Fußt auf dem Spätbarock (→ Borromini), neigt aber dem aufkommenden Klassizismus zu u. ist in s. Palastfassaden häufig etwas nüchtern.
Werke: *Fassade von S. Maria Maggiore*, Rom, 1743 bis 1750. *Pal. Corsini*, Rom, 1732–36. *Pal. della Consulta*, ebda., 1732 ff. *Chiesa degli Incurabili*, Neapel, 1762–63. Weitere Werke haupts. in Rom u. Neapel.
Lit.: A. E. Brinckmann, *Baukunst d. 17. u. 18. Jh.* (Handb. d. K. W.), 1915. F. Noack in: Th.-B. 1916. G. Pucci in: Enc. Ital. 1932.

Fugel, Gebhard, dt. Maler, Oberklöcken b. Ravensburg 1863–1939 München, malte Altarbilder u. Fresken in süddt. u. schweiz. Kirchen im realist. Stil der → Nazarener-Nachfolge.
Lit.: F. Schultheiss, 1920. W. Rothes, 1925.

Fuhr, Xaver, dt. Maler u. Zeichner, * Neckarau b. Mannheim 1898, 1946 ff. Prof. der Akad. München, tätig in Regensburg, malte neben Figurenbildern bes. Aquarelle (Stadtansichten u. Landschaften), beeinflußt von → Cézanne, van → Gogh, → Chagall u. a. Vertreten in Berlin, Nat. Gal.; Mannheim, Karlsruhe, Hannover; Detroit, Art. Inst.
Lit.: F. Roh, *X. F.-Mappe*, 1947. F. Nemitz, 1948. C. Linfert, 1949. *Ausst.-Kat. Dt. Künstlerbund 1950*, Berlin 1951. Vollmer, 1955.

Fujita → Foujita.

Fujiwara, Motomitsu, jap. Maler, um 1100, gilt als erster Meister der erzählenden Malerei, der sich der Makimono, der langen Bildrolle, bedient.

Fuller, George, amerik. Maler, Deerfield (Mass.) 1822–1884 Boston. Genrebilder u. Porträts, vertreten in New York, Metrop. Mus. u. a. amerik. Gal.

Fungai, Bernardino, ital. Maler, Siena um 1460 bis um 1516, scheint ein Schüler → Giovanni di Paolos gewesen zu sein, beeinflußt von → Matteo di Giovanni, → Francesco di Giorgio, → Pinturicchio u. a. Von ihm eine *Krönung Mariä*, um 1500, in der Servitenkirche (chiesa dei Servi) in Siena u. ein Altarbild: *Madonna mit Heiligen*, 1512, Siena, Akad.

Weitere zugeschriebene Werke ebda.; in anderen Sieneser Kirchen; in London, Nat. Gall.; in Budapest, Liverpool u. a.
Lit.: P. Bacci, 1947. R. v. Marle, *Ital. schools of paint.* XVI. 1937.

Funhof, Hinrik, dt. Maler, tätig um 1475–85 in Hamburg, hat in der Bildanschauung der Niederländer (Dirk → Bouts) mit selbständiger Kraft die großen Tafeln vom *Hochaltar der Lüneburger Johanniskirche* geschaffen, um 1482. Weiteres Werk: *Madonna im Ährenkleid,* Hamburg, Kunsth.
Lit.: C. G. Heise in: Th.-B. 1916. W. R. Deusch, *Dt. Malerei d. 15. Jh.,* 1936. W. Pinder, *Die dt. Kunst d. Dürerzeit,* 1953.

Furini, Francesco, ital. Maler, Florenz um 1600 bis 1646 ebda., Schüler des → Biliverti u. des Matteo Rosselli, deren Kunst er weiterführte: bibl. u. mythol. Stoffe, bes. beliebt zu s. Zeit für Bilder nackter weibl. Halbfiguren unter mythol. oder allegor. Titeln, die Körper in raffiniert weicher Modellierung. Beisp.: *Hylas u. die Nymphen,* Florenz, Pitti. *Tod des Adonis,* Budapest, Mus. *Loth u. s. Töchter,* Madrid, Prado. *Büßende Magdalena,* Siena, Akad. u. Wien, Staatsgal. Weitere Werke in Florenz, Gal. Corsini, Pitti-Gal.; Augsburg, Gal., u. a.
Lit.: L. v. Buerkel in: Österr. Jb. 27, 1908 A. Stanghellini, 1914. *Ausst.-Kat. Pitt. ital. del 600 e 700,* Florenz, Pitti, 1924. M. Marangoni in: Enc. Ital. 1932.

Furtmeyr, Berthold, dt. Buchmaler des 15. Jh. aus Regensburg, nachweisbar 1470–1501, schuf Miniaturen für kirchliche Prachtwerke. Hauptwerk: *Miniaturen in einem fünfbändigen Missale,* 1481 voll., München, Staatsbiblioth. (nicht von F. allein). In s. Stil vom Meister → E. S. u. wohl auch von niederl. Miniaturisten beeinflußt, vielleicht auch von Meistern der schwäb. Schule (→ Zeitblom). In manchem Vorläufer → Altdorfers, bes. in der Naturauffassung.
Lit.: B. Haendke, 1885. H. Voss, *Ursprung des Donaustils,* 1906. H. Tietze in: Th.-B. 1916.

Furttenbach (Furttembach), Josef, d. Ä., dt. Arch. u. Arch.-Schriftsteller, Leutkirch 1591–1667 Ulm, bildete sich in Italien, 1631 Stadtbaumeister in Ulm; doch ist von s. Tätigkeit als Baumeister kaum etwas erhalten; s. Bedeutung liegt in s. theoretischen Schriften u. Musterbüchern, die weite Verbreitung fanden u. die künstlerischen u. kunsthandwerklichen Leistungen Italiens vermittelten. Sein «Newes Itinerarium Italiae», 1626, ein Reiseführer, war überaus verbreitet. Seine «Architectura civilis», 1628, erklärt erstmals die Zweckmäßigkeit der Bauten als die Hauptsache.
Lit.: M. Wackernagel, *Baukunst d. 17. u. 18. Jh.* (Handb. d. K. W.), 1915. P. Zucker in: Th.-B. 1916.

Fuseli, Henry → Füssli, Johann Heinrich.

Futuristen. Begründer des Futurismus ist der Schriftsteller Marinetti, der in s. Manifest der futurist. Dichtung 1909 sich gegen alles Bestehende auflehnte, die Schönheit des sich Bewegenden, der Geschwindigkeit proklamierte u. die Akademien aller Art der Vernichtung anheim geben wollte. Für die bildende Kunst war das «Futurist. Manifest» von 1910 der Beginn der Bewegung; es war von den ital. Malern → Carrà, → Boccioni, Luigi Russolo u. dem Schriftsteller Marinetti unterzeichnet. Sie forderten die Zerstörung der auf dem subjektiven Sehakt beruhenden Bildeinheit u. proklamierten eine Form, die alles Statische in dynamische Bewegung umsetzt.

Fyt, Jan, niederl. Maler u. Radierer, Antwerpen 1611–1661 ebda., Stillebenmeister aus dem Kreise des F. → Snyders, Schüler von Jan van den Berch u. F. Snyders, war in Paris u. Italien, seit 1641 in Antwerpen. Malte Jagd- u. Tierbilder, Blumen- u. Früchtestilleben; bevorzugt eine tonige Malerei von intimer, gedämpfter Wirkung u. kleinere Formate. Werke in den Mus. v. München, Berlin, Wien, Dresden, Paris, Kassel u. v. a.
Lit.: A. v. Wurzbach, *Niederl. Kstlerlex.,* 1906. W. Bernt, *Niederl. Maler d. 17. Jh.,* 1948.

G

Gabo, Naum, eig. Pevsner, russ.-amerik. Bildhauer, * Bryansk 1890, Meister des Konstruktivismus, Bruder des A. → Pevsner, kam 1909 nach Westeuropa, wo er in München → Kandinsky, in Paris die Kubisten kennenlernte. 1917–22 in Rußland, 1922–33 in Berlin, seitdem in London u. Amerika tätig. G. fand schon früh s. eigenen Stil, der die Einbeziehung des Raumes in die Plastik zum Ziel hat. Er sah von der menschlichen Gestalt ab u. schuf Gebilde aus Glas u. Kunststoff, schließlich aus einem Kunststoffgeripp e, das er mit Nylonfäden überspann, um so aus dem Gegenstand eine irreale Raumzeichn. zu machen. U. a. vertreten im Mus. of mod. art, New York.
Lit.: C. Giedion-Welcker, *Mod. Plastik,* 1937. Dies., *Plastik d. 20. Jh.,* 1955. *Ausst.-Kat. Mus. of mod. art,* New York, 1948. H. Read, *N. G. u. Antoine Pevsner,* 1948. W. Hofmann, *Plastik d. 20. Jh.,* 1958. Read u. Martins, 1957. M. Seuphor, *Plastik unseres Jh.,* 1959.

Gabriel, Jacques-Ange, franz. Arch., Paris 1698 bis 1782, Mitbegründer des Frühklassizismus; vom Rokoko ausgehend führte er die franz. Baukunst zu einem gemäßigten Klassizismus, indem er Einflüsse der engl. Baukunst u. der Antike verarbeitete. Er leitete zahlreiche Umbauten an den Schlössern von Versailles, Fontainebleau, Compiègne u. a.; schuf die *Ecole militaire* in Paris; die Anlage der *Place de la Concorde* (früher Place Louis XV.); das Gebäude der *Garde-meuble*, 1767–70, ebda.; heute Marineministerium. Das Schlößchen *Petit Trianon* im Park von Versailles, 1762–66. Das *Hôtel de Ville* in Dijon. *Palais der Ehrenlegion*, Paris.
Lit.: Conte de Fels, 1911. Gromort, 1933. L. Hautecoeur, *Hist. de l'architect. classique en France* 3, 1950. N. Pevsner, *Europ. Architektur*, 1957.

Gabriel, Paul Joseph Constantin, holländ. Maler, Amsterdam 1828–1903 Scheveningen, Schüler des Landschafters B. C. → Koekkoek in Cleve, später beeinflußt von A.→Mauve in Haarlem, war 1860–84 in Brüssel tätig, seitdem in Scheveningen, malte Ausschnitte aus der holländ. Landschaft, bes. Polder-Landschaften; die dunstige holländ. Atmosphäre malte er in silbriggrauen Tönen mit feinfühligen Pinselstrichen; auch Aquarelle. Werke in den Mus. von Amsterdam (Rijks Mus. u. Sted. Mus.); Den Haag (Gem. Mus. u. Mesdag Mus.); Haarlem, Rotterdam, Groningen, Lüttich, Gent, Antwerpen, Chicago u. a.

Gaddi, Malerfamilie des 14. Jh. in Florenz. Die wichtigsten Mitglieder:
Agnolo (Angelo), ital. Maler, * Florenz 1396, Sohn u. Schüler von Taddeo → G., schuf größere Freskenwerke u. kirchliche Tafelbilder. In s. Stil folgt er der giottesken Tradition, doch steht er der monumentalen Gesinnung → Giottos schon fern, s. Empfinden kommt in vielem schon dem «weichem Stil» der Spätgotik u. der sienes. Kunst nahe. L. → Monaco war s. Schüler, wahrscheinlich auch → Starnina. Sein Erzählertalent u. s. Gefühl für Linienschönheit kommen aufs beste in s. Tafelbildern zur Geltung.
Hauptwerk: Freskendekoration der *Hauptchorkapelle v. S. Croce*, Florenz, um 1380, mit Bildern aus der Legende der Hl. Kreuzes. Sein Freskenspätwerk: *Fresken im Dom zu Prato*, 1392–95. Weitere Werke: *Altar mit Verkündigung u. Passionsszenen*, Florenz, S. Miniato. *Kreuzigung*, Florenz, Uff. *Geburt Christi*, Berlin, staatl. Mus. *Marienkrönung*, London, Nat. Gall. *Himmelfahrt Christi*, Rom, Vatik. Slg. Werke in Florenz, Akad.; Vatikan, Pinak.; Philadelphia, Slg. Johnson u. a.
Lit.: O. Sirén, *Giottino*, 1908. Ders., *Giotto and his followers*, 1918. Ders. in: Th.-B. 1920. R. Salvini, 1936. R. Oertel, *Frühzeit d. ital. Malerei*, 1953.

Gaddo, ital. Maler u. Mosaizist des 13. Jh., der von → Vasari erwähnte Begründer der Künstlerfamilie, Vater des Taddeo → G., nach Vasari † 1312. Die Zuschreibung von Werken durch Vasari willkürlich; nachweislich vieles falsch.
Lit.: B. C. Kreplin in: Th.-B. 1920.
Taddeo, ital. Maler, * um 1300, † 1366, Sohn von Gaddo → G., der bedeutendste Schüler → Giottos, lange Zeit in Giottos Werkstatt tätig, nach dessen Tode der Hauptmeister in Florenz. Sein Hauptwerk sind *Fresken in S. Croce*, Florenz, namentlich in der *Baroncelli-Kapelle*, um 1328. Es sind Fresken aus dem Marienleben. In s. Stil geht Gaddi wesentlich über Giotto hinaus. Er hat eine freiere Raumauffassung, weit mehr realist. Züge, eine neue Behandlung des Lichtes. *Freske des Hl. Abendmahles*, ebda., Refektorium (heute Mus. v. Santa Croce). Ferner sind 26 Einzelbilder, die zu den *Türfüllungen des Sakristeischrankes* in S. Croce gehörten, erhalten; Szenen aus dem Leben Christi u. aus der Franziskuslegende: 22 von ihnen befinden sich in Florenz, Akad., je 2 in Berlin u. in München. Übrige Werke: *Fresken in S. Miniato*, Florenz, 1341–42 u. in *S. Francesco zu Pisa*. An Tafelbildern: *Triptychon mit Madonna*, 1334, Berlin, staatl. Mus. *Madonna mit Engeln*, 1355, Florenz, Uff. Werke in Florenz, Akad.; Neapel, Mus.; Straßburg, Mus.; New York, Metrop. Mus.; Boston, Mus. of fine Arts u. a.
Lit.: Sirén, *Giotto and his followers*, 1918. Graf Vitztum u. W. F. Volbach, *Malerei u. Plastik d. MA in Italien*, 1925 (Handb. d. K. W.). B. C. Kreplin in: Th.-B. 1920. R. v. Marle, *Ital. Schools* 3, 1924. W. u. E. Paatz, *Die Kirchen von Florenz I*, 1940. R. Oertel, *Frühzeit der ital. Malerei*, 1953.

Gael, Adriaen, d. J. (de Jonge), niederl. Maler, Haarlem um 1624–1665 ebda., bibl. Darstellungen mit zahlreichen kleinen Figuren, beeinflußt von Jac. de → Wet, vertreten in Leningrad, Eremitage; Hannover, Kestner-Mus.
Lit.: Hofstede de Groot in: Th.-B. 1920.

Gael, Barent, niederl. Maler, Haarlem um 1635 bis um 1681 Amsterdam, Meister kleiner Genreszenen in der Art von Ph. → Wouwerman, dessen Schüler er war, beeinflußt auch von → Ostade. Die Szenen s. Bilder spielen sich mit Vorliebe vor Wirtshäusern, Raststätten oder Dorfschmieden ab. G. war tätig in Haarlem u. Amsterdam, vertreten u. a. in den Mus. v. Leiden, Rotterdam, Glasgow, Leningrad, Stockholm, Mainz, Vaduz (Slg. Liechtenstein).
Lit.: K. Lilienfeld in: Th.-B. 1920.

Gärtner, Eduard, dt. Maler, Berlin 1801–1877 ebda., Vertreter der Berliner Biedermeiermalerei, begann als Porzellanmaler, bildete sich zum Prospekt- u. Architekturmaler aus u. war zeitweise in Paris, Petersburg u. Moskau (1837–39) tätig, sonst in Berlin,

wo er Berliner Straßen u. Plätze getreu u. stimmungs-
voll darstellte. Werke in der Berliner Nationalgal.:
Alte Königsbrücke, 1832. *Parochialstraße*, 1831. *Neue
Wache*, 1833. *Bauakad.*, 1868. Hauptwerk: *Das große
Panorama von Berlin*, 1834–35, Leningrad.
Lit.: E. Waldmann, *Kunst d. Realismus u. d. Impres-
sion.*, 1927 (Propyl. Kstgesch.). R. Hamann, *Dt. Ma-
lerei v. Rokoko z. Expression.*, 1925. W. R. Deusch,
Malerei d. dt. Romantiker, 1937.

Gärtner, Friedrich v., dt. Arch., Koblenz 1792–1847
München, Vertreter des Klassizismus u. des historisierenden Stils, bildete sich in München u. auf Studienreisen nach Paris u. Italien, 1820ff. Prof. an der
Akad. München, 1822 künstlerischer Leiter der
Nymphenburger Porzellanmanufaktur; s. etwas
nüchternen Bauten eine Mischung aus dt. Romanik u. ital. Frührenaiss. Hauptwerke: *Ludwigskirche*, München, 1829–44. *Bayer. Staatsbibliothek*,
ebda., 1832–42. *Feldherrnhalle*, ebda., 1840–45. *Siegestor*, ebda., 1843–50. *Befreiungshalle* b. Kehlheim,
1842ff. (v. → Klenze voll.). *Residenz* in Athen; wenig
glückliche Tätigkeit als Restaurator.

Gärtner, Heinrich, dt. Maler, Neustrelitz 1828–1909
Dresden, Hauptvertreter der heroisch-hist. Landschaftsmalerei in Deutschland, Schüler → Schirmers
in Berlin u. L. → Richters in Dresden. In Rom, wo
er sich weiterbildete, vollzog sich der Übergang zur
heroisch-hist. Richtung der Landschaftsmalerei, der
er in Zukunft huldigte (die bedeutendsten Vertreter:
→ Preller u. → Rottmann). G. war zunächst in Berlin, 1896ff. in Leipzig, 1902ff. in Dresden tätig. Er
bekam große Aufträge zur dekorativen Ausmalung
von Sälen. Einige der bedeutendsten: *Ausmalung
eines Saales im Mus. Leipzig*, voll. 1879. *Malereien im
Landwirtschaftsmus. Berlin*, 1880ff. *5 Lünetten im Hoftheater Dresden* u. v. a. Mit Bildern vertreten in Leipzig, Mus. u. Dresden, Mus.

Gagini (Gaggini), schweiz.-ital. Künstlerfamilie,
bes. Marmorbildh. aus Bissone (Tessin), 15.–19. Jh.
Die wichtigsten Meister sind Domenico u. Antonello G.
Antonello, Bildhauer, Palermo 1478–1536 ebda., der
bedeutendste Renaissance-Bildhauer Siziliens, tätig
in Messina u. Palermo, Sohn des Domenico → G.,
führte dessen große Werkstatt weiter, welche die
Kirchen Palermos u. darüber hinaus die Kirchen
Siziliens mit Werken aus Marmor, Terrakotta u.
Mistura (Mischung von Gips u. Papiermasse) ver-
sorgte, vor allem für die mit Skulpturen reich ge-
schmückten Altarwände. Vom Hauptwerk Antonel-
los, der *Marmordekoration der Tribuna* im Dom zu
Palermo sind nur Fragmente erhalten. *Madonna della
Scala*, Palermo, Dom. *Madonna degli Ansaloni*, ebda.,
Mus. *Pietà*, Chiesa della Magione, ebda. *Kruzifix*,
Alcamo, 1519. *Tod der Maria*, Relief, 1519, ebda. Am

Hochaltar im Dom zu Palermo: *Christusgestalt*; Rückseite: *Apostel* u. a. Im Mus., ebda., *Georgsaltar*, 1526
(aus S. Francesco). Antonello führte die v. s. Vater
übernommenen Motive fort u. verarbeitete mancherlei lombard. Einflüsse.
Domenico, Bildhauer, tätig in Genua u. Palermo, wo
er 1492 starb. Unterhielt mit s. Sohn Antonello →
G. 1463ff. in Palermo eine große Werkstatt, die
namentlich viele Madonnen für die Kirchen Siziliens
lieferte. Vieles davon ist Schulgut. Hauptwerke sind
die *Weihwasserbecken* im Dom von Palermo (vielleicht
gemeinsam mit → Laurana) u. *Taufbrunnen* im Dom
von Salemi, 1463. Einige weitere Werke aus der
Werkstatt des G.: im Mus. v. Palermo: *Hl. Georg*,
1526. *Monument der Caecilia Aprilis*, 1495. Altäre: in
S. Zita, Palermo; im Dom v. *Monte S. Giuliano*, 1513;
in *S. Maria Maggiore zu Nicosia*, 1510. *Täuferstatuen*:
in Castelvetrano; im Dom v. Messina. Statue der
hl. Katharina: in S. Caterina zu Palermo. Statue des
Jakobus: im Mus zu Trapani.
Lit.: A. Venturi VI, 1908. B. C. Kreplin in: Th.-B.
1920.

Gail, Wilhelm, dt. Maler, München 1804–1890 ebda.,
unter dem Einfluß s. Schwagers P. → Hess gebildet.
schuf geschmackvolle Architekturlandschaften u.
lithograph. Landschaftsbilder aus Italien u. Spanien-
Vertreten in München, N. Pinak.; Karlsruhe, Ham,
burg.

Gaillard, Ferdinand, franz. Maler u. Kupferstecher,
Paris 1834–1887 ebda, Porträtist. Als Kupferstecher
kopierte er bes. → Holbein u. die Niederländer mit
großer Treue. Von s. Vorbildern inspiriert, schuf er
auch s. eigenen Bildnisse u. Porträtstiche.
Lit.: V. Guillemin, 1890. Th.-B. 1920.

Gainsborough, Thomas, engl. Maler, Sudbury
(Suffolk) 1727–1788 London, neben → Reynolds der
engl. Hauptmeister s. Zeit, Schüler von H. → Gravelot u. Francis Hayman, ließ sich in Ipswich, 1760
in Bath, wo er Anerkennung u. Aufträge fand, 1774
in London nieder; das. 1768 Mitglied der neu begründeten Akad. Neben Reynolds der begehrteste
Bildnismaler des Hofes u. der vornehmen Gesellschaft. In s. Bildnismalerei ist G. der Erbe van →
Dycks; dazu kommt die Einwirkung der duftigen
lockeren Malweise → Watteaus u. vor allem eine
lebendige Auffassung u. Charakteristik der dargestellten Persönlichkeit. In s. Landschaftsmalerei
ist G. der Erbe der Niederländer; doch erfaßt er die
typischen Eigentümlichkeiten der engl. Landschaft
u. ist damit ein Vorläufer → Constables u. der Landschaftsmalerei des 19. Jh.
Hauptwerke: Bildnisse: *Der Komponist Fisher*, Hampton Court. *17 Bildnisse der Kinder Georgs III.*, Windsor
Castle. *Miss Sarah Siddons*, 1784, Nat. Gall. *Miss Mary
Graham*, Edinburgh, Gall. *Der Blaue Knabe* (The

blue boy), 1770, S. Marino (Calif.), Huntington Art Gall. *Die Töchter des Künstlers,* um 1760, London, Nat. Gall. Landschaft: *Der Dorfkarren,* London, Nat. Gall. *Die Viehtränke,* um 1775, ebda. *Wald bei Sonnenuntergang,* ebda. *Die Dorfkinder,* ebda. Lit.: W. Armstrong, [2] 1904. R. S. Gower, 1903. W. B. Boulton, 1905. G. Pauli, [2] 1909. W. Th. Whitley, 1915. Dibdin, 1923. M. Woodall, *G.s landscape drawings,* 1939. J. Meier-Graefe, *Die gr. Engländer,* [2] 1908. G. F. Hartlaub, *Die gr. engl. Maler der Blütezeit,* 1948.

Galanis, Demetrios, griech.-franz. Maler, Zeichner u. Buchillustrator, * Athen 1882, bes. geschätzt als Buchillustrator, 1900 ff. in Paris, wo er ausgebildet wurde u. tätig ist (1914 naturalisiert). Lit.: A. Malraux, o. J. Ders. in: Edouard-Joseph, *Dictionn. des Artistes contempor.,* 1931. Bénézit, 1951.

Galgario, Fra → Ghislandi, Vittore.

Galilei, Alessandro, ital. Arch., Florenz 1691–1736 Rom, bedeutender Meister des röm. Spätbarock. Sein Hauptwerk: *Hauptfassade von S. Giovanni in Laterano,* Rom, 1732–35, gilt als eine der besten Leistungen des röm. Spätbarock. Weitere Werke: die *Cappella Corsini* an der Südseite der Lateranbasilika, 1734; die *Fassade von S. Giovanni de' Fiorentini,* ebda, 1734. Der Stil G.s weist die ersten Anzeichen des beginnenden Klassizismus auf (vielleicht beeinflußt vom engl. Klassizismus, den er in England studierte). Lit.: A. E. Brinckmann, *Baukunst d. 17. u. 18. Jh.,* 1915. A. Michel, *Hist. de l'art* VII, 1, 1923. Willich in: Th.-B. 1920.

Gallait, Louis, belg. Maler, Tournai 1810–1887 Brüssel, Schöpfer der monumentalen belg. Geschichtsmalerei, bildete sich auf der Akad. in Tournai unter dem → David-Schüler Hennequin, wurde 1837 zur Ausmalung des Schlosses Versailles beigezogen, voll. 1841 das Kolossalbild *Die Abdankung Karls V.* im Auftrag des belg. Staates; meist in Brüssel tätig. In s. Stil stand er unter dem Einfluß von → Delaroche. Hauptwerke: *Abdankung Karls V.,* 1841 Brüssel, Mus. *Egmonts letzte Stunde,* 1848, Berlin, staatl. Gal. *Erstürmung Antiochias,* 1849, Versailles. *Die Brüsseler Schützengilde erweist dem hingerichteten Grafen Egmont u. Hoorn die letzte Ehre,* 1851, Tournai, Stadthaus. *Die Pest in Tournai,* 1882, Brüssel, Mus. Ferner Genreszenen u. Bildnisse: *Papst Pius IX.* Lit.: H. Hymans, *Belg. Kunst d. 19. Jh.,* 1906.

Galle, Zeichner- u. Kupferstecherfamilie holl. Herkunft in Antwerpen. *Cornelis d. Ä.,* Sohn von Philipp → G., Antwerpen 1576–1650 ebda, der erfolgreichste Vertreter der Familie, bedeutender → Rubensstecher, war mit s.

Bruder Theodor in Rom, wo er nach Werken der → Carracci, → Tizian, → Reni u. a. stach. *Cornelis d. J.,* Sohn von Cornelis d. Ä., Antwerpen um 1615–1678 ebda, stach nach Bildnissen niederl. Meister. *Philipp,* Haarlem 1537–1612 Antwerpen, wahrscheinlich Schüler von H. → Cock, bereiste Frankreich, Italien, Deutschland u. ließ sich in Antwerpen nieder, das. große Stecherwerkstatt. Er stach nach → Bruegel, → Heemskerck, de Voin, Stradanas u. a., bes. geschätzt s. Stiche nach → Floris. *Theodor,* Sohn von Philipp → G., Antwerpen 1571 bis 1633 ebda., Schüler s. Vaters, in Rom weitergebildet. Veröffentlichte die Ergebnisse s. Studien nach antiken Denkmälern: «Imagines ex antiquis marmoribus ...» Lit.: J. B. van den Bemden, 1863.

Gallé, Emile, franz. Kunsthandwerker, Nancy 1846 bis 1904 ebda, bedeutender Meister des Jugendstils (Blütezeit um 1900), bes. s. Kunstgläser wegen berühmt, der sog. *Gallé-Gläser* (aus mehreren farbigen Schichten zusammengeschmolzen). 1874 gründete er in Nancy seine Werkstätten, mit welchen er die Ecole de Nancy bereicherte. Hauptmotiv waren Pflanzen; angeregt wurde G. von chines. u. japan. Kunst. Er schuf Glasvasen, Schmucksachen, Möbel. Lit.: N. Pevsner, *Wegbereiter mod. Formgebung,* 1957. *Ausst.-Kat. Sources du XXᵉ siècle,* Paris 1960/61.

Gallegos, Fernando, span. Maler, um 1440 bis um 1507 Salamanca, bedeutendster Vertreter der kastil. Malerschule des 15. Jh. In s. Stil schloß er sich an die Altniederländer an, vornehmlich an van → Eyck u. → Bouts. Hauptwerke: *Altar (retablo) des hl. Ildefons,* Zamora, Kathedrale, vor 1467. *Altar der Kapelle des hl. Antonius,* Salamanca, Neue Kathedrale. Weitere Werke in Kirchen v. Salamanca u. a. O. Vertreten in Madrid, Prado; Richmond, Slg. Cook. Lit.: A. L. Mayer, *Geschichte d. span. Malerei,* 1913. Ders. in: Th.-B. 1920. J. F. Rafols in: Enc. Ital. 1932.

Gallego(s) y Arnosa, José, span. Maler, Bildhauer u. Arch., Jerez de la Frontera 1859–1917 Anzio b. Rom, Meister von Genrebildern aus dem ital. u. span. Volksleben, hatte schon früh Erfolg mit Straßen- u. Volksszenen aus Spanien, aus Tanger u. a. in Freilichtmalerei; wandte sich dann der Orientmalerei und schließlich italienischen Volksszenen zu: Kirchenszenen, Straßenprozessionen usw. in der Art → Fortuny's. Seit 1881 in Rom. Beisp.: *Marokkan. Hochzeitszug,* Madrid, Mus. mod. Als Bildhauer schuf er für den *Hochaltar der Santiago-Kirche* in Jerez den Marmorbaldachin u. bronzene Heiligengestalten. Außer in Madrid vertreten in Boston, Mus.; Prag, Mus. u. a. Lit.: E. Lafuente Ferrari, *Breve Hist. de la Pint. Españ.,* 1953.

Gallén-Kallela, Akseli, finn. Maler u. Graphiker, Pori (Björneborg) 1865–1931 Stockholm, Hauptmeister der neueren nationalfinn. Kunst, bildete sich in Paris (Atelier Cormon) unter dem Einfluß von → Bastien-Lepage, begann mit Genrebildern aus dem finn. Volksleben in kräftigem Naturalismus, ging später zu einem romant. gefärbten Symbolismus über, um schließlich eine dekorativ-monumentale Form zu finden. Er befreite sich von allen naturalist. Einflüssen, um zu einem eigenen, nationalen, Stil zu gelangen. Gegenständlich wandte er sich den Inhalten der finn. Volksepen zu. Seine Hauptwerke sind umfangreiche *Darstellungen aus dem Kalevala-Epos.* 4 große Freskenwerke sind heute im Nat. Mus. v. Helsinki, wo G. gut vertreten ist. Glänzender Porträtist u. Graph. Werke ferner in den Mus. v. Göteborg, Stockholm, Abo, Budapest.
Lit.: W. Hagelstam, 1904. N.-G. Hahl in: Enc. Ital. 1932. *Die Bilder zum Kalevala v. G.-K.,* hg. v. O. Okkonen, 1935 (finn.).

Galli-Bibiena → Bibiena.

Gandini, Giorgio, gen G. del Grano, ital. Maler, Parma 1489–1538 ebda., Meister der → Correggio-Schule; die Formensprache des Meisters ist bei G. meist veräußerlicht u. übertrieben. Hauptwerk: *Thronende Madonna mit Kind u. Heiligen,* Parma, Gal.; ebda., weitere Bilder.
Lit.: N. Pevsner, *Malerei d. 16. u. 17. Jh. in Italien,* (Handb. d. K. W.), 1926. A. Venturi IX, 2, 1926. A. Sorrentino in: Enc. Ital. 1932.

Ganku, japan. Maler, Kanazawa (Kaga) 1756 bis 1839 b. Kioto, Gründer der nach s. später angenommenen Familiennamen gen. Kishi-Schule, schloß sich der chines. Geschichts- u. Genremalerei an; nahm auch realist. Bestrebungen der Zeit auf. Bekannt bes. s. Tigerbilder.

Garbe, Herbert, dt. Bildhauer u. Bildschnitzer, Berlin 1888–1945 Rennes (Frankreich), 1936–41 Leiter der Bildhauerklasse der Städelschen Kunstschule Frankfurt a. M. Denkmäler, Figürliches, Akte, Bildnisse; nahm einiges von der kubist. Strömung in s. Kunst auf: Plastik für das von → Mies van der Rohe entworfene *Liebknecht-Denkmal* in Friedrichsfelde b. Berlin. Vertreten in Berlin, Nat. Gal.
Lit.: *Ausst.-Kat. Dt. Bildh. d. Gegenw.,* Hannover 1951.

Garbo, Raffaellino del, ital. Maler, um 1470 bis um 1525, florent. Renaissancemaler, Schüler des Filippino → Lippi, von manchen Autoren identifiziert mit Raffaello de Carli, einem unter dem Einfluß → Peruginos stehenden Meister, während andere sie als gesonderte Künstler betrachten. Hauptwerke – ohne Berücksichtigung der Trennung in 2 Künstler

– *Auferstehung Christi,* Florenz, Akad. *Pietà,* München, A. P. *Madonnenrundbilder :* in Berlin u. Neapel. *Madonna mit Heiligen u. Stiftern,* Florenz, Uff.
Lit.: G. Gronau in: Th.-B. 1920. Ruscus in: Emporium 59, 1924. D. Colnaghi, *Dictionary of Florent. Paint.,* 1928. R. van Marle, *Ital. schools of paint.* XII, 1931. B. Berenson, *Ital. pict. of the Renaiss.,* 1932. A. M. Ciaranfi in: Enc. Ital. 1935.

Gardelle, Robert, schweiz. Maler, Kupferst. u. Rad., Genf 1682–1766 ebda., das bekannteste Mitglied einer Genfer Künstlerfamilie, sehr fruchtbarer Porträtist, mit Vorliebe Miniaturen; ging früh nach Deutschland, dann als Schüler von → Largillière nach Paris, tätig in Genf; nach s. eigenen Werken hat er radiert; auch einige Landschaftsfolgen.

Gardet, Georges, franz. Bildh., * Paris 1863, bedeutender Tierbildner, Schüler von → Frémiet, schuf die Gruppe *Panther und Python,* 1887, Paris, Parc Montsouris; 2 *Damwildgruppen* an der Porte Dauphine, ebda.; *Dänische Dogge,* Chantilly; Werke in den Mus. von Paris (Mus. d'art mod.); Limoges, Hamburg u. a.

Gareis, Franz, dt. Maler, Mariental (Oberlausitz) 1775–1803 Rom, Meister des Bildnisses, kam 1791 auf die Akad. Dresden unter → Casanova, begann mit bibl. u. mythol. Bildern, entfaltete vor allem eine reiche Tätigkeit als Porträtist; s. Bildnisse in der Art von → Graff. Das Skizzenbuch s. Reise nach Rußland 1796–97 in Dresden, Kupferstichkabinett; Zeichnungen in den Mus. v. Bautzen, Halle, Leipzig, Weimar.
Lit.: R. Förster in: Th.-B. 1920.

Gargallo, Pablo, span. Bildh., Maella 1881–1934 Reus, kam 1902 zum ersten Mal nach Paris, traf 1911 mit → Picasso zusammen, war seit 1918 Prof. d. Kstgew.-Schule Barcelona, seit 1925 in Paris tätig. Als einer der ersten setzte G. kubist. Ideen in Plastiken um, und zwar in Eisen- und Kupferblechen.
Lit.: P. Courthion, 1937. Vollmer, 1955. M. Seuphor, *Plastik unseres Jh.,* 1959.

Garnier, Charles, franz. Arch., Paris 1825–1898 ebda., Erbauer der Pariser Oper, Schüler von Lebas u. Léveil, bildete sich weiter in Italien u. Griechenland, 1854 ff. meist in Paris. Hauptmeister des eklektischen Stils des 19. Jh.; mit Geschick verwendete er die Formen der venez. Renaissance, aber auch Griechisches, Ägyptisches u. a. für s. modernen Prachtbauten. Hauptwerke: *Große Oper,* Paris, 1861–74. *Theater* u. *Casino,* Monte Carlo, 1878. *Observatorium* b. Nizza.
Lit.: *Centenaire de G.* in: L'architecture 1925 u. 1926.

Garnier, Tony, franz. Arch., Lyon 1869–1948 ebda., gehörte zu den ersten Architekten, die konsequent Beton für ihre Bauten verwandten. Epochemachend durch ihren modernen Geist waren seine *Entwürfe für eine ideale Industriestadt des 20. Jh.,* 1901–04 («Une Cité Industrielle», 1918). In s. späteren Bauten ist er konventioneller (u. a. *Schlachthof* und *Sportstadion* in Lyon).
Lit.: G. Veronesi, 1948. N. Pevsner, *Wegbereiter mod. Formgebung,* 1957. Ders., *Europ. Architektur,* 1957. *Ausst.-Kat. Sources du XXe siècle,* Paris 1960/61.

Garofalo, Benvenuto da, eig. Benvenuto Tisi, ital. Maler, Garofalo b. Ferrara um 1481–1559 ebda., Meister der ferrares. Renaissance, ausgebildet wahrscheinlich bei → Panetti, beeinflußt von → Costa, → Dossi, den Venezianern u. → Raffael. Zahlreiche Kirchenbilder.
Hauptwerke: *Thronende Madonna mit Heiligen,* 1524, Ferrara, Dom u. Pinac., 1514; Venedig, Akad., 1518; Modena, Gal. (1533); München, A. P.–Madonnen: *Madonna del Riposo,* 1525, Ferrara, Pinac.; *Madonna del Pilastro,* ebda., *Auferweckung des Lazarus,* 1532, ebda. *Kindermord zu Bethlehem,* 1519, ebda. *Christus am Ölberg,* ebda. *Anbetung der Könige,* 1549, ebda. *Pietà,* 1527, Mailand, Brera. *Heimsuchung,* Rom, Pal. Doria. Fresken: *im Seminario arcivescovile,* Ferrara, 1519; grau in grau, im Stil von Raffaels Stanzen. *Judaskuß u. Bildnisfigur des Stifters,* S. Francesco, Ferrara. Weitere Werke in Ferrara, Pinac.; Rom, Chigi; Bologna, S. Salvatore; in den Gal. v. Dresden, London.
Lit.: P. Schubring, *Kunst d. Hochrenaiss.,* 1926. E. v. d. Bercken, *Mal. d. Renaiss. in Oberitalien,* 1927 (Hb. d. K. W.).

Gartner, Jörg, dt. Bildhauer, tätig in Passau um 1505–1530. Nachgewiesen sind G. nur Grabdenkmäler. In ihnen erweist er sich als ein von der Renaissance nur wenig beeinflußter Meister. Werke im Dom von Passau, in der Dominikanerkirche von Regensburg, der Spitalkirche von Burghausen u. a.
Lit.: W. M. Schmid, *Passau,* 1912. Leonhardt, *Spätgot. Grabdenkmäler des Salzachgebietes,* 1913. P. Kutter in: Th.-B. 1920.

Gatti, Bernardino, ital. Maler, wahrscheinl. Pavia um 1495–1575 Cremona, Meister der Schule von Parma, vor allem von → Correggio beeinflußt, aber auch von ferrares. und venezian. Kunst, von → Raffael u. a., malte als sein Hauptwerk die *Madonna del Rosario,* 1531, Pavia, Dom; ferner Fresken in der *Hauptkuppel der Madonna della Steccata* in Parma, 1560–70; im *Refektorium von S. Pietro* in Cremona (verdorben); in Kirchen von Cremona; in den Mus. von Neapel, Turin u. a.
Lit.: E. v. d. Bercken, *Malerei d. Renaiss. in Oberital.,* 1927 (Hb. d. K. W.).

Gaudi, Antonio, span. Arch., Reus 1852–1926 Barcelona, Schöpfer des «neukatalon. Baustils», der span. Parallele zum mitteleurop. Jugendstil. G. entnahm seine Stilelemente der katalon. Gotik u. dem → Churriguerra-Stil, die er zu überraschenden Effekten von leidenschaftlicher Verstiegenheit verwendete. Hauptbau: die 1882 beg., unvoll. Kirche der *Sagrada Familia* in Barcelona. *Haus Guëll,* ebda., 1885–89. *Wohnblock Mila,* ebda., 1907–10. Weitere Wohn- u. Geschäftsbauten in Barcelona; Innenarchitektur u. Kunstgew.
Lit.: J. F. Rafols, 1928. J. Puig Boada, *El templo de la Sagrada Familia,* 1929. J. Cirlot, 1950. J. Bergos, 1957. N. Pevsner, *Wegbereiter mod. Formgebung,* 1957. *Ausst.-Kat. sources du XXe siècle,* 1960/61.

Gaudier-Brzeska, Henri, franz. Bildh., Saint-Jean de Braye 1891–1915 Neuville-Saint-Vaast (im Kriege), seit 1911 meist in London tätig, wo er sich dem «Vortizismus» s. Freundes W. → Lewis anschloß. Ging von → Rodin aus, war beeinflußt von → Epstein, → Brancusi u. a. Vertreten in London, Tate Gall. u. a.
Lit.: E. Pound, 1916. H. S. Ede, 1930. W. Hofmann, *Plastik d. 20. Jh.,* 1958. *Ausst.-Kat. sources du XXe siècle,* Paris 1960/61.

Gauermann, Friedrich, österr. Maler, Miesenbach 1807–1862 Wien, malte Landschaften mit Tier- und Menschenstaffage, realist. Tierstücke nach Art der Niederländer; Graphik. Werke in den Mus. von: Wien, Innsbruck, Leipzig, Zürich, Berlin u. a.
Lit.: *Ausst.-Kat. Aufbruch z. mod. Kunst,* München 1958.

Gauguin, Paul, franz. Maler, Graphiker, Bildschnitzer, Paris 1848–1903 auf Fatu-Iwa (Marquesas-Insel), Hauptmeister der franz. nachimpressionist. Kunst, begann um 1876 mit Malen neben s. Beruf als Bankbeamter, den er 1883 aufgab, um sich ganz der Malerei zu widmen; schloß sich zunächst den Impressionisten an, 1886 erster Aufenthalt in Pont-Aven, 1887 auf der Insel Martinique, der für die Ausbildung s. Stils wichtig wurde, 1888 während kurzer Zeit Zusammenarbeit mit van → Gogh in Arles, dann wieder in Pont-Aven u. Le Pouldu. 1891–1893 erster Aufenthalt in Tahiti, dann wieder in der Bretagne, 1896 ff. in Tahiti, 1901 ff. auf den Marquesas-Inseln. In s. Stil wollte G. dem formauflösenden Pointillismus der Spätimpressionisten eine verfestigte Form gegenüberstellen. Charakteristika s. Stiles: flacher Farbauftrag, dunkle ausgeprägte Konturen, Licht ohne Schatten, leuchtende Farben, Freiheit vor der Natur. Der japan. Farbholzschnitt wirkte bestimmt auf ihn ein. G. seinerseits wirkte auf die Malergruppe von Pont-Aven, auf die → Nabis u. weiterhin auf die Entwicklung der modernen Kunst ein. G. veröffentlichte 1900 nach s.

Aufenthalt in Tahiti: «Noa-Noa», 1891–93 geschrieben, «Avant et Après», 1903.
Hauptwerke: *Le Christ Jaune*, 1889, Buffalo, Albright Art Gall. *Frauen am Strand*, 1891, Paris, Louvre. *Vahiné mit der Gardenie*, 1891, Kopenhagen, Glyptothek. *Strandszene von Tahiti*, um 1901, Moskau, Mus. *Ta Matete* (Der Markt), 1892, Basel, Mus. *Nave Nave Mahana* (Jours délicieux), 1896, Lyon, Mus. *Das weiße Pferd*, 1898, Paris, Louvre. *Mädchen von Tahiti* (Les seins aux fleurs rouges), 1899, New York, Metrop. Mus. *La lune et la terre*, 1891–93, New York, Mus. of mod. art.
Lit.: Ch. Morice, 1919. E. Wiese, 1923. R. Rey, 1924. W. Barth, 1929. J. Rewald, 1939 (franz.). H. Graber, 1946. R. Cogniat, 1947. M. Malingue, 1948. M. Raynal, *De Goya à Gauguin*, 1951 (m. Bibliogr.). Enc. Univ. dell'Arte, 1958. *Ausst.-Kat. sources du XXᵉ siècle*, 1960/61.

Gaul, August, dt. Bildhauer, Groß-Auheim b. Hanau 1869–1921 Berlin, Meister der Tierplastik, 1895–97 im Atelier von R. → Begas tätig, 1897 in Italien; meist in Berlin tätig. G. suchte im Anschluß an → Hildebrand eine klass.-einfache Form. Hauptwerke: *Löwe u. Löwin*, Bronze, Berlin, staatl. Gal. *Ruhende Schafe*, Kalkstein, 1901, ebda. *Affenmensch*, 1920, ebda. Auch Brunnenanlagen mit Tieren, Modelle für die Porzellanmanufaktur Meißen, Zeichnungen u. Radierungen.
Lit.: E. Waldmann, 1919.

Gaulli, Giovanni Batt. → Baciccio, Giovanni Batt.

Gavarni, Paul, eig. Sulpice Chevalier, franz. Graphiker, Paris 1804–1866 Auteuil, Hauptmeister der Buch- u. Zeitschriften-Illustration des 19. Jh. in Frankreich. Begann als Modezeichner, wandte sich der Schilderung des eleganten Pariser Lebens zu u. wurde zu einem Sittenschilderer s. Zeit. 1837 ff. arbeitete er für illustrierte Zeitschriften, vor allem den «Charivari». 1848–51 in London, sonst in Paris tätig. Sein Hauptdarstellungsmittel war die Lithographie, ferner Zeichnungen für den Holzschnitt u. Aquarelle. Stilistisch von den Romantikern herkommend, Schüler von Jean Adam.
Hauptwerke: Die Folge *Masques et visages*, 1852–58. Buchillustration zu *Le juif errant* von E. Sue, 1845; zu *Paris marié* v. Balzac, 1846. Holzschnitte in Auswahl: *Oeuvres choisies*, 1846–48. Kat. des Gesamtwerks v. Armelhaut u. Bocher, *L'œuvre de G.*, *Cat. raisonné*, 1873.
Lit.: J. u. E. de Goncourt, 1873. Neuauflage 1935 (dt.). E. Forgues, 1887. E. Fuchs, 1925. P.-A. Lemoisne, 1928. J. Robiquet, 1932.

Gebhardt, Eduard v., dt. Maler, St. Johannis (Estland) 1838–1925 Düsseldorf, bedeutender religiöser Maler der Düsseldorfer Schule, Schüler von

W. → Sohn in Düsseldorf, von 1875 an Lehrer der Akad. ebda. Verlegte s. bibl. Stoffe meist in die Zeit der Reformation u. versuchte einen Ausgleich zwischen dem Realismus aller Einzelheiten u. einer gewissen inneren Idealität der Auffassung. Hauptwerke: *Einzug Christi in Jerusalem*, 1863, Elberfeld, Mus. *Abendmahl*, 1872, Berlin, staatl. Mus. *Kreuzigung*, 1873, Hamburg, Kunsth. *Fresken* im Kollegiensaal des Predigerseminars Loccum, 1882–91; in der Friedenkirche Düsseldorf u. a.
Lit.: A. Rosenberg, 1899. Schaarschmidt, 1899. D. Koch, 1910. R. Burckhardt, *Zum Schauen bestellt*, *E. v. G.*, 1928. R. Hamann, *Dt. Malerei v. Rokoko z. Expression.*, 1925.

Gedon, Lorenz, dt. Arch. u. Bildhauer, München 1843–1883 ebda., Vertreter der hist. gerichteten Baukunst des 19. Jh., stand im Mittelpunkt der Bewegung, die in den 70er Jahren die Formen der dt. Renaissance in Architektur u. Kunstgewerbe einführte. Bekanntester Bau: *Fassade der Schack-Galerie*, München, 1872. Ferner: *Heyls-Hof* in Worms. Als Innenarch. bedeutende Werkstätte für Wohnungseinrichtung.

Geefs, Willem, belg. Bildhauer, Antwerpen 1805 bis 1883 Schaerbeek, Vertreter der zugleich hist. u. realist. gerichteten Strömung der belg. Plastik (gleichgerichtet mit → Wappers in der Malerei), schuf zahlreiche dekorative Werke für öffentliche Gebäude u. Platzanlagen: *Rubensdenkmal* in Antwerpen, 1840. *Kolossalfigur des Mädchens von Gent*, ebda., Hauptbahnhof. *Grabmal des Grafen Friedrich v. Merode*, Brüssel, Ste-Gudule. *Büste Leopolds I.*, 1833. Vertreten in Brüssel, Nat. Mus.; Antwerpen, Akad.; Lüttich, Mus. u. a.

Geertgen tot Sint Jans, niederl. Maler, Leiden um 1460 bis um 1490, Hauptmeister der altniederl. Malerei, Schüler v. → Ouwater, beeinflußt aber auch von van der → Weyden u. van → Goes, tätig in Haarlem. Großer Menschendarsteller in s. religiösen Bildern, ebenso bedeutend in s. Landschaftshintergründen. Werke: beglaubigtes Hauptwerk sind die Altarflügel mit *Beweinung Christi* u. *Verbrennung der Gebeine Johannes d. T.*, Wien, Kunsthist. Mus. Ferner *Johannes d. T. in der Landschaft*, Berlin, staatl. Mus.
Lit.: M. J. Friedländer, *Altniederl. Malerei* 5, 1927.

Geertz, Julius, dt. Maler, Hamburg 1837–1902 Braunschweig, Schüler von R. → Jordan in Düsseldorf, seit 1898 in Braunschweig tätig, schuf Genrebilder, haupts. aus dem Kinderleben; aber auch aus dem sozialen Leben s. Zeit u. Bildnisse.

Gehrts, Karl, dt. Maler, Hamburg 1853–1898 Endenich b. Bonn, vielseitiger Vertreter der Düssel-

dorfer Schule. *Wandgemälde im Treppenhaus des Düsseldorfer Kunsthauses; Entwürfe für hist. Umzüge* u. für die Künstlerfeste des «Malkastens» in Düsseldorf; illustrierte Bücher: *Reineke Fuchs* u. v. a. Mitarbeiter der «Fliegenden Blätter» u. a.
Sein Bruder *Johannes*, 1855–1921, ebenfalls beliebter Illustrator u. Mitarbeiter der «Fliegenden Blätter». Lit.: C. H. Heise in: Th.-B. 1920.

Geibel, Hermann, dt. Bildhauer, *Freiburg i. Br. 1889, von → Barye, → Rodin, → Maillol, → Despiau ausgehender Meister guter Tierplastiken, studierte 1913–14 bei Maillol u. Despiau in Paris, 1934 ff. Lehrer an der Techn. Hochschule Darmstadt. Auch Akte, Bildnisbüsten u. lithographierte Mappenwerke: *Tänzerinnen*, 1920 u. a. Vertreten in den Mus. v. Mannheim, Karlsruhe, München (Städt. Gal.), Freiburg i. Br.
Lit.: Vollmer, 1955.

Geigenberger, Otto, dt. Maler, Wasserburg am Inn 1881–1946 Ulm, begründete eine kunstgewerbliche Werkstätte in Wasserburg, schuf als Maler haupts. Landschaften. Vertreten in den Mus. v. München (Städt. Gal.), Buer-Gelsenkirchen, Ulm.
Lit.: P. Breuer, *Münchener Künstlerköpfe*, 1937. E. Kammerer, *Der Maler u. die Natur, O. G.* in: Die Kunst 40, Bd. 79, 1938. B. Kroll, *Dt. Maler d. Gegenw.*, 1944.

Geiger, Nikolaus, dt. Bildhauer u. Maler, Lauingen 1849–1897 Berlin, Nachfolger der → Begas'schen naturalist. Richtung, schuf den *Barbarossa* auf dem Kyffhäuser-Denkmal, 1895; den *Musizierenden Engel* für den Berliner Dom. In Berlin, Nat.-Gal., vertreten mit: *Frauenkopf* u. *Zentaur mit Nymphe.*

Geiger, Rupprecht, dt. Maler, * München 1908, Sohn von W.→G., Vertreter der abstrakten Malerei, tätig in München, Gründungsmitglied der «Zen»-Gruppe. «Kompositionen mit großen dunklen, manchmal schwarzen Flächen, deren Wirkung noch gesteigert wird durch einen einzigen roten oder blauen Lichtstreifen.» (Seuphor).
Lit.: W. Haftmann, *Malerei d. 20. Jh.*, 1954. M. Seuphor, *Knaurs Lex. abstr. Malerei*, 1957. *Neue Kunst nach 1945*, hg. v. W. Grohmann, 1958. F. Roh in: Das Kunstwerk 1959 (März). *Documenta II*, Kassel 1959.

Geiger, Willi, dt. Maler, Lithograph u. Radierer, * Schönbrunn b. Landshut 1878. Bedeutender Graphiker, Schüler von → Stuck (Malerei) u. P. → Halm (Radierung) in München, 1928 Prof. der Leipziger Akad., 1945 der Hochschule f. bildende Künste in München. Bildnisse, Landschaften u. Stilleben, bes. Blumen; s. Hauptbedeutung hat er aber als Graphiker. Er schuf Zyklen von Radierungen u.

illustrierte Dostojewskij, Tolstoj, Kleist u. v. a. Vertreten in München, Städt. Gal.; Barmen, Ruhmeshalle.
Lit.: H. F. Eggler, 1928. W. v. Zur Westen, *Exlibris*, 1925. W. Petzet in: Die Kunst u. d. schöne Heim, Jg. 52, 1954. R. Hiepe, 1959. Vollmer, 1961 (Nachtrag).

Geiler, Hans, schweiz. Bildh., nachweisb. Freiburg (Schweiz) 1513–34, Schöpfer bedeutender Altarwerke in Holz und von Skulpturen in Stein; spätgotisch mit vereinzelten Renaiss.-Elementen; in Freiburg: *Altar des Jean de Furno*, Franziskanerkirche; *Hl. Christophorus*, St.-Jean; *Georgsbrunnen* am Rathausplatz, 1525.
Lit.: M. de Diesbach, 1903. M. Moullet, *Drei schweiz. Kunstwerke in Fryburg*, 1943. Gantner/Reinle, *Kunstgesch. d. Schweiz* 3, 1956. M. Strub, *Les Monuments d'Art et d'histoire du Canton de Fribourg* 3, 1959.

Geiser, Karl, schweiz. Bildhauer, Wandmaler u. Graphiker, Langenthal 1898–1957 Zürich. Hauptmeister der schweiz. Kunst der 1. Jh.-Hälfte, schuf Denkmäler, Statuen, Bildnisgruppen, Zeichnungen u. Graphik. Hauptwerke sind die 2 *Dreiergruppen aus Bronze* vor dem Städt. Gymnasium Bern. *Statue des David*, Schaffhausen, Mus. *Denkmal der Arbeit*, um 1951–57, als unvoll. Gipsmodell hinterlassen; seit 1959 in Ausführung. Werke in Zürich, Kunsth. (*Jüngling mit Hund*, 1930). Bern, Kunstmus. (*Stehende nackte weibl. Figur; Knabenkopf*). Basel, Kunsth. u. Winterthur, Mus.
Lit.: W. George, 1932. H. Naef, *Das graph. Werk K. G.s*, 1958. M. Joray, *Schweizer Plastik d. Gegenw.* 2 Bde., 1954–59. Kunst u. d. schöne Heim 55, 1956/57. Künstlerlex. d. Schweiz d. 20. Jh.

Geitlinger, Ernst, dt. Maler, * Frankfurt a. M. 1895, ansässig in Seeshaupt (Starnberger See), war zunächst haupts. Theatermaler, dann Student an der Münchner Akad. unter → Caspar, seit 1930 in München u. Seeshaupt wohnhaft, Vertreter der abstrakten Kunst, erinnert in s. Werken an → Klee u. → Chagall.
Lit.: H. Eckstein, *Maler u. Bildh. in München*, 1946. W. Petzet, *E. G., ein abstrahierender Maler* in: Die Kunst u. d. schöne Heim, 55. Jahrg. 1956. G. Händler, *Dt. Mal. d. Gegenwart*, 1956. M. Seuphor, *Knaurs Lex. abstr. Mal.*, 1957.

Gelder, Arent (Aert) de, niederl. Maler, Dordrecht 1645–1727 ebda., bedeutender Schüler → Rembrandts, arbeitete 1661ff. bei ihm, später in Dordrecht tätig. Er ging in s. Kunst vom Spätwerk Rembrandts aus, malte bibl. Szenen mit reichen Lichtwirkungen u. blieb, wenn er auch später andere Einflüsse aufnahm, der Art Rembrandts im 18. Jh. noch treu. Werke: *Ecce Homo*, 1671, Dresden, Gal.

Passionsfolge, teils in Aschaffenburg, teils in Amsterdam, Rijksmus. *Bildnis Peters d. Gr.*, Amsterdam, Rijksmus. Vertreten in Den Haag; Rotterdam, Mus. Boymans; Dordrecht, Mus.; in den Mus. v. Dresden, Brüssel, Kopenhagen, Frankfurt a. M., München, Hannover, Leningrad, Richmond (Slg. Cook), Chicago (Art. Inst.) u. a.
Lit.: K. Lilienfeld, 1914. Ders. in: Th.-B. 1920. W. Bernt, *Niederl. Maler d. 17. Jh.* 1, 1948.

Gelée, Gellée, → Lorrain, Claude.

Genelli, Bonaventura, dt. Maler u. Zeichner, Berlin 1798–1868 Weimar, aus ital., in Berlin ansässiger Familie, 1822–32 in Rom, wo er den Einfluß der → Nazarener, vor allem aber von → Carstens erfuhr, zuerst in Leipzig, 1836 ff. in München, 1859 ff. in Weimar tätig. G. strebte einen monumentalen zeichnerischen Stil an, der in Karton-Entwürfen zu Wandbildern zur Geltung kommt, ohne daß er die großen Aufträge dazu erhielt. So bleiben seine von andern Händen gestochenen Zeichnungen zu klass. Werken s. Wesentlichstes.
Hauptwerke: Umrißzeichnungen zu Dantes *Göttlicher Komödie*, 1840 ff.; zu *Homer*, 1844; ferner s. selbstersonnenen Zyklen: *Aus dem Leben eines Wüstlings*, 1866; *Aus dem Leben einer Hexe*, 1850; *Aus dem Leben eines Künstlers*, 1867. Die Zeichnungen dazu in den staatl. Mus., Berlin (ehem. Nationalgal.). Ebda.: aquarellierte Federzeichnungen: *Aesop unter den Landleuten*, um 1858; *Sappho*, um 1858. Gemälde: *Sappho*, um 1860, Weimar, Mus. *Abraham u. der Engel*, 1862, München, Schack-Gal. Weitere Werke ebda.; ferner Kartons in Leipzig u. Weimar, Zeichn. in Wien, Akad.
Lit.: L. Jordan in: Zschr. f. bild. Kunst 5, 1870. Baisch, *Einzelheiten aus G.s Leben u. Briefwechsel*, ebda. 18, 1883.

Genga, Girolamo, ital. Maler, Arch. u. Bildhauer, Urbino um 1476–1551 ebda., Vertreter der → Raffael-Schule, 1494 ff. Schüler von → Signorelli, an den Fresken s. Lehrers im Kreuzgang des Klosters Monte Oliveto Maggiore b. Siena beteiligt, trat um 1500 in die Werkstatt → Peruginos ein als Mitschüler Raffaels. Im Dienste der Montefeltre von Urbino als berühmter Theaterbaumeister u. Festdekorateur, vorübergehend in Mantua u. Rom, 1523 ff. wieder in Urbino, vorzugsweise als Arch. Als solcher gehörte G. in den Kunstkreis der Hochrenaissancebaumeister → Bramante, → Raffael, → Giulio Romano. Hauptwerk: *Villa Imperiale* b. Pesaro, 1529 ff., eines der bedeutendsten Lustschlösser der Renaissance mit Gartenterrassen. Als Maler: *Fresken*, ebda. Stark von Raffael beeinflußt, s. Vorliebe galt Scheinarchitekturen u. ähnlichen illusionist. Wirkungen.
Werke: Als Arch.: *S. Giovanni Battista*, Pesaro, beg.

1540. Als Maler: *Madonnenbild*, Mailand, Brera. *Auferstehung*, Siena, Opera del Duomo, 1510. *Porträt*, Florenz, Pal. Pitti; Werke in Siena, Akad.
Sein Sohn *Bartolommeo*, 1516–1558, Arch. u. Maler, war Schüler s. Vaters, des → Vasari u. des → Ammanati in Florenz, studierte antike Bauten in Rom, erbaute f. d. Herzog v. Urbino den *Palast in Pesaro* u. voll. die von s. Vater erbaute Kirche *S. Giovanni*, ebda.
Lit.: B. Patzak in: Th.-B. 1920. Venturi IX, 5, 1932.

Gensler, die Brüder, dt. Maler, bedeutende Vertreter des Biedermeier in Hamburg:
Günther, Hamburg 1803–1884 ebda., schuf mit s. *Bildnis der Eltern des Künstlers*, 1828, Hamburg, Kunsth. u. *Die Mitglieder des Hamburger Künstlervereins*, 1840, ebda., bedeutende Biedermeierbildnisse u. Gruppenporträts.
Jakob, Hamburg 1808–1845 ebda., Schüler der Akad. München u. Wien, schuf feine Landschaften in kleinen Formaten, Freilichtmalereien, die voll impressionist. Stimmung sind: *Strand b. Blankenese*, 1842, Hamburg, Kunsth. *Pöcking*, 1829, ebda. Ferner Zeichnungen u. Aquarelle.
Martin, Hamburg, 1811–1881 ebda. Genredarstellungen u. Naturstudien, bes. Aquarelle; auch kunstgewerbliche Arbeiten gotisierender Art, mit denen er im damaligen Hamburg bedeutenden Einfluß hatte.
Lit.: F. Bürger, *Die G.*, 1916. C. H. Heise in: Th.-B. 1920.

Gentile da Fabriano, eig. Gentile di Niccolò di Giovanni Massi, ital. Maler, Fabriano vor 1370 bis 1427 Rom, tätig in den ersten Jahrzehnten des 15. Jh. in Venedig, Brescia, Florenz, Siena, Orvieto u. Rom. Er wurde mit → Pisanello zur Ausmalung des Dogenpalastes nach Venedig berufen, hat mit Jac. → Bellini zusammengearbeitet, Hofmaler des Malatesta in Brescia u. des Papstes Martin V. G.s noch durchaus in der Spätgotik verwurzelte, zarte, poesiereiche Kunst hat auch realist. Elemente aufgenommen, die er vielleicht von den Niederlanden her hatte. Werke: Hauptwerk: *Anbetung der hl. 3 Könige*, 1423, Florenz, Uff. mit den Predellenbildern *Geburt Christi* u. *Flucht nach Ägypten*, ebda. u. *Darstellung im Tempel*, Paris, Louvre. Ferner: *Thronende Madonna*, Berlin, Gal. *Krönung Mariä*, Mailand, Brera. Weitere Werke in: London, Nat. Gall.; Pisa, Mus.; Urbino, Gall.
Lit.: A. Colasanti, 1909 (ital.). B. Molajoli, 1927 (ital.). R. v. Marle, *Ital. Schools* 8, 1927. A. L. Mayer in: Pantheon 11, 1933. W. v. Bode, *Kunst d. Frührenaiss.*, 1923. G. Delogu, *Ital. Malerei*, ³1948. Enc. Univ. dell'Arte, 1958.

Gentileschi, Artemisia, ital. Malerin, Rom 1597 bis um 1651 Neapel, Tochter u. Schülerin von Orazio

→ G. u. des Vedutenmalers Agostino Tasso, folgte ihrem Vater 1628–29 nach England, später in Neapel tätig. Führte den Stil ihres Vaters fort u. übertrug ihn auf Kabinettformat. Werke: *Verkündigung,* Turin, Mus. *Ruhe auf der Flucht,* Paris, Louvre. *Judith,* Florenz, Pitti u. Gall. Corsini, ebda. Ferner in Berlin, ehem. K.-F.-Mus.; Madrid, Prado; Neapel, Mus.; Pommersfelden, Gal. u. a.
Lit.: H. Voss in: Th.-B. 1920. Ders., *Geschichte d. ital. Barockmalerei,* 1924.

Gentileschi (eig. Lomi), Orazio, ital. Maler, Pisa 1562–1647 London, kam mit 17 Jahren nach Rom u. wurde dort bestimmend von → Caravaggio beeinflußt, wohl auch von → Elsheimer. 1621ff. in Genua tätig, dann in Frankreich, kam 1626 nach England an den Hof Karls I., wo er bis zu s. Tode blieb. Freskenwerke u. Tafelbilder für röm. Kirchen. *Fresken* in S. Maria Maggiore, S. Giovanni in Laterano, S. Nicola in Carcere al Quirinale, im Pal. Rospigliosi u. a., alle in Rom. Hauptwerke: *Verkündigung,* Genua, S. Siro; besser erhaltene Replik in Turin, Pinak. *Die hll. Valerianus, Tiburtius u. Cäcilia,* Mailand, Brera, *Ruhe auf der Flucht,* Paris, Louvre. Werke in den Mus. v. Lucca, Genua, Turin, Florenz (Pitti), Avignon, Budapest, Caen, Madrid, Wien (Kunsthist. Mus.), Vaduz (Slg. Liechtenstein) u. a.
Lit.: H. Voss in: Th.-B. 1920. Ders., *Geschichte d. ital. Barockmalerei,* 1924. N. Pevsner, *Malerei d. Barock in Italien* (Handb. d. K. W.), 1928. C. Gamba in: Dedalo 3, 1922 23. Ders. in: Enc. Ital., 1932. L. Venturi, *La peint. ital.* (Skira).

Gentilini, Franco, ital. Maler, * Faenza 1909, tätig in Rom, trat 1929 in Rom der sog. «Röm. Schule» bei (Melli,→ Capogrossi, Cavalli u. a.). In s. Bildern u. Zeichnungen gibt er die Wirklichkeit oft wie eine naive u. fast kindliche Fabelwelt wieder. Vertreten in den mod. Gal. v. Rom, Bologna, Florenz, Ravenna u. a.
Lit.: F. Ulivi u. R. Giani, 1949. Vollmer, 1955. *Neue Kunst nach 1945,* hg. v. W. Grohmann, 1958.

Gentz, Heinrich, dt. Arch., Breslau 1766–1811 Berlin, bedeutender Meister des Klassizismus, Schüler von → Gontard, 1790–95 in Italien, entwickelte einen Stil einfacher klarer Formen. Hauptwerke: *Münze am Werderschen Markt,* Berlin, 1798–1802 (abgebrannt). *Theater in Lauchstädt,* 1802. Am Umbau des *Weimarer Schlosses,* 1802–04, beteiligt.
Lit.: A. Doebber, 1916. G. Pauli, *Kunst d. Klassizism. u. d. Romantik,* 1925.

Gentz, Wilhelm, dt. Maler, Neuruppin 1822–1890 Berlin, s. Zeit sehr beliebter Orientmaler, in Paris Schüler von → Gleyre u. → Couture, von H. → Vernet beeinflußt.

Lit.: Th. Fontane, in der Zschr. «Deutschland», 1890.

Georgi, Walter, dt. Maler, Leipzig 1871–1924 Holzhausen am Ammersee, Mitbegründer der Münchner Künstlervereinigung «Die → Scholle» (1899). Landschaften aus dem bayerischen Voralpenland u. Bildnisse. Viele s. Bilder in der Zschr. «Jugend» veröffentlicht.

Gérard, François, franz. Maler, Rom 1770–1837 Paris, 1782 ff. in Paris, Schüler des Bildhauers → Pajou, 1786 ff. → Davids, malte mythol. u. hist. Bilder im klassizist. Stil; vor allem bedeutender Bildnismaler, Hofmaler Napoleons, Bildnismaler der Bourbonen u. a. Fürsten. Werke: *Amor u. Psyche,* 1798, Paris, Louvre. *Daphnis u. Chloe,* 1824, ebda. Bildnisse: *Gräfin Regnault,* 1798, Louvre. *Der Maler Isabey u. Tochter,* 1802, Paris, Petit Palais: *Mme Récamier,* 1802, ebda. *Lätitia Bonaparte,* 1803, Versailles, Mus. *Napoleon im Krönungsornat,* Dresden, Gal. *Mme de Staël,* Louvre. *84 Bildnisstudien* in Versailles.
Lit.: H. Gérard, *Œuvres du Baron F. G.,* 1852–57. C. Ephrussi in: Gaz. des beaux-arts, 1890–91.

Gérard, Ignace-Isidore → Grandville.

Gerhaert, Niklaus, v. Ley(d)en, niederl.-dt. Bildhauer, * um 1420/30, † um 1473 Wiener Neustadt, Hauptmeister der Spätgotik, nachweisbar 1462 in Trier, 1463 in Straßburg, später in Konstanz, zuletzt in Wien. Die Kunst G.s ist realistisch u. gleichzeitig zutiefst beseelt. Hauptwerke: *Grabmal des Erzbischofs Jakob v. Sierck,* 1462, Trier, Diözesanmus. Büsten eines Propheten u. einer Sibylle (vom Portal der ehemaligen Kanzlei in Straßburg), 1463/64, Straßburg, Mus. (nur in Gipsabgüssen erhalten). *Votivrelief des Domherrn Konrad v. Büsang,* 1464, Straßburg, Münster. Überlebensgroßes *Steinkruzifix,* 1467, Baden-Baden, Alter Friedhof. *Platte für das Grab Friedrichs III.,* um 1473, Wien, Stefansdom.
Lit.: A. R. Maier, 1910. O. Schmitt, *Oberrhein. Plastik,* 1924. O. Wertheimer, 1929. E. Hessig, *Die Kunst d. Meister E. S. u. d. Plastik d. Spätgotik,* 1935. L. Fischel, 1944. G. Dehio, *Gesch. d. dt. Kunst 2,* 1921.

Gerhard, Hubert, niederl. Bildhauer, um 1550–1620 München, neben A. de → Vries der führende Bronzebildhauer des Manierismus in Deutschl.; wahrsch. Schüler von Giov. da → Bologna, dessen Art er fortsetzt. 1581 ff. in Augsburg, das. für Hans Fugger Ausschmückung v. Schloß Kirchheim, wovon heute nur das Mittelstück eines Gartenbrunnens erhalten ist: *Mars u. Venus,* heute München, Nat. Mus. 1584ff. in München, Hauptaufgabe: Ausstattung der Michaelskirche; vieles ist zerstreut; an der Michaelskirche erhalten: die Kolossalfigur des *Hl. Michael* an der Fassade, um 1590. *Engel* am ehernen Taufbecken

ebda., um 1590. Er wurde ferner für die Ausschmük-
kung der Residenz beigezogen. Auch hier ist vieles
zerstreut; erhalten ist: der *Wittelsbacher Brunnen*, um
1596 (nicht alles geht auf G. zurück). *Perseus-Brun-
nen*, ebda., um 1596. In Augsburg: *Augustus-Brunnen*,
1587–94.
Lit.: Peltzer in: Kunst u. Kunsthandwerk, 1918.
A. E. Brinckmann, *Süddt. Bronzebildh. d. Frühbarocks*,
1923. A. Feulner, *Münchner Barockskulpturen*, 1922.
Ders., *Die dt. Plastik d. 17. Jh.*, 1926.

Géricault, Théodore, franz. Maler u. Lithograph,
Rouen 1791–1824 Paris, Schüler von C. → Vernet
u. → Guérin, besuchte 1816–17 Italien, 1820–22
London, sonst in Paris tätig. Der geniale, jungver-
storbene Künstler hat in seinem Werk vorahnend
den Klassizismus überwunden u. sowohl die Romantik wie den Realismus begründet. Sein Hauptbild
Das Floß der Medusa, 1819, Paris, Louvre, gibt in
realist.-dramatischer Gestaltung die Eindrücke eines
Schiffsunglücks der Zeit wieder u. war das Signal für
die aufkommende Romantik. In s. Bildern der engl.
Pferderennen, s. Lithographien von Pferden im Stall
u. beim Rennen, s. Bildern von Geisteskranken u. a.
zeigt er sich als starker Realist. In s. Kunst stand er
zunächst unter dem Einfluß von → Gros u. →
Prud'hon, dann studierte er die Barockmaler u.
wurde namentlich von → Rubens beeinflußt;
studierte die alten Holländer; in England die Eng-
länder s. Zeit u. hatte seinerseits Einfluß auf → Dela-
croix wie auf die ganze fernere Kunstentwicklung in
Frankreich. Die Lithographie als Kunst wurde von
G. bedeutend gefördert. Hauptslg. s. Werke im
Louvre, in weiteren franz. Mus., der Wallace Coll. in
London, ferner in den Gal. Brüssel, Den Haag, Mün-
chen, Bremen, Mannheim u. a.
Hauptwerke: *Jägeroffizier zu Pferd*, 1812, Paris,
Louvre. *Das Floß der Medusa*, 1819, ebda. *Derby in
Epsom* u. a. Bilder von Pferderennen, 1820–22, ebda.
Auffahrende Artillerie, München, N. P. *Porträt eines
Künstlers*, Paris, Louvre. *Bildnis einer Irren*, Lyon, Mus.
Bildnis eines Irren, Gent, Mus. Lithographien: *Die
Boxer; Kämpfende Pferde im Stall; Der Dudelsack-
spieler; Der fläm. Hufschmied.*
Lit.: R. Regamey, 1926 (franz.). G. Opresco, 1927
(franz.). R. Escholier, *De David à G.*, 1941. K. Ber-
ger, *G. Drawings and watercolours*, 1946. Ders., 1952
(dt.). Courthion, 1950 (franz.). M. Gauthier, o. J.
(franz.). M. Raynal, *De Goya à Gauguin*, 1951 (m.
Bibliogr.). G. Pauli, *Kunst d. Klassizism. u. d. Romantik*, 1925. Enc. Univ. dell'Arte, 1958.

Gerini, Lorenzo di Niccolò, ital. Maler, Anf. 15. Jh.,
Sohn des Niccolò di Pietro → G., beeinflußt von
diesem, von A. → Gaddi, → Spinello Aretino u.
Lorenzo → Monaco, erhielt 1402 den Auftrag für
das Hochaltarbild in S. Marco in Florenz: *Krönung
Mariä u. Heilige*, jetzt Cortona, S. Domenico.

Gerini, Niccolò di Pietro, ital. Maler des 14. Jh,.
† 1415, Meister der florent. Malerei, tätig um 1368
bis 1415 in Florenz, Prato u. Pisa, aus der Nachfolge
→ Giottos, vielleicht Schüler des T. → Gaddi,
malte *Fresken in der Sakristei v. S. Croce*, Florenz;
in *S. Francesco zu Prato*. Tafelbilder: *Krönung der
Maria*, Parma, Gal. *Grablegung Christi*, Florenz,
Akad. Weitere Werke (teilweise Zuschreibung):
in Berlin, ehem. K.-F.-Mus.; Boston, Mus. of fine
arts; Florenz, Uff.; London, Nat. Gall.; Philadelphia, Slg. Johnson.
Lit.: A. Venturi V, 1907 u. VII, 1, 1911. R. Sirén in:
Th.-B. 1920. R. v. Marle, *Ital. Schools* 3, 1924.
P. Toesca, *Storia dell'Arte ital.* 2, 1951. Paatz, *Kirchen in Florenz* I, 1940. R. Oertel, *Frühzeit der ital.
Malerei*, 1953.

Gérôme, Léon, franz. Maler, Radierer u. Bildhauer,
Vesoul 1824–1904 Paris, Schüler v. → Delaroche
u. → Gleyre, malte hist. Szenen, oriental. Genre-
bilder; als Bildh.: Gruppen, Figuren, Statuetten,
Denkmäler. Beisp.: *Zeitalter des Augustus*, 1855,
Amiens, Mus. *Tod des Pierrot*, 1857, Chantilly, Mus.
u. Leningrad, Eremitage. Plastik: *Anakreon, Bac-
chus u. Amor*, 1848, Toulouse, Mus. *Reiterstatuette
Bonapartes*, Paris, Luxembourg. *Reiterstandbild des
Herzogs v. Aumale* in Chantilly, 1899.
Lit.: Moreau-Vauthier, 1906.

Gerson, Wojciech, poln. Maler u. Zeichner, Warschau 1831–1901 ebda., ausgebildet in Warschau
u. St. Petersburg, in Paris unter → Cogniet, wirkte
als Prof. der Malerschule in Warschau. Darst. aus
der poln. Geschichte, Genreszenen, Landschaften
u. Illustrationen für Zschr. u. a. – Bilder in Krakau,
Nat. Mus.

Gervex, Henri, franz. Maler, Paris 1852–1929 ebda.,
Schüler von → Cabanel, → Fromentin u. Brissot,
schuf das *Deckengemälde des großen Festsaals* im
Pariser Rathaus u. a. dekorative Gemälde; mythol.
Bilder in akad. Malweise; später auch vom Im-
pressionismus beeinflußte Bildnisse von Damen der
Pariser Gesellschaft, Krankenhausbilder (Chirurg.
Operationen usw.); in vielen franz. Mus. vertreten.

Geselschap, Eduard, dt. Maler, Amsterdam 1814
bis 1878 Düsseldorf, Schüler von W. → Schadow
in Düsseldorf, schuf bibl. u. Historienbilder in
romantischem Stil; Genrebilder aus dem klein-
bürgerl. Leben der Zeit in der Art der Schadow-
Schule (Düsseldorfer Schule); in vielen dt. Mus.
vertreten.

Geselschap, Friedrich, dt. Maler, Wesel 1835 bis
1898 Rom, Bruder von Eduard → G., Schüler von J.
→ Schnorr, W. → Schadow u. E. → Bendemann,
führte die Kunst des → Cornelius weiter u. schuf

mit der *Deckenmalerei der Ruhmeshalle des Berliner Zeughauses*, 1882–90, «die bedeutendste malerische Monumentalleistung der Epigonenkunst des neuen dt. Reiches» (W. Kurth); ca. 200 Zeichnungen u. Aquarelle in der Berliner Nat. Gal.
Lit.: L. v. Donop, 1890. M. Jordan, 1906. W. Kurth in: Th.-B. 1920.

Gessner, Salomon, schweiz. Maler u. Graphiker, Zürich 1730–1780 ebda.; der bedeutende Dichter aus dem Kreise der Ramler u. Hagedorn, Verfasser der berühmten «Idyllen» (1756), leistete auch Beträchtliches als bildender Künstler. 1762 ff. wandte er sich für längere Zeit ausschließlich der Kunst zu u. schuf Radierungen, Kupferstiche, Aquarell-, Öl-, Tusch-, Guasche- u. Porzellanmalerei. Er pflegte bes. die sog. «Ideallandschaft», erdachte Landschaften, welche er mit Hirten, Satyrn u. Nymphen belebte. 1772 gab er eine neue Slg. der «Idyllen» heraus mit radierten Vignetten von eigener Hand. Eine Gesamtausgabe der radierten Illustrationen erschien 1802. G. war ein feiner Vertreter des Rokoko. Seine Kunsttheorie legte er nieder in: «Brief über Landschaftsmalerey». G. ist vertreten in Zürich, Kunsth.
Lit.: H. Wölfflin, 1889. P. F. Schmidt, 1921. P. Leemann-van Elck, 1930. R. Hamann, *Dt. Malerei v. Rokoko z. Expression.*, 1925.

Geyer, Wilhelm, dt. Maler, Glasmaler u. Graphiker, *Stuttgart 1900. Viele Glasfenster, meist für schwäb. Kirchen; religiöse Freskenwerke, graph. Folgen; auch Landschaften u. Bildnisse. Hauptwerk: *Wandfries in der Wandelhalle der Frankfurter Paulskirche*, 1948. Glasfenster f. die *Stiftskirche* in Ellwangen, die *Liebfrauenkirche* in Frankfurt u. a. Graph. Folgen: *Das Leiden Christi*, 1930–31 (20 Bl.). *Moses*, 1947–48 (40 Bl.) u. a.
Lit.: Vollmer, 1955.

Geyger, Ernst Moritz, dt. Graphiker u. Bildhauer, Berlin 1861–1941 Florenz, schuf als Graphiker technisch meisterhafte Nachbildungen bekannter Gemälde, wie Botticellis *Primavera;* als Bildhauer bes. Tierdarsteller: *Marmorstier*, für die Pariser Weltausstellung, 1897–1900, Berlin, Humboldthain. *Monumentalbrunnen* für Neukölln, 1915–20. Seit 1895 mit Unterbrechungen in Florenz tätig.
Lit.: W. Bode, *Berliner Malerradierer*, 1891. Rapsilber, 1904. J. Guthmann in: Münchener Jb. f. bild. Kunst 4, 1909. Vollmer, 2, 1955.

Gheyn, Jacob de, d. Ä., niederl. Kupferstecher, Radierer u. Maler, Antwerpen 1565–1629 Den Haag, Vertreter des niederl. Romanismus, Schüler des H. → Goltzius, tätig in Amsterdam, Leiden u. Den Haag, bedeutender Kupferstecher. Er stach nach H. Goltzius, A. → Bloemaert, K. van →

Mander u. a. Medaillonbildnisse in Kupferstich in der Art Goltzius'. Bilder u. Zeichnungen in Amsterdam, Rijksmus.
Lit.: L. Burchard, *Die holl. Radierer vor Rembrandt*, [2] 1917.

Gheyn, Jacob de, d. J., niederl. Zeichner u. Radierer, wahrsch. Leiden 1596–1644 Utrecht, schuf gemeinsam mit Boel die radierte Folge *Die Taten Karls V.*, 1614 (nach → Tempesta). Kupferstiche mythologischer Darstellungen.

Ghezzi, Domenico di Bartolo → Domenico di Bartolo.

Ghiberti, Lorenzo, ital. Bildhauer, Maler, Goldschmied, Arch., Florenz 1378–1455 ebda., Hauptmeister der Frührenaissance. Begann als Maler u. Goldschmied, 1401 Sieger im Wettbewerb um die Bronzetür des Baptisteriums in Florenz: *Nordtür des Baptisteriums*, Florenz, 1403–24: 28 Felder mit Darstellungen aus der Geschichte Christi. Anschließend entstand das 2. Hauptwerk G.s, die *Bronzetür der Ostseite*, die sog. *Paradiesestür*, Baptisterium, Florenz, 1425–52: 10 Felder mit alttestamentl. Geschichten. Für diese umfangreichen Arbeiten unterhielt G. eine große Werkstatt mit vielen Gehilfen. G. wirkte in Florenz auch als Dombaumeister; gegen Ende s. Lebens verfaßte er die Schrift: «Commentarii», hg. v. J. v. Schlosser, 1912 u. 1920 (dt.), in denen die Kunst namentlich des Trecento behandelt wird, mit Künstlerbiographien u. einer für die Anschauungsweise s. Zeit wichtigen theoret. Grundlegung. G. versuchte in s. Stil eine Synthese des got. Geistes mit dem Schönheitsideal der wiederentdeckten Antike zu verwirklichen. Er behielt stets den Linienfluß der got. Umrisse bei, hatte aber das Renaissanceideal der Antike vor Augen u. war naturnaher Realist in den Einzelheiten. Die Kunst G.s steht in ihrer Harmonie u. Ruhe der oft kraß realist. u. stark bewegten → Donatellos gegenüber.
Hauptwerke: außer den beiden *Bronzetüren des Baptisteriums* in Florenz: das noch erhaltene Proberelief für den Wettbewerb: *Opferung Isaaks*, 1401, Florenz, Nat. Mus. (Bargello). 3 Bronzestandbilder für Or S. Michele, Florenz: *Johannes d. T.*, 1419–22; *Matthäus; Stephanus*, 1428. 2 Reliefs für den Taufbrunnen S. Giovanni zu Siena: *Taufe Christi* u. *Johannes vor Herodes*, 1417–27. *Arca des hl. Zenobius*, 1432–42, Florenz, Dom. *Arca der hll. Protus, Hyacinthus u. Nemesius*, 1428, Florenz, Nat. Mus. Kleinere plast. Werke in Berlin, staatl. Mus.
Lit.: H. Gollob, 1929. L. Planiscig, 1940. J. v. Schlosser, 1941. L. Goldscheider, 1947. R. Krautheimer, 1956 (engl.).

Ghirlandaio, eig. Domenico di Tommaso Bigordi, gen. G., ital. Maler, Florenz 1449–1494 ebda.,

Hauptmeister der ital. Frührenaissance, Schüler von → Baldovinetti, tätig in Florenz, S. Gimignano, Pisa u. Rom. G. arbeitete mit Werkstattbetrieb, von s. Schülern sind zu nennen: → Michelangelo, → Bartolommeo di Giovanni, S. → Mainardi, → Granacci, s. Brüder Davide u. Benedetto u. s. Sohn Ridolfo. Die Bedeutung G.s liegt vor allem in s. Fresken, mit denen er die Tradition von → Masaccio u. Filippo → Lippi fortsetzt. Er hat sich alle Errungenschaften der zeitgen. Kunst zunutze gemacht. Er wurde von → Verrocchio, → Uccello, → Castagno u. a. beeinflußt. Die religiösen Szenen verlegte er häufig in die eigene Zeit, u. oft wurden sie geradezu nur Vorwand für sittenbildliche Darstellungen; so zeigt s. Hauptwerk, der *Marienleben-Zyklus* in S. Maria Novella, Florenz, 1485-1490, Szenen aus dem damaligen Leben in vornehmen Florentiner Bürgerhäusern.
Hauptwerke: Fresken: *Vision u. Bestattung der hl. Fina*, 1475, Collegiata in S. Gimignano. *Hl. Hieronymus u. Abendmahl*, 1480, Ognissanti, Florenz. *Berufung der Jünger Petrus u. Andreas*, 1481, Sixtin. Kapelle, Rom. *Szenen aus dem Leben des hl. Franziskus*, 1485, S. Trinità, Florenz. *Szenen aus dem Leben Marias u. Johannes d. T.s*, 1490 voll., Chor von S. Maria Novella, Florenz. Tafelbilder: *Madonna mit Heiligen*, 1479, Pisa, Mus. civico. *Thronende Madonna*, 1479, Lucca, Dom. *Madonna mit Heiligen*, 1483, Florenz, Uff. *Anbetung der Hirten*, 1485, ebda. *Heimsuchung*, 1491, Paris, Louvre.
Lit.: G. S. Davies, 1908 (engl.). J. Küppers, *Die Tafelbilder d. D. G.*, 1916. J. Lauts, 1943. K. Escher, *Malerei d. Renaiss. in Mittel- u. Unteritalien*, 1922 (Hb. d. K. W.). R. v. Marle, *Ital. Schools* 13, 1931.

Ghirlandaio, Ridolfo, ital. Maler, Florenz 1483 bis 1561 ebda., Sohn u. Schüler des Domenico → G., beeinflußt von den Meistern der Hochrenaissance: Fra → Bartolommeo, → Raffael, → Leonardo, → Piero di Cosimo, → Granacci u. a., hatte eine große Werkstatt in Florenz inne, aus der Altarwerke, aber auch allerlei Gelegenheitsarbeiten, hervorgingen. Guter Bildnismaler, unter dem Einfluß bes. Leonardos. Hauptwerke: *Kreuztragung*, um 1506, London, Nat. Gall. *Anbetung des Kindes*, Berlin, ehem. K.-F.-Mus. *Anbetung der Hirten*, Leningrad, Eremitage. *Geburt Christi*, 1510, Budapest, Gal. *Gürtelspende der Maria*, Prato, Dom. *Bildnisse*, Florenz, Pitti. Werke in Florenz, Uff., Mus. S. Marco u. a.
Lit.: C. Gamba in: Dedalo 9, 1928/29.

Ghisi, Adamo Giovanni Batt. → Scultori.

Ghisi, Giorgio (auch Giorgio Mantuano gen.), ital. Kupferstecher u. Tauschierer, Mantua 1520 bis 1582 ebda., vermutlich Schüler des G. B. → Scultori, verfertigte Tauschierarbeiten (Einlege-

arbeiten in Metall) an Waffen; als Stecher knüpfte er an die Technik Marcantons (→ Raimondi) an, die er weiterbildete. Er stach nach → Michelangelo, → Raffael, → Correggio, → Salviati, → Giulio Romano, → Primaticcio, auch nach eigenen Entwürfen. Hauptwerk: s. Stiche nach dem *Jüngsten Gericht* Michelangelos.

Ghislandi, Vittore, gen. *Fra Galgario*, ital. Maler, Bergamo 1655-1743 ebda., bedeutender Bildnismaler des Spätbarock, bildete sich in Venedig, wo er mit dem Porträtisten Sebastiano Bombelli zusammenarbeitete, 1702 ff. in Bergamo tätig, haupts. Porträts, in denen er gerne die Personen in ungezwungener Pose darstellte. Seine Malweise war ein lockerer pastoser Auftrag. Manchmal bringt er bes. Licht- u. Schatteneffekte, auch Helldunkelmalerei; er suchte die venez. Malerei mit → Rembrandtschen Effekten zu verbinden. Gut vertreten in Bergamo, Gall. Carrara; ferner in Mailand, Mus. Poldi-Pezzoli u. Ambrosiana; Venedig, Mus. Corrèr; Brescia, Budapest, Dresden, Leningrad, Straßburg.
Lit.: V. Bernardi, 1910. L. Burchard in: Th.-B. 1920. L. Pelandi, 1934.

Giacometti, Alberto, schweiz. Bildhauer u. Maler, * Stampa im Bergell 1901, Hauptmeister der surrealist. Plastik, arbeitete 1922 in Paris unter → Bourdelle, von → Brancusi, den Kubisten u. Surrealisten beeinflußt, entwickelte anfangs der 30er Jahre eine neue Kategorie des plast. Gebildes, die Stillebenplastik: *Der Palast um 4 Uhr morgens*, Holz, Glas, Draht u. Schnur, 1932/33, New York, Mus. of mod. art. Später näherte sich G. wieder mehr der plast. Darstellung des menschlichen Körpers, doch werden alle vertikalen Beziehungen verstärkt, die Körperlichkeit ist linear überbetont, das Drahtgerüst trägt nur eine dünne Gipsschicht.
Lit.: C. Giedion-Welcker, *Mod. Plastik*, 1937. Dies., *Plastik d. 20. Jh.*, 1955. *Ausst.-Kat. Council Gallery*, 1955. W. Hofmann, *Plastik d. 20. Jh.*, 1958. M. Joray, *Schweizer Plastik d. Gegenw.*, 2 Bde., 1954-59.

Giacometti, Augusto, schweiz. Maler, Stampa im Bergell 1877-1947 Zürich, bedeutender Vorläufer der expressiv-abstrakten Kunst, 1897 in Paris Schüler Eugène Grassets, eines der Schöpfer des «Art nouveau» in Frankreich. 1902 ff. in Florenz, 1915 ff. in Zürich tätig. G. war stark vom Jugendstil beeinflußt, kam 1898 ff. zur Abstraktion, unabhängig von → Kandinsky u. sogar früher. Er entwickelte einen abstrakt-expressiven Stil, der von der Farbe ausgeht u. auf «Sujets» nicht verzichtet. Beisp.: *Die Nacht*, 1903, Zürich, Kunsth. *Selbstbildnis*, 1910, Chur, Kunsth. *Regenbogen*, 1916, Bern, Kunstmus. *Abstraktion*, Pastell, 1919, ebda. *Bildnis Felix Moeschlin*, 1919, ebda. *Der Ausbruch des Ätna*, 1929, Chur, Kunsth.

G. schuf *Wandbilder; Glasfenster*, u. a. in den Kirchen von Chur, Stampa, Davos, Zürich (Grossmünster); *Mosaiken*, u. a. im Wandelgang der Zürcher Universität, im Hof des Schweiz. Landesmus. Werke in d. Mus. von Basel, Bern, Zürich, Chur.
Lit.: E. Poeschel, 1922. Ders., 1927. A. M. Zendralli, 1928. M. Gauthier, 1930. W. George, 1932. E. Briner, *Farbige G.-Mappe*, 1935. A. M. Zendralli, 1936. *Ausst.-Kat.*, Bern, Kunsth., 1959.

Giacometti, Giovanni, schweiz. Maler u. Graphiker, Stampa im Bergell 1868–1933 Glion b. Montreux, studierte 1886/87 bei Knirr in München, 1888–91 zusammen mit C. → Amiet bei → Bouguereau u. T. → Robert-Fleury an der Akad. Julian in Paris. 1894 ff. mit → Segantini in Maloja; tätig in Stampa. Beeinflußt von den → Fauves, → Cézanne, van → Gogh, → Segantini u. Amiet. G. ist in den meisten Schweizer Mus. vertreten, bes. in Zürich, Basel, Bern, Chur, Lugano, Genf, Winterthur.
Lit.: C. Amiet, 1936. W. Hugelshofer, 1936. Ders., 1939.

Giambellino → Bellini, Giovanni.

Giambologna → Bologna, Giovanni da.

Giambono, eig. Michele di Taddeo, ital. Maler u. Mosaizist der 1. Hälfte des 15. Jh., tätig in Venedig, † um 1462, Hauptvertreter der venez. Gotik, von → Gentile da Fabriano u. → Pisanello beeinflußt, schuf große Altarwerke, Madonnen, Mosaiken. Werke: Großes Altarwerk *Der Erlöser mit 4 Heiligen*, Venedig, Akad. *Marienkrönung*, 1447, ebda. *Hl. Gregorius* u. *Hl. Augustin*, Padua, Mus. *Erzengel Michael*, Settignano, Slg. Berenson. *Madonnen:* Venedig, Mus. Corrèr u. Cà d'Oro; Rom, Pal. Venezia; Verona, Mus. *Mosaiken* in Venedig, S. Marco (Cappella dei Mascoli, 1444). Werke in London, Nat. Gall.; Padua, Mus.; Florenz, Mus. Bardini; Washington, Mus.; Boston, Gardner Mus. u. a.
Lit.: P. Paoletti in: Th.-B. 1910 (unter Bono). L. Testi, *La storia della pittura venez.* 2, 1915. R. v. Marle, *Ital. Schools* 7, 1926. B. Berenson, *Ital. pict. of the Renaiss.*, 1932. G. Fiocco in: Enc. Ital. 1932. E. Sandberg-Vavalà in: Journal of the Warburg and Courtauld Inst., 1947.

Giampetrino, Bezeichnung für einen Maler «Giovanni Pietro» der 1. Hälfte des 16. Jh., der von den einen als der Schüler → Leonardos, Giovanni Pedrino, von andern als der Leonardo-Schüler Giovanni Pietro Rizzi angegeben wird. Alle Werke sind nur Zuschreibungen. Es sind Werke eines von Leonardo, auch von → Cesare da Sesto beeinflußten

Meisters. Hauptwerk ist ein Altarbild im Dom zu Pavia: *Madonna mit Heiligen*, 1521. Ferner: *Anbetung des Kindes*, Mailand, S. Sepolcro u. Richmond, Slg. Cook. *Halbfigurenbilder der Madonna mit Heiligen :* Rom, Gall. Borghese; Mailand, Ambrosiana u. Mus. Poldi-Pezzoli; Amsterdam, Rijksmus. Ferner: *Kreuztragung*, London, Nat. Gall. *Salome*, ebda. *Kleopatra*, Louvre. Weitere Kreuztragungen: Wien, Akad.; Turin.
Lit.: A. Venturi VII, 4, 1915. A. Morassi in: Enc. Ital. 1932.

Gibbon(s), Grinling, engl. Bildhauer u. Holzschnitzer, Rotterdam 1648–1721 London, fertigte vor allem dekorative Holzschnitzarbeiten für engl. Schlösser, bei denen er Motive der ital. Renaissance selbständig verwendete. Diese Arbeiten waren sehr beliebt u. von großem Einfluß auf das engl. Kunstgewerbe. Er schuf auch das *Holzwerk im Chor der Paulskirche*, London u. der *Bibliothek des Trinity College* in Cambridge. Ferner Marmorgrabmäler u. Bronzedenkmäler: Hauptwerke *Reiterdenkmal Jakobs II.* für Whitehall, 1686, heute im St. James-Park; *Standbild Karls II.* an der Royal Exchange, London, 1684.
Lit.: H. Avray Tipping, 1915. Willich in: Th.-B. 1920.

Gibbs, James, engl. Arch., Aberdeen 1682–1754 London, Hauptvertreter des engl. Klassizismus, Nachfolger v. → Wren, Schüler → Fontanas in Rom, 1709 ff. wieder in England, baute viele Kirchen, öffentliche Gebäude, Schlösser; auch Grabmäler. G. führte die streng-klassizist. Bauweise → Palladios in England ein (in noch strengerem Sinne als Wren) u. hatte großen Einfluß. Seine Hauptbauten: die Kirchen in London St. *Mary-le-Strand*, 1714–17; *St. Martin's in the Fields*, 1721–26. Hauptwerk s. Bauten in Oxford: *Radcliffe-Bibliothek*, eine Rotunde von monumentaler Wirkung.
Lit.: Willich in: Th.-B. 1920. L. Bryan, 1955.

Gibson, John, engl. Bildhauer, Conway 1790–1866 Rom, klassizist. Meister, ausgebildet unter dem Einfluß → Canovas u. → Thorwaldsens in Rom. Werke: *Sitzfigur der Königin Viktoria*, London, Parlamentsgebäude. *Grabstatue für Sir Robert Peel*, ebda., Westminsterabtei.
Lit.: T. Matthews, 1911. L. B. in: Th.-B. 1920.

Gieng, Hans, schweiz. Bildhauer aus Freiburg (Schweiz), † 1562, früher fälschlich oft mit H. → Geiler identifiziert, wurde um 1540 nach Bern berufen, um hier zusammen mit Werkstattgehilfen *10 Brunnen* zu erstellen, u. a. Simson-, Kindlifresser-, Gerechtigkeits- u. Pfeiferbrunnen. Um 1547 kehrte er nach Freiburg zurück, und führte hier eine annähernd ebenso umfangreiche Gruppe von Brunnen

aus; u. a. Johannes-, Simson-Brunnen. Im Stil spätgotisch mit ital. Renaissance-Elementen.
Lit.: Gantner/Reinle, *Kunstgeschichte d. Schweiz* 3, 1956. P. Hofer, *Die Kunstdenkmäler des Kantons Bern* 1, 1952.

Gies, Ludwig, dt. Bildhauer, * München 1887, Meister der Kleinplastik, bes. Medaillen u. Bildnisplaketten, arbeitet auch in Stein, in Holz (hölzernes *Kruzifix*, 1921, Stettin, Mus.) u. in Elfenbein; Modelle für Porzellan. 1917ff. Prof. der Hochschule für freie u. angewandte Kunst, Berlin, 1950 ff. Prof. der Werkschule Köln.
Lit.: M. Bernhart, *Münchner Medaillenkunst d. Gegenw.*, 1917. Vollmer 2, 1955.

Giese, Ernst Friedrich, dt. Arch., Bautzen 1832 bis 1903 Berlin, Meister des historisierenden Stils des Jahrhundertendes, tätig in Dresden u. Düsseldorf, erbaute mit Paul Weidner die *Kunsthalle in Düsseldorf*, 1878, u. den *Dresdener Hauptbahnhof*, 1895–99; zahlreiche Wohnhäuser in Dresden.

Gigola, Giovanni Battista, ital. Maler, Brescia 1769 bis 1841 Mailand, tätig in Bergamo u. Mailand, schuf Miniaturporträts (Schüler von → Isabey in Paris) u. Miniaturen auf Pergament als Buchschmuck. Vertreten in Mailand, Ambrosiana; Brescia, Ateneo; Mailand, Gall. mod.
Lit.: H. V. in: Th.-B. 1921. G. Nicodemi in: Il secolo XX, 1928.

Gigoux, Jean, franz. Maler, Lithograph u. Illustrator, Besançon 1806–1894 ebda., gehört mit s. Bildern zu den letzten Ausläufern der romant. Historienmalerei; als Illustrator leitete er eine neue Phase der Buchillustration ein mit s. 600 kleinen *Holzschnitt-Vignetten zum Gil Blas* von Lesage, 1835. Schüler von → Géricault u. Sigalon, schuf Historienbilder, Bildnisse, Lithographien u. Holzschnitte. schrieb: «Causeries sur les artistes de mon temps», 1885. Vertreten in: Besançon, Mus.; in Paris: religiöse Werke in Kirchen das. u. im Louvre; in Versailles, Mus.; Lyon, Mus.; Aix, Mus.; Bordeaux, Mus. u. a.
Lit.: G. Béraldi, *Graveurs du 19ᵉ siècle* 7, 1888. A. Estignard, 1895. H. Jouin, 1896. H. Vollmer in: Th.-B. 1921. J. H. Bouchot in: Gaz. des beaux-arts, 1921.

Gilbert, Alfred, engl. Bildhauer, London 1854–1934 ebda. Schüler von J. E. → Böhm u. P. J. → Cavelier in Paris, in Rom weitergebildet, Hauptwerk: *Shaftesbury-Brunnen*, London, 1893 (Picadilly Circus). Weitere Hauptwerke: *Bronzedenkmal der Königin Viktoria* in Winchester; Grabmäler: *Randolf Caldecott u. H. Fawcett*, London, Westminsterabtei; das des *Prinzen Albert*, Albert-Kapelle, Schloß Windsor, 1894. *Hochaltaraufsatz v. St. Albans*, London. Bildnis-

büsten, Goldschmiedearbeiten u. a. Vertreten in London, Tate Gall.; Preston, Mus.
Lit.: J. McAllister, 1929. E. M. Cox, 1938.

Gilbert, Cass, amerik. Arch., Zanesville (Ohio) 1859 bis 1934 Brockenhurst (England), gehört zu den Schöpfern des Wolkenkratzertypus, schuf das 60 Stockwerke hohe *Woolworth-Building*, beg. 1911, New York. Ferner die *Parlamentsgebäude* von Minnesota in St. Paul, von West Virginia u. a.; die *Bibliotheksgebäude* in St. Louis, Detroit, 1924, New Haven u. a.; siedelte 1933 nach London über.

Gilbert, John, engl. Maler u. Illustrator, Blackheath b. London 1817–1897 London. Hist. Genrebilder, Aquarelle, bes. Zeichnungen für Holzschnitte zur Buchillustration. Er illustrierte Shakespeare, W. Scott, Milton, Cervantes u. a. In vielen engl. Mus. vertreten, u. a. in London, Guildhall Mus.; Victoria and Albert Mus.; Nat. Portr. Gall.

Gilioli, Emile, franz. Bildh., Metallbildner u. Entwurfzeichn. für Wandteppiche, * Paris 1911.
Lit.: M. Seuphor, *Plastik unseres Jh.*, 1959.

Gille, Christian Friedrich, dt. Maler, Kupferstecher u. Lithograph, Ballenstedt 1805–1899 Wahnsdorf b. Dresden, Schüler von → Dahl, schuf Landschaften mit Tierstaffage, Bildnisse, Lithographien (Landschaften, Genrebilder, Tierstücke, Bildnisse). Bemerkenswert s. zahlreichen Ölstudien nach der Natur. Tätig in Moritzburg, Dresden, Wahnsdorf. Vertreten in Dresden, Gal. u. Stadtmus.
Lit.: E. Sigismund in: Th.-B. 1921.

Gilles, Werner, dt. Maler, * Rheydt 1894, † 1961 München, bedeutender Vertreter moderner Kunst, war u. a. Schüler → Feiningers am Bauhaus, längere Zeit in Italien tätig, zuletzt abwechselnd in München und auf Ischia. G. entwickelte in leuchtenden Farben eine kräftige Symbolsprache mit surrealist. Elementen. Vertreten in Bremen, Kunsth.; Hannover, Mus.
Lit.: F. Nemitz, *Dt. Malerei d. Gegenw.*, 1948. P. F. Schmidt, *Geschichte d. mod. Malerei*, 1952. Vollmer, 1955. W. Haftmann, *Malerei im 20. Jh.*, 1955. *Neue Kunst nach 1945*, hg. v. W. Grohmann, 1958. *Documenta II*, Kassel 1959.

Gillig, Jakob, niederl. Stillebenmaler, Utrecht um 1636–1701 ebda., bes. Stilleben mit Fischen in feinen silbergrauen Tönen. Vertreten in den Mus. von Rotterdam, Utrecht, Gent, Berlin, Karlsruhe, Budapest u. a.
Lit.: Wurzbach, *Niederl. Künstlerlex.*, 1910.

Gillot, Claude, franz. Maler, Kupferstecher, Radierer, Langres 1673–1722 Paris, bedeutender

Rokoko-Ornamentkünstler, Lehrer → Watteaus, schuf geistreiche, für das franz. Rokoko charakterist. Entwürfe für Möbel, Dekorationen, Buchillustrationen u. a. Das freie Linienspiel verbindet sich bei ihm gern mit menschlichen u. Tierfiguren.
Lit.: P. Jamot in: Burlington Magazine, 1923. J. Poley, 1938. M. Osborn, *Kunst d. Rokoko*, 1929.

Gillray, James, engl. Karikaturenzeichner u. Stecher, Chelsea 1757–1815 London, berühmt wegen s. scharfen politischen Karikaturen; s. Werk umfaßt ca. 1500 Blätter. Sein Stil charakterist. für das ausgehende Rokoko.
Lit.: Th. Wright, 1873. H. Thornber, 1891. Everitt, *Engl. Caricaturists*, 1886. H. W. Singer in: Th.-B. 1921. M. Osborn, *Kunst d. Rokoko*, 1929.

Gilly, David, dt. Arch., Schwedt 1748–1808 Berlin, Meister des Klassizismus, baute: *Schloß Paretz* b. Potsdam, 1796–1800. *Schloß Freienwalde*, 1798. *Viewegsches Haus* in Braunschweig, 1801–1804.
Lit.: A. Doebber in: Th.-B. 1921. G. Pauli, *Kunst d. Klassizism. u. d. Romantik*, 1925.

Gilly, Friedrich, dt. Arch., Altdamm b. Stettin 1772 bis 1800 Karlsbad, Meister des dt. Klassizismus, Anreger für die aufkommende romant. Strömung, Lehrer → Schinkels. G., der Sohn David → G.s, war Schüler von → Erdmannsdorff u. → Langhals. Seine oft genialen Ideen sind zumeist nicht ausgeführt worden: *Entwurf zu einem Nationaldenkmal für Friedrich d. Gr.*, 1796. *Entwurf für ein Nationaltheater*, 1800. Ausgeführte Bauten: *Meierei im Park von Schloß Bellevue*, Berlin. *Schauspielhaus Königsberg.* G. hatte schon früh Interesse für die mittelalterl. Baudenkmäler: Aquarellierte Ansichten der Marienburg, 1799 (nicht erhalten).
Lit.: A. Oncken, 1935. A. Rietdorf, 1940. N. Pevsner, *Europ. Architektur*, 1957.

Gilpin, Sawrey, engl. Maler, Carlisle 1733–1807 London, Schüler des Marinemalers S. → Scott in London, widmete sich seit 1758 der Tiermalerei u. wurde einer der bedeutendsten engl. Pferdedarsteller; Landschaften u. Figuren seiner Werke von andern gemalt.

Giltlinger, Gumpolt, dt. Maler, † 1522 Augsburg, bedeutender Augsburger Meister; von 1493 an ständig für die Ausstattung der Klosterkirche St. Ulrich u. Afra in Augsburg tätig. Von all den großen Altarwerken ebda. nur die *Altarflügel der Abtskapelle* mit Heiligen erhalten. Erhaltenes Hauptwerk: *Anbetung der Könige*, Paris, Louvre.
Lit.: A. Stange, *Dt. Mal. d. Gotik* 8, 1957.

Gimignani, Giacinto, ital. Maler, Pistoia 1611–1681 Rom, tätig ebda., Schüler des P. da → Cortona, von

→ Poussin beeinflußt, schuf Fresken u. Altäre für röm. Kirchen: Großes Fresko der *Vision Konstantins*, um 1640, Taufkirche des Laterans. Vertreten in Rom, Gall. Borghese; Florenz, Gall. Pitti u. Gall. Corsini; Lucca, Pinac.; Düsseldorf, Akad.; Zeichnungen in Florenz, Uff. – G. schuf auch etwa 30 Blätter Rad.
Sein Sohn *Lodovico*, 1643–1697, Schüler → Berninis.
Lit.: H. Voss, *Die Malerei d. Barock in Rom*, 1924.

Gimmi, Wilhelm, schweiz. Maler, * Zürich 1886, studierte in Paris, wo er auch tätig war; 1940 ff. wieder in der Schweiz, in Chexbres (Waadt) lebend. Von den franz. → Fauves u. Kubisten beeinflußt, fand früh s. eigenen Stil: sehr zurückhaltend in den Mitteln, bes. in der Farbe, suchte er die Klassik wiederaufleben zu lassen, etwa die Linie Poussin-Cézanne weiterzuführen. In manchem ist s. Kunst der des → Auberjonois verwandt. Lithographien zu G. Keller, *Romeo u. Julia auf dem Dorfe*, 1943; Ramuz, *Adam et Eve*, 1949 u. a.
In franz. u. schweiz. Mus. vertreten; u. a. in: Basel (*3 Selbstbildnisse, Harlequin, weibl. Akt*); Bern (*Die Theaterloge*); Zürich (*Sitzende Frau m. Hund*); Lausanne, Elberfeld, Mus.; Paris, Jeu de Paume.
Lit.: N. Jacometti, 1943. Vollmer, 1955. P. Cailler, *Cat. raisonné de l'œuvre lithogr.*, 1956.

Giocondo, Fra Giovanni, ital. Arch., Verona um 1433–1515 Rom, zu s. Zeit berühmter Baumeister, 1495 ff. in Frankreich tätig, 1506 nach Venedig berufen, um die Brentamündung zu regulieren, 1513 in Rom als Bauleiter von St. Peter. Die architekt. Werke G.s sind bis heute nicht sicher nachzuweisen. Zugeschrieben u. a.: Loggia del Consiglio, 1476–88, Verona; Teile des Schlosses Amboise; Brücke von Notre-Dame in Paris; Fondaco dei Tedeschi in Venedig; Einfluß auf → Raffaels Bauentwurf für St. Peter, Rom u. a. Sicher ist, daß G. durch s. Ausgaben röm. Schriftsteller, bes. seiner Vitruv-Ausgabe, Venedig, 1511, einen hervorragenden Anteil an der archäol. Wiederentdeckung der Antike hatte u. starke Anregungen auf die franz. Renaissancekunst ausübte.
Lit.: Soldati, 1829. Tipaldo, 1840. Diedo, 1875. G. Biadego, 1917. Willich in: Th.-B. 1921.

Giordano, Luca, ital. Maler, Neapel 1632–1705 ebda., Barockmaler von großem technischem Können u. außerordentlicher Fruchtbarkeit, führte Freskenwerke u. Ölbilder in allen Formaten u. jederlei Genre aus: bibl. u. hist., mythol. u. Allegorien; Bildnisse, Genre u. Stilleben, mit großer Schnelligkeit (daher s. Beiname «Fa presto»). Tätig in Neapel, Rom u. Florenz; 1692–1702 Hofmaler in Madrid. Als s. erster Lehrer wird → Ribera genannt; jedenfalls hat er dessen Stil nachgeahmt; aber G. hat auch in der Art → Cortonas (in s. großen

dekorativen Wand- u. Deckenbildern), → Veroneses, → Tizians u. → Tintorettos u. v. a. gemalt. Von den Meistern, die ihn beeinflußten, werden noch genannt: die → Carracci, → Caravaggio; die Niederländer, bes. → Rembrandt u. → Rubens. G. ist fast in jeder Kirche Neapels vertreten. Hauptwerke: *Fresken im Pal. Riccardi*, Florenz, 1682. *Deckenfresko in der Sakristei* der Kathedrale von Toledo. *Fresken im Escorial. Fresken in der Schatzkapelle von S. Martino*, Neapel, 1704. Bilder: *Himmelfahrt Mariä*, 1667, Venedig, S. Maria della Salute. *Geburt Mariä*, ebda. *Darbringung im Tempel*, ebda. 14 Bilder von *Aposteln u. Schutzheiligen Neapels* in Neapel, Dom. *Kreuzaufrichtung*, 1680, Schleißheim, Gal. *Speisung der 5000*, ebda. Vertreten in Neapel, Mus.; Florenz, Gall. Pitti, Gall. Corsini u. Uff.; Mailand, Brera; Venedig, Akad.; Madrid, Prado (49 Werke); Berlin, staatl. Mus.; Budapest, Mus.; Dresden, Gal.; Wien, Gal.; Schwerin, Mus.; Paris, Louvre; Lyon, Mus.; Leningrad, Eremitage u. a.
Lit.: E. Petraccone, 1919. H. Posse in: Th.-B. 1921.

Giorgio, Francesco di → Francesco di Giorgio.

Giorgio da Gubbio → Andreoli.

Giorgione, eig. Giorgio da Castelfranco oder Giorgio Barbarelli, ital. Maler, Castelfranco um 1478 bis 1510 Venedig, Hauptmeister der venez. Hochrenaissance, Schüler von G. → Bellini, um 1504 in Castelfranco tätig, 1507 ff. in Venedig, wo er Fresken für den Fondaco dei Tedeschi malte (1508), die heute fast völlig zerstört sind; sonst ist aus dem Leben des frühverstorbenen genialen Meisters kaum etwas bekannt. Nicht viele Werke sind völlig für ihn gesichert. G. geht vom Stil Bellinis aus, auch von → Tizian beeinflußt u. bringt in s. Bildern wunderbar zarte Naturstimmungen, mit denen er die venez. Kunst bereichert. Sein Einfluß auf Tizian u. alle zeitgen. Maler war groß. Hauptwerke: Altarbild im Dom von Castelfranco: *Thronende Madonna mit Heiligen*, 1504. Sog. *3 Philosophen*, um 1505, Wien, Kunsthist. Mus. Sog. *Sturm*, Venedig, Akad. *Ländliches Fest*, Paris, Louvre. Zugeschrieben: *Venus*, Dresden, Gal. Sog. *Konzert*, Florenz, Pal. Pitti (auch Tizian zugeschrieben). *Feuerprobe des Moses*, Florenz, Uff. *Judith*, Leningrad. Lit.: G. F. Hartlaub, 1925. L. Justi, 1926. Hermanin, 1933 (ital). G. M. Richter, 1937 (engl.). A. Morassi, 1942. G. Fiocco, 1942.

Giottino. So nennt → Vasari einen Maler Maso Fiorentino gen. Giottino, wobei er 2 Künstler zu einem einzigen zusammenzieht. Heute weist man die Werke der Bardi-Kapelle von S. Croce, Florenz, allgemein → Maso di Banco zu. Lit.: O. Sirén, 1908. J. v. Schlosser, *Das G.-Problem u. die mod. Stilkritik* in: Kunstgesch. Jb. d. K. K.

Zentral-Kommission 5, 1910. Suida in: Repertor. f. Kunstwiss. 12, 1914.

Giotto di Bondone, ital. Maler u. Arch., Colle di Vespignano b. Florenz um 1266–1337 Florenz, der größte Künstler s. Zeit, wahrscheinlich Schüler → Cimabues, malte in Padua, Florenz, Assisi. G.s entwicklungsgeschichtliche Bedeutung ist überaus groß. Er befreite die ital. Malerei sowohl ikonographisch wie in der Form von der Abhängigkeit der byzant. Kunst. Wegbereitend für ihn war die Plastik G. → Pisanos, die Malerei → Cavallinis, die got. Bildhauerkunst Frankreichs. In dramat. Knappheit, mit plastisch gesehenen Figuren, entwickeln sich die bibl. Geschehnisse. Hauptwerke sind: *Fresken der Arenakapelle* in Padua: Szenen aus dem Leben Christi u. Mariä, um 1305–07. *Fresken in S. Croce*, Florenz: aus dem Leben der beiden Johannes u. des hl. Franziskus. *Fresken in S. Francesco*, Assisi: Szenen aus dem Leben Christi u. des hl. Franziskus. Der Anteil G.s an diesen Fresken ist unsicher. Tafelbilder: *Altar für Ognissanti* : Madonna mit Heiligen u. Engeln, Florenz, Uff., 1334 ff. Bauarbeiten am *Campanile* des Florentiner Doms: Beginn des Erdgeschoßes u. Entwürfe zu einigen Marmorreliefs ebda. (Zuschreibung). Werke in Berlin, Dresden, Rom u. a.
Lit.: G. Rintelen, ²1923. Ch. Weigelt, 1925 (Klass. d. K.). E. Cecchi, 1937 (*Kat. d. Mostra Giottesca*). R. Salvini, *Bibliografia*, 1938. Th. Hetzer, 1941. P. Toesca, 1941. E. Battisti, 1960 (Skira). J. Gantner, *Die Fresken d. Cappella degli Scrovegni in Padua*, 1960. P. Toesca, *Storia dell'arte ital.*, 1927–51. R. Oertel, *Frühzeit d. ital. Malerei*, 1953.

Giovanni, Benvenuto di → Benvenuto di Giovanni.

Giovanni, Matteo di → Matteo di Giovanni.

Giovanni d'Alamagna → Alamagna, Giovanni d'.

Giovanni del Biondo, ital. Maler, tätig 2. Hälfte 14. Jh. in Florenz u. Siena (nachweisbar 1356–1392), Nachfolger des → Orcagna, schuf *Wandbilder der Cappella Rinuccini* in S. Croce, Florenz. *Madonnen-Altar* der Rinuccini-Kap., ebda., 1379. *Madonnentabernakel*, 1377, Siena, Mus. *Verkündigungsaltar*, Florenz, Akad. Vertreten in Philadelphia, Slg. Johnson.
Lit.: A. Venturi V, 1907; J. Kurzwelly in: Th.-B. 1921. R. Oertel, *Frühzeit der ital. Malerei*, 1953.

Giovanni da Bologna → Bologna, Giovanni da.

Giovanni da Milano, eig. Giovanni di Jacopo di Guido da Caversaccio, ital. Maler, tätig 2. Hälfte 14. Jh. in Florenz, zuletzt in Rom, Hauptwerk: die *Fresken der Rinuccini-Kapelle* in S. Croce, Florenz,

Sakristei, beg. 1365. Beeinflußt von T. → Gaddi, auch von sienes. Meistern wie → Lorenzetti u. a. Weitere Hauptwerke: *Pietà*, 1365, Florenz, Uff. *Heilige, Märtyrer u. Jungfrauen*, ebda. *Madonna mit Heiligen*, um 1354, Prato, Gal. Werke in Parma, Gal.; Berlin, ehem. K.-F.-Mus.; Bonn, Mus.; London, Nat. Gall. Pisa, Mus.
Lit.: Rumohr, *Ital. Forschungen* 2, 1827. Suida, *Florent. Maler d. Trecento*, 1905. Ders. in: Th.-B. 1921. Venturi V, 1907. R. v. Marle, *Ital. schools of paint.* 4, 1924. A. Marabottini, 1950. P. Toesca, *Il Trecento*, 1951. M. Meiss, *Paint. in Florence and Siena after the Black Death*, 1951.

Giovanni di Paolo, di Grazia, ital. Maler, Siena um 1400–1482 ebda., Vertreter der Sieneser Malerei der 1. Hälfte des 15. Jh., tätig in Siena, vielleicht Schüler des → Taddeo di Bartolo, beeinflußt von → Paolo di Giovanni Fei, → Sassetta u. → Gentile da Fabriano. Die feinempfundenen Bilder G.s sind künstlerisch rückgewandt, anschließend an die Sieneser Gotiker.
Hauptwerke: *Himmelfahrt Mariä*, 1426, Castelnuovo Berardenga. *Große Kreuzigung*, Siena, Akad. *Jüngstes Gericht*, ebda. *Szenen aus dem Leben Johannes d. T.*, Chicago, Art Inst. *Szenen aus der Legende der hl. Katharina v. Siena*, 7 in Brüssel, Slg. Stoclet; 12 in New York, Metrop. Mus. Werke in: Siena, Akad.; Rom, Gall. Doria; New York, Metrop. Mus.; Chicago, Art Inst.; London, Nat. Gall.; Budapest, Mus.; Florenz, Uff.; Philadelphia, Slg. Johnson; Settignano, Slg. Berenson.; Berlin, staatl. Mus.
Lit.: Weigelt in: Th.-B. 1921. A. Venturi VII, 1, 1911. R. v. Marle, *Ital. schools of paint.* IX, 1927. J. Pope-Hennessy, 1937. C. Brandi, 1947. J. Pope-Hennessy, *La Peint. Sienn. du Quattrocento*, 1947.

Giovanni di Pietro → Spagna, lo.

Giovanni da San Giovanni → Mannozzi, Giovanni.

Giovanni di Stefano da Siena, ital. Bildhauer u. Bronzegießer, Siena um 1446–1506 ebda., Sohn des Malers → Sassetta, Schüler von → Vecchietta, Hauptwerk: *4 leuchtertragende Engel* am Tabernakel im Dom von Siena, 1489–98. Weitere Werke ebda.
Lit.: P. Schubring, *Plastik Sienas im Quattrocento*, 1907.

Giovanni (Martini) **da Udine** → Martini, Giovanni.

Giovanni da Verona, Fra, ital. Holzschnitzer, Intarsiator u. Miniaturmaler, wahrscheinlich Verona um 1457–1525 ebda. *Großer hölzerner Osterleuchter*, S. Maria in Organo, Verona. *Stuhlwerk des Chores*, ebda., 1499. *Osterleuchter, Chorgestühl u. Pult*, mit Intarsien, 1502, Klosterkirche Monte Oliveto u. a. G. schuf in klass. reinem Renaissancestil.
Lit.: P. Lugano, 1905.

Giovenone, ital. Malerfamilie aus dem Piemontesischen, deren wichtigste Mitglieder:
Gerolamo, Novara (?) um 1490–1555 Vercelli, tätig ebda., von G. → Ferrari beeinflußt. *Altarbild*, 1513, Vercelli, Mus. Leone. *Thronende Madonna mit Heiligen*, Turin, Pinac. *Triptychon*, 1527, Bergamo, Gal. *Giuseppe*, Vercelli 1524 bis um 1609, tätig ebda., der älteste Sohn von Gerolamo, schuf *Tabernakel* auf dem Hochaltar des Domes von Vercelli.
Lit.: S. Weber in: Th.-B. 1921.

Girardet, Edouard, schweiz. Maler u. Graphiker, Le Locle 1819–1880 Versailles, in Paris u. bei s. Bruder Karl gebildet, tätig in Brienz u. Paris. Religiöse Bilder, hist. Genrebilder. Beisp. *Einnahme von Jaffa*, Versailles, Mus.

Girardet, Karl, schweiz. Maler, Le Locle 1813–1871 Paris, Vertreter des historisierenden Stils, Schüler von → Cogniet, tätig meist in Paris. Historien- u. Genrebilder, auch Schweizer Landschaften in Brienz, schloß sich teilweise den frühen Realisten an. Er zeichnete für illustrierte Zschr. u. Bücher. Gut vertreten im Mus. v. Neuchâtel; ferner in Lausanne.
Lit.: A. Bachelin, *Les G.*, 1870. R. Burnand, *L'étonnante hist. des G.*, 1940. M. Huggler/A. M. Cetto, *Schweizer Malerei im 19. Jh.*, 1942.

Girardon, François, franz. Bildhauer, Troyes 1628 bis 1715 Paris, gehört zu den bedeutendsten Vertretern der Hofkunst Ludwigs XIV. In Rom unter dem Einfluß → Berninis ausgebildet, 1650 ff. wieder in Frankreich, haupts. in Paris u. Versailles, zeitweise in Toulon tätig. 1690 als Nachfolger → Le Bruns Generalinspektor des Bildhauerwesens. Arbeitete unter der Oberleitung Le Bruns, häufig nach dessen Entwürfen. In s. besten Werken erreicht er eine hohe Anmut u. Eleganz. Sein Hauptwerk *Reiterdenkmal Ludwigs XIV.*, 1699 auf der heutigen Place Vendôme errichtet, wurde 1792 zerstört; *Bronze-Statuette Ludwigs XIV.*, welche eine Reduktion darstellt, im Louvre. Sein lieblichstes u. bekanntestes Werk ist das *Bleirelief der Badenden Nymphen*, 1675, im Park von Versailles. Weitere Werke: *Grabdenkmal des Kardinals Richelieu*, 1694, Paris, Sorbonnekirche. *Marmorbüste Boileaus*, Louvre. *Bronzebüste Richelieus*, Sanssouci b. Potsdam. *Raub der Proserpina*, 1694–99, Versailles, Schloßpark. Viele weitere Werke im Louvre u. in Versailles.
Lit.: H. Vollmer in: Th.-B. 1921. P. Francastel, 1929. Ders., *La sculpture de Versailles*, 1930. M. Oudinot in: Bull. de la Soc. d'hist. de l'art franç., 1937. F. Baumgart, *Gesch. d. abendländ. Plastik*, 1957.

Girodet-Trioson, Anne-Louis, eig. Girodet de Roussy, franz. Maler u. Illustrator, Montargis 1767 bis 1824 Paris, Klassizist, Schüler von J. L. → David, weitergebildet in Italien, von der literarischen Frühromantik stark berührt, doch verrät sich dies nur in der Stoffwahl. Künstlerisch fand er keinen adäquaten Ausdruck für romant. Szenen, es sei denn eine gewisse Führung des Lichtes (Helldunkel), die sich bei ihm früher als bei → Prud'hon findet. Hauptwerke: *Begräbnis Atalas* (nach Chateaubriand), 1808, Paris, Louvre. *Endymion*, 1792, ebda. *Pygmalion*, 1819, ebda. F. illustrierte klass. Dichtungen (Vergil, Anakreon, Racine) u. fertigte einige Lithographien. Lit.: P. A. Coupin, 1829. P. A. Leroy, 1892.

Girolamo di Benvenuto, ital. Maler, Siena 1470 bis 1524 ebda., Schüler u. Mitarbeiter s. Vaters, des → Benvenuto di Giovanni, lehnt sich später an → Signorelli, → Sodoma u. → Pinturicchio an. Hauptwerk: *Madonna della Neve*, 1508, Siena, Akad. Lit.: W. Bombe, *Geschichte d. Peruginer Malerei*, 1912. Weigelt in: Th.-B. 1921.

Girolamo da Carpi → Carpi, Girolamo da.

Girolamo da Cremona, ital. Maler, tätig um 1467 bis 1473, hervorragender Miniaturmaler, mit dem → Liberale da Verona zusammenarbeitete. Seine Miniaturen gehören zu den vorzüglichsten des Quattrocento, in s. Stil von → Francesco di Giorgio u. → Mantegna beeinflußt. Werke in: Siena, Dom (Libreria Piccolomini); London, Victoria and Albert Mus.; Florenz, Mus. Naz. Lit.: A. Venturi, VII, 4, 1911. L. Baer in: Th.-B. 1921. P. D'Ancone, *La miniature ital.*, 1925. Ders. in: Enc. Ital. 1933.

Girolamo dai Libri → Libri, Girolamo dai.

Girolamo del Pacchia → Pacchia, Girolamo del.

Girolamo da Treviso → Pennacchi, Girolamo.

Girolamo da Udine, ital. Maler, † 1512, Nachahmer → Cimas u. → Carpaccios, vertreten in Udine, S. Pietro Martire u. Mus.; Venedig, SS. Giovanni e Paolo; Mailand, Brera. Lit.: A. Venturi VII, 4, 1915. G. Fiocco in: Th.-B. 1921.

Girometti, Giuseppe, ital. Gemmen- u. Stempelschneider, Rom 1779–1851 ebda., anfangs Bildhauer, erlangte Berühmtheit als Gemmenschneider, als Verfertiger von Kameen u. Bildnismedaillen. Werke: Als Bildh.: *Standbilder am Dom v. Foligno*. Als Gemmenschneider: Arbeiten nach Entwürfen von → Canova u. Tenerani. *10 Gemmen mit antiken Heroen u. Göttern*, Vatik. Bibliothek. Die *Kamee am Grabmal Klemens XIII. Medaillen* f. die Päpste; für Napoleon; für Washington; für Canova; den Kardinal Consalvi; den Dichter Niccolini. Lit.: P. E. Visconti, 1833.

Girtin, Thomas, engl. Aquarellist u. Radierer, London 1775–1802, einer der bedeutendsten Meister des engl. Landschaftsaquarells, Schüler von Dayes, beeinflußt von R. → Wilson u. J. R. → Cozens, gleichaltrig u. befreundet mit → Turner, malte fein empfundene großzügige Ansichten der engl. Landschaft. Lit.: L. Binyon, 1900. Ders., *Engl. water-colours*, 1946. R. Davies, 1924.

Gischia, Léon, franz. Maler, * Dax 1903, Schüler von O. → Friesz u. F. → Léger, betätigte sich auch als Bühnenbildner, Illustrator, Plakatkünstler u. a. In vielen Mus. mod. Kunst vertreten. Lit.: Bénézit, 1951. Vollmer, 1955. *Neue Kunst nach 1945*, hg. v. W. Grohmann, 1958 (Du Mont Schauberg).

Gislebertus, franz. Bildhauer, tätig in Autun 12. Jh., fertigte um 1150 die *Skulpturen* (Basreliefs) *des Tympanons des Hauptportales der Kathedrale von Autun*, eines der Hauptwerke jener Zeit: Christus mit Jüngstem Gericht u. Auferstehung der Toten. Weitere Zuschreibungen. Lit.: H. de Fontenay, *Autun et ses monuments*, 1889. Michel, *Hist. de l'Art I*, 2, 1905. Th.-B. 1921. D. Grivot u. G. Zarnecki, 1960.

Giulio Romano, eig. G. Pippi, ital. Maler u. Arch., Rom 1499–1546 Mantua, Hauptvertreter der → Raffael-Schule, Lieblingsschüler u. Mitarbeiter Raffaels, an der Ausführung mehrerer s. Werke beteiligt u. nach dessen Tod mit deren Vollendg. betraut. 1524 als leitender Arch. u. Maler des Herzogs Federigo Gonzaga nach Mantua berufen. In s. Stil geht er von Raffaels Spätwerk aus u. war mit manchen s. Werke an der Entwicklung des röm. Manierismus beteiligt. Als Maler war er in Rom selbständig an der unter Raffaels Leitung erfolgenden Ausmalung der Loggien des Vatikans beteiligt, nach dessen Tod führte er (mit → Penni u. a.) die Fresken der *Sala di Costantino* im Vatikan aus: Szenen aus dem Leben Kaiser Konstantins. Sein Hauptwerk in Mantua als Arch. ist der *Pal. del Tè*, beg. 1525, als Maler dessen Ausstattung mit Fresken: *Darstellungen aus der Geschichte Amors u. Psyches, Sturz der Giganten* u. a., teils mit Hilfe von Schülern. Der Einfluß G.s war groß. Durch ihn lernten die Künstler Oberitaliens den röm. Manierismus kennen. Weitere Hauptwerke: als Maler: *Hochaltarbild* v. *S. Maria dell'Anima*, Rom; *Steinigung des hl. Stephanus*, Genua, S. Stefano, 1523. In Mantua: *Szenen aus dem trojanischen Krieg*, Herzogl. Schloß. Tafelbilder: *Madonna della Catena*, Dresden, Gal. *Beschneidung*, Paris, Louvre. Als Arch.: in Rom: *Villa Lante; Pal. Cicciaporci*, 1521. In Mantua: *Neubau des Domes S. Pietro. Umbau von S. Benedetto al Polidoro* b. Mantua. Lit.: H. Voss, *Mal. d. Spätrenaiss.*, 1920. Pevsner-

Grautoff, *Barockmalerei in d. roman. Ländern*, 1928. A. Venturi IX, 2, 1926 u. XI, 1, 1938. E. Gombrich in: Österr. Jb. 8, 1934 u. 9, 1935. L. Venturi, *Das 16. Jh.* (Von Leonardo zu Greco), 1956. N. Pevsner, *Europ. Architektur*, 1957.

Giunta Pisano, ital. Maler, tätig in Assisi, Pisa u. Bologna, 2. Viertel 13. Jh., Hauptmeister der Pisaner Schule. Von ihm sind 3 Kruzifixe des klass. Typus erhalten: die Kruzifixe von *S. Maria degli Angeli*, Assisi, um 1236; von *S. Raniero* in Pisa; von *S. Domenico* in Bologna.
Lit.: P. Bacci in: Boll. d'arte 2, 1922/23. E. B. Garrison, *Ital. Romanesque panel paint.*, 1949. C. Brandi, *Il Crocifisso di G. P. in S. Domenico a Bologna* in: L'arte 1936. R. Oertel, *Frühzeit d. ital. Malerei*, 1953.

Giusto Padovano, eig. G. de Menabuoi, ital. Maler, aus Florenz stammend, 1391 in Padua, 1370 ff. tätig ebda. Hauptwerk: *Ausmalung des Baptisteriums in Padua*, voll. 1376: Darstellung der Himmelsglorie u. alt- u. neutestamentliche Szenen. G.s Bedeutung liegt in der Vermittlung florent. Stilelemente an die oberital. Malerei.
Lit.: S. Bettini, 1944. R. v. Marle, *Ital. Schools* 4, 1924. P. Toesca, *Storia dell'arte ital. 2*, 1951. R. Oertel, *Frühzeit d. ital. Malerei*, 1953.

Glarner, Fritz, schweiz.-amerik. Maler, * Zürich 1899, Vertreter der abstrakten Malerei, seit 1936 in den USA tätig, führte die Malerei des Konstruktivismus (konkrete Kunst: Piet → Mondrian, Gruppe → Stijl) weiter; befreundet mit Mondrian. Vertreten in New York, Mus. of mod. Art, u. a. amerik. Mus.; Zürich, Kunsth.
Lit.: M. Seuphor, *Knaurs Lex. abstr. Mal.*, 1957. *Neue Kunst nach 1945*, hg. v. W. Grohmann, 1958. *Ausst.-Kat. Konkrete Kunst*, Zürich 1960. Kstlerlex. d. Schweiz d. 20. Jh.

Glauber, Jan (Johannes), gen. *Polidoro*, niederl. Maler u. Radierer, Utrecht 1646 bis um 1726 Schoonhoven, Vertreter der italianisierenden holl. Landschaftsmalerei, tätig in Paris, Rom, Venedig, längere Zeit in Hamburg, 1684 ff. in Amsterdam, 1687ff. im Haag, malte zunächst Landschaften im Stil s. Lehrers N. → Berchem, später stark beeinflußt von G. Poussin (→ Dughet) u. J. → Both; die Staffagefiguren meist von s. Freund G. de → Lairesse. Er radierte Landschaften nach Entwürfen von G. Poussin u. eigenen Zeichnungen. Sein Bruder *Johann Gottlieb* G. (1656–1703) stand ganz unter s. Einfluß. Vertreten in den Gal. v. Braunschweig, Göttingen, Kopenhagen, Montpellier, Paris, Leningrad, Schwerin u. a.
Lit.: Dirksen in: Th.-B. 1921.

Gleichen-Russwurm, Ludwig Freiherr v., dt. Maler, Schloß Greifenstein 1836–1901 Weimar, Ur-

enkel von Schillers Tochter Emilie, schuf Landschaften in zart-impressionist. Stil.
Lit.: B. Frenzel u. M. Lehrs in: Graph. Künste 26, 1903. Chroust, *Lebensläufe aus Franken*, 1919.

Gleizes, Albert, franz. Maler, Illustrator u. Kunstschriftsteller, Paris 1881–1953 ebda., Hauptvertreter des Kubismus u. Wegbereiter der abstrakten Kunst, schloß sich um 1911 der Gruppe der Kubisten an, welche sich dem Streben des ital. Futurismus näherte: Übersetzung von Bewegungsmotiven ins Malerische. Veröffentlichte 1912 mit → Metzinger «Du cubisme», mit graph. Blättern von → Duchamp, G., → Laurencin, Metzinger, → Picabia, → Picasso, J. → Villon. 1923 gab G. das Buch «La peinture et ses lois» heraus. G. übte als Theoretiker bedeutenden Einfluß aus, z. B. auf R. → Delaunay. In s. Spätzeit befaßte er sich viel mit sakraler Wandmalerei. Gut vertreten in Paris, Petit Palais; Moskau, Mus. f. mod. Kunst; Grenoble, Mus.
Lit.: M. Raynal, *Mod. French painters*, 1928. M. Seuphor, *Dict. peint. abstr.*, 1957. Vollmer, 1955. B. Dorival, *Les peintres du 20e siècle*, 1957.

Gleyre, Charles, schweiz. Maler, Chevilly (Waadt) 1806–1874 Paris, an → Delaroche anknüpfender Akademiker, der früh nach Paris kam, in Rom mit L. → Robert u. den dt. → Nazarenern in Berührung kam u. nach einer Orientreise, 1834–37, sich in Paris niederließ, wo er das Atelier von P. Delaroche nach dessen Tod übernahm. G. war ein von der Romantik beeinflußter Klassizist, dessen Hauptbedeutung in s. großen Lehrerfolgen liegt: → Whistler, → Renoir, → Monet, → Anker waren u. a. s. Schüler. Beisp.: *Selbstbildnis*, 1827, Lausanne, Mus. *Le soir*, 1843, Paris, Louvre. *Die Flötenspielerin*, 1868, Basel, Mus. Beste Slg. seiner Werke in Lausanne, Mus.; ferner in Neuchâtel, Basel, Montpellier, Troyes.
Lit.: Ch. Clément, ²1886. R. Lugeon, 1939. M. Huggler/A.M. Cetto, *Schweiz. Malerei im 19. Jh.*, 1942.

Glockendon, Glockenton, Nürnberger Künstlerfamilie des 15. u. 16. Jh., Miniatur- u. Glasmaler, Kupferstecher u. Formschneider. Die bedeutendsten Mitglieder:
Albrecht, † 1545, malte *Miniaturen für das sog. Glockendonsche Missale*, Nürnberg, Stadtbibliothek.
Lit.: E. W. Bredt, *Das Glockendonsche Missale* in: Festschrift d. Vereins f. Gesch. d. Stadt Nürnberg, 1903.
Nikolaus, † 1534, Bruder des Albrecht, schmückte 1524 das *Missale für Albrecht v. Mainz* mit Miniaturen, Aschaffenburg, Bibliothek. Im Stil von → Dürer, → Cranach u. a. abhängig.

Glykon, griech. (athenischer) Bildhauer des 1. Jh. v. Chr., fertigte die Kopie des Herakles nach → Lysipp, den sog. *Farnesischen Herakles*.

Godefroid de Claire, lothring.-niederl. Goldschmied u. Emailkünstler um die Mitte des 12. Jh. tätig in Huy an die Maas, Nachfolger des Reiner v. Huy, schuf den *Remaclus-Retabel,* 1145, davon 2 Emailscheiben in Frankfurt, Kunstgew. Mus.; die *Schreine des hl. Mangold u. d. hl. Domitian,* 1173, Huy, Liebfrauenkirche. Die Zuschreibungen eines großen Teils der wallon. u. rhein. Goldschmiedewerke an G. lassen sich nicht aufrechterhalten, u. a. wurden ihm zugeschrieben: das Alexanderreliquiar, Brüssel, Mus. (1145) u. der Heribertschrein in Köln-Deutz.
Lit.: O. v. Falke u. H. Frauberger, *Dt. Schmelzarbeiten d. M. A.,* 1904. H. Beenken, *Schreine u. Schranken* in: Jb. f. Kunstwiss., 1926. J. Baum, *Malerei u. Plastik d. M. A.,* 1930 (Handb. d. Kunstw.).

Goerg, Edouard, franz. Maler, * Sydney 1893, von franz. Eltern; Expressionist, mit Neigung zur Karikatur, von → Goya, → Daumier u. → Rouault beeinflußt. – Buchillustration.
Lit.: W. George, 1929.

Goes, Hugo van der, niederl. Maler, Gent um 1440 bis 1482 Roode Cloosters b. Brüssel, Hauptmeister der altniederl. Malerei der 2. Hälfte des 15. Jh., hat mit s. Hauptwerk, dem *Portinari-Altar,* um 1476, Florenz, Uff., dem einzigen beglaubigten Werk, eines der größten Werke der Weltkunst geschaffen. Dargestellt ist im Mittelbild die Geburt Christi mit den anbetenden Hirten. Das Werk stellt sich in die große Linie der altniederl. Kunst: van → Eyck, R. van der → Weyden, Dirk → Bouts. Die ganz neue Individualisierung, bes. der männlichen Köpfe, die Großartigkeit der Frauengestalten, die gesteigerte Kraft des Naturalismus gehen über alles Bisherige hinaus.
Die weiteren G. zugeschriebenen Hauptwerke sind: der *Monforte-Altar* mit der Anbetung der Könige, Berlin, staatl. Mus. *Diptychon mit Sündenfall, Beweinung Christi u. hl. Genoveva,* Wien, Kunsthist. Mus. Kleiner Flügelaltar mit *Anbetung der Könige,* Vaduz, Gal. Liechtenstein. *Geburt Christi mit anbetenden Hirten,* Berlin, staatl. Mus. *Tod Mariä,* Brügge, Mus. Ferner Werke in Frankfurt a. M. (*Madonna in Halbfigur*); Leningrad (*Anbetung der Könige*); Lugano, Slg. Schloß Rohoncz (*Pietà*).
Lit.: J. Destrée, 1914. M. J. Friedländer, *Altniederländische Malerei* 4, 1926. K. Oettinger, *Das Rätsel d. Kunst d. v. d. G.* in: Österr. Jb. N. F. 12, 1938. E. Heidrich, *Altniederl. Malerei,* 1910.

Göthe, Eosander v. → Eosander v. Göthe.

Goetz, Karl Otto, dt. Maler u. Holzschneider, * Aachen 1914, 1941–45 in Norwegen, seitdem wieder in Deutschland, ansässig in Frankfurt, gilt als führender dt. Vertreter des «Tachismus». «Seine

oft monochrom gehaltenen kalligraph. Improvisationen sind von überraschender Geschmeidigkeit u. erinnern manchmal an mit Zeitlupe aufgenommene Wirbelstürme.» (M. Seuphor.)
Lit.: Vollmer, 1955. *Knaurs Lex. abstr. Malerei,* 1957 (M. Seuphor). *Neue Kunst nach 1945,* hg. v. W. Grohmann, 1958.

Gogh, Vincent van, holl. Maler, Zeichner u. Lithograph, Groot-Zundert 1853–1890 Auvers-sur-Oise, einer der wichtigsten Wegbereiter der Kunst des 20. Jh., Kunsthändler, dann Wanderprediger in den belg. Kohlengruben, begann um 1880, im wesentlichen autodidaktisch, zu malen. In Zeichnungen u. Aquarellen schildert er das Leben der Grubenarbeiter; ein Verwandter, der Maler Mauve, berät ihn; er ist von → Millet u. ganz bes. von → Israels beeindruckt, in dessen Art er realist. Bilder in dunklen braunen Tönen malt. Hauptwerk dieser Epoche sind die *Kartoffelesser,* 1885. 1886 in Paris; lernt dort durch s. Bruder Theo, den Kunsthändler, die Impressionisten kennen, wird stark vom japan. Farbenholzschnitt beeindruckt, befreundet sich mit → Gauguin. Seine Palette hellt sich auf, er findet s. eigenen Stil, der in Arles, wohin er sich 1888 begibt, zur Vollendung gelangt. Er arbeitet fieberhaft, doch wird s. Nervensystem erschüttert. Anläßlich eines Besuches Gauguins im Dez. 1888 kommt es zum Zusammenbruch, van Gogh schneidet sich ein Ohr ab, wird in eine Anstalt nach St-Rémy überführt, arbeitet aber trotz wiederholter Krisen fieberhaft weiter; 1890 siedelt er nach Auvers-sur-Oise über, wo Dr. Gachet ihn betreut; in einer neuen Krise kurz nach Vollendung s. Bildes *Kornfeld mit Krähen,* 1890, Slg. V. W. van Gogh, schießt er sich eine Kugel in die Brust. – Der Stil van G.s war s. persönliche Reaktion auf den sich auflösenden Impressionismus, dem er stark konturierte Flächen, angeregt von der Kunst des japan. Farbenholzschnitts, entgegensetzte. Die Farbe hat er zu stärkster Ausdruckskraft gebracht: sehr oft verwendet er die reine Lokalfarbe. Er steigert ihre flächenbildende, auch ihre raumbildende Kraft u. entdeckt oder wiederentdeckt ihre Symbolkraft. Van G.s Kunst wirkte weiter auf die → Fauves, auf die Expressionisten u. auf die gesamte moderne Kunst.
Werke: bekannte Werke s. Reifezeit: *Le père Tanguy,* 1887, Slg. Robinson, Beverley Hills (Cal.). *Sonnenblumen,* 1888, London, Tate Gall. *Der Stuhl,* 1888, ebda. *Kornfeld mit Wacholder,* 1889, ebda. *Briefträger Roulin,* 1888, Boston, Mus. of fine arts. *Die Zugbrücke,* 1888, Köln, Wallraf-Richartz Mus. *Kähne im Hafen,* 1888, Essen, Folkwang Mus. *Porträt Armand Roulin,* 1888, ebda. *v. G.s Schlafzimmer,* 1888, Chicago, Art Inst. *Kähne am Strand,* 1888, Laren, Slg. v. Gogh. *Kornfeld mit Krähen,* 1890, ebda. *L'Arlésienne,* 1888, New York, Metrop. Mus. *Nachtcafé,* 1888, New York, Slg. Clark. *La*

Mousmé, 1888, Washington, Nat. Mus. *Caféterrasse bei Nacht*, 1888, Otterlo, Mus. Kröller-Müller. Bilder in vielen Mus. mod. Kunst; Hauptslgn. u. a. Amsterdam, Rotterdam, Otterlo, London (Tate Gall.), Köln, Essen, Zürich, Basel, New York, Boston, Washington.

Briefe van G.s in vielen Ausg. u. a.: an Emil Bernard, 1912; an den Bruder, 1914 (dt.), viele weitere Ausg.; Ausg. v. Briefen, 1929; an Van Rappard, 1950. Gesamtausg. der Briefe .1961.

Lit.: von den vielen Monographien seien genannt: E. Bernard, 1915. J. Meier-Graefe, *Vincent*, [2]1922. C. Galser, 1921. J.-B. de La Faille, *Catal. raisonné*, 1928. Pfister, [2]1929. M. Florisson, 1937. W. Uhde, 1936. G. Schmidt, 1947. L. Goldscheider u. W. Uhde, 1948. W. Weisbach, 1949–51. M. Schapiro, 1950. J. Leymarie, 1951. F. Elgar, 1959.

Goltzius, Hendrik, niederl. Kupferstecher, Radierer, Zeichner u. Maler, Mühlbrecht b. Venlo 1558 bis 1617 Haarlem, gehört der Schule der niederl. Romanisten an wie → Spranger; s. bes. Bedeutung beruht in der Ausbildung einer virtuosen Stichtechnik zu gleichsam «farbiger» Wiedergabe von Gemälden. Er gründete 1582 in Haarlem eine große Stecherschule, 1590–91 in Italien. Stiche nach eigenen Entwürfen sowie nach Gemälden ital. u. niederl. Meister. *Szenen aus den Metamorphosen des Ovid; Folge der 9 Musen; Darstellungen aus dem Marienleben.* Soldatenstiche: bes. berühmt: *Der Fahnenschwinger.* Ferner s. Bildnisstiche: *Phil. Galle,* 1582. *Wilhelm v. Oranien,* 1583. *Heinrich IV. v. Frankreich.* Gemälde: *Adam u. Eva,* München. N. P. *Vertumnus u. Pomona,* Amsterdam. *Merkur u. Juno,* Rotterdam.

Lit.: O. Hirschmann, *Verz. d. graph. Werkes v. H. G.,* 1921. W. Bernt, *Niederl. Maler d. 17. Jh.,* 1948.

Gonçalves, Nuño, portug. Maler, tätig um 1450–71, Hauptmeister der portug. Schule, schuf den großen *Altar des hl. Vinzenz,* um 1460. Lissabon, Mus. Von niederl. u. burgund. Werken beeinflußt; bes. Beziehungen zur Kunst des H. van der → Goes. Doch ist s. Werk das eines durchaus selbständigen Meisters von hoher Bedeutung.

Lit.: R. Dos Santos, 1955 (Phaidon; engl.).

Gontard, Karl v., dt. Arch., Mannheim 1731–1791 Breslau, bedeutender Meister des Übergangs vom Barock zum Klassizismus, Abkömmling einer hugenottischen Emigrantenfamilie, Schüler von → Blondel in Paris, 1756ff. im Dienst der Markgräfin Wilhelmine v. Bayreuth, 1764 ff. in dem Friedrichs d. Gr. – Im Stil gehört G. dem ausgehenden Barock an, in den Einzelheiten klassizist. Hauptwerke: Die sog. *Communs* beim Neuen Palais in Potsdam, 1765-1769. *Das Militärwaisenhaus,* ebda., 1771–77. *Marmorpalais,* ebda. (1787 von G. beg.). *Freund-*

schafts- u. *Antikentempel,* 1768, Park v. Sanssouci, ebda. *Kuppeltürme der beiden Kirchen auf dem Gendarmenmarkt,* Berlin, 1780–85.

Lit.: Schmitz, *Berliner Baumeister d. 18. Jh.* Kania, *Potsdamer Baukunst,* [2]1926. G. Dehio, *Gesch. d. dt. Kunst,* 3, 1926. M. Osborn, *Kunst d. Rokoko,* 1929.

Gontcharova (Gontscharowa), Nathalie, russ. Malerin, * im Distrikt Tula 1881, beteiligte sich am «Rayonismus» von → Larionoff, mit dem sie 1914 nach Paris kam; gehörte seitdem der Pariser Gruppe abstrakter Künstler an. Längere Zeit über schuf sie die Ballett-Dekorationen für Diaghilew.

Lit.: Barr, *Cubism and abstr. art,* 1936. Vollmer, 1955. *Knaurs Lex. abstr. Malerei* (Seuphor), 1957.

Gonzaga, Pietro di Gottardo, ital. Maler u. Arch., Longarone 1751–1831 Petersburg, ein zu s. Zeit berühmter Theatermaler u. Bühnendekorateur, war für das Scala-Theater in Mailand tätig, von ca. 1870 an in Venedig für das Fenice-Theater, dann in Rom für das Argentina-Theater, ging um 1790 nach Rußland als Theaterarchitekt u. Bühnendekorateur; von 1792 an in Petersburg als Freskenmaler: Landschaftsprospekte u. von → Piranesi inspirierte Architekturperspektiven. (Andere wichtige Theatermaler der Zeit: → Fuentes, F. → Fontanesi.)

Gonzales, Julio, span. Bildhauer, Barcelona 1876 bis 1942 Paris, Hauptmeister der abstrakten Eisenplastik, kam 1900 nach Paris, befreundete sich mit → Picasso, später mit → Brancusi, kam über den Kubismus zum Konstruktivismus u. fand um 1930 zu s. eigenen Ausdrucksprache in der Eisenplastik. Er gehört der surrealist. Spätphase des Konstruktivismus an. Sein Material sind Fundstücke, Röhren, Scheiben, Stangen usw.

Lit.: L. Degand, 1957. *Ausst.-Kat. Stedelijk Mus.,* Amsterdam 1955. C. Giedion-Welcker, *Plastik d. 20. Jh.,* 1955. W. Hofmann, *Plastik d. 20. Jh.,* 1958.

Gorky, Arshile, amerik. Maler, * in Armenien 1904, † 1948 New York, Hauptvertreter der jungen amerik. abstrakten Malerei, kam um 1920 nach Amerika, begann um 1930 unter dem Einfluß von → Picasso zu malen, um 1940 unter dem Einfluß von → Miró u. der «école de Paris», näherte sich dem Surrealismus, später von der amerik. eruptiven-nicht figürl. Malerei von → Pollock u. de Kooning beeinflußt. Vertreten in New York, Mus. of mod. Art, u. v. a.

Lit.: Seuphor, *Dict. peint. abstr.,* 1957. *Knaurs Lex. abstr. Mal.* (Seuphor), 1957. *Neue Kunst nach 1945,* hg. v. W. Grohmann, 1958. *Documenta II,* Kassel 1959.

Gossaert, Jan, gen. *Mabuse,* niederl. Maler, Maubeuge (Mabuse) um 1478 bis um 1536 Middelburg,

Hauptmeister des niederl. Romanismus, 1503–07 in Antwerpen nachweisbar, ging 1508 nach Rom, später in Utrecht u. Middelburg tätig. In s. Stil von der fläm. Schultradition ausgehend, Einflüsse von H. van der → Goes u. G. → David, bes. auch von →Dürer. Seit s. ital. Reise treten Renaissanceformen auf, nimmt das Figürliche, bes. der nackte menschliche Körper einen großen Raum in s. mythol. Werken ein. Später auch Einflüsse der Mailänder Schule (→ Leonardo). Wohl am hervorragendsten s. Porträts. In s. Graphik schließt er sich eng an den graph. Stil Dürers an.

Religiöse Werke: *Anbetung der Könige*, London, Nat. Gall. *Maria mit Kind u. Heiligen*, Palermo, Nat. Mus. *Anbetung der Könige*, Paris, Louvre. *Magdalena*, London, Nat. Gall. *Madonna*, 1527, München, A. P. *Evangelist Lukas, die Madonna zeichnend*, Wien, Gal. *Der Kanzler Carondelet mit Madonna u. Kind*, Diptychon v. 1517, Paris, Louvre. Mythol. u. Darstellungen nackter Figuren: *Adam u. Eva*, Berlin, staatl. Mus.; Hampton Court; Wien, staatl. Gal. *Neptun u. Amphitrite*, 1516, Berlin, staatl. Mus. *Danae*, 1527, München, A. P. Bildnisse: *Bildnis der 3 Kinder Christians II. v. Dänemark*, mehrere Exempl. Wilton House, Hampton Court, Longford Castle. *Mann mit Handschuhen*, London, Nat. Gall. *Alte Frau*, ebda. *Männl. Bildnis*, Wien, Gal. Hervorragende Bildnisse auch in Kopenhagen, Richmond u. a.
Lit.: E. Weiss, 1913. F. Winkler, *Die Anfänge Jan G.s* in: Preuss. Jb. 42, 1921. A. Ségard, 1923. M. J. Friedländer, *Altniederl. Malerei* 8, 1930.

Gotsch, Friedrich Karl, dt. Maler u. Graph., * Preis (Schleswig), Schüler von → Kokoschka, beeinflußt von → Munch; Figürliches, Landschaften, Bildnisse; Aquarelle u. alle graph. Techniken.
Lit.: W. Grohmann, 1924. Vollmer, 1953. *Neue Kunst nach 1945*, hg. v. W. Grohmann, 1958.

Goujon, Jean, franz. Bildhauer, um 1510 bis gegen 1568 Bologna, Hauptmeister der franz. Renaissancebildnerei, tätig in Rouen, Paris, Ecouen, Schloß Anet, seit 1562 in Bologna. Charakterist. für s. Kunst sind die langgestreckten Körper u. eine feinfühlige Oberflächenbehandlung. Beeinflußt von der ital. Kunst; es ist die Art → Primaticcios ins Plastische übersetzt.
Werke: in Paris war er vor allem an der dekorativen Ausschmückung der Louvre-Bauten → Lescots beteiligt: *4 Karyatiden* unter der Musiktribüne des großen Saales im Louvre, um 1550. *Relief einer Beweinung Christi*, um 1544, Paris, Louvre. Reliefs (Nymphen u. a.) von der *Fontaine des Innocents*, 1547–49, Paris, Louvre. Sein Hauptwerk: *Ruhende nackte Diana*, ursprüngl. Brunnenschmuck für Schloß Anet, heute im Louvre. *Kaminaufsatz* im Schloß Ecouen. Mehrere Reliefs an der Hofseite des Louvre.

Lit.: P. Vitry, 1909. H. Vollmer, 1923. P. du Colombier, 1949. F. Baumgart, *Gesch. d. abendländ. Plastik*, 1957.

Govaerts, Abraham, niederl. Maler, Antwerpen 1589–1626 ebda., fläm. Landschafter, der in der Art des Gillis → Coninxloo begann, später von Jan → Bruegel beeinflußt wurde. S. Landschaften in tiefen Grüntönen zeigen meist eine kleine Lichtung inmitten dichten Waldes u. Durchblick in die Ferne. Staffage-Figuren oft von anderer Hand. In vielen Mus. der Welt vertreten.
Lit.: A. v. Wurzbach, *Niederl. Kstlerlex.*, 1906. W. Bernt, *Niederl. Maler d. 17. Jh.*, 1948.

Goya, Francisco de, span. Maler, Radierer u. Lithograph, Fuentetodos 1746–1828 Bordeaux, der größte span. Meister s. Zeit u. einer der größten überhaupt, um 1766 Schüler von → Bayeu in Madrid, war in Italien, 1775 ff. in Madrid, 1776 ff. für die Teppichmanufaktur tätig, 1798 ff. Hofmaler, 1824 ff. in Frankreich. G. war außerordentlich vielseitig u. wandlungsfähig. In s. ersten Schaffenszeit, etwa 1771–94, gehört er dem ausgehenden Rokoko an. Unter dem Einfluß → Mengs u. bes. → Tiepolos u. der Venezianer hat er dekorative Szenen in leuchtenden Farben geschaffen als Kartons für die Gobelinmanufaktur. Mitte der 90er Jahre vertieft sich s. Kunst u. nimmt die Errungenschaften der Romantik u. des Impressionismus vorweg. In duftiger, lockerer Farbgebung führt er die Malerei des → Velazquez weiter, erfährt den Einfluß → Rembrandts u. muß alte Niederländer wie → Bruegel u. → Bosch auf sich haben wirken lassen. Er wird ein hervorragender Porträtist. Großen Einfluß hatte der nationale Befreiungskrieg gegen die napoleon. Herrschaft auf s. Schaffen. Mit unerbittlicher Wahrheitsliebe schildert er die Schrecken von Krieg u. Not; s. Weltanschauung wird pessimistisch. Er entstehen s. grandiosen graph. Werke: *Caprichos, Desastres de la guerra*. Durch Anwendung der Aquatintatechnik erreicht er Helldunkelwirkungen, die das Unheimliche u. Dämonische ausdrücken. Weniger bedeutend als Maler religiöser Bilder. In allen übrigen Genres ist G. s. Zeit weit vorausgeeilt u. hatte nachhaltigsten Einfluß auf die gesamte spätere Kunst. Hervorragend vertreten in Madrid, Prado, das. der größte Teil s. Handzeichnungen.
Hauptwerke: *Teppichvorlagen* im Prado: *Tanz im Manzanarestal*, 1777; *Spaziergang in Andalusien*, 1777; *Töpfermarkt*, 1778; *Zollwächter*, 1779; *Der Herbst*, 1786; *Wasserträgerinnen*, 1787 u. v. a.
Ölgemälde: *Die nackte Maja; Die bekleidete Maja*, 1800–02, Madrid, Prado. *Die Erschießung von Straßenkämpfern durch die Franzosen*, 1808, ebda. Bildnisse: *Der Maler Bayeu* (s. Schwiegervater), 1796, Prado. *Karl IV. u. s. Familie*, 1800, ebda. *Königin Maria Luise*, München, A. P. Graph. Werke: *Caprichos:*

80 Aquatintablätter in Federstrichmanier, 1796–98. *Desastres de la guerra :* 82 Radierungen, 1808–15, vollst. Ausg. 1863. *Tauromaquia :* 33 Rad., 1815. *Disparates :* 18 Bl., 1815, vollst. Ausg. 1850. Fresken aus s. Spätzeit: die Wandmalereien aus s. Landhaus, Prado. Bilder aus der Spätzeit: *Der Scherenschleifer,* um 1826, Budapest. *Die Wasserträgerin,* um 1826, ebda.
Lit.: V. v. Loga, 1921. Ders., 1923 (Meister d. Graphik). R. Oertel, ²1928. A. L. Mayer, 1923. F. Nemitz, 1940. B. Fleischmann, 1937. C. Poore, 1938 (engl.). R. D. Catton u. F. Schmid, *The Art of G.,* 1941. H. Wiemann, 1949. D. Fitz-Gerald, *L'œuvre de G., Catal. raisonné,* 1950. *F. G. Zeichn.,* hg. v. H. Rothe, 1943. E. du Gré Trapier, *G. A Study of his portraits 1797–99,* 1955. M. Raynal, *De Goya à Gauguin,* 1951 (m. Bibliogr.). D. Formaggio, 1960. L. Goldscheider, 1938 (dt.; Phaidon; spätere Aufl.). E. Lafuente Ferrari, *G., Les Fresques de S. Antonio de la Florida* (Skira, o. J.).

Goyen (Goijen), Jan van, niederl. Maler, Leiden 1596–1656 Den Haag, Hauptmeister der holl. Landschaftsmalerei, Schüler von Gerritz, arbeitete bei van de → Velde in Haarlem, tätig in Leiden u. im Haag, zunächst Nachahmer van de Veldes, später hat er in feinsten Farbnuancen die in graue durchsichtige Nebel gehüllten Dünenlandschaften wiedergegeben u. wurde einer der hervorragendsten Vertreter der typisch holl. Stimmungsmalerei von Wasser u. Wolken. Hervorragend vertreten in Amsterdam, ferner in Dresden, Kassel u. v. a. Mus. Lit.: O. Hirschmann in: Th.-B. 1921. C. Hofstede de Groot, *Beschr. u. krit. Verzeichn.* 8, 1923. W. Bernt *Niederl. Maler d. 17. Jh.,* 1948.

Gozzoli, Benozzo, eig. Benozzo di Lese di Sandro, auch Benozzo de Florentia, ital. Maler, Florenz 1420–1497 Pistoia, der unbefangenste Erzähler unter den Frührenaissancemalern, Gehilfe → Ghibertis u. Fra → Angelicos, in dessen Stil s. frühen Arbeiten gehalten sind. Später gelangt er zu einem selbständigen Stil; er macht sich alle Renaissanceerrungenschaften zu eigen, doch ist er keine große Künstlerpersönlichkeit. Er ist ein liebenswürdiger Erzähler, dessen Werke z. T. kulturhist. hochinteressant sind, voll realist. Details, doch in der Komposition befangen. Hauptwerke: *Fresken in der Kapelle des Pal. Medici,* Florenz, 1459–63. *Fresken in S. Agostino zu S. Gimignano,* 1463–67. *Fresken im Campo Santo zu Pisa,* 1468–84: 24 umfangreiche Darstellungen aus dem A. T.; mit vielen Schülern ausgeführt.
Lit.: E. Contaldi, 1928 (ital.). G. J. Hoogewerff, 1930 (franz.). M. Lagaisse, 1935 (franz.).

Gradl, Hermann, dt. Maler, * Marktheidenfeld 1883, malte Landschaften in romantisierendem Realismus;

Genrebilder, welche in der Art von → Spitzweg spießbürgerl. Kleinstadttypen schildern; religiöse Bilder; Kinderbildnisse u. a.
Lit.: H. Bingold, 1920. H. Uhde-Bernays, 1942. B. Kroll, *Dt. Maler d. Gegenw.,* 1944. Die Kunst u. d. schöne Heim 49, 1951.

Graeser, Camille, schweiz. Maler u. Innenarch., * Genf 1892, Vertreter der abstrakten Kunst, Schüler von A. → Hölzel in Stuttgart, Mitglied der Gruppe «Sturm», Berlin, u. des dt. Werkbundes, tätig in Zürich. Arbeitet in rein geometrischer Abstraktion (Konkrete Kunst; Konstruktivismus).
Lit.: Kunstwerk 4, 1950 (H. 8/9). Vollmer 1955. M. Seuphor, *Knaurs Lex. abstr. Malerei,* 1957. H. Curjel in: Werk 1961 (Febr.).

Graf, Urs, schweiz. Maler u. Graphiker, Solothurn um 1485–1527 wahrsch. Basel, ebda. haupts. tätig, 1512 Meister der Goldschmiedekunst, von H. → Baldung Grien beeinflußt. Kraftvolle Zeichnungen u. Holzschnitte aus dem Leben der Söldner, voll Realistik u. Wahrheit; er nahm selber wiederholt an Söldnerzügen in Oberitalien teil. Werke: nur ein Gemälde bekannt: *Der Krieg,* Basel, Mus. Handzeichnungen am besten vertreten in Basel, Kupferstichkabinett (ca. 120 St.). Holzschnitte: *Die Passion,* 1503–06 ersch. (25 Bl.). *Die Landsknechte, die Buhlerin u. der Tod,* 1524. Kupferstiche: *Der Fahnenträger.*
Lit.: E. Major, 1907. H. Koegler, *Beschreib. Verz. d. Basler Handzeichn. d. U. G.,* 1926. W. Lüthi, 1928. E. Major u. E. Gradmann, 1942. H. Koegler, *100 Tafeln a. d. Gesamtwerk d. U. G.,* 1947. J. Gantner/A. Reinle, *Kunstgesch. d. Schweiz* 3, 1956. P. Ganz, *Gesch. d. Kunst in d. Schweiz,* 1960.

Graff, Anton, schweiz. Maler, Winterthur 1736 bis 1813 Dresden, bedeutender Bildnismaler vom Übergang des Rokoko in das bürgerliche Zeitalter des Biedermeier, lernte in Augsburg, tätig in Dresden, Leipzig u. Berlin. Viele berühmte Männer des geistigen Deutschlands sind von ihm gemalt worden. Seine Auffassung ist nicht groß, aber frisch u. unbefangen, so daß wir viele wertvolle getreuen Abbilder s. Zeitgenossen Chodowiecki, Bodmer, Bürger, Gellert, Gessner, Herder, Iffland, Lessing, Schiller, Wieland u. a. besitzen. *Selbstbildnisse,* 1794 u. 1813, Dresden, Gal. *Gellert,* Weimar, Mus. Gut vertreten in den Mus. v. Dresden, Leipzig, Berlin, Winterthur.
Lit.: O. Waser, 1926. G. Dehio, *Gesch. d. dt. Kunst* 3, 1926. R. Hamann, *Dt. Malerei v. Rokoko z. Expression.,* 1925.

Gran, Daniel, österr. Maler, wahrscheinlich Wien 1694–1757 St. Pölten, der bedeutendste österr. Freskenmaler des Rokoko, Schüler von → Ricci in Venedig u. → Solimena in Neapel. Seine Fresken

sind dekorativ, übersichtlich, da streng gebaut u. doch leicht u. zart vorgetragen. Hauptwerke: *Fresken im Pal. Schwarzenberg*, Wien, 1724–26; in der *Hofbibliothek*, ebda., 1730; im *Schloß Eckartsau*, 1732; *Schloß Hetzendorf*, 1746–47. *Altarblätter in St. Florian, Seitenstetten u. Klosterneuburg*.
Lit.: H. Tietze in: Th.-B. 1921. W. Weisbach, *Kunst d. Barock*, 1924.

Granacci, Francesco, ital. Maler, Florenz 1477 bis 1543 ebda., Meister der Hochrenaissance, Schüler von → Ghirlandaio u. → Credi; von → Michelangelo, → Leonardo u. → Raffael beeinflußt, in der Spätzeit mit manierist. Tendenzen. (Ähnliche «Übergangsmeister»: → Bugiardini, → Franciabigio, R. → Ghirlandaio.) Werke: *Madonna in der Glorie*, Berlin, staatl. Mus. *Himmelfahrt Mariä*, Florenz, Akad. u. Uff. *Johannes auf Patmos*, Budapest, Mus. *Madonna*, Dublin, Gal.
Lit.: A. Venturi IX, 1.

Grandi, Ercole, ital. Maler, Ferrara um 1463 bis 1525 ebda., nur durch Dokumente bezeugter Maler (u. Arch.), der häufig mit E. de → Roberti verwechselt wurde. Werke wurden ihm nur zugeschrieben; diese Zuschreibungen unsicher u. größtenteils wieder zurückgezogen. Immerhin gehen unter s. Namen noch häufig: *Thronende Madonna mit Heiligen*, London, Nat. Gall. Lünette dazu in: Ferrara, Slg. Massari. *Pietà*, Ferrara, Pinac. *Himmelfahrt der Magdalena*, ebda. 8 Temperabilder mit *Darstellungen aus dem A. T.*, Bergamo, Akad. *Hl. Johannes Ev.*, Budapest, Gal. u. a. Im Stil von → Costa u. → Francia beeinflußt.
Lit.: F. Filippini, *E. da Ferrara ed E. da Bologna* in: Boll. d'arte XI, 1917. C. Gamba, *E. Ferrarese* in: Rass. d'arte 1915. Gronau in: Th.-B. 1921. C. Gamba in: Enc. Ital. 1933.

Grandville, Künstlername von Ignace-Isidore Gérard, franz. Graphiker, Nancy 1803–1847 Vanves b. Paris, bedeutender Karikaturist, Mitarbeiter von «La Caricature» u. «Le Charivari», für die auch → Daumier arbeitete. Seine Satiren in der Maske von Tieren: *Métamorphoses du jour*, 1829; *Animaux parlants*, 1840–42. Als Buchillustrator: *Zeichnungen zu Béranger*, 1836; *Gullivers Reisen*, 1838; *Lafontaines Fabeln*, 1838.
Lit.: H. Béraldi, *Graveurs du 19e siècle* 7, 1888.

Granet, François Marius, franz. Maler, Aix 1775 bis 1849 ebda., kurze Zeit Schüler von J.-L.→David, 1802–19 in Rom, schuf Interieurs röm. Kirchen, Klöster, Ateliers usw. mit zeitgen. oder histor. Staffage. Gut vertreten in Paris, Louvre u. Mus. von Aix; Bilder in vielen weiteren Mus., u. a. in Antwerpen, Hannover, Lyon, Kopenhagen, New York (Metrop. Mus.).

Grasser, Erasmus, dt. Bildhauer u. Arch., Schmidmühlen (Oberpfalz) um 1450–1518 München, Hauptvertreter der bayerischen barocken Phase der Spätgotik. Sein berühmtes Werk sind die *Moriskentänzer*, 1480, Rathaussaal, München, in denen G. eine Faschingsvermummung, den ungar. Maruskatanz, mit mimischer Kraft u. drastischer Komik für den Fest- u. Tanzsaal des Rathauses dargestellt hat. Ferner: *Rotmarmorepitaph des Kanonikus Ulrich Aresinger*, 1482, München, Peterskirche. Sandsteingruppe der *Beweinung Christi*, 1490–92, Freising, Dom.
Lit.: Ph. M. Halm, 1928. G. Lill, *Dt. Plastik*, 1925. G. Dehio, *Gesch. d. dt. Kunst* 3, 1926. F. Baumgart, *Gesch. d. abendländ. Plastik*, 1957.

Grasset, Eugène, schweiz.-franz. Arch., Illustrator, Kunstgewerbler, Lausanne 1841–1917 Sceaux, seit 1871 in Paris, begeisterte sich für die japan. Kunst, schuf Zeichnungen für Teppiche, Stoffe, Glasgemälde, Mosaiken, Vorlagen für alle angewandten Künste, war Anreger für die Ausbildung des Jugendstils.
Lit.: *Ausst.-Kat. Sources du XXe siècle*, Paris 1960/61.

Grassi, Anton, österr. Bildhauer, Wien 1755–1807 ebda., Hauptmeister der Porzellankunst, 1778 Modelleur u. Gehilfe Niedermeyers an der Wiener Porzellanmanufaktur, 1784 Modellmeister u. künstlerischer Leiter ebda. Seine frühen Werke in graziösem Rokoko, s. späteren in weißem Biskuit klassizist. Am besten vertreten im Österr. Mus., Wien. Bekannt s. Bildnisbüsten: *Kaiser Joseph II.* u. *Haydn*, 1802, Charlottenburg, Schloß.
Lit.: O. v. Falke, *Dt. Porzellanfig.* (Jahresgabe d. dt. Vereins f. Kunstwiss.), 1919. M. Osborn, *Kunst d. Rokoko*, 1929.

Grassi, Josef, österr.-dt. Maler, Wien um 1758–1838 Dresden, Schüler der Wiener Akad., 1790ff. in Warschau, bevorzugter Porträtist des poln. Adels, 1800ff. in Dresden Hauptvertreter der klassizist. Porträtmalerei. 1816–21 in Rom, sonst meist in Dresden tätig. Hauptwerk: *Königin Luise*, 1802, Berlin, Schloß Monbijou. In vielen Mus. vertreten.
Lit.: Weigelt in: Th.-B. 1921. G. Pauli, *Kunst d. Klassizismus u. d. Romantik*, 1925.

Gravelot, Hubert-François, eig. Bourguignon, franz. Buchillustrator u. Maler, Paris 1699–1773 ebda., Schüler von → Restout u. → Boucher, 1732–45 in London tätig, sonst in Paris, zeichnete Karikaturen zum politischen Leben s. Zeit u. zahlreiche Buchillustrationen.

Grebber, Fransz de, niederl. Maler, Haarlem 1573 bis 1649 ebda., Meister von Bildnissen u. Schützenstücken; in der Malweise u. Farbgebung etwas nüchtern u. trocken. Schützenstücke in Haarlem, Mus.

Grebber, Pieter de, niederl. Maler u. Radierer, Haarlem um 1600 bis um 1652 ebda., Sohn u. Schüler von Fransz → G. u. H. → Goltzius, zeigt in s. großfigurigen bibl. u. mythol. Bildern den Einfluß von → Rubens u. → Jordaens; auch Bildnisse.
Lit.: W. Bernt, *Niederl. Maler d. 17. Jh.*, 1948.

Greco, eig. Domenico Theotocopuli, gen. el G., griech.-span. Maler, Kreta 1541–1613 Toledo. Erste Schulung auf Kreta in der byzant. Tradition, kam 1565 nach Venedig, wo er Schüler → Tizians war, beeinflußt haupts. von → Bassano u. → Tintoretto. In Parma, Rom (um 1570) u. Spanien. 1577 in Toledo nachweisbar. 1580 malte er für Philipp II. im Escorial, kehrte nach Toledo zurück u. war dort bis zu s. Tode tätig. In s. Kunst läßt sich eine gewisse griech.-byzant. Note nachweisen, in Venedig Schüler vor allem → Tintorettos, vieles verdankt er auch den ausgesprochenen Manieristen s. Zeit, wie → Parmigianino, → Pontormo u. a. In Toledo entwickelt s.G.eigenen Stil: Umdeutung der lebensfrohen venez. Renaissancekunst ins Visionäre, Immaterielle. Diese Vergeistigung wird erreicht durch die langgestreckten Gestalten, die Komposition u. bes. durch die Farbgebung, aus deren grauem Grundton einzelne Farben grell aufleuchten. Erster Höhepunkt ist das Bild: *Begräbnis des Grafen Orgaz*, 1586. Epoche der reifen Meisterwerke: ca. 1590–1600. Seiner Spätzeit gehören die visionären Landschaften u. vergeistigten Porträts an. G.s Kunst gehört in ihrer Formensprache dem Zeitstil des Manierismus an, durch ihre religiöse Vertiefung u. visionäre Gewalt gliedert sie sich den gewaltigsten künstlerischen Aussagen der Weltkunst überhaupt an. Religiöse Gemälde, Porträts, einige Städtelandschaften, einige plast. Werke.
Hauptwerke: Jugendwerke: *Blindenheilung*, Parma u. Dresden. Röm. Zeit: *Austreibung der Händler aus dem Tempel*, London (N. G.) u. Cambridge (USA). 1. Toledaner Zeit: *Auferstehung Christi*, 1577/79, Toledo, S. Domingo el Antiguo. *Himmelfahrt Mariä* (zum Retablo in S. Domingo el Antiguo gehörend), 1577/79, Chicago, Art Inst. *Espolio* (Entkleidung Christi), 1579, Toledo, Kathedrale (Wiederholung in München, A. P.). *Anbetung des Namens Jesu* («Traum Philipps II.»); *Marter des hl. Mauritius*, 1580–84, Escorial. *Begräbnis des Grafen Orgaz*, 1586, Toledo, S. Tomé. Aus der Zeit des reifen Stils: *Taufe, Kreuzigung* u. *Auferstehung Christi*, 1597–1600 Madrid, Prado. *Heilige Familie*, um 1590/98, Toledo, S. Juan Bautista. Aus der Spätzeit: *Altarwerk von Illescas*: Krönung der Jungfrau, Geburt Christi, Verkündigung, 1603–04, Illescas, Kirche des Hospitals La Caridad. *Kreuzigung*, um 1605, Madrid, Prado. *Auferstehung Christi*, 1608–10, ebda. *Ausgießung des hl. Geistes*, um 1610, ebda. *Himmelfahrt Mariä*, Toledo, S. Vicente. Bildnisse: *Kardinal Tavera*, Toledo, Hospital de Afuera. *Kardinal Guevara*, New York,

Metrop. Mus. *Selbstbildnis*, ebda. Landschaft: *Toledo im Gewittersturm*, ebda. *Ansichten von Toledo*, Toledo, Greco-Mus.
Lit.: Würdigungen: M. Barrès, 1912 (franz.). H. Kehrer, 1920. A. L. Mayer, 1926. (Krit. u. illustr. Verz. d. Gesamtwerkes). Ders., 1931. A. Bertram, 1934. R. Escholier, 1937. H. Kehrer, 1939. E. Waldmann, 1941. J. Babelon, 1946. G. Grappe, 1948. J. Camón Aznar, 1950 (span.). K. Pfister, 1951. Abbildungsbände: L. Goldscheider, 1938 (Phaidon). L. Venturi, *De Léonard au Greco*, 1956 u. J. Lassaigne, *La peinture espagnole*, 1952 (beide Skira). K. Ipser, 1960. Ch. Zervos, *Les Œuvres du G. en Espagne*, 1939.

Green, Valentine, engl. Graphiker, Salford b. Evesham 1739–1813 London, schuf meisterliche Kupferstiche in der Schabkunstmanier (Mezzotinto) nach den großen engl. Meistern; berühmt s. Frauenbildnisse nach → Reynolds sowie s. Arbeiten nach → Romney u. B. → West.

Greenaway, Kate, engl. Zeichnerin u. Malerin, Hoxton 1846–1901 London (Hampstead), Schöpferin der neueren engl. Kinderbuchillustration: dekorative Einheit von Text u. Illustr. Ihr erfolgreichstes Buch: *Under the window*, 1879 (dt. 1880), zu dem sie den Text selber schrieb. Ferner: *Topo*, 1878; *The children of the parsonage*, 1880; *A day in a child's life*, 1881; *Language of flowers*, 1884. Ferner illustrierte sie Brownings Gedicht: *The pied piper of Hamelin*, 1896.
Lit.: A. Spielmann u. G. S. Layard, 1905.

Greenough, Horatio, amerik. Bildhauer, Boston 1805–1852 Somerville b. Boston, 1825 Schüler von → Thorwaldsen in Rom, brachte den Klassizismus nach Amerika, schuf die *Büste Washingtons*, 1841, Washington, Mus. *Reiterstandbild Washingtons*, 1843, Smithsonian Inst., ebda. *Marmorgruppe der Besiedlung Amerikas*, Kapitol, ebda.

Greiner, Otto, dt. Maler u. Graphiker, Leipzig 1869 bis 1916 München, bedeutend in der Graphik; verwertet als einer der ersten die Lithographie als selbständiges künstlerisches Ausdrucksmittel. Stark von → Klinger beeinflußt: *Vom Weib* (Klinger gewidmet), 5 Bl. Hauptwerk als Maler: *Odysseus u. die Sirenen*, Leipzig, Mus.
Lit.: J. Vogel, 1903 (graph. Arbeiten), 1917; 1925.

Greuze, Jean-Baptiste, franz. Maler, Tournus 1725 bis 1805 Paris, Meister des bürgerlichen Genrebildes am Ende des Rokoko, einige Zeit in Rom, sonst in Paris tätig. Mit ihm begann die rührend-sentimentale Genremalerei, die beim bürgerlichen Publikum die größte Beliebtheit fand. Künstlerisch steht er nicht auf der Höhe → Chardins, der Engländer u. Holländer, die er studierte. Werke: *Die Dorfhochzeit*,

1761, Paris, Louvre. *Die Dorfbraut*, ebda. *Der zerbrochene Krug*, ebda. *Das Milchmädchen*, ebda. *Der väterliche Fluch*, ebda. Außer dem Louvre gut vertreten in London, Wallace Coll.; Montpellier, Mus.
Lit.: C. Mauclair, 1905. Pilon, 1912. L. Hautecoeur, 1913. C. Mauclair, 1926. F. Monod u. L. Hautecoeur, *Les dessins de G.*, 1922.

Grien, Hans Baldung → Baldung Grien, Hans.

Grieshaber, Helmut, dt. Graphiker u. Maler, * Schloß Roth b. Leutkirch (Allgäu), ansässig in Reutlingen u. Karlsruhe; arbeitet fast ausschließlich graphisch u. zwar in Holz. Ging in s. Kunst vom Expressionismus aus; gelangte nach u. nach immer mehr zum Ungegenständlichen.
Lit.: Vollmer, 1955. *Neue Kunst nach 1945*, hg. v. W. Grohmann, 1958.

Grimaldi, Giovanni Francesco, gen. il Bolognese, ital. Maler u. Radierer, Bologna 1606–1680 Rom, aus der → Carracci-Schule hervorgegangener Meister mythol. u. vor allem landschaftlicher Fresken: in Rom: in der Villa Doria Pamfili; im Pal. Borghese; im Quirinal, in röm. Kirchen. Tafelbilder in Rom, Nat. Gal.; Mus. Borghese; Paris, Louvre; den Gal. von Aix, Budapest, Cambridge, Edinburgh, Rouen, Würzburg u. a.
Lit.: F. Noack in: Th.-B. 1922.

Grimoux, Alexis, franz. Maler, Argenteuil 1678 bis 1733 Paris, Bildnismaler, Schüler von Detroy (→ Troy), beeinflußt von → Rubens u. → Rembrandt, vertreten in Avignon, Prag, Karlsruhe, Florenz, Uff. u. a.
Lit.: L. Réau, *Hist. de la peint. franç. du 18e siècle*, 1925.

Gris, Juan, eig. José Victoriano Gonzalés, span.-franz. Maler, Madrid 1887–1927 Paris, Hauptvertreter des Kubismus in Frankreich. Begann als Karikaturenzeichner, 1906 in Paris, schloß sich → Picasso an u. arbeitete in der Richtung des sog. «analytischen» Kubismus; nach dem 1. Weltkrieg entwickelt er selbständig den Kubismus weiter zum sog. «synthetischen» Kubismus. Er will nicht mehr die verschiedenen Ansichten eines Gegenstandes geben – wie es der Kubismus von → Braque u. Picasso wollte –, sondern ein künstlerisch organisiertes Bild anlegen u. die dazu passenden Gegenstände aus der Natur sich heranholen. «Cézanne hat aus der Flasche einen Zylinder gemacht. Ich mache aus einem Zylinder eine Flasche», sagte G. Seine klar organisierten, künstlerisch durchdachten u. technisch meisterhaften Bilder – meist Stilleben – bedeuten den Höhepunkt der kubist. Bewegung. Werke: *Hommage à Picasso*, 1912. *Stilleben mit Würfel*, 1912, Paris, Mus. d'art mod.

Lit.: W. George, 1931. D. Henry, 1929. D. H. Kahnweiler, ²1946. Ders., 1947 (engl.). C. Giedion-Welcker, *Mod. Plastik*, 1937. J. Lassaigne, *La Peint. espagn.* 2, 1952.

Grobon, Michel, franz. Maler, Lyon 1770–1853 ebda., Schüler von Grognard u. von → Prud'hon; Genrebilder u. Landschaften unter dem Einfluß der Niederländer; Porträts. Beisp.: *Vue de la Cathédrale de Lyon*, Lyon, Mus.

Gromaire, Marcel, franz. Maler, * Noyelles-sur-Sambre 1892; gehört neben → Lurçat zu den Erneuerern der Tapisserien. Er schuf Kartons für große Wandteppiche: *Die vier Elemente ; Die vier Jahreszeiten.* Als Maler erregte er Aufsehen mit seinem Bild *Der Krieg*, 1925. In s. freskenartigen dekorativen Stil sucht er Realismus u. Kubismus zu verbinden.
Lit.: W. George, 1928. G. Pillement, 1929. Knaurs Lex., 1955.

Gropius, Walter, dt. Arch., * Berlin 1883, führender moderner Baumeister, arbeitete eine Zeitlang bei P. → Behrens, gründete 1919 das Bauhaus Weimar, später in Dessau (entstanden durch Zusammenschluß der Hochschule für bildende Künste u. der Kunstgewerbeschule), deren Dir. er 1919–26 war; 1934–37 in London, 1937–53 in Cambridge (USA), seitdem in Lincoln (Mass.). G. galt seit s. ersten Bau, dem *Fagus-Werk* in Alfeld a. d. Leine, 1911, als fortschrittlichster u. kühnster Vertreter des «Neuen Bauens». Zum ersten Male war hier eine vollständige Glasfassade verwirklicht worden. Mit s. Bauten, s. Schriften u. s. Lehrtätigkeit hat er die wesentlichen Voraussetzungen für eine «Architektur des industriellen Zeitalters» geschaffen.
Weitere Bauten: *Musterfabrik für die Werkbundausstellung*, Köln, 1914. Schulgebäude, Werkstätten u. a. für das *Bauhaus Dessau*, 1926. Viele Siedlungs- u. Wohnbauten, u. a. *Haus in der Weissenhofsiedlung*, Stuttgart, 1927; *Studentenhäuser der Harvard-Univers.* Ferner Entwürfe für Kunstgewerbliches.
Schriften: W. G. mit andern, «Staatl. Bauhaus in Weimar 1919–1923», o. J. «The New Architecture and the Bauhaus», 1936. «The Bauhaus», 1938. «Rebuilding our Communities», 1945.
Lit.: C. G. Argan, *G. e la Bauhaus*, 1951. S. Giedion, 1954. N. Pevsner, *Wegbereiter moderner Formgebung*, 1957. Ders., *Europ. Architektur*, 1957.

Gros, Antoine-Jean, Baron (seit 1827), franz. Maler, Paris 1771–1835 Bas-Meudon, Hauptmeister der Historienmalerei in napoleon. Zeit, Schüler von → David, in Italien weitergebildet, errang s. 1. Erfolg mit s. Bild *Napoleon in der Schlacht von Arcole*, 1796. 1801 ff. in Paris: Verherrlichung der Taten Napoleons. Nach der Rückkehr der Bourbonen: *Monu-*

mentalfresko in der Kuppel des Pantheons in Paris, 1824 voll., die hl. Genoveva als Beschützerin Frankreichs. In s. Stil ging G. von David aus, begeisterte sich für → Rubens, unter dessen Einfluß er äußerst dynamische in kräftige Farben getauchte Werke schuf. G. blieb im Grunde stets Klassizist; nach der napoleon. Epoche erstarrte er, wurde heftig kritisiert u. machte s. Leben durch Ertränken ein Ende.
Hauptwerke: *Napoleon bei den Pestkranken in Jaffa*, 1804, Paris, Louvre. *Napoleon in der Schlacht bei Eylau*, 1808, ebda. *Napoleon bei den Pyramiden*, 1810, Versailles, Mus. Von großer Lebendigkeit s. Bildnisse: *Prinzessin Lucien Bonaparte*, Louvre; *Murat, Jérôme* u. a., Versailles, Mus.
Lit.: J. B. Delestre, ²1867. J. Tripier le Franc, 1880. G. Dargenty, 1887. H. Lemonnier, 1905. R. Escholier, 1936. H. Hildebrandt, *Kunst d. 19. u. 20. Jh.*, 1924. G. Pauli, *Kunst d. Klassizism. u. d. Romantik*, 1925.

Grossmann, Rudolf, dt. Maler u. Graph., Freiburg i. Br. 1882–1941 ebda., als Maler in Paris ausgebildet, meist in Berlin tätig, haupts. Landschaften in einem von → Cézanne ausgehenden großzügigen Stil, pflegte als Graph. anfänglich die Kaltnadelradierung u. Lithogr., erfand später eine eigene Technik, die sog. Gelatine-Rad.; Bildniszeichn. von W. Bode, E. Jannings, L. Corinth, Meier-Graefe, u. a. Illustrationen zu Büchern. Vertreten in den Gal. von Mannheim, Karlsruhe, u. a.
Lit.: W. Hausenstein, 1919. Vollmer, 1955.

Grosz, George, dt.-amerikan. Maler u. Graphiker, Berlin 1893–1959 ebda. Die Bedeutung G.s liegt in s. graph. Arbeiten der Zwischenkriegszeit, in denen er in scharfen, unerbittlichen Satiren die herrschende Klasse festhält u. bloßstellt. Er entwickelte einen eigenen Stil aus dem scharf umreißenden Stil der Karikaturisten (etwa → Gulbransson in Verbindung mit dem Stil von Kinderzeichnungen). In Berlin bis 1933, seitdem in Nordamerika, wo er an einer Malschule tätig war u. s. Stil im Sinne des amerik. Geschmackes gewandelt hat. (G. wurde amerik. Staatsbürger.) Hauptwerke: die graph. Folgen: *Kleine Groszmappe*, 1915; *Haifische*, 1920; *Die Räuber*, 1922. Gemälde: *Deutschland, ein Wintermärchen*, 1918; *Sonnenfinsternis*, 1925. Bildnisse: *Max Herrmann*, 1925; *Die Mutter*, 1925; *Boxmeister Schmeling*, 1926. In fast allen amerik. Gal. vertreten. G. schrieb «Ein kleines Ja u. ein großes Nein», 1955.
Lit.: W. Wolfradt, 1921. M. Ray, 1927 (franz.). J. Baur, 1954. G. Händler, *Dt. Maler d. Gegenw.*, 1956.

Groux, Charles de, belg. Maler, Comines 1825–1870 Brüssel, Schüler von → Navez, wurde bekannt durch seine realist., von → Courbet beeinflußten Schilderungen aus dem Leben der Armen u. Un-

glücklichen mit sozial-ethischer Tendenz. Am besten vertreten in den Mus. Brüssel u. Antwerpen.

Groux, Henry de, belg. Maler, Rad. u. Bildh., Brüssel 1867–1930 Marseille, Sohn von Ch. de → G., malte symbolist.-visionäre Werke, die mit ihrer Vorliebe für das Grausige, Schaurige an → Wiertz erinnern. Als Bildh. Schüler von C.→ Meunier.
Lit.: E. Baumann, 1936.

Gruber, Francis, franz. Maler, Nancy 1912–1948 Paris, Schüler von → Friesz u. → Dufresne, Neo-Realist, der auf sehr persönliche Weise die Traditionen des Impressionismus, des Neoimpressionismus u. des Kubismus weiterführte: Stilleben, Porträts, Landschaften, Akte u. a.
Lit.: Das Werk 37, 1950. Knaurs Lex., 1955. Vollmer, 1955.

Grünewald, Isaac, schwed. Maler, * Stockholm 1889, † 1946 bei Flugzeugunglück, Schüler von → Matisse in Paris, Vertreter der fauvistischen (→ Fauves) Richtung in Schweden, bildete einen dekorativen Stil aus für große Wandgemälde. Vertreten in den Mus. von Stockholm, Göteborg, Helsinki, Kopenhagen, Oslo, Hamburg, Paris u. a.
Lit.: S. Strömbom, 1934. Vollmer, 1955.

Grünewald, Matthias, dt. Maler, Würzburg um 1460–1528 Halle a. S., neben → Dürer Hauptmeister s. Zeit; sein Name G., wie die neueste Forschung festgestellt hat, irrtümlich von Sandrart angegeben u. seitdem eingebürgert; der wahre Name war *Matthis Neithardt* oder Nithart, später von ihm selbst in Gothardt geändert. Tätig in Aschaffenburg u. Seligenstadt, später in Frankfurt, Mainz, Isenheim, Halle. Die datierten Arbeiten beginnen 1503. Seine künstlerische Entwicklung liegt im Dunkeln, es zeigen sich Einflüsse von → Schongauer u. der mittelrhein. Malerei, Berührungspunkte mit → Holbein d. Ä. (aus s. Frankfurter Zeit) u. der → Donauschule. Wie Dürer wurzelt er in der Spätgotik u. kennt die Stilelemente der Renaissance, doch setzte er sich souverän über ihre Problematik hinweg u. suchte eine neue Form für die religiöse Vertiefung s. Kunst, welche in einem gewaltigen Schritt sich der Barockkunst nähert. Seine Stilelemente: Ausdruckssteigerung mit allen Mitteln, vor allem der Farbe; mystische Symbolsprache bei starker Realistik in allen Einzelheiten.
Werke: Hauptwerk u. eines d. bedeutsamsten Werke der Kunst überhaupt ist der *Isenheimer Altar*, voll. 1515, Colmar, Mus., der ehemalige Hochaltar der Antoniterkirche Isenheim im Elsaß. Es ist ein Wandelaltar mit 9 Gemälden. In geschlossenem Zustand zeigt er die Kreuzigung Christi, nach der ersten Öffnung Maria mit dem Kind u. Engelkonzert, nach der zweiten den wahrscheinlich von Niklas Hage-

nower (→ Hagenau) geschnitzten Schrein. Nebenbilder: Verkündigung u. Auferstehung Christi; Geschichten aus der Legende des hl. Antonius u. a. Übrige Werke: *Verspottung Christi*, 1503, München, A. P. *Kreuzigung Christi*, um 1505, Basel, Mus. *Stuppacher Madonna*, 1517–19, Stuppach b. Mergentheim, ursprünglich zum Maria-Schnee-Altar der Stiftskirche zu Aschaffenburg gehörend. *Gründung von S. Maria Maggiore*, 1517–19, Freiburg i. Br., Mus., ebenfalls zum Maria-Schnee-Altar gehörend. *Kreuztragung; Kreuzigung;* Karlsruhe, Mus. 2 Tafeln vom ehemaligen Altar für die Stadtkirche Tauberbischofsheim. *Die hll. Mauritius u. Erasmus*, 1524/25, München, A. P., ehem. Mittelbild des Mauritius-Altars für den Dom zu Halle. Ferner 2 Bildnisse, Köln, Wallraf-Richartz-Mus. Handzeichnungen von höchstem künstlerischem Wert in Berlin, Kupferstichkabinett; Dresden u. a.

Lit.: H. A. Schmid, 1908–11. W. Niemeyer, 1922. O. Hagen, 1923. Feurstein, 1930. F. Knapp, 1935. A. Burkhard, 1936. W. Fraenger, 1937. W. K. Zülch, *Der hist. G. Mathis Gothardt-Neithardt*, 1938 (²1949). M. Hürlimann u. W. R. Deusch, 1939. M. I. Friedländer, *G.s Isenheimer Altar*, 1908. Ders., *Zeichn. v. M. G.*, 1927. F. Götz, *Isenheimer Altar*, 1923. W. Fraenger, *Isenheimer Altar*, ²1938. G. Scheja, *Isenheimer Altar*, 1955. L. Behling, *G. Handzeichn.*, 1955. A. M. Vogt, 1957. M. Meier, *Das Werk d. Mathis Gothardt Neithardt*, 1957. G. Dehio, *Gesch. d. dt. Kunst* 3, 1926.

Grützner, Eduard, dt. Maler, Groß-Karlowitz 1846 bis 1925 München, beliebter Vertreter des humorist. Genrebildes, Schüler von → Piloty, malte in dessen Manier mit Vorliebe Szenen weinseliger Klosterbrüder u. solche mit der Figur des Falstaff als Mittelpunkt. Künstlerisch wertvoller seine Werke ohne anekdotisches Beiwerk, die s. gediegene Schulung zur Geltung kommen lassen.

Lit.: F. v. Ostini, 1902. *E. G. Selbstbiogr.*, hg. v. H. Schmidt, 1922.

Grundig, Hans, dt. Maler u. Graph., Dresden 1901 bis 1858 ebda., realist., von → Dix u. → Grosz beeinflußte Bildnisse u. Darstellungen aus dem Proletarierleben der Großstadt; später symbol.-expressive Anklagen gegen das Nazi-System. – Graph. Folgen. Lit.: *H. u. Lea G.*, 1958. Vollmer, 1955 u. 1961 (Nachtrag).

Grupello, Gabriel, Chevalier de, niederl. Bildhauer, Gerardsbergen 1644–1730 Schloß Ehrenstein b. Kerkrade, einem Mailänder Adelsgeschlecht entstammender bedeutender Barockbildhauer, Schüler des → Quellinus in Antwerpen, in Frankreich weitergebildet, 1673 ff. in Brüssel, 1695 ff. in Düsseldorf, 1719 ff. wieder in Brüssel; im Stil von Quellinus bestimmt. Werke: Hauptwerk *Reiterstandbild des Kurfürsten Johann Wilhelm von der Pfalz* in Düsseldorf, 1711 voll. Ferner: *Statuen des Glaubens u. der Hoffnung* in der Thurn u. Taxisschen Grabkapelle in Notre-Dame du Sablon, Brüssel; zahlreiche dekorative Statuen im Park zu Schwetzingen.

Lit.: R. Klapheck, *Baukunst am Niederrhein* 2, 1915.

Grzimek, Waldemar, dt. Bildh., * Rastenburg 1918, Schüler von Gerstel u. → Scheibe; *Heinrich-Heine-Denkmal* im Volkspark Weinbergweg Berlin-Ludwigsfelde u. a. – Lithogr. Folgen.

Guardi, Francesco, ital. Maler, Venedig 1712–1793 ebda., Hauptvertreter der venez. Malerei des Rokoko, Schüler von → Canaletto, Schwager → Tiepolos, entwickelt eine ganz von der Farbe her bestimmte Malerei. G. malte Genreszenen u. Ansichten von Venedig, doch nicht wie Canaletto als getreue Prospektmalerei; er sucht vielmehr die Atmosphäre einzufangen, weder die Zeichnung noch die plastische Form sind ihm wichtig, sondern allein die farbigen Klänge. Er hat → Ricci u. Tiepolo studiert, wohl auch viel von → Magnasco gelernt. Durch diese höchste Auflockerung wirkt s. Malerei durchaus impressionistisch. Sie bedeutet Höhepunkt u. Ende einer Entwicklung, die mit den Landschaftshintergründen → Giorgiones begann u. Stimmungen mit äußerster farblicher Sensibilität einzufangen suchte; zugleich ist s. Kunst Ausgangspunkt der Landschaftsmalerei des 19. Jh.

Hauptwerke: *Maskerade im Ridotto*, Venedig, Mus. Corrèr. *Sprechzimmer der Nonnen*, ebda. *Folge der Feste Veneziane*, Paris, Louvre; Nantes, Mus.; Mus. v. Toulouse, Brüssel. *Markusplatz*, London, Nat. Gall. Lit.: G. Fiocco, 1924. M. Tinti, 1930. R. Pallucchini, *G.s Zeichn. im Mus. Corrèr*, 1943. M. Goering, 1944. A. Morassi in: Emporium 1951. G. Delogu, *Ital. Malerei*, ³1948. E. Hüttinger, *Venez. Malerei*, 1959.

Guariento, ital. Maler, nachweisbar in Padua 1338 ff., † um 1370, wahrscheinlich Venedig. 1365 nach Venedig berufen, um den großen Ratssaal des Dogenpalastes mit Fresken zu schmücken. Davon ist das meiste untergegangen, die *Marienkrönung*, 1365, Dogenpal., Venedig, nur als Ruine erhalten. G. steht unter der Einwirkung → Giottos; doch sind diese Elemente in reizvoller Weise mit der byzant. Tradition verbunden. Werke: *Madonna, Evangelisten, himmlische Heerscharen*, Holztafeln, welche Reste einer Holzdecke sind, Padua, Mus. Sockeldekorationen in der Chorkapelle der Eremitani-Kirche, Padua: *Planetendarstellungen* (1944 zum größten Teil vernichtet). *Kruzifix*, Bassano, Mus.

Lit.: R. v. Marle, *Ital. Schools* 4, 1924. P. Toesca, *Storia dell'arte* 2, 1951. R. Oertel, *Frühzeit d. ital. Malerei*, 1953.

Guarini, Guarino, ital. Arch., Modena 1624–1683 Mailand, Hauptmeister des ital. Spätbarock, wirkte haupts. in Turin. Führt die von → Borromini eingeleitete Entwicklung des Spätbarock der sich durchdringenden u. durchkreuzenden Raumteile zu ihrer höchsten Steigerung. Sein Einfluß auch auf die dt. Baukunst des Spätbarock war groß. Seine Gedanken über Arch. legte er nieder in: «Architettura civile», 1737.
Werke in Turin: *Cappella del Santissimo Sudario,* in der Kathedrale, 1694. *La Consolata,* 1679. *Pal. Carignano,* 1680. *S. Lorenzo,* 1687. *Pal. dell' Accademia,* 1679 (als Jesuitenkonvikt erbaut).
Lit.: A. E. Brinckmann, *Von G. bis B. Neumann,* 1932. Ders., *Baukunst d. 17. u. 18. Jh. in d. roman. Ländern,* ⁴1922. N. Pevsner, *Europ. Architektur,* 1957.

Guas, Juan, span. Arch. u. Bildhauer, † um 1495 Toledo, Hauptmeister der span. Spätgotik, Sohn eines Lyoner Meisters, wahrscheinlich selber aus Lyon gebürtig; u. a. in Toledo am Bau der Kathedrale beschäftigt. Verband in hervorragender Weise Elemente der nord. Gotik mit der span. Tradition. Werke: *S. Juan de los Reyes,* Toledo, 1476 als Grabstätte der span. Könige gegr. G. war deren 1. Baumeister. Der Kreuzgang gehört zu den glanzvollsten Leistungen der span. Spätgotik. *Pal. del Infantado* in Guadalajara, 1480 beg. Am Bau der Kathedrale Toledo verschiedentlich beschäftigt, namentlich an der Errichtung der *Puerta de los Leones,* 1460–66.
Lit.: A. L. Mayer in: Th.-B. 1922.

Gubler, Max, schweiz. Maler, * Zürich 1898, bedeutender Meister der 1. Hälfte des 20. Jh., hat ein großes Œuvre in steter Auseinandersetzung mit den großen Kunstströmungen verwirklicht (bes. mit dem franz. Impressionismus u. Kubismus; mit → Bonnard, → Matisse u. a.). Vertreten in Zürich, Winterthur u. a.
Lit.: P. F. Schmidt, *Geschichte d. mod. Malerei,* 1952. Vollmer, 1955. *Ausstell.-Kat.* Solothurn, 1942. G. Jedlicka in: «Werk» 1945 (H. 1.). M. Eichenberger, 1948. A. M. Vogt, 1952. W. Kern in: «Werk» 1957 (April). *Ausst.-Kat.* Basel 1959. Schweiz. Kstlerlex. d. 20. Jh.

Gude, Hans, norweg. Maler, Oslo 1825–1903 Berlin, bedeutender Landschafts- u. Marinemaler, Schüler von → Schirmer u. → Achenbach in Düsseldorf, 1854 Prof. der Akad. ebda., 1864 Prof. in Karlsruhe, 1880 in Berlin. Tüchtige norweg. Fjordlandschaften; bedeutend auch als Lehrer. Gut vertreten in Berlin (ehem. Nat. Gal.): *Sommerabend am Fjord,* 1851. *Norweg. Küste mit Fischern,* 1870. Stockholm, Oslo u. a. Mus.
Lit.: H. u. B. Gude, 1924.

Gudin, Théodore, franz. Maler, Paris 1802–1880 Boulogne-sur-Seine, s. Zeit bekannter Marinemaler,

Schüler von → Girodet-Trioson, malte für die Gal. von Versailles die Heldentaten der franz. Marine in 63 großen Bildern; für den Zaren Nikolaus I. 12 Ansichten von russ. Häfen. In verschiedenen Gal. vertreten.
Lit.: *Souvenirs 1820–70,* hg. v. E. Béraud, 1921.

Günther, Ignaz, dt. Bildhauer, Altmannstein (Oberpfalz) 1725–1775 München, Hauptmeister des bayerischen Rokoko, Schüler von → Straub, 1753 in Wien, haupts. kirchliche Holzplastik, zuerst mit Polychromierung, nach der Jh.-Mitte in weißer Fassung «in Alabastermanier». Er bringt den zierlichen beinahe weltlichen Rokokogeist in die kirchliche Plastik, in späteren Werken klassizist. Formen. Höhepunkte s. Schaffens die Arbeiten für die Kirchen von Rott am Inn u. Weyarn.
Werke: *Hl. Sebastian* u. a. Figuren in der Kirche zu Rott am Inn, 1762. *Verkündigungsgruppe* u. *Pietà,* 1762–64, Kirche zu Weyarn. *Immaculata,* Attel. *Hochaltar* von Neustift, um 1765. *Hochaltar,* um 1768, Starnberg. *Pietà,* Friedhofskapelle von Nenningen, 1774.
Lit.: A. Feulner, 1920. Ders., *Münchener Barockskulptur,* 1922. Ders., 1947. Ders., *Ausst.-Kat.,* München, 1951. A. Schönberg, 1954. G. Dehio, *Gesch. d. dt. Kunst* 3, 1926. M. Osborn, *Kunst d. Rokoko,* 1929. F. Baumgart, *Gesch. d. abendländ. Plastik,* 1957.

Günther, Matthäus, dt. Maler, Unterpeißenberg (Oberbayern) 1705–1788 Haid b. Wessobrunn, Hauptmeister der Augsburger Rokokoschule, Schüler von C. D. → Asam, 1731 Meister in Augsburg, 1762 Direktor der Kunstakad. ebda., 1784 ff. in Haid. Zahlreiche kirchliche u. weltliche Fresken in Süddeutschland u. Tirol, oft in Zusammenarbeit mit dem Stukkateur F. X. → Feuchtmayr. Seine Werke sind sehr dekorativ, den Raum sicher angepaßt, meisterhaft in der Massenverteilung u. Perspektive, wirken leicht u. zart. G. ist im Stil von den Asam ausgegangen, von → Tiepolo beeinflußt. Er ist wohl der bedeutendste dt. Freskenmaler des 18. Jh.
Werke: *Deckengemälde der Klosterkirche Amorbach,* 1749 voll. *Klosterkirche Wilten,* 1764. Deckengemälde Schloß Sünching (Oberpfalz): *Die Götter des Olymp,* 1761. Deckengemälde der Schloßkapelle, ebda. *Deckengemälde der Klosterkirche Rott am Inn,* 1763.
Lit.: G. Gundersheimer, 1930. G. Dehio, *Gesch. d. dt. Kunst* 3, 1926. A. Feulner, *Skulpt. u. Mal. d. 18. Jh. in Deutschl.,* 1929.

Guercino, eig. Giov. Francesco Barbieri, ital. Maler, Cento b. Bologna 1591–1666 Bologna, Hauptmeister der Bologneser Schule des 17. Jh., unter dem Einfluß der → Carracci gebildet, in Cento u. Bo-

logna tätig, 1621–23 in Rom Fresken in der Villa
Ludovisi, 1626 in Piacenza zur Ausmalung der
Domkuppel, 1633 in Modena. G. schuf in allen
Genres, Altargemälde, Historienbilder mythol. u.
bibl. Inhalts, Porträts usw. u. war außerordentlich
produktiv. G. stand unter dem Einfluß der Carracci,
→ Correggios, der Venezianer u. G. → Renis.
Hauptwerk s. röm. Zeit sind die Deckenfresken des
Casinos der Villa Ludovisi (Casino dell'Aurora)
von 1620 mit dem *Zug der Aurora, Fama*, u. a. *Be-
gräbnis der hl. Petronilla* (Altarbild für St. Peter),
1621–23, Rom, Konservatorenpal. *Himmelfahrt Ma-
riä*, 1624, Leningrad, Eremitage. *Mars, Venus u.
Amor*, 1634, Modena, Gal. *Hl. Bruno*, 1646, Bolo-
gna, Pinac. *Hl. Thomas von Aquin*, 1662, Bologna,
S. Domenico. *Landschaft*, Florenz, Uff. Gut ver-
treten in Bologna, Pinac. Viele Werke in Cento;
Dresden, Gal.; Florenz, Pitti-Gal.; Modena, Gal.;
Brüssel, Mus.; Berlin; München u. a.
Lit.: M. Marangoni, 1920. N. Pevsner, *Mal. d.
Barock* (Hb. d. K. W.), 1928.

Guérin, Charles, franz. Maler u. Lithograph, Sens
(Yonne) 1875–1929 Paris, hervorragender Vertreter des Neo-Impressionismus, Schüler von G. →
Moreau, begann mit von → Monticelli beeinflußten
Parkinterieurs mit galanten Herren u. Damen, später
von → Renoir u. den Impressionisten u. Neo-Impressionisten beeinflußt; er pflegte bes. das Damen-
porträt, das Stilleben, den weibl. Akt. G. schuf auch
feine Lithographien, Buchillustrationen zu *Verlaines
Fêtes galantes;* zu *Daphnis u. Chloe* u. a. Vertreten
in Paris, Luxembourg u. Gal. der Impressionisten;
in Aix-en-Provence, Caen, Genf, Mainz, Moskau,
München, Venedig u. a.

Guérin, Pierre, franz. Maler, Paris 1774–1833 Rom,
Hauptvertreter der klassizist. franz. Malerei, Schüler
von → Regnault, in Italien weitergebildet, 1802 ff.
in Paris, 1822–23 u. 1833 in Rom tätig, bildet gewisse Seiten des Stiles → Davids weiter. Er malte
in großen Formaten Stoffe aus der antiken Geschichte u. aus Dichtungen, wobei er pathetisch-
dramat. Situationen sucht. Lehrer von → Géricault,
→ Delacroix, → Cogniet. Die Mehrzahl s. Bilder im
Louvre. Hauptwerke: *Heimkehr des Marcus Sextus*,
1798–99, Louvre. *Hippolyt u. Phädra*, 1802, ebda.
Aeneas u. Dido, ebda. *Aurora u. Cephalus*, 1810, ebda.
Lit.: E. Hildebrandt, *Mal. u. Plastik d. 18. Jh. in
Frankr.*, 1924 (Hb. d. K. W.). G. Pauli, *Kunst d.
Klassiz. u. d. Romantik*, 1925.

Guffens, Godfried, belg. Maler, Hasselt 1823–1901
Schaerbeek bei Brüssel, Schüler von N. de → Keyser, schuf – zusammen mit Jan Swerts (1825–1879) –
religiöse u. weltl. Wandgemälde im Stil der → Nazarener. Hauptwerk: *Fresken im Rathaus von Courtrai*
(Kortrijk), 1873–76.

Guggenbichler, Johann Meinrad, schweiz.-österr.
Bildh., Maria Einsiedeln (Schweiz) 1649–1723 Mondsee (Oberösterr.), Vertreter d. österr. Spätbarock,
begründete eine gr. Werkstatt in Mondsee, aus der
viele Hochaltäre u. a. hervorgingen. Hauptwerke
in den Kirchen von St. Wolfgang, Mondsee, Rattenberg am Inn, Michaelbeuren, Irrsdorf, Lochen.
Lit.: A. Mann, Diss. München 1936. H. Decker,
Barockplastik d. Alpenländer, 1943. Ders., 1949. F.
Baumgart, *Gesch. d. abendländ. Plastik*, 1957.

Guidi, Domenico, ital. Bildhauer, Torano b. Car-
rara 1625–1701 Rom, Meister des röm. Hochbarock,
Schüler von → Algardi, der auch s. Stil bestimmte,
schuf Grabmäler u. Werke für röm. Kirchen u. a.
Grabmal Klemens IX., um 1669, S. Maria Maggiore,
Rom, mit der Sitzfigur des Papstes. Werke in röm.
Kirchen, in Bologna, Genua, Neapel, Parma, Pisa,
u. a.
Lit.: Bode, *Ital. Plastik*, 1911. Weigelt in: Th.-B.
1922.

Guido da Siena, ital. Maler, 13. Jh., tätig in Siena;
steht am Anfang der sienes. Malerei, noch im Banne
der byzant. Formenwelt, von der Gotik beeinflußt.
Sein bezeichnetes u. datiertes bedeutendes Werk ist
eine große *Thronende Madonna*, Siena, Pal. Pubblico.
Doch muß die Datierung «1221» falsch sein. Es ist
stilistisch in die 70er Jahre des 13. Jh. einzuordnen;
die Datierung vielleicht von einer älteren Madonna
übernommen. Ferner v. G. ein *Altardossale*, Siena,
Pinac., ebenfalls aus den 70er Jahren.
Lit.: R. Offner in: Gaz. des beaux-arts 1950, S. 61 ff.
E. B. Garrison, *Ital. Romanesque Panel Paint.*, 1949.
R. Oertel, *Frühzeit d. ital. Malerei*, 1953.

Guillaumet, Gustave, franz. Maler, Paris 1840–1887
ebda., Orientmaler, der den Orient ohne Pathos,
realist. u. wahr wiedergibt, gut vertreten im Luxembourg-Mus., Paris.

Guillaumin, Armand, franz. Maler, Paris 1841 bis
1927 ebda., bedeutender impressionist. Landschafter,
schloß sich den Impressionisten früh an und
stellte seit 1874 mit ihnen aus, wahrte stets s.
Eigenart, liebte eine kräftige Koloristik. Manchmal
mutet er wie ein Vorläufer → Cézannes an, gegen
Ende s. Lebens nähert sich s. Art der der → «Fauves». Ferner Stilleben u. Pastellporträts. In s. besten
Werken ist er den großen Impressionisten ebenbürtig.
Lit.: G. Lecomte, 1925. E. des Courrières, o. J.
(1920). Knaurs Lex., 1955.

Guimard, Hector, franz. Arch., Bildhauer u. Kunst-
gew., Paris 1867–1942 ebda., Vorkämpfer des mod.
Bauwesens, Hauptvertreter des «modern style»
(Jugendstil), beeinflußt von → Horta in Brüssel.

Stationseingänge der Pariser Untergrundbahn (Métro), 1899–1904. Häuserblock *Castel Béranger*, Paris, 1897 bis 1898.
Lit.: N. Pevsner, *Wegbereiter mod. Formgebung*, 1957. *Ausst.-Kat. sources du XXe siècle*, Paris 1960/61.

Gulbransson, Olaf, norweg. Zeichner u. Maler, * Oslo 1873, † 1958 b. Tegernsee, einer der bedeutendsten Karikaturisten der Gegenwart, 1902 ff. in München Mitarbeiter des «Simplizissimus», 1929 ff. Prof. der Akad. ebda., hat das Charakteristische mit sparsamsten Mitteln angedeutet, schließlich nur noch durch Umrißzeichnung, die er vollendet meisterte. Werke: In Mappenform die Folgen: *Berühmte Zeitgenossen*, 1904. *Aus meiner Schublade*, 1912. Ferner Buchillustration. Selbstbiographie: «Es war einmal», 1934.
Lit.: W. Schäfer, *Der andere G.* 1939. *Ausst.-Kat. Aufbruch z. mod. Kunst*, München 1958. *Ausst.-Kat. Sources du XXe Siècle*, 1960/61.

Gurlitt, Louis, dt. Maler, Altona 1812–1897 Naundorf im Erzgebirge, Landschafter der Düsseldorfer Schule, bildete sich in Hamburg u. Kopenhagen, 1843 in Düsseldorf, wo er durch s. schlichten Realismus Einfluß hatte, lebte in Italien, Berlin, Wien u. den Mittelmeerländern, 1859ff. in Gotha. Reisen nach Spanien u. Portugal, 1873 ff. in Dresden, 1888 ff. in Steglitz b. Berlin. Werke in Berlin, Dresden, Hamburg, Hannover, Leipzig, Wien.
Lit.: L. Gurlitt, 1912.

Gussow, Karl, dt. Maler, Havelberg 1843–1907 München-Pasing, Schüler von → Pauwels in Weimar, dann von → Piloty in München, entwickelte sich von einem Vertreter der romantischen Richtung zu einem entschiedenen Realisten: Genrebilder, Bildnisse von Damen der Berliner Gesellschaft der Gründerjahre, u. a.
Lit.: Hanfstaengl in: Th.-B. 1922.

Guthrie, James, engl. (schott.) Maler, Greenock 1859–1930 Rhu (Dumbartonsh.), Hauptmeister der Schule von Glasgow; Geschichtsbilder, Genrebilder, Landschaften; bes. Bildnisse (auch in Pastell), beeinflußt von → Constable u. von → Whistler. Beisp.: *Begräbnis im Hochland*, Glasgow, Gal.
Lit.: J. L. Caw, 1932.

Guttuso, Renato, ital. Maler, * Begheria (Palermo) 1912, führender Meister der jungen röm. Künstlergeneration, stand unter dem Einfluß des Kubismus u. des Expressionismus, blieb bei einem gegenständlichen Realismus; Vorliebe für Themen mit sozialer u. polit. Polemik.
Lit.: G. Marchiori, 1952. Vollmer, 1955. *Neue Kunst nach 1945*, hg. v. W. Grohmann, 1958.

Guys, Constantin, franz. Zeichner, Vlissingen 1805 bis 1892 Paris, bis 1860 Zeichner für die «London Illustrated News», seitdem in Paris, hielt als genialer Beobachter das Straßen- u. Gesellschaftsleben des 2. Kaiserreiches fest, entwickelte einen eigenen äußerst sensiblen Stil, impressionist. skizzenhaft mit lavierten Tusch- u. Farbtönen. Größte Slg. s. Zeichnungen im Mus. Carnavalet, Paris.
Lit.: G. Geffroy, ²1920. G. Jedlicka, 1942. B. Streiff, *Catal. des Dessins*, 1957.

Gysels, Pieter, niederl. Maler, * Antwerpen 1621, † um 1691; Landschaften in kleinen Formaten mit Figuren, in der Art Jan → Bruegels d. J.; Stilleben, meist Wild u. Jagdgerät im Freien, in der Art des Jan → Weenix; in vielen Gal.
Lit.: R. Oldenbourg, *Fläm. Malerei*, 1918. W. Bernt, *Niederl. Maler d. 17. Jh.*, 1948.

Gysis, Nikolaus, griech. Maler, auf Tinos 1842–1901 München, bedeutender Meister des 19. Jh., Schüler → Pilotys, entwickelte einen eigenen Stil der Genremalerei, vor allem Szenen aus dem griech. Volksleben.

H

Haanen, Remigius, meist *Remy van H.* gen., holl. Maler, Oosterhout 1812–1894 Aussee, Landschaftsmaler, bes. wegen s. Winterlandschaften berühmt, 1837 ff. in Wien tätig, 1852–54 in Rußland. Werke in Amsterdam, Utrecht, Berlin (Nat. Gal.), Wien (Kunsthist. Mus.), Brünn, Prag, Mainz, Danzig. H. schuf 40–50 Rad.
Lit.: D. St. in: Th.-B. 1922.

Haas, Johannes Hubertus Leonardus de, holl. Maler, Hedel (Nordbrabant) 1832–1908 Königswinter a.Rh., Meister des Tier- u. Landschaftsbildes, bes. Rinder

auf der Weide, Schüler der Akad. Amsterdam u. des van Os in Haarlem, seit 1857 meist in Brüssel tätig. Werke in den Mus. v.: Amsterdam, Antwerpen, Den Haag, Brüssel, Lüttich, Berlin, München, Stuttgart u. a.
Lit.: Th.-B. 1922.

Habermann, Hugo Freiherr v., dt. Maler, Dillingen 1849–1929 München, Schüler von → Piloty u. → Diez, 1905 ff. Prof. der Münchner Akad., begann mit Genrebildern, wandte sich später ganz der Darstellung interessanter Frauen u. dem Porträt

zu. Er erfuhr den Einfluß → Leibls, später auch der Impressionisten, ganz bes. aber den → Whistlers. Eines s. besten Porträts: *Bildnis der Mutter*, 1899, München, N. P. Vertreten in den Mus. v. München (N. Staatsgal.), Berlin (Nat. Gal), Bremen, Breslau, Elberfeld, Hamburg, Hannover, Köln, Leipzig, New York, Stuttgart, Winterthur u. a.
Lit.: F. v. Ostini, 1912. Hanfstaengl in: Th.-B. 1921. *Ausst.-Kat. Aufbruch z. mod. Kunst*, München 1958.

Habich, Ludwig, dt. Bildhauer, Darmstadt 1872 bis 1949 ebda., 1900–1906 Mitglied der Darmstädter Künstlerkolonie, lehrte 1906 ff. an der Techn. Hochschule, 1910–1937 an der Akad. in Stuttgart. Kolossalfiguren, Brunnen, Denk- u. Grabmäler. Hauptwerke: Kolossalfiguren *Mann u. Weib* vor dem Ernst-Ludwig-Haus auf der Mathildenhöhe, Darmstadt. Weitere Werke ebda. (*Goethe-Tempel, Bismarck-Brunnen*); *dekorative Arbeiten* an der Universitätsbibliothek Gießen; *Kriegerdenkmal für Lauterbach*. Ferner Kleinplastik u. Kunstgewerbliches.
Lit.: J. Baum, *Stuttgarter Kunst d. Gegenw.*, 1913. D. Stern in: Th.-B. 1922. Vollmer, 1955.

Hackaert, Jan, niederl. Maler, Amsterdam 1629 bis um 1700 ebda., hervorragender holl. Landschafter des 17. Jh., dessen Staffagen vielfach von van der → Velde, → Lingelbach u. a. gemalt wurden. Hervorragende Werke sind: *Eschenallee*, Amsterdam, Rijksmus. *Ital. Landschaft*, Den Haag, Mauritshuis. *Landschaft mit Vieh*, Berlin, staatl. Mus. *Fruchtwagen*, ebda. *Waldpark*, München, A. P. *Hirschjagd*, Leningrad, Eremitage. Weitere Werke in Amsterdam, Rijksmus.; Hamburg, Kunsth. u. a.
Lit.: Wurzbach I, 1906. Hofstede de Groot, *Beschreib. u. krit. Verz.* 9, 1926. G. J. Hoogewerff in: Th.-B. 1922. W. Bernt, *Niederl. Maler d. 17. Jh.*, 1948.

Hackert, Philipp, dt. Maler u. Radierer, Prenzlau 1737–1807 Careggi b. Florenz, Sohn des Bildnismalers Philipp H. († 1768), bildete sich zum Landschaftsmaler an der Berliner Akad., tätig in Berlin, Stockholm, Paris, Rom, Neapel, das. 1786 ff. Kammermaler König Ferdinands; 1799 ff. in Florenz. H. war zu s. Zeit ein berühmter Prospektmaler, namentlich ital. Landschaften im streng klassizist. Stil; heute noch interessant, weil er mit Goethe befreundet war, der auf H.s Wunsch s. Biographie schrieb. Vertreten in den Mus. v. Berlin (Nat. Gal.), Danzig, Dresden, Erfurt, Hamburg, Hampton Court, Mailand (Ambrosiana), Rom (Gall. naz.), Montpellier, Stockholm u. a.
Lit.: Goethe, *Biographie Ph. H.s*, 1811. J. Müller in: Th.-B. 1922. B. Lohse, 1936.

Hackhofer, Johann Cyriak, österr. Maler, Wilten b. Innsbruck 1675–1731 Vorau (Steiermark), der hervor-

ragendste Barockmaler Steiermarks der 1. Hälfte des 18. Jh., schuf große Freskenmalereien, namentlich in Vorau u. Schloß Festenburg. Altäre in oststeierischen Kirchen.
Lit.: Th.-B. 1922.

Haden, Sir Francis Seymour, engl. Graph., London 1818–1910 Woodcote Manor b. Alresford, haupts. Landschaften in Kaltnadelrad. H. steht in der großen engl. Tradition, geht bes. auf → Rembrandt u. a. Niederländer zurück, beeinflußt v. s. Schwager → Whistler. Etwa 250 Rad. in meisterhafter Technik. In fast allen größeren Kabinetten vertreten.
Lit.: H. N. Harrington, *The engr. work of F. H.*, 1910 (vollst. krit. Verz. der Rad.). H. W. Singer in: Th.-B. 1922. E. Bock, *Gesch. d. graph. Kunst*, 1930.

Haeften, Nicolas van → Haften, Nicolas van.

Hähnel, Ernst, dt. Bildhauer, Dresden 1811–1891 ebda., einer der letzten bedeutenden Vertreter des älteren Klassizismus, Schüler der Münchner Akad. unter → Gärtner, lernte 1830 → Rietschel u. → Schwanthaler kennen, unter deren Einfluß er zur Bildhauerei überging. 1831 in Florenz, 1832 in Rom, das. von → Thorwaldsen angeregt; befreundet mit → Schwind u. → Genelli. Seit 1838 dauernd in Dresden tätig. H. entfaltete eine große Lehrtätigkeit, in welcher er den Idealismus der → Rauch'schen Ära weiterführen wollte. Er schuf dekorative Plastiken, Standbilder, Porträts. Hauptwerke: *Plast. Ausschmückung der Südseite des Neuen Mus.*, Dresden. *Bronze-Denkmal Friedrich Augusts II.*, Dresden, 1866. *Reiterstatue des Fürsten Schwarzenberg*, Wien, 1867. *Theodor Körner*, 1871, Dresden. *Raffael*, Leipzig, Mus. *Leibniz*, Standbild in Leipzig, 1883.
Lit.: H. Vollmer in: Th.-B. 1922.

Haensbergen (Haansbergen), Johan van, niederl. Maler u. Radierer, Utrecht (?) 1642–1705 im Haag, tätig ebda., Schüler u. Nachahmer des → Poelenburgh, schuf arkad. Wald- u. Ruinenlandschaften mit mythol. Staffage; auch kleinfigurige bibl. Szenen u. Bildnisse in der Art von → Netscher. Vertreten in vielen Gal., u. a. in: Aix-en-Provence, Dresden, Gotha, Den Haag, Leningrad, Mainz, Mannheim, Stuttgart, Schwerin.
Lit.: A. v. Wurzbach, *Niederl. Künstlerlex.*, 1906. H. Schneider in: Th.-B. 1922.

Häring, Hugo, dt. Arch., * Biberach 1882, Schüler von Th. → Fischer in Stuttgart u. P. → Wallot in Dresden, 1921 ff. in Berlin tätig, leitete das. die 1923 von ihm gegründete Architekten-Vereinigung «Der Ring» u. 1935–43 die «Schule für Gestaltung, Kunst u. Werk». H. entwickelte die Idee eines organischen Bauens, das er «Neues Bauen» nannte. Er schuf Siedlungsbauten in Berlin-Zehlendorf (1926)

u. Berlin-Siemensstadt (1929/30), Wohnhäuser in Berlin, Badenweiler, Tutzing, Biberach u. a. Veröffentlichte «Wege zur Form» in: Die Form 1, 1925 u. «Vom Neuen Bauen», 1952 u. a.

Haes, Carlos de, belg. Maler u. Radierer, Brüssel 1829–1898 Madrid, Landschaftsmaler holl. Herkunft, der als Kind nach Malaga kam u., nach Ausbildung in Belgien, in Spanien tätig war. Sehr gut vertreten in Madrid, Mus. mod.
Lit.: Th.-B. 1922.

Haesler, Otto, dt. Arch., * München 1880, gehört zu den Vorkämpfern der techn. Rationalisierung des sozialen Wohnungsbaues. 1906–34 in Celle, 1946 bis 1953 in Rathenow tätig, zuletzt in Wilhelmshorst b. Potsdam. Siedlungsbauten in Celle, Rathenow u. a. Seine *Volksschule* in Celle, 1929, zeigte neue Wege für den Schulbau.

Haften (Haeften), Nicolas van, niederl. Maler, Radierer u. Schabkünstler, Gorkum um 1663–1715 Paris, Meister von Genrebildern (Bauern, Raucher, Zecher) in der Art von Brakenburg; 1694 ff. in Paris. Beisp.: *Köchin*, 1714, Frankfurt, Städel. Werke in Aix, Basel, Brüssel, Arenberg, Frankfurt, Prag. Lit.: A. v. Wurzbach, *Niederl. Künstlerlex.* 1, 1906. Th.-B. 1922.

Hagborg, August, schwed. Maler, Göteborg 1852 bis 1921 Paris, Landschaftsmaler, ausgebildet an der Akad. Stockholm, weitergebildet in Paris, dort ansässig, schuf vor allem Strandbilder aus der Normandie mit feinfühliger Wiedergabe der atmosphärischen Stimmung. Beisp.: *Ebbe am La Manche-Strand*, Paris, Luxembourg. Werke in Stockholm, Nat. Mus.; Göteborg, Mus.; Bergen, Mus.
Lit.: K. A. in: Th.-B. 1922.

Hagelaidas, griech. Bildhauer, tätig um 520–460 v. Chr., aus Argos, hervorragender Erzbildner, Lehrer des → Polyklet u. des → Myron; keine Originale von ihm erhalten, s. Einwirkung aber aus vielen Kopien s. Werke u. deren veränderten Repliken sichtbar: *Jünglingsstatue* des Stephanos, Rom, Villa Albani, gilt als Kopie eines Meisterwerkes von H. (Torso einer Replik in Berlin, staatl. Mus.): *Bronzene Jünglingsstatuette*, Oxford, Ashmolean Mus. u. a.
Lit.: Amelung in: Th.-B. 1922.

Hagemeister, Karl, dt. Maler, Werder a. d. Havel 1848–1933 ebda., Meister der Landschaftsmalerei, bes. Havellandschaften. Schüler von F. → Preller d. Ä. in Weimar, studierte 1874 in Brüssel, 1876 bis 1877 gemeinsam mit s. Freunde → Schuch auf Studienreisen in Italien u. in Ferch b. Werder; 1907 bis 1915 auf Rügen. H. begann mit Stilleben, Jagd-

stücken, Figurenbildern, beeinflußt von Schuch, machte die Bekanntschaft von → Manet u. den franz. Impressionisten u. wandte sich der Freilichtmalerei zu. Vertreten in Berlin, Nat. Gal.; München, N. Staatsgal.; Hannover, Leipzig.
Lit.: H. Vollmer in: Th.-B. 1922. *Ausst.-Kat. Aufbruch z. mod. Kunst*, München 1958.

Hagen, Joris van der, niederl. Maler, Dordrecht (oder Arnheim?) um 1615–1669 im Haag, holl. Landschafter in der Art von → Hobbema u. → Potter, etwas nüchterner in der Auffassung, tätig im Haag. Vertreten in Amsterdam, Rijksmus. (*Holl. Landschaft*); in den Mus. v. Karlsruhe, Paris, Hamburg, Valenciennes.
Lit.: H. Schneider in: Th.-B. 1922.

Hagen, Theodor, dt. Maler, Düsseldorf 1842–1919 Weimar, bedeutender Landschaftsmaler, Schüler der Düsseldorfer Akad. unter → Achenbach, 1877–81 Direktor der Weimarer Kunstschule, Vertreter einer realist. Richtung, fand unter der Einwirkung der Künstler der Schule v. → Barbizon s. eigenen impressionist. Stil. H. malte Landschaften Thüringens, Bilder der Hamburger Elblandschaft u. des Hamburger Hafens. Beisp.: *Die Kornernte*, 1866, Berlin, Nat. Gal. Vertreten in den Gal. v. Dresden, Erfurt, Hamburg, Magdeburg, München, Stuttgart, Weimar u. a.
Lit.: E. Redslob, 1921. Corwegh in: Th.-B. 1922.

Hagenau, Niklaus v., gen. *Niclas Hagnower*, dt. Bildhauer, * um 1460, † um 1538, Hauptmeister der letzten Phase der Spätgotik, des spätgot. Barock, der von der Renaissance nahezu unberührt blieb. H. ist mit großer Wahrscheinlichkeit der Schöpfer der geschnitzten Teile des Isenheimer Altars (→ Grünewald), tätig in Straßburg, wo er mit s. Brüdern Veit u. Paul eine Werkstatt unterhielt. Einziges beglaubigtes Werk: *Hochaltar des Straßburger Münsters* von 1500/01; davon erhalten: *2 Prophetenbüsten*, Holz, Straßburg, ehem. St. Marx; *Beweinung Christi*, Holz, St. Stephan. Vom Isenheimer Altar (Schnitzwerk) erhalten: *Sitzfigur des Antonius Eremita;* die Kirchenväter *Hieronymus u. Augustin.* Weitere Werke: *4 Bischofsbüsten*, Zabern, Stiftskirche. Zugewiesen: *Bildwerke am Sakramentshaus* des Ulmer Münsters (1471); *Sakramentshaus* im Dom von Chur.
Lit.: O. Schmitt, *Oberrhein. Plastik*, 1924. G. Dehio, *Gesch. d. dt. Kunst* 3, 1926. E. Polaczek, *Straßburg*, 1926 (Berühmte Kunststätten). Feulner, *Die dt. Plastik d. 16. Jh.*, 1926. W. Vöge, 1930.

Hagenauer, Friedrich, dt. Bildschnitzer u. Medailleur, Straßburg Anfang 16. Jh. bis nach 1546 Köln, einer der fruchtbarsten Bildnismedailleure der dt. Renaissance, vielleicht Sohn des Bildschnitzers N. v. → Hagenau, ging frühzeitig auf Wanderschaft u. war vielerorts tätig, u. a. 1527 in München, 1527–32 in Augsburg, zuletzt in Köln. H. schnitt, wie auch s. Berufsgenosse H. → Schwarz, s. Modelle in Holz. Es sind 235 Vorlagen von ihm bekannt; diese in Buchsbaum ausgeführten Modelle sind von vollendeter Zartheit. Beisp.: *Bischof Philipp v. Freising*, Holzplakette, um 1526, Berlin, ehem. K.-F.-Mus. Einige kleine Büsten sind auch von ihm bekannt: *2 Porträtbüsten*, München, Nat. Mus.

Lit.: G. Habich, *Die dt. Medailleure d. 16. Jh.*, 1926. E. F. Bange, *Die Kleinplastik d. dt. Renaiss.*, 1928. G. Glück, *Kunst d. Renaiss.*, 1928. W. Pinder, *Die dt. Kunst d. Dürerzeit*, 1953.

Hagenauer, Johann Baptist, dt. Bildhauer, Strass (Oberbayern) 1732–1810 Wien, Meister des Rokoko, später zum Klassizismus hinneigend, schuf in s. Frühzeit vor allem Kleinplastiken, später größere dekorative Werke; 1774 ff. Lehrer an der Wiener Akad. Hauptwerke: *Große Mariensäule* auf dem Domplatz v. Salzburg, 1766–71; *dekorative Gartenfiguren* für Nymphenburg b. München u. für Schönbrunn b. Wien. Vertreten in Wien, Kunsthist. Mus.

Lit.: A. Feulner, *Skulptur u. Malerei d. 18. Jh.*, 1929.

Hagenauer, Niklaus → Hagenau, Niklaus v.

Hagesandros aus Rhodos, griech. Bildhauer, 1. Jh. v. Chr., schuf mit → Polydoros u. → Athanodoros die *Laokoon-Gruppe*, Rom, Vatik. Mus., um 50 v. Chr., ein Hauptwerk der hellenist. Kunst, 1488 in den Traians-Thermen entdeckt, 1506 neu aufgefunden. Diese Neuentdeckung von größtem Einfluß auf die Kunst der Spätrenaissance u. des Barock. Der Laokoon gehört der letzten Phase der hellenist. Kunst an, dem sog. griech. Barock. Steigerung aller Ausdrucksmittel, äußerste Bewegtheit sind charakteristisch für diese Endphase, an die sich die klassizist. Renaissance unter Augustus anschließt.

Lit.: Amelung in: Th.-B. 1922.

Hagn, Ludwig v., dt. Maler, München 1819–1898 ebda., Meister der Münchner Schule, haupts. Genrebilder. Schüler der Münchner Akad., weitergebildet bei → Wappers in Antwerpen, 1853–55 in Paris, wo er → Delaroche, → Cogniet, → Robert-Fleury studierte, seit 1855 in München. Als Hauptwerk gilt: *Fronleichnamsprozession auf dem Marienplatz München 1760*, München, Rathaus. Vertreten in München, N. P. u. Schackgal.; Frankfurt, Städel; Potsdam, Orangerie.

Lit.: H. Uhde-Bernays in: *Die Kunst* 39, 1919. Ders. in: Th.-B. 1922.

Hahn, Hermann, dt. Bildhauer, Kloster-Veilsdorf 1868–1945 Pullach, Hauptvertreter des Neoklassizismus, ließ sich nach ausgedehnten Reisen in München nieder, 1912 ff. Prof. der Akad. ebda. H. ist in s. Kunst von der → Hildebrandts bestimmt, dessen Klassizismus er selbständig verarbeitete. Er studierte die Antike u. griff auf frühklass., später auf vorklass. Werke zurück. H. schuf große Denkmäler, Statuen, Porträts u. viel angewandte Plastik: Grabmäler, Brunnen u. a. Hauptwerke: *Liszt-Denkmal*, Weimar, 1900. *Luther-Denkmal*, Speyer, 1905. *Moltke-Denkmal*, Bremen, 1909. *Goethe-Denkmal*, Chicago, 1912. *Bronzereiter*, vor der Hamburger Kunsth., 1919. *Rossebändiger*, vor der Techn. Hochschule, München, 1928. Porträts: *Ed. Wölfflin*, 1901. *W. Rathenau*, 1909.

Vertreten in: Wien, Mod. Gal.; München, N. Staatsgal.; Hamburg, Kunsth.; Medaillen u. Plaketten in fast allen bedeut. öffentl. Slgn.

Lit.: H. Esswein, 1913 (Die Plastik, 3. Bd.). H. Vollmer in: Th.-B. 1922. Ders., *Lex. d. 20. Jh.* 2, 1955.

Haider, Karl, dt. Maler, München 1846–1912 Schliersee, bedeutender Meister der Münchner Schule aus dem Umkreis → Leibls, haupts. Landschafter, Schüler der Münchner Akad., tätig in München u. Schliersee, bildete s. ihm eigenen altmeisterlichen Stil der Treue zum kleinsten Detail unter Einfluß Leibls u. → Thomas aus; gelegentlich auch Einflüsse von → Böcklin. Einige s. Landschaften voll starken Stimmungsgehaltes. Auch einzelne Figuren, etwa Bauernmädchen, mit Treue u. voller Stimmung wiedergegeben. Werke in: Berlin (Nat. Gal.), Frankfurt (Städel), Hamburg, Karlsruhe, Köln (Wallraf-Richartz), Leipzig, München (N. Staatsgal.), Mannheim, Wien u. a.

Lit.: W. Weigand in: Th.-B. 1922. E. Haider, 1926. W. Waetzoldt, *Dt. Malerei seit 1870*, 1918. E. Waldmann, *Kunst d. Realismus u. d. Impression.*, 1927.

Hajdu, Etienne, ungar.-franz. Bildh., * Turda (Rumänien) 1907 von ungar. Eltern, Franzose seit 1930, Vertreter der mod. ungegenständl. Plastik.

Lit.: M. Seuphor, 1950 (Artistes de ce temps). Ders., 1958. Ganzo, 1957 (Musée de Poche). C. Giedion-Welcker, *Plastik d. 20. Jh.*, 1955. M. Seuphor, *Plastik unseres Jh.*, 1959.

Hajek, Otto Herbert, dt. Bildhauer, * Kaltenbach 1927, Vertreter der mod. abstrakten Plastik, tätig in Stuttgart.

Lit.: J. M. Hönscheid in: Kunst u. d. schöne Heim 55, 1956/57. M. Seuphor, *Plastik unseres Jh.*, 1959.

Halbig, Johann v., dt. Bildhauer, Donnersdorf 1814–1882 München, schuf vielerlei Denkmäler u. Grabmonumente, dekorative Werke u. a., 1846 ff. Prof. am Polytechnikum, München. H. schuf das *Löwengespann* auf dem Münchner Siegestor, 1847; den marmornen *Löwen der Lindauer Hafeneinfahrt*,

1854; *2 steinerne Löwen* vor dem Portal der A. P.,
München, 1835; *2 Karyatiden* im Tanzsaal des Fest-
saalbaues der Residenz, München; Denkmäler in
München; die *Viktorien* am Außenbau der Be-
freiungshalle in Kelheim u. v. a.
Lit.: J. A. Kuhn, 1879. J. M. in: Th.-B. 1922.

Haller, Hermann, schweiz. Bildhauer, Bern 1880 bis
1950 Zürich, repräsentativer Meister s. Generation,
als Maler ausgebildet in Stuttgart u. München,
wurde Plastiker unter dem Eindruck der Kunst von
→ Rodin u. → Maillol in Paris, 1909–1915, tätig
meist in Zürich. H. bevorzugte den weibl. Akt u.
Porträts. In s. sensiblen Kunst verrät sich der Einfluß des Expressionismus (→ Lehmbruck) neben
dem Maillols. Gut vertreten in Zürich, Kunsth.
(*Tänzerin; Die Gefesselte*, 1918); Berlin, staatl. Mus.
(*Bildnisse Wölfflin, Marie Laurencin*, 1919); Frankfurt,
Städel (*Stehendes Mädchen*); Mannheim, Kunsth.;
Essen, Folkwang-Mus. (*Schreitendes Mädchen*); Bre-
men, Kunsth.; Köln, Elberfeld u. a. Denkmäler:
Fliegerdenkmal, Bern; *Waldmann-Denkmal*, Zürich.
Lit.: A. Kuhn, 1927. G. Scheiwiller, 1945; Vollmer,
1955. M. Joray, *Schweizer Plastik d. Gegenw.*, 1954–59.
W. Hofmann, *Plastik d. 20. Jh.*, 1958. M. Seuphor,
Plastik unseres Jh., 1959.

Haller v. Hallerstein, Karl Freiherr v., dt. Arch.,
Hilpoltstein b. Nürnberg 1774–1817 Ampelakia
(Thessalien), klassizist. Meister, bildete sich 1798 bis
1805 im Kreise von F. → Gilly; s. bedeutenden
Entwürfe (*Glyptothek, München; Walhalla b. Regens-
burg*) blieben unausgeführt; er wurde bekannt als
Entdecker (zus. mit → Cockerell) der Giebel-
skulpturen des Tempels von Aegina u. des Tempels
von Phigalia, 1810–1817.
Lit.: Beenken in: Th.-B. 1922.

Hallström, Gunnar, schwed. Maler, Stockholm
1875–1943 ebda., malte Landschaften, Darstellungen
aus dem Volksleben, Bildnisse (bes. Bauern vom
Mälarsee), Buchillustrationen (z. B. zu Runebergs
«Elchjäger», 1900). Vertreten in den Mus. v. Stockholm, Göteborg, Malmö.

Halm, Peter, dt. Graphiker u. Maler, Mainz 1854
bis 1923 München, schuf hervorragende Radierungen, namentlich Landschaften u. Reproduktionen
von Gemälden, Schüler des Kupferstechers Raab in
München, seit 1895 Lehrer der Münchner Akad.
H. war ein feiner Zeichner impressionist. Landschaften.
Lit.: H. Weizsäcker in: Zschr. f. bildende Kunst 58,
1924. H. W. Singer in: Th.-B. 1922.

Hals, Dirck, niederl. Maler, Haarlem 1591–1656
ebda., Bruder u. Schüler von F. → Hals, Meister
der heiteren Gesellschaftsszene, tätig in Haarlem,
schuf haupts. die sog. «Konversationsstücke»,

welche das Treiben der wohlhabenden Gesellschaft
im Haus u. im Freien darstellen. Sein Einfluß war
groß; in s. Art malten → Pot, → Codde, → Pala-
medes. Beisp.: *Gesellschaft im Garten*, Amsterdam,
Rijksmus. Gut vertreten in Amsterdam, Rijksmus.;
Wien, Akad.; in den Mus. v. Kopenhagen u. Buda-
pest; Paris (Louvre); Frankfurt (Städel); London
(Nat. Gall.), Bergamo u. a.
Lit.: A. v. Wurzbach, *Niederl. Künstlerlex.*, 1906 ff.
Hofstede de Groot in: Th.-B. 1922. W. Bernt,
Niederl. Maler d. 17. Jh., 1948.

Hals, Frans, niederl. Maler, Mecheln um 1580–1666
Haarlem, Hauptmeister der Haarlemer Malerschule
u. einer der größten Porträtisten der Weltkunst,
Schüler des K. van → Mander, entnahm s. Stoffe
ausschließlich der bürgerlichen Wirklichkeit s. Zeit:
Genrebilder, Bildnisse, Schützenstücke, u. befreite
die niederl. Malerei dadurch vom Romanismus;
Mitbegründer einer v. Italien ganz unabhängigen
nationalholl. Kunst. Seine Malweise machte eine
Entwicklung durch von sorgfältiger Zeichnung u.
schwerer Farbe zu immer flottererem Strich, helleren
u. leichten Farben u. schließlich zu einem grauen
Gesamtton der Gemälde ohne Lokalfarben, worin
sich der Einfluß → Rembrandts bemerkbar macht.
Der Vortrag wird immer breiter u. skizzenhafter,
schließlich mit höchster Sicherheit der Mensch in
der Bewegung des Augenblicks erfaßt; mit Recht
konnte der Impressionismus einen Vorläufer in ihm
sehen.
Hauptwerke: Gruppenbildnisse u. Schützenstücke:
Die Georgsschützen, 1616; 2. Bild 1627, Haarlem,
Mus. *Die Cluveniersschützen*, 1627, ebda. *Die Regenten des Elisabethhospitals*, 1641, ebda. *Die Regenten
des Altmännerhauses*, 1664, ebda. *Die Regentinnen des
Altmännerhauses*, 1664, ebda. Einzelbildnisse: *Der
lustige Zecher*, Kassel, Gal. u. Amsterdam, Rijksmus.
Die musizierenden Knaben, Kassel, Mus. *Der junge
Mann mit dem Schlapphut*, um 1660, Kassel, Gal.
«*Hille Bobbe*», Berlin, staatl. Gal. *Amme mit Kind*,
ebda. *Wilhelm v. Heythuysen*, Brüssel, Gal. Her-
vorragend vertreten in Haarlem; in Amsterdam,
Berlin, Kassel, Brüssel.
Lit.: W. v. Bode u. M. Binder, 1914. M. R. Valen-
tiner, [2]1923 (Klass. d. K.). F. Dülberg, 1930.
G. D. Gratama, 1943. N. S. Trivas, [2]1949 (Phaidon).

Hamilton, Gavin, engl. Maler, Murdieston House
1723–1798 Rom, archäol. bewanderter Engländer,
der in Rom zum Kreise von → Mengs u. Winckelmann gehörte u. klassizist. Bilder schuf, auch Porträts. 1724 malte er an der Decke eines Saales der
Villa Borghese, Rom, die *Geschichte des Paris*.
Lit.: B. C. K. in: Th.-B. 1922.

Hamilton, Philipp Ferdinand de, niederl.-österr.
Maler, Brüssel um 1664–1750 Wien, Tier- u. Still-

lebenmaler, 1705 ff. in Wien nachweisbar, wo er für
Maria Theresia zahlreiche Bilder malte. Werke in
den Gal. v. Bamberg (Schloßgal.), Bern, Breslau,
Brünn, Budapest, Dessau, Frankfurt, Stift Melk,
München, Leningrad, Stuttgart, Weimar, Wien
(Staatsgal.), Vaduz (Liechtenstein-Gal.) u. a.

Hamilton, Thomas, engl. (schott.) Arch., Edinburgh 1784–1858 ebda., klassizist. Baumeister: Entwürfe für viele Bauwerke in Edinburgh u. Umgebung.
Lit.: G. Pauli, *Kunst d. Klassiz. u. d. Romantik*, 1925.

Hammershoj, Svend, dän. Maler u. Kunstgewerbler, Kopenhagen 1873–1948 Frederiksberg (Kopenhagen), Bruder von V. → H., Schüler von → Zahrtmann. Landschaften, Architekturbilder, dekorative
Gemälde u. Porträts; als Kunstgewerbler: Keramiken, Porzellan-, Silber- u. Lederarbeiten.
Vertreten in den Mus. v. Randers, Oslo, Kopenhagen, Mus. u. Kunstgew. Mus.
Lit.: *Krak's Blaa Bog*, 1936 u. 1950.

Hammershoj, Vilhelm, dän. Maler, Kopenhagen
1864–1916 ebda., Meister stimmungsvoller Innen-
räume, Blick in Biedermeierstuben voll traulichen
Behagens, oft in den gedämpften Farben der Däm-
merung. Ferner Architekturbilder, Bildnisse, Akte.
Gut vertreten in den Gal. v. Kopenhagen, Stock-
holm, Oslo, Göteborg u. a.
Lit.: S. Michaelis u. A. Bramsen, 1918 (dän.).
P. Vad, 1957. *Ausst.-Kat. Sources du XXe siècle*,
Paris 1960/61.

Hamon, Jean-Louis, franz. Maler, Saint-Loup bei
Plouah 1821–1874 Saint-Raphaël, Schüler von
→ Delaroche u. → Gleyre, schloß sich den → Ingres-
Nachfolgern an; Historienbilder u. a.; vertreten in
den Mus. von: Lille, Marseille, Montauban, Nantes,
New York (Metrop. Mus.).

Hanak, Anton, österr. Bildhauer, Brünn 1875 bis
1934 Wien, Prof. der Kunstgewerbeschule. H.
baute s. Stil auf → Rodin auf, ging auf → Michelangelo u. den Barock zurück u. erstrebte eine neue
Monumentalität. «In s. stärksten Arbeiten wies
er sich als Zwischenträger vom Symbolismus
(*Sphinx*) zum flackernden Menschheitsexpressio-
nismus aus (*Der letzte Mensch*, 1914)» (Hofmann).
Lit.: M. Eisler, 1921. W. Hofmann, *Plastik d.
20. Jh.*, 1958.

Handke (Hancke, Handtke), Johann Christoph,
österr. Maler, Johnsdorf b. Römerstadt (Mähren)
1694–1774 Olmütz, seit 1715 tätig ebda., nimmt unter
den mährischen Malern des 18. Jh. den 1. Platz ein.
Bedeutender Barockdekorator; er schuf zahlreiche
Fresken, von denen nur wenige erhalten sind, u.
viele Altarwerke.

Lit.: *Selbstbiographie* (1766), hg. v. R. Förster, 1911.
Ders. in: Th.-B. 1922.

Han Kan, chines. Maler, tätig um die Mitte des
8. Jh. n. Chr. in Ch'ang-an († n. 780). Kaiserlicher
Hofmaler, gilt als einer der größten Maler Chinas;
eigenhändige Werke scheinen nicht erhalten zu
sein, nur Nachbildungen.
Lit.: O. Kümmel in: Th.-B. 1922.

Hankar, Paul, belg. Arch., Brüssel 1861–1901
ebda., einer der Pioniere des belg. Modernismus.
Er gehörte zu den ersten, die → Hortas neuen Stil
aufnahmen u. mit diesem darauf ausgingen, eine mo-
derne Baukunst in Verbindung mit einem neuen
Kunstgewerbe zu begründen. Er schuf vor allem
Wohnhäuser; Dekorationen im Jugendstil.
Lit.: H. V. in: Th.-B. 1922. Ch. Conrady u. R.
Thibaut (Edition Texhuc, Revue La Cité), 1923.
N. Pevsner, *Wegbereiter mod. Formgebung*, 1957.

Hannong, Straßburger Familie, die Tonwaren
herstellte: *Hannongfayencen*. Ihre Fabrik blühte 1721
bis 1780; charakteristisch sind Rokokoformen u.
farbenprächtige Blumenmalerei.
Lit.: Stöhr, *Dt. Fayencen u. dt. Steingut*, 1920. Riesebieter, *Dt. Fayencen d. 17. u. 18. Jh.*, 1921.

Hannot, Johann, niederl. Maler, tätig in Leiden
17. Jh. Stillebenmaler in der Art des de → Heem;
Früchtestück in Amsterdam, Rijksmus. u. *Stilleben*
in Kassel, Gal.

Hans v. Aachen → Aachen, Hans v.

Hans v. Kulmbach → Kulmbach, Hans v.

Hans v. Tübingen, dt. Maler, um 1400–1462
Wiener Neustadt, tätig ebda., der wichtigste Ver-
treter einer ausgedehnten Malerschule im Südosten
Deutschlands; s. realist. Kunst stand unter der Ein-
wirkung der burgund.-franz. Malerei. Hauptwerke:
Votivtafel aus St. Lambrecht, um 1430, Graz, Landes-
gal. *Kreuzigung*, Wien, Gemäldegal.
Lit.: K. Oettinger, 1938.

Hansen, Christian Fredrik, dän. Arch., Kopenhagen 1756–1845 ebda., Hauptmeister des Klassizismus in Dänemark, Schüler von → Harsdorff,
besuchte Italien u. Deutschland, 1804 ff. in Kopenhagen, 1816–38 Direktor der Akad., baute in
strengem vom Empire beeinflußten klassizist. Stil.
Werke in Kopenhagen: Rats- u. Gerichtshaus
(heute *Domhus*), 1805–15. Schloß *Christiansborg*,
1804–28 (1884 abgebrannt). *Frauenkirche*, 1811–29
(plast. Ausstattung von → Thorwaldsen).
Lit.: C. M. Smidt, 1911 (dän.). W. Jakstein in:
Th.-B. 1923. G. Pauli, *Kunst d. Klassizism. u. d.
Romantik*, 1925.

Hansen, Frida, norweg. Textilkünstlerin, * Stavanger 1855, schuf Bildteppiche, welche altnorweg. dekorative Motive verarbeiten. Vertreten in Oslo, Kunstgew. Mus.; in den Mus. v. Hamburg u. Budapest.
Lit.: C. W. Schnitler in: Th.-B. 1923.

Hansen, Hans Christian, dän. Arch., Kopenhagen 1803–1883 Hietzing b. Wien, Meister des historisierenden Stils des 19. Jh., Schüler v. → Hetsch, Bruder u. Lehrer von Theophil → H., baute die *Universität Athen* in griech. Stil, *Marinearsenal Triest* in roman.-byzant. Formen, *Kommunehospital Kopenhagen,* 1849–63. Weitere Bauten in Kopenhagen.

Hansen, Konstantin, dän. Maler, Rom 1804–1880 Kopenhagen, Vertreter des dän. Klassizismus, Bruder von Hans Christian u. Theophil → H., Schüler von → Eckersberg, schuf, nachdem er 8 Jahre in Italien war, *Freskenwerke mit mythol. Themen* für die Kopenhagener Universität, 1844–53. Ferner Bildnisse, Gruppenbildnisse (*Die gesetzgebende Reichsversammlung von 1848*, 1860–64, Frederiksborg, Nat. Mus.), Dekorationen; als Radierer Landschafts- u. Architektur-Veduten u. v. a.
Lit.: E. Hannover, 1901. Th.-B. 1923.

Hansen, Theophil v., dän. Arch., Kopenhagen 1813–1891 Wien, Meister des historisierenden Stils des 19. Jh., Bruder u. Schüler von Hans Christian → H., baute in Athen die *Akademie der Wissenschaften* in klass. Formen; ferner viele Bauten in Wien: *Waffenmus. des Arsenals. Evang. Friedhof mit Kapelle. Kuppelkirche der nichtunierten Griechen ;* alle 3 in byzant. Formen. *Kunstakad.,* 1872–76, in ital. Renaissance. *Reichsratgebäude* (Parlamentsgebäude), 1873–83, in griech. Formen, ein Hauptwerk.
Lit.: G. Niemann u. F. v. Feldegg, 1893. H. Vollmer in: Th.-B. 1923.

Harburger, Edmund, dt. Maler u. Zeichner, Eichstätt 1846–1906 München, Münchner Meister der Genremalerei u. der humorist. Zeichnung, malte kleine Genrebilder mit Szenen aus dem Leben der Bauern u. der Münchner Kleinbürger. Viele Zeichnungen für die «Fliegenden Blätter». Schüler v. → Lindenschmit, studierte bes. die alten Holländer. Vertreten in den Mus. v. München (N. P.); Mainz, Darmstadt, Danzig, Leipzig, Münster i. W., Zürich u. a.
Lit.: D. Stern in: Th.-B. 1923.

Hardouin-Mansart, Jules → Mansart, Jules Hardouin.

Hare, David, amerik. Bildhauer, * 1917, begann mit surrealist. «Objekten», 1950 mit Drahtfiguren.
Lit.: C. Giedion-Welcker, *Plastik d. 20. Jh.,* 1955.

S. Janis, *Abstract and surrealist art in America,* 1944. A. C. Ritchie, *Sculpture of the 20th century,* 1953. W. Hofmann, *Plastik d. 20. Jh.,* 1958.

Harpignies, Henri, franz. Maler u. Graphiker, Valenciennes 1819–1916 St-Privé, bedeutender Landschafter, der reizvolle Bilder oft kleinen Formates u. Aquarelle schuf, in denen er die Tradition der Schule von → Barbizon weiterführte. Schüler von Achard, bes. v. → Corot beeinflußt. Beisp.: *Abend in der röm. Campagna,* 1866, Paris, Luxembourg. Seine Bilder u. Aquarelle in vielen franz. Mus. Im Ausland: Lüttich, Bukarest, Minneapolis, Cambridge (USA), New York, Metrop. Mus. u. a.
Lit.: H. Vollmer in: Th.-B. 1923.

Harrison, Alexander, amerik. Maler, * Philadelphia 1853, † 1930, Impressionist, ausgebildet in Paris, wo er die Werke → Manets, → Cazins, → Besnards u. a. studierte. Bilder in den Mus. v. New York (Metrop. Mus.); Washington, Chicago u. a. amerik. Gal. Ferner: Paris, Luxembourg; Dresden u. a.
Lit.: Blake-More Godwin in: Th.-B. 1923.

Harsdorff, Kaspar Frederik, dän. Arch., Kopenhagen 1735–1799 ebda., dän. Hauptmeister des Klassizismus, Schüler von Jardin, in Paris u. Rom weitergebildet, 1766 ff. Prof. der Akad. Kopenhagen, Begründer der dän. klassizist. Schule. Hauptwerk: Die Verbindungshallen zwischen den Amalienborgpalästen in Kopenhagen: *Amalienborg-Kolonnaden,* 1795.
Lit.: E. Hannover, *Dän. Kunst d. 19. Jh.,* 1907.

Harth, Philipp, dt. Bildhauer, * Mainz 1887, bedeutender Tierplastiker, bes. in Holz, tätig in Bayrisch-Zell. H. schafft s. groß gesehenen Tierfiguren unmittelbar aus dem Holzblock heraus. Er ist u. a. vertreten in den Gal. von Mannheim (3 Plastiken: *Adler, Stier, Tiger*), Essen, Folkwang-Mus. (*Sitzender Adler*), Berlin, Nat. Gal. (*Jaguar*), Kaliningrad (*Adler*).
Lit.: A. Hentzen, *Dt. Bildh. d. Gegenw.,* 1934. B. Adriani, 1939. B. E. Werner, *Dt. Plastik d. Gegenw.,* 1940. Vollmer, 1955.

Hartmann, Adolf, dt. Maler, * München 1900, Präsident der «Neuen Gruppe», ebda., seit 1948 Prof. an der Hochschule f. Bild. Künste, ebda.; schuf Figürliches, Bildnisse, Landschaften.
Lit.: H. Eckstein, *Maler u. Bildh. in München,* 1946. F. Nemitz, *Dt. Malerei d. Gegenw.,* 1948. Vollmer, 1955.

Hartung, Hans, dt.-franz. Maler, * Leipzig 1904, Hauptvertreter der abstrakten Malerei, zuerst von den Expressionisten beeinflußt, begann 1922 ab-

strakt zu zeichnen u. zu aquarellieren, kam 1935 nach Paris, wurde 1945 ebda. naturalisiert, gehört zu den führenden Vertretern der neuen «Ecole de Paris». «Der extrem transparente Bildgrund, von Liniengarben durchzogen, ruft die Vorstellung eines unbegrenzten entmaterialisierten Raumes hervor» (M. Brion).
Lit.: J. J. Sweeney, 1949 (dt.). M. Rousseau, 1950. M. Seuphor, *Dict. peint. abstr.*, 1957. R. de Solier in: Quadrum, 1956. *Neue Kunst nach 1945*, hg. v. W. Grohmann (M. Brion, W. Grohmann u. a.), 1958.

Hartung, Karl, dt. Bildhauer, * Hamburg 1908, gehört zu den führenden Vertretern der modernen dt. Plastik, 1929–32 in Paris, wo er sich mit der Kunst → Maillols auseinandersetzte, später mit → Brancusi, → Moore u. a. 1935 gelang ihm der Durchbruch zur quellenden, organischen Elementarform; Mulde u. Wölbung, Senkung u. Ausstülpung der Form werden ursprünglich in der Sphäre des Gewächshaften artikuliert (Hofmann); später schraffierende Belebung der Oberfläche: sie wird durch unregelmäßige Furchen zerschnitten, dem Licht- u. Schattenspiel ausgesetzt u. in ihrer Vertikalität betont.
Lit.: *Ausst.-Kat. Dt. Malerei u. Plastik*, Köln 1949. *Ausst.-Kat. Kestner-Gesellschaft*, Hannover 1953. C. Giedion-Welcker, *Plastik d. 20. Jh.*, 1955. Vollmer, 1955. W. Hofmann, *Plastik d. 20. Jh.*, 1958. C. Linfert in: *Junge Künstler* 1959/60 (Du Mont Schauberg).

Harunobu, Suzuki, japan. Maler u. Holzschnittmeister, 1718–1770 Edo (Tokio), Meister des Farbholzschnitts, an dessen Ausbildung er wahrscheinlich ein wesentliches Verdienst hat; schuf meist zierliche Frauengestalten.
Lit.: J. Kurth, ²1923. F. Rumpf, *Meister d. japan. Farbenholzschnittes*, 1924. O. Kümmel in: Th.-B. 1923. Ch. Vignier u. Inada, *H., Koriusai, Shunsho*, 1910. J. Hillier, *Die Meister d. japan. Farbendruckes*, 1954.

Hase, Konrad Wilhelm, dt. Arch., Einbeck 1818 bis 1902 Hannover, Meister der Neugotik des 19. Jh., 1849–94 Lehrer der Techn. Hochschule Hannover, vertrat eine Erneuerung von roman. u. got. Stilelementen auf Grund des bodenständigen Backsteinbaus u. drückte dem Baucharakter von Hannover s. Stempel auf. Sein Werk umfaßt weit über 100 Kirchenbauten, am bedeutendsten die *Christuskirche*, Hannover, 1859–64. Wiederherstellung mittelalterlicher Bauten: in Hildesheim *St. Godeshard* u. *St. Michael*, ferner die *Klosterkirche* in Loccum, *St. Nikolai* in Lüneburg. *Schloß Marienburg* (von s. Schüler → Oppler voll.).

Hasemann, Wilhelm, dt. Maler, Mühlberg 1850 bis 1933 Gutach im Schwarzwald, Begründer der dortigen Malerkolonie (1880). Er malte Szenen aus dem Leben des Schwarzwaldes, bes. Innenräume mit Genrestaffage; bäuerliche Charakterköpfe; Buchillustrationen, z. B. für Storms Immensee, 1887. Beisp.: *Schwarzwälder Spinnstube*, Karlsruhe, Kunsth. Vertreten in den Gal. v. Karlsruhe, Donaueschingen, Cincinnati.
Lit.: Beringer, *Badische Malerei im 19. Jh.*, 1913.

Hasenauer, Karl Freiherr v., österr. Arch., Wien 1833–1894 ebda., Vertreter des Wiener prunkvollen historisierenden Stils, Schüler von van der → Null u. → Siccardsburg, Mitarbeiter → Sempers, Erbauer der *Wiener Hofmuseen*, mit Semper, 1872–81; der *Neuen Hofburg*, 1881 beg. u. des *Burgtheaters*, 1880–88 (Pläne teilw. von Semper).
Lit.: M. Semper, *H. u. Semper*, 1895. H. Tietze, *Wien* (Berühmte Kunststätten 67), 1918.

Hasenclever, Johann Peter, dt. Maler, Remscheid 1810–1853 Düsseldorf, Meister des Genrebildes der Biedermeierzeit, Schüler v. → Schadow an der Düsseldorfer Akad., 1838 in München, 1840–42 in Oberitalien, dann in Düsseldorf tätig. Humorist. Darstellungen aus dem Stadt-, Familien- u. Wirtshausleben; Szenen aus Kortums «Jobsiade». Werke: *Die Weinprobe*, 1843, Berlin, staatl. Gal. *Das Lesekabinett*, 1843 ebda., *Jobs im Examen*, 1840, München, N. P.
Lit.: H. Vollmer in: Th.-B. 1923. W. Cohen, 1925. R. Hamann, *Dt. Malerei v. Rokoko z. Expression.*, 1925.

Hasenpflug, Carl Georg Adolph, dt. Maler, Berlin 1802–1858 Halberstadt. Architekturbilder, Ansichten von Straßen, Stadtbildern usw., später von K. F. → Lessing beeinflußt im Sinne einer romant.-malerischen Auffassung. Vertreten in den Gal. v. Berlin (Nat. Gal., Märkisches Mus., Schloß Bellevue); Hamburg, Bremen, Hannover, Stettin, Schwerin u. a.

Hassam, Childe, amerik. Maler u. Radierer, Boston 1859–1935, Vertreter des amerik. Impressionismus, Schüler von → Boulanger u. → Lefebvre in Paris, arbeitete in Pastell, Aquarell u. Öl. Von den franz. Impressionisten, bes. → Monet, beeinflußt, Meister der zarten, gebrochenen Töne. Vertreten in vielen amerik. Gal.

Hasselberg, Per, schwed. Bildhauer, Hasselstad b. Ronneby 1850–1894 Stockholm, s. Zeit sehr beliebter Schöpfer graziöser Plastiken, bes. nackter Mädchengestalten. H. schloß sich in s. Kunst der franz. Schule an, Schüler von → Jouffroy in Paris. Hauptwerke: *Le charme*, 1880, Marmorexemplare in den Mus. v. Stockholm, Göteborg u. Kopenhagen. *Der Frosch*, 1890, Göteborg, Mus. *Seerosen*.

1893, ebda. Auch Bildnisbüsten. Er ist am besten im Mus. v. Göteborg vertreten.
Lit.: R. Hoppe in: Th.-B. 1923.

Hauberisser, Georg Joseph, Ritter v., österr. Arch., Graz 1841 – 1922 München, Vertreter des historisierenden Stils, Erbauer des *Rathauses in München*, 1867–74, neugot.; der *Rathäuser von Kaufbeuren* (1879–81) u. *Wiesbaden* (1884–90), beide in Renaissance; *Herz-Jesu-Kirche in Graz*, 1881–91; *Paulskirche in München*, 1892–1906; beide neugot., *Erweiterungsbau des Münchner Rathauses*, 1900–09, mit 85 m hohem Turm.
Lit.: H. Vollmer in: Th.-B. 1923.

Haueisen, Albert, dt. Maler u. Graphiker, Stuttgart 1872–1954 Kandel in der Pfalz, Schüler von →Kalckreuth u. H. → Thoma in Karlsruhe, war 1914–19 in Frankfurt, lehrte 1919–33 an der Karlsruher Akad., seitdem in Jockgrim (Pfalz) tätig, schuf Figürliches, Bildnisse, Landschaften, Stilleben, auch Wandgemälde u. a. In s. Stil von → Cézanne, den franz. Neoimpressionisten, → Hodler u. a. beeinflußt. H. ist vertreten in den Gal. v. Karlsruhe, Freiburg i. Br., Kaiserslautern, Mannheim, Essen, Hagen i. W., Nürnberg, Speyer, Wiesbaden, Zürich u. a.
Lit.: A. Gängel in: Bad. Heimat 32, 1952.

Hausbuchmeister, *Meister des Hausbuchs*, dt. Zeichner, Kupferstecher u. Maler, tätig um 1475 bis n. 1490, meist am Mittelrhein, neben → Schongauer der bedeutendste dt. Stecher Ende 15. Jh., benannt nach einer von ihm mit Zeichnungen versehenen Handschrift, des sog. Wolfegger Hausbuchs, im Besitz der Fürsten v. Waldburg, früher auch *Meister des Amsterdamer Kabinetts* gen., weil über 80 s. seltenen Stiche im Rijksmus. Amsterdam sich befinden. Seine Herkunft ungewiß: Bodenseegebiet, Mittelrhein oder – neuerdings wieder behauptet – niederl. Abstammung. Er schuf Gemälde, Zeichnungen u. Kupferstiche. Diese letzteren s. bedeutendste Leistung: 91 Blätter sind von ihm bekannt, davon über die Hälfte Profandarstellungen, die oft wie leicht hingeworfene Skizzen realist. Szenen anmuten: spielende Kinder, sich kratzender Hund usw. Auch technisch ein ihm eigenes Verfahren des leichten Führens der kalten Nadel auf weicher Platte. Als künstlerische Persönlichkeit steht er in s. Zeit vereinzelt da. In s. Stil lassen sich Einflüsse vom Meister→E. S., sowie niederländische nachweisen.
Hauptwerke: Von s. Stichen seien genannt: die beiden *Johannesbäupter ; Hl. Christophorus ; Tod u. Jüngling ; Kinderszene ; Ringer ; Hund*. Sein zeichnerisches Hauptwerk: Das *Wolfegger Hausbuch* mit techn. Zeichnungen, Kampf- u. Liebesszenen, Planetendarstellungen u. a. Nicht alle Zeichnungen

vom H. Vor allen sind die techn. Zeichnungen auszuscheiden. Malerische Hauptwerke: *Die Auferstehung Christi* (früher Sigmaringen), heute Frankfurt, Städel. *Kreuzigung Christi*, Mittelstück eines Flügelaltares, Freiburg i. Br., Mus. Dazugehörige Altarflügel: *Fußwaschung*, Berlin, staatl. Mus. u. *Abendmahl*, ebda.
Lit.: M. Lehrs, *Der Meister d. Amsterd. Kabinetts*, 1894. H. Th. Bossert u. W. F. Storck, *Das mittelalterl. Hausbuch*, 1912. J. Dürkop in: Oberrhein. Kunst 5, 1932. E. Graf zu Solms-Laubach in: Städel-Jb. 9, 1935/36. J. C. J. Bierens de Haan, *De M. v. het Amsterd. Kab.*, 1947 (m. Abb. sämtl. Stiche). G. Dehio, *Gesch. d. dt. Kunst* 2, 1921. W. R. Deusch, *Dt. Malerei d. 15. Jh.*, 1936.

Hausmann, Friedrich Karl, dt. Maler, Hanau 1825 bis 1886 ebda., bedeutender Historienmaler, in Antwerpen u. Paris gebildet, 1854/55 in Rom, 1855–64 in Frankfurt, seitdem in Hanau als Direktor der Zeichenakad. Beeinflußt von → Delacroix u. → Daumier, hat er Gemälde von farbiger Leuchtkraft geschaffen. Als Hauptwerk gilt: *Galilei vor dem Konzil*, 1861, Hamburg, Kunsth.
Lit.: E. Schaeffer, 1907. H. Vollmer in: Th.-B. 1923.

Hawksmoor, Nicholas, engl. Arch., * 1661, † London 1736, Schüler u. Mitarbeiter von → Wren u. → Vanbrugh, beteiligt am Bau der St. Pauls-Kathedrale in London, erbaute die Kirchen *St. George in the East* (London), 1715–23, *St. Mary Woolnoth*, ebda., 1716–19, u. a., *Bibliothekshof von All Souls College* in Oxford (in neugot. Formen, 1714), engl. Landsitze u. a.

Haydon, Benjamin Robert, engl. Maler, Plymouth 1786–1846 London, Vertreter des historisierenden Stils, von → Reynolds beeinflußt, wohl aber auch von → Ingres u. → Delacroix, schuf umfangreiche hist. u. religiöse Gemälde, auch Szenen aus der Zeitgeschichte u. Straßenszenen (*New Road*, London, Nat. Gall.). H. ist vertreten in der Nat. Gall.; in der Nat. Portrait Gall. *(Selbstbildnis) ;* in der Tate Gall.; alle in London. Bekannte Werke sind ferner: *Auferweckung d. Lazarus*, London, Nat. Gall.; *The Mocke election* u. *Chairing the member*.
Lit.: T. Taylor, 1853. K. A. E. in: Th.-B. 1923.

Hayez, Francesco, ital. Maler, Venedig 1791–1882 Mailand, bildete sich unter dem Einfluß von → Canova in Rom als Klassizist aus, seit 1820 wieder in Mailand, ging um 1821 in das Lager der Romantiker über, deren führender Künstler er wurde (seit 1850 Prof. an der Brera). Später versuchte er sich auch der realist.-hist. Richtung anzupassen in großen Historienbildern. Das Schaffen H.s ist überaus reich gewesen: Historienbilder, bibl. Gemälde, eine Reihe sehr guter Bildnisse, dekorative

Fresken u. a. *Fresken:* in Mailand, Pal. Reale; Mantua, Teatro Nuovo; Rom, Vatikan; Venedig, Dogenpal. Bekanntes romant. Bild: *Der Kuß*, Mailand, Brera. Geschichtsbild: *Sizilian. Vesper* (I Vespri siciliani), Rom, Gall. mod. Bildnisse: *Cavour*, 1864; *Rossini*, 1870, Mailand, Brera; *Selbstbildnis*, 1878, ebda. H. ist vertreten in Mailand, Brera, Gall. mod., Mus. Poldi-Pezzoli; Rom, Gall. mod.; Wien, mod. Gal.; Berlin, Nat. Gal. Lit.: L. Beltrami, 1884. R. Calzini in: Dedalo 3, 1922/23. Ders. in: Enc. Ital. 1933. E. Somaré, *Storia dei pitt. ital. dell' ottocento*, 1928. U. Ojetti, *La pitt. ital. dell' ottocento*, 1929. G. Nicodemi, 1934. G. Delogu, *Ital. Malerei*, [3]1948.

Hayman, Francis, engl. Maler u. Radierer, Exeter 1708–1776 London; kam früh nach London, wo er als Dekorationsmaler am Drury-Lane-Theater begann, mit → Hogarth befreundet, schuf im Vauxhall-Theater Darstellungen aus dem zeitgenöss. Leben, die in Stichen erhalten sind, galt zu s. Zeit als der bedeutendste engl. Historienmaler; auch tüchtige Porträts, schuf Titelblätter u. Buchillustrationen für Ausgaben von Shakespeare, Pope u. a., gehörte zu den Gründungsmitgliedern der Royal Acad. (1768). Um 1745 war → Gainsborough s. Schüler.
Lit.: K. A. E. in: Th.-B. 1923.

Hayter, Stanley William, engl. Maler u. Graphiker, * London 1901, Vertreter der abstrakten Kunst, kam früh nach Paris, gehörte 1934–40 der surrealistischen Gruppe an, 1940–50 in New York, seitdem in Paris tätig; wird der jungen «Ecole de Paris» zugerechnet.
Lit.: *Ausstell.-Kat. Tendances actuelles* 2, Bern 1954. M. Seuphor, *Dict. peint. abstr.*, 1957. *Neue Kunst nach 1945*, hg. v. W. Grohmann, 1958.

Hébert, Ernest, franz. Maler, La Tronche b. Grenoble 1817–1908 ebda., Vertreter der Romantik, Schüler v. → David d'Angers u. → Delaroche, schuf vor allem Figurenbilder aus dem ital. Volksleben u. Damen- u. Kinderporträts. 1867–73 u. 1885–91 Direktor der Acad. de France in Rom. Hauptwerke: *Malaria*, 1850, Paris, Luxembourg; *Judaskuß*, ebda. *Wasserträgerinnen aus Cervera*, ebda. Vertreten in: Paris, Louvre; in den Mus. von Grenoble, Chantilly, Versailles, Montpellier, Rouen, New York (Metrop. Mus.), Chicago (Art. Inst.)
Lit.: Péladan, 1910. H. Vollmer in: Th.-B. 1923.

Hecht, Wilhelm, dt. Holzschneider u. Radierer, Ansbach 1843–1920 Linz a. D., schuf Holzschnitte für illustrierte Werke (nach → Piloty, → Menzel, → Kaulbach, G. → Max u. a.) u. Radierungen nach → Murillo, → Rubens, → Böcklin, → Lenbach, → Schwind u. a.
Lit.: B. C. K. in: Th.-B. 1923.

Heckel, Erich, dt. Maler u. Graphiker, * Döbeln 1883, Hauptmeister des dt. Expressionismus, studierte zuerst Architektur, war im Atelier von → Kreis tätig, bildete sich selbständig als Maler aus, gehörte mit → Schmidt-Rottluff, → Kirchner u. → Pechstein zu den Gründern der Künstlergenossenschaft → «Brücke» in Dresden, 1944 ff. in Hemmenhofen (Bodensee) lebend, 1949 ff. Prof. der Kunstschule in Karlsruhe. In s. Kunst – wie auch s. Genossen der «Brücke» – von van → Gogh, → Munch u. den → Fauves beeinflußt. Hauptwerke: *Frau am Meer*, 1923, Essen, Mus. *Herbst*, 1914, Hamburg, Kunsth. *Ostender Madonna*, 1915, Berlin, Gal. d. 20. Jh. *Stufen des Daseins*, Fresken, 1922–23, Erfurt, Mus. *Bildnis James Ensor*, 1930. Vertreten in den Gal. v. Berlin, Dresden, Erfurt, Essen, Hamburg, Hannover, Mannheim u. a.
Lit.: L. Thormaehlen, 1931. P. O. Rave, 1948. H. Köhn, 1948. E. Gosebruch, 1948. W. Haftmann, *Malerei im 20. Jh.*, 1954. L.-G. Buchheim, *Die Künstlergemeinschaft Brücke*, 1956. H. Köhm, *E. H. Aquarelle u. Zeichn.*, 1959. *Ausstell.-Kat.*, Stuttgart 1957.

Heckendorf, Franz, dt. Maler, * Berlin 1888, hatte sich seit etwa 1910 zu einem bedeutenden Vertreter des dt. Expressionismus entwickelt, haupts. Landschaften von starker Ausdruckskraft; doch auch Stilleben, Bildnisse, Figürliches, bedeutend auch als Graphiker (Mappenwerk *Die Sonne*, 1919); tätig in Berlin, 1945–48 an den Akad. Wien u. Salzburg, seitdem in München lebend.
Lit.: J. Kirchner, 1919 (2. Aufl. 1924; m. Selbstbiogr. H.s).

Heda, Willem Claesz, niederl. Maler, Haarlem 1594 bis um 1680 ebda., gehört zu den besten holländ. Stillebenmalern des 17. Jh., malte Frühstückstische mit silbernen u. zinnernen Gefäßen, Römern, Pasteten u. Früchten, alles auf weißem Tischtuch vor grauem Hintergrund, von kühlgrauem oder silbrigem Gesamtton getragen, gehört zur Gruppe des → Kalff, beeinflußt von P. → Claesz. Werke in Amsterdam, Den Haag, Aachen, Berlin, Budapest, Hamburg, Karlsruhe, Köln, Leipzig, München, London, Dresden u. a.

Heem, Jan Davidsz de, niederl. Maler, Utrecht 1606 bis um 1683 Antwerpen, berühmter holländ. Blumen- u. Früchtestilleben-Maler, tätig in Utrecht u. Antwerpen. In s. Stil von F. → Snyders u. J. van → Huysum beeinflußt. H. ist in den meisten größeren Gal. vertreten, sehr gut in Dresden (mit 10 Werken). Sein Sohn *Cornelis*, 1631–1695, setzte s. Werk fort;

er ist ebenfalls in den meisten öffentl. Gal. vertreten. Lit.: Wurzbach, *Niederl. Kstlerlex.* Oldenbourg, *Fläm. Malerei*, 1918.

Heemskerck, Egbert van, niederl. Maler, Haarlem um 1634–1704 London, Schüler des P. de → Grebber, malte außer Versuchungen des hl. Antonius, Hexenszenen u. dgl. Genredarstellungen, bes. lustige Gesellschaften, in der Art von → Brouwer, tätig im Haag, in Amsterdam u. in England. Beisp.: *Der Richterspruch; Bauerntanz in einer Wirtschaft*, Kopenhagen, Mus. H. ist in vielen Gal. vertreten.
Lit.: A. v. Wurzbach, *Niederl. Künstlerlex.*, 1906. G. J. H. in: Th.-B. 1923.

Heemskerck, Maarten van, niederl. Maler, Heemskerck b. Haarlem 1498–1574 Haarlem, Vertreter des niederl. Romanismus, Schüler des J. van → Scorel, tätig in Haarlem; röm. Aufenthalt 1532–1535 (dort von der Kunst → Michelangelos beeindruckt). Werke: *Kreuzabnahme Christi*, 1559–1560, Brüssel, Mus.; *Lukas, die Madonna malend*, 1532, Haarlem, Mus.; *Beweinung Christi*, 1566, Delft, Rathaus; *Kreuzigung*, 1543, Gent, Mus.; *Bildnis s. Vaters*, 1532, New York, Metrop. Mus.; *2 Skizzenbücher* (mit Zeichnungen nach der Antike), Berlin, Kupferst.-Kab.
Lit.: L. Preibisz, 1911. *Die röm. Skizzenbücher des M. v. H. im Kupferstichkabinett zu Berlin*, 1913–1916, hg. v. Hülsen u. Egger. Hoogewerff in: Th.-B. 1922. M. J. Friedländer, 1936.

Hees, Gerrit van, niederl. Maler, † 1670 Haarlem, bedeutender Nachahmer J. v. → Ruisdaels und → Hobbemas, mit deren Bildern die seinen oft verwechselt werden. Er malte mit Vorliebe Dünenlandschaften mit hohen alten Bäumen; einsame Bauernhütten u. ä.; das Licht konzentrierte er auf einzelne Stellen im Bilde. H. ist u. a. vertreten in den Mus. von: Wien (Akad.), Haarlem, Bonn, Hamburg, Lille, Rennes, Leningrad, Stockholm.

Hegenbarth, Josef, dt.-böhm. Graphiker u. Maler, * Böhm.-Kamnitz 1884, Schüler der Dresdner Akad., Meisterschüler von G. → Kuehl, betätigte sich vor allem als Illustrator, seit 1925 Mitarbeiter der « Jugend» u. des «Simplizissimus», seit 1945 des «Ulenspiegel», seit 1947 Leiter einer Illustrationsklasse der Akad. Dresden. H. interpretierte mit Vorliebe Märchen- u. Sagenstoffe, illustrierte viele Bücher, gab Mappenwerke heraus, Zeichnungen aus der Welt des Zirkus u. des Variétés; auch Bilder in Tempera, Leimfarbentechnik u. Guaschen. Er gehört zu den bedeutendsten Illustratoren der Gegenwart (wird mit → Kubin u. → Slevogt etwa zusammengenannt). Mappenwerke: *Strindberg-Phantasien*, Rad., 1929; *Salammbô*, Rad., 1921. *Im Zoo*, ein Bilderbuch, Text v. Hirzel, 1947.

Lit.: J. Reichelt, 1925. W. Grohmann, 1948. M. Schwimmer, *J. H., Pinsel- u. Federzeichn.*, 1950. B. Jasmand, *J. H. als Illustrator.* Verz. d. ges. ill. Werkes, 1955 (mit Lit.-Verz.). Vollmer, 1955.

Hegi, Franz, schweiz. Zeichn. u. Radierer, Lausanne 1774–1850 Zürich. Einige s. Radierungen gehören zu den hervorragenden Leistungen der Zeit: *Vignetten zu Matthissons Erinnerungen; Stiche für den Helvet. Almanach; 26 Kupfer zur Badenfahrt des David Hess* (Neudruck 1921).
Lit.: *Leben u. Werke*, hg. v. J. Notz, 1906. Ders. in: Brun, Schweizer Künstlerlex., 1908.

Heide, Henning von der → Heyde, Henning von der.

Heideloff, Karl Alexander, dt. Arch., Stuttgart 1788 bis 1865 Haßfurt, Vertreter des neugot. Stils, der zahlreiche Kirchen Nürnbergs restaurierte (Sebalduskirche, St. Lorenz, St. Ägidien u. a.), viele dt. Schlösser wiederherstellte, auch als Maler (in s. Frühzeit) u. als Bildhauer tätig war; errichtete selber Schloßbauten im hist. Stil: *Reinhardsbrunn* u. a.

Heiliger, Bernhard, dt. Bildhauer, Zeichner u. Aquarellist, * Stettin 1915, Schüler von R.→ Scheibe, 1938–39 in Paris, Begegnung mit → Despiau u. → Maillol, später wohl auch von H. → Moore u. a. beeinflußt. Seit 1949 Prof. an der Hochschule für bildende Künste, Berlin. In vielen dt. u. ausländ. Slgn. vertreten.
Lit.: K. L. Skutsch in: Zeitschr. f. Kunst 4, 1950. H. Th. Flemming in: Die Kunst u. das schöne Heim 55, 1956/57. Vollmer, 1955. M. Seuphor, *Plastik unseres Jh.*, 1959.

Heimsuchungsmeister, Meister der Bamberger Heimsuchung, auch *Meister des Bamberger Reiters* gen., dt. Bildh. d. 13. Jh., tätig um 1230–37 in Bamberg, Haupt der jüngeren Bamberger Werkstatt, schuf vom plastischen Schmuck d. Domes: die Figuren der *Maria und der Elisabeth* (Heimsuchungsgruppe) an Pfeilern des Georgenchores; den *Reiter* an einem Pfeiler, ebda.; die Statue des *Lachenden Engels*, ebda. (der Statue des hl. Dionysius zugeordnet). Der Meister war offenbar in Reims ausgebildet worden und hatte am Statuenschmuck der dortigen Kathedr. mitgearbeitet. Die Gruppe der Heimsuchung knüpft an die Reimser an, steigert aber alle Anregungen ins Expressive: die Elisabeth wurde früher als Sibylle angesehen; der Reiter, für den die verschiedensten Benennungen vorgeschlagen wurden, gilt als lebensvollste Verkörperung des idealen Ritters. Der H. ist als der größte dt. Plastiker d. frühen M. A. anzusehen.
Lit.: A. Weese, *Die Bamberger Domskulpturen*, 1897. G. Dehio, *Der Bamberger Dom*, 1924 (⁴1941). Ders.,

Geschichte d. dt. Kunst 1, ⁴1930. H. Jantzen, *Dt. Bildh. d. 13. Jh.*, 1925. H. Beenken, *Bildwerke des Bamberger Domes*, 1934. W. Pinder, *Der Bamberger Dom*, 1927. Ders. u. W. Hege, *Der Bamberger Dom*, ³1935. Th.-B. (Meister d. Heimsuchung), 1950.

Heine, Thomas Theodor, dt. Zeichner u. Maler Leipzig 1867–1948 Stockholm, Meister von Karikaturen, zeitsatirischen Zeichnungen u. für Buchschmuck, Schüler der Düsseldorfer Akad., tätig in München u. Dießen am Ammersee, emigrierte 1933, zuerst n. Prag, Brünn, Oslo, seit 1942 in Stockholm, beschäftigte sich seit 1895 mit Buchillustration u. künstlerischem Buchschmuck, begründete 1896 mit Albert Langen die illustrierte Wochenschrift «Simplizissimus», für welche H. einer der bedeutendsten Mitarbeiter wurde. H. entwickelte einen schlagkräftigen Umrißstil; war zeitweilig Hauptvertreter der Buchillustration des Jugendstils. Graph. Mappenwerke: *Bilder aus dem Familienleben; Torheiten.* Autobiograph. Roman: «Ich warte auf das Wunder», 1945.
Lit.: E. Hölscher in: Das Buchgewerbe 3, H. 4, 1948. K. H. Salzmann in: Aufbau 14, 1948. Vollmer, 1955. *Ausst.-Kat. Aufbruch z. mod. Kunst*, München 1958. *Ausst.-Kat. sources du XXᵉ siècle*, Paris 1960/61.

Heinlein, Heinrich, dt. Maler, Weilburg 1803–1885 München, seit 1832 in München, zählt – neben → Rottmann u. Ch. → Morgenstern – zu den besten Vertretern der älteren Münchner Landschaftsmalerei. H. bevorzugte Motive aus den Bayerischen Alpen in poetischer Auffassung, mit rauschenden Wasserfällen, starken Beleuchtungsgegensätzen u. ä. In vielen öffentl. Gal. vertreten, u. a. in Wien (Akad.), Braunschweig, Berlin, Chemnitz, Hannover, Karlsruhe, Leipzig, Mainz, Mannheim, München, Stuttgart.
Lit.: Th.-B. 1923.

Heintz (Heinz), Joseph, d. Ä., schweiz. Maler, Basel 1564–1609 Prag, Vertreter des internationalen manierist. Zeitstils, vermutlich Schüler von H. → Bock d. Ä., 1584–87 in Rom, dort Schüler von H. v. → Aachen, 1581 von Kaiser Rudolf II. als Kammermaler nach Prag berufen. Tätig auch in Graz, Innsbruck u. Augsburg. H. schuf vor allem mythol. u. bibl. Bilder sowie Porträts. In s. Stil von Aachen beeinflußt.
Werke: *Satyrn mit Nymphen*, 1599, München, A. P. *Raub der Proserpina*, Dresden, Gal. *Diana u. Aktäon*, Wien, Kunsthist. Mus. *Venus u. Adonis*, ebda. *Gruppenbildnis*, Bern, Kunstmus. Vertreten in: Augsburg, Dresden, Freiburg i. Br., Graz, Wien u. a.
Lit.: R. A. Peltzer in: Th.-B. 1923. W. Drost, *Barockmalerei* (Handb. d. K. W.), 1926. G. Glück, *Kunst d. Renaiss.* (Propyläen K.-Gesch.), 1928. E. Gradmann/A. M. Cetto, *Schweiz. Mal. u. Zeichn. im 17. u. 18. Jh.*, 1944.

Heinzelmann, Konrad → Roritzer.

Heldt, Werner, dt. Maler u. Graphiker, Berlin 1904 bis 1954 Sant' Angelo auf Ischia, vom Kubismus u. Surrealismus beeinflußter Meister, der aber stets Fühlung mit dem Naturvorbild behielt. In zunehmender Abkürzung werden die Vorstadthäuser u. Straßen Berlins zu bloßen Chiffren. «Leere, Vereinsamung u. Angst klingt dem Betrachter aus s. nackten Straßen, Plätzen u. Fensterausblicken entgegen» (W. Grohmann).
Lit.: Die Kunst u. d. schöne Heim 48, 1950/51. Vollmer, 1955. G. Händler, *Dt. Maler d. Gegenw.* W. Grohmann in: *Neue Kunst nach 1945* (Du Mont Schauberg), 1958.

Helleu, Paul-César, franz. Maler u. Graphiker, Vannes 1859–1927 Paris, vor allem bekannt durch s. Darstellungen eleganter Pariserinnen, namentlich in Kaltnadelrad. (H. arbeitete mit dem Diamanten auf blankem Kupfer). Neben Bildnissen, Interieurs u. Stilleben hat er auch einige feine Landschaftsstudien geschaffen. Er arbeitete meist in Pastell. An Bildnissen eleganter Damen u. von Kindern werden ca. 1500 Nrn. gezählt; er schuf auch Lithos. Zu seinen besten Radierungen gehören: *La cigarette; La dame à la tocque; Les lionnes; Am Kamin; Les Watteaus au Louvre.* Gemälde: *Vitraux de Saint-Denis*, Boston, Mus. *Versailles*, Paris, Luxembourg. Bildnisse: *Whistler; de Goncourt; R. de Montesquiou; La Duchesse de Marlborough.* H. ist mit Graphik in allen größeren Kabinetten vertreten.
Lit.: R. de Montesquiou, 1913. E. de Goncourt, *Cat. des pointes sèches de H.*, 1898. Singer, *Mod. Graph.*, 1914. F. Wedmore, o. J. Ders., *Etching in England*, 1895. H. W. S. in: Th.-B. 1923.

Helst, Bartholomäus van der, niederl. Maler, Haarlem 1613–1670 Amsterdam, Hauptmeister des Porträts in Amsterdam, Schüler des Nik. Elias, von F. → Hals u. → Rembrandt beeinflußt, später nach van → Dyck; in Amsterdam tätig; malte Einzelbildnisse u. Schützenstücke; reich vertreten in Amsterdam, Rijksmus. Werke: *Kompanie des Hauptmanns Bicker*, 1643, Amsterdam, Rijksmus. *Friedensmahl der Schützen*, 1648, ebda. *Die Vorsteher der St. Sebastiansschützen*, 1653, ebda. *Selbstbildnis*, 1657, Florenz, Uff.
Lit.: I. de Gelder, 1921.

Hemessen (Hemmessen), Jan van, eig. Jan Sanders, niederl. Maler, Hemessen b. Antwerpen um 1500 bis um 1566 vermutlich Haarlem, Meister des Sittenbildes, beeinflußt von → Massys u. → Gossaert, gehörte der romanist. Richtung der niederl. Kunst an u. studierte die Italiener. Werke: *Die Wechsler*, 1536, München, A. P. *Die Steinschneider*, Madrid, Prado. *Berufung des Matthäus*, 1537 u. 1548,

Wien, Kunsthist. Mus. Vertreten auch in den Mus. v. Schleißheim, Hampton Court, Leningrad, Stockholm u. a.
Lit.: F. Graefe, 1909. M. J. Friedländer, *Altniederl. Malerei* 12, 1935.

Hemmel v. Andlau, Peter → Andlau, Peter Hemmel v.

Hendschel, Albert, dt. Zeichner u. Maler, Frankfurt 1834–1883 ebda., veröffentlichte eine Reihe Zeichnungen unter dem Titel «*Aus A. H.s Skizzenbuch*», 1871–94: humorist. kleine Szenen aus dem Volksleben, aus der Kinderwelt u. dem Alltagstreiben.

Hengeler, Adolf, dt. Maler u. Illustrator, Kempten 1863–1927 München, tätig in München (seit 1912 Prof. der Akad.), hat als Mitarbeiter der «Fliegenden Blätter» humorvolle Karikaturen gezeichnet, seit 1910 fast ausschließlich als Maler tätig: dekorative Wandmalereien an Häusern in Murnau u. im Rathaussaal v. Freising u. a.

Henneberg, Rudolf, dt. Maler, Braunschweig 1826 bis 1876 ebda., Meister der romant.-historisierenden Richtung des 19. Jh., Schüler der Akad. von Antwerpen, von → Couture in Paris, wo er bis 1861 blieb, von der jungen romant. Schule beeinflußt. 1861–63 in Italien, 1866–73 in Berlin, später meist in Rom lebend, malte Stoffe aus der Dichtung u. Geschichte in romant.-theatralischer Bildgestaltung: *Wilder Jäger* (n. Bürger), 1856, Berlin, ehem. Nat. Gal. *Die Jagd nach dem Glück*, 1868, ebda. u. Wiederholung in München, Schack-Gal. Vertreten in Braunschweig, Mus.; München, Schack-Gal.; Berlin, Nat. Gal.; in den Mus. v. Halle, Breslau, Prag u. a.
Lit.: H. Vollmer in: Th.-B. 1923.

Henner, Jean-Jacques, franz. Maler, Bernviller (Bernweiler) 1829–1905 Paris, Vertreter des historisierenden akadem. Stils s. Zeit, Schüler von → Drolling u. → Picot, beeinflußt von → Prud'hon, studierte bes. → Correggio u. die Venezianer. H. war beliebt für s. weibl. Akte in stimmungsvoller Landschaft u. für s. Damenbildnisse.
Hauptwerke in Paris, Luxembourg u. Pal. des B.-Arts; vertreten in vielen franz. Mus.; Minneapolis, Chicago.
Lit.: H. Soubiès, 1905. H. J. Benner, 1908. L. Loviot, 1912. H. Vollmer in: Th.-B. 1923. Bénézit, 1951.

Henri de Bouvignes → Bles, Herri met de.

Henry, George, engl. Maler, Ayrshire 1859–1943 London, Vertreter der schott. Malerschule von Glasgow, von den Meistern der Schule von → Bar-

bizon (→ Corot u. a.) beeinflußt, später auch von den franz. Impressionisten, haupts. Landschaftsmaler, schuf auch Genrebilder u. ging später beinahe ganz zur Porträtmalerei über. Vertreten in den Gal. v. Glasgow, Edinburgh, Kapstadt, Montreal u. a.

Hensel, Wilhelm, dt. Maler, Trebbin 1794–1861 Berlin, seit 1828 Prof. der Akad. u. Hofmaler in Berlin, malte Historienbilder u. kirchliche Werke; ferner Bildnisse u. Bildniszeichnungen (über 1000 Bl.), sowie Radierungen zu Dichtungen von Tieck.

Henseler, Ernst, dt. Maler, * Wepritz (Neumark) 1852, Schüler der Berliner u. Weimarer Kunstschule, malte Landschaften aus s. märkischen Heimat, Genrebilder aus dem Leben der märkischen Bauern u. Bildnisse. Auch Illustrator.

Henstenburgh (Hengstenburgh), Herman, niederl. Maler u. Zeichner, Hoorn 1667–1726 ebda., malte Blumen- u. Fruchtstücke (meist auf Pergament) in lebhaften Farben; als Beiwerk Vögel, Schmetterlinge, Käfer usw. mit großer Naturtreue. H. fertigte auch aquarellierte Zeichnungen (Vögel u. Landschaften) an nach Stichen v. Pieter Holstein.
Lit.: A. v. Wurzbach, *Niederl. Kstler.Lex.*, 1906.

Hepplewhite, George, engl. Kunsttischler, † London 1786; mit dem Namen H. wird ein engl. Möbelstil bezeichnet, der vielleicht von H. ausging, aber von mehreren Werkstätten entwickelt wurde. Er stand zuerst unter dem Einfluß von → Adam u. → Chippendale u. entwickelte sich dann dem schwerfälligeren Chippendale-Stil gegenüber zu größerer Leichtigkeit u. Eleganz, wohl unter dem Einfluß der franz. Möbelkunst.

Hepworth, Barbara, engl. Bildhauerin u. Zeichnerin, * Wakefield 1903, tätig in St. Ives, Cornwall, Hauptvertreterin der mod. engl. Kunst abstrakter Richtung. In ihrer Kunst H. → Moore verwandt. B. H. ist verheiratet mit dem Maler B. → Nicholson.
Lit.: C. Giedion-Welcker, *Plastik des 20. Jh.*, 1955. Vollmer, 1955. A. M. Hammacher, 1957. *Neue Kunst nach 1945*, hg. v. W. Grohmann, 1958. M. Seuphor, *Plastik unseres Jh.*, 1959.

Herbig, Otto, dt. Maler u. Lithograph, * Dorndorf a. d. Werra 1889, Schüler von L. → Corinth in Berlin u. von → Egger-Lienz in Weimar, seit 1945 Prof. an der Akad. in Weimar, schuf Landschaften (bes. südital.), Blumenstücke, Kinderbilder, Bildnisse in Öl, Pastell u. Zeichnungen. Vertreten in Berlin, Nat. Gal.; Lübeck, Mus.; Detroit, Mus. (Pastell). Mappenwerk: *Welt des Kindes*, 1940.
Lit.: Vollmer, 1955.

Herbin, Auguste, franz. Maler, * Quiévy (Nord) 1882, † 1960, führender Vertreter der franz. abstrak-

ten Kunst, um 1902 in Paris, anfänglich von den → Fauves, dann von den Kubisten beeinflußt, ging später zur Abstraktion über, Mitglied der Gruppe «Abstraction-Création» (1932 begr.). Für H. sind Farben bestimmte, nicht auswechselbare Kräfte der Gefühls- u. Gedankenwelt. Bezeichnend folgende Werktitel: Composition sur le mot «Jaune»; Composition sur le mot «Oiseau»; usw. Ähnlich auch s. Formtheorie, die als «geometrischer Symbolismus» bezeichnet worden ist. Er schrieb: «Art non figuratif, non objectif», 1949.
Lit.: J. Busse in: Bénézit, 1951. Vollmer, 1955. M. Seuphor, *Knaurs Lex. abstr. Mal.*, 1957.

Herbst, Adolf, schweiz. Maler u. Zeichner, * Emmen 1909. Autodidaktisch gebildet in Paris nach abgeschlossenem Studium der Architektur an der Eidg. Techn. Hochschule, kehrte H. 1939 nach Zürich zurück. In s. Malerei Entwicklungsstufen: das Umrißhafte, Gegenständliche der Zeichnung in den ersten Werken: *14 Juillet*, 1937, *Pariser Banlieue*, 1938, ist später nur noch Farbträger: *Der Maler*, 1948. H. bevorzugt u. a. Dunkelblau, Violett, kontrastierend mit lebhaftem Orange u. Grün u. stellt ganz auf Farbelemente ab: *Blaue Stunde. Vor dem Fest. Verhängte Fenster*, 1955. Werke in den Mus. Bern, Luzern, Zürich usw.; Paris, Mus. d'art mod. Sgraffito-Wandbilder in Emmen (Schulhaus) u. Emmenbrücke (Viscosefabrik), 1956.
Lit.: Schweiz. Künstlerlex. 20. Jh.

Herbst, Hans → Herbster, Hans.

Herbst, Thomas, dt. Maler, Hamburg 1848–1915 ebda., Schüler von Jakob Becker in Frankfurt, → Steffeck in Berlin u. Verlat in Weimar, ging nach Paris u. München; seit 1884 in Hamburg tätig. H. schuf Landschaften mit Tierstaffage, beeinflußt von den Meistern der Schule von → Barbizon, bes. von →Troyon, später v. den Impressionisten. H. war mit → Liebermann befreundet u. begleitete ihn nach Paris u. München. Hauptthemen: Kühe u. Kälber auf der Weide oder in Hohlwegen; Pferde in der Schwemme, Gespanne auf der Dorfstraße u. ä. H. ist sehr gut vertreten in der Kunsth. Hamburg.
Lit.: F. Ahlers-Hestermann in: Th.-B. 1923.

Herbster (Herbst), Hans, dt.-schweiz. Maler, Straßburg 1468–1550 Basel, wo er seit 1492 tätig war, scheint der Lehrer von A. u. H. → Holbein d. J. gewesen zu sein. Er ist uns bekannt durch das schöne Brustbild, welches A. Holbein von ihm machte, dat. 1516, Basel, Mus. Es ist bisher nicht gelungen, ihm sichere Werke zuzuschreiben. Eine *Karlsruher Kreuztragung*, mit Signatur H. H. 1515, könnte von ihm sein u. weitere Werke wären daran anzuschließen. Sein Sohn war unter dem latinisierten Namen Johann Oporinus als Verleger bekannt.

Lit.: H. Koegler in: Th.-B. 1923. A. Reinle in: Kunstgeschichte d. Schweiz v. J. Gantner u. A. Reinle 3, 1956. *Ausst.-Kat. Malerfam.* |*Holbein*, Basel 1960.

Héré de Corny, Emmanuel, franz. Arch., Nancy 1705–1763 Lunéville, bedeutender Meister des franz. Rokoko, Schüler von → Boffrand, wurde Hofarch. von Stanislas Lesczynski (der für die poln. Krone mit dem Herzogtum Lothringen entschädigt wurde). H. hat außerordentlich viele Bauten, Platzanlagen, Straßenzüge usw. in Nancy geschaffen, wovon das meiste nur noch in Bruchstücken erhalten ist. Die Gestaltung der *place Royale*, der *place Carrière*, der *place Stanislas* usw. gehen auf s. Entwürfe zurück. H. schuf ferner Kirchen, Schlösser u. auch die Inneneinrichtung vieler Schlösser. Viele s. Schöpfungen gehören zum leichtesten, zartesten Rokoko.
Lit.: Pr. Morey, 1863. Pfister, *E. H. et la place Stanislas*, 1906. A. E. Brinckmann, *Baukunst d. 17. u. 18. Jh.* (Handb. d. K. W.), 1922.

Hering, Loy, dt. Bildhauer, Kaufbeuren um 1484 bis um 1554 Eichstätt, Hauptmeister der dt. Frührenaissance in Oberdeutschland, Schüler von H. → Beierlein in Augsburg, tätig ebda. u. seit 1513 in Eichstätt, schuf neben Kleinskulpturen vor allem Grabplastiken u. Kruzifixe. In s. Stil geht er von Beierlein aus, wandte sich aber entschieden der Renaissance zu, beeinflußt von der Augsburger Renaissancekunst u. vor allem auch von → Dürer, nach dessen Holzschnitten er vielfach – wie auch andere Meister der Zeit – arbeitete. Sein Hauptwerk: *Denkmal des hl. Willibald*, mit der lebensgroßen Sitzfigur des Heiligen, 1514 voll., Eichstätt, Dom. H. hat außerordentlich viele Epitaphien in Relieform geschaffen: das der *Margarete von Eltz*, 1519, Boppard, Karmeliterkirche; des *Truchsessen von Witzhausen*, 1524, Wien; des *Herzogs Erich von Braunschweig*, 1527, Münden, St. Blasienkirche. Viele Epitaphien in Eichstätt, Dom u. a. Ferner Wandelaltäre, Kruzifixe u. a.
Lit.: F. Mader, 1905. L. Bruhns in: Th.-B. 1923. G. Dehio, *Gesch. d. dt. Kunst* 3, 1926. E. Kahl, *Dürer-Nachf. in d. Reliefplastik*, 1940.

Herkomer, Sir Hubert v., dt.-engl. Maler, Graphiker u. Kunstgewerbler, Waal b. Landsberg am Lech 1849–1914 Budleigh-Salterton, Meister des Bildnisses u. der realist. Darstellung, arbeitete sich aus einer kleinen bayerischen Handwerkerfamilie zu großem Ruhm empor, wurde einer der beliebtesten engl. Porträtmaler, versammelte viele Schüler um sich in Bushey, wo er 1883–1904 eine Kunstschule leitete. Als Maler des Realismus hat er Bedeutendes geleistet, auch feine Porträts geschaffen, später aber öfters verflacht. Realistisch-erzählende Bilder: *Der Gottesdienst der Invaliden von Chelsea*, 1875, London,

Nat. Gall. Milbank. *Streik*, London, Royal Acad. of Art. Bildnisse: *Rich. Wagner*, 1877. *Die Dame in Weiß (Miss Grant)*, 1885. *Die Dame in Schwarz*, 1888, Leeds, Gal. *The Council of the Royal Academy*, 1908, London, Tate Gall.
Lit.: A. L. Baldry, 1901. J. S. Mills, 1923.

Herle, Wilhelm → Wilhelm v. Köln.

Herlin, Friedrich, dt. Maler, Rothenburg um 1435 bis um 1500 Nördlingen, Hauptvertreter der oberdt. Malerei 2. Hälfte 15. Jh., nachweisbar in Nördlingen seit 1461, stand wie die meisten dt. Maler s. Generation stark unter dem Einfluß der niederl. Kunst, bes. der R. van der → Weyden u. D. → Bouts. Hauptwerke: *Hochaltar der Jakobskirche* in Rothenburg, 1466–67: außen Szenen aus der Legende des hl. Jakobus; innen: Szenen aus dem Marienleben. *Hochaltar der Blasiuskirche* zu Bopfingen, 1472. *Hochaltar der Georgskirche* zu Nördlingen, 1477–78: Szenen aus dem Leben Christi u. des hl. Georg.
Lit.: F. Haack, 1900. Buchner in: Münchner Jb. f. d. bild. K., 1923. K. Martin in: Münchner Jb. f. bild. Kunst, N. F. 2, 1951. G. Wulz in: Histor. Jb. f. Nördlingen u. d. Ries, 14, 1952. W. Pinder, *D. dt. Kunst d. Dürerzeit*, 1953. A. Stange, *Dt. Mal. d. Gotik* 8, 1957.

Hernandez (Fernandes), Gregorio, span. Bildhauer, Santiago um 1576–1636 Valladolid, dort seit 1605 nachweisbar. H. schuf viele kirchliche Skulpturen, hatte ein großes Atelier u. beschäftigte zahlreiche Gehilfen. Der nationalspan. Bildhauerkunst des 17. Jh. gab er das Gepräge; er überwand den Manierismus, legte s. Kunst das klass. Schönheitsideal zugrunde, huldigte zugleich aber einem starken Verismus mit bemalten Figuren, gläsernen Augen usw., der in der Folgezeit für die span. kirchliche Kunst charakteristisch wurde. Hauptwerke: reich vertreten in Valladolid, Mus.: *Pietà* aus Holz. *Hl. Teresa*, 1627. *Taufe Christi*, Relief. Ferner: *Toter Christus*, 1605 Madrid, Prado.
Lit.: I. Marti y Monso, *Estudios hist.-art. relativos a Valladolid*, 1898 ff. A. L. Mayer in: Th.-B. 1915. B. H. Gilman, 1926 (engl.). R. de Orueta, 1920. G. Weise, *Span. Plastik* II, 1927. F. Baumgart, *Gesch. d. abendländ. Plastik*, 1957.

Herold, Johann Gregor → Höroldt, Johann Gregor.

Herrera, Francisco, gen. el Viejo (d. Ältere), span. Maler, Sevilla 1576–1656 Madrid. Gebildet unter dem Einfluß des → Roelas, haupts. in Sevilla, v. 1650 an in Madrid tätig. Bedeutender Meister der realist. Sevillaner Schule. Besonders berühmt als Genremaler. In s. Bodegones, Sittenbilder aus dem span. Volksleben, ist er Vorläufer v. → Velazquez. In s. späteren Zeit ließ er venez. Werke auf sich

wirken u. verband deren Malweise mit s. Realismus. Hauptwerke: *Ausgießung des hl. Geistes*, Toledo, Greco-Mus. *Jüngstes Gericht*, Sevilla, S. Bernardo. *Hl. Hermenegild*, vor 1624, Sevilla, Mus. *Hl. Gregor*, Madrid, Prado. *Hl. Basilius*, Paris, Louvre. Genrebilder: *Der blinde Musikant*, Wien, Slg. Czernin. *Der Idiot*, Avignon, Mus.
Lit.: A. L. Mayer, *Die Sevillaner Malerschule*, 1911. Ders. in: Th.-B. 1923. E. Lafuente Ferrari, *Breve Hist. de la Pint. Españ.*, 1953.

Herrera, Francisco, gen. el Mozo (d. J.), span. Maler u. Arch., Sevilla 1622–1685 Madrid, malte religiöse Bilder im hochbarocken Stil; Sohn von Francisco → H. d. Ä., war mehrere Jahre in Rom u. wurde 1672 Hofmaler Philipps IV.
Werke: Kuppelfresko der *Himmelfahrt Mariä*, Madrid, Atochakirche. Bilder: *Triumph des hl. Sakramentes*, 1656, Sevilla, Kathedrale. *Apotheose des hl. Hermenegild*, Madrid, Prado.
Lit.: A. L. Mayer, *Die Sevillaner Malerschule*, 1911.

Herrera, Juan de, span. Architekt, Mobellan (Asturien) um 1530–1597 Madrid, Schüler u. seit 1567 Nachfolger des Juan Bautista de → Toledo am Escorial. Seit 1571 Hofarch. Philipps II. u. Oberaufseher der königl. Bauten. H. entwickelte seine Bauweise in Reaktion gegen den schmuckreichen plateresken Stil. Ausgehend v. der ital. Renaissance brachte er mit s. klass. schmucklosen Stil den asketischen Charakter Kastiliens zu starkem Ausdruck: dem «Desornamentado-Stil», der sich indes nicht lange hielt.
Werke: Sein Hauptwerk ist das Kloster *El Escorial*, 1563 von Juan Bautista de Toledo beg., 1567 nach H.s Plänen weitergeführt, 1584 in den Hauptteilen voll. 1585 entwarf H. die *Kathedrale von Valladolid*, die aber nicht von ihm fertiggestellt wurde. Nach s. Plänen die *Börse* von Sevilla, 1583–98, *Südfassade des Alcázars von Toledo; Stadthaus*, ebda.
Lit.: O. Schubert, *Gesch. d. Barock in Spanien*, 1908. A. L. Mayer in: Th.-B. 1923. N. Pevsner, *Europ. Architektur*, 1957.

Herreyns, Willem Jacob, niederl. Maler, Antwerpen 1743–1827 ebda., gründete 1772 die Akad. in Mecheln, war später Prof. der Akad. Antwerpen. Er malte religiöse u. hist. Darstellungen u. Bildnisse. Gegenüber der franz.-klassizist. Richtung der niederl. Malerei vertrat er die sich an die heimatliche Kunst anlehnende Strömung, u. zwar ging er besonders auf → Rubens zurück. H. ist vertreten in Kirchen in Antwerpen, Brüssel u. a.; in den Mus. v. Antwerpen, Brüssel, Löwen, Mecheln; ferner in Cambridge, Fitzwilliam Mus. u. Köln, Wallraf-Richartz-Mus.
Lit.: Th.-B. 1923.

Herri met de Bles → Bles, Herri met de.

Herrmann, Hans, dt. Maler, Berlin 1858–1942 ebda., impressionist. Landschaftsmaler, auf den Akad. von Berlin u. Düsseldorf gebildet, schuf Landschaftsbilder u. Genreszenen. Beisp.: *Fischerdorf*, Berlin, Nat. Gal. *Alte holl. Stadt*, Dresden, Gal. Lit.: Th.-B. 1923. Vollmer, 1955.

Herrmann, Kurt, dt. Maler, Merseburg 1854 bis 1929 Erlangen, Meister des Neoimpressionismus, Schüler von → Steffeck in Berlin. Zuerst in altmeisterlicher Art malend, seit etwa 1893 unter dem Einfluß der franz. Neoimpressionisten (→ Seurat u. → Signac), schuf lichtdurchflutete Landschaften u. Stilleben in lockerer heller Farbgebung.

Hertel, Albert, dt. Maler, Berlin 1843–1912 ebda., von Franz-Dreber (→ Dreber, Heinrich) u. Feuerbach beeinflußter Landschafter, 1863–67 in Rom. Später Lehrer der Akad. Berlin. Beisp.: *Küstenlandschaft bei Genua*, 1878, Berlin, Nat. Gal. Lit.: G. J. Kern in: Zschr. f. bild. Kunst, 1912.

Herter, Ernst, dt. Bildhauer, Berlin 1846–1917 ebda., akad. Berliner Meister, 1900–1906 Prof. der Akad., zu s. Zeit sehr beliebt, bes. für Bildnisstatuen. Schüler von Bläser u. Aug. Fischer, später Mitarbeiter von A. Wolff. Bekannteste Bildwerke: *Sterbender Achilles*, 1882, von der Kaiserin Elisabeth von Österreich für das Achilleion auf Korfu angekauft. *Loreleibrunnen*, ursprünglich als Heinedenkmal für Düsseldorf bestimmt, fand schließlich 1899 in New York Aufstellung. *Bildnisstatue der Kaiserin Elisabeth.* Lit.: G. Malkowsky, 1906.

Herterich, Ludwig v., dt. Maler, Ansbach 1856 bis 1932 Etzenhausen, Schüler von → Diez, seit 1884 Prof. der Akad. München, schloß sich der impressionist. Richtung an. Mit s. dekorativen Malereien im *Hauptrestaurant des Münchner Ausstellungsgebäudes*, 1908 u. im *Bremer Rathaus* versuchte er monumentale Aufgaben im neuen Geiste zu lösen; dabei schloß er sich dem venez. Barock (→ Veronese, → Tiepolo) an.

Hesdin, Jacquemart de, franz. Buchmaler, Ende 14. Jh., einer der bedeutendsten Miniaturisten s. Zeit, stand im Dienst des Herzogs v. Berry; ein Teil der Miniaturen der berühmten Handschriften: *Très belles heures*, Brüssel, Bibliothek u. *Les Grandes Heures*, Paris, Bibl. Nat., sind von ihm. Lit.: P. Durrieu in: Société franç. de reproduction de manuscrits à peint., 1922. H. Fierens-Gevaert, *Les très belles heures*, 1924. V. Leroquais, *Les livres d'heures de la Bibl. Nat.* I., 1927. G. Ring, *La peint. franç. du 15e siècle*, 1949 (Phaidon).

Hess, Heinrich Maria v., dt. Maler, Düsseldorf 1798–1863 München, Meister der dt. Romantik, malte religiöse Bilder im Stil der → Nazarener, 1821–26 in Rom, seit 1827 in München tätig; schuf außer religiösen Bildern auch bedeutende Bildnisse; ferner Glasmalereien u. Landschaften. Hauptwerke: *Grablegung*, 1817, München, Theatinerkirche. *Fresken der Allerheiligen-Hofkirche*, München, 1830–37. Glasmalerei: *Fenster für den Regensburger Dom*; für die *Aukirche*, München; den *Kölner Dom*. Porträts: *Marchesa Florenzi*, 1824, München, N. P. Lit.: W. R. Deusch, *Mal. d. dt. Romantiker*, 1937.

Hess, Karl Ernst Christoph, dt. Kupferstecher, Darmstadt 1755–1828 München, bekannt für schöne Wiedergaben von Gemälden → Rembrandts.

Hess, Peter v., dt. Maler, Düsseldorf 1792–1871 München, Pferde- u. Schlachtenmaler, Sohn des Kupferstechers K. E. Chr. → H., malte in der Art s. Lehrers A. → Adam Bilder aus den dt. u. griech. Befreiungskriegen, 1813–15 u. 1821–27. Außerdem liebenswürdige Genrebilder.

Hetsch, Gustav Friedrich, dt.-dän. Arch., Stuttgart 1788–1864 Kopenhagen, bedeutender Vertreter des Empire in Dänemark. In Paris ausgebildet u. in Kopenhagen tätig, wo er als Lehrer u. Leiter der kgl. Porzellanmanufaktur tätig war u. bedeutenden Einfluß auf die Entwicklung des dän. Stiles hatte. Hauptwerke: *Synagoge*, Kopenhagen, 1833; *Kathol. Kirche*, ebda., 1842.

Hetsch, Philipp Friedrich v., dt. Maler, Stuttgart 1758–1838 ebda., klassizist. Meister, war in Paris u. Rom, v. J. L. → David beeinflußt, wurde württemberg. Hofmaler, seit 1798 Direktor der herzogl. Gemäldegal. H. war der Vater des Archäologen Gustav Friedrich H. Lit.: W. Fleischhauer, J. Baum, St. Kobell, *Die schwäb. Kunst im 19. u. 20. Jh.*, 1952.

Hettner, Otto, dt. Maler, Graphiker u. Bildhauer, Dresden 1875–1931 ebda., studierte an der Kunstschule in Karlsruhe u. an der Acad. Julian, Paris, bis 1903 meist in Paris tätig, 1904–11 in Florenz, seit 1919 Prof. der Akad. Dresden. In s. Kunst von den franz. Neoimpressionisten ausgehend; erstrebte eine monumentale Gestaltung. → Cézanne, → Puvis de Chavannes u. H. v. → Marées wirkten auf ihn; als Plastiker von → Rodin beeinflußt. Monumentalgemälde: *Niobiden*, Dresden, Gal. *Sintflut*, Fresko, 1915–16 für den Kuppelsaal des Mus. Stettin. *Parnass*, gr. Wandfresko, 1917–19, ebda. Werke in Berlin, Nat. Gal. (*Hiob*, 1919); Wien, Mod. Gal.; Dresden, Stadtmus.; Stettin, Mus. *Buchillustrationen* zu: Kleist, Erdbeben in Chile, 1914; Cervantes, Galatea, 1922, u. a. Lit.: E. Sigismund in: Th.-B. 1923. Vollmer, 1955.

Heuss, Eduard v., dt. Maler, Oppersheim 1808 bis 1880 Bodenheim b. Mainz, zum Kreise der jüngeren → Nazarener gehörend.

Heyde, Henning von der, dt. Bildschnitzer, um 1490–1510 in Lübeck tätig, B. → Notke nahestehender Spätgotiker, der die *St. Jürgengruppe* von 1504 im Lübecker St. Annenmus. schuf, ferner die *Johannesfigur* in der Lübecker Marienkirche (1942 zerstört). *Fronleichnamsaltar,* 1496, Lübeck, St. Annenmus. Lit.: C. G. Heise, *Lübecker Plastik,* 1926, J. Roosval, 1936. W. Paatz, *Bernt Notke u. s. Kreis,* 1939.

Heyden, Jan van der, niederl. Maler, Gorkum 1637–1712 Amsterdam, hervorragender Landschafts- u. Architektur-Maler der Amsterdamer Schule, malte vor allem fein ausgeführte Ansichten von Städten, namentlich die Grachten, Plätze u. Bauten Amsterdams; die Staffagefiguren meist von andern gemalt (→ Lingelbach, A. van de → Velde, van der → Neer); in s. Stil von van de Velde beeinflußt. In vielen Gal. vertreten, u. a. in Amsterdam, Kassel, Dresden, Berlin, Paris, Frankfurt, London, Wallace Coll. u. Nat. Gall. Lit.: C. Hofstede de Groot, *Beschr. u. krit. Verzeichn.,* 8, 1923.

Heymans, Jozef, belg. Maler, Antwerpen 1839 bis 1921 Brüssel, Landschaftsmaler, Schüler von → Daubigny u. → Corot, deren Kunst er weiterführte.

Hia Kuei → Hsia Kuei.

Highmore, Joseph, engl. Maler, London 1692 bis 1780 Canterbury, Meister feiner Bildnisse u. von Genreszenen, die an → Hogarth erinnern, Schüler von G. → Kneller, in London tätig, bekannt bes. durch s. Folge von *Illustrationen zu Richardsons Roman* «*Pamela*», 1740; 2 davon in der Nat. Gall., London.

Hilberseimer, Ludwig, dt. Arch., * Karlsruhe 1885, Vertreter des «Neuen Bauens», bis 1928 in Berlin tätig, dann am Bauhaus Dessau, seit 1938 Prof. für Städtebau am Illinois Institute of Technology in Chicago.

Hildebrand, Adolf v., dt. Bildhauer, Marburg 1847 bis 1921 München, Hauptvertreter der neuklass. Richtung des ausgehenden 19. Jh., Schüler von K. → Zumbusch in München, lernte in Rom H. v. → Marées u. Konrad Fiedler kennen, die bestimmend auf s. Kunst einwirkten. Mit den beiden zus. vertritt er das Ideal einer neuen Einfachheit dem Neubarock gegenüber; einer Erhebung des Individuellen zum Allgemeinen; u. als Vorbilder der Kunst: die Antike u. die ital. Frührenaissance. H. schuf monumentale Brunnenanlagen, Denkmäler, Marmorstandbilder, Porträtbüsten, Reliefs, Pla-

ketten. Er war auch ein bedeutender Theoretiker; s. Erkenntnisse hat er niedergelegt in der Schrift: «Das Problem der Form in der bildenden Kunst», 1893. Werke: Monumentale Brunnenanlagen: Hauptwerk: der *Wittelsbacher Brunnen,* München. Marmorstandbilder: *Adam,* 1878, Leipzig, Mus. *Nackter Jüngling,* 1884, Berlin, früher Nat. Gal. Bildnisbüsten: *Konrad Fiedler,* 1890, Berlin, ehem. Nat. Gal. *Böcklin,* 1897, ebda. Reliefbildnisse: *Bismarckmedaille.* Plaketten: *Kopf Wilhelm Bodes.* Denkmäler: *Bismarck,* 1907 bis 1910, München; *Schiller,* 1909–11, Nürnberg. *Hubertusbrunnen,* München, voll. 1907. Lit.: A. Heilmeyer, 1922. W. Riezler in: Th.-B. 1924. W. Hausenstein, 1947.

Hildebrandt, Eduard, dt. Maler, Danzig 1818 bis 1869 Berlin, malte effektvolle exot. Landschaften, bes. in Aquarelltechnik, die er von seinen weiten Reisen heimbrachte, Schüler der franz. Schule (→ Isabey).

Hildebrandt, Johann Lukas v., österr. Arch., Genua 1668–1745 Wien, Hauptmeister des Wiener Hochbarock, Schüler von → Fontana, seit 1701 im kaiserlichen Dienst in Wien tätig. Neben der strengeren monumentalen Kunst → Fischers v. Erlach vertritt H. die festlich-heitere, von oberital. Einfluß her bestimmte Seite des Barock. Hauptwerk ist das für den Prinzen Eugen erbaute *Untere u. Obere Belvedere* in Wien, 1714–24, ein Sommerschloß u. das zugehörige Casino. Ferner: Umbau des *Schlosses Mirabell* in Salzburg, 1721–27, mit reizvoller Treppe. *Pal. Daun-Kinsky,* Wien, 1709–13. Ferner Pläne für die Bauten Schloß Pommersfelden u. Würzburg, Residenz, sowie Neubau der Wiener Hofburg. Lit.: B. Grimschitz, 1932. G. Dehio, *Gesch. d. dt. Kunst* 3, 1926. W. Pinder, *Dt. Barock* (Langewiesche). O. Kerber, *Von Bramante zu H.,* 1947. N. Pevsner, *Europ. Architektur,* 1957.

Hildebrandt, Theodor, dt. Maler, Stettin 1804 bis 1874 Düsseldorf, von der gleichzeitigen belg. Geschichtsmalerei beeinflußter Meister der Düsseldorfer Schule, Schüler von W. → Schadow, malte anekdotenhafte geschichtl. Stoffe wie: *Die Söhne Edwards IV. u. der Henker,* 1836 (mehrere Ex.). Ferner Bildnisse. Lit.: R. Hamann, *Dt. Malerei v. Rokoko z. Expression.,* 1925.

Hiller, Anton, dt. Bildh., * München 1893, Schüler von H. → Hahn an der Akad. München, gibt den, aus dem Holz- oder Steinblock geschlagenen Figuren starke Vereinfachungen, beeinflußt von archaischer Kunst. *Brunnen am Habsburger Platz* in München; Werke in München, Städt. Gal. u. Staatsgal.; Duisburg, Mus. u. a.

Lit.: P. Breuer, *Münchner Künstlerköpfe*, 1937. Vollmer, 1955.

Hilliard, Nicholas, engl. Maler, 1547–1619 London, hochgeschätzter Bildnisminiaturmaler, Hofmaler der Königin Elisabeth, der den Stil → Holbeins auf Miniaturen, auf dünnes Pergament gemalt, übertrug u. verfeinerte. Hauptwerke im Victoria und Albert Mus., London: *Elisabeth I., Selbstporträt,* 1577; Nat. Portr. Gall.: *Elisabeth,* 1572; Windsor Castle; Montagu House, London.
Lit.: J. Pope-Hennessy, 1949.

Hippodamos von Milet, griech. Arch., 5. Jh. v. Chr., berühmt für seine einheitlichen Stadtplanungen, welche auf die Stadtgründungen von Milet, Priene, Alexandria u. a. angewandt wurde. Überliefert ist s. Plan der Anlage der Hafenstadt Piräus: von rechtwinklig sich schneidenden Hauptstraßen zweigen regelmäßig Nebenstraßen ab. Die öffentlichen Gebäude planvoll eingefügt.

Hire, Laurent de la → La Hire, Laurent de.

Hiroshige, Andô, japan. Maler u. Holzschnittmeister, Edo (Tokio) 1797–1858 ebda., Hauptmeister des japan. Farbholzschnittes, Schüler von Utagawa Toyohiro, schuf haupts. Landschaften, in deren Behandlung sich europäischer Einfluß geltend macht, u. die ihrerseits auf die europäische – vor allem franz. – Kunst des ausgehenden 19. Jh. wirkten. Hauptwerk: *Die 53 Stationen des Tokaidô,* Vielfarbendrucke, 1834.
Lit.: O. Kümmel in: Th.-B. 1924. E. F. Strange, *The colour prints of H.,* 1925. Y. Noguchi, *H. and Japanese landscapes,* 1936. W. Exner, *H.s japan. Landschaftsbilder,* 1952.

Hirschvogel (Hirsvogel), Nürnberger Künstlerfamilie des 15. u. 16. Jh.; wichtigste Mitglieder: *Augustin* → H. u. *Veit* H., 1461–1525, Glasmaler, Meister einer bedeutenden Werkstatt, in welcher Glasmalereien haupts. nach Entwürfen von → Dürer u. H. v. → Kulmbach hergestellt wurden.

Hirschvogel (Hirsvogel), Augustin, dt. Graphiker, Glasmaler u. Töpfer, Nürnberg 1503–1553 Wien, Meister der → Donauschule, aus Nürnberger Künstlerfamilie, lernte die Glasmalerei in der Werkstatt s. Vaters Veit → H. (1461–1525) u. leitete ebda. eine Töpferwerkstatt, später ließ er sich als Kartograph in Wien nieder. Von ihm gibt es ca. 150 feine Landschaftsradierungen im Donaustil, ferner Bildnisse, Genreszenen, Wappen u. Ornamentblätter im Grotesken- u. Rollwerk-Stil. Die sog. *Hirschvogelkrüge,* Töpferwaren mit leuchtenden Lasuren u. Reliefdarstellungen in Renaissancestil nach ital.

Vorbildern, sind nicht sicher als Erzeugnisse s. Werkstatt nachzuweisen.
Lit.: K. Schwarz, 1917. Ders. in: Th.-B. 1924. W. Stengel in: Jb. f. Kunstwiss. II, 1924.

Hirth du Frênes, Rudolf, dt. Maler, Gräfentonna 1846–1916 Miltenberg am Main, Meister aus dem Kreise um → Leibl, Schüler der Münchner Akad., tätig in München, Dießen (Ammersee) u. Miltenberg (Leibl), beeinflußt von → Courbet, malte Landschaften u. Genrebilder. Werke: *Segelboot* (Leibl u. Sperl im Segelboot), Skizze, um 1874, Karlsruhe, Mus. *Hopfenlese,* 1870, Breslau, Mus. *Bildnis des Malers Schuch,* München, N. P. Bilder in Frankfurt, Hannover, Nürnberg u. a.
Lit.: G. J. Wolf, *Leibl u. sein Kreis,* 1923. O. L. in: Th.-B. 1924.

Hirtz, Hans, dt. Maler, seit 1421 in Straßburg erwähnt, † um 1462, wird mit dem → Meister der Karlsruher Passion identifiziert.
Lit.: L. Fischel, *Die Karlsruher Passion u. ihr Meister,* 1952.

Hittorf, Jacob Ignaz, franz. Arch., Köln 1792–1867 Paris, baute im historisierenden Stil des 19. Jh. vielerlei in Paris: *St-Vincent-de-Paul* (zus. mit Lepère), 1824–44, in Neurenaissance, den *Pariser Nordbahnhof,* 1861–65, u. a.
Lit.: Vollmer in: Th.-B. 1924. G. Pauli, *Kunst d. Klassizism. u. d. Romantik,* 1925.

Hitz, Dora, dt. Malerin, Altdorf 1856–1924 Berlin, Schöpferin feiner Kinder- u. Frauenporträts, Schülerin → Lindenschmits in München, von E. → Carrière u. den Impressionisten beeinflußt, 1878 bis 1882 u. 1886–1887 in Rumänien für die Königin Elisabeth (Carmen Sylva) tätig; von 1892 an in Berlin. Sie vertrat als eine der ersten in Deutschland den reifen Impressionismus. Werke: *Sitzendes Mädchen,* Berlin, Nat. Gal.; *Mädchen in Blumen,* 1891, Leipzig, Mus.; *Dame in Rot,* Nürnberg, Mus.

H. L., Meister H. L. (vielleicht Hans Loy?), dt. Bildschnitzer u. Graphiker, † wahrscheinlich 1533, Hauptmeister der letzten, ins Barock überschlagenden Phase des got. Stils. Datiertes u. signiertes Hauptwerk ist der *Hochaltar des Breisacher Münsters,* 1526, mit dem Mittelstück der Marienkrönung. Alles Plastische ist aufgelöst in ein wildes phantastisches Schnörkelwerk. Demselben Meister wird mit Sicherheit zugeschrieben: *Altar in Niederrottweil,* um 1530, u. *2 Johannesfiguren,* um 1520–30, in Nürnberg, German. Mus. Die Wahrscheinlichkeit ist groß, daß man demselben Meister die Holzschnitte u. Kupferstiche des Monogrammisten H. L. zuschreiben kann. Etwa 24 Kupferstiche u. einige Holzschnitte, ehemals H. → Leinberger zugeschrie-

ben u. unter dessen Namen 1913 von Lossnitzer veröffentlicht. Sie entstammen demselben Stilwillen wie die plastischen Werke, den man als Protobarock bezeichnen könnte.
Lit.: Th. Demmler, *Der Meister d. Breisacher Hochaltars* in: Preuß. Jb. 1914. C. Sommer, *Der Meister d. Breisacher Hochaltars* in: Zschr. d. dt. Vereins f. K. 1936.

Hobbema, Meindert, niederl. Maler, Amsterdam 1638–1709 ebda., Meister der holl. Landschaftsmalerei, Schüler von → Ruisdael, gibt in s. Bildern auf genauen Naturstudien beruhende Ansichten malerisch gelegener Wassermühlen u. Hütten. Die locker verteilten Bildbestandteile werden durch den einheitlichen feinen Luftton fest zusammengehalten. Hauptwerke: die *Wassermühlen* in den Gal. v. Amsterdam, Antwerpen, Paris, London usw. Berühmt ferner: die *Allee von Middelharnis*, London, Nat. Gall. Lit.: E. Michel, 1890. C. Hofstede de Groot, *Beschr. u. krit. Verz.* 4, 1911. Ders. in: Th.-B. 1924. J. Rosenherz in: Jb. d. preuß. Kstslg. 48, 1927. G. Broulhiet, 1938.

Hodler, Ferdinand, schweiz. Maler, Bern 1853–1918 Genf, der – neben → Böcklin – bedeutendste Schweizer Meister der Neuzeit, Schüler von B. → Menn in Genf, wo er – abgesehen v. Reisen – beinahe stets lebte. H. ging in s. Kunst von Menn aus, beeinflußt von → Corot u. den franz. Meistern des Realismus (→ Courbet) u. entwickelte einen eigenen kräftigen realist. Stil, bis etwa 1890. Mit der *Nacht*, 1890, Bern, Kunstmus., wendet sich H. vom Naturalismus ab u. entwickelt den für seine zweite Phase charakteristischen Stil in scharfem Gegensatz zur Kunst des Impressionismus. Er schuf großflächige Kompositionen symbolischen Inhaltes mit der Linie als Ausdrucksträger. Mit einem großen Teil s. Werkes gehört H. dem Symbolismus u. dem Jugendstil an. Die Inhalte s. Kunst sind: die monumentale Vergegenwärtigung schweiz. Geschichte; ein neuer, mit Hilfe des «Parallelismus» u. kräftiger Farbflächen entwickelter Landschaftsstil; ein neuer Porträtstil des starken Ausdrucks, mit dem H. Vorläufer des Expressionismus wird.
Hauptwerke des Realismus: *Selbstbildnis,* 1872, Genf, Mus. Weitere Selbstbildnisse von 1878; 1883; 1891; 1916; 1917. *Der Tischler in der Werkstatt,* 1879. *Das moderne Grütli,* 1887, ebda. Werke des Symbolismus: *Die Nacht,* 1890, Bern, Mus. *Die Enttäuschten,* 1892, ebda. *Der Auserwählte,* 1893, ebda. *Der Tag,* 1900, ebda. *Die heilige Stunde,* 1907, Zürich, Kunsth. Monumentale Wandmalereien hist. Stoffe: *Rückzug der Schweizer bei Marignano,* 1896–1900, Zürich, Landesmus. (Kartons in Genf). *Auszug der Jenenser Studenten 1813,* 1908, Jena, Univers. *Wilhelm Tell,* 1897, Bern, Kunstmus.
Landschaften: *Thuner See,* 1909, Genf, Mus. *Genfer*

See, 1908, ebda. *Die Jungfrau,* 1914, ebda. Porträts: *General Wille,* 1915, Genf, Mus. *Mathias Morhardt,* 1913, ebda. Berühmtes Werk ferner: *Der Holzfäller,* 1910, Bern, Kunstmus.
H. ist sehr gut vertreten in den Mus. v. Genf, Bern, Zürich. Ferner in Basel, Solothurn, Winterthur; in Essen, Folkwang; Frankfurt a. M., Städel; Hamburg, Hannover, Köln, Wallraf-Richartz; Leipzig, Magdeburg, Mannheim, Stuttgart u. a.
Lit.: C. A. Loosli, 1919. Ders. 1921–24. Ders. *Aus der Werkstatt H.s,* 1938. E. Bender u. W. Y. Müller, 1941. H. Muehlestein, 1942. W. Hugelshofer, 1952. St. Guerzoni, 1960.

Höckert, Johan Fredrik, schwed. Maler, Jönköping 1826–1866 Göteborg, vertreten in Göteborg, Stockholm, Nat. Mus. u. a.
Lit.: Th.-B. 1924. A. Borelius, 1927.

Höger, Fritz, dt. Arch., Bekenreihe (Holstein) 1877 bis 1949 Bad Segeberg, Vertreter der modernen Baukunst, Erneuerer der norddt. Backsteinbauweise, jedoch ohne Zurückgreifen auf hist. Bauelemente, sondern im Geiste neuer Sachlichkeit, mit kraftvoller Gliederung der Bauten. Hauptwerke: *Chile-Haus,* Hamburg, 1922/23. *Rathaus in Rüstringen,* 1929. *Nordkirche für Berlin-Wilmersdorf,* beg. 1930.
Lit.: J. H. Westphal, 1938.

Höllenbruegel → Bruegel, Pieter d. J.

Hölzel, Adolf, dt. Maler, Olmütz (Mähren) 1853 bis 1934 Stuttgart, Schüler von W. → Diez in München, gründete 1888 zus. mit L. → Dill, A. Langhammer u. F. v. → Uhde die Malerkolonie «Neu-Dachau», war 1906–19 Prof. der Akad. Stuttgart. Die Bedeutung H.s liegt vor allem in s. Einfluß als Theoretiker u. Kunstpädagoge. Ausgehend von der überwiegenden Bedeutung der Farbe, begründete er einen logischen Aufbau des Bildorganismus von der Farbe her. Im Laufe s. Untersuchungen gelangt er schon im ersten Jahrzehnt des Jahrhunderts zu Abstraktionsversuchen. Seine von → Itten weiterentwickelten Prinzipien wurden zur Grundlage des bildnerischen Elementarunterrichts vieler Kunstschulen. → Schlemmer, → Baumeister u. a. waren Schüler von ihm. In s. Kunst ging er vom Realismus der Diez-Schule aus, wurde später vom franz. Impressionismus beeinflußt, auch vom Jugendstil, u. gelangte zu starken Farbkompositionen von s. eigenen Theorien aus, ohne daß seine schöpferische Kraft die der theoretischen erreichte. H. veröffentlichte 1933 «Gedanken u. Lehren». Mit Werken vertreten in den Gal. v. Bautzen, Berlin (Nat. Gal.), Danzig, Mainz, Mannheim, München, Olmütz, Stuttgart, Wiesbaden, Wien (mod. Gal.), Venedig (mod. Gal.) u. a.

Lit.: A. Rössler, *Neu-Dachau*, 1905. H. Hildebrandt, *H. als Zeichner*, 1913. Brattskoven in: Th.-B. 1924. Knaurs Lex., 1955. W. Hofmann, *Zeichen u. Gestalt*, 1957.

Höroldt (fälschlich Herold), Johann Gregor, dt. Porzellanmaler, Jena 1696–1775 Meißen, kam 1720 an die Manufaktur von Meißen, deren Blütezeit unter ihm begann; sein Hauptverdienst war die Einführung zahlreicher neuer Schmelzfarben; die Zeichnungen der Gefäße waren meist Kopien nach chines.-japan. Porzellan (sog. Chinoiserien). H. wurde von seinem – in künstlerischer Hinsicht – bedeutenderen Rivalen → Kändler 1765 abgelöst. Lit.: Berlin in: Th.-B. 1923. E. Zimmermann, *Meißner Porzellan*, 1926. W. B. Honey, *Dresden China*, 1946 (engl.).

Hoetger, Bernhard, dt. Bildhauer u. Arch., Hörde (Westf.) 1874–1949 Interlaken (Schweiz), studierte in Düsseldorf u. Paris (1900–07), 1911 an die Darmstädter Künstlerkolonie berufen, lebte seit 1919 in der Worpsweder Künstlerkolonie, emigrierte 1933 in die Schweiz. In s. Kunst anfänglich von → Rodin beeinflußt; dann ging sein Stilwille auf Vereinfachung der Form aus, → Maillol hatte bestimmenden Einfluß auf s. Schaffen. Später erfuhr er den Einfluß des Expressionismus (→ Barlach). Von s. umfangreichen Werk sei genannt: *Gerechtigkeitsbrunnen* in Elberfeld, 1910. *Der Platanenhain* auf der Mathildenhöhe in Darmstadt, der mit einer Reihe von Statuen u. Reliefs zu einem Gesamtkunstwerk gestaltet wurde, 1912–14. Der *Ausbau der Böttcherstraße* in Bremen mit dem Paula-Becker-Modersohn-Haus, 1926–30. *Backsteinturm* für die Kaffee-Hag-Gesellschaft auf der Pressa in Köln, 1928. Entwurf für die *Tet-Fabrik* in Hannover. Lit.: G. Biermann, 1913. H. Hildebrandt, *Der Platanenhain, ein Monumentalwerk H.s*, 1915. C. E. Uphoff, 1922. A. Theile, 1930. G. Biermann, *H.s Denkmal der Arbeit* in: Cicerone 21, 1929. Vollmer, 1955.

Hofer, Karl, dt. Maler, Karlsruhe 1878–1955 Berlin, Hauptmeister des dt. Expressionismus, Schüler der Karlsruher Akad. unter → Kalckreuth u. → Thoma, 1903–07 in Rom, 1908–14 in Paris, seitdem in Berlin tätig. In s. Kunst zuerst von Thoma u. dem klass. Formideal → Böcklins beeindruckt, in Paris von → Cézanne u. → Gauguin; wurde zu einem führenden Meister des Expressionismus, ohne s. klass. Haltung aufzugeben. Zwei Indienreisen 1909 u. 1911. H. schuf Figurenbilder, Stilleben, Porträts. Sehr gut vertreten in Winterthur, Mus., ferner in Berlin, ehem. Nat. Gal; Mannheim, Kunsth. u. v. a. dt. Mus. Auch als Zeichner u. Graphiker bedeutend: die Folge «*Tanz*», 1922. Lit.: B. Reifenberg, 1924. A. Jannasch, 1946. C. Ein-

stein, *Die Kunst d. 20. Jh.*, 1928. C. G. Heise in: Kunst u. Künstler 27, 1928/29. *Festg. an K. H.*, 1949.

Hoffmann, Josef, österr. Arch. u. Kunstgewerbler, * Pirnitz 1870, führender Meister der neuen Baubewegung u. des Jugendstils, Schüler O. → Wagners, seit 1898 Lehrer an der Wiener Kunstgewerbeschule, gründete 1903 mit Kolo u. Moser die «Wiener Werkstätte» u. hat den Stil des Kunsthandwerks s. Zeit entscheidend beeinflußt; ebenso wegweisend durch s. Bauten. Hauptwerk: *Pal. Stoclet*, Brüssel, 1911. Führend war er auch schon mit dem 1903–1904 erbauten *Erholungsheim* in Purkersdorf. Ferner: Villen in Wien; Bauten der österr. Abt. auf der Pariser Kunstgewerbe-Ausst., 1925. Lit.: L. Kleiner, 1927. *Ricordi di J. Hoffmann* in: Architettura 11/12, 1956. N. Pevsner, *Wegbereiter mod. Formgebung*, 1957.

Hoffmann, Ludwig, dt. Arch., Darmstadt 1852 bis 1932 Berlin, einer der letzten bedeutenden Vertreter des historisierenden Stils des 19.Jh.,hatte als Stadtbaurat von Berlin 1896–1924 wesentlichen Anteil an der Neugestaltung des Stadtbildes. Hauptwerke: *Reichsgericht in Leipzig*, 1888–95. *Virchow-Krankenhaus in Berlin*, 1899–1906. *Märkisches Mus.*, 1901–07, ebda. Lit.: F. Stahl, 1914. H. Schmitz, *L. H.s Wohlfahrtsbauten d. Stadt Berlin*, 1927.

Hoflehner, Rudolf, österr. Bildhauer, * Linz 1916, Hauptvertreter der österr. ungegenständlichen Plastik. Lit.: W. Hofmann, *Plastik d. 20. Jh.*, 1958. M. Seuphor, *Plastik unseres Jh.*, 1959.

Hofmann, Hans, dt.-amerik. Maler, * München 1880, bis zum Ausbruch des 1. Weltkrieges in Paris ansässig, eröffnete 1915 eine Schule für moderne Kunst in München, seit 1930 in den USA. Vertreter der ungegenständlichen Kunst, «abstrakter Expressionist», auf der 30. Biennale in Venedig 1960 als Exponent der modernen amerik. Kunst vertreten. Lit.: S. Janis, *Abstr. and Surreal. Art in America*, 1944. Vollmer, 1955.

Hofmann, Ludwig v., dt. Maler, Darmstadt 1861 bis 1945 Dresden, bedeutender Vertreter der Kunst um 1900, ausgebildet in Dresden, Karlsruhe u. Paris, suchte die Errungenschaften der Impressionisten mit einem großen dekorativen Stil zu verbinden, beeinflußt von → Puvis de Chavannes u. → Marées. In manchem kann s. Stil als guter Ausdruck des Jugendstils gelten; tätig 1903–08 in Weimar, 1916–28 in Dresden. Hauptwerke: *Dekorative Wandmalereien im Mus. u. Theater von Weimar; der Universität Jena; der Dt. Bücherei, Leipzig*. Ferner Lithographien u. Holzschnitte für Bücher.

Lit.: O. Fischel, 1903. E. Redslob, *H.s Handzeichn.*, 1918. B. Graef, *Hodlers u. H.s Wandbilder in d. Univ. Jena*, 1910. *Ausst.-Kat. Darmstadt*, 1941.

Hofmann, Samuel, schweiz. Maler, Zürich um 1592–1648 Frankfurt a. M., beim Zürcher Manieristen G. Ringgli geschult, arbeitete um 1617–19 in Antwerpen im Atelier von → Rubens, zog um 1622 nach Zürich zurück; von 1644 an in Frankfurt tätig. H. schuf haupts. Bildnisse; ferner Figurenbilder, Stilleben u. a.; vertreten in Zürich, Landesmus. u. Kunsth.; den Mus. von Winterthur, Frankfurt (Städel) u. a.
Lit.: H. Helmerking, Diss. Zürich 1928. E. Gradmann u. A. Cetto, *Schweiz. Malerei u. Zeichn.*, 1944. Gantner/Reinle, *Kunstgesch. der Schweiz.* 3, 1956.

Hôgai, Kanô, japan. Maler, 1828-1888, gilt als bedeutender Meister des 19. Jh.

Hogarth, William, engl. Maler u. Kupferstecher, London 1697–1764 ebda., gehört zu den Begründern der neueren engl. Malerei. Lernte zuerst bei einem Goldschmied, machte sich 1718 als Kupferstecher selbständig u. wandte sich 1728 der Malerei zu. H. ist Sittenschilderer u. Satiriker; in Gemäldefolgen, die er als Kupferstiche verbreitete, geißelte er das Leben der zeitgen. Gesellschaft (Moral Pictures). In s. realist. Schilderungen ging er von der holl. Genremalerei aus, entwickelte aber allmählich außerordentliche malerische Qualitäten, die ihn auch zu einem der größten engl. Bildnismaler machten. In der Stecherkunst ging er von franz. Stechern aus (→ Callot, A. → Bosse). Sowohl die engl. Genremalerei wie die engl. Karikatur sind auf ihn zurückzuführen.
Hauptwerke: in Stichen verbreitete Folgen von Sittenbildern (die Gemälde in London, Soane Mus. u. Nat. Gall.): *The Harlot's Progress* (Das Leben einer Dirne), 6 Blätter, 1731. *The Rake's Progress* (Das Leben eines Wüstlings), 8 Bl., 1735. *The Marriage à la Mode,* 6 Bl., 1745. *Die Wahlen,* 4 Bl., 1755-58. Bildnisse in Londoner Mus.: *Kapitän Coram,* 1739. *Selbstbildnis mit Bulldogge,* 1745, Nat. Gall. *Die Dienerschaft des Künstlers,* Nat. Gall. *Die Schwester des Künstlers,* Nat. Gall. *Das Krevettenmädchen,* Nat. Gall. *Garrick als Richard III.* Theoret. Schrift: «Analysis of Beauty», 1753.
Lit.: A. Dobson, 1907. J. Meier-Graefe, 1907. H. Reiter, 1930. A. Blum, 1931. A. P. Oppé, 1948 (engl.). G. F. Hartlaub, *Die großen engl. Maler d. Blütezeit,* 1948. R. B. Beckett, 1949. *H.s peregrination,* hg. v. C. Mitchell, 1952. M. Osborn, *Kunst d. Rokoko,* 1929.

Hoguet, Charles, dt. Maler, Berlin 1821–1870 ebda., Schüler von → Isabey in Paris, malte bes. Seestücke.
Lit.: E. Lammers in: Zschr. f. Kstgesch. 2, 1933.

Hohenfurth, Meister von, böhm. Maler des 14. Jh., tätig um 1350 in Prag, gen. nach den aus der Klosterkirche H. (Südböhmen) stammenden *Tafeln mit Darstellungen aus dem Leben Christi,* um 1350, Prag. Mus. Der M. v. H. war ein Hauptvertreter der in Prag schaffenden böhm. Malerschule. Zugeschrieben: *Die Glatzer Madonna,* Berlin, staatl. Mus.
Lit.: R. Ernst, *Beiträge zur Kenntnis d. Tafelmalerei Böhmens im 14. u. am Anf. d. 15. Jh.,* 1912. A. Stange, *Dt. Malerei d. Gotik* 1, 1934.

Hoitsu, Sakai, japan. Maler, Edo (Tokio) 1761 bis 1829 ebda., Tier- u. Pflanzenbilder in zarten Farben.
Lit.: Y. Yashiro, *Jap. Kunst,* 1958.

Hokusai, Katsushika, japan. Maler u. Meister des Farbenholzschnitts, Edo (Tokio) 1760–1849 ebda., Hauptmeister der modernen japan. Kunst, Schüler von Katsukawa → Shunsho u. Shiba Kokan, sehr fruchtbarer Meister, der zahllose Gemälde schuf, über 500 Bücher mit Holzschnitten schmückte, Einzelblätter u. Holzschnittfolgen herausgab. Er gab s. Naturbeobachtung in der Frische des unmittelbaren Eindrucks wieder, von europ. Kunst beeinflußt, vor allem aber diese sehr stark wiederbeeinflußend als Vertreter des japan. Linien-Ausdrucksstils. Holzschnittfolgen: *Mangwa,* 15 Bde., seit 1812 ersch. *100 Ansichten des Fuji-san,* 1834-35.
Lit.: Perszynski, 1908. H. Focillon, 1914 (franz.). Y. Noguchi, 1928 (franz.). F. A. Kauffmann, *Die Woge d. H.,* 1938. J. Hillier, 1955 (engl.). Ders., *Meister d. jap. Farbendruckes,* 1954.

Holbein, Ambrosius, dt. Maler u. Zeichner für den Holzschnitt, Augsburg um 1494 bis um 1519, Bruder des Hans → H. d. J., ging mit diesem 1515 nach Basel, wo er haupts. als Zeichner für den Holzschnitt tätig war. Seine Gemälde sind den Frühwerken s. Bruders verwandt. Die Zuschreibungen nicht immer gesichert. Werke: *2 Knabenbildnisse,* Basel, Mus. *Bildnis des Malers Hans Herbster,* ebda. Weitere Werke ebda.
Lit.: Hes, 1911. *Ausst.-Kat. Malerfamilie H.,* Basel 1960.

Holbein, Hans, d. Ä., dt. Maler u. Zeichner, Augsburg um 1465-1524 Isenheim, von der niederl. Realistik ausgehend erleidet er die Einflüsse der verschiedenen Stilrichtungen s. Zeit, der Renaissance, der oberdt. «Romantik», ohne den Charakter eines Spätgotikers zu verlieren. – Wirkte haupts. in Augsburg, kurze Zeit in Ulm u. in Frankfurt, zuletzt in Isenheim. Seine datierten Werke von 1493 bis 1519.
Hauptwerke: Nach einer niederl. Reise (Einfluß des R. van der → Weyden): *Altartafeln aus Kloster Weingarten,* 1493, Dom zu Augsburg. Bei s. Auf-

enthalt in Frankfurt unter Einfluß der oberdt. romant.-barocken Richtung (Grünewald): *Passions-Altar* für das Dominikaner-Kloster, Frankfurt, 1501, Frankfurt, Städel; *Altar für Kloster Kaisheim*, 1502, München, A. P. Glückliche Verschmelzung von Renaissance-Einflüssen mit s. eigenen Art zeigen: *Katharinen-Altar*, 1512, Augsburg, Mus.; *Sebastians-Altar*, 1516, München, A. P. Sein letztes Hauptwerk: der *Brunnen des Lebens*, 1519, Lissabon. Aus s. Zeichnungen spricht eine sehr große Begabung: Federzeichnungen in Basel; Silberstiftbildnisse Berlin, Basel, Kopenhagen.

Lit.: C. Glaser, *H. H. d. Ä.*, 1908. Woltmann, *H. H. d. Ä. Silberstiftzeichn. im königl. Mus. Berlin*, 1909. N. Lieb u. A. Stange, 1960. *Ausst.-Kat. Die Malerfam. H.*, Basel 1960. H. P. Landolt, *Das Skizzenbuch H. H. d. Ä.*, 1960.

Holbein, Hans, d. J., dt. Maler, Zeichner für Holzschnitt, Augsburg 1497–1543 London. – Schüler s. Vaters Hans (→ H. d. Ä.) u. unter Einfluß von → Burgkmair, zog mit s. Bruder Ambrosius nach Basel, Schüler des H. → Herbster. 1516 erste Bildnis-Aufträge, 1517 erster Auftrag einer Wandmalerei: *Hertenstein-Haus* in Luzern, 1518 Reise nach Oberitalien (Mailand), bestimmende Eindrücke der Renaissancemalerei. Zweiter Basler Aufenthalt 1519–26: vielseitige Tätigkeit, haupts. für den Basler Buchdruck u. *Wandgemälde im Saal des Großen Rates* (Von den wichtigen Wandmalerei H.s zeugen nur Entwürfe u. Fragmente). 1526 ging H. nach London, Thomas Morus war s. Gönner. Bei diesem ersten Aufenthalt in London hat er ausschließlich Bildnisse gemalt, 1528 wieder in Basel: haupts. Wandmalereien. 1532 wieder in London bis zu s. Tode. H. gehört zu den größten Bildnismalern aller Zeiten.

Werke: Tafelbilder: Aus der ersten Basler Zeit: *Doppelbildnis des Bürgermeisters Meyer u. seiner Frau*, 1516, Basel, u. Silberstiftstudien dazu, ebda.; 2. Basler Aufenthalt: 1519–26 nach *Passionsbilder* in Basel; *Oberrriedt-Altar* in Freiburg i. Br.; *Der tote Christus* 1521, Basel; Eindringen von Renaissancearchitekturmotiven, Realismus der Körperbehandlung; *Madonna von Solothurn*, Solothurn, Mus., 1522; *Erasmus-Bildnisse* von 1523 (Longford Castle, Basel, Paris); *Madonna mit der Familie des Bürgermeisters Meyer*, 1525/26, Darmstadt u. Kopie Dresden. 1. engl. Aufenthalt 1526–28: *Bildnis Thomas Morus*, 1527, London, Slg. Huth; *Erzbischof Warham v. Canterbury*, 1527, London, Lambeth Palace u. Paris, Louvre; *Bildnisstudien Familie Thomas More*, Windsor u. Zeichnung dazu, Basel. Basler Aufenthalt 1528 bis 1932: *Bildnis s. Frau u. zweier Kinder*, Basel; 2 Originalskizzen zu den Gemälden im Rathaussaal, Basel; *Rundbild des Erasmus*, 1530, Basel. Aus s. Londoner Zeit, 1532–43: *Bildnis d. Kaufmanns Gisze*, 1532, Berlin; *Doppelbildnis zweier Gesandten*, 1533,

London, Nat. Gall. Aus der Zeit s. größten Meisterschaft als Bildnismaler, eindringende Charakterisierung u. Beherrschung der Form: *Tochter des Thomas Morus*, Zeichnung, 1526, Windsor Castle; *Bildnisse Jane Seymour*, 1536, Wien; *Sieur de Morette*, Dresden; *Heinrich VIII.*, 1539 Rom, Nat. Gal.; *Anna von Cleve*, Paris, Louvre; *Katharina Howard*, 1540, London; *Christine von Dänemark*, 1538, London; *Selbstbildnis von 1543*, Zeichn., Florenz. Holzschnittfolgen: *Illustrationen zum A. T.*, um 1525 entstanden, 1538 erschienen in Lyon (92 Illustr.); *Bilder des Todes*, «*Totentanz*», vor 1526, erschienen 1538; *Titelblatt* zu den Werken des Erasmus mit Porträt, 1530.

Lit.: P. Ganz, *H. H. d. J.* (Klassiker d. Kunst), 1912. Ders., *Handzeichn. v. H. H. d. J.*, 1911–37. Ders., *H. H., Die Gemälde*, 1950 (Phaidon). W. Stein, 1929. W. Waetzoldt, 1938. H. A. Schmidt, 1945–48. *Ausst.-Kat. Die Malerfam. H.*, Basel 1960.

Holl, Elias, dt. Arch., Augsburg 1573–1646 ebda., der bedeutendste dt. Baumeister des Frühbarock, einer alten Baumeisterfamilie entstammend, lernte die Baukunst Oberitaliens auf einem Aufenthalt in Venedig u. Vicenza 1600–01 kennen, gab 1601–31 als Stadtbaumeister in Augsburg der Stadt sowohl durch s. Bauten wie durch Brücken u. Tore ihren baukünstlerischen Charakter. Der Stil s. Bauten ist eine selbständige Verarbeitung ital. Frühbarockformen, wobei nordisch-got. Empfinden deutlich spürbar mitschwingt. Hauptwerke, alle in Augsburg: *Zeughaus*, 1602–07. *Rathaus*, 1615–20. *Bäckerzunfthaus*, 1602. *Stadtmetzig*, 1609. *Weberkaufhaus*, 1611. *Heilig-Geist-Spital*, 1623–31.

Lit.: H. Hieber, 1923. U. Christoffel, *Augsburger Rathaus* (Dt. Kunstführer 47), 1929. I. Albrecht in: Münchener Jb. d. bild. K. 12, 1937. O. Schürer in: Dt. Museum, Jg. 10, H. 1, 1938. G. Dehio, *Gesch. d. dt. Kunst* 3, 1926. A. Stange, *Zur Bibliogr. des E. H.* in: Münchner Jb. N. F. 3, 1927. N. Pevsner, *Europ. Architektur*, 1957.

Hollar, Wenzel, dt.-böhm. Kupferstecher, Radierer u. Zeichner, Prag 1607–1677 London, einer der bedeutendsten u. fruchtbarsten Kupferstecher s. Zeit, Schüler des M. → Merian, tätig in Frankfurt, Straßburg, Köln, London u. a. Er war ausschließlich Graphiker, die Mannigfaltigkeit der von ihm behandelten Gegenstände überaus groß: Landschaften, Städteansichten, bibl. u. mythol. Stoffe, Illustrationen zu Dichtern, Reproduktionen alter u. neuer Bilder. Seine Landschaften u. Städteansichten kommen in ihrem Stil den besten zeitgenössischen nahe, wie z. B. → Callot. Auf s. Modedarstellungen gibt er die feinsten stofflichen Reize der Trachten wieder. Werke: *Theatrum mulierum*, 1643: eine Slg. weibl. Modefiguren u. Nationaltrachten. *Illustrationen zur Teutschen Akademie* von Sandrart. Wiedergabe von

Bildnissen → Holbeins u. van → Dycks, darunter bes. wichtig solche heute verlorener.

Lit.: G. Parthey, *Beschreibendes Verz. s. Kupferst.*, 1853; Nachträge 1858 u. 1898. J. Urzidil, 1936. F. Sprinzels, *Handzeichn.*, 1938.

Hollósy, Simon, ungar. Maler, Máramarossziget 1857–1918 Técsö, Schüler von B. Székely, weitergebildet in München, versammelte dort eine Künstlergruppe um sich, welche der Anekdotenmalerei des 19. Jh. (→ Piloty) den Kampf ansagte. Es gehörten ihr an, u. a.: Réty, → Ferenczy, Csok, Glatz, der Deutsche O. → Greiner, der Schweizer M. → Buri. 1896 übersiedelten viele Mitglieder der Gruppe nach Nagybanya (Ungarn) und bildeten dort eine Künstlerkolonie.

Holmberg, Werner, finn. Maler, Helsinki 1830 bis 1860 Düsseldorf, Schüler H. → Gudes in Düsseldorf, vertreten in Helsinki, Ateneum; Oslo, Mus. Lit.: E. Aspelin, 1890 (finn. u. schwed.). B. Hintze in: Th.-B. 1924.

Holroyd, Charles, engl. Maler u. Graphiker, Leeds 1861–1917 London, Schüler von → Legros, 1906 bis 1916 Direktor der Nat. Gall. in London, radierte Landschaften u. Figurenkompositionen (etwa 300 Blätter); er gilt als feiner Darsteller der nordengl. Landschaft.
Lit.: A. M. Hind, *H.s Rad.* in: Die graph. Künste, 1906. C. Dodgson, *Sir Ch. H.s Etchings* in: The Print Collector's Quarterly 10, 1923 (mit Werkverz.).

Holzer, Johann, dt.-österr. Maler, Burgeis (Tirol) 1709–1740 Clemenswerth b. Meppen (Hann.), Vertreter des süddt., von → Tiepolo beeinflußten Rokoko, Schüler J. G. Bergmüllers in Augsburg, wo er auch meist ansässig war. Sehr beliebt waren s. Fassadenfresken, von denen so gut wie nichts erhalten ist. Hauptwerke der erhaltenenen Deckenfresken: *Kuppelgemälde in der Wallfahrtskirche St. Anton* b. Partenkirchen, 1739. Ferner *Deckenfreske in der ehemal. Sommerresidenz Eichstätt*, 1737. Altarbilder (Kloster St. Stephan, Augsburg, v. 1732; *Rosenkranzfest*, Stift Stams [Tirol]).
Lit.: J. M. in: Th.-B. 1924.

Homer, Winslow, amerik. Maler, Boston 1836 bis 1910 Portland, einer der bedeutendsten amerik. Landschafts- u. Marinemaler, im realist. Stil des ausgehenden 19. Jh.; auch Illustrationen zu Büchern u. Zschr.
Lit.: W. H. Downes, 1911. K. Cox, 1914. B. C. K. in: Th.-B. 1924. L. M. Bryant, *Americ. pictures and their painters*, 1925. E. Neuhaus, *Hist. and ideals of American art*, 1931. L. Goodrich, 1944 (m. Bibliogr.). Ders., 1959.

Hondecoeter, Melchior d', niederl. Maler, Utrecht 1636–1695 Amsterdam, Hauptmeister der holl. Geflügelmalerei, Sohn des Gijsbert H. (1604–53), der Hühnerhöfe in der Art des → Weenix malte, u. Enkel des Gillis H. († 1638), der die Art des → Coninxloo n. Holland verpflanzte. H. malte das Geflügel als Stilleben oder aber im Hühnerhof oder Ententeich. Alle Feinheiten der Stofflichkeit, der Farbe, der Luft sind wiedergegeben. Hervorragend vertreten im Rijksmus. Amsterdam.
Lit.: H. Schneider in: Th.-B. 1924. W. Bernt, *Niederl. Maler d. 17. Jh.*, 1948.

Honthorst, Gerard van, niederl. Maler, Utrecht 1590–1656 ebda., Meister des von → Caravaggio übernommenen Helldunkels, Schüler von → Bloemart, weitergebildet in Italien unter dem Einfluß Caravaggios, arbeitete eine Zeitlang in England, 1637–52 im Haag, malte Genrebilder, aber auch bibl. Motive u. Bildnisse. Er entwickelte die Beleuchtung durch künstliche Lichtquellen, bes. Kerzenlicht, daher von den Italienern *Gherardo dalle notti* gen. Hauptwerke: *Der Zahnarzt*, 1622, Dresden, Gal. *Der verlorene Sohn*, 1623, München, A. P. *Der lustige Geiger*, 1623, Amsterdam, Rijksmus. Ebda. viele weitere Bilder.
Lit.: G. J. Hoogewerff in: Th.-B. 1924. H. Voß, *Mal. d. Barock in Rom*, 1924.

Hooch (Hoogh), Pieter de, niederl. Maler, Rotterdam 1629 bis um 1677 Amsterdam, Hauptmeister der holl. Interieurmalerei, Schüler N. → Berchems, tätig im Haag, in Delft u. seit 1667 in Amsterdam. Er bildete seine Interieurmalerei unter dem Einfluß von → Fabritius u. → Vermeer aus, u. zwar gibt er Durchblicke durch einen klar geordneten Innenraum, mit Sicht auf einen hell durchsonnten zweiten Raum u. weiterhin Blick auf Garten oder Straße, in einheitlichem Luft-Farb-Ton. Seine besten Arbeiten aus der Delfter Zeit, als er mit Vermeer in Wettbewerb trat. Sehr gut vertreten in London, Brit. Mus. (*Hof eines holl. Hauses*); Amsterdam, Rijksmus. (*Die Vorratskammer*); Berlin, ehem. K.-F.-Mus. (*Blick in ein holl. Wohnhaus*); Paris, Louvre (*Mutter u. Kind*).
Lit.: Hofstede de Groot, *Beschr. u. krit. Verz. I*, 1907. K. Lilienfeld in: Th.-B. 1924. A. de Ridder, 1914. W. R. Valentiner, 1929.

Hooghe, Romeyn de, niederl. Stecher, Radierer, Maler, Bildhauer, Medailleur u. Goldschmied, Amsterdam 1645–1708 Haarlem, der bedeutendste holl. Radierer der 2. Hälfte 17. Jh.; technisch glänzende Radierungen fast aller wichtigen Ereignisse der Zeit, wie: Schlachten, Belagerungen, Friedensschlüsse.

Hoogstraeten, Samuel van, niederl. Maler, Dordrecht 1627–1678 ebda., bedeutender holl. Meister des Genrebildes, aber auch von Historien, Bildnissen, Landschaften, Stilleben. Schüler → Rembrandts, besuchte Italien, tätig in Wien, London u. im Haag. In s. Stil beeinflußt zeitweise von Rembrandt; ferner von → Hooch, → Vermeer, → Metsu. Als Quellenwerk ist wichtig s. Schrift: «Inleyding tot de hooge schoole der schilderkonst», 1678.

Hopfer, Daniel, dt. Waffenätzer, Radierer, Holzschneider, Kaufbeuren um 1470–1536 Augsburg, seit 1493 ebda. tätig, übertrug das Ätzverfahren des Waffenschmucks auf die selbständige Radierung u. gilt daher als Begründer der Eisenradierung. Zu s. Radierungen, die meist ornamental-kunstgewerblichen Charakter haben, verwandte H. dünne eiserne Platten.
Lit.: P. Jessen, *Der Ornamentstich,* 1920.

Hopper, Edward, amerik. Maler u. Radierer, * Nyack (N. Y.) 1882, tätig in New York, bedeutender Vertreter der Richtung des «romantischen Realismus» der amerik. Malerei, begann als Illustrator, ging zu Radierungen über, u. Anfang der 20er Jahre zur Malerei: haupts. Straßenansichten in streng zeichnerischem Stil. Vertreten in New York, Metrop. Mus. u. a. amerikan. Gal.
Lit.: G. P. Du Bois, 1931. L. Goodrich, 1950.

Hoppner, John, engl. Maler, London 1758–1810 ebda., neben → Lawrence der beliebteste engl. Bildnismaler Ende des 18. Jh., tätig in London, 1793 Hofmaler des Prinzen von Wales, 1795 Mitglied der Akad. H. setzte den Stil von → Reynolds fort; bes. beliebt sind s. Frauen- u. Kinderporträts, doch wurden auch s. Landschaften geschätzt. Sehr gut vertreten in der Nat. Gall., London, ferner in der Wallace Coll., ebda. Von den Werken der Nat. Gall. seien genannt: *Salatmädchen,* 1782. *Lady Beauchamp,* 1790. *Gräfin von Oxford.* In New York, Slg. Morgan: *Die Kinder Godsal.* Aus der Wallace Coll.: *Prinz von Wales.*
Lit.: R. McKay und W. Roberts, 1909. B. C. Kreplin in: Th.-B. 1924. E. Waldmann, *Engl. Malerei,* 1927.

Horny, Franz, dt. Maler, Weimar 1797–1824 Olevano (Italien), Meister aus dem Kreise der Deutschrömer u. → Nazarener, kam 1816 nach Rom zu J. A. → Koch u. → Cornelius, für dessen Wandbilder in der Villa Massimi er Rahmenornamente zeichnete (Berlin, Nat. Gal.). Seine besten Leistungen sind Aquarelle u. Federzeichnungen. Vertreten in den Mus. v. Weimar, Berlin, Dresden, Leipzig, Heidelberg.
Lit.: *Der Maler F. H.,* hg. v. E. L. Schellenberg, 1929. H. Hildebrandt, *Kunst d. 19. u. 20. Jh.,* 1924. R. Hamann, *Dt. Malerei v. Rokoko z. Expression.,* 1925.

Horonobu → Harunobu.

Horovitz, Leopold, ungar. Maler, Rozgony b. Kaschau 1838–1917 Wien, bildete sich in Wien u. Paris, malte Genrebilder aus dem poln. u. jüd. Volksleben, Kinderszenen u. Bildnisse.

Horschelt, Theodor, dt. Maler u. Zeichner, München 1829–1871 ebda., malte Schlachtenbilder, bes. aus Algerien u. Rußland.

Horta, Victor, belg. Arch., Gent 1861–1947 Etterbeek (Brüssel), gehört mit P. → Hankar zu den Pionieren der mod. belg. Baukunst, der in s. Bauten starken Gebrauch von Glas u. Eisen machte; als Ornamentiker u. Innenarch. Hauptvertreter des Jugendstils. Er war ein ausgesprochener Linienkünstler u. verwandte viele dekorative Eisenteile. Seine frühesten beispielgebenden Bauten 1892–93: *Haus Nr. 6 rue Paul-Emile Janson* in Brüssel; *Maison du Peuple,* ebda., 1896–99; aus der Spätzeit: *Pal. des Beaux-Arts,* ebda., voll. 1928.
Lit.: H. V. in: Th.-B. 1924. Madsen, Stephan, Tschudi, *Works and Style of V. H. before 1900* in: The Architect. Review 117, 1955. N. Pevsner, *Wegbereiter moderner Formgebung,* 1957. *Ausst.-Kat. sources du XXᵉ siècle,* Paris 1960/61.

Hosemann, Theodor, dt. Maler u. Zeichner, Brandenburg 1807–1875 Berlin, beliebter Illustrator des Berlins der Biedermeierzeit, ausgebildet unter → Cornelius u. → Schadow an der Düsseldorfer Akad., seit 1828 in Berlin tätig als Lithograph. Sein Bestes gab er in Federzeichnungen zu Lithographien als Buchschmuck: Illustrationen zu *Münchhausen,* 1840; zu *E. T. A. Hoffmanns* Schriften, 1844. Ferner Genrebilder aus dem Leben des Berliner Klein- u. Spießbürgertums.
Lit.: L. Brieger, 1920 (mit Kat. d. graph. Werke v. K. Hobrecker). R. Hamann, *Dt. Malerei v. Rokoko z. Expression.,* 1925.

Houasse (Ouasse), Michel-Ange, franz. Maler, Paris um 1680–1730 Arpajon, Sohn u. Schüler von René-Antoine → H., ging früh nach Spanien, wo er Hofmaler Philipps V. wurde. Er schuf Genrebilder (Bambocciaden → Laer, Pieter van), Landschaften, Porträts u. a. – H. zeigt in s. feinen selbständigen Kunst Einflüsse von den Brüdern → Le Nain u. → Watteau. Werke: *Hl. Familie mit Johannesknaben,* Madrid, Prado. *Ansicht des Escorial,* ebda. *Bildnis Luis I.,* ebda. Zeichnungen in Paris, Louvre.
Lit.: H. Vollmer in: Th.-B. 1924. F. J. Sanchez-Canton, *Der Prado,* 1959.

Houasse (Ouasse), René-Antoine, franz. Maler, Paris um 1644–1710 ebda., Schüler von Ch. → Lebrun, dem er auch im Stil folgt, 1680 Prof. der

Akad. Paris, 1699 Direktor der franz. Akad. Rom, seit 1705 wieder in Paris, schuf vor allem bibl. u. mythol. Bilder. H. ist vertreten in Paris, Louvre (*Saint-Etienne conduit au supplice*, 1675); ebda., Ecole des B.-Arts (*Herkules im Kampf mit der Hydra*); Versailles, Mus. (*Reiterporträt Ludwigs XIV.* u. a.); Grand Trianon (4 große *mythol. Bilder*); Orléans, Mus. (*Tombeau, violé par un guerrier*); in den Mus. v. Reims, Compiègne, Narbonne, Madrid.
Lit.: H. Vollmer in: Th.-B. 1924.

Houbraken, Arnold, niederl. Maler u. Radierer, Dordrecht 1660–1719 Amsterdam, weniger s. Bilder wegen bedeutend als s. für die Geschichte der niederl. Malerei hochwichtigen Quellenwerkes; «Groote schouburgh der nederl. konstschilders en schilderessen», 1718–21; dt. m. Anmerkungen hg. v. A. v. Wurzbach, 1880. – Sein Sohn *Jacob*, 1698–1780, war Kupferstecher; von ihm gibt es ca. 700 Bildnisse in der Art des → Edelinck.
Lit.: C. Hofstede de Groot, 1893. Ders. in: Th.-B. 1924.

Houckgeest, Gerard, niederl. Maler, Den Haag um 1600–1661 Bergen op Zoom, tätig meist in Delft, nimmt unter den Darstellern holl. Kirchenräume – zus. mit H. C. van → Vliet u. E. de → Witte – eine hervorragende Stellung ein. Sein beliebtestes Thema: das Innere der Delfter Nieuwe Kerk. In s. Stil lehnte er sich an B. van → Bassen an, der wohl s. Lehrer war. Vertreten in den Gal. v. Amsterdam, Antwerpen, Den Haag, Brüssel, ferner: Aachen, Dessau, Hamburg, Meiningen, Oldenburg, Edinburgh, Kopenhagen, Stockholm, Leningrad u. a.
Lit.: H. Wichmann in: Th.-B. 1924.

Houdon, Jean-Antoine, franz. Bildhauer, Versailles 1741–1828 Paris, Hauptmeister des späten Rokoko u. beginnenden Klassizismus, Schüler von → Pigalle u. → Lemoyne, weitergebildet in Rom 1764–68; in s. Bildnisbüsten u. Denkmälern brachte er die charakteristischen Züge der Dargestellten scharf u. realist. zur Geltung, hielt aber auf eine klass. Haltung. Berühmt sind s. Bildnisse Voltaires, am bekanntesten die *Marmorstatue des sitzenden Voltaire für das Foyer des Théâtre Français*, Paris, 1781. Ein weiteres großes Werk ist das *Denkmal Washingtons*, in Marmor, auf dem Kapitol in Richmond (USA), 1785–88. Bekannte Bildnisbüsten: *Rousseau, Diderot, d'Alembert, Franklin, Mirabeau, Napoleon, Kaiserin Josephine*.
Lit.: G. Giacometti, 1918/19. L. Réau, 1930. E. Maillard, 1931.

Houel, Jean-Pierre, franz. Maler u. Graphiker, Rouen 1735–1813 Paris, Landschafts- u. Architekturveduten (haupts. Aquarelle, Gouachen) u. Radierungen. Hauptwerk: *Voyage pittoresque de Sicile, de*

Malte et de Lipari, 1782–87, 4 Bde. mit 264 Tafeln. Die Tafeln dieses auch von ihm selbst geschriebenen Reisewerkes sind eigenhändig gezeichnet (Vorzeichnungen im Louvre in Paris) u. in Laviermanier gestochen. Ferner: 2 Folgen *Livres de paysage*, 1758. Werke in Rouen, Mus. u. Tours, Mus.
Lit.: H. Vollmer in: Th.-B. 1924. J. Magnin, *Le paysage français*, 1928. M. Vloberg, 1930.

Hoyer, Cornelius, dän. Maler, Hammernolln b. Kronborg 1741–1804 Kopenhagen, der bedeutendste dän. Miniaturmaler des 18. Jh.

Hsia Kuei, chines. Maler, aus Ch'ien-t'ang, tätig um 1180–1230 als Mitglied der Akad. Hangchou. H. gilt als der größte Landschafter der südlichen Sung-Dynastie nach → Ma Yüan. Nur wenige Werke sind von ihm erhalten.
Lit.: O. Kümmel in: Th.-B. 1924.

Hsieh Ho, chines. Maler, unter der Ch'i-Dynastie, wohl in Nanking, um 500 tätig, als Bildnismaler bekannt, vor allem aber Kunstschriftsteller.
Lit.: O. Kümmel in: Th.-B. 1924.

Hsü Hsi, chines. Maler, tätig in Nanking unter der 2. T'ang-Dynastie, um 920–40, gilt als der größte chines. Blumenmaler, neben → Huang Ch'üan. Sichere Werke von ihm nicht erhalten, nur Zuschreibungen.
Lit.: O. Kümmel in: Th.-B. 1924.

Huang Ch'üan, chines. Maler, aus Ch'eng-tu, Ssu-ch'uan; tätig in der 1. Hälfte 10. Jh., etwa 920 bis 960; der berühmteste Blumenmaler Chinas, doch sind Werke s. Hand offenbar nicht erhalten.
Lit.: O. Kümmel in: Th.-B. 1924.

Hubacher, Hermann, schweiz. Bildhauer u. Radierer, * Biel 1885. Schüler von J. → Vibert in Genf u. W. Unger (für Radierung) in Wien, seit 1916 in Zürich tätig. H. gehört – etwa mit C. → Burckhardt, H. → Haller u. K. → Geiser – zu den repräsentativen Schweizer Bildhauern der 1. Jh.-Hälfte. Er schuf Figürliches (bes. Akte), Kleinplastiken in Bronze u. Terrakotta, Bildnisbüsten, Bauplastik, Denkmäler u. a. – Denkmäler in Bern, Winterthur, Thun, Zürich. Buchwerke: «Aus meiner Werkstatt», 1945. «Rodin», 1949. Vertreten in den bedeutenderen Schweizer Kunstslgn.
Lit.: Th.-B. 1924. P. Fierens, 1933. E. Schaeffer, 1934. M. Joray, *Schweizer Plastik d. Gegenw.*, 1954 bis 1959. M. Seuphor, *Plastik unseres Jh.*, 1959. Schweiz. Kstlerlex. 20. Jh.

Huber, Hermann, schweiz. Maler, Radierer u. Lithograph, * Zürich 1888, Schüler der Akad. Düsseldorf, München u. Berlin, seit 1909 in Zürich,

seit 1933 in Sihlbrugg b. Zürich tätig, schuf Figürliches, Landschaften, Blumenstücke, Stilleben; größere Freskenwerke in der Schweiz. Nationalbank in Zürich u. a. *Triptychon* in der Univ. Zürich, 1913. Auf s. Kunst bestimmend wirkten → Hodler, später die franz. Impressionisten u. → Cézanne ein. Vertreten in den Mus. v. Basel, Bern, Chur, Genf, St. Gallen, Winterthur, Zürich.
Lit.: *H. H., eine Monographie*, mit Beiträgen v. H. Trog u. C. Glaser, 1924. *H. H., Aus m. graph. Schaffen*, Einführung v. W. Kern, 1939. H. Graber, *Jüngere schweiz. Künstler* 1, 1918. Th.-B. 1925. Vollmer, 1955. Schweiz. Kstlerlex. 20. Jh.

Huber, Johann Rudolf, schweiz. Maler, Basel 1668 bis 1748 ebda., bedeutender Barockmaler, studierte in Italien, außerordentlich fruchtbarer Künstler, der Werke aller Gattungen schuf, bes. aber als Porträtist beliebt war; an den südwestdt. Höfen beschäftigt. In s. Bildniskunst auch von den franz. Hofkünstlern (→ Le Brun, → Mignard) beeinflußt. Vertreten in den Mus. v. Basel, Bern, Winterthur; Zeichnungen in Basel u. Berlin, Kupferstichkab.
Lit.: Th.-B. 1925. J. Gantner/A. Reinle, *Kunstgesch. d. Schweiz* 3, 1956.

Huber, Wolf, österr. Maler u. Zeichner für den Holzschnitt, Feldkirch um 1490–1553 Passau, neben → Altdorfer der bedeutendste Meister der sog. → Donauschule, kam früh nach Passau, wo er seit 1515 bischöflicher Hofmaler war. Er schuf religiöse Bilder, Zeichnungen für den Holzschnitt u. Landschaftszeichnungen. Im Stil s. Landschaften mit der ausgesprochen «romant.» Stimmung kommt er Altdorfer recht nahe, von dem er wohl Einflüsse erfahren haben wird. Aber er bewahrt einen eigenen Charakter. In s. Spätzeit macht er eine eigenartige frühbarocke Phase durch.
Hauptwerk: *St. Annen-Altar* für die Pfarrkirche St. Nikolaus, Feldkirch, 1521. Das Mittelstück, die Beweinung Christi, ebda. Die Außen- u. Innen-Tafeln, 1953 wiederentdeckt, heute in Wien, Kunsthist. Mus.: 8 Tafeln, mit 4 Szenen aus dem N. T. u. 4 Szenen aus der Legende der hl. Anna. In diesem Werk offenbart sich die Fähigkeit H.s zur großartigen Zusammenschau von Figur u. Landschaft. Weitere Werke: *Kreuzaufrichtung*, Wien, Kunsthist. Mus. *Kreuzigung*, um 1535, ebda. *Geißelung* u. *Dornenkrönung Christi*, Stift St. Florian. *Erlösung der Menschheit*, Wien, Kunsthist. Mus. Holzschnitte: *Landsknechte, Hl. Georg, Hl. Christopherus*. Zeichn. in Berlin, München, Wien.
Lit.: R. Riggenbach, 1907. H. Voss, *Albrecht Altdorfer u. W. H.*, 1910. P. Halm, *Die Landschaftszeichn. d. W. H.* in: Münchner Jb., N. F. VII, 1930. M. Weinberger, 1930. G. Dehio, *Gesch. d. dt. Kunst* 3, 1926.

Huchtenburgh, Jan van, niederl. Maler, Haarlem 1647–1733 Amsterdam, Schüler von van der → Meulen, malte in der Art s. Lehrers Schlachtenbilder u. Lagerszenen. Die Darst. der Schlachten des Prinzen Eugen von 1708 u. 1709 sind auch in einem Kupferstichwerk erschienen: «Batailles gagnées par le prince Eugène de Savoye, dépeintes et gravées par J. H.», 1725.
Lit.: Wurzbach, *Niederl. Kstlerlex.*

Hudson, Thomas, engl. Maler, Devonshire 1701 bis 1779 Twickenham, beliebter Bildnismaler s. Zeit, Schüler u. Schwiegersohn von Jonathan Richardson d. Ä., Lehrer von → Reynolds, malte in der großen engl. Tradition der Bildnismalerei, doch sind s. Werke ungleich; er leitete ein großes Atelier, u. nicht alles wurde eigenhändig von ihm ausgeführt. Hauptwerke: *Die Familie des zweiten Herzogs von Marlborough*, Schloß Blenheim. *G. F. Händel*, 1749, Hamburg, Univ.-Bibliothek. *Erzbischof Potter*, Oxford, Bodleian Library.
Lit.: M. Osborn, *Kunst d. Rokoko*, 1929. G. Reynolds, *Engl. Portr. Miniatures*, 1952.

Hübner, Julius, dt. Maler, Oels in Schlesien 1806 bis 1882 Loschwitz b. Dresden, Meister des Biedermeier u. der Romantik, Schüler W. → Schadows in Düsseldorf, von 1839 an in Dresden, wo er 1871 Direktor der Gemäldegal. wurde. Schuf Bilder mit romant. Sagenmotiven u. religiösen Stoffen, Historienbilder, feine Porträts. Vertreten in Berlin, ehem. Nat. Gal.; Dresden, Gal. u. a.
Lit.: R. Hamann, *Dt. Mal. v. Rokoko z. Expression.*, 1925.

Hübner, Karl, dt. Maler, Königsberg 1814–1879 Düsseldorf, erfolgreicher Genremaler der Düsseldorfer Schule, Schüler von → Schadow u. → Sohn in Düsseldorf, erregte s. Zeit Aufsehen durch s. anedokt. Schilderung sozialen Elends: *Schlesische Weber*, 1844; *Die Verlassene*, 1846, Hannover, Mus.

Hübner, Ulrich, dt. Maler, Berlin 1872–1932 Neubabelsberg, Vertreter des dt. Impressionismus, Schüler der Akad. Karlsruhe, seit 1914 Vorsteher eines Meisterateliers für Landschaftsmalerei an der Staatl. Kunsthochschule Berlin, schuf neben Bildnissen u. Figurenbildern bes. feine impressionist. Landschaftsbilder: Wasser- u. Winterlandschaften aus der Havelgegend, Hafen- u. Küstenbilder aus Lübeck, Hamburg, Travemünde u. a. Vertreten in den Gal. v. Karlsruhe, Mainz, München, Hannover, Lübeck, Berlin (Nat. Gal.) u. a.
Lit.: Brattskoven in: Th.-B. 1925. E. Waldmann, *Kunst d. Realism. u. Impression.*, 1927. Vollmer, 1955.

Hübsch, Heinrich, dt. Arch., Weinheim 1795–1863 Karlsruhe, Schüler von → Weinbrenner, setzt den

Klassizismus s. Lehrers fort, seit 1829 Leiter des Bauwesens in Baden als Nachfolger Weinbrenners, griff bei s. Kirchenbauten auf die Formen der altchristlichen Basilika zurück.

Hügin, Karl, schweiz. Maler, * Trimbach 1887; figürliche Kompositionen, Stilleben, Landschaften, Freskenwerke von kühl gedämpfter Farbigkeit (Völkerbundsgebäude, Genf u. a.), Entwurfzeichnungen für Mosaik, Radierungen.

Huet, Jean-Baptiste, franz. Maler, Paris 1745–1811 ebda., Schüler von J.-B. → Leprince; Tierbilder, Landschaften; Rokokodarstellungen in der Art → Bouchers für Gobelins; Zeichnungen u. Radierungen; Paris, Louvre u. a. franz. Mus.

Huet, Paul, franz. Maler u. Graphiker, Paris 1803 bis 1869 ebda., bedeutender Landschafter der Romantik, Schüler von → Gros u. → Guérin, erfuhr später den Einfluß der Engländer → Constable u. → Bonington u. näherte sich in s. Kunst den Meistern von → Barbizon; sehr bekannt wurde s. Bild: *Überschwemmung in St-Cloud*, 1855, Paris, Louvre. Leistete auch als Radierer u. Lithograph Ausgezeichnetes.
Lit.: Ph. Burty, 1869. G. Hédiard, o. J. L. Delteil, 1911. L. Bénédite, 1923. H. Vollmer in: Th.-B. 1925.

Hug, Charles, schweiz. Maler, Zeichner u. Graphiker, * St. Gallen 1899; von den dt. Expressionisten, von → Cézanne u. a. beeinflußt; Buchillustrationen; tätig in Zürich. Vertreten in schweiz. Mus. u. Stuttgart, Gal.
Lit.: A. Schüler, 1960. Schweiz. Kstlerlex. d. 20. Jh.

Hughes, Arthur, engl. Maler u. Illustrator, London 1832–1915 Kew, Schüler von → Stevens, schloß sich den → Präraffaeliten an. Vertreten in den Mus. v. London (Tate Gall.), Oxford (Ashmolean Mus.), Birmingham u. a. Beisp.: *April Love*, 1856, London, Tate Gall.

Huguet, Jaime, span. Maler, 15. Jh., † 1492. 1440 bis 1447 vermutlich in Zaragoza, dann in Tarragona u. 1448 ff. in Barcelona tätig, wo er ein großes Atelier unterhielt. H. war einer der bedeutendsten Maler Kataloniens s. Zeit.
Werke: *Altarwerk mit den Heiligen Abdon u. Senen*, 1460, Tarrasa, S. Pedro. Mehrere weitere *Altarwerke* in Barcelona, Mus., eines in der Kathedrale ebda. Weitere Werke in Zaragoza, Mus. Zugeschrieben eine *Epiphanie* in Vich, Mus.
Lit.: A. L. Mayer, *Gesch. d. span. Mal.*, 1922. V. v. Loga, *Die Mal. in Span.*, 1923. A. L. Mayer in: Th.-B. 1925. J. Gudiol, 1948 (span.). Rowland, 1932 (engl.). J. Lassaigne, *La Peint. espagn.* 1, 1952.

Huilliot (Huillot), Claude, franz. Maler, Reims um 1631–1702 Paris, schuf Blumen- u. Früchtestilleben. Vertreten in den Mus. v. Reims u. Fontainebleau.

Huilliot (Huillot), Pierre-Nicolas, franz. Maler, Paris 1674–1751 ebda., Sohn von Claude → H., schuf dekorative Stilleben, bes. Jagd- u. Tierstücke.
Lit.: Th.-B. 1925.

Humblot, Robert, franz. Maler, * Fontenay-sousBois 1907, Hauptvertreter der «Neo-Realisten», die sich 1935 in der Künstlervereinigung «Forces Nouvelles» zusammenschlossen.
Lit.: Vollmer, 1955. M. Brion in: *Neue Kunst nach 1945*, hg. v. W. Grohmann, 1958.

Hummel, Johann Erdmann, dt. Maler, Kassel 1769 bis 1852 Berlin, Hauptvertreter der Berliner Biedermeiermalerei, malte Berliner Veduten unter bes. Beobachtung der Lichtreflexe u. perspektiv. Wirkungen, in s. besten Bildern auch künstlerisch von Interesse u. Vorläufer s. Schülers → Blechen.
Lit.: H. Rosenhagen in: Zeitschr. f. bild. Kunst 58, 1924. G. Hummel, 1954.

Hunt, Holman, engl. Maler, London 1827–1910 ebda., Hauptmeister der engl. → Präraffaeliten, gründete 1848 mit → Rossetti u. → Millais u. a. die Pre-Raphaelite-Brotherhood. Er schuf haupts. religiöse Werke. In s. Stil versuchte er einen trockenen Realismus mit religiösem Symbolismus zu vereinigen. Aufsehen erregte sein erstes Werk dieser Art: *Leuchte der Welt*, 1854, Oxford, Keble College. Später ging er nach Palästina, um s. religiösen Werken mehr Lokalkolorit zu geben.
Lit.: O. v. Schleinitz, 1907. M. L. Coleridge, 1908. H. Vollmer in: Th.-B. 1925.

Hunt, William Henry, engl. Maler, London 1790 bis 1864 ebda., bedeutend als Aquarellmaler, schuf Szenen aus dem Leben der Fischer u. Schmuggler, Landschaften, Interieurs, Frucht- u. Blumenstücke, Porträts u. a. Gut vertreten in London, Victoria u. Albert Mus. u. Tate Gall.; in den Mus. v. Birmingham, Bournemouth, Dublin, Glasgow, Manchester u. a.
Lit.: Th.-B. 1925. L. Binyon, *Engl. Water-Colours*, 1946.

Hunt, William Morris, amerik. Maler, Brattleboro (Vermont) 1824–1879 Appledore, Schüler von → Couture in Paris, schloß sich den Meistern von → Barbizon an, bes. → Millet, kehrte 1855 nach Amerika zurück u. lebte abwechselnd in Newport u. Boston. H. schuf Genrebilder, Bildnisse, Landschaften, Stilleben u. Lithographien. In s. Kunst übertrug er die Malweise der Schule von Fontaine-

bleau (Barbizon) nach Amerika u. übte hier –
namentlich auch als Lehrer – einen sehr großen
Einfluß aus. H. ist sehr gut vertreten in Boston, Mus.
Lit.: B. C. K. in: Th.-B. 1925. L. M. Bryant,
American Pictures and their Paint., 1925.

Hunziker, Max, schweiz. Graphiker u. Maler,
* Zürich 1901, bedeutende graph. Werke, z. T.
unter Entwicklung neuer technischer Verfahren;
Buchillustrationen (*Coster, Til Uilenspiegel,* 1940;
Grimmelshausen, Simplizissimus, 1945, u. v. a.); farbi-
ge Glasfenster (*Universitätsspital Zürich* u. a.); als
Maler: Landschaften, Bauerndarstellungen u. a.;
kräftiger, von → Rouault beeinflußter Stil.
Lit.: Vollmer, 1955. Schweiz. Künstlerlex. 20. Jh.

Huysmans, Cornelis, niederl. Maler, Antwerpen
1648–1727 Mecheln (Malines), Landschaftsmaler,
Schüler von Jasper de Witte, beeinflußt von
J. d' → Arthois u. a., tätig in Antwerpen u. Mecheln.
H. ist in den meisten größeren Mus. vertreten.
Lit.: A. v. Wurzbach, *Niederl. Künstlerlex.* 1, 1906.
Z. v. M. in: Th.-B. 1925.

Huysum, Jan van, niederl. Maler, Amsterdam 1682
bis 1749, berühmter Stilleben-, bes. Blumenmaler,
in fast allen größeren Slgn. vertreten.
Lit.: A. v. Wurzbach, *Niederl. Künstlerlex.*, 1906.
R. Warner, *Dutch and Flemish flower and fruit Painters,*
1920. C. Hofstede de Groot in: Th.-B. 1925. Ders.,
Beschr. u. krit. Verz. X, 1928.

I

Ibbetson, Julius Caesar, engl. Maler 1759–1817,
Tierbilder, Landschafts- u. Marinebilder, vertreten
in London, Victoria u. Albert Mus.

Ihly, Daniel, schweiz. Maler, Genf 1854–1910 ebda.,
Schüler von Barth. → Menn, weitergebildet in
Paris, wandte sich der Freilichtmalerei zu; Land-
schaften, Porträts, Figurenbilder. Bilder in Genf,
Mus. u. a. schweiz. Gal.
Lit.: M. Huggler/A. M. Cetto, *Schweizer Malerei im
19. Jh.,* 1941.

Ihne, Ernst v., dt. Arch., Elberfeld 1848–1917
Berlin, Vertreter des historisierenden Stils Ende
19. Jh., baute *Jagdschloß Hummelshain* in dt. Renaissanceformen, 1880–85; *Schloß Friedrichshof* b. Cronberg im Taunus; in Berlin den *Marstall,* 1900; das
Kaiser-Friedrich-Museum, 1904; die *Staatsbibliothek,*
1914.

Iktinos, griech. Arch., erstellte 447–434 v. Chr. zus.
mit → Kallikrates den Neubau des *Parthenon* auf
der Akropolis von Athen. Mit dem Bau dieses
Tempels aus pentelischem Marmor beginnt die
klass. Epoche der griech. Kunst. Mit dem bildnerischen Schmuck wurde → Phidias betraut. Weitere
Bauten von I.: *Mysterientempel von Eleusis (Tele-
sterion); Apollo-Tempel zu Bassä* b. Phigalia. I.
verwandte in der dorischen Ordnung auch jonische
Säulen, in Bassä auch korinthische. (Der Tempel
v. Eleusis wurde erst später voll.; ebenso der
Tempel von Bassä.)
Lit.: Pauly-Wissowa, *Realencyclop.* IX, 1914. C.
Weickert in: Th.-B. 1925.

Imkamp, Wilhelm, dt. Maler, * Münster in Westf.
1906, Vertreter der abstrakten Kunst, 1926–29

Schüler von → Feininger, → Kandinsky u. → Klee
am Bauhaus Dessau, 1929–30 in Paris, tätig in
Stuttgart.
Lit.: F. Nemitz, *Dt. Malerei der Gegenw.,* 1948.
Vollmer, 1955. G. Händler, *Dt. Maler der Gegenw.,*
1956. M. Seuphor, *Knaurs Lex. abstr. Mal.,* 1957.

Imola, Innocenzo da, eig. Francucci, ital. Maler,
Imola 1494 bis um 1549 Bologna, Schüler von
→ Francia, in Florenz von → Albertinelli, schließ-
lich stark von → Raffael beeinflußt. Hauptwerk:
Vermählung der hl. Katharina, 1536, Bologna, S.
Giacomo Maggiore. Weitere Werke in Bologneser
Kirchen u. in der Pinakothek, ebda.; in Rom, Gall.
Corsini, Gall. Colonna, Gall. Barberini; in den Gal.
v. Modena, Mailand, Berlin, München, Karlsruhe,
Bonn u. a.
Lit.: A. Foratti in: Enc. Ital. 1933 (unter Innocenzo
da I.).

Induno, Domenico, ital. Maler, Mailand 1815–1878
ebda., malte biedermeierliche Genrebilder u. zeitgenössische Ereignisse.
Lit.: s. d. folg.

Induno, Girolamo, ital. Maler, Bruder u. Schüler
von Domenico, Mailand 1827–1890 ebda., schuf
Genrebilder u. Bildnisse, Darstellungen aus dem
Krimkrieg u. a.
Lit.: G. Nicodemi, *D. u. G. I.,* 1945.

Ingannati, Pietro degli, ital. Maler, tätig in Venedig
bis 1548, Nachfolger des → Bellini, Gehilfe von
→ Bissolo u. → Palma. In Lugano, Slg. Schloß
Rohoncz: *Madonna mit Kind u. hl. Agnes.* In Berlin,
ehem. K.-F.-Mus.: *Madonna mit Kind u. 4 Heiligen.*
Lit.: Gronau in: Th.-B. 1925.

Ingres, Jean-Auguste-Dominique, franz. Maler u. Zeichner, Montauban 1780–1867 Paris, Hauptmeister des franz. Klassizismus u. einer der größten franz. Meister überhaupt, trat nach Vorstudien in Toulouse 1796 in das Atelier von → David in Paris ein, lebte 1806–20 in Rom u. 1820–24 in Florenz, von da an in Paris. 1834–41 nochmals in Rom als Leiter der Franz. Akad.- I. schuf große hist. u. mythol. Werke, Akte u. hervorragende Porträts; er entwickelte s. Stil der reinen u. bedeutenden Linienführung aus dem Davids, studierte die Antike, → Raffael, → Holbein, die älteren Franzosen; er war nicht nur ein hervorragender Zeichner, sondern auch ein großer Kolorist. Den Romantikern stellte er sich entgegen, befeindete → Delacroix, aber blieb das anerkannte Schulhaupt; sein Einfluß erstreckt sich auf die ganze franz. Kunst der Folgezeit. Hauptwerke: Mythol. Stoffe: *Marter des hl. Symphorian*, Autun, Kathedrale. *Oedipus vor der Sphinx*, 1808, Paris, Louvre. *Stratonike*, Montpellier, Mus. *Thetis u. Jupiter*, Aix, Mus. Akte: *Odaliske*, 1814, Louvre. *Die Badende*, 1808, ebda. *Die Quelle*, 1856, ebda. Porträts: *Madame de Senones*, Nantes, Mus. *Granet*, 1807, Aix, Mus. *Mme Devaucay*, Chantilly, Mus. Condé. *Mr. Bertin*, Louvre. *Mr. Rivière; Mme Rivière*, 1804–05, beide im Louvre. *Selbstbildnis*, Chantilly, Mus. Condé. Zeichnungen: reichste Slg. im Mus. I. in Montauban. I. ist hervorragend vertreten in Paris, Louvre; Montauban, Mus. I.; Chantilly, Mus. Condé. Ferner: Aix, Mus.; Montpellier, Mus. u. viele weitere franz. Gal. Im Ausland: Köln, Düsseldorf, Antwerpen, Brüssel, London (Nat. Gall.), Stockholm, Leningrad, Philadelphia (Slg. Johnson), Boston, Minneapolis u. a.
Lit.: H. Lapauze, 1911. L. Fröhlich-Bum, 1924. W. Pach, 1939. P. Courthion, 1940. R. Longe, 1942. M. Malingue, 1943. J. Alazard, 1949. M. Raynal, *De Goya à Gauguin*, 1951 (Skira-Bd. m. Bibliogr.). P. Courthion, *I., raconté par lui-même*, 1947/48. G. Wildenstein, 1952. G. Pauli, *Kunst d. Klassizism. u. d. Romantik*, 1925.

Inness, George, amerik. Maler, Newburgh (N. Y.) 1825–1894 Bridge of Allan (Schottland), von der Schule von → Barbizon beeinflußter Landschafter.
Lit.: E. Daingerfield, 1911. J. G. Inness, 1917.

Innocenzo da Imola → Imola, Innocenzo da.

Isabey, Eugène, franz. Maler u. Lithograph, Paris 1803–1886 Lagny b. Paris, Sohn u. Schüler von Jean-Bapt. → I., malte Marine-Stücke u. romant. Kostümbildchen, oft mit Darstellungen hist. Begebenheiten, in brillanter Technik u. geistreicher Lichtbehandlung. Die tonige Feinheit s. Kolorits wirkte auf → Spitzweg.
Lit.: G. Hédiard, 1906.

Isabey, Jean-Baptiste, franz. Maler u. Lithograph, Nancy 1767–1855 Paris, beliebter Bildnismaler, bes. für Miniaturen des Klassizismus, Schüler von → David, Günstling der Marie Antoinette, malte die Männer der Revolution, wurde Hofmaler Napoleons, malte die Teilnehmer am Wiener Kongreß u. behauptete sich auch nach der Restauration. Er hat nicht nur eine starke Charakterisierungskunst, sondern im Gegensatz zu David eine duftige feine Farbengebung, die s. Damenbildnisse besonders reizvoll macht; auch s. Aquarelle auf Papier u. Elfenbein u. s. gewischten Kreidezeichnungen sind beliebt. Von s. figurenreichen größeren Bildern ist sehr bekannt: *Krönung Napoleons in Notre-Dame*, Sepiazeichn., Paris, Louvre. Er leitete auch die Hoffestlichkeiten Napoleons neben den Arch. → Percier u. → Fontaine, er war für die Porzellanmanufaktur in Sèvres tätig u. schuf Lithographien. Reich vertreten in Paris, Louvre; London, Wallace Coll.; Paris, Mus. Carnavalet; Versailles, Mus.; ferner in Wien (Albertina), Dresden, Windsor, Dublin, Zürich u. a.
Lit.: Mme de Basily-Callimaki, 1909. H. Vollmer in: Th.-B. 1926. C. Mauclair, *Les miniaturistes de l'Empire*, 1913.

Isenbrant, Adriaen, niederl. Maler, † 1551 Brügge, Brügger Meister aus der Nachfolge des G. → David. Sein Hauptwerk ist das Diptychon mit der *Madonna der sieben Schmerzen*, Brügge, Notre-Dame (daher früher auch *Meister der Sieben Schmerzen Mariä* gen.). Die zugehörigen *Stifterflügel*, Brüssel, Mus.; *Großer Flügelaltar* mit Anbetung der Könige, Lübeck, Marienkirche; *Triptychon* mit Darstellung im Tempel, St. Sauveur, Brügge. Werke in München (*Ruhe auf der Flucht*); London, Nat. Gall.; New York, Metrop. Mus.; Madrid, Prado; Lugano, Slg. Schloß Rohoncz (*Bildnisse* u. *Ruhe auf der Flucht*).
Lit.: M. J. Friedländer in: Th.-B. 1926. Ders., *Altniederländ. Malerei* XI, 1934.

Isenmann, Kaspar, dt. Maler, † Colmar 1472, wo er seit 1436 nachzuweisen ist; von ihm hat sich ein datierter Altar erhalten: *7 Passionsszenen* eines Flügelaltars für St. Martin, Colmar, 1462–65, Colmar, Mus. I. ist ein typischer Vertreter des Stils der 2. Hälfte des 15. Jh., ein von der niederl. Kunst, bes. von R. van der → Weyden u. D. → Bouts abhängiger Stil mit gespreizten, ja gezierten tänzerischen Bewegungen der Körper.
Lit.: G. Dehio, *Geschichte d. dt. Kunst*, 2, 1921. C. Glaser, *Die altdt. Malerei*, 1924. Th.-B. 1926. W. R. Deusch, *Dt. Mal. d. 15. Jh.*, 1936.

Isidoros v. Milet → Anthemios v. Tralles.

Israels, Isaak, holl. Maler, * Amsterdam 1865, † 1934, Sohn von Josef → I., erhielt in Paris eine im-

pressionistische Schulung. Er schuf reizvolle Strandbilder, ferner Genrebilder mit Bars u. Nachtcafés,
Volksfesten u. a.; in vielen holl. Mus. vertreten.

Israëls, Jozef, holl. Maler u. Graphiker, Groningen
1824–1911 Haag, Hauptmeister der holl. Kunst des
19. Jh., ging aus von der romant.-hist. Malerei des
A. → Scheffer u. der hist.-realist. Art von → Wappers. Seinen eigensten Weg fand er mit der Schilderung des Lebens der holl. Küstenbewohner, wobei
er die Tradition der → Rembrandtschen Malerei wie-
deraufzunehmen versucht. Besonders gut kommt s.
Wollen in Radierungen, Kohlezeichnungen u.
Aquarellen zur Geltung. Er hatte Einfluß auf die
erste Phase der Malerei van → Goghs, auf → Liebermann u. a.
Hauptwerke: *Allein auf der Welt*, 1878, Amsterdam,
Rijksmus. *Der Witwer*, 1880, Haag, Mus. Mesdag.
Judenhochzeit, 1903, Amsterdam, Rijksmus.
Lit.: J. Veth, 1904 (dt. 1906). M. Liebermann, 1922.
A. Plasschaert, 1924.

Issel, Georg Wilhelm, dt. Maler, Darmstadt 1785
bis 1870 Heidelberg, Landschaftsmaler, wird zu den
Vorläufern der realist. Landschaftskunst gerechnet.
Vertreten in den Mus. von: Darmstadt, Heidelberg,
Karlsruhe u. a.
Lit.: K. Lohmeyer, 1929. Ders., *Heidelberger Maler
d. Romantik*, 1935. R. Hamann, *Dt. Mal. v. Rokoko
z. Expression.*, 1925.

Itten, Johannes, schweiz. Maler, * Schwarzenegg
(Kt. Bern) 1888, Schüler von A.→ Hölzel in Stuttgart, begann in einem gemäßigten Expressionismus

zu malen, wandte sich 1915 rein geometrischen Konstruktionen zu, wurde 1919 an das staatl. Bauhaus
nach Weimar berufen, wo er auf Grund der Lehren
von Hölzel eine Unterrichtsmethode für die künstlerische Grundausbildung entwickelte, die in vielen
europ. u. amerik. Kunstschulen eingeführt wurde.
I. schrieb: «Kunst der Farbe», 1961.
Lit.: L. S. in: Th.-B. 1926. Vollmer, 1955.

Ivanyi-Grünwald, Béla, ungar. Maler, * Somogy-
Som 1867, † 1940, Schüler von Hackl in München,
der Akad. Julian in Paris, Mitbegründer der Künst-
ler-Kolonie von Nagybanya mit → Hollósy, →
Ferenczy, u. a.; führender Vertreter der Künst-
ler-Kolonie in Kecskemét, war ein an den Meistern
von → Barbizon geschulter Plainairist; er liebte
bes. Nebel- u. Dämmerstimmungen; auch Figurenbilder, Illustrationen u. a.

Iwanow, Aleksandr Andrejewitsch, russ. Maler,
Petersburg 1806–1858 ebda., seit 1830 in Rom lebend,
malte im Stil der nazarenisch-akad. Richtung religiöse Bilder. Hauptwerk: *Christi erste Erscheinung vor
dem Volk*, Moskau, Rumjanzew Mus.
Lit.: O. Wulff, *Die neuruss. Kunst*, [2]1933.

Iwasa, Matabei → Matabei, Iwasa.

Ixnard, Michel d', franz. Arch., Nîmes 1723–1795
Straßburg, Vertreter des Klassizismus, ausgebildet
in Paris u. in Italien, baute haupts. in Süddeutschland, in Koblenz u. in Straßburg. Hauptwerke:
Kloster u. Kirche St. Blasien ; Stiftskirche Buchau (Oberschwaben).
Kupferstichwerk: «Recueil d'architecture», 1791.

J

Jacob, franz. Kunsttischlerfamilie des 18. u. 19. Jh.
Die Möbel der J. zeichnen sich durch edle Maßver-
hältnisse u. ihren Bronze- u. Porzellanschmuck aus;
sie zählen zu den besten der Directoire- u. Empire-
zeit. Die Blütezeit der Werkstatt: unter *François-
Honoré-Georges J.*, gen. *Jacob-Desmalter*, Paris 1770
bis 1841 ebda., Hofebenist Napoleons, der mit den
Arch. → Percier u. → Fontaine zusammenarbeitete.
Lit.: H. Lefuel, *François-Honoré-Georges J.*, 1925.
F. de Salverte, *Les Ebénistes du 18ᵉ siècle*, [2]1935.

Jacobello del Fiore, ital. Maler, * um 1370, † 1439
Venedig, Schüler des → Gentile da Fabriano, tätig
um 1400–39 in Venedig, wo er bedeutende Altarwerke für venez. Kirchen schuf. J. vermittelte der
venez. Kunst den Stil Gentile da Fabrianos.
Hauptwerke: *Gr. Markuslöwe*, 1415, Venedig, Dogenpal. *Justitia mit 2 Erzengeln*, 1421, Venedig, Akad.

Krönung Mariä, 1430, ebda. *Madonna zwischen Heiligen*,
1436, ebda. *Paradies*, 1432, ebda. *Madonna*, ebda.,
Mus. Corrèr. *Szenen aus dem Leben der hl. Lucia*, Fermo,
Pinac. Polyptichon mit *Krönung Mariä*, Teramo, Pal.
Municipale.
Lit.: A. Venturi VII, 1, 1911. L. Planiscig in: Österr.
Jb. N. F. 1, 1926. G. Fiocco in: Enc. Ital. 1933. R.
van Marle, *Ital. Schools* VII, 1926. O. S. Tonks in:
Internat. Studio, Okt. 1929.

Jacobsz, Dirk, niederl. Maler, wahrsch. Amsterdam
um 1497–1567 ebda., einer der ersten u. ein sehr bedeutender Meister des Schützenstücks, der Gattung
des Gruppenporträts, die für die Niederlande so
große Bedeutung hatte u. zu den höchsten Meisterleistungen führte. Bei J. ist es noch nicht als bewegte
Handlung entwickelt, sondern als eine Aneinander-
reihung v. Porträts. Doch finden sich die ersten An-

sätze einer Gruppierung. Das einzelne Bildnis gibt den Dargestellten treu wieder mit genauer zeichnerischer Durchbildung, voller Feinheiten, in einem von s. Lehrer J. → Cornelisz ausgehenden Stil. *Schützenstücke* im Rijksmus., Amsterdam.
Lit.: M. J. Friedländer, *Altniederl. Malerei* 13, 1936.

Jacomart, Baço, span. Maler, Valencia um 1410 bis 1461, Vertreter der niederl. beeinflußten Richtung der Valencianer Malerschule, 1440 von Alfons V. von Aragon nach Neapel berufen, wo er bis 1451 blieb. In s. Stil ist er aber den niederl. Einflüssen treu geblieben; es ist eine von J. van → Eyck ausgehende, technisch feine, prunküberladene, noch recht altertümliche Malweise.
Hauptwerke: *Retabel der Colegiata von Jativa,* 1444-55. *Retabel von Caté* (Cati), 1460. *Retabel von Segorbe,* um 1457.
Lit.: E. Tormo y Monzo, 1913. A. L. Mayer, *Geschichte der ital. Malerei,* 1928. J. F. Rafols in: Enc. Ital. 1933. J. Lassaigne, *La Peint. espagn.,* 1952.

Jacometti, Pietro Paolo, ital. Bildhauer, Erzgießer, Maler u. Arch., Recanati 1580-1655, als Maler Schüler Cristofano → Roncallis, dem er bei Ausführung der Kuppelmalereien im Dom von Loreto behilflich war, schuf vor allem Bronzewerke. Sein Hauptwerk: *ehernes Taufbecken* im Dom von Osimo, 1627, gemeinsam mit s. Bruder Tarquinio. Ferner: *Bronzen am Brunnen* auf Piazza della Madonna, Loreto, 1625. *Bronzefiguren am Brunnen* auf Piazza Maggiore in Faenza. Bronzestatuette der *Madonna* in Ancona, Gesù. *Grabmal des Kardinals Cenci,* Jesi, Dom. *S. Marco,* Osimo, Dom. *Marmorbüste des Kardinals Agost. Galamini,* ebda. u. a.
Lit.: B. C. K. in: Th.-B. 1925. L. Serra in: Enc. Ital. 1933.

Jacometto Veneziano, ital. Maler, tätig um 1472 bis 1497 in Venedig; von → Antonello da Messina beeinflußter Meister, der bes. als Miniaturmaler berühmt war u. dem 2 kleine Tempera-Bildchen in der Slg. Liechtenstein, Vaduz, zugeschrieben werden: *Brustbild eines Contarini* u. *Brustbild einer Benediktinernonne.* Darauf wurden ihm ferner zugeschrieben: *Knabenbildnis,* London, Nat. Gall. u. *Bildnis eines Mannes,* ebda.; gelegentlich wird das Bild «Hieronymus in der Studierstube», von Antonello da Messina, J. zugeschrieben.
Lit.: Gronau in: Th.-B. 1925. R. van Marle, *Ital. Schools* 17, 1935.

Jacopino del Conte → Conte, Jacopino del.

Jacopo de'Barbari → Barbari, Jacopo de'.

Jacopo di Cione, ital. Maler, tätig um 1368-1394 in Florenz, der jüngere Bruder des → Orcagna, schuf

zahlreiche Altarwerke u. Andachtsbilder in dessen Art. *Marienkrönung,* 1373, Florenz, Akad. Reich vertreten in Florenz, Akad. Ferner: Philadelphia, Slg. Johnson (*Befreiung Petri aus dem Gefängnis*).
Lit.: R. van Marle, *Ital. Schools* 3, 1924.

Jacopo del Sellaio, ital. Maler, Florenz 1442-1493 ebda., liebenswürdiger Nachfolger des → Botticelli u. des → Ghirlandaio, malte zahlreiche Hausandachtsbilder, aber auch größere Altarwerke u. allegor. Bilder (vor allem Cassone-Tafeln).
Werke: *Pietà,* 1483, Berlin, ehem. K.-F.-Mus. (aus S. Frediano, Florenz). *Altarbild mit Kruzifix u. 8 Heiligen,* Florenz, Sakristei von S. Frediano. Kleine Hausandachtsbildchen: Florenz, Pitti (*Madonna in Anbetung des Kindes*); Venedig, Cà d'Oro; Paris, Louvre. *Hl. Sebastian,* New Haven, Jarves Coll. Cassone-Täfelchen: *Triumph der Keuschheit,* Fiesole, Mus.
Lit.: H. Mackowsky in: Preuß. Jb. XX, 1899. H. Horne in: Burlingt. Magaz. XIII, 1908. R. van Marle, *Ital. Schools* XII, 1931. Gronau in: Th.-B. 1936 (Sellaio).

Jacopo (Jacopino) da Tradate, ital. Bildhauer, 1401-25 am Mailänder Dom tätiger lombard. Bildhauer, dessen *Statue des Papstes Martin V.,* 1421, Mailand, Dom, zu den bedeutendsten Werken der lombard. Plastik zu Beginn des 15. Jh. gehört.
Lit.: B. C. K. in: Th.-B. 1925. P. D'Ancona in: Enc. Ital. 1933.

Jacque, Charles, franz. Maler u. Graphiker, Paris 1813-1894 ebda., bedeutender Vertreter des «Paysage intime», → Millet u. der Schule von → Barbizon nahestehend, feiner Tiermaler, der sich auf Schafherden spezialisierte. Der Katalog s. Radierungen umfaßt über 420 Nummern. Vertreten in Paris, Louvre u. weiteren franz. Mus.; ferner in Hamburg, Stockholm, Boston, New York u. a.
Lit.: I. J. Guiffrey, 1866. H. Vollmer in: Th.-B. 1925. Bénézit, 1952.

Jaeckel, Willy, dt. Maler u. Graphiker, Breslau 1888 bis 1944 Berlin, Vertreter des dt. Expressionismus, Schüler der Dresdner Akad., seit 1913 in Berlin, seit 1919 Prof. an der staatl. Kunstschule ebda., suchte vor allem einen ausdrucksvollen dekorativen Stil zu entwickeln u. den Expressionismus für religiöse Themen fruchtbar zu machen. Hauptfreskenwerk: *Wandgemälde für die Bahlsensche Keksfabrik in Hannover,* 1916-17. Religiöse Werke: *Hl. Sebastian,* 1915, Hamburg, Kunsth.; *Kreuzigung,* 1919. *Ruhe auf der Flucht,* Chemnitz, Mus. Großes Bild über das Kriegserlebnis: *Sturmangriff,* 1915. Ferner Akte, Bildnisse, Landschaften, Stilleben und ein überaus großes graph. Werk, von dem genannt sei: lithograph. Folgen: *Memento,* 1914-15. *Kriegselend,* 1917. *Hiob,* 1917. Radierungen: *Menschgott, Gott, Gottmensch,*

1920–21; *Dantes Hölle*, 1923. Illustrationen zu *Goethes Faust*, 1924; zu Dehmels *Aber die Liebe*, 1922. Vertreten in: Barmen (Ruhmeshalle), Berlin (Nat. Gal.), Breslau, Chemnitz, Darmstadt, Essen, Hamburg, Nürnberg u. a.
Lit.: E. Cohn-Wiener, 1920. L. Brieger, 1929. H. Vollmer in: Th.-B. 1925. Ders., *Künstlerlex. d. 20. Jh.*, 1955. C. Einstein, *Kunst d. 20. Jh.*, ³1931. B. Kroll, *Dt. Maler d. Gegenw.*, ³1944.

Jaenisch, Hans, dt. Maler, * Eilenstedt b. Halberstadt 1907, Vertreter der dt. abstrakten Kunst, Schüler von O. → Nebel am Bauhaus Weimar, seit 1927 in Berlin tätig. Mitglied des «Sturm» und des «Künstlerbund 1950», arbeitet bes. in Temperatechnik.
Lit.: G. Händler, *Dt. Maler d. Gegenw.*, 1956. Vollmer, 1955. *Knaurs Lex. abstr. Malerei*, 1957 (M. Seuphor).

Järnefelt, Eero Nikolai, finn. Maler, Wiborg 1863 bis 1937 Helsinki, Schüler der Kunstschule ebda. u. der Petersburger Akad., weitergebildet in Paris, malte Bilder der finn. Landschaft, Bildnisse u. Wandgemälde (Helsinki, Universität).

Jagemann, Ferdinand, dt. Maler, Weimar 1780 bis 1820 ebda., Schüler von → Füger in Wien, malte u. zeichnete Bildnisse der Größen der klass. Zeit Weimars: *Schiller auf dem Sterbebett*, 1805. *Kreidezeichnung Goethes*, 1817, Weimar, Goethehaus. Goethebildnisse 1805; 1806; 1819. *Bildnis Karl August*, 1813.

James, John, engl. Arch., † 1746, bedeutender Meister aus der Nachfolge → Wrens; sein Neubau der *Kirche von Twickenham*, 1713–15, gilt als eine der schönsten Backsteinkirchen der Epoche. Sein Hauptwerk: *St. George's Kirche*, Hanover Square, London, 1712–24, in edlem klassizist. Stil.

Jamesone, George, engl. Maler, Aberdeen um 1587 bis 1644 Edinburgh, war vor allem Bildnismaler, der den schott. Adel porträtierte. Vertreten in den Gal. v. Edinburgh, Dublin, Aberdeen.
Lit.: M. W. Brockwell, 1939 (engl.).

Jamnitzer, Christoph, dt. Goldschmied u. Ornamentstecher, Nürnberg 1563–1618 ebda., bedeutender Meister des dt. Frühbarock, Enkel von Wenzel → J.; auch von ihm sind über 20 Goldschmiedearbeiten erhalten.

Jamnitzer (Jamitzer), Wenzel, dt. Goldschmied u. Ornamentstecher, Wien 1508–1585 Nürnberg, der berühmteste Goldschmied der dt. Renaissance, 1534 Meister in Nürnberg, wo er tätig war u. mit s. Bruder Albrecht eine Werkstatt unterhielt, die von Söhnen, Schwiegersöhnen u. Enkeln weitergeführt

wurde. Die Prachtgefäße von J. waren weithin berühmt. Doch gibt es heute nur noch etwa 20 beglaubigte Stücke s. Hand. Ferner Entwürfe u. Zeichnungen. Das berühmteste der erhaltenen Stücke ist der sog. *Merkelsche Tafelaufsatz*, um 1549 (nach dem früheren Besitzer gen.), Paris, Slg. Rothschild. Es ist ein 1 m hoher Tafelaufsatz, bei dem Figuren, Mauresken, naturgetreue Tiere u. Blumen aus Silber u. Email verfertigt sind. Eine weibl. Gewandfigur trägt den Aufsatz. Vor allem wurde auf vollendete Technik u. reiche Erfindungsgabe gesehen, aber auch auf einen flüssig bewegten, rhythmisierten Umriß; der Stil ital. beeinflußt.
Weitere Werke: sog. *Ernestin. Willkomm*, vergoldeter Becher, um 1546, Gotha, Mus. *Schmuckkästen* in der Schatzkammer München u. im Grünen Gewölbe, Dresden. *Kaiserpokal*, um 1570, Berlin, Schloßmus., aus vergoldetem Silber, mit allegor. Darstellungen u. der krönenden Figur Kaiser Maximilians II. Entwürfe u. Zeichnungen in Nürnberg, German. Mus.; Berlin, Kupferstichkabinett; London, Victoria u. Albert Mus.
Lit.: Bergau, 1880. M. Frankenburger, 1901. M. Rosenberg, 1920. M. Frankenburger in: Th.-B. 1925. G. Dehio, *Gesch. d. dt. Kunst* 3, 1926. G. Glück, *Kunst d. Renaiss.*, 1928.

Janinet, François, franz. Kupferstecher, Paris 1752 bis 1814 ebda., beliebter Meister des Farbenkupferdruckes, der die von → Leprince erfundene Aquatintamanier zu einem mit mehreren Platten arbeitenden Farbstich entwickelte. Berühmt s. *Bildnis der Marie Antoinette*, 1777. Er arbeitete viel nach → Fragonard, → Ostade, H. → Robert u. a.
Lit.: J. Model u. J. Springer, *Der franz. Farbenstich d. 18. Jh.*, 1912. H. Vollmer in: Th.-B. 1925.

Jank, Angelo, dt. Maler u. Illustrator, München 1868–1940 ebda., Tiermaler, bes. Pferd u. Reiter in Bewegung, in flotter impressionist. Technik, Mitglied der Künstlervereinigung → «Scholle», malte auch Wandgemälde: im *Münchner Justizpal.*, 1906, u. Historienbilder im *Reichstagsgebäude*, Berlin. Mitarbeiter der «Jugend», in der er den typischen «Jugend-Stil» der 1890er Jahre mitprägte.

Jansen, Hermann, dt. Arch., Aachen 1869–1945, Prof. für Städtebau an der Techn. Hochschule Berlin, entwarf Generalbebauungspläne u. a. für Groß-Berlin, 1910; für Ankara, 1929; für Madrid, 1930. Er gab die Zschr. «Der Baumeister» heraus.
Lit.: H. Loy in: Der Baumeister, Jg. 45, 1948.

Janssen, Karl, dt. Bildhauer, Düsseldorf 1855–1927 ebda., Bruder von Peter J., schuf das *Reiterstandbild Kaiser Wilhelm I.* in Düsseldorf; Bildwerke am *Rheinbrunnen*, ebda., v. 1896; Grabdenkmäler, Porträtbüsten, Plaketten, Medaillen, u. a.

Janssen, Peter, dt. Maler, Düsseldorf 1844–1908 ebda., Vertreter der Geschichtsmalerei der Düsseldorfer Schule, schuf Fresken mit Darstellungen aus der dt. Geschichte, mythol. Darstellungen, religiöse Werke u. Porträts. J. lehnte sich in s. Stil an → Cornelius u. an → Rethel an, in s. religiösen Bildern an v. → Gebhardt. Er sah bes. auf die «Richtigkeit» aller kostüml. Details.
Werke: *Fresken mit Darstellungen aus der Geschichte des Arminius,* 1871–73, Krefeld, Rathaussaal. *Darstellungen aus der Prometheus-Sage,* 1874–76, Cornelius-Saal der Nat. Gal. in Berlin. *Fresken im Rathaus-Saal,* Erfurt, 1877–81.
Lit.: Th.-B. 1925.

Janssen, Victor Emil, dt. Maler, Hamburg 1807 bis 1845 ebda., vielleicht der begabteste Maler der nazarenischen Richtung (→ Nazarener), dessen *Selbstbildnis,* 1829, Hamburg, Kunsth. als eines der besten Bilder der Epoche u. Vorläufer der impressionist. Aktmalerei gilt. 1833–1835 in Italien, seit 1843 in Hamburg tätig. Weitere Werke: *Der gute Hirt,* 1835, Hamburg, Kunsth.; Zeichnungen ebda.
Lit.: D. in: Th.-B. 1925. R. Klée Gobert, Diss. Berlin 1943. G. Pauli, *Kunst d. Klassizism. u. d. Romantik,* 1925.

Janssens, Abraham, gen. J. van Nuyssen, niederl. Maler, um 1575–1632 Antwerpen, bedeutender Vertreter des niederl. Romanismus, war längere Zeit in Italien, malte religiöse, mythol. u. allegor. Bilder, einige Historienbilder u. Porträts. Später von → Rubens beeinflußt.
Hauptwerke: Allegorie: *Die Schelde u. Antwerpen,* 1609–1610, Antwerpen, Mus.; *Vertumnus u. Pomona,* Berlin, staatl. Mus.; *Meleager u. Atalante,* ebda.; *Venus u. Adonis,* Wien, Kunsthist. Mus. Werke in den Kirchen v. Antwerpen, Brügge, Gent, Mecheln, Tournai; in den Mus. v. Antwerpen, Brüssel, Berlin, Braunschweig, Budapest, Kassel, München, Toulouse, Valenciennes, Wien, Würzburg u. a.
Lit.: R. Oldenbourg, *Die fläm. Malerei d. 17. Jh.,* 1918. E. Heidrich, *Vläm. Malerei,* 1913 (mehrere Aufl.).

Janssens van Ceulen, Cornelis → Jonson van Ceulen, Cornelis.

Janssens, Hieronymus, gen. «den Danser», niederl. Maler, Antwerpen 1624–1693 ebda., gehörte zum Kreise um Gônzales → Coques; er malte Genrebilder: vornehme Gesellschaften bei Spiel, Tanz u. Unterhaltung; vertreten u. a. in: Berlin (Kstgew. Mus.), Braunschweig, Brüssel, Gent, Lille, Madrid, Paris, Valenciennes.

Janssens, Pieter, niederl. Maler, * Amsterdam um 1682, tätig ebda., spezialisierte sich auf Innenraumbilder in der Art des P. de → Hooch u. auf Stilleben

in der Art von → Kalff. J. ist vertreten im Haag, Brediushuis; Oslo, Mus.

Jansson, Eugène Fredrik, schwed. Maler, Stockholm 1862–1915 ebda., malte Stilleben, Stadtansichten in Öl u. Pastell in duftiger impressionist. Art; später auch Figurenbilder (männl. Akte) u. Porträts. Vertreten in den Mus. v. Stockholm, Göteborg u. a.
Lit.: G. M. Silfverstolpe in: Th.-B. 1925.

Jardin, Karel du → Dujardin, Karel.

Jawlensky, Alexej v., russ. Maler, Kuslowo (Gouvern. Twer) 1867–1941 Wiesbaden, begann s. Studium auf der Akad. in Leningrad (Petersburg) unter dem Einfluß von → Rjepin, kam 1896 nach München, wo er 1909 zus. mit → Erbslöh, → Kanoldt, → Kandinsky, → Bechtejeff u. → Werefkin die «Neue Künstlervereinigung München» gründete. Er stand den Mitgliedern des → «Blauen Reiters» nahe u. war mit Kandinsky eng befreundet. 1924 gründete er zus. mit → Kandinsky, → Feininger u. → Klee die Gruppe «Die blauen Vier». Seit 1921 lebte er in Wiesbaden. In s. Kunst war J. von den → Fauves, bes. von → Matisse, beeinflußt worden. Er liebte die starken kräftigen Farben, die in ihrer Ausdruckskraft mit russ. Volkskunst verglichen worden sind. Seine Thematik beschränkte sich fast ausschließlich auf das menschliche Antlitz; dabei wandte er sich ganz vom Porträthaften ab; die Form wurde einfacher u. monumentaler, der Ausdruck vergeistigt.
J. ist gut vertreten in Köln (*Stilleben mit Vase u. Krug,* 1909), Essen, Elberfeld, Wuppertal (*Mädchen mit Pfingstrose,* 1909), Wiesbaden, Basel (*Strenger Winter,* 1916). Ferner in Halle, Hannover, Mannheim, Stettin, Ulm, Wien u. a.
Lit.: Brattskoven in: Th.-B. 1925. Knaurs Lex. 1955. Vollmer, 1955. Cl. Weiler, 1959. J. Leymarie, *Fauvismus,* 1959 (m. Bibliogr.). L.-G. Buchheim, *Der Blaue Reiter,* 1959.

Jeanneret, Edouard → Le Corbusier.

Jeaurat, Etienne, franz. Maler u. Kupferstecher, Paris 1699–1789 Versailles, Schüler von N. → Vleughels, der ihn 1724 mit nach Rom nahm. J. begann mit mythol. Bildern, wandte sich später vor allem dem zeitgenöss. Sittenbild zu, am anziehendsten dort, wo er das malerisch bewegte Pariser Straßenleben des 18. Jh. schildert. In s. Stilleben kam er bisweilen → Chardin sehr nahe. Einige große Historienbilder u. religiöse Gemälde trocken u. öde. Auch einige Bildnisse. Mehrere Stecher haben nach s. Werken gearbeitet. Er schuf auch Kartons für Gobelins. J. ist in vielen franz. Mus. vertreten, ferner in Oxford, Moskau, Leningrad, Dublin (Kreidezeichn.).
Lit.: H. V. in: Th.-B. 1925.

Jegher (Jeghers), Christoffel, niederl. Holzschneider, Antwerpen 1596–1652 ebda., hat, von → Rubens angeleitet, Einblattholzschnitte nach dessen Vorlagen geschaffen u. die Kunst des Rubens feinfühlig in den Holzschnitt umgesetzt.

Jerichau, Jens Adolf, dän. Bildhauer, Assens (Fünen) 1816–1883 Neder Draaby b. Frederikssund, Schüler → Thorwaldsens in Rom, dessen klassizist. Stil er weiterführte, tätig meist in Rom, seit 1849 Prof. der Akad. Kopenhagen.
Werke: *Panterjäger,* 1846 voll., Kopenhagen, Glypt.; *Adam u. Eva,* 1849; *Bronzestandbild des Naturforschers Orsted,* Kopenhagen, voll. 1876.
Seine Gattin *Elisabeth J.-Baumann,* 1819–1881, malte Bildnisse u. Genrebilder.

Jernberg, August, schwed. Maler, Gävle 1826–1896 Düsseldorf, wo er seit 1854 tätig war; Schüler von → Couture in Paris; bes. Stilleben (Fruchtstücke); kleine Interieurs; figurenreiche Volksszenen (*Westf. Kirmes,* Stockholm, Nat. Mus.).

Jettel, Eugen, österr. Maler, Johnsdorf (Mähren) 1845–1901 Lussin-Grande (Adria), österr. Vertreter der Schule von → Barbizon, lebte 1873–97 in Paris u. schuf stimmungsvolle Landschaften.

Jode, Pieter de, d. Ä., niederl. Kupferstecher, Antwerpen 1570–1634 ebda., Schüler von H. → Goltzius, stach viele Blätter nach ital. und niederl. Bildern.

Jode, Pieter de, d. J., niederl. Kupferstecher, Antwerpen 1606 bis nach 1674 England (?), Schüler s. Vaters, stach haupts. nach Rubens, Jordaens u. van Dyck; die Bildnisstiche nach van Dyck gehören zu den bedeutendsten Leistungen des fläm. Reproduktionsstichs.

Joest, Jan J. v. Kalkar, niederl. Maler, † Haarlem 1519, nachweisbar seit 1505, in Kalkar u. Haarlem tätig, schuf als s. Hauptwerk: den *großen Flügelaltar* mit 16 Darstellungen aus dem Leben Jesu u. Mariä in der *Nikolaikirche zu Kalkar,* 1505–08. In s. Kunst erweist sich J. als von der Haarlemer Malerschule herkommend (vielleicht Schüler des → Geertgen), leicht beeinflußt von den Romanisten (J. van → Scorel). J. van → Cleve u. B. → Bruyn scheinen s. Schüler gewesen zu sein. Weitere Werke: *Johannesaltar* der Kathedrale zu Palencia (Spanien). *Beweinung Christi,* Sigmaringen, Mus. Zugeschrieben: *Gefangennahme Christi,* Dresden, Mus.; kleinformatige schöne *Porträts* in München, A. P.
Lit.: Fr. Winkler, *Die altniederl. Malerei,* 1924. J. Rosenberg in: Th.-B. 1925. M. J. Friedländer, *Altniederl. Malerei* 9, 1931. C. P. Baudisch, Bonner Diss. 1940.

Johannot, Alfred, franz. Maler, Kupferstecher u. Lithograph, Offenbach 1800–1837 Paris, Meister der romant. Buchillustration, illustrierte Bücher von Walter Scott, Byron, Cooper u. a. Er malte Schlachtenbilder u. religiöse Darstellungen.

Johannot, Tony, franz. Maler u. Graphiker, Offenbach 1803–1852 Paris, zählt zu den Hauptmeistern der franz. Buchillustration in der Zeit der Romantik, Bruder von Alfred → J.; sein Gesamtwerk umfaßt über 3000 Vignetten für über 150 Bücher, darunter *Molières Werke, Cervantes Don Quichotte, Lesages Diable boiteux.*

John, Augustus, engl. Maler u. Radierer, * Tenby (Wales) 1878, schuf Bildnisse, Landschaften, Figurenbilder; in s. Kunst stark eklektisch. Als Radierer studierte er bes. → Rembrandt. J. ist vertreten in den Gal. v. London (Tate Gall.), Liverpool, Cambridge (Bildnis *Bernard Shaw*), Birmingham, Dublin, Amsterdam, Buffalo, Victoria (Australien), Ottawa. Zeichnungen in London, Brit. Mus.
Lit : *Kat. seiner Graphik,* hg. v. C. Dodgson, 1920 u. 1931. T. W. Earp, 1934. L. Browse, *Drawings,* 1941. J. Rothenstein, 1944.

Johnsson, Ivar, schwed. Bildhauer, * Vittskövle 1885, Hauptvertreter des Neo-Klassizismus in der schwed. Skulptur. Denkmäler in Göteborg (*Brunnen im Kungspark,* 1918), Oerebro u. a.; Werke in den Mus. von Göteborg, Malmö, Stockholm, München (Nat. Mus.) u. a.

Jolivard, André, franz. Maler, Le Mans 1787–1851 Paris, Landschafter, gehört zur Gruppe der G. → Michel u. P. → Huet, die, gestützt auf ein erneutes Studium der alten Niederländer, die nordfranz. Ebenen u. Küsten, die Höhen u. Waldungen des Montmartre u. der sonstigen Umgebung von Paris malten; sie waren Vorläufer der Meister von → Barbizon.

Jones, Inigo, engl. Arch., London 1573–1652 ebda., Hauptmeister des engl. Klassizismus, weilte einige Jahre in Italien u. studierte die Baukunst, bes. → Palladios, die er aufs glücklichste verarbeitete u. nach England verpflanzte u. damit für die ganze Folgezeit den Charakter der engl. Architektur bestimmte: Vornehme Verhältnisse, Schlichtheit im Dekorativen, klass. Maß. 1616 Oberaufseher am engl. Hofe. Die meisten großen Bauprojekte der Zeit sind von ihm entworfen. Nur weniges ist aber ausgeführt worden oder unverändert überliefert. Sein Hauptentwurf war der für den Neubau des *Palastes von Whitehall* in London, 1. Plan 1619, der 2. noch großartiger. Ausgeführt u. heute erhalten ist nur die *Bankett halle,* in schönen großen Verhältnissen, Deckengemälde von → Rubens. Weitere

Bauten: der Plan des *Hospitals von Greenwich, Wilton House* in Salesbury, *St. Paulskirche in Covent Garden, Ashburnham House*, Westminster, mit großem Treppenhaus, Teile von *Somerset House* u. a.
Lit.: S. C. Ramsay, 1924. A. Gotch, 1928. R. Blomfield, *Six architects*, 1935. J. Lees-Milne, 1937. D. Frey, *Engl. Wesen im Spiegel s. Kunst*, 1942. G. Pauli, *Kunst d. Klassizism. u. d. Romantik*, 1925. N. Pevsner, *Europ. Architektur*, 1957.

Jones, Owen, engl. Arch. u. Ornamentzeichner, London 1809–1874 ebda., erhielt nachhaltige Eindrücke von islam. Baukunst u. Ornamentik; s. neuen Gedanken bedeuteten für England den Anbruch einer neuen Ära der Dekorationskunst. Er schuf neuartige Dekorationen für den Kristallpalast der Weltausstell. in London 1851; Entwürfe für Tapeten, Teppiche, Möbel, Buchillustrationen, Gebrauchs- u. Gelegenheitsgraphik. Er schrieb: «The Grammar of Ornament», 1856–65.

Jongh, Ludolf de, niederl. Maler, Rotterdam 1616 bis 1679 ebda., schuf Einzel- u. Gruppenbildnisse, Gesellschaftsstücke, Genreszenen, Landschaften mit Staffagefiguren, meist Darstellungen von Jagden, u. a.; beeinflußt von s. Lehrern → Palamedes u. →Bijlaert. In vielen Mus. vertreten, u. a. in Amsterdam (Rijks Mus.) Den Haag (Mauritshuis), Bonn, Leipzig, Helsinki, Leningrad, Genf, Nürnberg, New York (Metrop. Mus.).
Lit.: C. Hofstede de Groot in: Th.-B. 1926.

Jongkind, Johann Barthold, holl. Maler u. Radierer, Lattrop 1819–1891 Côte-Saint-André, hervorragender Maler der franz. Schule, Schüler von → Schelfhout in Haag, der ihn die Aquarellmalerei nach der Natur lehrte, später von → Isabey in Paris, beeinflußt von → Troyon u. den Malern von → Barbizon, bildete eine Kunst der atmosphärischen Stimmung aus, die in s. besten Aquarellen u. Zeichnungen viele Ergebnisse des Impressionismus vorwegnimmt.
Beisp.: *Vue du port de Honfleur*, 1850. *Les patineurs* (Schlittschuhläufer), Paris, Louvre. *Les barques près du moulin* (Segelschiffe u. Windmühle), 1868, ebda. *Argenteuil*, Aquarell, 1869, ebda.
Lit.: Moreau-Nélaton, 1918. P. Colin, 1921. P. Signac, 1927. M. Raynal, *De Goya à Gauguin*, 1951 (Skira-Bd. m. Bibliogr.).

Jonson (Janssens) van Ceulen, Cornelis, engl.-niederl. Maler, London 1593 bis um 1662 Utrecht (oder Amsterdam), neben → Lely u. → Kneller der hervorragendste Porträtist der Stuart-Epoche in England, der 1643 nach Holland übersiedelte. (Der Jonson van Ceulen [Köln?] signierende Meister von der holl. Kunstliteratur *Janssens* gen.) Er schuf haupts. Brust- u. Halbfigurenbilder, doch auch eini-

ge Miniaturen u. umfangreiche Gruppenbilder. In s. Stil ist er niederl. beeinflußt, aber auch an die ältere engl. Kunst anschließend.
J. ist vertreten in London, Nat. Portr. Gall. (*Selbstbildnis*, 1636); im Buckingham Pal., ebda.; in Dublin, Nat. Gall. (*Männerbildnis*); in Hampton Court, Cambridge, Glasgow; im Haag, Amsterdam, Rotterdam, Utrecht, Brüssel; Aachen, Berlin, Braunschweig, Karlsruhe, Hannover, Köln, Dresden, Frankfurt, München, Schleißheim; in Neapel, Lyon, New York u. a.
Lit.: H. Schneider in: Th.-B. 1926.

Jonsson, Einar, isländ. Bildhauer, * Galtafell 1874, Schüler von → Sinding in Kopenhagen, schuf Bildwerke allegor. u. symbolist. Art, meist aus der isländ. Geschichte u. Sage. Eine große Anzahl s. Werke vereinigt in einem J.-Mus. in Reykjavik. J. gab s. Erinnerungen heraus, «Myndir», 1925.

Joos van Cleve → Cleve, Josse van.

Joos van Gent → Justus van Gent.

Jordaens, Jacob, niederl. Maler, Antwerpen 1593 bis 1678 ebda., Hauptvertreter des fläm. Genrebildes u. neben → Rubens u. van → Dyck der bedeutendste fläm. Maler des 17. Jh., Schüler von A. van → Noort, von den Italienern, vor allem von → Caravaggio u. → Rubens beeinflußt, war groß in Genredarstellungen aus dem fläm. Volksleben, in welchen der kraftvolle, lebensgenießerische Zug des Volkes humorvoll u. künstlerisch stark zur Geltung kommt. Doch hat er auch bibl., mythol., allegor. Stoffe u. Bildnisse geschaffen, die bedeutend sind, wenn sie auch nicht an Rubens heranreichen. Sein Hauptwerk sind die Darstellungen des *Bohnenfestes*: mehrmals in vielen Variationen gemalt, Hauptstück in Wien, Kunsthist. Mus.; ferner in Kassel, Brüssel, Paris, Leningrad. *Wie die Alten sungen, so zwitschern die Jungen* (Antwerpen, Paris, Berlin, Dresden).
Weitere Hauptwerke: Genre: *Satyr bei Bauern*, Kassel, München, A. P. Bibl. Stoffe: *Kreuzigung*, 1617, Antwerpen, Paulskirche. *Jesus unter den Schriftgelehrten*, 1663, Mainz, Mus. *Darstellung im Tempel*, Dresden, Gal. *Der Stater im Maule des Fisches*, Amsterdam, Rijksmus. *Martyrium der hl. Apollonia*, 1628, Antwerpen, Augustinerkirche. Porträts: *Mädchenbildnis*, um 1640, Wien, Akad. *Familienbild*, Kassel, Gal. Sehr gut vertreten ist J. in Amsterdam, Rijksmus. u. Slg. Six; Antwerpen, Mus. u. verschiedene Kirchen; Gal. v. Kassel; Dresden, Berlin, Paris, Louvre; Madrid, Prado.
Lit.: P. Buschmann, 1905. M. Rooses, 1906. H. Kauffmann in: Festschrift f. M. J. Friedländer, 1927. E. Heidrich, *Vläm. Malerei*, 1913.

Jordan, Rudolf, dt. Maler, Berlin 1810–1887 Düsseldorf, Vertreter der Düsseldorfer Schule (→ Schadow u. → Sohn); Prof. der Akad. ebda., malte vor allem Schilderungen des Nordseestrandes u. aus dem Leben der Schifferbevölkerung.

Josephson, Ernst, schwed. Maler, Stockholm 1852–1906 ebda., in Paris von der Freilichtmalerei beeinflußt, wurde später Bahnbrecher der schwed. Neo-Romantik, beeinflußt von → Böcklin.
Lit.: K. Wahlin, 1911–12. E. Blomberg, 1951.

Jouffroy, François, franz. Bildhauer, Dijon 1806 bis 1882 Laval, Vertreter der antikisierenden akad. Formauffassung, schuf dekorative Plastik für den Louvre, die Pariser Oper, den Justizpalast ebda., den Nordbahnhof u. für zahlreiche Pariser Kirchen. Denkmäler, Kleinplastik (*Junges Mädchen an der Venusherme*, 1839, Paris, Louvre) u. a.

Jouvenet, Jean, franz. Maler, Rouen 1644–1717 Paris, bedeutender franz. Barockmaler, Hauptschüler von → Le Brun, entwickelte s. Stil unter dem Einfluß von → Rubens u. den Malern der → Carracci-Schule (→ Domenichino), schuf vor allem religiöse monumentale Darstellungen, schmückte 1696 den Justizpalast von Rennes mit großer Deckenmalerei: *Triumph der Religion* u. den Mars-Saal im Schloß von Versailles. Hauptwerke im Louvre in Paris u. in Rouen, Mus. *Auferweckung des Lazarus*, Paris, Louvre. *Kreuzabnahme*, ebda.
Lit.: Le Carpentier, 1804. J. Houel, 1836. Le Roy, 1860. W. Weisbach, *Französ. Mal. d. 17. Jhs.*, 1932.

Juan de Borgoña → Borgoña, Juan de.

Juan de Flandes, niederl.-span. Maler, von ca. 1496 an in Spanien tätig, † um 1519, wahrscheinlich in Palencia, bedeutender Meister, der die niederl. Richtung der span. Malerei befruchtete, Hofmaler der Königin Isabella, zuletzt in Palencia tätig. Im Stil fand man Beziehungen zu J. → Provost, aber auch zu den fläm. Buchmalern, die am burgund. Hof arbeiteten (Meister des Hortulus animae), so daß er künstlerisch auch aus diesem Kreise stammen könnte.
Hauptwerke: eine Folge von Darstellungen aus dem Leben Christi u. Mariä, das aus 46 Täfelchen bestehende sog. «*Oratorium*» *der Königin Isabella*, um 1500, davon heute erhalten: 15 Bilder in Madrid, Pal. Real, 10 in verschiedenen europ. Slgn., darunter Kloster Guadelupe (*Taufe Christi*); London, Nat. Gall. (*Erscheinung des Auferstandenen*); Wien, Kunsthist. Mus. (*Kreuztragung* u. a.). – *Hochaltar der Kathedrale v. Palencia*, um 1509, *Auferweckung des Lazarus*, Madrid, Prado. Zugeschrieben: *Michaelsaltar in*

Salamanca, Catedral vieja; Tafeln eines Altars in Palencia, S. Lazaro, u. a.
Lit.: V. v. Loga, *Die Malerei in Spanien*, 1923. F. Winkler, *Die altniederl. Malerei*, 1924. Ders. in: Th.-B. 1926. M. J. Friedländer in: Der Cicerone, 1930. G. Glück, *Bildnisse des J. de F.* in: Pantheon VIII, 1931. F. J. Sanchez-Canton, *Der Prado*, 1959.

Juanes, Juan de, eig. Juan Vicente Masip, span. Maler, Fuente la Higuera um 1523–1579 Bocairente b. Valencia, Sohn u. Schüler von Juan Vicente Masip d. Ä., führte den italienisierenden Stil s. Vaters fort; zum Einfluß → Raffaels u. → Leonardos kommt auch der der manierist. Nachfolger Raffaels. Werke: *Darstellungen aus der Stephanslegende* (von einem Altar für die Kirche S. Esteban Protomartir in Valencia), Madrid, Prado. *Madonna*, Valencia, S. Andrés. Mehrere Tafeln in S. Nicolas in Valencia, darunter das *Abendmahl*. Mehrere Werke im Mus. Valencia; ferner in Barcelona, Mus.; Budapest, Mus.; Leningrad, Eremitage.
Lit.: A. Igual Ubeda, 1943 (span.). J. Lassaigne, *La peinture espagnole*, 1952 (Skira-Bd.).

Juel, Jens, dän. Maler, Balslev 1745–1802 Kopenhagen, der bedeutendste dän. Bildnismaler des 18. Jh., 1772–76 in Rom, 1776–80 in Paris, Genf u. Hamburg, seit 1784 Prof. der Akad. in Kopenhagen; er vertritt, ähnlich wie → Graff in Deutschland, das bürgerliche Rokoko. Ferner Stilleben, Landschaften, Genrebilder. Bildnisse: *Selbstbildnis*, Kopenhagen, Mus. *Klopstock*, Hamburg, Kunsth. Zu s. Schülern gehörte Th. O. → Runge.

Julien, Pierre, franz. Bildhauer, St-Paulien 1731 bis 1804 Paris, Vertreter des franz. Klassizismus, Schüler von → Coustou, ging von einem bewegten Barock zu einer gemäßigt klassizist. Auffassung über. Hauptwerke: *Ganymed*, Paris, Louvre. *Mädchen mit Ziege*, ebda. *Marmordenkmäler Lafontaines* u. *Poussins*, Paris, Pal. de l'Institut.

Juncker, Justus, dt. Maler, Mainz 1703–1767 Frankfurt a. M., wohin er jung kam; gehörte zum Kreise der von Goethes Vater beschäftigten Künstler. Er malte Alchimisten u. Gelehrte in ihren Studios; Küchen u. ähnliche Innenräume in der Art der Niederländer (Th. Wijk), Stilleben, Blumen- u. Früchtestücke in der Art des Jan Davidzs. de → Heem u. des van → Huysum. Vertreten in den Gal. von Darmstadt, Dessau, Frankfurt, Karlsruhe, Kassel, Mainz, Aix, u. a.
Lit.: Goethe, *Dichtung u. Wahrheit*, Ausg. Hempel XX, 24 ff., 82 ff, 143 ff. K. Noack in: Th.-B. 1926.

Juni, Juan de, franz.-span. Bildhauer, Joigny (Burgund) 1507–1577 Valladolid. In Italien ausgebildet unter dem Einfluß → Michelangelos, dann

tätig in León, Salamanca, Segovia u. seit 1540 in Valladolid u. Umgebung. J. hat – wie → Berruguete – den Stil Michelangelos auf s. Art weitergeführt u. eine Monumentalität erstrebt, die ihn den Manierismus überwinden ließ u. den Barock vorbereitete. Seine religiösen Bildwerke vorwiegend in Valladolid, Segovia, Salamanca.
Hauptwerke: *Beweinung Christi* (polychr. Holz), 1544, Valladolid, Mus. *Beweinung Christi* (Retablo de la Piedad), 1571, Segovia, Kathedrale. *Mater Dolorosa* (Virgen de los Cuchillos), um 1560, Valladolid, Kirche Las Angustias. *Gruppe der hl. Anna mit Maria*, Salamanca, Kathedrale.
Lit.: A. L. Mayer, *Span. Barock-Plastik*, 1923. Ders. in: Th.-B., 1926. V. v. Loga, *Die span. Plastik*, 1923. A. E. Brinckmann, *Barockskulpt.* in: Handb. d. Kunstwss. G. Weise, *Span. Plastik aus 7 Jh.*, 1925.

Juste, eig. Giusto, franz. Bildhauerfamilie ital. Ursprungs, die im 16. Jh. in Tours tätig war. Die bedeutendsten Mitglieder sind die Brüder *Antoine* (Antonio di Giusto Betti), Corbignano bei Settignano 1479–1519 Tours; u. *Jean* (Giovanni di Giusto Betti) St. Martino bei Florenz 1485–1549 Tours. Um 1504 übersiedelten die Brüder nach Frankreich u. ließen sich in Tours nieder, wo sie eine Werkstatt betrieben, die von ihren Söhnen weitergeführt wurde. Im Stil waren sie typische Vertreter der ital. Renaissance; Jean gilt als der bedeutendere der Brüder.
Gemeinsames Hauptwerk: *Grabmal Ludwigs XII. u. s. Gemahlin* in der Kathedrale von St. Denis, 1516 in Auftrag gegeben, 1531 von Jean voll. Es ist ein prunkvolles Renaissance-Baldachin-Freigrab. Auf den Sarkophagen ruhen in realist. Darstellung die Verstorbenen als nackte Leichen; und nochmals als vor ihren Gebetpulten kniend auf dem Dach des Baldachins. Ein weiteres gemeinsames Werk: *Grabdenkmal des Bischofs James* in der Kathedrale von Dol (Bretagne) v. 1507.
Lit.: H. Vollmer in: Th.-B. 1926. J. Combe in: Enc. Ital. 1933 (Giusto).

Justus van Gent, eig. Joos van Wassenhove, niederl. Maler, tätig um 1460–1480 in Antwerpen, Gent u. seit 1468 in Italien, bedeutender niederl. Meister, der die altniederl. Kunst in Italien vertrat, gleichzeitig selber ital. Einflüsse erfuhr u. eine interessante Verbindung der von van der → Goes beeinflußten niederl. Realistik u. ital. Stil darstellt; 1473 bis 1480 in den Diensten Federigo da Montefeltres, Herzog von Urbino. Das Hauptwerk der heute erhaltenen Bilder ist die Darstellung der *Einsetzung des Abendmahls*, Urbino, Pal. Ducale. Weitere Werke: *28 Idealbildnisse von Dichtern u. Philosophen* für den Herzog Federigo, davon heute 14 in Paris, Louvre; 14 in Rom, Pal. Barberini (die Bildnisse von Pedro Berruguete voll.).
Lit.: W. Bombe, *J. v. G. in Urbino* in: Mitteil. d. Ksthist. Inst. in Florenz, 1919. M. J. Friedländer, *Die altniederl. Mal.* 3, 1925. J. Lavalleye, 1936 (franz.). A. Schmarsow, *J. v. G. u. Melozzo da Forlì*, 1912.

Juvara, Filippo, ital. Arch., Messina 1678–1736 Madrid, Turiner Meister des Spätbarock im Übergang zum Klassizismus, Schüler von C. u. F. → Fontana in Rom, seit 1714 1. Arch. des Königs von Sardinien in Turin, 1734 nach Madrid berufen, wo er den Bau d. *Königl. Schlosses* 1738 begann (nach s. Tod von Sacchetti voll.). Hauptwerke: die Votivkirche *Superga* auf der Höhe vor Turin, 1717 bis 1731, mit anschließendem Kloster. Westflügel des *Pal. Madama*, Turin, 1718–20, mit schönem Treppenhaus. *Carmine-Kirche*, ebda. Jagdschloß *Stupinigi* b. Turin.
Lit.: L. Masina, 1920. M. Labo, 1926. Telluccini, 1931 A. E. Brinckmann, *Baukunst des 17. u. 18. Jh. in d. roman. Ländern,* [5]1930.

Juvenel, Nicolas, niederl. Maler, Dünkirchen um 1540–1597 Nürnberg, wohin er gleichzeitig mit → Neuchatel kam. Bildnismaler, der die Art Neuchatels weiterführte, auch Architekturbilder. Vertreten in den Mus. v. München (Nat. Mus.), Nürnberg (German. Mus.) u. a.

K

Kändler, Johann Joachim, dt. Bildhauer u. Porzellanmodelleur, Fischbach b. Arnsdorf um 1706 bis 1775 Meißen, Hauptmeister der Rokoko-Porzellan-Plastik, 1730 Hofbildhauer Augusts des Starken, seit 1731 an der Meißener Porzellanmanufaktur tätig. K. war einer der ersten Meister, welche die europ. Porzellanfigur schufen, wofür er Anregungen aus Bildern u. Stichen der Zeit entnahm. Im Stil anfangs dem Spätbarock angehörend, wurden seine Figuren allmählich immer leichter u. graziöser. Sie waren vorbildlich für diesen Kunstzweig, der wohl der feinste Ausdruck des Rokoko ist. Die Themen s. Porzellanplastik: Liebespaare, Schäfer, Komödianten, auch Bildnisbüsten, die schönsten ca. 1735–50. Großplastische Arbeiten: *Grabmal des Freiherrn v. Miltitz* in Neustadt b. Meißen, 1739. *Altar-Plastik aus Porzellan*, Moritzburg, Schloßkapelle. In Marmor: *Wandgrab in Naustadt* (Sachsen).

Lit.: J. L. Sponsel, *Kabinettstücke d. Meißner Porzellanmanufaktur v. J. J. K.*, 1910. W. Doenges, *Meißner Porzellan*, [2]1920. M. Sauerlandt, *Dt. Porzellanfig. d. 18. Jh.*, 1923. E. Zimmermann, *Meißner Porzellan*, 1926. W. B. Honey, *German Porcelain*, 1947. M. Osborn, *Kunst d. Rokoko*, 1929.

Kalamis, Name zweier griech. Bildhauer; ein K. wirkte im 5. Jh. v. Chr. (um 480–50); er war ein berühmter Meister des strengen Stiles; fast alle s. Werke waren aus Erz; es hat sich nichts – auch nicht in Kopien – nachweisen lassen. Der jüngere K. war zu Anf. des 4. Jh. v. Chr. tätig; auch von ihm nichts nachweisbar.

Kalckreuth, Leopold Graf v., dt. Maler u. Graphiker, Düsseldorf 1855–1928 Eddelsen b. Hamburg, feiner, dem Impressionismus sich nähernder Landschafter, nach s. Ausbildung in Weimar u. München tätig in Weimar, Karlsruhe, Stuttgart, seit 1906 b. Hamburg lebend, malte stimmungsvolle Bilder aus der Hamburger Gegend, gute Bildnisse, ferner Bilder aus dem Arbeitsleben der Landleute, die sich bisweilen ins Sinnbildliche steigern. In s. Stil geht er vom Realismus aus, berührt sich manchmal mit dem Impressionismus, zuweilen mit dem Jugendstil. Werke: *Sonntagsstimmung an der Landungsbrücke*, 1901, Hamburg, Kunsth. *Schloß Klein-Öls*, 1884, Berlin, ehem. Nat. Gal. *Das Alter*, Dresden, Gal. Bildnisse: *Selbstbildnis*, 1906, Hamburg, Kunsth. *Alfred Lichtwark*, 1912, ebda. Gut vertreten in der Kunsth. Hamburg; ferner Bremen, Kunsth.; Leipzig, Mus.; Stuttgart, Mus.; München, N. Staatsgal.; Karlsruhe, Gal. Lit.: K. Scheffler in: Kunst u. Künstler 1911. P. Westheim in: Dt. Kunst u. Dekoration, 1912. C. Neumann in: Dt. Biogr. Jb., 1928 (1931). E. Waldmann, *Kunst d. Realismus u. d. Impression.*, 1927.

Kalckreuth, Stanislaus Graf v., dt. Maler, Kozmin (Posen) 1820–1894 München, feiner Landschafter der Biedermeierzeit. Vater des Leopold → K., Schüler von → Schirmer in Düsseldorf, 1860–76 Direktor der Weimarer Kunstschule. Landschaften, vor allem aus der Gebirgswelt. Vertreten in den Gal. v. Berlin, Hannover, Köln, Weimar u. a.

Kalf (Kalff), Willem, niederl. Maler, Amsterdam 1622–1693 ebda., einer der bedeutendsten holl. Stillebenmaler des 17. Jh.; s. Spezialität sind Aufbauten von feinen Gold- u. Silbergeräten, Porzellan u. Glassachen, aus mit Früchten u. Blumen; ferner auch Küchenbilder u. Landschaften. Seine Bilder in prächtiger Farbgebung sind in der Frühzeit in graubraunes Helldunkel getaucht, verwandt etwa den Werken des P. → Claesz u. des W. → Heda, später tiefleuchtend, von → Rembrandt beeinflußt. Werke in vielen Gal.

Lit.: W. v. Bode, *Die Meister d. holl. u. fläm. Malerschulen*, [4]1923. H. Schneider in: Th.-B. 1926. M. J. Friedländer, *Niederl. Maler d. 17. Jh.* (Prop. Kstgesch.). J. Bergström, *Holl. Stillebenmal.*, 1947.

Kalide, Theodor, dt. Bildhauer, Königshütte 1801 bis 1863 Gleiwitz, Schüler und Gehilfe von → Schadow u. → Rauch in Berlin, hat in seinem Meisterwerk, der *Bacchantin auf dem Panther*, Berlin, Nat. Gal., die von Rauch kommende Tradition mit neuem, «barocken» Gefühl zu durchdringen gewußt; bedeutende Tierplastiken.

Kalkar, Jan Joest v. → Joest Jan, v. Kalkar.

Kalkar, Jan Stephan v. → Calcar, Jan Stephan v.

Kallikrates, griech. Arch., um die Mitte des 5. Jh. v. Chr. in Athen, war an allen Staatsbauten beteiligt, so auch an dem von → Iktinos erbauten *Parthenon*.

Kallimachos, griech. Bildhauer, 5. Jh. v. Chr., angeblich Erfinder des korinth. Säulenkapitells. K. war berühmt wegen der Sorgfalt der Ausführung s. Arbeiten. Plinius erwähnt s. «Tanzenden Lakonerinnen», denen die übersorgfältige Ausführung alle Anmut geraubt habe (daher s. Beiname Katatexitechnos). Es konnten ihm bisher keine Werke mit Sicherheit zugeschrieben werden. Lit.: Schrader, *Phidias*, 1926.

Kallmorgen, Friedrich, dt. Maler, Altona 1856 bis 1924 Grötzingen (Baden), hervorragender Landschaftsmaler, Schüler der Düsseldorfer Akad. u. → Gudes in Karlsruhe; seit 1891 Prof. der Karlsruher Kunstschule, seit 1902 der Berliner Akad., ab 1918 in Heidelberg lebend. In s. Kunst schloß sich K. der unter der Führung v. Baisch u. Schönleber stehenden Karlsruher Kunstrichtung an (Einflüsse der Schule von → Barbizon u. der gleichzeitigen holl. Malerei). Anfangs mehr Genremaler, entwickelte er sich mehr u. mehr zum Landschafter u. wurde in Berlin von den Impressionisten beeinflußt. Sein bes. Arbeitsgebiet wurden Hafenansichten, vorzüglicher Darsteller bes. des Hamburger Hafens. Auch Lithogr. Werke: *An die Arbeit*, 1900, Berlin, Nat. Gal. u. Dresden, Gal. *Hamburger Hafen*, 1906, Halle, Mus. K. ist vertreten in: Mannheim, Kunsth.; Altona, Mus.; München, N. Staatsgal.; Karlsruhe, Kunsth.; Dresden, Gal. Lit.: M. Dressler in: Zschr. f. bild. K., 1901. J. A. Beringer, *Bad. Malerei*, 1922. H. Wolff in: Th.-B. 1926. W. Waetzoldt, *Dt. Malerei seit 1870*, 1918.

Kambli (Kambly), Johann Melchior, schweiz.-dt. Kunsttischler u. Bronzegießer, Zürich 1718–1783 Potsdam, trat in den Dienst Friedrichs d. Gr.; ar-

beitete an der Innenausstattung der Potsdamer Schlösser: Spiegelrahmen, Konsoltische, Prunkmöbel mit vergoldeter Bronze. Im Stil schloß er sich dem franz. Louis XV an; seine Möbel können mit denen von → Boulle verglichen werden, doch verwandte er keine Metallmarketerien. Sein Sohn *Heinrich Friedrich*, 1750–1801, führte die Werkstatt nach dem Tode des Vaters fort, war aber im Hauptberuf Zieratenbildhauer.
Lit.: R. Dohme, *Möbel aus d. königl. Schlössern in Berlin u. Potsdam*, 1889. P. G. Hübner, *Schloß Sanssouci*, 1926. C. F. Foerster, *Das Neue Pal. b. Potsdam*, 1923. Ders. in.: Th.-B. 1926.

Kampen (Campen), Jacob van, niederl. Arch., Haarlem 1595–1657 Randenbroeck b. Amersfoort, Vertreter eines strengen, an → Scamozzi u. → Palladio geschulten Klassizismus, war vermutlich 1615 bis 1621 in Italien, baute das *Mauritshuis* im Haag, 1633–44, später nach einem Brand erneuert, heute Mus.; das *Patrizierhaus Koymans* in Amsterdam, 1626; das frühere Rathaus, später *Königl. Schloß* in Amsterdam, beg. 1648, u. a. – K. war im 17. Jh. der gefeiertste u. einflußreichste Meister der holl. Architektur.
Lit.: A. W. Weissman in: Th.-B. 1911 (unter Campen).

Kampf, Arthur v., dt. Maler, Aachen 1864–1950 Castrop-Rauxel, einer der letzten Vertreter der traditionsgebundenen Historienmalerei, Schüler der Düsseldorfer Akad., später Prof. ebda.; seit 1900 Lehrer der Berliner Akad.; 1914–24 Direktor der Hochschule für bildende Künste in Berlin. Seine bedeutendste Monumentalkomposition: *Fichtes Rede an die dt. Nation*, großes Wandgemälde, 1914, Berlin, Univ.
K. ist vertreten in Düsseldorf, Mus.; München, N. P.; Breslau, Univ. u. Mus.; Karlsruhe, Kunsth.; Leipzig, Rathaus u. Mus.; Magdeburg, Mus.
Lit.: H. W. Singer, *Zeichn. v. K.*, 1912. A. Troll, 1914. H. Rosenhagen, 1922. B. Kroll, 1944.

Kampf, Eugen, dt. Maler, Aachen 1861–1933 Düsseldorf. Bruder von Arthur → K., Landschaftsmaler der Düsseldorfer Schule, ausgebildet in Düsseldorf, weitergebildet in Antwerpen u. Brüssel, wandte sich der Freilichtmalerei zu u. malte vor allem Ansichten vom Niederrhein u. aus Flandern. Vertreten in Berlin, Nat. Gal.; Köln, Wallraf-Richartz Mus., Aachen, Darmstadt, Düsseldorf, Krefeld, Münster i. Westf. u. a.

Kampmann, Walter, dt. Graphiker u. Kunstgewerbler, Elberfeld 1887–1945 Berlin, schuf Radierungen, Lithographien, Scherenschnitte; sein Hauptgebiet die Gebrauchsgraphik: Plakate, Exlibris, Buchtitel u. v. a. Um 1917 schloß er sich dem Expressionismus an.
Lit.: *Ausstell.-Kat.*, Wien 1948. Vollmer, 1956.

Kanachos von Sikyon, griech. Bildhauer um 500 v. Chr., dessen Hauptwerk: die *Statue des Apollon Philesios*, aus Erz, im Tempel von Didyma b. Milet, nicht erhalten ist. Eine Nachbildung auf einem röm. Relief im Berliner Mus. Nachklänge in verschiedenen Kleinbronzen: die beste im Brit. Mus., London.

Kandinsky (Kandinskij), Wassilij, russ. Maler, Moskau 1866–1944 Paris, Hauptvertreter der abstrakten Kunst, kam 1896 nach München, Begegnung mit → Jawlensky, mit → Marc, → Macke u. → Klee, Reisen nach Paris, Mitbegründer des → «Blauen Reiters», seit 1914 in Rußland, Prof. der Akad. Moskau 1918, seit 1922 Prof. am Bauhaus Weimar u. Dessau, ab 1933 in Paris (Neuilly-sur-Seine). K. ging von der russ. Volkskunst aus, gehörte dem Münchner Jugendstil an, begann um 1910 mit abstrakten Darstellungen, Begründer der «absoluten» Malerei. Sein Einfluß auf die Kunst der Folgezeit war überaus groß. Schriften, u. a.: «Über das Geistige in der Kunst», 1912. «Regard sur le passé», 1946.
K. ist vertreten in Essen, Folkwang Mus.; Hamburg, Kunsth.; München, Städt. Gal.; Düsseldorf, Mus.; in den Gal. v. Leningrad u. Moskau; New York, Mus. of mod. Art; Gal. v. Buffalo u. Boston; in den Mus. v. Basel u. Zürich.
Lit.: W. Grohmann, 1931. Ders., 1958. Rebay, *K.-Memorial*, 1945. Debrunner, 1947. *K., œuvre gravée*, 1954. M. Bill, 1950. Raynal, *De Picasso au surréalisme*, 1950. A. H. Barr, *Masters of mod. Art*, 1954. L. Eichner, *K. u. Gabriele Münter*, 1957. M. Seuphor, *Dict. peint. abstr.*, 1957. M. Brion, 1960.

Kano, japan. Malerschule der Malerfamilie Kano u. deren Anhängern, gegründet von → Masanobu, * um 1454. Die K.-Schule blühte vor allem im 16. u. 17. Jh.; ihr bedeutendster Meister: → Motonobu, 1476–1559. Weitere Meister: Eitoku, Sanraku, Tanyu. Im 17. u. 18. Jh. stellte sie die anerkannte Richtung am Hofe des Shogun zu Yedo dar. Auch im 19. Jh. gab es noch Mitglieder dieser Schule.
Lit.: K. Moriya, *Die japan. Malerei*, 1953.

Kanoldt, Alexander, dt. Maler u. Lithograph, Karlsruhe 1881–1939 Berlin, bedeutender Landschafts- u. Stillebenmeister, gehörte zu den Mitbegründern der «Neuen Künstlervereinigung», München 1908 u. der «Neuen Sezession» 1913; seit 1925 Prof. der Akad. Breslau, seit 1932 in Berlin tätig (Sohn von Edmund → K.). In s. Kunst gehörte K. zunächst den Expressionisten an, wurde vom Kubismus berührt u. ein Hauptvertreter der sich gegen den Expressionismus stellenden Richtung, welche die plastischen Werte der Dinge neu betonen wollte: in Deutschland vielfach «Neue Sachlichkeit» genannt; in Italien die neoklass. Richtung der «Valori

Plastici». Ähnlich gerichtete Meister in Deutschland: G. → Schrimpf, G. → Grosz, → Dix u. a. Vertreten in den Gal. v. Stuttgart, Mannheim, Hamburg, Karlsruhe, Leipzig, Stettin, Erfurt, München u. a.
Lit.: F. Roh, *Nachexpressionismus*, 1925. W. Haftmann, *Malerei d. 20. Jh.*, 1954.

Kanoldt, Edmund, dt. Maler, Großrudestedt b. Weimar 1845–1904 Bad Nauheim, Meister der «Heroischen Landschaft», Schüler von F. → Preller, 1869–71 in Rom, wo er s. Stil unter dem Einfluß von Franz-Dreber (→ Dreber, Heinrich) entwickelte; seit 1876 in Karlsruhe, beeinflußt von F. → Keller. Beisp.: *Odysseus auf der Ziegenjagd*, 1877, Weimar, Mus. *Küstenlandschaft mit Penelope*, Berlin, Nat. Gal. Illustrationen zu Eichendorffs «Leben eines Taugenichts», 1886; zu Storms «Immensee», 1887 u. a.

Kanzan, Shimomura, japan. Maler, 1878–1930, gilt als bedeutender Vertreter der modernen japan. Kunst. Seine Kunst bedeutet eine Neubelebung des alten Yamatore. Als Hauptwerk gilt: *Yorobôshi*, Stellschirmpaar, Farben auf vergoldeter Seide, Tokio, Nat. Mus.
Lit.: Y. Yashiro u. P. C. Swann, *Japan. Kunst*, 1958.

Kao K'o-kung, chines. Maler, tätig um 1275. Es sind keine Werke von ihm erhalten.
Lit.: O. Kümmel in: Th.-B. 1926.

Karcher, Johann Friedrich, dt. Gartenarch. u. Baumeister, Dresden (?) 1650–1726 ebda., wohl in der Schule von → Le Nôtre ausgebildet, schuf als Gartenkünstler den *Großen Garten* in Dresden u. wahrscheinlich auch dessen 8 Pavillons. Sein bedeutendstes Werk als Arch. war das *Palais der Gräfin Cosel*, Dresden, um 1710, bei dessen Bau ihm → Pöppelmann zur Seite stand.
Lit.: E. Sigismund in: Th.-B. 1926. W. Bachmann in: Sitzungsberichte d. «Flora», Dresden, N. F. 36–38, 1934.

Kardorff, Konrad v., dt. Maler u. Radierer, * Niederrabnitz (Kr. Oels) 1877, † 1945, schuf, von M. → Liebermann beeinflußt, in impressionist. Stil vor allem Bildnisse, aber auch Blumenstücke, Landschaften (Berliner Straßenansichten) u. a. K. ist vertreten in den Gal. v. Bremen (*Porträt Bürgermeister Pauli, Franz. Landschaft*, 1908), Berlin, Nat. Gal. (*Bildnis des Vaters*); Halle (*Blumenstilleben*, 1906). Als Graphiker: *Bildnis A. Einstein*, 1920.

Karsch, Joachim, dt. Bildhauer u. Zeichner, Breslau 1897–1945 Großgandern, schuf expressionist. Plastiken, vertreten in den Mus. v. Berlin, Breslau, Düsseldorf, Hannover, Köln u. als Zeichner Illu-

strationen zu Dichtungen von Werfel, O. Wilde, Rilke u. Dostojewskij.
Lit.: Th.-B. 1926. Vollmer, 1956.

Karssen (Karsen), Kaspar, holl. Maler u. Lithograph, Amsterdam 1810–1896 Biebrich, bedeutender Architekturmaler. Sein Sohn *Eduard K.*, 1860–1941, Landschafts- u. Architekturmaler u. Radierer.

Kasákow, Matwej Fedorowitsch, russ. Arch., Moskau 1738–1813 ebda., hat viele Bauten in Moskau geschaffen; der von ihm entwickelte klassizist. Stil war der Moskauer Baustil der Regierungszeit Katharinas II., u. noch jahrzehntelang wurde er von s. Schülern weiterverbreitet. K. schuf u. a. das *Senatsgebäude im Kreml*, 1776–1789, dessen runder Kuppelsaal zu s. schönsten Schöpfungen zählt.
Lit.: H. W. in: Th.-B. 1926. O. Wulff, *Die neuruss. Kunst*, 1933.

Kaschauer, Jacob, österr. Maler u. Bildhauer des 15. Jh., Wiener Meister böhm. Herkunft, der um 1429–1463 in Wien tätig war. Von ihm sind, als Teile des einstigen Freisinger Hochaltars, erhalten: *Madonna mit Kind* u. *Hl. Korbinian* in München, Nat. Mus. *Hl. Sigismund*, Stuttgart, Landesmus.
Lit.: W. Pinder, *Die dt. Plastik d. 15. Jh.*, 1925. H. T. in: Th.-B. 1926. H. Karlinger, *Kunst d. Gotik* (Prop. Kstgesch.).

Kasper, Ludwig, österr. Bildhauer, Gurten 1893 bis 1945 Mauerkirchen b. Braunau, Schüler von → Hahn in München; von diesem in s. Neoklassizismus beeinflußt.

Kauffmann, Angelika, schweiz. Malerin u. Radiererin, Chur 1741–1807 Rom, Hauptvertreterin des Klassizismus, bildete sich in Italien aus, war 1766–81 in London tätig, ging darauf nach Venedig u. war ab 1782 in Rom. K. schuf allegor., mythol. u. religiöse Bilder, war aber vor allem eine beliebte Porträtistin. Zu ihrer Zeit eine europ. Berühmtheit, dazu eine gewinnende Persönlichkeit, war sie mit den hervorragendsten Zeitgenossen befreundet: in Rom u. a. mit Winckelmann u. Goethe. Ihr gastliches Haus – sie war mit dem Maler Antonio Zucchi verheiratet – war der Mittelpunkt eines Kreises von Künstlern u. Gelehrten. In ihrer Kunst war sie Vertreterin des Übergangs vom Rokoko zum Klassizismus; in ihrer Bildniskunst bes. von den großen engl. Porträtisten beeinflußt.
Werke: *Orpheus u. Eurydike*, London, Brit. Mus. *Telemach u. Penelope*, Boston, Mus. Bildnisse: *Selbstbildnis als Vestalin*, Dresden, Gal. *Selbstbildnis*, Florenz, Uff. *Bildnis Benjamin West*, London, Nat. Portr. Gall. *Winckelmann*, Zürich, Kunsth.
K. ist vertreten in den Gal. v. Wien, München, Hamburg, Dresden, Paris, Bregenz, Berlin, Frank-

furt, Köln, London, Dublin, Edinburgh, Zürich, Innsbruck, Turin u. v. a.
Lit.: De Rossi, 1810 (dt. 1814). Schram, 1890. F. A. Gerard, 1893. C. Brun, *Schweiz. Künstlerlex.* II, 1908. E. Engels, [2]1910. Lady Manners u. Williamson, 1924 (m. Werkverz.). A. Hartcup, 1954. R. Hamann, *Dt. Malerei vom Rokoko zum Expressionismus,* 1925.

Kauffmann, Hermann, dt. Maler, Hamburg 1808 bis 1889 ebda., in Frankfurt, Düsseldorf u. München ausgebildeter Meister der Landschaft, später bes. ländlicher Volksszenen, seit 1833 in Hamburg tätig. Seine Kunst ist anmutiges vom Realismus berührtes Biedermeier. Beisp.: *Heuernte,* 1852, Hamburg, Kunsth. Die Kunsthalle in Hamburg besitzt v. ihm 12 Gemälde u. einen großen Teil s. Skizzen u. Studien.
Lit.: A. Lichtwark, 1893.

Kauffmann, Hugo, dt. Maler, Hamburg 1844–1915 Prien am Chiemsee, Sohn von Hermann → K., Schüler J. → Beckers in Frankfurt, tätig in Cronberg im Taunus, seit 1871 in München. K. malte Genreszenen aus dem Leben der bayerischen Bauern u. Kleinstädter.

Kaufmann, Oskar, dt. Arch., * Neu-St. Anna (Siebenbürgen) 1873, führender Baumeister auf dem Gebiet des Theaterbaus, seit 1900 in Berlin tätig, schuf vor allem in Berlin viele *Theater*bauten: *Hebbel-Theater,* 1907; am *Nollendorfplatz,* 1912; *Volksbühne,* 1914; am *Kurfürstendamm,* 1923; *Komödie,* 1924; Umbau der *Kroll-Oper,* 1923; des *Renaissance-Theaters,* 1926. Ferner: *Theater in Bremerhaven,* 1909; *Neues Wiener Stadttheater,* 1913; auch Villenbauten, Inneneinrichtungen u. a.
Lit.: O. Brattskoven in: Th.-B. 1927. M. Osborn, 1928. O. Bie, *Der Arch. O. K.,* 1928.

Kaulbach, Friedrich, dt. Maler, Arolsen 1822–1903 Hannover, Schüler s. Vetters Wilhelm v. → K., malte in dessen Art hist. Szenen, später fast ausschließlich Bildnisse. Vertreten in den Mus. v. Hannover, Schwerin, München (Städt. Gal.: Bildniszeichn.).
Lit.: I. Kaulbach, *Erinnerungen an mein Vaterhaus,* 1930.

Kaulbach, Friedrich August v., dt. Maler, München 1850–1920 Ohlstadt b. Murnau, Schüler von → Piloty u. W. → Diez in München, malte hist. Genrebilder in der Art Pilotys u. Bildnisse. Als Porträtist zu s. Zeit sehr gesucht u. beinahe ebenso berühmt wie → Lenbach. K. ist vertreten in den Gal. v. Köln, Dresden, München, Leipzig u. a.
Lit.: R. Graul, 1890. A. Rosenberg, 1901.

Kaulbach, Hermann, dt. Maler, München 1846 bis 1909 ebda., Sohn Wilhelms v. → K., malte hist. Genrebilder in der Art von → Piloty. Vertreten in München, N. P. Wiesbaden, Gal.
Lit.: *Hermann-K.-Bilderbuch.* Text v. A. Stier, 1930.

Kaulbach, Wilhelm v., dt. Maler u. Illustrator, Arolsen 1805–1874 München, Hauptvertreter der großen Historienmalerei der Düsseldorfer Schule, Schüler von → Cornelius in Düsseldorf, war seit 1826 in München tätig (seit 1849 Direktor der Akad.). K. schuf große hist.-symbol. Wand- u. Deckenfresken, welche die Art s. Lehrers Cornelius weiterführen. Doch ist s. Kunst mehr noch als die s. Lehrers Ideenmalerei, während die künstlerische Form vernachlässigt ist. Als Bildnismaler ist K. bedeutend. Zu ihrer Zeit sehr beliebt waren seine Illustrationen zu klass. Werken der Weltliteratur. Hauptwerk ist die Folge von *6 Fresken bedeutender Ereignisse der Weltgeschichte* im Treppenhaus des Neuen Mus. in Berlin, 1847–65, zus. mit Schülern. Ferner: *Fresken an den Außenwänden der Neuen Pinakothek* in München (die Kartons seit 1850). *Kaiser Otto III. in der Gruft Karls d. Gr.,* 1859, Nürnberg, German. Mus. Die *Schlacht bei Salamis,* für das Maximilianeum in München; die Kartons, 1862–64, in Stuttgart, Mus. (Die Ausführung der Fresken fast ganz von fremder Hand.) *Illustrationen zu Goethes Reineke Fuchs,* 1840–46, Kreidezeichnungen, die von andern in Kupfer gestochen wurden; ferner: *Shakespeare-Galerie,* 1855; *Goethe-Gal.,* 1857–64, *Schiller-Gal.,* 1865–67 u. a.
Werke in Berlin, Nat. Gal.; Karlsruhe, Nürnberg, München, Stuttgart, Schleißheim, Bremen, New York u. a.
Lit.: H. Müller, 1893. Fr. v. Ostini, 1909. J. Dürck-Kaulbach, *Erinnerungen,* 1922. R. Hamann, *Dt. Malerei vom Rokoko zum Expressionismus,* 1925. H. Kiener in: Th.-B. 1927.

Kaupert, Gustav, dt. Bildhauer, Kassel 1819–1897 ebda., Schüler → Schwanthalers in München, bildete sich 1845–67 in Rom an antiken Bildwerken weiter, Mitarbeiter des amerik. Bildhauers Th. Crawford am Washington-Denkmal in Richmond. Nach Crawfords Tod führte er das riesige Bronzestandbild der *Amerika* auf der Kuppel des Kapitols in Washington aus. Viele Denkmäler, Gruppen, Grabmäler u. a. in Deutschland. Hauptwerke: Der schlafende Löwe am *Hessendenkmal* in Kassel, 1874. *Giebelfeld* des Opernhauses in Frankfurt. Kolossalstatuen *Christi* u. der *Evangelisten* in der Basilika in Trier, um 1880–87; Marmorbüsten von *L. Börne* u. *Lessing* in Frankfurt u. v. a.

Kaus, Max, dt. Maler, Radierer, Holzschneider u. Lithograph, * Berlin 1891, Schüler von E. → Heckel u. E. L. → Kirchner, wiederholte Aufenthalte in Paris, Lehrer an der Berliner Gewerbeschule, zuletzt

Prof. der Berliner Akad., schuf Landschaften, Bildnisse, Figürliches, Interieurs, viel Graphik. In s. Kunst vom Expressionismus beeinflußt, zuletzt ungegenständlich. Graph. Zyklen: Akte u. Köpfe (6 Lithos). Vertreten im graph. Kab. der Berliner Nat. Gal.; in den Mus. v. Halle, Hannover, Köln, Detroit, Pittsburgh u. a.
Lit.: B. Kroll, *Dt. Maler d. Gegenw.*, 1944. Vollmer, 1955. G. Händler, *Dt. Maler d. Gegenw.*, 1956.

Keene, Charles Samuel, engl. Zeichner, London 1823–1891 ebda., bedeutender Karikaturist, der das engl. Bürgertum humorvoll schilderte, bes. in der Zeitschrift «Punch». Ferner Buchillustrationen (zu Reades «The Cloister and the Hearth» u. G. Merediths «Evan Harrington»).
Lit.: G. S. Layard, 1892. Jos. Pennel u. W. H. Chesson, 1897 (mit ausführl. Kat.). L. Lindsay, 1934.

Keijser, Thomas de → Keyser, Thomas de.

Keil, Bernhard (Eberhard), gen. Monsù Bernardo, dt.-ital. Maler, Helsingör 1624–1687 Rom, Sohn eines Deutschen, Schüler von Marten van Steenwinkel in Kopenhagen, von → Rembrandt in Amsterdam (1642), kam 1651 nach Italien, seit 1656 in Rom ansässig. K. schuf kirchliche Bilder (*Altar* in S. Maria sopra Minerva in Rom), Historienbilder, Darstellungen mit Szenen aus dem Volke (sog. Bambocciaden → Laer) u. von Genrebildern in der Art → Honthorsts. K. ist vertreten in Kopenhagen, Gal. u. a.

Keirincx, Alexander, niederl. Maler, Antwerpen 1600–1652 Amsterdam, malte Landschaften, vorwiegend einsame Waldinterieurs, in der Frühzeit in der Art des → Coninxloo u. des J. → Bruegel; später von den Holländern beeinflußt (J. van → Goyen; S. van → Ruysdael). Vertreten u. a. in Aschaffenburg, Basel, Braunschweig, Dresden, Den Haag, Schleißheim, Rotterdam.

Keller, Albert v., schweiz.-dt. Maler, Gais (Schweiz) 1844–1920 München, malte farblich reizvolle Genrebilder u. Bildnisse, bes. eleganter Damen. In s. Malerei von → Lenbach, → Leibl, den Impressionisten beeinflußt.
Werke: *Chopin*, 1873, München, N. P. *Der Bildnismaler*, 1878, Berlin, Nat. Gal. *Eine Tasse Tee*, 1884, München, N. P. *Bildnis seiner Gattin*, 1879, ebda. *Auferweckung Toter*, 1886, ebda. Vertreten in München (N. P., 16 Bilder; N. Staatsgal.), Leipzig, Berlin, Hamburg, Bremen, Basel, Wien u. a.
Lit.: Brun, *Schweiz. Künstlerlex.* II., 1908. H. Rosenhagen, 1912. R. Hamann, *Die dt. Malerei vom Rokoko zum Expressionismus*, 1925. N. U.-B. in: Th.-B. 1927.

Keller, Ferdinand, dt. Maler, Karlsruhe 1842–1922 Baden-Baden, Schüler von → Schirmer u. → Canon in Karlsruhe, 1867–69 in Rom, wo er mit → Feuerbach bekannt wurde. Er schuf von → Makart u. Canon beeinflußte Historienbilder u. dekorative Wandbilder; bedeutender Bildnismaler.
Werke: *Wandbilder im Mus. Karlsruhe*, 1871. *Wandbild für die Aula der Univ. Heidelberg*, 1886. *Fresken im Landesmus. Stuttgart*, 1894–96.
Lit.: F. W. Gaertner, 1912.

Keller, Johann Balthasar, schweiz. Erzgießer u. Goldschmied, Zürich 1638–1702 Paris, goß zahlreiche Bronzestandbilder für die Gärten von Versailles; 1688 goß er das Bronze-Reiterstandbild Ludwigs XIV. nach Girardons Modell (1792 zerstört).

Keller, Joseph v., dt. Kupferstecher, Linz a. Rh. 1811–1873 Düsseldorf, war ein beliebter Reproduktionsstecher. Hauptblätter: *Disputa von Raffael*, 1841–57; *Sixtinische Madonna von Raffael*, 1861–71.
Lit.: *J. K. u. s. Stecherschule* in: P. Horn, Düsseldorfer Graphik, 1928.

Keller-Reutlingen, Paul, dt. Maler, Reutlingen 1854–1920 München, malte Landschaften aus der Dachauer Gegend. Werke in München (N. P. *Im Dachauer Moos*); Stuttgart (*Abendläuten*); Frankfurt, Breslau, Leipzig, Dresden.
Lit.: W. Fleischhauer in: Th.-B. 1927.

Kellerthaler (Kellerdaler), Familie von Goldschmieden u. Kupferstechern in Dresden.
Daniel K., † um 1665 Dresden, wo er für den Hof tätig war. Vorzügliche Porträtmedaillen nach fremden Wachsmodellen; Goldschmiede-Arbeiten, die zu den besten des 17. Jh. zählen. Hauptwerke: *Taufbecken der Wettiner*, 1613–15, Dresden, Grünes Gewölbe; *Gießer* dazu, 1617, mit Darst. der Taufe Christi, ebda.; *Rosenwasserbecken* aus vergoldetem Silber mit Darst. des Midasurteils, 1629, ebda.
Hans K., * um 1560 Dresden, 1585–1637 als Meister erwähnt, schuf vor allem hervorragende Kunstschränke. Hauptwerk: *Schmuckschrank* der Kurfürstin Sophie von Sachsen, 1585, aus Ebenholz mit reicher Silberverkleidung u. teilweise vergoldeten Figuren, Dresden, früher Hist. Mus.

Kemeny, Zoltan, ungar. Bildhauer, * Banica 1907, tätig in Zürich, Vertreter der ungegenständlichen Kunst; Metallreliefs aus Kupferblechen, Nägeln, Rohren u. Ähnlichem, die man auch «Bilder» nennen könnte.
Lit.: Kunst u. das schöne Heim 49, 1951. Werk 42, 1955. Vollmer, 1956. M. Seuphor, *Plastik unseres Jh.*, 1959. M. Ragon, 1960.

Kempener, Peter de, span. *Pedro Campaña* (Campania, Campaniensis, Canpener), niederl. Maler, Brüssel 1503–1580 ebda., der während langer Zeit in Sevilla gearbeitet hat u. der Sevillaner Malerschule zuzurechnen ist. Um 1529 in Italien, wo er die Werke → Raffaels u. → Michelangelos studierte. Seit ca. 1537 in Sevilla tätig, wo er als Vermittler der ital. Hochrenaissancekunst galt; doch stand er den manierist. Nachfolgern der großen Meister, etwa einem → Giulio Romano, näher. 1563 in Brüssel, wo er Leiter der Teppichmanufaktur als Nachfolger M. → Coxie's wurde. – In s. Stil war K. Manierist, der niederl. Malweise mit ital. Formengut verschmolz. Sein Einfluß auf die Sevillaner Malerschule war groß. Sein Hauptwerk: die *Kreuzabnahme*, 1. Fassung 1547, für Sevilla bestimmt, heute in Montpellier, Mus.; veränderte Wiederholung, 1547–48, Sevilla, Kathedrale. Weitere Hauptwerke: 10teiliges *Altarwerk in der Capilla del Mariscal*, Kathedrale v. Sevilla, 1555.
Lit.: C. Justi in: Preuß. Jb. 5, 1884. A. L. Mayer, *Die Sevillaner Malerschule*, 1911. Winkler in: Th.-B. 1927.

Kent, Rockwell, amerik. Maler, Holzschneider u. Lithograph, * Tarrytown Heights, N. Y. 1882, Vertreter der modernen amerik. Malerei, Schüler von W. M. → Chase, R. Henri, K. H. Miller u. A. H. Thayer, führte abenteuerl. Reisen aus u. veröffentlicht darüber: «Wilderness» 1920, mit eigenen Tuschzeichnungen (dt. Wildnis, 1925); «Voyaging» 1925. Unter dem Pseudonym «Hogarth Jr.» zeichnete K. für die New Yorker Zschr. «Vanity Fair». K. ist mit Werken vertreten in New York, Metrop. Mus.; Brooklyn, Mus.; in den Mus. v. Chicago, Cleveland, Mineapolis u. a.
Lit.: M. Armitage, 1932. J. Mellquist, *Die amerik. Kunst d. Gegenw.*, 1942. Vollmer, 1955.

Kent, William, engl. Arch., Gartenkünstler u. Maler, Yorkshire 1684–1748 London, baute in strengklassizist. Stil; als Gartenkünstler ging er auf malerische landschaftliche Gestaltung aus, im Gegensatz zur streng architektonischen franz. Gartenbaukunst. K. ist der Schöpfer des romant. gerichteten engl. Gartenstiles.
Bauwerke: *Horse Guards*, Whitehall, London; *Devonshire House*, London; *Holkham House*, Norfolk. Parkanlagen: *Kew* b. London; *Kensington Gardens*, London; ferner: *Claremont* u. *Esher* b. London; *Rousham* u. *Carlton House*.
Lit.: M. L. Gothein, *Gesch. d. Gartenkunst*, 1914. R. Wittkower in: Arch. Journal 102, 1945. G. Pauli, *Kunst d. Klassizism. u. d. Romantik*, 1925. N. Pevsner, *Europ. Architektur*, 1957.

Kenzan, Ogata, japan. Maler u. Töpfer, 1663–1743, zeigt den Stil der Schule s. Bruders → Korin.

Kephisodot, Name mehrerer griech. Bildhauer des 4. Jh. v. Chr. Am berühmtesten sind:
K. der Ältere, aus Athen, um 375 v. Chr. tätig, Schwager des Phokion u. Vater des → Praxiteles. In s. Stil steht er zwischen → Phidias u. Praxiteles. Von s. *Bronzegruppe der Eirene* mit dem Knaben Plutos auf dem Arm sind mehrere Marmorkopien erhalten (eine in München, Glypt.).
K. der Jüngere, der Sohn des Praxiteles, tätig gegen Ende des 4. Jh. v. Chr., arbeitete in einem von → Lysipp beeinflußten Stil des Realismus (fast stets mit seinem Bruder Timarchos zus.). Vom Kopf seiner *Bildnisstatue des Menandros* gibt es mehrere Kopien: Marmorkopf in Kopenhagen; Büste in Boston, Mus. Von seinem *Altar des Zeus Soter* im Piräus haben sich wahrscheinlich Nachbildungen in Reliefs erhalten: *Die Horen*, Bruchstücke in Rom, Florenz, München.
Lit.: Pauly-Wissowa, *Real-Enzyklopädie*, Bd. 11. Hb. d. Arch. 3, 1, 1950.

Kerkovius, Ida, dt.-lett. Malerin, Entwurfzeichnerin für Wandteppiche u. Weberin, * Riga 1879, tätig in Stuttgart, Schülerin von → Hölzel, → Klee u. → Kandinsky, schuf Landschaften, Figürliches, Stilleben u. abstrakte Kunst.
Lit.: Vollmer, 1956.

Kern, Leonhard, dt. Bildhauer, Forchtenberg am Kocher 1588–1662 Schwäbisch-Hall, Meister der dt. Spätrenaissance u. Kleinplastiker, tätig in Heidelberg, ab 1620 in Schwäbisch-Hall, schuf den *plastischen Schmuck der äußeren Portale* des Nürnberger Rathauses von 1617, heute Hof des German. Mus. Weitere Werke: *Alabasterrelief* in der Michaelskirche in Schwäbisch-Hall: Totenauferstehung. Relief: *Badeszene*, Frankfurt, Städel. Elfenbeingruppe: *Adam u. Eva*, Berlin, ehem. K.-F.-Mus. *Hl. Hieronymus*, Wien, Kunsthist. Mus. *Grabmäler* in Nürnberg, German. Mus. Werke in München. Nat. Mus.; London, Victoria u. Albert Mus.; Stockholm, Mus.; in den Mus. v. Braunschweig u. Darmstadt; Stuttgart, Schloßmus. u. a.
Lit.: G. Gradmann, *Die Monumentalwerke der Bildhauerfam. K.* in: Stud. zur dt. Kunstgesch. 198, 1917. A. E. Brinckmann, *Barockskulptur*, 1917. J. Müller in: Th.-B. 1927.

Kern, Michael, dt. Bildhauer, Forchtenberg am Kocher 1580–1649, Meister in Würzburg, Vertreter des mainfränk. Frühbarock, schuf 1609 die *Kanzel* im Dom von Würzburg; weitere Kanzeln, Altäre, namentlich Grabmäler; die Figuren meist aus Alabaster.

Kersting, Friedrich Georg, dt. Maler, Güstrow 1785 bis 1847 Meißen, Hauptvertreter des Dresdener Biedermeier, Schüler der Akad. Kopenhagen, seit

1808 in Dresden lebend, seit 1818 an der Meißner Porzellanmanufaktur beschäftigt. K. gehört zum Kreise der Romantiker u. war mit C. D. → Friedrich befreundet. In s. Kunst von diesem beeinflußt, wandte sich aber bald – wohl von der dän. Kunst beeinflußt – einer Interieurmalerei von hohem Reiz, mit leuchtend zarten Farben, zu: Lichtdurchflutete Zimmer, meist nur mit einer einzigen menschlichen Figur. K. schuf ferner allegor., hist. u. religiöse Bilder.
Hauptwerke: *Der Maler C. D. Friedrich in s. Atelier,* Berlin, Nat. Gal. *Selbstbildnis in der Stube,* 1811, Weimar, Mus. *Die Stickerin,* 1812, ebda. *Lesender Mann bei Kerzenlicht,* 1822, ebda. *Mädchen vor dem Spiegel,* 1822, Kiel, Mus.
K. ist vertreten in den Gal. v. Berlin, Dresden, Hamburg, Kiel, Mannheim, Rostock, Weimar u. a. Zeichn. in den Kabinetten v. Berlin, Leipzig, Nürnberg.
Lit.: C. Gehrig, 1932. G. Vriesen, *Die Innenraumbilder K.s,* 1935. E. Waldmann, *Kunst d. Realismus u. d. Impression.,* 1927. W. R. Deusch, *Mal. d. dt. Romantiker,* 1937.

Kessel, Hieronymus van, niederl. Maler, Antwerpen 1578 bis um 1636 ebda., Bildnismaler des Frühbarock, Schüler des C. → Floris, tätig in Antwerpen, Augsburg, Italien u. Köln. Viele seiner Bildnisse in Köln, Wallraf-Richartz-Mus. Vertreten ferner in den Mus. v. Hannover, Neapel (Mus. Filangieri), Nürnberg, Schleißheim.

Kessel, Jan, der Ä., niederl. Maler, Antwerpen 1626 bis 1679 ebda., fläm. Blumen- u. Tiermaler, Sohn des Hieronymus → K., Schüler des Simon de Vos, wahrscheinlich auch s. Oheims Jan → Bruegel d. J. Seine Blumenstücke ähneln denen des J. D. de → Heem. K. schuf auch Kartons zu Teppichen. In vielen Gal. vertreten, u. a. in Amsterdam, Antwerpen, Brüssel, Dresden, Hannover, Magdeburg, München, Nürnberg, Würzburg, Paris, Bordeaux, Lille, Besançon, Cambridge (Fitzwilliam Mus.), Madrid, Stockholm, Wien, Neapel, Mailand, Florenz (Uff.), Genf, Winterthur.
Lit.: K. Zoege v. Manteuffel in: Th.-B. 1927.

Kessel, Jan, der J., niederl. Maler, Antwerpen 1654 bis 1708 Madrid, Bildnismaler, 1680 in Spanien, 1688 Hofmaler Karls II. Ein *Reiterbildnis Philipps IV.,* Madrid, Prado, wird ihm zugeschrieben.

Kessel, Jan van, niederl. Maler, Amsterdam um 1641–1680 ebda., Landschaftsmaler, vermutlich Schüler von → Ruisdael, in dessen Art er – beeinflußt auch von → Hobbema – Wald-, Winter- u. Flachlandschaften malte.
Werke: *Waldlandschaft,* Wien, Akad.; *Landschaft aus*

der Umgebung von Haarlem, Rotterdam, Mus.; *Landschaft mit Bleiche,* Kassel, Gal.
Vertreten in den Mus. v. Amsterdam, Rotterdam, Utrecht, Brüssel, Kopenhagen, Kassel, Bonn, Stuttgart, Wien (Akad.), Vaduz (Gal. Liechtenstein), New York, Philadelphia (Slg. Johnson), Budapest u. a.
Lit.: A. v. Wurzbach, *Niederl. Künstlerlex.* I, 1906. Hofstede de Groot, *Beschr. u. krit. Verz.* IV, 1911. H. Schneider in: Th.-B. 1927.

Kessels, Matthieu, belg. Bildhauer, Maastricht 1784 bis 1836 Rom, arbeitete eine Zeitlang im Atelier von → Girodet-Trioson in Paris, später Schüler u. Mitarbeiter → Thorwaldsens in Rom, schuf mit s. *Diskuswerfer* die beste Leistung des belg. Klassizismus (Originalmodell im Mus. in Brüssel; Marmororiginal beim Herzog von Devonshire in Chatsworth; Bronzereplik im Garten der Akad. in Brüssel). Später wandte sich K. der Romantik zu. Vertreten in Mus. v. Brüssel.
Lit.: M. Devigne in: Th.-B. 1927.

Ketel, Cornelis, niederl. Maler, Gouda 1548–1616 Amsterdam, einer der bedeutendsten holl. Bildnismaler s. Zeit, Schüler von Blocklandt in Delft, kam früh nach Paris u. Fontainebleau, 1573–81 in London, wo er als Porträtist des Adels u. des Hofes tätig war, seitdem in Amsterdam lebend. K.s Schützenstücke sind wichtige Stufen in der Entwicklung dieser Gattung. Als das beste gilt: *Kompanie des Hauptmanns Dirck Jacobsz Rosecrans,* 1588, Amsterdam, Rijksmus. Von s. Monumentalmalereien ist nichts erhalten.
Lit.: W. Stechow in: Th.-B. 1927. Ders. in: Zeitschr. f. bild. Kunst, 1928. G. Glück, *Kunst d. Renaiss.,* 1928.

Key, Adriaen Thomas, niederl. Maler, Antwerpen um 1544 bis um 1589 ebda., beliebter Bildnismaler in Antwerpen, der auch Historienbilder schuf, angeblich Neffe u. Schüler von Willem → K. Beisp.: *Bildnis Wilhelms von Oranien,* Kassel, Gal.; im Haag, Mus.; Lugano, Slg. Schloß Rohoncz. Vertreten in den Mus. v. Amsterdam, Antwerpen, Brüssel, Den Haag, Courtrai, Dublin, Florenz (Pitti), München, Berlin, Stuttgart, Wien, Braunschweig.
Lit.: F. Winkler in: Th.-B. 1927.

Key, Lieven Lievensz. de, niederl. Arch., Gent um 1560–1627 Haarlem, gehört zu den Bahnbrechern des Frühbarock in der holl. Baukunst. Sein Hauptwerk ist die *Fleischhalle* in Haarlem (Pläne 1601; Ausführung 1602/03 gemeinsam mit s. Mitarbeiter Claes Pietersz.). Weitere Werke: Pläne für die *Fassade des Rathauses* in Leiden, 1593/94 (Ausführung 1595 von Lüder v. Bentheim); *Stadtwaage* in Haarlem, 1598. *Bürgerhäuser* in Haarlem u. Leiden.

Für s. Stil ist eine breitgelagerte Schwere u. Massigkeit in der Gesamterscheinung des Gebäudes bestimmend.
Lit.: M. Wackernagel, *Baukunst d. 17. u. 18. Jh.*, 1915 (Handb. d. K. W.).

Key, Willem, niederl. Maler, Breda um 1520–1568 Antwerpen, gehört zu den frühen fläm. Romanisten, Schüler des → Lombard in Lüttich, tätig in Antwerpen. In s. religiösen Werken setzt K. die Tradition der altniederl. Malerei fort (→Massys) u. verbindet sie mit den neuen Renaissance-Elementen des Romanismus. Auch Porträts.
Werke: *Beweinung Christi*, München, A. P.; *Beweinung Christi*, 1553, Slg. Six, Amsterdam; *Hl. Hieronymus*, Schleißheim; *Susanna*, 1546, Pommersfelden. Porträts: *Brustbild des Herzogs von Alba*, Amsterdam, Rijksmus. (Kopie des Bildes, welches bei den Nachkommen des Herzogs sich befindet); *Frauenbildnis*, ebda.; *Bildnis Spinola*, 1566, Hampton Court.
Lit.: A. v. Wurzbach, *Niederl. Künstlerlex.* I, 1906. F. Winkler, *Altniederl. Malerei*, 1924. Ders. in: Th.-B. 1927.

Keyser (Keyzer), Hendrik de, niederl. Arch. u. Bildhauer, Utrecht 1565–1621 Amsterdam, neben L. de → Key Hauptmeister der holl. Baukunst Anfang 17. Jh. u. bedeutender Bildhauer, Schüler von C. Bloemaert in Utrecht, seit 1591 in Amsterdam tätig; als Baumeister brachte er als erster die Formensprache der ital. Spätrenaissance in Holland zur Anwendung.
Werke als Arch.: bedeutendste Leistung *Westerkerk* in Amsterdam, beg. 1620. Weitere Bauten in Amsterdam: *Zuiderkerk*, beg. 1603; *Norderkerk*, beg. 1620; *Börse*, 1608–17 (Vorbild war die Londoner Börse); der *Ostindische Hof*, 1606. In Delft: *Rathaus*, 1620. Werke als Plastiker: Hauptwerk: *Grabmal Wilhelms von Oranien*, 1614 beg., Delft, Nieuwe Kerk. Als Bildhauer ist K. von der ital. Hoch- u. Spätrenaissance (→ Michelangelo, Giovanni da → Bologna) beeinflußt, auch von franz. Werken (Germain → Pilon). Ferner: *Bronzestandbild Erasmus von Rotterdam*, 1621. K. hatte eine umfangreiche Bildhauerwerkstatt, die viel nach Skandinavien exportierte. Gehilfen waren s. Söhne Pieter u. Willem u. sein Schwiegersohn, der engl. Bildhauer Nicholas → Stone.
Lit.: E. Neurdenburg, 1931 (holl.).

Keyser, Nicaise de, belg. Maler, Santvliet b. Antwerpen 1813–1887 Antwerpen, Historienmaler, der sich schon früh von der franz. Klassik ab- u. der Romantik zuwandte, schuf vor allem Schlachtenbilder: *Die Sporenschlacht bei Courtrai*, 1836, Courtrai, Mus. *Schlacht bei Worringen*, 1839, Brüssel, Mus. *Tod der Maria de' Medici*, 1845, Berlin, Nat. Gal.

Vertreten in den Mus. v. Antwerpen, Brüssel, Gent, Amsterdam, Den Haag, Berlin, Hamburg, Courtrai u. a.
Lit.: H. Hymans, 1889.

Keyser (Keijser, Keyzer), Thomas de,niederl. Maler, Amsterdam 1596 (oder 97) bis 1667 ebda., Hauptmeister des holl. Bildnisses, Sohn u. Schüler von Hendrik de → K., entwickelte sich als Bildnismaler unter dem Einfluß von → Ketel u. A. → Pietersz., später auch von → Hals u. → Rembrandt beeinflußt, schuf Schützenstücke, Familienbilder, vor allem Einzelporträts u. Historienbilder. K. nimmt einen entwicklungsgeschichtl. bedeutsamen Platz ein.
Hauptwerke: Gruppenbild: *Die Anatomie des Dr. de Vrij*, 1619, Amsterdam, Rijksmus. *Anatomie des Dr. Egbertsz.*, 1619, ebda. Schützenstück: *Die Kompanie des Kapitän Cloeck*, ebda. Bildnis: *Ein Kaufmann mit s. Sohn*, 1627, London, Nat. Gall. *Junger Herr am Schreibtisch*, 1631, Den Haag, Mauritshuis u. 1632, Paris, Louvre.
K. ist hervorragend vertreten in Amsterdam, Rijksmus. Ferner Den Haag, Mauritshuis; Berlin, ehem. K.-F.-Mus.; London, Nat. Gall.; Budapest, Mus.
Lit.: R. Oldenbourg, 1911. H. Schneider in: Th.-B. 1927. M. I. Friedländer, *Niederl. Maler d. 17. Jh.* (Prop. Kstgesch.).

Khnopff, Fernand, belg. Maler u. Bildhauer, Grembergen b. Brüssel 1858–1921 Brüssel, Hauptvertreter der belg. Symbolisten, malte Bilder mystisch-allegor. Inhalts, von G. → Moreau u. den engl. → Präraffaeliten beeinflußt, dem Jugendstil angehörend. Auch Landschafter, Radierer u. Buchillustrator. Er ist vertreten u. a. in Brüssel, Mus.; Venedig, Mod. Gal.; München, N. P.
Lit.: P. de Mont, 1901. R. Muther, *Die belg. Malerei im 19. Jh.*, 1904. H. Hymans, *Belg. Kunst d. 19. Jh.*, 1906. V. Pica in: Th.-B. 1927. N. Pevsner, *Wegbereiter mod. Formgebung*, 1957.

Kick, Cornelis, niederl. Maler, Amsterdam 1635 bis 1681 ebda., malte Blumen- u. Früchtestücke in der Art de → Heems; manche gehen möglicherweise unter dessen Namen. Sein bedeutendster Schüler war → Walscapelle.

Kick, Simon, niederl. Maler, Delft 1603–1652 Amsterdam, wo er von 1624 an nachweisb. ist; holl. Genrebilder, in denen er das Treiben der Soldateska (Wachtstubenszenen) u. der Lebewelt schilderte; in s. Art dem Dirk → Hals verwandt. Vertreten in den Mus. von Amsterdam, Berlin, Basel u. a.
Lit.: C. Hofstede de Groot in: Th.-B. 1927.

Kietz, Gustav, dt. Bildhauer, Leipzig 1824–1908 Laubegast b. Dresden, neben Donndorf der bedeutendste Schüler → Rietschels u. Mitarbeiter bei dessen Hauptwerken: Quadriga am Braunschweiger Schloß; Goethe-Schiller-Denkmal für Weimar u. a. K. schuf vor allem Bildnisbüsten u. Standbilder. Für das Lutherdenkmal in Worms: die Statuen von *Melanchthon, Hus, Philipp von Hessen.* Bronzestandbild *Uhlands* in Tübingen, 1873. *Franz Schuberts* in Stuttgart. *Bildnisbüsten:* Ludwig Richter, Ernst Rietschel, Beethoven, Bismarck, Richard Wagner. *R. Wagner-Herme* für das Dresdener Opernhaus, 1891. *Marmorbüste R. Wagners* in Villa Wahnfried, Bayreuth, 1873/74 u. a.

Kilian, Kupferstecher-Familie des 16.–18. Jh. in Augsburg; unter deren zahlreichen Mitgliedern ragt hervor:
Lukas K., Augsburg 1579–1637 ebda., bereiste 1601–04 Italien, war dann in Augsburg tätig, stach Prospekte, Ornamente, Porträts. Am bedeutendsten seine Ornamentstiche, in denen er u. voll Phantasie das Knorpelornament u. die Maureske behandelte; mit s. Einzelbildnissen u. Bildnisfolgen hatte er bedeutenden Einfluß auf den dt. u. holl. Bildnisstich des 17. Jh. Ornamentstichfolgen: «Grotesken f. die Wand», 1607; «Neues ABC-Büchlein», 1627; «Neues Schildbüchlein», 1610 u. 1633. Bildnisfolge: «Fuggerorum et Fuggerarum Imagines», 1593.
Lit.: Jessen, *Meister d. Ornamentstichs* 1, 1922. Hämmerle, *Die Augsb. Kstlerfam. K.*, 1922.

Kimon von Kleonai, griech. Maler der archaischen Zeit, zeitlich noch vor → Polygnot zu setzen; ihm wurden in der antiken Geschichtsschreibung wichtige Neuerungen wie: Verkürzungen, anatomische Feinheiten, natürlicher Faltenwurf u. a. zugeschrieben. Heute ist kein Werk bekannt, das sich auf ihn beziehen ließe.
Lit.: Handb. d. Arch. 4, 1, 1953.

Kiprenskij, Orest, russ. Maler, * bei Koporje 1773, † 1836 Rom, Schüler von → Lewitzkij, war vor allem ein hervorragender Porträtist; außer den Franzosen studierte er bes. → Rubens, van → Dyck u. → Rembrandt. 1816 ging er nach Rom u. wurde hier zum Klassizisten.
Lit. H. Hildebrandt, *Kunst d. 19. u. 20. Jh.*, 1924.

Kirchner, Ernst Ludwig, dt. Maler u. Graphiker, Aschaffenburg 1880–1938 Davos, Hauptmeister des dt. Expressionismus, gründete 1903 in Dresden die → «Brücke» mit E. → Heckel, → Schmidt-Rottluff u. a., seit 1911 in Berlin, seit 1917 in Frauenkirch b. Davos lebend. K. war sowohl Menschendarsteller wie großer Landschafter, vielleicht noch bedeutender als Graphiker u. Zeichner; er begann als Neo-Impressionist, wandte sich aber bald, ermutigt durch das Beispiel → Munchs, → Gauguins u. der → Fauves, unmittelbar durch das Studium der Neger-

kunst, dem Expressionismus zu. Er suchte größte Vereinfachung der Form u. der Farbe u. starken Ausdruck; bes. lag ihm die Darstellung des Großstadtlebens mit der hektischen Rauschwelt der Nachtlokale u. der Dirnen. Später wandte sich K. der Darstellung der Gebirgswelt, dem Leben der Bauern u. den Tieren zu. Das sehr bedeutende graph. Werk K.s ist wohl der stärkste Beitrag des dt. Expressionismus zur Kunst der 1. Jh.-Hälfte. K. ist vertreten in den Gal. v. Berlin, Bremen, Elberfeld, Essen, Dresden, Düsseldorf, Hagen, Halle, Frankfurt, Hamburg, Den Haag, Basel, Zürich, Detroit u. a. Graphik in den meisten Kabinetten.
Lit.: K. Grohmann, 1926. Knaurs Lex., 1955. L. G. Buchheim, *Die Künstlergemeinschaft Brücke*, 1956. W. Hofmann, *Zeichen u. Gestalt*, 1957. *Ausstell.-Kat.*, Zürich 1952. *Ausstell.-Kat.*, Stuttgart 1956. G. Schiefler, *Das graph. Werk*, 1926.

Kirchner, Heinrich, dt. Bildhauer, * Erlangen 1902, Schüler der Münchner Akad. unter H. → Hahn u. der Acad. Julian in Paris, leitete eine Klasse für Erzgießerei an der Münchner Akad., schuf Figuren, Akte, Tiere, Köpfe; in s. Kunst von archaischer, etruskischer u. frühroman. Kunst beeinflußt; er sucht einfache ausdrucksstarke Formen. Vertreten u. a. in den Gal. von Hamburg, Düsseldorf, Frankfurt, München.
Lit.: H. Eckstein, *Maler und Bildh. in München*, 1946.

Kisling, Moïse, poln.-franz. Maler, Krakau 1891 bis 1953 Sanary, Vertreter der franz. Expressionistengruppe «Ecole de Paris», befreundet mit → Modigliani, von dem er beeinflußt wurde, schuf haupts. Porträts u. Akte, aber auch Stilleben u. Landschaften
Lit.: C. Einstein, 1922. Ders., *Die Kunst des 20. Jh.*, 1926. Knaurs Lex., 1955.

Kiss, August, dt. Bildhauer, Paprotzan 1802–1865 Berlin, Schüler von → Rauch, schuf viele Denkmäler: *Reiterstandbild Friedrichs d. Gr.*, 1847, Breslau. *Friedrich Wilhelm III.*, 1845, Potsdam, u. a. *Amazone zu Pferde im Kampf mit Tiger*, 1843, Bronze, Treppe des Alten Mus., Berlin. In diesem u. a. Werken erwies sich K. als guter Tierbildner.

Kissling, Richard, schweiz. Bildhauer, Wolfwil 1848–1919 Zürich, Schöpfer vieler schweiz. Denkmäler u. Bildnisbüsten, war längere Zeit in Rom, seit 1883 in Zürich tätig. Hauptwerke: *Denkmal Alfred Escher*, 1889, Zürich; *Telldenkmal*, 1895, Altdorf; *Standbild Vadians*, St. Gallen. Bildnisbüsten: *Semper, Gottfried Keller, Arnold Böcklin.*

Kiyonaga, Torii, japan. Maler u. Holzschnittmeister, Yedo 1752–1815 Edo, Schüler von Torii

Kiyomitsu, der bedeutendste Meister der Torii-Schule; schuf anmutige u. vornehme Frauendarstellungen in zarter Farbengebung; Genredarstellungen. Berühmtes Blatt: *Der Platzregen.*
Lit.: J. Hillier, *Meister d. jap. Farbendrucks*, 1954.

Kiyonobu, japan. Maler u. Holzschnittmeister, Osaka 1664–1729 Yedo, Gründer der Torii-Schule, bekannt wurden s. Einblattdrucke mit Schauspielerporträts. Die Erfindung des Holzschnitts mit mennigroter Farbe wird ihm zugeschrieben.

Klauer, Martin Gottlieb, dt. Bildhauer, Rudolstadt 1742–1801 Weimar, ab 1773 in Weimar am Hofe, schuf vor allem klassizist. Bildnisbüsten aus dem Goethe-Kreis: *Goethe-Büste*, Schloß Tiefurt, 1779; Weimar, Landesbibliothek, 1780. Eine von K. gegründete Kunstbacksteinfabrik lieferte Terrakotten nach Antiken u. neuen Mustern. S. Sohn *Martin* führte die Werkstatt weiter, 1805 hat er Schillers Totenmaske abgenommen.
Lit.: W. Geese, 1935.

Klee, Paul, schweiz.-dt. Maler u. Graphiker, Münchenbuchsee b. Bern 1879–1940 Muralto-Locarno, Hauptmeister der abstrakten Kunst, studierte in München bei Knirr u. → Stuck, kam mit den Künstlern des → «Blauen Reiter» in Berührung, befreundete sich mit → Kandinsky, der Einfluß auf ihn hatte; auf Reisen nach Paris kam er mit → Picasso, Apollinaire, → Delaunay, dessen Aufsatz über das Licht er (für Waldens «Sturm») übersetzt hat, in Berührung, wurde mit der Malerei → Cézannes, van → Goghs u. → Matisses bekannt, 1914 Reise nach Tunis mit → Macke u. L. → Molliet, die für s. Entwicklung entscheidend war, 1920 bis 1931 dem Bauhaus Weimar (später Dessau) angehörend, 1931–1937 Prof. der Akad. Düsseldorf, seit 1937 in Bern lebend. In s. Kunst kommt K. nach impressionist. u. neoimpressionist. Anfängen zu einer ersten rein zeichnerischen Stilstufe, in der er groteske Szenen in einer von → Kubin u. → Ensor bestimmten Art schuf; später ging ihm der Sinn für die Farbe auf u. er gelangt zu einer hintergründigen Zeichensprache für eine Traumwelt; mit unerschöpflicher Phantasie schuf er sich s. eigene Symbolsprache. K.s Einfluß auf die Kunst war u. ist weiterhin überaus groß.
K. ist vertreten in den Gal. v. Bremen, Köln, Bern, Essen, Stuttgart, Berlin, Basel, Zürich, New York u. v. a., als Zeichner in fast allen Kabinetten Europas u. der USA. Von P. K. erschienen «Tagebücher», hg. v. F. Klee, 1956. «Das bildnerische Denken», hg. v. J. Spiller, 1956 u. a.
Lit.: W. Hausenstein, *Kairuan*, 1921. W. Grohmann, 1929. Ders., 1954. A. H. Barr u. a., 1945 (engl. m. Bibliogr.). H. Read, 1947 (engl.). H. F. Geist, 1948. W. Haftmann, 1951. C. Giedion-Welcker, 1954. W.

Mehring, 1956. F. Klee, 1960. N. Ponente, 1960 (Skira).

Klein, César, dt. Maler, Graphiker und Bühnenbildner, Hamburg 1876–1954 Pansdorf bei Lübeck, war 1910 Mitbegründer der Neuen Sezession, Berlin; gründete 1918 mit → Pechstein die Novembergruppe; leitete seit 1919 eine Klasse für Wandmalerei u. Bühnenbildnerei an den Verein. Staatsschulen für freie u. angew. Kst. in Berlin; dekorative Wandmalereien, Glasmosaiken, Glasfenster, Gebrauchsgraphik und Bühnenmalereien.
Lit.: Th. Däubler, [2]1923.

Klein, Johann Adam, dt. Maler und Radierer, Nürnberg 1792–1875 München, wo er seit 1837 tätig war, einer der beliebtesten Radierer der ersten Hälfte des 19. Jhs., bes. für ländliche Szenen aller Art, in welchen er sich der liebevollen Darstellung von Pferden u. Haustieren widmete; auch histor. interessante militärische Begebenheiten aus der Zeit der Befreiungskriege; reizvolle Aquarelle. Die Ölbilder – meist Landschaften mit Genrestaffage – stehen künstlerisch hinter den Radierungen zurück. In den meisten größeren dt. Gal. vertreten.
Lit.: C. Jahn, 1863. H. Höhn, *K. als Zeichner u. Rad.* in: Mitt. aus d. German. Nat. Mus., 1911.

Kleinmeister. Die dt. K. wird eine Gruppe von dt. u. schweiz. Kupferstechern des 16. Jh. genannt, weil sie vorwiegend Stiche kleinen Formats geschaffen haben. Teilweise stehen sie unter der Einwirkung → Dürers, wie Hans Sebald u. Barthel → Beham, sowie G. → Pencz. Auch → Altdorfer wird zu den Kleinmeistern gerechnet, ferner eine Gruppe von Ornamentikern, welche für die Einführung der Renaissance in Deutschland wichtig waren, wie P. → Flötner u. V. → Solis, ferner → Aldegrever, → Ammann, → Binck, → Brosamer, → Hopfer u. a.
Lit.: H. W. Singer, 1908. E. Waldmann, *Die Nürnberger Kleinmeister*, 1911.

Kleint, Boris, dt. (elsäss.) Maler, * Masmünster 1903, tätig in Saarbrücken, Vertreter der abstrakten Malerei, studierte 1931 bei Joh. → Itten in Berlin, seit 1948 Leiter einer Meisterklasse an der staatl. Schule für Kunst u. Handwerk in Saarbrücken, schuf seit 1948 größere abstrakte Wandbilder u. Fenster an öffentlichen Gebäuden.
Lit.: Die Kunst u. d. schöne Heim, Jahrg. 49, 1950. Vollmer, 1956. *Ausstell.-Kat.* Dortmund, 1957. *Knaurs Lex. abstr. Malerei* (M. Seuphor), 1957.

Klenze, Leo v., dt. Arch., Gut Bockenem b. Hildesheim 1784–1864 München, Hauptmeister des dt. Klassizismus, nach Ausbildung in Berlin u. Paris u. einer Italienreise 1808 Hofarch. des Königs von Westfalen, dann des Königs von Bayern. In München hat er mit s. Bauten für Ludwig I. das Stadtbild wesentlich mitgestaltet. Er hatte auch Einfluß auf Bauten in Athen u. St. Petersburg. Hauptbauten in München: *Glyptothek*, 1816, Mus. zur Aufstellung der Antiken; *Alte Pinakothek*, 1826–32, Museumsbau für die hist. Malerschulen; *Propyläen*, 1846–62. Außerdem die *Walhalla* bei Regensburg, 1830–47; *Ruhmeshalle* auf der Münchner Theresienwiese, 1843–53; *Befreiungshalle* bei Kelheim; seit 1847 Arbeiten an der Eremitage, Leningrad.

Lit.: K. Escher, *Barock u. Klassizismus*, 1910. A. Grisebach, *Baukunst d. 19. Jh.* (Handb. d. K. W.). S. Giedion, *Spätbarocker u. romant. Klassizismus*, 1922. H. Kiener in: Th.-B. 1927. G. Pauli, *Kunst d. Klassizism. u. d. Romantik*, 1925.

Klerk, Michael de, holl. Arch., Möbelzeichner u. Lithograph, Amsterdam 1884–1923 ebda., Schüler von Ed. Cuypers (1898–1910), schuf große Wohnbaublocks in Amsterdam. Seine bekannteste Schöpfung: *Amsterdamer Schiffahrtshaus*. Er gilt als bedeutendster Vertreter der neuen von → Berlage ausgehenden Baurichtung. Ferner Entwürfe für Möbel u. Inneneinrichtungen.

Lit.: Th.-B. 1927. G. Brandes, *Neue holl. Baukunst*, o. J. Vollmer, 1953.

Klever, Julius v., russ. Maler, Dorpat 1850–1924 Leningrad, schuf Landschaftsbilder aus s. baltischen Heimat. Hauptwerke in den Mus. v. Leningrad, Moskau, Riga u. a.

Kley, Heinrich, dt. Maler u. Zeichner, Karlsruhe 1863–1945 München, studierte an den Akad. Karlsruhe u. München, tätig in Karlsruhe u. seit 1908 in München. Sein bes. Stoffgebiet war das moderne Industrieleben. Er malte Hafenansichten, Schiffswerften, Industriewerke. Später schuf er Zeichnungen für Zeitschriften, Federzeichnungen für «Simplizissimus» u. «Jugend», Buchillustr. u. a. Beisp.: *Tiegelstahlguß bei Krupp*, Karlsruhe, Gal. Lit.: Th.-B. 1927. Vollmer, 1953.

Klimsch, Fritz, dt. Bildhauer, * Frankfurt a. M. 1870, Porträtist vieler bedeutender Zeitgenossen, Schüler von Schaper an der Berliner Akad., knüpfte als Bildhauer an die klass. Tradition an, nahm aber alle Anregungen der Zeit auf zu einer harmon. Kunst; außer den wertvollen Porträtbüsten u. Denkmälern schuf er zahlreiche lebendige Akte. Hauptwerke: Denkmäler: *Virchow*, Berlin, 1906–10, *Emil Fischer*, Berlin; *Mozart*, Salzburg; Bildnisbüsten: *R. Binding*, 1904, Leipzig, Univ. *L. Corinth*, 1907. *M. Liebermann*, 1912, Nürnberg, Städt. Gal. *W. v. Bode*, 1924. *Slevogt*, 1928; *Planck*, 1931. Weibliche Akte: *Trauernde*, 1919; *Charis*, 1922; *Die*

Schauende, 1932; *Nereiden*, 1937. Ferner Grabmäler, Brunnen u. a. Vertreten in den Mus. v. Aachen, Bremen, Kassel, Frankfurt, Berlin, Leipzig u. a. Er selbst schrieb: «Erinnerungen u. Gedanken», 1952.

Lit.: W. v. Bode, 1924. J. U. Klimsch, 1938. W. Rittich, 1941. Hentzen, *Dt. Bildh. d. Gegenw.*, 1934. B. E. Werner, *Dt. Plastik d. Gegenw.*, 1940. Vollmer, 1956.

Klimt, Gustav, österr. Maler, Baumgarten b. Wien 1862–1918 Wien, Hauptvertreter des Wiener Jugendstils. Nach Ausbildung auf der Wiener Kunstgewerbeschule Zusammenarbeit mit s. Bruder Ernst u. mit F. Matsch bei dekorativen Wand- u. Deckengemälden, 1897 Mitbegründer der Wiener Sezession. Aufsehen erregte er durch seine drei *Deckenbilder für die Wiener Universität*, 1900–03, in denen das Gegenständliche eine Verbindung mit ganz Ungegenständlichem, rein Dekorativem, eingeht. Bedeutend auch s. Bildnisse u. Handzeichnungen. Hauptwerke: in der Österr. Gal., Wien: *Birkenwald*, um 1905. *Der Kuß*, 1908. *Der Apfelbaum. Frau Fritza Riedler*, 1906. *Judith*, 1905–08.

Lit.: *Das Werk v. G. K.* mit Einl. v. H. Bahr u. P. Altenberg, 1918. M. Eisler, 1920. G. Glück, *10 Handzeichnungen*, 1922. *50 Handzeichn.*, m. Vorw. v. H. Bahr, 1922. E. Pirchan, 1956. J. Dobai, 1959. *Ausst.-Kat. Sources du XXᵉ siècle*, Paris 1960/61.

Kline, Franz, amerik. Maler, * Wilkes-Barre (Penn.) 1910, Hauptvertreter der amerik. abstrakten Kunst, des «action painting» (Tachismus). «K.s Formen sind Materie gewordene Geschwindigkeit u. Energie, wiedergegeben durch breite, armlange Pinselstriche» (S. Hunter).

Lit.: Hess, *Abstr. painting*, 1951. Vollmer, 1956. *Knaurs Lex. abstr. Malerei*, 1957 (M. Seuphor). S. Hunter in: *Neue Kunst nach 1945*, 1958 (hg. v. W. Grohmann).

Klinger, Max, dt. Maler, Radierer u. Bildhauer, Leipzig 1857–1920 Großjena b. Naumburg, vielseitiger Hauptvertreter des Neoklassizismus in Graphik, Malerei u. Plastik, Schüler von → Gussow in Karlsruhe u. Berlin, weitergebildet in Paris, Brüssel u. Rom (1888–93), ab 1893 in Leipzig tätig. Suchte in s. Kunst eine Weiterführung der Bestrebungen von → Feuerbach, → Marées, → Böcklin, wobei er allen Anregungen offen stand u. sich vom Jugendstil anregen ließ, Elemente des Impressionismus verarbeitete, u. später in s. Skulptur eine Wiederbelebung der polychromen Skulptur der Antike versuchte. Sein Hauptwerk in der Malerei ist das Aula-Gemälde der Univ. Leipzig, *Die griech. Geisteswelt*, 1909. Sein Hauptwerk als Plastiker: *Beethoven*, 1886–1902, Leipzig, Mus. Beethoven als thronender Zeus, in verschiedenfarbigen Marmorsorten, mit

Bronze, Elfenbein u. Glasflüssen. Als Graphiker schuf er große Zyklen mit unerschöpflicher Phantasie, wobei er mehrere Techniken auf einem Blatt verbindet. Bekannteste Folge: *Brahmsphantasie*, 1892 bis 1894.
Weitere Hauptwerke: Gemälde: *Beweinung Christi*, 1893, Dresden, Gal. *Christus im Olymp*, 1897, Wien, Österr. Gal. Als Bildhauer: Halbfiguren der *Salome* u. der *Kassandra*, 1893–95, Leipzig, Mus. Bildnis-skulptur: *Nietzsche*, 1904. *W. Wundt*, Bronze, 1912, Leipz. Mus. Als Graphiker die Folgen: *Rettungen Ovidischer Opfer*, 1879. *Intermezzi*, 1881. *Ein Leben*, 1882. *Eine Liebe*, 1887. *Vom Tode*, 1889–98. Er schrieb: «Malerei u. Zeichnung», 1891, Neu-aufl. 1919. Auswahl s. Briefe, hg. v. Singer, 1924. Lit.: M. Schmidt, 1899, ⁵1926. H. W. Singer, *K.s Rad., Stiche u. Steindrucke*, 1909. W. Pastor, 1922. J. Vogel, 1923.

Kluth, Karl, dt. Maler, * Halle 1898, Schüler von → Babberger, seit 1922 in Hamburg tätig, seit 1951 Lehrer an der Landeskunstschule, schuf Landschaften, Bildnisse, Figürliches; vertreten in: Hamburg, Kunsth.; Hannover, Mus. u. a.
Lit.: Th.-B. 1927. W. Haftmann, *Malerei d. 20. Jh.*, 1954. Vollmer, 1955. G. Händler, *Dt. Maler d. Gegenw.*, 1956.

Knappe, Karl, dt. Bildhauer u. Glasmaler, * Kempten 1884, tätig in München, arbeitet als Bildhauer in Stein u. Holz, schuf zahlreiche Schnitzereien für bayer. Kirchen; ferner Grabmäler, Porträtbüsten (*Liebermann, Th. Fischer*), Glasfenster u. Mosaiken, Münzen u. Plaketten. Im Stil von der Kunst A. v. → Hildebrands ausgehend, fand K. s. Eigenart in der Auseinandersetzung mit dem Expressionismus. Lit.: O. Fischer, 1929. A. Hentzen, *Dt. Bildh. d. Gegenw.*, 1934. *Ausstell.-Kat. Dt. Bildh. d. Gegenw.*, Hannover 1951.

Knaus, Ludwig, dt. Maler, Wiesbaden 1829–1910 Berlin, neben → Defregger u. → Vautier beliebtester Genremaler s. Zeit, Schüler der Düsseldorfer Akad. unter K. → Sohn u. W. → Schadow, weitergebildet in Paris u. Italien, tätig in Düsseldorf u. Berlin, wo er ein Meisteratelier der Akad. leitete. K. hatte sich in Paris eine gediegene Schulung u. hohe farbliche Kultur angeeignet, die größte Beliebtheit bei den Zeitgenossen hatten die Bilder mit anekdotischem Inhalt.
Bekannte Werke: *Kinderfest*, 1869, Berlin, Nat. Gal.; *Salomonische Weisheit*, 1878, Berlin, Nat. Gal.; *Hessischer Bauerntanz*, 1883; *Kartoffelernte im Schwarzwald*, 1888; Porträts: *G. Maes*, 1848, Berlin, Nat. Gal.; *Waagen*, 1855, ebda.; *Helmholtz*, 1881, ebda.; *Mommsen*, 1881, ebda.
K. ist vertreten in den Gal. v. Darmstadt (*Tanzstunde*, 1852); Dresden, Dortmund, Düsseldorf

(*Die Falschspieler*, 1851); Hamburg (*Der Schusterjunge*, 1861); Leipzig, Köln, Magdeburg, Mainz, München, ferner: Chicago, Art. Inst. (*Kartoffelernte*, 1889); Paris, Louvre (*Spaziergang im Tuileriengarten*, 1854/55); Cincinnati, Art Mus.; New York, Metrop. Mus. u. v. a.
Lit.: L. Pietsch, 1901. L. Scheewe in: Th.-B. 1927. *Ausst.-Kat. Wiesbaden*, 1951. E. Waldmann, *Kunst d. Realismus u. Impression.*, 1927.

Knecht, Richard, dt. Bildhauer, * Tübingen 1887, tätig in München, Schüler von A. v. → Hildebrand; haupts. Bildnisköpfe u. Akte; Denkmäler, Grabmäler, auch Gemälde; in s. Kunst von → Rodin u. von → Maillol beeinflußt. Werke in den Gal. von München (Staatsgal. u. Städt. Gal.), Frankfurt (Städel).
Lit.: Vollmer, 1956.

Kneller, Godfrey, eig. Gottfried Kniller, dt.-engl. Maler, Lübeck 1646–1723 London, nach → Lely's Tod der beliebteste engl. Bildnismaler, Schüler von → Bol in Amsterdam, → Maratta u. → Bernini in Rom, ab 1675 in London tätig, wo er den größten Erfolg bei Aristokratie u. Hof als Porträtmaler hatte, seit 1680 1. Hofmaler. Er war in s. Stil ein Vertreter der an van → Dyck geschulten Barockmalerei u. verarbeitete geschickt alle Errungenschaften der Malkultur, von → Rembrandt bis zu den ital. u. franz. Barockmalern. Er hat fast alle Berühmtheiten seiner Zeit porträtiert; sehr gut vertreten in der Nat. Portr. Gall., London u. fast allen engl. Mus., in vielen engl. Schlössern, in Hampton Court; ferner in München, Braunschweig, Wien, Antwerpen u. a. Mus.
Lit.: W. A. Ackermann, 1845. C. H. Collins-Baker, *Lely and K.*, 1922. Ders. in: Th.-B. 1927. Lord Killanin, 1948. M. Osborn, *Kunst d. Rokoko*, 1929.

Knijff (Knyff), Wouter, niederl. Maler, Wesel um 1607 bis um 1693 vermutlich Bergen op Zoom, Landschafter; meist Flußlandschaften in der Art van → Goyens. Beisp.: *Ansicht von Dordrecht*, 1644, Amsterdam, Rijks Mus. In vielen Mus., u. a. Amsterdam, Haarlem, Gent, Darmstadt, Dessau, Leipzig, Dublin, Stockholm, Leningrad, Philadelphia, Marseille.
Lit.: C. Hofstede de Groot in: Th.-B. 1927.

Knobelsdorff, Georg Wenzeslaus v., dt. Arch. u. Maler, Gut Kuckädel b. Crossen 1699–1753 Berlin, Hauptvertreter des friderizianischen Rokoko, Jugendfreund Friedrichs d. Gr., verließ 1729 die militärische Laufbahn u. bildete sich zum Baumeister aus, um die Intentionen Friedrichs des Großen auszuführen. Nach Reisen in Italien u. nach Paris leitete er mit großer Begabung die Bauvorhaben

Friedrichs; beide waren im Geschmack etwa gleichgerichtet, mit Vorliebe für den engl. Klassizismus u. franz. Rokoko. Der erste wichtige Bau war das *Berliner Opernhaus*, 1741–43 (1843 ausgebrannt, 1926 umgebaut, im letzten Krieg teilweise zerstört u. wieder aufgebaut). In K.s Entwurf klang schon der Klassizismus an. *«Neuer Flügel»* des Schlosses Charlottenburg, 1740–43, schlicht in der äußeren Erscheinung, in zartem Rokoko das Innere (heute großenteils zerstört). *Schloß Sanssouci*, Potsdam, 1745–47, in den Grundgedanken eine Schöpfung Friedrichs, von K. in dessen Geist in einem feinen französ. bestimmten Rokoko errichtet. Dieser Bau ist der stärkste Ausdruck des friderizianischen Rokoko. *Umbau des Stadtschlosses Potsdam*, 1744–51, ebenfalls in franz. Klassizismus, das Innere in feinem Rokoko unter K.s Leitung von dt. Künstlern ausgeführt, deren bester → Nahl war. Auch an den Gartenanlagen in Rheinsberg, Potsdam, Sanssouci hatte K. maßgebenden Anteil. Als Maler von Bildnissen u. Landschaften war er ein liebenswürdiger Schüler → Pesnes'.
Lit.: W. v. Knobelsdorff, 1861. A. Streichhan, 1932. G. Dehio, *Gesch. d. dt. Kunst* 3, 1926.

Knoller, Martin, österr. Maler, Steinach (Tirol) 1725–1804 Mailand, Meister des bayer. Rokoko, Schüler von P. → Troger u. der Wiener Akad., 1765 in Mailand, das 1793 Prof. der Akad. Er schuf vor allem große kirchliche Fresken. In Italien schloß er sich dem ital. Hochbarock an, später arbeitete er viel in Tirol u. Süddeutschland u. gehörte hier in s. Stil dem bayer. Rokoko an. In s. Spätwerken gelangte er zum Klassizismus des mit ihm befreundeten R. → Mengs.
Hauptwerke: Kuppelfresken der Kirchen von *Auras*, 1754; *Volders* in Tirol, 1764–66; Fresken in *Ettal*, 1769; riesiges Deckengemälde der Klosterkirche *Neresheim*, 1770–75: Szenen aus dem Leben Christi u. Allerheiligenbild; 32 Meter langes Deckenbild im *Bürgersaal*, München, voll. 1774: *Himmelfahrt Mariä*. Gries b. Bozen, 1772–75: *Fresken*. Spätwerke: *Fresken im Pal. Greppi*, Mailand, u. *Pal. Belgiojoso*, ebda.
Lit.: A. Menghin, 1887. J. Popp, 1905. H. Hammer in: Th.-B. 1927.

Knupfer (Knüpfer), Nicolaus, niederl. Maler dt. Abstammung, Leipzig (?) 1603 bis um 1660 Utrecht, wo er um 1630 Schüler von A. → Bloemaert war. K. malte histor., allegor.-mythol., bibl. Bilder u. Genredarstellungen, beeinflußt von Bloemaert, von den Utrechter Caravaggisten u. von → Rembrandts Frühwerk. Sein bedeutendster Schüler war Jan → Steen. Werke in vielen Mus., u. a. in Dresden, Kassel, Leipzig, Leningrad, Richmond (Slg. Cook).
Lit.: A. Wurzbach, *Niederl. Künstlerlex.*, 1906. H. Schneider in: Th.-B. 1927.

Kobell, Ferdinand, dt. Maler u. Radierer, Mannheim 1740–1799 München, feiner Landschafter, Schüler von → Verschaffelt in Mannheim u. dem Stecher Wille in Paris, von 1771 an am Mannheimer Hof, 1793 Galeriedirektor in München; in s. Stil von den Niederländern u. den Franzosen (C. → Lorrain) beeinflußt. In s. besten Werken fand K. einen eigenen Weg zu unmittelbarer Naturdarstellung u. wurde zu einem Bahnbrecher des dt. Realismus. Seine frühen *Landschaften im Badhaus im Schwetzinger Park* schließen sich noch an niederl. Werke an. Zu s. besten Werken gehören: *Ansichten aus Aschaffenburg u. Umgebung* v. 1786 (4 davon in München, N. P.). Auch s. Radierungen u. Zeichnungen haben die zeitgenössische Kunst beeinflußt.
Lit.: *Radierungen*, hg. v. Frauenholz, 1809 (Neudruck 1925). *Cat. raisonné des estampes*, hg. v. Freiherrn v. Stengel, 1822. Kugler, *F. K. u. s. Rad.*, 1842. C. Glaser, *Graphik d. Neuzeit*, 1922. R. Oldenbourg, *Münchner Malerei im 19. Jh.*, 1922. W. Lessing, 1923. P. F. Schmidt in: Th.-B. 1927. M. Osborn, *Kunst d. Rokoko*, 1929.

Kobell, Franz, dt. Maler u. Radierer, Mannheim 1749–1822 München, Bruder von Ferdinand → K., hinterließ über 20000 landschaftl. u. architekton. Federzeichnungen u. Radierungen.

Kobell, Wilhelm v., dt. Maler u. Radierer, Mannheim 1766–1853 München, bedeutender Schlachtenmaler der Münchner Schule, Schüler s. Vaters, Ferdinand → K., 1792 ff. in München tätig, 1808 Prof. der Akad. ebda., malte Tierbilder, Landschaften, Schlachtenbilder, Porträts. In s. Stil von der holl. Malerei des 17. Jh. ausgehend, gelangt er später selbständig zu Luft- u. Lichtproblemen, denen auch die Romantiker, etwa C. D. → Friedrich, nachgingen. Künstlerisch am bedeutendsten sind s. Schlachtenbilder, auf denen die Landschaften mit weitem Horizont voll atmosphärischer Stimmung sind, ferner kleinfigurige Bildnisdarstellungen vor landschaftlichem Hintergrunde, u. s. ausgezeichneten Radierungen. Gut vertreten in München, N. P. Hauptwerke: *Die Furt*, 1799, Kassel, Mus. *Pferderennen zu München*, 1811, München, Hist. Mus. *Belagerung von Kosel*, 1808, München, N. P. *Treffen bei Bar-sur-Aube*, 1814, München, Armeemus. *Reiter am Tegernsee*, 1832, Berlin, Nat. Gal. Das graph. Werk K.s umfaßt 134 Blätter. Er ist mit Werken in vielen Gal. vertreten.
Lit.: W. Lessing, 1923. R. Oldenbourg, *Münchner Malerei d. 19. Jh.*, 1922. R. Hamann, *Dt. Malerei vom Rokoko zum Expressionismus*, 1925. Kat. d. Jh.-Ausst., Berlin 1906. E. Waldmann, *Kunst d. Realismus u. d. Impression.*, 1927.

Koch, Joseph Anton, österr. Maler u. Radierer, Obergiebeln (Tirol) 1768–1839 Rom, Meister der

heroischen Landschaft, 1785–91 an der Karlsakad. in Stuttgart, ab 1795 in Rom, das er nur für ein paar Jahre verließ (1812–15 in Wien). In Rom schloß er sich eng an → Carstens an u. übertrug die Prinzipien des Klassizismus auf die Landschaftsmalerei. Er setzte die heroische Landschaft von → Poussin fort, baute die Bilder in fester Struktur auf, ließ alles Zufällige fort, die Staffage ist nichts Äußerliches, sondern soll die Stimmung unterstreichen. In s. Zeichnungen u. Radierungen ist er der unmittelbare Fortsetzer des Stils von Carstens.
Hauptwerke: *Der Wasserfall*, 1796, Hamburg, Kunsth. *Heroische Landschaft*, um 1803, Karlsruhe, Kunsth. *Landschaft mit Regenbogen*, um 1810, ebda. *Schmadribachfall*, 1811, Leipzig, Mus.; 1821/22, München, N. P. *Opfer Noahs*, um 1813, Frankfurt, Städel.; Leipzig, Mus. *Subiaco*, 1813, ebda. *Ital. Ideallandschaft*, 30er Jahre, Hamburg, Kunsth. Fresken: *Wandgemälde der Villa Massimi*, Rom, 1824–29: Szenen aus der Göttlichen Komödie von Dante. *Radierungen zu Dantes Göttlicher Komödie*, 1809 (Zeichnungen in Dresden, Kupferstichkab.).
K. ist in vielen dt. Mus. vertreten, u. a. in Berlin, Breslau, Darmstadt, Dresden, Essen, Frankfurt, Hamburg, Karlsruhe, Leipzig, München, Stuttgart. Ferner in Wien u. Kopenhagen (Thorwaldsen-Mus.).
Lit.: E. Jaffé, 1905. W. Stein, *Die Erneuerung d. heroischen Landsch. nach 1800*, 1917. O. R. v. Lutterotti, 1940. H. Hildebrandt, *Kunst d. 19. u. 20. Jh.*, 1924. W. R. Deusch, *Malerei d. dt. Romantiker*, 1937.

Koch, Rudolf, dt. Schriftkünstler u. Graphiker, Nürnberg 1876–1934 Offenbach, der fruchtbarste dt. Schriftschöpfer s. Zeit – er hat über 30 Drucktypen geschaffen – entwarf buchkünstlerisch hervorragende Druckwerke; ferner Entwürfe für Bucheinbände, Exlibris, Spruchteppiche, kirchliche Geräte, Plakate u. Gebrauchsgraphik aller Art.
Lit.: W. Michel, 1938. O. Beyer, 1953. Vollmer, 1956.

Koebke (Kobke), Christen Schjellerup, dän. Maler, Kopenhagen 1810–1848 ebda., Hauptvertreter der dän. Malerei, malte stimmungsvolle Landschaftsausschnitte, Szenen aus dem dän. Leben u. hervorragende Porträts. Beisp.: *Inneres des Domes zu Aarhus*, 1830, Kopenhagen, Mus.
Lit.: E. Hannover, 1893. Ders., *Dän. Kunst d. 19. Jh.*, 1907. M. Krohn, 1915. J. Buhl in: Th.-B. 1927.

Koekkoek, holl. Malerfamilie des 18.–20. Jh. Stammvater ist der Marinemaler *Joh. Hermanus* K., 1778–1851. Bedeutendster Vertreter dessen Sohn, der Landschaftsmaler u. Lithograph *Barend Cornelis* K., Middelburg 1803–1862 Kleve, der vor allem Winterlandschaften malte, beeinflußt v.

→ Hobbema u. → Wijnants, in vielen Gal. vertreten.

Koelle, Fritz, dt. Bildhauer, * Augsburg 1895, † 1953, Schüler von H. → Hahn an der Münchner Akad., pflegte bes. die Darstellung des Bergarbeiters; ferner Bildnisbüsten, weibl. Akte. K. ist vertreten in München, Staatsgal., Gal. der Neuen Sezession u. Städt. Gal.; in den Gal. v. Münster u. Augsburg u. a.
Lit.: Vollmer, 1956.

König, Franz Niklaus, schweiz. Maler u. Kupferstecher, Bern 1765–1832 ebda., gehört zu den Schweizer Kleinmeistern, die schon zu ihrer Zeit wegen ihrer Darstellungen aus dem Berner Volksleben überaus beliebt waren. K. war Schüler von → Freudenberger, malte Bildnisse, Genrebilder, Landschaften in Öl, Aquarell, Gouache; vor allem auch kolorierte Stiche u. Lithographien. Beisp. einer radierten Folge: *Souvenirs des Environs d'Unterseen et d'Interlaken* (25 Blätter). Von s. Kindern wurde s. Kunst fortgesetzt: *Rudolf*, 1790–1815; *Julie*, 1791–1821. K. ist in schweiz. Mus. mit Bildern vertreten.
Lit.: W. Hugelshofer, *Schweizer Kleinmeister*, 1943.

König, Leo v., dt. Maler, Braunschweig 1871–1944 Tutzing am Starnberger See. Vertreter des dt. Impressionismus, vor allem bedeutender Porträtist, Schüler der Berliner Akad. sowie der Akad. Julian in Paris (1894–97), wo er entscheidende Anregungen durch die franz. Impressionisten erfuhr. Von 1900 an in Berlin tätig, Mitglied der Sezession. Von s. Bildnissen sind hervorzuheben: *Bildnis s. Eltern*, 1925, Düsseldorf, Kunsth. *Gerhart Hauptmann; Ernst Barlach; Nolde; K. Kollwitz; Eugène d'Albert*, 1927, Nürnberg, Mus.; *R. G. Binding*, Frankfurt, Städel. Ferner *Frühstück*, 1907, Berlin, Nat. Gal.; *Bohème-Café*, ebda.; *Damenbildnis*, Hannover, Mus. Vertreten in den Gal. v. Düsseldorf, Breslau, Hamburg.
Lit.: *Gestalt u. Seele. Das Werk des Malers L. v. K.* Geleitwort v. R. Schneider, 1936. *L. v. K.* Einleitung v. B. Kroll, 1941. *Festschrift zum 70. Geburtstag*, 1941. A. Dörfler, 1944. Vollmer, 1956. E. Waldmann, *Kunst d. Realismus u. Impression.*, 1927.

Koerbecke, Johann, dt. Maler, seit 1446 in Münster i. W. nachweisbar, † ebda. um 1491, Hauptmeister der westfäl. Schule des 15. Jh., schuf als s. Hauptwerk den *Hochaltar für das Kloster Marienfeld*, 1457. Davon sind erhalten: 3 Tafeln in Münster, Mus. (*Handwaschung, Verspottung, Grablegung*). Ferner: *Auferstehung*, Avignon, Mus. Calvet; *Verkündigung*, Chicago, Art Inst.; *Kreuztragung* u. *Kreuzigung*, Berlin, ehem K.-F.-Mus.; *Himmelfahrt Mariä*, Lugano, Slg. Schloß Rohoncz; eine weitere in Privatbesitz. Diese 9 erhaltenen Tafeln repräsentieren keinen einheitl. Stil: die Außenflügel zeigen starken Detailrealismus, den Einfluß der Niederländer (Meister von → Flémalle); die Innenflügel Einfluß vor allem der Kölner Schule (St. → Lochner) u. des → Konrad von Soest. Als Frühwerke werden K. zugeschrieben: 2 Flügel eines *Altars aus Langenhorst* mit je 4 Passionsszenen, Münster, Mus. Weitere Tafeln ebda. *Vision des hl. Bernhard*, München, A. P. Lit.: W. Hugelshofer, *Der Hochaltar des Klosters Marienfeld* in: Zschr. f. bild. Kunst 60, 1926/27. M. Lippe in: Th.-B. 1927. W. Hugelshofer in: Cicerone 1930. W. R. Deusch, *Dt. Malerei d. 15. Jh.*, 1936. A. Stange, *Dt. Malerei d. Gotik* 6, 1954.

Koetsu, Honami, japan. Maler, * 1558, † 1637 Takagamine (Vorstadt von Kyoto), mit Sotatsu der eig. Gründer der nach s. Schüler → Korin gen. Schule (Korinschule). In s. Stil vereinigt er Züge der Tosa- u. Kano-Schule. Lit.: Morita, 1918–21.

Kokoschka, Oskar, österr. Maler u. Graphiker, * Pöchlarn 1886, Hauptmeister des Expressionismus, Schüler → Klimts an der Wiener Kunstgewerbeschule, arbeitete an den Wiener Werkstätten, schloß sich vor dem 1. Weltkrieg in Berlin dem Kreis des «Sturm» an, ließ sich 1917 in Dresden nieder, das. 1919–1924 Prof. der Akad., dann meist auf Reisen, 1931 in Wien, 1934 in Prag, 1938–53 in London, von da an in Villeneuve am Genfer See tätig. In s. Kunst gehörte K. schon ganz früh zu den führenden Expressionisten, bedeutend vor allem im Bildnis: *Bildnis Auguste Forel*, 1910, Mannheim, Kunsth.; später vor allem die groß gesehenen Landschaften u. Städtebilder: *London*, 1925, Hamburg, Kunsth. *Monte Carlo*, 1925. Frankfurt, Städel; *Blick auf Wien*, 1931, Wien, Hist. Mus.; *Genfer See*, 1924, Leipzig, Mus.; *Stockholmer Hafen*, Bremen, Kunsth.; *Elbe in Dresden*, Essen, Folkwang. Hauptspätwerk: Das Triptychon *Thermopylae*, Wandbild für die Univ. Hamburg, 1955. K. ist in vielen Gal. vertreten, u. a. in Barmen, Berlin, Bremen, Dresden, Essen, Frankfurt, Krefeld, Halle, Hamburg, Mannheim, München, Wien, London, Zürich. Lithographien: Die Folgen: *Der gefesselte Kolumbus*, 1913; *O Ewigkeit, du Donnerwort*, 1914; *Hiob*, 1917. Seine «Schriften» 1907–55, hg. v. H. M. Wingler, 1956. Lit.: P. Westheim, 1925. G. Biermann, 1929. H. Heilmaier, 1930 (franz.). E. Hoffmann, 1947 (m. Bibliogr. u. Kat.). Ders., *K.-Fibel*, 1957. Plaut, 1948. H. M. Wingler, 1956. I. B. Bultmann, 1960.

Kolbe, Georg, dt. Bildhauer, Waldheim (Sachsen) 1877–1947 Berlin, gehört zu den repräsentativen Bildhauern der 1. Jh.-Hälfte, begann als Maler u. Lithograph u. ging 1898 in Rom unter dem Einfluß von → Tuaillon zur Bildhauerei über, seit 1903 in Berlin tätig. Er arbeitete fast stets in Bronze. In s. Stil suchte er die klass., von → Hildebrand her-

kommende Linie fortzusetzen. Die Oberfläche s. Figuren haben schmelzendes Leben, rieselndes Licht hüllt sie ein; hierin ist er → Rodin verpflichtet. Zeitweise stand er auch den expressionist. Strömungen offen. Seinen Ruhm begründeten die tänzerisch bewegten jugendlichen Figuren: *Tänzerin*, 1912, Berlin, staatl. Mus. Charakeristische Themen späterer Figuren: *Niedersinkende*, 1927; *Klagende*, 1926. Hauptthema s. Kunst war der nackte Körper; auch feine Porträtplastiken, Denkmäler u. Brunnen. In den Jahren nach 1933 produzierte er in ermüdender Wiederholung kämpferische Athletengestalten u. amazonenhafte Frauen für die Aufträge des Nationalsozialismus. Hauptwerke: *Japanerin*, 1911; *Adam*, 1920, Frankfurt, Städel; *Emporsteigende*, 1926, Mannheim, Kunsth. Bildnisbüsten: *Joh. Seb. Bach*, Leipzig, *Slevogt*, 1928, Hannover, Mus. Denkmäler u. Brunnen: *Heine-Denkmal*, 1913, Frankfurt; *Beethoven-Denkmal*, 1947, Frankfurt; *Rathenaubrunnen*, 1930, Berlin. K. ist in fast allen öffentlichen Mus. Deutschlands vertreten. Lit.: W. R. Valentiner, 1922. L. Justi, 1930. R. Scheibe, Einführung zu *100 Lichtdrucktafeln*, 1932. R. Binding, 1933. W. Pinder (Hrsg.), 1937. Ders., Einleitung zu *Zeichn.*, 1942.

Kolbe, Heinrich Christoph, dt. Maler, Düsseldorf 1771–1836 ebda., bedeutender Vertreter der klassizist. Bildnismalerei, ausgebildet 1800 in Paris in der Schule → Davids, tätig in Düsseldorf, das. Prof. der Akad., schuf Porträts im Stile Davids. Bekannt sind s. *Bildnisse Goethes*: in Jena, Univ.-Bibl.; im Goethe-Haus, Weimar; in Köln, Wallraf-Richartz-Mus. K. ist gut vertreten in d. Mus. Elberfeld u. Düsseldorf. Lit.: Gaedertz, *Goethe u. Maler K.*, [2]1900. W. Cohen, *100 Jahre rhein. Malerei*, 1924. Ders. in: Th.-B. 1927.

Koller, Rudolf, schweiz. Maler u. Radierer, Zürich 1828–1905 ebda., Meister der Tierdarstellung, bildete sich auf der Akad. Düsseldorf, schloß sich an → Böcklin an, mit dem er n. Brüssel, Antwerpen u. Paris reiste; 1850–51 wandte er sich in München endgültig der Tiermalerei zu u. war seit 1856 in Riesbach b. Zürich tätig. Neben Tierbildern malte er auch Landschaften. K. ging in s. Stil von → Troyon u. den Meistern von → Barbizon aus u. nahm später auch Anregungen der Impressionisten auf. Beisp.: *Schimmel im Stall*, 1848, Zürich, Kunsth. *Mädchen mit Rind*, 1866, ebda. *Gletscher am Sustenpaß*, 1856, ebda. *Gotthardpost*, 1873, ebda. K. ist sehr gut vertreten in Zürich, Kunsth.; ferner in den Mus. v. Basel, Bern, Genf, St. Gallen, Winterthur, Lausanne, Dresden u. a. Lit.: A. Frey, 1906 ([2]1928). W. Hugelshofer, 1942. E. Briner, 1944. M. Huggler/A. M. Cetto, *Schweiz. Mal. im 19. Jh.*, 1941.

Kollwitz, Käthe, geb. Schmidt, dt. Malerin u. Graphikerin, Königsberg 1867–1945 Moritzburg b. Dresden, eine der bedeutendsten Vertreterinnen moderner Graphik, Schülerin von → Stauffer-Bern in Berlin u. → Herterich in München, seit 1891 mit dem Arzt Karl K. verheiratet u. in Berlin lebend, 1919 zum Prof. ernannt. Sie pflegte beinahe ausschließlich Zeichnung, Radierung u. Lithographie u. in der Thematik soziale Motive. Im Stil ging sie von dem der → Klingerschen Radierungen aus, nahm impressionst. u. expressionist. Anregungen auf, um ihren ganz persönlichen expressiven Stil zu finden.
Hauptwerke: Radierungen: *Weberaufstand* (6 Bl.), 1895–98. *Aufruhr,* 1899. *Zertretene,* 1900. *Bauernkrieg* (7 Bl.), 1903–08. *Arbeitslosigkeit,* 1909. Holzschnitte: *Krieg,* 1923. *Proletariat,* 1925. Lithographien: *Hungernde Kinder,* 1920. *Selbstbildnis,* 1924. *Heimarbeit,* 1926. Ferner Zeichnungen, einige Werke der Bildhauerei. 1948 erschienen ihre «Tagebücher u. Briefe», hg. v. H. Kollwitz.
Lit.: H. W. Singer, 1908. J. Sievers, *Die Rad. u. Steindrucke,* 1913. A. Wagner, *Die Rad., Holzschn. u. Lithogr.,* 1927. A. Kuhn, 1921. *Das K. K.-Werk,* 1930. W. Worringer, 1931. G. Strauss, 1951. A. Heilborn, [4]1949. A. Klipstein, 1953. H. Isenstein, 1949. F. Schmalenbach, 1948.

Koninck (Koning, Coning), Jakob, niederl. Maler u. Radierer, * um 1610, Bruder von Philips → K., malte Landschaften in der Art van der → Veldes, 1647 ff. im Haag, 1676 ff. in Kopenhagen tätig. Beispiel: *Viehweide unter Bäumen,* Rotterdam, Mus. Vertreten auch in London, Brit. Mus.; Wien, Albertina.
Der Sohn des Jakob K., *Jakob K. d. J.,* war Landschafts- u. Bildnismaler (Den Haag um 1648–1724 Kopenhagen).
Lit.: C. Hofstede de Groot in: Th.-B. 1927.

Koninck (Koning, Coningh), Philips, niederl. Maler, Amsterdam 1619–1688 ebda., holl. Landschaftsmaler, von → Rembrandt beeinflußt, dessen Schüler er war, malte vor allem weite Flachlandschaften in warmer, braungrüner Farbgebung u. wirkungsvoller Beleuchtung.
Lit.: H. Gerson, 1936.

Koninck (Koning), Salomon, niederl. Maler, Amsterdam 1609–1656 ebda., Schüler von → Moeyaert, malte bibl. u. hist. Darstellungen u. Einzelfiguren in der Art des frühen → Rembrandt. K. ist vertreten in Paris, Louvre; in den Mus. v. Amsterdam, Rotterdam (auch Slg. Six, ebda.); Dresden, Den Haag, Braunschweig; Vaduz, Slg. Liechtenstein u. a.
Lit.: C. Hofstede de Groot in: Th.-B. 1927.

Konrad v. Einbeck, dt. Arch. u. Bildhauer, war seit 1382 f. die Moritzkirche in Halle tätig: er schuf

hier Steinbildwerke von eigentümlich düsterem Ernst u. schwerer Form: *Hl. Moritz,* 1411; *Schmerzensmann,* 1416; *Trauernde Maria* (Schmerzensmutter); *Christus an der Martersäule; Relief der Anbetung der Könige.* In einer *Büste* im nördl. Nebenchor ist ein Selbstbildnis des K. vermutet worden.
Lit.: Th.-B. 1912. E. Hohmann in: Das Bild 6, 1936.

Konrad v. Soest, dt. Maler, tätig im 1. Viertel des 15. Jh., Hauptmeister der westfäl. Malerschule des 15. Jh., schuf als s. Hauptwerk den großen *Altar in der Kirche in Wildungen,* 1404: Christus am Kreuz, Passionsszenen u. weibl. Heilige. An dieses datierte u. signierte Werk konnten angeschlossen werden: *Nikolaus-Tafel* in der Nikolai-Kirche in Soest; der *Marien-Altar* in der Marienkirche in Dortmund; *2 weibl. Heilige,* Türen eines Schränkchens, Münster, Landesmus. In seinem Stil erweist sich K. der kölnischen Malerei verwandt, doch entscheidend beeinflußt von der burgund. Kunst, wahrscheinlich der vor-van-Eyck'schen burg. Miniaturmalerei.
Lit.: K. Hölker, 1921 (Beiträge zur westf. Kunstgesch. 7). P. J. Meier, *Werk u. Wirkung des Meisters K.,* 1921 (1. Sonderheft d. Zschr. Westf.) M. Geisberg, [2]1934. K. Steinbart, 1946. H. May, *K. v. S. Der Dortmunder Marienaltar,* 1948. G. Dehio, *Gesch. d. dt. Kunst* 2, 1921.

Kooning, Willem de, amerik. Maler holl. Herkunft, * Rotterdam 1904, kam 1926 in die USA, lebt in New York. K. ist Hauptvertreter der amerik. abstrakten Kunst, des «action painting». «Niemand übte in den letzten 10 Jahren auf die amerik. Malerei einen stärkeren Einfluß aus als er... K. durchsetzte seine abstrakten Expressionen mit entkörperlichten Fragmenten der traditionellen Kunst» (S. Hunter); Vertreten in New York, Mus. of mod. Art u. v. a.
Lit.: Ritchie, *Abstr. paint. and sculpt. in America,* 1950. Vollmer, 1956. *Knaurs Lex. abstr. Malerei,* 1957 (M. Seuphor). *Neue Kunst nach 1945,* hg. v. W. Grohmann, 1958 (S. Hunter). *Documenta II,* Kassel 1959. Th. B. Hess, 1959 (m. Bibliogr.).

Korin, Ogata, japan. Maler, Kyoto 1655–1716 ebda., der bedeutendste Künstler s. Zeit (Genrokuzeit, 1688–1703), Maler figürlicher Szenen, Blumen, Landschaften, Tiere, Kostümentwürfe, Illustrationen usw., empfing für s. Stil entscheidende Einflüsse von → Sotatsu u. → Koetsu; nach ihm wird die Schule genannt, der auch s. Lehrer zugerechnet werden. Die Korin-Schule verband in Formen die japan. Tosa- u. Kano-Schule.
Lit.: Y. Yashiro u. P. C. Swann, *Jap. Kunst,* 1958.

Koslowskij, Michail, russ. Bildhauer, * 1753, † 1802 Petersburg, gehört zu den bedeutendsten russ. Bildhauern des 18. Jh.; in s. Stil ist er ein Übergangsmeister vom Barock zum Klassizismus.

Kracker (Krackher), Johann Lukas, böhm.-ungar. Maler, * in Mähren oder Böhmen 1717, † 1779 Erlau (Eger), haupts. in Ungarn als Kirchenmaler im Stil des österr. Rokoko tätig. Werke in ungar. u. böhm. Kirchen, in Budapest, Mus. u. a.

Krafft, Johann August, dt. Maler, Altona 1798–1829 Rom, Vertreter des Biedermeier: Genrebilder, Bildnisse, Radierungen; vertreten in Hamburg, Kunsth. (*Müller Wilder,* 1819).

Krafft, Peter, dt.-österr. Maler, Hanau 1780–1856 Wien, Vertreter des Wiener Biedermeier, Schüler von Ant. Tischbein u. von H. → Füger an der Wiener Akad.; später von → David in Paris, beeinflußt von der franz. Kunst, malte Bildnisse u. Szenen aus der Zeitgeschichte: *Abschied des Landwehrmanns,* Wien, Gal. d. 19. Jh.; auch einige Altarblätter. Seine Schüler: → Danhauser, → Eybl, → Ranftl.

Kraft (Krafft), Adam, dt. Bildhauer, wahrsch. Nürnberg um 1460–1508 Schwabach b. Nürnberg, Hauptmeister der Spätgotik in Nürnberg. Seine künstlerische Herkunft liegt im Dunkeln, seine ausschließlich in Stein gehauenen Werke alle in Nürnberg; an den Epitaphien, die er schuf, ist die Entwicklung s. Stils abzulesen. Zuerst Umsetzung eines Gemäldes in Stein (Schreyersches Epitaph), mit Anklängen an → Schongauer u. Niederländer, malerisch gehalten, später markanter Reliefstil voller Realistik. Sein Hauptwerk, das *Sakramentshaus der Lorenzkirche :* Verbindung von spätgot. reichem Bauwerk u. figuraler Plastik; beides schwerlich vom selben Meister. Es ist eher an Verbindung Krafts mit einem Baumeister zu denken.
In der Kunst K.s wird die Kunst der dt. Spätgotik, das rauschende lineare Strömen überwunden durch eine realist. Kunst voller Formenklarheit u. kubischer Fülle.
Hauptwerke in Nürnberg: *Epitaph des Sebald Schreyer,* 1490–92, außen am Chor der Sebalduskirche: Relief d. Passion. *Sakramentshaus in der Lorenzkirche,* 1493–96: Passion Christi, dargestellt in der figürlichen Plastik. Epitaphien: der Familien Pergenstörffer, 1498: *Schutzmantelmadonna ;* der Familie Rebeck, 1500: *Marienkrönung ;* beide in der Frauenkirche; Epitaph der Familie Landauer, 1503: *Marienkrönung,* in der Ägidienkirche. Die *Kreuzwegstationen,* die «sieben Fälle Christi» an der Straße vom Tiergärtner Tor zum Johanniskirchhof, 1505–08, durch Kopien ersetzt, die stark verwitterten Originale im German. Mus. *Grablegung Christi :* 16 Einzelfig. in der Holzschuherkapelle des Johanniskirchhofs, 1508. *Relief der Stadtwaage,* 1497.
Lit.: D. Stern, 1916. G. Dehio, *Geschichte d. dt. Kunst* 2, 1921. W. Schwemmer, 1958.

Kraus, Georg Melchior, dt. Maler, Frankfurt 1737 bis 1806 Weimar, dem Goethe'schen Kreise in Weimar nahestehender Meister, Schüler von → Tischbein d. Ä. in Kassel, seit 1774 Zeichenlehrer in Weimar, malte Landschaftsbilder u. Bildnisse: Ölstudie von *Goethe,* 1775, Weimar, Goethe Nat. Mus.
Lit.: Frh. Schenk zu Schweinsberg, 1930. M. Osborn, *Kunst d. Rokoko,* 1929.

Krebs, Konrad, dt. Arch., vermutlich Büdingen 1492–1540 Torgau, der Erbauer von *Schloß Hartenfels,* Torgau (Ostflügel), Entwurf von 1532, Hoffront des Ostflügels 1533–35. «Es ist der erste große u. auch wahrhaft groß gesinnte Profanbau der dt. Frührenaissance» (Dehio). Die in der Mitte vorspringende repräsentative Wendeltreppe bedeutete eine Weiterbildung jener an der Albrechtsburg in Meißen (→ Arnold von Westfalen). Weiterer Bau: *Moritzkirche,* Coburg, Langschiff von 1520.
Lit.: G. Dehio, *Handb. d. dt. Kunstdenkmäler* Bd. 1. Ders., *Geschichte d. dt. Kunst* 3, 1926. H. Vollmer in: Th.-B. 1927.

Kreidolf, Ernst, schweiz. Maler, Zeichner u. Illustrator, Bern 1863–1956 ebda., 1883–85 Akad. München, 1889–95 in Partenkirchen, 1895–1916 in München, seit 1916 in Bern. Seine Eigenart sind poetische personifizierte Blumen, Schmetterlinge, Insekten für Illustrationen von Kinderbüchern, z. B. zu Dehmels «Fitzebutze», 1900. Selbstverfaßte Kinderbücher: *Blumenmärchen,* 1898. *Schlafende Bäume,* 1901. *Wiesenzwerge,* 1902. *Schwätzchen,* 1903. *Sommervögel,* 1908. *Gartentraum,* 1912. *Lenzgesind,* 1926. *Kinderzeit,* 1930. Als Mappenwerke: *Alpenblumenmärchen,* 1922. *Bergblumen,* 1924–25. *Wintermärchen,* 1924. *Biblische Bilder,* 1924.
Lit.: T. Kutschmann, *Gesch. d. dt. Illustration,* 1900. W. Fraenger, 1917. *Aus der Werkstatt E. K.s,* mit Geleitwort v. J. O. Kehrli, 1942. *Ausstell.-Kat.,* Zürich 1933.

Kreis, Wilhelm, dt. Arch., Eltville 1873–1955 Honnef a. Rh., führender dt. Arch. der 20er u. 30er Jahre, 1898–1902 Assistent von → Wallot in Berlin, Lehrer an der Kunstgewerbeschule Dresden u. 1909–20 an der Kunstgewerbeschule Düsseldorf. Prof. der Akad. ebda., ab 1926 Prof. der Akad. Dresden. K. schuf eine Reihe durch Sachlichkeit ausgezeichnete Bauten: *Rathaus* in Herne, 1910. *Warenhaus Tietz* in Köln, 1912–14. *Wilhelm-Marx-Haus* in Düsseldorf, 1922–24. *Museums- u. Ausstellungs-Gebäude,* ebda., 1926. *Hygiene-Mus.* in Dresden, 1927–30.
Lit.: C. Meissner, 1925. H. Stephan, 1944.

Krell, Hans, gen. der «Fürstenmaler», dt. Maler, † um 1586 Leipzig, Porträtist aus dem Umkreis der

→ Cranach-Schule, 1522–26 im Dienst König Ludwigs II. v. Ungarn, arbeitete in Prag, Ofen, Preßburg, später in Freiberg/Sachsen u. Leipzig in kurfürstl. Diensten. Seine Produktion (namentlich Bildnisse von Fürsten) war sehr groß, teilweise immer wiederholte Massenware. Vertreten in Dresden, Gal. u. Hist. Mus.
Lit.: W. Hentschel in: Th.-B. 1927.

Kremser-Schmidt → Schmidt, Martin Johann.

Kresilas, griech. Bildhauer, aus Kydonia in Kreta, 2. Hälfte 5. Jh. v. Chr., bedeutender Vertreter der idealisierenden Porträtkunst des 5. Jh. aus der Nachfolge des → Myron. Berühmt war s. *Porträt des Perikles* (wahrscheinlich als Statue, um 440–430 v. Chr.). Die Basis ist auf der Akropolis gefunden worden. Als Kopien des Kopfes betrachtet man eine Anzahl von Hermen: im Vatik. Mus.; in London, Brit. Mus.; in Berlin, früher Altes Mus. Eine *Verwundete Amazone* führte K. im Wettstreit mit 3 andern Meistern aus; von einer röm. Kopie im Kapitol. Mus. in Rom glaubt man, daß sie auf das Urbild des K. zurückgeht.
Lit.: Curtius, *Klass. Kunst Griechenlands*, 1928. Bieber in: Th.-B. 1927.

Kreuger, Nils, schwed. Maler, Kalmar 1858–1930 Stockholm, Hauptvertreter des Impressionismus in Schweden: Straßenbilder, Tiere in der freien Landschaft (schwed. Küstenlandschaft) u. a.

Krimmel, Johann Ludwig, dt.-amerik. Maler, Ebingen 1787–1821 Germantown, wanderte 1810 nach den USA aus, pflegte das humorist.-satirische Genre in der Art → Hogarths u. → Wilkies; Bildnisse.

Kritios, griech. Bildhauer, 1. Hälfte 5. Jh. v. Chr., Hauptmeister der atheniens. Kunst, der zus. mit Nesiotes beauftragt wurde, ein *Bildnis der Tyrannenmörder Harmodios u. Aristogeiton* herzustellen, nachdem das Werk des → Antenor 580 von den Persern entführt worden war. Dieses Werk ist in röm. Kopien, namentlich im Nat. Mus., Neapel, erhalten (eine Ergänzung der Fragmente im Mus. v. Straßburg). Ferner wird K. vielfach zugeschrieben: eine Knabenfigur, um 490–80, Athen, Akropolis Mus., der sogen. *Kritiosknabe.* Im Stil gehört K. kaum noch dem Archaismus an, sondern steht schon am Übergang zur griech. Klassik.
Lit.: Schrader, *Auswahl archaischer Marmorskulpturen,* 1913. G. Richter, *Sculpture and sculptors of the Greeks,* 1929. E. Buschor, *Die Tyrannenmörder* in: Sitzungsber. d. Bayr. Akad. d. Wiss., 1940.

Kroyer, Peter Severin, dän. Maler, Stavanger (Norwegen) 1851–1909 Skagen, der bedeutendste Vertreter der dän. Malerei s. Zeit, 1877–78 Schüler von → Bonnat in Paris, schloß sich der franz. Freilichtmalerei an. Er schuf feine Bildnisse, vor allem große Gruppenbilder; Landschaften, vorzugsweise Strandbilder u. a. Hauptwerke: Porträts: *Björnson,* 1901; *Georg Brandes,* 1901; *Holger Drachmann,* 1908; Frederiksborg; *Edvard Grieg u. Frau,* 1898, Stockholm, Gal.; *Bildnis der Gattin des Künstlers,* 1892, Kopenhagen, Ny Carlsberg Glypt. Gruppenbilder: *Das Preisgericht der franz. Kunstausstellung in Kopenhagen,* 1888, ebda; *Sitzung der Akad. der Wissenschaften,* 1897.
Vertreten in den Mus. v. Kopenhagen, Aarhus, Frederiksborg, Stockholm, Göteborg, Berlin, Düsseldorf, Paris (Luxembourg) u. a.
Lit.: E. Hannover, *Dän. Kunst im 19. Jh.,* 1907. Glaser, *Die Graphik der Neuzeit,* 1922. J. Buhl in: Th.-B. 1927.

Krohg, Christian, norweg. Maler, Aker b. Oslo 1852–1925 Oslo, gehört zu den bedeutendsten Vorkämpfern des Impressionismus in Norwegen – neben → Werenskjöld u. → Thaulow. K. war Schüler von → Gussow in Karlsruhe, befreundet mit M. → Klinger, war mehrmals in Paris u. vom franz. Impressionismus beeinflußt. Seit 1878 in Norwegen tätig. Lieblingsmotive: das Leben der Schiffer u. Fischer.
Werke: *Krankes Mädchen,* 1880, Oslo, Gal. *Nordwind,* 1887, Dresden, Gal. *Kampf ums Dasein,* 1890, Oslo, Gal. *Tagesanbruch,* ebda. *Norweg. Lotse,* 1893, Dresden, Gal. *Bildnis A. Strindberg,* Oslo, Norweg. Volksmus. Werke in Oslo, Nat. Gal.; Bergen, Mus., Göteborg, Mus.; Kopenhagen, Mus.; Dresden, Gal. u. Rom, Gall. Naz.
Lit.: H. Grevenor in: Th.-B. 1927.

Krüger, Franz, dt. Maler (gen. Pferde-Krüger), Großbadegast b. Köthen 1797–1857 Berlin, Hauptvertreter des Berliner Biedermeier, Schüler der Berliner Akad. 1812–14, Prof. der Akad. ebda. u. preuß. Hofmaler, schuf Pferdebilder, Paraden u. Festlichkeiten u. hervorragende Bildnisse. Seine Bilder vereinigen schärfste Einzelcharakteristik mit einer malerischen Gesamtwirkung.
Hauptwerke: Pferdebilder: *Ausritt zur Jagd* (Prinz Wilhelm u. d. Künstler) 1836, Berlin, ehem. Nat. Gal. Paraden: *Parade auf dem Opernplatz,* 1829, ehemals Leningrad, Winterpalais; Wiederholung v. 1839, ehemals Berlin, Nat. Gal. Porträts: *Bismarck als Knabe,* 1826. Gut vertreten in Berlin, ehem. Nat. Gal.
Lit.: M. Osborn, 1910. W. Weidmann, 1927. E. Waldmann, *Kunst d. Realismus u. d. Impression.,* 1927.

Krug, Ludwig, dt. Goldschmied, Steinschneider, Medailleur, Kupferstecher, Holzschneider u. Maler, * um 1490, † 1532, tätig in Nürnberg, Meister aus

dem Umkreis → Dürers, schuf namentlich bedeutende Kleinplastiken. Als Kupferstecher u. Holzschneider Nachahmer Dürers.
Werke: Plaketten in Solnhofer Stein: *Adam u. Eva,* 1514, Berlin, staatl. Mus.; *Orpheus u. Eurydike,* Hamburg, Mus. f. Kunst u. Gewerbe; *Adam u. Eva,* Marmor, München, Bayer. Nat. Mus.
Lit.: E. F. Bange, *Die dt. Kleinplastik des 16. Jh.,* 1927. G. Habich in: Th.-B. 1928. G. Dehio, *Gesch. d. dt. Kunst* 3, 1926.

Krumpper (Krumper), Hans, dt. Bildhauer u. Arch., Weilheim um 1570–1634 München, Schüler von H. → Gerhard in München, 1590 in Italien, seit 1609 Hofbildhauer in München, schuf Bronzewerke u. war auch als Baumeister u. Dekorateur tätig, schloß sich im Stil den romanisierenden Niederländern an; zum Teil schuf er nach Entwürfen der Niederländer P. → Candid u. des → Sustris.
Hauptwerke: *Patrona Bavariae,* 1616, an der Münchener Residenz. *Grabmal Kaiser Ludwigs,* um 1620, München, Frauenkirche (von H. Gerhard beg.). *Grabmal des Herzogs Ferdinand von Bayern,* um 1608, München, Heiliggeistkirche. Als Arch.: Kirchen in *Polling,* 1621–31; *Dachau,* 1624–25 u. a.
Lit.: A. E. Brinckmann, *Süddt. Bronzebildh. d. Frühbarock,* 1923. G. Lill, *Dt. Plastik,* 1925. A. Feulner, *Dt. Plastik d. 17. Jh.,* 1926. G. Dehio, *Gesch. d. dt. Kunst* 3, 1926. K. Feuchtmayr in: Th.-B. 1928. N. Lieb, *Münchner Barockbaumeister,* 1941.

Kruse, Max, dt. Bildhauer, Berlin 1854–1942 ebda., Schüler von A. Wolff u. Fr. → Schaper an der Berliner Akad., wurde bekannt durch s. Erstlingswerk: der *Siegesbote von Marathon,* 1881, Berlin, vor der Nat. Gal., schuf gute Bildnisbüsten, bei denen er das Kubische u. einen geschlossenen Umriß betonte u. auch Holz als Material verwendete: *Nietzsche,* 1898; *Mutter des Künstlers,* 1892, Berlin, Nat. Gal. *Max Liebermann,* 1893, Hamburg, Kunsth. Für die neue Bühnenkunst wurde s. Erfindung des Rundhorizontes wichtig. K. schrieb: «Ein Weg zur neuen Form», 1925.
Lit.: F. Stahl, 1924. Th.-B. 1928.

Kubin, Alfred, österr. Zeichner u. Graphiker, Leitmeritz 1877–1959 Zwickledt b. Wernstein, einer der bedeutendsten Meister moderner Graphik, kam 1898 nach München, wurde Mitglied der «Neuen Künstlervereinigung» u. des → «Blauen Reiters», seit 1906 auf s. Gut Zwickledt (Oberösterr.) ansässig, schuf Illustrationen zu vielen Büchern u. viele Tausende von Federzeichnungen. K. wandte sich in s. Kunst dem Unheimlichen, Dämonischen, Grotesken u. Traumhaften zu. In manchem ist s. Art der des → Ensor verwandt; manchmal schließt er sich im Stil auch an die alten Meister des Donaustils an (W. → Huber).

Hauptwerke: Zeichnungen zu den *Nachtstücken* von E. T. A. Hoffmann, 1913; zu Hauffs *Phantasien im Bremer Ratskeller,* 1914; zu Poe, Dostojewskij, Strindberg; Mappenwerke, z. T. mit eigenem Text: *Sansara,* 1911; *Ein Totentanz,* 1918; *Heimliche Welt,* 1927; *Dämonen u. Nachtgesichte,* 1926. K. schrieb: «Die andere Seite», 1909; «Vom Schreibtisch eines Zeichners», 1939; «Aus dem Böhmerwald». K.s künstlerischer Nachlaß in Wien (Albertina) u. Linz (Oberösterr. Landesmus.).
Lit.: H. Esswein, 1911. E. W. Bredt, 1922. P. F. Schmidt, 1924. W. Schneditz, 1949. A. Horodisch, 1949. P. Raabe, 1957. L.-G. Buchheim, *Der Blaue Reiter,* 1959. *Ausst.-Kat. sources du XXᵉ siècle,* Paris 1960/61.

Kubista, Bohumil, tschech. Maler u. Graphiker, Vlčkovice 1884–1918 Prag, Schüler der Akad. Prag, weitergebildet in Florenz u. Paris, wo er sich den Kubisten anschloß, zu deren Pionieren in der Tschechoslowakei K. gehörte. Er liebte eine prismatisch-graph. Bildkonstruktion, die von fern an → Gromaire erinnert. Figürliches (Akte), Bildnisse, Stilleben.
Lit.: F. Kubišta, 1940.

Kügelgen, Gerhard v., dt. Maler, Bacharach 1772 bis 1820 Dresden, Meister des Klassizismus, Schüler von J. → Zick in Koblenz, lebte 1791–99 in Rom, 1799–1805 in Petersburg, seit 1805 in Dresden, das. 1811 Prof. der Akad. K. malte Bilder mit mythol. u. religiösen Themen, vor allem auch Bildnisse.
Hauptwerke: *Andromeda,* 1810, Berlin, Nat. Gal. *Der verlorene Sohn,* 1820, Dresden, Gal. Bildnisse von Goethe, Schiller, Herder, Wieland.
Lit.: Hasse, 1824. C. v. Kügelgen, 1901. L. v. Kügelgen, 1924.

Kügelgen, Karl v., dt. Maler, Bacharach 1772–1832 Reval, Zwillingsbruder von Gerhard → K., ging mit s. Bruder 1791 n. Rom u. lebte seit 1799 in Petersburg, wo er russ. Hofmaler wurde. Er schuf Skizzen der Krimlandschaft in: «Malerische Reise in die Krim», 1823.

Kügelgen, Wilhelm v., dt. Maler, Petersburg 1802 bis 1867 Ballenstedt, Sohn des Gerhard → K., ging 1825 nach Rom, war 1827–29 in Rußland, dann in Dresden tätig u. lebte seit 1833 als Hofmaler in Ballenstedt. Berühmt durch s. 1870 erschienenen «Jugenderinnerungen eines alten Mannes». Werke: Bildnisse von Goethe, *Wieland.*
Lit.: J. Werner in: Th.-B. 1928. L. v. Kügelgen, *Gerh. v. K. u. die anderen 7 Künstler d. Fam.,* 1924. F. Ernst, W. v. K. in: Neue Schweiz. Rundschau XX, 1927.

Kuehl, Gotthardt, dt. Maler, Lübeck 1850–1915 Dresden, Meister des dt. Impressionismus, ausgebildet auf den Akad. Dresden u. München, 1878–89 in Paris, seit 1894 Prof. der Akad. Dresden, schuf Figurenbilder, Interieurs u. impressionist. Stadtbilder.
Hauptwerke: *Mädchenbildnis*, 1875, Dresden, Gal. *Promenade in Paris*, 1888, ebda. *Waisenhaus in Danzig*, 1885, Leipzig, Mus. *Im Lübecker Waisenhaus*, 1886, Dresden, Gal. *Altmännerhaus*, Berlin, Nat. Gal. *Augustusbrücke in Dresden*, 1904, Bremen, Kunsth. K. ist vertreten u. a. in: Berlin, Dresden, Leipzig, Hamburg, München, Wiesbaden, Paris (Luxembourg).
Lit.: F. v. Boetticher, *Malerwerke des 19. Jh.*, 1895 (m. Werkverz. bis 1894). K. Scheffler, *Die europ. Kunst im 19. Jh.*, 1926. E. Waldmann, *Kunst d. Realismus u. d. Impression.*, 1927.

Küng, Erhard, schweiz. Bildhauer u. Arch., niederl.-westf. Herkunft, tätig in Bern 2. Hälfte 15. Jh., ansäßig ebda. seit 1458, 1483 zum Münsterbaumeister ernannt. Hauptwerk: *Plastiken der Vorhalle des Berner Münsters*, um 1490–95 «das letzte Kirchenportal der Gotik mit umfassendem Bildprogramm» (Mojon).
Lit.: R. Nicolas, *Berner Münster*, 1923. Th.-B. 1928. J. Gantner, *Kunstgesch. d. Schweiz* 2, 1947. L. Mojon, *Berner Münster*, 1960 (Kunstdenkm. d. Kantons Bern, 4). P. Ganz, *Gesch. d. Kunst in d. Schweiz*, 1960.

Kulmbach, Hans v., eig. Hans Süss, dt. Maler u. Zeichner für Glasmalerei, Kulmbach um 1480–1522 Nürnberg, bedeutender Nürnberger Meister aus dem Umkreise → Dürers, Schüler von J. de → Barbari in Nürnberg u. Dürer, arbeitete 1514–16 in Krakau, sonst in Nürnberg tätig. Er schuf Altarwerke, Bildnisse, Entwürfe für Glasgemälde, Zeichnungen, Holzschnitte.
Hauptwerke: *Anbetung der Könige*, 1511, Berlin, staatl. Mus. *Tucher-Altar*, 1513, Nürnberg, St. Sebald: Triptychon nach einer Skizze Dürers, in der Mitte Maria zwischen Katharina u. Barbara, auf den Seitenflügeln Heilige u. Stifter. Sein Hauptwerk in Krakau war der *Altar für die Marienkirche* mit Darstellungen aus der Katharinenlegende (nur teilweise erhalten).
Lit.: Koelitz, 1891. F. Stadler, 1936. F. Winkler, *Die Zeichn. K.s u. Schäufeleins*, 1942. Ders., *Die Holzschnitte K.s*, 1941. Ders., *Leben u. Werke*, 1960. G. Dehio, *Gesch. d. dt. Kunst* 3, 1926.

Kuniyoshi, Yasuo, japan.-amerik. Maler, Radierer, Litograph, Okayama (Japan) 1890–1953 New York, kam 1906 nach den USA, schuf Landschaften, Figurenbilder, Stilleben; Radierungen u. Lithogr.; in mehreren amerik. Museen vertreten.
Lit.: L. Goodrich, 1948.

Kuo Hsi, chines. Maler, tätig um 1020–90, einer der hervorragendsten Landschaftsmaler Chinas, berühmt bes. wegen s. düsteren Wald- u. Berglandschaften großen Formates, meist Wandbilder. Sichere Werke von K. scheinen nicht erhalten zu sein.
Lit.: O. Kümmel in: Th.-B. 1928.

Kupelwieser, Leopold, österr. Maler, Piesting 1796 bis 1862 Wien, schuf religiöse u. Historienbilder, im Stil von den → Nazarenern beeinflußt, 1823–25 in Italien, seit 1836 Prof. der Akad. Wien. K. war auch ein feiner Porträtist u. schuf 2 *Schubertbildnisse*. Religiöse Werke: *Hochaltarbild in Klosterneuburg*, 1833; *Hochaltarbild der Dominikanerkirche*, Wien, 1837. Weitere Werke in Kirchen von Wien; *Fresken für die Joh.-Nepomuk-Kirche*, ebda., 1844–45. Bilder in der Österr. Gal., ebda. Schüler K.s war E. → Steinle.
Lit.: E. Hempel in: Th.-B. 1928.

Kupezky (Kupetzky), Johann, österr. Maler, Bösing b. Preßburg 1667–1740 Nürnberg, beliebter Porträtmaler der Wiener Hofgesellschaft, 1687 in Rom, wo er bei Vertretern des caravaggesken Stiles lernte, von 1709 an in Wien, von 1723 an in Nürnberg. Seine zahlreichen Bildnisse sind in Kupferstich u. Schabkunst häufig vervielfältigt worden.
Hauptwerke: die *Bildnisse Kaiser Josephs I. u. Karls VI.*; *Peter d. Gr.*, um 1711. *Selbstbildnis*, Dresden, Gal.
Lit.: E. Safarik, 1928.

Kupka, Frank (François, František), franz. Maler böhm. Herkunft, * Opocno (Böhmen) 1871, gehört zu den frühesten abstrakten Künstlern, 1895 in Paris, wo er sich den Neo-Impressionisten anschloß u. als Buchillustrator bekannt wurde. Um 1911 entstand s. erstes abstraktes Werk: *La fugue en rouge et bleu*. 1924 stellte er s. «Diagrammes» u. «Arabesques tournoyantes» aus. Seitdem arbeitete er unentwegt an fein ausbalancierten abstrakten Werken weiter.
Lit.: Gremilly, 1922. M. Seuphor, *L'art abstrait*, 1949. *Ausst.-Kat.*, New York 1951. Seuphor, *Dict. peint. abstr.*, 1957.

Kwazan, Watanabe, japan. Maler, Edo (Tokio) 1793 bis 1841 Tawara, Landschafter, der sich einen persönlichen Stil schuf, in welchem das Studium der europ. Malerei hervortritt.
Lit.: Terzaki, 1926. O. Kümmel in: Th.-B. 1928.

Kyosai, Kawanabe, japan. Maler, Koga 1831–1889 Tokio, lernte unter einem Meister der Kanoschule, wußte sich aber eine eigene Malweise zu schaffen, indem er den Ukiyoyestil (Hokusai) mit den Zügen des Tosastils u. der europ. Malerei vereinigte.

L

Laar, Pieter van → Laer, Pieter van.

Labenwolf, Pankraz, dt. Bildhauer u. Erzgießer, Nürnberg 1492–1563 ebda., Meister der Nürnberger Renaissanceplastik, wahrscheinlich Schüler P. → Vischers in Nürnberg, seit 1519 Meister u. seit 1523 Leiter einer bedeutenden Werkstatt; beglaubigte Werke v. ihm sind: eine *Grabplatte des Grafen Werner v. Zimmern*, 1554, Meßkirch, Stadtkirche, u. der *Puttenbrunnen*, 1557, im Hof des Rathauses in Nürnberg. Der berühmte *Gänsemännchen-Brunnen* in Nürnberg wird ihm nur zugeschrieben.
L.s Sohn *Georg* war ein beliebter Schöpfer von Brunnen. Von ihm erhalten ist ein *Brunnen in Altdorf b. Nürnberg*, 1576, im Hof des Kollegiengebäudes. Sein Hauptwerk war der nur aus Abb. bekannte Brunnen im Schloß Kronborg b. Kopenhagen, 1585.
Lit.: G. Glück, *Kunst d. Renaiss.*, 1928.

Labrouste, Henri, franz. Arch., Paris 1801–1875 Fontainebleau, gehört zu den Wegbereitern der modernen Baukunst, indem er das Eisen als neuen Baustoff formgerecht verwandte in einem einfachen u. großzügigen Baustil. Sein Hauptwerk: die *Bibliothek Ste-Geneviève* in Paris, 1843–50. Ferner: *Umbau der Nationalbibliothek*, ebda., 1875. L. leitete mit s. Werken vom historisierenden Stil zum modernen Zweckstil über.
Lit.: G. Gromort, *L'Architecture en France*, 1922. Th.-B. 1928. N. Pevsner, *Wegbereiter mod. Formgebung*, 1957.

Lachaise, Gaston, franz.-amerik. Bildhauer, Paris 1886–1935 New York, Vertreter der modernen amerik. Plastik, Schüler von J. Thomas in Paris, seit 1912 in New York tätig, schuf weibl. Akte, Bildnisbüsten, Tierplastiken u. a. In s. Stil nahm er Anregungen von → Maillol u. den Kubisten auf. L. ist vertreten in New York, Mus. of mod. Art; Detroit, Inst. of Arts u. a.
Lit.: L. Kirstein, 1935. W. Hofmann, *Plastik d. 20. Jh.*, 1958.

Laer (Laar), Pieter van, niederl. Maler u. Radierer, von den Italienern *Bamboccio* gen., Haarlem um 1592-1642 ebda., Meister derbkomischer sittenbildlicher Darstellungen aus dem ital. Volksleben, 1629–39 in Rom, wo er mit C. → Lorrain u. → Poussin u. → Sandrart in Berührung kam. Er malte Szenen, die sich auf öffentlichen Plätzen, in Wirtshäusern usw. abspielen, mit von → Caravaggio beeinflußten Lichtwirkungen. In Italien wurde das von ihm geschaffene Genre nach s. Beinamen «Bambocciate» genannt. Sein Einfluß war groß. Beisp.: *Der Quacksalber*, Kassel, Mus.

Gut vertreten in den Gal. v. Rom, Florenz, Braunschweig, Dresden, Kassel, Wien, Amsterdam.
Lit.: G. J. Hoogewerff in: Th.-B. 1928. *Ausst.-Kat. Mostra dei Bamboccianti*, Rom 1950.

Laermans, Eugène, belg. Maler u. Radierer, Brüssel 1864–1940 ebda. Von → Gauguin angeregt, versuchte L. eine Flächenkunst zu entwickeln, welche die Tradition der altniederl. Kunst (→ Bruegel) wieder aufleben läßt; thematisch: Szenen aus dem Volksleben, in grellen, düster wirkenden Farben. Werke: *Abendgebet*, 1896, Dresden, Gal.; *Der Tote*, 1904, Brüssel, Mus.; *Die Heimkehr*, 1898, ebda.; *Die Auswanderer*, 1896, Antwerpen, Mus.; Folge von *Zeichnungen zu den Fleurs du Mal* von Baudelaire, 1889. L. ist vertreten in den Mus. v. Brüssel, Antwerpen, Gent, Lüttich u. a.
Lit.: G. Vanzype, 1909. P. Colin, 1930. F. Maret, 1959.

Läublin, Hans Jakob, schweiz. Goldschmied, Schaffhausen 1664–1730 ebda., schuf Pokale, Monstranzen, Reliquiare, Meßkelche u. a.; *2 Löwen* für das Zürcher Rathausportal, 1699–1701, Kupfer, feuervergoldet.
Lit.: D. F. Rittmeyer, 1959.

Läuger, Max, dt. Keramiker, Maler u. Arch., Lörrach 1864–1952 ebda., leitete 1897–1913 die Kunsttöpferei Kandern, seit 1916 eine eigene Werkstätte in Karlsruhe; schuf Fayence- u. Steingutgefäße, dekorative Fliesen mit plastischem Schmuck, Fliesengemälde u. a. Baukeramik. Als Baumeister schuf er bes. schlichte Landhäuser. Beisp. s. Baukunst: *Variété Küchlin*, 1908, Basel; *Haus Pradella*, 1922, Basel; Bauten u. Anlagen der *Karlsruher Gartenbauausstellung*, 1907. Gartenanlage *Paradies*, Baden-Baden, 1925.
Als Kunstgewerbler hatte L. großen Einfluß auf die jüngere Kunstgewerblergeneration.
Lit.: Th.-B. 1928. Vollmer, 1956. *Ausst.-Kat. Kunsthalle Bern*, 1943. *Ausst.-Kat. Aufbruch z. mod. Kunst*, München 1958.

La Farge, John, amerik. Maler, New York 1835 bis 1910 Providence, bildete sich in Europa, bei → Couture in Paris u. unter dem Einfluß der → Präraffaeliten. L. schuf Wandgemälde, Glasmalereien u. auf Reisen in der Südsee exot. Figuren- u. Landschaftsbilder. Werke: Wandgemälde in *Trinity Church*, Boston u. *Church of Ascension*, New York.
Lit.: R. Cortissoz, 1916. H. Focillon in: Americ. Magazine of Art, 1936.

La Fosse, Charles de, franz. Maler, Paris 1636–1716 ebda., Vertreter der franz. Ausstattungsmalerei des

Grand Siècle, Schüler von Chauveau u. Ch. →
Lebrun, in Rom u. Neapel ausgebildet, ging um 1664
nach Paris zurück, 1673 Mitglied der Akad., 1689–91
in London, 1696 «Peintre du Roi» in Paris, 1699
Direktor der Akad. Er schuf große Wand- u. Dek-
kengemälde, mythol. Bilder, Vorlagen zu Teppichen.
In s. Stil von → Rubens, → Primaticcio u. den Venezianern beeinflußt, leitet zum Stil des 18. Jh.
(→Watteau) über.
Werke: *Deckengemälde im Schloß Versailles*, 1671–80:
Apollo auf dem Sonnenwagen; Coriolan hebt die
Belagerung Roms auf; Vespasian läßt das Kolosseum
bauen. *Kuppelgemälde in der Eglise de l'Assomption,
Paris*, 1676: Himmelfahrt Mariä. *Wand- u. Decken-
gemälde f. das Montagu House in London*, 1689–91 (1823
abgebrochen); *Apsisgemälde in der Schloßkapelle Ver-
sailles*, 1707–10: Auferstehung Christi. Sein Haupt-
werk: *Kuppelgemälde im Invalidendom zu Paris*, voll.
um 1705: Der hl. Ludwig legt Krone u. Schwert in
die Hände Christi.
Werke in Paris: Notre-Dame; Ecole des B.-Arts;
Louvre; den Mus. v. Cherbourg, Le Havre, Lille,
Montpellier u. a. Ferner: Madrid, Mannheim, New
York, Leningrad u. a.
Lit.: Th.-B. 1928. L. Hourticq, *De Poussin à Watteau*,
1921.

Lafrensen, Nils, d. J., in Frankreich *Nicolas Lavreince* gen., schwed. Maler, Stockholm 1737–1807
ebda., Darsteller von Szenen der Rokokogesell-
schaft, lernte die Miniaturmalerei von s. Vater, ging
dann nach Paris, 1762–69, wo er sich der Gouachemalerei zuwandte, 1769–74 in Stockholm, 1774–91
in Paris, seitdem wieder in Stockholm. Er stellte
galante Gesellschaftsszenen dar, Szenen aus dem
Ballett usw. In s. Stil ganz dem franz. Rokoko verpflichtet (→Boucher). Seine Gouachen wurden vielfach nachgestochen. Beisp.: *La consolation de l'absence;
Qu'en dit l'abbé?; Le Billet-doux. – Musizierende
Herren u. Damen in Landschaft*, Stockholm, Nat. Mus.
Bildnisse: *Gustav III.*, 1792.
Lit.: O. Levertin, 1910 (schwed.). K. Asplund,
1924–25 (schwed.). P. Lespinasse, *Lavreince*, 1928
(franz.).

La Fresnaye, Roger de, franz. Maler, Le Mans 1885
bis 1925 Grasse, bedeutender Vertreter des Kubismus, der sich der geometrischen Formgebung indes
nicht gänzlich verschrieb, Schüler von M. → Denis
u. P. → Sérusier; von → Gauguin, → Cézanne u.
den → Nabis beeinflußt, seit etwa 1911 Kubist,
schuf Bildnisse, Stilleben u. Landschaften. L. gehörte
in s. Kunst weniger dem analytischen als dem synthetischen Kubismus an; in s. späteren Werken den
Kubisten kaum noch zuzurechnen: die Einheit s.
Bilder ist immer verständlich; seine Palette nicht wie
bei den Kubisten sehr reduziert, vielmehr liebte er
kräftige Farben. Das Werk L.s umfaßt haupts. Bild-

nisse u. Stilleben. Ferner schuf er Lithographien u.
Illustrationen: zu «Paludes» v. Gide; «Roman de
Psyché» v. La Fontaine; «Tambour» v. Cocteau.
Hauptwerke: *Die Eroberung der Luft*, 1913, New
York, Mus. of mod. art; *Selbstbildnis* in Paris, Mus.
d'art mod.; *La femme aux chrysanthèmes*, ebda.
Vertreten in Paris, Mus. d'art mod.; Grenoble, Mus.
u. a.
Lit.: R. Allard, 1922. W. George, *R. de L., Dessins et
gouaches*, 1927. G. Seligman, 1945. J. Busse in: Béné-
zit, 1952. G. Arnolds, *Malerei des Abendlandes*, 1955.
Vollmer, 1956. B. Dorival, *Les Peintres du 20e siècle*,
1957.

Lagae, Jules, belg. Bildhauer, Roeselaere 1862–1931
Brügge, Schüler der Brüsseler Akad. (van der →
Stappen), bedeutender Bildnisbüstenplastiker, bis
1892 in Italien, seitdem in Brüssel tätig, schuf auch
große Marmor- u. Bronzedenkmäler. Werke: Entwurf für das *Kongreßdenkmal* in Buenos-Aires, ausgeführt 1911–14. *Dekorative Figuren* f. d. Rathaus in
Brüssel. *Bronzebüste J. Dillens*, Berlin, Nat. Gal. Vertreten in fast allen Mus. Belgiens; ferner in Berlin,
Darmstadt, Karlsruhe, Budapest, Paris (Luxembourg), Madrid u. a.
Lit.: M. Devigne in: Th.-B. 1928. A. Goffin, 1933.
Bénézit, 1952. Vollmer, 1956.

Lagneau (Lanneau), Nicolas, franz. Maler u.
Zeichner, tätig Anfang 17. Jh. Ihm werden zugeschrieben: *Porträt F. Rabelais*, Paris, Mus. Carnavalet; Werke im Louvre u. in der Bibl. Nat., ebda.,
in denen er sich als Meister des Realismus erweist;
doch müßte s. Werk von Kopien, falschen Zuschreibungen usw. ausgesondert werden.
Lit.: Bénézit, 1952. J. Vallery-Radot, *Le Dessin
franç. au 17e siècle*, 1953. *Ausst.-Kat. 17. Jh. in der franz.
Malerei*, Bern 1959.

La Hire, Laurent de, franz. Maler, Paris 1606–1656
ebda., Hauptvertreter der franz. Barockmalerei,
Schüler s. Vaters u. des S. → Vouet, vielseitiger
Eklektiker, der namentlich große dekorative Werke
in Paris in der Art Vouets schuf, beeinflußt von den
Bolognesen, den Caravaggisten, → Poussin u. C. →
Lorrain.
Beisp.: *Papst Nikolaus V. in der Gruft d. hl. Franz*,
1630, Paris, Louvre. *Kreuzabnahme*, 1655, Rouen,
Mus. Vertreten in: Paris, Louvre; Rouen, Mus.; in
vielen franz. Gal.; ferner: Berlin, Budapest, Florenz
(Uff.); Karlsruhe, Leningrad, Prag, Wien (Gal. Har-
rach). Zeichn. im Louvre, Paris; Brit. Mus., London;
Orléans, Mus.
Lit.: W. Weisbach, *Französ. Malerei d. 17. Jh.*, 1932.

Laib, Konrad, dt. Maler des 15. Jh. Dem Meister
wird zugeschrieben das *Hochaltarbild des Grazer
Domes* v. 1457 u. eine *Kreuzigung* in Wien, 1449. Fer-

ner: *Salzburger Orgelflügel* u. a. L. gehört in s. Stil der Phase der Spätgotik an, welche unter dem Einfluß der Niederländer sich dem Realismus zuwandte (→ Witz, → Multscher).
Lit.: O. Fischer, *Die altdt. Malerei in Salzburg*, 1908. H. Lehmann-Haupt in: Th.-B. 1928. W. R. Deusch, *Dt. Mal. d. 15. Jh.*, 1936. A. Stange, *Dt. Mal. d. Gotik* 10, 1960.

Lainberger, Simon, dt. Bildschnitzer, 15. Jh., tätig in Nürnberg (1478 erwähnt), 1494 mit Peter Vischer d. Ä. von Pfalzgraf Philipp n. Heidelberg berufen, † um 1503, ihm wurden zugeschrieben: die *Kreuzigung* vom Hochaltar der St.-Georgs-Kirche in Nördlingen; *Kruzifix u. Engel* vom Hochaltar der Stadtkirche, Rothenburg; *Magdalena* in der Pfarrkirche zu Biengen; auch die *Dangolsheimer Madonna*, Berlin, Dt. Mus. Heute werden ihm die Werke abgesprochen: → Meister des Nördlinger Hochaltars u. → Meister der Dangolsheimer Madonna.

Lairesse, Gerard de, niederl. Maler u. Radierer, Lüttich 1641–1711 Amsterdam, Vertreter des Klassizismus, schuf große dekorative Malereien, religiöse u. mythol.-geschichtl. Werke, Porträts u. Radierungen. L. war haupts. in Amsterdam tätig u. war hier der bedeutendste Vertreter des akad. Klassizismus, der den in → Rembrandts Kunst gipfelnden Realismus ablöste. Neben ital. Kunst u. den Romanisten wirkten vor allem die Franzosen (→ Poussin, → Lebrun) auf ihn ein.
Für den Ratssaal des Gerichtshofes im Haag schuf L. *7 große Wandgemälde mit Darstellungen aus der antiken Geschichte*, 1684. Viele Tapeten- u. Deckenmalereien (heute nur zum geringsten Teil erhalten). Mit Bildern in vielen Gal. vertreten, u. a. in: Amsterdam, Utrecht, Den Haag, Lüttich, Brüssel, Berlin, Bamberg, Braunschweig, Bremen, Dresden, Cambridge, Delft, Kassel, Frankfurt, Pommersfelden, Schwerin, Wien. *Selbstbildnis* in Florenz, Pitti. Auch als Rad. sehr bedeutend. Seine theor. Schriften, vor allem «Het groot Schilderboek», 1707, von großem Einfluß.
Lit.: Wurzbach, *Niederl. Kstlerlex.* 11, 1910. R. Oldenbourg, *Fläm. Malerei d. 17. Jh.*, 1918. M. D. Henkel in: Th.-B. 1928.

Lalanne, Maxime, franz. Maler, Zeichner u. Radierer, Bordeaux 1827–1886 Nogent-sur-Marne, berühmt für s. Radierungen: Städteansichten, bes. aus dem alten Paris, Schüler von → Gigoux, abhängig im Stil von → Meryon, später von S. → Haden beeinflußt.
Lit.: H. W. Singer, *Die mod. Graphik*, 1914. C. Glaser, *Die Graphik d. Neuzeit*, 1922.

L'Allemand, Fritz, dt. Maler, Hanau 1812–1866 Wien, vor allem Schlachtenbilder. Beisp.: *Aus dem Treffen bei Znaim*, 1845, Wien, Kunsthist. Mus.

Sein Neffe *Siegmund*, 1840–1910, ebenfalls Schlachtenmaler; auch Porträtist zahlreicher Mitglieder des österr. Kaiserhauses, des Hochadels u. der Generalität.

Lallerstedt, Eric, schwed. Arch., * Ska b. Stockholm 1864, Vertreter der modernen schwed. Baukunst, gelangte nach historisierenden Anfängen zu einer der modernen Kunstgesinnung entsprechenden Sachlichkeit.
Hauptwerke: *Neubau der Techn. Hochschule*, Stockholm, 1914–22. *Univ. Stockholm*, 1925–27. *Theater in Malmö*, 1940–44 (zus. m. Lewerentz u. D. Hellden). Lit.: Th.-B. 1928. Vollmer, 1956.

Lam, Wilfredo, kuban. Maler, * Sagna la Grande 1902, tätig in Havanna, Vertreter des Surrealismus, seit 1925 in Spanien, 1937 ff. in Paris, Studium bei → Picasso, von dem er beeinflußt wurde. 1940 in den USA, seit 1941 wieder in Kuba tätig. Beisp.: *Dschungel*, 1943, New York, Mus. of mod. Art.
Lit.: Vollmer, 1956.

Lambeaux, Jef, belg. Bildhauer, Antwerpen 1852 bis 1908 Brüssel, Meister des Neubarock, Schüler der Akad. Antwerpen, weitergebildet in Paris u Italien, seit 1881 in Brüssel tätig, schuf Figurenkompositionen in meist heftiger Bewegung, an → Carpeaux erinnernd.
Hauptwerke: *Der Kuß*, 1880; 2. Fassung 1882, Antwerpen, Mus. *Das tolle Lied*, 1884, Brüssel, Square Marguerite. *Brabo-Brunnen*, 1887, Antwerpen, Grand'Place. *Die menschlichen Leidenschaften*, 1889–1900, Marmorrelief, Antwerpen, Mus. *Die Ringer*, um 1890, Brüssel, Mus. *Marmorstandbild Abraham Ortelius*, Brüssel, 1889. Werke in den Mus. v. Brüssel, Antwerpen, Lüttich, Gent u. a.
Lit.: H. Teirlinck, 1909 (Emporium). M. Devigne in: Th.-B. 1928.

Lambert, André, schweiz. Arch., * Genf 1851, Vertreter des historisierenden Stils des 19. Jh., Schüler von → Leins in Stuttgart u. → Viollet-le-Duc in Paris, wirkte 1883–1912 gemeinsam mit E. Stahl in Stuttgart, schuf mit diesem zus. das *Historische Museum* in Bern, 1890–94, in der Art eines Schlosses des 16. Jh.

Lamberti, Niccolò di Piero, gen. il Pela, ital. Bildhauer u. Arch., * um 1370, † 1451 Florenz, gehört zu den letzten Vertretern der von der Renaissance noch nicht berührten florent. Gotik. Er war hervorragend beteiligt an der Ausschmückung des Florentiner Domes u. der Fassade der Markuskirche in Venedig.
Werke: *Thronende Madonna mit Kind*, sog. Madonna della Rosa, 1399, Florenz, Or San Michele. *Hl. Lukas*, für Or San Michele, jetzt im Mus. naz.

(Bargello). *Hl. Markus,* für die Fassade des Domes in Florenz, heute im Innern. *Reliefschmuck* der Tür der Nordseite des Domes, ebda. u. a. In Venedig: an der Fassade v. S. Marco der *Skulpturenschmuck* des Obergeschosses haupts. von L. u. dessen Werkstatt. Lit.: Th.-B. 1931 (unter Niccolò di Piero Lamberti). G. Fiocco in: Enc. Ital. 1933.

Lami, Eugène-Louis, franz. Maler u. Lithograph, Paris 1800–1890 ebda., Schüler von H. → Vernet u. → Gros, ursprünglich Schlachtenmaler, kam in England (1848–52) durch → Bonington zur Aquarellmalerei u. schuf reizvolle Aquarelle, aber auch Lithographien u. Holzschnitte mit Szenen aus dem Pariser Gesellschaftsleben. Seine Malerei von sprühender Lebendigkeit, mit → Menzel etwa zu vergleichen.
Beisp.: *Einzug der Herzogin von Orléans,* 1837, Paris, Louvre.
Lit.: P. A. Lemoisne, 1912. Ders., *Essai d'un cat. raisonné,* 1914. H. Béraldi, *Les graveurs du 19e siècle* 9, 1889.

Lamorinière, François, belg. Maler u. Radierer, Antwerpen 1828–1911 ebda., schuf Landschaftsbilder in einer minutiös zeichnenden, etwas trockenen Manier, Schüler von Jacob Jacobs, seit 1885 Leiter der Landschaftsklasse an der Antwerpener Akad. In den meisten Mus. Belgiens vertreten, sowie in Chicago (Art. Inst.), Cincinnati (Mus.), Liverpool (Walker Art Gall.); schuf auch Landschaftsrad.
Lit.: Lemonnier, *L'Ecole belge de Peint.,* 1906. Th.-B. 1928.

Lamoureux (L'Amoureux), Abraham-César, franz. Bildhauer des 17. Jh., † 1692 in Kopenhagen, in Schweden u. Dänemark tätig, schuf als s. Hauptwerk die *Reiterstatue Christians V.,* 1681–88, in Kopenhagen, Kongens Nytorp.

Lampi (eig. Lamp), Johann Baptist, d. Ä., österr. Maler, Romeno (Südtirol) 1751–1830 Wien, einer der letzten Vertreter der Rokoko-Bildnismalerei im Sinne der → Lebrun u. → Rigaud, aber auch von der engl. Kunst beeinflußt u. schon im Übergang zum schlichteren bürgerlichen Porträtstil, lernte in Salzburg, war in Verona tätig, in Trient, Innsbruck, Wien, später in Petersburg u. seit 1797 wieder in Wien.
Werke: Porträt der *Therese Brunswick,* Beethovens «Unsterbliche Geliebte», Bonn, Beethoven-Haus. *Brustbild des Stanislas August,* Hampton Court u. Leningrad, Eremitage. Brustbild des Architekten *Latour,* Paris, Louvre. *Selbstbildnis,* Wien, Staatsmus. *Jos. Haydn,* ebda., Hist. Mus.
Lit.: P. F. Schmidt in: Th.-B. 1928.

Lampi, Johann Bapt., d. J. österr. Maler, Trient 1775–1837 Wien, Sohn des Joh. Bapt. d. Ä., arbei-

tete mit s. Vater zus. u. ist in s. Porträts schwer von diesem zu unterscheiden.

Lancret, Nicolas, franz. Maler, Paris 1690–1745 ebda., Hauptmeister für Darstellungen galanter Feste, Szenen aus dem Theaterleben u. a., Schüler v. P. Dulin u. Cl. → Gillot, vor allem von → Watteau beeinflußt, beherrschte nach Watteaus u. Gillots Tod das Fach der «Fêtes Galantes» u. der Komödienszenen (neben → Pater).
Werke: *Le déjeuner de jambon,* 1735, Chantilly. *Le repas italien,* 1738, Sanssouci b. Potsdam. *Le maître galant* (La leçon de flûte), um 1743, Fontainebleau. *Die 4 Lebensalter,* London, Nat. Gall. *Die galante Unterhaltung,* London, Wallace Coll. *Bildnis der Tänzerin Camargo,* ebda.
L. ist gut vertreten in Paris, Louvre; Dresden, Gal.; London, Nat. Gall. u. Wallace Coll., Leningrad, Eremitage u. a.
Lit.: G. Wildenstein, 1924. R. Graul in: Th.-B. 1928.

Landelle, Charles, franz. Maler, Laval 1821–1908 Chennevières-sur-Marne, Meister religiöser Geschichtsbilder u. oriental. Szenen, Schüler von → Delaroche u. A. → Scheffer, schuf Wandmalereien in St-Sulpice, Paris, 1875; eine *Hl. Cäcilia,* ebda., St-Nicolas-des-Champs, 1848; eine *Hl. Clotilde* in St. Germain-l'Auxerrois, ebda. u. v. a. Dekoratives Bild: *Die Renaissance,* in einem Saal des Louvre.
Lit.: C. Stryienski, 1911.

Landenberger, Christian Adam, dt. Maler, Ebingen (Württemb.) 1862–1927 Stuttgart, Vertreter des dt. Impressionismus, studierte in Stuttgart u. unter → Defregger in München, 1905 Prof. der Akad. Stuttgart, tätig ebda., schuf Stilleben, Landschaften, Bildnisse u. a. In s. Kunst v. → Uhde, → Leibl u. den Impressionisten beeinflußt. Beisp.: *Badender Knabe,* Berlin, Nat. Gal.
L. ist vertreten in Berlin, Nat. Gal.; München, N. P.; Stuttgart, Gal.; Frankfurt, Städel; in den Mus. von Dresden, Essen, Ulm, Wien u. a.

Landi, Neroccio di Bartolomeo → Neroccio di Bartolomeo.

Landseer, Charles, engl. Maler, London 1799–1879 ebda., Bruder von Edwin → L., malte Genre- u. Historienbilder.
Werke: *Der ermüdete Jäger,* London, Brit. Mus. *Clarissa Harlowe im Schuldgefängnis,* Newport, Gal. *Plünderung von Basing House,* Glasgow, Corporation Art Gall.

Landseer, Edwin Henry, engl. Maler u. Bildhauer, London 1802–1873 ebda., beliebter Tierdarsteller u. Landschaftsmaler, Schüler von → Haydon u. s. Vaters, des Kupferstechers *John* L., wurde durch

Tierdarstellungen, denen er den Ausdruck menschlicher Empfindungen gab, sehr volkstümlich; schuf auch Bildnisse, Historien- u. Genrebilder.
Werke als Maler: *König Karls Spaniels*, London, Nat. Gall. *Low Life* u. *High Life*, London, Tate Gall. *Alexander u. Diogenes*, ebda. Hauptwerk als Bildhauer: *Die 4 ruhenden Kolossallöwen* an der Nelson-Säule, London, Trafalgar Square, voll. 1865.
L. ist reich vertreten in den Londoner Mus.: Nat. Gall., Tate Gall., Victoria and Albert Mus.
Lit.: J. A. Manson, 1902. L. Scott, 1904. Bénézit, 1950.

Lanfranco, Giovanni, ital. Maler, Parma 1582–1647 Rom, Hauptmeister der barocken Dekorationsmalerei, Schüler des Agostino, vor allem des Annibale → Carracci u. dessen Mitarbeiter bei der Ausmalung des Pal. Farnese in Rom. Er war seit ca. 1600 in Rom tätig, um 1610 in Piacenza u. Parma, ca. 1612 wieder in Rom, um 1633–46 in Neapel, dann wieder in Rom. L. schuf große Dekorationsmalereien, in welchen er den illusionist. Stil → Correggios weiterführte u. Altarwerke, in welchen er sich als Schüler der Carracci erweist, aber auch von → Caravaggio beeinflußt wurde u. mit denen er zu den Begründern des röm. Hochbarockstils gehört.
Hauptwerke: Decken- u. Kuppelfresken: *Kuppelgemälde in S. Andrea della Valle*, Rom, 1621–25: Himmelfahrt Mariä. Fresken in *S. Martino*, Neapel. *Kuppelfresko der Cappella di S. Gennaro*, Neapel, Dom, seit 1641. Ausmalung der *Chorapsis von S. Carlo ai Catinari*, Rom, 1647 voll.
Altarwerke: *Der reuige Petrus*, Dresden, Gal. *Vision der hl. Margareta von Cortona*, Florenz, Pitti. *Abschied der Apostel Petrus u. Paulus*, Paris, Louvre.
Werke in Florenz, Gall. Corsini; Lucca, Modena, Neapel, Padua, Parma, Pozzuoli (Dom), Rom, Gall. Borghese; in röm. Kirchen u. Palästen; ferner in Berlin (ehem. K.-F.-Mus.); Braunschweig, Dresden, Dublin, Leningrad u. a.
Lit.: H. Voss, *Die Malerei des Barock in Rom*, 1925. Ders. in: Th.-B. 1928. N. Pevsner, *Barockmalerei in Italien*, 1928 (Handb. d. K. W.).

Lang, Albert, dt. Maler, Karlsruhe 1847–1933, Stilleben- u. Landschaftsmaler, von → Schuch u. → Trübner beeinflußt, 1874–88 in Florenz lebend, wo er in naher Beziehung zu → Böcklin u. → Thoma stand, 1888–96 in Frankfurt, seitdem in München tätig. Werke in Karlsruhe, Kunsth.; Mannheim, Kunsth.; Freiburg i. Br., Mus.; Frankfurt, Städel u. Hist. Mus.; Ulm, Mus. Landschaftsrad. im Kupferstich-Kab. Berlin.
Lit.: J. A. Beringer, *Bad. Malerei*, 1922.

Lang, Heinrich, dt. Maler, Regensburg 1838–1891 München, bedeutender Pferdemaler, Schüler von

F. → Adam in München, malte mit Vorliebe Puszta-Szenen, bei deren Wiedergabe er sich als Meister der Pferdedarstellung erwies. Beisp.: *Einfang von Wildpferden*, Dresden, Gal. Ferner vertreten in: München, N. P.; Dresden, Gal.; Prag, Rudolfinum; Breslau, Mus. u. a.

Lange, Ludwig, dt. Arch., Darmstadt 1808–1868 München, schuf das *Museum der bildenden Künste* in Leipzig, 1856, in Renaissanceformen (später durch → Licht erweitert); das *Nat. Museum* in Athen, 1860 beg., u. a.

Langer, Johann Peter v., dt. Maler, Kalkum b. Düsseldorf 1756–1824 Haidhausen b. München, klassizist., unter dem Einfluß von J. L. → David stehender Meister, Schüler der Düsseldorfer Akad., 1790 deren Direktor. Er malte mythol. u. Historienbilder sowie Bildnisse. Sein Sohn *Robert*, 1783 bis 1846, pflegte die klassizist. Malerei s. Vaters weiter.
Lit.: M. Stern, Diss. Bonn 1930.

Langhammer, Arthur, dt. Maler u. Zeichner, Lützen 1854–1901 Dachau, Schüler von → Löfftz und W. → Diez, begann mit reicher Illustrationstätigkeit für Zeitschriften u. Bücher, später Anschluß an die Künstlervereinigung «Neu-Dachau»; als Maler bes. Dachauer Bauern, hineingestellt in die Landschaft; beeinflußt von → Bastien-Lepage. Beisp.: *Vesperbrot*, 1891, München, N. Pinak. Werke in München, Bayer. Staatsgemäldeslgn. u. a.
Lit.: A. Roessler, *Neu-Dachau*, 1905.

Langhans, Carl Ferdinand, dt. Arch., Breslau 1782 bis 1869 Berlin, galt als der bedeutendste Theaterarch. s. Zeit, Sohn u. Schüler von Carl Gotthard → L. u. → Gilly, baute in klassizist. Formen das *Palais Wilhelm I.* in Berlin, 1834–36; die Stadttheater *Liegnitz*, 1839; *Stettin*, 1846; *Dessau*, 1855/56; *Breslau*, 1837–41 u. a.
Lit.: W. Rohe, Berliner Diss. 1931.

Langhans, Carl Gotthard, dt. Arch., Landeshut (Schles.) 1732–1808 Grüneiche b. Breslau, bereiste 1768 Italien, 1775 Holland, England u. Frankreich, tätig in Breslau, seit 1786 in Berlin. Nach barocken Anfängen gehörte L. zu den frühesten Vertretern des dt. Klassizismus; sein Hauptwerk ist das *Brandenburger Tor* in Berlin, 1788–91, nach dem Vorbild der Propyläen in Athen in wuchtigem u. strengem Stil erbaut.
Weitere Werke: das *Palais Hatzfeld* in Breslau, 1766–74. Verschiedene protestant. Kirchen in Schlesien: *Groß-Wartenberg*, *Waldenburg*, 1785. *Reichenbach*, 1795–98, *Glogau* u. a. – *Landschlösser* in Schlesien. Die Theater in *Charlottenburg*, 1788; *Potsdam*, voll. 1795; u. *Berlin* (durch → Schinkels Schauspielhaus ersetzt).

Innenausstattung im Schloß Berlin, Marmorpalais Potsdam u. a.
Lit.: W. Th. Hinrichs, 1909. H. Schmitz, *Berliner Baumeister v. Ausg. d. 18. Jh.*, 1925. P. Brieger, 1926. G. Pauli, *Kunst d. Klassizism. u. d. Romantik*, 1925.

Langko, Dietrich, dt. Maler, Hamburg 1819–1896 München, Landschafter, der unter dem Einfluß von → Spitzweg u. → Schleich, später der Schule von → Barbizon (Th. → Rousseau) stand. Werke in Hamburg, Kunsth.; München, N. P.; Prag, Rudolfinum; Wien, Akad.
Lit.: H. U.-B. in: Th.-B. 1928.

Langlois, Charles, franz. Maler, Beaumont-en-Auge 1789–1870 Paris, Schüler von → Gros, → Girodet u. H. → Vernet, Erfinder der Schlachtenpanoramas, durch die er berühmt wurde; Schlachtenbilder u. Porträts. In vielen franz. Mus.; s. künstlerischer Nachlaß im Mus. L. in Caen.

Lanino, Bernardino, ital. Maler, Mortara um 1510 bis um 1583 Vercelli (?), oberital. Meister, anfänglich unter dem Einfluß von G. → Ferrari, später des → Leonardo. Er schuf größere Freskenwerke u. Altarbilder für lomb. Kirchen.
Freskenwerke: *Martyrium der hl. Katharina*, 1546, Mailand, S. Nazaro. *Szenen aus dem Leben Mariä*, Freskenzyklus in S. Magno zu Legnano, 1560–64. Tafelbilder: *Taufe Christi*, 1554, Mailand, Brera. *Madonna mit Heiligen*, ebda. u. London, Nat. Gall. *Grablegung Christi*, Turin, Pinak. *Heimsuchung*, Berlin, staatl. Mus. Ferner in Richmond, Slg. Cook; Varallo, Mus. u. a.
Lit.: S. Weber, *G. Ferrari u. s. Schule*, 1927. I. Kunze in: Th.-B. 1928. B. Berenson, *Ital. Pict. of the Renaiss.*, 1932. A. Venturi IX, 2, 1926.

Lanskoy, André, russ.-franz. Maler, * Moskau 1902, seit 1921 in Paris, abstrakter Künstler, wird zu den Hauptvertretern der «Nouvelle école de Paris» gerechnet.
Lit.: M. Seuphor, *Knaurs Lex. abstr. Malerei*, 1957. *Neue Kunst nach 1945*, hg. v. W. Grohmann, 1958.

La Patelière, Amédée de, franz. Maler, Vallet 1890–1932 Paris, Meister, der die Errungenschaften der Kubisten und der → Fauves mit der Tradition der franz. Kunst zu verbinden suchte. Beisp.: *Das Fenster des Ateliers*, 1929, Paris, Mus. mod. *Die Leserin*, ebda., Luxembourg.
Lit.: Knaurs Lex., 1955.

Lapicque, Charles, franz. Maler, * Theizé (Rhône) 1898, Vertreter jener Malergruppe der «Ecole de Paris» (→ Estève, → Manessier u. a.), die im Laufe ihrer künstlerischen Entwicklung vom Fauvismus zur Abstraktion gelangten. Seit 1910 in Paris tätig,

vertreten an der Ausstellung «Tendances actuelles de l'Ecole de Paris» in der Kunsth. Bern 1952. Werke in öffentlichen Slgn. in Frankreich, Belgien, der Schweiz u. USA.
Lit.: R. Huyghe, *La peinture actuelle*, 1945. J. Tardien u. a., *Bazaine, Estève, L.*, 1945. *Ausst.-Kat. «Tendances act. de l'Ecole de Paris»*, Bern 1952. M. Seuphor, *Knaurs Lex. abstr. Mal.*, 1957.

Laprade, Pierre, franz. Maler u. Radierer, Narbonne 1875–1932 Fontenay-aux-Roses, Schüler der Acad. → Carrière, Spätimpressionist, der die Kunst der «Intimisten» → Bonnard u. → Vuillard weiterführte; außer den zart getönten anmutigen Interieurs mit Figuren schuf er Landschaften, Stilleben, Blumenstücke. Hervorragend als Illustrator: Illustrationen zu «Les Fêtes Galantes» von Verlaine; zu «Narcisse» von P. Valéry (35 Aquarelle); zu Flauberts «Madame Bovary» u. v. a.
Werke in den Mus. v. Paris (Luxembourg u. Mus. mod.), Grenoble, Lyon, Winterthur u. a.
Lit.: L. Gebhard-Cann, 1930.

Lardera, Berto, ital. Bildhauer, * La Spezia 1911, Vertreter der abstrakten Kunst, tätig in Paris, schuf das *Partisanendenkmal* in Pian d'Albero; *Flachrelief* für den Taufbrunnen in S. Pietro a Ponti, Florenz; Eisen- u. Kupferplastiken. Vertreten auf den Biennalen in Venedig 1948, 1950, 1952; Documenta Kassel 1955.
Lit.: M. Seuphor, 1953. *Ausst.-Kat. Documenta*, Kassel 1955. C. Giedion-Welcker, *Plastik d. 20. Jh.*, 1955. W. Hofmann, *Plastik d. 20. Jh.*, 1958. M. Seuphor, *Plastik unseres Jh.*, 1959.

Largillière, Nicolas de, franz. Maler, Paris 1656 bis 1746 ebda., neben → Rigaud der erste Porträtist s. Zeit in Frankreich, lernte in Antwerpen, wo er → Rubens studierte, 1674 in England Gehilfe P. → Lelys, kehrte 1678 nach Paris zurück, 1705 Prof., 1743 Kanzler der Akad. Er malte vor allem Bildnisse, aber auch nach niederl. Vorbild Gruppenbildnisse, ferner einige Historienbilder u. Stilleben. Im Unterschied zu Rigaud hat er nicht nur den Hof, sondern vor allem die Mitglieder des vornehmen Bürgertums gemalt. In s. Malweise ist er wie Rigaud von Rubens, van → Dyck u. den Engländern abhängig. Hauptwerke: *Doppelbildnis des Prinzen James-Edward Stuart u. s. Schwester*, 1695, London, Nat. Portr. Gall. *Bildnis der Marquise de Gueydan als Flora*, Aix, Mus. *Selbstbildnis des Künstlers mit Frau u. Tochter*, Paris, Louvre u. um 1704, Bremen, Kunsth. *Bildnis des Präsidenten de Laage*, Paris, Louvre. *Bildnis Jean-Baptiste Rousseau*, Florenz, Uff. *Bildnis der Marquise Marie Marg. Lambert de Thorigny* 1696, New York, Metrop. Mus. *Selbstbildnis*, Montpellier, Mus.
Lit.: P. Mantz, 1893. H. Roujou, 1914. G. Pascal, 1928. P. Troyon in: Revue des Deux-Mondes, T. 95, 3, 1928. L. Watteau, 1929.

Larionoff, Michail (Michel), russ. Maler, * Tiraspol 1881, an allen modernen Kunstströmungen interessiert, befreundet mit → Malewitsch, begründete um 1910 den «Rayonismus», der dem ital. Futurismus parallel ging, kam 1915 nach Paris u. war seitdem fast ausschließlich für die Bühnenkunst tätig, der er, an die russ. Bauernkunst anknüpfend, neue Wege wies.
Lit.: D. Aranowitsch in: Th.-B. 1928. Vollmer, 1956.

Larsson, Carl, schwed. Maler u. Illustrator, Stockholm 1853–1919 Lundborn b. Fahrn, lernte in Paris 1877 u. 1880–85 u. schloß sich dem franz. Impressionismus an, 1886–88 u. 1891–93 Leiter der Zeichenschule des Mus. Göteborg, seit 1901 in Lundborn. Er schuf dekorative Monumentalmalereien, intime Ölgemälde u. Aquarelle von Heim u. Familie, Zeichnungen u. Graphik. In s. größeren Werken schloß er sich der schwed. Tradition einer dekorativen Stilisierung an, in s. Aquarellen von Heim u. Familie malte er unbefangen u. flott in frischen Farben. Sehr bekannt wurde er durch die Bücher: *Ett Hem,* 1899 (dt. *Das Haus in der Sonne,* 1909). *Larssons,* 1902. *Bei uns auf d. Lande,* 1907. Ferner: *Fresken im Treppenhaus d. Nat. Mus.,* Stockholm, 1896, u. im *Foyer der Oper,* ebda., 1898. Bildnisse v. *Strindberg,* 1899; *Selma Lagerlöf,* 1902, Stockholm, Nat. Mus. *Selbstbildnis,* 1900, Göteborg, Mus.
Lit.: J. Kruse, 1906. G. Nordensvan, 1910 u. 1920 bis 1921. P. F. Schmidt in: Th.-B. 1928.

Lasinsky, Adolf, dt. Maler, Simmern 1808–1871 Düsseldorf, Landschafter der Düsseldorfer Schule, von → Schirmer u. → Lessing beeinflußt, Bruder von Gustav → L., vertreten in Düsseldorf, Mus.

Lasinsky, Gustav, dt. Maler, Koblenz 1811–1870 Mainz, Schüler von → Schadow in Düsseldorf, von → Veit in Frankfurt u. → Vernet in Paris, tätig in Koblenz, Köln, Mainz, Düsseldorf, malte Historien- u. Genrebilder, Bildnisse, Tierstücke, bes. auch religiöse Werke im Geiste der Romantik.
Werke: *Fresken in St. Gangolf,* Trier, 1853; *im Mainzer Dom,* 1859–1864 (mit andern zus. nach Entwürfen von Veit). Werke in Mainz, Mus.

Lastman, Pieter, niederl. Maler u. Radierer, Amsterdam 1583–1633 ebda., Vertreter der holl. Romanisten, Schüler von Gerrit Pietersz Sweelink, ging nach Rom, wo → Elsheimer u. → Caravaggio auf ihn wirkten, tätig in Amsterdam, wo → Rembrandt zu s. Schülern gehörte. Er schuf mythol. u. bibl. Bilder. Die Figuren s. Bilder werden durch starke Lichtgegensätze in ihrer plastischen Erscheinung herausgehoben. Rembrandt wurde in s. frühen Phase v. L. beeinflußt.

Hauptwerke: *Odysseus u. Nausikaa,* 1609, Braunschweig, Mus.; 1609, Augsburg, Mus. *Das Urteil des Midas,* Kassel, Mus. *Orest u. Pylades,* 1614, Amsterdam, Rijksmus. *Die Taufe des Mohrenkämmerers,* 1620, München, A. P. *Auferweckung des Lazarus,* 1622, Haag, Mauritishuis.
Lit.: K. Freise, 1911. C. Müller in: Th.-B. 1928.

Laszló, Fülöp Elek, ungar.-engl. Maler, Budapest 1869–1937 London, beliebter Bildnismaler zu Anfang des Jh., bes. bei Adel u. Geistlichkeit; arbeitete in eklektischem Stil (Studium der engl. Porträtisten des 18. Jh.). Werke: *Bildnis Papst Leo XIII.,* 1900, Budapest, Nat. Mus.; *Bildnis Kardinal Rampolla,* 1902; *Jan Kubelik; König Eduard VII. von England,* 1907.
Lit.: O. v. Schleinitz, 1913.

La Touche, Gaston, franz. Maler u. Radierer, St-Cloud 1854–1913 Paris, Schüler von → Bracquemond, wandte sich nach 1890 den «Fêtes Galantes» im → Watteau-Genre zu, Boudoir-, Salon- u. Ballettszenen, auch Porträts u. Landschaftsskizzen, die er mit impressionist. Technik behandelte u. reizvoll darstellte.

La Tour, Georges de, franz. Maler, Vic-sur-Seille (Lothringen) 1593–1652 Lunéville, unter dem Einfluß → Caravaggios ausgebildeter Meister, der bes. Nachtstücke bei künstlicher Beleuchtung in eigenartiger, sehr selbständiger Weise ausführte; tätig in Lunéville u. Nancy.
Hauptwerke: *Anbetung des Kindes,* Paris, Louvre. *Joseph als Zimmermann,* ebda. *Der hl. Sebastian,* Berlin, staatl. Mus. *Verleugnung Petri,* Nantes, Mus. *Hl. Hieronymus,* Grenoble, Mus.
Werke in Paris, Louvre; in den Mus. v. Grenoble, Orléans, Besançon, Rouen; Amsterdam, Rijksmus.; Stockholm, Nat. Mus.; San Francisco, Mus. de Young u. a.
Lit.: P. Jamot, 1948. V. G. Pariset, 1948 (m. Bibliogr.). S. M. Furness, 1949. V. Bloch, 1950. M. Arland, 1953 (Ill.). Isarlo, *Caravage et le Caravagisme,* 1941. A. F. Blunt in: Burlington Mag., 1950. *Ausst.-Kat. Seicento Europeo,* Rom 1956/57.

La Tour, Maurice-Quentin de, franz. Maler, St-Quentin 1704–1788 ebda., einer der hervorragendsten Vertreter der Pastellbildnismalerei, kam früh nach Paris, das. von J. → Restout ausgebildet, 1746 Mitglied der Akad., 1750 Hofmaler; seine Pastellbildnisse zeichnen sich durch malerische Qualität u. scharfe Charakteristik aus, am spontansten s. Vorarbeiten zu den Werken. Ein bedeutender Teil des Werkes im Mus. s. Heimatstadt.
Beisp.: *Selbstbildnis,* Amiens, Mus. *Bildnis Restouts,* St-Quentin, Mus., *Mlle Fel,* ebda. *Abbé Huret,* ebda.

Graf Moritz v. Sachsen, Dresden, Gal. *Marquise de Pompadour*, 1755, Paris, Louvre.
Lit.: Ch. Desmaze, 1854. Patoux, *L'oeuvre de L. au mus. de St-Quentin*, 1905. H. Erhard, 1917. H. Lapauze, *Les pastels de L.*, 1900. A. Besnard, *L.*, *mit krit. Kat.* v. G. Wildenstein, 1928. P. de Nolhac, 1930. A. Leroy, 1933. Ders., *L. et la société du 18e siècle*, 1953. E. Hildebrandt, *Die Malerei u. Plastik d. 18. Jh. in Frankreich* (Handb. d. K. W.), o. J. R. Graul in: Th.-B. 1928.

Laulne (Laune), Etienne de → Delaune, Etienne.

Laurana, Francesco da, ital. Bildhauer u. Medailleur, Laurana b. Zara in Dalmatien um 1425 bis um 1502 Avignon, hervorragender Meister der Frührenaissance, an verschiedenen Höfen Italiens tätig, 1468-71 in Palermo erwähnt, von 1476 an in Frankreich, schuf kirchl. Werke, Madonnenstatuen u. vor allem feine Marmorbüsten. Seine Tätigkeit in Frankreich war für die Einführung der Renaissance bedeutungsvoll.
Hauptwerke: *Reliefs der Kirchenväter u. Evangelisten*, 1468, Palermo, S. Francesco. *Madonnenstatue*, ebda., Dom, v. 1469. *Statuette d. Madonna*, 1474, Neapel, S. Sebastiano. *Weibl. Bildnisbüsten* aus Marmor: Palermo, Mus.; Florenz, Mus. Naz.; Wien, Kunsthist. Mus.; Paris, Louvre; Berlin, staatl. Mus.
Lit.: F. Burger, 1907. W. Rolfs, 1907. P. Schubring, *Ital. Plastik d. Quattrocento*, 1919. F. Schottmüller in: Th.-B. 1928.

Laurana, Luciano, ital. Arch., wahrscheinlich Laurana b. Zara um 1425-1479 Pesaro, Hauptmeister der Frührenaissance in Italien, 1465 nach Urbino berufen vom Herzog Federigo da Montefeltro, um den 1447 beg. Pal. Ducale weiterzubauen. Der *Palazzo Ducale*, Urbino, seit etwa 1467 ist – neben dem (halb zerstörten) Kastell von Pesaro – s. einziges gesichertes Werk. Es ist ein Hauptwerk der Palast-Architektur der Frührenaissance. L. ist in s. Stil v. → Alberti beeinflußt u. weist auf die Hochrenaissance hin. Er war der Lehrer von → Bramante.
Weitere Werke: Zugeschrieben: Entwurf zum *Triumphbogen am Castel Nuovo* in Neapel, 1453-70; Um- u. Ausbau des *Pal. Ducale in Gubbio*, 1476-80.
Lit.: Th. Hofmann, *Bauten d. Herzogs Federigo da Montefeltro*, 1904. F. Kimball in: Art Bull. 10, 1927. W. v. Bode, *Kunst d. Frührenaiss.*, 1923. N. Pevsner, *Europ. Architektur*, 1957.

Laurencin, Marie, franz. Malerin, Radiererin u. Lithographin, Paris 1885-1956 ebda., wurde mit den Kubisten bekannt, in deren Kreise sie verkehrte, ohne in ihrer Kunst wesentlich von ihnen beeinflußt worden zu sein. Charakteristisch für ihre Kunst: im Gegenständlichen lyrische Szenen mit jungen Mädchen; im Stil zarte u. delikate Farbenzusammen-

stellung; sicheres Gefühl für den Rhythmus. Sie schuf Dekorationen für das Ballett «Les Biches» von Poulenc «à quoi rêvent les jeunes filles» (in der Comédie Française); Stoff- u. Teppichentwürfe, Graphik.
Lit.: R. Allard, 1921. H. v. Wedderkop, 1921. Knaurs Lex., 1955. Vollmer, 1956.

Laurens, Henri, franz. Bildhauer u. Maler, Paris 1885-1954 ebda., Hauptmeister der 1. Jh.-Hälfte, traf 1911 mit → Picasso, → Braque, → Léger u. → Gris zus. u. empfing starke künstlerische Impulse von ihnen. Die Kunst s. frühen Epoche war eine Übertragung der kubist. Bildprobleme ins Plastische. Er schuf dreidimensionale, mehrfarbige Reliefs aus Holz u. Gips, Holz- u. Metallkonstruktionen, bemalte Reliefbilder aus Stein u. Terrakotta u. Konstruktionen aus verschiedenen Materialien, die an Picassos entsprechende Werke von 1913/14 anschließen, sowie Rundfiguren aus Stein oder gebranntem Ton. Seit der Mitte der 20er Jahre löste er sich vom kubist. Stil u. wandte sich immer ausschließlicher der menschlichen Figur zu. Vom Naturvorbild zwar stark abstrahierend, schuf er jetzt organische, schwellende menschliche Formorganismen. Er schließt, ohne die kubist. Durchgangsphase zu verleugnen, wieder an → Maillol an. → Brancusi, auch Braque u. → Modigliani mögen auf ihn eingewirkt haben. Beisp.: *Die Sirene*, Bronze, Paris, Mus. d'Art mod. *L'Adieu*, ebda.
Lit.: M. Laurens, 1955. C. Goldscheider, 1956. C. Giedion-Welcker, *Plastik d. 20. Jh.*, 1955. E. Trier, *Mod. Plastik*, 1955. W. Hofmann, *Die Plastik d. 20. Jh.*, 1958. Vollmer, 1956.

Laurens, Jean-Paul, franz. Maler u. Radierer, Fourquevaux 1838-1921 Paris, Vertreter der franz. Historienmalerei des 19. Jh., Schüler von → Cogniet u. → Bida.
Hauptwerke: Fresken: *Tod der hl. Genoveva*, Paris, Pantheon; *Empfang Ludwigs XVI.*, Paris, Rathaus. Gemälde: *Exkommunikation Roberts des Frommen*, Paris, Luxembourg.

Lautensack, Hans Sebald, dt. Maler, Kupferstecher, Radierer, wahrscheinlich Bamberg 1524 bis um 1566 Wien, bildete als Graphiker, zus. mit → Hirschvogel, die von → Altdorfer ausgehende Landschaftsdarstellung des sog. Donaustils (→ Donauschule) weiter. Ferner Bildnisse u. Stadtansichten. Gemälde sind keine erhalten.
Lit.: K. Schwarz, *Augustin Hirschvogel*, 1917. G. Dehio, *Gesch. d. dt. Kunst* 3, 1926.

Lauterburg, Martin, schweiz. Maler, Bern 1891-1960 ebda., von 1910 an für einige Zeit in München tätig, später in Bern, von → Munch, dem dt. Expressionismus u. a. beeinflußt. Bes. eindrücklich s. *Atelierszenen mit Masken u. Figuren* (viele Exempl.; Beisp. *Der Maler*, 1928, Bern, Kunstmus.), ein «magisches Zwischenreich» eröffnend, thematisch an → Ensor erinnernd; visionäre Porträts (*Ricarda Huch*, Bern, Kunstmus.); religiöse Werke (*Auferstehung Christi mit Hll. Rochus u. Sebastian*, München, Dermatol. Klinik); Stilleben, bes. Blumenbilder. Werke in den Gal. von Bern, Zürich, München (N. P.), Mannheim.

Lit.: P. Fierens, 1933. Vollmer, 1956. *Ausst.-Kat. Bern*, 1961. U. Christoffel in: *Die Kunst u. d. schöne Heim*, 1961.

Lavery, Sir John, schott. Maler, Belfast 1856–1941 Kilkenny (Irland), bedeutender Porträtist, Schüler von → Bouguereau u. P. → Robert-Fleury in Paris, schloß sich der Vereinigung der «Boys of Glasgow» an, die den Stil der Maler von Fontainebleau (→ Barbizon) in England vertraten. Maßgebenden Einfluß auf s. Stil gewann → Whistler; er malte Figurenbilder im Freien u. im Innenraum u. vor allem Porträts. In s. Stil ähnlich etwa dem s. Altersgenossen → Sargent.

Werke: *Brücke in Graz*, 1884, Pittsburgh, Carnegie-Inst. *Tennispartie*, 1885, München, N. P. *Besuch der Königin Viktoria auf der Ausstellung Glasgow*, 1888, Glasgow, Corpor. Art Gall. *Dame in Schwarz*, 1894, Berlin, staatl. Gal. *Frühling*, Paris, Luxembourg. *La mort du Cygne*, London, Tate Gall. *Georg V. u. Familie*, 1913, London, Nat. Portr. Gall. *Ankleideraum der Jockeys in Ascot*, 1924, London, Tate Gall. Lit.: W. Shaw-Sparrow, 1911. Seine Autobiographie erschien 1940: «The Life of a Painter».

Laves, Georg Ludwig Friedrich, dt. Arch., Uslar 1788–1864 Hannover, Vertreter des Klassizismus, leitete in Hannover den *Umbau des Residenzschlosses*, 1817–42; errichtete die *Waterloo-Säule*, ebda., 1825–32; lieferte den großzügigen *Bebauungsplan des Ernst-August-Stadtteiles*, 1834; baute das *Schauspielhaus*, ebda., 1848–52; ferner in Herrenhausen das *Mausoleum*, 1842–47 u. a.

Lit.: H. Burchard, *Wohnbauten v. G. L. L.*, Diss. Hannover 1936.

Lavreince, Nicolas → Lafrensen, Nils.

Lawrence, Sir Thomas, engl. Maler, Bristol 1769 bis 1830 London, Hauptmeister der engl. Porträtmalerei s. Zeit, tätig in London, das. 1792 als Nachfolger von → Reynolds Hofmaler, 1820 Präsident der Akad. Er war der bevorzugte Hofmaler – neben → Hoppner – u. malte 1814 berühmte Zeitgenossen in Paris, 1815 Metternich, Wellington, Blücher, 1818 die Kongreßmitglieder in Aachen, 1819 Papst Pius VII., 1825 in Paris Karl X. von Frankreich, usw. In s. Kunst schloß er sich Reynolds an; er ist

gut vertreten in der Nat. Gall.; in der Nat. Portr. Gall.; in Windsor.

Werke: Nat. Gall.: *Mrs. Siddons; John Kemble als Hamlet; Benj. West; John Jul. Angerstein.* Nat. Portr.-Gall.: *Warren Hastings; Thomas Campbell; Wilberforce.* Windsor: *Papst Pius VII.; Kardinal Consalvi;* Slg. Pierpont Morgan, New York: *Miss Farren.* Slg. Earl of Jersey: *Herzog v. Wellington.* Slg. Marquis v. Londonderry: *Viscount u. Viscountess v. Castlereagh.*

Lit.: W. Armstrong, 1913. M. Osborn, *Kunst d. Rokoko*, 1929. E. Waldmann, *Engl. Malerei*, 1927.

Lazzarini, Gregorio, ital. Maler, Venedig 1655–1730 Villa Bona (bei Polesine), venezian. Meister des Spätbarock, schuf Altarbilder für Kirchen in Venedig, Padua (Dom), Rovigo, Treviso u. a.; allegor. u. mythol. Bilder. L. war ein bedeutender Lehrer: → Tiepolo, die beiden → Trevisani u. v. a. seine Schüler.

Hauptwerk: *6 allegor. Gemälde* im Dogenpalast, Venedig (am Triumphbogen zu Ehren des Dogen Morosini in der Sala dello Scrutinio, 1694); Werke in der Akad. Venedig; in den Mus. von Bergamo, Bordeaux, Kassel (*Herkules u. Omphale*), Hampton Court, London (Nat. Gall.), Wien (Akad.), u. a.

Leader, Benjamin Williams, engl. Maler, Reading 1831–1923 Shere bei Guildford, war sehr beliebt für s. engl. u. schott. Landschaften u. Genrebilder; in vielen engl. Gal. vertreten.

Lit.: Lusk, 1901. Th.-B. 1928.

Léandre, Charles-Lucien, franz. Maler, Zeichner u. Lithograph, Champsecret 1862–1930 Paris, vor allem durch s. humorist. Zeichnungen für die Zschr. «Le Rire» u. «Figaro» bekannt, schuf auch feine Pastellbildnisse, Genrebilder, Landschaften u. Buchillustrationen (z. B. zu Murgers «Scènes de la Vie de Bohème», 1903). L. ist in vielen franz. Mus. vertreten; ferner in Barcelona, Rotterdam (Mus. Boymans), Leipzig u. a.

Lit.: Th.-B. 1928.

Leb, Wolfgang, dt. Bildhauer, tätig um 1500 in Altbayern u. Tirol, wahrscheinlich in Wasserburg am Inn ansässig, bedeutender Grabplastiker der Spätgotik, der auch vereinzelt schon Renaissancemotive verwandte. Wahrscheinlich ist er identisch mit dem als Maler genannten Meister Wolfgang Leb, der das *Wandgemälde des Lebensbaumes* am Chor der Pfarrkirche in Wasserburg geschaffen hat.

Lit.: Ph. M. Halm, *Studien zur süddt. Plastik* 1, 1926. Ders. in: Th.-B. 1928.

Leblanc, Alexandre, franz. Maler, Châteauneuf 1793–1866 ebda., malte Genrebilder, Landschafts- u. Architekturbilder, meist aus Italien. Vertreten in den Mus. v. Angers, Arras, Avignon, Compiègne, La Fère, Mayenne, Provins.

Le Blon, Jakob Christof, dt.-franz. Maler u. Kupferstecher, Frankfurt a. M. 1667–1741 Paris, der Erfinder des Vierfarbendruckes, hat selber 49 Farbstiche verfertigt (nach ital. Meistern, van → Dyck, → Rubens, → Kneller u. a.; auch nach eigenen Gemälden).
Lit.: H. W. Singer, 1901. W. K. Zülch in: Th.-B. 1928.

Lebourg, Albert, franz. Maler, Monfort-sur-Risle 1849–1928 Rouen, impressionist. Landschafter, Schüler von J.-P. → Laurens, feiner Lichtmaler, der atmosphär. Effekte herausbrachte, schuf über 2000 Landschaftsbilder. Vertreten in vielen franz. Mus.
Lit.: L. Bénédite, 1923.

Le Bourguignon → Courtois, Jacques.

Le Brun, Charles, franz. Maler, Ornamentzeichner u. Dekorateur, Paris 1619–1690 ebda. Einer der einflußreichsten Künstler s. Zeit, da ihm, während sein Gönner Colbert an der Macht war, die gesamte Innendekoration des Versailler Schlosses unterstellt war. Ausgebildet von → Vouet, 1642–45 mit → Poussin in Rom, von 1646 an in Paris u. Versailles tätig. 1648 Mitbegründer der Akad.; 1662 «premier peintre du roi»; 1663 Direktor der Manufacture royale des tapisseries et des meubles, 1668 Direktor der Akad. Seine bes. Leistung besteht darin, die verschiedenen Kunstströmungen, den ital. Barock, den Klassizismus Poussins usw. vereinheitlicht u. der Verherrlichung des franz. Königtums dienstbar gemacht zu haben. So wurde er zum Mitbegründer des Stils Louis XIV. Sein Organisationstalent u. s. schöpferische dekorative Phantasie sind bedeutender als s. Talent als Maler.
Werke: *Deckengemälde der Apollogalerie* des Louvre. *Gemälde der Spiegelgalerie Versailles:* Kriegstaten Ludwigs XIV.; *Alexanderzyklen* für die Gobelinmanufaktur. Gemälde: *Martyrium des Hl. Stephanus,* 1651, Paris, Louvre; *Die Herabkunft des Hl. Geistes,* um 1655, ebda.; *Gruppenbildnis der Familie Jabach,* Berlin, ehem. K.-F.-Mus. (1945 verbrannt).
Lit.: Genevay, 1885. H. Jouin, 1890. P. Marcel, 1909. Th.-B. 1928. P. Francastel in: Gaz. des B.-Arts, T. 14, 1935.

Lebrun, Elisabeth-Louise → Vigée-Lebrun, Elisabeth.

Lechter, Melchior, dt. Maler, Kunstgewerbler u. Buchkünstler, Münster i. W. 1865–1937 Raron (Wallis), bedeutender Vertreter des Jugendstils, lernte die Glasmalerei in Münster, studierte 1884–95

auf der Akad. Berlin, tätig in Berlin, gehörte dem Kreise um Stefan George an u. brachte s. Buchschmuckkunst seit 1898 mit der Gestaltung der Bücher Georges u. der «Blätter für die Kunst» zur Geltung; ferner Glasgemälde, Gestaltung von Innenräumen, Tafelbilder, Zeichnungen, Pastelle. In s. Stil ist er Exponent des «modern Style» wie er in England von W. → Morris u. a. entwickelt worden war. Hauptwerk: *Altarwerk, Glasgemälde u. Wandschmuck im Pallenbergsaal,* Köln, Kunstgewerbemus., 1899–1902.
Lit.: M. Rapsilber, 1904. F. Wolters, 1911.

Le Clerc, Jacques-Sébastien, franz. Maler, Paris um 1734–1785 ebda., malte kleine galante Darstellungen u. Schäferstücke. Beisp.: *Konversation im Park,* Troyes, Mus. *Der Flötenspieler,* New York, Metrop. Mus. Zeichnungen in den Mus. v. Angers u. Brüssel.
Lit.: E. Bénézit, 1952.

Le Clerc, Jean, franz. Maler u. Kupferstecher, Nancy 1587–1633 ebda., kam früh nach Rom u. Venedig, wo er mit → Saraceni zusammenarbeitete, seit 1622 wieder in Nancy. L. war der Hauptvermittler des Caravaggismus (→ Caravaggio) in Lothringen. Beisp.: *Nächtliches Konzert,* München, Bayer. Staatsgemäldeslg.
Lit.: B. Henrich in: Th.-B. 1928. F. G. Pariset in: Revue des Arts, 1958.

Le Clerc, Sébastien, franz. Kupferstecher u. Zeichner, Metz 1637–1714 Paris, 1665 in Paris, wurde von → Le Brun bemerkt u. von ihm bestimmt, sich ganz der Radierkunst zuzuwenden. Er stand unter dem Einfluß von → Callot, dessen Technik er nachahmte.

Le Corbusier, eig. Edouard Jeanneret, franz.-schweiz. Arch. u. Maler, * La Chaux-de-Fonds 1887, Hauptmeister der modernen Baukunst, zuerst als Graphiker ausgebildet in der Kunstschule von La Chaux-de-Fonds unter L'Eplattenier, begann um 1905 das Architekturstudium, lernte bei J. → Hoffmann in Wien u. A. → Perret in Paris, 1911–12 bei P. → Behrens in Berlin, lebt seit 1917 in Paris; stand dem Kubismus nahe, gründete 1920 mit → Ozenfant die Zschr. «L'Esprit nouveau», wo er für die künstlerische Richtung des «Purismus» eintrat, wobei ihn die Absicht leitete, den Kubismus vor allen dekorativen Tendenzen zu schützen. In s. seit ca. 1922 entstehenden Bauten, in Zusammenarbeit mit s. Vetter Pierre Jeanneret, entwickelte er einen neuen Wohnbaustil: aus kubischen Elementen zusammengesetzte Häuser mit flachem Dach, großen Fenstern, keinerlei Ornamentteilen, sachlich klar u. verstandesmäßig gegliedert.
L. veröffentl. zahlreiche Schriften, u. a. «Vers une architecture», 1923 (dt. «Kommende Baukunst»,

1926). «Urbanisme», 1924. «Oeuvres complètes», 1946–52. «Mein Werk», 1960.
Einige Hauptbauten: *Erziehungsministerium* in Rio de Janeiro, 1936. *Wohnhausblock* in Marseille, 1947–52. *Plan u. Bau der Hauptstadt Tschandigarh*, 1950 ff. *Mus. u. Wohnhäuser* in *Ahmesabad*, Indien, 1952. *Wohnhochhaus in Nantes-Rezé*, 1952/53.
Lit.: *L. u. Pierre Jeanneret, Gesamtwerk 1910–29*, hg. v. Stonorov u. Boesiger, 1930. M. Gauthier, 1945. W. Boesiger, 1946. M. Bill, 1947. St. Papadski, 1948 (engl.). Vollmer, 1956. Boesiger/Girsberger, 1960.

Lederer, Hugo, österr.-dt. Bildhauer, Znaim 1871 bis 1940 Berlin, Hauptmeister der dt. Bildhauerei im 1. Drittel des Jh., kam 1890–92 als Gehilfe zu → Schilling in Dresden, war dann Mitarbeiter von Toberentz am Lutherdenkmal in Berlin, tätig in Berlin, seit 1915 Lehrer an der Akad. Sein Hauptwerk, durch welches er bekannt wurde, war das *Bismarckdenkmal* in Hamburg, Entwurf 1901, Ausf. 1906. Mit diesem Werk voll plastischer Geschlossenheit schuf L. einen neuen Typus des Monumentaldenkmals; viele weitere Denkmäler, Bronzeakte, Bildnisbüsten.
Werke: *Lisztdenkmal* in Weimar, 1900. *Reiterstandbild Kaiser Friedrichs* in Aachen, 1911. *Gefallenendenkmäler:* der dt. Ärzte in Eisenach; in Mainz; im Hof der Berliner Universität, 1926. *Bronzegruppe der Läufer* in Berlin, 1927–28. Büste von *Richard Strauss*, 1911, Berlin, staatl. Mus.
Lit.: F. Stahl, 1906. H. Rosenhagen, 1912. H. Krey, 1931.

Lederer, Jörg, dt. Bildschnitzer, Kaufbeuren um 1470–1550 ebda., schuf viele Altarwerke für das Allgäu u. Tirol in einer M. → Pacher verwandten Art. Hauptwerke sind: der *Altar in der Gottesacker-Kap.* in Hindelang, 1515. Die Fig. des *Johannes d. T.* u. der *Anna selbdritt* vom Hochaltar der Blasius-Kap. in Kaufbeuren, 1518. *12 Apostel* in Nürnberg, German. Mus. (um 1515); *St. Georg* in der Spitalkirche in Latsch (Vintschgau), 1516–18; Werke im Bayer. Nat. Mus., München u. ehem. K.-F.-Mus., Berlin.
Lit.: Th. Hampe in: Mitt. aus dem German. Nat. Mus., 1918/19. H. Wilm, *Die got. Holzfigur*, 1923. Th.-B. 1928. G. Dehio, *Gesch. d. dt. Kunst* 3, 1926.

Ledoux, Claude-Nicolas, franz. Arch., Dormans 1736–1806 Paris, Schüler von J. E. Blondel u. L. F. Trouard; in s. Bauten vollzog sich der Übergang zu einem schmucklos nüchternen, auf strenggeometrische Formen zielenden Klassizismus. Seine radikal mit dem Überkommenen brechenden Ideen sind erst im 20. Jh. wieder aufgenommen worden. Für die staatl. Salinen in der Franche-Comté entstand der großartige Plan einer ganzen Stadt, die

den Namen Chaux führen sollte. Ferner stellte er die Pläne für einen Gürtel von Zollhäusern um Paris auf (1789 wurde L. die Bauleitung entzogen, 1860 wurden sie zerstört; nur Überreste vorhanden). Seine Entwürfe in der theoret. Schrift «L'Architecture considérée sous le Rapport de l'Art, des Moeurs et de la Législation» 1804, sind bedeutend für die Geschichte der Architektur.
Lit.: E. Kaufmann, *Von L. bis Corbusier*, 1933. G. Levallet-Haug, 1934. Ch. Raval, 1945. Raval u. Moreaux, 1946. N. Pevsner, *Europ. Architektur*, 1957.

Leeb, Wolfgang → Leb, Wolfgang.

Leech, John, engl. Zeichner u. Illustrator, London 1817–1864 ebda., bedeutender Karikaturenzeichner, wurde bekannt durch s. Buch «Etchings and sketchings», 1835, 1841–64 Hauptmitarbeiter des «Punch», in welchem 3000 Zeichnungen von ihm erschienen. Auswahl davon: *Pictures of life and character*, 1854–69, Neuausg. 1881. Von s. Buchillustrationen sind die bekanntesten die zu *Dickens Weihnachtserzählungen.*
Lit.: W. P. Frith, 1891.

Leemputten, Frans van, belg. Maler, Werchter b. Löwen 1850–1914 Antwerpen, malte Landschaften u. Genrebilder im franz. impressionist. Sinne.
Hauptwerke: *Torfstecher auf dem Weg zur Arbeit*, Gent, Mus.; *Im Torf*, Budapest, Mus. *Palmsonntag in der Campine*, Brüssel, Mus.; *Markttag im April*, Dresden, Gal.; *Rückkehr von der Wallfahrt*, Barcelona, Mus.
Lit.: H. Hymans, *Belg. Kunst des 19. Jh.*, 1906. L. Hissette in: Th.-B. 1928.

Le Fauconnier, Henri, franz. Maler, Hesdin 1881 bis 1946 Paris, stand mit an der Spitze der kubist. Bewegung, gehörte dem Kreis um → Gleizes u. → Delaunay an, war 1914–19 in Holland. L. ist vertreten u. a. in den Mus. v. Amsterdam (Rijksmus. u. Stedelijk Mus.), Den Haag, Paris (Luxembourg), Göteborg, Essen, Moskau, Philadelphia, Wien, Zagreb u. a.
Lit.: A. de Ridder, 1919. J. Romains, 1922. A. Gybal, 1937. Vollmer, 1956. R. Huyghe, 1935 (*Histoire de l'art contemporain*).

Lefebvre, Jules, franz. Maler u. Radierer, Tournan 1836–1912 Paris, klassizist. Akademiker, Schüler von → Cogniet u. der Ecole des Beaux-Arts, malte bes. Frauenakte u. Bildnisse. Sein bekanntestes Werk: *Die Wahrheit*, Paris, Luxembourg. L. ist in vielen Gal. vertreten, u. a. in New York (Metrop. Mus.); Minneapolis, Cincinnati, Kopenhagen, Buenos Aires.

Lefuel, Hector-Martin, franz. Arch., Versailles 1810–1880 Paris, Hauptvertreter der Baukunst des 2. Kaiserreichs, Schüler Huyots u. s. Vaters Alexandre-Henry L., tätig in Paris, schuf als s. Hauptwerk die v. Napoleon III. unternommenen *Erweiterungsbauten des Louvre*, teilweise nach Plänen von Visconti, nördl. Verbindungteil, 1857; südl. Verbindungteil bis zum Pavillon de Flore, 1863–66; beide in einem pomphaften Neurenaissancestil. L. ist ein typischer Vertreter des historisierenden Stils des 19. Jh. Auch s. übrigen Bauten in hist. Stilen: Teile des *Schlosses Meudon. Industriepalast der Weltausstellung*, 1855. *Schloß des Fürsten Guido Henckel v. Donnersmarck*, Neudeck, Oberschles. Lit.: N. Pevsner, *Europ. Architektur*, 1957.

Lega, Silvestro, ital. Maler, Modigliana 1826–1895 Florenz, Vertreter des ital. Frühimpressionismus, Mitglied der → Macchiaioli; vertreten in den mod. Gal. von Florenz, Rom u. a.
Lit.: Somaré, *Storia della pitt. ital. dell' 800*, 1928. G. Delogu, *Ital. Malerei*, ³1948.

Léger, Fernand, franz. Maler, Argentan 1881–1955 Gif-sur-Yvette, Hauptmeister des Kubismus, 1900 in Paris, gehörte zum Kreise von Max Jacob, Apollinaire, trifft 1910 mit → Picasso u. → Braque zus. u. nimmt an den ersten Kundgebungen des Kubismus teil. Im Gegensatz zu den übrigen Kubisten nahm er als Gegenstände nicht solche aus dem tägl. Leben, sondern technische Elemente, wie Eisenbahnräder, Zahnräder, Triebwerke u. ordnete dieser technischen Welt die Figuren ein. Er nahm am ersten Weltkrieg teil u. wurde nach einer Gasvergiftung 1916 freigestellt. Auf s. Bildern nehmen die Figuren ca. 1921 ff. die beherrschende Stelle ein, ohne aber ihre automatenhafte Starre zu verlieren. Sein Interesse führte ihn immer mehr zum dekorativen Wandbild. Ferner entwarf er Kartons für Wandteppiche u. Mosaiken, formte Keramiken u. schuf polychrome Skulpturen; Glasfenster u. Dekorationen für das Ballett. Der Einfluß L.s auf die heutige Kunst ist überaus groß. Werke: *Der 14. Juli*, 1914; *Femme en Bleu*, 1909; *Les femmes au Banquet*, 1921; *La Ville*, 1919; *Drei Frauen*, 1921, New York, Mus. of mod. Art. Wandbild: *Le Transport des forces*, geschaffen für die Weltausstellung 1937. Vertreten u. a. in Paris, Mus. d'Art mod.; in den Mus. v. Grenoble, Nantes, Tours; in mehreren amerik. Mus.
Lit.: D. Cooper, 1949. Ch. Zervos, 1952. M. Jardot, *F. L. Dessins*, 1953.

Legote, Pablo, span. Maler, * im Luxemburgischen um 1590, † um 1670 in Cádiz, tätig bes. in Sevilla u. seit 1635 in Cádiz, schuf Altarbilder für andalus. Kirchen, wahrscheinlich Schüler von → Roelas, beeinflußt von → Ribera u. → Zurbarán.

Hauptwerke: *Hochaltarbilder* der Kirchen in Lebrija, 1629–38, u. Espera. *Büßender Hieronymus*, Sevilla, Kathedrale.
Lit.: J. Allende-Salazar in: Th.-B. 1928. E. Lafuente Ferrari, *Breve hist. pint. españ.*, 1953.

Legrand, Louis, franz. Graphiker u. Maler, Dijon 1863–1951 Livry-Gargan, begann als Mitarbeiter an illustr. Zeitschriften; haupts. Radierungen u. Lithographien, beeinflußt von F. → Rops.
Lit.: E. Ramiro, *L. L., peintre grav., Catal.*, 1896. C. Mauclair, 1910.

Legros, Alphonse, franz.-engl. Maler, Graphiker u. Bildhauer, Dijon 1837–1911 Watford b. London, einer der besten engl. Graphiker u. Lithographen vom Ende des Jh., kam 1863 nach England, wo er zu → Whistler u. den Künstlern des «Modern Style» in Beziehung trat (→ Rossetti, → Watts). Seine Bedeutung liegt ganz auf den Gebieten der Graphik u. Lithographie, auf welchen er bedeutenden Einfluß auf die folgenden Generationen hatte. Er war überaus vielseitig. Seine visionär-phantast. Blätter waren sehr beliebt, ebenso seine Porträts (Lithographien). In s. Stil suchte er eine große Form, ging auf ältere Kunst zurück: die Romantik, auch auf → Rembrandt, → Goya u. a. Sein bedeutendster Schüler war W. → Strang.
Werke: Radierungen: *Der Tod u. der Reisigsammler, Der Tod des Vagabunden, Der Totentanz, Der Mönch mit der Fackel, Tod des hl. Franziskus*. Porträts von: *Dalou, Watts, Leighton, Kipling*. Weniger bedeutend als Maler. Als Bildhauer: *2 Monumentalbrunnen* im Park von Welbeck Abbey u. einige Bildnismedaillen- u. Plaketten.
Lit.: Poulet-Malassis u. Thibaudeau, *Cat. de l'oeuvre de L.*, 1877. L. Bénédite, 1900. G. Soulier, *L'oeuvre gravée et lithogr. de L.*, 1904. M. Salaman, *Modern masters of etching* in: Studio 9, 1926.

Legros, Pierre, franz. Bildhauer, Paris 1666–1719 Rom, Schüler s. Vaters Pierre L. d. Ä. u. des I. → Lepautre, Schwager von → Coustou, 1686 in Rom, wo er beinahe ständig tätig war. Er schloß sich ganz dem ital. Barock an, vor allem von → Bernini beeinflußt, schuf religiöse Werke für Kirchen Roms. Hauptwerk: *Die Religion stürzt die Ketzerei*, Marmorgruppe am Ignatiusaltar der Kirche Il Gesù, Rom, 1695–99.
Lit.: F. Ingersoll-Smouse in: Gaz. des B.-Arts 55, 1913.

Legueult, Raymond-Jean, franz. Maler, Graphiker, Entwurfzeichner für Tapisserien u. Plakatkünstler, * Paris 1898, Schüler von E. Morand, entwickelte in s. Kunst vor allem die Gestaltung der Farbkomposition: es geht ihm um eine sensible Aufteilung der Flächen in unerwartete Farbakkorde. L. schuf

Dekorationen für die Pariser Oper. Vertreten in Paris, Petit Palais; ferner den Mus. v. Albi, Algier u. a.
Lit.: Knaurs Lex., 1955. Vollmer, 1956.

Lehmann, Kurt, dt. Bildhauer u. Zeichner, * Koblenz 1905, seit 1948 Prof. der T. H. Hannover; haupts. Akte u. Bildnisse. S. vereinfachenden strengen Formen an → Barlach erinnernd. Werke in den Mus. von: Hannover, Kassel, Köln, Mannheim, Marburg u. a.
Lit.: U. Gertz, *Plastik d. Gegenw.*, 1953. E. Trier, *Mod. Plastik*, 1955.

Lehmbruck, Wilhelm, dt. Bildhauer, Duisburg-Meiderich 1881–1919 Berlin, Hauptmeister der dt. Plastik zu Beginn des 20. Jh., besuchte 1901–07 die Düsseldorfer Akad., das. Schüler von K. → Janssens; 1910–14 war er in Paris u. kam mit der Kunst → Rodins u. → Maillols, → Brancusis u. → Modiglianis in Berührung. Hier erstarkte er zum eigenen künstlerischen Bewußtsein u. eigenen Stil. Charakteristisch für diesen die überlange Streckung der Gliedmaßen. Die starke Vergeistigung seiner Kunst kommt so zum Ausdruck; in gewisser Weise bedeutet sie eine Weiterführung v. Rodins Schaffen, im weiteren Sinne v. got. u. barocken Tendenzen. L. schuf auch einige Gemälde, Lithographien u. Radierungen. Hauptwerke: *Weiblicher Torso*, 1910, Duisburg, Mus. *Knieende*, 1911, Berlin, staatl. Mus.; Mannheim, Kunsth. u. a. *Stehender Jüngling*, 1913, New York, Mus. of mod. Art. *Emporsteigender Jüngling*, 1913, Berlin, staatl. Mus. *Sitzender Jüngling*, 1916–18; Frankfurt, Gal. *Mutter und Kind*, 1917, Mannheim, Kunsth.
Die Werke sind – z. T. in Wiederholungen – in vielen Mus. der Welt vertreten. Die reichste Slg. in Duisburg, Mus. Vertreten ferner in Berlin, Bremen, Elberfeld, Erfurt, Hamburg, Köln, Leipzig, München; Zürich, Kunsth.; New York.
Lit.: P. Westheim, 1922. H. Bethge, 1923. Th.-B. 1928. A. Hoff, 1936. W. Hofmann, 1957. Ders., *Plastik d. 20. Jh.*, 1958. Vollmer, 1956.

Leibl, Wilhelm, dt. Maler, Köln 1844–1900 Würzburg, Hauptmeister des dt. Realismus der 2. Hälfte des 19. Jh., Schüler von → Piloty in München; bedeutsam wurde ein Pariser Aufenthalt 1869/70 u. die Berührung mit der Kunst → Courbets u. der franz. Realisten. In ihrem Sinne entwickelte L. s. eigene Kunst; doch kam er zu seinem eigensten Stil erst in der Auseinandersetzung mit der Neuromantik → Böcklins; ihr stellte L. seine Wirklichkeitskunst entgegen, deren Sachlichkeit in s. Hauptwerk, den *Drei Frauen in der Dorfkirche*, 1878–82, Hamburg, Kunsth., ihren künstlerischen Ausdruck fand. Vom Impressionismus wurde L. nicht berührt; er entwickelte vielmehr konsequent den Realismus weiter. L.

lebte in bayer. Dörfern (1873/74 in Grasslfing; 1875 am Ammersee; 1878–82 in Berbling, von da an in Aibling) u. suchte sich s. Modelle unter der Bauernbevölkerung. Seine künstlerische Eigenart gab einer ganzen Münchner Schule die Richtung. → Trübner gehörte ihr zeitweise an, auch → Thoma; mehr oder weniger als Schüler L.s sind zu bezeichnen: → Schuch, → Hirth, → Haider, → Sperl, → Schider, → Eysen u. a.
Weitere Hauptwerke: *Die Dachauerinnen*, 1874/75, Berlin, Nat. Gal. *Der Jäger* (Freiherr v. Perfall), 1875, ebda. *Das ungleiche Paar*, 1876/77, Frankfurt, Städel. *Die Wildschützen*, 1882–86, in Bruchstücken erhalten in: Berlin, Köln, Hamburg, Frankfurt. Bildnisse: *Selbstbildnis*, 1862, Hannover, Gal.; *Bildnis Frau Gedon*, 1868/69, München, N. Staatsgal. *Der alte Herr Pallenberg*, 1871, Köln, Wallraf-Richartz-Mus. *Geheimrat Seeger*, 1896, ebda. L. ist vertreten in den Mus. v. Köln, Dresden, Leipzig, Stuttgart, München, Berlin, Frankfurt, Hamburg, Wien.
Lit.: G. Gronau, 1901. J. Mayr, 1923. E. Waldmann, 1930. Ders., *Kunst d. Realismus u. Impression.*, 1927. *Ausst.-Kat. Aufbruch z. mod. Kunst*, München 1958.

Leighton, Frederick, Lord Stretton, engl. Maler, Graphiker, Bildhauer, Scarborough 1830–1896 London, Vertreter des engl. Neoklassizismus vom Ende des 19. Jh., seit 1844 Schüler der Akad. Florenz, 1846–48 von Jak. Becker u. 1849–52 von → Steinle in Frankfurt, gehörte 1858 zum Kreise der → Präraffaeliten, 1878 Präsident der Londoner Akad. Im Gegensatz zu den Präraffaeliten, die einen neuen Stil suchten, blieb L. beim akad. Klassizismus.
Werke: *Cimabues Madonna im Prozessionszug in Florenz*, 1852–55, London, Buckingham Pal. *Bad der Psyche*, London, Tate Gall. *Herakles mit dem Tode ringend. Selbstbildnis*, 1881, Florenz, Pitti Gal. Fresken: im *Victoria and Albert Mus.* u. in der *Börse*, London. Bildhauerarbeiten: *Athlet mit der Pythonschlange kämpfend*, Bronze, 1881, London, Tate Gall. *Der Faulenzer*, Bronze, 1886, ebda.
Lit.: A. Lang, 1885. E. Rhys, ³1900. R. Barrington, 1906. Th.-B. 1928. E. Waldmann, *Engl. Malerei*, 1927. R. Ironside, *The Pre-Raphael. Paint.*, 1948.

Leinberger, Hans, dt. Bildhauer, * wahrscheinlich in Niederbayern um 1470, † um 1530 Landshut, Hauptvertreter der barocken Spätstufe der Gotik, seit 1516 in Landshut tätig, schuf als s. Hauptwerk den *Hochaltar des Münsters in Moosburg*, 1515, in seiner wilden Bewegtheit echtes «got. Rokoko». Sowohl an Pracht wie Größe nimmt er den 1. Platz unter den spätgot. Altären ein; erhalten sind: *Taufe Christi*, Flachrelief, Berlin, ehem. K.-F.-Mus. u. *Predigt Johannes d. T.*, Freising, Seminar. Weitere Werke: *Christus am Kreuz*, 1516, München, Nat. Mus. *Christus in der Rast*, 1527, Berlin, staatl. Mus. Überlebens-

große *Madonna*, Landshut, St. Marien. *Madonna mit Engeln*, Holz, 1527, Polling (Oberbayern), Augustinerstiftskirche.
Lit.: A. Feulner, *H. L.s Moosburger Altar*, 1923. Ders., *Die dt. Plastik d. 16. Jh.*, 1926. Bramm in: Münchner Jb. d. bild. K., 1928. G. Lill, 1942. Ders., *Dt. Plastik*, 1925. G. Dehio, *Gesch. d. dt. Kunst* 3, 1926. *F. Baumgart, Gesch. d. abendl. Plastik*, 1957.

Leinberger, Simon → Lainberger, Simon.

Leins, Christian v., dt. Arch., Stuttgart 1814–1892 ebda., Vertreter des historisierenden Stils des 19. Jh. Werke: *Villa für Kronprinz Karl*, Berg b. Stuttgart, 1844–53 (Renaissance); *Königsbau* in Stuttgart, 1857–59 (klassizist.); *Johanniskirche*, ebda., 1876 (in got. Stil).

Leistikow, Walter, dt. Maler, Bromberg 1865–1908 Schlachtensee b. Berlin, Meister der Seenlandschaft um Berlin, Schüler von → Gude an der Berliner Akad., 1885–90, gehörte zu den Gründern der Berliner Sezession, tätig in Berlin. L. ging von der älteren realist. Landschaftskunst aus, suchte sodann einen dekorativen Linienstil zu verwirklichen u. gehörte zu den führenden Meistern des Jugendstils. Er schuf Teppich- u. Tapetenmuster u. Graphik in diesem Sinne. Später fand er s. ihm eigenen Motivkreis als Maler der märkischen Landschaft. Die Zurückweisung eines s. Grunewaldbilder wurde eine der Ursachen der Gründung der Berliner Sezession, 1898. In s. stilisierten Landschaftskunst ist er etwa mit → Vallotton zu vergleichen. Seine Bilder in vielen dt. Gal. Beisp.: *Die Ziegeleien in Eckernförde*, 1887, Dresden, Gal. *Im Grunewald. Griebnitzsee bei Erkner*, 1904. *Seeufer bei Grünheide*, 1908.
Sein Neffe *Hans* L., * Bromberg 1892, ist tätig auf dem Gebiet d. Plakats, der Buch-u. Bauausstattung.
Lit.: W. Waetzoldt, *Dt. Mal. seit 1870*, 1918. E. Waldmann, *Kunst d. Realismus u. d. Impression.*, 1927.

Le Lorrain, Robert, franz. Bildhauer, Paris 1666 bis 1743 ebda., Meister des franz. Spätbarock, Schüler u. Gehilfe → Girardons, 1689–94 in Rom, 1717 Prof. u. 1737 Rektor der Pariser Akad., tätig in Straßburg, Zabern u. Paris. Mitarbeiter Girardons am Grabmal für Richelieu u. an der Gruppe Raub der Proserpina, 1699, im Park von Versailles. In s. eigenen Hauptwerk: *Tränke der Sonnenrosse*, um 1740, Portalkrönung am Marstall des ehem. Hôtel de Rohan in Paris (jetzt Imprimerie Nat.), hat er mit Geschick die schwungvolle Leichtigkeit der Malerei in Stein übersetzt u. damit den Übergang von der Klassik zum Rokoko bezeichnet. Weitere Werke: *Statue der Caritas*, 1707, Versailles, Schloßkapelle (äußere Balustrade); 2 Basreliefs, ebda., innerer Chorumgang: *Freigebigkeit u. Glaubenseifer ; Liebe u. Religion.-Statue*

der 4 Jahreszeiten, Fassade der Archives Nat., Paris (ehem. Hôtel de Soubise).
Lit.: Th.-B. 1929. A. E. Brinckmann, *Barockskulptur* 2, 1919.

Lely, Sir Peter, eig. Pieter van der Faes, niederl.-engl. Maler, Soest b. Utrecht 1618–1680 London, Hauptvertreter der engl. Bildnismalerei, Schüler des P. de → Grebber in Haarlem, seit 1641 in England, wo er Hofmaler Karls II. wurde u. Hofgesellschaft u. Aristokratie malte. Von van → Dyck ausgehend schuf er sich einen eigenen durch Schwung u. Grazie ausgezeichneten Stil. Reich vertreten in der Nat. Portr. Gall., ferner in der Nat. Gall., in Hampton Court, Windsor, Dulwich College u. a. Werke: Nat. Portr. Gall.: *Nell Gwyn ; Mary Davis ; Herzogin v. York ; Herzogin v. Somerset ; Herzog v. Buckingham ; Karl II. ; Selbstbildnis*. Hampton Court: *Porträt der Lady Bellasy* u. a. Damenbildnisse des Hofes, die sog. *Windsor-Schönheiten*. Greenwich: *Admirals-Bildnisse*, 1665–67. Dulwich College: *Bildnis des Abraham Cowley*.
Lit.: C. H. Collins-Baker, *L. and Kneller*, 1922. E. Waldmann, *Engl. Mal.*, 1927. M. Osborn, *Kunst d. Rokoko*, 1929.

Lemaire, Jean, gen. «Le gros Lemaire», franz. Maler, Dammartin 1597–1659 Gaillon, Architektur-u. Perspektivmaler, 1613 ff. in Rom tätig, von ca. 1637 an in Paris. 2 *Ansichten röm. Ruinen* im Louvre, Paris. Ferner vertreten in Bordeaux, Fontainebleau, Le Puy, Rouen.

Lemaire, Pierre, gen. «Le petit Lemaire» oder L.-Poussin (wegen s. Freundschaft mit → Poussin), franz. Maler u. Radierer, * um 1612, † 1688 Rom, Schüler von C. → Vignon, ging früh nach Rom. Von ihm eine Folge Radierungen bekannt.

Lemaire, Philippe-Henri, franz. Arch., Valenciennes 1798–1880 Paris, Vertreter des Klassizismus, 1838 nach Rußland berufen, um *Skulpturen für die Giebelfelder der Isaaks-Kathedrale* in St. Petersburg zu schaffen; 1842 zurück nach Paris. Hier schuf er viele kirchliche Werke, Bronze- u. Marmorstatuen. Ein Hauptwerk ist *Das Jüngste Gericht*, Basrelief im Fassadengiebel der Madeleine, Paris, 1830–34. Außer in Paris Werke in Lille, Valenciennes, Verdun u. a.
Lit.: Th.-B. 1929.

Lemercier (Le Mercier), Jacques, franz. Arch., Pontoise um 1585–1654 Paris, Hauptmeister der Baukunst unter Ludwig XIII., ging 1607 für einige Jahre nach Rom, seitdem in Paris tätig, 1639 «Premier Arch. du Roi». Sein Stil – neben dem → Mansarts – für die Begründung des franz. Klassizismus

maßgebend. Der Einfluß der ital. Architektur sowie des Studiums von Vitruv zeigt sich überall: in den Wohnbauten in der Strenge u. Klarheit der Durchführung, welche die mittelalterl. Baukunst zu überwinden sucht; in s. Kirchenbauten der überstarke Eindruck von St. Peter in Rom u. der ital. Fassaden. Hauptwerke: L. baute für Richelieu *Schloß u. Stadt Richelieu;* in Paris das Palais Richelieu, heute *Palais Royal,* 1629–36; ferner: *Erweiterungsbauten am Louvre,* seit 1624. Die *Hôtels: Colbert, Liancourt* u. *Longueville,* ebda. Kirchenbauten: *Sorbonne-Kirche,* um 1630–50, ebda.
Lit.: Vauthier, 1886, Souriau, 1908. A. Michel, *Hist. de l'art* VI, 1, 1921. N. Pevsner, *Europ. Architektur,* 1957.

Le Moal, Jean, franz. Maler, * Authon-du-Perche 1909, Vertreter der abstrakten Kunst, Schüler der Ecole des B.-Arts in Lyon u. der Akad. Ranson in Paris, wo er mit → Bissière zusammentraf, gehört zum Kreise der um diesen sich scharenden Künstler (→ Manessier, → Bertholle). Stellte oft mit Manessier u. → Singier zus. aus. L. schuf dekorative Wandbilder, Theaterdekorationen u. Bilder; tätig in Paris. In s. Kunstart verwandt mit Manessier.
Lit.: C. Bourniquel, *Trois peintres L., Manessier, Singier,* 1946. Ders. 1959 (Musée de Poche). J. Lassaigne in: XXe siècle 6, 1956. M. Seuphor, *Dict. peint. abstr.,* 1957.

Lemoine (Le Moine, Le Moyne), François, franz. Maler, Paris 1688–1737 ebda., Schüler von Galoche u. Cazes, seit 1718 Mitglied der Akad., 1723 in Italien, 1733 Prof. der Akad., 1736 «premier peintre du Roi», tätig in Paris; seine großen Deckengemälde gehören zu den glänzendsten Leistungen der Dekorationskunst s. Zeit, im Stil ist dieser Nachfolger → Lebruns Eklektiker, bes. von den Venezianern u. → Correggio beeinflußt.
Werke: Hauptwerk ist das *Deckengemälde des Herkulessaales* in Versailles, Schloß, 1733–36: Apotheose des Herkules. Ferner *Kuppelgemälde der Marienkapelle* in St-Sulpice, Paris: Himmelfahrt Mariä, 1731. Bekannte Tafelbilder: *Herkules u. Omphale,* 1724, Paris, Louvre. *Tankred erkennt Chlorinde,* Besançon, Mus. *Narziss,* 1728, Hamburg, Kunsth. *Venus u. Adonis,* 1729, London, Wallace Coll.

Lemot, François-Frédéric, franz. Bildhauer, Lyon 1772–1827 Paris, Vertreter des Klassizismus, Schüler von Dejoux, tätig in Paris. Werke: *Quadriga auf dem Arc de Triomphe du Carrousel,* Paris, 1808. *Relief im Giebel der Hauptfassade des Louvre,* ebda.: Huldigung Napoleons durch die Musen. *Marmorstandbild Murats,* Versailles, Mus. *Reiterstandbild Heinrichs IV.* auf dem Pont-Neuf, Paris, 1816. *Reiterdenkmal Ludwigs XIV.,* Lyon, 1825.

Lemoyne, François → Lemoine, François.

Lemoyne, Jean-Baptiste, franz. Bildhauer, Paris 1704–1778 ebda., der beliebteste Porträtbildner s. Zeit, Schüler s. Vaters J.-L. L. u. von → Le Lorrain, 1738 Mitglied, 1744 Prof., 1768 Rektor der Akad., tätig in Paris, Günstling Ludwigs XV., den er oft dargestellt hat. Sein Stil zeigt Anmut der Umrisse u. Auflockerung der Oberfläche – die Kennzeichen des Rokoko-Stils. Werke: Die *Denkmäler Ludwigs XV.* sind fast alle in der Revolution zerstört worden. Die Gruppe *Der Ozean* für das Neptunsbassin im Park von Versailles, 1736–40. *Stuckdekorationen für das Hôtel de Soubise,* 1735–40 (heute Archives Nat.). *Bildnisbüste Montesquieu,* 1761, Bordeaux, Mus.; *J. Gabriel,* um 1760, Paris, Louvre.
Lit.: G. Lebreton in: Revue des Sociétés des Beaux-A. des Départements, 1881.

Le Nain, die Gebrüder, franz. Maler, 1. *Antoine,* Laon um 1588–1648 Paris; 2. *Louis,* Laon um 1593 bis 1648 Paris; 3. *Mathieu,* Laon 1607–1677 Paris, die bedeutendsten franz. Genremaler ihrer Zeit, die in gemeinsamem Atelier arbeiteten u. deren Arbeiten schwer voneinander unterschieden werden können. Alle drei wurden 1648 Mitglieder der Pariser Akad. u. waren in Paris tätig. Sie sind berühmt wegen ihrer Bilder aus dem Bauernleben, malten daneben auch bibl. Sujets u. Bildnisse. Voraussetzungen ihres Stils sind vor allem die Kunst → Caravaggios u. die der Niederländer. Im Unterschied zu den letzteren malten die Brüder L. die Bauern nicht in spaßhaften Szenen, sondern in ruhiger Zuständlichkeit.
Werke: *Bauernfamilie,* 1642, Paris, Louvre. *Familienszene,* ebda. *Die Schmiede,* ebda. *Porträtgruppe,* London, Nat. Gall.
Lit.: A. Valabrègue, 1904. P. Jamot, 1929. P. Fierens, 1933. G. Isarlo in: *Revue de l'art ancien et mod.* 66, 1934. S. Metzoff in: Art Bull. 24, 1942. Lazareff, *Les frères L.,* 1936. W. Weisbach, *Franz. Malerei d. 17. Jh.,* 1932.

Lenbach, Franz v., dt. Maler, Schrobenhausen (Oberbayern) 1836–1904 München, der beliebteste Bildnismaler der «Gründerzeit», Schüler von → Piloty in München, 1863–68 in Italien u. Spanien, wo er im Auftrag des Grafen Schack Werke alter Meister kopierte, seit 1868 in München als Bildnismaler tätig. Er porträtierte alle bedeutenden Leute s. Zeit u. wurde mit Ehren überhäuft. G. v. → Seidl errichtete ihm ein Wohnhaus in ital. Renaissancestil, welches den Rahmen seiner repräsentativen Stellung abgab u. seit 1924 als Lenbach-Gal. mit der Städt. Gal. verbunden ist. L. war ungewöhnlich begabt u. ein scharfer Beobachter, doch litten viele Bildnisse unter der übergroßen Inanspruchnahme, welche Routine-Arbeit erforderte. Sein Stil ist ek-

lektisch; die Figuren meist in magischem Halb-
dunkel, welches er → Tizian u. → Rembrandt ent-
nahm, Koloristik u. Stellung der Figuren auch
→ Reynolds. Am spontansten sind s. Jugendarbeiten
voller Realismus u. s. Vorstudien zu den Bildnissen.
Bekannte Bildnisse: *Selbstbildnis*, 1865, München,
N. P. *König Ludwig I.*, 1868, ebda. *Liszt*, 1884,
Dresden, Gal. *Papst Leo XIII.*, 1885, München,
N. P. *P. Heyse*, 1896, Dresden, Gal. Porträts v.
Bismarck u. *Kaiser Wilhelm I.* in den Mus. v. Ham-
burg u. Leipzig. Ferner: *Der Hirtenknabe*, 1860,
Schack-Gal. Ebda. in Spanien gemalte *Landschaften*,
1868.
Lit.: A. Rosenberg, ⁵1911. H. Kehrer, 1937. E.
Waldmann, *Kunst d. Realism. u. d. Impression.*, 1927.

Le Nôtre (Lenôtre), André, franz. Gartenkünstler,
Paris 1613–1700 ebda., Schöpfer der franz. Gartenkunst unter Ludwig XIV., die beispielgebend für
ganz Europa wurde. Weite Flächen werden nach
einem bestimmten geometrischen u. tektonischen
System mit einem Wechsel von Parterres u. Bosketts
zu einem organ. Ganzen gestaltet.
Werke: *Garten von Versailles*, 1662 ff. Ferner:
Tuileriengärten in Paris, Gärten von *Vaux-le-Vicomte*, *Saint-Germain*, *Saint-Cloud*, *Chantilly*, *Dam-
pierre*; *Greenwich* in England.
Lit.: J. Guiffrey, 1912. A. Grisebach, *Der Garten.
Gesch. s. künstl. Gestaltung*, 1910. Marie-Luise Gothein, *Geschichte der Gärten*, 1926. N. Pevsner, *Europ.
Architektur*, 1957.

Lenz, Peter, als Benediktiner Pater Desiderius, dt.
Maler, Arch. u. Bildhauer, Haigerloch 1832–1928
Beuron, Begründer der → Beuroner Kunstschule,
suchte auf der Grundlage der altägypt. u. frühchristl.
Kunst eine neue religiöse Malerei zu erwecken.
Werke: Ausschmückung der nach s. Angaben er-
bauten *Maurus-Kapelle* bei Beuron (zus. mit Wüger
u. Steiner), 1868–70. Wandgemälde in der *Zelle des
hl. Benedikt* im Kloster Monte Cassino.
Lit.: J. Kreitmaier, *Beuroner Kunst*, ⁵1923.

Leochares, griech. Bildhauer, wirkte ca. 360–320
v. Chr., Hauptmeister s. Zeit, aus dem Kreise des
→ Skopas, Mitarbeiter – mit Skopas u. → Bryaxis –
am plastischen Schmuck des Mausoleion in Halikarnass (Kleinasien), um 350, errichtet für König
Mausolos von Karien in s. damaligen Residenz:
Reliefplatten der Westseite im Brit. Mus., London,
wahrscheinlich dem L. zuzuschreiben. Auf dieser
Grundlage hat man versucht, ihm durch Stilver-
gleich andere Werke zuzuschreiben. Mit Wahrscheinlichkeit stammt das dem *Apollon von Belvedere*
zugrunde liegende Original von L. Sehr bekannt
war im Altertum s. vom Adler geraubter *Ganymedes*.
Eine *Bronzestatuette* im Vatik. Mus., Rom, aus der

Spätantike, geht aber wohl kaum unmittelbar auf
dieses Werk zurück.
Lit.: Pauly-Wissowa, *Realenc.* XII, 2. E. Curtius,
Klass. Kunst Griechenlands, 1928. G. Lippold in:
Hb. d. Arch. 3, 1, 1950.

Leonardo da Vinci, ital. Maler, Bildhauer u. Arch.,
Vinci b. Empoli 1452–1519 Schloß Cloux b. Amboise, Hauptmeister der ital. Hochrenaissance,
1466 in Florenz als Schüler des → Verrocchio, 1482
bis 1499 in Mailand am Hofe des Lodovico Sforza,
darauf bis 1506 meist in Florenz tätig, 1506–1513
wieder in Mailand, 1513–16 in Rom, ab 1516 in
Frankreich tätig, einer Einladung Königs Franz I.
folgend. In L. fand das Ideal eines universalen Men-
schentums wie die Hochrenaissance es konzipierte,
s. vollendetste Verkörperung. Er war ein universaler
Künstler, darüber hinaus Gelehrter, Erfinder,
Philosoph. S. Werken legte er ein sorgsames Naturstudium zugrunde, strebte nach plastischer Heraus-
arbeitung des menschlichen Körpers u. sicherer
Raumbehandlung. Sein Gestaltungsmittel in der
Malerei ist das Helldunkel, das sfumato, womit er
zarte Übergänge von Licht u. Schatten erreicht;
s. *Madonna in der Felsengrotte*, 1483, Paris, Louvre,
spätere Fassung London, Nat. Gall., begründet
die Sfumato-Malweise. In s. Wandbild des *Abendmahls*, 1496–97, Refektorium des Klosters S. Maria
delle Grazie, Mailand, erfüllt L. das von der Hochrenaissance erstrebte Ideal der Gruppierung u. Beseelung der Figuren. Die von ihm angewandte
Technik der Öltempera auf trockenem Verputz
bewirkte den frühen Verderb der Malerei (heute
kaum mehr als Umrisse sichtbar). In s. *Bildnis der
Mona Lisa*, 1503–06, Paris, Louvre, schuf L. das
Ideal des beseelten Porträts. Großen Ruhm u.
Einfluß auf die Folgezeit genoß der Karton für die
Reiterschlacht von Anghiari, um 1505, bestimmt für
ein Wandgemälde im Pal. Vecchio, Florenz. Die
Malerei wurde nie zu Ende geführt u. der Karton
ist zugrunde gegangen. Erhalten ist nur ein Stich
von → Edelinck nach einer Nachzeichnung der
Hauptgruppe von → Rubens: Kampf um die
Fahne. Von s. bildhauerischen Arbeiten war die
zu s. Zeit berühmteste das *Modell zum Reiterdenkmal für Francesco Sforza*, das nie ausgeführt wurde;
das Modell 1499 von franz. Armbrustschützen zerstört. Erhalten sind vorbereitende Studien in der
Slg. der Handzeichnungen in Windsor. Von s.
Arbeiten als Arch. sind nur vereinzelte Entwürfe
erhalten. Viele seiner wertvollen Vorstudien in
Silberstift, Feder, Kreide, Kohle, Rötel u. Tusche
befinden sich in Florenz, Uff.; London, Brit. Mus.;
ferner in Mailand, New York, Paris, Oxford, Turin,
Venedig u. Windsor. Das Hauptwerk s. Kunstlehre
ist der «Traktat über die Malerei», erstmals hg. von
Dufresne, 1651. Der Einfluß L.s war schon zu s.
Zeit groß, namentl. auf die lombard. Malerei.

Hauptschüler → Boltraffio, von ihm abhängig u. a.
Luini; Fortsetzer s. Sfumato-Stiles → Correggio.
Lit.: E. Hildebrandt, 1927. A. Venturi, *I disegni di
L.*, 1928 ff. W. Suida, 1929. H. Bodmer, 1931 (Klass.
d. K.). W. v. Seidlitz, 1935 (Ausg. letzter Hand).
G. Calvi, 1936. F. Knapp, 1938. G. Nicodemi,
1940 (dt.). L. H. Heydenreich, 1943. A. Vallentin,
1951. K. Clark, 1952 (engl.). L. Goldscheider, 1960
(Phaidon). P. Valéry, *L. 3 Essays*, 1960 (dt.). N.
Pevsner, *Europ. Architektur*, 1957. Bibliogr.: E.
Verga, *Bibliografia Vinciana*, 1931.
Ausg. der Manuskripte u. Zeichnungen: *I Mano-
scritti e disegni di L.*, pubblicati dalla Reale Commis-
sione Vinciana, 1928 ff.

Leoni, Leone, ital. Goldschmied, Medailleur, Bild-
hauer u. Erzgießer, Menaggio b. Como 1509–1590
Mailand, bedeutender Bildhauer der Spätrenaissance,
berühmt namentlich als Medailleur, 1537–40 päpstl.
Münzmeister, 1542–45 u. 1550–90 Münzmeister in
Mailand, in verschiedenen ital. Städten tätig, bereiste Deutschland u. die Niederlande, war für
Kaiser Karl V. u. Philipp II. beschäftigt, seit 1550
meist in Mailand tätig.
Werke: *Karl V.*, Bronze, 1549–53, Madrid, Prado.
Marmorstandbild Karls V. (von s. Sohn Pompeo
voll.), Madrid, Akad. S. Fernando. *Grabmal des Mark-
grafen v. Marignano*, 1560–64, Mailand, Dom. *Mar-
morbürste Philipps II.*, Mailand, Slg. Trivulzi.
Lit.: E. Plon, 1886. C. v. Fabriczy, *Medaillen d.
ital. Renaiss.*, 1903. A. Venturi X, 3, 1937.

Leoni, Pompeo, ital. Bildhauer u. Medailleur, um
1533–1608 Madrid, Schüler u. Gehilfe s. Vaters,
des L. → L., ging an dessen Stelle nach Spanien,
vollendete das. dessen für Spanien bestimmte
Werke u. schuf dort eigene, den Stil s. Vaters fort-
setzende Arbeiten.
Lit.: s. Leone L.

Leopardi, Alessandro, ital. Goldschmied, Bildhauer,
Erzgießer u. Arch., * Venedig, † ebda. um 1522,
Meister der venezian. Hochrenaissance, dessen dekorative Werke auf eingehendem Studium der Antike
beruhen; an vielen größeren Werken hat er mit
den → Lombardi zusammengearbeitet.
Hauptwerke: *3 Bronze-Fahnenhalter* auf dem Markus-
platz, Venedig, voll. 1505. *Guß, Ziselierung u. Mar-
morsockel* von → Verrocchios Reiter-Denkmal des
Colleoni, ebda.; zugeschrieben: Mitarbeit am Grab-
mal des Dogen Andrea Vendramin, ebda., SS. Gio-
vanni e Paolo (→ Lombardi, Tullio); Mitarbeit
(Entwurf) der Kap. S. Zeno in S. Marco, ebda.
(→ Lombardi, Antonio).
Lit.: L. Planiscig, *Venezian. Bildh. d. Renaiss.*, 1921.
G. Lorenzetti, *Venezia e il suo estuario*, 1927. P.
Schubring, *Kunst d. Hochrenaiss.*, 1926.

Lepautre (Lepaultre), Antoine, franz. Arch., Paris
1621–1691 ebda., Bruder des Jean → L., 1655 «Arch.
du Roi», erbaute die Kirche des Klosters Port-
Royal in Paris (nicht mehr existierend); die Flügel
des Schlosses St-Cloud (nicht mehr existierend);
mehrere Adelspaläste (Hôtels) in Paris.
Lit.: A. E. Brinckmann, *Baukunst d. 17. u. 18. Jh.*,
1919. A. Michel, *Hist. de l'Art* VI, 1, 1922.

Le Pautre (Lepautre), Jean, franz. Ornamentstecher
u. Arch., Paris 1618–1682 ebda., hervorragender
Erfinder von Dekorationen, mit denen er wesentlich
zum Entstehen des franz. Barockstils, des Stils
Louis XIV., beigetragen hat. Seine Erfindungen in
den Ornamentstichen umfassen die gesamte Ausstattung von Kirchen u. Schlössern: Architekturen,
Möbel, Kamine, Portale usw., ferner auch Gärten. 1751 wurde von Jombert ein dreibändiges
Werk: *Oeuvres d'Architecture de J. L.* (775 Blätter)
zusammengestellt. Noch vollständigere Slg. in der
Bibl. Nat., Paris. – Die Stilelemente L.s entstammen
dem ital. Barock, den er in Italien kennen gelernt
hat.
Lit.: P. Jessen, *Der Ornamentstich*, 1920. A. Michel,
Hist. de l'art VI, 1922.

Lepautre, Pierre, franz. Bildhauer u. Radierer, Paris
1660–1744 ebda., schuf *mythol. Gruppen* für den
Tuileriengarten; *Statuen u. Reliefs für die Schloßkapelle* in Versailles u. a. Als Stecher war er für
J. H. → Mansart tätig.

Lépicié, Nicolas-Bernard, franz. Maler, Paris 1735
bis 1784 ebda., Schüler v. C. → Vanloo, malte
kirchliche, mythol., allegor. u. Geschichtsbilder; erfolgreich war er aber vor allem mit s. Genrebildern:
figurenreiche Schilderungen des Lebens u. Treibens
auf Marktplätzen; bürgerliche u. bäuerliche Fa-
milienszenen; ein- u. zweifigurige Kompositionen
in der Art von → Chardin; genrehaft aufgefaßte
Porträts von Freunden u. Kindern; Tierstücke. Im
Pariser Louvre u. vielen franz. Mus. vertreten;
ferner in Leningrad, London (Wallace Coll.) u. a.
Lit.: Ph. Gaston-Dreyfus, *Cat. rais. de l'œuvre peint
et dess.*, 1923.

Lépine, Stanislas-Edouard-Victor, franz. Maler,
Caen 1855–1892 Paris, bedeutender Landschafter,
gehört zu den Wegbereitern des Impressionismus,
Schüler von → Corot, wandte sich, angeregt von
→ Jongkind, dem Studium der athmosphärischen
Landschaftswiedergabe zu. Werke im Louvre, in
der Nat. Gall., London, im Art Inst., Chicago u. a.
Lit.: Bénézit, 1951.

Leppien, Jean, dt.-franz. Maler u. Zeichner, * Lüneburg 1910, Schüler von → Kandinsky u. → Moholy-

Nagy am Bauhaus Dessau, ansässig in Paris, Vertreter der abstrakten Kunst.
Lit.: M. Sibert in: Art d'aujourd'hui, 1954. Seuphor, *Dict. peint. abstr.*, 1957. Vollmer, 1956.

Le Prince (Leprince), Jean-Baptiste, franz. Maler u. Kupferstecher, Metz 1734–1781 St-Denis du Port, Erfinder des Aquatinta-Verfahrens bei Radierungen, Schüler von → Boucher u. → Vien, ging 1754 nach Italien, 1757 nach Rußland, 1763 ff. in Paris tätig, 1765 Mitglied der Akad., beliebter Rokoko-Künstler. Nach St. Petersburg berufen, um Deckengemälde im kaiserl. Pal. zu malen. Am beliebtesten waren s. Radierungen mit Genreszenen, namentlich auch solche aus dem russ. Volksleben. Kupferstiche: *Der Ofen*, 1770; *Russ. Tanz*; *Die Gärtnerin*; *Die Reisenden*. Bilder in vielen franz. Mus.
Lit.: J. Hédon, 1880. L. Réau in: Gaz. B.-Arts, 1921.

Lepsius, Reinhold, dt. Maler, Berlin 1857–1922 ebda., beliebter Bildnismaler Ende 19. Jh., Schüler von → Löfftz in München, malte Bildnisse von Damen, Gelehrten u. Dichtern in spätimpressionist. Manier. Die zarten pastosen Töne erinnern bisweilen an → Whistler, auch an → Carrière.
Auch seine Gattin *Sabine* war eine beliebte Bildnismalerin, bes. für Kinderbildnisse.

Lerche, Vincent Stoltenberg, norweg. Maler, Tönsberg 1837–1892 Düsseldorf, Schüler der Akad. Düsseldorf u. H. → Gudes (1860–62), bekannt bes. durch s. Architekturbilder in Öl u. Aquarell u. humorist. Genrebilder; auch Zeichnungen u. Buchillustrationen. Werke in den Gal. v. Oslo, Bergen, Stavanger, Stockholm, Göteborg, Bremen.

Leroux, Rouland (Roland), franz. Arch. u. Bildhauer, * Rouen, † 1527 ebda., 1509–25 Arch. an der Kathedrale Rouen u. einer der 1. Vertreter der ital. Renaissance in Frankreich. Erbaute das *Bureau de Finance* in Rouen, dessen Fassade Renaissance-Elemente aufweist; vielleicht geht auch der Entwurf für den *Justizpalast*, ebda., auf L. zurück. Ferner: Entwurf zum *Marmorgrabmal für Kardinal Georg I. v. Amboise* in der Marienkap. der Kathedrale v. Rouen, 1515–25, worin Renaissance-Elemente mit spätgot. Formenreichtum sich verbinden.
Lit.: A. Michel, *Hist. de l'art* IV, 2, 1911. Th.-B. 1929.

Lescot, Pierre, franz. Arch., wahrscheinl. Paris um 1510–1578 ebda., Hauptmeister der franz. Frührenaissance u. Mitbegründer des klass. franz. Stiles, war vermutlich eine Zeitlang in Italien, wo er die Renaissance kennenlernte, 1546 von Franz I. mit dem Neubau des *Louvre in Paris* beauftragt, dessen *westl. Flügel* er bis 1560 vollendete mit der prachtvollen Hoffassade, deren plastischer Schmuck von J. →

Goujon stammt. Dieser Teil gilt als das Meisterwerk der franz. Frührenaissance. Seine Bauprinzipien wurden grundlegend für die klass. franz. Bauweise. Weitere Werke: *Hôtel de Ligneris* (jetzt *Mus. Carnavalet*), um 1544 beg. *Fontaine des Innocents*, Paris, 1547–49, in Zusammenarbeit mit J. Goujon.
Lit.: A. Michel, *Hist. de l'art* 4, 1910/11. L. Battifol in: Gaz. des-B.-Arts 52 u. 54, 1910 u. 1912. Ders., *Le Louvre*, 1932. F. Gebelin, *Les châteaux de la Renaiss.*, 1927. N. Pevsner, *Europ. Architektur*, 1957.

Le Sidaner, Henri-Eugène, franz. Maler u. Lithograph, Port-Louis (auf Mauritius) 1862–1939 Versailles, Schüler von → Cabanel, schuf Landschaften, Blumenbilder, Interieurs; er kommt in s. Kunst der feinen Zwischentöne u. der Dämmerung → Carrière u. technisch den Pointillisten (→ Seurat, → Signac) nahe. Vertreten in den Mus. v. Paris (Luxembourg und Petit Palais), Châlons, Nantes, Mulhouse, Gent, Brüssel, Detroit, Montreal, Johannesburg, Toronto, Ottawa, Pittsburgh, Philadelphia, London, Amsterdam, Brüssel, Genf u. a.
Lit.: W. Grohmann in: Th.-B. 1929. Edouard-Joseph, *Dictionn.*, 1931. E. Bénézit, 1952.

Leslie, Charles Robert, engl. Maler, London 1794 bis 1859 ebda., Hauptvertreter der viktorian. Genremalerei, Schüler von → West an der Londoner Akad., malte in der Art v. → Wilkie u. → Mulready Szenen aus Schriftstellern, wie Shakespeare, Swift, Cervantes, Molière usw. Einige s. Bilder sind außerordentlich populär geworden, wie *Onkel Toby u. die Witwe Wadman* (aus «Tristram Shandy»), 1831, Victoria and Albert Mus. *Dulcinea von Toboso* (aus «Don Quichote»), ebda.; *Sancho Pansa bei der Herzogin*, 1844, ebda.; *Autolycus* (aus Shakespeares «Winter's Tale»), ebda.; *Les femmes savantes* (n. Molière), ebda.; *Der Widerspenstigen Zähmung* (n. Shakespeare), ebda.
Lit.: E. Waldmann, *Engl. Malerei*, 1927.

Lessing, Karl Friedrich, dt. Maler, Breslau 1808 bis 1880 Karlsruhe, Hauptvertreter der Düsseldorfer Historien- u. Landschaftsmalerei des 19. Jh., Schüler von W. → Schadow in Düsseldorf, Mitglied der Akad. das., 1858–80 Direktor der Gemäldegal. in Karlsruhe. L., im Anfang Romantiker, wurde zum Darsteller hist. Szenen, wie sie in der Düsseldorfer Schule gepflegt wurden. Als Landschafter war er der Lehrer zahlreicher Düsseldorfer Künstler wie z. B. → Schirmers.
Hauptwerke: Historienmalerei: *Hussitenpredigt*, 1836, Berlin, staatl. Gal. *Ezzelino im Kerker*, 1838, Frankfurt, Städel. *Huss vor dem Konzil*, 1842, ebda. *Huss vor dem Scheiterhaufen*, 1850, Berlin, staatl. Gal. *Luthers Leipziger Disputation mit Eck*, 1866–67, Karlsruhe, Gal. Landschaftsmalerei: *Landschaft mit der Ritterburg*, 1828, Berlin, staatl. Mus. *Klosterhof im Schnee*, Köln, Mus. *Eifellandschaft*, 1834, Frankfurt, Städel.

Eifellandschaft bei Gewitter, 1877, Dresden, Gal. *Landschaft aus der fränkischen Schweiz*, 1878, Stuttgart, Mus. Gut vertreten in Berlin, staatl. Gal.; Karlsruhe, Gal.; Dresden, Gal.; Stuttgart, Mus.
Lit.: G. Pauli, *Kunst d. Klassizism. u. d. Romantik*, 1925. W. R. Deusch, *Malerei d. dt. Romantiker*, 1937. *Ausst.-Kat. 100 Jahre Rhein. Mal.*, Düsseldorf 1925.

Lessing, Otto, dt. Bildhauer u. Maler, Düsseldorf 1846–1912 Berlin, Sohn u. Schüler von Karl Friedrich → L. u. des Bildhauers A. Wolff in Berlin, schuf das. dekorative Bildwerke u. Malereien f. die Monumentalbauten der Gründerzeit. Beisp.: *Lessing-Denkmal*, 1890, Berlin; der *plastische Schmuck im Weißen Saal des Schlosses*, Berlin, 1894; *Roland-Brunnen* an der Siegesallee, ebda., 1903; *Shakespeare-Denkmal* in Weimar, 1903–1904; *Bildnisbüste des Malers Knaus*, Berlin, Nat. Gal.

Le Sueur (Lesueur), Eustache, franz. Maler, Paris 1617–1655 ebda., Hauptvertreter der religiösen Malerei zur Zeit Ludwigs XIII., Schüler von S. → Vouet, von den Italienern u. → Poussin beeinflußt, 1648 Mitbegründer der Akad., schuf Bilder meist bibl. u. mythol. Inhalts. Sein Stil zeigt die dem franz. Geschmack angepaßten Abwandlungen der ital. Renaissanceformen: räumliche Klarheit, Schönheit der Gebärden, eine Verbindung v. Poussin u. der großen Italiener.
Hauptwerke: die Folge v. 22 Bildern aus dem *Leben des hl. Bruno im Kartäuserkloster zu Paris*, 1645–48, Paris, Louvre. *Predigt des Paulus in Ephesus*, 1649, ebda. *Die Messe des hl. Martin*, ebda. *Die hl. Veronika*, ebda. *Jesus bei Maria u. Martha*, München, A. P.
Lit.: G. Rouchès, 1923. L. Dimier in: *Hist. de la peint. franç. du 17e siècle* 2, 1927.

Leu, Hans, d. J., schweiz. Maler, Basel um 1490 bis 1531 gefallen im Gefecht am Gubel, der bedeutendste spätgot. Meister in Zürich, kam auf s. Wanderschaft wahrscheinlich zu → Dürer n. Nürnberg u. zu → Baldung n. Freiburg i. Br., seit 1514 in Zürich tätig. L. schuf Altarwerke; seine besten Leistungen sind kleine Altarflügel mit Heiligen in der Landschaft; diese Landschaften in feiner Ausführung sind mit einem den Meistern der → Donauschule verwandten Naturgefühl erfaßt. Hervorragend sind auch gezeichnete Landschaften auf farbig grundiertem Papier in lavierter, mit weißen Lichtern gehöhter Manier; sie kommen → Altdorfer nahe. L. entwarf auch Scheibenrisse f. Glasgemälde. Beisp.: *Gefangennahme Christi*, Basel, Mus. *Orpheus u. die Tiere*, 1519, ebda. *Phantastische Bergseelandschaft*, Tuschpinsel, ebda. Werke in Basel, Zürich (Landesmus.), Zeichn. in: Basel, Kupferst.-Kab.; Wien, Albertina; Zürich, Kunsth.; Berlin, Kupferst.-Kab. u. a.
Lit.: Hugelshofer in: Th.-B. 1929. H. Debrunner,

1941. G. Schmidt/A. M. Cetto, *Schweiz. Mal. u. Zeichn. im 15. u. 16. Jh.*, 1940.

Leupin, Herbert, schweiz. Zeichner u. Illustrator, * Beinwil 1916, bedeutender Meister des modernen Plakatentwurfes; auch Buchillustrator.

Leuppi, Leo, schweiz. Maler u. Holzschneider, * Zürich 1893, Vertreter der abstrakten Kunst, Werke in Zürich, Kunsth.
Lit.: M. Seuphor. *Dict. peint. abstr.*, 1957. Vollmer, 1956.

Leutze, Emanuel, dt.-amerik. Maler, Schwäb.-Gmünd 1816–1868 Washington, Vertreter der Historienmalerei der Düsseldorfer Schule, 1841–43 Schüler → Lessings an der Akad. Düsseldorf, malte Historienbilder in der Art → Pilotys, bes. aus der Geschichte Amerikas. 1845 ließ er sich in Düsseldorf nieder, von 1859 an lebte er meist in Nordamerika. Er erhielt den Auftrag für Wandmalereien im Kapitol von Washington, doch konnte er nur eines vollenden. Sein bekanntestes Bild: *Washingtons Übergang über den Delaware*, 1850–51, Bremen, Kunsth.

Levau (Le Vau), Louis, franz. Arch., Paris um 1612 bis 1670 das. Einer der Hauptbaumeister zur Zeit Ludwigs XIII. u. Ludwigs XIV., der den klass. franz. Baustil mitgeschaffen hat. In Italien ausgebildet, war er seit 1654 Hofarch. u. am Schloßbau Ludwigs XIV. in Versailles beteiligt. Werke: *Hôtel Lambert*, um 1650, Paris. *Schloß Vaux-le-Vicomte* (bei Melun), 1655–61. Beteiligung am *Louvre*, den *Tuilerien*, am *Schloß Versailles*.
Lit.: A. E. Brinckmann, *Baukunst d. 17. u. 18. Jh. in den roman. Ländern* (Handb. d. K. W.), 1930. J. Cordey, *Vaux-le-Vicomte*, 1924. L. Hautecoeur, *Le Louvre et les Tuileries de Louis XIV*, 1927. A. Michel, *Hist. de l'art* VI, 1921/22. N. Pevsner, *Europ. Architektur*, 1957.

Levedag, Fritz, dt. Maler, Münster i. W. 1899–1951 Ringenberg, Vertreter der abstrakten Kunst, Meisterschüler von Langer; 1926–29 Schüler von → Klee u. → Kandinsky am Bauhaus Dessau; dann 2 Jahre bei W. → Gropius. In s. Kunst v. Klee ausgehend.
Lit.: G. Händler, *Dt. Maler d. Gegenw.*, 1956. Vollmer, 1956.

Levy, Rudolf, dt. Maler, Stettin 1875–1943 (umgekommen im KZ), gehörte zum Kreise der dt. Schüler v. → Matisse in Paris (→ Purrmann), 1903 bis 1914, die im Café du Dôme verkehrten. Später lebte er in Berlin, verließ 1933 Deutschland, war 1937 in Italien, wurde 1943 von der SS verschleppt, seitdem verschollen. L. schuf haupts. Landschaften u. Stilleben; aber auch Figürliches, Bildnisse u. a.

Seine auf leuchtende Farbe abgestellten Bilder verraten den Einfluß → Cézannes u. der Fauves (Matisse). L. war bis 1933 in 11 dt. Mus. vertreten; heute jedenfalls noch in Hannover (5 Bilder).
Lit.: W. Grohmann in: Th.-B. 1929. W. Haftmann, *Malerei d. 20. Jh.*, 1954. Vollmer, 1956. G. Händler, *Dt. Maler d. Gegenw.*, 1956.

Lewis, Wyndham, engl. Maler, Illustrator, Kunstgewerbler, * Neuschottland (?) 1884, † 1957, gehörte zu den ersten Mitgliedern der «London Group», die sich zur Verteidigung der modernen Kunst gebildet hatte, 1914 Schöpfer des «Vorticismus», einer Bewegung, deren Gedankengut vom Futurismus u. den Kubisten herkam; bekannt vor allem als Porträtist. Porträt *Edith Sitwell*, 1921, London, Tate Gall. u. Bildnis des Dichters *T. S. Eliot*. L. war auch schriftstellerisch tätig u. Hauptschriftleiter der Zschr. «Blast».
Lit.: Handley-Read, 1951. Vollmer, 1956. *Ausst.-Kat. sources du XXᵉ siècle*, Paris 1960/61.

Lewizkij, Dimitrij Grigorjewitsch, russ. Maler, Kiew 1735–1822 St. Petersburg, hervorragender Bildnismaler der Zeit Katharinas d. Gr., seit 1771 Prof. der Akad. Petersburg, schuf Bildnisse, vor allem der Hofgesellschaft, in an franz. Rokokomalerei geschultem Stil. *Bildnis Diderots*, 1775, Genf, Mus. Vertreten in den Mus. v. Leningrad u. Moskau.
Lit.: S. Djagilev, 1902.

Leyden, Lucas van → Lucas van Leyden.

Leyden (Leyen), Niklaus → Gerhaert, Niklaus.

Leys, Hendrik de, belg. Maler u. Radierer, Antwerpen 1815–1869 ebda., bedeutender Meister der Historienmalerei des 19. Jh., schuf Bilder aus der niederl. Geschichte u. Porträts. Die romant. Historienmalerei von → Wappers suchte er durch das Studium der niederl. Realisten zu überwinden. Bekannte Bilder: *Die Totenmesse f. Berthal de Haze*, 1854, Brüssel, Mus. *Dürer in Rotterdam*, 1857, Berlin, staatl. Mus. Folge v. *6 Fresken im Antwerpener Rathaus. Neujahrstag*, Hamburg, Kunsth.
Lit.: Sulzberger, 1885. G. Vanzype, 1934. G. Pauli, *Kunst d. Klassiz. u. d. Romantik*, 1925.

Leyster, Judith, niederl. Malerin, * um 1610 Zaandam oder Haarlem, † 1660 Haarlem, Schülerin von F. → Hals, heiratete 1636 J. M. → Molenaer, schuf Genrebilder in der Art des F. Hals, Bildnisse u. Stilleben (beeinflußt auch von → Honthorst).
Werke: *Der fröhliche Zecher*, Amsterdam, Rijksmus.; *Das verlockende Anerbieten*, Haag, Mauritshuis; *Lautenspieler*, Amsterdam; *Lachender Knabe*, Hampton Court; *Flötenspieler*, Stockholm. Vertreten auch im Haag, Bonn, Oldenburg, Karlsruhe, Philadelphia, Dublin u. a.

Lit.: Wurzbach, *Niederl. Künstlerlex.* II, 1910. G. Poensgen in: Th.-B. 1929.

Lhermitte, Léon, franz. Maler u. Radierer, Mont-Saint-Père 1844–1925 Paris, malte schlichte ländliche Szenen, arbeitende oder ruhende Schnitter u. Garbenbinder; Bauern u. Bäuerinnen bei ihrer täglichen Beschäftigung. L. gehört zu den Meistern, die, obwohl vom Impressionismus nicht unbeeinflußt, vor allem der Linie des franz. Realismus folgten (→ Courbet, → Millet). In einigen Werken versuchte er die moderne Wirklichkeit mit phantastischen oder religiösen Themen zu verbinden.
Werke: *Entlöhnung der Schnitter*, Paris, Luxembourg. *Der Tod u. der Holzfäller*, 1893, Amiens, Mus. *Die Ernte*, 1874, Carcassonne. *Christus als Armenfreund*, 1892, Boston, Mus. Werke in öffentl. Gal.: Amiens, Carcassonne, Paris (Luxembourg, Petit Palais), Reims, St-Quentin, Boston, Chicago, New York, Washington, Florenz (Uff., *Selbstbildnis*), Moskau u. a.
Lit.: M. Osborn, *Das 19. Jh.* (Springer Kstgsch. 5), 1909. Bénézit, 1952.

Lhote, André, franz. Maler, * Bordeaux 1885, als Bildhauer tätig, bevor er autodidaktisch zu malen begann, beeinflußt v. den Kubisten. Er befolgte s. eigenen Theorien über die Umsetzung von Figuren u. Bewegungen in geometrische Gebilde. Seit 1918 leitete er eine Malschule in Paris u. hatte großen Einfluß auf die junge Generation. Bekannt ist s. Bild *Rugby*, 1917, Paris, Mus. d'Art mod., welches eine möglichst klare geometrische Umsetzung eines Bewegungsspiels geben will. Vertreten in den Gal. v. Paris (Luxembourg), Grenoble, Le Havre, Nantes, Stockholm, Budapest, Chicago, Los Angeles, Philadelphia.
Lit.: P. Courthion, 1926. R. Brielle, 1931. J. Payrò, 1944. G. Arnolds, *Malerei des Abendlandes*, 1955. W. Haftmann, *Malerei d. 20. Jh.*, 1954. Vollmer, 1956.

Liberale da Verona, ital. Maler, Verona um 1445 bis um 1526 ebda., veronesischer Hauptmeister der 2. Hälfte des 15. Jh., malte Miniaturen, Fresken u. kirchliche Tafelbilder, Schüler des → Vincenzo di Stefano, beeinflußt vom Miniaturisten → Girolamo da Cremona u. bes. von → Mantegna. L. war ein hervorragender Miniaturist; als solcher arbeitete er in Monte Oliveto u. Siena, um 1467–76; berühmt sind s. *Miniaturen in den Meßbüchern der Dome von Chiusi u. Siena* u. in der *Pinac. von Verona*.
Tafelbilder: *Anbetung der Könige*, Verona, Dom. *Hl. Sebastian*, Mailand, Brera. *Pietà*, München, A. P. *Didos Tod*, London, Nat. Gall. Gut vertreten ferner in den Kirchen Veronas u. in der Pinac., ebda.
Lit.: R. Brenzoni, 1930. E. v. d. Bercken, *Mal. d. Renaiss. in Oberital.* (Hb. d. K. W.), 1927. G. Delogu, *Ital. Mal.*, ³1948.

Liberatore, Niccolò di → Alunno, Niccolò.

Liberi, Pietro, ital. Maler, Padua 1614–1687 Venedig, Meister des venez. Frühbarock, angeblich Schüler → Padovaninos, ging 1628 nach Konstantinopel, 1638 nach Rom, wo er → Raffael u. → Michelangelo studierte, seit 1643 in Venedig. Er schuf viele Altarbilder u. Fresken für Kirchen in Venedig u. Padua, in denen er sich eng an → Veronese, → Tizian u. → Tintoretto anschließt. Sehr beliebt bei s. Zeitgenossen waren auch s. mythol. Bilder mit weiblichen Aktfiguren im manierist. Zeitgeschmack. Ein Hauptwerk ist: Die *Schlacht bei den Dardanellen,* gen. «Lo Schiavo di Liberi», Venedig, Dogenpal. Werke in den Kirchen v. Venedig u. Padua; in Bergamo, S. Maria Maggiore; Florenz, Uff.; Lucca, Gal; Modena, Gal.; in den Mus. v. Bamberg; Berlin, ehem. K.-F.-Mus.; Bordeaux, Braunschweig, Bremen, Budapest, Caen, Dresden, Graz, Wien, Akad. u. a.
Lit.: J. Kunze in: Th.-B. 1929. N. Pevsner, *Mal d. 17. Jh. in Ital.* (Hb. d. K. W.), 1928.

Libri, Girolamo dai, ital. Maler u. Miniator, Verona 1474–1555 ebda., oberital. Renaissance-Meister, von → Liberale da Verona, D. → Morone, → Mantegna u. → Montagna beeinflußt, schuf religiöse Werke für Kirchen in Verona: *Madonna mit Kind, Engeln u. Heiligen,* 1526, Verona, S. Giorgio in Braida; *Madonna mit Heiligen,* Verona, S. Anastasia. Werke in Mus.: *Madonna mit Kind u. Heiligen,* Berlin, staatl. Mus.; *Hl. Anna selbdritt,* 1518, London, Nat. Gall. Vertreten in Verona, Gal.; London, Nat. Gall.; Berlin u. a.
Lit.: R. Brenzoni in: Th.-B. 1929. E. v. d. Bercken, *Mal. d. Renaiss. in Oberital.* (Hb. d. K. W.), 1927.

Licht, Hugo, dt. Arch., Nieder-Zedlitz 1841–1923 Leipzig, Vertreter des historisierenden Stils vom Ende des 19. Jh. Sein Hauptwerk, das *Neue Rathaus* in Leipzig, 1898–1905, ist in einem freien Spätrenaissancestil erbaut.

Licinio, Bernardino, ital. Maler, Poscante (?) um 1489 bis um 1565 Venedig, Meister der venez. Schule, Schüler → Pordenones, von → Palma Vecchio, → Giorgione, → Bonifazio u. a. beeinflußt, schuf religiöse Bilder u. Porträts. Werke: *Madonna mit Heiligen,* Venedig, Frari-Kirche u. London, Nat. Gall.; *Familienbildnis,* 1524, Hampton Court. Ferner in den Gal. v. Grenoble, Wien, Mailand (Brera), München, Rom (Gall. Borghese) u. a.
Lit.: W. Arslan in: Th.-B. 1929. E. v. d. Bercken, *Mal. d. Renaiss. in Oberital.* (Hb. d. K. W.), 1927.

Liebermann, Max, dt. Maler u. Graphiker, Berlin 1847–1935 ebda., Hauptvertreter des dt. Impressionismus, Schüler von → Steffeck in Berlin, der Weimarer Kunstschule unter → Pauwels 1868–73, bildete sich 1873–78 in Paris weiter; 1878–84 in München tätig, seitdem in Berlin. In s. Stil zunächst von Munkácsy beeinflußt, dann von J. → Israel, → Courbet u. → Millet, 1874 hielt er sich in → Barbizon auf. Erst in den 90er Jahren tritt ein Stilwandel ein, die Palette hellt sich auf, die franz. Impressionisten → Monet, → Degas, beginnen ihn zu beeinflussen; doch verarbeitet er die Anregungen auf s. eigene Art: die Reihe seiner impressionist. Porträts, in denen er sich als hervorragender Bildnismaler erweist; Bilder badender Knaben, Reiter am Strand, Werke aus den Dünen von Katwyk u. Nordwijk u. schließlich die farbensatten Bilder vom Garten s. Landhauses.
Hauptwerke: *Gänserupferinnen,* 1872, Berlin, Staatl. Mus. *Amsterdamer Waisenmädchen,* 1882, Frankfurt, Städel. *Flachsscheuer in Laren,* 1887, Berlin, staatl. Mus. *Jesus unter den Schriftgelehrten,* 1879, Hamburg, Kunsth. *Altmännerhaus in Amsterdam,* 1880, Stuttgart, Mus. *Netzflickerinnen,* 1888–89, Hamburg, Kunsth. *Der Biergarten von Brannenburg,* 1893, Paris, Luxembourg. *Polospieler,* 1902, Hamburg, Kunsth. *Judengasse in Amsterdam,* 1905, Köln, Wallraf-Richartz-Mus. *Dünen in Nordwyck,* 1906, Berlin, ehem. Nat. Gal. Bildnisse: *Bürgermeister Petersen,* 1891, Hamburg, Kunsth. *Selbstbildnis,* 1901, Florenz, Uff. *W. Bode,* 1904, Hamburg, Kunsth. *Baron Berger,* 1905, ebda. *Selbstbildnis,* 1909, ebda.
Lit.: G. Pauli, 1911 (Kl. d. Kunst). M. J. Friedländer, 1920 (Graph. Kunst). Ders., 1924. J. Elias, 1921. Ders., *L. Handzeichn.,* 1922. K. Scheffler, ⁴1922. E. Hancke, ²1923. G. Schiefler, *Das graph. Werk,* ³1923. H. Rosenhagen, ²1927. H. Ostwald, *Das L.-Buch,* 1930. E. Waldmann, *Kunst d. Realism. u. Impression.,* 1927.

Lier, Adolf, dt. Maler, Herrnhut 1826–1882 Wahren b. Brixen, bedeutendster Vertreter des «Paysage Intime» (→ Barbizon) in Deutschland, seit 1861 Schüler von J. → Dupré in Paris, malte Landschaften der süddt. Hochebene, mit Herden u. pflügenden Bauern, Baumgruppen u. weiten Fernblicken. Tätig zumeist in München, wo er einen großen Einfluß ausübte; sein bedeutendster Schüler A. → Stäbli.
Lit.: Th. Mennacher, 1928. R. Hamann, *Dt. Mal. vom Rokoko zum Expression.,* 1925. E. Waldmann, *Kunst d. Realism. u. Impression.,* 1927.

Lievens (Livens), Jan, niederl. Maler u. Graphiker, Leiden 1607–1674 Amsterdam, bedeutender Meister aus dem Umkreise → Rembrandts, studierte bei dem Lehrer Rembrandts P. → Lastman in Amsterdam, lebte 1621–31 in Leiden, ging nach England, 1634 bis 1635 in Antwerpen tätig, seit 1644 in Amsterdam, schuf bibl. u. allegor. Bilder, Genreszenen u. Land-

schaften, Bildnisse u. graph. Werke. In s. Frühphase wurde er vielfach vom jungen Rembrandt beeinflußt, später von → Rubens u. van → Dyck.
Hauptwerke: *Simson u. Dalila*, Amsterdam, Rijksmus. *Landschaft mit der Flucht nach Ägypten*, Lugano, Slg. Schloß Rohoncz. *Das Opfer Abrahams*, Braunschweig, Mus. *Beweinung Christi*, Würzburg, Residenz. *Bildnis Admiralleutn. Tromp*, Amsterdam, Rijksmus. Radierungen: *Auferweckung des Lazarus*. Bildnisse: *Vondeel, Daniel Heinsius*.
Lit.: H. Schneider, 1932. M. J. Friedländer, *Niederl. Mal. d. 17. Jh.* (Propyl. K. G.)

Liezen-Mayer, Alexander (Sandor) v., ungar. Maler, Raab (Ungarn) 1839–1898 München, Schüler der Akad. Wien u. München, seit 1862 von Piloty, 1880 bis 1883 Leiter der Kunstschule Stuttgart, 1883 ff. Prof. der Akad. München, schuf Historienbilder im Stil Pilotys; Illustrationen zu Goethes *Faust*, Schillers *Glocke*, Scheffels *Ekkehard* u. a.

Ligorio, Pirro, ital. Arch., Neapel um 1500–1583 Ferrara, Meister der Spätrenaissance, 1564–65 päpstl. Arch., seit 1572 in Ferrara tätig, legte die *Villa d'Este* bei Tivoli mit Park u. Wasserkünsten an; baute das *Casino Pius IV.* im Vatikan; nach s. Entwürfen das *Grabmal Pauls IV.*, 1566, in S. Maria sopra Minerva, Rom; Erbauer des *Pal. Torres*, jetzt *Lancellotti*, Rom u. a. L. war auch bedeutender Altertumsforscher u. hinterließ ein umfangreiches Werk über antike Denkmäler u. Pläne des antiken u. zeitgen. Rom.
Lit.: G. Ceci in: Th.-B. 1929. P. Schubring, *Kunst d. Hochrenaiss.*, 1926.

Ligozzi, Jacopo, ital. Maler, Verona um 1547 bis 1626 Florenz, gehört zu den Florentiner Eklektikern, welche die Florentiner Tradition (→ Badile, → Bronzino) mit der der venez. Schule (→ Veronese) zu verbinden suchten. L. war seit 1578 in Florenz tätig u. großherzogl. Hofmaler. Er schuf kirchliche Freskenwerke u. Altäre, feine Miniaturen u. sehr geschätzte Zeichnungen für naturwissenschaftliche Werke.
Hauptwerk als Freskenmaler: *15 Lünetten* mit Szenen aus der Franziskanerlegende im *Klosterhof von Ognissanti*, Florenz, 1600. Ferner *Martyrium des hl. Laurentius* in S. Croce, ebda. *Wunder des hl. Raimund* in S. Maria Novella, ebda. *Heimsuchung Mariä*, 1596, Lucca, Dom. Werke in Kirchen Luccas, im Dom v. Livorno, in S. Francesco in Pescia u. a. Vertreten in Florenz, Pitti (*Judith*, 1602; *Vision des hl. Franziskus*); in den Uff. (*Opfer Isaaks; Selbstbildnis*); Empoli, Pinak.; Lucca, Pinak. (*Maria erscheint dem hl. Domitius*); Monte Oliveto Maggiore (*Hochaltarbild*, 1598) u. a. Zeichn. in den Uff., Florenz.
Lit.: H. Voss, *Die Malerei d. Spätrenaiss. in Rom u. Florenz*, 1920. R. Brenzoni in: Th.-B. 1929. C. Gamba in: Enc. Ital. 1934.

Liljefors, Bruno, schwed. Maler, Uppsala 1860 bis 1939 auf s. Landsitz in Uppland, bedeutender Tiermaler, der in impressionist. Technik hervorragend beobachtete Tierszenen in der Landschaft schilderte, Schüler der Akad. Stockholm, Düsseldorf, Paris, seit 1883 in s. Heimat ansässig. In s. letzten Lebensjahren wandte sich L. auch der Figurenmalerei (bes. Akte) zu, sowie der Figurenbildhauerei. Er ist am besten vertreten in Stockholm, Mus. Ferner in Göteborg, Kopenhagen, Helsingfors, München, Dresden, Buffalo, Saint-Louis u. a.
Lit.: K. E. Russow, 1929. H. V. in: Th.-B. 1929. Vollmer, 1956.

Li Lung-mien, chines. Maler, um 1040–1106, gilt als der bedeutendste Meister der nördl. Sung-Dynastie; er malte religiöse Darstellungen, Figurenbilder u. Landschaften. Eigenhändige Werke konnten bisher nicht mit Sicherheit festgestellt werden; doch gibt es viele Kopien nach s. Werken.

Limburg, die Brüder v., burgund.-franz. Miniaturmaler zu Anfang des 15. Jh., Schöpfer einer der hervorragendsten Miniaturhandschriften. Die 3 Brüder L. arbeiteten in gemeinsamer Werkstatt, der *Paul* (Pol) vorstand, mit *Jan* u. *Hermann* als Mitarbeitern. Sie stammten wahrscheinlich aus den Niederlanden u. waren Neffen des burgund. Hofmalers J. → Malouel. Paul, der leitende Meister, nahm nicht nur Anregungen ital. Maler, bes. der Sienesen auf, sondern muß selber in Italien gewesen sein. Um 1409 kam er an den Hof des Herzogs von Berry, u. in den folgenden Jahren schufen die Brüder ihr Meisterwerk für den Herzog, die *Très riches heures*, ein Stundenbuch mit reicher Illustrierung: religiöse Themen u. prachtvolle realist. Monatsbilder. Beim Tode des Herzogs 1416 war das Werk noch nicht vollendet; fertiggestellt durch Jean Colombe v. Bourges.
Werke: *Les très riches heures du Duc de Berry*, Chantilly, Mus. Condé, zwischen 1409 u. 1416. Einige weitere Miniaturen sind in Paris, Bibl. Nat., Chantilly u. London, Brit. Mus.
Lit.: P. Durrieu, *Les très riches heures du Duc de Berry*, 1904. G. Ring, *La Peinture française du 15e siècle*, 1949 (Phaidon).

Limosin (Limousin), Léonard, franz. Emailmaler, Limoges um 1505 bis um 1575, tätig in Limoges u. Paris, der bedeutendste der Limoger Schmelzmaler des 16. Jh., seit 1548 Hofemailleur der franz. Könige, schuf hervorragende Bildnisminiaturen der Hofgesellschaft in Email. Für s. übrigen Arbeiten (Gefäße, Brettspiele, Jagdhörner usw.) benutzte er meist Vorlagen anderer (→ Dürer, → Raffael, → Primaticcio, N. dell'Abbate). Hauptwerke in Paris, Louvre u. Mus. Cluny.
Lit.: P. Lavedan, 1914. Ders. in: Enc. Ital. 1934.

L. Bourdery u. Lachenaud, 1897. J. Marquet de Vasselot, *Les émaux limousins de la fin du 15e siècle et de la première partie du 16e*, 1921.

Linck, Walter, schweiz. Bildhauer, * Bern 1903, Vertreter der schweiz. abstrakten Skulptur; auf der Ausstellung «Documenta II», Kassel 1959. Lit.: Vollmer, 1956. M. Joray, *Schweiz. Plastik d. Gegenw.*, 1954–59. M. Seuphor, *Plastik unseres Jh.*, 1959.

Lindenschmit, Wilhelm, d. Ä., dt. Maler, Mainz 1806–1848 ebda., Historienmaler aus dem Umkreis von → Cornelius, Schüler der Akad. München u. Wien, Mitarbeiter von Cornelius bei den monumentalen Bilderfolgen in München, schuf *Wandgemälde in den Arkaden des Hofgartens* in München; *Bilder zu Schillers Dichtungen* im Königsbau der Residenz, ebda. *Fresken aus der bayer. Geschichte*, Burg Hohenschwangau.

Lindenschmit, Wilhelm v., d. J., dt. Maler, München 1829–1895 ebda., Meister des Historienbildes aus dem Umkreis → Pilotys, Sohn v. Wilhelm → L. d. Ä., Schüler der Akad. München u. des Städel-Inst. Frankfurt, bildete sich weiter in Antwerpen u. Paris. 1853–63 in Frankfurt, seitdem in München, wo er neben Piloty als Lehrer wirkte u. durch Historienbilder berühmt wurde. Werke: *Ulrich v. Hutten im Kampf mit franz. Edelleuten*, 1869, Leipzig, Mus. *Luther vor Cajetan*, Wiesbaden, Gal. *Ermordung Wilhelms v. Oranien*, Wien, staatl. Gal.; in vielen öffentl. Slgn. vertreten. Größere *Wandgemälde* in den Rathäusern v. München u. Heidelberg.

Lindtmayer, Daniel, d. J., schweiz. Maler u. Zeichner, Schaffhausen 1552 bis um 1605 Luzern, bedeutend als Glasmaler, von T. → Stimmer u. → Holbein beeinflußt, lernte die Glasmalerei bei s. Vater, war Gehilfe Stimmers bei den Holzschnittillustrationen der Bilderbibel 1576, Basel; er schuf haupts. Entwürfe für Glasfenster. Vertreten im Kunsth. Zürich; Bern, Hist. Mus.; Nürnberg, Kupferst.-Kab.; Wien, Albertina; London, Brit. Mus.; New York, Metrop. Mus. Lit.: Brun, *Schweiz. Künstlerlex.*, 1908. J. Gantner u. A. Reinle, *Kunstgesch. d. Schweiz* 3, 1956.

Lingelbach, Jan, niederl. Maler, Frankfurt 1622 bis 1674 Amsterdam, Meister des holl. Genrebildes, der als Kind nach Amsterdam kam, später mehrere Jahre in Paris u. in Rom u. von 1653 an in Amsterdam tätig war. Er schuf Bilder mit Volksszenen aus Italien, Bilder aus dem Lagerleben, Hafenszenen mit exotischem Volk u. zeichnete ital. Szenerien in Gouache u. Tusche. Seine Art ist die des N. → Berchem u. des → Wouvermann verwandt. L. malte öfters die Staffage zu Bildern anderer Meister: → Hackaert, → Wijnants, → Hobbema, v. → Kessel, → Koninck u. a. Beisp.: *Der Lagerplatz*, Amsterdam, Rijksmus. L. ist in vielen Gal. vertreten. Lit.: Wurzbach, *Niederl. Künstlerlex.* II, 1910. Th.-B. 1929.

Linnell, John, engl. Maler u. Graphiker, London, 1792–1882 Redhill, bedeutender Porträtist u. Landschaftsmaler, Schüler von B. → West u. John Varley, begann als Porträtist u. wandte sich später fast ausschließlich der Landschaft zu. Er war der geschätzteste Maler der realist. Richtung, bes. drang er tief in die Gestaltung der atmosphärischen Erscheinungen ein. In fast allen Mus. Englands vertreten, bes. London, Tate Gall. Beisp.: Porträts: *Sir Robert Peel*; *Sam. Roger*, London, Nat. Portr. Gall. Landschaften: *Die Holzfäller*, London, Nat. Gall. *Die Mittagsrast*, ebda. *Die Windmühle*, ebda. Lit.: Story, 1892.

Liotard, Jean-Etienne, schweiz. Maler, Genf 1702 bis 1789 ebda., einer der bedeutendsten Meister des Pastell-Bildnisses, führte nach Ausbildung in Genf u. Paris ein Wanderleben, das ihn an viele europ. Höfe u. bis nach Konstantinopel brachte, wo er 5 Jahre blieb. 1758 kam er in die Heimat zurück u. lebte meist in Genf. L. war berühmt für s. Bildnisse, meist in Pastell, oft genrebildartig hergerichtet (in türkischem Kostüm). Viele Große s. Zeit hat er porträtiert; ferner einige Landschaftsskizzen aus dem Orient, Glas-, Porzellan- u. Emailmalereien. L. ist in s. Kunst ein liebenswürdiger Vertreter des Rokoko u. kann in s. besten Werken neben → La Tour bestehen. Sehr bekannt: *La belle chocolatière*, 1745, Dresden, Gal. Ferner: *Bildnis der Frau Boer*, Amsterdam, Rijksmus.; *Die schöne Leserin* (Liseuse), ebda. u. Dresden, Gal. *Gräfin Coventry*, Genf, Mus. (auch Amsterdam u. a.). *Selbstbildnis mit Bart*, Dresden, Gal. (1738) u. Genf, Mus. (1749). *Kaiserin Maria Theresia*, 1762, Amsterdam, Rijksmus. u. Genf, Mus. L. ist gut vertreten in Genf, Amsterdam u. Dresden. Zeichnungen (schwarze Kreide u. Rötel) in Paris, Louvre u. Bibl. Nat. Lit.: E. Guye, 1890. Humbert, Revillod u. Tilanus, 1897. A. Boppe, *Les Peintres du Bosphore au 18e siècle*, 1911. F. Fosca, 1928. E. Gradmann u. A. M. Cetto, *Schweiz. Mal. u. Zchn. im 17. u. 18. Jh.*, 1944.

Lippi, Filippino, ital. Maler, Prato um 1457–1504 Florenz, Hauptmeister der florent. Quattrocento-Malerei, Sohn von Fra Filippo → L., seit 1472 Schüler von → Botticelli, tätig in Florenz, von 1488 an einige Jahre in Rom, schuf Fresken u. religiöse Tafelbilder. In s. Stil war L. zunächst von Botticelli beeinflußt; noch jung, erhielt er den großen Auftrag, den Freskenzyklus des → Masaccio in der Brancacci-

kapelle von S. Maria del Carmine in Florenz zu vollenden; der große Freskenstil Masaccios blieb nicht ohne Einfluß auf ihn. Der Spätstil L.s ist gekennzeichnet durch eine «barocke» Bewegtheit. Hauptwerke: Fresken: *Brancacci-Kap.*, S. M. del Carmine, Florenz: Bilder aus d. Geschichte Petri, um 1488/89; in der *Caraffa-Kap. in S. Maria sopra Minerva*, Rom, 1488–93: Verkündigung u. Himmelfahrt Mariä, Triumph d. Hl. Thomas; in der *Strozzi-Kap. von S. Maria Novella*, Florenz, 1489 ff.: zur Geschichte der hll. Johannes u. Philippus. Tafelbilder: Hauptwerk s. Jugendzeit: *Vision des hl. Bernhard*, um 1480, in der Kirche der Badia, Florenz. *Anbetung der Könige*, London, Nat. Gall. *Madonna zwischen Heiligen*, 1486, Florenz, Uff. *Anbetung der Könige*, 1496, ebda. *Vermählung der hl. Katharina*, 1501, Bologna, S. Domenico.
Lit.: A. Scharf, 1935 u. 1950. K. B. Neilson, 1938.

Lippi, Fra Filippo, ital. Maler, Florenz um 1406 bis 1469 Spoleto, Hauptmeister der florent. Frührenaissance, seit 1421 Karmelitermönch in Florenz, seit 1456 Kaplan von S. Margherita in Prato, tätig in Pistoia, Siena, Prato, Padua, Perugia u. Spoleto. L. schuf haupts. kirchliche Fresken u. Tafelbilder. In s. Stil ist L. v. → Masaccio u. Fra → Angelico beeinflußt; aus dieser Synthese von Realismus u. Ausdruckskraft ging s. eigener linearer ausdrucksbetonter Stil hervor, der sich bes. bei kleineren Andachtsbildern (Tafelbildern) bewährte u. die Entwicklung der florent. Malerei entscheidend bestimmte. → Botticelli war s. wichtigster Schüler, der s. Art weiterentwickelte.
Hauptwerke: Fresken: im *Chor des Domes zu Prato*, um 1452–65: Szenen aus dem Leben Johannes d. T. u. des hl. Stephanus; im *Dom v. Spoleto*, 1467–69: Szenen aus dem Leben Mariä. Tafelbilder: *Anbetung des Kindes*, Florenz, Uff. u. Berlin, ehem. K.-F.-Mus. *Verkündigung Mariä*, München, A. P. u. Florenz, S. Lorenzo. *Madonna mit Engeln u. Heiligen*, 1437–41, Paris, Louvre. *Krönung Mariä*, 1441–47, Florenz, Uff. *Rundbild mit Madonna*, 1452, ebda., Pal. Pitti. *Vision des hl. Bernhard*, London, Nat. Gall. Weitere Werke in den schon gen. Gal., ferner in Mailand, München, Prato, Turin, New York u. a.
Lit.: J. B. Supino, 1902. H. Mendelsohn, 1909. R. Oertel, 1942. M. Pittaluga, 1948. G. Delogu, *Ital. Malerei*, ³1948.

Lippi, Lorenzo, ital. Maler, * 1606, † 1665. Bedeutender Dichter, war als Maler ein liebenswürdiger Vertreter der florent. Seicentokunst, Schüler von Matteo → Rosselli. Beisp.: *Jakob am Brunnen* u. *Triumph Davids*, Florenz, Pitti. *Bildnis Salvator Rosa*, ebda., Uff. Werke in Prato, Angers, Lille, Wien u. a.
Lit.: Th.-B. 1929.

Lippo Memmi → Memmi, Lippo.

Lippo Vanni → Vanni, Lippo.

Lippold (Lippoldt) Franz, dt. Maler, Hamburg 1688–1768 Frankfurt a. M., Bildnismaler des Rokoko, Schüler von B. → Denner in Hamburg, an verschiedenen dt. Höfen, später in Frankfurt tätig. Werke in Frankfurt, Hist. Mus. u. Stadtbibliothek; Schloß Bruchsal; Schloß Rötha b. Leipzig; Bamberg, Mus.
Lit.: Th.-B. 1929. G. Dehio, *Gesch. d. dt. Kunst* 3, 1926.

Lippold, Richard, amerik. Bildhauer, * New York 1915, Vertreter der amerik. abstrakten Plastik; vor allem Drahtfädengespinste, angeregt von N. → Gabo. Beisp.: *Variation Nr. 7 Vollmond*, 1949/50, Nickelchrom u. Messingdraht, New York, Mus. of mod. Art.
Lit.: A. C. Ritchie, *Abstr. paint. and sculpt. in Amer.*, 1951. C. Giedion-Welcker, *Plastik d. 20. Jh.*, 1955. W. Hofmann, *Plastik d. 20. Jh.*, 1958.

Lips, Johann Heinrich, schweiz. Maler, Zeichner u. Kupferstecher, Kloten b. Zürich 1758–1817 Zürich, arbeitete nach 1773 für Lavaters physiognom. Werke, seit 1780 auf der Akad. in Mannheim, dann als Akad.-Prof. in Düsseldorf, 1782 u. 1786–89 in Rom, wo er Goethe kennenlernte, auf dessen Veranlassung er nach Weimar kam, 1789–94 Prof. der Zeichenakad. Weimar. Er stach ca. 1400 Bl., darunter viele Bildnisse (*Goethe*, *Wieland* u. a.) u. 370 Bildnisse für Lavaters «Physiognom. Fragmente».
Lit.: Veith, 1817.

Lipschitz, Jakoff (Jacques Lipchitz), poln.-franz. Bildhauer, * Druskeniki (Gouv. Grodno) 1891, Hauptvertreter des Kubismus in der Plastik, seit 1909 in Paris, das. naturalisiert, Schüler der Ecole des B.-Arts u. der Akad. Julian, seit 1922 Mitglied der Gruppe «L'Esprit nouveau», seit 1941 in den USA, seit 1946 wieder in Frankreich, begann um 1912 im Geiste des Kubismus, ging später vom Geometrischen zum Organischen über u. entwickelte s. eigenen Stil, der die Errungenschaften des Kubismus einbegreift, aber auch an die Kunst → Rodins u. → Maillols anschließt u. sich mit allen seitdem auftauchenden Kunsttendenzen auseinandersetzt. In allen bedeutenderen amerik. Mus. vertreten. Ferner in Paris, Mus. mod.; Grenoble, Philadelphia, Zürich u. a.
Lit.: R. Vitrac, 1929. H. R. Hope, 1954. C. Einstein, *Kunst d. 20. Jh.*, 1925. C. Giedion-Welcker, *Plastik des 20. Jh.*, 1955. W. Hofmann, *Plastik d. 20. Jh.*, 1958.

Lipton, Seymour Arthur, amerik. Bildhauer, * New York 1903, Vertreter der abstrakten Kunst, Metall-

plastiker: «S. L.s Stahlblechgebilde bestehen aus gekrümmten Schalen, die sich bergend um eine Kernzone legen, sie sind Ummantelungen von Binnenräumen u. Hohlzellen, in deren Mulden das unbetretbare Dunkel wartet» (W. Hofmann). Beisp.: *Heiligtum*, 1953, Nickelsilber, New York, Mus. of mod. Art. *Die Quelle*, 1956, Stahl u. Nickelsilber, Philadelphia, Franklin Inst.
Lit.: A. C. Ritchie, *Sculpt. of the 20th Cent.*, 1953. Ders., *Abstr. paint. and sculpt.*, 1951. D. C. Miller, *12 Americans*, 1956. *Ausst.-Kat. Mod. amerik. Kunst*, Zürich 1955. W. Hofmann, *Die Plastik d. 20. Jh.*, 1958. M. Seuphor, *D. Plastik unseres Jh.*, 1959.

Liss (Lys), Johann, gen. Pan, dt. Maler, Oldenburg um 1597–1629 Venedig, führender Barockkünstler in Venedig, ausgebildet in Amsterdam u. Haarlem u. zu den Romanisten gehörend, später in Paris u. Rom tätig, seit 1621 meist in Venedig, schuf religiöse Bilder, mythol., Genrebilder u. Porträts. In s. Stil von den niederl. Romanisten, bes. → Goltzius beeinflußt; in Rom geriet er in den Bann → Caravaggios, in Venedig wirkte die Kunst der großen Venezianer auf ihn ein, von neueren bes. → Fetti. Werke: Genrebilder: *Der Soldat u. das Mädchen*, Turin, Pinac. *Die Bauernhochzeit*, Budapest, Mus. *Junges Paar im Garten*, Florenz, Uff. u. Venedig, Akad. Mythol. Darstellungen: *Toilette d. Venus*, Florenz, Uff. *Merkur u. Argus*, London, Nat. Gall. *Herkules am Scheideweg*, Dresden, Gal. Bibl. u. religiösen Inhalts: *Auffindung des Moses*, Lille, Mus. *Opfer Abrahams*, Florenz, Uff. *Verzückung des Paulus*, Berlin, staatl. Mus. *Hl. Hieronymus*, Venedig. *S. Niccolò da Tolentino*, mehrere Repliken, u. a. Florenz, Uff. *Judith*, Budapest, Mus. u. mehrere Repliken. Außerdem vertreten in Kassel, Würzburg, Universitätsmus., Nürnberg, German. Mus., Pommersfelden, Wien.
Lit.: R. Oldenbourg in: Preuß. Jb. 35, 1914. K. Steinbart, 1940. E. Hüttinger, *Venez. Malerei*, 1959.

Lisse, Dirck van der (zu Unrecht auch Jan van der Lisse gen.), niederl. Maler, * in Breda, † 1669 im Haag, Schüler von C. → Poelenburgh in Utrecht, tätig im Haag, schuf Landschaften mit mythol. Staffage in der Art Poelenburghs. In vielen Gal. vertreten, u. a. in Abbeville, Aachen, Berlin (ehem. K.-F.-Mus.), Braunschweig, Caen, Cambridge, Dresden, Glasgow, Den Haag, Kopenhagen, Innsbruck, Mannheim, Leningrad, Stockholm, Wien.

Lissitzky, El (Lasar), russ. Maler, Polchinoc (Gouvern. Smolensk) 1890–1941 Moskau, Hauptmeister abstrakter Kunst, begründete 1919/20 zus. mit → Malewitsch den «Suprematismus», kam nach Berlin, das 1922/23 Mitbegründer der Künstlervereinigung «G» u. Hrsg. der Kunstzschr. «Der Gegenstand», 1923–25 in der Schweiz Mitbegründer

der Gruppe u. der Zschr. ABC (zus. mit H. → Arp), veröffentlichte 1925 mit letzterem «Die Ismen in der Kunst», seit 1928 in Rußland tätig. Seine eigenartige Kunst war ein von Malewitsch beeinflußter Konstruktivismus. Sein Einfluß – vor allem auf die Kunst am Bauhaus – war ein starker.
Lit.: E. Kallai in: Jb. d. jungen Kunst, 1924. A. H. Barr, *Cubism and Abstract Art*, 1936. Th.-B. 1929. Vollmer, 1956. M. Seuphor, *Dict. peint. abstr.*, 1957.

Li Ti, chines. Maler, 1089–1161, tätig am Kaiserhof in Hang-tschou, einer der ersten großen Meister der Sung-Akad., welche die Stimmungslandschaft schufen. Sein «*Heimkehrender Hirt im Schnee*» gehört zu den ältesten erhaltenen Meisterwerken.

Livens, Jan → Lievens, Jan.

Llanos, Hernando (Fernando) de los, span. Maler, 1. Hälfte 16. Jh., vielleicht aus Santa Maria de los L. stammend, wohl identisch mit Ferrando Spagnuolo, der 1504–05 → Leonardo da Vinci am Karton der Anghiari-Schlacht half; jedenfalls weist der Stil s. Hauptwerkes nach Italien: *Cosmas- u. Damian-Altar*, Valencia, Kathedrale, 1506 (zus. mit F. Yáñez).

Lochner, Stephan, dt. Maler, * um 1410 wahrsch. Meersburg am Bodensee, † 1451 Köln, Hauptmeister der Kölner Malerschule der 1. Hälfte des 15. Jh.; über s. künstlerischen Anfänge nichts bekannt, wahrscheinlich seit den 30er Jahren in Köln ansässig, wo er um 1440 das berühmte «*Kölner Dombild*» schuf: ein dreiteiliger Altar mit der Anbetung der Könige in der Mitteltafel, ursprünglich für die Ratskapelle bestimmt. Die Tafel ist streng rhythmisch gebaut u. wirkt feierlich, während in den Einzelheiten ein lebensvoller Realismus waltet. Im Stil findet sich Verwandtschaft mit dem Realismus des K. → Witz, ferner mit der niederl. Kunst u. mit der Tradition der altkölnischen Malerei. Über die Beurteilung s. künstl. Entwicklung kommt man zu verschiedenen Schlüssen, je nachdem, ob man den Altar mit dem *Jüngsten Gericht* als Mitteltafel, Köln, Wallraf-Richartz-Mus. (ursprüngl. Altar der Kölner Laurentiuskirche) als Früh- oder Spätwerk ansieht (Seitentafeln in Frankfurt, Städel u. München, A. P.). Meist wird es als Frühwerk angesehen: nach realist. Anfängen, vielleicht Schulung in den Niederlanden, übernimmt L. mehr u. mehr die Kölner Tradition. Weitere Hauptwerke: *Kreuzigung mit Heiligen*, Nürnberg, German. Mus. *Maria mit den Veilchen*, Köln, Diözesan-Mus., *Maria im Rosenhag*, Köln, Wallraf-Richartz-Mus. *Darbringung im Tempel*, 1447, Darmstadt, Mus.
Lit.: H. Förster, *Die Kölner Malerei*. H. Schrade, 1923. Reiners, *Die Kölner Malerschule*, 1925. W. Bombe, 1937. O. H. Förster, [2]1941. H. May, *Der Drei-*

königsaltar, 1948. W. R. Deusch, *Dt. Mal. d. 15. Jh.*, 1936. O. Fischer, *Gesch. d. dt. Mal.*, 1942.

Löfftz, Ludwig v., dt. Maler, Darmstadt 1845–1910 München, Meister der Münchner Malerschule, Schüler der Akad. München unter W. → Diez u. seit 1874 Lehrer ebda., 1893–1896 Direktor, war ein bedeutender Lehrer. Er schuf Genrebilder, Landschaften, Interieurs, religiöse u. mythol. Bilder u. a. L. gehört zu den historisierenden Meistern, welche sich die dt. u. niederl. Kunst des 16. u. 17. Jh. zum Vorbild nahmen. Vertreten in München, N. P. (*Geiz u. Liebe*, 1879; *Pietà*, 1883 u. a.); Frankfurt, Städel; Darmstadt, Mus.; Freising, Dom (*Himmelfahrt Mariä*, 1889) u. a.
Lit.: E. Waldmann, *Kunst d. Realism. u. Impression.*, 1927.

Lörcher, Alfred, dt. Bildhauer, * Stuttgart 1875; bes. Bildnisbüsten, Aktfiguren (weibl. Akte); von → Maillol beeinflußt. Werke in den Gal. von: Bremen, Frankfurt, Hamburg, Hannover, München, Stuttgart u. a.
Lit.: Th. Musper, 1950. *Festschrift A. L.*, 1955. Vollmer, 1956.

Lohse, Richard Paul, schweiz. Maler u. Graphiker, * Zürich 1902, Vertreter der abstrakten Kunst; im bes. Vertreter der «Konkreten Kunst», der in Serien arbeitet. Beisp. dieser Reihen: *Farbenenergien in 4 Richtungen*, 1952–54; *4 formgleiche Themen*, 1950. *30 systematische Farbtonreihen*, 1950–55 usw.
Lit.: Vollmer, 1956. *Ausstell.-Kat.* «*Konkrete Kunst*», Zürich 1960. M. Seuphor, *Knaurs Lex. abstr. Malerei*, 1957.

Loir (Loyr), Nicolas-Pierre, franz. Maler u. Radierer, Paris 1624–1679 ebda., Schüler von S. → Vouet u. S. → Bourdon, 1647–49 in Rom, beeinflußt von → Poussin, schuf Altarbilder für Pariser Kirchen; Wand- u. Deckenmalereien für franz. Schlösser (die Tuilerien, Fontainebleau, Vincennes, St-Germain, Versailles); Entwürfe für Gobelins, Radierungen nach eigenen Entwürfen. In vielen franz. Mus. vertreten, ferner in Budapest, Leningrad, Wien (Gal. Czernin).

Loiseau, Gustave, franz. Maler, Paris 1865–1928 ebda., spätimpressionist. Landschafter, der 1890/91 mit → Gauguin, → Maufra u. Emil → Bernard in Pont-Aven war. In seiner künstl. Art mit Maufra u. H. → Moret zu vergleichen.
Lit.: Vollmer, 1956.

Lomazzo, Giovanni Paolo, ital. Maler, Mailand 1538–1600 ebda., Schüler s. Onkels G. → Ferrari, studierte in Rom → Raffael u. → Michelangelo, schuf Freskenwerke u. Altarbilder für Mailänder Kirchen. 1571 erblindete er u. ging ganz zur vorher schon geübten Kunstschriftstellerei über. Er schrieb: «Trattato dell'arte della pittura, scult. ed arch.», 1584 u. a.
Lit.: J. v. Schlosser, *Kunstlit.*, 1924. A. Venturi, *Storia dell'Arte* IX, 7, 1934.

Lombard, Lambert, niederl. Maler, Zeichner u. Arch., Lüttich um 1505–1566 ebda., Meister des niederl. Romanismus, Schüler des J. → Gossaert, war 1537–38 in Rom, wo er antike Bildwerke zeichnete; er eröffnete 1538 in Lüttich eine Malerwerkstätte. L. schuf Tafelbilder meist religiösen Inhalts u. schuf Entwürfe für den Kupferstich, für Glasgemälde u. Bauten. Unter s. Schülern sind die bedeutendsten: F. → Floris, W. → Key u. → Goltzius.
Lit.: A. Goldschmidt in: Preuß. Jb., 1919. M. J. Friedländer, *Altniederl. Malerei* 13, 1936.

Lombardi, Alfonso, ital. Bildhauer, Ferrara 1497 bis 1537 Bologna, Hochrenaissancemeister, kam früh n. Bologna, wo er meist tätig war, schuf haupts. Statuen aus gebranntem Ton; in s. Kunst geht er von einem in der Gattung der Tongruppen traditionellen Realismus aus, strebt aber den großen Stil der Hochrenaissance an.
Hauptwerke: *3 Reliefs der Arca des hl. Dominikus* in S. Domenico, Bologna; überlebensgroße *Tongruppe des Todes Mariä*, Oratorio S. Maria della Vita, ebda., 1519. *Auferstehung Christi*, Lünettengruppe über einem Seitenportal von S. Petronio, Bologna, 1526. *Mediceerbüsten in Marmor* (Leo X., Klemens VII. u. a.), im Pal. Vecchio, Florenz. Aus der Spätzeit: *Tonfiguren Christi u. der Apostel*, 1524, Ferrara, Kathedrale.
Lit.: F. Schottmüller in: Th.-B. 1929. P. Schubring, *Kunst d. Hochrenaiss.*, 1926.

Lombardo (Lombardi), ital. Arch.- u. Bildhauer-Familie des 15. u. 16. Jh. in Venedig, deren wichtigste Vertreter *Pietro* L. u. s. Söhne *Antonio* u. *Tullio* sind.
Lit.: L. Planiscig, *Venez. Bildh. d. Renaiss.*, 1921. Ders. in: Österr. Jb. N. F. 11, 1937. A. Venturi X, 1 u. XI, 1, 1935 u. 1938.
Pietro, ital. Arch. u. Bildhauer, Carona am Luganersee um 1435–1515 Venedig, Hauptmeister der venez. Frührenaissance, wahrsch. in Florenz ausgebildet, unterhielt in Venedig mit s. Söhnen *Antonio* u. *Tullio* eine große Werkstatt, aus der viele Dekorationen von Kirchen, namentlich in Venedig, auch einige Kirchenbauten u. Grabmäler hervorgingen. Hauptwerk des Pietro L. ist die kleine Kirche *S. Maria de' Miracoli* in Venedig, 1481–89. Es ist eine einschiffige tonnengewölbte Kirche; sowohl der Bau wie die reiche Dekoration an der Fassade u. im Inneren stammen von Pietro in

Zusammenarbeit mit s. Söhnen. Es sind Marmorinkrustationen aus verschiedenfarbigem Marmor u. Ornamente an Pilastern, Kapitellen, Friesen, in Relief gearbeitete Arabesken an den Altarschranken usw. Das Wesen der venez. Frührenaissance findet hier seinen höchsten Ausdruck. Sehr bedeutend ist ferner die große Reihe der Grabmäler, die Pietro allein oder in Zusammenarbeit mit s. Söhnen schuf. Namentlich in den Frühwerken tritt der Zusammenhang mit der Plastik der Florentiner Frührenaissance hervor durch die klare Gliederung; später überwiegt oft die reiche Dekoration. Sein Hauptwerk der Palastarchitektur ist der *Pal. Vendramin-Calergi*, 1481–1509. Ferner war er an allen hervorragenden Bauaufgaben d. Zeit beteiligt: am Bau des Dogenpal., an der Ausschmückung von S. Marco usw.
Weitere Hauptwerke: in Venedig: *Ausschmückung von S. Giobbe; Scuola di S. Marco.* Grabmäler in SS. Giovanni e Paolo: *Grabmal Malipiero; Marcello; Mocenigo* (zw. 1476 u. 1488). Ferner stammte die *Grabkapelle des Dantegrabes* in Ravenna von ihm, 1482 (heute durch Bau des 18. Jh. ersetzt); ebda. *Halbfigur Dantes.*
Lit.: L. Planiscig, *Venez. Bildh. d. Renaiss.*, 1921.
Antonio, ital. Arch. u. Bildhauer, * um 1458, † um 1516 Ferrara, Sohn u. vielfach Mitarbeiter von Pietro → L., seit 1506 in Ferrara tätig. Bei ihm tritt der Einfluß der griech. Antike bes. stark hervor, für deren klass. Gemessenheit er sich begeisterte, wie s. einziges bezeichnetes Werk verrät: *Marmorrelief*, das Wunder des Kindes darstellend, das der hl. Antonius zum Sprechen bringt, in der *Antoniuskapelle* des Santo in Padua, 1505.
Weitere Werke: *Marmorstatuen Petrus Martyr* u. *Thomas von Aquino*, in SS. Giovanni e Paolo, Venedig. In Zusammenarbeit mit s. Bruder beteiligte er sich an der Ausschmückung des Werkes s. Vaters: *S. Maria dei Miracoli*, 1481–89. Mitarbeit mit Vater u. Bruder am *Grabmal Zanetti* im Dom von Treviso, 1500–03. Ebda.: *Umbau des Chors* des Domes, 1485 bis 1506. Mitarbeit an der *Scuola di S. Marco*, Venedig. Mitarbeit am Schmuck der *Cap. Zeno* in S. Marco, 1504–19.
Tullio, ital. Arch. u. Bildhauer, * um 1455, † 1532 Venedig, Sohn von Pietro → L., dessen Mitarbeiter u. Werkstattnachfolger. Er war viel beschäftigt u. vorwiegend dekorativ begabt. Eigene Arbeiten: *4 Marmorengel* in S. Martino, Venedig, 1484. *Marmorrelief mit Marienkrönung* in S. Giovanni Crisostomo ebda., 1500–02. *2 Marmorreliefs mit Wundern des hl. Antonius* im Santo in Padua, 1525 abgelieferte Spätwerke. Ferner Mitarbeit mit Vater u. Bruder in: *Chorkapelle* im Dom von Treviso, 1488–1515; *Grabmal Vendramin*, SS. Giovanni e Paolo u. v. a. Hauptwerk als Baumeister: *S. Salvatore*, Venedig (zus. mit G. Sparento) 1506 beg., voll. 1530–34, die schönste Hochrenaissance-Kirche Venedigs.

Longhena, Baldassare, ital. Arch., Venedig 1598 bis 1682 ebda., Hauptmeister des venez. Barock, Schüler von → Scamozzi, erbaute Kirchen u. Paläste u. trug wesentlich zur baulichen Gestaltung Venedigs bei. In s. Stil von → Sansovino, auch von → Palladio u. → Sanmicheli beeinflußt. Sein Hauptwerk ist die Zentralkuppelkirche *S. Maria della Salute*, Venedig, 1631–82, welche für den Weitblick über die Lagune hinweg geschaffen ist u. das einmalige Bild Venedigs mitprägt. Von s. Palästen in Venedig sind die bedeutendsten: *Pal. Pesaro*, jetzt Gall. d'Arte mod., 1679, u. *Pal. Rezzonico*, jetzt Minerbi, 1665 beg., von G. Massari voll. Ferner die sehr fein auf Schauwirkung berechnete *Treppe des Klosters S. Giorgio Maggiore*, 1643–45. Die Kirche *S. Maria degli Scalzi*, 1649 beg., die Fassade erst später von G. Sardi. Vollendung der *Neuen Prokurazien*, 1640 ff.; *Scuola dei Greci; Scuola dei Carmini*, um 1668.
Lit.: A. E. Brinckmann, *Die Baukunst d. 17. u. 18. Jh.*, ⁵1930.

Longhi, Luca, ital. Maler, Ravenna 1507–1580 ebda.; Hauptvertreter d. Hochrenaissance ebda., von → Raffael beeinflußt, aber auch von → Parmigianino, schuf religiöse Werke: *Geburt Christi*, Bergamo, Gall. Carrara; *Thronende Madonna mit Kind*, Berlin, staatl. Mus.; *Madonna mit Heiligen*, Mailand, Brera. Werke in den Mus. v. Ravenna, Vicenza, Rom, Gall. Colonna; Chantilly, Leningrad u. a.

Longhi (eig. Falca), Pietro, ital. Maler, Venedig 1702–1785 ebda., Meister des venez. Rokoko, Schüler von → Balestra u. G. M. → Crespi in Bologna, tätig in Venedig, wandte sich ganz der Genremalerei zu, in welcher er das zeitgenöss. Leben Venedigs darstellte, u. dem Porträt. L. ist am besten vertreten in öffentl. u. privaten Slgn. Venedigs, aber auch in vielen Mus. anderer Städte, z. B. in Bergamo, Mailand, Dresden, London, Berlin, Frankfurt, New York, Philadelphia u. a. Beisp.: *Der Tanzmeister*, Venedig, Akad. *Der Wahrsager*, ebda. *Die Wahrsagerin*, London, Nat. Gall. Die Kunst P. L.s wurde von s. Sohn *Alessandro L.*, 1733–1813, fortgesetzt, der auch als Bildnismaler geschätzt war.
Lit.: A. Ravà, ²1923. G. Delogu, *Ital. Malerei*, ³1948.

Loo, van, niederl. Malerfamilie → Vanloo.

Loos, Adolf, österr. Arch., Brünn 1870–1933 Kalksburg b. Wien, gehört zu den Wegbereitern moderner Bauweise, Schüler der Techn. Hochschule Dresden, seit 1897 in Wien tätig, 1924–28 in Paris, trat in s. Schaffen u. auch theoret. für eine neue Sachlichkeit in der Baukunst ein; er gehörte mit Jos. → Hoffmann zu den Pionieren in Österreich für eine moderne, auf alles Ornament verzichtende

Bauweise. Von L., dem Theoretiker, erschienen 1932 gesammelte Aufs. «Ins Leere gesprochen», 1897–1900. Als epochemachendes Bauwerk gilt heute: *Haus Steiner*, Wien, 1910.
Lit.: F. Glück, 1931. H. Kulka, 1931. N. Pevsner, *Wegbereiter mod. Formgebung*, 1957.

Loos, Friedrich, österr. Maler, Radierer u. Lithograph, Graz 1797–1890 Kiel, Vertreter der Wiener Romantik u. des Biedermeier, malte Landschaften, haupts. aus den Alpen. Vertreten in Wien, Gal. d. 19. Jh., Graz, Gal. u. a.
Lit.: W. R. Deusch, *Malerei d. dt. Romantiker*, 1937.

Looten (Loten), Jan, niederl. Maler, Amsterdam 1618 bis um 1681 in England, malte Waldlandschaften in der Art → Hobbemas; um 1660/69 ließ er sich in London nieder. In vielen Gal. vertreten, u. a. in Amsterdam, Rotterdam, Hampton Court, London, Dresden, Hamburg, Kassel, Bordeaux, Nancy, Kopenhagen.

Looy, Jacobus van, niederl. Maler, Haarlem 1855 bis 1930 ebda., Vertreter der Amsterdamer Malerschule, schuf Figurenbilder, Straßenszenen, Bilder vom span. Volksleben, Interieurs, Bildnisse u. a. Er war auch Schriftsteller u. verfaßte naturalist. Reiseskizzen, Novellen u. a.
Lit.: F. van Looy – van Gelder, 1937/38. M. A. Jacobs, Diss. Löwen 1945. L. M. van Dis, 1952.

Lopez y Portaña, Vicente, span. Maler, Valencia 1772–1850 Madrid, Klassizist, Schüler → Maellas, von R. → Mengs beeinflußt, seit 1802 Kammermaler Karls IV., schuf umfangreiche Fresken im königl. Schloß zu Madrid, 1828; malte allegor. u. religiöse Bilder, war aber vor allem bedeutend als Bildnismaler. In s. Stil verbindet sich der akad. Klassizismus des 18. Jh. mit dem bürgerl.-biedermeierlichen Geist der Zeit. Werke: *Karl IV. nimmt die Huldigung der Univ. Valencia entgegen*, Königl. Schloß (Pal. Real), Madrid. Bildnisse: *Königin Marie-Christine*, Madrid, Prado; *Goya*, ebda. *Herzog v. Infantado*, ebda., Mus. de Arte mod.
Lit.: A. Mendez Casal u. M. Gonzalez Marti, 1928. Th.-B. 1929.

Lorenzetti (Laurati), die Brüder Pietro u. Ambrogio, ital. Maler, 1. Hälfte 14. Jh., Hauptmeister der Schule v. Siena; sie arbeiteten gelegentlich zus., doch hat jeder von ihnen so eigenartige Werke hinterlassen, daß ihre Persönlichkeiten klar unterschieden werden können.
Pietro, wohl der ältere der beiden, dessen frühestes erhaltenes Werk um 1315 zu datieren ist, * um 1280, † wohl 1348 in Siena, tätig vor allem das., übernimmt in s. Kunst die sienes. Tradition, wie sie von → Duccio geschaffen worden war, ist aber auch

nachhaltig von der Florentiner Kunst beeinflußt (von → Giotto u. G. → Pisano, dem Bildhauer). Pietro war wohl in den 30er Jahren des 14. Jh. in Assisi tätig, wo er die Ausmalung des südl. Querschiffarmes der Unterkirche von S. Francesco übertragen bekam: *Fresken in S. Francesco*, Assisi: Szenen aus der Passion Christi. Unter dem Eindruck der älteren Fresken wandelte sich der Stil Pietros zum großen Freskenstil. Ein Hauptwerk der beiden Brüder waren Fresken an der Front des *Ospedale della Scala* am Domplatz zu Siena, 1335, welche im 18. Jh. zerstört wurden. Weitere Werke: *Madonna mit Heiligen*, 1329, Siena, Pinac. (vom Altarwerk f. d. Karmeliterkirche in Siena). Fresko der *Kreuzigung* in S. Francesco, Siena. Tafelbilder: *Geburt Mariä*, 1342, Siena, Domopera. *Madonna mit Engeln*, 1340, Florenz, Uff. *Altartafel der Seligen Humilitas*, 1341, ebda. Der Stil Pietros ist v. gewollter Strenge u. Feierlichkeit, dabei von starkem Naturalismus in den Einzelheiten.
Lit.: E. Cecchi, 1930. G. Sinibaldi, *I Lorenzetti*, 1933. E. T. De Wald, 1930 (engl.). Für die Fresken in Assisi: B. Kleinschmidt, *Die Basilika S. Francesco in Assisi*, 1915–28. Ders., *Die Wandmalereien der Basilika S. Francesco in Assisi*, 1930 (m. Abb.). P. Toesca, *Storia dell'arte ital.* 2, 1951. C. Brandi in: Boll. d'Arte 33, 1948.
Ambrogio, † vermutl. 1348 Siena, wohl der jüngere der Brüder, da er schon ganz in die Formenwelt → Giottos hineingewachsen ist. Er ist noch sensibler u. differenzierter als Pietro; die Spannung seiner feinnervigen Kunst u. die strenge Feierlichkeit der Komposition machen den Reiz s. Kunst aus. Sein Hauptwerk ist die *Freskenfolge im Rathaus zu Siena*, Pal. Pubblico, 1338–39: Allegor. Darstellung des Guten u. Schlechten Regiments, eines der bedeutendsten Zeugnisse weltlicher Monumentalmalerei des Trecento u. von hohem zeitgeschichtlichem u. dokumentarischem Wert, trotz teilweise schlechter Erhaltung. Weitere Werke: *Fresken in S. Francesco*, Siena. *Darbringung im Tempel*, 1342, Florenz, Uff. *Verkündigung*, 1344, Siena, Gal. Lünettenfresko der *Madonna mit Heiligen*, Sant'Agostino, Siena. *Fresken der Rundkapelle von Montesiepe* b. S. Galgano: Darst. der «Maestà» (Verehrung der Gottesmutter). Vertreten in Siena, Gal.; Florenz, Opera del Duomo u. Uff.; Fiesole, Mus.; London, Nat. Gall. u. a.
Lit.: E. v. Meyenburg, 1903. E. T. De Wald, *P. L.* in: Art Studies, 1929. G. de Nicola in: Boll. d'Arte I, 1922/23. A. Péter in: Burlington Magazine 76, 1940. G. Sinibaldi, *I Lorenzetti*, 1933. R. van Marle, *Ital. Schools* 2, 1924. G. Delogu, *Ital. Malerei*, ³1948. G. Rowley, 1957.

Lorenzetti, Ugolino, ital. Maler, anonymer Sieneser Meister des 14. Jh., der von B. Berenson so benannt wurde, da er den Einfluß der beiden Meister, aus dem sich sein Name zusammensetzt, erfuhr. Seine Hauptwerke: *Geburt Christi*, Fogg Art Mus.,

Harvard Univ., Cambridge, USA. *Polyptichon*, Refektorium v. S. Croce, Florenz. *Madonna mit Kind*, Siena, Akad.
Lit.: B. Berenson in: Art in America, Okt. u. Dez. 1917. R. van Marle, *Ital. Schools* 2, 1924.

Lorenzo, Fiorenzo di → Fiorenzo di Lorenzo.

Lorenzo da Bologna → Sabatini, Lorenzo.

Lorenzo di Credi → Credi, Lorenzo di.

Lorenzo Monaco → Monaco, Lorenzo.

Lorenzo Veneziano, ital. Maler des 14. Jh., tätig um 1357–1379 in Venedig, Meister der venez. Gotik, aber noch stark von der byzant. Kunst beeinflußt, Schüler des → Paolo Veneziano.
Hauptwerke: *Schlüsselübergabe an Petrus*, 1369, Venedig, Mus. Corrèr; *Verkündigung*, ebda., Akad.; *Altar im Dom v. Vicenza*, 1366. Werke in den Gal. v. Bologna, Mailand, Padua, Venedig (Akad.); Berlin u. a.
Lit.: A. Venturi, 1907. L. Venturi in: Th.-B. 1929. R. van Marle, *Ital. Schools* 4, 1924.

Lorenzo da Viterbo, ital. Maler, Viterbo um 1437 bis 1476 ebda., Frührenaissancemeister, der sich unter dem Einfluß von B. → Gozzoli u. Piero della → Francesca bildete. Sein Hauptwerk in Viterbo: *Freskenzyklus der Kap. Mazzatosta*, S. Maria della Verità (heute Mus. Civico), mit Darstellungen aus dem Leben Mariä.
Lit.: B. Berenson, *Mittelital. Maler d. Renaiss.*, 1925.

Lorjou, Bernard, franz. Maler, * Blois 1908, erregte 1947 Sensation mit s. Bilde: *Das Wunder von Lourdes ;* seitdem hat er nicht aufgehört, mit s. anklägerischen, auf Zeitgeschehnisse anspielenden Bildern u. ganzen Serien, die er von Zeit zu Zeit ausstellt, Aufsehen zu erregen. *Les Massacres de Rambouillet*, 1956; *Le Roman de Renard ; Le Bal des Fols*, 1959.
Lit.: Vollmer, 1956.

Lorme (L'Orme), Philibert de → Delorme, Philibert.

Lorrain, Claude, eig. Claude Gellée, franz. Maler u. Radierer, Chamagne b. Mirecourt (Lothr.) 1600 bis 1682 Rom, Mitbegründer des franz. klass. Stils, 1619 in Rom Schüler Agostino → Tassis, ging 1625 nach Lothringen zurück u. lebte von 1627 an dauernd in Rom. Er wandte sich ganz der Landschaft zu, bildete den Stil der nordischen Meister in Rom – A. → Elsheimer u. P. → Bril – weiter u. wurde von → Poussin beeinflußt. Seine Ideallandschaften sind von klass.-strengem Aufbau, mit Staffagefigu-

ren versehen u. stellen hist. Szenen dar. Dem strengen Aufbau der Bilder stehen feinste farbliche Reize gegenüber. L. hatte einen bes. Sinn für die Lichtwirkungen in der Atmosphäre. Wie ein Traum erheben sich die Paläste u. Schiffe aus der Morgen- oder Abendstimmung des Hafens. Diese Wirkungen beruhen auf intensivem Naturstudium. Ebenso bedeutend wie als Maler war L. als Zeichner u. Radierer. 200 seiner Zeichnungen befinden sich in Chatsworth; sie sind von R. Earlom gestochen, 1777 als «Liber veritatis» herausgekommen. Ca. 44 Radierungen sind von ihm bekannt. Seine Wirkung auf Zeitgenossen u. Nachwelt war überaus groß.
Die Hauptwerke L.s befinden sich im Louvre, Paris. Gut vertreten ferner in Leningrad, Eremitage; Madrid, Prado; London, Nat. Gall.; Dresden, Gal.; München, A. P. u. a. Reichste Slg. v. Zeichn. in London, Brit. Mus.
Einige Hauptwerke: *Landschaft mit Flucht nach Ägypten*, 1647, Dresden, Gal. *Küstenlandschaft mit Acis u. Galathea*, 1657, ebda. *Verstoßung der Hagar*, 1668, München, A. P. *Hagar u. Ismael in der Wüste*, ebda. *Seehafen*, 1674, ebda. *Arkad. Landschaft*, London, Nat. Gall. *Seehafen bei Sonnenuntergang*, Paris, Louvre. *Einschiffung der Königin von Saba*, 1648, London, Nat. Gall.
Lit.: W. Friedländer, 1921. P. Courthion, 1933. U. Christoffel, *Poussin u. Cl.*, 1942. Th. Hetzer, 1947.

Lorrain → Le Lorrain.

Lory (eig. Lori), Gabriel, gen. Lory père, schweiz. Maler, Bern 1763–1840 ebda., gehört zu den Schweizer Kleinmeistern jener Zeit (→ Freudenberger, → Aberli), die die gewerbsmäßig ausgeführte Vedutenmalerei (handkolorierte Umriß- bzw. Aquatintaradierungen) in Blüte gebracht haben. In derselben Weise arbeitete s. Sohn u. Schüler *Gabriel*, gen. *Lory fils*, Bern 1784–1846 ebda. Gemälde, Aquarelle u. Zeichnungen der beiden L. befinden sich in Bern, Kunstmus., u. in den Mus. v. Genf, Neuchâtel u. Zürich.
Lit.: C. Brun, *Schweiz. Künstlerlex.*, 1908. C. v. Mandach in: Th.-B. 1929. W. Hugelshofer, *Schweizer Kleinmeister*, 1943.

Lo Spagnuolo → Crespi, Giuseppe Maria.

Lossow, William, dt. Arch., Glauchau 1852–1914 Heidelberg, der Erbauer des *Hauptbahnhofes Leipzig*, 1905–15, gehörte in manchen Bauten dem Jugendstil an, später dem Neubarock. Bauten: *Zentraltheater* u. *Schauspielhaus* in Dresden; *Theater* in Chemnitz, *Synagoge* in Görlitz u. v. a.

Loth, Johann Carl, gen. Carlotto, dt. Maler, München 1632–1698 Venedig, Schüler s. Vaters, des Münchner Hofmalers *Joh. Ulrich* L. (um 1590 bis

1662), schulte sich in Rom u. Venedig u. wurde hier einer der führenden Meister des 17. Jh. (neben → Liberi, → Balestra). In s. Werkstatt bildeten sich bekannte süddt. Barockmaler wie → Rottmayr. L. schuf vor allem Altargemälde für venez. Kirchen, auch für bayer. (*Altar* in Tegernsee), mythol. Darstellungen u. a.
Lit.: G. Fiocco, *Pitt. venez. del 600 e 700*, 1929. V. Moschini in: Enc. Ital. 1934.

Lotto, Lorenzo, ital. Maler, Venedig um 1480–1556 Loreto, bedeutender venez. Meister der Hochrenaissance, tätig in Venedig, aber auch an vielen andern Orten, wie Treviso, Bergamo, Rom u. in der Mark Ancona. Sein Stil ist vom venez. Renaissancestil bestimmt, bes. von → Bellini, aber er nahm vielerlei Anregungen auf von → Giorgione, → Palma, → Tizian, auch von → Raffael, → Leonardo, → Correggio u. sogar → Dürer. L. malte Altartafeln u. vorzügliche Porträts. Seine Gemälde zeigen vor allem eine hervorragende malerische Gestaltung. In vielen großen Mus. vertreten.
Hauptwerke: *Hieronymus in Landschaft*, 1500, Paris, Louvre. *Madonna mit Heiligen*, 1508, Rom, Gall. Borghese. *Verlobung der hl. Katharina*, München, A. P. *Himmelfahrt Mariä*, Mailand, Brera. *Madonna mit Heiligen*, 1516, Bergamo, S. Bartolommeo, 1521, ebda. *Madonna mit Kind u. Johannes d. T.*, 1521, Dresden, Gal. *Christi Abschied von s. Mutter*, 1521, Berlin, staatl. Mus. *Madonna mit Heiligen*, 1534, Florenz, Uff. *Himmelfahrt Mariä*, 1550, Ancona, Pinac. Bildnisse: *Prälat de' Rossi*, 1505, Neapel, Mus. *Doppelbildnis des Agostino u. des Niccolo della Torre*, 1515, London, Nat. Gall. *Weibl. Bildnis*, Mailand, Brera.
Lit.: B. Berenson, [2]1905. L. Biagi, 1942. A. Venturi 9, 4, 1929. C. Baroni, 1951. L. Loletti, 1953. P. Zampetti, *L. L. nelle Marche*, 1953. G. Delogu, *Ital. Malerei*, [3]1948. A. Banti, 1953. *Ausstell.-Kat.* Venedig, 1953 (hg. v. P. Zampetti).

Lotz, Karl, dt. Maler, Homburg 1833–1904 Budapest, Schüler von → Rahl in Wien, seit 1882 in Budapest tätig, malte Fresken; Bilder aus der ungar. Geschichte u. a.

Louis, Victor, franz. Arch., Paris 1731–1800 ebda., Vertreter des Klassizismus, Schüler Loriots, schuf mit dem *Theater von Bordeaux*, seit 1775, ein Hauptwerk des Klassizismus u. einen der schönsten Theaterbauten in Frankreich überhaupt, der vorbildlich wurde für das ganze 19. Jh. Er entwarf eine ganze Reihe von Hôtels für die reiche Bürgerschaft von Bordeaux u. a.

Low, David, engl. Karikaturist u. Illustrator, * Dunedin (Neuseeland) 1891, kam früh nach London u. wurde hier der bedeutendste polit.

Karikaturist der Gegenwart. Berühmt wurde die von ihm kreierte Gestalt des «Colonel Blimp». Er war Mitarbeiter des «Star», des «Evening Standard», des «Daily Herald» u. des «Manchester Guardian». Mehrere Mappenwerke mit seinen Zeichnungen sind erschienen.

Lucae, Richard, dt. Arch., Berlin 1829–1877 ebda., Vertreter des historisierenden Stils des 19. Jh., baute als sein Hauptwerk das *Opernhaus* in Frankfurt a. M., 1873–80, in Formen der ital. Renaissance; die *Techn. Hochschule Charlottenburg*, nach s. Tode von Hitzig u. Raschersdorff 1878–84 errichtet.

Lucas, August, dt. Maler u. Graphiker, Darmstadt 1803–1863 ebda., Meister aus dem Kreise der Deutschrömer um J. A. → Koch, arbeitete 1825–26 bei → Cornelius in München, war 1829–34 in Italien, wo er sich J. A. Koch anschloß; nach s. Heimkehr malte er vor allem ital. Motive, «Ideale Landschaften», in der Art Kochs u. → Schirmers. Beisp.: *Wäscherinnen bei Civitella*, Leipzig, Mus. *Röm. Landschaft*, 1834, Darmstadt, Mus. *Ideale Landschaft*, 1839, Stuttgart, Mus. *Gebirgslandschaft*, Berlin, Nat. Gal.
Lit.: B. Lade, 1924. *Ausst.-Kat.*, Darmstadt 1953.

Lucas, Richard Cockle, engl. Bildhauer, Radierer u. Kupferstecher, Salisbury 1800–1883 Chilworth b. Winchester, schuf Bildnisbüsten vieler bekannter Persönlichkeiten u. a. Berühmt s. *Flora*-Büste, welche aus s. Nachlaß auf Umwegen 1909 als Werk Leonardo da Vincis in das Berliner K.-F.-Mus. gelangte. L. ist ein Vertreter des engl. Klassizismus u. der Romantik. Vertreten in London, Bethnal Green Mus.

Lucas van Leyden (Leiden), eig. Lucas Hugensz. van, in Italien *Luca d'Olanda* gen., niederl. Maler, Kupferstecher u. Zeichner für den Holzschnitt, Leiden 1494–1533 ebda., Hauptmeister der Renaissance in den Niederlanden, Schüler s. Vaters u. von C. → Engelbrechtz., tätig in Leyden, schuf religiöse Bilder u. Porträts, vor allem aber Kupferstiche. Er ist einer der großen Meister dieses Faches, voll scharfer Wirklichkeitsbeobachtung u. unerschöpflicher Phantasie. Im Stil stand er vielen Einflüssen offen, vor allem war er von der venez. Kunst beeindruckt. Ferner hatte → Dürer großen Einfluß auf ihn; 1521 traf er persönlich mit ihm anläßlich Dürers niederl. Reise in Antwerpen zus.
Hauptwerke: Gemälde: *Flügelaltar mit dem Jüngsten Gericht*, 1526, Leiden, Mus. *Jungfrau mit Engeln*, Berlin, staatl. Mus. *Loth u. s. Töchter*, um 1527, Paris, Louvre. *Heilung des Blinden* 1531, Leningrad, Eremitage. Kupferstiche: *Versuchung des hl. Antonius*, 1509. *Großes Ecce Homo*, 1510. *Der Große Kalvarienberg*, 1517. Vertreten in den Gal. v. Brüssel, Leiden,

Bremen, München, Nürnberg, Berlin, Chicago, Philadelphia, Paris. Zeichnungen in allen größeren Slgn.
Lit.: N. Beetz, 1913. R. Kahn, *Die Graphik des L. van L.*, 1918. L. Baldass, 1923. M. J. Friedländer, 1924 (Meister d. Graphik). Ders., *Altniederl. Malerei* 10, 1934.

Luce, Maximilien, franz. Maler u. Lithograph, Paris 1858–1941 ebda., von → Pissaro u. den Neo-Impressionisten (→ Seurat) beeinflußt, befreundet mit → Signac u. → Cross, schuf vorwiegend Landschaften, aber auch Darstellungen aus dem Leben der Erdarbeiter u. aus den Industriebezirken.
Lit.: Th.-B. 1929. Knaurs Lex., 1955. J. Rewald, *Von van Gogh zu Gauguin*, 1957 (m. Bibliogr.).

Lucenti, Girolamo, ital. Bildhauer, Bronzegießer u. Medailleur, Rom 1627–1698 ebda., Meister des röm. Barock, Schüler von → Algardi, fertigte Marmor-u. Bronzewerke, Grabdenkmäler, Porträtbüsten u. betätigte sich 1668–79 als Stempelschneider der päpstl. Münze.
Werke in Rom: *Grabdenkmal des Kardinal Gastaldi*, S. Maria dei Miracoli. *Der Engel mit den 3 Nägeln* auf der Engelsbrücke. *4 Papstbüsten*, am Hochaltar von S. Maria di Montesanto. *Statue König Philipps IV.* in S. Maria Maggiore.

Luchian, Stefan, rumän. Maler, Stefanesti b. Botosani 1868–1916 Bukarest, gilt als Mitbegründer der modernen rumän. Malerei. Er schuf Figurenbilder, Bildnisse, Blumenstilleben, Landschaften.

Luchsperger (Luxberger), Lorenz, österr. Bildschnitzer, tätig Ende 15. Jh. in Wiener-Neustadt, † ebda. 1501, heute fast allgemein identifiziert als der Meister der Wiener-Neustädter Apostel: *12 Apostelstatuen* an den Mittelschiffpfeilern des Domes (Stadtpfarrkirche Maria Himmelfahrt) in Wiener-Neustadt, um 1495 (nicht alle eigenhändig), die zu den Hauptwerken der dt.-österr. Spätgotik gehören.
Lit.: W. Pinder, *Dt. Plastik d. 15. Jh.*, 1924. K. Oettinger, 1935 (Forsch. z. dt. Kstgesch. 12). Th.-B. 1950 (Meister d. Wiener-Neustädter Apostel).

Luciani → Piombo, Sebastiano del.

Lucidel → Neufchatel, Nicolas.

Luckhardt, Hans, dt. Arch., Berlin 1890–1954 Bad Wiessee, Vertreter des neuzeitl. Bauens, mit W. → Gropius, B. → Taut u. → Mies van der Rohe Begründer des «Rings». Mit s. Bruder *Wassili*, * Berlin 1889, tätig in Berlin.

Ludwig, Karl, dt. Maler, Römhild 1839–1901 Berlin, Landschaftsmaler, Schüler von → Piloty in

München, ging 1867 nach Düsseldorf, 1877–80 Prof. der Kunstschule Stuttgart, seitdem in Berlin tätig. Er malte Landschaften, vor allem aus dem Hoch- u. dem dt. Mittelgebirge. Er wurde gelegentlich «der dt. Nebenbuhler → Calames» gen.

Lücke, Johann Chr. Ludwig v., dt. Bildhauer u. Elfenbeinschnitzer, Dresden (?) um 1703–1780 Danzig, vielleicht Schüler → Permosers; jedenfalls schuf er in einem Permoser verwandten Stil religiöse u. allegor. Darstellungen, Porträtreliefs, auch Porzellanmodelle u. a. Nach Studienreisen in Frankreich, Holland u. England 1729 Modellmeister an der Meißner Porzellan-Manufaktur, 1750 an der Wiener Porzellan-Manuf., später in Dänemark, Hamburg, Dresden, schließlich in Danzig tätig. Werke: *4 Kinderfiguren* aus Sandstein für den Garten des Schweriner Schlosses. *Elfenbeingruppe der Wiedererweckung der Kunst*, 1736, Dresden, Grünes Gewölbe. *Elfenbeinkruzifix*, 1737, ebda. *Ruhende Schäferin*, München, Nat. Mus. L. ist vertreten in Dresden (Grünes Gewölbe), Berlin (ehem. K.-F.-Mus.), Braunschweig, Kassel, Schwerin, Kopenhagen u. a.
Lit.: G. Biermann, *Dt. Barock u. Rokoko*, 1914. E. Zimmermann, *Meißner Porz.*, 1926.

Lücke, Johan Friedrich, d. J., dt. Porzellanmodelleur, Freiberg i. S. 1727–1797 Meißen, arbeitete in Meißen, in Höchst u. Frankenthal. L. war nicht von der Originalität eines → Kändler oder → Bustelli, doch gehören manche s. Porzellanmodelle zu den besten Deutschlands, wie z. B. Figur der *Tänzerin Camargo* u. *Toilette der Venus*.
Lit.: H. Hofmann, *Frankenth. Porz.*, 1911.

Lützelburger, Hans, gen. Franck, schweiz. Formschneider, † Basel 1526, der seit 1522 in Basel für H. → Holbein d. J. tätig war u. nach dessen Zeichnungen viele der berühmtesten Holzschnitte ausführte.

Lugo, Emil, dt. Maler, Stockach b. Konstanz 1840 bis 1902 München, malte Landschaften, die dem Idealstil der Deutsch-Römer, wie auch dem Realismus der Schule von → Barbizon verbunden sind. L. studierte 1856–64 an der Karlsruher Akad. unter → Schirmer, 1869 in Dresden u. Weimar (bei → Preller d. Ä.), seit 1875 in Freiburg i. Br., von 1887 an in München tätig; vertreten in den Gal. v. Freiburg, Karlsruhe, Mannheim, Frankfurt, Darmstadt, München, Berlin. Zeichnungen in der Münchener Graph. Slg.
Lit.: J. A. Beringer, ²1925. F. R. Bassauer in: Mein Heimatland 26, 1938. Th.-B. 1929.

Luini, Bernardino, ital. Maler, wahrscheinlich Luino um 1480–1532, Meister der lombard. Renaissancemalerei, wahrscheinlich Schüler → Borgognones u.

→ Bramantinos, tätig in Mailand u. v. a. Orten der Lombardei; in s. Stil zunächst Fortsetzer der Malerei Bramantinos, später stark von → Leonardo beeinflußt. Doch bleibt er in s. Freskenstil der lombard. Tradition treu u. versucht, die neuen Anregungen mit der Überlieferung zu verbinden. Er schuf haupts. religiöse Fresken.

Hauptfreskenwerke: in der *Wallfahrtskirche zu Saronno*: Anbetung der 3 Könige u. Darstellung im Tempel; in *S. Maria degli Angeli*, Lugano: Kreuzigung. Mehrere *Fresken*, vereinigt in Mailand, Brera. Im *Monastero Maggiore S. Maurizio*, Mailand, um 1525: Mariä Himmelfahrt, Tod des hl. Mauritius, Marter der hl. Katharina usw. Tafelbilder in Mailand, Brera; Florenz, Uff.; London, Nat. Gall.; Paris, Louvre u. a. Hauptwerke: *Madonna im Rosenhag*, Mailand, Brera. *Engel mit Tobias*, ebda., Ambrosiana. *Enthauptung Johannes d. T.*, Florenz, Uff. *Christus unter den Schriftgelehrten*, London, Nat. Gall. Lit.: G. C. Williamson, 1907. J. Mason, 1908. L. Beltrami, 1911. W. Suida, *Leonardo u. s. Kreis*, 1929. M. Salmi, *Le origini di L.* in: Boll. d'Arte, 1931–32. G. Nicodemi, 1916. A. Ottino della Chiesa, 1953.

Lukas van Leyden → Lucas van Leyden.

Lundberg, Gustaf, schwed. Maler, Stockholm 1695–1786 ebda., bedeutender schwed. Rokokomaler; vor allem Bildnisse, Schüler der franz. Klassizisten → Rigaud u. → Largillière in Paris, wo er seit 1717 lebte, wandte sich als Schüler der R. → Carriera der Pastellmalerei zu, kehrte 1745 nach Stockholm zurück u. wurde 1750 Hofmaler, 1776 Direktor der Akad. das. Er schuf viele Pastellbildnisse im Rokokostil; Mus. v. Stockholm u. a. Lit.: O. Levertin, 1902. Lespinasse, 1923.

Lundberg, Teodor, schwed. Bildhauer, Stockholm 1852–1925 Rom, Schüler von → Falguière in Paris, 1884–88 weitergebildet in Rom, seit 1908 Prof. der Akad. Stockholm. L. schuf realist. Marmor- u. Bronzegruppen, Standbilder u. Bildnisse. Werke: *Die Pflegebrüder*, 1888, Bronzegruppe, Stockholm, Nat. Mus. *Welle u. Strand*, Marmorgruppe; *Standbild des Reformators Olaus Petri* in Stockholm. *Portalfiguren am Dom*, Uppsala.
Werke in Stockholm: Nat. Mus., Park des Nat. Mus., Königl. Schloß, im Opernhaus, Reichstagsgebäude, Nord. Mus.

Lundbye, Johan Thomas, dän. Maler, Kopenhagen 1818–1848 ebda., haupts. Landschafts- u. Tiermaler, Schüler von Chr. Holm, beeinflußt auch von → Skovgaard, schuf realist. gesehene Landschafts- u. Tierbilder, oft in poetischer Auffassung. Beisp.: *Kuhstall*, 1843/44, Kopenhagen, Mus. *Schafe an einem*

Grabhügel, 1845. *Ochsen in der röm. Campagna*, 1845, Kopenhagen, Mus.
Lit.: K. Madsen, 1895 (m. Werkverz.). Th.-B. 1929.

Lundgren, Egron, schwed. Maler, Stockholm 1815 bis 1875 ebda., Schüler von → Cogniet in Paris, 1841 in Italien, 1849 in Spanien, lebte 1853–70 meist in England, wo er sich zum Aquarellisten ausbildete. L. schuf Bilder aus dem ital. u. span. Volksleben, Genrebilder aus dem engl. Leben, bes. in Aquarell, vielerlei Studien u. Skizzen v. s. weiten Reisen u. a. Lit.: K. Asplund, 1914/15. Th.-B. 1929.

Lurago, Carlo, ital. Arch., Laino um 1618–1684 Passau, Vertreter des ital. Barock, seit 1638 in Prag, seit 1668 in Passau tätig. Dort schuf er den *Neubau des Domes* mit reicher Stuckdekoration, 1668–83. Lit.: H. W. Hegemann, *Die dt. Barockbaukunst Böhmens*, 1943.

Lurago, Rocco, ital. Arch. u. Bildhauer, aus Pelsopra b. Como, † 1590 Genua, erbaute als s. Hauptwerk den Pal. Doria Tursi, heute *Pal. Municipale* in Genua, 1564–66; das ansteigende Gelände zu wirkungsvoller Treppen- u. Hofanlage ausgenutzt. Ferner: Kirche u. Kloster der Dominikaner in *Bosco Alessandrino* (zugeschrieben).
Lit.: P. Schubring, *Kunst d. Hochrenaiss.*, 1926. M. Labò in: Enc. Ital., 1934.

Lurçat, André, franz. Arch., * Bruyères 1894, Bruder des Jean → L., gehört zu den Hauptvertretern der «Funktionalistischen Architektur» in Frankreich. In seinen Bauwerken variiert er die schmuck- u. simslose Würfelform, deren glatte Flächen nur durch die ausgeschnittenen, meist oblongen Fenster belebt werden. Hauptwerke: *Cité Seurat* in Paris; *Wohnhäuser der rue Georges-Ville* in Versailles.
Lit.: Vollmer, 1956.

Lurçat, Jean, franz. Maler u. Entwurfzeichner für den Bildteppich, * Bruyères 1892, Erneuerer der franz. Bildwirkerei, 1910 in Paris von → Cézanne beeindruckt, schloß sich den Kubisten an, Freundschaft mit → Marcoussis, → Picasso u. a., seit 1913 in der Normandie u. Bretagne tätig. Um 1924 längerer Aufenthalt in Spanien, Bruch mit der starren Doktrin des Kubismus. Die eig. Bedeutung L.s liegt in s. Bestrebungen zur Erneuerung der franz. Bildwirkerei. Schon früh begann er hiermit; seit 1939 entwarf er für die Gobelinmanufaktur von Aubusson, mit → Gromaire, → Matisse u. a. Diese Entwürfe vorbildlich für die ganze moderne Teppichkunst. Sie sind dekorativ, vom Material u. der Farbe her geschaffen, mit naturalist. u. surrealist. Elementen.

Lit.: P. Soupault, 1928. C. Roy, 1956 (m. Biogr. u. Bibliogr.).

Luti, Benedetto, ital. Maler, Florenz 1666–1724 Rom, Vertreter des röm. Spätbarock, beeinflußt von → Maratti; seine mythol. Genreszenen erhielten durch den Einfluß franz. Künstler einen Zug ins Graziös-Spielerische u. Elegante, so daß er seinerseits Einfluß auf → Boucher haben konnte. Er schuf ferner Andachtsbilder, Bildnisse u. a. Vertreten in Florenz, Gall. Pitti u. Akad.; Rom, Gall. di S. Luca u. Gall. Barberini; Pommersfelden, Burghausen, Bourg, Budapest u. a.
Lit.: V. Moschini in: Th.-B. 1929. H. Voss, *Mal. d. Barock in Rom*, 1924. *Ausst.-Kat. Mostra del Settecento*, Rom 1959.

Lutteroth, Ascan, dt. Maler, Hamburg 1841–1923 ebda., Schüler → Calames in Genf u. → Achenbachs in Düsseldorf, gilt neben V. → Ruths als der bedeutendste Landschafter in Hamburg am Ende des 19. Jh. L. ist gut vertreten in Hamburg, Kunsth.; ferner in Berlin, Neue Gal. (*Abend am Mittelmeer*, 1886) u. a.

Luxberger, Lorenz → Luchsperger, Lorenz.

Lys, Jan → Liss, Jan.

Lysipp (Lysippos), griech. Bildhauer aus Sikyon, tätig 2. Hälfte 4. Jh. v. Chr., der bedeutendste Erzgießer s. Zeit, Haupt der Schule von Sikyon, Hofbildhauer Alexanders d. Gr.; 1500 Erzbildwerke werden ihm zugeschrieben, viele berühmt, wie s. Statuen Alexanders d. Gr., seine Zeusbilder (ein 17 m hoher Koloß in Tarent), der isthmische Poseidon, Sokrates, Tierbilder. – Originalwerke nicht erhalten, doch manches in guten röm. Kopien oder

in Werken seiner Schule, die in späteren Nachbildungen erhalten sind. Vor allem ist eines s. Hauptwerke, der *Apoxyomenos*, der Athlet, der sich mit dem Schabeisen vom Staub des Ringplatzes reinigt, in einer ausgezeichneten röm. Kopie erhalten, Rom, Vatik. Mus. L. geht in s. Stil aus der Schule des → Polyklet hervor, doch stellt er dem Schönheitskanon Polyklets einen neuen entgegen: schlankere u. geschmeidigere Gestalten mit kleinen Köpfen, mit transitorischen Bewegungsmotiven. Die Statuen nicht mehr für eine einzige Ansicht berechnet, man kann um sie herumgehen. Auch → Skopas hat ihn beeinflußt. Er wurde mit s. «malerischen» Stil Wegbereiter der hellenistischen Kunst. Weitere Werke: *Der Farnesische Herakles*, gute röm. Kopie, Neapel, Nat. Mus. u. Wiederholung Florenz, Pal. Pitti. *Statue des Agias*, Marmorkopie, Delphi. Der sog. *Sandalenbinder*, Hermes, der sich die Sandalen anlegt, zahlreiche Kopien: London, Lansdowne House; Paris, Louvre; München, Glypt. *Sitzender Hermes*, Bronze, Neapel. *Ruhender Ares*, Marmor, Rom, Thermenmus. Von s. Alexanderbildnissen geben eine Vorstellung: *Alexander Azara*, Marmor, Paris, Louvre. *Alexanderkopf*, Marmor, Konstantinopel. Goldmedaillon mit *Alexanderbildnis*, Berlin, Münzkabinett. Von s. *Sokrates :* Bronzekopf, München, Köpfe im Louvre u. im Thermenmus., Rom.
Lit.: Löwy, 1891. Collignon, 1904. F. P. Johnson, 1927. E. Curtius, *Klass. Kunst Griechenlands*, 1938. G. Lippold in: Hb. d. Archäol. 3, 1, 1950.

Lysistratos, griech. Bildhauer des 4. Jh. v. Chr. aus Sikyon, Bruder des → Lysipp, soll seine realist. Bildnisse auf Grund von Gipsformen, die er von den Darzustellenden abnahm, geschaffen haben. Erhalten ist nichts von ihm.
Lit.: G. Lippold in: Hb. d. Arch. 3, 1, 1950.

M

Mabuse, Jan → Gossaert, Jan.

Macchiaioli, ital. Künstlergruppe, die seit ca. 1855 in Florenz hervortrat, sich gegen den Akademismus wandte u. für einen neuen Realismus einsetzte. Die Meister der Gruppe betrieben Freilichtmalerei u. waren in ihren künstlerischen Bestrebungen den Meistern von → Barbizon gleichgerichtet; auch vielfach von ihnen beeinflußt, später auch vom franz. Impressionismus. Hauptvertreter: G. → Fattori, T.→ Signorini, S.→ Lega, O. Borrani u. a. Ihr Einfluß auf die ital. Malerei der Zeit war groß; viele gehörten zeitweise mehr oder weniger zur Gruppe.
Lit.: L. Venturi, *Les M.* in: Gaz. des B.-Arts 2,

1933. N. Tarchiani in: Enc. Ital. 1934. A. Franchi, 1945. M. Wackernagel in: Zschr. f. Kunst, 1950.

Macdonald-Wright, Stanton, amerik. Maler, *Charlottesville (Virginia) 1890, gehört zu den Pionieren der abstrakten Malerei in Amerika, gründete 1912 zusammen mit M. → Russell die dem Orphismus von → Delaunay nahestehende «Symchromistische» Bewegung.
Lit.: Ritchie, *Abstr. paint. and sculpt. in America*, 1951. *Ausstell.-Kat.*, Los Angeles 1956. M. Seuphor, *Knaurs Lex. abstr. Malerei*, 1957.

Mac Gregor, Robert, engl. Maler, Yorkshire 1848 bis 1922 Portobello b. Edinburgh, Landschafts- u.

Genremaler, Hauptvertreter der schott. Schule von Glasgow. M. schloß sich haupts. den Meistern von → Barbizon u. → Corot, auch → Constable an. Er behandelte in s. Bildern Motive aus dem Bauern- u. Fischerleben in Schottland u. der Bretagne. Vertreten in Glasgow, Mus. u. Edinburgh, Nat. Gall.

Macke, August, dt. Maler, Meschede 1887–1914 gefallen bei Perthes in der Champagne, einer der hervorragendsten Maler aus dem Kreise um den → «Blauen Reiter», studierte 1904–06 an der Akad. Düsseldorf, 1907 bei → Corinth in Berlin, 1907–08 in Paris, wo er mit den Impressionisten, mit den Fauves u. Kubisten in Berührung kam. Von 1909 an in Bonn ansässig, lebte er abwechselnd dort u. in München u. Oberbayern. 1910 lernte er → Marc kennen, der ihn mit Kandinsky u. → Jawlensky in Verbindung brachte. 1912 Reise nach Paris mit Marc, auf der er → Delaunay kennen lernte. 1914 Reise mit → Klee u. L. → Moilliet nach Kairuan in Tunesien. Gleich darauf zog er in den Krieg u. fiel 27jährig. – Für die Bildung s. Stiles war der Impressionismus u. die Kunst → Cézannes bestimmend. Später hatten → Matisse u. vor allem Delaunay Einfluß auf ihn.
Werke: *Bildnis Franz Marc*, 1910, Berlin, früher Nat. Gal. *Spaziergang*, 1913, ebda. *Paar im Walde*, 1910, München, Staatsgal. *Der Abschied*, Köln, Wallraf-Richartz-Mus. *Mädchen mit Fischglocke*, 1914, Wuppertal, Mus. In vielen Gal. vertreten.
Lit.: W. Cohen, 1922. G. Vriesen, 1953 u. 1957. W. Holzhausen, 1956. H. Read, *Geschichte der mod. Malerei*, 1959. L.-G. Buchheim, *Der Blaue Reiter*, 1959. W. Macke, *A. M. Aquarelle*, 1958. *Ausst.-Kat. Sources du XXe siècle*, Paris 1960/61.

Mackensen, Fritz, dt. Maler, Greene b. Kreiensen 1866–1953 Bremen, Schüler von P. → Janssen in Düsseldorf, seit 1888 von → Kaulbach in München, wandte sich schon früh der Landschaft u. der Darst. der Bauernbevölkerung in der Bremer Heidegegend zu, gründete 1889 gemeinsam mit O. → Modersohn die → Worpsweder Künstlerkolonie b. Bremen, 1910–18 Leiter der Weimarer Hochschule f. bildende Kunst, sonst in Worpswede tätig. In s. Stil ist M. vielfach dem Jugendstil verpflichtet. Beisp.: *Gottesdienst im Freien*, Hannover, Kestner-Mus.; *Tierbild*, Oldenburg, Mus.; *Die Scholle*, Weimar, Mus. Bronzestatuette: *Alte Frau mit Ziege*, Bremen, Kunsth. M. ist in vielen dt. Mus. vertreten.
Lit.: R. M. Rilke, *Worpswede*, ³1910. Th.-B. 1930. Vollmer, 1956.

Mac Kenzie, Robert Tait, kanad. Bildhauer u. Medailleur, Almonte (Ontario) 1867–1938 Philadelphia (Pa.), studierte in Montreal, Paris, Philadelphia, schuf das *Siegesdenkmal* in Cambridge (England); die *Statue des Colonel George H. Baker* im

Parlamentsgebäude in Ottawa; Statuetten in der Art. Gall. in Montreal. Ferner: *Läufer*, Cambridge (England), Fitzwilliam Mus. *Athlet*, Oxford, Ashmolean Mus. *Konkurrent*, New York, Metrop. Mus.
Lit.: Ch. Hussey, 1930.

Mackintosh, Charles Rennie, engl. Arch. u. Kunstgewerbler, Glasgow 1868–1928 London, gehörte zu den Hauptbegründern der neuen Baugesinnung, die sich energisch vom historisierenden Stil des 19. Jh. lossagte. Auch als Entwerfer von Möbeln, Textilien, usw. war er wegweisend u. beeinflußte den Jugendstil. Sein Hauptwerk ist die *Kunstschule Glasgow*, 1898–99, Erweiterungsbau dazu, 1907–09, mit der Bibliothek. Weitere Bauten in Glasgow, (*Cranston-Teestube*, 1897–98 u. 1907–11); engl. Landhäuser u. a. Mitarbeiterin M.s war s. Gattin *Margaret Macdonald*.
Lit.: N. Pevsner, 1950. Ders., *Wegbereiter mod. Formgebung*, 1957. Ders., *Europ. Architektur*, 1957. T. Howarth, 1952. *Ausst.-Kat. sources du XXe siècle*, Paris 1960/61.

Maclise, Daniel, engl.-irischer Maler, Cork (Irland) 1806–1870 London; geschichtliche u. literarische Vorwürfe, Bildnisse hervorragender Zeitgenossen (Dickens, Carlyle), Illustrationen zu poetischen u. hist. Werken, Skizzen u. Karikaturen für «Frazer's Magazine», Fresken im Parlamentsgebäude, London (*Nelsons Tod*, 1864 u. a.). Vertreten in London, Tate Gall., Victoria u. Albert Mus., Nat. Portr. Gall.; in vielen engl. Gal.; Hamburg, Kunsth.

Macrino d'Alba, ital. Maler, eig. Gian Giacomo de Alladio, gen. M. d'A., Alba vor 1470 bis um 1528, Vertreter der piemontes. Kunst, beeinflußt von oberital. Meistern (→ Borgognone, Vinc. → Foppa) u. von der damals in Rom blühenden umbrisch-toskan. Richtung (→ Signorelli, → Pinturicchio), schuf große Altarwerke u. a.
Hauptwerke: *Altarwerk*, 1496, in der Certosa von Pavia; *Großes Altarbild mit Himmelfahrt Mariä*, 1498, Turin, Pinac. *Triptychon*, 1494, Philadelphia, Memorial Hall; *Triptychon*, Frankfurt, Städel; Werke in Tortona, Bischöfl. Palast; Alba, Rathaus; Rom, Capitol. Mus. u. a.
Lit.: S. Weber in: Th.-B. 1929. C. Ricci, *Gesch. d. Kunst in Nord-Ital.*, 1911. E. v. d. Bercken, *Mal. d. Renaiss. in Oberital.*, 1927 (Hb. d. K. W.).

Maderna (Maderno), Carlo, ital. Arch., Capolago am Luganer See 1556–1629 Rom, Hauptmeister der röm. Barock, Schüler von D. → Fontana, tätig in Rom, 1607ff. Arch. der Peterskirche. Das *Langhaus von St. Peter mit Vorhalle u. Fassade*, 1607–14, ist s. Hauptwerk. Beim Langhaus entwickelt er → Vignolas Gedanken vom Bau der Gesù-Kirche weiter; in der Fassade mit der durchgehenden Säulenordnung bereitet er den Stil des Hochbarock vor.

Beeinflußt auch von G. della → Porta. Weitere Werke in Rom: *Fassade von S. Susanna*, 1603 voll. Vollendung der Kirche *S. Andrea della Valle*, beg. 1591 von Olivieri, weitergeführt von M., voll. 1665. Mitwirkung an folgenden Palästen: *Pal. Barberini*: von M. begonnen, von → Bernini voll.; *Pal. Rusticucci*, er vollendete ihn als Nachfolger D. → Fontanas; *Pal. Aldobrandini;* er vollendete den von G. della Porta begonnenen *Pal. Chigi* (1602–10); *Pal. Odescalchi*. M. führte mit s. Bauten die Tradition weiter, beschreitet aber auch neue Wege. Mit der Fassade von S. Susanna z. B. hat er den Typus der Kirchenfassade des 17. Jh. vorgebildet.
Lit.: A. Muñoz, 1922. N. Caflisch, 1934. H. Wölfflin, *Renaiss. u. Barock*, 1908. G. Giovannoni in: Enc. Ital., 1934. N. Pevsner, *Europ. Arch.*, 1957.

Maderno, Stefano, ital. Bildhauer, Bissone (oder Palestrina) um 1576–1636 Rom, Meister des röm. Barock, schuf als Hauptwerk: *Hl. Cäcilia*, Liegefigur aus Marmor, 1599, Rom, S. Cecilia in Trastevere. Ferner: Statue des *S. Carlo Borromeo* in S. Lorenzo in Damaso, Rom; Liegefigur des *Hl. Petrus* am Hauptportal des Pal. del Quirinale, Rom.
Lit.: A. E. Brinckmann, *Barockskulptur* (Handb. d. K. W.). G. Pucci in: Enc. Ital. 1934.

Madou, Jean-Baptiste, belg. Maler u. Lithograph, Brüssel 1796–1877 ebda., Vertreter der belg. Genremalerei; auch Einzelblätter u. Folgen von Lithographien.
Werke: *Höfische Sitte*, 1862, Antwerpen, Mus. *Liebhaber*, 1873, ebda. *Das Fest im Schlosse*, 1851, Brüssel, Mus. *Dorfpolitiker*, 1874, ebda. *Der Störenfried*, ebda.

Madrazo, span. Malerfamilie ungar. Herkunft; die bedeutendsten Mitglieder:
José M. y Aguda, Santander 1781–1859 Madrid, Vertreter des Klassizismus, aufgewachsen in der Tradition von → Mengs, Schüler von J. L. → David in Paris, 1803–19 in Rom, wurde in Madrid Kammermaler des Hofes u. Dir. des Prado-Mus., dessen Bestände er reorganisierte. Er malte Historienbilder, Religiöses u. Bildnisse. Beisp.: *Tod des Viriathus*, Madrid, Prado. *Reiterbildnis Ferdinands VII.*, ebda. In s. Stil stark von David beeinflußt. S. Einfluß auf die zeitgen. span. Kunst überaus groß.
Federico M. y Kuntz, Rom 1815–1894 Madrid, Sohn u. Schüler von José M., kam 1819 mit s. Eltern nach Spanien, war verschiedentlich in Paris, wo er zum Kreise von → Ingres gehörte, 1841 in Rom, wo er mit den → Nazarenern in Beziehung trat (bes. von → Overbeck beeinflußt), wurde in Madrid Kammermaler, Dir. der Akad. S. Fernando u. 1859 Dir. des Prado-Mus. Er malte Historienbilder, Religiöses u. Bildnisse; beeinflußt von Overbeck, u. bes. von Ingres als Porträtist. Er hatte seinerseits großen Einfluß auf die span. Kunst. Beisp.: *Wahl Gottfrieds v.*

Bouillon zum König von Jerusalem, 1839, Versailles, Mus. *Die 2 Marien am Grabe*, Madrid, Mus. mod. *Die «Blaue Dame»*, ebda.
Raimundo M. y Garreta, Rom 1841–1920 Versailles, Sohn von Federico M., Schüler s. Schwagers → Fortuny, tätig in Paris, malte vor allem Genrebilder u. Bildnisse. Beisp.: *Karnevalsszenen*, 1875, Philadelphia, Mus.; Werke in Madrid (Prado, Mus. mod.), New York (Metrop. Mus.), Paris (Petit Palais) u. a.
Lit.: M. Madrazo, *Federico de M.*, 1923. A. Michel, *Hist. de l'Art* 8, 1925/26. L. Scheewe in: Th.-B. 1929. E. Lafuente Ferrari, *Breve Hist. de la Pint. Esp.*, 1953.

Mälesskircher, Gabriel, dt. Maler des 15. Jh., tätig in Oberbayern u. München, dem früher irrtümlich der Hochaltar der Klosterkirche Tegernsee zugesprochen wurde (→ Meister des Tegernseer Altars). M. steht heute ohne bekanntes Werk da.

Maella, Mariano Salvador de, span. Maler, Valencia 1739–1819 Madrid, Vertreter des Klassizismus, 1760 bis 1765 in Rom, wo er sich dem akad. Klassizismus anschloß. Nach s. Rückkehr nach Spanien in Madrid tätig, Mitglied der Akad., von → Mengs für die Ausschmückung der königl. Schlösser herangezogen. M. schuf größere dekorative Fresken, religiöse Gemälde u. Porträts.
Werke: Fresken: *7 Deckengemälde im Schloß* zu Madrid. Religiöse Werke: *Geburt Christi*, Toledo, Kathedrale; *Anbetung der Könige*, ebda. *Unbefleckte Empfängnis*, Aranjuez, Oratorio. *Himmelfahrt*, Talavera, Colegiata. Porträts: *Bildnis Karls III.*, um 1779, Madrid, Schloß. Fresken in Toledo, Kathedrale; Altarwerke in den Kathedralen Sevilla, Segovia, Toledo; Werke in den Mus. Zaragoza, Boston u. a.
Lit.: J. Allende-Salazar in: Th.-B. 1929.

Maes, Dirk, niederl. Maler, Haarlem 1659–1717 ebda., Schüler von H. → Mommers u. Nic. → Berchem, befreundet mit → Huchtenburgh. Seine Spezialität: die getreue Wiedergabe von Pferden, die er in Gefechten, auf Überfällen, Jagden, Märkten usw. darstellte. Nachahmer Huchtenburghs.
Lit.: M. D. Henkel in: Th.-B. 1929.

Maes, Nicolaes, niederl. Maler, Dordrecht 1632 bis 1693 Amsterdam, hervorragender Interieur- u. Bildnismaler, kam um 1648 zu → Rembrandt in die Lehre, 1653 Rückkehr nach Dordrecht, von 1673 an in Amsterdam tätig. In s. Stil erweist er sich als Schüler Rembrandts; er begann mit bibl. Bildern, pflegte dann aber vor allem sittenbildliche Darstellungen, bes. häusliche Szenen. Gerne stellt er weibl. Personen im Innenraum, in warmem Helldunkel dar. In s. Spätstil macht sich der Einfluß von → Rubens u. der Italiener geltend. Vertreten u. a. in London, Nat. Gall. u. Wallace Coll.; Rotterdam, Slg. Boymans; Dresden, Gal.

Beisp.: *Die eingeschlafene Magd*, London, Nat. Gall. *Alte Frau am Spinnrad*, Amsterdam, Rijksmus. *Alte Frau beim Apfelschälen*, Berlin, staatl. Mus. *Alte Frau, in der Bibel lesend*, Brüssel, Mus. *Bildnis eines jungen Mannes u. einer jungen Frau*, München, A. P.
Lit.: C. Hofstede de Groot, *Beschr. u. krit. Verz. d. holl. Maler d. 17. Jh.* 6, 1915. W. Valentiner, 1924. M. J. Friedländer, *Niederl. Maler d. 17. Jh.*

Maffei, Francesco, ital. Maler, Vicenza um 1620 bis 1660 Padua, bedeutender venez. Barockmeister, seit 1638 in Venedig, später in Vicenza u. Padua tätig. Er bildete s. Stil unter dem Eindruck von → Tintoretto, → Fetti, → Liss, → Strozzi u. wurde ein glänzender Dekorateur. Er malte umfangreiche Kirchenbilder, namentlich für Kirchen in Vicenza u. Venedig.
Beisp.: *Taufe Christi*, Vicenza, Mus. *Abendmahl*, Verona, Mus. *Judith*, Faenza, Gal. *Pietà*, Rovigo, Municipio. Vertreten in den Mus. von Verona, Pesaro, Rimini; in Brescia, S. Francesco; Castelfranco, S. Liberale; Padua, Immacolata; Venedig, SS. Apostoli u. a.
Lit.: G. Fiocco in: Th.-B. 1929. N. Ivanoff, 1942. N. Pevsner, *Malerei d. 17. Jh.* (Hb. d. K. W.), 1928.

Maggiotto, Domenico, ital. Maler, Venedig 1713–94 ebda., Schüler des → Piazzetta; bibl. u. allegor. Bilder (mit Halbfiguren), Porträts; oft ganz in der Art des Piazzetta, so daß die Werke häufig unter dessen Namen gehen. Beisp.: *Schlafende Hirtin*, Hamburg, Kunsth.
Lit.: H. Voss in: Th.-B. 1929.

Magnasco, Alessandro, gen. Lissandrino, ital. Maler, wahrscheinlich Genua 1667–1749 ebda., hervorragender genues. Barockmeister des Genrebildes, Schüler des Franc. Abbiati in Mailand, tätig in Mailand, Florenz, von 1735 an in Genua. Er begann mit religiösen Bildern, wandte sich dann kleinfigurigen Szenen zu, die s. Spezialität blieben: Mönche, Nonnen, Einsiedler, Soldaten, fahrendes Volk in romantisch wirkenden Räumen oder in wilder Landschaft, die Gestalten in überschlanken Proportionen, alles in rapiden, ausfahrenden, die Form nur andeutenden Strichen; in dunkelbraunem Gesamtton, aus dem unheimliche Lichter aufzucken. Zu s. künstlerischen Vorfahren gehört bes. S. → Rosa, auch → Callot. Er hatte seinerseits Einfluß bes. auf → Guardi durch s. Technik. M. ist u. a. vertreten in den Mus. v. Mailand, Florenz, Turin, Paris, Dresden, Berlin, Köln.
Beisp.: *Mönche im Gebet*, Den Haag, Mus. *Wald mit betenden Eremiten*, Florenz, Uff. *Marktleben*, Mailand, Castello Sforzesco.
Lit.: B. Geiger, 1923. Ders., *M., I disegni*, 1945. Ders., *Saggio di un cat. delle pitture*, 1945. Ders. 1949 (ital.). M. Pospisil, 1944.

Magnelli, Alberto, ital. Maler, * Florenz 1888, Vertreter der abstrakten Kunst, kam um 1910 mit den Kubisten u. den Futuristen in Paris in Verbindung, mit → Boccioni, → Carrà, → Marinetti u. a. u. schuf 1915 s. 1. vollkommen abstraktes Bild; vorübergehend kehrte er zu gegenständlichen Bilderfolgen zurück, seit 1933 wieder zur vollen Abstraktion. 1931 Mitglied der Pariser Vereinigung «Abstraction-Création». Lebt in Paris u. gilt als einer der bedeutendsten abstrakten Maler der Gegenwart.
Lit.: J. Arp, 1947. M. Seuphor, *L'Art abstrait*, 1949. Ders., *Dict. peint. abstr.*, 1957. Vollmer, 1956. *Neue Kunst seit 1945*, hg. v. W. Grohmann, 1958.

Magnus, Eduard, dt. Maler, Berlin 1799–1872 ebda., vor allem bedeutender Bildnismaler, seit 1844 Prof. der Akad. Berlin, war anfangs → Nazarener, dann Romantiker, zuletzt vom Realismus beeinflußt. Bildnisse: *Jenny Lind*, 1846, Berlin, Nat. Gal. *Thorwaldsen, Rauch, Menzel, Felix Mendelssohn* u. a. Vertreten in Berlin, Nat. Gal. u. Erfurt, Mus.

Magnussen, Harro, dt. Bildhauer, Hamburg 1861 bis 1908 Berlin, Schüler von R. → Begas in Berlin, schuf Denkmäler u. Bildnisbüsten.
Werke: *Bronzestandbild Bismarcks* in Kiel, 1897. Marmorstatuen *Bismarcks, Moltkes, Roons* für die Ruhmeshalle in Görlitz, 1901. *Kurfürst Joachim II.* für die Berliner Siegesallee, 1900. *Kaiser Wilhelm I.* in Bonn, 1906. Bildnisbüsten von: *Ernst Haeckel, Klaus Groth, Friedrich d. Gr., Bismarck* u. a.

Magritte, René, belg. Maler, * Lessines 1898, Hauptvertreter der belg. surrealist. Malerei, lebte 5 Jahre in Paris, das. befreundet mit dem Dichter Paul Eluard. In s. Kunst bringt er die verschiedensten sehr realist. gesehenen Elemente auf überraschende Art zus.
Lit.: Knaurs Lex., 1955.

Maiano, Benedetto da, ital. Bildhauer u. Arch., * 1442, † 1497 Florenz, Hauptmeister der florent. Frührenaissance, zunächst Schüler u. Gehilfe seines Bruders Giuliano, später umfangreiche Tätigkeit als Marmorbildner, bes. in Florenz, Siena u. S. Gimignano. In s. Kunst bringt er den Frührenaissancestil → Desiderios da Settignano u. A. →Rossellinos zur Vollendung, am hervorragendsten dort, wo eine vollkommene Harmonie zwischen Archektonischem u. Plastischem zustande kommt. Seine berühmten Hauptwerke sind die *Kanzel von S. Croce*, Florenz, Marmor, um 1475, geschmückt mit Ornamenten; 5 Reliefs mit Szenen aus der Geschichte des hl. Franziskus u. Statuetten. *Ziborium aus Marmor in S. Domenico*, Siena, um 1475 ff; *2 leuchterhaltende Engel*, ebda.
Weitere Werke: *Grabmal des Filippo Strozzi* in S. Maria Novella, Florenz. *Porträtbüste des Filippo*

Strozzi, in Ton, Berlin, ehem. K.-F.-Mus.; in Marmor, Paris, Louvre. *Marmorbrunnen* mit 2 Engeln in der Sakristei des Doms von Loreto. *Türrahmung*, ebda. *Altar* u. *Ziborium* in der Collegiata in S. Gimignano. *Grabmal des hl. Savinus*, Dom zu Faenza, um 1472. *Grabmal der Herzogin Maria von Aragonien*, in der Kirche Monte Oliveto, Neapel, beg. von Rossellino, voll. von M.; *Verkündigungsaltar*, ebda. 1489. Als Arch.: Mitwirkung am *Pal. Strozzi*, Florenz, 1489 beg., von → Cronaca zu Ende geführt. Weitere Werke in Florenz, bes. auch im Bargello; in Prato (*Tonstatue der Madonna im Dom*).
Lit.: L. Dussler, 1924. W. v. Bode, *Kunst d. Frührenaiss.*, 1923. W. Paatz, *Kunst d. Renaiss.*, ²1954.

Maiano, Giuliano da, ital. Bildhauer u. Arch., Maiano b. Fiesole 1432–1490 Neapel, bedeutender Meister der Frührenaissance, der den Stil → Brunelleschis weiterführte, in Florenz ein Atelier leitete, von dem Holzarbeiten, Möbel, Bildtafeln u. a. ausgingen, aber auch große Bauausführungen. 1477–90 Florentiner Dombaumeister. Als Arch. an vielen Hauptbauten der Zeit beteiligt, doch sind mehrere später verändert oder zerstört worden. Von den heute erhaltenen Bauten die bedeutendsten: *Dom von Faenza*, 1474–86. *Pal. Spanocchi* in Siena, voll. nach 1476, der vollendetste Renaissancebau in Siena. *Porta Capuana* in Neapel, um 1485.
Weitere Werke: *Ausstattung der Sakristei* des Doms in Florenz. *Marmorportal* im Pal. Vecchio, ebda., 1476 (in Zusammenarbeit mit s. Bruder Benedetto da → M.). *Pal. del Capitano* in Sarzana, 1472 (später völlig umgebaut). *Pal. Venier* in Recanati, 1477 beg. (nur Einzelheiten erhalten). Umbau der *Collegiata in S. Gimignano*, 1466 beg. *Dom zu Loreto*, von M. beg., von andern zu Ende geführt.
Lit.: s. Benedetto da M.

Maillol, Aristide, franz. Bildhauer u. Graphiker, Banyuls-sur-Mer 1861–1944 ebda., Hauptmeister der franz. Skulptur nach → Rodin, begann mit dem Studium der Malerei, 1882–86 Schüler von → Cabanel, gelangte unter dem Einfluß → Gauguins zu einem liniengebundenen Stil u. schuf Wandteppiche, wandte sich um 1901 autodidaktisch der Skulptur zu u. gestaltete meist weibliche Aktfiguren, außerdem hervorragende Graphik, lebte meist in Paris. Für s. Stil wurde der Eindruck der altgriech. Plastik bestimmend. Er wandte sich von der impressionist. Kunstweise Rodins ab, verzichtete auf die modellierende Wirkung des Lichts, suchte vielmehr rein plastische Wirkungen. Er hat mit seiner Anschauung die gesamte moderne Plastik beeinflußt.
Beisp.: *Badende*, um 1900, Frankfurt, Städel. *Weiblicher Akt*, Bremen, Kunsth. In vielen Mus. vertreten, bes. in Paris, Luxembourg; Berlin, staatl. Mus.; Essen, Folkwang; Bremen, Kunsth.; Köln, Wallraf-Richartz; Zürich, Kunsth.; Winterthur, Mus. Meh-

rere Mus. in USA: New York, Detroit, Minneapolis u. a. Seine hervorragendsten Buchillustrationen: Holzschnitte zu *Vergil, Eklogen*, 1936; zu *Ovids Ars Amandi*, 1935; zu *Longus, Daphnis u.Chloe*, 1937; *Vergil, Georgica*, 1939; *Horaz, Oden*, 1939.
Lit.: O. Mirbeau, 1924. A. Kuhn, 1925. M. Denis, 1925. P. Camo, 1926. Ders., 1950. J. Cladel, 1937. J. Rewald, 1939. J. Charbonneux, 1947. C. Roy u. Karquel, 1947. M. Bouvier, 1945. G. Jedlicka, *Begegnungen*, 1945. C. Giedion-Welcker, *Plastik d. 20.Jh.*, 1955. W. Hofmann, *Plastik d. 20. Jh.*, 1958.

Mainardi, Sebastiano di Bartolo, S. Gimignano um 1460–1513 wahrscheinlich Florenz, Schüler u. Gehilfe von D. → Ghirlandaio, an dessen Werken er mitarbeitete u. von dem er beeinflußt wurde. M. schuf an eigenen Werken kirchliche Fresken u. Tafelbilder.
Werke: Sichere Werke von ihm sind *Fresken in S. Agostino* in S. Gimignano. Alle weiteren sind Zuschreibungen: *Himmelfahrt Mariä* u. *Gürtelspende an den hl. Thomas* (nach Ghirlandaios Entwurf) in S. Croce, Florenz. Ferner Tafelbilder in vielen Mus., u. a. in London, Nat. Gall.; Florenz, Uff.; Paris, Louvre; Chantilly, Mus. Condé; München, A. P.; New York, Metrop. Mus.; Berlin, staatl. Mus.; Kassel, Gal.
Lit.: G. de Francovich in: Cronache d'Arte, 1927 (m. Abb. u. Bibliogr.). R. van Marle, *Ital. Schools* 13, 1931.

Maineri, Gian Francesco, ital. Maler, aus Parma stammend, tätig meist in Ferrara u. Mantua um 1489–1504, von → Roberti beeinflußt.
Werke: *Heilige Familie*, Berlin, ehem. K.-F.-Mus.; Florenz, Uff.; Madrid, Prado. *Kreuztragender Christus*, Modena, Gall.; Rom, Gall. Doria; Florenz, Uff. *Madonna*, Gotha, Mus.; Turin, Akad. Zugeschriebene Werke ferner in Richmond, Slg. Cook; Mailand, Brera; London, Nat. Gall. u. a.
Lit.: A. Venturi VII, 3, 1914. N. Pelicelli in: Th.-B. 1929. E. v. d. Bercken, *Mal. d. Renaiss. in Oberital.* (Hb. d. K. W.), 1927.

Mair, Johann Ulrich → Mayr, Johann Ulrich.

Mair, Nicolaus Alexander, dt. Maler u. Kupferstecher, tätig in Landshut, † 1520, einer der letzten Vertreter der schon verwilderten Spätgotik. Von ihm sind erhalten: 22 Blätter Kupferstiche; einige Holzschnitte; Zeichnungen in: Wien, Albertina; München, Graph. Slg.; Leipzig, Graph. Slg. u. a. Zugeschrieben werden ihm einige Gemälde in München, Bayer. Nat. Mus.; Trient, Mus.; Wien, Staatsgal.; Berlin, ehem. K.-F.-Mus. u. a.

Mair von Landshut → Mair, Nicolaus Alexander.

Maison, Rudolf, dt. Bildhauer, Regensburg 1854 bis 1904 München, schuf Denkmäler, Genrefiguren u. -gruppen, Brunnen, Statuetten u. a. In s. Stil verband er die Bestrebungen der Neuklassik mit einem urwüchsigen Realismus.
Werke: In Kupfer getriebene Standbilder zum Schmuck von Monumentalbauten: *Reitende Standartenträger* für das Reichstagsgebäude in Berlin; *Geharnischte Reiter* für das Berliner Rathaus. *Denkmal Kaiser Friedrichs* vor dem Kaiser-Friedrich-Mus. in Berlin, 1904. Brunnen: *Teichmann-Brunnen* in Bremen, 1899. Statuetten, denen er Bemalung gab: *Neger, Augur, Philosoph, Faun.*
Lit.: A. Heilmeyer, *Die mod. Plastik in Deutschl.,* 1903.

Maitani, Lorenzo, ital. Bildhauer u. Arch., Siena um 1275–1330 Orvieto, der Schöpfer der *Fassade des Domes von Orvieto,* einem Hauptdenkmal der ital. Gotik. Von ihm stammt der Entwurf der Fassade; 1310–30 hatte er die Bauleitung inne, so daß auch die plastische Ausschmückung des unteren Teiles der Fassade s. Werk sein muß. Vollendung nach s. Tode durch s. Söhne. — In s. Stil von G. → Pisano beeinflußt, aber auch die Zusammenhänge mit der Plastik der franz. Gotik nicht zu verkennen.
Lit.: G. de Francovich in: Boll. d'Arte 7, 1927–28. A. Schmarsow, *Ital. Kunst im Zeitalter Dantes,* 1930. E. A. Rose, *The meaning of the reliefs on the second pier of the Orvieto Façade* in: The Art Bull. XIV, 1932. H. Keller in: Festschrift W. Pinder, 1938. P. Toesca, *Il Trecento,* 1951.

Maître de Moulins → Meister v. Moulins.

Majano → Maiano.

Makart, Hans, österr. Maler, Salzburg 1840–1884 Wien, Hauptvertreter der großen Prunkdekoration des «Neubarock» des 19. Jh. (sog. «Makart-Stil»), Schüler von → Piloty in München, wandelte dessen Historienmalerei um in eine Malerei des großen Schaugepränges, mit schönen Frauen, Prunkgewändern u. satten Farben; bes. die Venezianer, → Tizian u. → Veronese, waren s. Vorbilder. Seine Bilder in großen Formaten, hist. u. allegor. Inhalts, waren ein adäquater Ausdruck der Gründerzeit u. ernteten großen Ruhm, wurden aber beim Anbruch einer neuen Zeit als bloße Ausstattungsstücke verrufen. Von bleibendem Wert s. kleineren Arbeiten, die s. hohe Begabung zeigen, Studien u. Porträts. M. ist in vielen großen Gal. vertreten; am besten in Wien, Gal. des 19. Jh.
Beisp.: *Die Pest in Florenz,* 1867–68, München, N. P. *Die fünf Sinne,* 1872–79, Wien, Österr. Gal. *Triumph der Ariadne,* 1873, ebda. *Einzug Karls V. in Antwerpen,* 1878, Hamburg, Kunsth. *Das Frauen-*

bad, 1880–81, Dresden, Gal. Bildnisse in der Österr. Gal. in Wien.
Lit.: R. Stiassny, 1886. C. v. Lützow, 1887. E. Pirchan, 1942. Ders., 1954. *Ausst.-Kat.,* Salzburg 1940.

Makron, griech. (att.) Vasenmaler, 1. Drittel des 5. Jh. v. Chr., dem die meisten Gefäße aus der Werkstatt des Fabrikanten Hieron zugeschrieben werden. Er malte im streng rotfigurigen Stil. Bedeutendstes Werk: *Schale mit trunkenen Mänaden,* Berlin, Antikenslg.
Lit.: E. Pfuhl, *Malerei u. Zeichn. der Griechen* 1, 1923. J. D. Beazley, *Att. Vasenmaler d. rotfig. Stiles,* 1925.

Ma Kung–hsien, chines. Maler, um 1130–60 an der Akad. in Hangchou tätig, malte hervorragende Landschaften.
Lit.: O. Kümmel in: Th.-B. 1929.

Maler, Hans, dt.-österr. Maler des 16. Jh. aus Ulm, tätig in Schwaz in Tirol um 1500–30, Bildnismaler, dem ca. 30 Bildnisse, meist von Habsburgern u. Fuggern zugeschrieben werden. Im Stil ist M. dem B. → Strigel verwandt, beeinflußt auch von → Burgkmair, vielleicht aus der Werkstatt des → Zeitblom hervorgegangen. *Bildnis einer jungen Frau,* 1512, Lugano, Slg. Schloß Rohoncz. *Bildnis der Königin Anna v. Ungarn,* ebda.
Lit.: G. Glück in: Österr. Jb. 25, 1906.

Malewitsch, Kasimir, russ. Maler, Kiew 1878–1935 Leningrad, Hauptvertreter der russ. abstrakten Kunst, beeinflußt von den franz. Neo-Impressionisten, → Fauves u. Kubisten, Führer der russ. Kubisten. Um 1913 ging er zur abstrakten, «konkreten», Kunst über: s. Bild *Schwarzes Rechteck auf weißem Grunde.* 1915 gab er s. theoret. Schrift zur ungegenständl. Kunst heraus: sein «Suprematistisches Manifest» (dt. «Suprematismus. Die Welt der Gegenstandslosigkeit», 1920). 1919 malte er *Weißes Rechteck auf weißem Grund,* New York, Mus. of mod. Art. Im selben Jahre wurde M. Lehrer der Akad. Moskau; 1924 der Akad. Leningrad.
Lit.: Vollmer, 1955. Seuphor, *Dict. peint. abstr.,* 1957. *Ausst.-Kat. Kunsth.,* Bern 1959.

Malfait, Hubert, belg. Maler, * Astene (Ostflandern) 1898, Landschafts- u. Figurenmaler, Schüler von Jean Delvin u. G. → Minne an der Genter Akad., tätig in Gent, in s. Stil von G. de → Smet u. → Permeke beeinflußt, malt vor allem ländliche Szenen, Stallinterieurs, Stilleben. Beisp.: *Bäuerin zu Pferde,* Brüssel, Mus.

Maljawin, Philipp, russ. Maler, Rjasan 1869 bis 1939 (?), Schüler von → Rjepin, begann als Impressionist, stellte Bauern dar u. war Porträtist. Vertreten in russ. Gal. u. in Venedig, Gall. d'Arte mod.

Malmström, Johan August, schwed. Maler u. Illustrator, Västra Nysocken 1829–1901 Stockholm, malte haupts. Bilder aus der nord. Märchen- u. Sagenwelt, 1857/58 Schüler von → Couture in Paris u. 1859/60 der Düsseldorfer Akad., war in Italien, dann tätig in Stockholm, Prof., später Direktor der Akad., malte *Schlacht auf der Bravalla-Heide*, Stockholm, Stadthaus; 2. Fassung, 1867, ebda., Nord. Mus.; illustrierte Tegners *Fritjof Saga* u. a. Lit.: H. Wieselgren, 1904.

Malouel, Jean, burgund.-franz. Maler, * in der Landschaft Geldern, † 1419 Paris, Hofmaler des Herzogs Philipp des Kühnen von Burgund u. s. Nachfolgers Johann ohne Furcht, 1396 in Paris tätig, 1397 von Philipp dem Kühnen zum Nachfolger des Hofmalers J. de → Beaumetz ernannt. M. schuf als Hauptwerk 5 Altäre für die Kartause Champmol b. Dijon. Man nimmt an, daß die dem M. zugeschriebenen Werke dazu gehörten: eine *Marter des Hl. Dionys* (voll. von → Bellechose), Paris, Louvre. Rundbild einer *Pietà*, ebda. Im Stil M.s ist die Beziehung zur burgund. Hofkunst (Brüder → Limburg) unverkennbar. Lit.: Bouchot, *Les Primitifs français*, 1904. F. Winkler in: Th.-B. 1929. G. Ring, *A Century of French Painting, 1400–1500.* 1949. (Phaidon); in franz.: *La Peinture franç. du 15e siècle*, 1949.

Man, Cornelis de, niederl. Maler u. Radierer, Delft 1621–1706 ebda., Porträt- u. Genremaler, ließ sich, nachdem er 9 Jahre lang auf Reisen in Paris, Lyon, Florenz u. Rom war, in Delft nieder. M. ist in s. Stil ein von P. de → Hooch, → Vermeer, de → Witte (→ Candid) u. a. beeinflußter Eklektiker. Beisp.: *Musizierendes Paar*, Amsterdam, Rijksmus. M. ist in vielen Gal. vertreten, u. a. in Hamburg, Kunsth. (*Geographen bei der Arbeit*); Marseille, Mus. (*Der Brief*). Lit.: A. v. Wurzbach, *Niederl. Künstlerlex.* II, 1910. Hofstede de Groot, *Beschreib. u. krit. Verz.* I, 1907.

Mancini, Antonio, ital. Maler, * 1852, † 1930 Rom, farbenfroher Impressionist, in mehreren Gal. vertreten. Lit.: G. Guida, 1921. S. Kambo, 1922. Somaré, *Storia dei pitt. dell'Ottocento*, 1928. Delogu, *Ital. Malerei*, ³1948.

Mander, Carel van, niederl. Maler u. Kunsthistoriograph, Meulebeeke 1548–1606 Amsterdam, als Maler Vertreter des fläm. Manierismus, als Kunstschriftsteller v. größter Bedeutung, da er nach dem Beispiel → Vasaris als erster Kunstbiographien der nord. Länder gibt. M. hielt sich einige Jahre in Italien auf, 1583 ff. in Haarlem ansässig, ab 1604 in Amsterdam, Lehrer des F. → Hals. Sein Werk:

«Het Schilder Boek», Alkmaar 1604, 2. Ausg. Amsterdam 1616–18; dt. Ausg. v. H. Floerke, 1906. Als Maler von → Spranger beeinflußt, leitete 1583 ff. in Haarlem eine Zeichenakad. u. hatte bedeutenden Einfluß. Werke: *Katharinenmarter*, Courtrai, St. Martin, 1582; *Verkündigung*, 1593, Haarlem, Mus.; *Bauernkirmes*, 1600, Leningrad, Eremitage. Zeichnungen in Amsterdam, Braunschweig, Dresden, Düsseldorf, Florenz (Uff.), Leiden, Wien (Albertina). Lit.: A. v. Wurzbach, *Niederl. Künstler-Lex.*, 1910. H. Floerke, 1906. J. v. Schlosser, *Kunstliteratur*, 1924. E. Valentiner, *M. als Maler*, 1930.

Mandijn (Mandyn), Jan, niederl. Maler, Haarlem 1500 bis um 1560 Antwerpen, Maler wüster Landschaften, Versuchungen von Heiligen, Höllenbildern u. a. in der Art von H. → Bosch, tätig seit ca. 1530 in Antwerpen, Lehrer des B. → Spranger. Werke: *Versuchung des hl. Antonius*, Haarlem, Franz-Hals-Mus. *Christophorus*, München, A. P. *Höllenstrafen*, Wien, Gal. Harrach (M. zugeschrieben). Lit.: A. v. Wurzbach, *Niederl. Künstlerlex.* II, 1910. F. Winkler, *Altniederl. Malerei*, 1924.

Mandl (Mändl), Michael Bernhard, österr. Bildhauer, Prag (?) um 1660–1711 Salzburg, der bedeutendste Salzburger Plastiker s. Zeit. Hauptwerke in Salzburg: *Pferdebändiger*, Mittelgruppe der Hofstallschwemme, 1695. *Die Apostel Petrus u. Paulus* auf den Sockeln vor dem Dom, 1697. *Fassadenfiguren der Kardinalstugenden* u. *Engel* auf einem Seitenaltar, 1699, Dreifaltigkeitskirche u. a.; ital. beeinflußter Barock. Lit.: A. Feulner, *Dt. Plastik d. 17. Jh.*, 1926. P. Grotemeyer in: Th.-B. 1929. L. Pretzell, *Salzburger Barockplastik*, 1935. H. Decker, *Barockplastik in den Alpenländern*, 1943.

Manes, Josef, böhmisch-österr. Maler, Prag 1820 bis 1871 ebda., Historienmaler, der unter dem Eindruck des nationalen Erwachens der Tschechen Darstellungen aus Geschichte, Landschaft u. Volksleben Böhmens schuf. Vertreten in den Gal. v. Prag u. Brünn. Lit.: J. Pečirka, 1939. M. Lamač, 1952.

Manessier, Alfred, franz. Maler, * Saint-Ouen (Somme) 1911, Hauptvertreter der abstrakten Kunst, 1931 in Paris, traf 1935 mit → Bissière zus., um den sich eine Gruppe bildete mit M., → Le Moal, → Bertholle u. dem Bildhauer Martin. M. ist in Paris tätig. M. schuf religiöse Werke in abstrakter Kunst, namentlich Kartons für Kirchenfenster: für *Bréseux* im Jura; für *Saint-Pierre de Trinquetaille* in Arles; für die *Kapelle von Hem* b. Roubaix; für die *Allerheiligenkirche* in Basel. M. ist mit Werken vertreten in Mus. für mod. Kunst v. Basel, Paris, Nantes, Johannesburg, Oslo, Turin u. a.

Lit.: Bourniquel, *Trois peintres* (*Le Moal, M., Singier*), 1946. Dorival in: L'Oeil, Oct. 1955. M. Seuphor, *Dict. peint. abstr.*, 1957. (dt. als: *Knaurs Lex. abstr. Malerei*, 1957). Vollmer, 1956. W. Hofmann, *Zeichen u. Gestalt*, 1957. *Neue Kunst nach 1945*, hg. v. W. Grohmann, 1958.

Manet, Edouard, franz. Maler u. Graphiker, Paris 1832–1883 ebda., Hauptmeister des Impressionismus, 1851–56 Schüler von → Couture, bereiste Deutschland, Holland, Italien u. 1865 Spanien, tätig in Paris. M. ging in s. Kunst auf die großen Spanier (→ Velazquez, → Goya) u. F. → Hals zurück, wurde auch von den Realisten, bes. → Courbet beeinflußt. Er arbeitete mit großflächigen Gegensätzen von hellen u. dunklen Partien. Von den 60er Jahren an hellte sich s. Farbgebung immer mehr auf. 1863 stellte M. im «Salon der Zurückgewiesenen» s. Gemälde *Frühstück im Freien*, 1861, Paris, Louvre, u. 1865 die *Olympia*, 1865, Paris, Louvre, aus; beide erregten Stürme der Entrüstung u. offenbarten die neue Sehweise M.s. Sein Einfluß auf die Impressionisten war groß, u. später wurde auch er seinerseits von den Impressionisten beeinflußt; Impressionist im engeren Sinne u. Landschaftsmaler ist M. nie gewesen: er war stets Figurenmaler.

Weitere bekannte Werke: *Frühstück im Atelier*, 1868, München, Staatsgal. *Erschießung Kaiser Maximilians*, 1868/69, Mannheim, Kunsth. (1. Fassung in Boston). *Der Balkon*, Paris, Louvre. *Bildnis Zola*, 1868, ebda. *Bildnis Mallarmé*, 1876, ebda. *Le bon Bock*, 1873. *Die Kellnerin*, 1878, London, Tate Gall. *Bar in den Folies-Bergère*, 1881, ebda., Courtauld Inst. M. ist sehr gut vertreten in Paris, Louvre u. New York, Metrop. Mus.; ferner in Berlin, Boston, Budapest, Chicago, Dresden, Essen, Frankfurt, Hamburg, Kopenhagen; London, Tate Gall.; Moskau, München, Stockholm.

Lit.: J. Meier-Graefe, 1903 u. 1912. Th. Duret, [2]1906; dt. Ausg. v. E. Waldmann, 1910. E. Waldmann, 1923. H. v. Tschudi, 1920. P. Jamot, G. Wildenstein u. M. L. Bataille, 1932. R. Rey, 1938. A. Tabarant, 1947. M. Bex, 1948. Graphik u. a.: E. Moreau-Nélaton, *M., grav. et lithogr.*, 1906. L. Rosenthal, *M. aquafortiste et lithogr.*, 1925. E. Moreau-Nélaton, *M. raconté par lui-même*, 1926. P. Jamot u. M. L. Bataille, 1930 (*Krit. Werkverz.*). M. Guérin, *L'œuvre gravée de M.*, 1944. P. Courthion, *M. raconté par lui-même*, 1945. G. Bataille, 1955 (Skira). J. Rewald, *Gesch. d. Impression.*, 1957.

Manfredi, Bartolomeo, ital. Maler, Ustiano b. Mantua um 1580 bis um 1620 Rom, Genremaler in der Art des → Caravaggio, malte Wirtshaus-, Spieler-, Soldatenszenen, aber auch bibl. Darstel-

lungen. M. ist in vielen Mus. vertreten, u. a. in Bergamo, Florenz (Pitti u. Uff.), Augsburg, Berlin, Braunschweig, Brüssel, Budapest, Darmstadt, Dresden, Paris (Louvre), Pommersfelden, Schwerin, Vaduz (Slg. Liechtenstein), Wien (Kunsthist. Mus.). Beisp.: *Die Wahrsagerin*, Florenz, Pitti.

Lit.: H. Voss, *Die Malerei des Barock in Rom*, 1925.

Manglard, Adrien, franz. Maler u. Radierer, Lyon 1695–1760 Rom, bedeutender Marinemaler, Schüler von C. → Lorrain, war längere Zeit in Italien tätig, wo er u. a. S. → Rosa studierte. Vertreten in vielen franz. Mus., u. a. in Paris (Louvre), Avignon, Chartres, Lyon, Montpellier, Rouen. Ferner in Budapest, Florenz, Rom (Gall. Doria Pamphili); Neapel, Wien (Akad. u. Gal. Harrach); Mannheim, Stockholm u. a.

Lit.: Th.-B. 1930. Bénézit 5, 1952.

Mangold, Burkhard, schweiz. Maler u. Graphiker, Basel 1873–1951 ebda., schuf monumentale Wandmalereien, Kartons für Glasgemälde, Lithographien, Plakate, Aquarelle u. Zeichnungen. Fresken in: Basel (Rathaus, Volksbank, Schalterhalle Hauptpost u. v. a.). Glasgemälde: in vielen Kirchen u. Bern, Parlamentsgebäude; vertreten in den Mus. v. Aarau, Le Locle, Basel, Bern, La Chaux-de-Fonds, Schaffhausen u. a.

Lit.: Brun, *Schweiz. Künstler-Lex.* II, 1908. Vollmer, 1956.

Manguin, Henri-Charles, franz. Maler, Paris 1874 bis 1943 Saint-Tropez, Hauptvertreter der → Fauves, Schüler von G. → Moreau, beeinflußt von → Cézanne u. → Gauguin, erinnert in manchen s. wohlgebauten Bilder voller Farbenfreudigkeit an → Matisse. Er malte Landschaften, Akte, Stilleben, Bildnisse. Beisp.: *Golfe de St-Tropez*, Paris, Mus. d'Art mod. M. ist vertreten in den Gal. v. Brüssel, Lyon, Moskau, Paris, Straßburg, Winterthur, Zürich.

Lit.: J. Leymarie, *Fauvismus*, 1959. B. Dorival, *Die franz. Maler des 20. Jh.*, 1959. Knaurs Lex., 1955.

Manni, Giannicola, eig. Giannicola di Paolo, ital. Maler, Perugia um 1460–1544 ebda., von → Perugino, → Pinturicchio, → Raffael, A. del → Sarto u. a. beeinflußter Meister, vertreten in Perugia, Pinac. (*Bekehrung des Thomas; Martyrium des Laurentius* u. a.); in London, Nat. Gall. (*Verkündigung*); Paris, Louvre (*Taufe Christi, Himmelfahrt Mariä* u. a.).

Lit.: W. Bombe, *Geschichte d. perug. Malerschule*, 1912. A. Venturi, 2, 1915. Perkins in: Th.-B. 1930. U. Gnoli in: Enc. Ital. 1934.

Mannozzi, Giovanni, gen. *Giov. da San Giovanni*, ital. Maler, S. Giovanni Valdarno 1592–1636 Florenz, liebenswürdiger, sehr fruchtbarer Vertreter des florent. Frühbarock, Schüler von Matteo →

Rosselli, dem er anfangs im Stil folgte; später von den Bolognesen (den → Carracci, → Guercino u. a.) beeinflußt: 2 Deckenbilder im Mus. Buonarroti, Florenz; Fresken in der Capp. des Pal. Pallavicini-Rospigliosi in Pistoia, 1633; viele weitere Freskenwerke in Kirchen u. Palästen, namentl. in Florenz. Gut vertreten in Florenz, Pal. Pitti.

Manolo, eig. Manuel Martinez Hugué, span. Bildhauer u. Graphiker, La Habana (Kuba) 1876–1945 Briquetes (Katalonien), von → Maillol beeinflußt, studierte in Barcelona u. Paris, lebte seit 1908 in Céret (Südfrankreich), später in der Nähe von Barcelona u. schuf Bildnisbüsten, Akte, Reliefs u. a. Werke: *Denkmal für Déodat de Séverac* in Céret, 1924. *Torero*, Terrakotta, Köln, Wallraf-Richartz-Mus. *Weibl. Bronzefigur*, Mannheim, Kunsth. Reich vertreten in Barcelona, Mus.
Lit.: P. Pia, 1930. *Ausst.-Kat. Sculpture franç.*, Berlin 1947.

Mansart, franz. Arch.-Familie, davon die wichtigsten Mitglieder:
François, Paris 1598–1666 ebda., Hauptvertreter des franz. Klassizismus, seit 1636 «arch. du Roy», an den bedeutendsten Bauten der Zeit in u. um Paris beteiligt. Er ist ein Meister wohlabgewogener Verhältnisse, namentlich der Fassaden, u. harmonischer Bauwirkungen u. war auch für die Folgezeit maßgebend. Mit dem Bau des *Schlosses zu Maisons-Laffitte* bei Paris, 1642–51, schuf er das Hauptwerk der franz. Palastbauten des 17. Jh. Weitere Bauten: *Schloß Balleroy* in der Normandie, 1626–36; Kirche der *Filles de la Visitation de Sainte-Marie* in Paris, 1632–34; *Erweiterungsbau am Schloß Blois*, 1635–38; *Gal. Mazarin*, Paris, um 1644 (heute Teil der Bibliothèque Nat.); *Kirche u. Abtei Val-de-Grâce*, Paris (nach M.s Entwurf gebaut 1645–65); Umbau des *Hôtel Carnavalet*, Paris (namentlich die heutige Fassade ein Werk M.s, 1660).
Jules Hardouin-M., franz. Baumeister, Großneffe u. Schüler François → M.s, Paris 1646–1708 Marly. Der bedeutendste Baumeister der Zeit Ludwigs XIV. Haupts. in Paris u. Versailles tätig, seit 1678 als Nachfolger → Levaus Leiter des Versailler Schloßbaues, 1685 «premier architecte du roi».
Die wichtigsten Bauten: *Schloß Versailles*, die Gartenfront des Mittelteils, um 1680; *Grand Trianon*, im Park von Versailles, 1687. Kirchliches Hauptwerk: der *Invalidendom* (Saint-Louis des Invalides), 1675–1706, Paris: in ihm erhält der Zentralbau seine klass.-franz. Prägung. Die *Hofkapelle v. Versailles*, seit 1699, wurde vorbildlich für die Hofkirchen der Barockzeit (Würzburg, Dresden). Weiter sind zu nennen: *Schloß Clagny*, 1674–80 (abgerissen 1769). Entwürfe für die *Place des Victoires* u. *Place Vendôme*, Paris, um 1685. Seine Bautätigkeit hatte einen sehr großen Umfang. Von s. vielen Neuerungen seien

genannt: die gebrochenen Dächer mit gr. Fenstern (Mansardendächer). H.-M. hat den klass. franz. Baustil zu s. reinsten Form geführt.
Lit.: Colomb, *Franç. Mansart et Jules H.-M.*, 1886. Brinckmann, *Die Baukunst des 17. u. 18. Jh.* (Handb. d. K. W.), 1915. E. v. Cranach-Sickart in: Th.-B. 1930. A. Blunt in: Studies of the Warburg Inst. 14, 1941. L. Hautecoeur, *Hist. de l'arch. classique* II, 1948. N. Pevsner, *Europ. Architektur*, 1957.

Manship, Paul, amerik. Bildhauer u. Medailleur, * St. Paul 1885, Vertreter des Neoklassizismus, repräsentativer Bildhauer der USA, tätig in New York, erhielt s. Ausbildung in Rom, wurde von griech. Plastik u. Vasenmalerei u. ostasiat. Kunst beeinflußt.
Werke: *Woodrow Wilson-Denkmal*, Genf, Haus der Nationen. *Bronzegruppe* im Rockefeller Center, New York. *Tänzerin mit Gazelle*, gilt als s. Hauptwerk u. ist in vielen Exemplaren vertreten. Werke in fast allen bedeutenden öffentl. Slgn. der USA. Ferner Paris, Luxembourg Mus.
Lit.: A. E. Gallatin, 1917. P. Vitry, 1927.

Mansueti, Giovanni di Niccolò, ital. Maler, tätig in Venedig um 1485–1527, Schüler u. Nachfolger des G. → Bellini, schuf religiöse Werke, vertreten u. a. in den Mus. v. Bergamo, Florenz (Uff.), Mailand, Venedig (Akad.), Verona, Berlin, London, Vaduz (Gal. Liechtenstein), Richmond (Slg. Cook).
Lit.: E. v. d. Bercken, *Mal. d. Renaiss. in Oberital.* (Hb. d. K. W.), 1927.

Mantegazza, Gebrüder, Bildhauer u. Goldschmiede des 15. Jh. in Mailand: *Antonio M.*, † 1495, u. der bedeutendere *Cristoforo M.*, † 1482, arbeiteten gemeinsam an der *Certosa v. Pavia*, seit 1472 an der *Fassade*, an den *Sockelreliefs*, zus. mit → Amadeo.
Lit.: E. Verga in: Th.-B. 1930.

Mantegna, Andrea, ital. Maler u. Kupferstecher, wahrscheinlich Isola di Carturo 1431–1506 Mantua, neben Giov. → Bellini der bedeutendste Meister der oberital. Frührenaissance, kam früh nach Padua, wo er in der Werkstatt des → Squarcione lernte u. wo er s. 1. Hauptwerk, die Fresken der Eremitani, malte. 1460 von Lodovico Gonzaga nach Mantua berufen, in dessen Diensten er bis zu s. Tode stand. 1466 in Florenz, 1467 in Pisa, 1488–89 in Rom nachweisbar. – Für M.s Kunst waren zwei Einflüsse bestimmend: die Antike, die er in Squarciones Atelier kennenlernte, da dieser, ein mittelmäßiger Maler aber guter Lehrer, Antiken, zumindest in Reproduktionen, besaß; ferner die Florentiner Meister der Frührenaissance, von denen vor allem P. → Uccello u. → Donatello auf ihn wirkten, die beide 1444 nach Padua berufen worden waren. In mancher Hinsicht kann M. als der eig. Vollender des von den florent.

«Theoretikern» erstrebten Kunstideals angesehen werden; die genaue Kenntnis der Perspektive, verbunden mit dem Geiste der Antike. Später kommt noch der Einfluß Jacopo → Bellinis hinzu, mit dessen Tochter er seit 1454 verheiratet war, u. auf den er seinerseits wirkte.
Hauptwerke: *Fresken der Eremitani-Kirche* in Padua, seit 1448, zus. mit Pizzolo u. a., 1453–59 allein: 6 Darstellungen aus dem Leben des hl. Jakobus u. Himmelfahrt Mariä. *Hochaltar von S. Zeno*, Verona, 1457–59: Thronende Madonna u. Kind als Mittelbild. Hauptwerk in Mantua: die *Fresken der Camera degli Sposi* im Pal. Ducale, 1474 voll.: an der einen Wand Begegnung des Lodovico Gonzaga mit s. Sohn, an der 2. Lodovico mit Familie u. Gefolge, an der Decke Cäsarenbildnisse u. mythol. Szenen, in der Mitte ein Durchblick in den freien Raum. Es ist die 1. derartige Illusionsmalerei überhaupt, Vorbild für → Melozzo da Forlì u. → Correggio. Die Bildnisse sind die bedeutendsten Gruppenporträts der Frührenaissance.
Spätwerke: *Beweinung Christi*, Mailand, Brera: ein Werk kühner Verkürzung. *Der Triumphzug Cäsars*, um 1492 voll., Hampton Court; 9 in Wasserfarben auf Leinwand zur Ausschmückung eines Saales im Pal. Ducale in Mantua gemalte Bilder, welche das tiefste Eindringen in den Geist der Antike bezeugen. Weitere bedeutende Bilder: *Tod Mariä*, Madrid, Prado. *Hl. Georg*, Venedig, Akad. *Madonna della Vittoria* mit Heiligen u. dem knienden Francesco Gonzaga, um 1495, Paris, Louvre. *Altarwerk mit Anbetung der hl. 3 Könige*, Beschneidung, Himmelfahrt, um 1464, Florenz, Uff. *Hl. Familie*, Dresden, Gal. *Parnass* u. *Sieg der Tugend*, 1497 u. um 1502, Paris, Louvre. –
M. ist ferner – neben → Pollaiuolo – Hauptmeister des Kupferstichs des 15. Jh. in Italien; hier kommt die Eigenart s. Stilwillens noch deutlicher als in den Gemälden zur Geltung, nämlich die unbedingte Plastizität der Figur; oft sind es Übernahmen antiker Plastiken. Berühmte Blätter: *Madonna mit Kind; Grablegung Christi; Bacchanal.*
Außer den gen. Mus. ist M. vertreten in Bergamo, Berlin, Cincinnati, Dresden, Kopenhagen, London, New York, Venedig, Verona, Wien.
Lit.: P. Kristeller, 1902. F. Knapp, ²1924 (Klass. d. K.). G. Fiocco, 1927 u. 1937. G. Pacchioni, ²1928. J. Blum, *M. u. die Antike*, 1935. Tietze-Conrat, 1955. R. Cipriani, 1956.

Manuel, Niklaus, gen. Deutsch, schweiz. Maler u. Zeichner für den Holzschnitt, Bern um 1484–1530 ebda., neben Urs → Graf Hauptvertreter der Schweizer Kunst s. Zeit; N. M. war Dichter, Krieger u. Staatsmann, Vorkämpfer der Reformation in Bern; als Künstler vermutlich zuerst als Glasmaler ausgebildet, dann Schüler des Berner → Nelkenmeisters u. des H. → Fries. Auf Reisen

kam er wohl nach Basel u. lernte die oberrhein. Kunst kennen (H. → Baldung, vielleicht → Grünewald). Er hat Holzschnitte u. Kupferstiche → Dürers gekannt, auch wohl die Kunst → Burgkmairs; mindestens zweimal hat er Italien besucht u. ist auch von der oberital. Kunst beeinflußt worden. M. schuf große Altarwerke, mythol. Darstellungen, Bildnisse, Zeichnungen u. Holzschnitte.
Hauptwerke: von einem Marienaltar f. das Dominikanerkloster Bern: *Lukas, die Madonna malend*, 1515, Bern, Mus. *Geburt der Maria*, Innenseite des vorigen, ebda. *Enthauptung Johannes d. T.*, ebda.; u. Basel, Mus. *Die Versuchung des hl. Antonius* (von einem Antonius-Altar v. 1520), Bern, Mus. Mythol.: *Urteil des Paris*, Basel, Mus. *Pyramus u. Thisbe*, ebda. Wandbilder: *Großer Totentanzzyklus* für das Berner Dominikanerkloster, 1515–20, nur in Kopien u. Zeichnungen erhalten. Holzschnitte: *Folge der Klugen u. Törichten Jungfrauen*, 1518. Zeichnungen mit Darstellungen aus dem Landsknechtleben. M. ist gut vertreten in den Mus. v. Basel u. Bern.
Lit.: L. Stumm, 1925. C. v. Mandach u. H. Koegler, 1938. *Kat. d. N. M.-Ausst.*, Zürich 1936. G. Schmidt/ A. M. Cetto, *Schweiz. Mal. u. Zeichn. im 15. u. 16. Jh.*, 1940 (Bibliogr.). J. Gantner/O. Reinle, *Kunstgesch. d. Schweiz* 3, 1956.

Manyoki, Adam, ungar. Maler, Szokolya 1673–1756 Dresden, Porträtmaler des Spätbarock, 1693 in Hamburg tätig, 1703–07 in Berlin, malte Bildnisse im Auftrage des Kronprinzen Friedrich Wilhelm, 1707 Hofmaler des Fürsten Rakoczi in Ungarn, 1711 in Danzig, 1713–23 Hofmaler Augusts des Starken in Dresden, für den er Bildnisse malte. In s. Stil von → Largillière beeinflußt. Vertreten in den Gal. v. Braunschweig, Budapest, Dessau, Schleißheim u. a.
Lit.: K. Lyka in: Th.-B. 1930.

Manzù, Giacomo, ital. Bildhauer, * Bergamo 1908, gilt als führender Plastiker Italiens, seit 1930 in Mailand tätig, seit 1941 Prof. der Akad. ebda., arbeitete mit Vorliebe in Wachs oder Ton, ging in s. Kunst von → Rodin u. → Maillol aus u. bevorzugte die Darstellung des menschlichen Körpers (Akte). 1950 ff. schuf er eine *Bronzetür* am St. Petersdom in Rom; 1958 am Dom zu Salzburg. Vertreten in Rom, Gall. mod. (*Stehender weibl. Akt*), in den Mus. v. Palermo, Turin, Moskau u. a.
Lit.: G. Scheiwiller, 1932. A. Pacchioni, 1948. E. Huettinger, 1956. Vollmer, 1956. R. d'Hooghe, 1960. C. Giedion-Welcker, *Plastik d. 20. Jh.*, 1955. W. Hofmann, *Plastik d. 20. Jh.*, 1958.

Maratti (Maratta), Carlo, ital. Maler, Camerano 1625–1713 Rom, Hauptmeister des röm. Spätbarock, Schüler des A. → Sacchi, beeinflußt von den → Carracci, aber auch von röm. Meistern des Hoch-

barock: → Lanfranco, Gaulli (→ Baciccio), → Pozzo u. a. Er verarbeitete alle Einflüsse in Werken großer Dynamik der Massen u. rauschender Bewegung. In s. Spätwerken sieht er bes. auf den Wohllaut der Bewegung u. Schönheit der kompositionellen Anordnung. Er schuf haupts. eine große Reihe monumentaler Altarbilder; ferner Porträts, Graphik u. a.
Werke: *Unbefleckte Empfängnis*, 1671, Siena, Sant'Agostino. *Hl. Philipp Neri*, um 1675, Florenz, Pitti-Gal. *Madonna in Glorie mit 5 Heiligen*, Rom, S. Maria sopra Minerva. *Vision des hl. Carl*, 1690, Rom, S. Carlo al Corso. *Taufe Christi*, 1697, Rom, S. Maria degli Angeli. *Madonna in der Glorie*, Turin, S. Filippo Neri. *Madonna mit Kindern*, 1705, Leningrad, Eremitage. Porträts: *Kardinal Antonio Barberini*, um 1660, Rom, Gall. Corsini. *Männerporträt*, ebda. u. ähnliches 1663, Berlin, ehem. K.-F.-Mus.
Lit.: H. Voss, *Mal. d. Barock in Rom*, 1924. H. Bodmer in: Th.-B., 1930. V. Golzio in: Enc. Ital., 1934. *Ausst.-Kat. Mostra del Settecento*, Rom 1959.

Marc, Franz, dt. Maler, München 1880–1916 (gefallen vor Verdun), Hauptvertreter des dt. Expressionismus, Schüler der Münchner Akad. unter Hackl u. W. v. → Diez, kam auf Reisen nach Paris, 1903 u. 1907, in Berührung mit der Kunst der Impressionisten u. van → Goghs, lernte 1910 → Macke kennen, der ihn mit → Kandinsky in Berührung brachte. 1911 gründete er mit Kandinsky die Gruppe «Der → Blaue Reiter», meist in Oberbayern tätig. In s. Schaffen von Kandinsky u. → Delaunay beeinflußt; Gegenstand s. Bilder sind vor allem Tiere, die er in den kosmischen Zusammenhang stellte. Zuletzt ging er zur Abstraktion über. M. war in vielen dt. Mus. vertreten; unter dem Nationalsozialismus wurden sie daraus entfernt.
Lit.: A. Schardt, 1936. K. Lankheit, 1950. *F. M. Briefe 1914–1916 aus dem Felde*. Mit 15 Bildern des Verf., 1959. L.-G. Buchheim, *Der Blaue Reiter*, 1959.

Marcantonio → Raimondi, Marcantonio.

March, Otto, dt. Arch., Charlottenburg 1845–1913 Berlin, baute das *Festspielhaus* in Worms, das *Schillertheater* in Charlottenburg, erneuerte die *Franz. Kirche auf dem Gendarmenmarkt* in Berlin, 1905 u. schuf ebda. die Anlage der Grunewaldrennbahn mit dem *Deutschen Stadion*, 1913, ein Vorbild für die neueren Sportplätze.
Sein Sohn *Werner* M., * Berlin 1894, baute in Berlin 1934–36 das *Reichssportfeld*.

Marchand, André, franz. Maler u. Graphiker, * Aix-en-Provence 1907, Sohn von Jean → M. bedeutender Kolorist, der eine Mittelstellung zwischen gegenständlicher u. abstrakter Malerei einnimmt: Figürliches, bes. religiöse Stoffe, Stilleben,

Landschaften. Seine Kompositionen erscheinen unwirklich, obwohl sie auf Tatsächliches Bezug nehmen. Vertreten in Paris, Mus. d'art mod. u. a. franz. Mus.
Lit.: M. Brion in: *Neue Kunst nach 1945*, hg. v. W. Grohmann, 1958.

Marchand, Jean, franz. Maler, Paris 1883–1940 ebda., Schüler von L. O. Merson, → Bonnat, H. → Martin, von den Kubisten beeinflußt, zu denen er anfangs gehörte; später ging er zum Neoklassizismus über; Figürliches, bes. Akte, Landschaften, Bildnisse, Radierungen u. Lithographien; Buchillustrationen; vertreten in den Mus. von: Paris (Mus. mod.), London (Tate Gall.), Chicago, Kopenhagen, Tokio, Brüssel u. a.
Lit.: R. Rey, 1926. Vollmer, 1956.

Marcillat, Guillaume de, franz. Glasmaler, La Châtre (Berry) um 1470–1529 Arezzo, kam früh nach Rom, wo er für Papst Julius II. Glasfenster im Vatikan schuf (heute zerstört), später in Cortona u. dann in Arezzo tätig. S. hervorragenden Werke beruhen auf der Verbindung der franz. got. Tradition von Kirchenfenstern u. der ital. Renaissancekunst (Bramante, Raffael, Michelangelo). Werke in Rom, S. Maria del Popolo; Arezzo, Dom u. andere Kirchen; die für Cortona geschaffenen Gläser heute in Amerika u. in London. M. war der erste Lehrer G. → Vasaris.
Lit.: G. Mancini, 1909. A. Del Vita, *Il duomo di Arezzo*, 1914. Ders. in: Enc. Ital. 1934. A. Michel, *Hist. de l'Art* V, 2, 1913.

Marcke de Lummen, Emil van, franz. Maler niederl. Herkunft, Sèvres 1827–1890 Hyères, Tieru. Landschaftsmaler, Schüler von → Troyon, malte bes. gerne Rinder in Weidelandschaft, vertreten in den Gal. v. Amsterdam, Avignon, Caen, Chicago, Den Haag, Reims, Philadelphia u. a.
Sein Sohn *Jean* M., 1875–1918, Meister in der Darstellung von Rennpferden.
Lit.: Bénézit, 1952.

Marcks, Gerhard, dt. Bildhauer, * Berlin 1889, Schüler von A. → Gaul u. G. → Kolbe, 1907–12 von R. → Scheibe in Berlin, 1918 von B. → Paul an der Berliner Kunstgewerbeschule, 1920 von → Gropius an das Bauhaus Weimar berufen, 1925 von → Thiersch an die Kunstgewerbeschule Halle, 1946 an die Landeskunstschule Hamburg, 1950 an die Werkschule Köln. Sein anfänglich expressionist. Stil gelangte zu einer klaren herben Formgebung u. strengem Aufbau der Figuren u. Gruppen, meist aus Bronze, beeinflußt von Kolbe, → Lehmbruck, v. griech.-archaischer u. mittelalterlicher Kunst. Die meisten vor dem 2. Weltkrieg öffentlich ausgestellten Werke wurden vernichtet. Bekannte

Werke waren: *Löwe*, 1910, Dresden, Albertinum. *Maria u. Joseph*, 1926, ebda. *Wandelnder Jüngling*, 1928, Berlin, staatl. Mus. *Große Tierskulpturen*, Halle, Giebichensteiner Brücke. *Büsten Luthers u. Melanchthons*, 1931, ebda., Univ. Nach 1945 entstanden: *6 Kolossalfiguren* aus Terrakotta, 1947–48, für die Fassade der Lübecker Katharinenkirche. *Totenmal* in Mannheim: *Stehender Engel. Sitzstatue des Empedokles*, Granit, für die Univ. Frankfurt. Holzschnitte: *Orpheuszyklus*, 1947. Einzelblätter: *Die Möwe*, 1945. *Der Fischer*, 1949. Vertreten in Frankfurt, Städt. Gal.; Köln, Wallraf-Richartz-Mus.; Berlin, Neue Gal.; in den Mus. v. Dresden, Halle u. a. Lit.: G. Busch, 1950. Ders., *M. Tierplastiken*, 1954. *Ausst.-Kat.*, Hannover 1949. *Ausst.-Kat. Walker Art Center*, Minneapolis 1953. W. Hofmann, *Plastik d. 20. Jh.*, 1958. M. Seuphor, *Plastik unseres Jh.*, 1959.

Marco da Siena → Pino, Marco dal.

Marconi, Rocco, ital. Maler, * in Treviso, † 1529 Venedig, Meister der venez. Renaissance, seit 1504 nachweisbar, Schüler →[Bellinis, von → Giorgione, → Palma Vecchio u. → Bordone beeinflußt, malte religiöse Bilder für Kirchen in Venedig. Beisp.: *Christus mit den Hll. Petrus u. Andreas*, Venedig, SS. Giovanni e Paolo. *Hl. Nikolaus von Bari zwischen Heiligen*, München, A. P. (Zuschreibung). *Christus u. die Ehebrecherin*, Leningrad, Hannover, Richmond (Slg. Cook), Rom (Mus. Naz.), Venedig, Akad. Vertreten auch (Zuschreibungen): Berlin, ehem. K.-F.-Mus. u. München, A. P. Lit.: E. v. d. Bercken, *Mal. d. Renaiss. in Oberitalien*, 1927 (Hb. d. K. W.). P. Schubring, *Kst. d. Hochrenaiss.*, 1926.

Marcoussis (eig. Markus), Louis, poln.-franz. Maler u. Graphiker, Warschau 1883–1941 Cusset, 1903 in Paris, war kurze Zeit Schüler von J. → Lefebvre, nahm an den Bestrebungen der Kubisten teil, gehörte 1912 ff. zur Künstlergruppe «Section d'Or», nach impressionist. Anfängen Kubist. Allmählich löste er sich vom Einfluß → Picassos u. s. Kreises u. fand einen eigenen streng geometrischen Stil, der indes poetische Leichtigkeit u. Nuancenreichtum wahrte. Schuf vor allem Landschaften u. Stilleben sowie Graphik. Vertreten u. a. in London, Tate Gall.; Chicago, Art Inst.; Philadelphia, Barnes Found.; Paris, Mus. d'Art mod.; Grenoble, Mus. Beisp.: *Der Hafen von Kérity*, 1927, Paris, Mus. d'Art mod. Mappenwerke: *Blanche de Salut*, 13 Rad. u. Stiche. *Aurélia*, 10 Radierungen. Einzelblätter: *Bildnis Apollinaire; Die Bar; Gebet*. Lit.: M. Cassou, 1930. R. Huyghe, *Les Contemporains*, 1949. Knaurs Lex., 1955.

Marcovaldo, Coppo di → Coppo di Marcovaldo.

Marées, George(s) de(s), auch Desmarées, schwed.-dt. Maler, Oesterby (Schweden) 1697–1776 München, bedeutender Bildnismaler des bayer. Rokoko, stammte aus franz. Familie, um 1700 in Stockholm, wo er von M. van → Meytens, einem Verwandten, ausgebildet wurde. Um 1720 begann er als selbständiger Bildnismaler. 1724 verließ er Schweden, reiste in Deutschland, den Niederlanden u. Italien. In Venedig Schüler → Piazzettas. 1731 ff. Hofmaler der bayer. Kurfürsten in München, zeitweise auch für andere Höfe tätig. M. war Bildnis- u. Miniaturmaler u. schuf auch einige Altarbilder für Kirchen u. Klöster in München u. Umgebung. – In s. Stil zunächst konventionell, später von Piazzetta in dessen charakteristischen Helldunkelmalerei beeinflußt, wandte sich schließlich dem franz. Rokoko zu. Seine eigenhändigen Bilder – er hatte viele Schüler – oft von großer Anmut. Vertreten in München, A. P.; [Schloß Schleißheim; Augsburg, Gal.; Dresden, Gal. u. a. Lit.: R. Paulus, 1913. C. Hernmarck, Diss. Uppsala 1933.

Marées, Hans v., dt. Maler, Elberfeld 1837–1887 Rom, Hauptmeister der dt. Kunst der 2. Hälfte des 19. Jh., 1854–55 Schüler von → Steffeck in Berlin, 1857 in München, wo er sich dem Landschafter → Lier u. → Lenbach anschloß. 1864 in Italien, um für den Grafen Schack alte Meister zu kopieren, lernte in Rom 1866 den Kunstschriftsteller Konrad Fiedler kennen, der ihn großzügig förderte u. mit dem er 1869 Spanien, Frankreich u. Holland bereiste. Nach Aufenthalten in Berlin u. Dresden 1873–74 in Neapel tätig, dann in Florenz, von 1875 an wieder in Rom. – In s. künstlerischen Entwicklung war M. zunächst von den Münchner Landschaftern wie Lier beeinflußt, malte realist. kleine Landschaften mit Pferden u. Reitern, auch mythol. Figuren, darunter Meisterwerke, welche s. spätere Kunst ahnen ließen, wie *Bad der Diana*, 1863, München, N. Staatsgal. u. feine Bildnisse wie das *Bildnis des Vaters*, 1862, ebda., oder das *Doppelbildnis mit Lenbach*, 1863, ebda. Aber erst die Anschauung der Kunstwerke Italiens öffnete ihm den Blick für sein wahres Streben. Er hatte das Gefühl, ganz neu beginnen zu müssen. In wechselseitiger Anregung suchten die Freunde: M., Konrad Fiedler u. der Bildhauer A. v. → Hildebrand die Grundlagen für einen großen idealist. Stil (im Gegensatz zum Realismus der Zeitkunst). M. wurde zum Deutsch-Römer wie → Feuerbach u. → Böcklin, doch war s. künstlerisches Ziel ein anderes: er suchte alles Anekdotische aus den Kunstwerken auszuschalten u. die Form allein, die Grundbeziehungen von Körper u. Raum, sprechen zu lassen. Er wollte die Erneuerung eines großen Stiles der Wandmalerei. Eine erste Erfüllung fand sein Streben im Auftrag für die *Fresken in der Zoolog. Station in*

Neapel, 1873–74. In 5 Wandbildern monumentalisierte er einfache Szenen des Alltags: Netzträger, Ruderer, Sitzende Frau im Orangenhain, Der Neapeler Freundeskreis. Die weiteren Höhen, die er erreichte, Tafelbilder, welche ein immer stärkeres Gefühl für die Grundelemente der Statik u. den rhythmischen Aufbau der Komposition dokumentieren, sind jedoch meist nur als Studien anzusehen, da er nie wieder einen großen Auftrag für Wandbilder erhielt.
Weitere Hauptwerke: *Philippus u. der Kämmerer*, um 1869, Berlin, staatl. Gal. *Hl. Martin*, ebda. *Bildnis des Vaters*, 1869, München, N. Staatsgal. *Abendliche Waldszene*, Berlin, staatl. Mus. *Jünglinge unter Orangenbäumen*, 1875–80, München, N. P.; spätere Fassung in Berlin. *Urteil des Paris*, Triptychon, 1880/81, Berlin, N. G. *Goldenes Zeitalter*, München, N. Staats-Gal. (mehrere Fassungen).
Lit.: K. Fiedler, 1889. J. Meier-Graefe, [4]1924. Ders., *Der Zeichner H. v. M.*, 1925. L. Justi, 1921. B. Degenhart, *M. Zeichnungen*, 1953. E. Waldmann, *Kunst d. Realism. u. Impression.*, 1927.

Marescalco (Marescalchi), Pietro, gen. lo Spada, ital. Maler aus Feltre, * um 1503, † 1584, Schüler von → Tizian, beeinflußt von J. → Bassano, vertreten in Feltre, Dom u. Gal. In den Gal. von Dresden, Verona u. a.
Lit.: G. Fiocco in: Arte Veneta, 1947. *Ausst.-Kat. 5 Jh. venez. Kunst*, Venedig 1945.

Margaritone d'Arezzo (Margarito v. Arezzo), ital. Maler, tätig in der 2. Hälfte des 13. Jh. Von ihm: *Thronende Madonnen* in: London, Nat. Gall.; in der Kirche v. Montelungo; New York, Slg. Lehman. *Hl. Franzsikus* in: Arezzo, Pinac.; Rom, Vatik. Pinak.; Castiglion Fiorentino, S. Francesco; Montepulciano, Mus.; Rom, S. Francesco a Ripa. Ferner in Siena, Akad.
Lit.: R. van Marle, *Ital. Schools* 1, 1923. L. Dami in: Dedalo V, 1924/25. Weigelt in: Th.-B. 1930.

Margold, Emanuel Josef, österr. Arch., * Wien 1889, Schüler J. → Hoffmanns in Wien u. dessen Mitarbeiter bei den Wiener Werkstätten, 1911–29 Mitglied der Darmstädter Künstlerkolonie, für deren Ausstellung 1914 er die Bauten ausführte, seit 1929 in Berlin tätig. M. schuf auch Entwürfe für Möbel, Tapeten, Gläser u. Porzellan. Er ist Vertreter des Jugendstils.
Lit.: G. A. Platz, *Baukunst d. neuesten Zeit*, 1927.

Marieschi, Michele, ital. Maler, * 1696, † 1743 Venedig, malte venez. Prospekte in der Art → Canalettos.

Marilhat, Prosper, franz. Maler, Vertaizon 1811 bis 1847 Thiers, Meister der Orientlandschaft, Schüler von Roqueplan, begann mit hist. Landschaften traditioneller Art, seit einer Reise in den Orient, 1831–33, spezialisierte er sich auf die Landschaft des Orients mit feiner Stimmung u. einer zarten Lichtmalerei, wobei der Staffage nur eine untergeordnete Rolle zugewiesen wurde. M. war in Paris tätig. Er ist u. a. vertreten in Paris, Louvre; Chantilly; London, Wallace Coll. Beisp.: *Syrische Araber auf der Reise*, Chantilly, Mus. Condé. *Straße in Kairo*, ebda. *Auf dem Nil*, London, Wallace Coll. *Palmen*, ebda.
Lit.: H. Gomot, 1884. Bénézit, 1952.

Marin, John, amerik. Maler, Rutherford 1870–1953 Cliffside, Hauptmeister des Surrealismus in den USA, begann mit dem Studium der Architektur, ging dann auf die Kunstakad. in Philadelphia, begann als Impressionist, war 5 Jahre in Frankreich, beeinflußt von den → Fauves u. den Kubisten, stellte 1913 in der Armory Show, der internat. Ausstellung moderner Kunst in New York, aus; schuf Landschaften, Marinen, Architektur, Ungegenständliches, war zuletzt Surrealist. Sein Einfluß auf die moderne amerik. Malerei war groß. In vielen Mus. vertreten, bes. Mus. of Mod. Art, New York; Metrop. Mus., ebda.
Lit.: E. M. Benson, 1935. M. Helm, 1948. *Histoire de la Peint. mod.* (De Picasso au Surréalisme), 1950 (Skira). Knaurs Lex., 1955.

Marinari, Onorio, ital. Maler, Florenz 1627–1715 ebda., florent. Barockmaler, Nachahmer des C. → Dolci, schuf in Florenz in S. Maria Maggiore: *Christus u. Magdalena*; im Pal. Capponi: Deckenfresken u. Ölbilder; in der Pitti-Gal.: *David; Selbstbildnis*. In Rom, Gall. Corsini: *Verkündigung an die Hirten*. In Parma, Gal.: *Büßende Magdalena*. In Vaduz, Slg. Liechtenstein: *Venus u. Amor*. Ferner Boston, Budapest u. a.

Marini, Marino, ital. Bildhauer u. Graphiker, *Pistoia 1901, Hauptmeister der heutigen ital. Kunst, studierte an der Akad. Florenz Malerei u. Bildhauerei, 1929 ff. Lehrer am Ist. Sup. d'Arte in Monza u. 1940 ff. an der Brera-Akad. in Mailand, war öfters in Paris u. 1942–46 im Tessin; pflegt das Bildnis, Akte u. bes. gerne Gruppen von Pferd mit Reiter, arbeitete in Bronze u. Holz. Sein Stil ist zutiefst von archaischer, bes. etruskischer, Kunst bestimmt. Sein Einfluß auf die ganze moderne Kunst ist sehr groß. Die Gruppe *Pferd u. Reiter* hat er oft gestaltet; als eine der besten gilt die im Battersea Park, London, 1951.
M. ist in vielen Mus. vertreten, u. a. in Rom, Gall. d'Arte mod.; in Mailand; Florenz; Turin; Paris, Jeu de Paume; Zürich, Kunsth.; mehreren Mus. in Nordamerika.
Lit.: P. Fierens, 1936. U. Apollonio, [2]1953. E. Trier, 1954. W. Hofmann, *M. M. Malerei u. Graphik*, 1960.

C. Giedion-Welcker, *Plastik d. 20. Jh.*, 1955. W. Hofmann, *Plastik d. 20. Jh.*, 1958. M. Seuphor, *Plastik unseres Jh.*, 1959.

Marinus van Reymerswaele (Raymerswaele) → Reymerswaele, Marinus van.

Mariotto di Nardo, ital. Maler, * 1394, † 1424, tätig in Florenz, wahrscheinlich Schüler des Lorenzo di Niccolò → Gerini, beeinflußt vor allem von Lorenzo → Monaco. Er folgte in seinem Stil der got. Strömung, der Lorenzo Monaco huldigte. Werke: *Trinität*, 1416, Florenz, S. Trinità. *Verkündigung*, Florenz, Akad. Weitere Werke in Florenz, Akad.; ebda., S. Maria Maggiore; ebda., S. Trinità; in Pistoia; Vaduz, Slg. Liechtenstein, Budapest, u. a. Lit.: A. Venturi VII, 1, 1911. R. van Marle, *Ital. Schools* IX, 1927. Perkins in: Th.-B. 1930.

Maris, drei niederl. Malerbrüder, bedeutende Vertreter der Haager Schule des 19. Jh.
Jacob, Landschaftsmaler, Den Haag 1837–1899 Karlsbad, von der Schule von → Barbizon beeinflußt, gut vertreten im Rijksmus., Amsterdam.
Matthijs, Maler u. Radierer, Den Haag 1839–1917 London, malte Landschaften u. Figurenbilder, beeinflußt von den engl. → Präraffaeliten, gut vertreten im Rijksmus., Amsterdam.
Willem, Landschaftsmaler, Den Haag 1844–1910 ebda., Schüler s. Brüder. Beisp.: *Enten am Wasser*, Hamburg, Kunsth.
Lit.: D. C. Thomson in: The Studio, 1907. E. Waldmann, *Kunst d. Realism. u. Impression.*, 1927.

Marmion, Simon, franz. Maler, vermutlich aus Amiens, * um 1425–40, † 1489 Valenciennes, wo er seit 1458 meist tätig war, hervorragender Meister der Miniaturmalerei u. großer religiöser Werke, der in der Miniaturmalerei wohl die Schulung der Pariser oder nordfranz. Schulen verrät, später aber ganz unter dem Einfluß der flandrischen Schule stand u. ebenbürtig neben den führenden Niederländern, Dirk → Bouts u. → Justus v. Gent, steht. Hauptwerke als Miniaturist: *Missale*, Turin, Bibl. *Kalendarium*, Brügge, Domschatz. *Gebetbücher*, Löwen, Univ.-Bibl. u. London, Brit. Mus. *Froissart-Handschrift*, um 1450-60, Leningrad, Staatsbibl. Tafelbilder: *Altar mit Bildern aus dem Leben des hl. Bertin*, 1453–59, Berlin, staatl. Slg. (Kleine Aufsätze dazu in London, Nat. Gall.). *Kreuzigung*, Philadelphia, Slg. Johnson. *Kreuzauffindung*, Paris, Louvre. *Martyrium zweier Heiligen* (Adriaen u. Quentin), New York, Metrop. Mus. *Kreuzigung*, Rom, Gall. Corsini. *Triptychon mit Madonna u. Kind* als Mitteltafel: Mittelstück u. ein Flügel in Lugano, Slg. Schloß Rohoncz; der andere Flügel in London, Nat. Gall. Weitere Werke in Philadelphia, Slg. Johnson; Jena, Bibl.; Brügge, Mus.; Straßburg, Mus.

Lit.: Dehaisnes, *Recherches sur le Retable de St-Bertin*, 1892. S. Reinach, *Un manuscrit de la Bibl. de Phil. le Bon à St-Petersbourg* in: Mon. Piot, t. XI, 1904. E. Michel in: Gaz. des B.-Arts 2, 1927. F. Winkler in: Th.-B. 1930. G. Ring, *La Peint. franç. du 15e siècle*, 1949 (Phaidon).

Marne, Jean-Louis de → Demarne, Jean-Louis.

Marot, Daniel, d. Ä., franz. Ornamentzeichner, Arch. u. Kupferstecher, Paris um 1663–1752 Den Haag, wichtig für die Verbreitung des Stiles Louis XIV. in den Niederlanden, da er 1685 nach Holland ging, u. in England, da er 1695–96 in London war. In s. Stichen sind uns heute viele hervorragende Dekorationen des Stiles Louis XIV. erhalten.
Lit.: P. Jessen, *Ornamentstich*, 1920.

Marot, Jean, franz. Arch. u. Ornamentstecher, * um 1619, † 1679 Paris, Vater von Daniel d. Ä., hat in s. Stichen franz. Prachtbauten der Zeit Ludwigs XIV. der Nachwelt überliefert: «Recueil de plusieurs portes des principaux hostels et maisons de la ville de Paris», 1644, u. a.

Marquet, Albert, franz. Maler, Bordeaux 1875 bis 1947 Paris, Hauptvertreter der modernen franz. Landschaftskunst, kam früh nach Paris u. wurde, wie sein Freund → Matisse, Schüler von → Moreau, schloß sich Matisse u. den → Fauves an, begleitete diesen 1912 nach Marokko; tätig in Paris. M. malte haupts. Landschaften u. Porträts u. verband die Errungenschaften des Fauvismus mit denen des Impressionismus. Er malte mit Vorliebe Hafenbilder u. immer wieder die Pariser Seinequais in stets neuer Stimmung und anderer Atmosphäre. Seine Bilder sind stets klar u. streng gebaut. Vertreten in Paris, Mus. d'Art mod., u. vielen größeren Gal.
Lit.: G. Besson, 1946. Vollmer, 1956. F. Jourdain, 1959. G. Duthuit, *Les Fauves*, 1949.

Marr, Karl v., dt. Maler, Milwaukee (Wisconsin) 1858–1936 München, Sohn dt. Eltern, besuchte die Akad. Weimar, Berlin u. München (→Lindenschmit), 1893 ff. Prof. der Akad. München, malte Historienbilder, aber auch Bildnisse u. dekorative Akt- u. Figuren-Kompositionen. Er wurde bekannt durch das Bild *Die Flagellanten*, 1889, Milwaukee, Mus. M. schuf ein *Deckengemälde* im Hamburger Schauspielhaus. Er ist vertreten in den Mus. v. Bremen, Breslau, München, Nürnberg, Weimar, Budapest, New Orleans, New York (Metrop. Mus.), St. Louis, Toledo u. a.

Marrina (Marinna), Lorenzo, eig. Lorenzo di Mariano Fucci, ital. Bildhauer, Siena 1476-1534, her-

vorragender Hochrenaissancemeister Sienas, Schüler von → Giovanni di Stefano, schuf – zus. mit M. Cioli – den *Hauptaltar für die Chiesa di Fontegiusta* in Siena, 1509–17; ein feines *bronzenes Ciborium*, ebda.; die *Marmorbekleidung des Portals der Libreria des Domes*, ebda., um 1497. Ferner Arbeiten in S. Girolamo, ebda. (*Marmoreinfassung eines Altares; kleiner Altar*); *Marmortür des großen Saales in der Akad.*, ebda.; bemalte *Terrakotta-Büste der hl. Katharina*, 1517, in der Sakristei von S. Caterina (Contrada del Drago), ebda.
Lit.: A. Venturi VIII, 1923.

Marshall, Benjamin, engl. Maler, * 1767, † 1835, tätig in London u. Newmarket, Meister der Pferdedarstellung, der oft mit → Stubbs zus. genannt wird.
Lit.: W. Shaw Sparrow, *George Stubbs and B. M.*, 1929.

Marstrand, Wilhelm, dän. Maler, Kopenhagen 1810–1873 ebda., Schüler von → Eckersberg, ging 1836 nach Italien, seit 1848 Prof., später Direktor der Akad. Kopenhagen. M. schuf reizvolle Genrebilder u. Historien. Reich vertreten im Mus., Kopenhagen.
Lit.: K. Madsen, 1905.

Martin, Henri, franz. Maler, Toulouse 1860–1943 Paris, Schüler von J. P. → Laurens, schuf *große dekorative Gemälde* für das Hôtel de Ville in Paris (1895); für die Sorbonne, ebda.; für die Mairie des 5. Arrondissements, ebda.; für das Kapitol in Toulouse u. a.; in s. Stil beeinflußt von → Puvis de Chavannes und den → Präraffaeliten, in der Technik der Farbgebung von den Neo-Impressionisten. Werke in franz. Mus.; ferner in: Buffalo, Gent, Montreal.

Martin, John, engl. Maler u. Kupferstecher, Haydon Bridge b. Hexham 1789–1854 Douglas, Schüler von B. Musso, malte heroische Landschaften mit reicher Staffage, illustrierte 1832–33 die Bibel u. Miltons Verlorenes Paradies u. stach zahlreiche Bilder in Kupfer.
Lit.: M. L. Pendred, 1923.

Martinelli, Domenico, ital. Arch., Lucca 1650–1718 ebda., Meister des Barock, der verschiedentlich in den nordischen Ländern tätig war (Österreich, Deutschland, Niederlande) u. durch s. Entwürfe von bedeutendem Einfluß auf die Entwicklung des nord. Barock. In Wien wurde nach s. Plänen gebaut: *Stadtpalais Harrach*, 1690; *Pal. Liechtenstein* in der Rossau, 1691, u. a.
Lit.: H. Tietze in: Th.-B. 1930. B. Grimschitz, *Wiener Barockpaläste*, 1944.

Martini, Alberto, ital. Maler u. Graphiker, * Oderzo 1876, veröffentl. Folgen phantast.-erot. Federzeichnungen, illustrierte Dantes Divina Commedia u. a., schuf Exlibris u. Gebrauchsgraphik.
Lit.: V. Pica in: Th.-B. 1930. Enc. Ital. 1934.

Martini, Arturo, ital. Bildhauer, Treviso 1889–1947 Vado Ligure, 1909–11 Schüler von → Hildebrand in München. Hauptwerk: Das große vielfigurige *Hochrelief der Giustizia Corporativa* für den Justizpalast in Mailand, 1937. M. ist in mehreren ital. Mus. vertreten.
Lit.: M. Bontempelli, 1939 (m. Bibliogr.). Lo Duca, 1933. E. Trier, *Mod. Plastik*, 1955. Vollmer, 1956. W. Hofmann, *Plastik d. 20. Jh.*, 1958.

Martini, Giovanni, gen. *Giovanni da Udine*, ital. Maler u. Holzschnitzer, † 1535 Udine, das. nachweisbar seit 1497. Zum venez. Kunstkreis gehörender Meister, beeinflußt von → Vivarini, → Buonsignori, → Cima da Conegliano. Werke in: Udine, im Dom S. Pietro Martire u. Mus. Civico; Mailand, Brera; Venedig, Mus. Corrèr (*Madonna mit Kind*, 1498).
Lit.: A. Venturi VII, 4, 1915. E. v. d. Bercken, *Mal. d. Renaiss. in Oberital.*, 1927 (Hb. d. K. W.).

Martini, Simone, ital. Maler, Siena 1284–1344 Avignon, nach Giotto der bedeutendste Maler des Trecento, ging wahrscheinlich aus der Schule → Duccios hervor, um 1317 nach Neapel berufen, um ein Bild zu Ehren des Bruders des Königs von Anjou, des hl. Ludwig, zu schaffen (*Der hl. Ludwig s. Bruder, König Robert, krönend*, 1317, Neapel, Pinac.). Um 1322–26 in Assisi tätig, wo er s. Hauptwerk schuf: *Die Fresken der Martinskapelle in S. Francesco*: 10 Darstellungen mit Szenen aus dem Leben des hl. Martin. In der Folge meist in Siena tätig, bis er 1339 nach Avignon berufen wurde, um Fresken im päpstl. Palast u. in der Kathedrale auszuführen (nur Reste erhalten). – Die Kunst M.s bedeutet eine Synthese Duccios u. → Giottos, dessen Stil er sich zu eigen gemacht. Überdies war ihm die Formensprache der franz. Gotik vollkommen geläufig, so daß s. Werk einen Höhepunkt der ital. Gotik bedeutet. Im Laufe s. Entwicklung folgt er dem Zeitstil, der zu größerer Bewegtheit u. zugleich Realistik in den Einzelheiten führt.
Weitere Hauptwerke: *Maestà* (Thronende Madonna) um 1315, Siena, Pal. Pubblico. *Reiterbildnis des Guidoriccio da Fogliano*, 1328, ebda. Tafelbilder: *Altarwerk aus S. Caterina*, Pisa, um 1320, heute Pisa, Mus. *Altarwerk in S. Agostino*, Siena: Szenen aus der Legende des hl. Agostino Novello. *Verkündigung*, 1333, Florenz, Uff. *Rückkehr des 12jährigen Jesus vom Tempel*, 1342, Liverpool, Mus. Bilder eines kleinen Altares (aus der Spätzeit): *Verkündigung, Kreuzigung, Kreuzabnahme*, Antwerpen, Mus. *Kreuztragung*, Paris, Louvre. *Grablegung*, Berlin, staatl.

Gal. Miniaturmalerei: *Titelbild einer Virgilhand-schrift*, die aus dem Besitz Petrarcas stammt, Mailand, Ambrosiana.
Lit.: R. van Marle, 1920. Ders., *Ital. Schools* 2, 1924. C. Weigelt, 1933. A. de Rinaldis, 1936. R. Oertel, *Frühzeit d. ital. Malerei*, 1953.

Martino da Udine → Pellegrino da San Daniele.

Martorell, Bernardo, span. Maler, † um 1453–55, tätig in Barcelona, der bedeutendste katalon. Meister s. Zeit, schuf als s. Hauptwerk das *Retabel der Ver-klärung*, um 1447, Barcelona, Kathedrale. Heute wird ihm auch zugeschrieben: *Retabel des hl. Georg*, Tafeln verteilt auf Paris, Louvre u. Chicago, Mus. *Marty-rium der hl. Eulalie*, Vich, Mus. Weitere Werke ebda. Lit.: J. Lassaigne, *La peinture espagnole*, 1952 (Skira).

Marziale, Marco, ital. Maler, tätig um 1492–1507 in Venedig u. Cremona, venez. Meister aus dem Um-kreis des Giovanni → Bellini, beeinflußt von Gen-tile → Bellini, → Carpaccio u. → Perugino, auch nordische Einflüsse (→ Dürer).
Werke: *Beschneidung Christi*, um 1500, London, Nat. Gall. *Madonna mit Kind*, 1504, Bergamo, Accad. Car-rara. *Christus in Emmaus*, 1507, Venedig, Akad. u. Berlin, staatl. Mus. *Thronende Madonna mit Kind u. Heiligen*, 1507, London, Nat. Gall. Weitere Werke in Venedig, Mus. Civ. u. Akad.; Wien; Budapest; Mainz; in Zara, S. Donato u. a.
Lit.: B. Geiger in: Preuß. Jb. 1912. E. v. d. Bercken, *Malerei d. Renaiss. in Oberital.* (Handb. d. K. W.,) 1927.

Masaccio, eig. Tommaso di Giovanni di Simone Guidi, ital. Maler, S. Giovanni Valdarno 1401–1428 Rom, Hauptmeister der ital. Frührenaissance, angeb-lich (Vasari) Schüler des → Masolino, seit 1422 in Florenz nachweisbar, ebda. tätig bis kurz vor s. Tode, überwindet in s. Kunst die got. Tradition u. die → Giotto-Epigonen u. schließt s. Kunst an die des Giotto selber an; dabei steht ihm die Formensprache der Frührenaissance zur Verfügung: Räumliche Dar-stellung mit Hilfe der Perspektive, der plastischen Gestaltung mit Hilfe von Farbe u. Licht. Seine wah-ren Lehrmeister waren → Brunelleschi u. → Dona-tello. Deren Ideen übertrug er konsequent in s. Malerei u. wurde damit ein Hauptschöpfer der Früh-renaissance. – M.s Hauptwerk sind die *Fresken der Brancacci-Kapelle* in S. Maria del Carmine, Florenz, um 1426–27. Es sind Szenen aus dem Leben Petri. Jede Figur steht im kompositionellen Zusammen-hang u. hat zugleich ihren eigenen Lebensraum, Plastizität, Luft u. Licht um sich. An diesen Fresken arbeitete auch Masolino, u. die Abgrenzung der Ar-beit M.s ist eine der schwierigsten Fragen. Als eigene Arbeiten gelten vor allem: Taufe Petri, Zinsgro-

schen, Schattenheilung, Vertreibung aus dem Para-dies.
Weitere Hauptwerke: *Freskenzyklus in S. Clemente*, umstritten, da auch dem Masolino zugesprochen. *Fresko der Dreifaltigkeit* in S. Maria Novella, Florenz, um 1426/27. Tafelbilder: *Hl. Anna selbdritt*, Früh-werk, Florenz, Uff. *Rundbildchen einer Wochenstube*, um 1426, Berlin, staatl. Mus. Altarwerk für die Kirche del Carmine in Pisa, 1427 voll., heute zerstückelt, Teile davon sind: *Madonna mit Engeln*, London, Nat. Gall.; *4 Ganzfigürchen von Heiligen* u. *3 Predellen-stücke*, *Anbetung der Könige*, *Martyrium der hll. Petrus u. Johannes d. T.*, *Szenen aus den Legenden der hll. Julian u. Nikolaus*, Berlin, staatl. Mus. *Christus am Kreuz*, Neapel, Mus. Naz. *Hl. Paulus*, Pisa, Mus. civ.
Lit.: A. Schmarsow, 1895–99. J. Mesnil, 1927. H. Lindberg, *To the problem of M. and Masolino*, 1931. M. Salmi, 1932, ²1947. R. Oertel in: Marb. Jb. f. K. 7, 1933. M. Pittaluga, 1935. K. Steinbart, 1948. U. Pro-cacci, ²1952.

Masanobu, Kano, japan. Maler, * wahrscheinlich 1454, † 1550 Kioto, Stammvater des Kano-Hauses, schuf Landschaften, Tierbilder, Figurenbilder; in s. Stil von Shubun u. Sotan abhängig. M. gehört zu den Erneuerern des chines. Sungstiles in Japan. Der Maler → Motonobu war s. Sohn.
Lit.: O. Kümmel in: Th.-B. 1926. Y. Yashiro u. P. C. Swann, *Jap. Kunst*, 1958.

Masereel, Frans, belg. Holzschneider u. Maler, * Blankenberghe 1889. Nach Studium an der Akad. Gent Reisen nach London, Paris u. Nordafrika, 1916–21 in Genf, wo er in der Zschr. «Edition du Sablier» Werke von Barbusse, Rolland, Verhaeren, Duhamel u. a. veröffentlichte, die er mit Holzschnit-ten versah, tätig meist in Paris u. Nizza, ist vor allem durch s. Holzschnitte berühmt geworden, sowohl durch eigene Folgen wie als Illustrator v. Büchern anderer. Sein Holzschnittstil arbeitet mit starken Kontrasten von Weiß u. Schwarz u. war ursprüng-lich dem Expressionismus verpflichtet. Als Maler schuf er vor allem Szenen aus der Großstadt u. aus dem Hafenleben.
Hauptwerke: Holzschnittfolgen: *25 images de la passion d'un homme*, 1918. *Mon livre d'heures*, 1919 (Mein Stundenbuch, 1926). *Le soleil*, 1919. *Histoire sans paroles*, 1920. *La ville*, 1925. Illustrationen zu: *Uilen-spiegel* von Coster, *Der seltsame Handwerker* von Ver-haeren u. v. a.
Lit.: A. Holitscher u. St. Zweig, 1923. J. Billiet, 1925. G. Ziller, 1949. L. Lebeer, 1950.

Masip, Juan Vicente, span. Maler, * um 1490, † um 1550 Valencia, das. tätig seit 1513. M. stand in s. Kunst stark unter dem Einfluß der ital. Malerei, bes. → Raffaels; man nimmt an, daß er selber in Italien war. Später arbeitete er mit s. Sohn Juan de → Jua-

nes zus. Werke: *Tafeln in der Kathedrale v. Segorbe* (vom ehem. Hochaltar), ca. 1531–35. *Taufe Christi*, 1535, Valencia, Kathedrale. *Martyrium der hl. Inés*, Madrid, Prado. *Heimsuchung*, ebda.
Lit.: J. Lassaigne, *La peinture espagnole*, 1952 (Skira).

Masip, Juan Vicente, d. J. → Juanes, Juan de.

Masjutin, Wassilij, russ. Maler u. Graphiker, * Riga 1884; graph. Folgen u. Holzschnittillustrationen zu Werken russ. Dichter.
Lit.: N. Romanoff, *Die Rad. M.s*, 1920.

Maso di Banco → Banco, Maso di.

Masolino, Tommaso di Cristoforo Fini; M. da Panicale gen., ital. Maler, Panicale 1383 bis um 1447 Florenz, Gehilfe → Ghibertis u. Schüler → Starninas, beeinflußt von → Gentile da Fabriano u. Fra → Angelico, tätig in Florenz, ging um 1427 nach Ungarn, später wieder in der Heimat tätig, schuf kirchliche Freskenwerke u. Tafelbilder, in s. Kunst noch ganz Gotiker, doch von → Masaccio beeinflußt, dessen 1. Lehrer er gewesen sein soll.
Hauptwerke: *Fresken im Chor der Kollegiatkirche in Castiglione d'Olona*: Szenen aus dem Leben Mariä, um 1430. *Fresken im Baptisterium*, ebda.: Szenen aus dem Leben Johannes d. T., 1435. *Fresken in der Brancacci-Kap.*, Kirche del Carmine, Florenz: Szenen aus dem Leben Petri (→ Masaccio). Die M. zugeschriebenen Bilder: Sündenfall, Predigt Petri, Erweckung der Tabita, Heilung des Lahmen, 1424–26. *Fresken der Passionskap. von S. Clemente*, Rom, werden meist M. zugeschrieben (→ Masaccio): Evangelisten u. Kirchenväter; Bilder aus dem Leben der hll. Katharina u. Ambrosius; Kreuzigung Christi. Vertreten in Philadelphia, Slg. Johnson; in den Mus. v. München u. Bremen.
Lit.: A. Schmarsow, *M. u. Masaccio*, 1928. Lindbergh, *To the problem of M.*, 1931. Wassermann, *Masaccio u. M.*, 1935.

Mason, George, engl. Maler, Wetley Abbey 1818 bis 1872 London, schuf Landschaften u. Genrebilder, vertreten in London, Tate Gall. u. Victoria u. Albert Mus.; in den Gal. v. Manchester, Sydney u. a.

Masonobu → Masanobu.

Masson, André, franz. Maler, * Balagny 1896, Vertreter des Surrealismus, ging 1912 nach Studien an der Akad. Brüssel nach Paris, wo er Einflüsse des Kubismus, bes. von Juan → Gris, aufnahm, gehörte später dem surrealist. Gruppe an, schuf auch Illustrationen zu Büchern u. graph. Folgen (*Bestiaire*, 12 Lithographien), Theaterdekorationen. Vertreten im Mus. d'Art mod. in Paris.
Lit.: P. Pia, 1930. Knaurs Lex., 1955.

Masson, Antoine, franz. Kupferstecher, Loury 1636 bis 1700 Paris, hat vor allem Bildnisse nach → Le Brun,→ Mignard u. eigenen Zeichnungen gestochen, die sich durch technische Feinheit in der Wiedergabe des Stofflichen auszeichnen.

Massys (Metsys), Quentin oder Quinten, niederl. Maler, Löwen um 1466–1530 Antwerpen, Hauptmeister der niederl. Kunst zu Anfang des 16. Jh., Begründer der Antwerpener Malerschule, erfuhr s. Ausbildung wohl in Löwen unter dem Eindruck der Kunst des Dirk → Bouts, seit 1491 in Antwerpen tätig, stand in Beziehung zu dem Antwerpener Humanisten Petrus Aegidius u. zu Erasmus; eine Reise nach Italien muß angenommen werden. Außer Altarbildern, Madonnen u. Porträts schuf er eine aus dem Porträt entwickelte neue Gattung von Genrebildern mit Werken wie: *Der Geldwechsler u. s. Frau*, Paris, Louvre. In s. Stil von Bouts, Rogier v. d. → Weyden u. a. Meistern der altniederl. Kunst beeinflußt, aber auch von der lombard. Kunst, bes. → Leonardo, berührt.
Hauptwerke: *Annen- oder Sippen-Altar* für die Peterskirche in Löwen, 1509, heute Brüssel, Mus., mit der Hl. Sippe als Mittelbild, Verkündigung an Joachim u. Tod der hl. Anna, nebst andern Szenen aus dem Leben der hl. Anna auf den Seitenflügeln. *Beweinungs- oder Johannes-Altar*, für den Antwerpener Dom geschaffen, 1511 voll., heute Antwerpen, Mus., mit der Beweinung Christi als Mitteltafel, Szenen aus dem Leben von Johannes d. T. auf den Seitentafeln. *Christus am Kreuz*, Gal. Liechtenstein, Vaduz u. London, Nat. Gall. *Flügelaltar*, München, A. P. *Anbetung der Könige*, 1526, New York, Metrop. Mus. *Maria mit dem Kinde*, Berlin, staatl. Gal. *Hl. Magdalena*, Antwerpen, Mus. Bildnisse: *Bildnis eines Chorherrn*, Gal. Liechtenstein, Vaduz. *Bildnis des Jean Carondolet*, München, A. P. *Männerbildnis*, Winterthur, Slg. Reinhart.
Genrebilder: der oben gen. *Geldwechsler u. s. Frau*, Paris, Louvre. *Das ungleiche Liebespaar*, Paris, Slg. Pourtalès.
Lit.: J. de Bosschère, 1907. H. Brising, *Q. M. u. d. Ursprung d. Italienismus in d. Kunst d. Niederl.*, ²1908. M. J. Friedländer, *Altniederl. Mal.* 7, 1929. L. Baldass, *Gotik u. Renaiss. im Werke d. Q. M.* in: Österr. Jb., 1933. H. Roosen-Runge, *Die Gestaltung d. Farbe b. Q. M.*, 1940. G. Glück, *Kunst d. Renaiss.*, 1928.

Mastelletta, Giovanni Andrea → Donducci, Giovanni Andrea.

Mastroianni, Umberto, ital. Bildhauer, * Fontana Liri 1910, tätig in Turin, abstrakter Künstler, vertreten an der Biennale Venedig 1940, schuf 1945 das *Monument für die Partisanen*, Turin. Vertreten in Turin, Mus.; Rom, Städt. Gal.
Lit.: Vollmer, 1956. M. Seuphor, *Plastik unseres Jh.*, 1959.

Matabei, Iwasa, jap. Maler, Edo (Tokio) 1568 bis 1650 ebda., Meister des japan. Farbenholzschnittes, tätig in Fukui u. Edo, vereinigte den Stil der Kano-Schule, deren Schüler er war mit dem der Tosa-Schule.

Mataré, Ewald, dt. Bildhauer u. Graphiker, * Aachen 1887, 1907 ff. Schüler von → Corinth in Berlin, 1914 ff. von A. → Kampf, 1918 ff. in Berlin tätig, 1932 Lehrer der Düsseldorfer Akad., 1933 entlassen, 1946 wieder berufen, lebt in Büderich b. Neuß. Begann als Maler, wandte sich später der Plastik zu u. zwar bes. der Tierplastik, schuf aber auch in Holz u. Bronze, ferner Glasfenster u. Graphik. Sein expressiver Stil sucht die Formelemente (bes. der Tiere) auf ihre knappste Formel zu bringen u. auch die Eigenart des Materials sprechen zu lassen.
Werke: *Bronzetür* für das Südportal des Kölner Domes, 1948. *Taubenbrunnen*, Köln. *Phönix* im Düsseldorfer Landtag. Ferner in Berlin, Neue Gal.; Oldenburg, Mus. u. a.
Lit.: H. Th. Flemming, 1955. U. Gertz, *Plastik d. Gegenw.*, 1953. C. Giedion-Welcker, *Plastik d. 20. Jh.*, 1955. Vollmer, 1956. W. Hofmann, *Plastik d. 20. Jh.*, 1958. M. Seuphor, *Plastik unseres Jh.*, 1959.

Matejko, Jan, poln. Maler, Krakau 1838–1893 ebda., bedeutender Historienmaler, studierte in Krakau, München, Wien, ließ sich 1860 in Krakau nieder, schuf vor allem Bilder aus der poln. Geschichte: *Wandgemälde* in der Marienkirche, Krakau. Vertreten in: Mus. M. (seinem ehem. Heim), Krakau; Budapest, Mus.; Rom, Vatik. Gal.
Lit.: E. Lepkowski, 1938 (poln.).

Mathey, Paul, franz. Maler u. Graphiker, Paris 1844–1929 ebda., Schüler von → Cogniet, malte Porträts, Landschaften, Marinen. Vertreten in Paris, Luxembourg (*Bildnis Félicien Rops*); Dieppe, Mus. (*Saint-Saëns am Klavier*) u. a.

Mathieu, Georges, franz. Maler, * Boulogne-sur-Mer 1921, Vertreter der abstrakten Kunst, «Tachist», von → Hartung, → Wols u. a. beeinflußt, auch von der oriental. Kalligraphie. Gründete 1947 mit Camille → Bryen die Bewegung der «Non-Figuration Psychique».
Lit.: Vollmer, 1956. Seuphor, *Dict. peint. abstr.*, 1957 (dt. *Knaurs Lex. abstr. Mal.* 1957). M. Ragon, *L'aventure de l'art abstr.*, 1956. M. Brion, Ecole de Paris in: *Neue Kunst nach 1945*, hg. v. W. Grohmann, 1958.

Matisse, Henri, franz. Maler u. Graphiker, Le Cateau 1869–1954 Nizza, Hauptmeister der franz. Kunst in der 1. Hälfte des 20. Jh., Schüler von G. → Moreau, begann um 1900 → nach impressionist. Anfängen – unter dem Einfluß von → Gauguin, → Cézanne u. → Monet mit leuchtenden Farben zu malen, schon

ganz im Sinne der → «Fauves». 1905 Mitbegründer der Gruppe der «Fauves». M. war abwechselnd in Paris u. der Gegend von Nizza tätig, später ganz in Nizza. Unentwegt tätig, schuf M. ein riesiges Werk, welches Figurenkompositionen, Landschaften, Stilleben, Wandbilder, Theaterdekorationen, Buchillustrationen, Lithographien, Plastiken umfaßt. Schon von s. Fauves-Zeit an suchte M. alles Körperliche, Räumliche, in flächenbezogene, dekorative Werte umzusetzen u. mit immer einfacheren Mitteln zu erreichen: mit leuchtenden reinen Farben, einer einfachen Zeichnung, findet er immer neue dekorative Zeichen für alles, was er ins Bild bringt. Seine plastischen Arbeiten begannen um 1900; das Werk besteht aus 54 Bronzen. Seine graph. Tätigkeit setzt um 1903 ein. Er hat eine ganze Anzahl Bücher illustriert; seine Zeichnungen gehören zu den hervorragendsten ihrer Zeit. Sein letztes großes Freskenwerk waren die *Wandmalereien für die Kapelle von Vence*, 1949–51. Auch die Glasgemälde ebda. von ihm entworfen. Mit s. Werk gehört M. zu den grundlegenden Erneuerern der europ. Malerei.
Einige Hauptwerke: *Luxe, Calme et Volupté*, 1905, Kopenhagen, Mus. *Flußufer*, 1907, Basel, Mus. *La Danse* u. *La Musique*, 1909 u. 1910, Moskau, Mus. d. westl. K. *L'Atelier rouge*, 1916, New York, Mus. of mod. Art. *La Danse I*, Paris, Petit Palais. *La Danse II*, Philadelphia, Barnes Foundation. *Les Demoiselles à la Rivière*, 1916/17, Chicago, Art. Inst. Von M. erschien: «Farbe u. Gleichnis», ges. Schriften, 1955.
Lit.: G. Jedlicka, 1930. P. Courthion, 1934. Ders., *Le visage de M.*, 1942. R. Escholier, 1937. R. Frey, 1938. G. Scheiwiller, ²1939 (ital. m. Bibl.). L. Aragon (Les trésors de la peint. franç.), 1946. M. Malingue, *M. Dessins*, 1949. G. Dieht, 1954 (m. Bibl.). R. Escholier, 1960 (dt.). J. Lassaigne, 1959. W. Hofmann, *Zeichen u. Gestalt*, 1957. Ders., *Plastik d. 20. Jh.*, 1958.

Matteo di Giovanni di Bartolo, gen. *Matteo da Siena*, ital. Maler, wahrscheinlich Borgo S. Sepolcro um 1430–1495 Siena, zur sienes. Kunst zu rechnender Meister, der die alte sienes. Tradition mit Renaissance-Elementen verband, arbeitete 1452–57 mit Giovanni di Pietro zus., tätig in Siena; vielfach beeinflußt, bes. von → Sassetta u. → Vecchietta, später auch von → Pollaiuolo u. → Girolamo da Cremona, schuf viele Altarwerke. Sein Hauptschüler: → Cozzarelli.
Werke: *Heiligenfiguren u. Predella mit Szenen aus dem Leben Christi*, Borgo S. Sepolcro, Dom. *Madonna mit Kind, Heiligen u. Engeln*, Pienza, Dom. *Himmelfahrt Mariä*, London, Nat. Gall. *Bethlehemitischer Kindermord*, 1488, Neapel, Mus. *Geschichte der Camilla*, New York, Metrop. Mus.
Vertreten in Asciano; Borgo S. Sepolcro; in Sieneser Kirchen u. Pinak.; Anghiari, S. Agostino; Bayonne, Mus.; Bergamo, Gall. Morelli; Berlin, ehem. K.-F.-

Mus. (*Madonna mit Kind, Engeln u. Heiligen*) ; Cambridge (USA), Fogg Mus.; Cleveland, Mus.; Philadelphia, Slg. Johnson (*Vermählung der Maria u. Heimsuchung*).
Lit.: Venturi VII, 1, 1911. G. F. Hartlaub, 1910. F. M. Perkins in: Th.-B. 1930. Ders., *Pitture senesi*, 1933. B. Berenson, *Ital. Pictures*, 1932. J. Pope-Hennessy, *La Peint. Siennoise du Quattrocento*, 1947. R. v. Marle, *Ital. Schools* 16, 1937. K. Escher, *Mal. d. Renaiss. in Mittel- u. Unterital.* (Hb. d. K. W.), 1922.

Mattielli, Lorenzo, ital. Bildhauer, Vicenza um 1685 bis 1748 Dresden, Meister des Spätbarock, seit 1712 in Wien nachweisbar, wo er Hofbildhauer wurde, trat 1738 in den Hofdienst in Dresden. Sein Hauptwerk ist der gesamte äußere *Statuenschmuck* der Hofkirche (von → Chiaveri erbaut), der in der zeitgenössischen Barockplastik eine bedeutende Stellung einnimmt. Weitere Werke in Wien u. Dresden. Vertreten in den Mus. v. Wien (Barock-Mus.), Braunschweig u. a.
Lit.: A. Feulner, *Skulptur u. Malerei d. 18. Jh.* (Handb. d. K. W.), 1929.

Mauch, Daniel, dt. Bildhauer, tätig in Ulm Anfang 16. Jh., bedeutender Bildschnitzer der Spätgotik, siedelte nach 1529 wegen der Bilderfeindlichkeit der Reformation nach Lüttich über, nachweisbar bis 1543, schuf Altäre, die er in Holz schnitzte u. a. kirchliche Ausstattungsstücke. In s. Stil zuerst hochgot., mit Einflüssen von Gregor → Erhart, später der barocken Phase der Spätgotik angehörend, in Ornament u. Kostüm Renaissanceelemente.
Hauptwerke: *Altar in Wippingen*, 1505. *Sippendarstellungen* : München, Bayer. Nat. Mus. u. Berlin, staatl. Mus. *Geislinger Altar*, um 1520. *Sippenaltar zu Bieselbach* (mit falschem Datum v. 1501), Beginn der 20er Jahre. *Madonnenbüste*, um 1525, Ulm, Mus. *Madonna*, Dalhem b. Lüttich, Kirche, um 1532. Werke in Stuttgart, Mus.
Lit.: J. Baum, *Ulmer Plastik um 1500*, 1911. F. Mader in: Die christl. Kunst 8, 1912. G. Otto, *Ulmer Plastik d. Spätgotik*, 1927. M. Devigne in: La Revue d'Art 25/26, 1925/26.

Maufra, Maxime, franz. Maler, Radierer u. Lithograph, Nantes 1861–1918 Poncé, bedeutender Landschafter, begann um 1880 zu malen, kam nach Pont-Aven, wo er → Gauguin u. Paul → Sérusier kennenlernte, lebte dann abwechselnd in Paris, in der Bretagne u. Normandie u. auf Reisen. Obwohl mit Impressionisten u. Nachimpressionisten befreundet, kann man ihn in s. Kunst nicht eig. dem Impressionismus zurechnen; vielleicht von den engl. Landschaftern, die er in England kennenlernte, beeinflußt, wird er vielfach, da er auch Aquarelle u. kleinformatige Landschaften, bes. Marinen, schuf, als «nachimpressionist. Kleinmeister» bezeichnet. Beisp.:

Plage Bretonne, Paris, Luxembourg. *Marine à Quiberon*, Nantes, Mus. *Pointe du Raz*, ebda. Ferner vertreten u. a. in Montpellier, Reims, Le Havre, Buffalo, Chicago, Cincinnati.
Lit.: V. E. Michelet, 1908. A. Alexandre, 1926.

Maulbertsch (Maulpertsch), Franz Anton, dt.-österr. Maler, Langenargen (Bodensee) 1724–1796 Wien, Hauptmeister des österr. Rokoko, tätig in Wien, das. ansässig seit 1739, schuf Deckengemälde in österr.-ungar. u. böhm. Kirchen, auch in Schlössern u. Bibliothekssälen. Altarblätter. In s. Stil Fortsetzer u. Vollender der österr. Barocktradition (→ Troger); Einflüsse sind festzustellen von den Venezianern (→ Piazzetta, → Pittori u. a.) u. → Rembrandt; zuletzt in den Klassizismus überführend. Werke: Fresken: *Wien, Piaristenkirche :* Allegorie auf die Himmelfahrt Mariä u. Maria in d. Glorie, 1752–53. *Wallfahrtskirche Heiligenkreuz-Guttenbrunn*, 1757–58. *Pfarrkirche Sümeg* (Ungarn), 1758. Tafelbilder: *Hl. Walpurga*, 1749, Ulm, Mus. *Hl. Franz Xaver u. hl. Wendelin*, um 1758, Heiligenkreuz-Guttenbrunn, Wallfahrtskirche. *Marter des hl. Judas Thaddäus*, Wien, Barockmus. Zeichnungen in Wien, Barockmus. u. Albertina u. a.
Lit.: O. Benesch in: Städel-Jb. 3–4, 1924. F. Gerke, *Die Fresken in d. Pfarrkirche zu Sümeg*, 1951. K. Garas (Vorw. v. Kokoschka), 1960. A. Feulner, *Skulpt. u. Mal. d. 18. Jh.* (Hb. d. K. W.), 1929. M. Osborn, *Kunst d. Rokoko*, 1929.

Maurer, Christoph → Murer, Christoph.

Mauve, Anton, holl. Maler, Zaandam 1838–1888 Arnheim, bedeutender Landschafter, Schüler von W. → Verschuur, tätig in Amsterdam, Haarlem, Den Haag u. Laren (dem «Barbizon Hollands»), malte vor allem Weidelandschaften, Strandbilder, bes. auch hervorragende Aquarelle u. Rad. In s. Kunst beeinflußt v. → Millet, → Corot, → Daubigny. Beisp.: *Kühe auf der Weide*, München, Staatsgal. *Dünenlandschaft*, Hamburg, Kunsth. Ferner vertreten u. a. in Amsterdam, Rijksmus.; Den Haag, Mus.; Rotterdam, Mus.; Haarlem; ferner in Mus. der USA: Boston, Chicago, New York u. a.
Lit.: L. Bouyer, 1898. E. Waldmann, *Kunst d. Realismus u. Impression.*, 1927.

Max, Gabriel v., österr.-dt. Maler, Prag 1840–1915 München, begabter, s. Zeit großes Interesse erregender Meister, Schüler v. → Piloty in München 1864 –67, tätig ebda., war in s. Kunst zunächst noch Spätromantiker. Seine *Illustr. zu Wielands Oberon*, zu Märchen u. Volksliedern gehören zum Besten, was die Illustr. der Spätromantik hervorgebracht hat (Scheewe). In s. Bild *Die Schwestern*, 1876, Berlin, ehem. Nat. Gal., erweist er sich als sensibler Biedermeierkünstler. Später zeigte er eine Vorliebe f.

melancholisch-träumerische Frauentypen, dargestellt in psychologisch interessanten Situationen u. ekstatisch-visionären Zuständen, in denen er wie ein Nachfahre der engl. → Präraffaeliten anmutet u. eine allzu literarisch bestimmte Malerei offenbart. M. ist in den meisten größeren Mus. vertreten. Beisp.: *Kindsmörderin*, 1877, Hamburg, Kunsth. *Katharina Emmerich, die Ekstatikerin*, 1880, München, N. P. *Christus heilt ein krankes Kind*, 1884, Berlin, ehem. Nat. Gal. *Die Nonne*, Hamburg, Kunsth.
Lit.: N. Mann, ²1890. L. Scheewe in: Th.-B. 1930.

May, Ernst, dt. Arch., * Frankfurt 1886, Vertreter eines funktionellen Baustils; Hauptwerk in Frankfurt: die *Siedlung Römerstadt*; baute Siedlungen, Einzel- u. Miethäuser, Hotels, Fabriken u. v. a. in vielen Orten u. Ländern.
Lit.: Vollmer, 1956.

Mayno, Juan Bautista, ital.-span. Maler, aus der Lombardei stammend, * um 1569, † Madrid 1649, vermutlich Schüler des → Caravaggio, seit ca. 1611 in Toledo tätig. Von Caravaggio, → Gentileschi, → Greco, → Velazquez u. → Ribera beeinflußt.
Werke: *Fresken in S. Pedro Martir*, Toledo. Großer Altar für diese Kirche, davon sind: *Anbetung der Könige*, Madrid, Prado; *Anbetung der Hirten*, Villanueva y Geltru, Mus. *Auferstehung*, ebda. *Pfingsten*, Toledo, Mus. Weitere Werke im Prado-Mus.; Cordoba, Kathedrale; Leningrad, Eremitage.
Lit.: J. Allende-Salazar in: Th.-B. 1930. E. Lafuente Ferrari, *Breve hist. pint. españ.*, 1953.

Mayr (Mair), Johann Ulrich, dt. Maler u. Radierer, Augsburg 1630–1704 ebda., ein zu s. Zeit beliebter Bildnismaler, Schüler von → Rembrandt u. → Jordaens, weitergebildet in England u. Italien, schuf religiöse Darstellungen u. Bildnisse, tätig in Augsburg, arbeitete für viele Höfe: Wien, München, Durlach, Heidelberg; schuf Bildnisse fürstlicher Persönlichkeiten, meist Halbfigurenbilder in der Art Rembrandts. Religiöse Darstellungen in manchen Augsburger Kirchen. Viele s. Porträts in Stichen auf uns gekommen. Zeichnungen in Rotterdam, Mus. Boymans. Beisp.: *Auferstehung Christi*, 1673, Augsburg, Evang. Kreuzkirche. *Selbstbildnis*, 1650, Nürnberg, German. Mus.
Lit.: G. Biermann, *Dt. Barock u. Rokoko*, Jh.-Ausstell. Darmstadt, 1914. W. Drost, *Barockmalerei in d. germ. Ländern* (Handb. d. K. W.), 1926.

Mayr von Landshut → Mair, Nicolaus Alexander.

Ma Yüan, chines. Maler, um 1160–1250, Hauptmeister der Sung-Zeit, Hofmaler dreier Kaiser in Hangchou, neben → Hsia Kuei bedeutendster Meister der stimmungshaften Sung-Landschaftsmalerei

(Ma-Hia' Schule). Sein berühmtes Hauptwerk: *Einsamer Angler im winterlichen Strom*, 1211.
Lit.: O. Kümmel in: Th.-B. 1929.

Mazzola, Filippo, ital. Maler, Parma um 1460–1505 ebda., Meister aus dem Umkreis des Giovanni → Bellini, Schüler des Francesco Tacconi, beeinflußt von Bellini u. → Antonello da Messina, tätig in Parma. M. schuf außer Altarbildern auch vortreffliche Porträts; Vater von → Parmigianino.
Werke: *Taufe Christi*, 1493, Parma, Dom. *Madonna mit Kind u. Heiligen*, 1491, Parma, Gal. u. 1499, ebda. *Bekehrung des Paulus*, ebda. *Männliche Bildnisse*: Mailand, Brera; Rom, Gall. Doria; Venedig, Mus. Corrèr (Zuschreibung); Lugano, Slg. Schloß Rohoncz. Ferner Werke in London, Nat. Gall.; Neapel, Mus. u. a.
Lit.: A. Venturi VII, 4, 1915.

Mazzola, Francesco → Parmigianino.

Mazzola, Girolamo → Bedoli, Girolamo.

Mazzolino (Mazzuoli), Lodovico, ital. Maler, Ferrara um 1480–1528 ebda., ferrares. Meister, meist in Ferrara tätig, viell. Schüler von → Panetti u. Ercole → Roberti, jedenfalls von E. Roberti und auch von →Costa u.→Dossi beeinflußt. Seine Spezialität waren kleinere Bilder, oft mit Figuren überfüllt, in einer kupfrig-rötlichen Farbgebung; im Hintergrund Architektur oder Landschaft. Die am meisten behandelten Gegenstände: Anbetung des Kindes; Bethlehem. Kindermord; Christus im Tempel. In fast allen größeren Gal. vertreten. Beisp.: *Christus im Tempel*, 1524, Berlin, staatl. Gal. *Anbetung des Kindes*, Florenz, Uff.
Lit.: E. v. d. Bercken, *Mal. d. Renaiss. in Oberital.* (Hb. d. K. W.), 1927.

Mazzoni, Giulio, ital. Bildhauer, Maler u. Stuckdekorateur, Piacenza um 1525 bis um 1618 ebda., Meister aus dem Kreise der manierist. → Michelangelo-Nachfolger, Schüler u. Gehilfe → Vasaris u. Daniele da → Volterras, schmückte 1556–60 *Außenfassade, Hof u. Innenräume des Pal. Spada* in Rom. Bemerkenswert bes. die Stuckdekoration. Seit 1576 in Piacenza nachweisbar.
Lit.: H. Voss, *Malerei d. Spätrenaiss. in Rom u. Florenz*, 1920. F. Schottmüller in: Th.-B. 1930. N. Pevsner, *Mal. d. 17. Jh.* (Hb. d. K. W.), 1928.

Mazzoni, Guido, gen. de'Paganini, in Frankreich Paguenin, in England Pageny, ital. Bildhauer, Modena um 1450–1518 ebda., schuf als s. Spezialität bemalte, z. T. lebensgroße Tongruppen in naturalist. Wiedergabe, beeinflußt von Niccolò dell' → Arca, in Modena, 1489 ff. in Neapel tätig, begleitete 1495 Karl VIII. nach Frankreich, kehrte 1516 zurück.

Hauptwerke: *Pietà* (Beweinung), Modena, S. Giovanni, 1477–80; eine andere in Neapel, Monte Oliveto, 1492. *Kreuzabnahme*, Reggio Emilia, S. Giovanni Evangelista. In Frankreich schuf er 1498 Grabmal Karls VIII. in St-Denis (1793 zerstört), u. Reiterstatue Ludwigs XII. für Schloß Blois (zugrunde gegangen). Lit.: A. L. Pitorelli, 1925. W. v. Bode, *Kunst d. Frührenaiss.*, 1923.

Mazzoni, Sebastiano, ital. Maler, Florenz um 1615 bis 1685 Venedig, wohin er jung kam, Schüler des B. → Strozzi, in s. Stil dem realist. Spätbarock zugehörig, in der Art der Strozzi, → Fetti, → Maffei. Er schuf Altarwerke für venez. Kirchen: *Speisung der 5000* u. *Mannalese* in S. Giobbe; *Madonna mit hl. Benedikt* in S. Benedetto. *S. Giuseppe da Copertino* in S. Francesco u. a. *Kleopatra* in Rovigo, Akad. Lit.: Pevsner, *Malerei d. 17. Jh.* (Hdb. d. K. W.), 1928. G. Fiocco in: Dedalo 1928. E. Hüttinger, *Venezian. Malerei*, 1959.

Mazzuoli, Giov. Antonio, ital. Bildhauer, Volterra (?) vor 1644 bis nach 1706 Siena (?), bedeutender sienes. Barockbildhauer, Bruder des Gius. → M. d. Ä. Werke: *Schmuck der Kapelle des Ottaviano Mazzinghi*, 1648, Siena, S. Francesco. *Grabmal des Ant. Rospigliosi*, um 1658, ebda., S. Vigilio. *Grabmal des Conte Orso d'Elci*, 1668, ebda., S. Agostino u. v. a. ähnliche Werke in Siena.

Mazzuoli, Giuseppe, d. Ä., ital. Bildhauer, Volterra (?) 1644–1725 Rom, Hauptmeister der sienes. Barockplastik, Schüler s. Bruders Giov. Antonio u. des Ercole → Ferrata, eine Zeitlang Gehilfe → Berninis (am Grabmal Alexanders VII.: Figur der Caritas), tätig in Rom u. Siena. Im Stil lehnte sich M. zuerst an Bernini an, folgte aber später mehr dem → Algardis. Werke: Als s. Hauptwerk galt den Zeitgenossen: *Adonis*, 1709, heute Eremitage, Leningrad. Von den vielen Werken in Kirchen Roms u. Sienas seien genannt: *Hl. Therese* (oder Klara), um 1700, Rom, S. Silvestro in Capite, Fassade, auf der Attika. *Clemenza mit Putto*, um 1700, Rom, S. Pietro, am Grabmal Klemens X. *2 Engel*, das Ziborium haltend, um 1699, am Hochaltar in S. Martino, Siena. *Statue des hl. Thomas v. Villanueva*, ebda. Lit.: Suboff in: Th.-B. 1930.

Meckenem, Israhel van, Name zweier niederdt. Kupferstecher des 15. Jh., Vater u. Sohn. *Israhel d. Ä.*, nachweisb. 1457–61 in Bocholt, 1464 bis 1466 in Bonn, wird heute als identisch mit dem *Meister der Berliner Passion* angesehen. Von ihm stammen die ältesten bekanntesten Ornamentstiche. *Israhel d. J.*, ein äußerst fruchtbarer Meister des

Kupferstichs, Schüler s. Vaters u. des → Meisters E. S., spätestens 1480ff. in Bocholt tätig. Die meisten s. Stiche sind Kopien nach s. Vater, nach dem Meister E. S., dem → Hausbuchmeister, → Schongauer u. a. Doch hat er auch eine Reihe eigener Werke geschaffen, die ihm eine Stellung unter den ersten Meistern der Zeit zuweisen; sie stellen originelle Szenen aus dem profanen Leben der Zeit dar, u. s. *Selbstbildnis mit s. Frau*, Kupferstich, ist das 1. Meisterbildnis der dt. Graphik (Geisberg). Lit.: M. Geisberg, *Der Meister d. Berliner Passion u. M.*, 1903. Ders., *Verz. d. Kupferst. I.s v. M.*, 1905. Ders. in: Th.-B., 1930. M. Lehrs, *Die Anfänge d. dt. Kupferst. u. der Meister E. S.*, 1909. Ders., *M. in Bocholt* in: Westmünsterland 2, 1915. Ders., *Die Anfänge d. Kupferstichs*, 1923. A. Warburg, 1930. *I. v. M.*, hg. v. d. Stadt Bocholt, 1953.

Meegeren, Han van, holl. Maler u. Lithograph, Deventer 1889–1947 Amsterdam, unbedeutender Künstler, aber genialer Bilderfälscher, der sich seit Anfang der 30er Jahre auf Fälschungen alter Holländer, bes. → Vermeers, verlegte, die lange Zeit unentdeckt blieben u. hervorragende Plätze in großen Bildersign. einnahmen: *Emmausjünger*, 1937, als Vermeer für das Boymans-Mus. in Rotterdam erworben; *Fußwaschung*, als Vermeer für das Mus. in Delft; *Dame mit blauem Hut*, als Vermeer in der Slg. Thyssen (Rohoncz), Lugano. Es wurden 8 Fälschungen Vermeers, 2 Pieter de Hoochs, 2 Frans Hals' (Groningen, Mus. u. Slg. Hofstede de Groot), 1 Ter Borchs festgestellt. Lit.: Vollmer, 1956.

Meer, Jan van der (auch Jan Vermeer) von Haarlem, niederl. Maler, Haarlem 1628–1691 ebda., Schüler des Jacob de → Wet, malte weitgedehnte flache Dünenlandschaften in braun-grünen Grundtönen. Sein Stil steht unter dem Einfluß von → Ruisdael u. Konincks. Beisp.: *Dünenlandschaft*, Berlin, staatl., Mus. *Blick von den Dünen auf die holl. Ebene*, Dresden Gal. Vertreten im Haag (Mauritshuis), Rotterdam (Mus. Boymans), Paris (Louvre), Basel, Berlin, Braunschweig, Dresden, Düsseldorf, Erlangen, München, Leningrad u. a.

Meer, Jan van der (oder Vermeer), gen. Jan van Haarlem d. J., Haarlem 1656–1705 ebda., Sohn von Jan d. Ä., Schüler s. Vaters u. des N. → Berchem, war in Italien u. malte meist Landschaften mit ital. Motiven. Vertreten in vielen Gal. Lit.: A. v. Wurzbach, *Niederl. Künstlerlex.*, 1910. C. Hofstede de Groot, *Krit. Verzeichn.* 9, 1926. E. Trautscholdt in: Th.-B. 1940 (Vermeer).

Meid, Hans, dt. Radierer u. Maler, Pforzheim 1883–1957 Ludwigsburg, Meister geistreicher impressionist. Radierungen, Schüler von W. → Trüb-

ner u. W. Conz, seit 1919 Prof. der Berliner Akad., seit 1947 an der Stuttgarter Akad., lebte in Ludwigsburg, schuf Bildnisse, weibl. Akte, Figurenkompositionen, seit 1910 aber vorwiegend als Graphiker tätig, seine Radierungen von an → Slevogt geschulter Eleganz u. malerischer Behandlung.
Hauptwerke: Die Folgen *Othello*, 1910 (9 Bl.); *Don Juan*, 1912 (14 Bl.); 20 Radierungen zur *Bibel*; zu *Schäferliedern*, 1939; zu *Don Quijote*, 1942.
Lit.: M. J. Friedländer, 1923. L. Brieger, 1921. O. Fischel, Einl. zu *Handzeichn.*, 1924. A. Jannasch, 1943.

Meidias, griech. Töpfer, Ende 5. Jh. v. Chr., der einen Vasenmaler beschäftigte, den sog. *Meidiasmaler*, einen attischen Meister des rotfig. Stiles. Die einzige von M. signierte Vase: Die berühmte *rotfigurige Hydria*, um 420, London, Brit. Mus., mit Darstellung des Leukippidenraubes u. des Herakles bei den Hesperiden. Weitere Vasen zugewiesen.
Lit.: W. Hahland, *Vasen um Meidias*, 1930. J. D. Beazley, *Attic Red-Figure-Vase-Painters*, 1942.

Meidner, Ludwig, dt. Maler u. Radierer, * Bernstadt (Schlesien) 1884, auch Dichter, als Maler Schüler der Kunstschule Breslau u. der Akad. Julian in Paris, 1907 ff. in Berlin, wo er sich der expressionist. Bewegung anschloß; seit 1919 wandte er sich vorwiegend dem Bildnis u. der Graphik zu. M. emigrierte 1938 n. London, lebt seit 1953 in Frankfurt. Seine Gattin *Else* ist ebenfalls Malerin u. Zeichnerin.
Lit.: Vollmer, 1956.

Meil, Johann Wilhelm, dt. Zeichner u. Radierer, Altenburg 1733–1805 Berlin, wo er von 1752 an tätig war, 1801 Dir. der Akad., schuf als Radierungen zarte Titelblätter u. Vignetten in franz. Geschmack (Rokoko); ferner Entwürfe für kunstgewerbl. Arbeiten, Kostümzeichnungen für das Berliner Hoftheater u. a.
Lit.: F. L. Hopffner, *Verz. sämtl. Titelkupfer u. Vignettenabdrücke* v. J. W. M., 1809. A. Rümann, *Illustr. dt. Bücher d. 18. Jh.*, 1928. M. Lanckoronska u. R. Oehler, *Buchillustration d. 18. Jh.*, 1932–34.

Meissonier, Ernest, franz. Maler u. Graphiker, Lyon 1815–1891 Paris, Schüler von L. → Cogniet, weitergebildet in Rom; hist. Genrebilder in minutiöser Ausführung, die sich s. Zeit größter Beliebtheit erfreuten. M. schuf ferner ca. 300 Vorzeichnungen für Holzschnitt, meist zu Buchillustrationen.
Werke: *Campagne de France 1814*, 1864, Paris. Louvre. *Napoléon III. bei Solferino*, 1864, ebda. *Schlacht von Friedland*, New York, Metrop. Mus.
Lit.: J. Claretie, 1884. L. Bénédite, 1910.

Meissonier, Juste-Aurèle, franz. Ornamentzeichner, Maler, Bildhauer, Arch. u. Goldschmied, Turin

1693(5)–1750 Paris, Hauptmeister des Rokokoornamentes; er hatte in Italien studiert u. übernahm die Tradition des Stiles → Borrominis, erfuhr auch Einflüsse → Guarinis u. gab, als er jung nach Frankreich kam, dem Ornamentstil eine Wendung zum Phantastisch-Bizarren, Kapriziösen u. schuf den sog. Rocaille-Stil. Die Leistungen dieses Stiles liegen ganz auf dem Gebiet des Dekorativen, bei Bauaufgaben versagte er, wie M.s Projekt für die *Fassade von St-Sulpice*, 1726, zeigt (nicht ausgeführt). Seine Ornamentzeichnungen liegen vor in: «M., recueil de ses oeuvres d'Ornements», um 1740, hg. 1888.
Lit.: A. E. Brinckmann, *Baukunst d. 17. u. 18. Jh. in d. roman. Ländern*, 1915. M. Osborn, *Kunst d. Rokoko*, 1929.

Meister des Aachener Altars, dt. Maler, tätig in Köln um 1480–1520, benannt nach dem großen *Flügelaltar im Chor des Aachener Münsters*, bedeutender Vertreter der späteren Kölner Malerschule, beeinflußt vom jüngeren → Meister der hl. Sippe, dessen Schüler er vermutlich war, verwandt mit der Kunst der → Meister von St. → Severin; der → Ursula-Legende; des → Bartholomäus-Altars; beeinflußt auch von den Niederländern; in der Kunst gleichgerichtet etwa den Antwerpener Manieristen. Werke in den Mus. v. Aachen, Berlin, London, Liverpool, Köln, München, Münster u. a.
Lit.: C. Glaser, *Altdt. Malerei*, 1924. H. Kisky in: Th.-B. 1950.

Meister des hl. Ägidius, franz. Maler, tätig um 1500, gen. nach 2 Altarflügeln mit Szenen aus dem Leben des hl. Ägidius, ein, wenn nicht aus den Niederlanden stammender, so doch dort ausgebildeter Meister, der in Süd- u. Mittelfrankr. arbeitete. In s. Stil unter dem Einfluß der Niederländer (Hugo van der → Goes), dem → Meister v. Moulins (Jean → Perréal?) nahestehend.
Hauptwerke: 2 zusammengehörige *Altartafeln mit Szenen aus der Legende des hl. Ägidius*, London, Nat. Gall. *Altarflügel mit Flucht nach Ägypten u. Darbringung im Tempel*, Rotterdam, Slg. van Beuningen. *Gefangennahme Christi*, Brüssel, Mus. *Hieronymus in Landschaft*, Berlin, staatl. Gal. *Bildnis Philipps des Schönen*, Winterthur, Slg. Reinhart.
Lit.: M. J. Friedländer in: Gaz. des B.-Arts 1937/1, 221 ff. P. Wescher in: Pantheon 21, 1938. G. Glück, *Kunst d. Renaiss.*, 1928.

Meister von Alkmaar, niederl. Maler, tätig um 1490–1510, gen. nach einer Folge von Darstellungen der *Sieben Werke der Barmherzigkeit*, 1504, ehem. in der Kirche von Alkmaar, heute Amsterdam, Rijksmus.; Nachfolger des → Geertgen. Weiteres Werk: *Triptychon mit Anbetung der Könige*, Mauritshuis, Den Haag. Einige weitere Zuschreibungen.
Lit.: W. R. Valentiner, *Aus der niederl. Kunst*, 1914.

F. Winkler, *Altniederl. Malerei*, 1924. M. J. Friedländer, *Altniederl. Malerei* 10, 1932. Th.-B., 1950.

Meister des Amsterdamer Kabinetts → Hausbuchmeister.

Meister des Augustiner-Altars → Meister des Peringsdörfer Altars.

Meister von Bamberg → Bamberger Meister.

Meister der Bamberger Heimsuchung → Heimsuchungsmeister.

Meister der Barbara-Legende, niederl. Maler, wahrscheinlich aus Brügge, tätig in Brüssel um 1470 bis 1500, aus dem Schulkreis des Rogier van der → Weyden, benannt nach einem *Triptychon* mit Szenen aus der Barbara-Legende, um 1475, Mittelteil in Brüssel, Mus.; linker Flügel zu Brügge, Confrérie du Saint-Sang. Weitere Werke: *Teile eines Flügelaltars*, Köln, Wallraf-Richartz-Mus.; Werke in den Mus. von Münster, Nürnberg (German. Mus.), Amsterdam, Dublin u. a.
Lit.: M. J. Friedländer, *Altniederl. Malerei* 4, 1926.

Meister des Bartholomäusaltars, dt. Maler, der um 1480–1510 in Köln tätig war, bedeutender spätgot. Meister der Kölner Schule, der um 1450 geboren, um 1470–80 in den Niederlanden gewesen sein muß u. sich später in Köln niedergelassen hat, gen. nach s. Hauptwerk. In s. Stil ist er ein letzter manierist. Ausläufer der Spätgotik. Einflüsse finden sich von den Niederländern u. der älteren Kölner Schule, doch ist er in Köln als eine ganz singuläre Erscheinung zu werten. Charakteristisch: größte techn. Vollendung u. Sauberkeit der Arbeit; seine Bilder leuchten wie Email. Er scheint keine große Werkstatt gehabt zu haben, keine Schüler u. keine Nachfolge.
Hauptwerke: *Bartholomäus-Altar* aus S. Columba in Köln, um 1505–10, München, A. P.: Der hl. Bartholomäus zwischen Heiligen. *Thomas-Altar*, um 1499, Köln, Wallraf-Richartz. *Kreuzaltar*, um 1501, ebda. *Kreuzabnahme*, Paris, Louvre. Weitere Werke: *Hl. Anna Selbdritt*, um 1470, München, A. P. *Hochzeit zu Kana*, Brüssel, Mus. *Marientod* (von einem Marienaltar), um 1475–80, Berlin, staatl. Mus. *Anbetung der Könige*, München, A. P. *Dormagen-Madonna*, Köln, Wallraf-Richartz, um 1480–85. Ferner in London, Nat. Gall.
Lit.: H. Reiners, *Kölner Malerschule*, 1925. K. v. Rath, 1941 (m. Biographie u. Bibliogr.). C. Linfert, *Altkölner Malerei*, 1941. W. Pinder, *D. dt. Kunst d. Dürerzeit*, 1953.

Meister der Berliner Passion → Meckenem, Israhel d. Ä.

Meister Bertram → Bertram, Meister.

Meister des Breisacher Hochaltars → H. L.

Meister der Dangolsheimer Madonna, dt. Bildschnitzer, tätig um 1460–90 am Oberrhein, wahrscheinlich in Straßburg, benannt nach der aus Dangolsheim stammenden *Wandstatue der Maria mit dem Kinde*, Berlin, Dt. Mus., eine der reizvollsten Schnitzfiguren der gesamten dt. Spätgotik. Der M. der D. M. ist dem → Meister des Nördlinger Hochaltars verwandt. Früher wurde die Dangolsheimer Madonna fälschlich dem Simon → Lainberger zugeschrieben. Weitere Zuweisungen sind strittig.

Meister der Darmstädter Passion, dt. Maler des 15. Jh., benannt nach den 2 um 1440 entstandenen großen *Tafeln mit der Kreuztragung* u. *Kreuzigung*, vermutlich Teile eines Schnitzaltars, Darmstadt, Landesmus. Der bedeutende Meister ist wohl mittelrhein. Herkunft u. steht in s. Kunst dem Kreis des Konrad → Witz nahe.
Weitere Werke: *Große Kreuzigung* in der Kirche v. Bad Orb im Spessart (um 1450). Die Altarflügel dazu: *Anbetung der Könige* u. *Kreuzeslegende* in Berlin, Dt. Mus. *Begegnung an der Goldenen Pforte*, Zürich, Kunsth. Ebda. weitere Werke. *Hll. Dorothea* u. *Katharina*, Dijon, Mus. *Auferweckung des Jünglings zu Naim*, München, A. P.
Lit.: O. Benesch in: Österr. Jb. N. F. 4, 1930. A. Stange, *Dt. Malerei der Gotik* 3, 1938.

Meister E. S. → E. S.

Meister von Flémalle → Flémalle.

Meister Francke → Francke.

Meister von Frankfurt, niederl. Maler, * 1460, tätig haupts. in Antwerpen, gen. nach einem *Großen Annen-Altar* für die Frankfurter Dominikanerkirche, heute Frankfurt, Hist. Mus. Der Meister schuf religiöse Werke u. Bildnisse, beeinflußt von H. van der → Goes, Rogier van der → Weyden, Quenten → Massys, u. a.; vertreten in den Mus. von Frankfurt (Städel), Antwerpen, Barcelona, Berlin (ehem. K.-F.-Mus.), Dresden, Gent, Hamburg, München, Wien, u. a.

Meister des Frankfurter Paradiesgärtleins, dt. Maler, tätig um 1410 am Oberrhein (Frankfurt?), benannt nach dem miniaturartig gemalten *Täfelchen mit der im Blumengärtlein sitzenden Madonna*, Frankfurt, Städel. Das Bild bedeutet die Umdichtung des Marienthemas im Geiste der Mystik u. der Minnepoesie: das Christkind ist vom Schoß der Jungfrau geglitten, angelockt vom Zitherspiel der hl. Cäcilie.

Traumverloren lauschen 3 Kavaliere, man erkennt St. Michael u. St. Georg, während die hl. Dorothea Kirschen pflückt u. Martha Wasser aus dem Paradiesesbrunnen schöpft. Im einzelnen zeigt sich ein realist. Sachinteresse u. eine gewisse Verwandtschaft mit dem Stil des Lukas → Moser u. andererseits mit Werken der frühen Kölner Schule. Versuchsweise wurden dem Meister zugeschrieben: *Verkündigung Mariä*, Winterthur, Slg. Reinhart. *Maria in den Erdbeeren*, Solothurn, Mus. Weitere Werke in Freiburg i. Br. u. Karlsruhe.

Lit.: E. Heidrich, *Altdt. Malerei*, 1909. G. Dehio, *Geschichte der dt. Kunst* 2, 1921. G. F. Hartlaub in: Kunstbriefe, hg. v. C. G. Heise, 1947.

Meister von Ste-Gudule, niederl. Maler, tätig am Ausgang des 15. Jh., wahrscheinlich aus Brüssel, benannt nach der Tafel *Predigt eines Heiligen*, 1485, in Paris, Louvre, auf der im Hintergrund die Fassade der Brüsseler Kirche Ste-Gudule sichtbar ist. Der Meister steht in s. Kunst dem Kreise des Rogier van der → Weyden u. bes. dem → Meister der Barbaralegende nahe. Zugeschrieben ferner: *Männliche Bildnisse :* Dessau, Schloß u. London, Nat. Gall. *Tafel mit 3 weibl. Heiligen*, New York, Metrop. Mus. *Madonna mit Kind u. Heiligen*, Lüttich, Diözesan-Mus. *Tempelgang Mariä*, Brüssel, Mus.

Lit.: L. Baldass in: Österr. Jb. N. F. 11, 1937. F. Winkler, *Altniederl. Malerei*, 1924.

Meister des Hausbuchs → Hausbuchmeister.

Meister H. L. → H. L.

Meister v. Hohenfurth → Hohenfurth, Meister v.

Meister H. W. → Witten, Hans.

Meister von Kappenberg, dt. Maler, tätig am Niederrhein u. in Westfalen zu Anfang des 16. Jh., benannt nach s. Hauptwerk, dem in der ehem. Prämonstratenser-Stiftsk. in Kappenberg b. Lünen bewahrten kleinen *Triptychon mit der Kreuzigung* im Mittelteil. Stilistisch steht der M. v. K. dem Derick → Baegert nahe; von manchen Forschern als dessen Sohn Jan identifiziert. Beeinflußt von Holzschnitten des Jacob → Cornelisz.

Weitere Werke derselben Hand: *Szenen aus dem Marienleben u. der Passion Christi*, Münster i. W., Mus. Weitere Werke ebda. *Krönung Mariä*, London, Nat. Gall. *Christus vor Pilatus*, ebda. Zuschreibungen in Nürnberg, German. Mus.; Stockholm, Nat. Mus.; New York, Metrop. Mus.; St. Viktor in Xanten (*2 Tafeln eines Antonius-Altars*) ; Philadelphia, Slg. Johnson (*Christus vor Kaiphas*); Detroit, Inst. of Arts u. a.

Lit.: C. Glaser, *Altdt. Malerei*, 1924. *Ausst.-Kat. Der Maler Derick Baegert u. s. Kreis*, Münster 1937.

K. Steinbart, *Der M. v. K. u. die holl. Graphik* in: Westfalen 22, 1937.

Meister der Karlsruher Passion, dt. Maler, mittel- oder oberrhein. Herkunft, 3. Viertel 15. Jh., benannt nach den zu einem Altar gehörenden *Passionstafeln* in Karlsruhe, Kunsth., um 1455–60, früher irrigerweise dem → Hausbuchmeister zugeteilt. Es handelt sich um die Tafeln: Kreuztragung, Entkleidung Christi, Dornenkrönung u. Kreuzanheftung. Dazu kommen noch 2 weitere Tafeln: *Gefangennahme Christi*, Köln, Wallraf-Richartz-Mus. u. *Geißelung*, in engl. Privatbesitz. Stilistisch steht der Meister zwischen dem → Meister der Darmstädter Passion u. dem → Hausbuchmeister. L. Fischel hat ihn versuchsweise mit dem Straßburger Hans → Hirtz, der nur urkundlich bekannt, seinerzeit aber berühmt war, identifiziert. Weitere Zuschreibungen an denselben Meister in Dijon, Mus. u. schweiz. Privatbesitz.

Lit.: L. Fischel, 1952.

Meister der Liebesgärten, dt. Kupferstecher, tätig um 1440–50, wohl niederrhein. oder westf., benannt n. seinen 2 Hauptblättern: dem sog. «Großen» u. «Kleinen» *Liebesgarten*. Der M. hat vielleicht nur Vorlagen des Meisters des Todes Mariä kopiert. Das Verzeichnis s. Stiche umfaßt 22 Nummern.

Lit.: M. Lehrs, 1893. Ders., *Gesch. u. krit. Kat. d. Kupferst.* I, 1908. J. Schüler, 1934.

Meister von Liesborn, dt. Maler, tätig um 1460–70 in Münster, bedeutender westfäl. Meister, der aus der Soester Schule hervorgegangen, stark von der köln. Kunst beeinflußt, die neue niederl. Kunstweise (Dirk → Bouts) in Westfalen einführte, benannt nach s. Hauptwerk, dem *Hochaltar für die Klosterkirche zu Liesborn*, 1465, dessen wichtigste Bruchstücke heute in Münster, Landesmus. u. London, Nat. Gall. Der Meister entfaltete eine bedeutende Tätigkeit in Münster, vielleicht auch in Soest u. hatte bedeutenden Einfluß, u. a. auf Hinrik → Funhof in Hamburg u. Hermen → Rode in Lübeck. Weitere Werke in Münster, Landesmus.; München, A. P.; Philadelphia, Slg. Johnson; Budapest, London, Nat. Gall. u. a.

Lit.: H. Busch in: Zschr. d. dt. Ver. f. Kstwiss. 7, 1940. G. Dehio, *Gesch. d. dt. Kunst* 2, 1921. W. R. Deusch, *Dt. Mal. d. 15. Jh.*, 1936.

Meister der Lyversberger Passion, dt. Maler, tätig um 1460–80 in Köln, benannt nach den *8 Tafeln mit Darstellungen aus der Passion Christi*, früher Slg. Lyversberg, Köln, jetzt Wallraf-Rich.-Mus., ebda. Der Meister ist ein von Stephan → Lochner u. der niederl. Kunst (Dirk → Bouts) beeinflußter Maler, der dem → Meister des Marienlebens nahe steht, ja von mehreren Forschern mit ihm identifiziert wird. Werke in München, A. P.; Pfarrkirche St. Martin, Linz; Lugano, Slg. Schloß Rohoncz (*Altar der Franziskanerkirche* zu Düren). Lit.: A. Stange, *Dt. Malerei d. Gotik* 6, 1954.

Meister des Marienlebens, dt. Maler u. Zeichner für Glasgemälde, tätig um 1463–1480 in Köln, der bedeutendste Kölner Maler Mitte 15. Jh., gen. nach s. Hauptwerk, den *Tafeln eines Marienaltars* (heute 7 Tafeln in München, A. P.; 1 in London, Nat. Gall.). In s. Stil zeigt sich eine starke Beeinflussung durch die Niederländer, bes. von Dirk → Bouts u. Rogier v. d. → Weyden, so daß ein Aufenthalt u. Schulung in einer niederl. Werkstatt anzunehmen ist. Er ist charakterisiert durch realist. Stoffmalerei u. ein prächtiges Kolorit. Der Meister hat eine umfangreiche Tätigkeit entfaltet u. bedeutenden Einfluß ausgeübt. Außer in s. Tafelgemälden findet sich s. Stil auch in Wandgemälden u. einigen köln. Glasgemälden.
Werke: das umfangreiche Werk umfaßt u. a.: *Anbetung der Könige*, Nürnberg, German. Mus. *Kreuzigung*, Cues, Hospitalkirche. *Kreuzigung*, Köln, Wallraf-Richartz. *Kreuzabnahme*, ebda. Weitere Werke in Köln, Wallraf-Richartz-Mus. Nürnberg, German. Mus. Berlin, Dt. Mus. London, Nat. Gall. u. a.
Lit.: H. Reiners, *Kölner Malerschule*, 1925. G. Dehio, *Gesch. d. dt. Kunst* 2, 1921. W. R. Deusch, *Dt. Mal. d. 15. Jh.*, 1936.

Meister von Meßkirch, dt. Maler, tätig etwa 1530 bis 1543 in Meßkirch, bedeutender schwäbischer Meister aus der Dürernachfolge, schuf den *Hochaltar* u. *8 Seitenaltärchen* für die Stadtkirche zu Meßkirch, von denen das Hochaltarblatt mit der *Anbetung der Könige*, um 1538, heute noch dort ist. Zugehörige Flügel in München, A. P. u. Donaueschingen. Von den Seitenaltärchen befinden sich Tafeln in Berlin, staatl. Mus.; Karlsruhe, Kunsth.; Nürnberg, German. Mus. Ferner in Paris, Louvre; Warschau, Mus. u. Philadelphia, Slg. Johnson. Der M. v. M. ist einer der größten Koloristen s. Zeit. In s. Stil erweist er sich als zum Kreise der Dürerschüler Hans v. → Kulmbach u. Hans Leonhard → Schäufelein gehörend, beeinflußt vor allem v. → Dürer u. → Burgkmair. Weitere Werke: *Wildensteiner Altar*, 1536, Donaueschingen, Gal. *Falkensteiner Altar*, ebda. u. Teile in Stuttgart, Gal.; *Kreuzigung*, Donaueschingen, Gal.
Lit.: Kötschau, 1893. H. Feurstein in: Oberrhein. Kunst 6, 1934, C. Salm, Diss. Freiburg 1950. G. Glück, *Kunst d. Renaiss.*, 1928.

Meister von Moulins, franz. Maler, tätig um 1475 bis 1500 in Paris oder Lyon (?), Hauptmeister s. Zeit, gen. nach s. Hauptwerk, dem *Großen Triptychon mit Madonna in der Glorie* auf der Mitteltafel, um 1498/99, in der Kathedrale zu Moulins; auf den Seitenflügeln Stifterbildnisse Pierres de Bourbon u. s. Gattin (daher auch *Maître des Bourbons* gen.). Der M. v. M. ist in s. Frühwerk von H. van der → Goes beeinflußt, später werden enge Beziehungen zu → Fouquet erkennbar. Von einigen Forschern wird er als identisch mit dem urkundl. bekannten Jean Perréal angesehen.
Weitere Werke: Hauptwerk s. Frühzeit: *Geburt Christi*, mit Kardinalerzbischof J. Rolin als Stifter, um 1480, Autun, Mus.; *Flügel eines Triptychons* mit Pierre de Bourbon u. s. Gattin als Stifterfigur, 1488, Paris, Louvre; *Altarflügel mit Halbfigur einer unbekannten Stifterin* u. hl. Magdalena, ebda.; *Maria mit Kind*, Brüssel, Mus. *Bildnis eines Stifters mit Heiligen*, Glasgow, Gall.; *Bildnis Charles II. von Bourbon*, Kardinalerzbischof v. Lyon, München, A. P.; *Bildnis eines jungen Mannes*, mit Blume in der Rechten, Philadelphia, Slg. Johnson.
Lit.: P. Durrieu in: Michel, *Hist. de l'art* 4, 1911. P. A. Lemoisne, *La peinture française à l'époque gothique*, 1931. Ch. Sterling, *La peint. franç. Les Primitifs*, 1938. G. Lebel, *Quelques précisions sur l'oeuvre du peintre J. Perréal*, 1939. P. Dupieux, *Les maîtres de Moulins*. G. Ring, *La peint. franç. du 15ᵉ siècle*, 1949 (Phaidon).

Meister M. Z., dt. Kupferstecher, Zeichner (u. Maler?), tätig in Süddeutschland um 1500, bekannt durch eine Reihe M. Z. bez. Kupferstiche, die stilistisch von → Dürer abhängig sind u. auch ital. Anregungen aufnehmen. 22 Blätter bekannt. Von der Mehrzahl der Forscher mit *Matthäus Zasinger*, Goldschmied in München identifiziert.

Meister des Naumburger Domes → Naumburger Meister.

Meister mit der Nelke → Nelkenmeister.

Meister des Nördlinger Hochaltars, dt. Bildschnitzer, 2. Hälfte 15. Jh.; der *Hochaltar der Nördlinger Kirche* mit der Kreuzigung u. Maria mit Johannes, Magdalena u. Georg unter dem Kreuz, heute Nördlingen, Mus., wurde 1477 bei Simon → Lainberger bestellt u. diesem früher zugeschrieben; heute gilt es als unwahrscheinlich, daß er der ausführende Meister gewesen ist; dieser muß vielmehr ein Straßburger Bildschnitzer gewesen sein. Im Stil schließt er sich eng an Niklaus→Gerhaert an u. steht dem → Meister der Dangolsheimer Madonna nahe. Weitere Werke der selben Hand: Berlin, Dt. Mus. (Heilige).
Lit.: L. Fischel, *Nicolaus Gerhart u. die Bildh. d. dt. Spätgotik*, 1944. M. Hasse in: Th.-B. 1950.

Meister des Paradiesgärtleins → Meister des Frankfurter Paradiesgärtleins.

Meister des «Peringsdörfer Altars», besser: **Meister des Augustiner-Altars**, dt. Maler, Ende 15. Jh. in Nürnberg, gen. nach dem St. Veitsaltar, Nürnberg, German. Mus., aus der Augustinerkirche in Nürnberg, der in mißverstandener Deutung einer alten Nachricht für den «Peringsdörfer Altar» von Michael Wolgemut gehalten wurde; der wahre von Peringsdörfer gestiftete Altar ist der Hochaltar der Heiligkreuzkirche in Nürnberg. Mehrere Hände lassen sich am St. Veitsaltar unterscheiden; der Hauptmeister muß als einer der hervorragendsten Maler der Nürnberger Malerschule in der 2. Hälfte des 15. Jh. angesehen werden.
Lit.: *Kat. d. German. Mus. Nürnberg*, 1936.

Meister d. Petrarka, Meister d. Trostspiegels → Petrarkameister.

Meister der Pietà von Villeneuve (Avignon), franz. (provençal.) Maler des 15. Jh., benannt nach der *Pietà von Villeneuve-les-Avignon*, heute in Paris, Louvre, um 1460, ein Hauptwerk der Schule von Avignon; im Stil → Charonton nahestehend; von mehreren Forschern dem Villatte zugeschrieben, der ein Mitarbeiter Charontons (an der Schutzmantelmadonna von Chantilly) war.
Lit.: Ch. Sterling, *La Peinture française. Les Primitifs*, 1938. L. Réau, *La Peint. franç. du 14ᵉ au 16ᵉ s.*, 1939. G. Ring, *La Peint. franç. du 15ᵉ siècle* (Phaidon), 1949.

Meister von St. Severin, dt. Maler, tätig Ende 15. bis Anfang 16. Jh. in Köln, benannt nach *2 Tafeln mit je 2 Heiligengestalten* in der Sakristei von St. Severin, Köln. Der M. ist künstlerisch vom → Meister der Ursula-Legende abhängig, auch wohl direkt vom niederl. Manierismus (→ Engelbrechtsz.) beeinflußt worden. Weitere Werke: *Weltgericht*, um 1485, Köln, Wallraf-Richartz-Mus. *Anbetung der Könige*, um 1512, ebda. *Himmelfahrt Mariä*, München, A. P. *Triptychon mit Kreuzigung* im Mittelbild, Boston, Mus. Werke in Köln, Wallraf-Richartz; München, A. P.; Bonn, Mus.
Lit.: Scheibler, *Die hervorragendsten anonymen Meister u. Werke der Kölner Malerschule*, 1880. H. Brockmann, *Spätzeit der köln. Malerschule*, 1924. G. Dehio, *Gesch. d. dt. Kunst* 2, 1921. W. R. Deusch, *Dt. Mal. d. 15. Jh.*, 1936.

Meister der hl. Sippe (d. Ä.), dt. Maler, tätig in Köln im 1. Viertel des 15. Jh., benannt nach dem um 1420 entstandenen (älteren) *Sippenaltar* in Köln, Wallraf-Richartz-Mus. Der M. gehört zur engsten Schulnachfolge des Veronikameisters (→ Meister der hl. Veronika) u. des Meisters von St. Laurenz. Zugeschrieben: *Tryptychon*, Berlin, Dt. Mus. *Folge von 8 Passions-Darstellungen:* 1 Bild in Aachen, Suermondt-Mus.; 2 Bilder in Berlin, Dt. Mus.;

5 in Köln, Wallraf-Richartz-Mus. *Triptychon* in Darmstadt, Gal. Weitere Werke in Köln, Schnütgen-Mus.
Lit.: H. Reiners, *Kölner Malerschule*, 1925.

Meister der hl. Sippe (d. J.), dt. Maler, tätig um 1480–1520 in Köln, benannt nach dem um 1500 entstandenen großen *Sippenaltar mit St. Anna selbdritt*, Köln, Wallraf-Richartz. Bedeutender Kölner Meister, anfangs unter dem Einfluß von St. → Lochner u. dem → Meister des Marienlebens, später von den Niederländern (Rogier v. d. → Weyden) unmittelbar beeinflußt, so daß man Reise in die Niederlande annimmt.
Weitere Werke: *Sebastiansaltar*, Köln, Wallraf-Richartz. *2 Tafeln von einem Fürbitte-Altar*, 1492, Nürnberg, German. Mus. *Flügelaltärchen* aus dem Kölner Kartäuserkloster mit den hll. Barbara u. Dorothea in der Mitte, Köln, Wallraf-Richartz. *Flügelaltar* aus der St. Columbankirche, München, A. P. Werke in Brüssel, Utrecht, Berlin, New York (Metrop. Mus.) u. a.
Lit.: H. Reiners, *Kölner Malerschule*, 1925. C. Linfert, *Alt-Kölner Meister*, 1941.

Meister der Spielkarten → Spielkartenmeister.

Meister der Straßburger Ekklesia u. Synagoge → Straßburger Meister.

Meister des Tegernseer Altars, dt. Maler, tätig in der 1. Hälfte des 15. Jh. in Oberbayern, gen. nach dem ehem. *Hochaltar der Klosterkirche in Tegernsee*, 1445–46, der früher als Werk des G. → Mälesskircher angesehen wurde. (Der M. des Tegernseer A. daher auch Pseudo-Mälesskircher gen.) Die Tafeln des Altars heute in Nürnberg, German. Mus.; Berlin, Dt. Mus.; München, A. P. u. Bayr. Nat. Mus. Der unbekannte Meister erweist sich in ihnen als stärkste künstlerische Kraft des damaligen Bayern u. bes. als hervorragender Kolorist.
Lit.: E. Buchner in: Münchner Jb. d. bild. Kunst N. F., 1938–39. K. Oettinger in: Zschr. d. dt. Vereins f. Kunstw. 8, 1941. W. Pinder, *Dt. Kunst der Dürerzeit*, 1940. Th.-B. 1950.

Meister Theoderich von Prag → Theoderich v. Prag.

Meister des Todes Mariä → Cleve, Joost van.

Meister des Trostspiegels → Petrarkameister.

Meister des Tucher-Altars, dt. Maler, tätig in Nürnberg Mitte 15. Jh., benannt nach s. Hauptwerk, dem angeblich von der *Familie Tucher gestifteten Altar*, um 1445, heute Nürnberg, Frauenkirche u.

Predellenflügel in Nürnberg, German. Mus., ein Hauptwerk der zeitgen. Nürnberger Malerei: massige Gestalten, reliefartig vor goldenem Grunde stehend. Im Stil wirkt die böhm. Überlieferung fort; doch verrät sich burgund.-niederl. Einfluß (Meister v. → Flémalle, Claus → Sluter u. a.).
Lit.: C. Gebhardt, *Anfänge der Tafelmalerei in Nürnberg*, 1908. R. Kömstedt in: Pantheon 15, 1941.

Meister der Ursula-Legende, dt. (niederl.?) Maler, tätig in Köln Ende 15. bis Anfang 16. Jh., benannt nach dem großen um 1500 entstandenen Bilderzyklus mit der *Legende der hl. Ursula* aus St. Severin in Köln. Dieses Werk wurde ursprünglich dem → Meister von St. Severin zugeschrieben u. wird es auch heute noch von mehreren Forschern. Werke: *Szenen aus der Legende der hl. Ursula* : 3 Tafeln in Köln, Wallraf-Richartz-Mus.; 4 Tafeln in Bonn, Mus.; 2 Tafeln in Nürnberg, German. Mus.; 2 Tafeln in Paris, Louvre; je 1 Tafel in Magdeburg, Mus. u. London, Victoria u. Albert Mus. 5 weitere Tafeln in Privatbesitz. *Szenen aus dem Leben des hl. Severin,* davon 18 Bilder in St. Severin, Köln; 2 Bilder im Schnütgen-Mus., ebda. Weitere Werke in Köln, Wallraf-Richartz-Mus.
Lit.: C. Glaser, *Altdt. Malerei,* 1924. H. Brockmann, *Spätzeit der Kölner Malerschule,* 1924. H. Reiners, *Kölner Malerschule,* 1925. W. R. Deusch, *Dt. Mal. d. 15. Jh.,* 1936.

Meister der Verherrlichung Mariä, dt. Maler, tätig in Köln 2. Hälfte 15. Jh., benannt nach der *Verherrlichung Mariä,* Köln, Wallraf-Richartz-Mus. (2. Bild desselben Inhalts in der Slg. Heyl in Worms). Der Meister erweist sich in diesem Werk als ein niederl. beeinflußter Nachfolger Stephan → Lochners. Vom selben Meister: *Geburt Christi,* Berlin, staatl. Mus.; *Anbetung der Könige,* Aachen, Slg. Dr. Thier. Weitere Werke in Köln, Wallraf-Richartz-Mus. u. a.
Lit.: C. Linfert, *Alt-Kölner Meister,* 1941. G. Dehio, *Gesch. d. dt. Kunst* 2, 1921. W. R. Deusch, *Dt. Mal. d. 15. Jh.,* 1936.

Meister der Verkündigung von Aix, franz. (provenzal.) Maler 2. Viertel 15. Jh., benannt nach dem Triptychon in der Madeleine-Kirche in Aix, dessen Mitelstück mit der *Verkündigung Mariä* sich ebda. noch befindet; Flügel im Mus. von Brüssel; ein Ausschnitt im Rijksmus. in Amsterdam. Der Meister ist – mit Enguerrand → Charonton u. Nicolas – Froment – ein Hauptvertreter der spätgot. Malerei der Provence. Die nächsten künstlerischen Verwandten befinden sich in Burgund, namentlich die Plastik von Claus → Sluter u. dessen Kreis. Ein weiterer Flügel des Verkündigungsaltars in der Slg. Cook, Richmond; Zuschreibungen in Brüssel, Mus. u. a.

Lit.: L. Réau, *La peint. franç. du 14 au 16e siècle,* 1939. G. Ring, *La peint. franç. du 15e siècle,* 1949.

Meister der hl. Veronika, dt. Maler, tätig in Köln um 1410–20, benannt nach der *Tafel mit dem Schweißtuch der hl. Veronika,* München, A. P., einem Hauptwerk der frühen Kölner Malerschule. Zugeschrieben ferner: *Brustbild der Madonna mit der Erbsenblüte,* Nürnberg, German. Mus. *Marter der hl. Ursula,* Köln, Wallraf-Richartz-Mus. u. a.
Lit.: O. H. Forster, *Köln. Malerei,* 1923. K. H. Schweitzer, *Der Veronikameister,* Diss. Bonn 1935. A. Stange, *Dt. Malerei d. Gotik* 3, 1938.

Meister der Virgo inter Virgines, niederl. Maler, tätig um 1480 in Delft, benannt nach einem Bild der *Madonna im Kreise von 4 weibl. Heiligen,* Amsterdam, Rijksmus. Der Meister ist in s. Kunst in manchem H. → Bosch u. → Geertgen verwandt. Werke s. Hand ferner in Aachen, Berlin (K.-F.-Mus.), Chicago (Slg. Ryerson), Florenz (Uff.), Liverpool, Mailand (Brera), New York (Metrop. Mus.), Philadelphia (Slg. Johnson), Lugano (Slg. Schloß Rohoncz).
Lit.: F. Winkler, *Altniederl. Malerei,* 1924. Ders. in: Th.-B. 1950. M. J. Friedländer, *Altniederl. Malerei* 5, 1927.

Meister von Werden, dt. Maler, tätig in Köln 2. Hälfte 15. Jh., so benannt nach 4 aus der Abtei Werden b. Düsseldorf stammenden Bildern der Nat. Gall. in London. Personengleichheit mit dem → Meister des Marienlebens wahrscheinlich.

Meister der Wiener-Neustädter Apostel → Luchsperger, Lorenz.

Meister Wilhelm von Köln → Wilhelm v. Köln.

Meister von Wittingau → Wittingau.

Meistermann, Georg, dt. Maler, * Solingen 1911, Vertreter der abstrakten Kunst, gebildet an der Düsseldorfer Akad. (→ Nauen, → Mataré), durch sakrale Farbfenster bekannt, lehrte 1953 ff. an der Akad. (Städel) in Frankfurt, 1955 ff. an der Akad. Düsseldorf.
Lit.: Knaurs Lex., 1955. M. Seuphor, *Dict. peint. abstr.,* 1957 (dt., *Knaurs Lex. abstr. Malerei,* 1957). G. Händler, *Dt. Maler der Gegenw.,* 1956. G. Hassenpflug, *Abstrakte Maler lehren,* 1959. Haftmann, *Dt. abstr. Maler,* 1953. *Neue Kunst nach 1945,* hg. v. W. Grohmann, 1958.

Meit (Meijt), Konrad, dt.-niederl. Bildhauer u.Bildschnitzer, Worms um 1485 bis nach 1544 Antwerpen (?), bedeutender Vertreter der dt.-niederl. Renaissance, war zu Wittenberg in → Cranachs

Atelier tätig, 1514 ff. Hofbildhauer der Margarete v. Österreich in Mecheln, 1526–34 in Frankreich (im damaligen Savoyen) u. 1534 ff. in Antwerpen. M.s Hauptwerk sind die *Grabmäler für Margarete v. Österreich*, ihren Gemahl u. dessen Mutter in der Nikolauskirche zu Brou (Bourg-en-Bresse), 1526–32 (zus. mit anderen), aus Alabaster u. Marmor in reichster Spätgotik mit lebensnahen Figuren. M. ist in s. Stil von → Dürer, Cranach u. Jac. de' → Barbari beeinflußt, der ihm Renaissancemotive vermittelte; doch wird auch eine Reise nach Italien angenommen. Besonders fein sind seine Bildnisbüsten u. Kleinplastiken.
Werke: von den Kleinplastiken sind die bekanntesten: *Judith*, Alabaster, um 1515, München, Bayer. Nat. Mus. *Adam u. Eva*, Gotha, Mus. u. Wien, Österr. Mus. Von s. Bildnisbüsten: *Tonbüste Karls V.*, Brügge, Mus. Grooth. Weitere Werke in Köln, Kunstgew. Mus.; Paris, Cluny-Mus. u. die schon genannten.
Lit.: F. Winkler in: Preuß. Jb. 45, 1924. Feulner, *Dt. Plastik d. 16. Jh.*, 1926. Troescher, 1927. Sauerlandt, *Kleinplastik d. dt. Renaiss.*, 1927. W. Vöge in: Jb. d. Kunstwiss. 1927. Bange, *Kleinplastik d. dt. Renaiss. in Holz u. Stein*, 1928. J. Duverger, 1934. F. Baumgart, *Gesch. d. abendländ. Plastik*, 1957.

Melchior, Johann Peter, dt. Bildhauer u. Modelleur, Lintorf 1742–1825 Nymphenburg, Hauptmeister des Rokoko-Porzellans, 1767 ff. Modellmeister der Höchster, 1779 ff. der Frankenthaler, 1797 ff. der Nymphenburger Manufaktur. Seine Kinder- u. Chinesengruppen im Stil des franz. Rokoko begründeten den Ruf der Höchster Manufaktur. In s. späteren Arbeiten vollzieht sich der Übergang zum Klassizismus; sie sind häufig in Biskuitausführung (ohne Glasur). Beisp.: *Relief Goethes*, 1785, Weimar, Goethemus.
Lit.: F. H. Hofmann, 1921. Feulner, *Skulptur u. Malerei d. 18. Jh. in Deutschl.*, 1929. H. Hofmann, *Porz. d. europ. Manufakt. im 18. Jh.*, 1932.

Meldolla, Andrea → Schiavone, Andrea.

Mellan, Claude, franz. Kupferstecher, Abbeville 1598–1688 Paris, bedeutender Meister der Stichtechnik, in welcher er ein Verfahren ausbildete, in dem er nicht durch Kreuzschraffierung modellierte, sondern durch verschiedenen Druck der Linien. Schüler von → Vouet, 1624–36 in Rom, 1637 ff. in Paris. Von s. rund 400 Stichen machen die Porträts, welche lebendig aufgefaßt u. meist nach eigenen Zeichnungen gestochen sind, etwa die Hälfte aus.
Werke: Bildnisradierungen: *Kardinal Richelieu, Henri de Mesmes, Pierre Gassendi, de Peiresc*. Als virtuoses Stück s. eigenen Technik gilt das aus einer einzigen Spirallinie entwickelte *Antlitz Christi*.

Lit.: A. de Montaiglon, *Cat. raisonné de l'oeuvre de C. M.*, 1858. Kristeller, *Kupferst. u. Holzschn.*, 1922.

Melone, Altobello da → Altobello da Melone.

Melozzo da Forlì, ital. Maler, Forlì 1438–1494 ebda., Hauptmeister des Übergangs zur Hochrenaissance, tätig in Forlì, Rom, Loreto, vielleicht auch Urbino, schuf haupts. Fresken. In s. Stil erweist er sich als Schüler des Piero della → Francesca, dessen wissenschaftlich fundierte Raum- u. Körpergestaltung er weiterführt. Angeregt bes. v. → Mantegna, dessen kühne Perspektive er noch übertrifft. Seine Darstellungen zeigen Monumentalität u. innere Größe.
Hauptwerke: *Gründung der Vatik. Bibliothek*, Fresko aus der alten Vatik. Bibliothek, 1477, Rom, Vatik. Gal. *Segnender Christus*, Fragment vom Fresko der Apsis in SS. Apostoli, heute Pal. del Quirinale. Weitere Fragmente: *8 musizierende Engel, Köpfe aufwärtsblickender Apostel, Gruppe v. Engeln in Wolken*, heute Vatik. Gal. *Fresken in der Sakristei* in Loreto. Weitere Werke in Rom: S. Marco; Pal. Venezia; Pantheon. Ferner Florenz, Uff.; London, Nat. Gall., Fogg Art Mus., Harward Coll.; Forlì, Mus.; Urbino, Mus.
Lit.: A. Schmarsow, 1886. O. Okkonen, 1910. C. Ricci, 1911. A. Venturi VII, 2, 1913. G. Gronau in Th.-B. 1930. G. Nicodemi, 1935. R. v. Marle, *Ital. Schools* 14, 1934. G. Delogu, *Ital. Malerei*, ³1948.

Melzi, Francesco, ital. Maler, Mailand 1493 bis um 1570, lombard. Meister aus der Schule → Leonardo da Vincis, Lieblingsschüler u. Freund Leonardos, begleitete ihn 1513 nach Rom, 1515 nach Frankreich u. blieb bis zu dessen Tode bei ihm. Im Stil ein geschickter Nachfolger Leonardos.
Zugeschriebene Werke: u. a.: *Vertumnus u. Pomona*, Berlin, staatl. Mus. *Columbina*, Leningrad, Eremitage. *Leda*, Rom, Gall. Borghese. *Johannes d. T.*, Paris, Louvre.
Lit.: W. Suida, *Leonardo u. s. Kreis*, 1929. E. Verga in: Th.-B. 1930. E. v. d. Bercken, *Malerei d. Renaiss. in Oberital.* (Hb. d. K. W.), 1927.

Memling, Hans, niederl. Maler, * in der Gegend um Mainz um 1430/40, † 1494 Brügge, Hauptmeister der südniederl. Schule, 1466 ff. in Brügge nachweisbar, vielleicht Schüler des Rogier v. d. → Weyden – jedenfalls geht er in der Komposition von diesem aus – ferner namentlich von Dirk → Bouts beeinflußt. Er führt die Kunst jener Meister im Sinne einer Verfeinerung weiter, zeigt einen ungewöhnlichen Sinn für Anmut u. Maß, Farben von ausgesuchter Schönheit des Zusammenklangs, doch wenig Fähigkeit zur Gestaltung dramat. Aktion. Am besten gelangen ihm Zustandsbilder von Madonnen u. Porträts. Häufig brachte er diese bei ihm beliebtesten Genres zus.: Diptychen mit

Stifterbildnis u. Madonna. M. war der Hauptmeister Brügges zu s. Zeit, unterhielt eine große
Werkstatt; es sind noch heute über 100 Werke von
ihm erhalten; eine sehr gute Slg. von Hauptwerken
im Johannes-Spital in Brügge.
Hauptwerke: Größere Altäre: *Großer Altar mit
Jüngstem Gericht*, um 1473, für eine Florentiner
Kirche gemalt, heute Danzig, Marienkirche. *Dreikönigsaltar*, 1479, Brügge, Johannes-Spital. *Johannes-
altar*, 1479, ebda. *Beweinungsaltar*, 1480, ebda. *Drei-
königstafel* (Mittelstück eines Flügelaltars), um 1480,
München, A. P. *Madonna des Jacob Floreins*, um 1485,
Paris, Louvre (mit Stifter u. Stifterfamilie). *Triptychon mit Thronender Madonna u. Stifter* auf der Mitteltafel, den beiden Johannes u. den Ureltern auf den
Flügeln, um 1485, Wien, Kunsthist. Mus. Erzäh-
lerisches Hauptwerk: der berühmte *Reliquienschrein
der hl. Ursula*, Brügge, Johannesspital, 1489 voll.
(mit 6 Szenen aus dem Leben der hl. Ursula, außer
andern kleineren Darstellungen). Bildnisse: *M. van
Nieuwenhove* (Diptychon mit Madonna), 1487, ebda.
Bildnisse des W. Morel u. s. Gemahlin, um 1480,
Brüssel, Mus.
M. ist vertreten in den Mus. v. Brügge (Joh. Spital
u. Städt. Mus.); Wien, Berlin, Florenz (Uff.),
London, Paris, Madrid, München, Köln, New York,
Washington, Rom (Pal. Doria), Stuttgart, Stock-
holm, Antwerpen, Göteborg, Lissabon, Frankfurt.
Lit.: J. Weale, 1901. K. Voll, 1909 (Klass. d. K;
m. Bibliogr.). M. J. Friedländer, *M. u. Gerard David*
(Altniederl. Malerei 6, 1928). L. v. Baldass, 1942.
F. Winkler, *Altniederl. Mal.*, 1924.

Memmi, Lippo, ital. Maler, nachweisbar 1317 bis
1347, tätig in Siena, bedeutender Schüler Simone
→ Martinis, dessen Mitarbeiter u. Schwager er war,
malte religiöse Fresken u. Tafelbilder, die aber
meist wohl auf Vorbilder s. Meisters zurückgehen.
Seine Madonnenbilder, von stiller Anmut u. er-
lesener dekorativer Kostbarkeit, gehören zu den
feinsten Werken der altsienes. Malerei.
Werke: *Großes Fresko der «Maestà»*: Madonna mit
Heiligen, Engeln und kniendem Stifter, dem
Podestà Nello dei Tolomei, 1317, Pal. Comunale,
S. Gimignano. «*Vergine del Popolo*», Fresko in der
Kirche Servi di Maria, Siena. Vertreten in den Mus.
v. Altenburg, Berlin, Boston (Mus. Gardner), Siena.
Lit.: R. van Marle, *Simone Martini et les peintres de
son école*, 1920. E. Cecchi, *Trecentisti senesi*, 1928.
C. H. Weigelt, *Sienes. Malerei d. 14. Jh.*, 1929.
P. Toesca, *Storia dell'arte ital.* 2, 1951. R. Oertel,
Frühzeit d. ital. Malerei, 1953.

Mena y Medrano, Pedro de, span. Bildhauer,
Granada 1628–1688 Malaga, Hauptmeister der
Barockbildnerei in Granada, Schüler von A. →
Cano, tätig in Granada, 1658 ff. in Malaga, schuf
religiöse Werke, in welchen er den Stil Canos zu

einem realistischen, aber sehr verinnerlichten,
weiterführte, in welchem starke Bewegungsmotive
vermieden sind. Später auch Einflüsse der kastil.
Schule (Gregorio → Hernandez).
Hauptwerke: *40 Hochreliefstatuetten* an den Rück-
seiten des Chorgestühls der Kathedrale von Malaga,
1658–62. Die sog. *Virgen de Belén,* Halbfigur
der Madonna mit Kind, um 1660, Kirche S. Domingo, ebda. *Statuette des hl. Franz von Assisi*,
um 1663, Toledo, Kathedrale. *Standbild der hl.
Magdalena*, 1664, Madrid, Prado. *Mater dolorosa*,
Malaga, Los Martires.
Lit.: R. de Oruete y Duarte, 1914. A. E. Brinckmann, *Barockskulptur* (Handb. d. K. W.), 1919.
A. L. Mayer, *Span. Barockplastik*, 1923. H. Kehrer,
Span. Kunst, 1926.

Menabuoi, Giusto → Giusto Padovano.

Mendelsohn, Erich, dt. Arch., Allenstein 1887 bis
1953 San Francisco, Hauptvertreter der modernen
sachlich-konstruktiven Bauweise, erfuhr s. Ausbildung an den Techn. Hochschulen Charlottenburg u. München (Theod. → Fischer), tätig in
Berlin, nach 1933 in Palästina u. England, seit 1941
in San Francisco u. als Prof. für Arch. in Berkeley
u. Eugene (Oregon), spezialisierte sich vor allem
auf Geschäftshäuser u. Industriebauten, in den USA
auch Synagogen u. Krankenhäuser. M. ging in
s. Bauten vom Zweck aus u. macht sich alle modernen Konstruktionsweisen zu eigen, ohne aber
den Stilwillen zu monumentaler Größe zu verleugnen.
Hauptwerke: *Astrophysikal. Inst.* («Einsteinturm»)
bei Potsdam, 1920/21. *Kaufhaus Schocken*, Nürnberg,
1926. *Kaufhaus Schocken*, Stuttgart, 1926/28. *Kaufhaus Schocken*, Chemnitz, 1928/30.
Veröffentlichungen: «Amerika, Bilderbuch eines
Arch.», 1926. «Rußland, Europa, Amerika», 1928.
Lit.: E. M. *Bauten u. Skizzen*, 1924. E. M. *Das
Gesamtschaffen d. Arch.*, 1930. M. F. Roggero, 1952.
R. Döcker in: Arch. u. Wohnform 62, 1953. A.
Whittick, 1956.

Mengs, Anton Raphael, dt.-böhm. Maler, Aussig
1728–1779 Rom, Hauptmeister des dt.-röm. Klassizismus, Schüler s. Vaters Ismael M., der 1741 mit
ihm nach Rom ging, bildete sich autodidaktisch
weiter, 1745 Hofmaler Augusts III. in Dresden,
1754 Direktor der Akad. S. Luca in Rom, 1761–69
u. 1774 in Madrid, das. tätig f. Karl III. von Spanien. M. war der berühmteste s. Zeit. In
s. Stil gehörte er zunächst dem Spätbarock an, bildete später einen an → Raffael, den Bolognesen u.
der Antike gebildeten Eklektizismus aus, mit welchem er die Größe Raffaels mit dem Farbenschmelz
→ Correggios verbinden wollte. Auf s. Klassizismus, den er auch theoretisch entwickelte, wirkten

ferner ein: die damals aufgefundenen Wandgemälde zu Herculaneum u. die Anschauungen
Winckelmanns, mit dem er befreundet war. Er
schuf große Freskenwerke, kirchl., hist. u. mythol.
Bilder u. zahlreiche Bildnisse.
Hauptwerke: Fresken: sein berühmtestes *Der Par-
nass* (Apoll im Kreise der Musen), 1761, Decken-
fresko in der Villa Albani, Rom. Ferner: *Decken-
gemälde in S. Eusebio*, Rom, 1757 (Verklärung des
Heiligen). *Deckengemälde im Schloß zu Madrid* (Auro-
ra; Aufnahme des Herkules in den Olymp u. a.).
Altarbilder: *Josephs Traum*, Dresden, Gal. *Geburt
Christi*, Madrid, Prado. Mythologisches: *Urteil des
Paris*, Leningrad, Eremitage. *Befreiung der Andro-
meda*, 1777, ebda. Selbstbildnisse: 1746, Dresden,
Gal.; 1773, Florenz, Uff. Bildnisse: *Papst Klemens
XIII.*, 1758, Bologna, Pinac. *Winckelmann*, um 1761,
Krakau, Fürst Lubomirski. *Die Sängerin Mingotti*,
Dresden, Gal.
Eigene Schriften: «Gedanken über die Schönheit
u. den Geschmack in der Malerei», 1762–71.
«Sämtl. Schriften», hg. v. d'Azara, 1780.
Lit.: K. Gerstenberg, *J. J. Winckelmann u. M.*, 1929.
G. Pauli, *Kunst d. Klassizism. u. d. Romantik*, 1925.

Menn, Barthélemy, schweiz. Maler, Genf 1815 bis
1893 ebda., bedeutender Landschaftsmaler, nach
erster Ausbildung in Genf (L. Lugardon) seit 1833
Schüler von → Ingres in Paris u. Rom, wandte sich
später ganz der Landschaftsmalerei zu, befreundet
mit → Delacroix, → Daubigny, Th. → Rousseau
u. selber einer der Wegbereiter der Schule von →
Barbizon. 1843 ff. in Genf, wo er ab 1850 die Ecole
de Dessin leitete. In s. Stil vertrat M. den Romantikern gegenüber (→ Diday, → Calame) die schlichte
Realistik des «Paysage intime» der Schule von
Barbizon, deren Errungenschaften er auf die Darstellung der heimatl. Landschaft anwandte. Mit s.
Landschaftsbildern von malerischem Reiz u. fein
beseelter Stimmung gehört er zu den Begründern
der neueren schweiz. Malerei. Hervorragend auch
als Lehrer, der schulbildenden Einfluß auf die
junge Malergeneration ausübte; er war der Lehrer
→ Hodlers.
Vertreten in fast allen schweiz. Mus., hervorragend
in Genf. Beisp.: *L'Arve; Le Wetterhorn; Printemps
à Coinsins*, alle in Genf. *Selbstbildnis*, ebda.
Lit.: A. Lanicca, 1911. M. Huggler u. A. M. Cetto,
Schweiz. Mal. im 19. Jh., 1941. D. Baud-Bovy, 1943.
F. Schmalenbach in: Werk 30. Jg., H. 10, 1943.
J. Brüschweiler, 1960.

Menzel, Adolph v., dt. Maler, Zeichner u. Graphiker, Breslau 1815–1905 Berlin, Hauptmeister der
dt. Kunst des 19. Jh., von s. Vater als Lithograph
ausgebildet, in s. künstlerischen Ausbildung im
wesentlichen Autodidakt, begann als Zeichner:
erste Werke 6 lithogr. Federzeichnungen zu Goethes

Künstlers Erdenwallen, 1833; berühmt wurde er durch
s. *Federzeichnungen zu Kuglers Geschichte Friedrichs
d. Gr.* (von andern in Holzschnitt übertragen).
Mit diesem u. a. Zeichnungswerken über u. von
Friedrich d. Gr. hat M. das Bild, das wir uns von
diesem machen, wesentlich mitgeprägt. Mit s.
Historienbildern – er begann um 1835 mit der
Ölmalerei – hat er der Geschichtsmalerei neue
Antriebe gegeben: er verzichtet auf deklamato-
risches Pathos u. dringt tief in den hist. Stoff ein.
Berühmt sind die Bilder aus der friderizian. Geschichte: *Tafelrunde Friedrichs II. in Sanssouci*, 1852;
Flötenkonzert in Sanssouci, 1852 u. v. a. in den staatl.
Mus. in Berlin, u. ab 1861 s. Malereien zur Zeitgeschichte wie: *Krönung Wilhelms I.*, 1861–65, Berlin, staatl. Mus. *Ballsouper*, 1878, ebda. Doch gründet sich der heutige Ruf M.s als eines bahnbrechenden Malers auf die vom ihm geringgeschätzten
Studien u. Gemälde der 40er u. 50er Jahre, in welchen er vieles vom Impressionismus vorwegnahm.
Seine realist. Bemühungen berühren sich mit denen
der Franzosen; er hat Paris verschiedentlich auf-
gesucht u. traf mit → Courbet zus. Beisp.:
ungezwungener impressionist. Studien sind: *Das
Balkonzimmer*, 1845; *Das Schlafzimmer des Künstlers*,
1847; *Die Potsdamer Bahn*, 1847; *Théâtre Gymnase*,
1856, alle in Berlin, staatl. Mus. In s. *Eisenwalzwerk*,
1875, ebda., gibt er den Eindruck eines zeitgen.
Fabrikbetriebes wieder. – Einen eig. Impressionisten
wird man M. jedoch nicht nennen, da ihm bei aller
großzügigen Gesamtwirkung vor allem das anekdotische Detail wichtig war.
Lit.: M. Jordan u. R. Dohme, *Das Werk A. M.s*,
1886–91 u. Nachtragbde. 1895 u. 1905. *Gemälde u.
Studien*, hg. v. H. v. Tschudi, 1906. *Das graph.
Werk*, hg. v. W. Kurth, 1920. E. Bock, *A. M.s
graph. Werk*, 1923. K. Scheffler, 1922 (Neuaufl.
1938). E. Waldmann, [3]1944. Ders., *Kunst d. Realism.
u. Impression.*, 1927.

Mercié, Antonin, franz. Bildhauer, Toulouse 1845
bis 1916 Paris, Schüler von → Jouffroy u. → Falguière, schuf die Bronzegruppe *Gloria victis*, 1874,
Paris, Hôtel de Ville; die Marmorgruppe *Quand
même*, ebda., Tuileriengarten u. a. öffentliche Denkmäler. Vertreten in den Mus. v. Paris (Luxembourg),
Lyon, Montpellier, Toulouse, Chicago, Göteborg,
Kopenhagen, Leipzig u. a.

Mercier, Philipp, dt. Maler, Berlin 1689–1760
London, Schüler von A. → Pesne, weitergebildet
in Paris u. Italien; 1727 engl. Hofmaler. Porträts,
Genrebilder, Kupferstiche. Nachahmer → Watteaus
u. → Chardins.

Merian, Matthäus, d. Ä., schweiz.-dt. Kupferstecher, Basel 1593–1650 Schwalbach, der berühmte
Herausgeber der bedeutendsten Topographie des

17. Jh., Schüler des Kupferstechers Dietrich Meyer in Zürich u. des Glasmalers Christoph→ Murer, tätig in Straßburg, Nancy, Paris u. den Niederlanden, 1620–24 in Basel, übernahm 1625 die Verlagsanstalt seines Schwiegervaters de Bry in Frankfurt u. die Herausgabe der «Topographie» von M. Zeiller, 1642–88, mit über 2000 Städteansichten. Diese Stiche sind nicht alle von ihm, künstlerisch ungleichwertig, doch mit architekton. Treue ausgeführt, so daß sie von bleibendem hist. Wert sind. Weitere Hauptwerke: 258 Kupfer zur *Hl. Schrift* (meist Gehilfenarbeit), 1625–26; zu *Gottfrieds Histor. Chronika*, 1630; zum *Theatrum Europaeum*, 1635 bis 1723; zum *Basler Totentanz* (42 Bl.), 1644. Die Kinder des M. M. waren ebenfalls künstlerisch tätig:

Matthäus, d. J., Basel 1621–1687 Frankfurt, Schüler von J. v. → Sandrart u. in London Gehilfe van → Dycks, seit 1650 Inhaber u. Fortsetzer des väterlichen Geschäftes, malte Kirchenbilder u. vor allem Bildnisse im Stile van Dycks.

Kaspar, Frankfurt 1627–1687 in Holland, Schüler s. Vaters, arbeitete ebenfalls bei s. Vater mit, war zeitweilig in Paris u. Nürnberg, seit 1650 in Frankfurt, von 1672 an in Wertheim u. von 1677 an in Holland, stach Bildnisse, Landschaften, Stadtansichten u. Festszenen.

Maria Sibylla, Frankfurt 1647–1717 Amsterdam, seit 1668 verheiratet mit dem Maler Joh. Andr. Graff, zog nach Nürnberg, war 1699–1701 in Surinam, malte Blumen, Früchte u. Insekten in Öl, Aquarell u. Gouache. Ihre sehr schönen Kupfer meist für Werke zur Insekten- u. Pflanzenkunde gemalt.

Lit.: H. Eckardt, 1892 (2). Schuchhardt, 1896. F. Bachmann, *Die alten Städtebilder*, 1939. W. K. Zülch in: Th.-B. 1930. E. Gradmann/A. M. Cetto, *Schweiz. Mal. u. Zeichn. im 17. u. 18. Jh.*, 1944.

Méryon, Charles, franz. Maler u. Radierer, Paris 1821–1868 Charenton, einer der hervorragendsten Radierer des 19. Jh., lernt die Malerei bei Ch. F. Phélippes, den Kupferstich bei E. → Bléry. Von 1850 an schuf er seine meisterlichen, romant. empfundenen, Stadtansichten von Paris. Außer den Architekturstücken schuf er einige Landschaften u. Bildnisse. Sein Werk umfaßt 102 Blätter. M. wurde zu Lebzeiten nicht in s. Bedeutung erkannt u. verfiel zuletzt dem Irrsinn. Berühmte Blätter: *Die Apsis von Notre-Dame; Le Pont neuf; La Tour de l'Horloge; La rue des Mauvais Garçons; La Galerie de Notre-Dame.*

Lit.: L. Delteil, *Le Peintre-graveur ill.* 2, 1907. G. Ecke, 1923.

Mesdag, Hendrik Willem, holl. Maler, Groningen 1831–1915 Den Haag, bedeutender Marinemaler, Vertreter der Haager Malerschule. M. vermachte s.

eigene bedeutende Slg. von franz. u. holl. Impressionisten dem Haag: das 1903 eröffnete M.-Mus, Vertreten in den Mus. v. Amsterdam, Den Haag. Haarlem, Antwerpen (Mus. Boymans), Brüssel, Berlin, Buffalo, Frankfurt, Gent u. a.

Messel, Alfred, dt. Arch., Darmstadt 1853–1909 Berlin, bedeutender Vorläufer der sachlich-konstruktiven Bauweise, hat mit s. bahnbrechenden Bau des *Warenhauses Wertheim*, Berlin, 1896, einen mustergültigen Kaufhaustypus geschaffen. Er baute vor allem Geschäfts- u. Wohnhäuser, ging in der Gestaltung vom Zweck aus u. verzichtete immer mehr auf ornamentalen Schmuck. Weitere Bauten: *Landesmus. in Darmstadt; Kaufhaus Gerson*, Berlin; *Pläne für den Neubau des Berliner Mus.* auf der Museumsinsel, 1907–09 (ausgeführt mit starken Veränderungen durch L. → Hoffmann).
Lit.: M. Rapsilber, 1911. F. Stahl, 1911. W. C. Behrendt, 1911. G. A. Platz, *Baukunst d. neuesten Zeit*, 1927.

Messerschmidt, Franz Xaver, dt. Bildhauer, Wiesensteig b. Geislingen (Württ.) 1736–1783 Preßburg, nach R. → Donner der eigenartigste Bildhauer Österreichs in der Zeit des Übergangs vom Barock zum Klassizismus, 1745–50 in München Schüler von Joh. Bapt. → Straub, seinem Onkel, 1752–54 von Matth. Donner in Wien, tätig in Rom, London u. Wien (1769 Mitglied der Akad. ebda), 1775–77 in München, dann in Preßburg tätig. M. schuf in Bronze u. vergoldetem Blei Statuen, Bildnisbüsten u. Charakterköpfe. Er verband barocke Bewegtheit mit klassizist. Klarheit. Standbilder: *Maria Theresia*, Wien, Barockmus. *Franz I.*, ebda. Charakterköpfe: *Der Griesgrämige; Der Schalksnarr* u. a., Wien, Barockmus. Beste Slg. seiner Werke: Wien, Barockmus.
Lit.: Ilg u. Batka, 1885. L. Hevesi, 1909. E. Tietze-Conrat, *Österr. Barockplastik*, 1920. Feulner, *Skulptur u. Malerei des 18. Jh.* (Handb. d. K. W.), 1929. E. Kris, *Die Charakterköpfe des F. X. M.* in: Österr. Jb. N. F. 6, 1932. M. Osborn, *Kunst d. Rokoko*, 1929.

Messina, Antonello da → Antonello da Messina.

Messina, Francesco, ital. Bildhauer, * Linguaglossa (Sizilien) 1900, Hauptvertreter der heutigen gegenständlichen Plastik in Italien, Mitglied der Gruppe Novecento, begann als Neoklassizist, studierte später bes. die griech. archaische, etruskische u. altröm. Kunst und die der ital. Renaissance; Akte, Bildnisbüsten u. a.; in vielen ital. Gal.; ferner in Paris, Madrid, Wien, Budapest u. a.
Lit.: A. Salmon, 1936. U. Bernasconi, 1937. Ders. 1942. E. d'Ors, 1949. J. Cocteau, 1959.

Messkirch, Meister v. → Meister v. Messkirch.

Mestrovic, Ivan, jugoslaw. Bildhauer, * Vrpolje 1883, Hauptvertreter der serbischen Plastik der 1. Hälfte des 20. Jh., bildete sich in Wien u. Paris, beeinflußt von → Rodin, → Bourdelle, → Maillol u. a., tätig in Zagreb, seit 1955 in Notre Dame, Ind., USA, wo er als Prof. wirkt. M. schuf Werke in Stein, Holz, Bronze; öffentliche Denkmäler in Belgrad, Chicago u. a. Hauptwerk, der *Kosovo-Tempel*, nicht zur Aufstellung gelangt; die Fragmente (fast 40 Skulpturen) in Belgrad, Prinz-Paul-Mus. Vertreten in den Mus. Jugoslawiens, ferner in Madrid, Edinburgh, Rochester u. a.
Lit.: E. Collings, 1919 (engl.). K. Strajnic, 1919. J. Kljakovich u. M. Curtchin, 1935. *The work of M.*, Syracuse (USA), 1948. Vollmer, 1956. A. Michel, *Hist. de l'Art* VIII, 2, 1926. *Ausst.-Kat. Kroat. Kunst*, Berlin 1943.

Metelli, Orneore, ital. Maler, * Terni 1872, † 1938, Vertreter der ital. naiven Malerei (Laienmaler), schuf haupts. Landschaften u. Architekturbilder.

Metsu, Gabriel, niederl. Maler, Leiden 1629–1667 Amsterdam, Meister des intimen Genrebildes, seit 1657 in Amsterdam nachweisbar, in s. Kunst von G. → Dou, → Rembrandt, Nik. → Maes beeinflußt, schuf Genrebilder mit wenigen Figuren in vornehmem bürgerlichen Milieu mit liebevoller Wiedergabe alles Gegenständlichen.
Gut vertreten in Amsterdam, Den Haag, London, Paris, Dresden, Kassel. Beisp. s. Kunst: *Geflügelverkäufer* u. *-verkäuferin*, 1662, Dresden, Gal. *Junges Paar beim Musizieren*, London, Nat. Gall. *Markt in Amsterdam*, Paris, Louvre; London, Wallace Coll.; Kassel, Gal.; Dresden, Gal.
Lit.: Smith, *Cat. raisonné*, 1842. C. Hofstede de Groot, *Beschreib. u. krit. Verz.* I, 1907. W. v. Bode, *Die Meister d. holl. u. fläm. Malersch.*, ³1921. M. J. Friedländer, *Niederl. Maler d. 17. Jh.* (Prop. Kstgesch.).

Metsys, Quentin → Massys, Quentin.

Mettel, Hans, dt. Bildhauer, * Salzwedel 1902, Schüler von E. → Scharff an der Berliner Akad., seit 1948 Prof. an der Städelschen Kunstschule in Frankfurt a. M., knüpfte an roman. Formen an. Werke: *Mann u. Pferd*, Mannheim, Kunsth.; *Großer Sitzender*, Bronze, Frankfurt, Gal.; *Kleiner Sitzender*, Holz, Köln, Wallraf-Richartz-Mus.
Lit.: U. Gertz, *Plastik der Gegenw.*, 1953. *Ausst.-Kat. Dt. Bildh. der Gegenw.*, Hannover 1951. E. Trier in: *Junge Künstler 1960/61*, 1960 (Du Mont Schauberg).

Metzinger, Jean, franz. Maler, * Nantes 1883, anfänglich von den Neo-Impressionisten u. den → Fauves beeinflußt, schloß sich 1908 ff. → Picasso u. → Braque an u. wurde ein wichtiger Vertreter u. Haupttheoretiker des Kubismus: 1912 veröffentlichte er mit → Gleizes das Buch «Du Cubisme». M. ist vertreten in den Mus. v. Wuppertal, Brooklyn, N. Y. u. a.
Lit.: Bénézit, 1953. Vollmer, 1956. Knaurs Lex., 1955.

Metzner, Franz, österr. Bildhauer, Wscherau (Böhmen) 1870–1919 Berlin-Wilmersdorf, 1892–1903 in Berlin als Modellbildhauer der Porzellanmanufaktur, 1903–06 Prof. der Kunstgewerbeschule Wien, dann in Berlin tätig. M. gehört in s. Kunst teilweise dem Jugendstil an. Werke: *Standbilderschmuck* des Leipziger Völkerschlachtdenkmals (nach Plänen von B. → Schmitz erbaut). *Lessingdenkmal* für Wien u. a.
Lit.: O. Riedrich, 1925.

Meulen, Adam Frans van der, niederl. Maler, Brüssel 1632–1690 Paris, Schüler des Pieter → Snayers, 1664 Hofmaler Ludwigs XIV., dessen Feldzüge er als Schlachtenmaler schilderte. Außerdem malte er Ansichten franz. Schlösser, Jagdbilder, Landschaften, Figuren- u. Tierstücke u. schuf Entwürfe für Gobelins. Gut vertreten in Paris, Louvre u. in Versailles, Schloß; in allen größeren Mus.
Lit.: Wurzbach, *Niederl. Künstlerlex.* 1910. E. Michel, *Hist. de l'Art* IV, 2, 1922.

Meunier, Constantin, belg. Bildhauer u. Maler, Brüssel 1831–1905 ebda., Hauptmeister der belg. Bildhauerei des 19. Jh., Schüler s. Bruders Jean-Bapt. M., des Bildhauers → Fraikin u. des Malers → Navez, stand zuerst im Banne der akad. Konvention, wechselte dann zur Malerei über u. schilderte unter dem Einfluß → Millets das Leben der Armen u. Elenden, kam 1880 in das Bergwerksrevier des Borinage u. fand s. Berufung als Bildhauer, als Darsteller des Arbeitertums. Unter dem Einfluß → Rodins entwickelte er s. eigenen Stil, der realist. u. zugleich symbolisch den modernen Arbeiter heroisieren soll.
Beisp.: *Der Puddler*, 1887, Brüssel, Mod. Mus. *Grubengas*, 1889, ebda. *Der verlorene Sohn*, 1892, Berlin, staatl. Mus. *Der Lastträger*, 1893, Antwerpen, Museumsanlagen.
Lit.: G. Treu, 1898. C. Lemonnier, 1903. K. Scheffler, 1903. W. Gensel, ²1907. M. Devigne, 1919. A. Fontaine, 1923. L. Christophe, 1950. A. Michel, *Hist. de l'Art*, Bd. VIII, 3, 1929.

Meuron, Albert de, schweiz. Maler, Neuchâtel 1823–1897 ebda., Sohn v. Maximilien de → M., seit 1841 in Düsseldorf unter Stilke u. K. → Sohn, 1845 in Paris unter Ch. → Gleyre u. 1846 an der Ecole des B.-Arts lernend, 1849–53 in Brienz, später meist in Neuchâtel tätig. Er schuf Landschaften, Genrebilder u. Porträts. Vertreten in den

Mus. v. Basel, Bern, Genf, La Chaux-de-Fonds, Neuchâtel, Solothurn.
Lit.: Ph. Godet, 1901. Ders. in: Brun, *Schweiz. Künstlerlex.*, 1908. Grellet, *Nos peintres romands*, 1921.

Meuron, Maximilien de, schweiz. Maler u. Radierer, Corcelles (Neuchâtel) 1785–1865 Neuchâtel, gehört mit → Diday u. → Calame zu den Begründern der romant. Alpenmalerei. 1806 reiste M. mit → Lory d. Ä. in die Alpen; 1810 in Rom, wo er mit den Künstlern aus dem Kreise der → Nazarener verkehrte; in der Folge ließ er sich in Neuchâtel nieder. M. ist gut vertreten in Neuchâtel, Mus.
Lit.: Grellet, *Nos peintres romands*, 1921. M. Huggler u. A. M. Cetto, *Schweiz. Malerei im 19. Jh.*, 1941.

Meyboden, Hans, dt. Maler u. Graphiker, * Verden 1901, Schüler von → Kokoschka, nachhaltig beeindruckt von P. → Modersohn-Becker, schuf Landschaften, Stilleben, Figürliches, Interieurs; vertreten in den Mus. von Berlin (N. G.), Bremen, Mannheim u. a.
Lit.: W. Haftmann, *Malerei d. 20. Jh.*, 1954. W. Passarge in: Die Kunst u. d. schöne Heim, Jahrg. 52, 1954. Vollmer, 1956.

Meyer, Conrad, schweiz. Maler u. Radierer, Zürich 1618–1689 ebda., Glied der Zürcher Stecher-Familie, Schüler von M. → Merian d. Ä., befreundet mit dem Landschafter → Hackaert; Bildnisse, Figuren- u. Landschaftsbilder; Radierungen. Werke in Zürich, Kunsth. u. Schweiz. Landesmus. u. a. schweiz. Mus.
Lit.: C. Brun, *Schweiz. Künstlerlex.*, 1908. E. Gradmann/A. M. Cetto, *Schweiz. Mal. u. Zeichn. im 17. u. 18. Jh.*, 1944.

Meyer, Hans Heinrich, schweiz. Maler, Zürich 1760–1832 Weimar, der sog. «Kunschtmeyer», Freund Goethes, den er in Italien kennen lernte, wo er 1784–88 weilte, seit 1792 Prof. der Akad. Weimar, seit 1807 Direktor das., ausgesprochener Klassizist, als Maler v. geringerer Bedeutung denn als Kunstkenner u. -schriftsteller, als der er bedeutenden Einfluß auf Goethes Kunstansichten ausübte. Von s. Schriften seien genannt: «Entwurf einer Kunstgeschichte des 18. Jh.» für Goethes Sammelwerk «Winckelmann u. s. Jh.», 1805; «Geschichte des Kolorits», 1810 aufgenommen in Goethes «Farbenlehre»; «Geschichte der bild. Künste bei den Griechen u. Römern» (1824–36, fortgeführt von Riemer).
Lit.: F. Noack, *Dt. Leben in Rom*, 1907. G. Biermann, *Dt. Barock u. Rokoko*, 1914. W. Waetzoldt, *Dt. Kunsthistoriker* I, 1921.

Meyer, Klaus, dt. Maler, Hannover-Linden 1856 bis 1919 Düsseldorf, Schüler von → Löfftz an der Münchner Akad., malte haupts. Innenräume mit Genrefiguren.
Lit.: Schippang, 1909.

Meyer-Amden, Otto, schweiz. Maler u. Graphiker, Bern 1885–1933 Zürich, Schüler v. → Halm in München u. A. → Hölzel in Stuttgart, entwickelte einen eigenen Stil, der bedeutenden Einfluß ausübte. W. → Baumeister u. O. → Schlemmer verdanken ihm wesentliche Impulse.
Lit.: O. Schlemmer, 1930. Ders., *Aus Leben, Werk u. Briefen*, 1934. H. Vollenweider, 1934. *Ausst.-Kat.*, Basel 1952.

Meyer-Basel, Carl Theodor, schweiz. Maler, Zeichner u. Graphiker, Basel 1860–1932 Hauptwil; Schüler von A. v. Wagner in München, tätig ebda. bis 1920; poesievolle Landschaftsbilder; Pastell-Zeichnungen.
Lit.: C. Brun, *Schweiz. Künstlerlex.*, 1908. M. Huggler/A. M. Cetto, *Schweiz. Mal. im 19. Jh.*, 1940.

Meyerheim, Eduard, dt. Maler, Danzig 1808–1879 Berlin, Hauptvertreter der Berliner Genremalerei der Biedermeierzeit, schilderte das Leben der Kleinbürger mit freundlichem Humor. Vertreten in Berlin, Neue Gal.; in den Mus. v. Breslau, Danzig, Düsseldorf, Leipzig, München.
Seine Selbstbiographie kam 1880, ergänzt von Paul M., heraus.

Meyerheim, Paul, dt. Maler, Berlin 1842–1915 ebda., Sohn u. Schüler von Eduard → M., bedeutender Tiermaler, beeinflußt von den Meistern der Schule von → Barbizon. Auch s. frühen Landschaften werden heute sehr geschätzt. Vertreten in: Berlin, Neue Gal.; den Mus. v. Aachen, Breslau, Danzig, Frankfurt, Hamburg, Hannover, München, Prag u. a.

Meytens (Mytens, Mijtens), Martin van, niederl.-schwed. Maler, Stockholm 1695–1770 Wien, Schüler s. Vaters, des Bildnismalers *Martin* M. (Den Haag 1648–1736, tätig seit 1677 in Stockholm), malte Bildnisse u. Miniaturen auf Email, 1721 ff. in Wien tätig. Vertreten in den Gal. v.: Brüssel, Den Haag, Stockholm, Dresden, Budapest, Wien (Kunsthist. Mus.) u. a.

Michallon, Achille Etna, franz. Maler u. Lithograph, Paris 1796–1822 ebda., Schüler von Danouy, Bertin, → Valenciennes u. → David, war 4 Jahre in Rom; haupts. histor. (heroische) Landschaften in der Art von → Poussin. M. war ein erster Lehrer von → Corot. Hauptwerk: *Tod Rolands*, Paris, Louvre. Werke in verschiedenen franz. Mus.
Lit.: A. Michel, *Hist. de l'Art* VIII, 1, 1925. Bénézit, 1953.

Michau, Theobald, niederl. Maler, Tournai 1676 bis 1765 Antwerpen, malte vor allem Landschaftsszenen mit ziehendem Bauernvolk u. Reitern in der Art des A. van de → Venne.

Michel, Georges, franz. Maler, Paris 1763–1843 ebda, der 1.Vorläufer der franz. Landschaftsmalerei des 19. Jh. (Schule v. → Barbizon), beeinflußt v. der niederl. Landschaftsmalerei, malte schlichte Motive aus der Umgebung v. Paris nach der Natur («paysage intime»). Vertreten in Paris, Louvre u. Mus. Carnavalet; Den Haag, Mesdag-Mus.; Berlin, Neue Gal.; München, N. P.; New York, Metrop. Mus. u. v. a. Gal.
Lit.: A. Sensier, 1873. L. Largnier, 1927. Bénézit, 1952.

Michelangelo Buonarroti, ital. Bildhauer, Maler u. Arch., Caprese im Casentino 1475–1564 Rom, Hauptmeister der ital. Hoch- u. Spätrenaissance, ausgebildet als Maler bei → Ghirlandaio, als Bildhauer bei → Bertoldo di Giovanni, einem Schüler → Donatellos, war zunächst in Florenz tätig, 1490 bis 1492 Hausgenosse im Palast des Lorenzo Medici, gehörte dem Kreis der Dichter u. Gelehrten an, der sich als «Platonische Akademie» um Lorenzo il Magnifico gebildet hatte. 1496–1501 in Rom, wo die *Pietà*, Rom, St. Peter, entstand. 1501–05 wieder in Florenz, wo das *Kolossalstandbild des David* für die Piazza della Signoria, heute in der Akad., entstand, sowie der *Karton für das Fresko der Schlacht von Cascina*, 1504, für den Ratssaal in Florenz, das nie ausgeführt wurde, der Karton ebenfalls verloren gegangen. Nur Teile des Kartons, der ihm höchsten Ruhm einbrachte, in Kopien von alten Kupferstichen erhalten. Es folgte die Zeit s. Romaufenthaltes 1505–16: M. stand als einer der großen Meister s. Zeit anerkannt da u. erhielt die größten Aufträge: Von Julius II. erhielt er den Auftrag zur Herstellung von dessen *Grabmonument*. Doch gab der Papst dieses Projekt zunächst wieder auf – es ist erst spät in sehr reduzierter Form erstanden – u. verlangte v. M. die Ausmalung der Decke der *Sixtinischen Kapelle* in Rom, welches M.s Hauptwerk der Malerei wurde, 1508–12. Dann konnte sich M. wieder dem Julius-Grabmal zuwenden. 1513 starb Julius II. Sein Nachfolger Leo X. beauftragte M. mit der Schaffung einer Fassade für S. Lorenzo in Florenz, ein Auftrag, der nie zur Ausführung gelangte. Dieser Papst starb 1521. 1523 kam Giulio de Medici als Klemens VII. auf den päpstl. Thron u. beauftragte M. mit der Schaffung eines *Grabdenkmals der Medici* in S. Lorenzo in Florenz. M. arbeitete nun 1523–34 meist in Florenz für dieses Denkmal, das auch erst spät u. in sehr reduzierter Form zur endgültigen Aufstellung gelangte. Der nächste Papst – Paul III. – gab M. wieder einen neuen Auftrag: ein großes *Fresko des Jüngsten*

Gerichtes an der Stirnwand der Sixtinischen Kapelle, 1535–1541. In s. letzten Lebensjahren wandte M. beinahe s. gesamte Schaffenskraft der Architektur zu. 1546 wurde er an die Bauleitung von St. Peter berufen. Sein Hauptwerk als Baumeister ist die Gestaltung der *Kuppel von St. Peter*. Ferner die Entwürfe für die *Neuanlage des Kapitolplatzes*.
In s. Stil war M. zuerst von → Donatello u. → Quercia beeinflußt worden. Große Einwirkung hatte ferner die antike Kunst auf ihn. Später hatte → Leonardo da Vinci Einfluß auf s. Stil als Maler, auch → Signorelli. M. ist Mitschöpfer des Hochrenaissancestils im Wettbewerb mit Leonardo, → Raffael u. a. Als Bildhauer gelangt er zu s. eigensten Stil in den Arbeiten für das *Grabmal Julius II.: Sitzfigur des Moses*, 1515/16. *Die Sklavenfiguren*, um 1513, heute in Paris, Louvre u. Florenz, Akad. Die Weiterentwicklung s. Stils zu einem den Barock vorbereitenden bewegten Stil gelangt zur Reife an den Arbeiten für das Medici-Grabmal: die *Figuren des Abends, der Nacht, der Morgendämmerung u. des Tages*.
Lit.: H. Grimm, *Das Leben M.s*, 1860–63, Neuausg. 1940. C. Justi, 1900–1909. *Die Handzeich.*, hg. v. K. Frey, 1907–11. F. Knapp, 1924 (Klass. d. K.). Steinmann u. Wittkower, *Bibliogr.*, 1927. F. Kriegbaum, 1940. C. Tolnay, 1945–48 (engl.). G. Papini, dt. 1952. N. Pevsner, *Europ. Arch.*, 1957 (m. Bibliogr.). L. Dussler, *Die Zeichn.* (Krit. Kat.), 1959. Abbildungswerke: *Handzeich.*, hg. v. K. Frey, 1907–11. M. Sauerlandt, (Blaue Bücher), 1925. A. E. Brinckmann, *Zeichn.*, 1925. Einzeldarst.: H. Wölfflin, *Die Jugendwerke*, 1891. Ders., *Die klassische Kunst*, ⁷1924. E. Steinmann, *Die Sixtin. Kapelle*, 1901–05. E. Panofsky, *Die Sixtin. Decke*, 1921. A. E. Popp, *Die Medici-Kapelle*, 1922. R. Wittkower (über Laurenziana) in: The Art Bull. 16, 1934. L. Goldscheider, *M.*, ⁴1959 (Phaidon). A. Perrig, *M. B.s letzte Pietà-Idee*, 1960.

Micheli, Andrea de', gen. *Andrea Vicentino*, ital. Maler, Vicenza um 1539–1614 ebda., Vertreter des venez. Frühbarock, schuf als s. Hauptwerk große dekorative *Historienbilder im Dogenpalast*, Venedig: in der «Sala del Maggior Consiglio», der «Sala dello Scrutinio», in der «Sala delle quattro porte» usw. Werke ferner in vielen venez. Kirchen, in der Akad. u. im Mus. Corrèr ebda., in den Gal. v. Florenz (Uff. u. Pitti), Augsburg, Schleißheim, Versailles u. a.
Lit.: M. Brunetti in: Enc. Ital. 1929 (unter Andrea Vicentino).

Michelino da Besozzo, eig. Molinari, gen. da Besozzo, ital. Maler, Glasmaler u. Miniator; aus Besozzo stammender, in der Lombardei tätiger Meister des 15. Jh., wahrscheinl. zu identifizieren mit *Michele da Pavia*, der 1457–65 in Mantua malte.

Von ihm ist die *Verlobung der hl. Katharina*, Siena, Pinac., die ihn als verwandt mit → Stefano da Zevio erweist; wie dieser anscheinend beeinflußt von der franz.-niederl. Buchmalerei der Spätgotik (der internationale «weiche» Stil der Spätgotik). Ferner: Miniaturen in Manuskripten in Paris, Bibl. Nat. (Elogio funebre di G. Galeazzo Visconti) u. im Louvre; Zeichnungen in der Albertina, Wien; Zuschreibungen.
Lit.: F. Malaguzzi-Valeri in: Th.-B. 1909 (unter Besozzo). P. Toesca in: Enc. Ital. 1934. R. van Marle, *Ital. Schools* 7, 1926, L. Venturi, *Pitt. ital. in America*, 1931.

Michelozzo di Bartolommeo, ital. Arch. u. Bildhauer, Florenz 1396–1472 ebda., Hauptvertreter der florent. Frührenaissance-Baukunst neben → Brunelleschi, dem er viel verdankte, Schüler u. Mitarbeiter → Ghibertis u. → Donatellos, Lieblingsarch. Cosimo Medicis, 1446–52 Dombaumeister in Florenz. Für Cosimo d. Ä. baute er das *Kloster S. Marco*, Florenz, 1437–52 in Frührenaissanceformen; für denselben den *Pal. Medici-Riccardi*, Florenz, 1444–60, der mit s. Rustica-Erdgeschoß u. schweren Kranzgesims bahnbrechend für den florent. Palastbau wurde. Weitere Werke: *Medici-Kapelle in S. Croce*, Florenz, um 1434. Umbau von *Santissima Annunziata*, ebda., 1444–60. *Umbauten im Pal. Vecchio*, ebda., seit 1453. *Cappella Portinari* in S. Eustorgio in Mailand, 1462. Werke als Bildhauer: *Standbild Johannes d. T.*, aus Silber, 1451, Florenz, Mus. dell'Opera (Dommuseum). *Bronzestandbild Johannes d. T.*, ebda., Mus. Naz. (Bargello). 2 Reliefs der *Madonna mit Kind*, ebda.
Lit.: F. Wolff, 1900. J. Baum, *Baukunst der Frührenaiss. in Ital.*, 1920. W. u. E. Paatz, *Die Kirchen v. Florenz* 3, 1952. W. Paatz, *Die Kunst der Renaiss. in Italien*, 1953. O. Morisani, 1951. N. Pevsner, *Europ. Arch.* 1957 (m. Bibliogr.).

Michetti, Francesco Paolo, ital. Maler, Tocco di Casauria 1851–1929 Francavilla al Mare, Schüler der Kunstschule Neapel unter → Morelli, Vertreter des ital. Realismus, vom Impressionismus beeinflußt, vertreten in den Gal. moderner Kunst in Rom, Neapel, Florenz, Venedig. Ferner in Berlin, Chicago, Stuttgart, Philadelphia, Wien u. a.
Lit.: T. Sillani, 1932. Ders. in: Enc. Ital. 1934. G. Delogu, *Ital. Malerei*, ³1948.

Mielich, Hans → Muelich, Hans.

Mierevelt, Michiel Janssz. van, niederl. Maler, Delft 1567–1641 ebda., Hauptmeister der Bildniskunst s. Zeit, Schüler von A. van Blockland in Utrecht, tätig in Delft. M. malte schlichte Bildnisse mit einfachen Umrissen (in der Art zu vergleichen

mit → Ravesteyn). Sehr gut vertreten in Amsterdam, Rijksmus.

Mieris, Frans van, d. Ä., niederl. Maler, Leiden 1635–1681 ebda., gehört zu den besten holl. Meistern des Genrebildes, Schüler von G. → Dou, schuf in dessen Art Darstellungen aus dem geselligen u. häuslichen Leben der vornehmen Welt. Beisp.: *Musikal. Unterhaltung*, 1658, Schwerin, Mus. *Der Künstler eine Dame malend*, Dresden, Gal. *Dame vor dem Spiegel*, München, A. P. *Das Austernfrühstück*, 1661, ebda. M. ist in den meisten größeren Gal. vertreten.
Lit.: W. Stechow in: Th.-B. 1930. M. J. Friedländer, *Niederl. Mal. d. 17. Jh.* (Prop. Kstgesch.).

Mieris, Frans van, d. J., niederl. Maler u. Radierer, Leiden 1689–1763 ebda., Enkel des F. → M. d. Ä., ahmte als Genremaler die Art s. Großvaters nach. Als Bildnismaler ging er eigene Wege. Vertreten in den Gal. v. Cambridge, Leiden, London (Wallace Coll.), Oslo, Pommersfelden u. a.

Mieris, Jan van, niederl. Maler, Leiden 1660 bis 1690 Rom, Sohn von Frans → M. d. Ä., malte Genrebilder u. Porträts in der Art s. Vaters. Vertreten in den Gal. v. Hamburg, Hannover, London (Wallace Coll.) u. a.

Mieris, Willem van, niederl. Maler, Leiden 1662 bis 1747 ebda., Sohn v. Frans → M. d. Ä., malte in der Art s. Vaters Bildnisse, Genrebilder u. Volksszenen. Vertreten in den Mus. v. Angers, Basel, Budapest, Cambridge, Genua (Pal. Bianco), Göttingen, Hamburg, Innsbruck, Leningrad, Lille, London, (Wallace Coll.), New York, Pommersfelden u. a.

Mies van der Rohe, Ludwig, dt. Arch., * Aachen 1886, führender Baumeister der 1. Jh.-Hälfte, Schüler von Bruno → Paul, Mitarbeiter von Peter → Behrens, 1930–33 Leiter des Bauhauses Dessau, emigrierte 1938 nach den USA, seitdem Leiter der Architekturabteilung des Illinois Inst. of Technology, Chicago. M. war schon 1912 führend für die moderne sachlich-konstruktive Bauweise (*Entwurf für das Haus Kröller*), verwendete in der Folge zum 1. Mal die Stahlskelett-Konstruktion im Wohnbau (1927 für die *Weissenhofsiedlung* in Stuttgart) u. wurde der konsequenteste Verfechter der Eisen-Glas-Konstruktion auf der Grundlage einer alle Abmessungen bestimmenden Maßeinheit.
Lit.: Ph. C. Johnson, 1947; Ders., 1956. N. Pevsner, *Wegbereiter mod. Formgebung*, 1957.

Mignard, Pierre, gen. M. le Romain, franz. Maler, Troyes 1612–1695 Paris, Hauptmeister des Porträts des 17. Jh., aber auch Nachfolger von → Le Brun als Meister der höf. Dekorationskunst, Schüler von

S. → Vouet, 1635 in Rom, wo er bes. die → Carracci sowie → Poussin studierte, 1658 ff. in Paris, wo er Hofbildnismaler wurde; 1690 «Premier Peintre du Roy» u. Direktor der Akad. u. der Gobelinmanufaktur, schuf vor allem die Bildnisse zahlloser Zeitgenossen Ludwigs XIV., diesen selbst 10 mal; aber auch Kirchenbilder, bes. Madonnen, mythol. u. allegor. Gemälde, Kartons für Teppiche u. a. In s. Stil von den Carracci, den Venezianern u. Poussin beeinflußt.

Werke: Bildnisse: *Le Grand Dauphin et sa famille*, Paris, Louvre. *Colbert*, Versailles, Mus. *La Marquise de Sévigné*, Florenz, Pitti. *Mme de Montespan mit Sohn*, Avignon, Mus. *Selbstbildnis*, Paris, Louvre. Hauptwerk s. dekorativen Malerei: *Kuppelgemälde der Kirche Val-de-Grâce*, Paris, 1663 (unter Mithilfe von Dufresnoy).

Lit.: Le Brun-Dalbanne, 1878. A. Babeau, 1895. A. Michel, *Hist. de l'Art* VI, 2, 1922. W. Weisbach, *Franz. Mal. d. 17. Jh.*, 1932.

Mignon, Abraham, niederl. Maler, Frankfurt 1640 bis 1679 Wetzlar(?), Meister von Blumen-, Frucht- u. Tierstücken in der Art s. Lehrers Davidsz. de → Heem. M. ist in fast allen größeren Slgn. vertreten, sehr gut in Amsterdam, Rijksmus.

Mignon, Léon, belg. Bildhauer, Lüttich 1847 bis 1898 Brüssel, Meister der Tierdarstellung, Schüler von Drion u. De Vigne, 1872–80 in Italien, schuf Tierdarstellungen, aber auch einige bedeutende Bildnisbüsten.

Werke: *Röm. Stierkampf*, Brüssel, Mod. Mus. *Die Arbeiten des Herkules*, Bronzereliefs, ebda. *Stierbändiger*, Denkmal, Lüttich.

Milich, Adolphe, poln. Maler, * Tyszowce 1884, 1920 ff. in Paris tätig, 1950 ff. meist in der Schweiz, Schüler der Akad. München (F. → Stuck u. a.), beeinflußt von : Cézanne u. den Impressionisten, schuf Landschaften, Stilleben, Akte, Bildnisse. Vertreten in Paris, Petit Palais, Mus. mod. u. Mus. du Jeu de Paume; in den Mus. v. Jerusalem, Haifa, Schaffhausen.

Lit.: G. Huisman, 1949. W. George, 1954. *Ausst.-Kat.* Bern 1959.

Millais, Sir John Everett, engl. Maler, Southampton 1829–1896 London, Mitbegründer der Künstlergenossenschaft der → Präraffeliten (zus. mit → Rossetti u. Holman → Hunt), schuf romant. Historien- u. bibl. Bilder, wandte sich später aber immer mehr einem ausgesprochenen Realismus zu, malte neben hist. Bildern auch Genreszenen u. bes. feine Bildnisse. In s. späteren Epoche hatte er vor allem → Velazquez studiert.

Werke s. frühen Epoche: *Lorenzo u. Isabella*, 1849, Liverpool, Gal. *Christus im Haus s. Eltern*, 1849,

London, Tate Gall. *Ophelia*, 1852, ebda. Werke der realist. Epoche der 70 er Jahre: *Die Nordwestpassage*, 1874, London, Tate Gall. Bildnisse: *Der Towerwächter*, 1876, London, Tate Gall. *Gladstone*, London, Nat. Portr. Gall. *Ruskin*, ebda., *Tennyson*, ebda. *Disraeli*, ebda.

Lit.: W. Armstrong, 1896. Spielmann, 1898. Baldry, 1899. J. G. Millais, *Life and Letters of M.*, 1901 u. 1905. A. Fish, 1923.

Millán, Pedro, span. Bildhauer, tätig in Sevilla Anfang 16. Jh., * um 1487, † um 1526, Meister bedeutender kirchlicher Plastiken, der letzte Vertreter der von der fläm.-burgund. Kunst beeinflußten Sevillaner got. Bildhauerschule.

Hauptwerke: *Terrakotta-Statuen* der beiden Westportale der Kathedrale von Sevilla. *Statue der Jungfrau* (Virgen del Pilar) in der Kathedrale, Sevilla.

Milles, Carl, schwed. Bildhauer, Lagga b. Uppsala 1875–1955 Lidingö, Hauptmeister der schwed. Kunst der 1. Jh.-Hälfte, bildete sich 1897–1904 in Paris, 1904–06 in München, dann in Stockholm tätig, schuf Denkmäler, Statuen, Porträts u. a. In s. Stil begann M. als Impressionist unter dem Einfluß → Rodins, gelangte später zu einem eigenen Stil klass.-strenger Monumentalität.

Hauptwerke: *Riesendenkmal des schwed. Kriegshelden Sten Sture*, Kronasen b. Uppsala, 1902–25. *Sitzbild Gustav Wasas*, Stockholm, Nord. Mus. (1907 in Gips; 1925 in Holz); *2 Granitgruppen spielender Bären*, Stockholm, Berzeliuspark, 1909. *Poseidon-Brunnen* vor dem Mus. in Göteborg, 1923–27. *Fliegerdenkmal* in Stockholm, 1930. Statuen: *Denkmal des Dichters Franzén*, Härnösand, 1911; *des Dichters Tegnér* in Stockholm, 1925.

Lit.: C. Koeper, 1913. W. Unus, 1920. M. P. Verneuil, 1929 (franz.). C. G. Laurin, 1930.

Millet, Aimé, franz. Bildhauer, Paris 1819–1891 ebda., Vertreter des Klassizismus, Schüler s. Vaters *Frédéric* M., von → Viollet-le-Duc u. → David d'Angers, schuf als s. Hauptwerk die *Riesengruppe des Apollo* an der Fassade der Oper in Paris; ferner das in Kupfer getriebene große *Standbild des Vercingetorix* auf dem Mont Auxois; Marmorfigur des *Merkur* im Hof des Louvre, Paris. M. schuf auch Bildnisbüsten in Marmor.

Millet, Jean-François, niederl. Maler u. Radierer, Antwerpen 1642–1679 Paris, Nachfolger → Poussins, Schüler von Laurens → Francken, seit 1659 in Paris tätig, malte Ideallandschaften in der Art Poussins.

Millet, Jean-François, franz. Maler u. Graphiker, Gruchy b. Gréville 1814–1875 Barbizon, Hauptvertreter der franz. Malerei des 19. Jh., Schüler von → Delaroche in Paris, wandte sich in den 40 er

Jahren den Meistern des «paysage intime» zu, mit → Corot, → Diaz, → Rousseau befreundet, ließ sich 1849 in Barbizon nieder u. stellte in der Folgezeit fast ausschließlich das bäuerliche Leben dar, in welchem Zweig er der Hauptmeister des 19. Jh. wurde. In der Kraft s. Realismus ist er Vorläufer → Daumiers u. → Courbets. M. schuf auch Zeichnungen, Pastelle, Radierungen u. Holzschnitte. Hauptwerke: *Die Ährenleserinnen*, 1857, Paris, Louvre. Das *Abendgebet* (L'Angélus), 1859, ebda. *Die Kornschwinger* (sein 1. Bauernbild), 1848, ebda. *Der Sämann*, 1850, ebda. *Der Mann mit der Hacke*, 1863, ebda. *Der Tod u. der Holzhacker*, 1859, Kopenhagen, Mus. *Novemberabend*, 1870, Berlin, Nat. Gal. Lit.: Piedagnel, 1876. A. Sensier, 1880. J. Cartwright, 1896 (dt. 1903). A. Tomson, 1903. Delteil, *Le peintre-graveur ill.* 1, 1906. Moreau-Nélaton, 1921. L. Thomson, 1927. P. Gsell, 1928 (franz.). M. Raynal *De Goya à Gauguin*, 1951 (m. Bibliogr.; Skira).

Minelli de' Bardi, Giovanni d'Antonio → Bardi, Giovanni d'Antonio.

Minne, George, belg. Bildhauer u. Graphiker, Gent 1866–1941, Hauptmeister der belg. Plastik Ende 19. bis Anfang 20. Jh., Schüler von Delvin in Gent u. van der → Stappen in Brüssel, weitergebildet in Paris, begann unter dem Einfluß → Rodins, gehörte später dem Künstlerkreis von Laethem-Saint-Martin an. M. suchte in s. Werk starke Ausdruckskraft zu erreichen u. studierte bes. mittelalterliche Kunst. Hauptwerke: *Brunnen mit knieenden Knaben*, entworfen 1898, ausgeführt 1906, Essen, Folkwang Mus. *Der Schlauchausgießer*, Bremen, Kunsth.; Halle, Mus. *Das Gebet*, Essen, Folkwang Mus. *Rodenbach-Denkmal*, Gent. Lit.: L. van Puyvelde, 1925 (La Revue d'Art). Ders., 1930. A. de Ridder, 1947. E. Waldmann, *Kunst d. Realism. u. d. Impression.*, 1927. W. Hofmann, *Plastik d. 20. Jh.*, 1958.

Mino da Fiesole, ital. Bildhauer, Poppi um 1431 bis 1484 Florenz, Meister der florent. Frührenaissance, Schüler des → Desiderio da Settignano, tätig in Rom u. Florenz, wo er eine große Werkstatt inne hatte. M. schuf in großer Anzahl Grabmäler, Kanzeln, Altäre, Tabernakel, vor allem auch Bildnisbüsten u. Reliefbildnisse. In s. Kunst wesentlich Nachfolger des Desiderio, am besten u. unmittelbarsten in s. Bildnissen. Werke: *Marmorbüsten des Piero* u. *Giovanni de Medici*, Florenz, Mus. Naz. (Bargello); *Büste des Lionardo Salutati*, Bischof v. Fiesole, an dessen Grabmal im Dom v. Fiesole. *Grabmal des Bernardo Giugni*, Florenz, Badia. *Medaillon-Relief der Madonna*, Florenz, Mus. Naz. *Reliefs an der Kanzel des Domes v. Prato* (1473). *Marmorrelief mit dem Gekreuzigten*, Rom, S. Balbina. *Tabernakel* in S. Maria in Trastevere, Rom.

Büste des Niccolò Strozzi, 1454, Berlin ehem. K.-F.-Mus. *Büste des Alexo di Luca Mini*, 1456, ebda. Lit.: D. Angeli, 1904. W. v. Bode, *Florent. Bildh. d. Renaiss.*, 1910. P. Schubring, *Ital. Plastik d. Quattrocento*, 1919. W. v. Bode, *Kunst d. Frührenaiss.*, 1923.

Mintrop, Theodor, dt. Maler, Barkhoven b. Werden 1814–1870 Düsseldorf, Schüler der Düsseldorfer Akad., → Nazarener, hinterließ z. T. hervorragende Zeichnungen (meist in der Düsseldorfer Akad.). Lit.: R. Klapheck, *T. M., das Wunderkind der Romantik,* 1923.

Miró, Joan, span. Maler, * Montroig 1893, führender Meister des Surrealismus u. der abstrakten Kunst, in s. Anfängen von van → Gogh beeinflußt, u., nach einem Aufenthalt in Paris, vom Kubismus. Seine Wendung zum Kubismus u. s. Eigenart bekundete s. Bild: *Katalanische Landschaft*, 1923–24, New York, Mus. of mod. Art. Er gehörte der surrealist. Bewegung um André Breton an, unterschrieb deren Manifest u. stellte mit den Malern dieser Gruppe seit 1925 in Paris aus. Später verschob sich das Interesse M.s mehr u. mehr von der rein malerischen Arbeit auf das graph. Gebiet; dazu keramische und plastische Arbeiten. 1940 verließ M. Frankreich u. ließ sich in Palma de Mallorca nieder. 1944 kehrte er zurück u. arbeitete seitdem abwechselnd in Paris u. Barcelona. In der Malerei M.s gibt es kaum Formen; haupts. rudimentäre Figuren, Zeichen; bisweilen erinnert s. Kunst an die von → Klee. Seine Eigenart entwickelte sich unter dem Einfluß v. → Kandinsky, H. → Arp u. Klee. Von M. erschien: «Dichtung u. Bekenntnis», ges. Schriften, 1954. Lit.: J. J. Sweeney, 1941. C. Greeberg, 1948. Knaurs Lex., 1955. J. Prévert u. G. Ribemont-Dessaignes, 1956. E. Hüttinger, 1957. *Das Graph. Werk*, hg. v. S. Hunter, 1959.

Mitchell, Joan, amerik. Malerin, * Chicago 1926, Vertreterin der expressionist.-abstrakten Richtung, welche heute in den USA starken Einfluß hat. 1948 bis 49 in Frankreich, dann in New York, seit 1955 wieder in Paris tätig, wo sie mit → Riopelle sich befreundete. Lit.: M. Seuphor, *Dict. peint. abstr.*, 1957. Ders., *Knaurs Lex. abstr. Malerei*, 1957.

Mitsunaga, Familienname Fujiwara, japan. Maler, tätig 2. Hälfte 12. Jh. in Kioto, Hauptmeister der Bildrollen (Makimono). Sein Hauptwerk: 60 Rollen, welche das Leben am Kaiserhof schilderten, ist nur teilweise in Kopien erhalten. Auf dieser Grundlage werden ihm noch andere Makimono zugeschrieben.

Mocetto, Girolamo, ital. Maler u. Kupferstecher, Murano um 1458–1531, Meister der venez. Schule,

Schüler Giovanni → Bellinis, beeinflußt von Alvise → Vivarini u. → Cima da Conegliano, malte Altarbilder, allegor.-mythol. Darstellungen, Bildnisse. Als Kupferstecher von → Mantegna beeinflußt.
Lit.: E. v. d. Bercken, *Mal. d. Renaiss. in Oberital.*, 1927 (Hb. d. K. W.).

Mochi (Mocchi), Francesco, ital. Bildhauer, Montevarchi b. Florenz 1580–1654 Rom, Schüler von Santi di → Tito in Florenz u. Camillo Mariani in Rom, tätig haupts. in Orvieto, Piacenza, Rom. In s. pathetischen Stil zeigt M. manieristische u. frühbarocke Züge. Hauptwerke: *Reiterdenkmäler des Ranuccio* u. des *Alessandro II. Farnese* in Piacenza, 1612–25. *Hl. Veronika* an einem Kuppelpfeiler der Peterskirche in Rom, 1629–40.
Lit.: L. Dami in: Dedalo 5, 1924/25.

Modersohn, Otto, dt. Maler, Soest 1865–1943 Rotenburg (Hann.), ließ sich 1889 mit → Mackensen in Worpswede nieder, Mitbegründer des Künstlervereins → «Worpswede» 1895, lebte seit 1909 in Fischerhude b. Bremen, verheiratet mit Paula → M.-Becker. M. malte Landschaften aus der Umgebung v. Worpswede, voller melancholisch-herben Stimmungsgehaltes. In s. Stilisierung z. T. dem Jugendstil verpflichtet. M. ist gut vertreten in Bremen, Kunsth. Ferner in den Mus. v. Breslau, Dresden, Essen, Hannover, München, Weimar, Basel.
Lit.: H. Bethge, *Worpswede*, ² 1907. R. M. Rilke, *Worpswede*, ³1910. *Ausst.-Kat.*, Lüneburg 1943.

Modersohn-Becker, Paula, dt. Malerin, Dresden 1876–1907 Worpswede, kam 1897 als Schülerin → Mackensens nach Worpswede, wo sie sich 1901 mit Otto → M. verheiratete. In Paris, das sie mehrmals besuchte, von den franz. → Fauves, → Gauguin u. a. beeinflußt. P. M. entwickelte einen Ausdrucksstil, der sie zur Vorläuferin des dt. Expressionismus werden ließ. Sie malte Stilleben, Blumen, ländliche Bilder, Bildnisse in kräftigen einfachen Formen u. Farben. Vertreten in vielen Mus. In Bremen: P.-M.-B.-Haus.
Lit.: C. E. Uphoff, 1919. G. Pauli, ²1922. G. Biermann, 1927. R. Hetsch, 1923. *Ausst.-Kat.*, Bremen 1947.

Modigliani, Amedeo, ital. Maler, Livorno 1884 bis 1920 Paris, Hauptvertreter der sog. Ecole de→ Paris, kam 1907 nach Paris, wo er unter dem Einfluß von → Cézanne u. der Kubisten malte u. von 1909 an auch als Plastiker tätig war, befreundet mit → Soutine u. dem Bildhauer → Brancusi, von dem er auf die Negerskulptur verwiesen wurde. Er entwickelte einen eigenen ausdrucksstarken Linienstil, unter großer Vereinfachung der Formen, aber ohne eigentliche Verzerrung der Gestalten.

M. ist in vielen Mus. vertreten, u. a. in Paris, Mus. d'Art mod.; London, Tate Gall. u. Victoria- u. Albert Mus.; Detroit, Zürich.
Lit.: A. Pfannstiel, 1910. Ders., 1929. A. Salmon, 1921. Ders., 1926 u. 1960. G. Scheiwiller, 1927. A. Basler, 1931. G. Jedlicka, 1953. J. T. Soby, 1951. C. Giedion-Welcker, *Plastik d. 20. Jh.*, 1955. W. Hofmann, *Plastik d. 20. Jh.*, 1958.

Möller, Anton, dt. Maler u. Zeichner, Königsberg um 1563–1611 Danzig, Vertreter des internationalen manierist. Stils der Zeit, beeinflußt von den niederl. Manieristen, von → Dürer u. Dürer-Nachfolgern, → Michelangelo u. → Tintoretto. In Danzig tätig, seit 1586/87 Stadtmaler ebda., schuf dort: *5 Gerichtsbilder* im Artushof, 1588. *4 Historienbilder* für das Rathaus, 1601. *Jüngstes Gericht* im Artushof, 1602. *Kreuzigungsaltar* in der Katharinenkirche, 1609.
Lit.: Gyssling, 1917. Ehrenberg in: Monatsh. f. Kunstw. 11, 1918.

Moeyaert, Claes Cornelisz., niederl. Maler u. Radierer, Amsterdam um 1592–1655 ebda., malte bibl. u. hist. Szenen u. Mythologisches; er war in Italien, wo er den Einfluß von → Elsheimer erfuhr, später auch von → Rembrandt beeinflußt. 1638 erhielt er den Auftrag der Ausschmückung des Triumphbogens für den Empfang der Königin Maria v. Medici. Diese Darstellungen aus dem Leben der Königin u. Heinrichs IV. wurden von P. → Nolpe für das Werk «Medicea hospes» von Barläus 1639 gestochen.
Hauptwerke: *Berufung des Matthäus*, 1639, Braunschweig, Mus. *Vorsteher u. Vorsteherinnen des Altleutehospitals in Amsterdam*, 1640, Amsterdam, Rijksmus. *Die Enthaltsamkeit des Scipio*, 1643, Caen, Mus. *Bacchanal*, Berlin, staatl. Mus. *Die Wahl des Freiers*, Amsterdam, Rijksmus.
Lit.: Wurzbach, *Niederl. Kstlerlex.* 1910. H. Schneider in: Th.-B. 1931.

Moholy-Nagy, Ladislas, ungar. Maler, Zeichner, Bildhauer, Bacsbarso 1895–1946 Chicago, Mitbegründer u. Hauptanreger der modernen abstrakten Kunst, früh v. → Malewitsch u. den russ. Konstruktivisten angeregt, 1920 in Berlin, traf 1921 El → Lissitzky in Düsseldorf u. schloß sich den Konstruktivisten an, wurde im folgenden Jahr Mitglied der holl. Gruppe, begann mit s. ersten abstrakten Bildern, die in Berlin in der Gal. «Der Sturm» ausgestellt wurden, 1923–28 wirkte er am Bauhaus in Weimar u. Dessau, ab 1937 in den USA, wo er in Chicago «The New Bauhaus» begründete. M. war der Prototyp des experimentierenden Künstlers, der neue, in die Zukunft weisende Wege suchte. Er malte u. zeichnete, machte Collagen in der Art der Dadaisten, Metallkonstruktionen nach der Art der holl. u. russ. Konstruktivisten u. erfand 1921

das Photogramm, mit welchem Verfahren er – ohne Kamera – eine Vereinigung verschiedener Materialen (Glas, Aluminium, Nickel) zu dynamischen raumdurchdringenden Gebilden suchte. Ferner schuf er: Photomontagen, Schaufensterdekorationen, Bühnenbilder; u. a. einen Apparat zur Veranschaulichung der raumzeitlichen Energien des Lichtes: Licht-Raum-Modulator mit Motorenantrieb, 1922–30. Er schrieb u. a. «Von Material zu Architektur» (Bauhausbücher 14), 1929; «Vision in Motion» (n. s. Tod 1947 erschienen).
Lit.: S. Moholy-Nagy, 1950. Knaurs Lex., 1955. C. Giedion-Welcker, *Plastik des 20. Jh.*, 1955. W. Hofmann, *Zeichen u. Gestalt*, 1957. Ders., *Plastik des 20. Jh.*, 1958.

Mohrbutter, Alfred, dt. Maler u. Kunstgewerbler, Celle 1867–1916 Berlin, Schüler der Weimarer Kunstschule u. der Akad. Julian in Paris, 1904 bis 10 Lehrer der Charlottenburger Kunstgewerbeschule, hatte Einfluß auf die neuere Kunstweberei. Bilder in der Hamburger Kunsth.
Lit.: F. Deneken, 1916.

Moilliet, Louis, schweiz. Maler, * Bern 1880, Schüler von → Mackensen in Worpswede 1900 bis 1902, von → Olde in Weimar 1902–1907 u. von → Kalckreuth in Stuttgart 1904–1907. Später traf M. mit → Macke zus., der Einfluß auf s. Kunst ausübte. 1908–1910 folgten Reisen nach Tunis u. Korsika. 1910–1916 in Gunten am Thunersee tätig. Er stand dem Kreis des → «Blauen Reiter» nahe, beeinflußt vom Kubismus u. den → Fauves. Vertreten in den Mus. v. Basel, Bern, Winterthur, Stuttgart. Glasfenster u. vor allem Aquarelle.
Lit.: Vollmer, 1956. G. Schmidt in: Werk 1961 (Febr.). *Ausst.-Kat.*, Basel 1961.

Mola, Gasparo, schweiz.-ital. Goldschmied u. Medailleur, Coldrerio (Tessin) um 1580–1640 Rom, seit 1625 päpstl. Münzmeister, schuf zahlreiche Medaillen.

Mola, Pierfrancesco, schweiz.-ital. Maler u. Radierer, Coldrerio (Tessin) 1612–1666 Rom, von → Albani, → Guercino u. den Venezianern beeinflußter Barockmeister, Schüler von G. → Cesari, malte kirchliche u. mythol. Bilder mit Landschaftshintergründen von kräftiger bräunlicher Tönung. M. ist in vielen Gal. vertreten, u. a. in Arezzo, Braunschweig, Chicago, Darmstadt, Leningrad, London, Mailand, Paris, Parma, Rom (Barberini, Doria, Colonna, Corsini, Spada, Vatik. Gal.). *Fresken* im Quirinalspal. u. a.
Lit.: Voss, *Malerei d. Barock in Rom.* Ders. in: Th.-B. 1931. U. Donati, *Artisti Ticinesi a Roma*, 1942. J. Gantner/A. Reinle, *Kunstgesch. d. Schweiz* 3, 1956.

Molenaer, Claes, niederl. Maler, Haarlem 1630 bis 1676 ebda., Meister der holl. Fluß- u. Winterlandschaft in der Art → Ruisdaels; auch Genrebilder aus dem Bauernleben. M. ist in vielen öffentl. Gal. vertreten, u. a. in Aschaffenburg, Braunschweig, Kassel, Leipzig, Rotterdam, Schleißheim, Stuttgart, Stockholm, Vaduz (Gal. Liechtenstein).
Lit.: A. v. Wurzbach, *Niederl. Künstlerlex.*, 1910. A. v. Schneider in: Th.-B. 1931.

Molenaer, Jan Miense, niederl. Maler, Haarlem um 1610–1668 ebda., tätig in Haarlem u. Amsterdam, Meister humorist. Volksszenen in der Art von F. → Hals, von Gesellschaftsszenen in der Art des Dirk → Hals, später auch von Bauernszenen in der Art von → Ostade u. → Brouwer. M. war mit der Malerin Judith → Leyster verheiratet. Vertreten in den Gal. v. Bonn, Mainz, Berlin, Frankfurt, Amsterdam u. a.
Lit.: A. v. Wurzbach, *Niederl. Künstlerlex.*, 1910. A. v. Schneider in: Th.-B. 1931.

Molijn (Molyn), Pieter de, niederl. Maler, London 1595–1661 Haarlem, Meister des holl. Landschaftsbildes in der Art von van → Goyen. Beisp.: *Sandige Anhöhe*, 1626, Braunschweig, Mus. *Abend*, 1628, Berlin, staatl. Gal. *Dorfplünderung*, 1630, Haarlem, Frans-Hals-Mus. *Rastplatz*, 1657, Amsterdam, Rijksmus.
Lit.: O. Granberg in: Zschr. f. bild. K. 19, 1884. R. Grosse, *Holl. Landschaftskunst 1600–1650*, 1925.

Moll, Balthasar Ferdinand, österr. Bildhauer, Innsbruck 1717–1785 Wien, Vertreter der Wiener Barockbildnerei, Schüler von Matth. → Donner, 1751–59 Lehrer an der Akad., schuf vor allem Grabmäler mit den Bildnissen der Verstorbenen, Denkmäler u. Porträtbüsten.
Werke: *18 Prunksärge* der Kapuzinergruft, Wien: Maria Theresia, Franz I. u. a. *Grabmal Kardinal Trautson*, 1757, Wien, Stephansdom. *Reiterdenkmal Franz I.*, 1781, Wien, Hofgarten.
Lit.: E. Tietze-Conrat, *Österr. Barockplastik*, 1920. Feulner, *Skulpt. u. Malerei d. 18. Jh.* (Handb. d. K. W.), 1929.

Moll, Oskar, dt. Maler, Brieg (Schlesien) 1875–1947 Berlin, Schüler von → Corinth u. → Leistikow in Berlin, 1907 in Paris, wo er zu den dt. Schülern von → Matisse gehörte (zus. mit → Purrmann u. → Levy). M. schuf Stilleben, Landschaften u. Figurenbilder, von den franz. Fauvisten u. Matisse beeinflußt (verwandt etwa mit O. → Müller). M. war tätig in Breslau, wo er an der Akad. wirkte; in Düsseldorf seit 1932; in Berlin seit 1933.
Lit.: H. Braune-Krickau, 1921. E. Scheyer, *Die Kunstakad. Breslau u. O. M.*, 1961. G. Händler, *Dt. Maler d. Gegenw.*, 1956.

Moller, Georg, dt. Arch., Diepholz 1784–1852 Darmstadt, klassizist. Baumeister, Schüler von → Weinbrenner, baute als hess. Hofbaumeister in Darmstadt: das *Kasino*, 1817; das *Opernhaus*, 1819; die *Kathol. Kirche*, 1824; die *Neue Kanzlei*, 1826. In Mainz: das *Theater*, 1833. In Wiesbaden: das *Schloß*.

Molmenti, Pompeo, ital. Maler, Motta di Lirenza 1819–1894 Venedig, Historien-, Bildnis- u. Genremaler.

Molyn, Pieter de → Molijn, Pieter de.

Mommers, Hendrik, niederl. Maler, Haarlem um 1623–1693 Amsterdam, Schüler von Nic. → Berchem, beeinflußt von A. → Cuyp; italianisierende Landschaften; Hirtenszenen; Gemüsemärkte usw.; in vielen Mus.
Lit.: Wurzbach, *Niederl. Künstlerlex.*, 1910. Hofstede de Groot, *Beschreib. u. krit. Verzeichn.* 9, 1926.

Momper, Frans de, niederl. Maler, Antwerpen 1603 bis 1660 ebda., Landschaftsmaler in der Art des Jan van → Goyen.

Momper, Joes (Joos, Josse) de, niederl. Maler, Antwerpen 1564–1635 ebda., Meister der Landschaftsmalerei, Schüler von Barthol. de M., beeinflußt von Pieter → Brueghel, tätig in Antwerpen, schuf haupts. Gebirgslandschaften mit hohen schroffen Gebirgen, die Vorder- u. Mittelgründe mit Staffage belebt. Beisp.: *4 Landschaften als Darstellung der Jahreszeiten*, Braunschweig, Mus. *Mehrere Landschaften* in der Gal. Liechtenstein, Vaduz. *Landschaft mit weiter Fernsicht*, München, A. P. *Hügellandschaft*, Pommersfelden, Gal.
Lit.: W. Cohen in: Pantheon 4, 1931.

Monaco, Lorenzo, eig. Piero di Giovanni, ital. Maler, Siena (?) um 1370–1425 Florenz, wo er seit 1391 Kamaldulensermönch war, Schüler des Agnolo → Gaddi, dessen Art er weiterbildete, später von der Stilbewegung der «internationalen Gotik» beeinflußt. M. schuf große Altarwerke, Andachtsbilder, Fresken u. Miniaturen.
Hauptwerke: Fresken: *Szenen aus dem Marienleben*, Florenz, S. Trinità. Tafelbilder: *Madonna mit Heiligen*, 1410, Florenz, Uff. *Anbetung der Könige*, ebda. *Krönung Mariä*, 1413, ebda.
Lit.: O. Sirèn, 1905. W. Suida in: Th.-B. 1929. R. van Marle, *Ital. Schools* 9, 1927. H. D. Gronau in: The Burlington Magazine 92, 1950.

Mondrian, Piet, holl. Maler, Amersfoort 1872–1944 New York, gehört zu den Begründern der abstrakten Malerei, Hauptmeister der holl. Konstruktivisten (Neo-Plastizisten), begann als Künstler unter dem Einfluß von van → Gogh u. der → Fauves, kam 1912 nach Paris, wo er den Kubismus kennen lernte, machte die Bekanntschaft Theo v. → Doesburgs u. begründete mit ihm die Zeitschrift «De → Stijl» 1917. M. war 1919–38 meist in Paris tätig, seit 1940 in New York. M. suchte in s. Kunst zu Abstraktionen der Dingwelt zu kommen. In s. Serie *Bäume*, um 1912, gab er den gleichen Baum mit Hilfe fortschreitender Abstraktion wieder, bis er schließlich zu einer Art Baumsymbol gelangte von knappster Formulierung. Um 1915 kam M. bei s. Studien zu Bildern, die nur noch aus Rythmen horizontaler u. vertikaler Linien bestanden. Diese und die einfachsten Grundfarben waren schließlich das Gerüst s. neo-plastizistischen Kunst. Seine Ideen hat er niedergelegt im Buch: «Réalité naturelle et réalité abstraite». Beisp.: *Komposition mit Rot, Gelb u. Blau*, 1927, Amsterdam, Stedelijk Mus. *Broadway Boogie Woogie*, 1942–43, New York, Mus. of mod. Art; in vielen Mus. der Welt.
Lit.: J. J. Sweeney, 1948. M. Seuphor, 1957 (dt.). Knaurs Lex., 1955. M. Seuphor, *Dict. peinture abstr.*, 1957. (Dt.: *Knaurs Lex. abstr. Mal.* 1957.) W. Haftmann, *Mal. d. 20. Jh.*, 1954. W. Hofmann, *Zeichen u. Gestalt*, 1957.

Monet, Claude, franz. Maler, Paris 1840–1926 Giverny, Hauptmeister des franz. Impressionismus, lernte in s. Jugend → Boudin kennen, später → Pissarro, trat 1862 in das Atelier von → Gleyre ein, wo er mit → Renoir, → Bazille u. → Sisley zusammentraf. Nachhaltig war er von → Manet beeindruckt worden. Er wandte sich vor allem der Landschaftsmalerei zu u. kam selbständig zu immer intensiveren Freilichtstudien, indem er ein- u. dasselbe Motiv immer wieder malte, zu den verschiedensten Tagesstunden, bei immer wechselnder Beleuchtung. Beispiel solcher Serien: seine Folge v. *12 Darstellungen der Kathedrale von Rouen*, 1894 ff. — M. war in s. Frühzeit auch von → Courbet (für Figurenbilder) u. → Jongkind (als Landschafter) beeinflußt worden. 1870 kam er nach London u. sah dort die engl. Landschafter, vor allem → Constable u. → Turner, die ihn nachhaltig beeindruckten. Seine Palette hellte sich auf. Sein Bild: *Impression, Soleil levant*, 1872, Paris, Mus. Marmottan, gab Veranlassung zur Kennzeichnung der ganzen impressionist. Bewegung. M. malte nun Landschaften aus der Normandie u. Pariser Straßenbilder. Etwas später zog er von Paris fort nach Argenteuil u. malte dort immer wieder die Seine. Zuletzt lebte er in Giverny. M. drang in der Wiedergabe der feinsten Farbenspiele immer weiter vor unter Vernachlässigung der Form, so daß s. späten Werke wie Vorstufen zu den heutigen Abstrakten anmuten, wie z. B. die Folgen der *Wasserrosen*, in Paris u. Zürich.
Einige berühmte Werke: *Les femmes aux jardin*, 1867, Paris, Louvre. *Le Déjeuner dans un intérieur*, Frank-

furt, Städel. *Le Pont d'Argenteuil*, 1874, Paris, Louvre. *Das Frühstück im Freien*, 1875, ebda., Luxembourg. *St-Germain-l'Auxerrois*, 1866, Berlin, Nat. Gal. *Seerosen*, 1899, New York, Metrop. Mus. M. ist in vielen Gal. der Welt vertreten.
Lit.: G. Geffroy, 1920. L. Werth, 1928. G. Clemenceau, 1929. M. Malingue, 1943. M. Raynal, *De Goya à Gauguin*, 1951 (m. Bibliogr.). J. Rewald, *Gesch. d. Impression.*, 1957 (m. Bibliogr.).

Monnoyer, Jean-Baptiste, franz. Maler, Lille 1636 bis 1699 London, Meister der Blumendarstellung, arbeitete in Paris unter → Lebrun als Dekorateur für die königl. Schlösser; nach 1674 in London tätig.

Monogrammisten → unter Meister.

Montagna, Bartolomeo, ital. Maler, bei Brescia um 1450–1523 Vicenza, Hauptmeister der Schule von Vicenza, vielleicht Schüler des Domenico → Morone in Verona (oder des Benaglio), 1469 in Venedig, wo er sich an der Kunst der → Bellini, vor allem des Gentile B., schulte, beeinflußt auch von → Antonello da Messina, → Vivarini u. → Bellano. M. schuf schlichte, ernste kirchliche Werke, die in der kräftigen Farbgebung die venez. Schulung verraten. Seine Hauptwerke sind Thronende Madonnen.
Werke: *Thronende Madonnen: mit Heiligen*, Pavia, Mus. der Certosa (1490); *mit 4 Heiligen*, 1499, Mailand, Brera; *mit Heiligen u. Stifter*, Berlin, ehem. K.-F.-Mus. *Pietà*, Vicenza, Monte Berico. *Fresken aus dem Leben des hl. Blasius*, Verona, SS. Nazaro e Celso. Werke in Belluno, Bergamo, Berlin, Cologna Veneta, London, Mailand, Padua, Paris, Pavia, Venedig, Verona, Vicenza.
Lit.: A. Foratti, 1908. T. Borenius, *The painters of Vicenza*, 1909. R. de Suarez, 1921. A. Venturi VII, 4, 1915. E. v. d. Bercken, *Mal. d. Renaiss. in Oberital.*, 1927 (Hb. d. K. W.). G. Delogu, *Ital. Mal.*, ³1948.

Montagna, Benedetto, ital. Maler u. Kupferstecher, Vicenza um 1481–1558 ebda., Sohn des Bartol. → M., malte kirchliche Werke in der Art s. Vaters. Bedeutender als Kupferstecher.
Lit.: T. Borenius, *The painters of Vicenza*, 1909. P. Kristeller, *Kupferst. u. Holzschnitt in 4 Jh.*, ⁴1922.

Montañés (Montañez), Juan Martinez, span. Bildhauer, Alcalá la Real 1568–1649 Sevilla, Hauptmeister der Sevillaner Bildhauerschule, Schüler des Pablo de Rojas, war in vieler Hinsicht Nachfolger des Gregorio → Hernandez. Wie dieser schuf er bemalte kirchliche Werke v. stärkster Religiosität bei gleichzeitigem kräftigem Realismus. M. hatte eine bedeutende Werkstatt in Sevilla inne.
Hauptwerke: *Christus am Kreuz*, sog. Cristo de la Clementia, 1607, Sevilla, Kathedrale. *Christus am Kreuz*, der sog. Kruzifix de Los Calices, 1614, ebda.,

Sakristei Los Calices. *Großes Retabel mit Statuen*, Kloster v. S. Isidro del Campo in Santiponce b. Sevilla, 1610–12 (mit hl. Hieronymus). *Christusfigur*, 1619, Sevilla, S. Lorenzo. *Christusfigur*, sog. Señor de la Pasión, Sevilla, Kloster der Merced Calzada (1623). *Unbefleckte Empfängnis*, 1630, Sevilla, Kathedrale. *Retabel* der Kathedrale v. Cadiz, 1641; *Hl. Bruno*, ebda.
Lit.: A. L. Mayer, *Span. Barockplastik*, 1923. A. E. Brinckmann, *Barockskulptur* (Handb. d. K. W.), 1919. F. Baumgart, *Gesch. d. abendl. Plastik*, 1957.

Monticelli, Adolphe, franz. Maler, Marseille 1824 bis 1886 ebda., ital. Abkunft, studierte in Paris, wo er auch mehrere Jahre tätig war, erfuhr dort den Einfluß von → Diaz, Anerkennung von → Delacroix, seit 1870 in Marseille tätig. M. schuf Landschaften, Figürliches, Porträts, Blumen u. Früchte, vor allem aber Parklandschaften mit reich kostümierten Damen, Festszenen u. Aufzügen. Er malte diese Szenen in pastosem Farbauftrag, oft mehrere Farbschichten übereinander. Seine Werke sind oft von unerhörter Leuchtkraft u. machen ihn zu einem der größten Koloristen des 19. Jh. Zu s. Zeit verkannt, wuchs s. Einfluß in der Folgezeit. → Cézanne liebte ihn, van → Gogh erfuhr s. Einfluß, u. viele Meister der neuesten Zeit bewunderten ihn.
Lit.: L. Guinand, 1894. A. Gouirand, 1900. Mauclair, 1908. G. Coquiot, 1925. Arnaud d'Agnel u. E. Isnard, 1926.

Moor, Anthonis, *Antonio Moro*, niederl. Maler, Utrecht 1519 bis um 1576 Antwerpen, einer der bedeutendsten Bildnismaler s. Zeit, Schüler von Jan van → Scorel, tätig in Brüssel, Rom, Madrid u. Lissabon als habsburg. Hofmaler, dann in London, Utrecht u. Antwerpen, malte viele der Großen s. Zeit. In s. Kunst von → Tizian beeinflußt.
Hauptwerke: *Doppelbildnis Utrechter Domherren*, 1544, Berlin, staatl. Mus. *Bildnis der Königin Maria Tudor v. England*, Madrid, Prado. *Wilhelm v. Oranien*, 1555/56, Kassel, Gal. *Selbstbildnis*, 1559, Florenz, Uff. *Bildnis des Hubert Goltzius*, 1576, Brüssel, Mus.
Lit.: H. Hymans, 1910. V. v. Loga, *A. M. als Hofmaler* in: Oesterr. Jb. 27, 1907. F. Winkler, *Altniederl. Mal.*, 1924. M. J. Friedländer, *Altniederl. Mal.* 13, 1936.

Moor, Karel de, niederl. Maler u. Radierer, Leiden 1656–1738 Warmond, Schüler von → Dou, → Mieris u. → Schalcken, in deren Art er Bildnisse malte, beeinflußt auch von van → Dyck. Zahlreiche Bildnisse radierte er auch.
Werke: *Selbstbildnis*, Amsterdam, Rijksmus. *Die Staalmeesters der Tuchhalle zu Leiden*, Leiden, Mus.

Moore, Albert, engl. Maler, York 1841–1893 London, Vertreter der Neo-Präraffaeliten (des engl.

«Jugendstils»), Schüler s. Vaters William M. u.
W. → Ettys, schuf dekorative Malereien in *Coombe
Abbey;* in *St. Albans* in Rochdale; in *The Queen's
Theatre* in London.
Lit.: A. L. Baldry, 1894.

Moore, Henry, engl. Bildhauer u. Maler, * Castleford 1898, der bedeutendste engl. Plastiker der
1. Jh.-Hälfte, begann, nachdem er in Paris die
kubist. Kunst u. den Archaismus kennen gelernt
hatte, auf ägypt. u. mexik. Plastik zurückzugehen,
später auf prähist. Kunstdenkmale; das Körper-Raum-Problem brachte M. auf den Gedanken der
Aushöhlung der Figuren. «Mutter u. Kind» u. die
«Liegende» bilden ein Hauptthema s. Plastik. Oft
bildet M. direkt aus dem Stein oder Holz. Er
arbeitete auch in Bronze, Zement, Terrakotta; Skizzen, Zeichnungen u. Guaschen nehmen einen ebenbürtigen Platz neben der Plastik ein. Beisp.: *Liegende*, 1938/39, London, Tate Gall. *The Bride*, 1940,
New York, Mus. of mod. Art. *Innere u. äußere Form*,
1953/54, Buffalo, Albright Art Gall.
Lit.: J. P. Hodin, 1956. *H. M. Sculpture and drawings*,
1949–55 (2 Bde.). C. Giedion-Welcker, *Plastik des
20. Jh.*, 1955. W. Hofmann, *Plastik des 20. Jh.*, 1958.
W. Grohmann, 1960. E. Neumann, *Die archetyp.
Welt H. M.s*, 1961.

Moosbrugger, Kaspar, österr. Arch., Au im Bregenzer Wald 1656–1723 Einsiedeln, bedeutender
Barockbaumeister, Haupt der Vorarlberger Schule,
in s. Stil wohl haupts. von Franz → Beer beeinflußt.
M. schuf große Klosterbauten, Kirchen u. Kapellen.
Hauptwerke: *Neubau von Kloster u. Kirche Einsiedeln*,
1704–23. *Entwurf zum Neubau der Kathedrale von St.
Gallen* (voll. 1767 von P. Thumb u. den Söhnen des
Franz Beer).
Weitere Werke: Klosterkirchen in Engelberg, Disentis, Muri (Aargau), Fischingen, Iltingen.
Lit.: L. Birchler, *Einsiedeln u. s. Arch. C. M.*, 1924.
G. Dehio, *Gesch. d. dt. Kunst* 3, 1926. M. Osborn,
Kunst d. Rokoko, 1929. J. Gantner/A. Reinle,
Kunstgesch. d. Schweiz 3, 1956.

Mor, Anthonis → Moor, Anthonis.

Mora, José de, span. Bildhauer, Baza 1642–1724
Granada, Meister des span. Barock, Schüler s. Vaters,
des Bildhauers Bernardo M. (1614–84), beeinflußt
von → Cano, dessen religiöse Kunst er fortführte.
Werke: *Hl. Bruno*, Holz, 1712, Granada, Cartuja
(Kartause). *Mater dolorosa*, Granada, Capilla Real.
Lit.: J. Gallego y Burin, 1925. A. E. Brinckmann,
Barockskulptur, 1919. A. L. Mayer, *Span. Barockplastik*, 1923. H. Kehrer, *Span. Kunst*, 1926.

Morales, Luis de, span. Maler, Badajoz um 1510 bis
1586 ebda., mit dem Beinamen el Divino, Haupt-

vertreter der von der ital. Renaissance beeinflußten
Richtung der span. Malerei, 1563 von Philipp II. als
Mitarbeiter für die Ausschmückung des Escorial
berufen, schuf Andachtsbilder, Bilder der Madonna,
oft in Halbfigur, u. Christi. Beisp.: *Jungfrau mit Kind*,
Madrid, Prado. *Pietà*, Madrid, Akad. S. Fernando.
Werke in Madrid, Kathedrale S. Isidro u. im Erzbischöfl. Pal.; in Salamanca, Kathedrale; Plasencia,
S. Martin; Paris, Louvre; Dresden, Gal. u. a.
Lit.: D. Berjano Escobar, 1921. J. Lassaigne, *La
peinture espagnole*, 1952.

Moran, engl.-amerik. Malerfamilie, die bedeutendsten Mitglieder die 3 Brüder, welche 1844 nach
Amerika kamen:
Edward M., Bolton 1829–1901 New York, Meister
von Seebildern, Schüler von → Hamilton u. Weber,
lebte 1877 ff. in Paris.
Peter M., Bolton 1842–1914 Philadelphia, Meister
von Tierbildern u. Landschaften, Schüler s. Brüder,
weitergebildet b. Lambinet u. → Troyon in Paris u.
1863/64 bei → Landseer in London.
Thomas M., Bolton 1837–1926 New York, Landschaftsmaler, Schüler → Hamiltons, bildete sich seit
1866 in England an den Werken → Turners zum
Landschafter aus. 1871 u. 1873 nahm er an den
Forschungsreisen zur Untersuchung des Yellowstonegebietes teil.

Moranda, Paolo → Cavazzola.

Morandi, Giorgio, ital. Maler u. Bildhauer, * Bologna 1890, wurde schon früh vom franz. Kubismus
berührt; er baute sich eine eigene Stillebenwelt aus
vertrauten Gegenständen auf: aus Tassen, Salatschüsseln, Flaschen u. a. die, in eine sehr reine
Zeichnung eingespannt, ganz aus den ihnen eigenen
Grundformen leben. Nur wenige Farbtöne schaffen
diesen Stilleben eine eigenartige Atmosphäre.
Lit.: Knaurs Lex., 1955. W. Haftmann, *Mal. d.
20. Jh.*, 1954. Vollmer, 1956.

Morazzone, eig. Pier Francesco Mazzucchelli, ital.
Maler, Morazzone um 1571–1626 Piacenza, Meister
des lombard. Frühbarock, Schüler von → Salimbeni
in Rom, beeinflußt von → Tintoretto, tätig in der
Lombardei, bes. in Mailand.
Lit.: G. Nicodemi, 1927. W. Suida in: Th.-B. 1931.

Moreau, Gustave, franz. Maler, Paris 1826–1898
ebda., Hauptmeister des franz. Symbolismus, Schüler von M. Picot u. → Chassériau, malte Bilder bibl.
u. mythol. Inhalts. M. suchte in s. Kunst die unerhörtesten kolorist. Sensationen: raffinierte Wiedergaben der weiblichen Schönheit, das Leuchten von
Gold, Edelsteinen, Brokatstoffen, exotischen Landschaften, glühende Sonnenuntergänge usw. Seine
Bilder haben einen seltsamen Reiz, doch bleibt das

Symbolische meist im Literarischen stecken. Jedenfalls aber war M. ein starker Anreger u. Lehrer: → Rouault, → Matisse, → Marquet, Jean → Puy waren s. Schüler. M. gilt als Anreger u. Vorläufer mancher Richtungen der modernen Malerei. Die meisten Bilder u. Zeichnungen M.s befinden sich in dem von ihm gestifteten G.-M.-Mus. in Paris. Im Luxembourg-Mus.: *Haupt Johannes d. T. erscheint der Salome; Jüngling mit Tod; Orpheus von den Mänaden gerissen.*
Lit.: Geffroy, 1900. G. Larroumet, 1904. L. Deshair, 1912. J. Laran, 1913. J. Rewald, *Von van Gogh zu Gauguin*, 1957 (m. Bibliogr.).

Moreau, Louis-Gabriel, gen. *Moreau-l'aîné,* franz. Maler, * 1740, † 1806 Paris, malte mit Vorliebe Parklandschaften aus der Umgebung von Paris. M. schloß sich der holl. u. engl. Landschaftsmalerei an. Er ist vertreten in Paris, Louvre, u. in den Museen v. Chartres, Compiègne, Nancy, Nantes, Rouen u. a.
Lit.: G. Wildenstein, 1923. Réau, *Histoire de la peint. franç. au 18e siècle* 2, 1926.

Moreau, Jean-Michel, gen. *Moreau le jeune,* franz. Kupferstecher, Paris 1741–1814 ebda., Meister der Rokoko-Illustrationskunst, Schüler von Le Bas, trat 1770 in den Dienst des Königs, seit 1789 Mitglied der Akad., gehört zu den feinsten franz. Radierern, welche die Kunst der → Boucher, → Fragonard usw. als Stecher weiter verfeinerten. Hauptwerke: Radierungen zu B. de Labordes *Choix de chansons,* 1774; *Monument de costume,* 1773–83; Illustrationen zu Ausgaben von Ovid, Ariost, Molière, Voltaire, J. J. Rousseau; Einzelblätter von großen Festlichkeiten u. Zeitereignissen; Bildnisse.
Lit.: E. et J. de Goncourt, *L'Art au 18e siècle,* 1874. E. Bocher, *Les gravures franç. du 18e siècle* 6, 1883. G. Schéfer, 1915.

Moreelse, Paulus, niederl. Maler u. Arch., Utrecht 1571–1638 ebda., Schüler von M. J. → Miereveldt, in dessen Art er Bilder mythol. u. bibl. Inhalts malte; vor allem schuf er Porträts in der Art → Bloemaerts: Junge Mädchen als Schäferinnen. M. war auch ein tüchtiger Baumeister. Beisp.: *Die schöne Schäferin,* Amsterdam, Rijksmus. *Die kleine Prinzessin,* ebda. Das Schützenstück: *Kompanie des Hauptmanns Hoynck u. des Leutnants Cloeck,* 1616, ebda. Werke des Arch.: *Katharinentor* in Utrecht, 1625; wahrscheinlich: *Hauptfassade d. Fleischhalle,* ebda., 1637. Werke in Amsterdam, Rotterdam, Utrecht, Brüssel, Den Haag, Berlin, Budapest, Schleißheim, Schwerin.
Lit.: C. H. de Jonge, 1938.

Morelli, Domenico, ital. Maler, Neapel 1826–1901 ebda., schuf Geschichts- u. Genrebilder, später vor allem bibl. Szenen. Prof. der Akad. Neapel 1870 ff.

Er suchte die Historienmalerei mit neuem Geiste zu erfüllen: einen kräftigen Realismus u. leuchtende helle Farben. M. gehörte zu den bedeutenden Erneuerern der neapolit. Schule.
Werke: *Die Bilderstürmer,* 1855, Capodimonte, Mus. *Tasso liest Eleonore vor,* 1865, Rom, Quirinal. *Christus auf dem Meer,* 1867, Rom, Vatikan. *Versuchung des hl. Antonius,* 1869, Florenz, Akad. *Der tote Christus,* 1872, Rom, Gall. mod. *Der verhöhnte Christus* (Cristo deriso), 1875, ebda. *Deckenbild der Himmelfahrt Mariä,* 1868, Kap. des Schlosses in Neapel.
Lit.: Villari, 1902. P. Levi, 1906. Spinazzola, 1926. A. Conti, 1926. Somaré, *Storia dei pitt. ital. dell'Ottocento,* 1928. G. Delogu, *Ital. Malerei,* [3]1948.

Moret, Henry, franz. Maler, Cherbourg 1856–1913 Paris, Schüler von → Gérôme, nachhaltig von den Impressionisten beeinflußt, malte Landschaften u. Marinen. Vertreten in franz. Mus.; ferner in: Boston, Chicago, Manchester, New Orleans, Saint Louis, Toledo (USA) u. a.

Moretto, Alessandro, eig. Bonvicino, gen. il M., ital. Maler, Brescia 1498–1554, Hauptmeister der Schule von Brescia (neben → Savoldo u. → Romanino), schuf Fresken u. religiöse Tafelbilder, haupts. für s. Heimatstadt; ferner bedeutende Bildnisse. In s. Stil ging er von der älteren Brescianer Schule aus (Floriano Ferramola), war von Romanino u. Savoldo beeinflußt u. vor allem von der venez. Schule, → Tizian u. Lorenzo → Lotto.
Werke: Altarbilder: *Krönung Mariä,* Brescia, SS. Nazaro e Celso. *Madonna mit hl. Nikolaus,* ebda., Gal. *Hl. Justina,* Wien, Kunsthist. Mus. *Krönung der Jungfrau,* Brescia, S. Giovanni. *Abendmahl,* ebda. *Gastmahl im Hause des Levi,* Venedig, S. Maria della Pietà. Porträt: *Männliches Bildnis,* London, Nat. Gall. Weitere Werke in Kirchen v. Brescia (SS. Nazaro e Celso u. S. Clemente); Pinac., ebda.; Mailand, Brera; London, Nat. Gall.
Lit.: P. Molmenti, 1898. G. Gombosi, 1943.

Morgenstern, Christian, dt. Maler, Hamburg 1805 bis 1867 München, Landschafter, Schüler von Suhr in Hamburg, 1827 auf der Kopenhagener Akad., 1829 ff. in München. M. machte zahlreiche Studienreisen, bes. nach Skandinavien u. Rußland; er malte stimmungsvolle, auf eingehender Naturbeobachtung beruhende Landschaften, häufig kleinen Formates. M. ist gut vertreten in Hamburg, Kunsth.; München, N. P.; Frankfurt, Städel; Leipzig, Mus.
Beisp.: *Nord. Gebirgslandschaft,* 1836, Hamburg, Kunsth. *Wasserfall in Norwegen,* 1827, ebda. *Harzblick,* 1830, ebda. *Seesturm,* München, N. P. *Mondnacht in Partenkirchen,* ebda.
Lit.: Uhde-Bernays, *Münchner Landschafter,* 1921. P. F. Schmidt, *Dt. Landschaftsmalerei,* 1922. Ders., *Biedermeiermalerei,* 1923.

Morgenstern, Karl, dt. Maler, Frankfurt a. M. 1811 bis 1893 ebda., Schüler s. Vaters *Joh. Friedr.* M., (1777–1844), weitergebildet in München u. Italien, seit 1838 in Frankfurt tätig; haupts. ital. Landschaften.

Morgenthaler, Ernst, schweiz. Maler u. Lithograph, * Kleindietwil b. Huttwil 1887, Schüler von C. → Amiet, anfänglich Zeichner für den «Nebelspalter», schuf vor allem Landschaften, Figürliches, Bildnisse. Er schrieb: «Ein Maler erzählt», 1961. Lit.: H. Hesse, 1936. G. Jedlicka, 1933. R. Wehrli, 1953.

Morghen, Raffaelo, ital. Kupferstecher, Neapel 1758 bis 1833 Florenz, Hauptmeister der virtuosen Linienstichtechnik, die er für virtuose Reproduktionsstiche nach Raffael, Leonardo u. a. verwandte.
Hauptwerke: *Abendmahl* nach Leonardo; *Stanzenfresken* des Raffael; *Madonna della Sedia* von Raffael. Zahlreiche Bildnisse. Sein Werk von 254 Blättern hg. von Palmerini, [3]1824.
Lit.: Kristeller, *Kupferst. u. Holzschn. in 4 Jh.*, [4]1922.

Morgner, Wilhelm, dt. Maler, Soest 1891–1917 bei Langemarck gefallen, Vertreter des dt. Expressionismus, Schüler von G. Tappert in Worpswede, gehörte 1911 zum Kreise der «Neuen Sezession», stand 1912 in Verbindung mit dem → Blauen Reiter.

Morin, Jean, franz. Maler u. Radierer, Paris um 1600–1650 ebda., Schüler von Ph. v. → Champaigne, hervorragender Radierer. Er verband Radierung u. Stichelarbeit; tauchte s. Blätter in ein reizvolles, leuchtendes Helldunkel; vor allem Heiligendarstellungen u. Bildnisse nach Ph. de Champaigne, van → Dyck, → Susterman, → Raffael, → Tizian u. a.
Lit.: H. W. Singer, *Der Kupferstich*, 1904.

Morisot, Berthe, franz. Malerin, Bourges 1841–1895 Paris, bedeutende Vertreterin des Impressionismus, arbeitete 1862–68 unter Anleitung von → Corot, beeinflußt von → Manet. Sie gehörte seitdem zur Gruppe der Impressionisten, doch beteiligte sie sich nicht an den impressionist. Farbexperimenten der Zerlegung der Farben; sie suchte vielmehr stets die Einheit u. Festigkeit des Bildaufbaues zu wahren. Vor allem feine Aquarelle.
Lit.: J. Rewald, *Gesch. d. Impression.*, 1957 (m. Bibliogr.). *Ausst.-Kat.*, Vevey 1961.

Morland, George, engl. Maler, London 1763–1804 ebda., hervorragender Genre-, Tier- u. Landschaftsmaler, Schüler s. Vaters, des Bildnismalers Henry Robert → M. (1730–97). M. besuchte die Londoner Akad. u. studierte die Niederländer. Seine Land-

schaften erinnern an → Gainsborough; über s. Tierbildern liegt ein duftig-silbriger Ton. Beisp.: *Der Pferdestall*, um 1791, London, Nat. Gall. *Dünenlandschaft*, London, Tate Gall. *Der Besuch im Pensionat*, 1788/90, London, Wallace Coll. M. ist gut vertreten in London, Tate Gall.; South Kensington Mus.; Nat. Gall.; Glasgow, Gal.
Lit.: Williamson, 1904.

Morland, Henry Robert, engl. Maler, * um 1730, † 1797 London, Vater von George → M., Genremaler u. Porträtist, vertreten in den Mus. Londons (Nat. Gall. u. Nat. Portr. Gall.), Glasgow, New York (Metrop. Mus.) u. a.

Moro, Antonio → Moor, Anthonis.

Morone, Domenico, ital. Maler, Verona 1442 bis um 1518 ebda., Vertreter der Veroneser Malerschule, beeinflußt von → Mantegna, → Schiavone, Marco → Zoppo, später von den → Bellini. M. schuf die *Freskendekoration* in S. Bernardino in Verona, 1503. Hauptwerk: *Vertreibung der Bonaccolsi*, Mantua, Mus. (Castello di Corte).
Lit.: E. v. d. Bercken, *Mal. d. Renaiss. in Oberital.*, 1927 (Hb. d. K. W.).

Morone, Francesco, ital. Maler, Verona um 1471 bis 1529 ebda., Meister der Schule von Verona, Schüler s. Vaters Domenico, beeinflußt von → Mantegna u. den Venezianern, schuf haupts. kirchliche Werke.
Hauptwerke: *Altar mit Madonna u. Kind u. Heiligen* in S. Maria in Organo, Verona, 1503. *Fresken mit Szenen aus dem A. T.*, ebda. *Christus am Kreuz*, 1498, Verona, S. Bernardino. *Die Evangelisten Matthäus u. Markus*, Fresken in S. Chiara, Verona, 1509. *Madonna mit Kind*: Verona, Mus.; Bergamo, Gal.; Mailand, Brera; London, Nat. Gall.; *Madonna mit hl. Rochus*, Fresko v. 1517, Venedig, Gal. *Madonna*, Padua, Mus. *Simson u. Dalila*, Mailand, Gall. Poldi-Pezzoli.
Lit.: A. Venturi VII, 4, 1915. R. Brenzoni in: Th.-B. 1931.

Moroni, Giambattista (Giovanni Battista), ital. Maler, Albino (Bergamo) um 1525–1578 Bergamo, Schüler → Morettos, bedeutender Bildnismaler, beeinflußt auch von Lorenzo → Lotto u. → Tizian. Außer Porträts Historienbilder u. Altarwerke.
Werke: *Bildnisse des Ehepaares Spini*, um 1577, Bergamo, Gal. *Bildnis eines alten Edelmannes*, ebda. *Bildnis eines Mannes mit Buch*, Florenz, Uff. *Bildnis Antonio Navagero*, Mailand, Brera. *Bildnis eines Schneiders*, London, Nat. Gall. Altarwerk: *Himmelfahrt Mariä*, Brescia, Dom. M. ist gut vertreten in London, Nat. Gall.; in Mailand, Bergamo, Florenz, Berlin, München, Wien, Madrid, New York, Siena.
Lit.: A. Venturi 9, 1929. L. Venturi, *Das 16. Jh.* (Von Leonardo zu Greco), 1956 (m. Bibliogr.; Skira).

Moronobu Hishikawa, japan. Maler, wahrscheinlich Awa 1618–1694 Edo (Tokio), der eig. Begründer der realist. Sittenmalerei der Ukiyoye-Schule, aus der der Farbenholzschnitt hervorging. M. befreite den Holzschnitt aus der engen Bindung an das Buch; Einzelblätter aus dem Theaterleben.
Lit.: Kurth, *Geschichte des japan. Holzschnittes*, 1925–29. W. Boller, *Meister d. jap. Farbholzschnittes*, 1957. J. Hillier, *Meister des jap. Farbendruckes*, 1954.

Morris, William, engl. Maler, Zeichner u. Kunstgewerbler, Walthamstown 1834–1896 London, Erneuerer des engl. Kunstgewerbes im Sinne der → Präraffeliten durch Schaffung eines Dekorationsstiles, der zum engl. «Modern Style» führte (in Frankreich «Art nouveau», in Deutschland «Jugendstil»). 1861 eröffnete er die Firma Morris, Marshall u. Faulkner, Kunsthandwerker für Malerei, Schnitzerei, Möbel u. Metallarbeiten. Es wurden nach s. u. den Entwürfen anderer Glasmalereien, Webereien, Möbel, Gläser, Tapeten u. v. a. hergestellt. M. suchte vor allem eine gediegene handwerkliche Tätigkeit u. eine Sauberkeit der Stilmittel; das Zurückgehen auf hist. Stile lehnte er dagegen durchaus nicht ab. M. begründete s. Ansichten in verschiedenen Schriften: «The decorative arts», 1878. «Collected Works», 1915. Seine wichtigsten Nachfolger: Walter → Crane u. C. R. → Ashbee.
Lit.: J. W. Mackail, 1899; ²1922. A. Vallance, ²1909. N. Pevsner, *Wegbereiter mod. Formgebung*, 1957.

Mortensen, Richard, dän. Maler, * Kopenhagen 1910, tätig in Paris, abstrakter Künstler, Hauptvertreter der konstruktivist., «konkreten», Richtung der modernen Malerei. M. schuf auch Wandgemälde, Entwürfe für Bildteppiche u. a.
Lit.: *Ausst.-Kat. Kassel (Documenta)* 1955. Vollmer, 1956. M. Seuphor, *Knaurs Lex. abstr. Mal.*, 1957. *Neue Kunst nach 1945*, hg. von W. Grohmann, 1958.

Moser, Karl, schweiz. Arch., Baden (Schweiz) 1860–1936 Zürich, ausgebildet an der Techn. Hochschule Zürich u. der Ecole des B.-Arts, Paris, 1885–87 in Wiesbaden, 1888–1915 in Karlsruhe, seitdem in Zürich (1915–28 Prof. an der Techn. Hochschule), erbaute das *Kunsthaus Zürich*, 1910; den *Bad. Bahnhof*, Basel, 1913; *Univ. Zürich*, 1914; *Antoniuskirche*, Basel, 1927/28. M. ging vom historis. Stil aus, wurde führender Vertreter mod. Baugesinnung.
Lit.: H. Platz, *Baukunst d. neuesten Zeit*, 1927.

Moser, Lukas, dt. Maler, 1. Hälfte 15. Jh., aus Rottweil, bekannt aus der Inschrift des einzigen erhaltenen Werkes, des *Tiefenbronner Altars*, eines Magdalenen-Altars in der Kirche zu Tiefenbronn b. Pforzheim, 1431. In diesem Werk erweist sich der wohl in Konstanz arbeitende Meister als einer der Führer des Realismus, der sich an der niederl.-burgund. Kunst geschult hatte.
Lit.: A. Schmarsow, *Oberrhein. Malerei*, 1903. A. Stange, *L. M. u. Hans Multscher*, 1922. J. v. Waldberg-Wolfegg, 1939. K. Bauch, *Der Magdalenenaltar d. L. M.*, 1940. W. Baech, *Der Tiefenbronner Altar d. L. M.*, 1951. C. Glaser, *Altdt. Malerei*, 1924. G. Dehio, *Gesch. d. dt. Kunst 2*, 1921.

Moser, Wilfried, schweiz. Maler, * Zürich 1914, Vertreter der abstrakten Kunst, 1945 ff. in Paris tätig, vertreten an der 5. Biennale in Sao Paulo (Brasilien) 1959.
Lit.: M. Seuphor, *Dict. peint. abstr.*, 1957. (dt. *Knaurs Lex. abstr. Malerei*, 1957).

Moses, Grandma, eig. Anna Mary Robertson, amerik. Malerin, * 1860, eine der bekanntesten unter den Laienmalern der USA.

Mostaert, Jan, niederl. Maler, Haarlem um 1475 bis um 1556 ebda., Hauptmeister der Schule von Haarlem, von → Geertgen beeinflußter Meister, der um 1500 Hofmaler der Statthalterin Margarete wurde, tätig haupts. in Brüssel u. Mecheln, seit 1520 in Haarlem. M. schuf Altarwerke und, namentlich in s. späteren Zeit, bedeutende Porträts. M. wurde vom italianisierenden Zeitstil berührt: von → Scorel u. van → Orley.
Hauptwerke: *Sog. Oultremont-Altar* (aus der Slg. d'Oultremont), Passionsaltar mit der Kreuzabnahme im Mittelbild, Brüssel, Mus. *Anbetung der Könige*, Amsterdam, Rijksmus. *Triptychon mit Grablegung Christi* im Mittelbild, ebda. *Triptychon*, Bonn, Mus. *Männliches Bildnis*, Brüssel, Mus. *Bildnis eines jungen Mannes*, Liverpool, Walker Gall. *Bildnis des Jan de Wassenaere*, Paris, Louvre. Weitere Werke in Brüssel, Mus.; Amsterdam, Rijksmus.; München, A. P.; Köln, Mus.; London, Nat. Gall.; Dijon, Mus.; Lugano, Slg. Schloß Rohoncz.
Lit.: S. Pierron, 1912. M. J. Friedländer, *Altniederl. Malerei 10*, 1932.

Motherwell, Robert, amerik. Maler, * Aberdeen (USA) 1915, begann mit von → Picasso beeinflußten Werken u. Collagen in der Art der Dadaisten (→ Schwitters, → Arp) u. wurde in der Folge einer der Hauptvertreter der amerik. «abstrakten Expressionisten» (Tachisten); vertreten auf der Documenta II, Kassel, 1960.
Lit.: Hess, *Abstr. Painting*, 1951. *Knaurs Lex. abstr. Malerei*, 1957 (M. Seuphor) *Neue Kunst nach 1945*,

hg. v. W. Grohmann, 1958. *Ausstell.-Kat. Documenta II.*, Kassel 1960.

Motonobu, Kano, japan. Maler, * 1476, † 1559 Kioto, der bedeutendste Maler der Kano-Schule, der eig. Schöpfer des dekorativen Stiles, der die folgenden Jahrhunderte beherrschte; Sohn des → Masanobu.
Lit.: O. Kümmel in: Th.-B. 1931. Y. Yashiro u. P. C. Swann, *Jap. Kunst,* 1958.

Moucheron, Frederik de, niederl. Maler, Emden 1633–1686 Amsterdam, Landschaftsmaler, Schüler des J. → Asselyn, malte in dessen Art u. in der des J. → Both u. des N. → Berchem warmbeleuchtete südl. Landschaften; in fast allen größeren Gal. vertreten.

Moucheron, Isaac, niederl. Maler u. Radierer, Amsterdam 1670–1744 ebda., Sohn u. Schüler von Frederik → M., 1694–97 in Italien, malte südl. Landschaften in der Art s. Vaters u. radierte Landschaften mit geschichtlichen Darstellungen.
Lit.: Wurzbach, *Niederl. Kstlerlex.* 2, 1910 u. 3, 1911. R. Grosse, *Holl. Landschaftskunst 1600–1650,* 1925.

Moulins, Meister v. → Meister v. Moulins.

Moya, Pedro de, span. Maler, Granada 1610–1674 ebda., soll in Sevilla Schüler des Juan de → Castillo gewesen sein, in London Schüler des van → Dyck, seit 1650 wieder in der Heimat. Bekannt von ihm: *Hl. Maria Magdalena Pazzi,* Granada, Mus. Von diesem Werk gehen weitere Zuschreibungen aus.
Lit.: A. L. Mayer, *Geschichte der span. Malerei,* 1922. V. v. Loga, *Malerei in Spanien,* 1923. A. L. Mayer in: Th.-B. 1931. E. Lafuente Ferrari, *Breve hist. pint. españ.,* 1953.

Muche, Georg, dt. Maler, Kunstgewerbler u. Arch., * Querfurt 1895, 1916–20 Lehrer an der Kunstschule des «Sturm» in Berlin, 1920–27 Lehrer am Bauhaus in Weimar u. Dessau, 1927–31 an der Kunstschule → Itten in Berlin, 1931–33 Prof. der Akad. Breslau, 1933–38 in Berlin, seit 1939 Leiter einer Meisterklasse der Textilschule in Krefeld. M. gehört als Maler zu den ersten Vertretern der abstrakten Kunst in Deutschland; später wurde er wieder gegenständlich; seit 1942 schuf er mehrere Fresken; als Arch. während s. Bauhaus-Zeit den *Stahlhausbau* in Dessau, 1926. Vertreten in den Mus. Erfurt, Barmen u. a.
Lit.: L. Steinfeld in: Vollmer, 1956. L. Schreyer, *Erinnerungen an Sturm u. Bauhaus,* 1956. E. Trier, *Die Zeichn. d. 20. Jh.,* 1956. M. Seuphor, *Knaurs Lex. abstr. Malerei,* 1957. Ausstell.-Kataloge: *Die Maler am Bauhaus,* München 1950. *Ausstell. Muche,* Krefeld 1951. *Documenta 11,* Kassel 1959.

Mücke, Heinrich, dt. Maler, Breslau 1806–1891 Düsseldorf, Vertreter der Düsseldorfer Schule, Schüler von König u. seit 1824 von → Schadow, 1826 ff. in Düsseldorf, das. 1844–67 Lehrer an der Akad. M. malte haupts. hist. u. religiöse Gemälde u. Bildnisse.
K. Koetschau, *Rhein. Mal. d. Biedermeierzeit,* 1926.

Muelich (Mielich), Hans, dt. Maler u. Zeichner für den Holzschnitt, München 1516–1573 ebda., Schüler s. Vaters Wolfgang M. u. → Altdorfers (1536), 1541 in Rom, dann tätig in München, schuf vor allem Bildnisse, ferner religiöse Werke, Historienbilder u. Miniaturen. In s. Bildnissen von → Tizian beeinflußt.
Lit.: B. H. Röttger, 1925.

Müller, Albert, schweiz. Maler, Basel 1897–1926 Mendrisio (Tessin), Schüler von C. → Amiet u. E. L. → Kirchner, schuf haupts. Landschaften.

Müller, Albin, gen. *Albinmüller,* dt. Arch., Dittersbach 1871–1941 Darmstadt, seit 1906 Mitglied der Darmstädter Künstlerkolonie, das. für die Erneuerung von Wohnkultur u. Raumkunst tätig. In vielen s. Werke gehört er dem Jugendstil an. Werke: *Bauten u. Einrichtungen der Ausstellungen in Darmstadt,* Raumkunstausst. 1908 u. 1910; Ausst. für Wohnungsbau, 1914. *Bauten u. Anlagen für die dt. Theaterausstellung* in Magdeburg, 1927. Ferner Wohnhausbauten, Entwürfe für Inneneinrichtungen u. v. a. M. gab heraus: «Arch. u. Raumkunst», 1909; «Werke der Darmstädter Ausstellungen», 1917 u. a.
Lit.: Vollmer, 1953 (unter Albinmüller).

Müller, Andreas, dt. Maler, Kassel 1811–1890 Düsseldorf, Schüler von → Schnorr u. → Cornelius in München, von → Schadow u. → Sohn in Düsseldorf, malte Altarbilder u. Wandgemälde im Stil der → Nazarener. Beisp.: *Leben des hl. Apollinaris,* Apollinariskirche in Remagen, 1837–42.

Müller, Charles-Louis → Muller, Charles-Louis.

Müller, Friedrich, gen. *Maler Müller,* Kreuznach 1749–1825 Rom; der bedeutende Dichter war ebenso begabt als Maler; vor allem in s. Zeichnungen u. Radierungen aus der Frühzeit erweist er sich als Bahnbrecher des Realismus des «Sturm u. Drang». Er wurde von den Niederländern (→ Potter) beeinflußt; bes. Tiere u. Landschaften. Zeichnungen u. Graphik in den Kabinetten v. Berlin, Dresden, Frankfurt, Heidelberg, München, Weimar u. a.
Lit.: Denk, 1930. K. Unverricht, *Die Rad. des M. M.,* 1931.

Müller, Johann Friedrich Wilhelm, dt. Kupferstecher, Stuttgart 1782–1816 auf dem Sonnenberg bei Pirna, Sohn von Johann Gotthard → M., bildete die Technik s. Vaters weiter aus. Hauptblatt: Raffaels Sixtinische Madonna.

Müller, Johann Gotthard von, dt. Kupferstecher, Bernhausen bei Stuttgart 1747–1830 Stuttgart, schuf bedeutende Stiche nach → Leonardo, → Raffael, → Domenichino, → Honthorst u. a.
Lit.: A. Andresen, *Joh. Gotth. von M. u. Joh. Friedr. Wilh. M., Beschreib. Verzeichn. ihrer Kupferst.*, 1865. Kristeller, *Kupferst. u. Holzschnitt in vier Jh.*, 1922.

Müller, Leopold Karl, dt. Maler, Dresden 1834 bis 1892 Weidling b. Wien, schuf Genrebilder u. Landschaften aus dem Orient.

Mueller, Otto, dt. Maler u. Graphiker, Liebau (Schlesien) 1874–1930 Breslau, Vertreter des dt. Expressionismus, begann mit einer Ausbildung als Lithograph, studierte an der Dresdener Akad., schloß sich 1910 dem Kreis der → «Brücke» in Berlin an, mit → Kirchner u. → Heckel befreundet, 1919 ff. Prof. der Akad. Breslau. In s. Stil den andern Brücke-Künstlern sehr ähnlich, etwa dem Heckels u. Kirchners. Vertreten in vielen dt. Museen: Berlin, Düsseldorf, Essen, Hamburg, Köln, Stuttgart u. v. a.
Lit.: P. Westheim, *Die Gäste*, 1921. *Ausst.-Kat.*, Chemnitz 1947. L. G. Buchheim, *Die Künstlergemeinschaft Brücke*, 1956. *O. M. Farbige Zeichnungen* u. *Lithogr.*, hg. v. H. Th. Flemming. E. Troeger, 1949.

Müller, Robert, schweiz. Bildhauer, * Zürich 1920, Hauptvertreter der schweiz. abstrakten Plastik, 1939–44 Schüler von Germaine → Richier, seither in Paris tätig, zuerst gegenständlich figürlich, seit 1951 rein konstruktiv in Eisen schmiedend; auf der Biennale Venedig 1960 vertreten.
Lit.: M. Joray, *Schweizer Plastik d. Gegenw.*, 2 Bde., 1954–59. M. Seuphor, *Plastik unseres Jh.*, 1959.

Müller, Viktor, dt. Maler, Frankfurt a. M. 1829 bis 1871 München, Schüler des Städelschen Inst., Frankfurt, der Akad. Antwerpen u. von → Couture in Paris, ab 1858 in Frankfurt a. M., seit 1865 in München tätig. M.s Bedeutung beruht vor allem darauf, daß er die Kenntnis der franz. Romantiker, bes. auch → Courbets, vermittelte. Er stellte romant. Stoffe aus Dichtung u. Märchen dar u. ist s. Wesen nach Spätromantiker. Werke: *Schneewittchen bei den Zwergen*, 1870/71, Frankfurt, Städel. *Romeo u. Julia*, München, N. P.
Lit.: Justi, *Dt. Malkunst im 19. Jh.*, 1920. G. J. Wolf, *Leibl u. s. Kreis*, 1923.

Münstermann, Ludwig, dt. Bildhauer u. Bildschnitzer, Hamburg um 1575 bis um 1638 ebda., Vertreter des norddt. Frühbarock, tätig haupts. im

Oldenburgischen, wo er die Kirchen mit Skulpturen ausstattete. M. ist ein Hauptvertreter dieser von der holl. Renaissance sich befreienden Phase des dt. Frühbarock, einer Phase, in der got. Geist wieder auflebte. Durch den beginnenden 30jährigen Krieg wurde diese Epoche der Kunst unterdrückt.
Lit.: M. Riesebieter, 1930.

Münter, Gabriele, dt. Malerin, * Berlin 1877, Schülerin von → Kandinsky in München, mit dem sie bis 1916 zusammenlebte; in ihrer Kunst nicht abstrakt; sie gelangte unter dem Einfluß der → Fauves u. Kandinskys Frühkunst zu einem eigenen Stil; tätig in Murnau.
Lit.: L. Eichner, *Kandinsky u. G. M.*, 1957. L.-G. Buchheim, *Der Blaue Reiter*, 1959.

Münzer, Adolf, dt. Maler u. Graphiker, Pless (Oberschlesien) 1870–1952 Holzhausen (Ammersee), Schüler der Akad. München, 1900–02 in Paris, 1903–09 Hauptmitarbeiter der Zschr. → «Jugend» u. Mitglied der Künstlervereinigung → «Scholle», seit 1909 Prof. der Kunstakad. Düsseldorf, schuf *Wandgemälde im Landestheater Düsseldorf*, 1913; ebda. im *Regierungsgebäude*, 1914 u. 1919 u. a. M. erweist sich in s. Zeichnungen u. vielen s. Gemälde als Vertreter des Jugendstils. Vertreten in München (Staatl. graph. Slg.; Mus. f. angew. Kunst).
Lit.: G. Biermann, *Die Scholle*, 1910.

Mulier, Pieter → Tempesta.

Muller, Charles-Louis, franz. Maler, Paris 1815 bis 1892 ebda., schuf im akad. Stil große dekorative Fresken, Historienbilder, ferner Genrebilder u. Porträts. Schüler von → Gros u. L. → Cogniet. Er malte den *Staatssaal u. die Kuppel des Pavillons Denon* im Louvre in Paris aus. Mit Bildern vertreten in: Paris (Louvre), Lyon, Amiens, Lille, Valenciennes, Versailles, London (Wallace Coll.) u. a.

Mulready, William, engl. Maler u. Zeichner, Ennis 1786 bis 1863 London, wohin er früh kam. M. war vor allem ein Meister des anekdotischen Genrebildes u. als solcher überaus populär. Ferner schuf er Landschaften (Aquarelle), Porträts, Karikaturen, Buchillustrationen («Vicar of Wakefield» u. a.). Bekannte Bilder: *Das Sonett*, 1839, London, Victoria u. Albert Mus. *Die Wahl des Hochzeitskleides*, 1846, ebda. *Zu spät gekommen*, ebda., Nat. Gall. Vertreten in London, Victoria u. Albert Mus. (33 Bilder u. viele Zeichn.), Tate Gall.; Nat. Gall.; ferner in den Mus. v. Dublin, Edinburgh, Leeds, Paris (Louvre) u. a.
Lit.: H. Cole, o. J. J. F. G. Stephens, 1867. A. Michel, *Hist. de l'Art* 8, 1925.

Multscher, Hans, dt. Bildhauer, Schnitzer u. Maler, Reichenhofen (Allgäu) um 1400–1467 Ulm, leitete

in Ulm in den 30er u. 40er Jahren die bedeutendste Bildhauer- u. Malerwerkstatt Schwabens. Seine künstlerische Persönlichkeit ist schwer faßbar, da kaum anzunehmen ist, daß er alle aus s. Werkstatt hervorgehenden Altartafeln selber gemalt hat; viele der Skulpturen weisen ebenfalls auf Werkstattarbeit hin. Ganz allgemein gesprochen, vertritt M. mit seiner Werkstatt den kräftigen Realismus, der damals, von der niederl.-burgund. Kunst angeregt, sich ausbreitete. Beglaubigt ist der *Stein-Altar für Konrad Karg* im Ulmer Münster, 1433. Ferner als aus s. Werkstatt hervorgehend die gemalten Flügel des *Wurzacher Altars*, 1437, Berlin, staatl. Mus. Ferner: Der *Sterzinger Altar* 1457/58: Die *Schnitzfiguren*: Maria mit Kind, 4 weibl. Heilige; die hll. Georg u. Florian, Sterzing, Frauenkirche, werden dem Meister selber zugesprochen; die gemalten Tafeln des Altars im allgemeinen dem sog. *Meister des Sterzinger Altars*. Weitere Zuschreibungen: *Schmerzensmann*, Westportal des Ulmer Münsters, um 1430.
Lit.: K. Gerstenberg, 1928. G. Otto, 1939. O. Schmitt in: Zschr. d. dt. Vereins f. Kunstwissensch., 1941. J. Baum in: Schwäb. Heimat, 1949. M. Schröder, Diss. Tübingen 1955. W. R. Deusch, *Dt. Mal. d. 15. Jh.*, 1936.

Munch, Edvard, norweg. Maler u. Graphiker, Loeiten b. Hamar 1863–1944 Ekely b. Oslo, der bedeutendste norweg. Maler der neueren Zeit, Schüler von Christian → Krohg, bildete sich selbständig weiter, namentlich im Kontakt mit der franz. Kunst. M. war verschiedentlich in Paris u. lernte die Kunst → Toulouse-Lautrecs, van → Goghs u. → Gauguins kennen; er kommt mit s. Schaffen dem der → Fauves nahe; mit einem Teil s. Werkes, s. Linienkunst u. den symbolist. Inhalten gehört er dem Jugendstil an. Im ganzen gehört er zu den großen Vorläufern des Expressionismus. M. lebte in s. frühen Epoche viel auf Reisen; seit 1909 in Norwegen seßhaft, zuletzt auf Ekely.
Einige Hauptwerke: *Junges Mädchen auf der Brücke*, 1889, Oslo, Nat. Gal. *Krankes Mädchen*, 1894/95, ebda. *Am Tage darauf*, 1894, ebda. *Eifersucht*, 1895, Bergen, Rasmus-Meyer-Slg. *Mädchen auf der Brücke*, 1901, Oslo, Nat. Gal. *Haus in Asgaardstrand*, 1905, Essen, Mus. Mehrere Fassungen des *Lebensfrieses*: neue Fassung, 1907, Berlin, staatl. Mus.; Lübeck, Mus.; Oslo, Slg. Rode. *Wandgemälde der Neuen Aula der Univ. Oslo*, 1910–16. Bildnisse: *Graf Harry Kessler*, 1906, Berlin, Gal. des 20. Jh.; *Walter Rathenau*, 1907, Berlin; *August Strindberg*, Oslo, Norweg. Volksmus. Hervorragend ist auch das graph. Werk, welches die Themen s. Malerei abwandelt: Radierung, Holzschnitt, Lithographie.
M. ist gut vertreten in Oslo, Nat. Mus. u. Kunstslg. der Stadt; Bergen, Mus. Rasmus-Meyer; Hamburg, Kunsth.; Zürich, Kunsth.; Elberfeld, Essen, Frank-

furt, Karlsruhe, Köln, München, N. Staatsgal.; Wien, Stockholm, Nat. Mus.; Göteborg, Mus.; Kopenhagen, Moskau, Prag, Rom u. v. a. Mus.
Lit.: C. Glaser, 1922. G. Schiefler, *M.s graph. Kunst*, 1923. P. Gauguin, 1928. J. Thijs, 1934 (dt.). J. P. Hodin, 1948. R. Stenersen, 1950 (dt.). Chr. Gierlöff, 1953. H. E. Gerlach, 1955. A. Moen, 1957/58. O. Benesch, 1960 (Phaidon).

Munkácsy, Michael, ungar. Maler, eig. Lieb, Munkács 1844–1900 Endenich b. Bonn, der bedeutendste ungar. Maler des 19. Jh., erhielt s. erste Ausbildung in Wien u. in München bei Franz → Adam, seit 1867 bei → Knaus u. → Vautier in Düsseldorf; seit 1872 in Paris tätig. M. war ein Meister realist. Genrebilder, hatte zu s. Zeit aber größere Erfolge mit s. pathetischen Historienmalerei u. bes. mit s. religiösen Werken. Heute erhalten die Genrebilder aus dem ungar. Volksleben u. aus Paris den Vorzug.
Werke: *Letzter Tag eines Verurteilten*, Budapest, Mus. (2 Fassungen, Oelskizze in Elberfeld, Mus.). *Der Dorfheld*, Chicago, Art Inst. *Besuch bei der Wöchnerin*, New York, Metrop. Mus. Ferner in den Mus. v. Budapest, Dresden, Köln, München, Paris, Dordrecht, Stockholm u. v. a. *Deckengemälde* im Treppenhaus des Kunsthist. Mus., Wien; *Wandbild* im Budapester Parlament.
Lit.: D. Malonyay, 1898. Ders., 1907. F. W. Ilges, 1899. G. Feleky, 1911. Ch. Sedelmeyer, 1914. K. v. Lyka, 1926. E. Kallai, *Neue Malerei in Ungarn*, 1925.

Munthe, Gerhard, norweg. Maler u. Graphiker, Elverum 1849–1929 Oslo, 1874 in Düsseldorf, 1877 in München, wo er sich der Landschaftsmalerei zuwandte. Seit 1883 in Norwegen als frühimpressionist. Landschafter. Später entwickelte M. einen eigenen vom Jugendstil beeinflußten Flächenstil u. wandte sich dekorative Bildern u. Entwürfen für Bildteppiche zu, wobei er auf die altnorweg. Bauernkunst zurückgriff; bedeutende Holzschnittillustrationen.

Munthe, Ludwig, norweg. Maler, Aröen b. Bergen 1841–1896 Düsseldorf, bedeutender Landschafter der Düsseldorfer Schule; 1861 ff. in Düsseldorf Schüler der Akad., später ebda. tätig. M. war bekannt für neblige u. feuchte Herbst- u. Winterlandschaften in trüben Stimmungen. Vertreten in Oslo, Berlin, Hamburg, Düsseldorf, Frankfurt u. a.

Murer, Christoph, schweiz. Maler u. Zeichner für den Kupferstich, Zürich 1558–1614 ebda.; M. war ein sehr fruchtbarer Stecher für den Buchschmuck in Straßburg u. ein bedeutender Glasmaler, auch Schriftsteller. Glasscheiben finden sich u. a. im Rathaus Luzern (die sog. *Standesscheiben*); im Mus. Basel; in Nürnberg, German. Mus.; Berlin, Kunst-

gew. Mus.; Scheibenrisse in den Kupferst.-Kab. Karlsruhe u. Berlin.
Lit.: H. Lehmann, *Zur Geschichte d. Glasmal. in d. Schweiz*, 1925. *Ausst.-Kat. Alte Glasmalerei d. Schweiz*, Zürich 1946. Gantner/Reinle, *Kunstgesch. d. Schweiz 3*, 1956.

Murillo, Bartolomé Esteban, span. Maler, Sevilla 1618–1682 ebda., Hauptmeister der Schule von Sevilla u. der span. Malerei des 17. Jh., Schüler des Juan del → Castillo in Sevilla, weitergebildet an den Gemälden des Juan de → Roelas; eine Reise nach Madrid 1642–44 wird heute meist nicht mehr angenommen; doch lernte M. die Werke von → Raffael, → Correggio, → Rubens, v. → Dyck u. a. kennen. Er war tätig in Sevilla. Haupts. religiöse Darstellungen, vor allem die Madonna, bes. in der Darstellung der Unbefleckten Empfängnis. Daneben einige realist. Genrebilder u. Bildnisse. Der Stil M.s hat sich wenig gewandelt; in der Farbgebung ist eine Entwicklung von kalten, harten zu warmen u. duftigen Farben (estilo vaporoso) u. zu einem weichem Helldunkel zu beobachten.
Hauptwerke: *Darstellungen aus der Geschichte der Franziskaner*, ursprüngl. für den Klosterhof von S. Francisco in Sevilla, 1645/46, heute in Madrid, Akad. S. Fernando; Dresden, Gal.; Paris, Louvre. *Unbefleckte Empfängnis*, Sevilla, Kathedrale; Leningrad, Eremitage; Paris, Louvre; Sevilla, Mus. u. a. *Himmelfahrt Mariä*, Leningrad, Eremitage. *Geburt Mariä*, 1655, Paris, Louvre. Madonnen: «*Zigeunermadonna*», Rom, Gall. Corsini. «*Madonna von Sevilla*», um 1670, Paris, Louvre. *Madonna*, Florenz, Pitti. *Vision des hl. Antonius*, 1656, Sevilla, Kathedrale; Berlin, staatl. Mus.; Leningrad, Eremitage. *Hl. Bernhard*, Madrid, Prado. *Hl. Ildefons*, ebda. Genrebilder: *Muschelesser*, Madrid, Prado. *Melonen- u. Traubenesser*, München, A. P. Bildnisse: *Damenbildnis*, Philadelphia, Slg. Johnson; *Selbstbildnis*, New York, Slg. Frick. M. ist hervorragend vertreten in Sevilla, Mus.; ebda., Kathedrale; ebda., in der Caridad; Madrid, Prado. Gut vertreten in: Berlin, Paris, Leningrad, Dresden, Wien, Gal. Harrach; Köln, Wallraf-Richartz-Mus.; Amsterdam, Rijksmus.; München, A. P. u. a.
Lit.: C. Justi, 1892. P. Lafond, 1907. A. L. Mayer, 1923 (Klass. d. Kunst). J. de la Vega, 1921 (span.). S. Montoto, 1923 (span.). Ders., 1932. A. Muñoz, 1941. E. M. Aguilera, o. J. J. Lassaigne, *La Peint. espagn.*, 1952.

Music, Antonio (Zoran), ital. Maler, * Gorizia (Görz) 1909, Vertreter der abstrakten Kunst, tätig in Paris. M. löst sich nicht vollkommen von den Objekten der Natur, «die Ähnlichkeit des Bildobjektes mit dem realen Objekt ist auf s. Übergang in den abstrakten Zustand jedoch so weitgehend verschwunden, daß sie dem Betrachter meistens entgeht» (M. Brion).

Lit.: Kunst u. d. schöne Heim 52, 1953/54. *Ausst.-Kat. Documenta*, Kassel 1955. Vollmer, 1956. M. Brion in: *Neue Kunst nach 1945*, hg. v. W. Grohmann, 1958.

Muthesius, Hermann, dt. Arch., Groß-Neuhausen 1861–1927 Berlin, machte sich um den Landhausbau verdient u. war als Kunstschriftsteller bekannt. In einigen s. Werke typischer Vertreter des Jugendstils (Schüler von H. → Ende).

Muziano, Girolamo, ital. Maler, Acquafredda b. Brescia 1528–1592 Rom, Schüler → Romaninos, weitergebildet in Venedig unter dem Einfluß → Tizians, seit ca. 1548 in Rom, wo er den Einfluß → Michelangelos erfuhr. M. schuf haupts. kirchliche Werke für röm. Kirchen. Vertreten in den Mus. v. Florenz (Uff.), Loreto, Orvieto (Dom-Mus.), Paris (Louvre), Dijon, Dresden, Escorial, Hamburg u. a.

Myron, griech. Bildhauer, 5. Jh. v. Chr., aus Eleutherai, Hauptmeister der Übergangsphase der attischen Kunst von der archaichen zur klass. Epoche. M. war haupts. Bronzebildner u. schuf zahlreiche Siegerstatuen für Delphi u. Olympia; ferner berühmte Götter- u. Heroenbilder (bis nach Ephesos u. Samos hin). Er ging als 1. dazu über, die Figuren in lebhafter Bewegung zu geben, wofür er in der Antike berühmt war. In röm. Zeit war besonders s. Darstellung einer Kuh, die «Myronische Kuh» berühmt; heute nicht mehr nachweislich. Originale sind überhaupt nicht erhalten; in Kopien vor allem: der *Diskuswerfer* (Diskobol), eines der Meisterwerke der antiken Kunst, bestes Exemplar in München, Glyptothek. *Gruppe von Athena u. Marsyas*, bestes Exemplar in Frankfurt, Liebighaus.
Lit.: Curtius, *Klass. Kunst Griechenlands*, 1938. G. Lippold in: Hb. der Archäol. 3, 1, 1950.

Myslbek, Josef Václav, tschech. Bildhauer, Prag 1848–1922 ebda., in Prag tätiger nationaltschech. Meister, der Stoffe aus der tschech. Sage u. Geschichte in monumentaler Gestaltung wiedergab. In s. frühen Werken Spätromantiker, wurde mehr u. mehr zum Realisten.
Hauptwerke: *Standbild des Johann Ziska*, 1876 entworfen. *Reiterdenkmal des Nationalheiligen Wenzel*, Prag, Wenzelsplatz, 1888 entworfen.
Lit.: K. B. Madl, 1902. V. V. Stech, 1922. V. Volavka, 1929 (m. Werkverz.).

Mytens, Familienname verschiedener niederl. Maler; die bedeutendsten:
Daniel M. d. Ä., Delft um 1590– um 1648 Den Haag, Porträtmaler, der um 1614 nach London kam, 1625 Hofmaler wurde, um 1635 wieder nach den Niederlanden zurückkehrte. M. war von → Rubens be-

einflußt, später von van → Dyck, vor dessen Aufkommen er als der bedeutendste Bildnismaler in England galt. Vertreten in den Mus. v.: London (Nat. Portr. Gall.), Hampton Court, Edinburgh, Kopenhagen, New York (Metrop. Mus.), Minneapolis, Turin, Ottawa u. a.
Jan M., Den Haag um 1614–1670 ebda., wahrscheinlich Schüler s. Onkels Daniel d. Ä., war ebenfalls Bildnismaler. Vertreten in den Mus. v.

Amsterdam, Antwerpen, Den Haag, Rotterdam, Kopenhagen, Dublin, Versailles, Wiesbaden u. a. Lit.: A. v. Wurzbach, *Niederl. Künstlerlex.* 2, 1910. *Martin* M. d. J., van, schwed.-österr. Maler, Stockholm 1695–1770 Wien, Sohn u. Schüler von Martin M. d. Ä. (1648–1736), Bildnismaler, Schüler van → Dycks in London, vertreten in den Mus. v. Berlin, Brüssel, Budapest, Dresden, Den Haag, Prag, Stockholm, Wien (Barock-Mus.) u. a.

N

Nabis, Künstlergruppe in Paris (Nabis hebr. = Propheten); Keimzelle war die Gruppe, die Paul → Sérusier mit s. Kameraden von der Acad. Julian bildete: Maurice → Denis, → Bonnard, → Vuillard, → Roussel, → Ranson, Piot u. a. Sérusier traf 1888 mit → Gauguin in der Bretagne zus. u. vermittelte den Kameraden dessen Theorien. An Stelle der impressionist. Farbauflösung suchten die N. eine einheitliche Farbfläche, die mit schweren schwarzen Konturen umrandet ist. Die N. trafen sich allmonatlich zu einem Mahl, allwöchentlich im Atelier Ransons, veranstalteten gemeinsame Ausstellungen u. arbeiteten für die Zschr. «Revue Blanche». Neben dem Einfluß der Kunst Gauguins kam der von → Puvis de Chavannes, Odilon → Redon, Gustave → Moreau, der japan. Holzschnittkunst. Ihr Theoretiker war vor allem Maurice Denis. In vielen ihrer Werke stellen die N. eine franz. Parallele zum dt. Jugendstil dar. Es gehörten ihnen noch an: Verkade, → Vallotton, der Bildh. → Maillol; dessen Freund, der ungar. Maler → Rippl-Ronai u. a.
Lit.: Knaurs Lex., 1955 (s. auch Stichw. «Revue Blanche»). F. Hermann, *Die «Revue blanche» u. die «Nabis»,* Diss. Zürich 1961.

Nadelmann, Elie, poln.-amerik. Bildhauer u. Graphiker, Warschau 1882–1946 in den USA, seit 1903 in Paris, wo er sich den neuesten Richtungen anschloß, ab 1914 in New York. Vertreten in New York, Mus. of mod. Art (mit 8 Skulpturen); in Detroit, Mus.
Lit.: L. Kirstein, 1948. A. C. Ritchie, *Sculpt. of the 20th cent.,* 1952. Vollmer, 1956. W. Hofmann, *Plastik d. 20. Jh.,* 1958.

Nadorp, Franz, dt. Maler, Graphiker u. Bildhauer, Anholt 1794–1876 Rom, entstammte einer aus Holland eingewanderten Künstlerfamilie, studierte an der Akad. Prag, lebte 1828 ff. in Rom beinahe ohne Unterbrechung bis zu s. Tode. N. gehörte zum dt.-röm. Künstlerkreis, anfänglich als → Nazarener; er schuf Historienbilder u. religiöse Werke; am bedeutendsten sind s. Porträts: *Bildnis von Blechen,*

Zeichnung, Berlin, Nat. Gal.; *Bildnis Kestner,* Hannover, Kestnermus. Vertreten auch in Dresden, Kupferst.-Kab.
Lit.: F. W. Ruhmer in: Th.-B. 1931.

Nahl, Johann August, d. Ä., dt. Bildhauer u. Dekorateur, Berlin 1710–1785 Kassel, bedeutender Dekorationskünstler des Rokoko, Schüler von → Schlüter, weitergebildet in Paris, 1735 in Straßburg, 1741 nach Berlin berufen für die Innenausstattung der königl. Gebäude, 1755 nach Kassel, das 1777 Direktor der Akad. N. verband figürliche u. naturalist. Formen mit einem reinen Linienornament. Werke: Mitarbeiter Knobelsdorffs bei der *Innenausstattung von Schloß Sanssouci; Räume des Stadtschlosses Potsdam,* 1744–51. Teil der *Innenausstattung von Schloß Charlottenburg,* 1742. *Ausstattung von Schloß Wilhelmstal* in Kassel. Modell f. die *Brunnengruppe Neptun u. Amphitrite* im Lustgarten Potsdam. *Relief am Opernhaus* Berlin u. a.
Lit.: Feulner, *Skulpt.* u. *Malerei des 18. Jh.* (Handb. der K. W.), 1929. F. Bleibaum, 1933. J. Gantner/ A. Reinle, *Kunstgesch. d. Schweiz* 3, 1956.

Nahl, Johann August, d. J., dt. Maler, Zollikofen b. Bern 1752–1825 Kassel, Sohn von Joh.-August d. Ä., lernte bei Joh. Heinrich → Tischbein in Kassel, weitergebildet in Straßburg, Bern u. Paris, wo er bes. von → Le Sueur beeinflußt wurde. 1774–81 in Rom, 1783–92 in Rom u. Neapel, 1792 ff. an der Akad. Kassel (ab 1815 Direktor das.). N. schuf hist. u. mythol. Bilder, auch Landschaften im Stil des späten Rokoko u. des Klassizismus. Vertreten in Kassel, Gal.; in Schloß Wilhelmshöhe b. Kassel.

Nanni di Banco → Banco, Nanni di.

Nanteuil, Célestin-François, eig. Leboeuf, franz. Maler u. Graphiker, Rom 1813–1873 Marlotte b. Paris, Genremaler; gehörte vor allem zu den hervorragendsten Buchillustratoren der Romantik in Frankreich. Schüler von Ch. → Langlois u. →

Ingres, 1867ff. Direktor der Akad. in Dijon. Er schuf Lithographien u. Zeichnungen für Holzschnitt, auch nach fremden Vorlagen, z. B. nach → Delacroix, Chaplin, → Meissonier u. a. Seine bekanntesten Illustrationen finden sich in den Erstausgaben der Werke der franz. Romantiker: Victor Hugo, Alex. Dumas, Gérard de Nerval, Th. Gauthier u. a. Als Maler vertreten in den Gal. Dijon, Le Havre, Lille, Marseille u. a.
Lit.: H. Béraldi, *Les graveurs du 19e siècle* 10, 1890. C. Glaser, *Graphik der Neuzeit*, 1922.

Nanteuil, Robert, franz. Kupferstecher, Pastellmaler u. Zeichner, Reims 1623–1678 Paris, der bedeutendste Bildnisstecher Frankreichs des 16. Jh., ab 1647 in Paris, 1658 «Dessinateur et graveur ordinaire du Roi». Von N. gibt es ausschließlich Porträts, die er teils nach Gemälden anderer fertigte, teils nach eigenen Zeichnungen u. der Natur. Schüler von A. → Bosse, in der Stechweise von C. → Mellan beeinflußt, in s. Stil von van → Dyck. N. hat Ludwig XIV. elfmal, Mazarin 14mal, Colbert 6mal dargestellt. Es gibt von ihm 240 Stiche. Ferner Pastellgemälde: *Bildnis Ludwigs XIV.*, 1670, Florenz, Uff. *Bildnis von Turenne*, ebda.
Lit.: Joly, 1785. Ch. Loriquet, 1886. E. Bouvey, 1924. Ch. Petitjean u. Ch. Wicker, *Cat. de l'oeuvre gravé de R. N.*, 1925. Huggler in: Th.-B. 1931.

Nardo di Cione, ital. Maler, tätig um 1343–1366 in Florenz, der Bruder → Orcagnas, schuf als Hauptwerk: die *Fresken des Jüngsten Gerichtes, des Paradieses u. der Hölle* in der Strozzi-Kapelle in S. Maria Novella in Florenz, um 1354–57. N. ist von Orcagna beeinflußt, doch ist s. Kunst zarter als die s. Bruders, offenbar beeinflußt von der sienes. Malerei (B. → Daddi). Zugeschrieben die Freskenzyklen: im Chiostro de' Morti von S. Maria Novella, Florenz u. in der Kapelle Giochi e Bastari in der Badia, ebda. Tafelbilder: *3 Heilige*, London, Nat. Gall. *Marienkrönung*, ebda., Victoria u. Albert Mus. *Heilige*, New Haven, Yale Univ.
Lit.: A. Venturi 5, 1907. H. D. Gronau in: Th.-B. 1932. Ders., *Andrea Orcagna u. N.*, 1937. R. Oertel, *Frühzeit der ital. Malerei*, 1953.

Nash, John, engl. Arch., London 1752–1835 auf der Insel Wight, klassizist. Baumeister, der auch im got. Stil baute; als Günstling des Regenten u. späteren Königs Georgs IV. erhielt er große Bauaufgaben. Ganze Straßenzüge u. viele Bauwerke Londons gehen auf N.s Entwürfe zurück, doch ist heute vieles zerstört oder verändert.
Werke: Mehrere Stadtquartiere von London, bes. *Regent Street, Regent's Park;* die Entwürfe des *Buckingham Pal.* (1824); *Marble Arch,* der früher vor dem Buckingham Pal. stand, seit 1851 am Ausgang des Hyde Park; *All Souls Church* in Regent Street; Landsitz *Beau Manor* in Loughborough.

Lit.: P. Klopfer, *Von Palladio bis Schinkel* (Gesch. der neueren Baukunst, 9) 1911. H. Muthesius, *Neuere kirchl. Baukunst in England*, 1901. J. Summerson, 1935. G. Pauli, *Kunst d. Klassiz. u. d. Romantik*, 1925. N. Pevsner, *Europ. Architektur*, 1957.

Nash, Paul, engl. Maler, London 1889–1946 ebda., Hauptvertreter des engl. «magischen Realismus», der engl. Abart des Surrealismus, beeinflußt von den franz. Nachimpressionisten, → Cézanne, den Kubisten u. Surrealisten.
Lit.: H. Read, 1944. M. Eates, 1948.

Nason, Pieter, niederl. Maler, Den Haag (oder Amsterdam) um 1612 bis um 1690 Den Haag, schuf Bildnisse (auch Miniaturen) in der Art von → Mierevelt u. van der → Helst u. Stilleben in der Art → Kalfs. Angeblich Schüler von → Ravesteyn, tätig in Amsterdam, seit 1639 im Haag, 1666 in Berlin am Kurfürstl. Hof: *Bildnis des Großen Kurfürsten u. Gemahlin,* früher im Schloß in Berlin. *Bildnis Prinz von Oranien,* New York, Metrop. Mus. Werke in Bonn, Mus.; Charlottenburg, Schloß; Dulwich, Gall.; Utrecht, Mus.
Lit.: A. v. Wurzbach, *Niederl. Künstlerlex.* 2, 1910. H. V. in: Th.-B. 1931.

Natoire, Charles-Joseph, franz. Maler u. Radierer, Nîmes 1700–1777 Castel Gandolfo, Hauptvertreter des franz. Rokoko, Schüler von → Lemoyne, weitergebildet in Rom (1723–29), 1751 ff. Direktor der Franz. Akad. das. N. malte haupts. mythol. Gemälde, Fresken u. Vorlagen für Tapisserien.
Hauptwerke: *Darstellungen aus der Geschichte der Psyche* im Hôtel Soubise, Paris, 1737–39. Als Gobelinvorlagen entwarf er: *Geschichte des Marc Anton; Geschichte des Don Quichote.* In Mus.: *Venus u. Vulkan,* Bordeaux; *Merkur u. Amor,* Troyes; *Danae,* ebda.; *Amor u. Calypso,* ebda.
Lit.: P. Clauzel, 1897. P. Mantz, *Boucher, Lemoyne et N.*, 1880. Michel, *Hist. de l'art* VII, 1923. M. Osborn, *Kunst d. Rokoko*, 1929.

Natter, Heinrich, österr. Bildhauer, Graun (Tirol) 1846–1892 Wien, Schöpfer vieler *Denkmäler: Robert Schumann,* Leipzig, 1872; *Ulrich Zwingli* in Zürich, 1885; *Josef Haydn* in Wien, 1887; *Andreas Hofer* auf dem Berg Isel b. Innsbruck, 1893 u. v. a.

Natter, Johann Lorenz, dt. Edelsteinschneider u. Medailleur, Biberach 1705–1763 St. Petersburg, anfangs Goldschmied, Schüler von J. R. Ochs in Bern, tätig in Venedig, Florenz, Rom, Utrecht, Kopenhagen, London, Stockholm, Petersburg, gehörte zu den besten Meistern der Bildnismedaille des Klassizismus. Es schuf auch Wappen, allegor. u. mythol. Darstellungen. Gipsabgüsse s. wichtigsten Arbeiten in Biberach, Mus. N. veröffentlichte

«Traité de la méthode antique de graver en pierres fines,» 1754.

Nattier, Jean-Marc, d. J., franz. Maler, Paris 1685 bis 1766 ebda., Hauptmeister des Porträts des franz. Rokoko (Louis XV.), porträtierte vor allem die Damen der höfischen Gesellschaft in ihrer modischen Eleganz, oft auch in mythol. Verkleidung. In s. Malerei an → Rubens geschult. Die besten s. in hellen Farben komponierten Bildnisse gehören zu den Meisterwerken der Rokokomalerei.
Beisp.: *Madame Henriette de France,* Versailles, Mus. *Prinzessin Adelaide,* 1758, ebda. *Marquise d'Antin,* 1738, Paris, Mus. Jacquemart-André. *Comtesse de Dillières,* London, Wallace Coll. *Madame Marie-Zéphyrine,* fille de Louis XV, Florenz, Uff. *Maria Leszczynska,* Dijon, Mus.
Lit.: P. de Nolhac, 1905. G. Huard, *Les peintres franç. du 18e siècle,* hg. v. L. Dimier, 1930. Michel, *Hist. de l'art* VII, 1923. M. Osborn, *Kunst d. Rokoko,* 1929.

Naue, Julius, dt. Maler, Zeichner für Holzschnitt u. Radierer, Koethen 1833–1907 München, Schüler von M. v. → Schwind, schuf unter dessen Einfluß Bilder, Freskenzyklen, Aquarellfolgen aus der dt. Sagen- u. Märchenwelt. N. war außerdem Vorgeschichtsforscher. Werke in der Schack-Gal. u. im Stadt-Mus., München.

Nauen, Heinrich, dt. Maler, Krefeld 1880–1940 Kalkar, Hauptvertreter des dt. Expressionismus, Schüler der Akad. Düsseldorf u. Stuttgart, weitergebildet unter dem Einfluß → Cézannes u. der → Fauves, kam früh zu einem eigenen expressiven Stil in s. *Wandgemälden von Schloß Drove* b. Düren, 1912–14. N. schuf Bildnisse, Stilleben, Landschaften, religiöse Darstellungen u. war auch als Graphiker bedeutend. Werke in Aachen, Berlin, Barmen, Düsseldorf, Elberfeld, Essen, Hamburg, Köln, Nürnberg, Ulm.
Lit.: E. Suermondt, 1922. M. Creutz, 1926. P. Wember, 1948.

Naumburger Meister, dt. Bildhauer des 13. Jh., vermutlich aus der Mainzer Gegend, Hauptmeister s. Epoche, offenbar in Nordfrankreich geschult, um 1225 wohl in Amiens, um 1235 in Reims (auch wohl in Noyon u. Chartres), seit Ende der 30er Jahre in Mainz, seit Ende der 40er Jahre in Naumburg tätig, schuf als Hauptwerk die *Stifterfiguren im Westchor des Naumburger Doms,* Hauptwerke der dt. Plastik. Für diese Arbeiten nimmt man einen einzigen überragenden Meister an, dem allerdings Gehilfen zur Verfügung standen. Weitere Werke des Meisters: *Reliefgruppe des hl. Martin zu Pferde* in Basselheim, Pfarrkirche. *Relief des Jüngsten Gerichtes* (Bruchstück), vom ehem. Westlettner des Mainzer Doms.

Lit.: H. Beenken, 1939. G. Dehio, *Geschichte der dt. Kunst* I. W. Pinder, *Der Naumburger Dom u. der Meister s. Bildwerke,* 1939. H. H. Küas, *Die Meisterwerke im Naumburger Dom,* [2] 1943. Ders., *Die Naumburger Werkstatt,* 1937. A. Stange u. Wolff-Metternich, *Der Bassenheimer Reiter,* [2] 1937. P. Metz, *Der Stifterchor des Naumburger Domes,* 1947. E. Panofsky, *Dt. Plastik d. 11.–13. Jh.,* 1924. H. Jantzen, *Dt. Bildh. d. 13. Jh.,* 1925.

Navarrete, Juan Fernandez de → Fernandez de Navarrete, Juan.

Navez, François, belg. Maler, Charleroi 1787 bis 1869 Brüssel, Vertreter des Klassizismus, Schüler von J. L. → David in Paris, 1817–21 in Italien, seit 1822 in Brüssel, 1835–69 Direktor der Akad. Brüssel, schuf religiöse u. hist. Werke u. Bildnisse in der Art Davids. Werke: *Himmelfahrt Mariä,* Brüssel, Ste-Gudule. *Athalie,* 1830, Brüssel, Mus. *Gruppenbildnis der Familie Hemptinne,* 1816, ebda.
Lit.: L. Alvin, 1870.

Nay, Ernst Wilhelm, dt. Maler, * Berlin 1902, Vertreter der abstrakten Kunst, Schüler von Karl → Hofer, gelangte nach 1945 zur gegenstandslosen Malerei, seit 1951 in Köln tätig; beeinflußt von → Kandinsky, → Jawlensky u. a. Er gilt als Hauptvertreter der «expressiven Abstraktion». Vertreten in den Mus. Düsseldorf, Frankfurt, Halle, Hamburg, Hannover, Köln, Mainz, Wuppertal u. a.
Lit.: *Ausst.-Kat.,* Lübeck 1947. W. Haftmann, *Dt. abstrakte Maler,* 1953. Vollmer, 1956. Seuphor, *Dict. peint. abstr.,* 1957. Ders., *Knaurs Lex. abstr. Mal.,* 1957. G. Hassenpflug, *Abstrakte Maler lehren,* 1959. *Neue Kunst nach 1945,* hg. v. W. Grohmann, 1958.

Nazarener, Bezeichnung für eine Gruppe junger dt. Künstler Anfang 19. Jh., die sich als Vereinigung der Lukasbrüderschaft zusammentaten, begründet 1809 von F. → Overbeck u. s. Freunden → Pforr, Vogel u. Hottinger in Wien; diese zogen 1810 nach Rom u. bezogen als Wohnsitz das ehem. Kloster S. Isidoro. 1811 gesellte sich → Cornelius zu ihnen, dann Wilhelm → Schadow, → Schnorr v. Carolsfeld u. die Brüder → Veit. Die Gruppe trat zum katholischen Glauben über u. erhob die ihr als Spottname zugelegte Bezeichnung der N. zum Ehrennamen. Die künstlerische u. religiöse Haltung der N. fand zuerst ihren Ausdruck in der *Ausschmückung der Casa Bartholdy,* Rom, mit Fresken, 1816–17, heute Berlin, staatl. Mus. u. darauf im *Freskenschmuck des Casino Massimi,* Rom, seit 1819. Die Wirkung der N. auf die Kunst war groß; sie blieb bis in die 2. Hälfte des Jh. bestehen u. verbreitete sich in England u. Frankreich: die engl. → Präraffaeliten, → Armitage, → Dyce, → Flandrin,

Ary → Scheffer u. a. waren von ihnen beeinflußt. Künstlerisch hatten sie vor allem die Frühwerke der ital. Meister der Hochrenaissance zum Vorbild genommen: die Madonnen Peruginos, Raffaels u. a. Lit.: F. H. Lehr, *Blütezeit romant. Bildkunst.* F. Pforr, *Der Meister des Lukasbundes,* 1924. P. F. Schmidt, *Die Lukasbrüder,* 1924. C. G. Heise, *Overbeck u. s. Kreis,* 1928. K. Gerstenberg u. P. O. Rave, *Die Wandgemälde der dt. Romantiker im Casino Massimo,* 1934. G. Gröschel, *Die N. u. ihre Beziehungen zur altdt. Malerei,* Diss. Erlangen 1937. H. Verbeck-Cardauns, *Die Lukasbrüder,* 1947. H. Hildebrandt, *Kunst d. 19. u. 20. Jh.,* 1924. G. Pauli, *Kunst d. Klassizism. u. d. Romantik,* 1925.

Nebel, Otto, dt.-schweiz. Maler, * Berlin 1892, Schüler → Kandinskys, gehörte dem Kreis des «Sturm» in Berlin an, mit P. → Klee befreundet, malt seit 1918 ungegenständlich. N. ist in Bern auch als Graphiker u. Kunstschriftsteller tätig. Werke in New York, Guggenheim Mus. Lit.: K. Liebmann, 1935.

Neck, Jan van, niederl. Maler, Naarden 1635 bis 1714 Amsterdam, Schüler von Jak. → Backer in Amsterdam (nach Houbraken), tätig in Amsterdam, schuf Bildnisse u. Bilder mythol. u. bibl. Inhalts. Hauptwerke: Gruppenbildnis: *Anatomievorlesung des Prof. Ruysch,* Amsterdam, Rijksmus. Werke in den Gal. von Amsterdam, Dessau, Kopenhagen, Leningrad, Wien u. a.

Neder, Johann Michael, österr. Maler, Oberdöbling b. Wien 1807–1882 Wien, Meister biedermeierlicher Genrebilder aus dem alten Wien, Schüler der Wiener Akad. unter → Waldmüller, vertreten in der Gal. des 19. Jh. (Oberes Belvedere) u. in den städt. Slgn., Wien; in der Gal. Liechtenstein (Vaduz) u. a. Lit.: Wurzbach, *Biogr. Lex. Oesterr.,* 1869.

Neefs (Neeffs, Nefs), Pieter, d. Ä., niederl. Maler, Antwerpen um 1578 bis um 1660 ebda., Meister des kirchlichen Innenraumbildes mit von F. → Francken, → Teniers u. a. ausgeführten Staffagefiguren. N.s Bilder sind in exakter scharfer Zeichnung, genauer Wiedergabe der Raumweite u. mit feinen Beleuchtungseffekten ausgeführt. Er ist in fast allen größeren Gal. vertreten: London, Wien, Florenz, Braunschweig, Leipzig u. a. In s. Art arbeiteten auch s. beiden Söhne: *Pieter d. J.,* 1620–1675 u. *Lodewych,* * 1617. Lit.: H. Jantzen, *Das niederl. Architekturbild,* 1910.

Neer, Aert van der, niederl. Maler, Amsterdam(?) um 1603–1677 ebda., Hauptmeister der holl. Landschaftskunst, stand anfangs unter dem Einfluß der Brüder → Camphuysen; auch Beziehungen zu Esaias van der → Velde u. P. → Molijn nachweisbar. Seit 1630 in Amsterdam tätig, malte mit Vorliebe Flußlandschaften bei Sonnenuntergang oder Mondschein, auch Winter- u. von Feuersbrünsten erhellte Landschaften. Meisterhaft ist die Wiedergabe der lichterfüllten Atmosphäre; bes. fein ist der Himmel beobachtet. Oft ruht ein poetischer Zauber über den Bildern. Beisp.: *Kanallandschaft bei Mondschein,* Antwerpen, Mus. *Winterlandschaft mit Golfspielern,* Amsterdam, Rijksmus. *Sonnenuntergang,* Kassel, Gal. *Die Feuersbrunst,* Brüssel, Mus. N. ist u. a. vertreten in den Mus. Amsterdam, Antwerpen, Brüssel, Berlin, Budapest, Frankfurt a. M., Genf, Hamburg, Kassel, Leipzig, Leningrad, London, Nat. Gall. u. Wall. Coll.; New York, Metrop. Mus.; Wien. Lit.: C. Hofstede de Groot, *Beschreib. u. krit. Verz.* 7, 1918. W. Bode, *Meister der holl. u. fläm. Malerschulen,* 1917. R. Grosse, *Holl. Landschaftsmalerei 1600–1650,* 1925. Wurzbach, *Niederl. Künstlerlex.,* 1910.

Neer, Eglon Hendrik van der, niederl. Maler, Amsterdam 1635/36–1703 Düsseldorf, Schüler s. Vaters Aert v. d. → N., seit 1690 Hofmaler des Kurfürsten v. der Pfalz in Düsseldorf, malte Gesellschaftsbilder in der Art des F. → Mieris, Landschaften u. kleine Bildnisse.

Nefs, Pieter → Neefs, Pieter.

Neher, Bernhard, dt. Maler, Biberach 1806 bis 1886 Stuttgart, Schüler von P. → Cornelius, weitergebildet in Rom unter dem Einfluß der → Nazarener (→ Overbeck, → Veit), tätig in München, Weimar, Leipzig, Stuttgart, behandelte vor allem bibl. Stoffe in der Art der Historienbilder Cornelius'. Werke: Fresken: *Kaiser Ludwigs Einzug in München,* am Isartor in München. *Darstellungen nach Werken von Schiller u. Goethe,* 1836–46 in den Dichterzimmern des Weimarer Schlosses. Bibl. Bilder: *Abraham mit den Engeln vor s. Zelt,* 1832, Basel, Mus. N. schuf die Kartons für die *Fenster des Chors der Stiftskirche u. der Johanneskirche in Stuttgart.* Lit.: O. Fischer, *Schwäb. Malerei des 19. Jh.,* 1925.

Neher, Michael, dt. Maler, München 1798 bis 1876 ebda., Architekturmaler, Bruder von Bernhard → N., Schüler der Münchner Akad., weitergebildet in Italien, malte vor allem Ansichten von Architekturwerken, bes. von got. Kirchen, sauber u. genau in der Art der Münchner Biedermeiermalerei. In Schloß Hohenschwangau *dekorative Wandmalereien* nach Entwürfen v. → Schwind, 1836/37. Beisp.: *Wallfahrtskirche,* 1837, Berlin, Nat. Gal. *Der ehemal. Laroséeturm in München,* 1842, München, N. P. *Klosterkirche in Bebenhausen,* 1848, ebda. *Dom in Magdeburg,* 1855, ebda.

Nehrlich, Friedrich → Nerly, Friedrich.

Neithardt, Mathis → Grünewald, Matthias.

Nelkenmeister, Meister mit der Nelke, Bezeichnung für eine Gruppe von schweiz., tirol. u. süddt. Meistern der Bodenseegegend, Ende 15. bis Anfang 16. Jh., auf deren Bildern – möglicherweise als Signatur, vielleicht aber auch als gemeinsame Werkstattbezeichnung – eine Nelke vorkommt. Die Werke übersteigen selten eine gediegene handwerkliche Tüchtigkeit. Nur wenige profilierte Persönlichkeiten können herausgestellt werden. Als Beispiele bringen wir:

Berner Nelkenmeister, schweiz. Maler des 15. Jh., tätig in Bern 1466–99, auch Meister des Berner Johannes-Altars gen., nach s. umfangreichsten Hauptwerk, dem *Johannes-Altar* für das Berner Münster, um 1500; von diesem Werk sind 4 Tafeln im Mus. in Bern; 2 in Zürich, Kunsth.; Innenseite eines Flügels in Budapest, Mus. (Tanz der Salome). Der von der niederl. beeinflußten Schule herkommende Meister (Konrad → Witz einerseits; Barthol. → Zeitblom anderseits) wird von manchen Forschern mit *Paul Löwensprung* identifiziert. Dem Meister werden ferner *Fresken aus dem ehem. Dominikanerkloster in Bern* zugeschrieben (in Resten erhalten); Werke im Berner Mus.; im Kunsth. Zürich u. a. Dagegen werden die *Fresken der Münstervorhalle in Bern* heute einem «Nelkenmeister des Berner Oberlandes» zugesprochen, dessen Hand in einer Werkgruppe sichtbar wird. Auch der *Hochaltar der Franziskanerkirche in Freiburg i. Ü.*, 1480, wird heute dem Berner N. abgesprochen u. mit mehreren anderen Meistern in Verbindung gebracht.

Zürcher Nelkenmeister, schweiz. Maler, tätig in Zürich um 1490–1505, wohl identisch mit *Hans Leu d. Ä.*, † 1507, dem → Schongauerschen Kunstkreis näherstehender Meister; ihm werden zugeschrieben: *Altar vom Kappelerhof*: 4 Tafeln aus dem ehem. Amtshaus des Klosters Kappel, in Zürich, Landesmus.; 2 weitere Tafeln ebda.; 4 Tafeln, wohl von einem Michaelsaltar, Zürich, Kunsth.; *Bildnis Hans Schneeberger*, ebda. *Ehem. Hochaltar des Großmünsters*: einige Reste im Schweiz. Landesmus., Zürich. *Gastmahl des Herodes*, Berlin, ehem. K.-F.-Mus. Auch vom Oeuvre des Zürcher N. werden Teile wiederum andern Händen zugewiesen u. ein «Meister des Sippenaltars»; ein «Badener N.» u. a. unterschieden. Lit.: J. Gantner, *Kunstgesch. der Schweiz* 2, 1947. P. M. Moullet, *Les maîtres à l'oeillet*, 1943. Wehrli in: Th.-B. 1950. W. R. Deusch, *Dt. Mal. d. 15. Jh.*, 1936. G. Schmidt/A. M. Cetto, *Schweiz. Mal. u. Zeichn. im 15. u. 16. Jh.*, 1940.

Nelli, Ottaviano, ital. Maler, tätig in Umbrien u. den Marken (Gubbio, Perugia, Urbino) um 1400 bis 1440, von Lor. u. Jac. → Salimbeni beeinflußter

Meister kirchlicher Werke. Hauptwerke: *Madonna mit Kind u. Heiligen* u. *Szenen aus der Legende des hl. Augustinus*, Gubbio, S. Maria Nuova (Fresken v. 1404). Werke in Gubbio, S. Agostino; Assisi, S. Francesco; Assisi, Mus.; Città di Castello, S. Maria delle Grazie; Rom, Vatik. Pinak. u. a.
Lit.: Perkins in: Th.-B. 1931. R. van Marle, *Ital. Schools* 14, 1933.

Neo-Plastizismus, die von → Mondrian aufgestellte Doktrin einer rein «plastischen» Malerei. Im wesentlichen beruht sie auf dem ausschließlichen Gebrauch des rechten Winkels mit horizontal-vertikaler Lage seiner Schenkel u. der 3 Primärfarben, zu denen sich Weiß, Schwarz u. Grau gesellen. Der 1. Schüler Mondrians war Theo van → Doesburg. Zusammen gründeten sie 1917 die Zschr. «De →Stijl» in Amsterdam. Zu ihren Mitarbeitern gehörten Huszar u. Vantongerloo. Mondrian hat seine Ideen in «Le Néoplasticisme» 1920, dargelegt (dt. «Neue Gestaltung», 1925).
Lit.: Knaurs Lex., 1955.

Neri di Bicci, ital. Maler. * Florenz 1419, Meister religiöser Werke, Zeitgenosse des Filippo → Lippi, hatte in großes Atelier inne mit zahlreichen Schülern, u. a. Cosimo → Rosselli u. Francesco → Botticini. Werke in vielen florent. Kirchen, in den Uff. u. der Akad. in Florenz; Fabriano, Arezzo, Parma, Siena, Viterbo, Grenoble, Rouen, Toulouse, Köln, Cleveland, Philadelphia u. a.
Lit.: R. van Marle, *Ital. Schools* 10, 1928.

Nering, Johann Arnold, dt. Arch., Wesel 1659 bis 1695 Berlin, wurde 1691 kurfürstl. Brandenburg. Baudirektor; er entfaltete eine umfangreiche, für die Bauweise Berlins entscheidende Tätigkeit. Das meiste abgebrochen oder verändert: u. a. Seitenflügel des Stadtschlosses in Potsdam, 1683 beg.; die Orangerie, ebda., 1685; am Schloß in Berlin: Arkadenbau an der Wasserseite, um 1690; Ausbau des «Alabastersaales», ebda.; Erweiterungsbau von Schloß Oranienburg, seit 1690; Schloß Charlottenburg, Mittelbau, beg. 1695; Parochialkirche, beg. 1695; *Lange Brücke*, Berlin, 1692–94, u. v. a. Einziger unveränderter Bau: *Schloßkapelle Köpenick*, 1682–85. N. ging vom klassizist., franz.-holländ. beeinflußten Stil aus, den er zu einer verständigmaßvollen, wohlgegliederten Bauweise entwickelte, die für Norddeutschland richtungsgebend wurde. Lit.: R. Borrmann, *Die Bau- u. Kunstdenkmäler von Berlin*, 1893. R. Herz, *Berliner Barock*, 1928. G. Fritsch in: Th.-B. 1931, M. Wackernagel, *Baukunst d. 17. u. 18. Jh.* (Handb. d. K. W.), 1915. G. Dehio, *Gesch. d. dt. Kunst* 3, 1926.

Nerly, eig. Nehrlich, Friedrich, dt. Maler, Erfurt 1807–1878 Venedig, arbeitete 1829–37 in Rom, seit-

dem in Venedig, schuf mit Staffage belebte Gemälde der ital. Landschaft. In s. Kunst von den Dt.-Römern, bes. J. A. → Koch, beeinflußt. N. ist reich vertreten im Mus. Erfurt. Ferner in den Gal. Berlin, Hamburg, Kiel, Schwerin, Kopenhagen.
Lit.: P. F. Schmidt, *Dt. Malerei um 1800* 1, 1922. W. R. Deusch, *Malerei d. dt. Romantiker*, 1937.

Neroccio di Bartolomeo di Benedetto di Landi, gen. Neroccio, ital. Maler u. Bildhauer, Siena 1447 bis 1500 ebda., schuf im Stil der siens. Schule zarte hellfarbige Altarbilder u. malerisch aufgefaßte Bildwerke, Schüler von → Sassetta u. → Vecchietta, arbeitete 1467–75 gemeinsam mit → Francesco di Giorgio.
Werke als Maler: Triptychon v. 1476: *Madonna mit den hll. Michael u. Bernhardin*, Siena, Akad. *Thronende Madonna mit 6 Heiligen*, 1492, ebda. Werke des Bildh.: *Holzfigur der hl. Katharina v. Siena*, Siena, Casa di S. Caterina; *Marmorstandbild der hl. Katharina v. Alexandrien*, 1487 beg., ebda., Taufkapelle des Domes. Weitere Werke in Siena; ferner Bergamo, Berlin, Frankfurt, Paris (Louvre), Brüssel, Cambridge, Newhaven (USA) u. a.
Lit.: P. Schubring, *Die Plastik Sienas im Quattrocento*, 1907. Ders. in: Th.-B. 1928. A. Venturi VI, 1908 u. VIII, 1, 1923. C. Brandi, *Quattrocentisti Senesi*, 1949. J. Pope-Hennessy, *La Peint. Siennoise du Quattrocento*, 1947.

Nervi, Pier Luigi, ital. Arch., * Sondrio 1891, führender Vertreter des neuzeitlichen Bauens; mit Vorliebe weitgespannte Hallen- u. Kuppelräume in Stahlbeton aus vorfabrizierten Einzelheiten. Hauptbauten: *Stadion* in Florenz, 1932; *Große Ausstellungshalle für die Turiner Messe*, 1948/49; *Pirelli-Hochhaus* in Mailand, 1955–58 (zus. mit andern); *Unesco-Gebäude* in Paris, 1953–58 (zus. mit andern); bes. den großen Konferenzsaal); *Bauten für die Olymp. Spiele* in Rom, voll. 1960.
Lit.: C. Argan, 1954. E. N. Rogers, 1957.

Nesch, Rolf, dt.-norweg. Maler u. Radierer, * Obereßlingen (Württemberg) 1893, Schüler der Dresdner Akad., 1924 bei E. L. → Kirchner in Davos, tätig in Hamburg u. seit 1933 in Norwegen (1933 bis 51 in Oslo, seitdem in Aal b. Oslo), beeinflußt von → Munch, pflegt haupts. den farbigen Metalldruck v. 2 Platten; nähert sich der Abstraktion. Als Maler vertreten in der Kunsth. Bremen.
Lit.: W. Grohmann in: «Cahier d'Art» 1, 1953. W. Haftmann, *Malerei des 20. Jh.*, 1954. Vollmer, 1956. *Knaurs Lex. abstr. Malerei* (M. Seuphor) 1957. *Neue Kunst nach 1945*, hg. v. W. Grohmann, 1958.

Netscher, Caspar, niederl. Maler dt. Abstammung, Heidelberg 1639–1684 Den Haag, Meister von Gesellschaftsstücken, Schüler von H. de Coster u. G. →

Terborch, nach Italienaufenthalt im Haag tätig, malte zunächst Genrestücke in der Art Terborchs, später vor allem Damen in prächtiger Umgebung u. reine Porträts in einer von der franz. Kunst beeinflußten Art. N. bildet mit A. von der → Werff u. a. eine Gruppe von Meistern des spätbarocken holl. Gesellschaftsstückes.
Werke: *Dame am Klavier neben singendem Herrn*, 1666, Dresden, Gal. *Die Spitzenklöpplerin*, London, Wallace Coll. *Dame beim Ankleiden*, Dresden, Gal. *Musikal. Unterhaltung*, München, A. P. *Bildnis einer Dame*, angebl. Frau v. Montespan, Dresden, Gal. *Junge Dame mit Papagei*, 1673, Amsterdam, Rijksmus. *Mütterliche Unterweisung*, London, Nat. Gall. *Selbstbildnis*, 1678, Leningrad, Eremitage. *Vertumnus u. Pomona*, 1681, Berlin, staatl. Mus. N. ist gut vertreten in den Gal. Amsterdam, Dresden, Kassel, Den Haag, München.
Lit.: C. Hofstede de Groot, *Beschreib. u. krit. Verz.* 5, 1912.

Netscher, Constantin, niederl. Maler, Den Haag 1668–1723 ebda., Sohn von Caspar → N., setzte den Spätstil des Vaters fort, gesuchter Porträtist, schuf auch einige mythol. Bilder (*Venus beweint Adonis*, Paris, Louvre). Werke in den Mus. Den Haag, Weimar, Dessau u. a.
Lit.: Wurzbach, *Niederl. Künstlerlex.*, 1910.

Netscher, Theodor, gen. de Fransche N., niederl. Maler, Bordeaux 1661–1732 Hulst, Sohn u. Schüler von Caspar → N., tätig in Paris 1679–99, Den Haag, London 1715–21, dann wieder in Holland, malte vor allem Bildnisse in der Art s. Vaters u. Früchtestilleben. Werke in London, Buckingham Pal.; Cambridge, Haarlem, Chantilly u. a.
Lit.: Wurzbach, *Niederl. Künstlerlex.*, 1910.

Neue Sachlichkeit, Bezeichnung für eine um 1922 einsetzende künstlerische Richtung, die in bewußtem Gegensatz zum Expressionismus wieder das objektive Dasein der Gegenstände erfaßt. Die N. S. war keine Kunstströmung von langer Dauer, auch v. anderen Richtungen schwer abgrenzbar (Surrealismus), hatte aber doch bedeutenden Einfluß auf die Folgezeit. Bekannte Vertreter: → Kanoldt, → Schrimpf, Scholz, Lenk.
Lit.: F. Roh, *Nachexpressionismus*, 1925.

Neufchatel, Nicolas (Colyn van Nieucasteel), gen. *Lucidel*, niederl. Maler, * in der Grafschaft Bergen um 1527, † um 1600 Nürnberg, Schüler von Pieter → Coecke van Aelst in Antwerpen, tätig ebda. u. 1561 ff. in Nürnberg, wo er der bevorzugte Porträtist des Patriziats wurde. N. war neben H. → Muelich der bedeutendste Bildnismaler um 1560 in Deutschland. Seine Art weiterentwickelt von s. Schülern N. Juvenel u. L. Strauch.

Beisp.: *Bildnis des Schreibmeisters Joh. Neudörfer mit Sohn,* 1561, München, A. P. *Doppelbildnis Balth. Dörrer u. Gattin,* Karlsruhe, Gal. *Bildnis eines Kavaliers,* Kassel, Gal. Werke in den Mus. Berlin, Brüssel, Budapest, Darmstadt, London, München, Nürnberg, Kopenhagen u. a.
Lit.: R. A. Peltzer in: Münchner Jb. der bild. Kunst, N. F. 3, 1926 (m. Lit. u. Kat.).

Neuhuys, Albert, niederl. Maler, Utrecht 1844 bis 1914 Zürich, malte Szenen aus dem Leben der Bauern, beeinflußt von → Israels.
Beisp.: *Drenter Arbeiterheim,* Rotterdam, Boymans-Mus. *Drenter Bauernstube,* Den Haag, Mauritshuis. *Fischerliebschaft,* 1880, Amsterdam, Rijksmus. *Bäuerlicher Liebesfrühling,* München, N. P.
Lit.: D. W. Martin, 1915.

Neumann, Balthasar, dt. Arch., Eger 1687 bis 1753 Würzburg, Hauptmeister des dt. Spätbarock, begann als Militär u. Ingenieur, 1719 von Fürstbischof Phil. Franz v. Schönborn zum Leiter des Bauwesens ernannt, entwarf im gleichen Jahr den 1. Bauplan für die *Fürstbischöfliche Residenz in Würzburg,* s. Hauptwerk unter den weltlichen Bauten, der vornehmste dt. Schloßbau des Barock. Für den Bau wurden noch zugezogen: Joh. Lukas v. → Hildebrandt, Max → Welsch, Robert de → Cotte u. Germain → Boffrand; alle diese Einflüsse des Wiener u. des franz. Barock vereinigte N. zu einer harmonischen Gesamtleistung. Das große *Treppenhaus* des Schlosses mit dem Deckengemälde von → Tiepolo ist einer der größten Raumeindrücke des dt. Barock. Die Residenz im Außenbau 1744, die Innenausstattung um 1754 voll. Auch die Kirchenbauten N.s bezeugen s. außerordentliche Raumphantasie: *Wallfahrtskirche Vierzehnheiligen* b. Bamberg, 1745–72; *Abteikirche Neresheim,* 1745–92 (beide Kirchen nach N.s Tode voll.).
Weitere Hauptwerke: *Treppenhaus im Kloster Ebrach,* 1716. *Schloß Werneck,* 1733–37. *Treppenhaus im Schloß Bruchsal,* 1729–33. *Treppenhaus im Schloß Brühl* b. *Bonn,* 1743–48. Kirchenbauten: *Peterskirche in Bruchsal,* 1740–44. *Kirche in Etwashausen,* 1741. *Kirche in Gaibach,* 1740–45. *Wallfahrtskirche Käppele* b. Würzburg, 1747–50.
Lit.: Keller, 1896. M. Hauttmann, *Geschichte der kirchl. Baukunst in Bayern, Schwaben u. Franken,* 1921. Sedlmayr u. Pfister, *Die fürstbischöfl. Residenz in Würzburg,* 1923. G. Dehio, *Geschichte der dt. Kunst* 3, 1926. W. Pinder, *Dt. Barock* (viele Aufl.). A. Feulner in: Die großen Deutschen 2, 1935. R. Teufel, *Wallfahrtskirche Vierzehnheiligen,* 1936. F. Knapp, 1937. H. v. Freeden, *B. N. als Stadtbaumeister,* 1937. W. Hager, *Bauten des dt. Barocks,* 1942. Th. A. Schmorl, 1946. G. Neumann, *Neresheim,* 1947. M. H. v. Freeden, 1953 u. 1960. N. Pevsner, *Europ. Arch.,* 1957 (m. Bibliogr.).

Neumann, Ernst, dt. Maler, Zeichner u. Graphiker, Kassel 1871–1954 Düren, Vertreter des Jugendstils, Mitbegründer des «Simplizissimus» u. der «Jugend»; führend beteiligt am Wiederaufblühen des farbigen Holzschnitts um die Jahrhundertwende.

Neureuther, Eugen Napoleon, dt. Maler u. Zeichner, München 1806–1882 ebda., Schüler der Akad. das. u. Mitarbeiter → Cornelius' bei der Ausmalung der Glyptothek, 1848–56 künstlerischer Leiter der Porzellanmanufaktur Nymphenburg, 1868–77 Lehrer der Münchner Kunstgewerbeschule, malte Szenen aus der dt. Dichtung in einer → Schwind verwandten Art. Beliebt waren s. Illustrationen zu dt. Dichtungen: Zeichnungen für Holzschnitte zu *Goethes Götz,* 1846; *Neureuther-Album,* hg. 1918.
Lit.: C. Glaser, *Graphik der Neuzeit,* [10]1923.

Neutra, Richard, österr.-amerik. Arch., * Wien 1892, führender Baumeister des modernen Wohnstils, studierte bei O. → Wagner in Wien, arbeitete 1921/22 bei E. → Mendelssohn in Berlin, 1923 ff. in den USA tätig, 1924 bei F. L. → Wright in Taliesin, ließ sich 1925 in Los Angeles nieder. N. setzt sich vor allem für eine dem individuellen Lebensstil angepaßte Wohnbauweise ein, welche die Bauten in Beziehung zur Landschaft setzt («biologische» Bauweise). In manchen s. Gedanken berührt sich N. mit F. L. Wright. Seine Wohn-, Schul- u. Siedlungsbauten haben die Entwicklung der modernen Architektur stark beeinflußt. N. leitete ein großes Architekturbüro in Los Angeles mit vielen Mitarbeitern, dessen Aufgabenbereich sich immer mehr ausweitet: Stadtplanungsaufträge für Guam, Venezuela, Sacramento; die Amerik. Gesandtschaft in Pakistan. *S. Bernardino Medical Center* in Los Angeles. Schriften: «Wie baut Amerika», 1926. «Survival through design», 1954.
Lit.: W. Boesiger 1, 1951; 2, 1957. *Bilderband R. N.,* 1950–60; 1960.

Nicolò dell' Abbate → Abbate, Niccolò.

Niccolò dell' Arca → Arca, Niccolò.

Niccolò da Foligno → Niccolò di Liberatore.

Niccolò di Liberatore, fälschlich Alunno gen., ital. Maler, Foligno um 1430–1502 ebda. Bedeutender Vertreter der umbrischen Schule, bildete sich unter dem Einfluß des in der Nähe von Foligno arbeitenden Benozzo → Gozzoli; in späteren Bildern Anklänge an Carlo → Crivelli u. → Vivarini. Altarbilder meist auf Goldgrund, von herbem Ausdruck. Werke: *Madonna mit Kind u. Heiligen,* Trptychon, um 1460, Assisi, Dom. *Verkündigung,* 1466, Perugia, Pinac. *Passionsszenen,* Triptychon, 1487, London, Nat. Gall. *Krönung Mariä,* 1492, Foligno, S. Niccolò.

Werke in Mailand, Brera; Paris, Louvre; Bologna, Gal.; Boston, Mus.; Cambridge (USA), Fogg Mus. Zeichnungen in Berlin, Kupferstichkab. u. London, Brit. Mus.
Lit.: R. Ergas, 1912. E. Jacobsen, *Umbrische Malerei des 14.–16. Jh.*, 1914. U. Gnoli, *Pittori e miniatori nell'Umbria*, 1923.

Niccolò di Piero Lamberti → Lamberti, Niccolò di Piero.

Niccolò di Pietro Gerini → Gerini, Niccolò.

Niccolò di Tommaso, ital. Maler, tätig in Florenz Mitte 14. Jh., beeinflußt von → Nardo di Cione, schuf *Fresken im Convento del T.* in Pistoia; *Altarwerk* im Chor der Kirche S. Antonio Abate in Neapel; *Marienkrönung*, Florenz, Akad.; *Thronende Madonna mit Engeln u. Heiligen*, Lugano, Slg. Schloß Rohoncz. Vertreten in Rom, Pinac. Vatic.; Philadelphia, Slg. Johnson (*Geburt Christi*) u. a.
Lit.: A. Venturi 5, 1907. R. van Marle, *Ital. Schools* 3, 1926. R. Offner, *Studies in Florent. Paint.*, 1927. H. D. Gronau in: Th.-B. 1931.

Nicholson, Ben, engl. Maler, * Denham (Buckinghamshire) 1894, führender engl. abstrakter Meister, Sohn von William → N., begann unter dem Einfluß der Kubisten, später nachhaltig von → Mondrian beeindruckt, Mitglied der Gruppe «Abstraction-Création» u. der engl. Gruppe «Axis», lebte seit 1958 in Ascona, später Brissago/Gadero (Schweiz). N. entwickelte seit ca. 1945 einen sehr persönlichen Stil; die Unterscheidung von gegenständlich-ungegenständlich läßt er nicht gelten. Neben reinen Abstraktionen brachte er hervorragende Zeichnungen u. Bilder nach der Natur hervor. Einziges Ziel der Kunst sei «eine sich selbst genügende Kraft» zu sein. Beisp.: *Walton Wood Cottage*, 1928 (Slg. Helen Sutherland, Penrith). *Painted relief*, 1943 (Slg. Forberg, St. Moritz). Werke in vielen mod. Mus. der Welt.
Lit.: J. Summerson, 1948. *B. N. Paintings*, hg. v. H. Read, 1948–1956 (2 Bde.). J. P. Hodin, 1958. Knaurs Lex., 1955. Die Kunst u. das schöne Heim, 1955. M. Seuphor, *Knaurs Lex. abstr. Mal.*, 1957. *Neue Kunst nach 1945*, hg. v. W. Grohmann, 1958. A. Kesser in: Graphis 93 (Jan./Febr.), 1961. W. Haftmann, *Mal. d. 20. Jh.*, 1954.

Nicholson, William, engl. Maler u. Graphiker, Newark on Trent 1872–1949 Blewbury, bedeutender Bildnismaler, Maler v. Landschaften u. Stilleben, bekannt vor allem als Erneuerer der engl. Holzschneidekunst. Zus. mit James Pryde schuf er das neuzeitliche Holzschnitzplakat. Sie signierten: Beggerstaff Brothers.
Lit.: C. Glaser, *Graphik der Neuzeit*, [10]1923. R. Nichols, 1948.

Nickelen (Nickele), Isaak, niederl. Maler, * Haarlem, † 1703 ebda., malte haupts. Kircheninterieurs; vielleicht Schüler von → Saenredam. Werke in vielen Gal., u. a. Amsterdam, Berlin, Braunschweig, Brüssel, Cambridge, Darmstadt, Gotha, Halle, Hannover, Kopenhagen, Leningrad, Paris, Rotterdam, Stockholm, Venedig (Mus. Corrèr).
Lit.: Wurzbach, *Niederl. Künstlerlex.*, 1910.

Nickelen (Nickele), Jan, niederl. Maler, Haarlem 1656–1721 Kassel, Sohn u. Schüler von Isaak → N., tätig in Haarlem, 1716ff. in Kassel Hofmaler der Landgrafen v. Hessen-Kassel, schuf Kircheninterieurs, Prospekte, Landschaften, Tierbilder, auch Radierungen. Werke in Dresden, Mannheim, Speyer, Kassel, Schloß Wilhelmshöhe (Kassel) u. a.
Lit.: Wurzbach, *Niederl. Künstlerlex.*, 1910.

Niederhäusern, Auguste de, gen. Rodo, schweiz. Bildhauer, Vevey 1863–1913 München, Schüler von B. → Menn in Genf u. → Falguière in Paris, arbeitete 8 Jahre bei → Rodin, dessen Kunst von entscheidender Bedeutung für die seine. N. schuf Bildnisbüsten; im Parlamentsgebäude in Bern die *Rütligruppe*.

Nielsen, Ejnar, dän. Maler, * Kopenhagen 1872, Neuromantiker, ging vom Naturalismus zu einer die Fläche betonenden Vereinfachung der Form u. symbolist. Haltung über. Werke: *Krankes Mädchen*, Kopenhagen, Mus. *Mann u. Frau*, 1919, ebda. *Bildnis Ellen Key*, 1907, Stockholm, Mus.
Lit.: V. Jastran, 1930.

Nielsen, Kai, dän. Bildhauer u. Maler, Svendborg 1882–1924 Kopenhagen, Vertreter des dän. Neubarock, schuf den *Ymerbrunnen*, Granit, in Faaborg, 1912. *17 Granitgruppen auf dem Blaagaardsplatz* in Kopenhagen, 1913–15. *Venus mit dem Apfel*, Marmor, 1918–20, Kopenhagen, Mus. Weitere Denkmäler, Kleinbronzen u. a.
Lit.: V. Wanscher, 1926. A. Dresdener in: Nordische Rundschau, 1931.

Niemeyer, Oscar, brasilian. Arch., * Rio de Janeiro 1907, tätig ebda., Erbauer von Brasilia, der neuen Hauptstadt Brasiliens (zus. mit Lucio Costà), erbaute das *Studentenhaus in der Cité Universitaire* in Paris (zus. mit → Le Corbusier); *Museum* in Caracas; *Kongreßhaus, Pal. des Präsidenten* u. v. a. in Brasilia.
Lit.: St. Papadaki, 1950. Ders., 1956. Vollmer, 1956. H. E. Mindlin, *Neues Bauen in Brasilien*, 1957.

Nieulandt, Willem van, gen. Guglielmo Terranova, niederl. Maler, Antwerpen 1584–1635 Amsterdam, Schüler von Jacob Savery, 1602–05 in Rom bei Paul

→ Bril; tätig in Antwerpen u. Amsterdam, auch als Radierer. Werke in den Mus. Antwerpen, Braunschweig, Budapest, Cambridge, Kopenhagen, Leningrad, Wien, Würzburg u. a.
Lit.: Wurzbach, *Niederl. Künstlerlex.* 2, 1910.

Nikias, griech. Maler 2. Hälfte 4. Jh. v. Chr., aus Athen, berühmt in der Antike als Bemaler von Marmorstatuen u. Meister der Enkaustik (antikes Verfahren des Malens mittels wachsgebundener Farben), bevorzugte in s. Malereien Reiter- u. Seeschlachten, berühmt auch s. Frauen- u. Jünglingsbildnisse (Bild der Andromeda). In einigen röm. Wandmalereien glaubt man Nachbildungen s. Werke zu besitzen; so im Wandgemälde *Jo u. Argos,* Rom, Palatin; *Andromeda u. Perseus,* aus Pompeji, Neapel, Nat. Mus.
Lit.: Pfuhl, *Malerei u. Zeichn. der Griechen* 2, 1923. A. Rumpf, Malerei u. Zeichnung in: Hb. der Arch. 4, 1953.

Niklaus Gerhaert v. Leyden→ Gerhaert, Niklaus.

Niklaus v. Hagenau → Hagenau, Niklaus v.

Nikolaus v. Verdun, lothr. Goldschmied u. Emailmaler, 2. Hälfte 12. Jh., Hauptmeister der roman. Schmelzkunst, vollendete 1181 in Klosterneuburg b. Wien den *Großen Altaraufsatz* u. war um 1183 ff. in Köln u. Tournai tätig. N. ging aus der sog. Maaskunst, der hochstehenden Goldschmiedekunst der Maas- u. Rheingegend hervor u. wurde zum Bahnbrecher des got. Naturalismus auf dem Gebiet der Metallbildnerei. Er gehört zu den ersten, welche das Einströmen byzant. Formvorstellungen zu got. Linienführung verwandten. *Der Klosterneuburger Altar,* voll. 1181, Klosterneuburg b. Wien, ursprünglich ein Antependium, besteht aus 51 Grubenschmelztafeln mit Darstellungen aus dem Alten u. Neuen Testament; hier kam zum 1. Male die typologische Betrachtungsweise (Altes Testament als Hinweis auf das Neue) umfassend zur Geltung. Zugeschrieben ferner der *Dreikönigsschrein,* um 1185 bis 1200, Dom zu Köln; doch ist kaum anzunehmen, daß er selber die getriebenen Arbeiten ausgeführt hat. Mitarbeit am *Anno-Schrein,* 1183, Siegburg, Pfarrkirche; am *Albinusschrein,* 1186, Köln, St. Pantaleon; letztes bezeichnetes Werk: *Marienschrein* der Kathedrale von Tournai, voll. 1205.
Lit.: K. Drexler, *Der Verduner Altar,* 1903. O. v. Falke, *Der Dreikönigsschrein,* 1911. A. Weisgerber, *Studien zu N. v. V.,* 1940.

Nikosthenes, griech. Töpfermeister, 6. Jh. v. Chr., aus Attika; von ihm sind über 80 Vasen in schwarzfiguriger Technik u. 7 in rotfiguriger erhalten.
Lit.: Pfuhl, *Malerei u. Zeichn. der Griechen* 1, 1923. Hoppin, *Handbook of Greek black fig. vases,* 1924.

Nithart, Mathis → Grünewald, Matthias.

Ni Tsan, chines. Maler u. Dichter, * 1301, † 1374, gehört mit Kung-Wang, Wu Tschen u. Wang Meng zu den «4 Meistern der Yüan-Zeit», die eine neue Form der Landschaftsmalerei schufen.
Lit.: O. Kümmel in: Th.-B. 1931.

Nittis, Giuseppe de, ital. Maler, Barletta 1846 bis 1884 Saint-Germain-en-Laye, Meister von Landschaften u. Straßenansichten, aber auch Figurenbildern u. a., schloß sich in Paris den Impressionisten an, von → Whistler beeinflußt.
Lit.: V. Pica, 1914. M. Filograsso, 1923. L. Bénédite, 1926. E. Piceni, 1930. A. Colasanti in: Enc. Ital. 1931. G. Delogu, *Ital. Malerei,* ³1948.

Noé, Amedée, gen. *Cham,* franz. Zeichner u. Lithograph, Paris 1819–1879, Hauptvertreter der Karikatur im 2. Kaiserreich. Er schuf politische u. gesellschaftliche Karikaturen, haupts. für den «Charivari».
Lit.: F. Ribeyre, 1883. Béraldi, *Les graveurs du 19e siècle* 4, 1885.

Noguchi, Isamu, japan.-amerik. Bildhauer u. Kunstgewerbler, * Los Angeles 1904, tätig in New York, Hauptvertreter der modernen amerik. Plastik, der auch japan. Traditionen fortsetzt. 1928–29 im Atelier → Brancusis in Paris. Er schuf das Modell eines Denkmals für die Toten von Hiroshima; Tonfiguren in japan. Tradition; Blumenvasen, Lampen, «Kakemonos», Entwürfe für Gärten u. Spielplätze u. a. Vertreten in New York, Metrop. Mus. (*Mädchenkopf*).
Lit.: Sh. Takiguchi, 1953. C. Giedion-Welcker, 1955. Vollmer, 1956. W. Hofmann, *Plastik des 20. Jh.,* 1958. M. Seuphor, *Plastik unseres Jh.,* 1959.

Nolde, Emil, eig. E. Hansen, dt. Maler u. Graphiker, Nolde (Schleswig) 1867–1956 Seebüll, Hauptvertreter des dt. Expressionismus, 1884–88 Schüler der Sauermannschen Schnitzschule in Flensburg, 1892–98 Lehrer an der Gewerbeschule St. Gallen, bildete sich in München, Paris u. Kopenhagen weiter, 1899 bei → Hölzel in Dachau, 1905–07 in Dresden in naher Berührung mit dem Kreis der Mitglieder der Gemeinschaft → «Brücke», 1913/14 Reise nach Neuguinea, nach dem 1. Weltkrieg in Berlin u. Seebüll tätig, beeinflußt vor allem von van → Gogh, → Gauguin, → Munch u. → Ensor; der bedeutendste Meister religiöser Werke des Expressionismus. Hervorragend auch s. Landschaften, Blumenstilleben, Aquarelle u. s. Graphik. Das Eigenste u. Wichtigste an der Kunst N.s dürfte das elementare Erlebnis der Farbe sein.
Werke: *Blumengarten,* 1908, Halle, Mus. *Abendmahl,* 1909, ebda. *Pfingsten,* 1909, Privatbesitz. *Verspot-*

tung Christi, 1909, Leipzig, Mus. *Die klugen u. törichten Jungfrauen*, 1910, Essen, Folkwang Mus. *Tod der Maria Aegyptiaca*, 1912, ebda. *Tropenwald*, 1914, Bielefeld, Kunsth. *Grablegung*, 1915, Hamburg, Kunsth. (heute in Seebüll). *Blaue Iris*, 1915, Hamburg, Kunsth. *Schwärmer*, 1916, Köln, Wallraf-Richartz-Mus. *Selbstbildnis*, 1917, Seebüll. *Herbstblumengarten*, 1934, ebda. *Der große Gärtner*, 1940, Hannover, Slg. Sprengel. *Jesus u. die Schriftgelehrten*, 1951, Seebüll. Viele Werke heute in Seebüll, Stiftung Seebüll; in Mus. der ganzen Welt.
Lit.: M. Sauerlandt, 1921. Ders., 1931. G. Schiefler, *Das graph. Werk* 1, 1911; 2, 1927. W. Haftmann, *Holzschnitte v. E. N.*, 1947. Ders., *Rad.*, 1948. L. G. Buchheim, *Künstlergemeinschaft Brücke*, 1956. B. S. Myers, *Malerei des Expressionismus*, 1957. M. Gosebruch, *Aquarelle u. Zeichn.*, 1957. *Festschrift zur Ausstellungseröffnung Seebüll*, 1957. H. Fehr, 1957. W. Haftmann, 1958. Ders., 1960. *Ausst.-Kat.*, Kunsth. Zürich, 1958. H. Fehr, *E. N. Ein Buch der Freundschaft*, 1961.

Nollekens, Joseph, engl. Bildhauer, London 1737 bis 1823 ebda., klassizist. Porträtbildhauer. Bekannt sind s. *Büsten* von *Fox* (100 Exemplare) u. *Pitt* (150 Exemplare).
Lit.: J. T. Smith, 1920; Neuausg. 1929.

Nolpe, Pieter, niederl. Kupferstecher u. Maler, Amsterdam um 1613 bis um 1653 ebda., von → Callot beeinflußter Radierer, der auch nach andern radierte (→ Potter, → Moeyaert usw.). Mit dem Monogramm P. N. versehene Landschaften werden ihm heute zugeschrieben; doch sind diese Zuschreibungen noch umstritten; die Bilder erinnern an van → Goyen. Gemälde in Amsterdam, Genf, Kassel, Kopenhagen, Leipzig, Mannheim u. a.
Lit.: A. v. Wurzbach, *Niederl. Künstlerlex.*, 1910. C. Hofstede de Groot, *Beschreib. u. krit. Verz.* 8, 1923. M. D. Henkel in: Th.-B. 1931.

Nooms, Reinier → Zeeman, Reinier.

Noort, Adam van, niederl. Maler, * 1562, † 1641 Antwerpen, Vertreter des niederl. Romanismus, war in Italien, dann tätig in Antwerpen, wo er viele Schüler hatte, darunter → Rubens u. → Jordaens, v. → Balen u. Vrancx. Hauptwerke: *Der Zinsgroschen*, Antwerpen, Jakobskirche. *Christus u. die Kinder*, Brüssel, Mus. u. Mainz, Mus. *Christus bei Maria u. Martha*, Lille, Mus. Doch handelt es sich durchwegs um nicht unbestrittene Zuweisungen.
Lit.: Z. v. M. in: Th.-B. 1931.

Nosseni, Giovanni Maria, ital.-schweiz. Arch. u. Bildhauer, Lugano 1544–1620 Dresden, wahrscheinlich in Venedig u. Florenz ausgebildet, kam 1575 nach Dresden, wo er vielerlei für den sächs. Hof

entworfen u. z. T. ausgeführt u. Einfluß auf den dt. Spätrenaissancestil u. den Frühbarock hatte.
Hauptwerk: *Gestaltung der Fürstengruft im Dom zu Freiberg i. S.*, 1588–93 (die Figuren haupts. v. Carlo de Cesare). Ferner: *Hauptaltar der Sophienkirche in Dresden*, 1606 (Bildwerke u. Reliefs wahrscheinlich v. s. Schüler Seb. Walther). *Mausoleum des Fürsten Ernst v. Schaumburg-Holstein in Stadthagen*, seit 1608, von andern voll. *Altar der Schloßkirche in Lichtenburg* b. Prettin, um 1611–13, Bildwerke wahrscheinlich von Seb. Walther ausgeführt.
Lit.: W. Mackowsky, 1904. A. E. Brinckmann, *Barockskulptur*, 1917.

Notke, Bernt, dt. Bildschnitzer u. Maler, Lassan (Vorpommern) um 1440–1509 Lübeck, Hauptmeister der lübischen Kunst, in den 80er u. 90er Jahren in Schweden tätig, 1505 Werkmeister der St. Petrikirche in Lübeck. Sein Hauptwerk ist die monumentale *St. Jürgen-Gruppe* (St. Georg mit dem Drachen), 1489, in der Nikolaikirche in Stockholm, die von dem schwed. Reichsverweser Sten Sture als nationales Denkmal des Sieges über die Dänen u. gleichzeitig als Grab- u. Ehrenmal des Stifters bestellt wurde. N. war sowohl als Bildhauer wie als Maler tätig u. hatte eine große Werkstatt inne. In s. Stil verband er dekorative Pracht mit realist. Darstellung; der Einfluß auf den gesamten Ostseeraum war ein großer.
Weitere Werke: *Altar mit geschnitzten Heiligen* u. Darstellungen aus der Leidensgeschichte Christi, 1479, Aarhus (Dänemark). *Hochaltar der Nikolaikirche* in Reval, 1482. *Hochaltar der Heiliggeistkirche*, 1483, ebda. (heute in Katharinental, Mus.). *Lukasaltar*, 1484, Lübeck, Annenmus. *Triumphkreuz*, 1477, Lübeck, Dom. Zugeschrieben: die Tafeln der v. ihm gelieferten Altäre; *Totentanzzyklen* in der Marienkirche in Lübeck (nur in Kopien erhalten) u. in der Nikolaikirche in Reval; *Gregormesse* in der Marienkirche in Lübeck, um 1504. Von einigen Forschern werden ihm ein Teil der *Holzschnitte der Lübecker Bibel* zugeschrieben.
Lit.: F. Bruns, 1923. W. Paatz, 1939. W. Pinder, *Dt. Plastik* 2, 1928 (Handb. der K. W.). Ders., *Dt. Kunst der Dürerzeit*, 1953. F. Baumgart, *Gesch. d. abendl. Plastik*, 1957.

Novelli, Pietro, gen. il Monrealese, ital. Maler, Monreale 1603–1647 Palermo, bedeutender sizilian. Barockmaler, beeinflußt von van → Dyck, der 1624 in Palermo arbeitete, ferner von → Caravaggio-Nachfolgern u. bes. → Ribera. Hauptwerk: *Hl. Benedikt* im Kloster zu Monreale, 1635.
Lit.: Baumgart in: Th.-B. 1931.

Nuzi, Allegretto, ital. Maler, † 1374 Fabriano, wahrscheinlich in Florenz unter dem Einfluß v. Bernardo → Daddi ausgebildeter Meister, der in Fabriano tätig war u. haupts. kirchliche Werke

schuf. Charakteristisch: miniaturhafte Sorgfalt der Ausführung, reiche Verwendung von Gold u. schmückendem Beiwerk. Sein Hauptschüler: → Gentile da Fabriano. In s. Stil von Bernardo Daddi u. → Orcagna beeinflußt.
Werke: Wandgemälde in der Kathedrale v. Fabriano: *Madonna mit Kind* u. *Heiligenlegenden. Triptychon mit Madonna u. Heiligen,* 1369, Macerata, Gal. u. Berlin, ehem. K.-F.-Mus. Weitere Werke im Rathaus Apiro b. Congoli; in der Pinak. Fabriano; in den Mus. Urbino, Cleveland, Philadelphia (Slg. Johnson) u. a.

Lit.: W. Bombe in: Th.-B. 1907 (unter *Allegretto* Nuzi). R. van Marle, *Ital. Schools* 5, 1925. P. Toesca, *Storia dell'arte ital.* 2, 1951. R. Oertel, *Frühzeit der ital. Malerei,* 1953.

Nyrop, Martin, dän. Arch., Insel Holmsland 1849 bis 1921 Kopenhagen, hat in s. Bauten ältere nord. Kunst selbständig verarbeitet u. damit der dän. Baukunst neue Wege gewiesen. Hauptwerke: *Neues Rathaus* in Kopenhagen, 1892–1903. *Eliaskirche,* ebda., 1905–08 u. a.
Lit.: F. Beckett u. F. Hendriksen, 1919.

O

Oberländer, Adolf, dt. Zeichner u. Maler, Regensburg 1845–1923 München, Meister der humorist. Zeichnung, Schüler von → Piloty, wandte sich beinahe ausschließlich der satirisch-humorist. Zeichnung zu, seit 1863 ständiger u. bald populärster Zeichner der «Fliegenden Blätter», ab 1869 auch für die «Münchner Bilderbogen». O. war von unerschöpflicher Fruchtbarkeit der Phantasie u. großer stofflicher Vielseitigkeit; am bekanntesten wurde er durch s. anthropomorphischen Tierzeichnungen; neben W. → Busch der bedeutendste dt. Humorist der 2. Hälfte des 19. Jh. Ein Teil s. Zeichnungen erschien im *O.-Album,* 12 Bde., 1879–1901. Seine malerische Tätigkeit trat gegenüber der zeichnerischen zurück. Bilder in den Mus. München, Berlin u. a.
Lit.: Esswein, 1905. R. Klein, 1910. K. Voll, 1913. Glaser, *Graphik der Neuzeit,* 1923.

Obrist, Hermann, schweiz.-dt. Zeichner, Kunstgewerbler u. Bildhauer, Kilchberg b. Zürich 1863 bis 1927 München, Hauptvertreter des dt. Jugendstils, gründete 1892 eine Kunststickerei-Werkstatt in Florenz, die 1894 nach München verlegt wurde. In der Folge Gründungsmitglied u. Hauptmitarbeiter der «Vereinigten Werkstätten für Kunst im Handwerk» in München. O. schuf Brunnen, Grabmäler, farbige Stickereien, Tapisserien, Wandbehänge, Keramiken, Schmiedearbeiten u. a. Der Einfluß O.s als Vorkämpfer des Jugendstils war groß. Er gehört zu ihren Wortführern durch seine Schrift: «Neue Möglichkeiten in der bildenden Kunst», 1903. O. ist reich vertreten in München, Hist. Mus.
Lit.: N. Pevsner, *Wegbereiter mod. Formgebung,* 1957. E. Rathke, *Jugendstil,* 1958. *Ausst.-Kat. Aufbruch z. mod. Kunst,* München 1958.

Ochtervelt, Jacob, niederl. Maler, Rotterdam 1635 bis 1710 ebda., Meister des Gesellschaftsbildes in der Art von → Metsu u. → Terborch. Schüler von →

Berchem, begann mit Jagdszenen u. mythol. Bildern in der Art Berchems u. → Weenix'; seit ca. 1660 wandte er sich Interieurs u. Gesellschaftsbildern zu, beeinflußt von Terborch, Metsu, → Mieris, → Vermeer, → Hooch.

Ockel, Eduard, dt. Maler, Schwante b. Potsdam 1834–1910 Berlin, Darsteller der märkischen Landschaft, Schüler von → Steffeck in Berlin u. → Couture in Paris, lebte 1859–61 in Barbizon u. malte Landschaften in der Art der Meister v. → Barbizon; seit 1861 in Berlin tätig.
Lit.: M. Osborn in: Zschr. f. bild. Kunst N. F. 24, 1913.

Octavien, François, franz. Maler, Rom (?) 1682 bis 1732 Nantes, Meister aus dem Umkreis → Watteaus. Vertreten in Paris, Louvre; Nancy, Mus. u. a.
Lit.: Réau, *Hist. de la peint. franç. au 18e siècle,* 1925. A. Leroy, *Hist. de la peint. franç. au 18e siècle,* 1934.

Oeben, François, franz. Kunsttischler, * in Deutschland um 1710, † 1763 Paris, der berühmteste Meister s. Zeit in s. Fach, trat 1751 in das Atelier von Ch. J. → Boulle ein, 1754 «ébéniste du roi», Hauptmeister zur Zeit Ludwigs XV.; unterhielt eine große Werkstatt. Sein Hauptwerk ist der *Schreibtisch Ludwigs XV.,* Paris, Louvre, beg. 1760, voll. 1769 von → Riesener, ausgestattet mit vergoldeter Bronze u. Einlegearbeit in verschiedenfarbigen Hölzern. Eine gesicherte Arbeit ist ferner: *Damenschreibtisch,* London, Wallace Coll.
Lit.: A. Feulner, *Kunstgeschichte des Möbels,* 1927. F. de Salverte, *Les ébénistes du 18e siècle,* ²1927.

Oeder, Georg, dt. Maler, Aachen 1846–1931 Düsseldorf, Meister der Stimmungslandschaft, malte Landschaftsmotive vom Niederrhein u. aus

Holland bei trüber Herbst- u. Winterstimmung in Feinmalerei in kleinen Formaten. Vertreten in den Mus. Aachen, Düsseldorf, Krefeld, Köln, Mainz, Wiesbaden u. a.

Oelenhainz, August Friedrich, dt. Maler, Endlingen 1745–1804 Pfalzburg, klassizist. Meister des Porträts.

Oer, Theobald Reinhold, dt. Maler u. Zeichner, Nottbeck 1807–1885 Coswig b. Dresden, Schüler von → Schadow in Düsseldorf, seit 1837 in Rom, seit 1839 in Dresden tätig. Ein Hauptwerk ist das alle Weimarer Geistesgrößen darstellende Bild: *Aus Weimars goldenen Tagen*, 1860, Breslau, Mus.

Oeri, Hans Jakob, schweiz. Maler u. Lithograph, Kyburg 1782–1868 Zürich, Bildnis- u. Figurenmaler, Schüler von J. L. → David in Paris, vertreten in Zürich, Kunsth. u. Zentralbibliothek.
Lit.: C. Brun, *Schweiz. Künstlerlex.*, 1908. Escher u. Corrodi, *Zürcher Porträts* 2, 1920.

Oerley, Robert, österr. Arch., Kunstgewerbler, Aquarellmaler u. Lithograph, * Wien 1876, tätig ebda., schuf das *Strauß-Lanner-Denkmal* in Wien. Vertreten mit Gemälden in der mod. Gal. in Wien.

Oeser, Adam Friedrich, österr.-dt. Maler, Bildhauer u. Radierer, Preßburg 1717–1799 Leipzig, Schüler der Wiener Akad. unter → Meytens u. → Donner, seit 1739 in Dresden, seit 1759 in Leipzig tätig; schuf allegor. Wand- u. Deckenbilder, Theaterdekorationen, Porträts u. Landschaftsbilder. Als Maler nicht sehr bedeutend war er doch ein bemerkenswerter Anreger, da Winckelmann bekennt, von ihm in s. klassizist. Ideen angeregt worden zu sein u. Goethe, der s. Schüler in Leipzig war, seinen klassizist. Geschmack zum großen Teil ihm verdankte.
Werke: *Wand- u. Deckenbilder in der Nikolaikirche, Leipzig u. Schloß Hubertusburg. Bild s. Kinder*, 1766, Dresden, Gal. *Landschaft*, Tuschzeichn., Hamburg, Kunsth. Als Radierer: 45 Blätter, z. T. nach eigener Erfindung, z. T. nach Rembrandt. *Modelle zu Denkmälern*: Gellert, Kurfürst Friedrich August III., Leipzig.
Lit.: A. Dürr, 1879. C. Justi, *Winckelmann u. s. Zeitgenossen* 1, 1898. A. Biermann, *Dt. Barock u. Rokoko*, 1914. K. Benyovszky, *Oe., der Zeichenlehrer Goethes*, 1930. A. Rühmann, *Oe.-Bibliographie*, 1931. F. Schulze, 1944. G. Pauli, *Kunst d. Klassizism. u. d. Romantik*, 1925.

Oggione (Oggiono), Marco d', auch Marco Uggiono, ital. Maler, vermutlich aus Oggiono b. Mailand um 1475 bis um 1530 Mailand, Schüler → Leonar-

dos, malte bis ca. 1512 ganz unter dessen Einfluß, später vom Manierismus berührt.
Hauptwerke: *Die 3 Erzengel*, Mailand, Brera. *Segnender Christusknabe*, Rom, Gall. Borghese. *Madonna*, Paris, Louvre u. Mailand, Ambrosiana. *Fresken mit Altarbild der Assunta* aus S. Maria della Pace, Mailand, Brera. Altarbild: *Madonna mit Heiligen*, Besate b. Mailand, 1524. Werke in Bergamo, Dom u. Akad. Carrara; Chantilly, Mus. Condé; London, Nat. Gall. u. a.
Lit.: W. Suida, *Leonardo u. s. Kreis*, 1929. Ders. in: Th.-B. 1931. E. v. d. Bercken, *Mal. d. Renaiss. in Oberital.*, 1927.

Ohmacht, Landolin, dt. Bildhauer, Dünningen b. Rottweil 1760–1834 Straßburg, klassizist. Meister, haupts. Porträtbüsten, Schüler von J. P. → Melchior an der Porzellanmanufaktur Frankenthal, begann mit Bildnisreliefs im Stil des ausgehenden Rokoko, 1789/90 in Rom, das. von → Canova beeinflußt; tätig in Hamburg, Frankfurt, Rottweil u. Straßburg 1803 ff. Er schuf kirchl. Werke, Grabmalskulpturen, mythol. Gruppen, Denkmäler u. Porträtbüsten; Bildnisreliefs *J. P. Melchior, Angelica Kauffmann, Lavater, Klopstock, J. Willemer u. Frau, Susanne Gontard, J. P. Hebel* u. a.
Lit.: J. Rohr, 1911. G. Pauli, *Kunst d. Klassizism. u. d. Romantik*, 1925.

Okyo, Maruyama, japan. Maler, Anatamura 1733 bis 1795 Kioto, Meister von Landschafts-, Pflanzen- u. Vogelbildern, beeinflußt von der chines. Malerei der Ming-Zeit u. europ. Kunst, gelangte zu einem realist. Stil mit bes. Gefühl für landschaftliche Stimmung. Hauptschüler: Genki.
Lit.: O. Kümmel in: Th.-B. 1931. Y. Yashiro u. P. C. Swann, *Jap. Kunst*, 1958.

Olbrich, Josef Maria, österr. Arch. u. Kunstgewerbler, Troppau 1867–1908 Düsseldorf, Hauptvertreter des Jugendstils, Schüler von → Hasenauer u. Otto → Wagner in Wien, gehörte 1898 zu den Begründern der Wiener Sezession, jener Gruppe, welche die Wiener Abart des Jugendstils darstellte, 1899 als Prof. in die Darmstädter Künstlerkolonie berufen, wo er s. Stil weiter entwickelte.
Hauptwerke: *Ausstellungsgebäude der Wiener Sezession*, 1898/99. *Ausstellungshaus, Hochzeitsturm u. a. Bauten auf der Mathildenhöhe* in Darmstadt, 1907/08. *Warenhaus Tietz*, Düsseldorf, 1907–09. Im Kunstgewerbe hat er die Loslösung von dem bewegten Linienornament des Jugendstils angebahnt. Er veröffentlichte: «Ideen», 1899; «Architektur», 1901–14; «Neue Gärten», 1905; «Der Frauenrosenhof», 1907.
Lit.: J. A. Lux, 1919. G. Veronesi, 1948. N. Pevsner, *Wegbereiter mod. Formgebung*, 1957. E. Rathke, *Jugendstil*, 1958. *Ausst.-Kat. Sources du XXᵉ siècle*, Paris 1960/61.

Oldach, Julius, dt. Maler, Hamburg 1804–1830 München, Vertreter des Hamburger Biedermeier, bildete sich in Hamburg, 1821–23 in Dresden, 1824–27 bei → Cornelius in München, seitdem in Hamburg tätig. O. gehört zur Gruppe junger Hamburger Künstler um → Wasmann u. → Speckter, die nazarenische (→ Nazarener) Gesinnung mit miniaturhaft-feiner Technik verbinden; er schuf vor allem liebevoll gemalte Bildnisse. Beinahe das gesamte Werk ist in der Hamburger Kunsth. vereinigt. Beisp.: *Hermann u. Dorothea*, 1829, Hamburg, Kunsth. (1931 in München verbrannt); *Mephisto u. der Schüler*, 1828, ebda. *Bildnis der Eltern*, ebda. *Bildnis einer alten Dame*, ebda.
Lit.: A. Lichtwark, 1899. G. Pauli, *Hamburger Meister*, 1925. W. R. Deusch, *Mal. d. dt. Romantiker*, 1937. *Jahrhundert-Ausst. Dt. Kunst*, Berlin 1906. G. Pauli, *Kunst d. Klassiz. u. d. Romantik*, 1925.

Olde, Hans, dt. Maler, Süderau 1855–1917 Kassel, Vertreter des dt. Impressionismus, Schüler von → Löfftz in München u. der Akad. Julian in Paris, leitete 1902–11 die Kunstschule Weimar, seit 1911 die Akad. Kassel. O. war ein guter Porträtist u. malte Landschaften, Tier- u. Genrebilder. In s. Kunst entscheidend beeinflußt von Cl. → Monet. Werke: *Wintersonne*, 1892, Berlin, Nat. Gal. *Die Schnitter*, 1893, Hamburg, Kunsth. *Bildnis Klaus Groth*, 1899, ebda. *Bildnis der Schwester des Künstlers*, 1891, ebda. *Bauer mit Stier*, 1902, Dresden, Gal.
Lit.: W. Waetzoldt, *Dt. Mal. seit 1870*, 1917.

Olis, Jan, niederl. Maler, Gorinchem um 1610 bis 1676 Heusden, Meister des Genrebildes u. von Bildnissen, 1631 in Rom, 1632–55 in Dordrecht tätig. Beisp.: *Küchenstück*, 1645, Amsterdam, Rijksmus. *Bildnis eines Gelehrten*, Den Haag, Mauritshuis. *Wachtstube*, Leipzig, Mus. *Damenbildnis*, Rotterdam, Mus. Boymans.

Oliver, Isaak, d. Ä., engl. Maler, Rouen um 1556 bis 1617 London, neben Hilliard der beste Miniaturporträtist des damaligen England; wahrscheinlich Schüler von N. → Hilliard; er malte die Bildnisse Jakobs I. u. dessen Familie, Adlige, Hofleute u. bekannte Persönlichkeiten; einige allegor. Gemälde u. a. Seine Söhne u. Mitarbeiter: *Isaak d. J.* u. *Peter* (um 1594–1647). O. ist vertreten in London: Nat. Portr. Gall.; Vict. u. Albert Mus.; Wallace Coll.; Brit. Mus.; ferner Windsor Castle, Hampton Court, Amsterdam, Stockholm, Cleveland (Ohio); in vielen engl. Privatgal. u. a. *Peter d. J.* ist vertreten in London, Brit. Mus. u. Vict. u. Albert Mus.; Amsterdam, Dublin, Hampton Court, Windsor Castle u. a.
Lit.: B. S. Long, *Brit. Miniaturists*, 1929. G. Reynolds, *Engl. Portr. Miniatures*, 1952.

Olivier, Ferdinand v., dt. Maler u. Graphiker, Dessau 1785–1841 München, Hauptvertreter der dt. Romantik, kam 1804 nach Dresden, wo er mit der Kunst C. D. → Friedrichs u. → Runges bekannt wurde, 1811 nach Wien, wo die Begegnung mit J. A. → Koch für s. Kunst von Bedeutung war. Seit 1815 besuchte er wiederholt das Voralpenland von Salzburg u. Berchtesgaden u. entwickelte s. ihm eigentümliche romant. Landschaftsauffassung. 1830 folgte er s. Freunde Julius → Schnorr v. Carolsfeld nach München, das. 1833ff. Prof. der Akad. Obwohl O. nicht in Rom war, hatte die Kunst der → Nazarener Einfluß auf s. Schaffen.
Werke: *Waldtal mit Klosterbrüdern*, 1814, Frankfurt, Städel. *Flucht nach Ägypten*, Wuppertal, Mus. *Berchtesgadener Landschaft mit Pilgern*, 1817, Leipzig, Mus. *Blick vom Mönchsberg*, 1824, Dresden, Gal. *Kapuzinerkloster bei Salzburg*, 1826, Leipzig, Mus. *Ital. Landschaft*, 1840, Posen, Mus.
Lit.: G. J. Wolf, 1919/20. P. F. Schmidt, *Dt. Malerei um 1800* I, 1922. L. Grote, *Die Brüder O.*, 1938. W. R. Deusch, *Malerei d. dt. Romantik*, 1937. G. Pauli, *Kunst d. Klassiz. u. d. Romantik*, 1926.

Olivier, Friedrich, dt. Maler, Dessau 1791–1859 ebda., Bruder Ferdinands v. → O., folgte 1818 J. → Schnorr nach Rom, schloß sich dort den → Nazarenern an u. zeichnete ital. Landschaften u. Bauten, auch Bildnisse. 1823ff. war O. in Wien, von 1830 an in München als Mitarbeiter Schnorrs an den Fresken im Königsbau tätig. Er malte reizvolle Landschaften aus dem Isartal u. vom Kochelsee. Seit 1850 in Dessau lebend.
Werke: *Einzug in die Arche*, 1818/19, Berlin, staatl. Mus. *Tobias mit dem Engel*, 1825–29, Dessau, Gal. *Heimsuchung*, 1825–29, München, Städt. Kunstslg. *Bildnis Fanny Olivier*, 1827, München, N. P.
Lit.: L. Grote, *Die Brüder O.*, 1938.

Olivier, Heinrich, dt. Maler, Dessau 1783–1848 Berlin, Bruder von Ferdinand u. Friedrich → O., malte haupts. Bildnisse u. reizvolle miniaturartig gemalte kleine Landschaften. Bei den Bildnissen liebte er es, die Dargestellten in altdt. Tracht darzustellen (*Bildnis der Herzogin Luise von Anhalt*, Dessau, Gal.). O. nimmt eine Zwischenstellung ein: im Stil klassizistisch, dem Thema nach altdt. u. romantisch.
Lit.: L. Grote in: Th.-B. 1932.

Ommeganck, Balthasar Paul, niederl. Maler, Antwerpen 1755–1826 ebda., Schüler von H. J. Anthonissen; Landschafts- u. Tierbilder; Bildnisse. Werke in vielen Mus.

Onatas, griech. Bildhauer aus Aegina, tätig in den ersten Jahrzehnten des 5. Jh. v. Chr. im Peloponnes, bes. für Olympia, auch in Delphi u. Athen. Er schuf berühmte Erzbilder von Göttern u. Siegesmale: einen Apollon aus Bronze; einen kolossalen Herakles aus Bronze für Olympia u. a.; nichts davon erhalten. Begründer des strengen Stiles der Übergangszeit nach den Perserkriegen.

Oost, Jakob van, d. Ä., niederl. Maler, Brügge 1601–1671 ebda., bildete sich in Rom an den Werken der → Carracci, später an → Rubens u. van → Dyck; er malte religiöse Werke u. Bildnisse.
Werke: *Männliches Bildnis*, 1633, Berlin, ehem. K.-F.-Mus. *Darstellung Mariä im Tempel*, 1655, Brügge, Jakobskirche. *Das Pfingstfest*, 1658, Brügge, Kathedrale. Die *Musikgesellschaft*, 1667, Brüssel, Mus.

Oost, Jakob van, d. J., niederl. Maler, Brügge 1639–1713 ebda., Sohn Jakobs d. Ä., malte ebenfalls religiöse Bilder u. Bildnisse, setzte die Kunst s. Vaters fort, schloß sich enger an van → Dyck an.

Oosterwyck, Maria van, niederl. Malerin, Nooddorp 1630–1693 Uitdam, Meisterin von Blumenstilleben in der Art ihres Lehreres J. D. de → Heem. Vertreten in den Gal. Dessau, Dresden, Florenz, Den Haag, Hampton Court, Karlsruhe, Kopenhagen, Leningrad, Schleißheim, Schwerin, Wien u. a.
Lit.: Wurzbach, *Niederl. Künstlerlex.*, 1910.

Oostsanen, Jacob Cornelisz van → Cornelisz, Jacob.

Opie, John, engl. Maler, St. Agnes b. Truro (Cornwall) 1761–1807 London, bedeutender Bildnismaler, tätig in London, seit 1805 Lehrer der Akad., malte Bildnisse im Stil von → Reynolds u. → Gainsborough u. – weniger bedeutende – Geschichts- u. Genrebilder.
Werke: Bildnisse: *Mary Wollstonecraft*, London, Nat. Gall. *Selbstbildnis*, ebda. *Bildnis einer älteren Dame*, München, N. P. *Die Dame in Weiß*, Paris, Louvre. *Die Mutter des Künstlers*, London, Tate Gall. Hist. Bild: *Ermordung Riccios*, London, Guildhall.
Lit.: J. J. Rogers, 1878. A. Earland, 1911. M. Osborn, *Kunst d. Rokoko*, 1929.

Oppenheim, Moritz, dt. Maler, wahrscheinlich Hanau 1799–1882 Frankfurt a. M., Schüler der Akad. München, weitergebildet in Paris, seit 1821 in Rom, das von den → Nazarenern beeinflußt, 1825 ff. in Frankfurt; malte gute Bildnisse; auch Genrebilder.
Werke: *Lavater u. Lessing bei Moses Mendelssohn*, 1856; *Bildnisse der Brüder Rothschild; Ludwig Börnes*, 1827, Frankfurt, Städel. *Bildnis Heinrich Heine*, 1831, Hamburg, Kunsth.

Oppenheimer, Max, gen. Mopp, österr. Maler u. Graphiker, Wien 1885–1954 New York, gehörte in s. Anfängen zur Wiener expressionist. Schule, suchte in s. Bildnissen u. Landschaften starken Ausdruck; später feste u. klare Komposition. O. war in Berlin, der Schweiz u. seit 1939 in New York tätig. Er schuf Bildnisse (*Heinrich u. Th. Mann, A. Schönberg, F. Busoni, P. Altenberg, A. Schnitzler, Tilla Durieux* u. a.); ferner Szenen aus dem sportlichen u. dem ärztlichen Milieu. Als Hauptwerk gilt: *Die Symphonie*, 1923 voll. Er schrieb: «Menschen finden ihren Maler», 1938. Werke in den Mus. Barmen, Elberfeld, Köln, Prag, Wien u. a.
Lit.: W. Michel, 1911. A. Stix u. M. Osborn, *Das graph. Werk v. M. O.*, 1931. C. Glaser, *Graphik der Neuzeit*, 1922. Vollmer, 1956.

Oppenort, Gilles-Marie, franz. Arch., Zeichner u. Dekorateur, Paris 1672–1742 ebda., Hauptvertreter der Régence-Stil-Dekoration, Schüler von J. Hardouin- → Mansart, in Rom weitergebildet; berühmt haupts. durch s. phantasiereichen gezeichneten u. gestochenen Entwürfe für Dekorationen. Hauptwerk: *Entwürfe für die Neuausstattung der großen Säle im Palais Royal* in Paris (das Werk selber ist 1871 zu Grunde gegangen).
Lit.: A. Michel, *Hist. de l'Art* VI, 1, 1923. A. E. Brinckmann, *Baukunst d. 17. u. 18. Jh.* (Hb. d. K. W.) 1915. F. de Salverte, *Le Meuble franç.*, 1930.

Oppi, Ubaldo, ital. Maler, * Bologna 1889, war vorübergehend Schüler von → Klimt (1907), sonst autodidaktisch gebildet, 1911–14 u. 1920–21 in Paris; Mitbegründer der Künstlervereinigung «Movimento del Novecento», Neoklassizist, schuf Figurenbilder in klassisch einfachen Formen, stark betonten Umrissen u. präziser Zeichnung; für die Kirche von Valdobbiadene schuf er das Altarbild: *Wunder des hl. Venantius;* in der mod. Gal. in Rom: *Fischer von Santo Spirito.* Ferner Stilleben, Landschaften, Bildnisse.
Lit.: M. Biancale, 1926. E. Persico, 1930. F. Roh, *Nachexpressionismus*, 1925. Vollmer, 1956.

Oppler, Ernst, dt. Maler u. Radierer, Hannover 1867–1929 Berlin, Vertreter des dt. Impressionismus, Schüler von → Löfftz in München, Mitbegründer der Berliner Sezession 1898, schloß sich in s. Kunst bes. an L. → Corinth an. Er malte Bilder von Innenräumen, Bildnisse u. schuf feine Radierungen (zu Schiller, Der Geisterseher, 1922; E. T. A. Hoffmann, Musikal. Novellen, 1923 u. a.). Sohn des Arch. Edwin O. (1831–1880).
Lit.: C. Glaser, *Graphik der Neuzeit*, 1922.

Orcagna, Andrea, eig. di Cione, gen. O., ital. Arch., Bildhauer u. Maler, † wahrscheinlich 1378 Florenz, Hauptmeister in Florenz um die Mitte des Trecento, tätig in Florenz u. Orvieto, vollendete 1359 das *Marmortabernakel in Or S. Michele*, Florenz; 1356–57 u. ab 1364 beteiligt am Bau des Domes u. der Loggia dei Lanzi das., 1358 am Dombau von Orvieto. Einziges gesichertes Werk als Bildhauer u. Arch. ist das 1359 voll. *Marmortabernakel in Or S. Michele* mit Reliefdarstellungen aus dem Leben Mariä.

Als Maler war er das Haupt einer großen Werkstatt. Einziges ihm mit Sicherheit zugeschriebenes Werk: *Altarbild der Strozzi-Kapelle* in S. Maria Novella in Florenz, 1357. – Ausgangspunkt s. Kunst ist → Giotto, dessen Schüler er vermutlich war. Doch ist s. Stilwille ein anderer. Die Wandmalereien der Strozzi-Kapelle sind nicht von ihm selber, sondern, vielleicht nach O.s Plan, von s. Bruder → Nardo di Cione ausgeführt. Das Hauptwerk als Maler war die Ausmalung der *Hauptchorkapelle von S. Maria Novella* : es war ein Marienzyklus, doch sind nur spärliche Fragmente erhalten. *Kreuzigungsfresko* im Refektorium von S. Spirito, Florenz. Große Freskenwerke an der Wand des südlichen Seitenschiffes von S. Croce in Florenz: *Triumph des Todes, Weltgericht* u. *Inferno ;* davon nur kleine Bruchstücke erhalten.

Lit.: Suida, *Florent. Maler um die Mitte d. 14. Jh.*, 1905. Graf Vitzthum u. W. F. Volbach, *Malerei u. Plastik d. Mittelalters* (Handb. d. K. W.), 1925. K. Steinweg, 1929. H. D. Gronau, *A. O. u. Nardo di Cione*, 1937. R. van Marle, *Ital. Schools* 3, 1924. R. Oertel, *Frühzeit der ital. Malerei*, 1953.

Orcagna, Jacopo di Cione → Jacopo di Cione.

Orcagna, Nardo di Cione → Nardo di Cione.

Orchardson, William Quiller, engl. Maler, Edinburgh 1832–1910 London, Vertreter der schott. Malerschule, Schüler von R. S. Lauder, seit 1862 in London, seit 1877 Mitglied der Akad., malte hist. Genreszenen, Szenen aus engl. Dichtungen, Darstellungen der engl. Gesellschaft, Porträts. Beisp.: *Voltaire*, Edinburgh, Gal. *Napoleon an Bord des Bellerophon*, 1880, London, Tate Gall. Bildnisse: *Die Gattin des Künstlers*, 1872, Edinburgh, Gal. *Master Baby* (Die Gattin mit Söhnchen), 1886, ebda. *Selbstbildnis*, Nottingham, Mus. u. Florenz, Uff. Werke in London (Tate Gall.). Edinburgh, Nat. Gall. Glasgow, Gall.

Ordoñez, Bartolomé, span. Bildhauer, * Burgos, † 1520 Carrara, war 1517 in Neapel, dann in Barcelona tätig.

Werke: *Grabmal Philipps des Schönen u. Johannas der Wahnsinnigen* in der Kathedrale von Granada. *Grabmal des Kardinals Ximenes de Cisneros* in der Hauptkirche zu Alcalá de Henares. *Chorgestühl* in der Kathedrale v. Barcelona. Werke in der Kathedrale von Zamora u. a.

Lit.: L. S. in: Th.-B. 1932. G. Weise, *Span. Plastik aus 7 Jh.*, 1927–39.

Orley, Bernaert (Barend) van, niederl. Maler, Brüssel um 1492–1542 ebda., neben → Gossaert u. Joos van → Cleve Hauptmeister des niederl. Romanismus (der italianisierenden Richtung). Raffaels Kartons (Apostelgeschichte), nach denen 1517–19 Teppiche in Brüssel gewoben wurden, haben entscheidend auf s. Kunst eingewirkt; doch ist die Nachwirkung der älteren niederl. Kunst (Quentin → Massys) nicht zu verkennen. 1518 Hofmaler der Statthalterin Margarete. Er schuf religiöse Darstellungen, bedeutende Bildnisse, seit 1525 vor allem Entwürfe für Wandteppiche.

Hauptwerke: *Kreuzigung*, Berlin, staatl. Mus. *Apostelaltar*, Teile in Wien, Kunsthist. Mus. u. Brüssel, Mus. *Kreuzaltar* für die Walpurgiskirche in Furnes, 1515–20, davon ein Teilstück in Turin, Mus. *Marienaltar*, 1520, Brüssel, Bürgerspital. *Hiobsaltar*, 1521, Brüssel, Mus. *Altar des Philippe Hanneton*, ebda. *Jüngstes Gericht*, 1519–25, Antwerpen, Mus. *Madonna*, 1521, Paris, Louvre. *Bildnis des Jehan Carondolet*, München, A. P. Teppichentwürfe in Dresden, München, Paris.

Lit.: A. Wauters, 1893. M. J. Friedländer, *Altniederl. Malerei* 8, 1930. G. Glück, *Kunst d. Renaiss.*, 1928.

Orlik, Emil, österr.-dt. Maler, Graphiker u. Kunstgewerbler, Prag 1870–1932 Berlin, begann als Radierer u. Lithograph, wandte sich nach einem Aufenthalt in Japan, 1900–01, dem Farbholzschnitt zu, seit 1905 Prof. der Kunstgewerbeschule Berlin; auch für die Ausstattung der Reinhardt-Bühnen tätig. Bekannt vor allem als Bildnisradierer (*Gustav Mahler, Haeckel, Hodler, Richard Strauß* u. a.). Graph. Folgen: *Aus Japan*, 1904; *100 Köpfe*, 1919; *Neue 95 Köpfe*, 1920; *Aus Ägypten*, 1922; *Vom Teufel geholt*, 1929.

Lit.: H. W. Singer in: Meister der Zeichn. 7, 1914. M. Osborn, *Graphiker der Gegenw.* 2, 1920.

Orlowa (Orloff), Chana, franz. Bildhauerin russ. Herkunft, * Konstantinow (Ukraine) 1888, seit 1904 in Jaffa (Palästina), seit 1910 in Paris, das. naturalisiert; Bildnisbüsten, Figuren in kraftvollem, von → Despiau u. → Maillol beeinflußten Stil. Werke in Paris (Luxembourg), Grenoble, Chicago, Philadelphia.

Lit.: F. Fels, 1915. E. de Courrières, 1927. L. Werth, 1927. E. Stein in: Th.-B. 1928. Edouard-Joseph, *Dictionnaire*, 1934. Bénézit, 1949. Vollmer, 1956.

Orlowski, Aleksander, poln. Maler u. Graphiker, Warschau 1777–1832 Petersburg, wo er ab 1801 tätig war. O. malte Bilder aus dem poln. u. russ. Volks- u. Soldatenleben. Vertreten in Warschau

(Nat. Mus.); Leningrad (Russ. Mus.); Moskau (Tretjakow Gal.); Berlin (Nat. Gal.).
Lit.: W. Tatarkiewicz, 1926.

Orme, Philibert de L' → Delorme, Philibert.

Orozco, José Clemente, mexikan. Maler, Zapotlán (Jalisco) 1883–1949 Mexico City, gehört – neben Diego → Rivera – zu den Begründern der zeitgenöss. mexikan. Malerei, begann als polit. Karikaturist, seit 1922 maßgebend beteiligt an den von der mexikan. Regierung in Auftrag gegebenen Fresken für öffentliche Gebäude. In s. Kunst knüpfte O. an die heimische Überlieferung an, näherte sich gelegentlich den Kubisten. Er schuf viele Fresken an öffentlichen Gebäuden in Mexico, auch in New York u. a. Als Graphiker haupts. Lithograph. O. schrieb s. Autobiographie: «Autobiografía», 1945. Beisp.: *Zapatistas*, 1931, New York, Mus. of mod. Art.
Lit.: J. Fernandez, 1942. A. Neumayer in: Gabe der Freunde f. C. G. Heise, 1950. Knaurs Lex., 1955. Vollmer, 1956.

Orpen, William, irisch-engl. Maler, Stillorgan 1878 bis 1931 London, Schüler der Metrop. Schools of Art in Dublin u. der Slade School in London, der beliebteste Bildnismaler der engl. Gesellschaft s. Zeit, malte auch Figurenbilder u. Landschaften. Er stellte seine Figuren mit Vorliebe nach Art der alten Niederländer in Innenräume hinein. Bezeichnend ist die scharfe, bisweilen die Karikatur streifende, Charakterisierung der Dargestellten. O. ist vertreten in der Tate Gall., London u. in v. a. engl. Galerien; Paris, Mus. d'Art mod.; New York, Metrop. Mus.; Pittsburgh, Carnegie Inst. u. v. a.

Orsi, Lelio, gen. Lelio da Novellara, ital. Maler, Novellara um 1511–1587 ebda., Maler vor allem kleiner Kabinettbilder, geht von → Correggio aus, beeinflußt auch von → Michelangelo, dem Spätmanierismus angehörend.
Werke: *Anbetung des Kindes*, Berlin, ehem. K.-F.-Mus. *Gang nach Emmaus*, London, Nat. Gall. Vertreten in Modena, Pinac.; Neapel, Pinac. u. a.
Lit.: N. Pevsner, *Mal. d. 17. Jh.* (Hb. d. K. W.), 1928.

Ortolano, Giovan Battista Benvenuti, gen. l'O., ital. Maler, tätig in Ferrara, * um 1488, † um 1525, Schüler von → Boccaccino u. L. → Costa, beeinflußt auch von Ercole de' → Roberti, → Raffael u. a., schuf bedeutende kirchliche Werke: *Pietà*, Modena, Gall. Estense; *Hl. Sebastian*, Rom, Kapitol. Gal.; *Kreuzigung*, Mailand, Brera; *Die hll. Sebastian, Rochus u. Demetrius*, London, Nat. Gall. – Werke auch in den Gal. von Bologna, Neapel, Rom (Gal. Borghese) u. a.

Lit.: E. G. Gardner, *The Paint. of the school of Ferrara*, o. J. Venturi IX, 4, 1929. Th.-B. 1932.

Ostade, Adriaen van, niederl. Maler u. Radierer, Haarlem 1610–1685 ebda., Hauptvertreter der holl. Genremalerei, bes. für Dorfszenen, Bauernwirtschaften usw., Schüler von Frans → Hals, beeinflußt von A. → Brower.
Hauptwerke: *Bauernstube*, 1631 u. 1642, Paris, Louvre. *Die Dorfschule*, 1662, ebda. *Bauerntanz*, 1645, München, A. P. *Sommerlaube*, 1659, Kassel, Gal. *Stammtisch in der Dorfschenke*, 1660, Dresden, Gal. *Der Künstler in s. Werkstatt*, 1663, ebda. *Der Alchimist*, 1661, London, Nat. Gall. *Ländl. Konzert*, 1665, Leningrad, Eremitage. *Der Dorfgeiger*, 1673, Den Haag, Mauritshuis.
Lit.: M. van de Wiele, *Les frères O.*, 1893. A. Rosenberg, *A. u. I. v. O.*, 1900. Hofstede de Groot, *Beschr. u. krit. Verzeichn.* 3, 1910. E. Bock, *A. v. O. Rad.*, 1922. L. Godefroy, *L'oeuvre gravé de A. v. O.*, 1930.

Ostade, Isaak van, niederl. Maler u. Radierer, Haarlem 1621–1649, malte Genrebilder in der Art s. Bruders Adriaen u. Landschaften nach → Wouvermans.
Werke: *Vor der Dorfschenke*, 1643, Amsterdam, Rijksmus. *Die Garnwinderei*, Brüssel, Mus. *Winterlandschaften* in Berlin, München, Dresden, Leningrad.
Lit.: s. Adriaen v. O.

Ostendorfer, Michael, dt. Maler u. Zeichner für den Holzschnitt, um 1490–1559 Regensburg, das. seit 1519 nachweisbar, vermutlich aus der Werkstatt → Altdorfers hervorgegangen, schuf Miniaturen, Gemälde, Altarwerke, Bildnisse u. Holzschnitte. Im Stil von Altdorfer abhängig.
Werke: Miniaturen: *Turnierbuch Herzog Wilhelms IV.*, 1541, München, Staatsbibliothek (hg. von G. Leidinger, 1912). Tafelbilder: *Judith*, 1530, Köln, Wallraf-Richartz; *Christus am Kreuz*, 1552, München, A. P. *Hochaltar* der Pfarrkirche in Regensburg, 1553–55, ebda., Hist. Verein. Bedeutendster Holzschnitt: *Pilgerfahrt zur Schönen Maria* (Kirche in Regensburg). Ferner Buchillustrationen, Holzschnittbildnisse.
Lit.: Baldass, *Bildnisse der Donauschule* in: Städel-Jb. 2, 1922. M. Friedländer, *Der Holzschnitt*, 1926. H. Zimmermann in: Th.-B. 1932.

Otzen, Johannes, dt. Arch., Sieseby (Schleswig) 1839–1911 Berlin, tätig in Altona u. Berlin, lehrte das. an der Techn. Hochschule u. an der Akad. O. baute Kirchen in mittelalterlicher, bes. in got. Formensprache. *Petrikirche*, 1884, Altona; *Jakobikirche*, 1894, ebda.

Oud, Jacobus Johannes Pieter, holl. Arch., * Purmerend 1890, Hauptvertreter der modernen Baukunst Hollands, studierte in Amsterdam u. Delft,

arbeitete bei P. → Cuypers in Amsterdam u.
Th. → Fischer in München, 1918–33 Stadtbaumeister von Rotterdam, jetzt tätig in Wassenaer.
O. ist Pionier der Neuen Sachlichkeit in der Baukunst. Er verwirft jedes Ornament; als Schmuck
wird nur die Farbe anerkannt; in s. Bauten geht er
auf das Herausstellen des Funktionellen u. des
Räumlichen aus. Sein Einfluß auf die Entwicklung
des modernen sozialen Wohnungsbaues ist bedeutend. Fabriken, Wohnblocks, Siedlungen usw.
Hauptwerke: *Arbeiterwohnbauten in Rotterdam* u.
in *Hoeck van Holland;* Wohnhäuser der *Weißenhof-
siedlung,* Stuttgart, 1927. *Shell-Barr-Haus* im Haag.
O. schrieb: «Holl. Architektur», 1926.
Lit.: H. R. Hitchcock, 1931. G. Veronesi, 1953.
Vollmer, 1956. J. M. Richards, *Introduction to mod.
Arch.,* 1940.

Oudot, Roland, franz. Maler, Entwurfzeichner für
Bildteppiche, Graphiker, * Paris 1895, von den
→ Fauves u. den Kubisten beeinflußt, gehört zu
jenen Malern, welche der klass. Bildauffassung u.
der Natur treu blieben u. die von → Corot herkommende Tradition weiterführen wollen. Schüler
von L. → Bakst; Mitarbeiter der Teppichmanufaktur Aubusson. Vertreten in Paris, Mus. d'Art
mod., in mehreren franz. und einigen amerik.
Gal.

Oudry, Jean-Baptiste, franz. Maler u. Radierer,
Paris 1686–1755 Beauvais, Schüler von→Largillière,
begann als Bildnismaler, ging zur Tier- u. Jagd-
malerei über, schuf bedeutende Stilleben mit Tieren;
gelegentlich auch Landschaften. Ferner lieferte er
Entwürfe für die Gobelinmanufaktur von Beauvais,
deren Direktor er war. Die größte Slg. s. Bilder (43)
im Mus. in Schwerin. Der v. ihm entworfene
Gobelin mit den Jagden Ludwigs XV., 1733–45 (Kartons im Schloß von Fontainebleau), gehört zu den
besten Werken der Gattung. 1729–34 entstanden
seine *Zeichnungen zu Lafontaines Fabeln* (1755 erschienen).
Lit.: J. Locquin, *Cat. raisonné de l'oeuvre de J.-B. O.,*
1912. N. Hennique 1926. M. Osborn, *Kunst. d.
Rokoko,* 1929.

Ouwater, Albert van, niederl. Maler, tätig in Haarlem um 1430–1460. Das einzige gesicherte Bild, *Die
Auferweckung des Lazarus,* Berlin, staatl. Mus., erweist ihn als einen selbständigen Meister, der in s.
Kunst zwischen Jan van → Eyck u. Dirk → Bouts
steht. Vielleicht haben wir in ihm den Begründer
der Haarlemer Malerschule u. den Lehrer des Dirk
Bouts u. des → Geertgen zu sehen.
Lit.: M. J. Friedländer, *Altniederl. Malerei* 3, 1925.

Ovens, Jürgen (Juriaen), niederl. Maler, Tön-
ning (Holstein) 1623–1678 Friedrichstadt, Schüler

→ Rembrandts, war 2 Jahre in Stockholm u. kam
1656 nach Amsterdam zurück; 1663 vom holstein.
Herzog als Hofmaler nach Schleswig berufen; für
diesen hat er eine Reihe großer geschichtsallegor.
Gemälde geschaffen. Am bedeutendsten ist O. in s.
Gruppenporträts. In s. Kunst Eklektiker, der vieler-
lei Einflüsse der Zeit aufnahm. Er ist von van
→ Dyck, → Rubens, aber auch von Italienern u.
Spaniern, zeitweise von Rembrandt beeinflußt.
Hauptwerke: *Familienbildnis,* 1650, Haarlem, Frans-
Hals-Mus. *Hochzeit Karls X. von Schweden,* 1654,
Stockholm, Mus. *Die 6 Vorsteher des Armenhauses,*
1656, Amsterdam, Rijksmus. *Gruppenbildnis der
Regenten des Bürgerwaisenhauses,* 1663, Amsterdam,
Bürgerwaisenhaus. *Verschwörung des Claudius Civilis,*
Amsterdam, Rathaus.
Lit.: H. Schmidt, 1922.

Overbeck, Fritz, dt. Maler u. Radierer, Bremen
1869–1909 Bröcken b. Vegesack, Schüler der Düsseldorfer Akad., 1894–1906 Mitglied der→Worpsweder
Künstlerkolonie, malte Stimmungslandschaften aus
der Worpsweder Gegend (Moore u. Heiden) u.
schuf Radierungen mit denselben Themen.
Lit.: Bethge, *Worpswede,* 1907. R. M. Rilke, *Worpswede,* 1910.

Overbeck, Johann Friedrich, dt. Maler, Lübeck
1789–1869 Rom, Hauptmeister der → Nazarener,
Schüler der Wiener Akad., gründete mit einigen
Gleichgesinnten 1809 den «Lukasbund», der die
Kunst auf die Grundlage vertiefter Religiosität
stellt. 1810 zog der Kreis nach Rom in das ehem.
Kloster S. Isidoro. 1813 trat O. zur katholischen
Kirche über. Er schuf vor allem religiöse Bilder u.
Porträts. In s. Spätzeit beschränkte er sich fast aus-
schließlich auf Entwürfe für Fresken. In seinem Stil
war O. vor allem von Meistern der beginnenden
Hochrenaissance bestimmt (→ Perugino, dem jun-
gen → Raffael).
Hauptwerke: *Einzug Christi in Jerusalem,* 1809–24,
Lübeck, Marienkirche. Wandgemälde der Casa Bar-
tholdy: *Verkauf Josephs; die 7 mageren Jahre,* 1816–17,
seit 1888 in Berlin, Nat. Gal. *5 Wandgemälde aus
Tassos «Befreitem Jerusalem»,* 1820, Casino Massimi,
Rom. *Madonna mit Johannesknaben u. hl. Elisabeth,*
1825, München, N. P. *Rosenwunder Mariä,* auf der
Stirnseite der Portiuncula-Kapelle in S. Maria degli
Angeli, Assisi, 1829. *Marienkrönung,* Köln, Dom.
Pietà, 1837, Lübeck, Marienkirche. Entwürfe für
Fresken: *Verfolgung der Christen,* 1848, Vatikan, u. a.
– Bildnisse: *Selbstbildnis mit Gattin,* 1820. Lübeck,
Behnhaus. *Bildnis Vittoria Caldoni,* 1822, München,
N. P.
Lit.: M. Howitt, 1886. V. Valentin, 1886. K. G.
Heise, O. u. s. Kreis, 1928. H. Hildebrandt, *Kunst
d. 19. u. 20. Jh.,* 1924. G. Pauli, *Kunst d. Klassiz. u.
d. Romantik,* 1925.

Ozenfant, Amédée, franz. Maler, * Saint-Quentin 1886. Der vor allem auch als Kunsttheoretiker u. Pädagoge tätige O. entwickelte, vom Kubismus ausgehend, s. Lehre vom «Purismus», die er 1915 –17 in s. Zschr. «L'Elan» darlegte. Gemeinsam mit → Le Corbusier gab er das Manifest des Purismus «Après le cubisme», 1918 heraus. 1921–25 gab er zus. mit Le Corbusier die Zschr. «L'Esprit nouveau» heraus. 1935–38 war O. in London, wo er eine Schule gründete. 1938 ff. in New York, gründet das. die «O. School of Fine Arts». O. geht von Gegenständen aus, sucht die Form aber von allem Zufälligen zu reinigen u. zu möglichster Abstraktion zu gelangen. Ein Hauptwerk ist s. großes Fresko «*Les quatre races*» Paris, Mus. d'Art moderne. Ferner: *Vie*, 1931, ebda. Hauptwerk als Schriftsteller: «Art», 1928; Tagebücher «Journey through life», 1939.
Lit.: K. Nierendorf, 1931 (*Ausst.-Kat. Berlin*). A. H. Barr u. a., *Cubism and abstract Art*, 1936. W. Haftmann, *Mal. des 20. Jh.*, 1954. Knaurs Lex., 1955. Vollmer, 1956.

P

Pacchia, Girolamo del, ital. Maler, Siena 1477 bis nach 1533, Vertreter der sienes. Hochrenaissancemalerei, wahrscheinlich Schüler des Bernardino → Fungai, tätig in Siena, schuf kirchliche Werke, im Stil beeinflußt von → Perugino, → Pinturicchio u. Fungai, später unter dem Einfluß von → Sodoma, Fra → Bartolommeo u. → Albertinelli.
Hauptwerke: *Himmelfahrt Christi*, Siena, S. Maria del Carmine. *Krönung Mariä*, ebda., S. Spirito. *Madonna mit Heiligen*, ebda., S. Cristofano. *Verkündigung*, aus S. Spirito, Siena, Akad. *Verkündigung u. Heimsuchung*, 1518, Siena, Pinac. *Hl. Familie*, ebda. *Himmelfahrt Christi*, ebda.
Lit.: A. Venturi IX, 5, 1932.

Pacchiarotto, Giacomo, ital. Maler, Siena 1474 bis um 1540 Viterbo, Schüler vielleicht des → Fungai, beeinflußt von diesem, von → Francesco di Giorgio, → Perugino u. a.; trotz aller Einflüsse wußte P. doch die Tradition der sienes. Malerei fortzusetzen.
Werke: *Himmelfahrt Christi*, Siena, Akad. *Thronende Madonna mit Heiligen*, ebda. *Heimsuchung*, Lucca, Pinac. u. Florenz, Akad. *Geburt Christi*, London, Nat. Gall. *5 Heilige*, Siena, Pinac.
Lit.: A. Venturi IX, 5, 1932. R. van Marle, *Ital. Schools* 7, 1926. C. Brandi in: Th.-B. 1932. G. Delogu, *Ital. Mal.*, ³1948.

Pacheco, Francisco, span. Maler, Sanlucar de Barrameda 1564–1654 Sevilla, Meister des span. Romanismus (der italianisierenden Kunst), seit 1625 in Sevilla tätig, wo er ein bedeutendes Atelier inne hatte u. als Lehrer geschätzt war; sein bedeutendster Schüler war → Velazquez. Er schuf religiöse Bilder, Bildnisse u. schrieb ein Lehrbuch der Malerei. In s. Stil gehört er zu den letzten Romanisten u. suchte in s. späteren Werken naturalist. Stilelemente mit den italianisierenden zu verbinden.
Hauptwerke: *Hochaltar der Klosterkirche S. Diego*, Sevilla, 1616. *Heiligengestalten*, 1608, Madrid, Prado. *Hl. Sebastian*, 1616, Alcalá de Guadaira, S. Sebastian. *Unbefleckte Empfängnis*, 1628, Sevilla, Kathedrale. *Hochaltar* von S. Miguel zu Jerez de la Frontera, 1641. Bildnisse: *Santiagoritter*, 1625, Richmond, Slg. Cook. Zeichnungen: Folge von 170 gezeichneten berühmten Zeitgenossen (Libro de descripción de verdaderos retratos etc., 1599). Er schrieb: «Arte de la pintura», 1649. Gut vertreten in Sevilla, Mus.
Lit.: F. Rodriguez Marin, 1923. J. Lassaigne, *Peint. espagn.*, 1952.

Pacher, Friedrich, österr. Maler, * vermutlich Neustift b. Brixen um 1435–40, † nach 1508; sein Verwandtschaftsverhältnis zu Michael → P. nicht bekannt. Er schuf vor allem Freskenwerke für Südtiroler Kirchen. In s. Kunst von Michael P., Meister → E. S. u. oberital. Meistern beeinflußt.
Werke: *Fresko im Kapitelsaal zu Brixen* (Diözesanmus.). *Peter- u. Paulsaltar* (teils in Privatbesitz, teils im Provinzialat der Franziskaner in Jerusalem); *Katharinenaltar*, Neustift, Gal. Ferner Budapest, Mus.; Nürnberg, German. Mus.; Wien, Kunsthist. Mus.; Schloß Ambras b. Innsbruck u. a.
Lit.: Prinz Jos.-Clemens v. Bayern in: Th.-B. 1932. W. R. Deusch, *Dt. Mal. d. 15. Jh.*, 1936.

Pacher, Michael, österr. Maler u. Bildschnitzer, wahrscheinlich Neustift b. Brixen um 1435–1498 vermutlich Salzburg, Hauptmeister des Tirol u. einer der bedeutendsten Künstler s. Zeit, ab 1467 in Bruneck nachweisbar, wo er eine bedeutende Werkstatt unterhielt, 1496 ff. in Salzburg. P. schuf Altarwerke, bei denen Malerei u. Plastik gleicherweise dem monumentalen Gesamtkunstwerk dienen. Obwohl als Maler bezeichnet, beherrschte er offenbar auch die Bildschnitzerei, da aus dem plastischen Werk der gleiche bedeutende Geist spricht. P. geht von der südtirol. Überlieferung aus, ist von der Kunst → Multschers beeinflußt u. war sicher in Oberitalien, wo er bes. von → Mantegna die Raumdarstellung erlernte. Sein Hauptwerk, der vollständig erhaltene *Hochaltar von St. Wolfgang* im Salz-

kammergut, 1471–81, bedeutet den Höhepunkt des
nord. spätgot. Flügelaltars: das Schnitzwerk im
malerischen Stil der Spätgotik, die Tafeln eine über-
ragende Leistung monumentaler Raumgestaltung.
Schrein: die Krönung Mariä durch Christus,
zwischen 2 Heiligen; auf den Tafeln: Szenen aus
dem Marienleben, dem Leben Christi u. aus der
St. Wolfgangslegende. Hauptstücke von P. eigenhändig, anderes von Gesellen ausgeführt.
Weitere Hauptwerke: Flügelaltar der Pfarrkirche in
Gries b. Bozen, 1471 beg., davon erhalten: die
Schreinskulpturen *Krönung Mariä zwischen Heiligen.*
Thronende Marienfigur vom Hochaltar der Franziskanerkirche, Salzburg, 1495–98. *Kirchenväteraltar* aus
Neustift, um 1483, München, A. P.: Gemalte Tafeln
mit den Kirchenvätern u. 4 Szenen aus dem Leben
des hl. Wolfgang. Hochaltar von St. Lorenzen b.
Bruneck: zu ihm gehören vermutlich *Thronende*
Marienfigur in St. Lorenz u. die Außenflügel: *Szenen*
aus dem Leben von Heiligen, 2 in Wien, Kunsthist. Mus.,
u. 2 in München, A. P. Ferner: *Krönung Mariä,* um
1475, München, A. P. *Vermählung Mariä* u. *Geißelung*
Christi, Wien, Kunsthist. Mus.
Lit.: R. Stiassny, *M. P.s St. Wolfganger Altar,* 1919.
Tietze, 1921. J. v. Allesch, 1931. E. Hempel, 1931.
Ders., *Das Werk M. P.s,* ⁶1952. O. Pächt, *Die hist.*
Aufgabe M. P.s in: Kunstwissensch. Forschungen 1,
1931. Ders., *Österr. Tafelmal. d. Gotik,* 1929. A.
Schwabik, *M. P.s Grieser Altar,* 1933. O. Schürer,
1940. D. Frey in: Wiener Jb. f. Kunstgesch. 15,
1953. A. Stange, *Dt. Malerei d. Gotik* 10, 1960. G.
Dehio, *Gesch. d. dt. Kunst* 2, 1921.

Padovanino, eig. Alessandro Varotari, gen. P., ital.
Maler, Padua 1588–1648 Venedig, Meister des venez.
Frühbarock, tätig in Venedig, wo er sich 1614
niederließ. Er schuf zahlreiche Kirchenbilder, ferner
kleinere Andachtsbilder, aber auch profane Malereien, u. zwar mit Vorliebe mythol., hist., bibl. oder
allegor. Einzelfiguren (meist Halbfigurenbilder). In
s. Kunst wollte P. an die venez. Hochrenaissance
anschließen, bes. an → Tizian, den er öfters kopierte; beeinflußt auch von → Veronese.
Sehr gut vertreten in der Akad. Venedig, auch in
einigen Kirchen Venedigs (chiesa dei Carmini u.
Deckenbild in der Scuola di S. Maria dei Carmini),
in vielen ital. u. einigen auswärtigen Mus., u. a.
Dresden, Stuttgart, Wien, Braunschweig, Leningrad,
Madrid, Paris.
Beisp.: Kirchenbild: *Hochzeit zu Kana,* 1622, Vene-
dig, Akad. Kleineres Andachtsbild: *Madonna mit dem*
hl. Georg, Stuttgart, Gal. Mythol. Bild: *Raub der*
Europa, Siena, Pinak. Mythol. Einzelbilder: *Venus u.*
Amor, Paris, Louvre u. Sanssouci. *Lukretia,* Florenz,
Uff. u. Dresden, Gal.
Lit.: A. Venturi IX, 7, 1934. N. Pevsner, *Barock-*
malerei (Handb. der K. W.), 1928. F. J. Mather,
Venetian painters, 1937.

Päuerlin, Hans → Beierlein, Hans.

Pagliano, Eleuterio, ital. Maler, Casale Monferrato
1826–1903 Mailand, Meister hist. Genrebilder, Schüler von L. → Sabatelli u. G. Sogni in Mailand. P.
gehörte der realist. Richtung an u. schuf außer Szenen aus dem Soldatenleben Landschaften, Porträts
u. a. Beisp.: *Luciano Manaras Tod,* Rom, Gall. mod.
Werke in den Mus. Florenz (Uff.); Mailand (Gall.
mod., Brera u. Mus. Poldi-Pezzoli); Novara, Rom,
Turin u. a.
Lit.: A. M. Comaducci, *Pittori dell'ottocento,* 1934.
G. Delogu, *Ital. Malerei,* ³1948.

Paionios, lat. Päonius, griech. Bildhauer 5. Jh. v.
Chr., aus Mende in Thrakien, tätig um die Jahr-
hundertmitte in Olympia u. Delphi, Hauptmeister
der klass. jonischen Kunst. Eines s. Hauptwerke ist
im Original erhalten: die *Marmorstatue der Nike* in
Olympia, um 420, welche vor der Ostfront des Zeustempels aufgestellt war, ein Weihgeschenk der Mes-
senier u. Naupaktier. Dargestellt ist die herab-
fliegende Nike, die Götterbotin des Sieges; der
Körper relativ ruhig, das durchscheinende Gewand
in mächtigem Bausch zurückgeweht, so daß der Eindruck des Herabschwebens versinnlicht wird. Im
Stil des P. ist die Bekanntschaft des klass. attischen
Stils der Parthenonskulpturen (→ Phidias) voraus-
zusetzen. Die Nike blieb in der ganzen späteren
klass. griech. Kunst Vorbild einer fliegenden Figur.
Pausanias bezeichnete P. fälschlich als Künstler der
Skulpturen des Ostgiebels des Zeustempels von
Olympia.
Lit.: Schrader, *Phidias,* 1924. Bieber in: Th.-B.,
1932. Curtius, *Klass. Kunst Griechenlands,* 1938.
G. Lippold in: Hb. d. Archäol. III, 1, 1950.

Pajou, Augustin, franz. Bildhauer, Paris 1730–1809
ebda., Meister des franz. Rokoko, Schüler von
J.-B. → Lemoyne, 1751–56 in Rom, seitdem in
Paris, das. Mitglied der Akad, schuf festliche Dekorationen, mythol. Figuren, kirchliche Plastik u. insbesondere Porträtbüsten. In s. Werken zeigt er vielfache Einflüsse: von ital. Barockkunst, von s.
Lehrer Lemoyne, → Falconet, → Slodtz, → Coustou
u. a. Hauptwerk s. dekorativen Kunst: *Aus-*
schmückung der Oper in Versailles, 1768–70, in Stuck,
Holz u. Stein, ausgeführt mit Hilfskräften: *Figuren*
der Götter des Olymps, der Gruppe *Apollo u. die*
Genien der Künste u. a. Hauptwerk als Porträtist:
Marmorbüste Mme Du Barry, 1773, Paris, Louvre.
Weitere Werke: *Merkur,* Marmor, 1777, Paris,
Louvre. *Die verlassene Psyche,* Marmor, 1785–91,
ebda. Porträtbüsten: *J.-B. Lemoyne,* Bronze, 1759,
ebda. *Buffon,* Marmor, 1773, ebda. *Hubert Robert,*
Ton, 1789, Paris, Ecole des B.-Arts.
Lit.: H. Stein, 1912. A. E. Brinckmann, *Barock-*
skulptur (Hb. d. K. W.), 1919. E. Hildebrandt, *Mal.,*
u. Plastik d. 18. Jh. in Frankr., 1924.

Palamedes (Palamedesz.), Anthonie, gen. Stevers, niederl. Maler, Delft um 1601–1673 ebda., Meister der holl. Sittenbilder mit Gesellschaftsszenen, vermutlich Schüler von Frans u. Dirk → Hals in Haarlem, schuf fein ausgeführte Genrebilder mit galanten Szenen in der Art des Dirk Hals u. P. → Codde sowie Bildnisse. Gut vertreten in Amsterdam, Rijksmus.; im Haag, Mus.; Paris, Brüssel, Berlin u. vielen europ. u. amerik. Mus.
Lit.: Wurzbach, *Niederl. Künstlerlex.* 2, 1910.

Palamedesz, Palamedes, niederl. Maler, vermutlich London 1607–1638 Delft, Bruder des Anthonie → P., spezialisierte sich auf Lagerszenen u. Reiterkämpfe. In vielen Mus. vertreten.

Palazuelo, Pablo, span. Maler, * Madrid 1916, gehört zur Gruppe der jüngeren, rein abstrakten Vertreter der Ecole de → Paris; 1948 ff. in Paris. P. war vertreten an der Ausst. «Tendances actuelles de l'Ecole de Paris 2» in Bern, 1954.
Lit.: *Ausst.-Kat. Ecole de Paris* 2, Bern 1954. *Neue Kunst nach 1945*, hg. v. W. Grohmann, 1958.

Palissy, Bernard, franz. Kunsttöpfer, Saintes (oder Agen) um 1510–1590 Paris, bedeutender Keramiker der franz. Renaissance, tätig in Saintes, La Rochelle u. seit 1562 in Paris, erfand feine farbige durchsichtige Lasuren, mit denen er s. Tongefäße überzog. Berühmt waren s. Gefäße mit plastisch gebildeten Pflanzen, Tieren, Muscheln usw. aus Naturabgüssen (*Palissyschüsseln*). Ferner Gefäße mit ornamentalen Dekorationen; figurale Reliefdarstellungen nach Stichen von Cousin, Delaune u. a., auch nach Meistern der Schule von Fontainebleau (→ Primaticcio, → Rosso); freiplastische Keramiken, Salzgefäße, Standleuchter usw., auch Genrefiguren, vielleicht von P. selber entworfen. P. wurde vielfach nachgeahmt, im 19. Jh. auch gefälscht.
Lit.: Delange u. Borneman, 1865. P. Burty, ²1902. Dupuy, ²1902. Hanschmann, 1903. D. Leroux, 1928. L. Dimier in: Gaz. d. B.-Arts, 1934.

Palizzi, Filippo, ital. Maler, Vasto (Abruzzen) 1818 bis 1899 Neapel, gehört zu den Begründern des ital. Realismus des 19. Jh. Gemeinsam mit s. Freund Domenico → Morelli gründete er die Posillipo-Schule in Neapel. P. malte vor allem Tiere im Freien u. Hirten nach der Natur. Er ist reich vertreten in der Gall. mod. in Rom; ferner in Florenz, Mailand, Neapel.
Lit.: F. Sapori, 1919. Somaré, *Storia dei pitt. ital. dell'ottocento*, 1928. G. Delogu, *Ital. Malerei*, ³1948.

Palladio, Andrea, ital. Arch., Vicenza 1508–1580 ebda., Hauptmeister der ital. Baukunst des 16. Jh., besuchte mehrmals Rom (erstmals 1540–41), wo er die antiken Bauwerke u. die Schriften Vitruvs studierte, war in Vicenza tätig, seit 1560 meist in Venedig. Ausgangspunkt s. Kunst ist die röm. → Bramanteschule, bes. → Sanmicheli. Dazu kommt aber ein Studium der Antike, wie es so gründlich nicht einmal → Alberti u. → Michelangelo betrieben, Wo immer möglich verwandte er antike Ordnungen u. Formen, beim Palastbau mit Vorliebe die Große Ordnung, d. h. die durch 2 Stockwerke durchgehenden Pilaster. Dieser palladianische Klassizismus steht mit s. Wohlabgewogenheit u. Kühle im Gegensatz zur Kunst Michelangelos, ist entwicklungsgeschichtlich aber gleich bedeutend u. leitet die klassizist. Richtung des Barock ein. So ist der engl. Klassizismus (Inigo → Jones) direkt von P. abzuleiten, der holl., der mit J. van → Kampen um 1640 einsetzte, u. der franz. Klassizismus verschiedentlich von ihm beeinflußt worden (→ Perraults Louvrefassade, → Blondel, später → Soufflot, → Louis u. → Gabriel). Hauptvertreter s. Stiles in Italien: → Scamozzi. P. baute sehr viel in Vicenza (oft von andern umgestaltet oder verändert) u. bestimmt das dortige Stadtbild. Seine wichtigsten Palastbauten ebda.; Hauptkirchenbauten in Venedig.
Hauptwerke in Vicenza: sog. *Basilika*, seit 1549: Umbau des im 15. Jh. erbauten Pal. della Ragione mit 2 ringsumgehenden Stockwerken offener Bogenhallen. *Pal. Chiericati* (Mus. Civico): Fassade aus lichten Säulenhallen, einer in dorischer u. einer in jonischer Ordnung. *Villa Rotonda*, um 1567, 1591 v. Scamozzi voll. *Teatro Olimpico*, 1579–84. *Pal. Valmarana*, 1566. *Pal. Marcantonio Tiene*, 1556 (jetzt Banca Popolare). Hauptbauten in Venedig: *Kirchen S. Giorgio Maggiore*, 1565 beg., Inneres 1580 voll., Fassade 1610 voll. *Il Redentore*, 1576 beg., 1592 geweiht. P. schrieb: «Quattro libri dell'architettura», 1570.
Lit.: Barichella, 1870. Dohme, 1879. Zanella, 1880. B. F. Fletcher, 1902. F. Burger, *Die Villen des P.*, 1909. J. Maestri, 1922. G. K. Lukomskij, 1924. Ders., 1927. A. Melani, 1928. H. Pée, *Palastbauten des P.*, 1939, ²1941. A. Venturi XI, 3, 1940. A. M. della Pozza, 1943. R. Pane, 1948. N. Pevsner, *Europ. Arch.*, 1957 (m. Bibliogr.).

Palma Giovane, eig. Jacopo Negretti, ital. Maler u. Radierer, Venedig 1544–1628 ebda., Vertreter des venez. Frühbarock, Großneffe → Palma Vecchios, in Urbino u. Rom, später in Venedig tätig; in Rom von → Michelangelo u. den Manieristen in dessen Gefolge beeinflußt, in Venedig von F. → Salviati, → Tintoretto u. Aless. → Vittoria. P. schuf große hist. u. religiöse Darstellungen u. mythol. Bilder. Er war ein sehr fruchtbarer Maler, der zu s. Zeit in hohem Ansehen stand u. dekorative Gemälde in vielen venez. Kirchen schuf. Hauptwerk: große hist. u. bibl. *Fresken im Pal. Ducale*. Mit Tafelbildern in

vielen Mus. vertreten, so in Florenz, Dresden, Wien, Kunsthist. Mus.; München, A. P.; Paris, Louvre; Kassel, Gal. u. a.
Lit.: W. Arslan in: Th.-B. 1932. E. v. d. Bercken, *Mal. d. Renaiss. in Oberital.*, 1927.

Palma Vecchio, eig. Jacopo de Negretti, ital. Maler, Serinalta b. Bergamo um 1480–1528 Venedig, Hauptvertreter der venez. Hochrenaissance, Schüler wohl des → Francesco di Simone, seit 1510 in Venedig nachweisbar, schuf kirchliche Werke u. Porträts voll sinnlicher Fülle, Schönheit der Form u. leuchtendem Schmelz der Farben, so daß s. Hauptwerke sich denen der größten venez. Meister anreihen. Lieblingsthema ist die «Sacra Conversazione»: Madonna mit Kind u. Heiligen vor landschaftlichem Hintergrund, dessen Typus wie der des Frauenbildnisses für die venez. Malerei bestimmend wurden u. die er vielleicht selber geschaffen hat. Ausgangspunkt s. Kunst ist die des Giovanni → Bellini, wurde dann stark von → Giorgione u. L. → Lotto beeinflußt, später auch von → Tizian. P. V. seinerseits hat auf alle nachfolgenden Bergamasken großen Einfluß gehabt, bes. auf → Previtali, ferner auf → Bonifazio, → Romanino u. → Moretto. Hauptwerke: *Altarbild mit der hl. Barbara, den hll. Sebastian u. Antonius Eremita,* Venedig, S. Maria Formosa. *Adam u. Eva,* um 1510, Braunschweig, Mus. *Sacra Conversazione:* Wien, Kunsthist. Mus.; Neapel, Mus.; Paris, Louvre; Venedig, Akad. Mythol. u. bibl. Bilder: *Venus,* um 1518, Dresden, Gal. *Jakob u. Rahel,* um 1520, ebda. *Judith,* Florenz, Uff. *Anbetung der Könige,* 1525–26, Mailand, Brera. Bildnisse: *Gruppenbildnis der 3 Schwestern,* Dresden, Gal. Sog *Dichterbildnis,* London, Nat. Gall. *Selbstbildnis* 1512–15, München, A. P. *Frauenbildnisse,* Wien Kunsthist. Mus.
Lit.: P. Locateḷli, 1890. M. v.ꞌBoehn, *Giorgione u. P.,* 1908. A. Foratti, 1912 (ital.). A.ꞌSpahn, 1932. A. Venturi IX, 3, 1928. G. Gombosi, 1937 (Klass. der Kunst). P. Schubring, *Kunst d. Hochrenaiss.,* 1926. G. Delogu, *Ital. Mal.,* ³1948. E. Hüttinger, *Venez. Mal.,* 1959.

Palmer, Samuel, engl. Maler u. Radierer, Newington 1805–1881 Redhill, bedeutender Landschaftsaquarellist u. Schöpfer radierter Landschaftsblätter, Gatte der Landschaftsmalerin *Hannah P.,* Tochter des Malers John → Linell, war 1837/39 in Italien, tätig in London, seit 1863 in Redhill. In s. romant.-idyllischen Aquarellen von → Blake beeinflußt. In vielen engl. Mus. vertreten: London, Victoria u. Albert Mus.; Birmingham, Edinburgh, Manchester, Nottingham, Melbourne. Illustrierte u. a. «L'allegro» u. «Il penseroso» von Milton u. radierte landschaftliche Blätter zu Virgils Eklogen.
Lit.: L. Binyon, *The followers of W. Blake,* 1925.

Palmer, Walter, amerik. Maler, Albany (NY) 1854–1932 ebda., Landschaftsmaler, Schüler von F. E. → Church u. C. → Duran, malte vor allem Winterlandschaften, mit guter Beobachtung von Licht u. Luft. Werke in New York, Metrop. Mus; Boston, Fine Arts Mus.; Buffalo, Fine Arts Acad. u. a.

Palmezzano, Marco, ital. Maler, Forlì um 1460 bis 1539 ebda., Vertreter der religiösen Malerei der Romagna, Schüler des → Melozzo da Forlì, tätig in Forlì u. a. O. der Romagna, schuf als Schüler des Melozzo u. wohl nach dessen Vorzeichnungen *Fresken in S. Biagio in Forlì.* Später geriet er unter den Einfluß der venez. Malerei, beeinflußt bes. von → Rondinelli u. → Cima u. schuf Werke, deren Reiz in der fleißigen Ausführung der Nebendinge u. der landschaftlichen Hintergründe liegt.
Vertreten u. a. in Forlì, Pinac.; Mailand, Brera; Florenz, Uff.; Faenza, Pinac.; Bologna, Pinac.; Rom, Vatik. Gal.; Paris, Louvre; München, A.P.; Frankfurt, Städel; Berlin, staatl. Mus. Beisp.: *Altarbild mit Krönung Mariä,* 1493, Mailand, Brera. *Verkündigung Mariä,* 1491, Forlì, Pinac. *Altarbild der Madonna mit Heiligen,* Forlì, S. Biagio. *Altarbild Thronende Madonna mit Heiligen,* 1537, Rom, Vatik. Gal. *Pietà,* 1510, Paris, Louvre. *Kreuzigung,* Florenz, Uff. *Johannes d. T.,* Frankfurt, Städel.
Lit.: R. Buscaroli, *La pittura romagnola del quattrocento,* 1931. G. Gronau in: Th.-B. 1932. E. v. d. Bercken, *Mal. d. Renaiss. in Oberital.,* 1927.

Palmié, Charles J., dt. Maler, Aschersleben 1863 bis 1911 München, schuf Landschaften u. Stilleben, beeinflußt von den franz. Pointillisten; tätig in München. Vertreten in den Mus. Budapest, Chemnitz, Dessau, Leipzig, Magdeburg, München, Nürnberg.

Palomino de Castro y Velasco, Antonio Acisclo, span. Maler, Bujalance 1653–1726 Madrid, Vertreter der span. Barockmalerei, ging 1678 nach Madrid, 1688 Hofmaler, von → Carreño, → Coello u. später von Luca → Giordano beeinflußt, schuf kirchliche Werke. Außerdem ist er einer der wichtigsten span. Kunstschriftsteller, sein «Parnaso Español», 1724 gedruckt, ist eine Hauptquelle f. die Geschichte der span. Malerei.
Hauptwerk: Deckengemälde in der Kirche *Los Santos Juanes* (S. Juan del Mercado) in Valencia, 1697–1700. Ferner *Unbefleckte Empfängnis,* 1713, Altarbild in Cordoba, Kathedr. Vertreten in Madrid, Prado.
Lit.: E. Moya Casals, 1928. A. L. Mayer, *Gesch. der span. Malerei,* 1922. Ders. in: Th.-B. 1932. J. v. Schlosser, *Kunstliteratur,* 1924. E. Lafuente Ferrari, *Breve Hist. de la Pint. Españ.,* 1953.

Panetti, Domenico, ital. Maler, Ferrara um 1460 bis um 1513 ebda., von L. → Costa, → Boccaccino u. a. beeinflußter ferraresischer Meister, der 1. Lehrer des → Garofalo; er schuf haupts. kirchliche Werke: *Thronende Madonna mit Kind u. Stiftern,* Ferrara, Dom. *Heimsuchung, Ferrara,* Pinac. *Verkündigung,* ebda. *Beweinung Christi,* Berlin, ehem. K.-F.-Mus. Vertreten ferner in Ferrara, Pinac.; Mailand, Brera; Modena, Gal. u. S. Francesco; London, Nat. Gall. Lit.: A. Venturi VII, 3, 1915. Gardner, *The painters of the School of Ferrara,* 1911. W. Arslan in: Th.-B. 1932. E. v. d. Bercken, *Mal. d. Renaiss. in Oberital.,* 1927.

Pankok, Bernhard, dt. Arch. u. Maler, Münster 1872–1943 Baierbrunn (Oberbayern), Meister des Jugendstils, bes. als Innenarch. tätig, war in München Mitarbeiter der «Jugend» u. Mitbegründer der Münchener Werkstätten für Kunst im Handwerk, 1897; seit 1902 in Stuttgart tätig, wo er 1902 die kunstgewerblichen Lehr- u. Versuchswerkstätten gründete, 1913–37 Direktor der staatl. Kunstgewerbeschule ebda. Seit 1909 auch als Bühnenbildner tätig, als Maler haupts. Porträtist. Bauten: *Standesamt Dessau,* 1900–02. *Ateliergebäude in Stuttgart,* 1905. *Ausstellungsgebäude,* ebda., 1925. Lit.: J. Baum, W. Fleischhauer u. S. Kobell, *Schwäb. Kunst im 19. u. 20. Jh.,* 1952. *Ausst.-Kat. Aufbruch z. mod. Kunst,* München 1958. *Ausst.-Kat. sources du XXᵉ siècle,* Paris 1960/61.

Pannini, Giovanni Paolo, ital. Maler u. Arch., Piacenza um 1691–1765 Rom, Hauptmeister der Landschaftsdarst. mit Ruinen, worin sich der mit → Piranesi befreundete Meister spezialisierte. Er hatte großen Erfolg u. wurde vielfach nachgeahmt. Vertreten u. a. in Rom, Villa Albani (*Forum Romanum*); Turin, Pinac.; Venedig, Mus. Corrèr (*Inneres der Peterskirche*); Wien, Gal.; London, Nat. Gall.; Mannheim, Gal.; Potsdam, Sanssouci (*Ansicht v. Rom,* 1744); Leningrad, Eremitage; Paris, Louvre. Lit.: L. Ozzola, 1921. G. Pauli, *Kunst d. Klassiz. u. d. Romantik,* 1925. *Ausst.-Kat. mostra del settecento,* Rom 1959.

Pantoja de la Cruz, Juan, span. Maler, Madrid 1551–1608 ebda., bedeutender Porträtist des 16. Jh., Schüler des → Sanchez Coello, von → Tizian u. A. → Moro beeinflußt, Hofmaler Philipps II. u. Philipps III., schuf Porträts der Königsfamilie u. der Hofgesellschaft, ferner kirchliche Bilder. In s. Bildnissen gehört er dem kastil. Manierismus an, in den Kirchenbildern dem Romanismus. Bildnisse: *Philipp II.,* Madrid, Prado u. Escorial (1608). *Margarete von Österreich,* 1607, Madrid, Prado. *Bildnis einer Dame,* ebda. *Infantin Anna,* 1604, Wien, Kunsthist. Mus. Kirchl. Bilder: *Altarwerk: Hl. Augustin*

mit Mönchen u. Santiagorittern, 1606; Toledo, Kathedrale. *Hll. Augustin u. Nikolaus von Tolentino,* 1601, Madrid, Prado. *Geburt Mariä,* 1604, ebda. *Anbetung der Hirten,* 1604, ebda. Bilder in München, A. P.; Wien, Kunsthist. Mus.; Segovia, Kathedrale. Lit.: F. de San Roman, 1921. A. L. Mayer, *Gesch. der span. Malerei,* 1922.

Paolino (Paolo), Fra, ital. Maler, Pistoia um 1490 bis 1547 ebda., Sohn u. Schüler des Bernardino del Signoraccio, zeitweilig Werkstattgenosse u. Gehilfe des Fra → Bartolommeo, malte kirchliche Werke, beeinflußt von Bartolommeo u. → Mariotto. Werke: *Anbetung der Könige,* 1526, Pistoia, S. Domenico. *Madonna mit Kind,* ebda. *Vermählung der hl. Katharina,* ebda. *Kreuzigung,* ebda. *Pietà,* Florenz, Akad. *Himmelfahrt Mariä,* ebda. *Madonna mit Kind,* Modena, Gal. Weitere Werke in Rom, Gall. Doria; Pistoia, S. Spirito u. a. Lit.: A. Venturi IX, 1, 1925. B. Berenson, *Drawings of the Florent. paint.,* 1903.

Paolo, Giovanni di → Giovanni di Paolo.

Paolo di Giovanni Fei, ital. Maler, tätig in Siena Ende 14. Jh., † um 1410, Sieneser Meister, der in der Art des Andrea → Vanni – vermutlich s. Lehrer – malte, beeinflußt auch von → Bartolo di Fredi; schuf Fresken u. Altarwerke, auch zahlreiche kleine Bilder, die sich durch hohe techn. Feinheit auszeichnen. Lehrer von → Sassetta u. → Giovanni di Paolo. Werke: *Madonna mit Kind,* Siena, Dom; *Madonna mit Kind,* Modena, Gal.; *Hl. Katharina,* Frankfurt, Städel; *Heilige* (Altarflügel), Richmond, Slg. Cook. Weitere Werke in Asciano, Collegiata; Neapel, Dom; Siena, Dom u. a. Kirchen; Altenburg, Mus.; Brüssel, Mus.; Bayeux, Mus.; Settignano, Slg. Berenson; Frankfurt, Städel; Modena, Gal.; Siena, Akad. Lit.: A. Venturi 5, 1907. Perkins in: Th.-B., 1932. B. Berenson, *Ital. pictures of the Renaissance,* 1932. R. van Marle, *Ital. Schools of Paint.* 2, 1924.

Paolo Romano, gen. Magister Paulus, ital. Bildhauer, 1. Viertel 15. Jh., tätig in Rom, schuf Grabmonumente in Anlehnung an → Arnolfo di Cambio u. → Tino di Camaino. Werke: *Grabmal des Bart. Carafa* († 1404), Rom, S. Maria del Priorato. *Grabmal des Kardinals Pietro Stefaneschi* († 1417), Rom, S. Maria in Trastevere. Zugeschrieben: *Sitzstatue Bonifaz IX.* (dat. 1404), früher St. Peter, heute Klosterhof von S. Paolo fuori le mura. Lit.: W. Bode, *Ital. Plastik,* 1922.

Paolo Romano, d. J., → Taccone, Paolo.

Paolo Veneziano, ital. Maler, in Venedig nachweisbar 1333–58, † um 1360, venez. Hauptmeister der

1. Hälfte des 14. Jh., in s. Anfängen von der byzant. Kunst abhängig, später mehr u. mehr ital.-got., schuf namentlich Madonnenbilder in weich fließender Liniensprache u. delikaten Farben, die Gewänder mit zartem arabeskenhaftem Goldornament übersponnen.
Hauptwerke: *Altarbild mit Tod Mariä*, 1333, Vicenza, Mus. *Altarwerk mit Krönung Mariä*, Venedig, Akad. (früher Mailand, Brera). *Thronende Madonna mit Engeln*, 1347, Carpineta b. Cesena.
Lit.: G. Gronau in Th.-B. 1932. P. Toesca, *Il Trecento*, 1951 (Storia dell'arte II). R. Oertel, *Frühzeit d. ital. Mal.*, 1953.

Paolo Veronese → Veronese, Paolo.

Paolozzi, Eduardo, engl. Bildhauer, Zeichner u. Lithograph, ital. Abkunft, * 1924, ansässig in London, Vertreter der modernen abstrakten Plastik; ausgestellt an der 30. Biennale in Venedig, 1960.
Lit.: Vollmer, 1956. C. Giedion-Welcker, *Plastik d. 20. Jh.*, 1955.

Papillon, Jean-Michel, franz. Holzschneider, Paris 1698–1776 ebda., das bedeutendste Mitglied einer Holzschneiderfamilie, schuf rund 5000 figürliche u. ornamentale Vignetten, Initialen u. dgl. für Buchschmuck. Er schrieb: «Traité hist. et pratique de la gravure sur bois», 1766.
Lit.: P. Gusman, *La gravure sur bois et d'épargne sur métal*, 1916.

Parentino (Parenzano), Bernardo, ital. Maler, Parenzo (Istrien) um 1437–1531 Vicenza, Schüler des → Squarcione, der nach → Mantegnas Weggang für die Paduaner Schule maßgebend war. Er war bes. von den Ferraresen C. → Tura u. Ercole → Roberti beeinflußt.
Werke: *Freskenreste im Klosterhof v. S. Giustina*, Padua. *Der kreuztragende Christus*, Modena, Gal. *Die Hll. Hieronymus u. Augustin*, ebda. *Verkündigung*, Venedig. Akad. *Amazonenschlacht*, Mailand, Gall. Borromeo. *Versuchung des hl. Antonius* (in 2 Szenen), Rom, Gall. Doria. *Anbetung der Könige*, Paris, Louvre. Weitere Werke in Rom, Gall. Doria; Berlin, ehem. K.-F.-Mus.; Verona, Mus.
Lit.: G. Fiocco in: Th.-B. 1932. E. v. d. Bercken, *Mal. d. Renaiss. in Oberital.*, 1927.

Paret y Alcazar, Luis, span. Maler, Madrid 1747 bis 1799 ebda., Schüler des Antonio Gonzalez Velazquez u. des Charles-François de la Traverse, eines Schülers → Bouchers. P. malte Historienbilder, bes. Darstellungen öffentlicher Feste, höfischer Szenen, Allegorien, Genrebilder, Bildnisse, Landschaften, Blumenstücke. Ferner Vorzeichnungen zu Kupferstichen für Illustrationen. P. war in s. Stil stark von der franz. Rokokokunst beeinflußt.

Werke: *Diogenes*, Madrid, Akad. S. Fernando. *Der Eid Ferdinands VII.*, 1791, Madrid, Prado. *Karl III. an der Tafel*, ebda. *Blumenbilder*, Escorial. Vorzeichnungen für Kupferstiche zu Quevedo (Die Musen des Parnaß) u. Cervantes (Don Quijote, 1797/98).
Lit.: E. Lafuente Ferrari, *Breve hist. pint. españ.*, 1953.

Paris, Ecole de, Bezeichnung für eine Gruppe ausländischer Maler in Paris, die sich hier nach dem 1. Weltkrieg niederließen u. ähnliche künstlerische Ziele verfolgten. Sie gehörten der Generation der Kubisten an, waren aber eher Expressionisten, leidenschaftliche Individualisten. Zu ihnen gehörten: → Modigliani, → Pascin, → Chagall, → Kisling, → Soutine u. a. Mit Ecole de P. im weiteren Sinne bezeichnet man die Strömungen der modernen Malerei, die in Paris ihr geistiges Zentrum erblicken, seien es Franzosen oder Ausländer.
Lit.: Knaurs Lex., 1955.

Parler, Baumeisterfamilie des 14. Jh., die aus Schwäbisch-Gmünd stammte. Ihr Werkzeichen war ein Winkelhaken. Der Name P. (= Polier) ist eig. Berufsname. Der Wirkungskreis der Familie P. erstreckte sich auf Gmünd, Ulm, Freiburg, Köln, Regensburg, Prag u. a. O. Ihr Wirken war von größter Bedeutung für die Entwicklung der spätgot. Baukunst u. Bildnerei.
Heinrich von Gmünd war der Stammvater der Familie; er schuf wahrscheinlich den *Hallenchor der Kreuzkirche* von Schwäbisch-Gmünd (1351), ein Werk, mit dessen Bau man den Beginn der dt. Spätgotik ansetzt.
Peter P., Gmünd 1330–1399 Prag, der Sohn Heinrichs v. Gmünd, 1353 von Karl IV. nach Prag berufen, um den von Matthias von Arras begonnenen Dombau weiterzuführen. Er baute vor allem den Chor. Weitere Bauten: *Karlsbrücke* mit dem *Altstädter Brückenturm* in Prag; die Chöre der *Bartholomäuskirche in Kolin* u. der *Barbarakirche in Kuttenberg*. Die hervorragendsten Bildhauerarbeiten, die aus der Prager Dombauhütte hervorgingen: *Grabmäler der Przemysliden* im Chorumgang des Doms; 21 *Bildnisbüsten* weltlicher u. geistlicher Persönlichkeiten auf dem Chortriforium, 1379–93. Von s. Söhnen wurde *Wenzel P.* 1400 Dombaumeister in Wien.
Heinrich P., vielleicht ein Bruder Peter P.s, vermutlich personengleich mit Heinrich Behaim Balier (Parler), der am Prager Dombau beteiligt war, errichtete 1361–72 den *Ostchor von St. Sebald* in Nürnberg u. lieferte den Entwurf für den «*Schönen Brunnen*» auf dem Nürnberger Marktplatz, 1385–96. Das Parlerzeichen führte ferner ein *Johann v. Gmünd*, der seit 1359 den Chor des Münsters in Freiburg i. Br. baute u. auch in Basel erwähnt wird.
Lit.: J. Neuwirth, 1891. R. Reinhold, *Der Chor des Münsters in Freiburg u. die Baukunst der Parler*, 1929.

K. M. Swoboda u. E. Bachmann, *Studien zu Peter P.*, 1939. K. W. Swoboda, *P. P.*, 1940. J. Opitz, *Die Plastik in Böhmen zur Zeit der Luxemburger* 1, 1936. O. Kletzl, *P. P.*, 1940. O. Schmitt, *Das Heiligenkreuzmünster in Schwäb.-Gmünd*, 1951. G. Dehio, *Gesch. d. dt. Kunst* 2, 1921.

Parmigianino, eig. Francesco Mazzola, ital. Maler u. Radierer, Parma 1503–1540 Casalmaggiore, Hauptmeister der Schule von Parma u. des Manierismus, zu dessen Begründern er gehört, ausgebildet unter dem Einfluß → Correggios, weitergebildet an den Werken der Schule → Raffaels, die er 1523–27 in Rom studierte. Aufenthalt in Bologna 1527–31, seitdem wieder in Parma tätig. Kennzeichnend für P.s Stil sind die langgestreckten Gestalten, kühle gebrochene Farben, eine raffinierte Eleganz. P. war ein hervorragender Porträtist u. bedeutender Radierer. Der Einfluß P.s war groß, seine Kunst hat stilbildend gewirkt bes. auf die späteren Venezianer wie → Schiavone, → Tintoretto, → Bassano; ferner auf → Salviati, → Procaccini u. s. Nachfolger in Parma: → Bedoli.
Hauptwerke aus s. Frühzeit: *Verlobung der hl. Katharina*, Parma, Pinac. *Vision des hl. Hieronymus*, London, Nat. Gall.; aus s. reifen Zeit: *Madonna mit der Rose*, Dresden, Gal. «*Madonna del collo lungo*», Florenz, Uff., um 1534–40. *Amor als Bogenschnitzer*, Wien, Kunsthist. Mus. *Madonna mit 2 Heiligen*, Dresden, Gal. Fresken in S. Giovanni Evangelista, Parma. Porträts: *Selbstbildnis im Spiegel* (auf einer konvexen Holzscheibe), Wien, Kunsthist. Mus. *S. Vitale*, 1524, Neapel, Mus. Sog. *Antea*, ebda. *Selbstbildnis*, Florenz, Uff. Weitere Werke in Bologna, Neapel, London, Wien, Kopenhagen u. a. Zeichnungen in Paris, Louvre; London, Nat. Gall.; Florenz, Uff.; Parma u. a.
Lit.: L. Fröhlich-Bum, 1921. A. Venturi IX, 2, 1926. N. Pevsner, *Ital. Malerei des 17. Jh.* (Handb. der K. W.), 1928. G. Copertini, 1932. A. O. Quintavalle, 1948. S. J. Freedberg, 1950 (engl.). A. E. Popham, *The drawings of P.*, 1953.

Parrhasios, griech. Maler des 5. Jh. v. Chr. aus Ephesos, tätig in Athen, Sohn u. Schüler des Euenor, Rivale des → Zeuxis. Die Richtigkeit u. plastische Wirkung der Umrisse wurden bei ihm bewundert. Seine Hauptbedeutung lag in der psychologischen Charakterisierung der Gestalten. Von s. Werken ist nichts erhalten.
Lit.: Pfuhl, *Malerei u. Zeichn. der Griechen* 2, 1923. F. v. Lorentz in: Th.-B. 1932.

Parrocel, franz. Maler- u. Radiererfamilie aus Montbrison, 16.–19. Jh., mit vielen Mitgliedern; die berühmtesten:
Charles P., Paris 1688–1752 ebda., Sohn u. Schüler von Joseph → P., 1712–21 in Italien, wo er →

Giulio Romano u. A. → Tempesta studierte; auch von → Rubens u. van → Dyck beeinflußt. Ch. malte Schlachten u. hist. Gemälde. Vertreten in vielen franz. Mus., u. a. Versailles, Montpellier, Amiens, Avignon, Grenoble, Paris (Louvre), Toulouse; ferner in Brüssel, Dresden, Düsseldorf, London, München, Florenz, Stockholm.
Joseph P., gen. *Parrocel des Batailles*, Brignoles 1646 bis 1704 Paris, Schüler s. Vaters *Barthélemy* (um 1595–1660), weitergebildet unter G. Courtois in Rom, wo er S. → Rosa studierte. Joseph war vor allem Schlachtenmaler; er stellte die Siege Ludwigs XIV. dar: im Invalidendom; in Versailles u. Marly. Vertreten in vielen franz. Gal., u. a. Versailles, Aix, Avignon, Bordeaux, Lille, Lyon, Paris (Louvre u. Mus. Carnavalet); ferner in Aschaffenburg, Hampton Court, Quebec u. a.
Weitere Glieder d. Familie: *Etienne*, gen. Le Romain, 1696–1776, Schüler v. C. → Maratti in Rom, Historien u. Bildnisse. *Ignace-Jacques*, 1667–1722, Nachahmer s. Onkels Joseph, Fresken v. 1712 in Florenz, S. Marco.

Pasch, Lorenz, d. Ä., schwed. Maler, Stockholm 1702–1766 ebda., durch den engl. Spätbarock beeinflußter Bildnismaler, vertreten in Helsingfors, Ateneum; Lund, Univ. u. a.

Pasch, Lorenz, d. J., schwed. Maler, Stockholm 1733–1805 ebda., Sohn u. Schüler von Lorenz d. Ä., der angesehenste Bildnismaler der Zeit Gustavs III.; 1757–64 in Paris, das von → Roslin beeinflußt. Er ist vertreten in Stockholm, Nat. Mus. u. Akad.; Göteborg, Mus.; Wien, Staatl. Slg.; Kassel, Gal. u. a.
Lit.: S. Strömbom in: Th.-B. 1932.

Pascin, Jules, eig. Julius Pincas, bulgar.-franz. Maler, Widin (Bulgarien) 1885–1930 Paris, zur sog. Ecole de → Paris gehörender Meister, ausgebildet in Wien u. München, wo er Mitarbeiter des «Simplizissimus» war; 1905 erstmals in Paris, ließ sich bald danach dort nieder. P. war vor allem ein hervorragender Zeichner (Buchillustrationen). Während des 1. Weltkrieges in Amerika, das. naturalisiert; 1922 ff. wieder in Paris. P. ist in vielen Mus. vertreten, wurde aber in der Nazizeit aus den dt. Mus. entfernt. Er war vertreten in Berlin, Hamburg, Bremen, Dresden, Düsseldorf, Nürnberg, Köln, Hannover u. a. Auch in vielen amerik. Gal.
Lit.: Charensol, 1929. C. Einstein, *Kunst des 20. Jh.*, 1926. M. Raynal, *Anthol. de la peint. en France*, 1927.

Pasini, Alberto, ital. Maler, Busseto 1826–1899 Cavoretto b. Turin, der bekannteste Orientmaler s. Zeit, 1851—53 in Paris, beeinflußt von Th. → Rousseau u. → Fromentin, bereiste mehrmals den Orient. P. ist vertreten in Mailand (Gall. mod.),

Parma, Rom (Gall. mod.), Turin, Florenz (Uff. u. Gall. mod.); ferner Paris (Luxembourg), Rouen, Nantes, Marseille, Boston, Chicago, Cincinnati, Philadelphia, Montreal, Sydney, Amsterdam u.v.a. Lit.: M. Calderini, 1917. U. Ojetti, *La pitt. ital. dell' ottocento*, 1929. Bénézit, 1953. N. Pelicelli in: Th.-B. 1932.

Pasiteles, griech. Bildhauer des 1. Jh. v. Chr. in Rom, der in Elfenbein, Silber, Erz u. Marmor arbeitete, von Studien nach der Natur ausging u. als 1. Tonmodelle verwendete. Werke sind nicht direkt nachzuweisen. Der Bildhauer Stephanos war s. Schüler. P. schrieb 5 Bücher über «Berühmte Kunstwerke in aller Welt» (heute verloren), die Plinius als Quelle benutzt hat.
Lit.: G. Lippold, *Kopien u. Umbildungen griech. Statuen*, 1923.

Pasmore, Victor, engl. Maler u. Metallbildner, * Chelsham 1908, tätig in London, Vertreter der «konkreten» Kunst, ausgestellt an der 30. Biennale in Venedig 1960.
Lit.: C. Bell, 1945. Vollmer, 1956. *Neue Kunst nach 1945*, hg. v. W. Grohmann, 1958. *Knaurs Lex. abstr. Malerei* (M. Seuphor) 1957. *Ausst.-Kat. «konkrete kunst»*, Zürich 1960.

Pasqualino da Venezia, ital. Maler, tätig in Venedig Ende 15. Jh., † 1504, Meister aus dem Umkreis Giovanni → Bellinis, beeinflußt v. → Cima da Conegliano. Hauptwerk: *Madonna mit hl. Magdalena*, 1496, Venedig, Mus. Corrèr. Vertreten in Leningrad, Eremitage; Venedig, Pal. Giustiniani.
Lit.: G. Gronau in Th.-B. 1932.

Passerotti, Bartolomeo, ital. Maler, * 1530, † 1592 Bologna, wo er tätig war, von → Correggio, → Parmigianino, → Michelangelo beeinflußter Manierist. Hauptwerk: *Madonna u. Heilige*, Bologna, S. Giacomo Maggiore.
Lit.: Pevsner, *Ital. Malerei des 17. Jh.* (Hb. d. K. W.), 1928.

Passini, Ludwig, österr. Maler, Wien 1832–1903 Venedig, zuerst Schüler s. Vaters, des Kupferst. *Johann* P. (1798–1874), schloß sich später dem Aquarellmaler K. → Werner an. Er schildert in Aquarellen das ital. Volksleben in figurenreichen Bildern u. Architekturhintergründen; auch Aquarellbildnisse.

Pasti, Matteo di Andrea dei, ital. Medailleur, aus Verona, † 1467, tätig in Verona, Venedig, Rimini, Schüler → Pisanellos u. dessen bedeutendster Nachfolger als Medailleur. Werke: *Medaillen von Guarino da Verona; Benedetto dei P.; L. B. Alberti; Sigis-*

mondo Malatesta; Isotta da Rimini. P. war auch Arch., Bildhauer u. Miniaturmaler.
Lit.: Schubring in: Kunstwissensch. Beiträge, 1907. A. Calabi u. G. Cornaggia, 1927.

Patenier, Joachim → Patinir, Joachim.

Pater, Jean-Baptiste, franz. Maler, Valenciennes 1695–1736 Paris, neben → Lancret der begabteste Schüler u. Nachfolger → Watteaus, malte haupts. galante Feste u. Schäferstücke in dessen Art.
Werke: *Schauspieler der ital. Komödie in einem Park*, Paris, Louvre. *Die Toilette*, ebda. *Ländliches Konzert* (Le concert champêtre), Valenciennes, Mus. *Die Schaukel*, London, Wallace Coll. *Das Bad* (Le Bain), Berlin, ehem. K.-F.-Mus. Am reichsten vertreten in Paris, Louvre; Valenciennes, Mus. u. London, Wallace Coll. Ferner in vielen franz. u. europ. Mus. Handzeichnungen im Louvre.
Lit.: E. Pilon, *Watteau et son école*, 1912. L. Réau, *Hist. de la peint. franç. au 18e siècle*, 1925. F. Ingersoll-Smouse, 1928. H. Vollmer in: Th.-B. 1932. Bénézit, 1953. E. Hildebrandt, *Malerei u. Plastik des 18. Jh. in Frankr.* (Hb. der K. W.), o. J. (1924).

Paterson, James, engl. Maler, Glasgow 1854–1932 Edinburgh, Vertreter der schott. Malerschule von Glasgow, von den Meistern von → Barbizon beeinflußt, verteten in den Mus. Glasgow, Edinburgh, Liverpool, Buffalo, Philadelphia, Leipzig u. a.

Patinir (Patinier, Patenier), Joachim, niederl. Maler, Bouvignes (oder Dinant) um 1485–1524 Antwerpen, malte als einer der ersten Landschaften, bei denen das Figürliche nur klein u. als Staffage behandelt ist. Die Landschaften bestehen aus phantastischen Felsen, Wäldern, Städten u. Flußläufen unter einem hohen Horizont, in mehreren Zonen: vorne bräunlich, dann grünlich, in der Ferne bläulich. P. war von H. → Bosch, Gerard → David u. → Massys beeinflußt. Mit letzterem arbeitete er auch gemeinschaftlich (P. malte die Landschaftsgründe).
Hauptwerke: *Versuchung des hl. Antonius*, Madrid, Prado (mit Massys). *Maria mit dem Kind auf der Flucht*, ebda. *Hl. Hieronymus*, ebda. *Taufe Christi*, Wien, Staatsgal. *Hl. Familie auf der Flucht*, Antwerpen, Mus. *Hl. Christophorus*, Escorial. *Hl. Hieronymus*, Paris, Louvre u. Replik in Elberfeld, Mus. Werke auch in Berlin (*Landschaft*), Karlsruhe, Rom (Gall. Borghese), London, Philadelphia u. a.
Lit.: M. J. Friedländer, *Von Eyck bis Bruegel*, 1916. Ders., *Altniederl. Malerei* 9, 1931. F. Winkler, *Altniederl. Malerei*, 1924. H. V. in: Th. B. 1932.

Paton, Joseph Noel, engl. Maler, Dunfermline 1821–1901 Edinburgh, den → Präraffaeliten nahestehend, von → Millais beeinflußt.
Werke: *Versöhnung Oberons u. Titanias*, 1847, Edin-

burgh, Nat. Gall. *Streit zwischen Oberon u. Titania*, 1849, ebda. *Luther in Erfurt*, 1861, ebda. *Hesperus*, 1857, Glasgow, Gal.
Lit.: P. Bate, *The pre-raphaelite painters*, 1901. J. L. Caw, *Scottish painting*, 1908.

Paudiss (Pauditz, Bauditz), Christoph, dt. Maler, in Niedersachsen um 1618 – um 1666 Freising, gehört zu den Nachfolgern der Holländer, bes. → Rembrandts, in Deutschland; Schüler Rembrandts in Amsterdam, tätig in Dresden, Wien, zuletzt als Hofmaler des Bischofs v. Freising u. des Herzogs Sigismund v. Bayern ebda. lebend. Er malte in der Art Rembrandts in einem grauen Gesamtton mit Helldunkelwirkung Bildnisse, Altarbilder, Stilleben. Beisp.: *Bildnis eines jungen Mannes*, 1654, Dresden, Gal. *Bauernpaar*, Schleißheim, Gal. *Tierstück*, 1666, München, A. P. *Hl. Hieronymus*, Wien, Kunsthist. Mus. *Altarbild* mit Vertreibung aus dem Tempel, im Dom zu Freising.
Lit.: Drost, *Barockmalerei* (Handb. der K.W.), 1928.

Paul, Bruno, dt. Arch., Kunstgewerbler, Maler u. Zeichner, * Seifhennersdorf (Lausitz) 1874, begann als Zeichner für die Zschr. «Jugend» u. «Simplizissimus» in München, 1897 Mitbegründer der «Vereinigten Werkstätten für Kunst u. Handwerk», ebda., 1907,ff. in Berlin tätig, zuerst als Leiter der Unterrichtsanstalt des Kunstgew.-Mus., 1924–32 als Direktor der Vereinigten Staatsschulen für freie u. angewandte Kunst; seitdem in Düsseldorf ansässig. P. wirkte als Arch. für eine sachliche formgerechte Bauweise. Frühzeitig wandte er sich dem Möbelentwurf zu u. wurde der Gestalter der ersten modernen Typenmöbel (um 1906). P. gehörte anfänglich dem Jugendstil an u. ging in der Folge den Traditionen des Klassizismus (bzw. des Biedermeier) nicht aus dem Wege; er suchte einfache klare Stilelemente mit zeitbedingter Zweckmäßigkeit zu verbinden. Als Zeichner schuf er Plakate, Signete, Illustrationen u. a. – Bauten: *Haus Feinhals*, Köln, 1908. *Kathreiner-Hochhaus*, Berlin, 1928.
Lit.: J. Popp, 1916. O. Brattskoven in: Th.-B. 1932. Vollmer, 1956. N. Pevsner, *Wegbereiter mod. Formgebung*, 1957. *Ausst.-Kat. Aufbruch z. mod. Kunst*, München 1958.

Paul v. Limburg → Limburg, die Brüder.

Pauli, Fritz, schweiz. Maler u. Graphiker, * Bern 1891, gefördert von A. → Welti; als Graphiker Schüler von P. → Halm an der Münchner Akad., knüpfte in s. Kunst an die Romantik Weltis an, beeinflußt vom dt. Expressionismus. P. schuf vor allem bedeutende Graphik, auch Fresken u. Glasgemälde, Landschaften, Stilleben, Figürliches, Bildnisse. Hauptwerke: *8 Fresken im Antonierhaus in Bern*;

Fresken im Berner Rathaus. Vertreten in den schweiz. Mus.
Lit.: A. Klipstein u. P. Schaffner, *Die Rad.*, 1926 (Werkverz.). W. Grohmann in: Th.-B. 1932. H. Kasser, *Der Graph. u. Maler F. P.*, 1946. Vollmer, 1956.

Pauli, Georg, schwed. Maler u. Kunstschriftsteller, Jönköping 1855–1935 Tullinge (Stockholm), begann mit realist. Bildern aus dem Volksleben, wandte sich später vor allem der Monumentalmalerei zu. P., der sich in Paris weiterbildete, ging vom Impressionismus aus, wurde später von → Munch u. zeitweilig vom franz. Kubismus beeinflußt.
Hauptwerke: *Fresken im Treppenhaus des Mus. Göteborg; im Stadthaus von Stockholm; im Opernhaus, ebda.; im Treppenhaus der Schule in Jönköping; im Ateneum in Lund.* *Deckengemälde* in der Techn. Hochschule Stockholm u. a. P. illustrierte Selma Lagerlöfs *Gösta Berling*, 1903. Vertreten in den Mus. Göteborg, Stockholm, Helsingfors.
Lit.: Vollmer, 1956.

Paulus, Pierre, belg. Maler, Lithograph u. Radierer, * Le Châtelet 1881, übernahm in s. Kunst das Stoffgebiet C. → Meuniers (Szenen aus dem Bergarbeiterleben); schuf auch Landschaften, Stilleben u. a. P. ist vertreten in den belg. Mus.; ferner in Paris (Luxembourg), Amsterdam, Moskau, New York, Buenos Aires u. a.
Lit.: L. Piérard, 1948. Vollmer, 1956.

Pauser, Sergius, österr. Maler, * Wien 1896, Schüler der Akad. München, 1926 ff. in Wien tätig, gehörte der Richtung der «Neuen Sachlichkeit» an. Vertreten in Wien, Österr. Staatsgal., Städt. Slgn. u. Albertina; Nürnberg, Städt. Slgn.; Paris, Mus. Jeu de Paume.
Lit.: R. Teichl, *Österreicher der Gegenw.*, 1951. Vollmer, 1956.

Pausias, griech. Maler des 4. Jh. v. Chr. aus Sikyon, gehört zu den Begründern der enkaustischen Malerei, d. h. der Technik, erweichte Wachsfarben kalt auf eine Tafel von Holz, Marmor oder Elfenbein zu streichen u. mit einem Glühstift einzubrennen. Außer *Blumenstilleben* ist ein *Stieropfer* überliefert, das in Nachklängen auf röm. Reliefs nachweisbar ist.
Lit.: Pfuhl, *Malerei u. Zeichn. der Griechen* 2, 1923. A. Rumpf in: Hdb. der Archäol. 4, 1953.

Pauwels, Ferdinand, belg. Maler, Eeckeren b. Antwerpen 1830–1904 Dresden-Blasewitz, Hauptvertreter der belg. Historienmalerei, Schüler → Wappers, 1862–72 Prof. der Kunstschule Weimar, 1876–1901 der Akad. Dresden.
Hauptwerke: *12 Wandbilder aus der Geschichte Yperns* in der Tuchhalle Ypern (im 1. Weltkrieg zerstört) u.

7 Wandbilder aus dem Leben Luthers auf der Wartburg.
Bilder in den Mus. Brüssel, Dresden, Leipzig,
München, Kopenhagen.
Lit.: H. Hymans, *Belg. Kunst des 19. Jh.*, 1906.

Paxton, Joseph, engl. Arch., Milton-Bryant b.
Woburn 1801–1865 Sydenham (London), ver-
wandte früh Glas u. Eisen als Baumaterialien u.
erkannte deren Bedeutung für einen modernen
Stil. Erbaute 1851 den *Kristallpalast* in London
(Halle für die Weltausstellung, wiederaufgebaut in
Sydenham b. London).
Lit.: F. R. Yerbury, *An der Wiege des Modernismus* in:
Der Städtebau, 1931. N. Pevsner, *Wegbereiter mod.
Formgebung*, 1957. Ders., *Europ. Architektur*, 1957.

Peale, Charles Willson, amerik. Maler, St. Paul's
Parrish (Maryland) 1741–1827 Philadelphia, Porträtist der führenden Köpfe des amerik. Unabhängig-
keitskrieges u. der vornehmen Kreise Pennsyl-
vaniens. P. malte im Stil der großen engl. Meister,
die er anläßlich einer Englandreise 1770–71 kennen
gelernt hatte. Beisp.: *Washington*, Boston, Gal.

Peche, Dagobert, österr. Zeichner u. Kunstgewerbler, St. Michael 1887–1923 Wien, 1915 in die Leitung
der Wiener Werkstätte berufen, einflußreich für die
Entwicklung des Kunstgewerbes. Schüler der
Wiener Akad., 1911 in Paris, origineller Innenarch.;
schuf Entwürfe für Tapeten, Silbergerät, Schmucksachen, Stickereien u. v. a.; auch Graphiker. P. hat
mit s. sehr persönlichen dekorativen Stil das gesamte österr. u. dt. Kunsthandwerk beeinflußt.
Lit.: M. Eisler, 1925. H. Ankwicz in: Th.-B. 1932.

Pecheux, Laurent, franz. Maler, Lyon 1729–1821
Turin, kam früh nach Italien, wo er den Einfluß
→ Battonis u. → Mengs' erfuhr. In Rom u. 1765ff.
in Parma tätig. Später Hofmaler der Könige v.
Sardinien in Turin. Er schuf dekorative Gemälde
mit mythol., bibl. u. hist. Sujets; auch Porträts u.
Kartons für Teppiche. *Bildnis Maria Leszczynska*,
Königin v. Frankreich, Florenz, Pitti.
Lit.: L. Rosso, *Pittura e scultura nel 700 a Torino*, 1932.

Pechstein, Max, dt. Maler u. Graphiker, Zwickau
1881–1955 Berlin, Hauptvertreter des dt. Expressionismus, Schüler der Dresdner Akad., 1906
Mitglied der Künstlergruppe →«Brücke» ebda.,
1910 Mitbegründer der Neuen Sezession in Berlin,
unternahm 1914 eine für s. Kunst wichtige Südsee-
reise, übersiedelte 1919 nach Berlin; seit 1945 Prof.
der Hochschule für bildende Kunst ebda. P. schuf
Figurenbilder, Landschaften, Stilleben, Wandgemälde, Glasmalereien, Mosaiken, bedeutende graph.
Arbeiten. Charakteristisch sind vereinfachende
Formgebung, starke Farben, Beeinflussung durch

die Kunst der Naturvölker. In den meisten dt. Mus.
vertreten.
Lit.: W. Heymann, 1916, G. Biermann, 1919. P.
Fechter, *Das graph. Werk P.s*, 1921. M. Osborn,
1922. K. Lemmer, 1949. L.-G. Buchheim, *Die
Künstlergemeinschaft «Brücke»*, 1956.

Pecht, Friedrich, dt. Maler u. Kunstschriftsteller,
Konstanz 1814–1903 München, Schüler von →
Delaroche in Paris, malte Bildnisse u. Historienbilder; einflußreich als Kunstkritiker. Er schrieb
u. v. a.: «Geschichte der Münchner Kunst im
19. Jh.», 1888.

Pedrini, Giovanni → Giampetrino.

Peerdt, Ernst te, dt. Maler, Tecklenburg 1852 bis
1932 Düsseldorf, bedeutender Landschafter, Schüler
→ Bendemanns in Düsseldorf, von → Piloty u.
→ Dietz in München, von → Knaus in Berlin; tätig
in München u. seit 1884 in Düsseldorf, Pionier des
Pleinairismus u. des Impressionismus in Deutschland. P. veröffentlichte auch kunsttheoretische Studien («Vom Wesen der Kunst», 1893 u. a.). Beisp.:
Parkszene, 1876, Köln, Wallraf-Richartz; *Salzach-
tal*, Hamburg, Kunsth. *Bei Schwabing*, Elberfeld,
Mus. Vertreten in den Mus. Düsseldorf, Elberfeld,
Hamburg, Köln, Bremen, Erfurt, Essen, Münster
u. a.
Lit.: F. v. Boetticher, *Malerwerke des 19. Jh. II, 1*,
1898. E. Waldmann, *Kunst d. Realism. u. d. Impression.*, 1927.

Peeters, Bonaventura, niederl. Maler u. Radierer,
Antwerpen 1614–1652 Hoboken b. Antwerpen,
Meister von Marinen, der bes. Seestürme u. Schiff-
brüche malte, doch auch flache Meer- u. Flußland-
schaften in der Art van → Goyens. Seine Brüder
Gillis (1612–1653) u. *Jan* (1624 – um 1680) waren
ebenfalls Marinemaler.
Vertreten in den Mus. Amsterdam, Antwerpen,
Braunschweig, Dresden, Wien u. v. a. (in den meisten
öffentl. Slgn.).
Lit.: F. C. Willis, *Niederl. Marinemalerei*, o. J.

Peiraikos, griech. Maler der hellenist. Zeit (etwa
3. Jh. v. Chr.), berühmt wegen s. kleinen Bildchen,
haupts. Genrebilder in großer Vollendung.
Lit.: Pfuhl, *Malerei u. Zeich. der Griechen 2*, 1923.

Pellegrini, Alfred Heinrich, schweiz. Maler, Basel
1881–1958 ebda., Schüler von Hackl in München
u. → Hölzel in Stuttgart, schuf vor allem Fresken,
deren monumentaler Stil auch s. Tafelgemälde bestimmt.
Hauptwerke: *Fresken an der Kirche zu St.-Jakob an
der Birs* b. Basel, 1917; *im Treppenhaus des Kunsth.
Basel*, 1919; *im Strafgerichtssaal*, ebda.; *am Stadt-*

kasino, ebda.; *an der Börse*, ebda. (1923). Vertreten in den Gal. Basel, Zürich, München Stuttgart, Karlsruhe, Ulm u. a. (die Bilder der dt. Mus. in der Nazizeit entfernt).
Lit.: H. Graber, *Jüngere schweiz. Künstler* 1, 1918. W. Raeber, 1924. W. Ueberwasser, 1943. Vollmer, 1956.

Pellegrino → Tibaldi.

Pellegrino da S. Daniele, eig. Martino da Udine, ital. Maler, Udine 1467–1547 ebda., zur venez. Schule gehörender Meister, beeinflußt v. → Montagna, → Carpaccio, → Giorgione, → Palma u. a., tätig in S. Daniele, Venedig, Ferrara, meist in Udine; schuf – zus. mit Schülern – *Fresken in S. Antonio* in S. Daniele, 1513–22. Ferner *Altarbild in S. Maria de' Battuti* in Cividale, 1528: Thronende Madonna mit hl. Donato u. weibl. Heiligen. Altarbilder in Udine, Dom; Aquileia, Dom; Udine, Mus.; Venedig, Akad.; Wien, Gal. Zugeschrieben: *Madonna mit Kind u. Heiligen*, London, Nat. Gall.
Lit.: A. Venturi IX, 3, 1928. L. Coletti in: Enc. Ital. 1935.

Pellizza, Giuseppe, ital. Maler, Volpedo 1868–1907 ebda., Vertreter des ital. Realismus, Schüler der Akad. Carrara in Bergamo, beeinflußt von → Segantini, wandte sich mit Vorliebe sozialen Themen zu. Vertreten in den mod. Gal. Mailand, Rom, Venedig, Florenz.
Lit.: P. L. Occhini, 1909. E. Somaré, *Storia di pittori ital.*, 1928. M. Labò in: Th.-B. 1932. G. Delogu, *Ital. Malerei*, ³1948.

Pencz, Georg, dt. Maler u. Kupferstecher, Nürnberg um 1500–1550 Leipzig, bildete sich unter dem Einfluß → Dürers u. der zeitgenössischen ital. Malerei, Schüler Dürers, bildete sich in Rom weiter. Meister repräsentativer Bildnisse, ferner religiöser u. mythol. Bilder. Als Stecher zu den → Kleinmeistern gehörend. Sein Hauptwerk sind die Kupferstiche. In der Technik geht er von Dürer u. Marcanton (→ Raimondi) u. dessen Kreis aus, hat aber den internationalen manierist. Stil adoptiert.
Lit.: E. Waldmann, *Nürnberger Kleinmeister*, 1911. G. Glück, *Kunst d. Renaiss.*, 1928.

Pendl, Tiroler Bildhauer u. Schnitzerfamilie; bekannte Mitglieder:
Johann Baptist P., 1791–1859, Bildschnitzer u. Wachsbossierer.
Franz Xaver, Bildhauer, Meran 1817–1896 Untermais b. Meran, Sohn v. Joh. Bapt. P., schuf religiöse Bildwerke in Holz u. Stein, vor allem für Kirchen in Meran; Werke auch in Kaltern, Innsbruck, Obermais u. a.

Emanuel P., Bildhauer, Meran 1845–1926 Wien, Sohn v. Franz Xaver P.
Lit.: K. Fuchs, *Das Künstlergeschlecht P.*, 1905.

Pénicaud, franz. Emailmalerfamilie des 15.–17. Jh. in Limoges. Ihre bedeutendsten Mitglieder:
Nardon (Léonard) um 1470 – um 1542, der in s. Werken (Platten, kleine Altäre u. a.) noch got. Eigenart zeigt.
Jean I., tätig 1510–1540, Bruder v. Nardon P., nahm Renaissancemotive auf.
Jean II., † um 1588, schuf Grisaillen im ital. Renaissancestil auf Platten, Becher u. a.: religiöse u. mythol. Darst.
Jean III., tätig 2. Hälfte des 16. Jh., beeinflußt von der Schule von → Fontainebleau.
Nardon ist vertreten in Paris, Mus. Cluny; in den Mus. Bourges, Rom (Vatikan), London (Brit. Mus.), Florenz (Bargello) u. a. – Jean I. ist vertreten in London (Victoria u. Albert Mus.) u. a. – Jean II. ist vertreten in Paris (Louvre), London (Victoria u. Albert Mus. u. Wallace Coll.), Lyon (Mus. archéol.), Dijon, Florenz (Bargello) u. a. – Jean III. ist vertreten in Florenz (Bargello), Lyon, London (Victoria u. Albert Mus.) u. a.
Lit.: G. Fontaine in: Th.-B. 1932.

Pennacchi Girolamo da Treviso, d. J., ital. Maler, Treviso (?) 1497–1544 bei der Belagerung von Boulogne, Sohn des Pier Maria P., tätig in Venedig, Bologna u. seit 1538 in England, entwickelte sich unter dem Einfluß von → Giorgione u. → Pordenone. Er schuf ein *Altarbild in S. Maria della Salute* in Venedig; Fresken in der *Antonius-Kapelle* in S. Petronio zu Bologna; Bilder ferner in S. Salvatore, Bologna; Dresden, Gal.; London, Nat. Gall. u. a.
Lit.: G. Fiocco in: Th.-B. 1932.

Pennacchi, Pier Maria, ital. Maler, * 1464, † um 1514, tätig im Trevisanischen, von → Antonello da Messina, später → Giorgione u. a. Venezianern beeinflußt, schuf in Venedig *Deckendekorationen in S. Maria dei Miracoli; Verkündigung* in S. Francesco della Vigna; *Tod Mariä*, Akad., weitere Werke in Kirchen u. Mus. v. Venedig; Bassano, Mus.; Berlin, ehem. K.-F.-Mus. u. a.
Lit.: A. Venturi VII, 4, 1915. B. Berenson, *Ital. pict. of the Renaiss.*, 1932. G. Fiocco in: Th.-B. 1932.

Pennell, Joseph, amerik. Radierer, Philadelphia 1860–1926 New York, lange Zeit in London tätig, schuf Radierungen u. Lithographien, bes. Ansichten aus europ. u. amerik. Städten u. von berühmten Bauwerken, u. Buchillustrationen.
Lit.: F. Weidenkampf in: Graph. Künste 33, 1910.

Penni, Gianfrancesco, gen. Il Fattore, ital. Maler, Florenz um 1488– um 1540 Neapel, Meister aus der

Gefolgschaft → Raffaels, dessen Schüler u. Werkstattgenosse, z. T. mit → Giulio Romano an der Ausführung von Raffaels späten Fresken beteiligt. Lit.: A. Venturi IX, 2, 1926. Voss, *Malerei d. Spätrenaiss.*, 1920. F. Baumgart in: Th.-B. 1932. W. Arslan in: Enc. Ital. 1935.

Percier, Charles, franz. Arch., Paris 1764–1838 ebda., hat sich mit P. → Fontaine zu dauernder Arbeitsgemeinschaft zusammengetan.

Pereda, Antonio de, span. Maler, Valladolid um 1610–1678 Madrid, Vertreter der Madrider Malerschule der Barockzeit, schuf kirchliche Werke, Geschichtsbilder, Stilleben usw. Hauptwerke: Hochaltargemälde: *Jungfrau mit Kind u. den hll. Joseph, Augustin u. Teresa* 1640, Toledo, Karmeliterkirche. *Entsatz Genuas durch den Marques de S. Cruz,* 1634, Madrid, Prado. *Ecce Homo,* ebda. *Vergänglichkeit des Irdischen,* Wien, Staatsgal. Weitere Werke in Madrid, Prado; Paris, St-Sulpice; Marseille, Mus. u. a. Lit.: A. L. Mayer in: Th.-B. 1932. Pevsner-Grautoff, *Barockmalerei* (Hb. d. K. W.), 1928.

Pergolesi, Michelangelo, ital. Kupferstecher u. Aquarellist, tätig 2. Hälfte 18. Jh., vorzüglicher Dekorationszeichner, nahm die Grotesken der Antike u. des → Raffael zum Muster s. Entwürfe. Er kam nach England, wo er großen Einfluß hatte u. mitbegründend für die Dekorationen des engl. Klassizismus wurde. Das Hauptwerk seiner Entwürfe: «Designs for various ornaments etc.», 1777–1801. G. Pauli, *Kunst d. Klassiz. u. d. Romantik,* 1925.

Permeke, Constant, belg. Maler u. Bildhauer, Antwerpen 1886–1952 Jabbeke b. Brügge (oder Ostende), Hauptvertreter des fläm. Expressionismus, ließ sich 1906 in Laethem-Saint-Martin nieder, wo er gemeinsam mit → Servaes, van den Berghe u. den Brüdern de → Smet eine Gruppe bildete (2. Künstlergruppe von Laethem); im 1. Weltkrieg schwer verwundet, arbeitete er dann in Antwerpen, Ostende u. ab 1926 in Jabbeke. Er schuf Landschaften, Figürliches (Bauern, Fischer), Akte, Interieurs, in schweren erdigen Farben; seit 1936 auch Plastiken, v. G. → Minne beeinflußt. Beisp.: *Die Verlobten,* 1923, Brüssel, Mus. des B.-Arts; vertreten in den Mus. Antwerpen, Brüssel, Gent. Lit.: P. Fierens, 1929. R. P. Stubbe, 1930. A. Ridder, *Laethem-Saint-Martin,* 1945. E. Langui, 1947. R. Avermaete, 1958. H. Read, *Gesch. der mod. Malerei,* 1959. *Ausst.-Kat. Sources du XXe siècle,* Paris 1960/61.

Permoser, Balthasar, dt. Bildhauer, Kammer b. Traunstein 1651–1733 Dresden, Hauptmeister des dt. Barock, bildete sich in s. Heimat sowie in Salzburg u. Wien, ab 1675 14 Jahre in Italien, 1689 Hofbildhauer in Dresden; 1702–04 in Freiberg i. S.;

häufig in Berlin; 1710–25 in Dresden; 1725 wanderte er zu Fuß nach Rom u. kehrte 1728 über Salzburg nach Dresden zurück. In s. Kunst ist P. ein wichtiger Vermittler des ital. Barock (bes. → Berninis) in Deutschland. Er verarbeitete aber auch viele andere Einflüsse: → Puget, → Schlüter u. a. Das Hauptwerk P.s ist der *Figurenschmuck des Zwingers in Dresden,* z. T. mit Gesellen, 1711–18 (1945 stark zerstört, wird rekonstruiert). In einzigartiger Weise sind hier Architektur (diese v. → Pöppelmann) u. Plastik ineinander verflochten. Grazie u. grotesker Übermut wechseln ab (Dehio); hervorzuheben: 12 Atlantenhermen mit Faunsköpfen am Westpavillon; Herkules; Jahreszeitenfiguren am Nordtor. In s. übrigen Werken ist P. recht ungleich: Frühestes Werk: *Figurenschmuck v. S. Gaetano,* Florenz, 1675. Aus der 1. Dresdner Zeit: Kleinbildwerke aus Elfenbein: *Jupiter,* früher Dresden, Grünes Gewölbe. *Herkules u. Omphale.* ebda. *Frühling u. Sommer,* 1695, Braunschweig, Mus. *Jahreszeitenfolge,* Dresden, Grünes Gewölbe (ehem.). Aus der Zeit des Figurenschmuckes des Zwingers: *Kanzel der Hofkirche,* Dresden. *Holzkruzifix* f. den Dom in Bautzen. *Apotheose des Prinzen Eugen,* Wien, Barockmus., 1721. *Apotheose Augusts des Starken,* Dresden, Mus. *Kirchenväter,* Bautzen, Mus. *Der gegeißelte Christus,* um 1728, Schloß Moritzburg u. Dresden, ehem. Pal. Taschenberg. *Kreuzgruppe* f. das eigene Grab auf dem Katholischen Friedhof in Dresden-Friedrichstadt. Lit.: H. Beschorner, *P.- Studien,* 1913. E. Michalski, 1927. W. Boeck, 1938. W. Boeckelmann, *B. P.- Studien zu s. Frühzeit,* 1951. G. Dehio, *Geschichte der dt. Kunst* 3, 1926. F. Baumgart, *Gesch. d. abendl. Plastik,* 1957.

Perow, Wassilij Grigorjewitsch, russ. Maler, Tobolsk 1833–1882 Kusminski b. Moskau, bildete sich 1862–64 in Paris weiter, wo er den Einfluß → Courbets erfuhr, malte vornehmlich Genrebilder aus dem russ. Volksleben u. Bildnisse; später auch religiöse u. hist. Bilder. P. gilt als der 1. Maler eines neuen Realismus in Rußland. Vertreten in Moskau, Tretjakow Gal. (*Osterprozession, Im Klosterrefektorium, Halbfigur Dostojewskijs*). Lit.: Sobko u. Rowinsky, 1892. A. I. Archangelskaja, 1950.

Perraud, Jean-Joseph, franz. Bildhauer, Monay 1819–1876 Paris, Vertreter des akad. Klassizismus, schuf Denkmäler in Paris, Gruppen, Reliefs u. Einzelplastiken. Hauptwerke: *Kindheit des Bacchus,* 1863, Paris, Louvre. *Die Verzweiflung,* 1869, ebda. *Abschied,* Marmorrelief, 1877, Paris, Unterrichtsministerium. *Das lyrische Drama,* Steingruppe f. die Große Oper, Paris. Lit.: A. Michel, *Hist. de l'Art* 8, 1926.

Perrault, Claude, franz. Arch., Paris um 1613–1688 ebda., Hauptmeister des franz. Klassizismus. Hauptwerk: *Ostfassade des Louvre*, mit den Kolonnaden, 1665–80, streng klassizist., mit gekuppelten Säulenpaaren zwischen Sockelgeschoß u. Hauptgesims, in ihren wohlabgewogenen Verhältnissen eine der bedeutendsten Leistungen des franz. Klassizismus. Der Entwurf P.s drang zu s. Zeit siegreich durch gegen den hochbarocken des → Bernini. Weitere Hauptwerke: *Sternwarte* (Observatoire) in Paris, 1667–72. Entwurf für einen *Triumphbogen* für Ludwig XIV., nach dem Schema des Konstantinbogens, 1716 abgetragen. Auch als Theoretiker legte P. die Prinzipien des Klassizismus dar. Er gab 1673 eine Übersetzung des Vitruv u. 1683 «L'ordonnance des cinq espèces de colonnes selon la méthode des anciens» heraus.
Lit.: A. Hallays, *Les P.*, 1926. L. Hautecœur in: Gaz. des B.-Arts 1, 1924 (zur Urheberschaft der Louvrekolonnaden). Ders., *Le Louvre et les Tuileries de Louis XIV*, 1927. Ders., *Hist. de l'architecture classique en France* 2, 1947. A. E. Brinckmann, *Baukunst des 17. u. 18. Jh.* (Handb. der K. W.), ⁵1930.

Perréal, Jean, franz. Maler, Arch. u. Bildhauer, * um 1455, † 1530, wohl in Paris; haupts. in Lyon tätiger Meister der Renaissance, von dem sich bisher keine Werke haben nachweisen lassen. Seine Identifikation mit dem → Meister von Moulins von den wenigsten Forschern anerkannt.
Lit.: R. de Maulde La Clavière, 1896. L. Dimier, *Les primitifs français*, 1911. F. Winkler in: Th.-B. 1932. G. Lebel, *Quelques précisions sur l'œuvre du peintre J. P.*, 1939.

Perret, Auguste, belg.-franz. Arch., Brüssel-Ixelles 1874–1955 Paris, gehört zu den Vorläufern der modernen Architektur, wandte sich als einer der ersten – schon vor 1905 – konsequent dem Eisenbeton zu, u. zwar ohne das Material u. s. ihm eigenen Charakter zu verbergen. P. arbeitete gemeinsam mit s. Bruder *Gustave* (* 1876). Er hat vor allem sehr modern anmutende Mietwohnhäuser gebaut. Werke: *Théâtre des Champs-Elysées* (n. Plänen Henri van de → Veldes), 1913. Kirche *Notre-Dame de Raincy*, Paris, in Stahlbeton, 1923 voll.
Lit.: P. Jamot, 1927. E. N. Rogers, 1955. N. Pevsner, *Wegbereiter mod. Formgebung*, 1957. Ders., *Europ. Architektur*, 1957.

Perrier, François, gen. le Bourguignon, franz. Maler, Kupferstecher u. Radierer, * wahrscheinlich Saint-Jean-de-Losne um 1584 oder 1590, † 1650 Paris, kam früh nach Rom, wo er Schüler → Lanfrancos war; um 1630 in Frankreich zurück, zuerst in Lyon, dann Paris, wo er mit Simon → Vouet an der Ausschmückung von Schlössern arbeitete. Außer den dekorativen Wand- u. Deckenmalereien schuf P.

auch viele religiöse u. mythol. Ölbilder u. stach nach S. Vouet, nach eigenen u. antiken Vorlagen.
Werke: Hauptwerk der dekorativen Freskenkunst: Deckenmalereien der Galerie im *Hôtel de la Vrillière* (heute Banque de France; stark restauriert). Ferner Ausmalung der Schloßkapelle in *Chilly* (zus. mit Vouet). P. ist mit Werken vertreten in den Mus. Lyon; Paris (Louvre u. Mus. Carnavalet); Montauban, Aix, Kopenhagen, Berlin (ehem. Schloß). Zeichnungen in Brüssel, Mus.
Lit.: P. Martin, 1880. Michel, *Hist. de l'art* 6, 1921. Bénézit, 1953.

Perronneau, Jean-Baptiste, franz. Maler, Paris 1715 bis 1783 Amsterdam, der bedeutendste Pastellbildnismaler Frankreichs neben → La Tour, angeblich Schüler von → Natoire, wahrscheinlicher von Hubert → Drouet, tätig in Bordeaux, Orléans, Toulouse, Lyon, London, Italien, Holland, Rußland. P. war Meister des feinen intimen Porträts, meist in Pastell. Er stellte den Adel u. vorzugsweise bürgerliche Kreise dar. Beisp.: *Porträt Mme de Sorquainville*, Paris, Louvre. Werke in Paris, Louvre; London, Nat. Gall.; Amsterdam, Rijksmus.; Kopenhagen, Akad.; Genf, Mus.
Lit.: C. Saunier in: Revue de l'art ancien et moderne 41, 1922. L. Vaillat u. P. Ratouis de Limay, 1909. Dies., 1923. L. Réau, *Hist. de la peint. au 18ᵉ siècle* 1, 1925. E. Hildebrandt, *Malerei u. Plastik des 18. Jh. in Frankr.* (Handb. der K. W.), 1924. H. V. in: Th.-B. 1932.

Persius, Ludwig, dt. Arch., Potsdam 1803–1845 ebda., Schüler von → Schinkel, schuf Kirchen u. a. Bauten, die er unter Verwendung geschichtlicher Stilformen geschickt in die Landschaft einbezog. Werke: *Villa Charlottenhof* im Park v. Sanssouci, 1824 (z. T. nach Entwürfen Schinkels); *Heilandskirche* in Sakrow, 1841ff.; *Friedenskirche* in Potsdam, 1845–49; *Kuppel der Nikolaikirche*, 1842–50 (die Kirche von Schinkel). Seit 1840 leitete P. die Erweiterungsbauten von Sanssouci.
Lit.: P. O. Rave in: Th.-B. 1932. H. Kania, *Potsdam, Staats- u. Bürgerbauten*, 1939.

Perugino, eig. Pietro di Cristoforo Vannucci, ital. Maler, vermutlich Castello della Pieve (heute Città della Pieve) um 1450–1523 Fontignano, Hauptmeister der Frührenaissance in Umbrien, tätig haupts. in Florenz, Rom u. Perugia, wo er zuletzt ansässig war; vielleicht Schüler des Piero della → Francesca (nach Vasari), in Florenz vor allem von → Verrocchio u. → Pollaiuolo beeinflußt. 1481 nach Rom berufen, um – zus. mit → Ghirlandaio, → Rosselli, → Botticelli – die Sixtinische Kapelle auszumalen. P. schuf Freskenwerke, Altarbilder, Andachtsbilder, bes. Madonnen, Porträts. In s. Kunst verbinden sich florent. Monumentalität u. die Anmut der umbri-

schen Schule. Die Bilder sind klar und einfach komponiert, die landschaftlichen Hintergründe von stiller Schönheit. P. hatte ein bedeutendes Atelier mit vielen Mitarbeitern u. Schülern; manche s. Werke sind oft von Schülern ausgeführte Wiederholungen. Sein bedeutendster Schüler war → Raffael. Auch → Pinturicchio, → Francia u. a. lernten bei ihm.
Hauptwerke: Ältestes erhaltenes Fresko: *Hl. Sebastian*, 1478, Kirche von Cerqueto. *Wandgemälde der Sixtin. Kapelle* in Rom, seit 1480; unter ihnen das bedeutendste: *Schlüsselübergabe an Petrus*; die beiden andern Werke sind mit Hilfe von Schülern, bes. Pinturicchios, entstanden (*Taufe Christi ; Reise des Moses*). Weitere Freskenwerke: *Christus am Kreuz*, S. Maria Maddalena dei Pazzi, Florenz, 1493–96. Spätwerk: *Fresken im Cambio* (Audienzsaal der Peruginer Wechslerzunft), seit 1499, mit zahlreichen Gehilfen. *Beweinung Christi*, 1486, Florenz, Akad. *Altarwerk mit Anbetung des Kindes u. 4 Heiligen*, 1491, Rom, Villa Albani. *Thronende Madonna mit Heiligen*, 1493, Florenz, Uff. *Der Gekreuzigte mit 4 Heiligen*, ebda. *Grablegung Christi*, 1495, ebda., Pitti. *Vision des hl. Bernhard*, um 1489, München, A. P. *Thronende Madonna mit Heiligen*, Fano, S. Maria Nuova, 1497. *Verkündigung*, 1498, ebda. *Thronende Madonna zwischen Heiligen*, in S. Maria delle Grazie bei Sinigaglia (Senigallia). Hauptwerk der letzten Lebensjahre: *Bilderschmuck des Hochaltars v. S. Agostino* in Perugia, 28 Tafeln, die verstreut sind in Lyon, Toulouse, Grenoble u. Perugia. *Madonnen*, in Wien, Florenz (Uff.), im Vatikan, Cremona, Fano u. a. Werke in London (Nat. Gall.); Florenz (Uff. u. Pitti); Perugia (Pinac.); Paris (Louvre); Marseille, Caen. Lit.: G. C. Williamson, 1900. W. Bombe, 1914 (Klass. der Kunst). Ders. in: Th.-B. 1932. U. Gnoli, 1923. G. Urbini, 1924. F. Knapp, [2]1926. F. Canuti, 1931. G. Delogu, *Ital. Malerei*, [3]1948.

Peruzzi, Baldassare, ital. Arch. u. Maler, Siena 1481 bis 1536 Rom, als Arch. Hauptmeister der Hochrenaissance, als Maler Vertreter der weiteren Raffael-Schule, beeinflußt von → Pinturicchio, → Sodoma, → Michelangelo u. Sebastiano del → Piombo, kam 1503 nach Rom, wo er sich unter → Bramante zum Hochrenaissance-Baumeister ausbildete. Die Baukunst wurde s. eig. Gebiet: von 1520 an mit Unterbrechungen Baumeister von St. Peter, 1529 Dombaumeister in Siena.
Hauptwerke als Baumeister: Mitwirkung am Bau der *Villa Farnesina*, Rom, 1509–11. *Pal. Massimo alle Colonne*, Rom, um 1535 beg., mit prächtigem Säulenhof, der hervorragendste s. Palastbauten in Rom. An weiteren Palastbauten in Rom u. Siena sowie an Kloster- u. Kirchenbauten beteiligt. Als Maler: Hauptwerk s. Frühzeit: Decken- u. Wandbilder im *Chor von S. Onofrio*, Rom, 1504. Freskenschmuck der Kapelle Ponzetti in *S. Maria delle Pace*, Rom, 1516/17. Fresko: *Augustus u. die Sibylle*, Siena,

Kirche von Fonte Giusta, 1528. *Ziermalereien in der Villa Farnesina*, Rom, bes. in der Sala delle Colonne, um 1516.
Lit.: W. W. Kent, 1925 (engl.). H. Willich u. P. Zucker, *Baukunst der Renaiss. in Italien* (Hb. d. K. W.), 1921–29. A. Venturi XI, 1, 1938. N. Pevsner, *Europ. Architektur*, 1957.

Pesellino, eig. Francesco di Stefano, ital. Maler, Florenz um 1422–1457 ebda., malte in anmutig erzählender Weise Szenen aus der Bibl. Geschichte, mittelalterliche Heiligenlegenden, Heldendichtung u. a. für Truhen (Cassone) u. Predellen (Sockel eines Altaraufsatzes), auch Altarwerke. P. stand vor allem unter dem Einfluß von Fra Filippo → Lippi u. Fra → Angelico.
Hauptwerke: *Predellen mit der Sylvesterlegende*, Rom, Pal. Doria. Predellenbilder mit der *Geburt Christi*, dem *Wunder des hl. Antonius u. der Enthauptung der hll. Cosmas u. Damian*, Florenz, Uff. (Predella zu einer Altartafel Lippis; 2 Szenen davon in Paris, Louvre). *Christus am Kreuz*, Berlin, ehem. K.-F.-Mus. 2 *Cassone-Tafeln* mit dem Triumph Petrarcas, Boston, Gardner Mus. *Altar mit Dreifaltigkeit* u. 4 Heiligen, London, Nat. Gall. (v. Filippo Lippi voll.). Weitere Werke in Empoli, Gal. der Collegiata; Chantilly, Mus.; Bergamo, Akad. Carrara; Philadelphia, Slg. Johnson; Worcester (Mass.), Art Mus.; Mailand, Gall. Poldi-Pezzoli.
Lit.: W. Weisbach, 1901. Ders. in: Preuß. Jb. 29, 1908. A. Scharf in: Pantheon 7, 13/14, 1934. G. Delogu, *Ital. Malerei*, [3]1948.

Pesne, Antoine, franz. Maler, Paris 1683–1757 Berlin, Schüler s. Vaters Thomas P. u. s. Onkels Ch. de → La Fosse, besuchte Italien u. wurde 1710 als Hofmaler nach Berlin berufen. Bedeutender Bildnismaler, der Persönlichkeiten des preuß. Hofes malte; ferner dekorative Gemälde in preuß. Schlössern u. genremäßige Tanz- u. Theaterszenen in der Art v. → Lancret.
Hauptwerke als Bildnismaler: *Friedrich d. Gr. als Kronprinz*, 1739, ehem. K.-F.-Mus. *Selbstbildnis mit 2 Töchtern*, 1754, ebda. *Die Tänzerin Barberina Campanini*, früher Berlin, Schloß. Freskenwerke: *Mythol. Deckengemälde in Schloß Rheinsberg*, 1738–40; in *Charlottenburg ; Potsdam, Stadtschloß ; Sanssouci*.
Lit.: P. Seidel, *Friedrich d. Gr. u. die bildende Kunst*, 1924. P. Du Colombier in: Les peintres franç. du 18e siècle, hg. v. Dimier, 1930. R. Rey, *Quelques satellites de Watteau*, 1932. M. Osborn, *Kunst d. Rokoko*, 1929.

Petel, Georg, dt. Bildhauer, Weilheim um 1590 bis 1633 Augsburg, Meister des dt. Frühbarock, Schüler von Hans → Degler, bereiste Italien u. die Niederlande, wo er → Rubens kennenlernte, seit 1625 in Augsburg eine fruchtbare Tätigkeit entfaltend.

Hauptwerke: Holzbildwerke in Augsburg: *Kruzifix* in der Hl.-Kreuz-Kirche, um 1625/26. *Kruzifix* im Hl.-Geist-Spital, vor 1630. *Christophorus*, Augsburg, St. Moritz. *Christus Salvator*, ebda. Ferner: *Kruzifix mit klagender Magdalena*, Bronze, Regensburg, Niedermünster, um 1625–30. *Büste Gustav Adolfs v. Schweden*, Bronze, Stockholm, Nat. Mus. *Rubensbüste*, 1633, bronzierte Terrakotta, Antwerpen, Mus. Elfenbeinarbeiten: *Geißelung Christi*, München, St. Michael. *Kruzifix*, um 1630, München, Schatzkammer der Reichen Kapelle, Residenz-Mus. *Hl. Sebastian*, um 1630, München, Nat. Mus. *Salzfaß mit der schaumgeborenen Venus*, um 1630/31, Stockholm, Hist. Mus. *Elfenbeinhumpen mit Zug des trunkenen Silen*, um 1630, Wien, Kunsthist. Mus. Lit.: K. Feuchtmayr in: Münchner Jb. der bild. Kunst, N. F. 3, 1926. Ders. in: Das Schwäb. Mus. 1926. Ders. in: Th.-B. 1932. Ders. in: Das Münster 3, 1950.

Peters, Johann Anton de, dt. Maler, Köln 1725 bis 1795 ebda., Schüler von → Greuze in Paris, einige Jahre in Brüssel, seit der Revolution in Köln, Hofmaler des dän. Königs Christian IV. – P. schuf liebenswürdige Gesellschaftsstücke in der Art von → Fragonard u. Greuze, bibl. u. mythol. Werke, Bildnisse, Miniaturen u. a. Vertreten in Paris, Louvre; Köln, Wallraf-Richartz-Mus. u. a. Lit.: G. Biermann, *Dt. Barock u. Rokoko*, 1914. H. F. Secker in: Th.-B. 1932.

Peterssen, Eilif, norweg. Maler, Oslo 1852–1928 Lysaker, bildete sich bei → Eckersberg in Kopenhagen, seit 1871 in Karlsruhe bei → Gude u. Riefstahl, seit 1873 in München (zeitweise unter → Diez), ging 1879 nach Italien, wo er sich der Freilichtmalerei zuwandte. Seit 1883 in Oslo, schuf haupts. norweg. Landschaftsbilder, auch Interieurs, hervorragende Bildnisse u. hist. u. bibl. Szenen. Beisp.: *Mutter Utne*, 1888, Oslo, Mus. *Bildnis Edvard Grieg*, ebda. *Selbstbildnis*, Florenz, Uff. Vertreten in den Mus. Oslo, Stockholm, Kopenhagen, Göteborg, Breslau, München u. a. Lit.: A. Aubert, *Norweg. Malerei im 19. Jh.*, o. J.

Petitot, Jean, franz.-schweiz. Maler, Genf 1607 bis 1691 Vevey, hervorragender Miniaturmaler, der sich in Paris ausbildete, 1635 nach London ging u. dort Emailminiaturen (Bildnisse) der engl. Hofgesellschaft malte. Später arbeitete P. in der gleichen Weise für den franz. Hof im Anschluß an Gemälde von Ph. de → Champaigne, → Mignard, → Nanteuil u. a. Seit 1685 wieder in der Schweiz. Sein Sohn *Jean d. J.* (1653–1699) führte s. Werkstatt weiter. Die besten Slgn. s. Miniaturen: London, South Kensington Mus. (Victoria u. Albert Mus.) u. Paris, Louvre. Ferner Chantilly (Mus. Condé), Genf, Leningrad, Windsor (Schloß) u. a.

Petrarkameister, auch «Meister des Trostspiegels» gen., Zeichner für den Holzschnitt des 1. Drittels des 16. Jh., vermutlich aus Augsburg, benannt nach s. Hauptwerk, den um 1520 entstandenen 258 Illustrationen zu einer Ausgabe des Petrarca «Von der Artzney bayder Glück», 1532. Er erweist sich in s. erfindungsreichen, oft märchenhaft erzählenden Holzschnitten als einer der fruchtbarsten Graphiker der → Dürerzeit. Früher wurde s. Werk dem Hans → Weiditz zugeschrieben. Jetzt wird es dagegen noch bereichert durch Zuschreibungen von Malereien, Miniaturen u. Zeichnungen. Lit.: E. Buchner, *Der P. als Maler, Miniator u. Zeichner* in: Festschrift Heinr. Wölfflin, 1924. Th. Musper, *Die Holzschnitte des P.*, 1927.

Petrini, Giuseppe Antonio, schweiz. Maler, Carona (Tessin), 1677–1758/59 ebda., Schüler von B. Guidobono in Genua, schuf haupts. Fresken u. Altarbilder für Tessiner u. lombard. Kirchen. Vertreter des Spätbarock, der vielerlei Einflüsse aufnahm: vom genues. Spätbarock, von G. M. → Crespi, → Guardi, → Piazzetta u. a. Hauptwerk sind die *Wandfresken in Madonna d'Ongero* bei Carona. Werke in den Kirchen von Bergamo, Carona, Lugano, Melide u. a.; Mus. Kassel, Philadelphia, Salzburg, St. Gallen, Venedig (Cà d'Oro) u. a. Lit.: H. Voss in: Th.-B. 1932. E. Gradmann u. A. M. Cetto, *Schweiz. Malerei u. Zeichn. im 17. u. 18. Jh.*, 1944. J. Gantner u. A. Reinle, *Kunstgesch. d. Schweiz* 3, 1956. E. Arslan, 1960.

Pettenkofen, August v., österr. Maler, Wien 1822 bis 1889 ebda., Schüler der Wiener Akad. unter L. → Kupelwieser, trat in Paris (mehrere Aufenthalte) der Kunst → Meissoniers nahe u. schuf in farbenreicher Freilichtmanier Szenen aus dem Wiener Leben, aus Ungarn u. Slavonien, meist in sehr kleinen Formaten; auch Veduten aus Italien. Vertreten in Wien, Staatsgal. (Gal. des 19. Jh.); Berlin (Nat. Gal.); Budapest, Hamburg, München, New York (Metrop. Mus.). In Wien (Albertina) ca. 150 Illustr. zu Gil Blas. Lit.: A. Weixlgärtner, 1916. E. Waldmann, *Kunst d. Realism. u. d. Impression.*, 1927.

Petzolt, Hans, dt. Goldschmied, Nürnberg 1551 bis 1633 ebda., neben Wenzel → Jamnitzer der bedeutendste Nürnberger Goldschmied der Renaissance. P. schuf vor allem prächtig geschmückte Trinkgefäße in der Form des spätgot. gebuckelten Deckelpokals. Lit.: M. Rosenberg, *Goldschm.-Merkzeichen* 3, 1925 (m. Werk- u. Lit.-Verz.).

Pevsner, Antoine, russ.-franz. Maler u. Bildhauer, * Orel (Rußland) 1886, Bruder von Naum → Gabo, studierte an der Akad. Kiew, kam 1911 nach Paris,

lernte dort den Kubismus kennen, traf 1913 mit →
Archipenko u. → Modigliani zus. u. begann in dem-
selben Jahre mit abstrakten Werken. Um 1923 ging
er zur Plastik über; er gehörte den Konstruktivisten
an, war haupts. von Marcel → Duchamps u. Jacques
→ Villon beeinflußt, gehörte der Gruppe «Abstrac-
tion-Création» an. Vertreten in New York, Mus. of
mod. Art.
Lit.: R. Massat, 1956. *Ausst.-Kat. Paris*, 1956/57.
C. Giedion-Welcker, *Plastik des 20. Jh.*, 1955.
W. Hoffmann, *Plastik des 20. Jh.*, 1958. M. Seuphor,
Plastik unseres Jh., 1959.

Peyronnet, Dominique, franz. Maler, Talence 1872
1943 Paris, «Peintre naïf», der erst mit 50 Jahren zu
malen begann. «Sein Lieblingsthema war das Meer,
das er mit Treuherzigkeit u. Ernst abbildete». Vertreten in New York, Mus of mod. Art.
Lit.: Knaurs Lex., 1957.

Pforr, Franz, dt. Maler, Frankfurt a. M. 1788–1812
Albano b. Rom, Hauptmeister der Frühromantik,
Schüler seines Onkels Johann Heinrich → Tischbein d. J. in Kassel, seit 1806 der Wiener Akad.,
schloß sich 1809 in Wien mit → Overbeck zus. zur
Lukasbrüderschaft; 1810 zogen sie nach Rom u.
gründeten dort die Bruderschaft von Sant'Isidoro
(→ Nazarener). Bald schon erlag der Hochbegabte
der Lungenschwindsucht. P. wandte sich als einer
der 1. den Stoffen aus der dt. mittelalterl. Legende
u. Geschichte zu. Ähnlich wie Overbeck strebte
er eine altertümliche flächenhafte Malerei an, die
Figuren mit ausdrucksstarken Linien umrissen.
Er studierte die vorraffaelische ital. Kunst sowie
die dt. Kunst der → Dürerzeit. Sein Kunstideal
stellte er in s. letzten Bild, *Sulamith u. Maria* dar,
welches in s. 2 Gestalten die beiden Richtungen der
Kunst Overbecks u. s. eigenen sinnbildlich wiedergeben soll.
Werke: *Einzug Kaiser Rudolfs in Basel 1273*, 1808,
Frankfurt, Städel. *Graf v. Habsburg*, 1809, ebda.
Weitere Werke in Frankfurt, Städel; Berlin, Nat.
Gal.; Wien, Akad. u. a. Zeichnungen zu Goethes
Götz v. Berlichingen, z. T. in Weimar, Goethe-Mus.
Lit.: F. H. Lehr, *Blütezeit romant. Bildkunst: F. P.,
der Meister des Lukasbundes*, 1924. G. Pauli, *Kunst
des Klassizismus u. der Romantik* (Prop. Kunst-
gesch.). W. Teupser, *Italia u. Germanien v. P. u.
Overbeck*, 1943. W. R. Deusch, *Malerei d. dt. Roman-
tik*, 1937.

Phidias, griech. Bildhauer, Athen um 500 v. Chr.
bis nach 438 v. Chr., Schöpfer u. Hauptmeister der
hochklassischen attischen Kunst, hochberühmt
schon im Altertum als Bildner von Götterstatuen,
schuf als s. Hauptwerke die Kultbilder der *Athena
Parthenos*, 438 im Parthenon in Athen aufgestellt,
u. des *Olympischen Zeus* im Zeustempel zu Olympia.

Von der Athena Parthenos geben eine in perga-
menischem Stil umgearbeitetete Marmorverklei-
nerung aus Pergamon (Berlin, früher Pergamon-
mus.), für äußerliche Einzelheiten Statuettenko-
pien in Athen, Nat. Mus. u. Paris, Louvre, eine
gewisse Vorstellung. Vom Olympischen Zeus sind
Abbildungen des Kopfes auf Münzen bekannt.
Ph. hatte die Oberleitung der Bauten u. Bildhauerarbeiten in Athen unter sich u. starken Einfluß auf
die Gestaltung der *Parthenon-Skulpturen* (die Giebelskulpturen, London, Brit. Mus.). Wie weit dieser
im einzelnen ging, wird verschieden beurteilt.
Es gibt eine Reihe von Statuen phidiasscher Art in
kaiserzeitlichen Kopien, wie weit die zu Grunde
liegenden Originale von Ph. selber herrühren, ist
umstritten; es sind u. a. der *Kasseler Apollo; die
Dresdener Athena; der Anadumenos Farnese*, London,
Brit. Mus. *Sappho*, Villa Albani; *Athena Medici*,
Paris, Louvre; *Anakreon*, Kopenhagen.
Lit.: H. Schrader, 1924. A. Hekler, 1924. E. Lang-
lotz, *P.-Probleme*, 1947. E. Buschor, *P. als Mensch*,
1948. J. Liegle, *Der Zeus d. Ph.*, 1952. E. Kunze in:
Gnomon 27, 1955.

Philippoteaux, Félix- Henri- Emmanuel, franz.
Maler u. Graphiker, Paris 1815–1884 ebda., Schüler
von L. → Cogniet, malte Historienbilder, bes.
Schlachten u. Porträts, sowie Illustrationen. Ph. ist
sehr gut in Versailles vertreten; ferner in den Mus.
v. Paris (Mus. Carnavalet), Marseille, Montauban,
Straßburg, Neuchâtel, London (Victoria u. Albert
Mus.).

Philiskos, griech. Bildhauer des 3. Jh. v. Chr. aus
Rhodos. Sein Hauptwerk ist eine große, später bei
der Porticus Octaviae in Rom aufgestellte *Gruppe
der Götter Apollon, Leto u. Artemis mit den 9 Musen*,
eine Gruppe, welche in der Antike vielfach nachgebildet wurde.
Lit.: Lippold in: Mitt. des dt. archäol. Inst., Röm.
Abt. 33, 1918.

Pianta, Francesco, ital. Bildschnitzer, tätig in Venedig, * um 1630, † um 1692, schuf als s. Hauptwerk
im Oberen Saal der Scuola di S. Rocco in Venedig,
an den Wänden entlang als Dorsale gereihte *Hermen-
figuren*, zwischen 1660 u. 1681 ausgeführt: allegor.
Fig. von eigenartiger Ausdruckskraft.
Lit.: E. Hüttinger in: N. Z. Z. vom 14. Dez. 1958.
Th.-B. 1932.

Piaubert, Jean, franz. Maler, * Pian 1900, kam 1922
nach Paris, schloß sich 1933 der ungegenständlichen
Kunst an u. gehörte zur Gruppe «Abstraction-
Création».
Lit.: Cassou, 1951. Seuphor, *Dict. peint. ab str.*, 1957
Vollmer, 1956.

Piazzetta, Giovanni Battista, ital. Maler, Zeichner u. Radierer, Pietrarossa b. Treviso 1682–1754 Venedig, neben → Tiepolo der bedeutendste Vertreter des venez. Spätbarock, wahrscheinlich Schüler von → Crespi in Bologna, meist in Venedig tätig, schuf haupts. kirchliche Werke, aber auch Genrebilder u. Porträts.
Hauptwerke: *Die Enthauptung Johannes d. T.,* Padua, Sant' Antonio. Großes Deckenfresko der *Verklärung des Hl. Dominikus* in SS. Giovanni e Paolo in Venedig. *Der hl. Jakobus wird zur Hinrichtung geführt,* 1717, Venedig, S. Staë (venez. f. S. Eustachio). *Die Wahrsagerin,* 1740, Venedig, Akad. *Rebekka am Brunnen,* um 1740, Mailand, Brera. *Selbstbildnis,* Berlin, ehem. K.-F.-Mus.
Lit.: A. Ravà, 1921. R. Pallucchini, 1934 (dt. 1942). G. Fiocci, *Venez. Malerei d. 17. u. 18. Jh.,* 1929. G. Delogu, *Ital. Malerei,* ³1948.

Picabia, Francis, franz. Maler span. Herkunft, Paris 1879–1953 ebda., Führer der franz. Dadaisten, bedeutender Anreger, begann als Impressionist, wurde dann vom Kubismus beeinflußt, kam 1915 mit Marcel → Duchamp in Berührung, war 1916 in Barcelona, wo er die Zschr. «391» gründete, gehörte dann zur schweiz. Dada-Gruppe u. war seit 1918 in Frankreich. Um 1925 kehrte er zur gegenständl. Kunst zurück, um 1945 schloß er sich wieder der abstrakten Richtung an. Vertreten in den Mus. v. Paris (Mus. mod.), Cambrai, Chicago, Grenoble, Den Haag, Lisieux, New York u. a.
Lit.: M. de La Hire, 1920. A. Breton, *Le surréalisme et la peinture,* 1928. Knaurs Lex., 1955. Vollmer, 1956. M. Seuphor, *Knaurs Lex. abstr. Mal.,* 1957.

Picasso, Pablo, eig. Ruiz y P., span. Maler, Graphiker u. Bildhauer, * Malaga 1881, Hauptmeister der 1. Hälfte des 20. Jh., Mitschöpfer des Kubismus, besuchte die Akad. Barcelona u. Madrid, 1900 zum 1. Male in Paris, wurde von → Toulouse-Lautrec u. van → Gogh beeinflußt u. fand s. eigenen Stil, 1904 Übersiedlung nach Paris. Die frühe Epoche war ab 1901 auf blauen Ton gestimmt (die «blaue» Epoche), ab ca. 1905 auf rosa Ton (époque «rose»). 1906 Bekanntschaft mit → Braque u. → Matisse, Einfluß der Kunst der Naturvölker; Ablösung vom Naturvorbild; Beginn des Kubismus. Höhepunkt der 1. Phase des Kubismus (*Les demoiselles d'Avignon,* 1907, New York, Mus. of mod. Art). Um 1909 2. Phase des Kubismus: der analytische K.; um 1911 begann eine Phase der «Papiers collés» (Anwendung verschiedener Materialien). Um 1917 begann P. einen klassizist. Stil auszubilden von zarter Linienschönheit. In den 20er Jahren folgen surrealist. Einflüsse u. eine gesteigerte Expressivität mit Verzerrungen u. grellen Farben; den Höhepunkt bezeichnet das Werk *Guernica,* 1937 (Symbol für die Schrecken des span. Bürgerkrieges). Diese Phase

setzt sich ebenso wie die klassizistische fort, oft nebeneinander; dazu kommt ein immer umfangreicheres graph. Werk, seit 1945 bes. Lithographien; Plastiken u. Keramiken; Zeichnungen.
Lit.: Ch. Zervos, 1932–34. A. H. Barr, 1946. M. Raynal u. a., Hist. de la peint. mod. 3: *De P. au surréalisme,* 1950 (m. Bibliogr.). W. Boeck u. J. Sabartès, 1955. F. Elgar u. R. Maillard, 1956 (dt.). J. Sabartès, *P., Gespräche u. Erinnerungen,* 1957. R. Penrose, 1958 (engl.).

Pickenoy, Nicolas Eliasz., niederl. Maler, Amsterdam 1591 bis um 1655 ebda., holl. Porträtist, der bes. auch das Gruppenbild pflegte; in s. Art zu vergleichen mit → Ravesteyn u. Cornelis van der Voort, der wahrscheinlich sein Lehrer war. Vertreten in Amsterdam, Rijksmus.

Picot, François, franz. Maler, Paris 1786–1868 ebda., Vertreter des akad. Klassizismus, Schüler von → David u. Vincent, schuf Deckenmalereien in Sälen des Louvre in Paris; im Mus. v. Versailles; in St-Denis-du-St-Sacrement in Paris u. a. Kirchen. Vertreten im Louvre, Paris (*Orest u. Elektra*).

Pieneman, Jan Willem, niederl. Maler, Abcoude 1779–1853 Amsterdam, malte Bildnisse u. Historienbilder. Beisp.: *Schlacht bei Waterloo,* 1824, Amsterdam, Rijksmus.; auch Landschaften u. Radierungen. Jozef → Israëls war s. Schüler. Vertreten in: Amsterdam (Rijksmus.), Den Haag (mod. Mus.), Stuttgart, Brüssel u. a.
Lit.: Wurzbach, *Niederl. Künstlerlex.,* 1910.

Pierino del Vaga → Vaga, Pierino del.

Piermarini, Giuseppe, ital. Arch., Foligno 1734 bis 1808 ebda., maßgebend für die Ausbildung des Klassizismus in der Lombardei, Erbauer der *Scala* in Mailand, 1776–78. Weitere Werke: Umbau des alten Herzogpal. in Mailand zum *Pal. Reale,* 1771–1776. Die Schauseite des *Pal. Belgiojoso* in Mailand, 1777. Viele weitere Bauten in Mailand, welche das Stadtbild bestimmten. In Mantua: *Kunstakademie,* 1773.
Lit.: G. Marangoni in: Rassegna d'Arte 8, 1908. G. Pauli, *Kunst d. Klassizism. u. d. Romantik,* 1925.

Piero di Cosimo, eig. Piero di Lorenzo, ital. Maler, Florenz 1462–1521 ebda., Schüler u. Gehilfe des Cosimo → Rosselli, vorübergehend in Rom, sonst in Florenz tätig. P. ging in s. Stil von → Leonardo da Vinci, → Verrocchio, → Signorelli, Lorenzo di → Credi u. a. aus, auch vom Portinari-Altar des Hugo van der → Goes, der in Florenz zu sehen war, (heute in den Uff.). Er schuf religiöse Werke, mythol. u. profane Darstellungen von eigenartiger Erfindung u. oft seltsamer Formensprache.

Werke: *Thronende Madonna*, Florenz, Ospedale degli Innocenti. *Maria Immaculata mit 6 Heiligen*, Florenz, Uff. *Empfängnis Mariä*, S. Francesco b. Fiesole. Mythol.: *Mars u. Venus*, Berlin, staatl. Mus. *Tod des Prokris*, London, Nat. Gall. *Hylas u. die Nymphen*, Hartfort, Conn. *Die Entdeckung des Honigs*, Worcester (Mass.), Mus. *Bildnis der Simonetta Vespucci*, Chantilly, Gal. Condé. Werke in Florenz, Uff. u. Pitti; Paris, Louvre; Chantilly, Oxford, Rom, Wien.
Lit.: F. Knapp, 1899. R. L. Douglas, 1946. Venturi VII, 1, 1911. R. van Marle, *Ital. Schools* 13, 1931. G. Delogu, *Ital. Mal.*, ³1948.

Piero della Francesca → Francesca, Piero della.

Pieters, Pieter, gen. Jonge Lange Pier, niederl. Maler, Antwerpen 1540–1603 Amsterdam, Sohn u. Schüler des Pieter → Aertsen, tätig in Haarlem, seit ca. 1570, u. in Amsterdam.
Werke: *Bauernfest*, Amsterdam, Rijksmus. *3 Jünglinge im Feuerofen*, 1575, Haarlem, Frans Hals Mus. *Bildnis Gael*, ebda. *Bildnis Schellinger*, Den Haag, Mauritshuis. *Fischhändlerin*, 1568, Pommersfelden, Schloß.
Lit.: A. v. Wurzbach, *Niederl. Künstlerlex.* 2, 1910. F. Winkler, *Altniederl. Malerei*, 1924.

Pietersz, Aert, niederl. Maler, Amsterdam um 1550–1612 ebda., Sohn u. Schüler des Pieter → Aertsen, schuf einige religiöse Werke, vor allem aber Bildnisse (bedeutende Gruppenbildnisse).
Werke: *Jüngstes Gericht*, 1611, Rathaus, Amsterdam. *Kreuzigung*, Leiden, Mus. Gruppenbildnisse: *3 Schützen-, bzw. Regentenstücke* (darunter: *6 Regenten der Tuchhändlergilde*, 1599), Amsterdam, Rijksmus. *Anatomie des Dr. Egbertsz.*, 1603, ebda., Waag Mus. (früher Rijksmus.). Weitere Werke in Hamburg, Kunsth.; Leningrad, Eremitage.
Lit.: A. v. Wurzbach, *Niederl. Künstlerlex.* 2, 1910. F. Winkler, *Altniederl. Malerei*, 1924.

Pietro, Sano di → Sano di Pietro.

Pietro da Cortona → Cortona, Pietro da.

Pigage, Nicolas de, franz. Arch., Lunéville 1723 bis 1796 Mannheim, ausgebildet an der Pariser Akad., 1749 ff. in kurpfälzischen Diensten, brachte einen anmutigen franz. Klassizismus in die Rheinlande.
Werke: *Gartenschloß Benrath* b. Düsseldorf 1755 bis 69, «einer der besten Bauten Deutschlands im Übergang vom Rokoko zum Louis XVI» (Dehio). *Gartenanlagen* im engl. Stil, Badehaus u. Gartentempelchen im Park v. *Schwetzingen*, um 1761–70. Teile des *Schlosses zu Mannheim*; *Karlstor* in Heidelberg, 1773–84.
Lit.: E. Renard, *Das neue Schloß zu Benrath*, 1913.

G. Dehio, *Hb. d. dt. Kunstdenkm.* 4, 1911; 5, 1912 (Neuausg. v. E. Gall, 1935f.).

Pigalle, Jean-Baptiste, franz. Bildhauer, Paris 1714 bis 1785 ebda., bedeutender Meister des franz. Rokoko, Schüler von → Le Lorrain u. → Lemoyne, weitergebildet in Rom; in s. Stil den Übergang vom Rokoko zum Klassizismus bezeichnend.
Hauptwerke: *Der sich die Sandalen bindende Merkur*, 1748, Paris, Louvre u. Berlin, staatl. Mus. *Grabmal des Marschalls Moritz v. Sachsen*, 1753–70, Straßburg, St. Thomas. *Grabmal des Grafen d'Harcourt*, 1769 bis 76, Paris, Notre-Dame. *Der Knabe mit dem Vogelkäfig*, 1749, Paris, Louvre. Vertreten in Paris: Louvre, Musée de Cluny, Kirche St-Sulpice; in mehreren franz. Mus.; in New York (Metrop. Mus.), Berlin (ehem. K.-F.-Mus.) u. a.
Lit.: S. Rocheblave, 1919. E. Hildebrandt, *Mal. u. Plastik d. 18. Jh.* (Handb. d. K. W.), 1924. A. Michel, Hist. de l'Art VII, 2, 1924.

Pignon, Edouard, franz. Maler u. Lithograph, * Marles – les – Mines 1905, gehört zur Gruppe der Maler um → Lhote (→ Estève, Fougeron, → Le Moal), schuf Figürliches, Stilleben, Landschaften u. a. P. malte auch viel in Gouache. Vertreten in vielen Mus. mod. Kunst in Frankreich u. im Ausland.
Lit.: Bénézit, 1953. Vollmer, 1956. H. Lefebvre, 1959 (Musée de Poche). *Neue Kunst nach 1945*, hg. v. W. Grohmann, 1958.

Pijnacker, Adam → Pynacker, Adam.

Pijnas, Jan → Pynas, Jan.

Piles, Roger de, franz. Maler, Clamecy um 1635 bis 1709 Paris, Bildnismaler, Radierer u. Kunstschriftsteller (Hauptwerk: «Abrégé de la vie des peintres», 1699, mehrere Aufl.).
Lit.: J. v. Schlosser, *Kunstliteratur*, 1924. L. Mirot, 1925.

Pilgram, Anton, österr. Arch. u. Bildhauer, Brünn (?) um 1460 bis um 1515 Wien, bedeutender Meister der Übergangszeit von der Spätgotik zur Renaissance, arbeitete in Südwestdeutschland, seit 1502 in Brünn; seit 1511 leitete er die Dombauhütte in Wien. Als Bildhauer von der oberrhein. Kunst (Niklaus → Gerhaert) beeinflußt.
Werke: *Sakramentshaus* im Chor u. *Chor* v. St. Kilian in Heilbronn, 1485–90. *Kanzel* in Öhringen (Kanzelträger in Berlin, staatl. Mus.). *Gruppe der Grabtragung*, 1496, München, Nat. Mus. *Nördl. Langschiff v. St. Jakob* in Brünn, 1502. Ehem. *Judentor* in Brünn, 1508 (abgerissen; Konsolen in Brünn, Mus.). *Rathausportal* in Brünn, um 1511. *Orgelfuß*, 1513, u. *Kanzel*, 1515, mit den Büsten der 4 Kirchenväter in St. Stephan, Wien. Vertreten in Wien, Kunsthist. Mus.

Lit.: Ign. Schlosser, *Die Kanzel u. der Orgelfuß in St. Stephan in Wien*, 1925. R. Schnellbach in: Wallraf-Richartz-Jb. N. F. 1, 1930. Th. Demmler in: Preuss. Jb. 59, 1938. K. Oettinger, 1951. B. Grimschitz in: Wiener Jb. f. Kunstgesch. 15, 1953. H. Koepf, *Neuentdeckte Bauwerke d. Meisters A. P.* in: Wiener Jb. f. Kunstgesch. 15, 1953. A. Feulner, *Die dt. Plastik d. 16. Jh.*, 1926. W. Pinder, *Die dt. Plastik* (Handb. d. K. W.) 2, 1929. Ders., *Dt. Kunst der Dürerzeit*, 1953.

Pillement, Jean-Baptiste, franz. Maler, Ornamentzeichner u. -stecher, Lyon 1728–1808 ebda., ließ sich um 1750 in London nieder, zeichnete für «The Ladies' Amusement», arbeitete 1763 am Wiener Kaiserhof, 1766 v. König Stanislaus August nach Warschau berufen, später Hofmaler der Marie Antoinette. P. malte Landschaften, Genrebilder u. zeichnete feine Vorlagen für Ornamente. Im Schloß v. Warschau schmückte er die königl. Arbeitszimmer mit Rokoko-Ornamentik (im «chines. Stil»). Eine Slg. s. Ornamentstiche erschien 1776: «Oeuvres de fleurs, ornements usw.». Er schuf auch Kartons mit Vorlagen für Gobelins u. a.
P. ist vertreten in den Mus. v. Paris (Petit Palais; Carnavalet; Mus. des Arts décoratifs), Lyon, Besançon, Dijon, Montpellier, Nantes, Narbonne, Toulouse u. a. franz. Mus. Im Ausland: Lissabon, Florenz (Pitti), Madrid, Porto u. a.
Lit.: Rondot, *Les peintres de Lyon*, 1888. Riotor, 1931. H. Voss in: Th.-B. 1933. Bénézit, 1953.

Pilon, Germain, franz. Bildhauer, Paris 1535 bis 1590 ebda., Hauptmeister der franz. Renaissance neben → Goujon, vielleicht Schüler von P. Bontemps. In s. Werk vollzieht sich die Entwicklung der franz. Plastik zur Höhe der Renaissance, die Befreiung vom Stil der → Primaticcio-Schule (Schule v. → Fontainebleau).
Sein Hauptwerk ist das *große Marmorgrab für Heinrich II. u. Katharina v. Medici*, 1565–70, St-Denis, Abteikirche. Ferner: *Gruppe der 3 Grazien*, für die Urne mit dem Herzen Heinrichs II., 1559, Paris, Louvre. *Büste Heinrichs II.*, ebda. *Bronze-Relief mit Grablegung Christi*, ebda. Alabasterrelief: *Christus in Gethsemane*, ebda. *Statue des Kanzlers Birague*, ebda. Werke in den Mus. v. Orléans, London (Victoria u. Albert Mus.), New York (Metrop. Mus.).
Lit.: J. Babelon, 1927. Ch. Terrasse, 1930. A. E. Brinckmann, *Barockskulptur* (Handb. d. K. W.), 1919.

Piloty, Karl v., dt. Maler, München 1826–1886 Ambach am Starnberger See, Hauptmeister der realist. Historienmalerei des 19. Jh., Schüler der Münchner Akad., schloß sich 1852 in Belgien der realist. Richtung an, welche auf das hist. getreue Kostüm usw. bei der Geschichtsmalerei hinzielte,

beeinflußt v. → Delaroche in Paris. P. war seit 1874 Direktor der Akad. München u. hatte großen Einfluß als Lehrer. Berühmt wurde P. durch s. Gemälde: *Seni an der Leiche Wallensteins*, 1855, München, N. P. Weitere Werke: *Darstellungen aus der bayerischen Geschichte* für das Maximilianeum in München, 1854. *Nero nach dem Brande Roms*, 1860, Budapest u. München (Städt. Gal.). *Galilei im Kerker*, 1861, Köln, Wallraf-Richartz. *Maria Stuart beim Anhören ihres Todesurteils*, 1869, München, N. P. Werke in München, N. P.; Berlin, Nat. Gal.; München, Schack-Gal. u. Rathaus. New York, Metrop. Mus.
Sein Bruder *Ferdinand*, 1828–1895, malte in P.s Art gr. *Wandgemälde* im Bayr. Nat. Mus. u. im Maximilianeum in München; ferner im Rathaus in Landsberg a. Lech u. auf Schloß Neuschwanstein.
Lit.: R. Oldenbourg, *Münchner Maler im 19. Jh.*, 1922. H. Hildebrandt, *Kunst d. 19. u. 20. Jh.* (Handb. d. K. W.), 1932.

Pils, Isidore, franz. Maler, Paris 1815–1875 Douarnenez, bedeutender Schlachten- u. Militärmaler, Schüler von → Picot u. Lethière, war 1838 in Rom, seit 1863 Prof. der Ecole des B.-Arts in Paris.
Werke: *Rouget de Lisle die Marseillaise singend*, 1849, Paris, Louvre. *Im Graben vor Sebastopol*, 1855, Bordeaux, Mus. *Die Schlacht an der Alma*, 1861, Versailles, Gal. Ferner: *Fresken in der Kirche Ste-Clotilde* in Paris; *St-Eustache*, ebda. u. im *Treppenhaus der Großen Oper*, ebda.
Lit.: B. de Fouquières, 1876.

Pino, Marco dal, auch Marco da Siena gen., ital. Maler u. Arch., * Costa al Pino b. Siena um 1525, † Neapel um 1587, Vertreter der manierist. → Michelangelo-Nachfolge, tätig in Rom u. Neapel.
Werke: Ausmalung der *Sala Paolina* (Decke) in der Engelsburg in Rom, 1546. *Rovere-Kapelle* in Trinità de' Monti, Rom, Deckengem. zus. mit Tibaldi (nach Zeichn. v. → Volterra). Fresko in der *Sala Regia* des Vatikans, ebda. *Auferstehung Christi*, Rom, Gall. Borghese. *Christus mit Engeln*, ebda., Villa Albani. *Anbetung der Könige*, Neapel, Mus. *Geburt Mariä*, Neapel, SS. Severino e Sosio. *Geburt Christi*, ebda.
Lit.: A. Venturi IX, 5, 1932. F. Baumgart in: Th.-B. 1933.

Pinturicchio, eig. Bernardino di Betto di Biagio, ital. Maler, wahrscheinlich Perugia um 1454 bis 1513 Siena, Schüler → Peruginos, dem er sich in s. Kunst eng anschloß. Er schuf vor allem große erzählende Freskenwerke von dekorativer u. festlichprächtiger Wirkung. Als Gehilfe Peruginos an dessen Fresken in der Sixtinischen Kapelle in Rom beteiligt.
Hauptwerke: Freskenwerke in den *Appartamenti Borgia* im Vatikan, Rom, 1492–95: kirchliche u. symbol. Darstellungen u. reiches Schmuckwerk,

teilweise v. Schülern P.s. *Ausmalung der Libreria* (*Bibliothek*) *Piccolomini im Dom zu Siena*, 1505–07: Szenen aus dem Leben des Aeneas Sylvius Piccolomini (Papst Pius II.), mit zierlichem Groteskenschmuck (teilweise v. Schülern P.s). Weitere Freskenwerke: in S. Maria in Aracoeli, Rom, um 1483; in mehreren Kapellen von S. Maria del Popolo, 1489–92, Rom. Kirchliche Werke: *Anbetung des Kindes*, 1485, Rom, S. Maria del Popolo. *Krönung Mariä*, ebda., Vatik. Gal. *Thronende Madonna mit Heiligen*, Perugia, Pinac.
Lit.: A. Schmarsow, *Raffael u. P. in Siena*, 1880. Ders., *P. in Rom*, 1882. Steinmann, 1898. Boyer d'Agen, 1901. Ders., 1902. C. Ricci, 1902. Ders., 1912. Bombe, *Geschichte der Peruginer Malerei*, 1912. A. Venturi VII, 2, 1913.

Piombo, Sebastiano del, eig. Luciani, ital. Maler, Venedig um 1495–1547 Rom, Hauptmeister der röm. Hochrenaissance, bildete sich in Venedig unter dem Einfluß → Giorgiones, siedelte 1511 nach Rom über, wo er sich zunächst → Raffael, später → Michelangelo anschloß. In s. Malweise suchte er die venez. blühende Farbengebung mit den röm. Hochrenaissanceformen u. Ausdruckswelt zu vereinen.
Hauptwerke: Altarbild in *S. Giovanni Crisostomo*, Venedig. Fresken in den Bogenfeldern des *Galateasaales der Farnesina*, Rom. *Beweinung Christi*, Viterbo, Mus. *Hl. Familie*, Neapel, Mus. Naz. *Auferstehung des Lazarus*, 1519, London, Nat. Gall. *Geißelung Christi*, Rom, S. Pietro in Montorio. *Hl. Familie*, London, Nat. Gall. *Geburt Mariä*, Rom, S. Maria del Popolo. Bildnisse: *Frauenbildnis*, 1512, Florenz, Uff. *Bildnis der Römerin Dorothea*, Berlin, staatl. Mus. *Klemens VII.*, Neapel, Mus. Naz. *Andrea Doria*, Rom, Pal. Doria. Werke ferner in Leningrad, Madrid, New York, Paris u. a.
Lit.: G. Bernardini, 1908. P. d'Archiardi, 1908. L. Dussler, 1942. R. Pallucchini, 1944. A. Venturi IX, 5, 1932.

Piot, René, franz. Maler, Paris 1869–1934 ebda., Schüler der Akad. Julian, gehörte der Gruppe der → Nabis an, Schüler auch von G. → Moreau, weitergebildet in Italien, wo er die alte Freskotechnik studierte. In s. Freskenstil von M. → Denis beeinflußt: *2 Fresken* im Luxembourg-Mus. in Paris. P. schuf ferner Bühnendekorationen, Kartons für Gobelins. Aquarelle im Mus. des Arts décoratifs in Paris. Fresken in der Villa Berenson, Settignano; im Hause v. A. Gide in Paris u. a.
Lit.: Bénézit, 1953. Vollmer, 1956. C. Saunier, *Un fresquiste d'aujourd'hui*, o. J. V. Barbey, *Les peintres mod. et le théâtre*, 1919. F. Fosca in: Dedalo, 1923.

Piper, John, engl. Maler, *Epsom 1903, schloß sich um 1933 in Paris → Braque, F. → Léger u. a.

an; bis 1937 kubist. u. abstrakte Versuche, seitdem gegenständliche Richtung, die sich den engl. Romantikern des 19. Jh. anschließt, mit Vorliebe Landschaften u. Architekturen (z. B. halbzerstörte engl. Kirchen); 1941 Auftrag der engl. Königin zur Anfertigung einer Folge von Zeichnungen von Schloß Windsor.
Lit.: Vollmer, 1956.

Piranesi, Giovanni Battista, ital. Kupferstecher u. Arch., Mogliano b. Venedig 1720–1778 Rom, Meister der Architektur- u. Ruinendarstellung, in Venedig als Arch. ausgebildet, von → Palladio begeistert, begab sich 1740 nach Rom, um die antiken Bauwerke zu studieren. Er ist dann, außer kurzen Unterbrechungen, dauernd dort tätig gewesen. P. hat jedoch nur wenig gebaut. Seine eigentliche Bedeutung beruht auf s. Tätigkeit als Kupferstecher. Er nahm die antiken Bauwerke, aber auch Renaissancebauten, in meisterhaften Blättern auf, die in Sammelbänden zusammengefaßt wurden. In diesen Ansichten gab er ein neues Bild der Antike, das großen Einfluß auf die Kunst des Klassizismus u. weiterhin auf die der Romantik hatte. Eine noch stärkere Wirkung auf die Kunst der Folgezeit bis in die Gegenwart hinein übten seine Architekturvisionen der *Carceri*.
Hauptwerke: *Vedute di Roma*, beg. um 1748, Ansichten antiker u. barocker Bauwerke, zuerst einzeln erschienen, später zu Sammelbänden zusammengefaßt. Ferner: *Le antichità romane*, 1756. *Opere varie d'architettura*. Seine Serie der Architekturvisionen: *Carceri*, um 1745. Vorlagewerk mit klassizist. Geräte: «*Diversi manieri d'adornare i Camini*» hatte großen Einfluß auf die Bildung des klassizist. Stiles, namentlich in Frankreich u. England (Piranesistil). Der einzige in Rom nach s. Entwurf errichtete Bau: *S. Maria del Priorato* (S. Maria Aventina), 1765.
Lit.: *Ausgew. Werke P.s*, hg. v. P. Lange, 1885–88. A. Giesecke, 1911. H. Focillon, 1918, [2]1928. A. M. Hind, 1922 (engl.). V. Mariani, 1938 (ital.). R. Pane, *L'acquaforte di P.*, 1938. A. Hilton Thomas, *The drawings of P.*, 1954. U. Vogt-Göknil, *P.s Carceri*, 1958. Seghers, 1960 (franz.).

Pisanello, Antonio Pisano, gen. P., ital. Maler u. Medailleur, Verona um 1397–1455, hervorragendster Vertreter der Frührenaissance in Verona, tätig in Verona, Venedig, Pavia sowie verschiedenen anderen Orten Italiens. P. geht in s. Kunst von → Gentile da Fabriano aus, später von niederl.-burgund. Miniaturkunst beeinflußt. Seine eingehende Naturbetrachtung kommt bes. in s. Zeichnungen zum Ausdruck. In der Medaillenkunst, der er sich in s. letzten Jahren widmete, wurde P. zum Schöpfer der neueren Bildnis-Denkmünze. Er war der letzte Vertreter der höfischen Kunst des ausgehen-

den Mittelalters, doch zugleich Vorläufer der Renaissance.
Freskenwerke: *Verkündigung Mariä*, 1422–26, Verona, S. Fermo. *Aufbruch des hl. Georg zum Drachenkampf*, um 1438, Verona, S. Anastasia. Tafelbilder: *Madonna della Quaglia*, Verona, Mus. Civico. Der *hl. Eustachius*, London, Nat. Gall. *Lionello d'Este*, Bergamo, Akad. *Prinzessin aus dem Hause Este*, Paris, Louvre. Zeichnungen: *Skizzenbuch*, sog. Cod. Ballardi, Paris, Louvre. Medaillen: *Kaiser Johannes Paläologos*, 1438. *Lionello d'Este*.
Lit.: G. F. Hill, 1905. Ders., *Drawings by P.*, 1929. K. Zoege v. Manteuffel, 1909. A. Venturi VII, 1, 1911. J. Guiffrey, *Les dessins de P. conservés au Mus. du Louvre*, 4 Bde., 1911–20. R. van Marle, *Ital. Schools* VIII, 1927. A. H. Martinie, 1930. J. Babelon, 1931. A. Venturi, 1939. B. Degenhart, 1940. Ders., 1945. R. Brenzoni, 1952.

Pisano, Andrea, ital. Bildhauer, Goldschmied u. Arch., * um 1290, † Orvieto um 1348, Hauptmeister der florent. Gotik, wahrscheinlich Geselle des Giovanni → P. am Dom zu Pisa, kam 1330 nach Florenz, wo er als Hauptwerk *die südl. Bronzetür am Baptisterium* schuf, 1330–36, mit Szenen aus dem Leben Johannes d. T. Um 1334 begann s. Tätigkeit am *Reliefschmuck des Campanile*, wo er Mitarbeiter → Giottos war. Nach Giottos Tod dessen Nachfolger im Amt des Dombaumeisters; 1347 als Dombaumeister nach Orvieto berufen. Andreas Stil zeichnet sich durch kraftvolle Linienschönheit aus. In der räumlichen Disposition hatte er Wesentliches von Giotto gelernt. Von A. u. s. Werkstatt stammen einige der Reliefs am Campanile in Florenz, dessen Weiterbau Andrea 1337–43 leitete. Zugeschrieben: *Marmorfiguren v. Christus u. der hl. Reparata*, Florenz, Dommus.
Lit.: J. Falk, *Studien zu A. P.*, 1940. I. Toesca, *Andrea u. Nino P.*, 1950. P. Toesca, *Il Trecento*, 1951.

Pisano, Giovanni, ital. Bildhauer u. Arch., * vermutlich Pisa um 1250, † nach 1314, Hauptmeister des ital. Mittelalters u. der ital. Skulptur überhaupt, zunächst Mitarbeiter s. Vaters Niccolò an dessen Spätwerken, der *Kanzel im Dom zu Siena*, voll. 1268 u. des *Großen Brunnens* vor dem Dom zu Perugia, voll. 1280, gelangte zu s. eigenen Stil erst unter der Einwirkung der reifen got. Kathedralplastik; ein Frankreich-Aufenthalt um 1270–75 wird angenommen. P. war tätig in Pisa, Siena, Pistoia, Prato, Padua. Sein voll ausgebildeter Stil zeigt kraftvoll dramatische Bewegtheit u. war maßgebend für die ganze weitere Kunstentwicklung in Italien. Hauptwerke: *Marmorkanzel in S. Andrea in Pistoia*, 1301 voll., mit Reliefdarstellungen der Heilsgeschichte u. *Marmorkanzel für den Dom zu Pisa*, voll. 1311, ebenfalls mit Reliefs aus der Heilsgeschichte. Weitere bedeutende Werke: *Figurenschmuck der*

Fassade des Doms zu Siena: Propheten u. Sibyllen, um 1290. Madonnenstatuen: *Statuette* in der Cappella della Cintola im Dom zu Prato aus Marmor, um 1275; *Halbfigur der Madonna mit Kind*, Pisa, Campo Santo, um 1285–90. *Madonna über dem Nordportal* des Baptisteriums in Pisa, 1304. *Madonnenstatue* der Arena-Kapelle zu Padua, um 1305 (ebda. *2 Leuchterengel* u. *Standbild des Stifters Scrovegni*). Ferner: Reste vom *Grabmal der Kaiserin Margarete*, Gattin Heinrichs VII., † 1311, Genua, Pal. Bianco.
Lit.: L. Justi in: Preuss. Jb. 24, 1903. A. E. Popp, *Niccolò u. G. P.*, 1922. A. Venturi, 1927. H. Keller, *Die Bauplastik d. Sieneser Domes*, Studien zu *G. P.* in: Kunstgesch. Jb. d. Bibl. Hertziana, 1937. Ders., 1942. P. Toesca, *Il Trecento*, 1951.

Pisano, Niccolò (Nicola), ital. Bildhauer, * in Apulien um 1225, † um 1278 in der Toskana, Hauptmeister der mittelalterlichen ital. Kunst, kam vor 1260 in die Toskana u. war in Pisa, Siena, Pistoia, auch in Bologna u. Perugia tätig. Die frühen Werke Niccolòs verraten ein eindringliches Studium spätantiker Kunst – wahrscheinlich ging er aus der süditil. Hofbildhauerwerkstatt Friedrichs II. hervor; später dringt mehr u. mehr der Einfluß byzant. Kunst u. namentlich der franz. Gotik in s. Werk ein. Hauptwerke: *Marmorkanzel im Baptisterium v. Pisa*, voll. 1260. *Marmorkanzel im Dom von Siena*, 1265–68, unter Mitarbeit von → Arnolfo di Cambio u. s. Sohnes Giovanni → P. Skulpturen des 1278 voll. *Großen Brunnens* auf dem Domplatz v. Perugia (Gemeinschaftsarbeit von Vater, Sohn u. Gehilfen). Ferner: *Grab des hl. Dominikus*, Bologna, S. Domenico (unter Mitarbeit des Fra Guglielmo). *Tympanon mit Kreuzabnahme* u. *Türsturz mit Verkündigung, Geburt Christi, Anbetung der Könige*, an Seitenportal des Domes in Lucca, 1260–67 (nicht eigenhändige Ausführung). Statuenschmuck des Baptisteriums in Pisa; Weihwasserbecken in Pistoia, S. Giovanni Fuorcivitas u. a.
Lit.: G. Swarzenski, 1926. W. Stechow in: Th.-B. 1933. G. N. Fasola, 1941. Dies., *La fontana di Perugia*, 1951. C. Gnudi, *Nicola, Arnolfo, Lapo*, 1949.

Pisano, Nino, ital. Bildhauer, Goldschmied u. Arch., * um 1315, † um 1368, Sohn u. Schüler des Andrea → P., tätig zuerst in Florenz, später in Pisa, repräsentiert die Kunst der reifen Gotik: er erstrebte einen Stil des weichen Linienflusses u. anmutsvoller Schönheit. Seine Hauptwerke sind Madonnendarstellungen: *Madonnenstandbilder* in S. Maria Novella, Florenz u. Berlin, staatl. Mus.; in Pisa, S. Maria della Spina. Ferner: *Grabmäler des Erzbischofs Saltarelli* († 1342) in S. Caterina in Pisa u. *Grabmal Scarlatti* († 1363) im Campo Santo, ebda.
Lit.: I. Toesca, *Andrea u. N. P.*, 1950. P. Toesca, *Il Trecento*, 1951.

Pisis, Filippo De, ital. Maler, Ferrara 1896–1956 Mailand, war längere Zeit in Paris, sonst in Ferrara tätig; er malte in einer vom Impressionismus beeinflußten lockeren Technik haupts. lyrisch empfundene Landschaften u. Stilleben. Vertreten in den Gal. v. Florenz, Genua, Grenoble, Littoria, Mailand, Moskau, Paris, Rom, Turin.
Lit.: S. Solmi, 1941. G. Raimondi, 1952 (m. Bibliogr.).

Pissarro, Camille, franz. Maler u. Graphiker, St-Thomas (Antillen) 1830–1903 Paris, Hauptmeister des franz. Impressionismus, kam 1855 nach Paris, wo er sich → Corot u. den Meistern von → Barbizon anschloß. Später lernte er → Manet u. → Monet kennen u. wurde ihr Mitstrebender in den Entdeckungen des Impressionismus; mit Monet u. → Sisley gehörte er zu den ersten impressionist. Landschaftern. Anfänglich schuf er auch Interieurs u. Stilleben aus dem bäuerlichen Leben, später wandte er sich ganz der Landschaft zu. Seine Palette hellte sich mehr u. mehr auf. Wahrscheinlich war die Berührung mit der Kunst von → Constable – die er anläßlich einer Englandreise kennen lernte – nicht ohne Einfluß auf ihn. In den 80er Jahren geriet er vorübergehend unter den Einfluß der pointillistischen Malweise → Seurats. Ebenso wie Monet ist auch P. nie müde geworden, ein- u. dieselben Naturausschnitte wieder u. wieder, in den verschiedensten Stimmungen u. Beleuchtungen zu malen. Von 1893 an begannen s. Serien von Straßenbildern aus Paris, Rouen u. a. Städten. P. schuf hervorragende Aquarelle, Radierungen u. Lithographien. Vertreten in vielen Mus., u. a. Paris (Luxembourg), Berlin, Bremen, Hamburg, München, Mannheim.
Lit.: G. Lecomte, 1922. L. Delteil, 1923. A. Tabarant, 1924. C. Roger-Marx, *C. P. graveur*, 1929. L. R. Pissarro u. L. Venturi, 1939. M. Raynal, *De Goya à Gauguin*, 1951 (Skira-Bd. m. Bibliogr.) J. Rewald, *Gesch. d. Impression.*, 1957 (m. Bibliogr.).

Pittoni, Giovanni Battista, ital. Maler, Venedig 1687–1767 ebda., Hauptvertreter des venez. Rokoko, Schüler des Veroneser Meisters → Balestra, entscheidend beeinflußt von Sebastiano → Ricci u. → Tiepolo, schuf Altarwerke, hist. u. mythol. Bilder u. a. Er hatte bedeutenden Einfluß, auch auf die dt. Kunst durch einzelne Schüler u. Nachahmer (z. B. Anton Kern).
Hauptwerke: *Vermehrung der Brote u. Fische*, Venedig, S. Stefano (Sakristei). *Heimsuchung*, Rovigo, Akad. *Geburt Christi*, ebda. *Diana u. Aktäon*, um 1732, Vicenza, Mus. *Thronende Madonna mit dem hl. Carlo u. Engeln*, 1737, Brescia, S. Maria della Pace. *Marter des hl. Bartholomäus*, Padua, Sant'Antonio. Weitere Werke in Brescia, SS. Nazaro e Celso; Como, S. Giacomo; Genua, Pal. Reale; Mailand, Brera; ebda., Ambrosiana; Parma, Gal.; Florenz, Uff.

Ferner in den Gal. v. Berlin (ehem. K.-F.-Mus.), Bordeaux, Dresden, Escorial, Hamburg, Hannover, Krakau (Marienkirche), Leningrad u. a.
Lit.: H. Voss in: Th.-B. 1933.

Pixis, Theodor, dt. Maler, Radierer, Lithograph, Kaiserslautern 1831–1907 Pöcking am Starnberger See, Schüler von W. v. → Kaulbach in München, schuf Historienbilder, Genrebilder, Illustrationen u. a.
Werke: Kartons zu *Szenen aus Wagner-Opern*, Schloß Berg am Starnberger See. *Szenen aus den Meistersingern*, Kartons, in Villa Wahnfried, Bayreuth. Illustrationen zu *Milton, Verlorenes Paradies*. Vertreten in München, Bayr. Nat. Mus.

Platzer, Johann Georg, österr. Maler, St. Michael in Eppan 1704–1761 ebda., Vertreter des Wiener Rokoko, schuf mythol., hist. u. Genrebilder, meist auf Kupfer in miniaturhafter Ausführung, in hellen lebhaften Farben. Er erhielt den Beinamen «der österr. → Goltzius».
Werke in Aachen (*Alexander u. Roxane*), Berlin (*Lustige Gesellschaft*), Breslau (13 Bilder), Kassel (2 Bilder), Dessau (2 Bilder), Dresden (4 Bilder), Leningrad; London, Wallace Coll.; New York, Metrop. Mus.; Prag, Rudolfinum; Wien (Barock- u. Stadtmus.).

Pletsch, Oskar, dt. Zeichner, Berlin 1830–1888 Niederlößnitz b. Dresden, Schüler von → Bendemann in Dresden, zeichnete, beeinflußt von Ludwig → Richter, Darstellungen aus der Kinderwelt, die von Bürkner, Günther u. Oertel in Holz geschnitten wurden. Folgen: *Wie's im Hause geht; Gute Freundschaft; Stillvergnügt; Nesthäkchen* u. a.

Pleydenwurff, Hans, dt. Maler, wahrscheinlich Bamberg um 1420–1472 Nürnberg, Hauptmeister der Nürnberger Schule vor → Wolgemut. Mit ihm setzte sich der durch die Niederländer bestimmte Realismus in der Nürnberger Malerei durch. P.s Stil ist besonders durch Rogier van der → Weyden u. Dirk → Bouts bestimmt.
Die sicher beglaubigten Werke: Der Hochaltar für St. Elisabeth in Breslau, davon *Kreuzigung, Darstellung im Tempel* u. *Anbetung der Könige* in Breslau, Mus.; *Kreuzabnahme*, Nürnberg, German. Mus. *Kreuzigung Christi*, München, A. P. *Bildnis Graf von Löwenstein*, Nürnberg, German. Mus.
Lit.: M. Weinberger, *Nürnberger Malerei an der Wende zur Renaiss.*, 1921. Holzinger in: Th.-B. 1933. A. Stange, *Dt. Malerei d. Gotik* 9, 1958. O. Fischer, *Gesch. d. dt. Mal.*, 1942.

Plumet, Charles, franz. Arch. u. Kunstgew., Cirey-sur-Vezouze 1861–1928 Paris, Hauptvertreter des

«Jugendstils» in Frankreich, Schöpfer von Wohnhäusern, Inneneinrichtungen u. Möbeln.
Lit.: N. Pevsner, *Wegbereiter mod. Formgebung*, 1957.

Poccetti, Bernardino, eig. Barbatelli, ital. Maler, Florenz 1548–1612 ebda., Vertreter des klassizist. Manierismus in Florenz, zunächst unter dem Einfluß → Vasaris als Fassadenmaler tätig. Ein Aufenthalt in Rom brachte eine starke Beeinflussung durch die röm. Hochrenaissance. Zurückgekehrt in s. Vaterstadt entwickelte er eine umfangreiche Tätigkeit als Figurenmaler, u. zwar beinahe ausschließlich al fresco. In s. Stil schloß er sich den älteren Florentiner Künstlern an, besonders Andrea del → Sarto. Werke in Florenz: *Cappella Salviati* in S. Marco, 1589. *Cappella Neri* bei S. Maria Maddalena dei Pazzi, um 1600; Fresken in der *SS. Annunziata*, um 1604 ff.; Fresken im Klosterhof von *S. Marco*, 1602 ff.; Deckenfresken im *Pal. Pitti* (Sala di Bona, Poccetti-Gal.), 1609; Decke der Tribuna in den *Uffizien;* Fresken im Klosterhof von *S. Maria Novella*. Ferner *Abendmahl* in Siena, Akad., 1595. *Selbstbildnis*, Florenz, Pal. Pitti. Zeichnungen: Uff.; London, Brit. Mus.; Wien, Albertina.
Lit.: M. Tinti in: Dedalo 9, 1928–29. F. Baumgart in: Th.-B. 1933. C. Gamba in: Enc. Ital. 1935.

Pocci, Franz Graf v., dt. Zeichner, München 1807 bis 1876 ebda.; der Dichter u. Musiker P. schuf auch gemüt- u. humorvolle Zeichnungen im Vignettenstil, meist Illustrationen zu fremden u. eigenen Dichtungen; bedeutend auch als satirischer Zeichner für die «Fliegenden Blätter». Ferner Naturskizzen (Zeichnung u. Aquarell) in der Art der dt.-röm. Landschaftsmalerei.

Poel, Egbert van der, niederl. Maler, Delft 1621 bis 1664 Rotterdam, tätig in Delft u. seit ca. 1654 in Rotterdam, schuf holl. Genrebilder (Bauernhausinterieurs, Stallgebäude, Küchen mit Geräten), Stillleben, Landschaften (Winterlandschaften, Kanal- u. Strand-Ansichten), später oft die Delfter Pulverexplosion von 1654, nächtliche Feuersbrünste u. Plünderungen. Im Stil bisweilen an → Ostade u. → Saftleven erinnernd.
Werke in vielen Gal., u. a. in Breslau (*Winterlandschaft; Nächtl. Plünderung in brennendem Dorf*, 1658), Emden (*Fischmarkt*), Gotha (*Fischerboote an der Küste*), Den Haag (*Fischladen*, 1650), Hamburg (*Feuersbrunst*), Kassel (*Am Strand v. Scheveningen*).
Lit.: A. v. Wurzbach, *Niederl. Künstlerlex.* 2, 1910. F. Bernstein in: Th.-B. 1933.

Poelaert, Joseph, belg. Arch., Brüssel 1817–1879 ebda., ausgebildet in Paris, schuf in Brüssel die *Kongreß-Säule*, 1859, u. den *Justizpalast*, 1866 beg., 1883 voll., das größte u. bekannteste Bauwerk im Stil des Neubarock in Europa.

Lit.: H. Hymans, *Belg. Kunst des 19. Jh.*, 1906. Ders., *Brüssel* (Berühmte Kunststätten), 1910.

Poelenburg (h), Cornelis van, niederl. Maler, Utrecht 1586–1667 ebda., Schüler des Abr. → Bloemaert, bereiste Italien, hielt sich bes. in Rom auf (nachweisbar 1617–22), längere Zeit auch in Florenz, seit 1627 meist in Utrecht tätig (kurze Zeit in London). P. malte kleine arkad. Wald- u. Ruinenlandschaften, die er mit Mythologien u. nackten Frauenfiguren ausstaffierte. Charakteristisch sind die porzellanartige Glätte u. Kühle der Bildchen, der Silberton der Landschaften, die Grazie der Figuren. Ferner schuf er miniaturartig fein ausgeführte Bildnisse; religiöse Darstellungen; Staffagen in die Bilder anderer. P. hatte eine große Werkstatt inne u. viele Nachahmer; in s. Kunst stark von den röm. Caravaggisten berührt, auch von → Elsheimer.
Beisp.: *Röm. Ruinen*, Florenz, Pitti. *Badende Mädchen, von Satyrn überrascht*, Amsterdam, Rijksmus. *Ruhe auf der Flucht*, Dresden, Gal. P. ist in vielen Gal. vertreten, u. a. in Dresden, München, Berlin, Florenz, Kassel, Paris, Leningrad, Amsterdam, Antwerpen, Augsburg, Basel, Bergamo, Dessau, Detroit, Edinburgh, Erlangen, Frankfurt, Genf, Hampton Court usw.
Lit.: A. v. Wurzbach, *Niederl. Künstlerlex.*, 1910. Hofstede de Groot, *Verz. der Werke der hervorragenden holl. Maler* 9, 1926. Fokker in: Th.-B. 1933.

Poelzig, Hans, dt. Arch., Berlin 1869–1936 ebda., gehörte zu den Pionieren des Neuen Bauens, dessen Entwicklung er als Arch. u. Lehrer entscheidend beeinflußt hat. Schüler von K. Schäfer, Lehrer der Akad. Breslau, Stadtbaurat in Dresden, 1923–35 Prof. an der Techn. Hochschule Charlottenburg. Er schuf viele Geschäfts- u. Industriebauten, repräsentative Konzert- u. Theaterbauten u. a. Seine Entwürfe – alles konnte nicht ausgeführt werden – zeugen von starker bildnerischer Phantasie.
Einige Hauptwerke: *Geschäftshaus* aus Eisenbeton, 1910, Breslau. *Chem. Fabrik Luban* bei Posen, 1911 bis 1912. *Ausst.-Bauten Breslau*, 1913. *Großes Schauspielhaus Berlin*, 1919. *Festspielhaus Salzburg*, Entwurf, 1920–21. *Verwaltungsgebäude I. G. Farben*, Frankfurt a. M., 1929–30. *Rundfunkhaus Berlin*, 1930. *Messegelände Berlin*, 1928–32. P. veröffentlichte: «Der Architekt», 1931.
Lit.: Th. Heuss, [3]1948. G. A. Platz, *Baukunst d. neuesten Zeit*, 1930.

Pöppelmann, Matthäus Daniel, dt. Arch., Herford 1662–1736 Dresden, Hauptmeister des dt. Spätbarock, nach ungeklärten künstlerischen Anfängen weitergebildet in Wien, Rom u. Paris, schuf als s. Hauptwerk den *Zwinger* in Dresden, 1711–22. Durch die Bestimmung als Festsaal, wenn auch unter freiem Himmel, war es gegeben, daß sich die Fas-

saden nach innen kehren u. in ihrem Schmuck den Charakter einer nach außen gewendeten Innendekoration annehmen (Dehio). Ein eigener, dem Rokoko vorgreifender, äußerst persönlich aus dem italienischen entwickelter, in ganz Europa beispielloser Stil (Pinder). Von großer Bedeutung ist die Zusammenwirkung der Architektur mit der Plastik (letztere z. T. von → Permoser). 1945 wurde der Zwinger zerstört, jetzt im Wiederaufbau begriffen. Weitere Bauten in Dresden: *Augustusbrücke*, 1727 bis 1731 (1907 abgebrochen); *Plan der Dreikönigskirche*; «*Japan. Palais*» (nach 1729 umgebaut); beteiligt am Bau des *Palais am Taschenberg*, seit 1707. Ferner die Schlösser *Pillnitz*, 1720–23; *Großedlitz*, 1720 ff.; *Moritzburg* (Umbau 1723–33).
Lit.: W. Pinder, *Dt. Barock* (viele Aufl.). G. Dehio, *Geschichte d. dt. Kunst* 3, 1926. B. A. Döring, 1930. E. Hempel in: Westf. Lebensbilder 5, 1935. W. Hager, *Die Bauten des Barocks*, 1942. N. Pevsner, *Europ. Architektur*, 1957 (m. Bibliogr.). H. Heckmann, *P. als Zeichner*, 1954.

Pohle, Hermann, dt. Maler, Düsseldorf 1863–1914 ebda., Schüler von → Janssen an der Düsseldorfer Akad., malte monumental gestaltete Bilder aus den Betrieben der Großindustrie. In s. Stil gehörte er dem impressionist. beeinflußten dt. Naturalismus an. Werke: *Decken- u. Wandgemälde* im Haus des Stahlverbandes in Düsseldorf, 1910.

Pohle, Leon, dt. Maler, Leipzig 1841–1908 Dresden, bedeutender Bildnismaler, gebildet in Dresden, Antwerpen u. Weimar, 1877–1903 Prof. der Akad. Dresden. Werke: *Karl Peschel*, 1878, Dresden, Gal. *Ludwig Richter*, 1879, Leipzig, Mus. u. 1880, Berlin, Nat. Gal.

Polack (Pollack, Pollak), Jan, aus Polen stammender dt. Maler, † 1519 München, das. seit 1482 nachweisbar, der führende Maler in München in der Zeit der ausgehenden Spätgotik. Er schuf viele Altarwerke, haupts. für München. Charakteristisch für s. Stil: dekorativ wirksame schlagkräftige Komposition u. Farbenverteilung; starke Bewegtheit, dramatische Zuspitzung der Aktion.
Hauptwerke: *Fresken in der Kirche zu Pipping*, 1479. Tafeln des *Hochaltars von Weihenstephan*, 1484–85: heute 2 Tafeln in München, A. P.; weitere in Nürnberg u. Freising. *Hochaltar der Münchner Peterskirche*: heute 6 Tafeln in München, A. P. *Hochaltar der Münchner Franziskanerkirche*, 1492, München, A. P. Weitere Werke in der A. P.; Frauenkirche, München; Schloßkirche, Blutenburg; Nürnberg, German. Mus.; Schleißheim, Gal.; Stuttgart, Mus.; Slg. Schloß Rohoncz, Lugano (*Männl. Bildnis*).
Lit.: E. Heidrich, *Altdt. Malerei*, 1909 (u. weitere Aufl.). E. Bucher in: Th.-B., 1933. A. Stange, *Dt. Malerei d. Gotik* 10, 1960. O. Fischer, *Gesch. d. dt. Mal.*, 1942.

Poliakoff, Serge, russ. Maler, * Moskau 1906, Hauptvertreter der abstrakten Malerei, seit 1923 in Paris; 1937 Begegnung mit → Kandinsky u. → Delaunay; erste abstrakte Bilder; gehört zu den großen Farbenmystikern, meist russ. Herkunft, wie de → Staël, → Rothko u. a.
Lit.: M. Ragon, 1956 (Mus. de poche). D. Vallier, 1959 (m. Bibliogr.). Vollmer, 1956. *Ausst.-Kat.*, Bern, 1960. *Neue Kunst nach 1945*, hg. v. W. Grohmann (Du Mont Schauberg), 1958.

Polidoro da Caravaggio → Caravaggio, Polidoro da.

Pollack (Pollak), Jan → Polack, Jan.

Pollaiuolo, Antonio del, ital. Goldschmied, Bildhauer, Maler, Zeichner u. Kupferstecher, Florenz 1429–1498 Rom, Hauptmeister der florent. Frührenaissance, Schüler von → Donatello u. → Castagno, als Goldschmied ausgebildet, wandte sich um 1460 in Werkstattgemeinschaft mit s. Bruder Piero → P. auch der Malerei zu, kam um 1490 nach Rom, wo er den Auftrag für 2 Papstgrabmäler erhielt: *Bronzegrabmäler für Sixtus IV.* (1490–93) u. *Innozenz VIII.* (1493–97), Rom, Peterskirche. Er löste diese Aufgabe in monumentaler u. vorbildlicher Weise u. wuchs damit zum bedeutendsten Bildhauer s. Zeit empor. Meisterhaft bes. auch s. Statuetten nackter, anatomisch durchgebildeter Gestalten. Der Umriß drückt die Bewegung sehr lebendig aus, sein Stil weist oft zur Hochrenaissance, ja zum Barock. Auch als Maler war es P. um die kraftvoll realist. Durchbildung der menschlichen Körper zu tun unter Betonung erregter Umrißlinien. Weitere Hauptwerke: Bronzegruppe *Herkules u. Antäus*, Florenz, Mus. Naz. (Bargello); Tonbüste eines *jungen Kriegers mit Panzer*, ebda. *Bronzestatuette des Herkules*, Berlin, ehem. K.-F.-Mus. Bronzestatuette des *Paris*, Neapel, Mus. *Relief der Geburt des Johannes*, am Silberaltar im Dommus. (Mus. dell'Opera del Duomo), Florenz. Werke des Malers: die 2 in Fresko gemalten *Engel* in der portugies. Kapelle v. S. Miniato, Florenz, 1467; *Szenen aus der Herakleslegende*, ebda., Uff. *Tobias mit dem Erzengel*, Turin, Akad.
Werke in Florenz, Mus. Naz. (Bargello); Dommus.; Uff. London, Nat. Gall.
Lit.: M. Cruttwell, 1907 (engl.). L. Ragghianti, 1936 (ital.). R. van Marle, *Ital. Schools* 11, 1929. G. Colacicchi, 1943 (dt.). A. Sabatini, 1944. S. Ortolani, 1948. W. Paatz, *Kunst d. Renaiss.*, 1953. G. Delogu, *Ital. Mal.*, ³1948.

Pollaiuolo, Piero, ital. Bildhauer u. Maler, Florenz 1443–1496 Rom, Bruder u. Mitarbeiter von Antonio → P. Viele der wichtigen Werke sind von beiden. Hauptwerk von Piero allein ist eine *Krönung*

Mariä im Dom von S. Gimignano. Wahrscheinlich auch von ihm allein: die *allegor. Gestalten der Tugenden* in der Mercanzia in Florenz, 1469–70. Oft scheint Piero die Zeichnungen u. Entwürfe s. Bruders ausgeführt zu haben.

Pollock, Jackson, amerik. Maler, Cody (Wyoming) 1912–1956 Southampton (N. Y.), Hauptvertreter der amerik. ungegenständlichen Kunst, zuerst unter dem Einfluß von → Picasso, ging um 1940 zur abstrakten Kunst über u. wandte als einer der ersten das Verfahren an, Leinwand, Papier oder Glas auf den Boden zu legen u. die Farbe darauf zu spritzen oder, mit Sand gemischt, darüber fließen zu lassen (eruptive nichtfigürliche Malerei). P. war von großem Einfluß auf die jüngere Kunst. Er ist vertreten in New York, Mus. of mod. Art u. Guggenheim Mus.; San Francisco, Mus.; Dallas, Mus. of fine Art u. a.
Lit.: S. Hunter in: *Ausst.-Kat. New York, Mus. of mod. Art,* 1956–57. Janis, *Abstract and Surreal. Art in America,* 1944. Ritchie, *Abstr. Paint. and Sculpt. in America,* 1951. M. Seuphor, *Dict. peint. abstr.,* 1957. F. O'Hara, 1959 (engl., m. Bibliogr.).

Polydoros, griech. Bildhauer, 1. Jh. v. Chr., Bruder des → Athenodoros, schuf mit diesem zus. die Gruppe des *Laokoon.*

Polygnot, griech. Maler, aus Thasos, * um 500 v. Chr., † nach 447, der bedeutendste griech. Maler der vorklass. Zeit, schuf bedeutende Wandgemälde in Delphi u. Athen, von denen wir nur noch Beschreibungen haben. Eine ganz ungefähre Vorstellung von ihnen geben uns einige Vasenbilder. Die Figuren waren, in einzelnen Gruppen zusammengestellt, gestaffelt auf der Fläche verteilt; landschaftliche Elemente fehlen nicht, doch wurde keine naturalist. Perspektive versucht.
Lit.: E. Löwy, 1929.

Polyklet (Polykleitos), griech. Bildhauer, * um 470–60 v. Chr., † nach 423, Hauptmeister der klass. Zeit (2. Hälfte 5. Jh.). Er suchte mit Hilfe einer veränderten Ponderation (Stand- u. Spielbein) den Figuren einen starken Rhythmus zu geben, dem sich Körper u. einzelne Glieder einfügen; ging den Proportionsgesetzen theoretisch nach u. suchte zu einer Idealform des menschlichen Körpers zu gelangen. Sein *Doryphoros* (speertragender Jüngling) wurde in der Antike als Kanon der menschlichen Figur, als vorbildliches Maß, angesehen.
Hauptwerke: *Doryphoros,* Marmorkopie in Neapel, Nat. Mus. (Bronze-Neuguß als Gefallenendenkmal der Univ. München). *Diadumenos* (der sich die Stirnbinde umlegende Apoll): Marmorkopien in Athen, Nat. Mus. u. London, Brit. Mus. *Die verwundete Amazone :* als Kopien gelten eine Marmorstatue in

Berlin, ehem. Altes Mus. u. eine Statue in Rom, Kapitolin. Mus.
Lit.: Mahler, 1902. Blümel, *Der Diskusträger P.s,* 1930. Curtius, *Klass. Kunst Griechenlands,* 1938.

Ponte, Giacomo da → Bassano.

Pontius, Paulus, niederl. Zeichner u. Kupferstecher, Antwerpen 1603–1658 ebda., gehört zu den bedeutendsten → Rubensstechern. Hervorragende Blätter nach Rubens: *Susanna,* 1624. *Hl. Rochus,* 1626. *Ausgießung des Hl. Geistes,* 1627. *Grablegung,* 1628. *Bildnis Rubens,* 1630. Für die «Ikonographie» van → Dycks hat P. 30 Bl. gestochen.
Lit.: A. Rosenberg, *Die Rubensstecher,* 1893.

Pontormo, Jacopo da, eig. Carrucci, ital. Maler, Pontormo b. Empoli 1494–1557 Florenz, Hauptmeister der florent. Manierismus, kam 1507 nach Florenz; als Schüler Andrea del → Sartos begann s. eig. künstlerische Entwicklung; seitdem fast stets in Florenz tätig. Er schuf religiöse Fresken- u. Tafelbilder u. war ein sehr bedeutender Bildnismaler. In s. Stil ging er schon früh eigene Wege: lange schmale Proportionen des Körpers, faltenlose, steinartige Gewänder; Einflüsse von → Michelangelos Spätstil u. nord. Kunst (→ Dürer). Durch s. Einfluß auf s. Schüler → Bronzino u. die ganze Kunst des Manierismus ist s. Wirkung eine gewaltige gewesen.
Hauptwerke: *Heimsuchung,* im Vorhof der SS. Annunziata, Florenz, 1514–16. *Madonna mit Heiligen,* 1518, Florenz, S. Michele Visdomini. *Rückkehr der Brüder Josephs aus Ägypten,* London, Nat. Gall., um 1518. Lünette im großen Saal der Villa von *Poggio a Caiano,* 1520–22. *Passionsdarstellungen* im Klosterhof der Certosa di Val d'Ema, 1522–24. *Venus u. Amor,* um 1533, Florenz, Uff. Freskenausmalung des *Chors v. S. Lorenzo* in Florenz, 1546 bis 1557, seit dem 18. Jh. durch Kalk verdeckt, nur aus den Entwurfzeichn. rekonstruierbar. *Bildnis eines jungen Mannes,* Lucca, Pinac. Weitere Bildnisse in Paris, Louvre; Florenz, Pitti u. Uff.; Berlin, staatl. Mus.
Lit.: F. M. Clapp, 1916 (engl.). H. Voss, *Malerei d. Spätrenaiss.,* 1921. Toesca, 1943. G. Nicco Fasola, 1947. *Ausst.-Kat. P. u. der frühe florent. Manierismus* (L. Berti), 1956. L. Venturi, *Von Leonardo zu Greco,* 1956.

Poorter, Willem de, niederl. Maler, * 1608, † um 1648, tätig in Haarlem, tüchtiger Nachahmer u. wahrscheinlich Schüler → Rembrandts, um 1631–33 in Amsterdam.
Beisp.: *Salomo opfert den Götzen,* Amsterdam, Rijksmus. *Die Beschneidung,* Kassel, Gal. *Das Opfer des Manoah,* Vaduz, Slg. Liechtenstein. Werke in den Mus. v. Amsterdam, Rotterdam, Augsburg, Berlin,

Braunschweig, Danzig, Dresden, Dublin, Heidelberg, Kassel, Kopenhagen, Leningrad, London, Schleißheim, Toulouse u. a.
Lit.: Wurzbach, *Niederl. Künstlerlex.* 2, 1910. R. Juynboll in: Th.-B. 1933.

Porcellis, Jan, niederl. Maler u. Radierer, Gent um 1580–1632 b. Leiden, seit 1620 in Haarlem u. Amsterdam tätig, einer der besten Vertreter der holl. Marinemalerei. Er glänzte weniger durch Seeschlachten u. Schiffbrüche als vielmehr durch eine verfeinerte Wiedergabe des Meeres u. s. Stimmungen. Sein Sohn *Julius* (*um 1609), schloß sich ganz der Art s. Vaters an. P. ist vertreten in den Mus. v. Berlin, Darmstadt, Oldenburg, München u. a.
Lit.: W. Schmidt in: Repert. f. Kunstwiss. 1, 1876. A. Bredius in: Oud Holland 23 u. 24, 1905/06.

Pordenone, Giovanni Antonio da, eig. de Sacchi oder Licinio, ital. Maler, Pordenone b. Udine um 1483–1539 Ferrara, bedeutender Meister des venez. Renaissance, seit 1535 in Venedig, entwickelte sich unter dem Einfluß → Giorgiones u. → Tizians. P. schuf große Freskenwerke u. Altäre. Seine warmen Farben wie auch das Helldunkel erinnern an Giorgione; auch von → Correggio u. → Michelangelo beeinflußt.
Hauptfreskenwerke: Bilderfolge aus dem N. T. in der Kirche von *Castel éolalto* b. Conegliano, 1513. Fresken im *Dom von Treviso*, 1519/20; im Dom von *Cremona :* als Hauptbild die Kreuzabnahme, 1520 bis 22; in der *Madonna di Campagna* in Piacenza: Darstellungen aus dem Leben der Maria u. der hl. Katharina, 1529–31. Altarbilder: *Madonna mit Heiligen u. Stifter,* 1522, Cremona, Dom. *Schutzmantelmadonna* mit 2 Heiligen u. der Familie Ottoboni, Venedig, Akad. *Die hll. Rochus u. Martin,* 1528, ebda., S. Rocco. *Die hll. Sebastian, Rochus u. Katharina,* ebda., S. Giovanni Elemosinario.
Lit.: Venturi IX, 3, 1930. G. Fiocco, 1939. Berenson, *Ital. Piet. of the Renaiss.*, 1932.

Porta, Baccio della → Bartolommeo, Fra.

Porta, Giacomo della, ital. Arch., * 1541, † Rom 1604, Meister des ital. Frühbarock, Schüler von → Vignola, tätig in Rom; seit 1573 Baumeister der Peterskirche, vollendete 1588–90 die Kuppel nach → Michelangelos Modell. In seinem Stil von Vignola u. Michelangelo beeinflußt.
Werke in Rom: Fassaden von *Il Gesù,* nach 1573 (die Kirche von Vignola) u. von *S. Luigi dei Francesi.* Weiterbau der *Sapienza,* 1575. *Grabmonument Urbans VIII.* in St. Peter. *Pal. Chigi,* beg. 1580 (von → Maderna u. a. voll.). *Pal. Farnese :* Loggia auf der Flußseite, 1589. Ferner *Villa Aldobrandini* in Frascati.

Lit.: C. Ricci, *Baukunst u. dekorative Plastik der Hoch- u. Spätrenaissance,* 1923.

Porta, Guglielmo della, ital. Bildhauer, † Rom 1577, in Genua, später unter → Michelangelos Einfluß in Rom tätiger Lombarde. Hauptwerk: *Grabmal Papst Pauls III.* mit dem ehernen Sitzbild des Papstes u. 2 allegor. Gestalten, in der Peterskirche, Rom, 1551.
Lit.: A. E. Brinckmann, *Barockskulptur* (Handb. d. K. W.), 1920/21.

Portaels, Jean-François, belg. Maler, Vilvorde b. Brüssel 1818–1895 Brüssel, Hauptmeister der belg. Historienmalerei des 19. Jh., Schüler von → Delaroche in Paris, seit 1863 Direktor der Akad. Brüssel. Hauptwerke: *Die Dürre in Judäa,* Philadelphia, Akad. *Judith,* Antwerpen, Mus. *Selbstbildnis,* ebda. Vertreten in den Mus. v. Antwerpen, Brüssel, Lüttich, Stockholm.
Lit.: P. D'Hondt, 1895. H. Hymans, *Belg. Kunst d. 19. Jh.,* 1906.

Portinari, Candido, brasilian. Maler, * Brodowski (Bras.) 1903, Hauptmeister der modernen südamerik. Malerei, Schüler der Kunstakad. Rio de Janeiro, erfuhr in Paris den Einfluß des Kubismus, der Meister der Ecole de → Paris u. a., wohl auch den der mexikan. Maler → Rivera u. → Orozco.

Post, Frans, niederl. Maler u. Radierer, Leiden um 1612–1680 Haarlem, Bruder des Pieter → P., schuf nach einer brasilian. Reise Bilder mit westind. Landschaften mit figürlicher Staffage. Vertreten in Amsterdam, Rijksmus. (8 Bilder); Lüttich, Leiden, Paris, London, Leningrad, Breslau, Cambridge, Mannheim u. a.
Lit.: Wurzbach, *Niederl. Künstlerlex.,* 1910.

Post, Pieter, niederl. Arch., Haarlem 1608–1669 Den Haag, Hauptvertreter der holl. Baukunst des 17. Jh., begleitete s. Bruder Frans → P. nach Brasilien 1637, 1639 in Haarlem zurück. P.s Kunst ist nicht vom strengen Klassizismus eines van → Kampen, sondern anmutiger, bes. in der Innenraumkunst. Hauptwerke: Jagdschloß der Oranier, das sog. *Haus im Busch* beim Haag, seit 1645; *Stadthaus in Maastricht,* seit 1656.
Lit.: M. D. Ozinga in: Th.-B. 1933. M. Wackernagel, *Baukunst d. 17. u. 18. Jh.,* 1915.

Pot, Hendrik Gerritsz, niederl. Maler, Haarlem um 1585–1657 Amsterdam, holl. Genre- u. Porträtmaler, wahrscheinlich Mitschüler des Frans → Hals bei Karel van → Mander, tätig in Haarlem, um 1648 Übersiedlung nach Amsterdam. In s. Frühzeit schloß sich P. eng an die Hals-Schule an. Er malte lustige Szenen junger Kavaliere u. eleganter Damen in der Art des Dirck → Hals, später wandte er sich

fast ausschließlich dem Porträt zu. In fast allen
großen Gal. vertreten u. a. in Dresden, Den Haag,
Haarlem, Rotterdam, London (Nat. Gall. u. Wallace Coll.).
Lit.: A. v. Wurzbach, *Niederl. Künstlerlex.* 2, 1910.
F. Bernstein in: Th.-B. 1933.

Potter, Paulus, niederl. Maler u. Radierer, Enkhuyzen 1625–1654 Amsterdam, der bedeutendste holl.
Tierdarsteller des 17. Jh., Schüler s. Vaters Pieter P.
u. des Jacob de Wet, hat in s. Bildern meist kleinen
Formates die Tiere (Kühe, Schafe, Ziegen, Pferde
usw.) mit genauer Beobachtung aller Einzelheiten
in schlichten Naturausschnitten dargestellt.
Beisp.: *Kühe, Schafe u. Ziegen bei Bauernhütte,* 1646,
München, A. P. *Der junge Stier,* 1647, Den Haag,
Mauritshuis. *Die Bärenjagd,* 1649, Amsterdam,
Rijksmus. *Rinder, Schafe u. ein Pferd,* 1652, Dresden,
Gal. Auch s. Radierungen von großer künstlerischer
Bedeutung.
Lit.: T. van Westrheene, 1867. E. Michel, 1907.
C. Hofstede de Groot, *Beschr. u. krit. Verzeichn.* 4,
1911. W. v. Bode, *Meister der holl. u. fläm. Malerschulen,* 1923.

Pougny Jean, franz. Maler russ.-ital. Abkunft,
Konokkala 1892–1956 Paris, gehörte in s. Anfängen
der Gruppe der russ. Avantgardisten (→ Malewitsch, → Tatlin, → Larionoff) an, studierte in Paris,
wo er sich nach 1918 endgültig niederließ, beeinflußt von den Kubisten u. → Fauves, schloß sich
um 1928/29 der Malerei von → Bonnard u. → Vuillard an; er schuf in kleinen u. kleinsten Formaten
farbig überaus reizvolle Werke: Stilleben, Figürliches, Interieurs u. a. Vertreten in den Mus. v.
Paris (Mus. d'Art mod.), Albi, Grenoble, Limoges,
Straßburg, Prag, Moskau u. a.
Lit.: Vollmer, 1956. R. V. Gindertael, 1957. *Ausst.-Kat. Zürich* 1960.

Pourbus, Frans, d. Ä., niederl. Maler, Brügge 1545
bis 1581 Antwerpen, Sohn des Pieter → P., Schüler
s. Vaters u. des Frans → Floris, malte Bildnisse u.
Altäre. Hauptwerk: *Flügelaltar mit Jesus unter den
Schriftgelehrten* im Mittelbild u. den Bildnissen einer
Reihe zeitgenöss. Persönlichkeiten, 1571, Gent,
St. Bavo.
Lit.: F. Winkler, *Altniederl. Mal.,* 1924.

Pourbus, Frans, d. J., niederl. Maler, Antwerpen
1569–1622 Antwerpen, Sohn des Frans → P. d. Ä.,
einer der gesuchtesten Bildnismaler Anfang 17. Jh.,
nach 1600 am erzherzogl. Hof in Mantua u. am
franz. Hof in Paris tätig. Beisp.: *Bildnis Heinrichs IV.*
1610, Paris, Louvre.
Lit.: R. Oldenbourg, *Fläm. Mal. d. 17. Jh.,* 1918.
W. Weisbach, *Franz. Mal. d. 17. Jh.,* 1932.

Pourbus, Pieter, niederl. Maler, Gouda um 1510
bis 1584 Brügge, Vater von Frans → P. d. Ä.,
malte bibl. Bilder für Brügger Kirchen u. Bildnisse
(*Jan Fernaguut u. s. Gemahlin,* 1560, Brügge, Mus.).
In vielen Mus.
Lit.: A. Michel, *Hist. de l'Art* V, 2, 1913. P. Wescher in: Th.-B. 1933.

Poussin, Gaspard → Oughet, Gaspard.

Poussin, Nicolas, franz. Maler, Villers b. Les Andelys 1593–1665 Rom, Hauptmeister der franz.
Kunst des 17. Jh., kam 1612 nach Paris, Schüler von
Lallemand u. Elle, von 1624 an in Rom, wo er außer
einer 2jährigen Unterbrechung, 1640–42, sein ganzes Leben verblieb. P. schloß sich der ital. Barockmalerei an, strebte in s. persönlichen Stil aber vor
allem nach Maß u. Klarheit u. studierte die Meister
der ital. Renaissance: → Raffael, → Tizian u. die
Antike. Er schuf klar gebaute Historienbilder aus
antiker Mythologie u. dem bibl. Geschehen;
«heroische Landschaften» mit Figuren aus Mythologie u. Geschichte; Allegorien. P. ist der Hauptmeister des franz. hochbarocken Klassizismus, sein
Einfluß auf die Kunst der Folgezeit war überaus
groß.
Hauptwerke: *Der Parnass,* Madrid, Prado. *Schäfer
in Arkadien,* Paris, Louvre. *König Midas, vor Bacchus
kniend,* München, A. P. *Die Metamorphose der Pflanzen,* Dresden, Gal. *Rebekka am Brunnen,* 1648, Paris,
Louvre. *Landschaft mit Diogenes,* ebda. *Die Jahreszeiten,* ebda. *Selbstbildnis,* 1650, ebda. P. ist vor allem
im Louvre glänzend vertreten; in verschiedenen
franz. Provinzialmus.; ferner mit Hauptwerken in
Dresden, Gal.; München, A. P.; Leningrad, Eremitage; London, Nat. Gall.; Madrid, Prado.
Zeichungen in Paris (Louvre u. Ecole des B.-Arts);
Chantilly; Windsor; Florenz, Uff.; Wien, Albertina.
Lit.: O. Grautoff, 1914. E. Magne, *Documents et
cat. raisonné etc.,* 1914. W. Friedländer, 1914. L.
Hourticq, *La jeunesse de P.,* 1937. U. Christoffel,
P. u. Claude Lorrain, 1942. P. Jamot, 1948. A.-F.
Blunt in: Revue des Arts, 1958. *N. P.,* hg. v. A.
Chastel, 2 Bde., 1960. W. Weisbach, *Franz. Mal. d.
17. Jh.,* 1932.

Pozzo, Andrea del, ital. Maler, Arch. u. Kunstschriftsteller, Trient 1642–1709 Wien, Hauptmeister
der spätbarocken Bau- u. Dekorationskunst, 1681
bis 1702 in Rom, seitdem in Wien tätig. Mit überlegener Beherrschung der Perspektive, techn. Meisterschaft u. glänzender Phantasie führte er die
scheinräumliche Wand- u. Deckenmalerei zur Vollendung und schuf damit die Grundlagen der illusionist. Raumbehandlung des Spätbarock.
Sein Hauptwerk in Rom ist die *Ausstattung der
Ignatius-Kirche,* S. Ignazio, mit gewaltigen illusionist.
Deckenmalereien, um 1689. *Altar des hl. Luigi Gon-*

zaga, ebda. Ferner: Fresken in *S. Francesco in Mondovi*, Rom, 1676–78; in der *Gesù-Kirche* in Frascati. Hauptwerk in Wien: Umbau des Innern der untern *Jesuitenkirche* (jetzt *Universitätskirche*), beg. 1703; die *Gewölbefresken*, *Altäre*, ebda. Ferner: Deckenfresken im *Gartenpalais Liechtenstein*, ebda., 1704–07; *Hochaltarbild* der Franz Xaver-Kirche, Trient, 1708–09; *Entwürfe zum Dom in Laibach*, 1700; Entwürfe zur *Fassade des Lateran*, 1699. Weitere Fresken, Altarbilder, Festdekorationen; das Lehrbuch: «Perspectiva pictorum et architectorum», 2 Bde., 1693; 1698; viele spätere Aufl. Bilder in Florenz, Pitti u. Uff. (*Selbstbildnis*).
Lit.: H. Voss, *Malerei des Barock in Rom*, 1925. A. E. Brinckmann, *Baukunst d. 17. u. 18. Jh.* (Handb. d. K. W.), 1930. J. Braun in: Th.-B. 1933. H. Tintelnot, *Barocke Freskenmalerei in Deutschland*, 1951.

Pradier, James (eig. Jean-Jacques), schweiz.-franz. Bildhauer, Genf 1790–1852 Rueil bei Paris, Vertreter des Neoklassizismus, war der bevorzugte Meister in der Zeit des Bürgerkönigtums. P. war Schüler von → Lemot in Paris, 5 Jahre lang in Rom u. wurde nach s. Rückkunft, 1819, der beliebteste franz. Plastiker s. Zeit, dem außerordentlich viele der öffentlichen Aufträge zuteil wurden. P.s gefällige, etwas oberflächliche Kunst setzt die franz. Empire-Kunst fort (→ Clodion), beeinflußt von → Canova.
Werke in Paris: *Statuen der Städte Lille u. Strassburg*, Place de la Concorde. *12 Viktorien* am Grabe Napoleons im Invalidendom (von Hardouin → Mansart). *Tympanonschmuck* am Arc de Triomphe de l'Etoile. *Petrus-Statue*, 1822, in St-Sulpice. Mehrere Statuen im Tuileriengarten, u. v. a. In Versailles: *Grabmal des Herzogs v. Berry*, 1821 Kirche St-Louis. In Genf: *Rousseau-Denkmal*, 1834/35. Im Louvre, Paris: *Toilette der Atalante; Psyche*, 1827; *Sappho*, 1852, u. v. a. Werke auch in Genf, Mus. (vor allem s. kleinen Terrakottabozzetti, viell. s. Bestes), Versailles, Mus.; Orléans, Mus.; weitere franz. Mus.; Leningrad, Eremitage, u. a.
Lit.: G. Bell, 1852. A. Etex, 1859. D. Baud-Bovy in: Bruns *Schweiz. Künstlerlex.*, 1908. L. Avennier, 1922. A. Michel, *Hist. de l'Art* VIII, 1, 1925. H. V. in: Th.-B. 1933. Bénézit, *Dictionn.*, 1954.

Pradilla, Francisco, span. Maler, Villanueva de Gallego 1848–1921 Madrid, Vertreter der span. Historienmalerei des 19. Jh., von der franz. Schule (→ Meissonier u. a.) beeinflußt, malte auch Bildnisse, Genre- u. Landschaftsbilder.

Präraffaeliten, dt. Bezeichnung für eine 1848 von Dante Gabriel → Rossetti, Holman → Hunt u. John E. → Millais unter dem Namen: Pre-Raphaelite Brotherhood, abgekürzt P.-R. B., gegründete

Vereinigung engl. Maler, die sich in Gegensatz zum zeitgenössischen Akademismus stellten u. Rückkehr zur Natur, geistige Vertiefung, sittlichen Ernst erstrebten; künstlerisch suchten sie Anlehnung an die ital. Maler des Quattrocento. Vorläufer der Bewegung war William → Dyce. Als ihr Haupt verehrten die Mitglieder der Bruderschaft Ford Madox → Brown. Ihr begeisterter literarischer Vorkämpfer war der Schriftsteller John Ruskin. Ihr eigentlicher Führer war Rossetti, der ihnen die Richtung gab durch die romant. Liebe zu Stoffen aus der älteren ital. Dichtung (Dante) u. der auch den ihnen eigentümlichen Linienstil entwickelte. Weitergeführt wurde diese Richtung durch E. → Burne-Jones (Anlehnung an → Botticelli, → Mantegna), der der Führer des Neu-Präraffaelismus wurde, der bestimmend wurde für die engl. Ausprägung des «Jugendstils», des modern style, zu deren wichtigsten Exponenten Walter → Crane u. William → Morris gehörten.
Lit.: P. H. Bate, *The Engl. Pre-Raphaelite Paint.*, 1899. W. Fred, 1900. W. H. Hunt, *Pre-Raphaelitism*, 1905. J. Jessen, 1906. M. Jaris, 1927. R. Ironside, 1947 (engl.).

Prampolini, Enrico, ital. Maler, Bildhauer, Bühnenbildner, Modena 1894–1956 Rom, schloß sich 1912 der → futurist. Bewegung an, malte im selben Jahr sein 1. futurist. Bild u. veröffentlichte futurist. Manifeste; lebte 1925–37 in Paris, seit 1931 Mitglied der Gruppe «Abstraction-Création», zuletzt in Rom tätig. Werke in den Gal. v. Rom (Gall. mod.), Paris, London (Victoria u. Albert Mus.).
Lit.: F. Pfister, 1940.

Prandtauer (Prandauer), Jakob, österr. Arch. u. Bildhauer, Stanz b. Landeck (Tirol) um 1658–1726 St. Pölten, Hauptmeister des österr. Barock. Sein Stil entwickelte sich von der Art → Borrominis zum eigenartigen österr. Barock unter Einwirkung des franz. klassizist. Barock. Sein Meisterwerk ist der Neubau des *Klosterstifts Melk* an der Donau, beg. 1702, an dem er bis zu s. Tode arbeitete. Großartig erhebt sich der Bau auf steil abfallendem Felsen.
Weitere Werke: *Karmeliterinnenkloster St. Pölten*, 1702–12. *Wallfahrtskirche Sonntagsberg* b. Waidhofen, 1706-17. *Entwürfe für den Bau des Stifts Kremsmünster*, seit 1710. Seit 1711 war P. als Nachfolger → Carlones am Neubau des *Stifts St. Florian* tätig. Ferner: *Jagdschloß Hohenbrunn* b. St. Florian; *Bischofshof* in Linz, 1720–26; *Chorherrenstift Herzogenburg* b. St. Pölten. Am Bau der *Klosterkirche Dürnstein a. d. Donau* soll P. beteiligt gewesen sein.
Lit.: Hantsch, 1926. Wackernagel, *Baukunst d. 17. u. 18. Jh.* (Handb. d. K. W.), 1921. W. Pinder, *Dt. Barock* (112. T.) 1929. G. Dehio, *Geschichte d. dt. Kunst* 3, 1926. Sedlmayr, *Österr. Barockarchitektur*, 1930. N. Pevsner, *Europ. Architektur*, 1957.

Prax, Valentine, franz. Malerin, * Bône (Algerien) 1899, tätig in Paris, Gattin des Bildhauers O. → Zadkine, schuf Landschaften, Stilleben, Bildnisse, Figürliches, in einem zum Expressiven hinneigenden Stil. Lit.: H. Vollmer, 1956.

Praxiteles, griech. Bildhauer des 4. Jh. v. Chr. * Athen kurz vor 400, † um 330, neben → Skopas der Hauptmeister des klass. Stiles der Mitte des 4. Jh. Seine Werke zeichnen sich durch feine Oberflächenbehandlung aus. Er gab den Figuren eine anmutig lässige Haltung; das göttliche Wesen wird in liebenswürdig vermenschlichter Gestalt dargestellt.
Hauptwerke: *Apollon Sauroktonos* (Eidechsentöter), in vielen Kopien erhalten, z. B. in Rom, Kapitol. Mus. *Ruhender Satyr,* in vielen Kopien erhalten. *Aphrodite von Knidos,* Kopien in Rom, Vatikan u. u. München, Glypt. Der in Olympia gefundene *Hermes mit dem Dionysosknaben,* ursprünglich als Originalwerk angesehen, heute meist als Kopie der Kaiserzeit geltend.
Lit.: W. Klein, 1898. Rizzo, 1932. Curtius, *Klass. Kunst Griechenlands,* 1938.

Predis (Preda), Ambrogio de, ital. Maler, * Mailand um 1455, tätig ebda. bis 1508, Meister aus dem Kreise → Leonardos, dessen Mitarbeiter, z. B. an der Replik der Felsgrottenmadonna, London, Nat. Gall., schuf vor allem feine Bildnisse, die z. T. früher Leonardo zugeschrieben wurden.
Werke: *Weibl. Bildnis* (vielleicht Anna Sforza), Mailand, Ambrosiana (P. zugeschrieben). *Männl. Bildnis,* Florenz, Uff. (P. zugeschrieben). *Mädchen mit den Kirschen,* New York, Metrop. Mus. *Bildnis Kaiser Maximilians,* 1502, Wien, Kunsthist. Mus. *Bianca Maria Sforza,* Philadelphia, Mus. *Francesco Brivio,* Mailand, Brera.
Lit.: A. Venturi VII, 4, 1915. W. Suida, *Leonardo u. s. Kreis,* 1929. Ders. in: Th.-B. 1933.

Preetorius, Emil, dt. Graphiker, Buchkünstler u. Bühnenbildner, * Mainz 1883, widmete sich bes. der Erneuerung der Buchkunst u. gründete 1909 die Schule für Illustration u. Buchgewerbe in München (zus. mit P. Renner), leitete seit 1910 die Münchner Lehrwerkstätten, seit 1928 Prof. an der Hochschule für bild. Künste in München, seit 1932 Szenischer Leiter der Bayreuther Festspiele. In s. Entwürfen trug P. wesentlich zur Ausbildung des Jugendstils bei; er war als Gebrauchsgraphiker tätig, zeichnete für den «Simplizissimus» u. die «Jugend» u. illustrierte zahlreiche Bücher. Beisp.: Einband, 11 Vollillustrationen u. 23 Vignetten zu Chamissos «Peter Schlemihl», 1907.

Preller, Friedrich, d. Ä., dt. Maler, Eisenach 1804 bis 1878 Weimar, bildete sich ebda., in Dresden, Antwerpen u. auf Studienreisen in Italien u. wurde 1831 Lehrer an der Weimarer Zeichenschule. Er ent-

wickelte s. Stil nach der dt.-röm. Malerei J. A. → Kochs, doch biegt er den klassizist. Stil Kochs ins Romantische um. Seine Hauptwerke, die großen *Odyssee-Landschaften,* sind im wesentlichen zeichnerisch konzipiert u. wirken am reinsten als Buchillustrationen. Beisp.: *Wandgemälde mit Szenen aus der Odyssee,* 1834, Leipzig, Univ.-Bibliothek. *Wandgemälde der Odyssee-Landschaften,* 1863–68, Weimar, Mus. *Kartons zu den Wandgemälden der Odyssee,* 1860–63, Leipzig, Mus. Die Odysseelandschaften erschienen auch als Buchillustrationen zu Homers Odyssee. Werke in Dresden, Gal.
Lit.: M. Jordan, *Die Odyssee in P.s Darst.,* 1873. Roquette, 1883. Gensel, 1904.
Sein Sohn *Friedrich d. J.,* 1838–1901, malte ebenfalls griech. Landschaften mit mythol. Szenen u. setzte die Stilrichtung des Vaters fort.

Prendergast, Maurice Brazil, amerik. Maler, Boston (Mass.) 1861–1924 New York, Schüler der Pariser Akad. Julian u. von → Laurens, beeinflußt vom franz. Impressionismus (→ Signac, → Bonnard u. a.), Landschaften, Figürliches, Stilleben.

Preti, Mattia, gen. il Cavaliere Calabrese, ital. Maler, Taverna 1613–1699 Malta, bedeutender Barockmaler, Schüler des → Guercino, ging in s. auf starke Helldunkelwirkung gerichteten Kunst von → Caravaggio aus, beeinflußt von Guercino, der venez. u. neapolitan. Schule. 1656–61 in Neapel, dann in Malta tätig. Er schuf große religiöse Freskenwerke u. Tafelbilder.
Werke: *Kuppel- u. Chorfresken in S. Biagio* in Modena. 1644–50. Chorfresken in *S. Andrea della Valle,* Rom, 1650–51. Deckenbilder in *S. Pietro a Majella* in Neapel. *Gastmahl Belsazars,* Neapel, Mus. *Marter des hl. Bartholomäus,* Dresden, Gal. *Auferweckung des Lazarus,* Rom, Gall. Corsini. *Heilung des Besessenen,* Florenz, Uff. Vertreten in den Gal. v. Mailand, Neapel, Palermo, Pistoia, Turin, Madrid, Dresden, Paris, Chantilly, Malta, Montecassino u. a.
Lit.: W. Rolfs, *Gesch. d. Malerei Neapels,* 1910. S. Mitidieri, 1913. F. Baumgart in: Th.-B. 1933. A. Frangipane, 1929. V. Mariani in: Enc. Ital. 1935.

Previati, Gaetano, ital. Maler, Ferrara 1852–1920 Mailand, studierte an der ferrares. u. florent. Akad., seit 1878 an der Brera in Mailand bei Bertini. In s. Kunst von Faruffini beeinflußt, ging 1889 zum Pointillismus über. Er begann mit hist. Bildern u. liebte auch später literarische u. symbolische Ideen. Seine besten Bilder sind ein guter Ausdruck des ital. «Jugendstils».
Lit.: Locatelli Milesi, 1906. V. Pica, 1912. N. Barbantini, 1919. Ojetti in: Ritratti d'art. ital., 1923. G. Nicodemi, *L'opera religiosa di G. P.,* o. J. P. Bucarelli in: Enc. Ital., 1935. G. Delogu, *Ital. Malerei,* ³1948.

Previtali, Andrea, auch Cordelliaghi oder Cordella gen., * um 1470, † um 1528 Bergamo, Meister aus dem Umkreis → Bellinis u. künstlerisch zur venez. Schule gehörend, beeinflußt v. → Carpaccio, → Palma, → Lotto. P. schuf vor allem ruhige Zustandsbilder der Madonna mit Kind u. Heiligen (verwandt mit → Basaiti, → Bissolo u. a.).
Werke: *Madonna*, Padua, Mus. *Vermählung der hl. Katharina*, 1504, London, Nat. Gall. *Madonna mit Kind u. Heiligen*, 1506, Bergamo, Gall. Locchis. *Madonna della Famiglia Casotti*, ebda., Akad. Carrara. *Madonna*, 1510, Dresden, Gal. *Christus im Garten Gethsemane*, 1513, Mailand, Brera. *Madonna mit Heiligen*, 1521, Bergamo, S. Spirito. *Thronender Benedikt*, 1524, ebda., Dom. Werke in den Gal. v. Bergamo, Berlin, London, Mailand, Padua, Rovigo, Venedig, Verona, Wien.
Lit.: A. Venturi VII, 4, 1915. G. Fiocco in: Th.-B. 1933. Ders. in: Enc. Ital. 1935.

Primaticcio, Francesco, ital. Maler, Dekorateur u. Arch., Bologna 1504 bis um 1570 in Frankreich, neben → Rosso Fiorentino der Hauptmeister der sog. Schule von → Fontainebleau; Schüler des → Bagnacavallo, Gehilfe des → Giulio Romano bei der Ausmalung des Pal. del Te in Mantua, 1531 von Franz I. nach Fontainebleau berufen, war dort 1. Hofmaler u. erhielt 1559 die Oberaufsicht über die königl. Bauten. Der Stil P.s ist der des frühen Manierismus. Er ging in s. Werken vor allem auf dekorative Eleganz aus. Sein Einfluß auf die Kunst Frankreichs war ein großer. Hauptwerk war – zus. mit Rosso Fiorentino – die *Ausschmückung des Schlosses Fontainebleau* mit Bildwerken, Wand- u. Deckengemälden. Von diesen Werken ist nicht mehr viel erhalten. Zu den besten Arbeiten gehört der *Wand- u. Deckenschmuck der Gal. Heinrichs II.* in Fontainebleau. Es sind Kupferstiche nach s. Fresken erhalten. Handzeichnungen in Paris, Louvre; Wien, Albertina. P. hat auch Entwürfe für Bauten (Grabkapelle der Valois in St-Denis), Grabmäler, Bildteppiche u. a. geschaffen.
Lit.: L. Dimier, 1918. Ders., *Le Château de Fontainebleau et la Cour de François Ier*, 1930.

Procaccini, Camillo, ital. Maler, Bologna um 1550 bis um 1625 Mailand, das. 1585–90 tätig, stand unter dem Einfluß von → Correggio u. → Baroccio.

Procaccini, Giulio Cesare, ital. Maler, Bologna um 1570 bis um 1625 Mailand, Hauptvertreter der lombard. Schule, außer einem Aufenthalt in Genua, 1618ff., in Mailand tätig. P. war zuerst Bildhauer, ging unter Führung der → Carracci in Bologna zur Malerei über, wandte sich später nach Parma, wo er sich → Correggio, → Parmigianino u. → Bedoli anschloß; beeinflußt ferner von → Barocci u. vielleicht → Rubens. Er entwickelte einen ihm eigenen manierist.-barocken Stil.
Hauptwerke: *Heilige Familie*, München, A. P.; Dresden, Gal.; Mailand, Brera. Ausmalung einer *Kapelle in Sant' Antonio*, Mailand. *Vermählung der hl. Katharina*, Mailand, Brera. *Beschneidung Christi*, Modena, Gal. *Frauenraub*, Dresden, Gal. Werke in Bologna, Brescia, Genua, Mailand (Dom, Brera, Ambrosiana), Modena, München, Wien, Augsburg.
Lit.: N. Pevsner, *Barockmalerei* (Handb. d. K. W.), 1928. A. Venturi IX, 4, 1933. Foratti in: Th.-B. 1933. G. Delogu, *Ital. Malerei*, ³1948.

Provost, Jan, niederl. Maler, Mons im Hennegau um 1465–1529 Brügge, zuerst anscheinend in Valenciennes tätig, wo er 1491 die Witwe Simon → Marmions heiratete; später in Antwerpen, von 1494 an in Brügge tätig, wo er neben Gerard → David wirkte u. das Erbe der altniederl. Malerei weiterführte. Werke in den Mus. v. Antwerpen, Brüssel, Brügge, Rotterdam, Leningrad, Lissabon, Straßburg, Berlin u. a.
Lit.: M. J. Friedländer, *Altniederl. Malerei* 9, 1931.

Prud'hon, Pierre-Paul, franz. Maler, Cluny 1758 bis 1823 Paris, Schüler von Desvoges in Dijon, seit 1780 in Paris, 1782–88 in Italien, begann als Klassizist (→ David), studierte dann bes. → Correggio u. legte im Gegensatz zum strengen, zeichnerischharten Stil des Klassizismus den größten Wert auf zarten Farbenschmelz u. wirkungsvolles Helldunkel; damit Wegbereiter der franz. Romantik. Werke: *Gerechtigkeit u. Rache, den Verbrecher verfolgend*, 1808, Paris, Louvre. *Entführung der Psyche*, 1808, ebda. *Bildnis der Kaiserin Josephine*, 1805, ebda.
Lit.: E. de Goncourt, *Cat. raisonné de l'oeuvre de P.*, 1876. Ch. Clément, 1880. E. Bricon, 1907. A. Forest, 1914. J. Guiffrey in: Archives de l'art franç., 1924. Martine, *Les dessins de P.*, 1924. Regamey, 1928.

Prunner (Brunner), Johann Michael, österr. Arch., * Linz 1669, † 1739, Vertreter des österr. Barock, ausgebildet in Italien u. unter dem Einfluß der Werke → Fischer v. Erlachs, → Hildebrandts u. → Prandtauers, schuf Kirchen, Kapellen, Schlösser. Werke: *Dreifaltigkeitskirche*, Paura b. Lambach; *Klosterkirche*, Spital am Pyhrn. *Lambert-Schloß*, Steyr u. v. a.
Lit.: B. Grimschitz, 1958.

Püttner, Walter, dt. Maler, Leipzig 1872–1953 München-Aibling, Schüler der Münchner Akad. unter → Herterich, v. → Löfftz, P. Höcker, Mitbegründer der Künstlergenossenschaft «Scholle» u. der «Neuen Münchener Sezession», Mitarbeiter der «Jugend»; in s. Kunst vom Jugendstil beeinflußt. Beisp.: *Am Frühstückstisch*, München, Staatsgemäldeslg. *Weiblicher Halbakt*, ebda., Städt. Gal. Vertreten in vielen dt. Gal.

Puget, Pierre, franz. Bildhauer, Marseille 1620–1694 ebda. Auf 2 Italienreisen unter Einfluß → Cortonas u. → Berninis ausgebildet, war er sodann in Marseille u. Toulon tätig, vielfach für Paris u. Versailles beschäftigt. P. war der originalste franz. Bildhauer s. Zeit. Das dekorative Element der Hofkunst Ludwigs XIV. lag ihm nicht. Sein leidenschaftliches Temperament ging auf Realistik u. heftigen Bewegungsdrang aus. Innerhalb des klassizist. Stilwillens der Hofkunst nahm er eine Sonderstellung ein. Sein Stil beruht auf Bernini u. → Michelangelo.
Hauptwerke: *Karyatidenfiguren,* Portal des Rathauses von Toulon, 1656–57. *Milon von Kroton,* 1682, Paris, Louvre. *Perseus befreit Andromeda,* 1684, ebda. *Hochrelief Alexander u. Diogenes,* 1692, ebda. P. hat Galionsfiguren u. plast. Schmuck für Schiffe entworfen u. gearbeitet.
Lit.: L. Lagrange, 1868. Ph. Auquier, 1903 u. 1911. Ders., *P. P. décorateur naval et mariniste,* 1907. F. P. Alibert, 1930. M. Brion, 1930. H. Vollmer in: Th.-B. 1933. A. Michel, *Hist. de l'Art* 6, S. 676ff. F. Baumgart, *Gesch. d. abendländ. Plastik,* 1957.

Pugin, Augustus, engl. Arch., London 1812–1852 Ramsgate, bedeutender Neugotiker, Mitarbeiter an den Sammelwerken über got. Baukunst s. Vaters *Augustus Charles* (1762–1832), schuf Kirchen, Landhäuser, Schlösser u. a. meist in got. Stil.
Hauptwerke: *Aegidiuskirche* in Cheadle; *Kirche in London-Fulham. Ausstattung des Parlamentsgebäudes* in London. P. verfocht s. Ideen theoretisch in: «An apology for the revival of Christ. arch. in Engl.», 1843 u. a.
Lit.: B. Ferrey, 1861. H. Muthesius, *Neuere kirchl. Baukunst in Engl.,* 1901. Ders., *Das engl. Haus,* 1904–05.

Pujol, Alex. Denis Abel de, gen. *Abel de P.,* franz. Maler, Valenciennes 1785–1861 Paris, Schüler von → David, schuf hist. u. mythol. Bilder, vor allem große Wand- u. Deckenbilder.
Werke: *Wiedergeburt der Künste,* Bibliothekssaal des Louvre, Paris 1856–59. *Grablegung Mariä,* Paris, Notre-Dame. *Fresken u. Kuppelbild in St-Sulpice,* Paris, 1820–21. Bilder mythol. Inhalts *in Treppenhaus u. Diana-Kapelle* im Schloß Fontainebleau, 1824–25 u. 1835. Werke in den Mus. v. Amiens, Auxerre, Caen, Dijon, Lille, Sens, Toulouse, Troyes u. a.

Puligo, Domenico, ital. Maler, Florenz 1492–1527 ebda., Hochrenaissance-Meister, der, beeinflußt von Andrea del → Sarto u. Fra → Bartolommeo, vor allem Hausandachtsbilder der Madonna schuf, die durch feines Sfumato ausgezeichnet sind; auch gute Porträts. Beisp.: *Kreuzabnahme,* Altarbild der Collegiata in Anghiari. *Madonnen*: in Florenz, Pitti u. Gall. Corsini. *Madonna mit Kind u. Heiligen,* Pisa, Mus. *Heilige Familie,* Florenz, Pitti. *Madonna mit*

Kind u. kl. Johannes, ebda. *Bildnis Pietro Carnesecchi,* Florenz, Pitti u. Uff.
Lit.: A. Venturi IX, 5, 1932.

Pulzone, Scipione, gen. Gaetano, ital. Maler, wahrscheinlich Gaeta um 1550 bis um 1597 Rom, Vertreter der sich an den Meistern der Hochrenaissance orientierenden Manieristen der 2. Jh.-Hälfte. Schüler von Jacopino del → Conte, hielt sich in s. Malerei bes. an → Raffael. Er schuf religiöse Werke, war aber bes. ein beliebter Porträtist.
Beisp.: *Verkündigung,* 1587, Neapel, Mus. *Die Familie Colonna,* Rom, Gall. Colonna. *Bildnis Maria de'Medici,* Florenz, Pitti. *Bildnis Kardinal Ferdinando de'Medici,* ebda. Weitere Bildnisse ebda. P. ist in vielen Gal. vertreten, u. a. in Rom, Gall. Barberini, Gall. Borghese, Gall. Colonna, Gall. Corsini, Gall. Doria; in den Gal. v. Besançon, Chantilly, London, Mailand (Ambrosiana), Montpellier, München, Neapel, Pavia, Cambridge (USA), Karlsruhe u. a.
Lit.: A. Venturi, IX, 7, 1934. H. Voss, *Malerei der Spätrenaiss.,* 1920. F. Baumgart in: Th.-B. 1933.

Purrmann, Hans, dt. Maler, * Speyer 1880, studierte 1900–1905 an der Münchner Akad. bei → Stuck u. Hackl, 1905–1914 in Paris; dort Schüler von → Matisse u. Mitbegründer der Pariser dt. Matisse-Schule, seit 1915 in Berlin tätig, seit 1943 in Montagnola b. Lugano (Schweiz). P. schuf Landschaften, Stilleben, Bildnisse, große Freskenwerke, Akte u. v. a. *Wandmalerei* für den Kreisratssaal in Speyer. Er gab her: «Sommer auf Ischia», 1961. P. ist vertreten in Berlin, Nat. Gal.; Karlsruhe, Kunsth.; Köln, Wallraf-Richartz-Mus.; Bremen, Breslau, Leipzig, Hamburg, München, Nürnberg, Stettin, Stuttgart, Wuppertal-Barmen, Basel, Frankfurt, Hannover u. a.
Lit.: Einstein, *Die Kunst des 20. Jh.,* 1926. E. Hansen, 1950. Vollmer, 1956.

Putz, Leo, dt. Maler u. Illustrator, Meran 1869 bis 1940 ebda., Schüler der Münchner Akad. unter Hackl, 1891/92 in Paris bei → Bouguereau u. B. → Constant, 1893–95 bei Höcker in München. Seit 1899 Mitarbeiter der «Jugend», Gründungsmitglied der Künstlergemeinschaft «Die → Scholle». Gehört mit vielen s. Werke zum Münchner «Jugendstil».

Puvis de Chavannes, Pierre, franz. Maler, Lyon 1824–1898 Paris, Hauptmeister der Monumentalmalerei der 2. Jh.-Hälfte – neben → Delacroix –, Schüler von Ary →Scheffer u. → Couture. P. schuf große Wandfresken, für die er einen ihm eigenen dekorativen Stil entwickelte. Er knüpfte an die franz. Klassik an; an den Klassizismus des frühen 19. Jh.; auch an die → Präraffaeliten, und zugleich war s. Sehnsucht nach dem goldenen Zeitalter der Antike auch Ausdruck der Romantik (zu vergleichen mit

→ Feuerbach einerseits, mit H. v. → Marées anderseits). Charakteristisch für s. Stil: abgewogene Komposition, feierliche Haltung der Figuren, eine zarte, aus lichtem Grau sich entwickelnde Farbgebung.

Sein Hauptwerk sind die *Fresken aus dem Leben der hl. Genoveva*, Pantheon, Paris, 1876. Weitere Werke: *Wandmalereien im Mus. in Marseille*, 1869. Wandgemälde *Bellum* u. *Concordia* im Mus. Amiens, 1861. Ferner Fresken in der neuen Sorbonne, im Pariser Rathaus u. a. Tafelbilder: *Die Fischerfamilie*, 1875, Dresden, Gal. *Der arme Fischer*, 1881, Paris, Luxembourg.

Lit.: M. Vachon, 1896. Ders., 1900. R. Jean, 1914. L. Riotor, 1914. L. Werth, 1926. C. Mauclair, 1928. Déclairieux, 1928. J. Rewald, *Von v. Gogh zu Gauguin*, 1957 (m. Bibliogr.).

Puy, Jean, franz. Maler, * Lyon 1876, kam 1898 nach Paris, Schüler der Akad. Julian, dann von Carrière, schloß sich den → Fauves, bes. → Matisse, an, schuf Stilleben, Landschaften, Akte. Seine Kunst zeichnet sich durch Farbenfreudigkeit u. Vitalität aus. P. ist vertreten in Paris, Luxembourg.

Lit.: J. Leymarie, *Fauvismus*, 1959 (m. Bibliogr.).

Pynacker (Pijnacker), Adam, niederl. Maler, Pijnacker b. Delft 1622–1673 Amsterdam, 3 Jahre in Italien, tätig in Delft, Schiedam u. von ca. 1658 an in Amsterdam, malte ital. Landschaften in der Art v. → Berchem, → Hackaert, Jan → Both, dessen Schü-

ler er vielleicht war. Vertreten in Amsterdam, Rijksmus.; in den Mus. von Antwerpen, Rotterdam, Brüssel u. v. a.

Lit.: C. Hofstede de Groot, *Beschreib. u. krit. Verz.* 9, 1926.

Pynas (Pijnas), Jan, niederl. Maler u. Radierer, Haarlem um 1583–1631 Amsterdam, ging um 1605 mit Pieter → Lastman nach Italien, lernte in Rom → Elsheimer kennen, war in Leiden u. ab 1613 in Amsterdam tätig. P. malte vor allem bibl. Historienbilder u. ist von Elsheimer u. der venez. Kunst beeinflußt. Seine Werke sind ein wichtiges Bindeglied zwischen Elsheimer u. Rembrandt. Werke: *Hagars Verstoßung*, 1613, Aachen, Mus. *Kreuzigung*, Amsterdam, Rembrandthaus. *Auferweckung des Lazarus*, 1609, Aschaffenburg, Gal. u. Philadelphia, Slg. Johnson.

Pythagoras v. Rhegion, griech. Bildhauer der 1. Hälfte des 5. Jh. v. Chr., neben → Myron einer der bedeutendsten Meister s. Zeit, tätig um 480–450, Schüler des Klearchos, schuf vor allem Siegerstatuen aus Bronze für Olympia u. Delphi. Man rühmte ihn, wie den → Polyklet, seiner Proportionen wegen. Berühmte Werke waren: *Der verwundete Philiktet; Der bogenschießende Apollo im Kampfe gegen den Drachen Python; Europa auf dem Stier*. Doch ist keines der durch Beschreibungen überlieferten Werke unter heute vorhandenen Statuen nachzuweisen.

Lit.: W. Klein, *Geschichte der griech. Kunst* 1, 1904.

Q

Quaglio, ital. Künstlerfamilie, welche aus Laino (nördl. des Comersees) stammte u. seit Anfang 17. Jh. in Deutschland tätig war. Bedeutende Mitglieder:

Angelo Q., München 1829–1890 ebda., führender Meister für Architekturdekorationen auf der Bühne, schuf u. a. die Dekorationen für Erstaufführungen der Opern Richard Wagners.

Domenico Q., dt. Maler, Graphiker u. Arch., München 1787–1837 Hohenschwangau, gilt als einer der bedeutendsten Vedutenmaler der dt. Romantik. Als Architekturmaler stellte er got. Baudenkmäler mit sachlicher Treue u. doch poetisch dar. Werke: *Inneres der Nürnberger Sebalduskirche*, 1816, München, N. P. *Villa Malta in Rom*, 1830, ebda. *Dom zu Orvieto*, 1831, ebda. Radierungen: die Folge *Gebäude Münchens*, 1811/12. Lithogr.: *Slg. denkwürdiger Gebäude des Mittelalters in Deutschland*, 1820.

Eugen Q., dt. Maler, * München 1857, als Theatermaler (Staatstheater Berlin) Vertreter des durch die Meininger geprägten Verismus auf der Bühne.

Julius Q., ital.-dt. Arch., Laino 1764–1801 München, leitete 1798 die Innenausstattung des Hoftheaters in Dessau.

Lorenz Q., dt. Maler u. Lithograph, München 1793 bis 1869 ebda., schuf Darstellungen aus Leben u. Brauch der Alpenländer (Gemälde u. Lithographien).

Lorenz Q., ital.-dt. Arch., Laino 1730–1804 München, seit 1778 in München tätig, baute 1775 das *Theater in Mannheim;* 1792 das *Rathaus in Lauingen.*

Simon Q., dt. Theatermaler u. Lithograph, München 1795–1878 ebda., seit 1815 Hoftheaterarch. u. dann Hoftheatermaler in München, folgte als Maler (Landschaften u. Architekturen) dem Vorbild s. Bruders *Michael Angelo* (1778–1815).

Quarton, Enguerrand → Charonton, Enguerrand.

Quast, Pieter, niederl. Maler u. Kupferstecher, Amsterdam 1606–1647 ebda., schuf Genreszenen aus dem Bauernleben in der Art der Adr. → Brouwer u. → Ostade; in vielen Gal., u. a. in Amsterdam,

Bamberg, Braunschweig, Kassel, Den Haag, Leipzig, Leningrad, London, Nantes, Wien.

Quellinus, Artus, d. Ä., niederl. Bildhauer, Antwerpen 1609–1668 ebda., neben Lucas → Faydherbe Hauptmeister der fläm. Barockskulptur, war in Rom, wo er sich → Duquesnoy anschloß u. → Bernini kennen lernte; tätig in Antwerpen. Die von üppig quellendem Leben erfüllten Marmorgestalten des Q. stellen ein Gegenstück zu den von → Rubens u. → Jordaens gemalten Figuren dar.
Hauptwerk: die innere u. äußere *Ausschmückung des Rathauses,* heute Königl. Palast, 1648–55 (Bau von Jac. v. → Kampen); hervorzuheben: Die Reliefs in den beiden Hauptgiebeln mit *Allegor. Darstellung* der Stadt Amsterdam als Beherrscherin der Meere. Im Innern: *Karyatiden* des ehemal. Gerichtssaales u. *Relieffries* mit Darstellungen der Weisheit, Gerechtigkeit, Barmherzigkeit. Statuen: *Jupiter u. Apollo ; Merkur u. Diana* u. a. Q. schuf auch Bildnisbüsten: *Marmorbüste des Amsterdamer Bürgermeisters de Graeff,* Amsterdam, Rijksmus.
Lit.: J. Gabriels, 1930.

Quellinus, Artus, d. J., niederl. Bildhauer, St-Truyen 1625–1700 Antwerpen, Neffe u. Schüler von Artus → Q. d. Ä., war ebenfalls am Amsterdamer Rathaus tätig, kehrte später in die span. Niederlande (Belgien) zurück u. schuf für Kirchen in Antwerpen, Mecheln, Gent u. Brügge Chorschranken, Chorstühle, Kanzeln u. Grabmäler. Beisp.: *Marmorgrab des Bischofs Capello* († 1676), Antwerpen, Kathedrale. *Marmoraltar* (zus. mit P. Verbruggen), ebda., 1678 bis 1700.
Der Sohn Artus d. J., *Thomas,* niederl. Bildhauer, lebte seit 1689 in Kopenhagen, dann in Lübeck, ab ca. 1706 in s. Geburtsstadt Antwerpen. Er schuf für Kirchen in Lübeck u. Umgebung Werke, die auf die norddt. Kunst der Zeit eingewirkt haben.

Quercia, Jacopo della, ital. Bildhauer, wahrscheinlich Quercia grossa b. Siena 1374–1438 Siena, der sienes. Hauptmeister des Quattrocento, der in s. sehr selbständigen Stil den Übergang der Gotik zur Frührenaissance anzeigt. Q., der überwiegend Reliefs schuf, liebte starke Bewegungsmotive u. weist in s. Spätstil unmittelbar auf → Michelangelo hin. Hauptwerk s. Frühzeit: *Marmorgrabmal der Ilaria del Carretto,* Dom zu Lucca, 1406. Hauptwerk der mittleren Zeit: Brunneneinfassung der *Fonte Gaia,* Siena, 1409–19. Heute sind die beschädigten Originalreliefs in der Loggia del Pal. Pubblico, ebda. Auf

dem alten Platz im Campo steht eine Nachbildung. Hauptwerk der späten Zeit: Bildschmuck des *Hauptportals v. S. Petronio* in Bologna, 1425–38: im Bogenfeld Thronende Madonna, umgeben v. Heiligen; am Türsturz Reliefs mit Darstellungen aus dem N. T. Seitenpilaster mit 5 Reliefs aus der Schöpfungsgeschichte. Weitere Werke: *Wandaltar aus Marmor* in S. Frediano in Lucca, um 1413. *Taufbrunnen von S. Giovanni* in Siena, 1419–1430: von Q. der Aufbau u. die 5 Prophetengestalten; ferner eines der Bronzereliefs: Zacharias im Tempel. *Grabmal Antonio Galeazzo Bentivoglio* in S. Giacomo Maggiore zu Bologna (Spätwerk).
Lit.: C. Cornelius, 1896. P. Schubring, *Plastik Sienas im Quattrocento,* 1907. Ders., *Ital. Plastik des Quattrocento,* 1924. J. B. Supino, 1926. J. Lanyi, *Q.-Studien* in: Jb. f. Kunstwiss., 1930. L. Gielly, 1930. L. Biagi, 1946 (m. Bibliogr.).

Querfurt, August, dt. Maler, Wolfenbüttel 1696 bis 1761 Wien, Schüler von → Rugendas in Augsburg, malte haupts. Schlachtenbilder in der Art des → Rugendas u. des Bourguignon (→ Courtois). Bilder in vielen Gal., u. a. in Aschaffenburg, Bamberg, Budapest, Dresden, Hannover, Kassel, Leningrad, Schleißheim, Stuttgart, Wien.

Quesnel, François, franz. Maler, Edinburgh 1543 bis 1619 Paris, Schüler von F. → Clouet, Vertreter der Schule von → Fontainebleau, malte haupts. Bildnisse; auch feine Bildniszeichnungen. Vertreten u. a. in den Gal. v. Versailles, Le Mans, Florenz (Pitti), Chantilly, Richmond (Slg. Cook).

Quillard, Antoine, franz. Maler u. Radierer, Paris 1701–1733 Lissabon, wo er seit 1726 als Hofmaler u. Zeichner an der Akad. tätig war. Von → Watteau beeinflußter Meister. Von ihm sind *4 Jahreszeitenbilder* in der Slg. Schloß Rohoncz in Lugano. Zuschreibungen in: Dublin; Florenz, Uff.; Leningrad, u. a.
Lit.: A. de Hévesy, *Amico di Watteau* in: Pantheon IV, 1929.

Quinckhard, Jan Maurits, niederl. Maler, Rees am Rhein 1688–1772 Amsterdam; tätig ebda. seit 1710, zeitweise in Utrecht. Q. war ein tüchtiger Bildnismaler; er schuf Regentenbilder im Rathaus Amsterdam. Im Rijksmus., ebda., vertreten mit 3 Gruppenbildern: *Die Vorsteher der Amsterdamer Chirurgengilde,* 1732; 1737; 1744; u. mit 32 Einzelbildnissen.

R

Radziwill, Franz, dt. Maler u. Graphiker, *Strohausen (Oldenburg) 1895, seit 1920 in Fischerhude, seit 1921 in Dangast tätig, schuf anfänglich haupts. Landschaften, oft in seltsam phosphoreszierenden Farben, später Figurenbilder von mystischer Symbolik in expression. Stil. Graphik: Zyklus «Mensch u. Landschaft», u. a. Vertreten in den Mus. von Berlin, Bremen, Detroit, Hamburg, Köln, Mannheim, Oldenburg, Wuppertal.

Räber, Hans Ulrich, schweiz. Bildschnitzer, um 1610–1686, schuf namentlich Barockaltäre in Wallfahrtskirchen um Luzern (St. Jost zu Blatten; Kirche in Hergiswald) u. in Luzern selber; ins. Kunst von Jörg → Zürn u. von ital. Vorbildern beeinflußt.
Lit.: Gantner-Reinle, *Kunstgesch. d. Schweiz* 3, 1956.

Raeburn, Henry, engl. (schott.) Maler, Stockbridge b. Edinburgh 1756–1823 Edinburgh, gehört zu den Hauptvertretern der engl. Bildnismalerei aus der → Reynolds folgenden Generation. R. kam 1778 nach London, wo er sich unter dem Einfluß von Reynolds ausbildete, war 1785–87 in Italien, von 1787 an in Edinburgh tätig. Beisp.: *Bildnis Mrs. Campbell,* Glasgow, Art. Gall. *Lord Newton,* Edinburgh, Nat. Gall. *Selbstbildnis,* ebda. Vertreten in den Gal. London (Nat. Gall. u. Nat. Portr. Gall.), Edinburgh, Glasgow, Dresden, Berlin.
Lit.: W. Armstrong, 1901. Pinnington, 1905. T. C. F. Brotschie, 1925. E. R. Dibdin, 1925. S. Cursister, *Scottish art to the close of the 19th century,* 1949.

Rädecker, John, holl. Bildhauer, 1885–1955, tätig in Amsterdam, schuf in stark stilisierter Formgebung Köpfe, Figürliches, Tierplastiken; auch feine Aktzeichnungen, Bildwerke am Kaufhaus in Amsterdam. Vertreten in Rotterdam, Mus. Boymans; im Graph. Kabinett des Rijksmus., Amsterdam u. a.
Lit. H. P. Brenner, 1926. A. M. Hammacher, 1940. F. M. Hübner, *Neue Malerei in Holland,* 1921. Ders., *Neue Plastik der Gegenwart,* 1924.

Raffael, eig. Raffaello Santi, ital. Maler u. Arch., Urbino 1483–1520 Rom, Hauptmeister der Hochrenaissance, der deren Ideale am gültigsten u. vielseitigsten zum Ausdruck brachte, kam um 1500 nach Perugia in die Werkstatt → Peruginos, ging 1504 nach Florenz u. 1508 nach Rom, wo er 1515 als Nachfolger → Bramantes zum Baumeister von St. Peter ernannt wurde. Ausgangspunkt s. Stiles war die Malerei seiner umbrischen Heimat, bes. die Peruginos. Der Vergleich seines *Sposalizio,* 1504, Mailand, Brera, mit dem des Perugino zeigt die Abhängigkeit u. zugleich das Hinauswachsen aus

dessen Welt. In der Florentiner Zeit Auseinandersetzung mit allen zeitgenössischen Einflüssen, mit → Leonardo, Fra → Bartolommeo u. → Michelangelo. Zeugnis von s. Ringen um die Form sind die Madonnenbilder u. religiösen Zustandsbilder dieser Zeit. In s. röm. Zeit erfolgt die gestalterische Erfüllung der Hochrenaissanceideen, vor allem in der Ausmalung der Stanzen. In s. letzten Zeit vertiefte R. die Formprobleme noch weiter: In der Ausmalung der *Loggien des Vatikans,* in den *Fresken der Farnesina* (von ihm entworfen, nicht ausgeführt), offenbart sich höchste antikische Heiterkeit. Bilder wie die *Verklärung Christi,* Rom, Vatik. Pinak., werden maßgebend für Manierismus u. Barock. R. hatte eine große Werkstatt u. viele Schüler, von denen genannt seien: → Giulio Romano, Pierino del → Vaga, Francesco → Penni, Andrea Sabatini. R.s Grab befindet sich im Pantheon in Rom.
Hauptwerke: die berühmtesten seiner Madonnen: *Madonna della Sedia,* Florenz, Pal. Pitti. *Madonna del Granduca,* ebda. *Madonna aus dem Hause Tempi,* München, A. P. *Madonna im Grünen,* Wien, Gal. *Madonna mit dem Stieglitz,* Florenz, Uff. *Madonna, gen. «Die schöne Gärtnerin»,* Paris, Louvre u. die großen Altarwerke: *Madonna di Foligno,* 1511/12, Rom, Vatik. Slg. *Madonna mit dem Fisch,* 1513, Madrid, Prado. *Sixtin. Madonna,* um 1516, Dresden, Gal. *Hl. Cäcilia zwischen 4 Heiligen,* 1516, Bologna, Pinac. Spätwerk: *Verklärung Christi,* 1520, Vatikan. Freskenhauptwerke: Die im Auftrag Julius' II. ausgemalten 3 Zimmer (*Stanzen*) im Vatikan mit geschichtlich-symbol. u. bibl. Wand- u. Deckengemälden, teilweise mit Hilfe von Schülern ausgeführt, 1508–20 ff. Davon die wichtigsten: *Disputa,* Stanza della Segnatura, als Repräsentation der Theologie; sog. *Schule von Athen,* ebda., als Repräsentation der Philosophie; der sog. *Parnass* als Repräsentation der Dichtkunst. Ausmalung der *Stanza d'Eliodoro,* 1512–14 (z. T. von Sebastiano del → Piombo u. Giulio Romano ausgeführt): *Vertreibung des Heliodor; Messe von Bolsena; Attila durch Leo I. von Rom abgewendet; Befreiung Petri aus dem Gefängnis. – Ausschmückung der Loggien des Vatikans.* 52 Deckenbilder mit bibl. Darstellungen u. Groteskendekorationen an den Pfeilern u. Pilastern, frei nach antiken Vorlagen gestaltet, nur die Entwürfe von R., ausgeführt von Penni, Giov. → Martini, Perino del Vaga. *Fresken der Villa Farnesina,* Rom: *Triumph der Galatea,* 1514; Darstellungen aus der *Geschichte Amors u. Psyches,* 1516/17, nach R.s Entwürfen von Giulio Romano u. Penni gemalt. Entwürfe für Bildteppiche: *Darstellungen aus der Apostelgeschichte:* die Teppiche im Vatikan, 7 der Kartons, von Penni ausgeführt 1515/16, in London, Victoria u. Albert Mus. Die wichtigsten Porträts: *Papst Julius II.,* 1511/12 Florenz, Uff. *Leo X. mit*

2 Kardinälen, Florenz, Pal. Pitti. *Der Kardinal*, Madrid, Prado. *Graf Castiglione*, Paris, Louvre. *Donna Velata*, Florenz, Pitti-Gal.
R. war auch ein bedeutender Baumeister: nach s. Plänen entstanden in Rom: *Pal. Vidoni-Caffarelli*, 1515; *Villa Madama*. In Florenz: *Pal. Pandolfini*, um 1517/20 ff. Viele Entwürfe für den Bau der Peterskirche, die aber zumeist nicht ausgeführt wurden.
Lit.: A. Venturi, 1920. G. Gronau, 1922 (Klass. der Kunst). H. Wölfflin, *Klass. Kunst*, [7] 1924. H. Grimm, [6] 1927. Th. Hetzer, *Gedanken um R.s Form*, 1932. Ders., *Sixtin. Madonna*, 1947. W. E. Suida, [2]1948. O. Fischel, 1948 (engl.). U. Middledorfer, *R. Drawings*, 1946. N. Pevsner, *Europ. Arch.*, 1957 (R. als Arch., m. Bibliogr.).

Raffaëlli, Jean-François, franz. Maler u. Radierer, Paris 1850–1924 ebda., Schüler von → Gérôme, nachhaltig beeinflußt von den Impressionisten, bes. von → Monet, bildete einen ihm eigenen impression. Stil aus, in welchem er bes. die Landschaft u. die Volkstypen der Pariser Bannmeile u. Pariser Straßenbilder darstellte. R. schuf hervorragende Radierungen u. farbige Drucke; auch Porträts. Vertreten in Paris (Luxemb.; Petit Palais; Mus. Carnavalet), vielen franz. Mus.; ferner Boston, Brooklyn, Brüssel, Chicago, Genf, Göteborg, Leipzig, New York (Metrop. Mus.), Oslo, Philadelphia, Pittsburgh, Stockholm u. v. a.
Lit.: A. Alexandre, 1909. G. Lecomte, 1927. H. Béraldi, *Les Grav. du 19e siècle* 11, 1891. L. Delteil, *Le Peintre-grav. ill.*, 16 (Verzeichn. d. Rad. u. Lithogr.), 1923. Enc. Ital. 1935. Bénézit, 1954. C. Glaser, *Graphik d. Neuzeit*, 1922.

Raffaellino del Garbo → Garbo, Raffaellino del.

Raffet, Denis-Auguste-Marie, franz. Maler u. Graphiker, Paris 1804–1860 Genua, Schüler von → Charlet u. → Gros, war vor allem Graphiker. Er ist neben Charlet u. Horace → Vernet der hervorragendste Zeichner der «napoleonischen Legende». Werke: Holzschnitte zu de Norvins *Histoire de Napoléon*, 1837; Lithographien: *La revue nocturne*, 1837; *Le réveil. Feldzug des Generals Oudinot gegen Rom*, 36 Lithographien, 1849. Ferner: *Voyage dans la Russie méridionale*, über 100 Lithographien, 1838 bis 40.
Lit.: A. Bry, 1861 (u. 1870). Giacomelli, 1862. Béraldi, *Les graveurs du 19e siècle* 11, 1891. F. Lhomme, 1892. A. Dayot, 1892. A. Curtis, 1903. C. Glaser, *Die Graphik d. Neuzeit*, 1922. A. Michel, *Hist. de l'Art* 8, 1925/26. A. Rümann, *Das ill. Buch d. 19. Jh.*, 1930. Bénézit, 1954.

Raggi, Antonio, d. Ä., gen. il Lombardo, ital.-schweiz. Bildhauer, Vico Morcote 1624–1686 Rom,

Meister aus dem Schüler- u. Nachfolgekreis von → Algardi u. → Bernini, schuf Marmordekorationen, Statuen, Reliefs u. a. für röm. Kirchen, teilweise unter der Leitung Berninis.
Lit.: S. Weber in: Brun, Schweiz. Künstlerlex., 1908. O. Schmitt, *Barockplastik*, 1924. V. Golzio in: Th.-B. 1933.

Rahl, Karl, österr. Maler, Wien 1812–1865 ebda., malte Bildnisse u. vor allem riesige allegor.-hist. Dekorationen in der Art W. v. → Kaulbachs. Beisp.: *Manfreds Einzug in Luceria*, 1846, Wien, Österr. Gal. Er schuf *Fresken für die griech. Kirche* in Wien, 1856, u. für Privatpaläste; *Entwürfe für Wandgemälde* für das Wiener Opernhaus u. die Akad. in Athen.
Lit.: A. George-Mayer, *Erinnerungen an K. R.*, 1882.

Raibolini, Francesco → Francia, Francesco.

Raimondi, Marcantonio, gen. Marcanton (Markanton), ital. Kupferstecher, Bologna um 1475 bis um 1534, Meister aus dem Umkreis → Raffaels. R. bildete s. graph. Stil an der Kunst → Dürers aus u. wurde wichtig für die Verbreitung von Dürerschen Ideen in der ital. Kunst. 1510ff. war R. in Rom tätig; er stellte s. Kunst ganz in den Dienst der Verbreitung von Raffaels Werken; Ideen Raffaels, die dieser nicht oder nur verändert ausgeführt hat, sind uns durch R.s Stiche erhalten. Von 1527 an war R. wieder in Bologna tätig.
Lit.: H. Delaborde, 1887. Hirt, 1898. A. Oberheide, *Der Einfluß R.s auf die nord. Kunst des 16. Jh.*, Hamburger Diss. 1933.

Rainaldi, Carlo, ital. Arch., Rom 1611–1691 ebda., Meister des röm. Hochbarock, am Bau vieler Kirchen, Paläste u. Grabmäler das. beteiligt.
Hauptwerke in Rom: *S. Maria in Campitelli*, mit der Platzanlage, 1660ff. Das Kirchenpaar auf Piazza del Popolo: *S. Maria in Monte Santo* u. *S. Maria dei Miracoli*, 1662ff. (voll. von → Bernini u. C. → Fontana). Rückwärtige Schauseite von *S. Maria Maggiore*, 1673ff. (1. Entwurf von Bernini). Die Anlage von *S. Agnese in Piazza Navona*, 1652/53 (später von → Borromini verändert u. voll. um 1670). Vollendung der *Fassade von S. Andrea della Valle*, 1665ff. (beg. von C. → Maderna).
Lit.: E. Hempel, 1922. A. E. Brinckmann, *Baukunst des 17. u. 18. Jh.* (Handb. der K. W.), 1929. J. Weingartner, *Röm. Barockkirchen*, o. J. E. Coudenhove-Erthal, *C. Fontana*, 1930. J. Mandl in: Th.-B. 1933.

Ramberg, Arthur Freiherr v., dt.-österr. Maler, Lithograph u. Zeichner, Wien 1819–1875 München, Schüler s. Großonkels Johann Georg R. u. von → Hübner in Dresden, schuf, beeinflußt von → Schwind u. → Piloty, Historienbilder; auch Genrebilder u.

Buchillustrationen. Beisp.: *Der Hof Kaiser Friedrichs II. in Palermo*, München, Maximilianeum.

Ramberg, Johann Heinrich, dt. Maler u. Zeichner, Hannover 1763–1840 ebda., zu s. Zeit berühmt für s. Almanach- u. Romanillustrationen, Schüler der Royal Acad. in London unter → Reynolds u. → Bartolozzi, seit 1792 Hofmaler in Hannover. R. malte Allegorien, Bildnisse u. Genredarstellungen. Ferner Zeichnungen zu: Reineke Fuchs; Eulenspiegel; Wielands Werken; satirische Darstellungen aus dem Leben im engl. Geschmack (Almanach- u. Romanillustrationen). Viele Zeichnungen im Kestner-Mus., Hannover.
Lit.: J. Ch. C. Hoffmeister, 1877. F. Stuttmann, 1929.

Ramboux, Johann Anton, dt. Maler, Trier 1790 bis 1866 Köln, Vertreter des Klassizismus, Schüler von → David in Paris, 1816–1821 in Rom, wo er mit der Kunst der Deutsch-Römer in Berührung trat. Später war R. Konservator u. beschäftigte sich haupts. mit kunstgeschichtl. Untersuchungen. Beisp.: *Adam u. Eva*, 1818, Köln, Wallraf-Richartz Mus.

Ramenghi, Bartolomeo → Bagnacavallo.

Ramey, Claude, franz. Bildhauer, Dijon 1754 bis 1838 Paris, Vertreter des Klassizismus, war 1782 bis 1786 in Rom, schuf in Paris: *Basreliefs* am Arc de triomphe du Carrousel; am Südgiebel des Louvre-Hofes; an der Gartenfassade des Pal. du Luxembourg; die *Najade* der Fontaine Médicis im Luxembourg-Garten; Werke im Louvre; im Mus. Versailles, in Dijon, Mus.

Ramsay, Allan, engl. Maler, Edinburgh 1713 bis 1784 Dover, studierte in London, weitergebildet in Rom bei → Solimena. Tätig in Edinburgh, seit 1756 in London, seit 1767 Hofmaler Georgs III. Werke: *Gattin des Künstlers*, Edinburgh, Nat. Gall. *Lady Louisa Connolly*, London, Holland House. *Caroline Lady Holland*, ebda.
Lit.: J. L. Caw, 1937.

Ranftl, Mathias, österr. Maler u. Lithograph, Wien 1805–1854 ebda., Schüler der Wiener Akad. u. Peter → Kraffts, malte vor allem Tierbilder (bes. Hunde, daher gen. Hunde-Raffael) u. Genrebilder; auch Historienbilder u. Bildnisse. Vertreter des Wiener Biedermeier.

Ranson, Paul, franz. Maler u. Kunstgewerbler, Limoges 1862–1909 Paris, Schüler der Akad. Julian, gehörte zur Künstlergruppe der → Nabis, beeinflußt von → Gauguin, später zu den Symbolisten gehörend, gründete 1908 eine Kunstschule (Lehrer u. a. P. → Bonnard, M. → Denis, → Maillol, F. → Vallotton, van → Rysselberghe).

Ranzoni, Daniele, ital. Maler, Intra 1843–1889 Novara, Schüler der Brera-Akad. in Mailand unter Bertini, malte vor allem feine Bildnisse.
Lit.: Somaré, *Storia della pitt. ital. dell' ottocento*, 1928. G. Delogu, *Ital. Malerei*, [3]1948.

Raoux, Jean, franz. Maler, Montpellier 1677–1734 Paris, Vertreter des franz. Rokoko, war in Rom u. Venedig, malte haupts. mythol. u. Genreszenen in der Art von → Nattier. Werke in Paris, Louvre, u. vielen franz. Mus.; ferner in: Bonn, Braunschweig, Heidelberg, London (Wallace Coll.), Pommersfelden, Potsdam (Neues Palais), Schleißheim u. a.

Raschdorff, Julius, dt. Arch., Pless (Schlesien) 1823–1914 Wald-Sieversdorf, Stadtbaumeister in Köln 1854–72, seit 1878 Prof. der Techn. Hochschule Charlottenburg, baute in hist. Stilformen u. a. das *Wallraf-Richartz-Mus.*, Köln, 1861 (heute zerstört), vollendete die *Techn. Hochschule Charlottenburg*, 1881–84; Neubau des *Berliner Doms*, 1894–1904.

Rastrelli, Bartolomeo Francesco, ital.-russ. Arch., Paris um 1700–1771 St. Petersburg, Sohn des ital. Arch. *Bartolomeo Carlo* R. (um 1675–1744), der 1715 von Peter d. Gr. nach Rußland berufen worden war. R., Schüler s. Vaters, weitergebildet in Italien, war der russ. Hauptmeister des 18. Jh.; nach s. Entwürfen entstanden fast alle weltlichen u. kirchlichen Hauptbauten der Zeit in Rußland. Sein Stil beruht auf dem ital. Barock, mit franz. u. süddt. Elementen u. zeigt den Übergang zum Rokoko. Kennzeichnend ist die reiche Verwendung von farbigem Stuck.
Hauptwerke: in Petersburg (Leningrad): *Sommerpalais*, 1741–44; *Winterpalais* (Bauabschluß 1768); *Smolnyi-Kloster*, 1746–61; *Schloß Peterhof* b. Leningrad, um 1750; das *Große Palais in Zarskoje Selo*, 1752–56; *Schloß Ruhental* b. Mitau (Lettland); *Schloß Mitau*, 1735–40.
Lit.: Z. Batowski in: Th.-B. 1934. A. Matwejew, 1938 (russ.). A. Müller-Eschenbach, *Kurländ. Spätbarock*, Diss. 1939.

Ratgeb, Jerg (Jörg), dt. Maler, Schwäbisch-Gmünd um 1480–1526 Pforzheim, spätgot. Meister, dessen Stil die Kenntnis der Kunst des älteren → Holbein, → Baldungs u. a., bes. auch der oberital. Malerei (→ Carpaccio, → Mantegna) voraussetzt. R. war in Stuttgart, Heilbronn u. Frankfurt tätig; war im Bauernkrieg auf Seite der Bauern, wurde gefangen genommen u. geviertelt.
Hauptwerke: *Fresken im Frankfurter Karmeliterkloster*, 1514–17 (1944 stark beschädigt); *Triptychon mit dem Tode der hl. Barbara* im Mittelbild, Stadtkirche v. Schwaigern, 1510. *Herrenberger Altar*, 1519, Stuttgart, Gal.

Lit.: O. Donner v. Richter, 1892. Ders., *Wandbilder in der Karmeliterkirche zu Frankfurt u. Altarwerk in Herrenberg*, 1902. A. Stange in: Wölfflin-Festschrift, 1924. C. Glaser, *Altdt. Malerei*, 1924. G. Schönberger in: Städel-Jb. 5, 1926. W. K. Zülch in: Th.-B. 1934.

Rauch, Christian Daniel, dt. Bildhauer, Arolsen 1777–1857 Dresden, Hauptmeister des dt. Klassizismus, Schüler von → Schadow in Berlin, 1804–11 in Rom, wo er sich unter dem Einfluß → Thorwaldsens weiterbildete, seit 1818 dauernd in Berlin tätig. Hauptwerke: *Grabmal der Königin Luise*, 1812–13, Charlottenburg, Mausoleum. *Bronzedenkmal Blüchers*, 1826, Berlin, Opernplatz. *6 Viktorien* aus Marmor für die Walhalla bei Regensburg, 1829. *Denkmal Aug. Hermann Francke*, Halle, 1829. *Denkmal Friedrichs des Großen*, 1840–51, Berlin, Unter den Linden. R. schuf bedeutende Bildnisbüsten, bes. die von *Goethe*, 1820/21, Leipzig, Mus.
Lit.: Fr. u. K. Eggers, 1873–91. Dobbert, 1877. K. Eggers, *R. u. Goethe*, 1889. Mackowsky, 1916.

Rauchmiller (Rauchmüller), Matthias, dt.-österr. Bildhauer, Elfenbeinschnitzer u. Maler, Radolfzell 1645–1686 Wien, schuf bedeutende Grabmäler, vorzügliche Elfenbeinarbeiten; auch einige Malereien. Vertreter des österr. Barock, beeinflußt von fläm. Vorbildern.
Hauptwerke: Grabmäler: *Bischof Karl v. Metternich*, Marmor, um 1675, Trier, Liebfrauenkirche; *Adam v. Arzat*, Hochgrab, 1677, Breslau, Magdalenenkirche; *Octavius Pestaluzzi*, 1678, ebda. *4 Statuen* (*Stein*) *in der Fürstengruft* (Piastenkapelle), Liegnitz, Johannes-Pfarrkirche, 1678. Ferner *Holzkruzifix*, Mainz, Dom. Entwurf für den *hl. Nepomuk* auf d. Karlsbrücke in Prag (Gips-Bozzetto von 1681 in Privatbesitz, Prag). *Gesamtentwurf u. 3 Engel für die Pestsäule* am Graben in Wien, 1682ff. Elfenbeinarbeiten: *Humpen mit bacchischen Szenen*, 1676, Vaduz, Slg. Liechtenstein. *Bacchantengruppe*, um 1680. Wien, Kunsthist. Mus. (Zuschreibung). *Apollo u. Daphne*, ebda. *Wandmalereien* im Dom von Passau u. in der Dominikanerkirche in Wien.
Lit.: E. W. Braun-Troppau, 1942 (Oberrh. Kunst 10). E. Tietze-Conrat, *Österr. Barockplastik*, 1920. Brinckmann, *Barockskulptur*, 1920/21. Feulner, *Dt. Plastik des 17. Jh.*, 1926. W. Nickel, *Breslauer Steinepitaphien aus Renaissance u. Barock*, 1924. F. V. Arens in: Mainzer Zschr. 41/43, 1946 (über das Mainzer Kruzifix). A. Gessner in: Zschr. f. Kunstw. 5, 1951.

Ravesteijn, Jan Anthonisz. van, niederl. Maler, * um 1570, † 1657 im Haag, Meister des holl. Porträts. Werke: *Schützenstücke*, 1616 u. 1618, Haag, Gemeindemus. *Oberst Nicolas Smelsinc*, Amsterdam, Rijksmus. *Brustbild einer Frau*, Kassel, Mus. In vielen Mus. vertreten.

Von der Malerfamilie der R. sind noch zu nennen: *Anthonij* v. R., * um 1580, † 1669 im Haag, der jüngere Bruder des Jan; Bildnisse. Dessen Sohn, *Arnoldus* (Arent) v. R., * um 1615, † 1690 im Haag; haupts. Bildnisse.
Lit.: A. v. Wurzbach, *Niederl. Künstlerlex.* 2, 1910. H. Gerson in: Th.-B. 1934.

Ravier, Auguste, franz. Maler, Lyon 1814 bis 1895 Morestel, von → Turner u. → Corot beeinflußter Landschaftsmaler; 1844–48 in Rom. Vertreten in den Mus. Algier, Grenoble, Lyon, Paris, St-Etienne.
Lit.: F. Thiollier, 1889. A. Germain, 1902. P. Jamot, 1921.

Ray, Man, amerik. Maler, * Philadelphia 1890, kam 1921 nach Paris, Mitbegründer der Dada-Bewegung in New York, arbeitete vor allem mit photograph. Mitteln, schuf surrealist. Filme. Vertreten in den Mus. moderner Kunst in New York, Los Angeles u. a.
Lit.: A. H. Barr, *Masters of mod. Art*, 1954. Vollmer, 1958. M. Seuphor, *Knaurs Lex. abstr. Mal.*, 1957.

Rayski, Ferdinand v., dt. Maler, Pegau 1806–1890 Dresden, bedeutender Porträtist, lernte 1834 in Paris die franz. romant. Malerei (→ Delacroix) kennen, seit 1839 in Dresden tätig. Auch Historien, Genrebilder, Landschaften u. Tierstücke.
Werke: *Ermordung des Thomas Beckett*, Dresden, Gal. *Bildnis des Generals v. Leysser*, 1834, ebda. *Graf Zech*, 1841, ebda. *Domherr v. Schroeter*, 1843, ebda. *Schloß Purschenstein*, 1840, Dresden, Gal. R. ist in der Gal. v. Dresden reich vertreten, ferner in den Gal. Leipzig, Köln, Mannheim, Berlin, Hamburg u. a.
Lit.: E. Sigismund, [2]1922. O. Grautoff, 1923 (mit Werkverz.). O. Holtze, 1925. M. Goeritz, 1942. M. Walter, 1943 (m. Werkverz.).

Rebell, Joseph, österr. Maler, Wien 1787–1828 Dresden, schuf Landschaftsbilder aus Italien, Radierungen u. a., war 1810–11 in Mailand, 1813–15 in Neapel, 1816–18 in Rom, ab 1824 Direktor der Wiener Belvedere-Gal. R. ist vertreten in Berlin, Nat. Gal., Hamburg, Kunsth.; in den Mus. Chantilly, Innsbruck, Parma, Kopenhagen, München, Wien (Gal. des 19. Jh. u. Gal. Czernin) u. a.

Redon, Odilon, franz. Maler u. Graphiker, Bordeaux 1840–1916 Paris, Hauptvertreter des franz. Symbolismus in der Kunst, Schüler von → Gérôme, Bresdin u. → Fantin-Latour, schloß sich von Anfang an nicht den Impressionisten, seinen Altersgenossen an, sondern suchte phantastische Vorstellungen u. Visionen zu gestalten. Er studierte → Delacroix, ging auf → Bosch u. → Bruegel zurück,

auch → Goya war ihm wichtig u. für s. Motivwelt literarische Vorbilder wie E. A. Poe u. Flaubert. Die literarischen Symbolisten um 1881 erkannten die ihnen gleichgerichtete Tendenz bei ihm, später verehrten ihn die → «Nabis» u. heute die Surrealisten als Vorläufer. 1883–89 entstanden ausschließlich graph. Blätter; in s. letzten Zeit bevorzugte R. das Pastell (Blumenpastelle u. -aquarelle). Lithogr. Folgen: *Dans le rêve*, 1878. *Apocalypse de Saint-Jean*, 1883. *Tentation de Saint-Antoine* (Flaubert), 1888. *Les Fleurs du Mal* (Baudelaire), 1890. R. ist vertreten in den Mus. Paris (Louvre u. Petit Palais), Den Haag, Rotterdam, Basel u. a.
Lit.: A. Mellerio, 1923. Cl. Roger-Marx, 1925. Ders., *O. R. Fusains*, 1950. R. Bacou, 1956. J. Rewald, *Von van Gogh zu Gauguin*, 1957 (m. Bibliogr.). *Ausstell.-Kat. Bern* 1958.

Redouté, fläm. Malerfamilie; der bekannteste: *Pierre-Joseph*, St-Hubert 1759–1840 Paris, schuf reizvolle kleine Blumenbilder u. Zeichnungen, gen. «Blumen-Raffael», tätig in Paris, Kabinettmaler Marie Antoinettes u. der Kaiserin Josephine. Tafelwerke: *Les Liliacées* u. a. Werke in den Mus. Compiègne, Dieppe, Montpellier, Narbonne u. a.

Régamey, Guillaume, franz. Maler, Paris 1837 bis 1875 London, Militärmaler, schuf Zeichnungen für die Zeitschriften «The Illustrated London News» u. «The Graphic»; Buchillustrationen u. a. Vertreten in den Mus. Paris (Luxembourg), Marseille, Straßburg u. a.

Regnault, Henri, franz. Maler, Paris 1843–1871 (gefallen bei Buzenval), Schüler von → Cabanel u. Lamothe, malte Bildnisse u. Bilder aus dem oriental. Leben, beeinflußt von → Delacroix, studierte auch → Goya u. → Velazquez. Hauptwerk: *Reiterbildnis des span. Generals Prim*, 1869, Paris, Louvre. Werke in den Mus. Paris (Louvre), Marseille, Boston u. a.
Lit.: H. Cazalis, 1872. R. Marx, 1886.

Regnault, Jean-Baptiste, franz. Maler, Paris 1754 bis 1829 ebda., Vertreter des Klassizismus, beeinflußt von → David, schuf haupts. mythol. Bilder u. Porträts. Beisp.: *Die 3 Grazien*, 1799, Paris, Louvre. *Freiheit oder Tod*, 1794/95, Hamburg, Kunsth.
Lit.: G. Pauli, *Kunst d. Klassiz. u. d. Romantik*, 1925.

Regnier, Nicolas, in Italien: **Niccolò Renieri,** niederl.-ital. Maler, Maubeuge um 1590–1667 Venedig, Schüler von Abr. → Janssens, von ca. 1615 an in Rom, ab 1626 in Venedig tätig, gehörte dem Kreise um → Caravaggio an, beeinflußt bes. von → Manfredi, später auch von den Bolognesen (Guido → Reni). Er schuf Historienbilder, einige kirchliche Werke u. bes. Porträts. Die von ihm bekannten Bilder meist nicht beglaubigte Zuschrei-

bungen; in den Gal. von: Berlin, Darmstadt, Kassel, Modena, Padua, Stuttgart, Venedig (Akad. u. in Kirchen) u. a.
Lit.: H. Voss, *Malerei des Barock in Rom*, 1924.

Regoyos, Darió de, span. Maler, Rivadesella (Oviedo) 1857–1913 Barcelona, Landschafter, Schüler des belg. Landschafters → Haes, war in Belgien, wo er zum Kreise von → Meunier, → Rysselberghe u. a. gehörte, schloß sich dann den Impressionisten an, beeinflußt vor allem von → Pissaro u. → Monet. Vertreten in den Mus. Barcelona, Bilbao, Brüssel, Madrid.
Lit.: R. Soriano, 1921. R. Benet, 1946 (span.). J. R. Rafols in: Enc. Ital. 1935. E. Lafuente Ferrari, *Breve Hist. de la Pint. españ.*, [4]1953.

Reichle (Reichel), Hans, dt. Bildhauer, Schongau um 1570–1642 Brixen, Hauptmeister des dt. Frühbarock, 1591–93 in Florenz Schüler u. Mitarbeiter des Giovanni da → Bologna, tätig in München, Brixen u. Augsburg, schuf haupts. kirchliche Werke in Terrakotta u. Erz. In s. Kunst entwickelte er den Stil Giovanni da Bolognas selbständig weiter.
Hauptwerke: *Bronzegruppe des hl. Michael* am Zeughaus in Augsburg, 1607, in vollendeter Harmonie mit → Holls Fassade. Weitere Werke: 24 lebensgroße *Terrakottastatuen von Vorfahren der Habsburger*, 1595–1601, in der bischöflichen Residenz in Brixen. *Kreuzigungsgruppe* in St. Ulrich u. Afra in Augsburg, 1605. *Büsten röm. Imperatoren* im Rathaus in Augsburg, 1620. *Neptunsbrunnen* in Danzig.
Lit.: Brinckmann, *Süddt. Bronzebildhauer des Frühbarock*, 1923. L. Bruhns, *Dt. Barockbildhauer*, 1925. A. Feulner, *Dt. Plastik des 17. Jh.*, 1926. Fr. Kriegbaum in: Österr. Jb. 5, 1931. H. R. Weihrauch in: Münchner Jb. der bild. Kunst III, 2, 1951. F. Baumgart, *Gesch. d. abendländ. Plastik*, 1957.

Reichlich, Marx, österr. Maler, tätig in Salzburg um 1494–1508, wahrscheinlich Schüler Michael → Pachers u. Fortsetzer von dessen Werkstatt, schuf kirchliche Werke für Salzburg. Vertreten in München, A. P.: *Tafeln von einem Marienaltar* u. *Jakobus-Altar*. Ferner *Anbetung der Könige*, 1489, Stift Wilten. Zuschreibungen in Innsbruck, Ferdinandeum; Stift St. Peter in Salzburg; Pfarrkirche zu Hall (heute Mus.).
Lit.: H. Semper, *Die Brixner Malerschulen des 15. u. 16. Jh.*, 1891. O. Pächt, *Österr. Tafelmalerei der Gotik*, 1929. H. Hammer in: Th.-B. 1934.

Reinhart, Johann Christian, dt. Zeichner, Maler u. Radierer, bei Hof 1761–1847 Rom, Hauptvertreter der dt.-röm. klassizist. Landschaftsmalerei, Schüler von → Oeser in Leipzig u. Klengel in Dresden, seit 1789 in Rom, malte u. radierte heroische Landschaften in der Art → Kochs, erweist sich aber in der

Farbgebung u. Betonung des Idyllischen als Nachfolger der Malerei des 17. Jh. In fast allen dt. Mus. vertreten.
Lit.: O. Baisch, 1882. Feulner, *Skulpt. u. Malerei des 18. Jh.* (Handb. der K. W.), 1929. P. F. Schmidt, *Dt. Landschaftsmal.*, 1922. R. Hamann, *Dt. Mal. v. Rokoko z. Expression.*, 1925.

Reinhold, Friedrich Philipp, dt. Maler u. Graphiker, Gera 1779–1840 Wien, Bruder von Heinrich → R., 1805 in Wien, wo er sich dem Kreis um F. → Olivier anschloß. Er malte zunächst Historienbilder u. Bildnisse; seit 1816 vorwiegend Ideallandschaften; daneben realist. Naturstudien. Werke in den Mus. Berlin, Eisenach, Erfurt, Gera, Leipzig, Weimar, Wien.
Lit.: H. Reinhold in: Th.-B. 1934.

Reinhold, Heinrich, dt. Maler, Gera 1788–1825 Albano, Landschaftsmaler aus dem Kreise der Deutschrömer (→ Nazarener), lernte in Dresden u. Wien, war 1809–14 in Paris, tätig in Wien u. ab 1819 in Rom, wo er durch meisterhafte Ölstudien u. Landschaftszeichnungen aus Olevano bekannt wurde. Beeinflußt von J. A. → Koch u. M. → Rohden. Beisp.: *Landschaft mit Jägern*, 1817, Berlin, Nat.-Gal. *Capo d'Orlando*, 1821, ebda. R. schuf auch Aquarelle, Zeichnungen, Radierungen.
Vertreten in den Mus. Berlin, Erfurt, Hamburg, Kopenhagen, Leipzig, München, Nürnberg, Wien.
Lit.: W. Geese, *Heroische Landschaft v. Koch bis Böcklin*, 1930.

Reinick, Robert, dt. Maler u. Zeichner, Danzig 1805–1852 Dresden. Der Dichter R. R. bildete sich als Maler in Berlin (bei → Begas), in Italien u. Düsseldorf. Er bevorzugte gemütvolle romant. u. hist. Gegenstände; sein eig. Gebiet sind Zeichnungen zu Buchillustrationen u. Radierungen.
Lit.: H. Hassbargen, 1932.

Reinicke, René, dt. Maler, Strenznaundorf 1860 bis 1926 Wildsteig b. Steingaden, Schüler von E. v. → Gebhardt in Düsseldorf u. Piglhein in München, ab 1884 in München tätig; malte mit Piglhein nach genauen Studien in Palästina das Panorama der Kreuzigung Christi (1892 verbrannt); Mitarbeiter der «Fliegenden Blätter»; Genrebilder, Landschaften, Figurenbilder, Beisp.: *Wartesaal 1. u. 2. Klasse*, Berlin, Nat. Gal.; Mus. von Frankfurt, Leipzig, München.

Reiter, Johann Baptist, österr. Maler, Urfahr b. Linz 1813–1890 Wien, Vertreter des Wiener Biedermeier, Schüler von → Rahl in Wien, schuf Genrebilder u. Porträts. Vertreten in Wien, Österr. Gal.

Rembrandt, eig. R. Harmensz van Rijn, niederl. Maler u. Graphiker, Leiden 1606–1669 Amsterdam,

Hauptmeister der holl. Malerei des 17. Jh. u. der Weltkunst, Schüler von Swanenburgh u. Pieter → Lastman, tätig zunächst in Leiden, seit 1631 in Amsterdam. Sein Schaffen umfaßt alle Stoffgebiete, vor allem bibl. Szenen u. Porträts, aber auch Landschaften, geschichtliche u. mythol. Darstellungen u. Genreszenen. Die Radierung u. die Handzeichnung stehen selbständig neben der Malerei. Die Frühzeit umfaßt die Leidener Jahre 1626–31: haupts. bibl. Bilder kleinen Formates, deren Szenen sich im dämmrigen oder durch Helldunkelgegensätze dramatisierten Innenraum abspielen. Im Stil noch Abhängigkeit von Lastman. Werke dieser Zeit: *Paulus im Gefängnis*, 1627, Stuttgart, Mus. *Die hl. Familie*, 1631, München, A. P. *Simeon im Tempel*, 1631, Den Haag, Mus. *Selbstbildnis*, um 1628, Kassel, Gal. Radierungen: *Bildnis seiner Mutter*, 1628; *Selbstbildnis*, 1629; *Diana im Bade*, um 1630.
Die 2. Schaffensperiode wird etwa durch die Gruppenbildnisse *Anatomie des Dr. Tulp*, 1632, Haag, Mauritshuis u. das Schützenstück: sog. *Nachtwache*, 1642, Amsterdam, Rijksmus., bezeichnet. Die Entwicklung geht vom harten Naturalismus der Frühzeit u. dem scharfen Helldunkel zur Milderung der Härten u. zunehmender Farbigkeit. Werke dieser Zeit: *Gewitterlandschaft*, um 1638, Braunschweig, Mus. *Opfer Manoahs*, 1641, Dresden, Gal. Radierungen: *Verkündigung an die Hirten*, 1634; *Heimkehr des verlorenen Sohnes*, 1636; *Tod Mariä*, 1639. Die Spätzeit ist charakterisiert durch ein Nachlassen allzu dramatischer, barocker Wirkungen u. eine zunehmende Verinnerlichung. Einige Hauptwerke dieser Epoche: *Christus u. die Ehebrecherin*, 1644, London, Nat. Gall. *Christus u. die Jünger in Emmaus*, 1648, Paris, Louvre. *Jakobs Segen*, 1656, Kassel, Gal. *Rückkehr des verlorenen Sohnes*, 1668/69, Leningrad, Eremitage. Bildnisse: *Jan Six*, 1654, Amsterdam, Slg. Six. *Nicolas Bruyningh*, 1652, Kassel, Gal. *Selbstbildnisse*: um 1658, München, A. P.; 1659, London, Bridgewater Gal. Das Gruppenbildnis: *Die Staalmeesters* (Vorsteher der Tuchmacherzunft), 1661/62, Amsterdam, Rijksmus. Die sog. *Judenbraut*, um 1668, ebda. Radierungen: *Die 3 Bäume*, 1643; *Christus heilt die Kranken*, sog. *Hundertguldenblatt*, um 1649; *Die 3 Kreuze*, 1653; *Kreuzabnahme bei Fackelschein*, 1654.
R. ist hervorragend vertreten in Amsterdam, Rijksmus.; Dresden, Gal.; Kassel, Gal.; Paris, Louvre; Den Haag, Mus.; Berlin, ehem. K.-F.-Mus.; Leningrad, Eremitage. Ferner London, Nat. Gall.; New York, Mus. of Fine Arts; Brüssel, Mus.; Weimar, Mus.
Lit.: W. v. Bode, *Beschreibendes Verz. der Gemälde*, 1897–1905. R. Valentiner, *Die Gemälde* (Abb.-Werk, Klassiker der K.), [3]1909. A. Bredius, *Die Gemälde*, 1935. W. Singer, *Die Rad.* (Abb.-Bd., Klass. der Kunst), [2]1909. W. Singer u. J. Springer, *Sämtl. Rad.*, 1914–20. W. v. Seidlitz, *Die Rad.*, 1922. F. Lippmann u. C. Hofstede de Groot, *Zeichn.*, 1888–1910.

W. R. Valentiner, *Handzeichn.* (Abb.-Werk, Klass. der Kunst), 1925–34. R. Hamann, 1948. C. Neumann, [2]1924. K. Bauch, *Kunst des jungen R.*, 1933. O. Benesch, 1935. Ders., 1957 (Skira-Bd.). Ders., *Zeichn.* 1947 (Phaidon). E. Hanfstaengl, 1947. J. Rosenberg, 1948 (engl.). L. Münz, *Etchings*, 1952 (Phaidon). L. Goldscheider, *Gemälde u. Graphik*, 1960 (Phaidon).

Reni, Guido, ital. Maler, Calvenzano b. Bologna 1575–1642 Bologna, Hauptmeister des bolognesischen Barock, Schüler von → Calvaert u. später von Lodovico → Carracci, 1605 in Rom, kehrte 1611 nach Bologna zurück, wo er mit kurzen Unterbrechungen dauernd blieb. R. gehört zu den Eklektikern der Carracci-Schule, wurde eine Zeitlang nachhaltig von → Caravaggio beeinflußt u. wandte sich später einem sehr klassizist. Barock zu. Er schuf Freskenwerke, kirchliche u. mythol. Malereien u. Bildnisse.
Hauptwerke: Sein berühmtestes Werk ist das Fresko der *Aurora* im Pal. Rospigliosi in Rom, 1610. Weitere Freskenwerke in der *Kapelle des Quirinals*, Rom, u. in der *Borghese-Kapelle* von S. Maria Maggiore, ebda. Kirchliche Werke: *Bethlehemitischer Kindermord*, 1612, Bologna, Pinac. *Pietà*, 1614–18, ebda. *Himmelfahrt Mariä*, um 1619, Genua, S. Ambrogio. *Christus mit der Dornenkrone*, oft dargestellt: Wien, Gal.; London, Nat. Gall.; Bologna, Pinac.; Dresden, Gal. *Hl. Sebastian*, Paris, Louvre. *Magdalena*, ebda. Mythol. Werke: *Wettlauf der Atalante u. des Hippomenes*, Neapel, Gal. *Kleopatra*, Florenz, Pitti. *Ruhende Venus*, Dresden, Gal.
Lit.: G. Sobotka, 1914. V. Malaguzzi, 1921. M. v. Boehn, 1925. N. Pevsner u. O. Grautoff, *Barockmalerei* (Handb. der K. W.), 1930.

Renieri, Niccolò → Regnier, Nicolas.

Renoir, Auguste, franz. Maler, Graphiker u. Bildhauer, Limoges 1841–1919 Cagnes, Hauptmeister des franz. Impressionismus, 1861/62 Schüler von → Gleyre, lernte → Monet, → Bazille u. → Sisley kennen, mit denen er nach der Natur zu malen begann. Anfangs stand s. Kunst noch unter dem Einfluß → Courbets, später hellte sich s. Palette unter dem Einfluß Monets auf, er ging zu hellen Rot-, Rosa- u. Blautönen über; doch wurde R. nicht wie die andern Impressionisten zum reinen Landschafter; stets bevorzugte er das Figurenbild u. das Porträt. Mitte der 80er Jahre setzte eine Epoche einer vom Impressionismus wegführenden Formverfestigung mit stärker hervortretender Kontur u. plastischer Modellierung der Figuren ein. Später kehrte er zu leuchtenden, duftigen Farbtönen zurück, doch gab er die Errungenschaften s. «klass.» Epoche der Formverfestigung nicht mehr auf. R. schuf

einige Lithographien, Radierungen u. Plastiken (aus der Spätzeit, von Gehilfen ausgeführt).
Einige Hauptwerke: *In der Loge*, 1874, Frankfurt, Städel. *Moulin de la Galette*, 1876, Paris, Louvre. *Am Frühstückstisch*, 1879, Frankfurt, Städel. *Das Frühstück der Ruderer*, 1881, Washington, Nat. Gall. *Badende Mädchen*, Philadelphia. *Badende*, 1904–06, Wien, Oberes Belvedere. *Badende Frauen*, 1916, Stockholm, Mus.
Lit.: A. Vollard, 1924. J. Meier-Graefe, 1919. H. Graber, *A. R. nach eigenen u. fremden Zeugnissen*, 1943. M. Drucker, 1944. P. Haesaerts, *R. sculpteur*, 1947. M. Raynal, *De Goya à Gauguin* (Skira-Bd.), 1951. F. Nemitz, 1952 (Phaidon). J. Rewald, *Gesch. des Impression.*, 1957.

Repin, Ilja → Rjepin, Ilja.

Restout, franz. Malerfamilie des 17. u. 18. Jh.; der bekannteste Vertreter: *Jean* (II.), Historien- u. Bildnismaler, Rouen 1692–1768 Paris, Schüler s. Onkels Jean → Jouvenet, beeinflußt von diesem u. → Le Sueur. Werke in Pariser Kirchen; ferner in den Gal. Fontainebleau, Halle, Leningrad, Marseille, Moskau, Paris (Louvre), Potsdam, Stockholm, Troyes, Versailles.
Lit.: A. Michel, *Hist. de l'Art* VII, 1, 1923. Th.-B. 1934. Bénézit, 1954.

Reth, Alfred, ungar.-franz. Maler, * Budapest 1884, Vertreter der modernen abstrakten Kunst, seit 1905 in Paris tätig, schloß sich 1913 den Kubisten, 1932 der Gruppe «Abstraction-Création» an. R. gilt als führender Meister in der Verwendung der verschiedenartigsten Materialien zu Bildern.
Lit.: M. Seuphor, *L'art abstr.*, 1949. Ders., *Dict. peint. abstr.*, 1957. W. George, 1955.

Rethel, Alfred, dt. Maler u. Zeichner, Haus Diepenbend b. Aachen 1816–1859 Düsseldorf, neben → Cornelius der bedeutendste Monumentalmaler der 1. Hälfte des 19. Jh., Schüler der Düsseldorfer Akad. unter → Schadow (1829), seit 1837 weitergebildet am Städel-Inst. in Frankfurt unter → Veit, 1844 u. 1852 in Italien, sonst abwechselnd in Aachen, Dresden u. Düsseldorf tätig. 1852 verfiel R. in Geisteskrankheit. Ausgangspunkt des Stiles R.s war die Malerei der → Nazarener u. der Düsseldorfer Schule, doch erhob er sich weit über sie u. fand einen eigenen monumentalen u. zugleich dt.-volkstümlichen Stil für s. Hauptwerk, die Aachener Rathausfresken. Auch für den Holzschnitt entwickelte er im Anschluß an die große Tradition → Holbeins einen eigenen Stil.
Hauptwerk als Maler: *Fresken aus der Geschichte Karls d. Gr.*, Aachen, Rathaus, seit 1840 (5 Kartons in Berlin, Nat. Gal.). Hauptwerk als Zeichner für den Holzschnitt: Folge *Auch ein Totentanz*, 1849. Ferner

Der Tod als Würger, 1847. *Der Tod als Freund*, 1851. Zeichnungen in Dresden, Kupferst. Kab.
Lit.: Müller v. Königswinter, 1861. M. Schmid, 1898. J. Ponten, 1911 (Klass. der Kunst). Ders., *Studien über R.*, 1922. K. Koetschau, *R.s Kunst vor dem Hintergrund der Historienmalerei s. Zeit*, 1929. K. Zoege v. Manteuffel, *Rad. u. Holzschnitte*, 1929. H. Franck, 1937. A. Paul-Piscatore, 1944.

Retti (Retty), ital. Künstlerfamilie des 18. Jh. aus Laino; wichtigster Vertreter: *Paolo R.*, Arch., Laino 1691–1748 in Oberitalien, 1717 von → Frisoni nach Ludwigsburg berufen, um nach dessen Entwürfen als ausführender Arch. am Schloßbau zu wirken. *Kavaliersbauten* u. *Ordenskapelle* im Schloß, 1717. *Schloß Favorite*, 1718. *Stadtkirche* in Ludwigsburg, 1718–26. *Marktbrunnen*, ebda. 1723. Nach eigenen Entwürfen: *Schloß Freudenthal*, 1728. *Schloß Heimsheim*, 1729/30.
Lit.: E. v. Cranach-Sichart in: Th.-B. 1934.

Reymerswaele (Roymerswaele), Marinus van, niederl. Maler, * um 1493, † 1567, tätig in Antwerpen u. Zeeland, Meister aus dem Kreise der → Massys-Nachfolge, wichtig als Glied der Emanzipation des Sittenbildes vom Andachtsbild. Seine Bilder, auch wenn religiösen Inhaltes, sind meist Genredarstellungen. Sein spezielles Thema: Geldwechsler, Steuereinnehmer u. ä., ferner Gelehrte als Hieronymus u. a. Heilige. *Geldwechsler mit Frau:* Exemplare in Kopenhagen, Dresden, Madrid, Florenz, Nantes. *Steuereinnehmer:* etwa 20 Exemplare. *Hieronymus in der Studierstube:* Madrid, Douai, Leningrad, Wien, Bordeaux u. a. Ferner einige Bildnisse. Vertreten in Antwerpen, Madrid, München, Dresden, Berlin, Nantes, Florenz, Kopenhagen, Leningrad, Neapel, Bologna, London, Vaduz, Slg. Liechtenstein u. a.
Lit.: Wurzbach, *Niederl. Künstlerlex.*, 1910. F. Winkler, *Altniederl. Malerei*, 1924. M. J. Friedländer, *Altniederl. Malerei* XII. K. Steinbart in: Th.-B. 1930 (Marinus van Roymerswaele).

Reymond, franz. Emailleurfamilie aus Limoges; bedeutendster Vertreter: *Pierre R.*, * um 1513, † um 1584, einer der fruchtbarsten u. bekanntesten Emailleure der Renaissance. Er schuf haupts. mit figürlichen Darstellungen verziertes Tafelgeschirr. Werke in Paris (Louvre), Lyon, London (Wallace Coll.), München (Bayer. Nat.-Mus.), Wien (Mus. f. Kunst u. Industrie) u. a.
Lit.: G. Fontana in: Th.-B. 1934.

Reynolds, Sir Joshua, engl. Maler, Plympton b. Plymouth 1723–1792 London, Hauptmeister der engl. Kunst des 18. Jh., Schüler von Th. → Hudson, 1749–52 in Italien, dann in London tätig; 1768 Präsident der neu gegründeten Akad. London,

1784 Hofmaler Georgs III. R. studierte auf weiten Reisen die Niederländer u. die Italiener, bes. die Venezianer. Sein Bestreben war, die «Große Malerei» nach England zu verpflanzen. Als Historienmaler Eklektiker; als Bildnismaler Fortsetzer der großen Tradition van → Dycks, wozu ein Einschlag der Venezianer u. des Rembrandtschen Helldunkels kam; unvergleichlich als Darsteller von Frauen u. Kindern. Gegen 2000 Bildnisse bekannt; viele durch Kupferstiche verbreitet.
Werke: das wohl berühmteste Bildnis: *Nelly O'Brien*, 1763, London, Wallace Coll. Weitere Hauptwerke: *Countess of Albemarle*, 1759, London, Nat. Gall. *Selbstbildnis*, 1773, ebda. *Lady Cockburn mit Kindern*, 1773, ebda. *Prinz v. Wales*, 1779, ebda. *Mrs. Siddons als tragische Muse*, 1774, Dulwich, Gal. *Herzogin v. Devonshire mit Töchterchen*, 1786, Chatsworth. *Bildnis Miss Bowles*, 1775, London, Wallace Coll. *Alter der Unschuld*, 1788, London, Nat. Gall.
Lit.: Leslie u. Taylor, 1865. Graves u. Coonin, 1899 –1901. W. Armstrong, 1907. M. Osborn, 1908. Ders., *Kunst d. Rokoko*, 1929. E. Waldmann, *Engl. Malerei*, 1927.

Ribalta, Francisco, span. Maler, Solsona (Katalonien) 1565–1628 Valencia, bildete sich in Madrid aus, studierte eifrig die Italiener, doch ist ein Italienaufenthalt nicht sicher bezeugt. Seit 1599 in Valencia tätig, Lehrer → Riberas, Begründer der nationalspan. Malerei des 17. Jh. u. Haupt der Valencianer Schule. Aus dem Studium → Correggios u. → Caravaggios entwickelte er einen selbständigen Helldunkelstil (Tenebroso).
Werke: *Christus am Kreuz*, Leningrad, 1582. *Santiago-Retabel*, 1603, Algemesi, Hauptkirche. *Abendmahl*, 1610, Valencia, Kirche Corpus Christi. *Retabel der Kartause von Portaceli* b. Betera, 1627. *Vision des hl. Franziskus*, Madrid, Prado. *Hl. Sebastian*, Valencia, Gal. Weitere Werke das. u. im Prado.
Lit.: A. L. Mayer in: Th.-B., 1934. D. Fitz-Darby, *F. R. and his school*, 1938. Espresati, 1954. J. Lassaigne, *Peint. espagn.*, 1952.

Ribarz, Rudolf, österr. Maler, Wien 1848–1904 ebda., pflegte das «paysage intime» im Sinne der Meister von → Barbizon, später eine dekorative Form der Landschaftsdarstellung mit großblättrigem Pflanzenwerk vorn als Rahmen. 1876–92 in Paris, wo er mit → Daubigny, → Dupré, → Corot in Verbindung trat. Vertreten in Wien (Österr. Gal.), München, Stockholm u. a.
Lit.: H. Ankwicz in: Th.-B. 1934.

Ribera, Jusepe de, gen. lo Spagnoletto, span. Maler, Játiba 1591–1652 Neapel, ausgebildet von → Ribalta in Valencia, weitergebildet in Italien, seit 1616 ständig in Neapel, Mittler zwischen ital. u. span. Kunst. Sein Schaffen fällt mit der Blüte der Sevillaner Schule

zus. u. begründet die Blüte der Neapeler. Im Stil ging er v. der Helldunkelmanier Ribaltas aus, schloß sich in Italien entschieden → Caravaggio an; doch versuchte er in s. späteren Phase das Helldunkel immer mehr zu überwinden u. s. Farben im Sinne → Murillos aufzulichten.
Hauptwerke aus der Frühzeit: *Kruzifixus*, Osuna, Colegiata. *Ignatiusgeschichten*, Neapel, Gesù. *Silen*, Neapel, Mus. *Hl. Hieronymus*, 1626, Leningrad. *Andreasmarter*, 1628, Budapest, Nat.-Mus. Aus der Hauptzeit, um 1635–45 (Monumentalität, silbergraue Töne): *Unbefleckte Empfängnis*, 1635, Salamanca, Kirche der Agostinas Recoletas. *Hl. Sebastian*, Berlin, staatl. Gal. *Isaak segnet Jakob*, 1637, Madrid, Prado. Spätzeit: *Anbetung der Hirten*, Paris, Louvre. *Jakobs Traum*, 1646, Madrid, Prado. *Der hl. Franz*, 1642, Dresden, Gal.
R. ist reich vertreten im Prado-Mus. (ca. 50 Bilder) u. in Neapel, Mus. Ferner in vielen europ. Gal. Sehr bedeutend auch in s. realist. Genrebildern (*Alte Frau mit Henne*, München, N. P.) u. in s. Radierungen.
Lit.: A. L. Mayer, [2]1923. Ders. in: Th.-B. 1934. H. Kehrer, *Span. Kunst v. Greco bis Goya*, 1926. E. Du Gué Trapier, 1952. J. Lassaigne, *Peint espagn.*, 1952.

Ribera, Pedro, span. Arch., * um 1680, † 1742 Madrid, Hauptmeister des Madrider Barock, Schüler von → Churriguera, wirkte als Baudirektor in Madrid. Hauptwerk: *Fassade des ehem. Hospicio Provincial* in Madrid mit überreich dekoriertem Portal, 1726, Hauptbeispiel des sog. Churriguerismus.
Lit.: A. L. Mayer, *Barockplastik*, 1923. F. J. Sanchez Canton in: Th.-B. 1934.

Ribot, Théodule, franz. Maler u. Radierer, St-Nicolas d'Attez 1823–1891 Colombes, Schüler von Glaize; 3jähriger Aufenthalt in Deutschland; studierte bes. → Ribera, die alten Niederländer, die → Le Nain u. → Chardin. Er schuf religiöse Darstellungen, Stilleben, Bildnisse, realist. Küchenstücke u. a. Er liebte starke Lichtkontraste unter Verzicht auf Farbigkeit; oft stand er → Courbet u. → Manet nahe (letzterem ging er im Studium der Spanier voraus). Vertreten in Paris (Luxembourg), Besançon, Bordeaux, Caen, Grenoble, Lyon, Marseille, Rouen u. a. franz. Mus. Ferner in Amsterdam, Stockholm, Stuttgart, Wien (Gal. des 19.Jh.); Boston, Chicago, Philadelphia u. a.
Lit.: L. de Fourcaud, 1885. Bénézit, 1954.

Ricard, Gustave, franz. Maler, Marseille 1823 bis 1873 Paris, Schüler von R. Aubert u. L. → Cogniet, seit 1843 in Paris, schuf haupts. Bildnisse; mit ihrem die Umrisse verschwimmen lassenden «Galerieton» haben sie etwas Eklektisches. Vertreten in Paris

(Louvre), Brüssel, Grenoble, Den Haag, London, Marseille, Montpellier, New York, Straßburg, Toulouse u. a.
Lit.: L. Brès, 1873. C. Mauclair, 1902. S. Giraud, 1932. Th.-B. 1934. A. Michel, *Hist. de l'Art* 8, 1926.

Ricchini (Ricchino), Francesco Maria, ital. Arch., * 1583, † 1658, tätig in Mailand, Entwurf des *Pal. di Brera* (beg. 1651 als Jesuitenkonvikt, voll. im 18. Jh.). An vielen Mailänder Palast- u. Kirchenbauten beteiligt, u. a. auch am *Dom;* als s. Hauptwerk gilt die *Chiesa di S. Giuseppe*, 1607–30.
Lit.: A. E. Brinckmann, *Baukunst des 17. u. 18. Jh.* (Handb. der K. W.), [5]1929. P. Arrigoni in: Th.-B. 1934.

Ricci, Alfredo, ital. Maler, Rom 1864–1889 ebda., schuf haupts. Landschaften, vertreten in Rom, Gall. mod.; auch feine Kinderbildnisse.
Lit.: E. Somaré, *Storia della pitt. ital. dell'ottocento*, 1930. P. Bucarelli in: Enc. Ital. 1936.

Ricci, Francesco → Rizi, Francesco.

Ricci, Giovan Battista, ital. Maler, Novara 1537 bis 1627 Rom, haupts. Freskenwerke für röm. Kirchen: S. Maria Maggiore, S. Marcello al Corso u. a. Stark von Fed. → Zuccari beeinflußt.
Lit.: A. Venturi IX, 5, 1932. G. Pucci in: Enc. Ital. 1936.

Ricci, Marco, ital. Maler, Belluno 1676–1727 Venedig, Begründer der venez. oberital. Landschaftsmalerei des 18. Jh., Neffe u. Mitarbeiter Sebastiano → R.s, spezialisierte sich ganz auf die Landschaftsdarstellung. Diese hatte sich, ausgehend von → Tizians Zeichnungen u. der Graphik von → Campagnola, immer mehr verselbständigt u. wurde von Salvator → Rosa zu einer barocken Romantik geführt. Unter dem Einfluß von → Magnascos Kunst führte R. die Linie dieser barocken wild-romant. Landschaftsdarstellung weiter. Tätig in Turin, Rom, Florenz, Mailand, Venedig. Beisp.: *Landschaft mit Wasserfall*, um 1705, Venedig, Akad. Vertreten in den Mus. v. Bassano, Vicenza, Venedig, Washington (Nat. Gall.).
Lit.: Delogu, *Pittori veneti minori del settecento*, 1930. R. Pallucchini, *La pittura veneziana del settecento*, 1951/52. G. Delogu, *La pittura veneziana*, 1958. E. Hüttinger, *Venez. Mal.*, 1959.

Ricci, Sebastiano, ital. Maler, Belluno 1659–1734 Venedig, Hauptmeister des venez. Spätbarock, Schüler von → Mazzoni u. Cervelli in Venedig, nahm vielerlei Einflüsse auf: des Pietro da → Cortona, der Bologneser (→ Carracci, G. → Reni) u. a. u. entwickelte einen heiteren, hellfarbigen Stil, der an die venez. Barocktradition, bes. → Veronese

anknüpft u. → Tiepolo vorbereitet. R. schuf allegor. u. kirchliche Freskenwerke u. Altarbilder. Hauptfreskenwerke: *Himmelfahrt der Seligen*, Kuppelgemälde in S. Bernardino dei Morti in Mailand, 1695 bis 98; mythol. *Wand- u. Deckengemälde im Pal. Marucelli* in Florenz, um 1706. *Ankunft der Leiche des hl. Markus*, Lünettenbild im Dogenpalast, Venedig, 1728; Karton zum Mosaik der Fassade der Markuskirche, Venedig. Hauptbilder: *Thronende Madonna mit Kind u. Heiligen*, 1708, Venedig, S. Giorgio Maggiore. *Pius V. u. Heilige*, Venedig, Jesuitenkirche. *Kreuzauffindung*, 1733/34, Venedig, S. Rocco. *Himmelfahrt Christi*, 1702, Dresden, Gal.
Lit.: J. v. Derschau, 1922. M. Goering in: Th.-B. 1934. E. Hüttinger, *Venez. Mal.*, 1959.

Ricci, Stefano, ital. Bildhauer, Florenz 1765–1837 ebda., von → Canova beeinflußter Klassizist; Grabmäler, Statuen, Denkmäler. Hauptwerk: *Dante-Kenotaph*, 1829, Florenz, S. Croce.
Lit.: L. Servolini in: Enc. Ital. 1936.

Riccio, Andrea, eig. Briosco, ital. Bildhauer, Padua 1470–1532 ebda., Schüler von B. → Bellano, schuf Bronzebildwerke in einem vom Naturalismus zum Hochrenaissance-Ideal sich entwickelnden Stil.
Hauptwerke: *2 Chorschrankenreliefs* in S. Antonio in Padua, 1506/07; *Osterleuchter*, ebda., 1507–16; *Grabmal Trombetta*, 1522, ebda.; *Grabmal Torriani*, Verona, S. Fermo; *Reliefs* im Dogenpal. Venedig; *Kleinbronzen* (Statuetten, Geräte, Plaketten) in Florenz, Mus. Naz.; Berlin, ehem. K.-F.-Mus. u. a.
Lit.: W. v. Bode, *Ital. Bronzestatuetten der Renaissance*, 1907–12 (kl. Ausg. 1923). L. Planiscig, 1927.

Riccomanni, ital. Bildhauer- u. Arch.-Familie, aus Pietrasanta, 15. Jh., wichtigstes Mitglied:
Leonardo R., † um 1472 Pietrasanta, erhielt 1432 den Auftrag für den *Hochaltar aus Marmor* des Domes zu Sarzana, mit Krönung Mariä u. Heiligengestalten. R. erweist sich in diesem Werk als kraftvoller Plastiker, im architekturalen Beiwerk noch Gotiker; in der Gestaltung des Figürlichen von der florentin. Frührenaissance berührt (→ Donatello, Jac. della → Quercia).
Lit.: F. Rossi in: Enc. Ital. 1936.

Richardson, Henry Hobson, amerik. Arch., Priestley Plantation 1838–1886 Brookline (Mass.), gehört zu den Begründern der modernen, von der Tradition losgelösten Baukunst. Schüler der Pariser Ecole des B.-Arts, Assistent bei → Hittorf u. → Labrouste. Erinnerungen an die roman. Baukunst Südfrankreichs hatten Einfluß auf die Entwicklung seiner künstlerischen Eigenart. Er entwarf Geschäftshäuser, Villen, Kirchenbauten, Bibliotheksbauten u. v. a. Zu s. fähigsten Nachfolgern zählt Stanford White; seine Einwirkung ging bis auf → Sullivan u. Frank Lloyd → Wright. Kirchen: *Brattle Square Kirche*, Boston, 1870–72. *Dreifaltigkeitskirche*, ebda., 1872–77. Geschäftshäuser: *Kaufhaus Marshall Field* in Chicago (Entw. 1885). Ferner *Austin Hall*, Harvard Univ., Cambridge (Mass.).
Lit.: H. R. Hitchcock, 1936. Schuyler Van Rensselaer, 1888. T. F. Hamlin, *The American Spirit in Architecture*, 1926. T. E. Tallmadge, *The Story of Architect. in America*, 1927. H. R. Hitchcock, *Mod. Architect.*, 1929. D. Fitz-Darby in: Enc. Ital. 1936. N. Pevsner, *Wegbereiter mod. Formgebung*, 1949 (1957).

Richardson, Jonathan, engl. Maler, * 1665, † 1745 London, Porträtist, Schüler von → Riley, beeinflußt von → Kneller. R. war auch Kunstkritiker u. Theoretiker («Essay on the Theory of painting», 1715 u. a.). Bildnisse in London, Nat. Portr. Gall. u. Victoria u. Albert Mus.; Hampton Court, Cambridge (Fitzwilliam Mus.), Boston u. a.
Lit.: J. v. Schlosser, *Kunstliteratur*, 1924 (über den Theoretiker). M. Osborn, *Kunst d. Rokoko*, 1929.

Richet, Léon, franz. Maler, Solesmes 1847–1907 Paris, von der Schule von → Barbizon beeinflußter Landschafter, Schüler von J. → Lefebvre, G. → Boulanger, → Diaz.

Richier, Germaine, franz. Bildhauerin, Grans b. Arles 1904–1959 Montpellier, Schülerin von → Bourdelle 1925–29, verheiratet mit dem Bildhauer O. Ch. → Bänninger, schuf einen ihr eigenen Typus von Gestalten wie den «Krallenmenschen», «hagere, geschlechtslose, in einem Netz von Fäden eingesponnene Figuren» (W. Hofmann). In ihrer Kunst etwa mit Alberto → Giacometti, → Armitage, → Chadwick zu vergleichen.
Lit.: C. Giedion-Welcker, *Plastik des 20. Jh.*, 1955. *Ausst.-Kat. Paris* 1956. W. Hofmann, *Plastik des 20. Jh.*, 1958.

Richier, Ligier, franz.-lothring. Bildhauer, * Saint-Mihiel um 1500, † um 1566 Genf, bedeutender Vertreter der letzten realist. Phase der Spätgotik im Übergang zur Renaissance. Erhalten sind haupts. Grabmäler. Frühes Werk: *Steinretabel* der Kirche in Hattonchâtel, 1523, mit Kreuztragung, Kreuzigung u. Grablegung. Die Figurengruppen got., die Ornamentik in ital. Renaissanceelementen. Vom *Grabmal des René v. Châlons*, Grafen v. Nassau, ist erhalten: die *Figur des Todes* in St-Pierre in Bar-le-Duc, in welcher sich der Realismus der Spätgotik mit der vollkommenen anatomischen Kenntnis der ital. Renaissance eigenartig verbindet. Ferner *Grabmal der Herzogin Philippa v. Geldern* († 1547) in der ehem. Barfüßerkirche in Nancy; erhalten die Liegefigur u. die kniende, die Krone haltende Klarissin. Weitere Werke in Notre-Dame in Bar-le-Duc; im Mus., ebda.; in Paris, Louvre u. a.

Lit.: C. H. Dauban, 1861. Abbé Soubaut, 1883. P. Denis, 1911. A. Michel, *Hist. de l'Art* IV, 2, 1911. M. Devigne in: Th.-B. 1934. Y. Obriot in: Enc. Ital. 1936.

Richter, Gustav, dt. Maler, Berlin 1823–1884 ebda., 1844–46 in Paris (Schüler von L. → Cogniet), schuf Bilder aus dem Orient (*Bau der ägypt. Pyramiden,* München, Maximilianeum); Genreszenen aus Italien (*Neapol. Fischerknabe*); Bildnisse der zeitgenössischen Gesellschaft; volkstümlich s. idealisierende Darstellung der *Königin Luise,* 1879, Köln, Wallraf-Richartz-Mus.

Richter, Hans Theo, dt. Maler, Zeichner, Lithograph, * Rochlitz in Sa. 1902, Schüler von O. → Dix in Dresden, seit 1947 Prof. für Graphik an der Hochschule für bild. Künste in Dresden, begann als Maler, beschränkte sich später ganz auf die Zeichnung (Blei, Kreide, Tusche, Kohle, Rötel, auch Pinsel u. Feder) u. Litho. Lit.: W. Balzer, *Graph. Werk seit 1945,* 1956. D. Kunst u. das schöne Heim, 53, 1954/55; 54, 1955/56.

Richter, Ludwig, dt. Maler u. Zeichner, Dresden 1803–1884 ebda., Meister der volkstümlichen Buchillustration, begann mit handwerksmäßig hergestellten Landschaftsradierungen aus der Dresdner Umgebung (im Verein mit s. Vater, dem Kupferstecher *Karl August* R.), bildete sich 1823–26 in Italien weiter, wo er sich den → Nazarenern anschloß. → Koch u. → Reinhart beeinflußten s. Landschaftsmalerei, → Schnorr s. Figurenzeichnung. Wieder in Dresden, ließen ihn Aufträge für Buchillustrationen s. eig. Weg finden, der ihn populär machte: eine von fabulierender Phantasie u. Frömmigkeit erfüllte Bilderwelt. 1828–35 Zeichenlehrer an der Meißner Porzellanmanufaktur, seit 1836 Lehrer der Dresdner Akad. (seit 1841 Prof.). Hauptwerke als Illustrator: *Dt. Volksbücher,* 1838 –46; *Volksmärchen v. Musäus,* 1842; *Alemann. Gedichte von Hebel,* 1851; *Andersens Märchen,* 1851; *Bechsteins Märchen,* 1853. Mappenwerke: *R.-Album,* 1848–51; *Kinderleben,* 1852; *Goethe-Album,* 1853–56; *Unser täglich Brot,* 1866; *Bilder u. Vignetten,* 1874 u. a. Als Maler: Werke in den Gal. v. Dresden (*Brautzug im Frühling,* 1847); Leipzig (*Abendandacht,* 1842), Hamburg; Zeichnungen in Dresden, Kupferst.-Kab.; Essen, Folkwang; Leipzig, Mus.; Berlin, Nat. Gal. Lit.: Wessely, 1883. Erler, 1897. D. Koch, 1903. Hoff, 1922. P. Mohn, [7]1926. F. Breucker, *R. u. Goethe,* 1926. K. J. Friedrich, *Die Gemälde R.s,* 1937. E. Kalkschmidt, [2]1948.

Ricketts, Charles, engl. Maler, Graphiker u. Buchkünstler, Genf 1866–1931 London, wuchs in Frankreich auf, gebildet unter dem Einfluß der Roman-

tiker, bes. → Delacroix', begründete 1896 die Vale Press; illustrierte viele Bücher mit Holzschnitten, schuf Bühnenbilder, Entwürfe für Theaterinszenierungen, auch Kleinbronzen u. a. Als Graphiker u. Buchkünstler in der Gefolgschaft der → Präraffaeliten u. William → Morris'; als Bildhauer von → Rodin beeinflußt. Beisp.: *Don Juan,* London, Tate Gall. Illustr. zu *Oskar Wildes «A House of Pomegranates»,* 1891 (zus. mit → Shannon). Lit.: Ch. Holmes, 1932. C. Glaser, *Graphik der Neuzeit,* 1922.

Ridinger (Riedinger), Johann Elias, dt. Maler, Zeichner u. Radierer, Ulm 1698–1767 Augsburg, bedeutender Tierdarsteller, Schüler des Schlachtenmalers → Rugendas, zeichnete, stach u. radierte annähernd 1300 Blätter mit Tieren, darunter die Folgen: *Der Fürsten Jagdlust* (36 Bl.); *Betrachtungen der wilden Tiere* (40 Bl.); *Das Paradies* (12 Bl.); Jagdu. Genredarstellungen, auch einige Bildnisse. Vertreten u. a. in den Gal. Donaueschingen, Dresden, Innsbruck, Ulm, Weimar. Zeichnungen in Berlin, Bremen, Brüssel, Budapest, Frankfurt, Hamburg u. a. Lit.: G. Thienemann, 1856–76. Kristeller, *Kupferst. u. Holzschnitt in 4 Jh.,* [4]1922. Lippmann, *Der Kupferst.,* [6]1926. Biermann, *Dt. Barock u. Rokoko,* 1914. N. Lieb in: Th.-B. 1934.

Riedinger (Ridinger), Georg, dt. Arch., * Straßburg um 1568, erbaute 1605–14 das *Schloß Aschaffenburg,* ein Hauptwerk des dt. Frühbarock, für den Erzbischof von Mainz; die erste streng regelmäßige Schloßanlage Deutschlands. *Schloß Philippsburg,* 1626, ist zerstört. Lit.: Schulze-Kolbitz, *Das Schloß in Aschaffenburg,* 1905. M. Wackernagel, *Baukunst des 17. u. 18. Jh.,* (Handb. der K. W.), 1921. G. Dehio, *Geschichte der dt. Kunst* 3, 1926. Ders., *Hb. d. dt. Kunstdenkm.* 1, 1905 (Neuausg. v. E. Gall, 1935).

Riefstahl, Wilhelm, dt. Maler, Neustrelitz 1827 bis 1888 München, Schüler von W. → Schirmer in Berlin, war 1870–73 Prof.; 1875–77 Dir. der Kunstschule Karlsruhe; von 1878 an in München tätig; zeichnete 1848 die Architekturbilder zu Kuglers Kunstgeschichte; Stimmungslandschaften mit genrehafter Staffage; Architekturbilder u. a. Werke in den Gal. von Berlin, Breslau, Dresden, Frankfurt, Karlsruhe, Leipzig, New York, Schwerin, Wiesbaden u. a. Lit.: W. Lübke, 1890. Gehrig in: Th.-B. 1934.

Riemenschneider, Tilman, dt. Bildhauer u. Bildschnitzer, Osterode am Harz um 1460–1531 Würzburg, Hauptmeister der dt. Spätgotik, hat s. Ausbildung wohl am Oberrhein u. in Schwaben im Umkreis von Niklaus → Gerhaert u. Jörg → Syrlin

erfahren, kam 1483 nach Würzburg, wo er fortan die Kunstentwicklung nachhaltig bestimmte. Aus s. Werkstatt gingen außerordentlich viele Werke hervor.
Hauptwerk der Frühzeit: *Steinfiguren von Adam u. Eva* für die Marienkapelle des Domes in Würzburg, 1491–93, Mainfränk. Mus., Würzburg. Holzgeschnitzte Altarwerke; die Hauptwerke: *Münnerstädter Altar*, 1490–92, heute nur Einzelteile erhalten in Münnerstadt, Pfarrkirche; München, Bayer. Nat.-Mus.; Berlin, Dt. Mus. *Heiligenblutaltar* in der Jakobskirche in Rothenburg, 1499–1505, mit der Darstellung des Abendmahles im Mittelschrein. *Altar der Herrgottskirche in Creglingen* b. Rothenburg, um 1505, mit Mariä Himmelfahrt im Mittelschrein. *Altar der Pfarrkirche in Dettwang* b. Rothenburg. Den Altären des Taubergrundes ist eigen, daß sie keine Fassung hatten, sondern unbemalt blieben, das Holz ist überaus fein bearbeitet auf malerische Effekte hin. R. erkannte, daß bei Verzicht auf Farbe u. bei gesteigerter Licht-Schatten-Wirkung eine erhöhte malerische Wirkung sich erzielen läßt.
Hauptwerke der Grabmalplastik in Stein: *Wandgrab des Fürstbischofs Rudolf v. Scherenberg*, Würzburg, Dom, 1498–99. *Steinwandgrab des Lorenz v. Bibra* († 1519), Würzburg, Dom. Das *Denkmal für Bischof Rudolf v. Scherenberg* bezeichnet den Höhepunkt in der Reihe der Würzburger Bischofsgräber.
Madonnenwerke: Große *Sandsteinmadonna* im Neumünster in Würzburg, 1493. In Holz: *Maria*, Berlin, staatl. Mus., weitere Holzmadonnen im Mainfränk. Mus., Würzburg. Ferner *Hl. Anna* vom verlorenen Annenaltar für die Würzburger Marienkapelle, 1505, München, Nat.-Mus. *Hl. Anna selbdritt*, Würzburg, Mainfränk. Mus. *Apostelfigur* aus Stein, für die äußeren Strebepfeiler der Marienkapelle in Würzburg, 1506 voll., ebda., Mainfränk. Mus.
Lit.: E. Tönnies, 1900. H. Schrade, 1927. J. Bier, [4]1937. Th. Demmler, *Die Meisterwerke R.s*, 1937. K. Gerstenberg, [2]1943. F. Knapp, [4]1941. M. H. v. Freeden, 1954.

Riemerschmid, Richard, dt. Arch., Maler u. Kunstgewerbler, München 1868–1957 ebda. Vertreter des Münchner Jugendstils, war anfangs Maler, wandte sich 1898 dem Kunsthandwerk, seit 1901 dem Bauen zu, leitete 1912–24 die Kunstgewerbeschule München, 1926–31 die Kölner Werkschulen. R. hat als Mitbegründer des Deutschen Werkbundes an der Erneuerung des dt. Kunsthandwerks u. der baukünstlerischen Gesinnung mitgewirkt.
Werke: *Schauspielhaus München*, 1901 (Ausbau); *Gartenstadt Hellerau* bei Dresden (Bebauungsplan); *Fabrikgebäude der dt. Werkstätten*, Dresden, 1909; *Festhalle* für die Eröffnung des Dt. Mus. in München, 1925. *Funkhaus des Bayer. Rundfunks*, ebda., 1928/29. Inneneinrichtungen, Kunstgewerbliches, Gläser, Stoffe, Tapeten usw. Schriften: «Künst-

lerische Erziehungsfragen», 1917–19. «Der Dt. Werkbund», 1928.
Lit.: F. Ahlers-Hestermann, 1941. W. Haftmann, *Malerei des 20. Jh.*, 1954. G. A. Platz, *Baukunst der neuesten Zeit*, 1927. Vollmer, 1958. *Ausst.-Kat. Aufbruch z. mod. Kunst*, München 1958.

Riepenhausen, Franz, dt. Maler, Zeichner u. Radierer, Göttingen 1786–1831 Rom, dt.-röm., den → Nazarenern nahestehender Meister, der mit s. Bruder *Johannes* (1788–1860) zusammenarbeitete. Sie waren beide Schüler W. → Tischbeins in Kassel u. lebten seit 1805 in Rom. Sie schufen Umrißzeichnungen zu klass. Dichtungen u. radierten Szenen aus den homerischen Epen. 1805 gaben sie 32 Blätter Wiederherstellungszeichnungen nach → Polygnots Gemälden in Stichwiedergabe heraus.

Riesener, Jean-Henri, dt.-franz. Kunsttischler, Mönchen-Gladbach 1734–1806 Paris, nach → Oeben der hervorragendste Meister s. Zeit, übernahm 1767 die Werkstatt Oebens in Paris u. wurde 1782 «ébéniste du Roi», schuf Möbel in elegantem Louis XV. u. im Übergangsstil zum Louis XVI. Sein berühmtestes Werk: die Vollendung des von Oeben beg. *Schreibtisches Ludwigs XV.*, 1769, Paris, Louvre. Werke ebda. u. in London, South Kensington Mus. u. Wallace Coll.
Lit.: A. Feulner, *Kunstgesch. des Möbels*, 1927. F. de Salverte, *Les ébénistes du 18e siècle*, [2]1927.

Rieter, Heinrich, schweiz. Maler u. Radierer, Winterthur 1751–1818 Bern, gehört zu den schweiz. Kleinmeistern, Schüler von J. U. → Schellenberg in Winterthur u. A. → Graff in Dresden; ab 1777 in Bern tätig, malte Landschaften (Öl u. Aquarell), Bildnisse, u. a.; Stiche u. Lithographien. Er führte die Kunst von → Aberli weiter.
Lit.: W. Hugelshofer, *Schweiz. Kleinmeister*, 1943.

Rietschel, Ernst, dt. Bildhauer, Pulsnitz 1804–1861 Dresden, Hauptmeister der Denkmalplastik des 19. Jh., 1826–30 Gehilfe → Rauchs in Berlin, seit 1832 Prof. der Akad. Dresden, wo er die Überlieferung der Rauchschule fortsetzte. In s. Kunst ging er vom Klassizismus Rauchs aus, wandte sich dann aber einem entschlossenen Realismus zu. In diesem Sinne wurde sein *Denkmal Lessings*, 1853, Braunschweig, seinerzeit freudig begrüßt. 1858 wurde ihm das große *Lutherdenkmal* in Worms zur Ausführung übertragen. Er schuf ein Modell u. entwarf die Statuen Luthers u. Wiclifs (von s. Schülern Donndorf u. a. voll.). Diesem Denkmal fehlt der einheitliche Aufbau, es zeigt die Grenzen s. Kunst.
Weitere Werke: Bronzestandbilder: *Thaer*, 1850, Leipzig; *Goethe- u. Schillerdenkmal*, 1857, Weimar; *Karl Maria v. Weber*, 1860, Dresden. *Giebelgruppen:* am Augusteum der Univ. Leipzig, 1835–38; am Hof-

theater Dresden, 1839 (1869 brandvernichtet); am Opernhaus Berlin, 1844; *Pietà*, 1845, Potsdam, Friedenskirche. Seine Werke in Abgüssen im Rietschel-Mus. in Dresden.
Lit.: Oppermann, [2]1873. M. O. Johannes, 1938.

Rietveld, Gerrit Thomas, holl. Arch., * Utrecht 1888, bedeutender Vertreter der modernen Baukunst, gehörte zu den ältesten Mitgliedern der Künstlergruppe «Stijl» (→ Mondrian, van → Doesburg). Er vertrat in s. Bauweise deren Ideal des Geometrisch-Funktionellen. R. entwarf auch Holz- u. Stahlmöbel.
Lit.: G. A. Platz, *Wohnräume d. Gegenwart*, 1933.

Rigaud, Hyacinthe, eig. Rigau y Ros, gen. R., franz. Maler, Perpignan 1659–1743 Paris, der bedeutendste Bildnismaler der Zeit Ludwigs XIV. Seit 1680 in Paris, wo er eine große Werkstatt mit zahlreichen Mitarbeitern hatte, aus der überaus viele Bilder hervorgingen, von denen viele durch gute Stecher wie P. → Drevet vervielfältigt wurden. Von van → Dyck beeinflußt, hat R. die Großen s. Zeit in großartiger Gebärde dargestellt, die besten Bilder auch in guter Charakterisierung.
Werke: *Bildnis Ludwigs XIV.*, 1701, Paris, Louvre. *Bossuet*, 1702, ebda. *Kardinal de Polignac*, 1715, ebda. *Doppelbildnis Lebrun u. Mignard*, 1730, ebda. *Der Stecher P. Drevet*, Lyon, Mus.
Lit.: A. Michel, *Hist. de l'art* VII, 1, 1923. E. Hildebrandt, *Mal. u. Plastik d. 18. Jh. in Franke.* (Handb. d. K. W.), 1924. L. Réau, *Hist. de la peint. franç. au 18e siècle* I, 1925. W. Weisbach, *Franz. Malerei d. 17. Jh.*, 1932.

Rijkaert → Ryckaert.

Rijn, Rembrandt Harmensz van → Rembrandt.

Riley, John, engl. Maler, London 1646–1691 ebda., nach dem Tode von → Lely der beliebteste engl. Porträtist neben → Kneller; Hofmaler Wilhelms III. u. der Königin Maria. Vertreten in London (Nat. Portr. Gall.), Hampton Court, Oxford (Christ Church), Venedig (Akad.). Zeichnungen in London, Brit. Mus. u. Victoria u. Albert Mus.

Riminaldi, Orazio, ital. Maler, Pisa 1586–1630 ebda., von → Caravaggio u. → Domenichino beeinflußt, Hauptwerke die *Malereien der Domkuppel zu Pisa* (beg. 1627, voll. von s. Bruder Girolamo). Werke in der Tribuna des Domes von Pisa; im Mus. ebda.; in Florenz, Pitti (*Amor als Künstler*) u. Uff. (*Selbstbildnis*); Wien, Albertina u. a.
Lit.: M. Marangoni in: Enc. Ital. 1936.

Ring, Ludger tom, d. Ä., dt. Maler, Arch. u. Zeichner für Holzschnitt, Münster 1496–1547 ebda.,

bedeutender Renaissance-Bildnismaler, wahrscheinlich in den Niederlanden ausgebildet, in Münster tätig, malte Kirchenbilder, vor allem feine Bildnisse, die z. T. Holbein zugeschrieben wurden. Beisp.: *Bildnis eines Baumeisters*, um 1541, Berlin, staatl. Mus. Werke in Köln, Wallraf-Richartz; Münster, Dom u. Mus.
Seine Söhne *Hermann* (1521–1596) u. *Ludger d. J.* (1522–1583/84) setzten die Kunst des Vaters fort.
Lit.: Geisberg, *Die Werke der Münsterschen Malerfamilie tom R.*, 1924. Hölker, *Die Malerfamilie tom R.*, Diss. Münster 1926. Th. Riewerts u. P. Pieper, *Die Maler tom R.*, 1955.

Riopelle, Jean Paul, kanad. Maler, * Montreal 1923, 1945 ff. in Paris, gehört zu den führenden Vertretern des Tachismus; gründete 1940 in Montreal mit Paul Emile → Borduas die Bewegung der Automatisten.
Lit.: Seuphor, *Dict. peint. abstr.*, 1957 (dt.: *Knaurs Lex. abstr. Malerei*, 1957). Vollmer, 1958. M. Brion, Ecole de Paris in: *Neue Kunst nach 1945*, hg. v. W. Grohmann, 1958.

Risa Abbasi → Riza Abbasi.

Rippl-Rónai, Jozsef, ungar. Maler u. Graphiker, Kaposvár 1861–1927 ebda., Schüler von → Herterich in München u. → Munkácsy in Paris; seit 1902 meist in Ungarn tätig. R., der längere Zeit in Paris lebte, war stark von der franz. Kunst beeinflußt. Befreundet mit → Maillol, der ihn den → «Nabis» zuführte, schloß er sich in s. Malweise besonders → Bonnard u. → Vuillard an. R. zählt zu den Wegbereitern der modernen Malerei in Ungarn. In s. späteren Zeit überwiegend Pastellbilder u. feine Porträts.
Lit.: K. Lyka in: Th.-B. 1934. J. Genthon, *R.-R., le Nabi hongrois*, 1958.

Ritschl, Otto, dt. Maler, * Erfurt 1885, tätig in Wiesbaden, Vertreter der abstrakten Kunst, beeinflußt von → Jawlenskij; er reiht in s. Malerei Farbflecken in streng geometrischer Ordnung aneinander.
Lit.: O. Domnick, *Die schöpferischen Kräfte in der abstrakten Malerei*, 1947. F. Roh, *Dt. Maler der Gegenw.*, 1957. Vollmer, 1958. *Knaurs Lex. abstr. Malerei* (M. Seuphor), 1957.

Ritsuo, auch Haritsu, Ogawa (Familienname), japan. Maler u. Lackmeister, 1663–1743, berühmt durch s. Lackarbeiten mit Einlagen von Blei, Keramik, Steinen usw.
Lit.: O. Kümmel in: Th.-B. 1934.

Ritter zu Grünstein, Anselm Franz, dt. Arch., wahrscheinl. Mainz um 1694–1765 Kiedrich (Rheingau), war 1725/26 in Frankreich, vielleicht Schüler

von G. → Boffrand; 1730 zum kurmainzischen Oberbaudirektor ernannt; umfassende Bautätigkeit in Mainz. Obwohl keine monumentale Bauanlage von ihm existiert, ist s. Einfluß auf den mainzischen Kunstkreis ein nachhaltiger gewesen. Er bestimmte den dortigen Spätbarock im Sinne des französ. Klassizismus (de → Cotte, → Blondel, → Boffrand). Werke: Anteil am Mainzer Schloßbau; Deutsch-Ordens-Kommende, ebda.; Anteil am Bruchsaler Schloßbau (Plan von M. → Welsch). Jagdschloß Jägersburg bei Forchheim, 1721–28; Schloß Pommersfelden: Teil der Nebengebäude; Ausbau der Gartenterrassen u. Wasserkünste, 1722–28 u. a.
Lit.: W. Boll in: Th.-B. 1934.

Rivera, Diego, mexikan. Maler, Guanajuato 1886 bis 1957 Mexico City, Hauptvertreter der modernen mexikan. Malerei, kam jung nach Paris, wo er der Freund → Modiglianis u. v. der Kunst der Kubisten beeindruckt wurde. Nach s. Heimat zurückgekehrt, wurde ihm die Kunst der Mayas u. Azteken zum Erlebnis. Zugleich wurde er von der revolutionären Strömung erfaßt u. setzte sich für die Errichtung einer rein mexikan. Akad. ein. Im Anschluß an die alten Überlieferungen schuf er eine Monumentalkunst; in riesigen Freskenwerken stellte er Szenen aus der Geschichte, aus dem politischen u. sozialen Leben Mexikos dar. Mit → Orozco u. → Siqueiros gehört er zu den Begründern der national-mexikan. modernen Kunst.
Hauptwerke: *Szenen aus der mexikan. Revolution,* Freskenfolge im Unterrichtsministerium, Mexico City. *Der Reichtum Californiens,* San Francisco, Stock Exchange Club.
Lit.: *Das Werk des Malers D. R.,* 1928 (Abb. u. Selbstbiographie). F. F. Paine, 1931. H. F. Secker, 1957. *D. R. 50 años de su labor artistica,* 1951. Vollmer, 1958.

Rivière, Briton, engl. Maler franz. Abstammung, London 1840–1920 ebda., einer der besten engl. Tiermaler der neueren Zeit, Schüler seines Vaters William R. u. von J. Pettie u. → Orchardson; er brachte – wie s. Vorgänger → Landseer – das Tier gern in enge seelische Verbindung mit dem Menschen; oft auch verarbeitete er literarische, bes. bibl. Vorwürfe in s. Tierbildern: *Das Wunder der 2000 Gadarener Säue* (die sich ins Meer stürzen), London, Tate Gall. *Daniel in der Löwengrube,* Liverpool, Gal. *Kirke,* Schwerin, Gal. *Der König trinkt* (Löwe am Bach), London, Diploma Gall. Gut in der Tate Gall., London, vertreten.
Lit.: W. Armstrong in: The Art Annual, 1891. F. W. Stephens in: The Portfolio, 1892. Ders. in: The Connoisseur, 1920.

Riza Abbasi (Riza-i-Abbasi, Ali), pers. Maler, tätig 1. Hälfte 17. Jh. in Isfahan, schuf Miniaturen u.

Pinselzeichnungen mit Szenen aus dem Hofleben u. aus der pers. Sagen-, Liebes- u. der volkstümlichen Welt.
Lit.: F. Sarre u. E. Mittwoch, *Zeichn. v. R. A.,* 1914. E. Ruhnel, *Miniaturmaler im islam. Orient,* [2]1923. A. Grohmann u. Th. W. Arnold, *Denkmäler islam. Buchkunst,* 1929.

Rizi (Ricci), Francisco, span. Maler, Madrid 1608 bis 1685 Escorial, neben → Carreño u. Cl. → Coello der Hauptmeister der Madrider Barockmalerei, Schüler von → Carducho, 1656 «pintor del Rey», führte dekorative Freskenwerke für Schlösser u. Kirchen aus, viele Altarwerke, Porträts u. a.
Freskenwerke: im Alcázar in Madrid; in der Kathedrale v. Toledo (zus. mit Carreño); in verschiedenen Madrider Kirchen; Bühnendekorationen für das Schloßtheater von Buen Retiro. Altarwerke: *Hochaltarbild im Schloß El Pardo* bei Madrid, 1650. Über 20 Tafeln in der *Kathedrale S. Isidro* zu Madrid. Werke im Prado u. Wien, Staatsgal.
Lit.: A. L. Mayer, *Geschichte der span. Malerei,* 1922.

Rizi (Ricci), Juan, span. Maler, Madrid 1600–1681 Monte Cassino, Bruder des Francisco R., Schüler des Juan Bautista → Mayno, wurde 1627 Benediktinermönch, ging 1662 nach Rom, seit 1670 im Kloster Monte Cassino. Maler herber religiöser Gemälde, mit Anklängen an s. Zeitgenossen → Zurbarán u. Espinosa, gelegentlich auch von → Velazquez beeinflußt.
Hauptwerke: *Altarbilder im Kloster S. Millán de la Cogolla,* 1653 ff.; im *Kloster von Silos;* in der *Kathedrale von Burgos,* 1556–59. *Bilder des hl. Benedikt* in Madrid, Prado u. Akad. S. Fernando. Werke in S. Martin zu Madrid; S. Lesmes in Burgos; Madrid, Prado u. Akad. S. Fernando; Mus. v. Burgos, Nantes, Richmond (Slg. Cook).
Lit.: E. Tormo, C. Gusi u. E. Lafuente, 1930. F. J. Sanchez Canton in: Th.-B. 1934. J. Lassaigne, *Peint. espagn.,* 1952.

Rizzi, Gian Pietro → Giampietrino.

Rizzo (Rizzi), Antonio, ital. Bildhauer u. Arch., Verona um 1430 bis um 1498 Foligno, in Vicenza u. Venedig (1467–98) tätiger Meister der venez. Renaissance; Hauptwerk das *Grabmal des Dogen Tron* († 1473), Venedig, S. Maria de' Frari, ein hohes, 4stöckiges Wandgrabmal mit Standbildern in Nischen, u. *Standbilder von Adam u. Eva* am Arco Foscari im Dogenpalast, ebda. (um 1485).
Lit.: L. Planiscig, *Venez. Bildh. der Renaissance,* 1921. P. Schubring, *Ital. Plastik des Quattrocento,* 1919.

Rjepin, Ilja, russ. Maler, Tschugujew 1844–1930 Kuokkala (Finnland), das Haupt der naturalist. Schule u. der bedeutendste Geschichtsmaler des neueren Rußland; auch hervorragender Porträtist.

Beisp.: *Antwortschreiben der Saporoger Kosaken an den Sultan*, 1880–91, Leningrad, Russ. Mus. *Nikolai der Wundertäter*, 1888, ebda. *Iwan an der Leiche s. Sohnes*, 1885, Moskau, Tretjakow Gal. *Bildnisse von Tolstoj, Glinka, Mussorgskij, Rubinstein* u. v. a., Tretjakow Gal., Moskau.
Lit.: Norden, 1894. K. Karelin, 1905. J. E. Grabar, 1937 (russ.).T. Stephanowitz, 1955 (dt.).

Robbia, ital. Bildhauerfamilie des 15. u. 16. Jh. in Florenz, berühmt durch prachtvoll glasierte Bildwerke aus gebranntem Ton, meist Reliefs, mit weißen Gestalten auf blauem Grund oder vielfarbig. Die wichtigsten Mitglieder d. Familie:
Luca della R., ital Bildhauer, Florenz 1399–1482 ebda., Hauptmeister der florent. Frührenaissance neben → Donatello u. → Ghiberti. Zunächst wirkte er als Marmor- u. Bronzebildner; Hauptwerk dieser Frühzeit: *Marmorne Sängerkanzel* im Dom von Florenz, 1431–37, mit den Brüstungsreliefs tanzender, spielender u. singender Knaben, ein Werk, das er im Wetteifer mit Donatello u. von diesem beeinflußt schuf. R.s Hauptruhm knüpft sich aber an s. Tonreliefs. Er belebte einen volkstümlichen Kunstzweig u. erfand die farbige Lasierung. Die Werke behandelte er zunächst als dekoratives Beiwerk, das er den Bauwerken geschickt anpaßte, vor allem als Lünetten u. Tabernakel mit Madonnenreliefs. Diese glasierten Arbeiten zeigen dieselben Charakteristika wie s. Marmor- u. Bronzearbeiten: einfache klare Kompositionen in schönen Linien, Gestalten von einem dem Ghiberti verwandten Adel u. eine an Donatello geschulte Realistik. Die überaus große Beliebtheit der Werke, bes. der anmutigen Madonnen, veranlaßte ihn, den Werkstattbetrieb immer weiter auszudehnen. Sein Neffe u. Schüler *Andrea* führte den Kunstzweig fort. Dessen Werke unterscheiden sich durch ein noch größeres Streben nach Weichheit der Formen u. Lieblichkeit der Gestalten. Seine Söhne führten wiederum die Tradition weiter. Von ihnen war *Giovanni*, 1469–1529, der begabteste. Doch werden die Arbeiten allmählich inhaltlich u. auch technisch gröber.
Übrige Hauptwerke Lucas: *Marmorreliefs am Campanile des Domes* von Florenz: 5 Darstellungen der Wissenschaften, 1437–39. *Marmorgrabmal des Bischofs Federighi* in S. Trinità, 1455/56, ebda. *Bronzetür der Neuen Domsakristei*, ebda., zus. mit → Michelozzo, 1468. *Terrakotten:* Türlünetten im Mus. Naz., Florenz. Lünetten mit den Gruppen der Auferstehung u. Himmelfahrt Christi über den Domsakristeitüren, ebda. *Rundbilder* in der Pazzikap. v. S. Croce, ebda., mit Evangelistengestalten. *Madonnenreliefs* in: Florenz, Nat. Mus.; Berlin, staatl. Mus. u. a.
Lit.: W. v. Bode, *Die Künstlerfamilie della R.*, 1878. Ders., *Florentiner Bildh. der Renaiss.*, ⁴1921. P. Schubring, ²1921. A. Marquand, *Andrea della R.*, 1922. L. Planiscig, 1940.

Andrea della R., Florenz 1435–1525 ebda., setzte die von s. Onkel Luca übernommene Kunst der farbig glasierten Tonbildwerke fort. Werke: Hochrelieffiguren der *Wickelkinder* (*Bambini*) am Findelhaus (Spedale degli Innocenti), Florenz, 1463–66. *Altäre mit Reliefdarstellungen* in der Kirche in Verna b. Arezzo; im ehem. K.-F.-Mus., Berlin. *Madonnenreliefs* in Florenz, Nat. Mus.; ebda., S. Maria Novella. Ferner: Lünettenreliefs, Freifiguren, Büsten, selbständige Einzelfiguren.
Lit.: A. Marquand, 1922. → auch Luca della R.
Giovanni della R., 1469 bis um 1529, Sohn des Andrea, führte zunächst dessen Kunst weiter, nahm später Einflüsse der großen Florentiner (Ghirlandaio, Verrocchio) auf, zuletzt eine auf naturalistische Wirkungen strebende Buntheit s. Terrakotten. Werke: *Lavabo*, 1497, S. Maria Novella, Florenz. *Tabernakel* in der Collegiata zu Bolsena. *Pietà*, um 1500, Berlin, staatl. Mus. *Jüngstes Gericht*, 1501, S. Girolamo in Volterra. *Kreuzabnahme*, 1521, Florenz, Nat. Mus. *Altartafel* mit Madonna zwischen Heiligen, S. Croce, Florenz.
Girolamo, der zweite Sohn des Andrea, 1488–1566, zog nach Frankreich; in Fontainebleau unter → Primaticcio tätig (*Marmorputten* für das Grabmal Franz II. u. a.).

Robert, Hubert, franz. Maler, Paris 1733–1808 ebda., Hauptmeister der Darstellung antiker, bes. röm. Ruinen in malerisch-idyllischer Auffassung, daher *R. des Ruines* gen., 1754 in Rom, dort Schüler von → Pannini, seit 1765 wieder in Paris. Als Zeichner hat er Ereignisse des zeitgenössischen Lebens festgehalten. Beisp.: *Pont du Gard*, Paris, Louvre. Gut vertreten in Paris, Louvre (20 Bilder). Zeichnungen im Mus., Valence.
Lit.: C. Gabillot, 1895. P. de Nolhac, 1910. T. Leclère, 1913. Loukomski u. de Nolhac, *La Rome d' H. R.*, 1931.

Robert, Léopold, schweiz. Maler u. Graphiker, La Chaux-de-Fonds 1794–1835 Venedig, Schüler von → Girardet, → David, → Gros, malte im klassizist. Stil der Davidschule Bilder aus dem ital. Volksleben. Lebte seit 1818 in Italien. Vertreten in Paris, Louvre (*Halte des moissonneurs*, 1830); in den Mus. v. Genf (*Les brigands surpris*, 1824), Neuchâtel (*Ausfahrt der Adriafischer*, 1834) u. a.
Lit.: E. Zoller, 1863. Béraldi, *Les graveurs du 19ᵉ siècle* II, 1891. L. Florentin, 1934. D. Berthoud, 1935 (dt. 1944). M. Huggler u. A. M. Cetto, *Schweiz. Malerei im 19. Jh.*, 1941.

Robert, Paul, schweiz. Maler, Ried b. Biel 1851 bis 1923 Orvin, Schüler der Münchner Akad. u. von → Gérôme in Paris, schuf *Monumentalgemälde im Treppenhaus des Mus. v. Neuchâtel; an der Schauseite des Hist. Mus. in Bern; im Bundesgerichtsgebäude in*

Lausanne u. a.; ferner religiöse Genrebilder; Entwürfe f. Mosaiken; Illustrationen zu den Werken Gotthelfs u. a.
Lit.: L. Rivier, 1927. Th.-B. 1934. M. Huggler / A. M. Cetto, *Schweiz. Mal. im 19. Jh.*, 1941.

Robert-Fleury (eig. Fleury), Joseph-Nicolas, franz. Maler, Köln 1797–1890, bedeutender Vertreter der romantisierenden Historienmalerei, Schüler von H. → Vernet u. A. J. → Gros, weitergebildet in Rom, vertreten in den Mus. Paris (Louvre), Bayonne, Chantilly, Lyon, Montpellier, Nantes, Rouen, Antwerpen, Amsterdam (Städt. Mus.), London (Wallace Coll.), Florenz (Uff. *Selbstbildnis*), Neuchâtel u. a.
Lit.: H. Jouin, 1890. Bénézit, 1954.

Robert-Fleury, Tony, franz. Maler, Paris 1837 bis 1911 Viroflay, Sohn von Joseph-Nicolas → R.-F., Schüler von P. → Delaroche u. L. → Cogniet, weitergebildet in Rom, Historienmaler, vertreten in den Mus. Arras, Bayonne, Belfort, Mulhouse, New York (Metrop. Mus.), Paris (Luxembourg) u. a.
Lit.: Bénézit, 1954.

Roberti, Ercole de, ital. Maler, Ferrara um 1450 bis 1496 ebda., gen. auch *Ercole da Ferrara*, sein Werk früher oft Ercole → Grandi zugeschrieben, Hauptmeister der ferraresischen Quattrocentomalerei – neben Cosimo → Tura u. Francesco del → Cossa, Schüler Turas, weitergebildet unter dem Einfluß von Cossa, → Mantegna u. den → Bellini, verbindet in s. Kunst die zeichnerisch harte ferrares. Malweise mit dem Schmelz der venez. Kunst. Er wirkte vor allem in Ferrara, Hofmaler seit 1487, ferner in Ravenna u. Bologna. Sein Einfluß war groß, z. B. auf Bern. Parenzano, → Parentino, Domenico → Panetti, Ercole → Grandi, Amico → Aspertini u. a. Hauptwerk: *Große Altartafel* mit Thronender Madonna u. Heiligen, aus S. Maria in Porto in Ravenna, jetzt Mailand, Brera (1480). *Mannalese*, London, Nat. Gall. *Kreuztragung* u. *Gang nach Golgatha*, Predellenbilder, Dresden, Gal. *Beweinung Christi*, Bologna, Akad. Cassoni mit *Darstellungen aus der Argonautensage*, Padua, Mus. *Hl. Sebastian*, Florenz, Uff. Werke in Bergamo, Bologna, Padua, Florenz, Turin, Ferrara, Berlin, Dresden, Hannover, London, Paris, Edinburgh, Richmond, Rotterdam u. a.
Lit.: A. Venturi VII, 3, 1914. Ders., *Malerei des 15. Jh. in der Emilia*, 1931. F. Filippini, 1922. E. v. d. Bercken, *Malerei der Renaiss. in Oberitalien* (Handb. der K. W.), 1927. R. Longhi, *Officina ferrarese*, 1935. G. Gronau in: Th.-B. 1934. G. Delogu, *Ital. Malerei*, ³1948.

Roberts, David, engl. Maler u. Zeichner, Stockbridge 1796–1864 London, gehört zu den geschätzesten Architekturmalern der neueren Zeit; auf zahlreichen Reisen durch ganz Europa u. nach dem Orient

sammelte er die Motive zu s. Architekturbildern (Öl u. Aquarell). In s. Kunst ging er vom Studium der alten Holländer aus. Beisp.: *Inneres der Kathedrale von Burgos*, 1835, London, Tate Gall. *Inneres des Mailänder Domes*, ebda., Vict. u. Albert Mus. Bes. geschätzt s. Architekturzeichnungen, die lithographiert veröffentlicht wurden: «Picturesque sketches in Spain», 1835/36, u. v. a.
Lit.: J. Ballantine, 1866. Bénézit, 1954.

Robusti, Jacopo → Tintoretto.

Roche, Pierre, franz. Bildhauer, Medailleur, Keramiker, Paris 1855–1922 ebda., Schüler von Gervex, → Roll, → Dalou, → Rodin, schuf: *Christuskopf* u. *Evangelistensymbole* in: Saint-Jean de Montmartre in Paris; Denkmal *L'Effort*, ebda., Jardin du Luxembourg; *Grabmal Henri Fouquiers* auf dem Montmartre-Friedhof; Werke im Mus. du Luxembourg, u. a.
Lit.: A. Vaillat, 1923.

Rochegrosse, Georges, franz. Maler, * Versailles 1859, † 1938, Schüler von → Dehodencq, → Boulanger, → Lefebvre; haupts. Geschichtsbilder; *Wandbild* im Treppenhaus der Bibliothek der Pariser Sorbonne; Werke in Paris, Mus. Victor Hugo; Palais des B.-Arts; franz. Mus.; Leipzig. Buchillustrationen.

Rochussen, Charles, holländ. Maler, Lithograph u. Radierer, Rotterdam 1824–1894 ebda., Schüler von W. J. J. Nuyen u. A. Waldorp im Haag, malte anfänglich Landschaften, später bes. Szenen aus der niederl. Geschichte.
Lit.: Franken u. Obreen, 1894. M. D. Henkel in: Th.-B. 1934.

Rodakowski, Henryk, poln. Maler, Lemberg 1823 bis 1894 Krakau, Schüler von → Amerling in Wien u. L. → Cogniet in Paris, wo er längere Zeit tätig war, malte Bildnisse u. Darstellungen aus der poln. Geschichte.
Lit.: W. Kozicki, 1937 (poln.).

Rodari, Tommaso, ital. Arch. u. Bildhauer, † 1533, 1487–1526 mit s. Brüdern am *Bau des Domes von Como* tätig. Er hatte die Bauleitung inne u. baute den Chor im Renaissancestil um. Vor allem wird ihm der reiche *Frührenaissanceschmuck der Fassade* u. des äußeren Langhauses verdankt: figürliche u. dekorative Arbeiten, bes. *Porta della Rana*; Altäre im Innern u. a.
Lit.: A. Venturi VI, 1908; VIII, 2, 1924. Willich / Zucker, *Baukunst d. Renaiss.* (Hb. d. K. W.).

Rode, Christian Bernhard, dt. Maler u. Radierer, Berlin 1725–1797 ebda., Schüler v. → Pesne u.

→ Vanloo, in Italien weitergebildet, 1782 Direktor der Akad. Berlin. Er malte allegor., hist. u. religiöse Bilder, schuf Vorzeichnungen für Bildwerke u. ca. 250 Radierungen. Für das Neue Palais, Potsdam, malte er 1767 3 Deckengemälde, weitere im Berliner Schloß, in Privatpalästen, in Berliner Kirchen; er entwarf den figürlichen Schmuck der Deutschen Kirche auf dem Gendarmenmarkt (1780–85 v. → Gontard erbaut) u. a. Altarwerke in Berliner Kirchen, in Kirchen in Frankfurt a. O., Küstrin, Perleberg, Rostock u. a. O. – R. führte in s. Kunst den Stil Pesnes weiter; er gehört dem Rokoko u. dem im Rokoko wurzelnden Frühklassizismus an. Vertreten in Berliner Mus. (ehem. K.-F.-Mus.; Nat. Gal.; Märkisches Mus.; Zeichnungen im Kupferst.-Kab.).
Lit.: A. Rosenthal in: Mitt. des Vereins f. die Gesch. Berlins 44, 1927. Biermann, *Dt. Barock u. Rokoko*, 1914. Feulner, *Skulptur u. Malerei des 18. Jh.* (Handb. der K. W.), 1929. C. F. Foerster in: Th.-B. 1934.

Rode, Hermen, dt. Maler des 15. Jh., tätig um 1485–1504 in Lübeck, bestimmte – neben → Notke – das Gesicht der Lübecker Altarkunst vom Ende des 15. Jh. Seine Kunstart findet ihre nächste Parallele in den Werken des → Meisters von Liesborn (u. von H. → Funhof). Werke: *Malereien am Altar der Stockholmer Hauptkirche*, 1468, jetzt Stockholm, Hist. Mus. *Malereien am Altar der Nikolaikirche* in Reval, 1482. Der sog. *Greverade-Altar* in Lübeck, St. Marien, 1494. Ferner Werke in Schwerin, Mus.; Stockholm, Mus.; Mailand, Brera; Hannover, Mus.
Lit.: A. Goldschmidt, *R. u. Notke* in: Zschr. f. bild. Kunst, N. F. 12, 1901. Th. Riewerts in: Th.-B. 1934. W. R. Deusch, *Dt. Mal. d. 15. Jh.*, 1936.

Rodin, Auguste, franz. Bildhauer, Paris 1840 bis 1917 Meudon, Hauptmeister der franz. Plastik 2. Hälfte 19. Jh., Schüler von E. → Carrier-Belleuse in Paris, zugleich tätig für die Porzellanmanufaktur Sèvres, 1871–78 als Gehilfe des Bildhauers Rasbourg in Brüssel, seitdem in Paris tätig. In s. Kunst ging R. v. → Barye u. → Carpeaux aus, beeinflußt von der Romantik, bes. → Delacroix, später von den Impressionisten. Er erfaßte das Wesen der Plastik neu u. ursprünglich: Figuren im Spiel des Lichtes, vom Raum umgeben; autonome Kunstwerke, die von der Architektur unabhängig sind. Für ihn bestand die Plastik aus Schwellungen u. Senkungen, auf denen das Licht spielt. Seine Auffassung, insbesondere s. Auffassung vom Denkmal (*Bürger v. Calais; Balzac*) wirkte umstürzend auf die zeitgenössische u. spätere Kunst.
Hauptwerke: *Mann mit der zerbrochenen Nase*, 1864. *Das eherne Zeitalter*, 1877. *Johannes*, 1879. *Adam u. Eva*, 1881 (diese u. v. a. Gestalten f. das v. ihm geplante große Werk «Das Höllentor»). *Die Bürger v.*

Calais, 1884–95. *Denkmal Victor Hugos* im Palais-Royal, Paris, 1886–1901. *Der Gedanke* (Marmor, Paris, Luxembourg, 1889). *Großes Balzacdenkmal* mit vielen Skizzen u. Vorarbeiten, voll. 1898. *Der Denker*, 1904. Von den meisten Werken existieren mehrere Abgüsse; viele Porträtbüsten, hervorragende Zeichnungen u. Aquarelle u. a.; mit dem größten Teil s. Werke im Rodin-Mus. in Paris vertreten; ferner in allen bedeutenden Mus. Frankreichs u. des Auslandes.
Lit.: J. Cladel, 1908. Dies., 1936. O. Grautoff, 1911. R. M. Rilke, viele Aufl. C. Mauclair, 1918. L. Bénédite, 1926. E. Waldmann, 1944. G. Grappe, *Dessins de R.*, 1933. Ders., *Cat. du Mus. R.*, 1945. U. Emde, *Rilke u. R.*, 1949. J. Gantner, *R. u. Michelangelo*, 1953.

Rodriguez, Ventura, span. Arch., Ciempozuelos 1717–1785 Madrid, Hauptmeister des span. Klassizismus, den er aus Barock u. Churriguerismus (→ Churriguera) im Geiste des → Herrera zu einem nationalen Baustil entwickelt hat. Werke: Die Kirchen *S. Marcos* in Madrid, 1749–53; *Nuestra Señora del Pilar* in Zaragoza (Ausbau von Herreras Barockkathedrale); *Fassade der Kathedrale* von Pamplona, 1783.
Lit.: O. Schubert, *Geschichte des Barock in Spanien*, 1908.

Rodschenko (Rodchenko, Rodjenko), Alexander, russ. Maler, * Dwinsk 1903, gehört – neben → Malewitsch u. → Tatlin – zu den russ. Hauptmeistern des Konstruktivismus; tätig in Moskau, beschäftigt sich seit 1922 nur noch mit angewandter Kunst.
Lit.: M. Seuphor, *Knaurs Lex. abstr. Malerei*, 1957.

Roeder, Emy, dt. Bildhauerin, * Würzburg 1890, Schülerin von → Hoetger in Darmstadt, seit 1933 meist in Rom u. Florenz tätig, seit 1950 Lehrerin an der Kunstgewerbeschule in Mainz, schuf bedeutende Bildnisköpfe.

Roederstein, Ottilie, schweiz. Malerin, Zürich 1859 bis 1937 Hofheim (Taunus), schuf fein empfundene impressionist. Bildnisse u. Stilleben.
Lit.: C. Tobler, 1929. E. Kern, *Führende Frauen Europas*, N. F., 1930.

Roelandt, Lodewijk, belg. Arch., Nieuwport 1786 bis 1864 Gent, Schüler von → Percier u. → Fontaine in Paris, baute 1846 *Universität* u. *Justizpalast* in Gent u. v. a.
Lit.: G. Pauli, *Kunst d. Klassiz. u. d. Romantik*, 1925.

Roelas (Ruelas), Juan de las, span. Maler, Sevilla um 1558–1625 Oliveras, Begründer der Sevillaner Barockmalerei, war vermutlich studienhalber 1606 bis 1609 in Venedig, 1616/17 in Madrid, seitdem in

Sevilla tätig. R. knüpfte in s. Kunst an → Tintoretto an u. wurde stark von der Helldunkelmalerei → Caravaggios beeinflußt. Er schuf zahlreiche kirchliche Werke.
Hauptwerke: *Hochaltar der Jesuitenkirche*, Sevilla, 1606. *Hochaltar der Salvatorkirche*, ebda., 1609. *Hl. Jakob* (Santiago), Kathedrale von Sevilla, 1609. *Schmerzensmann u. hl. Ignatius*, 1612, Jesuitenkirche in Córdoba. *Marter des hl. Andreas* (Zuschreibung), Sevilla, Mus. Zahlreiche Darstellungen der *Unbefleckten Empfängnis*: Madrid, Sevilla, Sanlucar de Barrameda, Berlin. *Anbetung der Hirten*, um 1624, Sanlucar de Barrameda, Kirche la Merced.
Lit.: A. L. Mayer in: Monatshefte f. Kunstwiss., 1911. J. H. Diaz in: Th.-B. 1935.

Roentgen, David, dt. Kunsttischler (Ebenist), Herrnhag (Wetterau) 1743–1807 Neuwied a. Rh., Schüler s. Vaters, des Kunsttischlers *Abraham* R. (1711–93), übernahm 1772 dessen Neuwieder Werkstätte, die unter ihm Weltruhm erlangte u. 1785–90 großen Einfluß auf die Entwicklung der Stilformen der Prunkmöbel in Deutschland u. Frankreich hatte. 1779 gründete er eine Niederlage in Paris, später gründete er ein Zweigunternehmen in Berlin. In der Frühzeit gehörten s. Werke – reich geschwungen u. mit überreicher Intarsia versehen – dem Rokoko an (1760–70). Später wurden die Formen strenger u. klarer u. gehörten dem Louis-XVI-Stil an, mit Bronzebeschlägen anstelle der Intarsien. Hauptstücke s. Kunst befinden sich im Schloß Monbijou, Berlin; im Schloß von Baden-Baden; in der Residenz, Würzburg; in den Kunstgewerbe-Mus. Wien, Berlin u. a.
Lit.: Salverte, *Les ébénistes du 18ᵉ siècle*, 1923. H. Huth, *Abraham u. D. R.*, 1928.

Roerich, Nikolai, russ. Maler, St. Petersburg 1874 bis 1947 Kulu (Pandschab), Präsident des Mir Iskusstwa (Petersburger Künstlervereinigung), malte große stilisierte Bilder aus Sage u. Geschichte, bes. der Warägerzeit, später auch aus der Gebirgswelt Innerasiens u. a. Seit 1920 in den USA. Die meisten s. Werke vereinigt im 1928 gegründeten R.-Mus. in New York.
Lit.: A. Mantel, 1912. N. Selivanova, 1922. B. D. Conlan, 1938.

Roger v. Helmershausen, dt. Goldschmied, um 1100 im Benediktinerkloster Helmershausen b. Paderborn lebender Mönch. Er schuf einen mit Silberplatten belegten *Tragaltar*, der an den Langseiten graviert ist, Paderborn, Domschatz, um 1100. Die eingravierten lebhaft bewegten Szenen aus dem Leben des Apostels Paulus sind von hoher Qualität, im Stil ottonisch, byzant. beeinflußt. Ein weiterer *Tragaltar in der Franziskanerkirche* in Paderborn u. a. Werke können demselben Meister zugeschrieben

werden. Umstritten ist daß R. gleichzusetzen sei mit *Theophilus*, dem Verfasser der «Schedula diversarum artium», des wichtigsten mittelalterl. Kunstlehrbuchs, das uns bekannt ist (dt. in: Quellenschriften f. Kunstgeschichte 7, 1874; in Auswahl neu hg. v. W. Theobald, 1933).
Lit.: A. Fuchs, *Die Tragaltäre des Rogerus in Paderborn*, 1916. G. Lehnert, *Geschichte des Kunstgew.* 1, 1921. E. Meyer, *Neue Beiträge zur Kunst des R.* in: Zschr. Westfalen 25, 1940.

Roghman, Roeland, niederl. Maler u. Radierer, * um 1620, † 1686 Amsterdam, wo er tätig war, befreundet mit → Rembrandt u. G. v. d. → Eeckhout, war um 1640 (oder später) in Italien. R. malte vorzugsweise felsige Landschaften mit starken Licht- u. Schattenkontrasten, beeinflußt von H. → Seghers u. J. de → Momper. Seine Bilder oft braun in der Farbe, auch stark nachgedunkelt; in der Stimmung romant. Vertreten in den Mus. Berlin, Bonn, Darmstadt, Kassel, London, Montpellier, Paris u. a.
Lit.: R. Juynboll in: Th.-B. 1934.

Rogier van der Weyden → Weyden, Rogier van der.

Rohden, Johann Martin v., dt. Maler, Kassel 1778 bis 1868 Rom, Vertreter der dt.-röm. Landschaftsmalerei, unter dem Einfluß von J. A. → Koch u. J. Ch. → Reinhart in Rom gebildet, dort seit 1833 ständig lebend. Obwohl R. von der klassizist. Landschaftsauffassung ausging, zeigen s. kleineren Naturstudien eine Zartheit der Luftstimmung, wie wir sie erst viel später bei den Meistern von → Barbizon u. → Corot wiederfinden. Auch feine Zeichnungen. Vertreten in den Gal. Berlin, Hamburg, Wien, Leipzig, Kassel.
Sein Sohn *Franz R.*, 1817–1903, malte Altarbilder u. Fresken im Stil der → Nazarener.
Lit.: H. Mackowsky, *Die beiden R.* in: Jb. f. Kunstw. 2/3, 1924/25. H. V. in: Th.-B. 1934.

Rohlfs, Christian, dt. Maler u. Graphiker, Niendorf (Holstein) 1849–1938 Hagen i. W., schloß sich um 1897 dem Impressionismus an, leitete 1901–11 die Malschule des Folkwangmus. in Hagen, schloß sich in der Folgezeit, von → Cézanne u. van → Gogh beeinflußt, dem Expressionismus an, arbeitete zeitweise mit → Nolde zus. in Soest; siedelte 1927 nach Ascona (Schweiz) über. R. schuf visionäre Stadtlandschaften von Soest, Blumenstücke, leuchtkräftige Aquarelle, ausdrucksstarke Holzschnitte u. a. Werke in Hagen, Christian-R.-Mus.; in den Gal. Weimar, Essen, Halle, Hamburg, Berlin.
Lit.: W. van der Briele, 1921. K. E. Uphoff, 1923. *Ausst.-Kat. Münster*, 1949. P. Vogt, *Oeuvrekat. der Druckgraphik*, 1950. Ders., 1956.

Rohner, Georges, franz. Maler, * Paris 1913, tätig ebda., von → Braque u. → Derain beeinflußt, schloß sich 1935 der Gruppe «Forces Nouvelles» an, die in Opposition zur abstrakten Richtung den Realismus pflegt. Vertreten im Mus. mod., Paris u. a. Gal.
Lit.: Vollmer, 1958.

Rokotow, Fjodor, russ. Maler, * 1736, † um 1809 Petersburg, malte Bildnisse der russ. Aristokratie: *Katharina II.*, Leningrad, Mus. der Akad. *Jugendbildnis Paul I.*, ebda., Winterpal. *Peter III.*, ebda., Russ. Mus.
Lit.: K. S. Kuzminskij, *F. R. u. Lewitzkij. Die Entstehung der russ. Bildnismalerei des 18. Jh.*, um 1925 (russ.).

Roll, Alfred, franz. Maler, Paris 1846–1919 ebda., Schüler von → Bonnat, → Gérôme, → Harpignies, malte Landschaften, Bildnisse u. Szenen aus dem Leben der Arbeiter u. Bauern. R. suchte den Realismus → Courbets u. → Millets mit impressionist. Qualitäten zu verbinden.
Beisp.: *Überschwemmung von Toulouse*, 1878, Le Havre, Mus. *Fest des Silen*, 1878, Gent, Mus. *Streik der Kohlenarbeiter*, 1880, Valenciennes, Mus. *Fête nationale de 1880*, Paris, Petit Pal. *En avant*, 1887, Paris, Luxembourg. *Manda Lamétrie*, 1887, ebda.
Lit.: Roger-Milès, 1904 (franz.).

Roller, Alfred, österr. Maler, Kunstgewerbler u. Graphiker, Brünn 1864–1935 Wien, leitete das Ausstattungswesen der Wiener Staatstheater, schuf auch kunstgewerbliche Entwürfe u. a.
Lit.: Vollmer, 1958.

Romako, Anton, österr. Maler, Wien-Atzgersdorf 1834–1889 Wien-Döbling, Schüler von K. → Rahl, weitergebildet in München bei W. → Kaulbach u. Venedig, lebte 1857–74 in Rom als geschätzter Bildnismaler; schuf auch Historien, Landschaften, bes. Ansichten von Rom, Tierbilder u. a.; 1874 nach Wien zurück, wo er sich gegenüber → Makart nicht durchzusetzen vermochte u. durch Freitod endete. Werke in Wien, Gal. des 19. Jh. (Oberes Belvedere); Slg. Liechtenstein (Vaduz); München, Pinak.; Frankfurt, Städel; Graz, Gal. u. a.
Lit.: F. Novotny, 1955. Ders., *Österr. Aquarellisten 5*, 1955.

Romanino, Girolamo, eig. Romani, gen. il R., ital. Maler, Brescia um 1485 bis um 1562 ebda., ging in s. Kunst von → Solario u. → Luini aus, später entscheidend beeinflußt von den Venezianern → Bellini, → Giorgione, L. → Lotto, → Tizian, ferner von → Pordenone u. → Palma. R. schuf Fresken, kirchliche Gemälde u. vorzügliche Bildnisse. Die im Auftrag der Familie Colleoni wohl um 1525 ausgeführten *Fresken im Schloß Malpaga* : Leben u. Taten des

Condottiere Colleoni zus. mit M. → Fogolino. Mit → Savoldo u. → Moretto gehört R. zu den Hauptvertretern der Brescianer Malerei der 1. Hälfte des 16. Jh. Freskenwerke: *4 Passionsdarstellungen* im Dom von Cremona, 1519/20. Fresken in S. Giovanni Evangelista zu Brescia: *Magdalena salbt die Füße Christi; Auferweckung des Lazarus*, 1521. Ferner *Madonna mit Heiligen*, 1513, Padua, Gal. Fresken in Kirchen der Umgebung Brescias (S. Maria della Neve in Pisogne). *Altarbild* in S. Alessandro in Colonna in Bergamo. Vertreten in Brescia, Kirchen u. Gal.; Berlin, ehem. K.-F.-Mus.; Leningrad; Richmond (Slg. Cook); Florenz (Uff.) u. a.
Lit.: E. v. der Bercken, *Malerei der Renaiss.* (Handb. d. K. W.), 1927. G. Nicodemi, 1925. A. Venturi 3, 1928. P. Schubring, *Kunst d. Hochrenaiss.*, 1926.

Romano, Giulio → Giulio Romano.

Rombouts, Gillis, niederl. Maler, Haarlem 1630 bis um 1678; bes. Landschaften in der Art von → Ruisdael u. → Hobbema; auch Innenräume mit Staffage; in vielen Mus.
Salomon R., * um 1650, † um 1702, Sohn des Gillis, führte die Art s. Vaters fort; auch Jahrmärkte mit Scharlatanen u. ä. in der Art des → Molenaer; Winterbilder u. a. In vielen Mus.

Rombouts, Theodor, niederl. Maler, Antwerpen 1597–1637 ebda., Meister des an → Caravaggio anschließenden Sittenbildes, wahrscheinlich Schüler von → Janssens, ging 1616 nach Italien, 1625 Meister in Antwerpen, wo er tätig war.
Hauptwerke: *Die 5 Sinne*, Gent, Mus. *Kreuzabnahme*, ebda., St.-Bavo. *Der Zahnbrecher*, Madrid, Prado. *Die Kartenspieler*, Antwerpen, Mus. *Eine Sängergesellschaft*, München, A. P. Weitere Werke in Gent, St. Jakob u. Mus.; in den Gal. Antwerpen, Kopenhagen, Karlsruhe, München, Paris, Rom (Gall. Spada), Turin u. a.
Lit.: H. Voss, *Mal. des Barock in Rom*, 1924.

Romney, George, engl. Maler, Dalton in Furness 1734–1802 Kendal, Hauptmeister des Porträts, zunächst in Kendal tätig, ging 1773 nach Italien, 1775 ff. in London tätig, ab 1799 in Kendal. Als Maler schöner Frauen erwarb er solchen Ruhm, daß er neben dem um 7 Jahre älteren → Gainsborough u. dem um 11 Jahre älteren → Reynolds aufkam.
Hauptwerke: *Lady Hamilton*, London, Nat. Gall. *Familie Beaumont*, ebda. *Bildnis der Schauspielerin Robinson als Perdita*, 1781, ebda., Wallace Coll. *Selbstbildnis*, ebda., Nat. Portr. Gall.
Weitere Hauptwerke in engl. Adelsbesitz: *Die Kinder des Earl Gower, u. des Marquis von Stafford*, Slg. Herzog v. Sutherland. *Lady Hamilton spinnend*, Slg. Lord Iveagh. *Lady Arabella Ward*, Slg. Lord Bangor. *Lady Warwick mit ihren Kindern*, Slg. Lord Warwick.

In Amerika: *Mrs. Davenport*, Washington, Nat. Gall.
Lit.: H. Ward u. W. Roberts, 1904. A. B. Chamber-
lain, 1911. M. Osborn, *Kunst d. Rokoko*, 1929.

Roncalli (Roncagli), Cristofano, gen. il Cavaliere
delle Pomarance, ital. Maler, Pomarance 1552 bis
1626 Rom, Schüler des Niccolò Pomarancio in Rom,
steht in s. Kunst zwischen röm. Manierismus u.
Barock, schuf zahlreiche kirchliche Werke in Rom.
Hauptwerke: *Taufe Konstantins*, Rom, S. Giovanni
in Laterano. *Hl. Familie*, Rom, Gall. Borghese u.
Gall. Spada.
Lit.: H. Voss, *Malerei der Spätrenaiss. in Rom*, 1920.
A. Venturi IX, 7, 1934.

Rondinelli (Rondinello), Niccolò, ital. Maler, Mei-
ster der venez. Malerschule aus dem Umkreis des
Giovanni → Bellini, aus Ravenna, tätig in Venedig
u. Ravenna um 1500, schuf größere Altartafeln u.
kleine Madonnendarstellungen.
Werke: *Der hl. Johannes Evangelist erscheint der Kai-
serin Galla Placidia*, Mailand, Brera; *Thronende Ma-
donna mit Heiligen*, ebda. *Altarbild*, 1518, Parma,
Annunziata. *Madonna*, Rom, Pal. Doria. Werke in
Kirchen u. Gal. v. Ravenna; in Forlì; ferner Rom,
Gall. Corsini; Venedig, Akad.; Stockholm, Nat.
Mus. u. a.
Lit.: A. Venturi VII, 4, 1915. T. Borenius in: Th.-B.
1934.

Roos, dt.-niederl. Künstlerfamilie, hervorragendster Vertreter:
Johann Heinrich, Maler u. Radierer, Otterberg (Pfalz)
1631–1685 Frankfurt a. M., bedeutender Tiermaler,
bildete sich in Amsterdam, ließ sich 1657 in Frankfurt nieder u. wurde 1673 Hofmaler des Kurfürsten
von der Pfalz. Er malte Bildnisse u. vor allem Landschaften in der röm. Campagna mit Tieren u. Hirten
in der Art von → Berchem u. → Dujardin. Vertreten
u. a. in München, A. P.; Wien, Kunsthist. Mus.;
Dresden, Gal. Beliebt sind auch s. Tierradierungen.
Sein Sohn *Philipp Peter*, Frankfurt 1651–1705 Tivoli,
setzte die Art s. Vaters fort u. wurde nach s. Wohnsitz *Rosa di Tivoli* genannt. Beisp.: *Landschaft mit
Tierherden*, Dresden, Gal.

Root, John Wellborn, amerik. Arch., Lumpkin
(Georgia) 1850—1891 Chicago; bahnbrechend auf
dem Gebiet des mod. Wolkenkratzerbaus; tätig in
Chicago; Beisp. in Chicago: die großen Geschäftshäuser *Rookery; Insurance Exchange*.

Rops, Félicien, belg. Radierer, Lithograph u. Maler,
Namur 1833–1898 Essones b. Corbeil, hervorragender Radierer, der größtenteils in Paris lebte u. zur
franz. Kunst zu zählen ist, Hauptvertreter der sata-
nistischen u. erotischen Pariser Fin-de-siècle-Kunst.
Wichtigste Radierungsfolgen: *Cafés et cabarets de
Paris*, 1862; *Les cythères parisiennes*, 1864; *Les sata-

niques*, 1874; *Les diaboliques*, 1886; *Les amusements
des dames de Bruxelles*. Zeichnungsfolge: *100 croquis
pour réjouir les honnêtes gens*, 1878–81. Einzelblätter:
Pornokrates; Die Versuchung des hl. Antonius. Auch
Bilder in Öl u. Aquarell (vertreten in Brüssel, Mus.)
u. mit Pastell u. Aquarell gehöhte Zeichnungen.
Lit.: E. Ramiro, *Cat. de l'oeuvre gravé de F. R.*, ²1894.
Ders., 1905. C. Lemonnier, 1908. O. Mascha, 1910.
M. Exsteens, *L'oeuvre gravé de F. R.*, 1928. P. Mac-
Orlan u. J. Dubray, 1930 (dt.).

Roritzer (Roriczer), dt. Arch.- u. Bildhauerfamilie
des 15. u. 16. Jh., von der Mitglieder 3 Generationen
lang als leitende Meister am *Dombau von Regensburg*,
einem bedeutenden Werk der dt. Spätgotik, nachweisbar sind. Die wichtigsten: *Wenzel R.*, † 1419;
Konrad R., † um 1475, Sohn Wenzels; *Matthias R.*,
† um 1495, Sohn des Konrad; *Wolfgang R.*, † 1514,
Bruder des Matthias.
Es werden den R. auch Bildhauerwerke (Sakraments-
häuschen, Ziboriumaltar u. a.) im Dom von Regensburg zugeschrieben. Konrad R. war auch führender
Werkmeister am *Chorbau von St. Lorenz* in Nürnberg,
einem der hervorragendsten Werke der dt. Spätgotik; sein Sohn Matthias war s. Nachfolger bis
1466. Es konnte aber nachgewiesen werden, daß
Konrad R. nur die Pläne eines andern Meisters,
seines Vorgängers in Nürnberg, ausgeführt haben
konnte, nämlich des Konrad *Heinzelmann* († 1454,
wahrscheinlich aus Dettwang), der schon 1439 mit
dem Chorneubau nach eigenen Plänen begann u.
ihn bis zu seinem Tode leitete.
Lit.: O. Kletzl in: Th.-B. 1934. H. Vollmer in:
Th.-B. 1923 (über Konrad Heinzelmann).

Rosa, Salvator, gen. Salvatoriello, ital. Maler,
Arenella b. Neapel 1615–1673 Rom, tätig in Neapel,
Viterbo, Florenz u. vor allem in Rom. Bedeutender,
von Aniello → Falcone beeinflußter Schlachtenmaler u. hervorragender Landschafter; als solcher
ging er von der Art → Tassis aus, entwickelte aber
einen ganz persönlichen Stil: ein skizzenhaft sprü-
hendes Nebeneinandersetzen der Farben, wodurch
manche s. Bilder fast impressionistisch wirken. Er
stellte gerne zerklüftete Berglandschaften mit phantastischen Einzelformen dar. In s. figürlichen Gemälden ist er sehr viel konventioneller. Er schuf
einige bedeutende Bildnisse u. Radierungen. Die
Wirkung s. kühnen Landschafts- u. Schlachtenbilder war groß, sowohl auf s. Zeitgenossen wie auf
spätere bis auf → Magnasco u. → Piranesi. Gut vertreten in Florenz, Pitti-Gal.; in Rom, Gall. Corsini;
in den Gal. Paris, Neapel, Venedig, Mailand u. a.
Lit.: L. Ozzola, 1908. H. Voss, *Malerei des Barock in
Rom*, 1925. B. Cattaneo, 1929. H. W. Schmidt, *Die
Landschaftsmalerei R.s*, 1930. H. Voss in: Th.-B. 1935.
F. Gerra, *R. e la sua vita romana*, 1937. G. Delogu,
Ital. Mal., ³1948.

Rosa di Tivoli → Roos, Philipp Peter.

Rosales, Eduardo, span. Maler, Madrid 1836–1873 ebda., Vertreter der akad. Historienmalerei, schuf gute Bildnisse u. einige Landschaften. 1873 Direktor der Span. Akad. in Rom. Beisp.: *Der Tod der Lukretia*, Madrid, Mus. mod. Werke ferner in Madrid, Prado; Acad. de S. Fernando; Kirche S. Tomás u. a.
Lit.: J. Chacón Enriquez, 1926. F. Farina in: Th.-B. 1935.

Roslin, Alexander, schwed. Maler, Malmö 1718 bis 1793 Paris, war am Bayreuther Hof tätig, seit 1747 in Italien u. seit 1752 in Paris, wo er einer der beliebtesten Bildnismaler wurde. Bedeutender Vertreter des franz. Rokoko; geschätzt bes. s. Fähigkeit der stofflichen Wiedergabe. Vertreten in Stockholm, Nat. Mus.; in den Gal. Göteborg, Helsinki, Leningrad, Moskau, Paris, Versailles, Abbeville, Montpellier, Florenz (Uff., *Selbstbildnis*) u. a.
Lit.: O. Levertin, 1901. G. W. Lundberg in: Th.-B. 1935.

Rosseels, Jakob, belg. Maler, Antwerpen 1828 bis 1912 ebda., Landschafter, wurde Direktor der Akad. Dendermonde, wo er die sog. Schule v. Dendermonde gründete. Vertreten in allen belg. Mus.; ferner in Krefeld, Philadelphia u. a.

Rosselli, Cosimo, ital. Maler, Florenz 1439–1507 ebda., handwerklich tätiger Frührenaissancekünstler, Schüler des → Neri di Bicci, weitergebildet unter dem Einfluß von Benozzo → Gozzoli u. des → Baldovinetti. Beliebter Künstler, dem man 3 Fresken der Sixtinischen Kapelle anvertraute u. der eine ausgesprochene Lehrbegabung haben mußte, da Piero di → Cosimo, Fra → Bartolommeo u. → Albertinelli aus s. Werkstatt hervorgingen.
Freskenwerke: *Szenen aus dem Leben des hl. Filippo Benizzi*, um 1475, Vorhof der SS. Annunziata in Florenz. *Fresken in der Sixtin. Kapelle*, Rom: Gesetzgebung auf dem Sinai; Bergpredigt u. Abendmahl (beg. 1481). Sein Hauptwerk: *Sakramentswunder des hl. Ambrosius*, um 1498 in S. Ambrogio, Florenz. Altarbilder: *Madonna mit Heiligen*, um 1492, Florenz, Akad. *Madonna in der Glorie*, um 1498, Florenz, S. Ambrogio. *Krönung Mariä*, Florenz, S. Maria Maddalena de' Pazzi. *Hl. Anna selbdritt mit Heiligen*, 1471, Berlin, staatl. Mus. *Verkündigung*, Paris, Louvre.
Lit.: R. van Marle, *Ital. Schools of Paint.*, 1929. G. Gronau in: Th.-B. 1935. K. Escher, *Malerei der Renaissance* (Handb. der K. W.), 1925.

Rosselli, Matteo, ital. Maler, Florenz 1578–1650 ebda., Vertreter des florent. Frühbarock, der viele Freskenwerke u. Bilder schuf u. eine blühende Schule in Florenz leitete: Schüler von ihm sind Lor.

→ Lippi, Vignali, → Furini, → Mannozzi, → Franceschini. Fresken von ihm in Florenz in der Annunziata; im Pal. Pitti; Gemälde in Kirchen von Florenz u. Umgebung; in der Gal. Pitti u. Akad. ebda.; in Paris, Louvre; in den Mus. von: Nancy, Nantes, Pisa, Rom (Gall. Colonna), Toulouse, u. a. Zeichn. namentl. im Louvre.

Rossellino, Antonio, ital. Bildhauer, Settignano 1427–1479 Florenz, Hauptmeister der florent. Frührenaissance, Schüler s. Bruders Bernardo. In s. Kunst führt er den lieblichen, technisch vollendeten Stil → Desiderios da Settignano weiter; gleich bedeutend in der figürlichen Plastik wie in der Dekoration.
Hauptwerk ist das *Grabmal des Kardinals von Portugal*, 1461 ff., Florenz, S. Miniato. Sein Hauptwerk einer Aktfigur ist der *Hl. Sebastian*, Empoli, Collegiata. Weitere Werke: *Altar mit Relief der Geburt Christi*, Neapel, Monte Oliveto. 3 *Reliefs* der Kanzel des Domes von Prato, 1473. *Madonnenrelief*, Wien, Kunsthist. Mus. Bildnisbüsten: *Giov. Chellini*, 1456, London, Victoria u. Albert Mus. *Matteo Palmieri*, 1468, Florenz, Mus. Naz.
Lit.: P. Schubring, *Ital. Plastik des Quattrocento*, [13]1925. L. Planiscig, *Bernardo u. A. R.*, 1942.

Rossellino, Bernardo, ital. Arch. u. Bildhauer, Settignano 1409–1464 Florenz, Hauptmeister der ital. Frührenaissance; als Arch. baute er im Sinne L. B. → Albertis, vollendete dessen Werk, den *Pal. Rucellai* in Florenz, schuf die *Fassade der Misericordia-Kirche* in Arezzo. Die *Hauptgebäude, Plätze*, vor allem *Anlage des Domplatzes von Pienza* mit dem *Dom* u. *Pal. Piccolomini*. Als Bildhauer gehört er zu den bedeutendsten Nachfolgern → Donatellos. Sein Hauptwerk ist das *Grabmal des Leonardo Bruni*, 1444–51, in S. Croce, Florenz. Mit ihm schuf er die vollendetste Form des Wandgrabes, die bis zum Ausgang der Frührenaissance in Florenz beispielgebend blieb. Weitere Grabmäler: *Grabmal der Beata Villana* in S. Maria Novella, Florenz, 1451. *Grabmal des Filippo Lazzari* in S. Domenico in Pistoia (wesentlich von s. Bruder Antonio ausgeführt), 1464–68. *Grabmal Orlando de Medici* († 1455).
Lit.: P. Schubring, *Ital. Plastik des Quattrocento*, [13]1925. Willich u. Zucker, *Baukunst der Renaiss. in Italien* (Handb. der K. W.), [12]1929. L. H. Heydenreich u. F. Schottmüller in: Th.-B. 1935. L. H. Heydenreich in: Zschr. f. Kunstgesch. 7, 1937. L. Planiscig, *B. u. Antonio R.*, 1942.

Rossetti, Dante Gabriel, engl. Maler, London 1828–1882 Birchington-on-Sea, Hauptvertreter der → Präraffaeliten, beeinflußt von Ford Maddox → Brown, begründete mit → Millais, Holman → Hunt u. a. 1849 die «Pre-Raphaelite Brotherhood»; der von ihm entwickelte, auf die ital. Meister zurück-

gehende Linienstil, seine weiblichen Einzelfiguren mit einer mystisch-sinnlichen Note u. s. Buchillustrationen hatten großen Einfluß auf die Entwicklung des engl. Jugendstiles, d. h. auf den «Modern Style». Beisp.: *Beata Beatrix*, 1863, London, Nat. Gall. *Paolo u. Francesca*, ebda. *Die Verkündigung*, 1850, ebda. *Dantes Traum*, 1870/71, Liverpool, Walker Art Gall. Buchillustrationen: Zeichnungen zu *Tennysons Poems*, 1857. R. war außerdem auch ein bedeutender Dichter.
Lit.: L. Block, 1925. E. Waugh, 1928.

Rossi, Carlo (Karl Iwanowitsch), ital. Arch., der in Rußland wirkte, Neapel 1775–1849 Petersburg, «der letzte große Baumeister des Klassizismus in Rußland, dem das Petersburg der Epoche Alexanders I. s. schönsten Bauten verdankt.»
Hauptwerke: *Pal. für die Kaiserin-Witwe* Maria Fjodorowna, 1818–22; *Neues Michaels-Palais*, 1819 bis 1823; *Alexandra-Theater*, 1827–32; *Öffentl. Bibliothek*, 1828–32; *Gebäude d. Senats u. d. hl. Synods*, 1829–33, u. a.
Lit.: Eliasberg, *Russ. Baukunst*, 1922. A. Michel, *Hist. de l'art* 8, 1925. Th.-B. 1935. V. I. Piljawskij, 1951 (russ.).

Rossi, Domenico Egidio, ital. Arch. aus Fano, 2. Hälfte 17. Jh., zuerst nachweisbar in Wien, wo er von der Kunst → Fischer v. Erlachs beeindruckt wurde, u. in Böhmen; wurde Oberbaudirektor in Baden (dort 1697 zum erstenmal erwähnt). Von ihm der Plan der *Rastatter Schloß-Anlage*, im Verein mit einheitlicher Stadtanlage. Der Plan schließt sich eng an Versailles an; der Stil ital.-österr. Barock. Ferner: Entwurf zum Durlacher Schloß; Lustschloß Scheibenhardt bei Karlsruhe, 1699–1701.
Lit.: K. Lohmeyer, *Die Baumeister d. rhein.-fränk. Barocks*, 1931. Ders. in: Th.-B. 1935. M. Wackernagel, *Baukunst d. 17. u. 18. Jh.* (Handb. d. K. W.), 1915 (⁴1932). G. Dehio, *Handb. d. dt. Kunstdenkmäler* 4, 1911 (neu hg. v. E. Gall, 1935 f.).

Rossi, Francesco de' → Salviati, Cecchino.

Rosso, Medardo, ital. Bildhauer, Turin 1858–1928 Mailand, 1884–86 in Paris. Angeregt durch die Impressionisten versuchte er flüchtige Seheindrücke plastisch zu gestalten. Gipsimprovisationen: *Gespräch im Garten*, 1893; *Boulevard-Eindrücke*, 1895. Ein Hauptwerk: *Verschleierte Frau*, Rom, Gall. mod. R. hat bedeutenden Einfluß ausgeübt, sowohl auf → Rodin wie auch auf den Futurismus v. → Boccioni u. sogar auf → Brancusi. Werke in den mod. Gall. Venedig, Florenz, Rom, Paris (Petit Pal.) u. a.
Lit.: E. Claris, *Rodin u. M. R.*, 1902. E. Fles, 1922. A. Soffici, 1929. G. Papini, 1945 (ital.). A. Colasanti in: Enc. Ital. 1936. E. Waldmann, *Kunst des Realismus*

u. Impressionismus, 1927. W. Grohmann in: Th.-B. 1935. W. Hofmann, *Plastik d. 20. Jh.*, 1958. M. Seuphor, *Plastik unseres Jh.*, 1959.

Rosso Fiorentino, eig. Giovanni Battista Rosso, ital. Maler, Florenz 1494–1540 Fontainebleau, Hauptmeister der Schule von → Fontainebleau, Schüler von Andrea del → Sarto, beeinflußt v. der manierist. Strömung im Gefolge Michelangelos, seit 1530 in Fontainebleau, wo er die Oberleitung der künstlerischen Tätigkeit am Hofe Franz I. innehatte.
Hauptwerk: *Kreuzabnahme*, 1517, Volterra, Gal. Weitere Werke: *Himmelfahrt Mariä*, Florenz, SS. Annunziata (Vorhalle), 1516. *Madonna*, 1522, Florenz, Pal. Pitti. *Moses unter den Töchtern Jethros*, ebda., Uff. *Pietà*, Paris, Louvre. Weitere Werke in Berlin (ehem. K.-F.-Mus.); Città di Castello, Dom; Rom, S. Maria della Pace; Fresken im Schloß Fontainebleau (schlecht erhalten); Arezzo, Pinac.; London, Nat. Gall. u. a.
Lit: F. Goldschmidt, *Pontormo, R. u. Bronzino*, 1911. H. Voss, *Malerei der Spätrenaiss. in Rom u. Florenz*, 1920. N. Pevsner, *Barockmalerei*, 1928. Venturi IX, 5, 1932. K. Kusenberg, 1931 (franz.). P. Barocchi, 1950 (ital.). L. Venturi, *Von Leonardo zu Greco*, 1956.

Roszak, Theodore, amerik. Bildhauer poln. Abkunft, * Posen (Poznan) 1907, tätig in New York, zuerst Maler, ging um 1935 zur Bildnerei über, begann als Konstruktivist, unternahm 1945 die ersten Versuche mit Metallplastik: abstrakte Figuren aus Eisendraht, Messing, Bronze, Holz, zuletzt haupts. Stahl. Sein Stil wird bezeichnet als «abstrakter Expressionismus». R. war vertreten auf der Biennale Venedig 1960. Werke in New York, Mus. of mod. Art; Chicago, Art Mus.; London, Tate Gall. u. a.
Lit.: Vollmer, 1958. W. Hofmann, *Plastik des 20. Jh.*, 1958. M. Seuphor, *Plastik unseres Jh.*, 1959.

Rotari, Pietro Antonio, ital. Maler u. Radierer, Verona 1707–1762 St. Petersburg, Schüler v. R. Audenaerd u. A. → Balestra in Venedig, von F. → Trevisani in Rom u. → Solimena in Neapel; kehrte 1734 nach Verona zurück, wo er eine Malschule eröffnete, ging 1750 nach Wien, von dort nach Dresden u. wurde 1756 von Kaiserin Elisabeth nach St. Petersburg berufen u. zum Hofmaler ernannt. R. schuf viele religiöse Werke in der Art des Solimena, Genrebilder u. a.; vor allem bedeutender Porträtist.
Werke: religiöse Werke in den Kirchen v. Bergamo (Dom u. a.), Padua (S. Antonio), Brescia (S. Maria delle Grazie), Dresden (Hofkirche) u. a. Gut vertreten in den Gal. Verona u. Dresden; ferner in Padua, Berlin, Leningrad, Stockholm, München, Budapest, Florenz (*Selbstbildnis* in den Uff.) u. a.
Lit.: R. Brenzoni in: Th.-B. 1935.

Rothenstein, William, engl. Maler, Zeichner u. Lithograph, Bradford 1872–1945 Far Oakridge, Schüler von A. → Legros, weitergebildet in Paris (Akad. Julian), von → Degas u. → Whistler beeinflußt; Landschaften, Genrebilder, dekorative Wandbilder (Parlamentshaus in London); Bildnisse berühmter Zeitgenossen in Zeichnung u. Lithographie. Werke in: London (Tate Gall., Nat. Portr. Gall.), New York (Metrop. Mus.), Melbourne, Ottawa.
Lit.: J. B. Manson in: The Studio 50, 1910. J. Rothenstein, *W. R. als Porträtzeichn.* in: Kunst u. Künstler 25, 1927. C. Glaser, *Graphik d. Neuzeit,* 1922.

Rothko, Mark, russ.-amerik. Maler, * Dwinsk (Rußland) 1903, 1913 ff. in den USA, Hauptvertreter der amerik. jungen abstrakten Schule u. des Tachismus (wird zusammen genannt etwa mit Clifford → Still, → Kline, → Pollock); gehört mit de → Staël, → Poliakoff u. a. zu den bedeutenden Farbmystikern, meist russ. Herkunft.
Lit.: Hess, *Abstr. Painting,* 1951. Knaurs Lex. abstr. Malerei (M. Seuphor), 1957. Vollmer, 1958. S. Hunter, Amerik. Kunst in: *Neue Kunst nach 1945,* hg. v. W. Grohmann, 1958. *Documenta II,* Kassel 1959.

Rottaler, Stephan, dt. Bildhauer, Schnitzer, vielleicht Arch., zu Beginn des 16. Jh. in Landshut tätig, † um 1533, bedeutender Repräsentant der bayer. Frührenaissance, die im wesentlichen in einer Verwendung der Renaissanceornamentik zu spätgotisch-frühbarocken Wirkungen bestand. Identisch mit dem Monogrammisten S. R.
Hauptwerke: *Wandaltar* als Epitaph (des Domherrn Marolt, † 1513), Freising, Domkreuzgang. Ebda. verschiedene Grabplatten. *Rotmarmorgrabstein des Peter von Altenhausen,* nach 1513, Landshut, St. Jodok. Viele weitere *Epitaphien* u. *Grabsteine* in Ingolstadt, Freising, Landshut u. a.
Lit.: Ph. M. Halm in: Altbayer. Monatsschrift 7, 1906/07. A. Feulner, *Dt. Plastik des 16. Jh.,* 1926. H. Karlinger, *Bayer. Kunstgesch.* 1, 1928.

Rottenhammer, Hans, dt. Maler, München 1564 bis 1625 Augsburg, dt. Frühbarockmeister, bildete sich in Venedig unter dem Einfluß der Werke → Tintorettos, seit 1606 in Augsburg. Er malte Fresken, Altarbilder für Münchner u. Augsburger Kirchen, mythol. u. allegor. Szenen mit weiten Landschaftshintergründen auf Kupfer in kleinen Formaten in einer leuchtenden glatten Feinmalerei. Diese Bildchen – heute s. wesentlichstes Werk – sind sowohl technisch wie künstlerisch von hoher Qualität, im internationalen manierist. Zeitstil gemalt.
Werke: Fresken: *Deckengemälde im Maximilianmus.,*

Augsburg. Altarbilder: *Verkündigung,* Augsburg, St. Ulrich. *Himmelfahrt Mariä,* ebda., Kloster St. Stephan. Religiöse u. mythol. Bilder meist in kleinem Format: *Jüngstes Gericht,* München, A. P. *Venus u. Mars,* ebda. *Ruhe auf der Flucht,* Dresden, Gal. Größere Tafeln: *Tod des Adonis,* Paris, Louvre. *Parnass mit den Musen,* 1603, Wien, Kunsthist. Mus.
Lit.: A. R. Peltzer in: Österr. Jb. 33, 1916. W. Drost, *Barockmalerei,* 1928.

Rottmann, Karl, dt. Maler, Handschuhsheim b. Heidelberg 1797–1850 München, bedeutender Vertreter der «heroischen» Landschaft, war zus. mit → Fohr u. → Fries Schüler s. Vaters *Friedrich R.,* seit 1822 in München, seit 1841 Hofmaler das., schuf Landschaftsbilder, namentlich aus Italien u. Griechenland, in klassizist.-romant. Auffassung.
Hauptwerke: *28 Freskenbilder ital. Städte* in den Arkaden des Hofgartens, München, 1827–34, erhaltenen Teil heute in der Pinak. *23 Bilder griech. Landschaften* in enkaustischer Technik für einen Saal der N. P., München, nach Reisen in Griechenland, 1834–35.
Lit.: F. Krauss in: Heidelberger kunstgesch. Abhdlg. 9, 1930. H. Decker, 1955. R. Hamann, *Dt. Mal. v. Rokoko z. Expression.,* 1925. G. Pauli, *Kunst d. Klassiz. u. d. Romantik,* 1925. W. Hausenstein, *Das Land d. Griechen,* ²1947.

Rottmayr, Johann Michael, dt.-österr. Maler, Laufen 1654–1730 Wien, Hauptmeister des österr. Barock, bildete sich in Salzburg u. Venedig, kam 1689 nach Salzburg, 1696 in Wien als kaiserlicher Hofmaler, schuf haupts. Deckenmalereien in hellen leuchtenden Farben für die Barockbauten der Zeit.
Hauptwerke: Fresken für die *Residenz zu Salzburg,* 1710–11; in *Schloß Pommersfelden,* 1716–18; in der *Stiftskirche Melk,* 1716–22; in der *Karlskirche Wien,* 1725–29; in *Klosterneuburg,* 1729–30. Altarbilder in: Passau, Dom; Wien, Peterskirche u. a.
Lit.: H. Tietze in: Jb. d. Zentralkommission, N. F. 4, 1906. R. Guby in: Ostbayer. Grenzmarken, 1925. A. Feulner, *Skulptur u. Malerei des 18. Jh.,* 1929.

Roty, Oscar, franz. Medailleur u. Plakettenkünstler, Paris 1846–1911 ebda., der bedeutendste franz. Medailleur der 2. Hälfte des 19. Jh., beeinflußt von → Chapu; in allen öffentlichen europ. Slgn. anzutreffen (nahezu vollständig in Paris, Luxemb. u. Hamburg, Kunsth.).
Lit.: F. Mazerolle, 1898. Forrer, *Biogr. Dict. of Medall.* 5, 1912.

Rouault, Georges, franz. Maler u. Graphiker, Paris 1871–1958 ebda., Hauptmeister der franz. Kunst des 20. Jh., kam zunächst zu einem Glasmaler in die Lehre, trat 1891 in die Ecole des B.-Arts, Paris, ein u. war dort 1892–98 in der Klasse Gustave → Mo-

reaus, wo er → Matisse, → Marquet u. → Manguin begegnete. Er war s. Lieblingsschüler u. wurde nach s. Tode, 1898, Konservator des Mus. Gustave-Moreau. Tätig in Paris, schuf ein gewaltiges Werk mit großem Themenkreis; vor allem ist er der größte religiöse Maler der Gegenwart, auch ein hervorragender Graphiker. In s. Stil stellte sich R. entschieden dem Impressionismus entgegen, um das wiederzuerobern, was jener verloren hatte: Gefühls-gehalt u. Leuchtkraft der einzelnen Farbe, seelische Hintergründigkeit, Bekenntnishaftigkeit. Seine Her-kunft als Glasmaler hat er nie verleugnet, sie hat ihn zur Beschränkung der Farben erzogen, zu einer Glut der Farbenwirkung, die an mittelalterliche Glas-malerei erinnert. Man kann R. den größten franz. Expressionisten nennen. Seine Malerei ist Ausdruck der Tragik unserer Welt, sein Themenkreis um-faßt den Clown, die Heilige u. die Dirne, Richter u. Angeklagte; oft nimmt er den Themenkreis → Dau-miers auf, mit dem er Verwandtschaft hat, wie auch mit → Goya u. → Rembrandt. Ebenso wichtig wie die Malerei ist die Graphik u. Zeichnung. R. illustrierte Bücher, u. a. *Père Ubu; Réincarnation du Père Ubu* (v. Vollard), 1918/19; *Les Fleurs du Mal* (Baudelaire); Rabelais u. a. – Graph. Folgen: *Guerre* u. *Miserere*, 1917–27 u. a. Gouache- u. Aquarell-Bilder; *Glasfenster* der Kirche in Assy, 1948. Werke in den Mus. v. Paris (Luxembourg u. Petit Pal.), Grenoble, London (Tate Gall.), Frankfurt, Kopen-hagen, Moskau, New York, Zürich u. v. a. R. schrieb: «Soliloques», 1944.
Lit.: G. Charensol, 1926. R. Cogniat, 1931. E. A. Jewell, 1945–47. L. Venturi, 1940. Ders., 1948. Ders., 1959. J. T. Soby, 1947. Vollmer, 1958.

Roubiliac (Roubillac), Louis François, franz. Bildhauer, Lyon 1702–1762 London, war um 1718 bei B. → Permoser in der Lehre, später Schüler von N. → Coustou in Paris, mit dem er um 1726 nach Rouen ging, von wo er – als Hugenotte – nach England flüchtete. Auf einer Italienreise 1752 ent-scheidend von → Bernini beeinflußt. R. schuf in England zahlreiche Büsten: von *Newton; Pope*, 1741; *Hogarth*, u. a. *Statue Newtons* für das Trinity Coll. Cambridge, 1751–58; *Denkmal Shakespeares*, Vorhalle des Brit. Mus., London; weitere Denk-mäler, Grabmäler, u. a.
Lit.: K. A. Esdale, 1929. Ders. in: Th.-B. 1935. Osborn, *Kunst d. Rokoko*, 1929.

Rousseau, Henri, gen. le Douanier, franz. Maler, Laval 1844–1910 Paris, der bedeutendste der «pri-mitiven» volkstümlichen Maler, betrieb die Malerei zunächst als Dilettant neben s. Tätigkeit als Zöllner, ließ sich später pensionieren, um nur noch zu malen. Seit 1886 stellte er aus, das Publikum fand s. Bilder lächerlich, aber die bedeutendsten Künstler der Zeit erkannten s. Bedeutung; er stand mit

→ Gauguin, Odilon → Redon, → Pissarro, → Seu-rat, → Picasso u. a. in freundschaftlicher Ver-bindung. In s. Stil ging er von der naiven Malweise der Sonntagsmaler aus; er stand ganz außerhalb der Kunstströmungen s. Zeit, kam aber allmählich zu einer Monumentalität u. zu Farbakkorden **ganz** eigener Prägung. In s. bedeutendsten Bildern werden Realität u. Traumwelt wunderbar ver-schmolzen. Sein Einfluß auf die Künstler der Neu-zeit war sehr groß.
Einige Hauptwerke: *Porträt Pierre Loti*, 1891, Zü-rich, Kunsth. *Die schlafende Zigeunerin*, 1897, New York, Mus. of Mod. Art. *Die Schlangenbändigerin*, 1907, Paris, Louvre. In vielen Gal. mod. Kunst ver-treten.
Lit.: W. Uhde, 1914. Ders., 1948 (Abb.-Bd.). Ders., *5 primit. Meister*, 1947. Basler, 1927.

Rousseau, Philippe, franz. Maler, Paris 1816–1887 Acquigny, Schüler von → Gros, anfänglich Land-schaften, seit ca. 1840 vor allem Tierstücke u. Stil-leben; in vielen Gal. vertreten.

Rousseau, Théodore, franz. Maler u. Graphiker, Paris 1812–1867 Barbizon, Hauptmeister des «Pay-sage intime», malte seit 1833 viel im Wald von → Barbizon, war mit → Dupré befreundet u. siedelte sich schließlich in Barbizon an, wo er den größten Teil des Jahres verbrachte. Wie bei s. Mitstrebenden war die Kunst der alten Holländer u. die des John → Constable nicht ohne Einfluß auf ihn. Er skizzierte s. Bilder in der Landschaft u. führte sie im Atelier aus. Ein Hauptmotiv ist der von der untergehenden Sonne beleuchtete Waldrand. Die alten pittoresken Bäume waren s. großer Ruhm. Hauptwerke: *Am Rande des Waldes v. Fontainebleau*, 1855, Paris, Louvre. *Sumpf in den Landes*, ebda.
Lit.: Sensier, 1872. W. Gensel, *Millet u. R.*, 1902. M. Raynal, *De Goya à Gauguin*, 1951 (m. Bibliogr.).

Roussel, Ker Xavier, franz. Maler, Lorry-les-Metz 1867–1944 L'Etang-la-Ville, gehört mit → Bon-nard u. s. ihm eng befreundeten Schwager → Vuil-lard zu den ältesten Mitgliedern der Künstlergruppe der → Nabis. R. schuf Landschaften, die er mit Faunen, Nymphen, Herbst- oder Frühlingsgenien usw. belebte. Die antike Hirtenidylle füllt mehr als die Hälfte s. Werkes. Diese Wiederbelebung der Antike geschah in bewußtem Gegensatz zum Im-pressionismus. R. bevorzugte Kreidezeichnungen u. Pastell. Der Großteil s. Werks ist unvollendet ge-blieben. Es gibt zauberhafte Zeichnungen u. Litho-graphien von ihm. Er war außerdem ein geschickter Dekorateur: *Dekorationen im Théâtre des Champs-Elysées* in Paris u. *im Treppenhaus des Mus. in Winter-thur* u. a. Vertreten in Paris, Luxembourg u. Mus. mod. (*Pastorale; Vénus et l'Amour au bord de la mer; L'enlèvement des filles de Leucippe; Diane*). Ferner in

den Gal. Algier, Kopenhagen, Helsinki, Moskau u. a.
Lit.: L. Cousturier, 1921. L. Werth, 1931. Vollmer, 1958.

Rovezzano, Benedetto da, ital. Arch. u. Bildhauer, Canapale b. Pistoia 1474–1552 Vallombrosa, kein bedeutender Plastiker, aber feiner Dekorateur, schon zur Hochrenaissance gehörend, ausgebildet in Florenz unter dem Einfluß der Benedetto da → Maiano u. Giuliano da → Sangallo, vielleicht Schüler des Matteo → Civitali, schuf Grabmäler, Dekorationen an Türen, Kaminen, Altären u. a.
Werke in Florenz: *Grabmal des hl. Johann Gualberto* für S. Trinità, 1507–13, heute im Mus. Naz. (Bargello). *Grabmal Piero Soderini*, 1513, im Chor der Carmine-Kirche. *Prunkkamin* aus dem Pal. Roselli del Turco, heute im Mus. Naz. *Altar in S. Trinità,* Florenz (Hauptwerk). *Marmorstatue des Johannes Evang.*, Kuppelraum des Domes. R. war in England, um das Grabmal für Kardinal Wolsey zu schaffen; zerstört; erhalten nur der Sarkophag selber, heute Grabstätte Nelsons in der St. Paulskathedrale, London.
Lit.: Schottmüller in: Th.-B. 1909. L. M. Tosi in: Enc. Ital. 1930. P. Schubring, *Kunst d. Hochrenaiss.*, 1926.

Rowlandson, Thomas, engl. Zeichner, Radierer u. Aquarellmaler, London 1756–1827 ebda., bedeutender Karikaturist u. Sittenschilderer, tätig in London, begann als Porträt- u. Landschaftsmaler, ging dann aber bald zu Zeichnung u. Radierung über, um als Karikaturist zu wirken, für Blätter wie «Annals of Sporting» u. «The Caricature Magazine». Es sind beißende, oft anklägerische soziale Satiren über das Leben der Zeit vom Londoner Hof bis zu den Branntweinschenken des East-Ends. Ferner Buchillustrationen für die Werke von Sterne, Smollet, Fielding, Goldsmith u. a. In s. Kunst ging R. von → Hogarth aus u. kann als Vorläufer → Daumiers angesehen werden.
Lit.: J. Grego, 1880. J. Veth in: Kunst u. Künstler, 1909. A. P. Oppé, 1923. E. C. J. Wolf, 1945. M. Osborn, *Kunst d. Rokoko*, 1929.

Roy, Pierre, franz. Maler, Nantes 1880–1950 Mailand, begann als Neo-Impressionist, schloß sich 1920 dem Surrealismus an, zu dessen Pionieren er gehört. R. schuf Stilleben, Interieurs, Landschaften, Buchillustrationen, Theaterdekorationen. Vertreten in den mod. Gal. Paris, New York, London (Courtauld Inst.), Hartford (Connect.), Nantes u. a.
Lit.: W. Grohmann in: Th.-B. 1935. Vollmer, 1958.

Roybet, Ferdinand, franz. Maler u. Radierer, Uzès 1840–1920 Paris, Schüler von → Vibert, pflegte als s. Spezialität reizvolle Kostümstücke aus dem 16. u.

17. Jh., guter Porträtist. Werke in den Mus. Amiens, Boston, Chicago, Hamburg, Marseille, New York, Philadelphia, Grenoble, Lyon, Paris (Louvre u. Luxembourg), Reims, Rouen u. v. a.
Lit.: L. Roger-Milès, 1890. Bénézit, 1954.

Roymerswaele, Marinus van → Reymerswaele, Marinus van.

Rubens, Peter Paul, niederl. Maler, Siegen (Westf.) 1577–1640 Antwerpen, Hauptmeister des fläm. Barock, Schüler der Romanisten A. v. → Noort u. O. van → Veen, 1600–08 in Italien, seitdem in Antwerpen tätig, Hofmaler des Erzherzogs Albrecht, des Statthalters der span. Niederlande. 1609 mit Isabella Brant vermählt, nach deren Tod, 1626, mit Helene Fourment (1630). Verschiedene Reisen in diplomatischen Aufträgen nach Madrid, Paris u. London; seit 1635 auf s. Landschlößchen Steen lebend. Die künstlerische Entwicklung: In s. frühen Epoche nimmt R. die Elemente der ital. Renaissance u. des Manierismus auf u. lernt in Italien die Antike kennen. In den auf die ital. Reise folgenden Jahren, 1608–15, tritt s. persönlicher Stil hervor u. wird 1615–20 verstärkt durch den barocken Drang nach leidenschaftlicher Bewegung u. Kraftäußerung. Das Jahrzehnt 1620–30 bringt eine weitere Vertiefung s. Kunst. In s. Geschichtsbildern bringt er eine Verschmelzung von Gegenwartsereignissen, Mythologie u. Allegorie. Landschaften werden häufiger, die Figuren werden mit dem Raum verschmolzen. Das letzte Jahrzehnt bringt eine nochmalige Steigerung der Leuchtkraft der Farben u. Verinnerlichung der Kunst.
R. hat in gleicher Vollendung religiöse, geschichtliche, allegor. u. mythol. Darstellungen, Bildnisse, Landschaften, Tierstücke u. a. geschaffen. Er hatte einen außerordentlich großen Werkstattbetrieb, in dem außer s. Schülern, von denen der bedeutendste van → Dyck war, auch selbständige Meister beschäftigt wurden, wie → Snyders u. de → Vos für Tierdarstellungen, van → Uden u. → Wildens für Landschaften usw. Sein Einfluß auf die Kunst der Folgezeit war ungeheuer.
Einige Hauptwerke: religiöse: *3teiliges Altargemälde* für die Jesuitenkirche in Mantua, 1604–06: Mittelbild in der Akad. das.; Seitenbilder in den Mus. Antwerpen u. Nancy. *Kreuzaufrichtung*, 1610–11, Antwerpen, Kathedrale. *Kreuzabnahme*, 1611–14, ebda. *Das «große» Jüngste Gericht*, 1615–16, München, A. P. *Das «kleine» Jüngste Gericht*, 1618–20, ebda. *Himmelfahrt Mariä*, 1626, Antwerpen, Kathedrale. *Altar des hl. Ildefonso*, 1630–32, Wien, Kunsthist. Mus. *Hl. Cäcilie*, 1639–40, Berlin, staatl. Mus.
Hist.-mythol.: Hauptwerke die Folge von *21 Bildern zur Geschichte der Maria von Medici*, 1621–25, für den Luxembourgpalast bestimmt, heute Paris, Louvre. *Amazonenschlacht*, um 1615–20, München, A. P.

Raub der Töchter des Leukippos, um 1615–20, ebda. Landschaften: *Landschaft mit Philemon u. Baucis*, Wien, Kunsthist. Mus., um 1620. *Landschaft mit Regenbogen*, um 1635, Leningrad, Eremitage. Bildnisse: *Selbstbildnis mit Isabella Brant*, 1609–10, München, A. P. *Bildnis der Maria von Medici*, um 1625, Madrid, Prado. *Bildnis s. beiden Söhne*, um 1625, Liechtensteingal., Vaduz. *Helene Fourment im Pelzmantel*, um 1638, Wien, Kunsthist. Mus. *Helene Fourment mit ihren beiden ältesten Kindern*, um 1636, Paris, Louvre. Die Zahl der wesentlich eigenhändigen Werke wird auf etwa 600 geschätzt. Die Mehrzahl der etwa 250 Zeichungen sind in Wien, Albertina; Paris, Louvre; London, Brit. Mus. Zur Verbreitung s. Werke hat R. Kupferstecher herangebildet, die sog. → R.-Stecher.
Lit.: M. Rooses, 1886–92 (franz.). Ders., 1905 (dt.). J. Burckhardt, *Erinnerungen aus R.*, 1898 (versch. Neuausg.). *Die Handzeichn. v. P. P. R.*, hg. v. G. Glück u. F. M. Haberdietzl, 1928. *Die Gemälde* (Klass. der Kunst), hg. v. R. Oldenbourg [4]1921. L. van Puyvelde, *Skizzenbuch des P. P. R.*, 1939. H. G. Evers, 1942. Ders., 1944. O. Bock v. Wülfingen, *R. in der dt. Kunstbetrachtung*, 1942. P. Arents, *R.-Bibliogr.*, 1943.

Rubensstecher, Gruppe fläm. Kupferstecher des 17. Jh., die bes. nach Kompositionen Rubens' stachen u. z. T. von R. selber herangebildet waren. Die wichtigsten: Lukas → Vorsterman, Paul → Pontius, Jan → Witdoek, Boetius u. Schelte → Bolswert.
Lit.: A. Rosenberg, *Die Kupferst. in der Schule des Rubens*, 1888. Ders., *Die R.*, 1893.

Rude, François, franz. Bildhauer, Dijon 1784–1855 Paris, Hauptmeister der franz. Plastik zu Beginn des 19. Jh., begann als klassizist. Akademiker, verhalf dann aber mit s. Hauptwerken der beginnenden Romantik u. dem Realismus zum Durchbruch. Sein hervorragendstes Werk ist die Hochreliefgruppe *Le chant du départ*, auch als *Marseillaise* bezeichnet, am Triumphbogen in Paris, 1832–36. Es handelt sich um eine Gruppe ausziehender Krieger, im Stil wohl von → David inspiriert, aber leidenschaftlich bewegt u. realistisch, daher an revolutionärer Gesinnung mit → Delacroix' Revolutionsbild vergleichbar.
Weitere Hauptwerke: *Marmorbüste Davids*, 1831, Paris, Louvre. *Neapolit. Fischer*, 1833, ebda. *Bronzefigur des Merkur*, 1834, ebda. *Marmorstatue der Jeanne d'Arc*, 1852, ebda. *Bronzestandbild des Marschalls Ney*, Paris, Carrefour de l'Observatoire, 1852–53. *Marmorgruppe der Taufe Christi*, Paris, Madeleine.
Lit.: M. Legrand, 1856. A. Bertrand, 1888. De Fourcaud, 1904. J. Calmette, 1922. G. Pauli, *Kunst d. Klassiz. u. d. Romantik*, 1925.

Ruelas, Juan de las → Roelas, Juan de las.

Rugendas, Georg Philipp, dt. Maler u. Radierer, Augsburg 1666–1742 ebda., malte u. radierte (Schabkunstblätter), bes. Schlachtendarstellungen u. Szenen aus dem Soldatenleben in der Art von J. → Courtois u. → Wouwerman. Vertreten in Braunschweig, Mus. Radierungsfolgen: *Capricci* (6 Bl.), 1698; *Franzosen vor Augsburg* (6 Bl.), 1703. Lit.: A. Feulner, *Skulpt. u. Mal. d. 18. Jh.* (Hb. d. K. W.), 1929. N. Lieb in: Th.-B. 1935.

Ruisdael, Jacob van, niederl. Maler, Haarlem um 1628–1682 ebda., Hauptmeister der holl. Landschaftsmalerei nach → Rubens, vielleicht Schüler s. Onkels Salomon v. R., seit 1657 in Amsterdam, seit 1681 in Haarlem tätig. Er geht von der Malerei des Es. van der → Velde aus; in s. Kunst steigert sich das holl. Landschaftsgefühl zu starker Dramatik; ein romant. Gefühl spricht aus den düsteren u. schwermütigen Naturstimmungen.
Hauptwerke: sein berühmtestes: *Die Mühle von Wijk bei Duurstede*, um 1670, Amsterdam, Rijksmus. *Judenfriedhof*, Dresden, Gal. Weitere Werke: *Ruinenlandschaft*, London, Nat. Gall. *Eichenwald im Wasser*, Berlin, staatl. Gal. *Blick auf Haarlem*, 1655–60, Amsterdam, Rijksmus. *Waldlandschaft*, Frankfurt, Städel.
Lit.: M. Weinberger, 1925. J. Rosenberg, 1928. K. E. Simon, 1931. W. v. Bode, *Holl. Landschaftskunst*, 1925.

Ruisdael, Salomon → Ruysdael, Salomon.

Runciman, Alexander, engl. Maler u. Radierer, Edinburgh 1736–1785 ebda., war 1766–71 in Rom, vom Klassizismus berührt, mit H. → Füssli befreundet, von dem er ebenfalls beeinflußt wurde.

Runge, Philipp Otto, dt. Maler, Wolgast (Pommern) 1777–1810 Hamburg, Hauptmeister der dt. Romantik, 1799–1801 Schüler der Kopenhagener Akad., 1801–1804 in Dresden, wo er dem Kreis der Romantiker um Tieck nahetrat, seit 1804 meist in Hamburg tätig. R. schuf Bildnisse u. allegor. Zeichnungen u. Malereien. In s. Bildnissen ist er ein hervorragender Biedermeier-Porträtist, in s. Naturallegorien hat er das romant. Naturempfinden als einer der ersten zum Ausdruck gebracht. Neben C. D. → Friedrich der bedeutendste Vertreter der dt. Romantik.
Sein Hauptwerk ist der Zyklus *Die Tageszeiten:* die Entwürfe von 1803, Hamburg, Kunsth. Ausgeführt nur das erste Bild: *Der Morgen*, in der 2. Fassung aus Bruchstücken zusammengesetzt, 1808/09, ebda. Bildnisse: *Die Kinder Hülsenbeck*, 1805/06, Hamburg, Kunsth. *Die Eltern des Malers*, 1806, ebda. *Selbstbildnis mit Frau u. Bruder*, 1805 (1931 beim Münchner Glaspalastbrand zerstört). *Seine Frau mit Kind*, Berlin, staatl. Mus. Ferner

Die Quelle, Hamburg, Kunsth. *Ruhe auf der Flucht nach Ägypten*, um 1805/06, ebda. Die bedeutendste R.-Slg. in Hamburg, Kunsth. Figürlich-ornamentale Zeichnungen z. T. veröffentlicht: *Ausgeschnittene Blumen u. Tiere in Umrissen*, 1843. Hinterlassene Schriften, hg. von s. Bruder Daniel R., 1840/41. Weitere Auswahl hg. von E. Forsthoff, 1938. Briefe, hg. von K. F. Degner, 1940.
Lit.: P. F. Schmidt, 1923. O. Böttcher, 1937. Th. Bohner, 1937. Ch. A. Isermeyer, 1940. K. Privat, *R., s. Leben in Selbstzeugnissen, Briefen u. Berichten*, 1942. G. Pauli, *Kunst d. Klassiz. u. d. Romantik* 1925. W. R. Deusch, *Mal. d. dt. Romantik*, 1937.

Ruoppoli, Giovanni Battista, ital. Maler, Neapel 1620–1685; dekorative Werke, vor allem aber Stilleben (bes. Früchte); von → Caravaggio beeinflußt.

Ruoppoli, Giuseppe, ital. Maler, Neapel um 1631 bis 1710, Neffe u. Schüler von Giov. Batt. → R., malte Stilleben.

Rusconi, Camillo, ital. Bildhauer, Mailand 1658 bis 1728 Rom, Spätbarockmeister aus der Nachfolge → Berninis u. → Algardis, schuf Grabmäler u. Statuen für röm. Kirchen, auch Kleinbronzen u. a. Hauptwerke: *4 Apostelstatuen*, um 1708–18, in S. Giovanni in Laterano, Rom. *Grabmonument Papst Gregors XIII.*, 1723, Petersdom, Rom.
Lit.: A. E. Brinckmann, *Barockskulptur* (Handb. der K. W.), 1917. H. Ladendorf in: Th.-B. 1935. G. Pucci in: Enc. Ital. 1936.

Russ, Robert, österr. Maler, Wien 1847–1922 ebda.; impression. Landschaften; vertreten in Wien, Akad. u. Gal. d. 19. Jh.; Stuttgart; Prag; Brünn u. a.

Russell, John, engl. Maler, Guildford 1745–1806 Hull, Bildnismaler (Öl, Pastell, Miniaturen), auch Kupferstecher, Schüler von Francis → Cotes, wurde 1789 Hofmaler; vertreten in: London, Nat. Portr. Gall. (11 Bildnisse); Vict. u. Albert Mus., ebda.; Brit. Mus., ebda. Ferner: Paris, Louvre; Schloß Windsor u. a.

Russell, Morgan, amerik. Maler, New York 1886 bis 1953 Broomall (Penn.), 1906 in Paris, wo er lange Zeit tätig war, studierte dort → Matisse, gründete mit → Macdonald-Wright zusammen den «Synchronismus» 1912, kehrte 1946 nach den USA zurück. R. schloß sich früh den Abstrakten an, kehrte aber wieder zur figurativen Kunst zurück.
Lit.: W. H. Wright, *Mod. paint.*, 1915. M. Seuphor, *L'Art abstrait*, 1949., Ders., *Dict. peint. abstr.*, 1957. Ritchie, *Abstr. Paint. and Sculpt. in America*, 1951. Vollmer, 1958.

Russolo, Luigi, ital. Maler, Portogruaro (Venedig) 1885–1947 Cerro di Laveno, gehörte – mit →Boc-

cioni, → Severini, → Carrà – zu den Mitbegründern der futurist. Bewegung (1910), (→ Futuristen); in s. farblichen Wirkungen beeinflußt von O. → Redon, dessen Neigung zur Mystik er teilte; in s. sog. «Bruitismus» versuchte er akustische Wirkungen mit malerischen Mitteln zu erzeugen. Vertreten in Basel (*Häuser, Licht u. Himmel*), in Paris u. a. O.
Lit.: Vollmer, 1958. M. Z. Russolo, 1958. W. Haftmann, *Mal. d. 20. Jh.*, 1954.

Rustici, Giovan Francesco, gen. Rustichino, ital. Maler, Siena um 1595–1695 ebda., an den Werken G. → Renis u. der → Carracci gebildeter Künstler, bes. beeinflußt von → Caravaggio. Er schuf vor allem kirchliche Werke für Siena. Beisp.: Hochaltarbild in S. Giacomo in Siena: *Marter des hl. Jakobus. Grablegung*, Rom, Gall. Borghese.
Lit.: M. Middeldorf in: Th.-B. 1935. N. Pevsner, *Mal. d. 17. Jh.*, 1928 (Hb. d. K. W.).

Rusuti, Filippo, ital. Mosaizist u. Maler, tätig in Rom um 1300, schuf die signierten *Mosaiken* am oberen Teil der alten Fassade von S. Maria Maggiore, um 1308, heute in der Loggia (restauriert). In ihnen erweist sich R. als Künstler der röm. Schule um 1300, in der Art der → Cavallini u. → Torriti.
Lit.: R. van Marle, *Ital. Schools* I, 1923. P. Toesca, *Storia dell'Arte ital.* I, 1927. Ders. in: Enc. Ital. 1936. R. Oertel, *Frühzeit d. ital. Malerei*, 1953.

Ruthart, Carl Borromäus, dt.-ital. Maler u. Radierer, Danzig um 1630 bis nach 1680 Aquila, wo er als Mönch lebte, malte vor allem bedeutende Tierbilder, im Stil ähnlich dem G. B. → Castigliones. Werke in Florenz (Pitti), Slg. Liechtenstein (Vaduz), Schleißheim, Augsburg, Oldenburg, Ludwigsburg (Schloß), Rom (2 Altarbilder in S. Eusebio) u. a.

Ruths, Valentin, dt. Maler, Hamburg 1825–1905 Uhlenhorst, Schüler von → Schirmer in Düsseldorf, 1855–57 in Italien, seitdem in Hamburg tätig, schuf Landschaftsbilder aus Norddeutschland u. Italien. Beisp.: *Das Blockhaus in Hamburg*, 1848, Hamburg, Kunsth. *Die See vor Rügen*, 1865, ebda. *Promenade vor einer kleinen Stadt*, Bremen, Kunsth. *Abenddämmerung*, 1875, Berlin, Nat. Gal.
Lit.: *Dt. Jh.-Ausstellung*, 1906 (H. v. Tschudi). G. Pauli, *Hamb. Meister d. guten alten Zeit*, 1925.

Ruwoldt, Hans, dt. Bildhauer u. Graphiker, * Hamburg 1891, tätig ebda., schuf haupts. Tierplastiken in energisch stilisierten Formen; Werke im Hamburger Volkspark u. Hamb. Kunsth.; Porträtköpfe; Mappenwerk (Graphik): *Tiere*, 1946.
Lit.: U. Gertz, *Plastik d. Gegenw.*, 1953.

Ruysch, Rachel, niederl. Malerin, Amsterdam um 1664–1750 ebda., hervorragende Blumen- u. Früchtemalerin, Schülerin von Willem van → Aelst, seit 1695 verheiratet mit dem Maler Jurian Pool, 1708–16 Hofmalerin der Kurfürsten von der Pfalz in Düsseldorf. In ihrem Stil schloß sie sich bes. an Davidz de → Heem an.

Ruysdael, Jacob van → Ruisdael, Jacob van.

Ruysdael (Ruijsdael), Salomon van, niederl. Maler, wahrscheinlich Haarlem um 1600 –1670 ebda., gehört mit Jan van → Goyen zu den Begründern der typisch holl. Landschaftsmalerei, tätig in Haarlem. R. stellte vornehmlich Dörfer an Flußmündungen, Kanallandschaften, Wirtshäuser u. Landstraßen mit Staffage dar; in den frühen Werken ist ein gelblicher oder grau-grüner Gesamtton vorherrschend, in den späteren erscheint der Himmel farbig belebt. Beisp.: *Flußlandschaft,* München, A. P. *Die Rast,* Amsterdam, Rijksmus. *Der See,* Brüssel, Mus. *Der Maibaum,* Wien, Kunsthist. Mus. In vielen Mus. Lit.: W. Stechow, 1938. W. v. Bode, *Meister d. holl. u. fläm. Malerschulen,* ⁴1923.

Ryckaert, David, niederl. Maler, Antwerpen 1612 bis 1661 ebda., bedeutender Vertreter des fläm. Genres, Schüler s. Vaters *David* (1586–1642), tätig in Antwerpen, malte Bauernbilder, Gesellschaftsstücke u. ä., gelegentlich auch kleine religiöse Darstellungen. In s. Kunst geht er von A. → Browers Spätstil u. nordniederl. Vorbildern aus u. nähert sich dann immer mehr der fläm. Kunstweise. Von malerischem Helldunkel kommt er zu Aufhellung u. erhöhter Farbigkeit. Vertreten u. a. in Amsterdam, Antwerpen, Brüssel, Berlin, Dresden, Frankfurt, Berlin, Köln, Wien. Beisp.: *Die Bauernstube,* 1638, Dresden, Gal. *Die Bauernfamilie* («Wie die Alten sungen, so piepen die Jungen»), 1639 u. 1642, ebda. *Schuhmacherwerkstatt,* Amsterdam, Rijksmus. *Der Dorfnarr,* Berlin, staatl. Mus. *Musikal. Unterhaltung,* 1650, Liechtensteingal., Vaduz.

Lit.: K. Zoege v. Manteuffel in: Mitt. aus der sächs. Kunstslg., 1915.

Rydberg, Gustav, schwed. Maler, Malmö 1835 bis 1933 ebda., Schüler von → Gude in Düsseldorf, beeinflußt von → Corot; vor allem schwed. Landschaften; vertreten in Stockholm, Nat. Mus. u. vielen andern nord. Mus.

Ryder, Albert Pinkham, amerik. Maler, New Bedford (Mass.) 1847–1917 Elmhurst (N. Y.), malte Marinen u. Landschaften, studierte unter William Marshall, einem → Couture-Schüler, war in Paris (→ Corot u. a.). Romantisierender Künstler, dem es auf stärkste Ausdruckswirkung ankam; manche s. Werke wirken sehr modern. Vertreten in den Mus. Brooklyn, Buffalo, Chicago, Detroit, New York, St. Louis, Toledo (USA), Washington, Worcester. Lit.: F. F. Sherman, 1920. A. Werbik in: Th.-B. 1935. M. Raynal, *De Goya à Gauguin,* 1951 (mit Bibliogr.). L. Goodrich, 1959.

Rysselberghe, Theo van, belg. Maler, Gent 1862 bis 1926 Saint-Clair, bedeutender Vertreter des Neo-Impressionismus, schuf Landschafts- u. Figurenbilder, Porträts u. a. Um 1886 wandte er sich dem Pointillismus in der Art → Seurats zu. Beisp.: *Mandolinenspieler,* 1882, Brüssel, Mus. *Bildnis s. Frau u. Tochter,* 1899, ebda. *Bildnis des Dichters Verhaeren,* 1915, ebda. *Fische u. Krebse in einem Aquarium,* Amsterdam, Rijksmus. Werke in den Mus. Amsterdam, Brüssel, Essen, Gent, Helsinki, Paris (Luxembourg) u. a. Lit.: P. Fierens, 1937. F. Maret, 1944. J. Rewald, *Von van Gogh zu Gauguin,* 1957 (m. Bibliogr.).

Ryssen (Ryzen), Warnard van, niederl. Maler, * Zaltbommel um 1625, Schüler des C. van → Pœlenburgh. Beisp.: *Büßende Magdalena in Grotte,* Kassel, Mus. Lit.: A. v. Wurzbach, *Niederl. Künstlerlex.,* 1910.

S

Saarinen, Eero, finn.-amerik. Arch., Helsinki 1910 bis 1961 Ann Arbor (Mich.), Sohn von Eliel → S., baute unter vielem andern: *General Motors Techn. Center,* Detroit; die *Station der Trans World Airlines* im New Yorker Flughafen Idlewild; *die amerik. Gesandtschaftsgebäude* in London u. Oslo. Lit.: Kunstwerk 9, 1955/56, H. 5. Vollmer, 1958.

Saarinen, Eliel, finn. Arch., Rantasalmi (Finnland) 1873–1950 Michigan, 1897–1922 in Finnland, seitdem in den USA, wo er an der Cranbrook Acad.

of Arch. in Birmingham (Mich.) lehrte. Sein Hauptwerk, der *Bahnhof in Helsinki,* 1904 ff., bildete einen Markstein des Neuen Bauens in Finnland.

Sabatelli, Luigi, ital. Maler, Florenz 1772–1850 Mailand, akad. Klassizist, 1807–48 Lehrer der Akad. Mailand, schuf die *Fresken des Saales der Ilias* im Pal. Pitti in Florenz: Darstellungen der Olympischen Götter (beg. 1815). Weitere Fresken in den Pal. Annoni u. Serbelloni, Mailand u. im Dom zu Pistoia u. a.

Sabatini (Sabbatini), Andrea, gen. *Andrea da Salerno*, ital. Maler, Salerno um 1484–1530 Gaeta, bedeutender südital. Meister, nach umbrischer Schulung unter dem Einfluß des → Cesare da Sesto, später ganz unter → Raffaels Einfluß, schuf *Fresken in SS. Severino e Sosio* in Neapel; das *Hochaltarbild in S. Giorgio*, Neapel; die *Altartafel für S. Giorgio* in Salerno, 1524, Salerno, Mus. Weitere Werke in den Kirchen von Salerno u. Neapel; in Neapel, Mus.; in Montecassino, Pinac.; in Paris, Louvre u. a.
Lit.: G. Ceci in: Th.-B. 1935.

Sabatini (Sabbatini), Lorenzo, gen. *Lorenzo da Bologna*, ital. Maler, Bologna um 1530–1576 Rom, Vertreter des reifen Manierismus in Bologna, Schüler von Prospero → Fontana, beeinflußt von → Parmigianino, den röm. Manieristen u. bes. → Vasari, dessen Mitarbeiter er seit 1572 war. Hauptwerke: *Himmelfahrt Mariä*, Bologna, Pinac. Fresko der *4 Kirchenväter* in S. Giacomo Maggiore in Bologna. Werke in Kirchen Bolognas; in der Pinac., ebda.; in Rom, Vatikan; in Parma, Pinac.; in Dresden, Gal.; Berlin, ehem. K.-F.-Mus.; Paris, Louvre; Leningrad, Eremitage u. a. Zeichnungen in London, Brit. Mus.; Windsor; Florenz, Uff.
Lit.: H. Voss, *Malerei der Spätrenaiss. in Rom u. Florenz*, 1920. A. Venturi IX, 6, 1933. H. Bodmer in: Th.-B. 1935. C. Gnudi in: Enc. Ital. 1936.

Sacchi, Andrea, ital. Maler, Nettuno 1599–1661 Rom, Meister des röm. Hochbarock, ausgebildet unter dem Einfluß der → Carracci in Bologna, Schüler → Albanis in Rom, tätig ebda. seit etwa 1621, später bes. von → Barocci, → Lanfranco, → Cortona beeinflußt, Vertreter der klassizist. Strömung des Hochbarock; sein Hauptschüler war Carlo → Maratti, der die klassizist. Linie weiterentwickelte, die über → Baroni zu → Mengs führte. S. schuf große kirchliche Freskengemälde u. Altarbilder. Hauptwerke: Deckengemälde: *Die göttliche Weisheit*, um 1630, im Pal. Barberini, Rom. Werke im Vatik. Mus.: *Vision des hl. Romuald*, um 1640. In röm. Kirchen: in S. Carlo ai Catinari: *Heimgang der hl. Anna*, 1649; *Hochaltar* in S. Isidoro: Madonna erscheint dem hl. Isidor. Vertreten in den Mus. Perugia, Forlì, Genua (Pal. Rosso), Rom (Gall. Doria), Berlin, Dresden, Madrid, Ottawa u. a.
Lit.: H. Posse, 1925. H. Voss, *Malerei des Barock in Rom*, 1925. N. Pevsner, *Malerei des 17. Jh. in Italien* (Handb. der K. W.), 1928.

Sacchi, Giov. Antonio → Pordenone.

Sacchi, Pier Francesco, ital. Maler, Pavia 1485–1528 Genua, haupts. in Genua tätig, Vertreter der lombard. bestimmten genues. Stilrichtung (→ Foppa), auch niederl. beeinflußt. Werke in Genua, Pal. Bianco; in S. Maria di Castello, ebda.; in weiteren

genues. Kirchen; in Berlin (ehem. K.-F.-Mus.), Paris (Louvre), London (N. G.), u. a.
Lit.: E. v. d. Bercken, *Malerei d. Renaiss. in Oberital.* (Handb. d. K. W.), 1927. M. Labò in: Th.-B. 1935.

Sadeler, fläm. Kupferstecherfamilie des 16.–17. Jh. Bedeutendstes Mitglied:
Egidius S., Antwerpen 1570–1629 Prag, einer der besten Stecher s. Zeit, in München, Rom u. Neapel tätig, seit ca. 1597 als Hofkupferstecher in Prag, stach Bildnisse in zarten, lichten Tönen, ferner Landschaften u. Figurenbilder nach Gemälden zeitgenössischer Meister. Lehrer → Sandrarts. Bekannte Blätter: *Christus am Kreuz*, 1590, nach Chr. → Schwarz; *Golgatha*, 1590, nach P. → Candid; *Grablegung Christi*, 1593, nach Jos. → Heintz.
Seine Brüder: *Johann* S., Brüssel 1550–1600 Venedig, u. *Raphael* S. (1560–1632) waren vor allem in München u. Venedig tätig.
Lit.: Wurzbach, *Niederl. Künstlerlex.*, 1910. E. Bock, *Die dt. Meister*, 1921.

Saedeleer, Valerius de, belg. Maler, Alost 1867 bis 1941 Leupegem, Landschafter aus der «Schule von Laethem», Schüler von Frans Courtens, war 1904–08 in Laethem Saint-Martin tätig u. wurde nachhaltig von G. → Minne, → Woestijne u. a. beeinflußt; vertreten in den Mus. von Antwerpen, Brüssel, Gent u. a.
Lit.: J. Milo, 1934. J. Walravens, 1949. *De James Ensor à C. Permeke*, l'art en Belgique, 1959. *Ausst.-Kat. Sources du XXe siècle*, Paris 1960/61.

Saenredam, Pieter, niederl. Maler, Assendelft 1597 bis 1665 Haarlem, Hauptmeister des holl. Architekturbildes, wandte sich seit 1628 ganz dem Architekturbild zu, u. zwar malte er haupts. Innenansichten holl. Kirchen, die er mit unvergleichlicher Genauigkeit u. künstlerischer Feinheit ausführte; daneben röm. Veduten. Hauptbilder in Amsterdam, Rijksmus. Vertreten ferner in den Gal. Haarlem, Rotterdam, Utrecht, Braunschweig, Budapest, Glasgow, Hamburg, Innsbruck, Kassel, London, Philadelphia, Turin u. a.
Lit.: H. Jantzen, *Niederl. Architekturbild*, 1910. W. Stechow in: Th.-B. 1935. P. T. A. Swillens, 1935. H. P. Bremmer, 1938. *Ausst.-Kat. Holländer d. 17. Jh.*, Zürich 1953.

Saftleven, Cornelisz, niederl. Maler u. Radierer, Gorkum (Gorinchem) 1607–1681 Rotterdam, Meister holl. Bauernszenen in der Art von → Brower u. → Teniers; auch von Landschaften mit Hirten u. Vieh, an A. → Cuyp erinnernd. Beisp.: *Bauern vor der Schenke*, Amsterdam, Rijksmus. *Bauernoperation*, 1636, Karlsruhe, Gal. Vertreten in den Gal. v. Amsterdam, Den Haag, Haarlem, Aachen, Dres-

den, Braunschweig, Augsburg, Karlsruhe, Kopenhagen, Leningrad u. a.
Lit.: Wurzbach, *Niederl. Künstlerlex.*, 1910. W. Stechow in: Th.-B. 1935.

Saftleven, Herman d. J., niederl. Maler u. Radierer, Rotterdam 1609–1685 Utrecht, Meister des holl. Landschaftsbildes, Bruder von Corn. → S., malte vor allem heitere Flußlandschaften, im Stil von P. → Molijn beeinflußt, später von den Meistern der italianisierenden Richtung (Jan → Both). Als Radierer bedeutender denn als Maler; beeinflußt von → Buytewech u. Jan Both. Beisp.: *Der Eislauf*, 1646, Kassel, Gal. Vertreten in Amsterdam, Rijksmus.; Dresden, Gal.; Wien, Kunsthist. Mus. u. v. a. Lit.: Wurzbach, *Niederl. Künstlerlex.*, 1910. W. Stechow in: Th.-B. 1935.

Saint-Aubin, franz. Künstlerfamilie des 18. Jh., die bedeutendsten:
Augustin S., franz. Zeichner u. Radierer, Paris 1736 bis 1807 ebda., nimmt unter den großen Stechern einen hervorragenden Platz ein, Schüler von Etienne Fessard, Mitarbeiter von → Cochin, radierte Darstellungen aus dem Leben der eleganten Gesellschaft; auch eine große Anzahl fein gezeichneter Bildnisse. Er radierte nach eigenen Vorlagen sowie nach → Boucher, → Greuze, → Vanloo u. a. Er illustrierte die Werke von Marmontel, Fabeln von Dorat, Chansons von de Laborde u. a.
Charles-Germain de S., franz. Radierer, Zeichner für Textilkunst, Paris 1721–1786 ebda., königl. Zeichner für Kostüme, «dessinateur du Roi», bes. für Stickereien u. Spitzen. Er radierte mehrere Folgen. Ein Hauptwerk sind die Aquarelle des «*Recueil de Plantes*» (250 Bl.). Bruder von Augustin u. Gabriel S.
Gabriel de S., franz. Maler u. Radierer, Paris 1724 bis 1780 ebda., Schüler von → Jeaurat u. → Boucher, Bruder von Augustin u. Charles-Germain S., malte Landschaftsbilder u. Genrebilder aus dem Pariser Leben; auch feine Aquarelle u. Gouachen; Radierungen nach eigenen Vorlagen; Illustrationen u. Gebrauchsgraphik (Vignetten u. a.). Beisp.: *La Parade des Boulevards*, 1760, London, Nat. Gall. *Fête au Colisée*, London, Wallace Coll.
Lit.: *Cat. raisonné de l'exposition des S.*, hg. v. E. Dacier u. Girod de l'Ain, 1925. E. Dacier, *Gabriel de S.*, 1929–31.

Saint-Jean, Simon, franz. Maler, Lyon 1808–1860 Ecully-Lyon, Meister des Blumenstillebens, Schüler von A. Thierriat u. F. Lepage, beeinflußt von van → Huysum, vertreten u. a. in Paris, Louvre, in den Gal. v. Lyon, London (Wallace Coll.), Washington (Corcoran Gall.).

Saliba, Antonello da → Antonello da Saliba.

Salimbeni, die Gebrüder, ital. Maler, tätig in den Marken zu Beginn des 15. Jh., Hauptvertreter des Zeitstils der «internationalen Gotik» in den Marken; *Lorenzo* S., * um 1374 in S. Severino Marche, u. *Jacopo*; sie wirkten in Arbeitsgemeinschaft; gebildet unter dem Einfluß der Schule des → Gentile da Fabriano; sie signierten gemeinsam die *Fresken in der Kirche S. Giovanni Battista* in Urbino, 1416, mit der Kreuzigung u. Szenen aus dem Leben Johannes d. T. Weiteres Werk: *Triptychon* mit Sposalizio u. Heiligen, S. Severino Marche, Pinac.

Salimbeni, Ventura, gen. Bevilacqua, ital. Maler u. Radierer, Siena um 1567–1613 ebda., Hauptmeister des sienesischen Frühbarock, entscheidend beeinflußt von der Kunst des → Barocci. Außer in Siena war S. auch in Rom, Lucca, Perugia, Pisa, Florenz u. Genua tätig. Er schuf religiöse Bilder, bes. auch große erzählende Fresken, wie die Darstellung von Heiligenlegenden im Haus der hl. Katharina, Siena: *Ausmalung des Oratorio della Trinità* u. a. Viele Werke in Sieneser Kirchen: *Drei Marien am Grabe*, 1610, S. Quirico; *Kreuztragung*, 1612, S. Agostino u. a. Ferner: *Gottvater u. Engel*, 1609, Pisa, Dom; *Hl. Katharina*, Lucca, Pinac. *Hl. Familie*, Florenz, Pitti-Gal. S. war beteiligt an der Ausmalung von S. Maria Maggiore u. der Sixtin. Bibliothek in Rom; auch ein geistreicher Radierer.
Lit.: H. Voss, *Malerei der Spätrenaiss. in Rom u. Florenz*, 1920. A. Venturi IX, 7, 1934. N. Pevsner, *Mal. d. 17. Jh.* (Hb. d. K. W.), 1928.

Salvatierra y Barriales, Valeriano, span. Bildhauer, Toledo um 1790–1836 Madrid, Schüler von → Canova u. → Thorwaldsen in Rom, Sohn des Bildh. *Mariano* S. y Serrano (1752–1814), schuf *12 Statuen an der Hauptfassade des Prado-Mus.* in Madrid; Statuen der *Urania* u. *Kalliope* am Opernhaus, ebda.; *Bildwerke der Puerta de Toledo*, ebda. *Mater dolorosa* in S. Nicolas, ebda.

Salvi, Giovanni Battista → Sassoferrato.

Salvi, Nicola, ital. Arch., Rom 1697–1751 ebda., Meister des Spätbarock, letzter Vertreter des von → Bernini begründeten röm. Barock. Hauptwerk *Fontana Trevi*, Rom, seit 1732 (voll. 1761/62 von → Pannini).
Lit.: H. Ladendorf in: Th.-B. 1935.

Salviati, Cecchino, eig. *Francesco de Rossi*, ital. Maler, Florenz 1510–1563 Rom, Hauptvertreter des florent.-röm. Manierismus, ausgebildet unter dem Einfluß der Raffael-Schule, Schüler Andrea del → Sartos, beeinflußt von → Michelangelo u. Michelangelo-Nachfahren, von → Parmigianino u. a. Tätig haupts. in Florenz u. Rom, schuf dekorative Freskenwerke, kirchliche Werke u. a., bes. auch bedeutende Bildnisse.

Freskenwerke: *Heimsuchung*, 1538, Rom, S. Giovanni decollato; *Geschichte des Hauses Farnese*, im Pal. Farnese, Rom. *Geschichte des Camillus*, Florenz, Pal. Vecchio. Tafelbilder: *Caritas*, Florenz, Uff. *Die Parzen*, Florenz, Pal. Pitti. *Kreuzabnahme*, Florenz, S. Croce. *Thronende Madonna*, S. Cristina in Bologna. Weitere Werke in Florenz, Pitti u. Uff., Paris (Louvre), Aix-en-Provence, Mailand (Ambrosiana), Neapel, London, Madrid, Richmond (Slg. Cook) u. a.
Lit.: H. Voss, *Malerei der Spätrenaiss. in Rom u. Florenz*, 1920. A. Venturi IX, 6, 1933. N. Pevsner, *Malerei des 17. Jh. in Italien* (Handb. der K. W.), 1928. W. Stechow in: Th.-B. 1935.

Salvisberg, Otto Rudolf, schweiz. Arch., Bern 1882 bis 1940 Zürich, Schüler von → Thiersch in München, 1908–30 in Berlin tätig, 1930 ff. Prof. der ETH Zürich, schuf Siedlungen, Kirchen u. Geschäftshäuser in Berlin; das *Loryspital* u. *Universitätsbauten* in Bern; *Kirche der Christian Science* in Basel u. v. a.

Samacchini (Sammacchini), Orazio, ital. Maler u. Kupferstecher, Bologna 1532–1577 ebda., mit → Sabatini, → Passerotti u. a. Hauptvertreter des reifen Manierismus in Bologna, in s. Kunst Einflüsse von → Vasari u. Pellegrino → Tibaldi; abgesehen von kürzeren Unterbrechungen in Bologna tätig.
Werke: *Fresken im Dom zu Parma*, 1570–74. *Darbringung im Tempel*, 1575, Bologna, S. Giacomo Maggiore. *Fresken in S. Abbondio* in Cremona. Werke in den Kirchen Bolognas; Parma, Pinac.; Modena, Gal.; Mailand, Brera; Turin, Pinac. Zeichnungen in Windsor; Paris, Louvre; Florenz, Uff.
Lit.: N. Pevsner, *Barockmalerei des 16. Jh.* (Handb. der K. W.), 1928. A. Venturi IX, 6, 1933.

Samberger, Leo, dt. Maler, Ingolstadt 1861–1949 München, Schüler von → Lindenschmit in München, malte Bildnisse, die nach dem Vorbild → Lenbachs altmeisterliche Wirkungen erstrebten (→ Rubens, → Tizian u. a.). Beisp.: *Selbstbildnis*, 1884, München, Städt. Gal. (ein weiteres in der Staatsgal., ebda.). *Der Vater des Künstlers*, ebda. *Prophet Jeremias*, Bremen, Kunsth. Werke in München, N. P.; Staatsgal.; Städt. Gal.; Kupferst.-Kab. Ferner in den Gal. Nürnberg, Stuttgart u. a.
Lit.: H. Eßwein, 1913. J. Kreitmaier, 1923. A. Gotzes, 1946.

Sambin, Hugues, franz. Holzbildhauer u. Arch., Gray um 1515 – um 1601 Dijon, hatte Einfluß auf die Entwicklung des franz. Renaissancestils durch s. theoret. Schrift, mit Abb., über die Anwendung von Karyatiden: «Oeuvre de la diversité des Termes etc.», 1572, u. s. eig. üppig verzierten

Kunstschreinerarbeiten: *Gitterpforte*, Dijon, Pal. de Justice; *Porte du Scrutin*, ebda., heute im Mus.; *Flügel der Außentür*, ebda., heute im Mus. (Zuschreibung); weitere Zuschreibungen (Möbel u. a.).
Lit.: E. Michel, *Hist. de l'Art* V, 2, 1913.

Sanchez Coello, Alonso, span. Maler, Benifayo (Valencia) um 1531–1588 Madrid, ausgebildet in Flandern u. Lissabon; seit 1557 am Hof Philipps II. in Valladolid. Er schloß sich in seinen religiösen Werken dem italianisierenden, haupts. von → Tizian beeinflußten manierist. Stil an; bedeutend in s. an Antonio → Moro anknüpfenden Bildnismalerei. Hauptwerke: *Hochaltar zu El Espinar*, 1574–77. *Vermählung der hl. Katharina*, 1578, Madrid, Prado. *Altarbilder in der Kathedrale v. Segovia u. im Escorial*. Bildnisse: *Porträt Philipps II.*, um 1575, Madrid, Prado. *Selbstbildnis*, ebda. *Infant Don Carlos*, ebda. *Infantin Isabel Clara Eugenia*, ebda. Gut vertreten in Wien, Kunsthist. Mus.; ferner in Augsburg, Bamberg, Dublin, Turin u. a.
Lit.: A. L. Mayer, *Geschichte der span. Malerei*, 1922. V. v. Loga, *Malerei in Spanien*, 1923. A. L. Mayer in: Th.-B. 1935. F. de San Roman, 1938.

Sanchez Cotan, Juan, span. Maler, Orgaz 1561 (?) bis 1627 Granada, Meister realist. Stilleben, kam früh in Berührung mit der Kunst → Caravaggios, die er selbständig in seinen «bodegones» (Stilleben) ausbildete; 1604 wurde er Kartäusermönch u. trat 1616 in das Kartäuserkloster von Granada ein (der Cartuja), das er, von kurzen Unterbrechungen abgesehen, nicht mehr verließ. S. malte religiöse Bilder, die den Einfluß der Schule von Toledo, bes. des → Roelas verraten. Heute bes. geschätzt als Vertreter der realist. Kunst s. «bodegones», eines Genre, das er auf die künstlerische Höhe brachte. Werke: religiöse: *Wandmalereien in der Kartause* bei Granada. Weitere Werke ebda. u. im Bischöfl. Palast von Granada. *Vision des hl. Franziskus*, 1620, Sevilla, Kathedrale. Stilleben: *bodegón del cardo*, Granada, Mus.; *bodegón*, San Diego (Calif.), Mus.
Lit.: A. L. Mayer, *Sevillaner Malerschule*, 1911. Ders., *Hist. de la pint. esp.*, 1928. Ders. in: Th.-B., 1935. J. Lassaigne, *Peinture espagn. de Vélasquez à Picasso*, 1952. E. Lafuente Ferrari, *Breve hist. pint. españ.*, 1953.

Sandby, Paul, engl. Maler, Zeichner u. Radierer, Nottingham 1725–1809 London, bedeutender Aquarellmaler, gen. «The father of English water-colour art», 1746–51 in Schottland tätig, 1768 Gründungsmitglied der Royal Acad., malte, zeichnete u. radierte Veduten (aus Schottland, Windsor, Eton u. a.), ferner Karikaturen. Wandte als erster in England die Aquatintatechnik an; wichtigste Folgen: *12 Views in South Wales*, 1775; *12 Views in North Wales*, 1776; u. a. In vielen engl. u. amerik. Mus. vertreten.

Lit.: A. P. Oppé, *S.-Drawings in the Royal Coll. at Windsor Castle*, 1945. L. Binyon, *Engl. Water-Colours*, ²1946.

Sande Bakhuijzen, Hendrik van de, niederl. Maler, Den Haag 1795–1860 ebda., malte realistische Landschaften: Weiden mit Vieh; Seestücke u. a., Hauptmeister der holl. Landschaftsmalerei der 1. Hälfte des 19. Jh. Vertreten in holl. u. belg. Galerien; ferner: Hamburg, Karlsruhe, München u. a.

Sandels, Gösta, eig. Adrian G. Fabian, schwed. Maler, Göteborg 1887–1919 Granada, von van → Gogh u. → Munch beeinflußt, schuf Landschaften, Bildnisse, Illustrationen. Vertreten in den Gal. Stockholm, Göteborg, Oslo u. a.
Lit.: A. J. Romdahl, *Det moderne maleriet*, 1926.

Sanders, Jan → Hemessen, Jan van.

Sandrart, Joachim v., dt. Maler u. Kupferstecher, Frankfurt a. M. 1606–1688 Nürnberg, vor allem bekannt als Verfasser der «Teutschen Akademie der edlen Bau-, Bild- u. Malereikünste», 2 Bde., 1675–79, einem für die Geschichte der Kunst s. Zeit wichtigen Quellenwerk, das Künstlerbiographien nach dem Muster → Vasaris enthält (Neuausg. von Peltzer, 1925). Als Maler war S. Schüler von Egidius → Sadeler in Prag u. G. → Honthorst in Utrecht. S. bildete sich auf weiten Reisen in ganz Europa, lebte 1637–44 in Amsterdam, ferner in Augsburg, Nürnberg, Frankfurt, München u. a. In s. Kunst vereinigte er den Stil s. holl. Schulung mit Zügen fläm. u. ital. Barockmalerei (→ Rubens, die Venezianer). Er schuf Historienbilder, Altäre; sehr geschätzt als Porträtist.
Werke: *7 Altarbilder*, 1657, in der Stiftskirche Lambach b. Gmunden. *Das Gesandtenmahl des Ottavio Piccolomini*, 1649 u. 1650, Nürnberg, Rathaus. *Schützenstück des Hauptmanns C. Bicker*, 1638, Amsterdam, Rijksmus. Weitere Werke in den Gal. Amsterdam, Augsburg, Bamberg, Bergamo, Berlin, Braunschweig, Budapest, Florenz, Göteborg, Graz, Mailand, Moskau, München, Münster i. W., Rennes, Riga, Schleißheim, Speyer, Vaduz (Slg. Liechtenstein), Wien, Würzburg.
Lit.: P. Kutter, 1907. W. Waetzoldt, *Dt. Kunsthistoriker* 1, 1921. J. v. Schlosser, *Kunstliteratur*, 1924. A. R. Peltzer in: Müncher Jb. der bild. Kunst, N. F. 2, 1925. H. V. in: Th.-B. 1935.

Sandreuter, Hans, schweiz. Maler, Zeichner u. Lithograph, Basel 1850–1901 Riehen b. Basel, Schüler → Böcklins, von dem er entscheidende Anregungen erhielt u. dem er 1874 nach Florenz folgte; ab 1885 in Basel. Vertreten in den Mus. Basel, Bern, Zürich, Genf u. a., ferner in Dresden.

Lit.: Brun, *Schweiz. Künstlerlex.*, 1913. Christ-Iselin, *Erinnerungen an S.*, 1920. M. Huggler/A. M. Cetto, *Schweiz. Mal. im 19. Jh.*, 1941.

Sangallo, da, ital. Arch.-Familie; bedeutendste Mitglieder:
Antonio d. Ä., Florenz 1455–1534 ebda., Hauptmeister der Hochrenaissance, schuf mit der Kreuzkuppelkirche *S. Biagio* b. Montepulciano, 1518–45, den großartigsten Zentralbau der Hochrenaissance. Weitere Werke: Kirche *SS. Annunziata* in Arezzo. *Pal. del Monte* in Monte Sansovino.
Lit.: A. Venturi VIII, 1, 1923. Willich u. Zucker, *Baukunst der Renaiss.* (Handb. der K. W.), ¹²1929. H. Heydenreich in: Th.-B. 1935.
Antonio, d. J., eig. Cordiani, Florenz 1483–1546 Terni, Neffe u. Schüler von Antonio d. Ä. u. Giuliano, sowie → Bramantes, wurde nach → Raffaels Tod Oberbauleiter von St. Peter in Rom; s. Bauten im reifen Hochrenaissancestil zeigen schon Ansätze zum Frühbarock; neben → Sanmicheli war er der erste Festungsbaumeister s. Zeit.
Hauptwerke: *Pal. Farnese*, Rom, 1534 ff. (Gebälk u. Gesims von → Michelangelo). Mit der Kirche *S. Spirito in Sassia*, Rom, 1538–44, schuf er eine Vorform der röm. barocken Kirchenfassade. Neubau von *S. Maria di Loreto*, ebda., 1507 (nur das Erdgeschoß nach s. Entwurf ausgef.). Die Münze, La Zecca (jetzt *Pal. del Banco di S. Spirito*), 1523–24, ebda. S. eigenes Haus (jetzt *Pal. Sacchetti*), 1543, ebda.
Lit.: Willich u. Zucker, *Baukunst der Renaiss.* (Handb. d. K. W.), ¹²1929. H. Heydenreich in: Th.-B. 1935. W. Paatz, *Kunst der Renaiss. in Italien*, 1953.
Giuliano, ital. Arch., Florenz 1445–1516 ebda., Hauptmeister der beginnenden Hochrenaissance, wirkte an vielen bedeutenden Bauten in der Toskana mit; ferner in Rom (1514 vorübergehend Bauleiter von St. Peter), Mailand u. Neapel tätig. In s. Kunst führte er Baugedanken → Brunelleschis weiter u. entwickelte damit die Florentiner Frührenaissance zur Hochrenaissance. Mit der Kirche *S. Maria delle Carceri* in Prato, 1485–91, führte er den ersten Kuppelbau über griech. Kreuz aus, einen der ersten Zentralbauten der Hochrenaissance. Weitere kirchliche Bauten: *S. Maria Maddalena dei Pazzi* in Florenz, um 1480 ff., mit anmutigem Vorhof. Kuppelbau von *S. Maria di Loreto*, 1499–1500. *Sakristei v. S. Spirito*, Florenz. Ferner zahlreiche Entwürfe, u. a. für den Neubau von St. Peter in Rom.
Weltliche Bauten: *Villa Reale in Poggio a Caiano* b. Florenz, 1485 ff. *Pal. Corsi* in Florenz, um 1490. Entwürfe für den Pal. Medici in Rom, 1513, u. v. a. Als Festungsbaumeister errichtete er die *Zitadelle von Pisa*, 1509–12 (erhalten ein Rundturm, eine Bastion u. verbindende Cortine). Die *Skizzenbücher* S.s sind erhalten in der Bibliothek des Vatikans u. der Stadt Siena (Ausg. von Falb, 1902, u. Ch. Hülsen,

1910). Krit. Verz. der *Handzeichnungen,* hg. von C. v. Fabriczy, 1902.

Lit.: G. Clausse, *Les Sangallo,* 1900–03. H. Willich u. P. Zucker, *Baukunst der Renaiss.,* ¹²1929. G. Marchini, 1942. W. u. E. Paatz, *Die Kirchen v. Florenz* 4 u. 5, 1953. W. Paatz, *Kunst der Renaiss. in Italien,* 1954. A. Venturi VIII, 1, 1923. C. v. Fabriczy, *Handzeichn.,* 1902. H. Heydenreich in: Th.-B. 1935.

Sanmicheli, Michele, ital. Arch., Verona 1484–1559 ebda., Hauptmeister der Hochrenaissance, bildete in s. Bauten den Stil der röm. → Bramante-Schule weiter; er war in Verona tätig, wo er einige der hervorragendsten Hochrenaissance-Pal. schuf; ferner in Venedig, wo er sich den örtlichen Verhältnissen stark anpaßte. S. war – neben A. da → Sangallo d. J. – der erste Festungsbaumeister s. Zeit; er war in Rom ausgebildet u. ab 1528 in venez. Diensten u. schuf als solcher vor allem die Befestigungen Veronas.
Hauptwerke in Verona: *Pal. Canossa,* beg. um 1530; *Pal. Pompei,* um 1530; *Pal. Bevilacqua,* um 1530. *Pal. Malfatti; Pellegrini-Kapelle* bei S. Bernardino. *Befestigungen* mit der *Porta Nuova,* um 1538, u. *Porta Stupa,* 1557. In Venedig: Hauptwerk *Pal. Grimani,* beg. 1556; das Innere des *Pal. Cornèr-Spinelli* u. a. Ferner Festungswerke in Brescia, Bergamo, Peschiera, Korfu, Nauplia, Kandia u. a. S. hat großen Einfluß gehabt als Festungsbaumeister; auch in s. Kunstbauten von starkem Einfluß, z. B. auf → Palladio u. → Longhena.
Lit.: L. Dianoux, *Les monuments de S.,* 1878. B. Ebhardt, *Wehrbauten Veronas,* 1911. H. Willich u. P. Zucker, *Baukunst der Renaiss.* (Handb. der K. W.), ¹²1929. H. Willich in: Th.-B. 1935. E. Langenskiöld, 1938 (engl.). A. Venturi XI, 3, 1940.

Sano di Pietro, ital. Maler, Siena 1406–1481 ebda., tätig in Siena, Schüler von → Sassetta, ein später Nachfahre der got. Tradition der Sieneser Malerei (Simone → Martini). Beisp.: *Triptychon mit der Krönung Mariä,* um 1445, Siena, Pinac. Die reichste Slg. der Kunst S.s in Siena.
Lit.: Gaillard, 1923. Trübner, *Stilist. Entwicklung der Tafelbilder des S.,* 1925. R. van Marle, *Ital. Schools* 9, 1927. B. Berenson, *Pitt. ital.,* 1936. C. Brandi, *Cat. della pinac. di Siena,* 1933. Ders., *Quattrocentisti senesi,* 1949. G. Delogu, *Ital. Malerei,* ³1948. J. Pope-Hennessy, *Peint. Siennoise du Quattrocento,* 1947.

Sanraku, auch Kano, eig. Mitsuyori, japan. Maler, 1559–1635, von s. Lehrer Kano Eitoku adoptiert, schuf für die unter Hideyoshi in u. um Kioto errichteten Paläste u. Tempel dekorative Malereien, bes. für Schiebetüren u. Wandschirme, deren Wirkung er durch Goldgründe erhöhte.
Lit.: O. Kümmel in: Th.-B. 1935.

Sansovino, Andrea, eig. Contucci, ital. Bildhauer u. Arch., Monte Sansovino um 1460–1529 ebda., Hauptmeister der Hochrenaissanceplastik, Schüler von A. → Pollaiulo u. des G. da → Sangallo; in s. Kunst vollzog sich der Wandel vom Realismus der Frührenaissance zum klass. Ideal der Hochrenaissance. Führend war er vor allem in der Ausgestaltung des Wandgrabmals: er übertrug antike Triumphbogenmotive auf die Architektonik der Grabmonumente; S. war ferner ein großer Dekorateur. 1491–1500 in Lissabon tätig (keine Werke erhalten); dann in Florenz, Rom u. Loreto.
Hauptwerke: *Marmorgruppe der Taufe Christi* über der Osttür des Baptisteriums von Florenz, beg. 1502. *Wandgrabmäler des Kardinals Ascanio Sforza* (1505) u. des *Prälaten Girolamo Basso della Rovere* (1507) in S. Maria del Popolo in Rom. *Statuen Johannes d. T. u. der Madonna,* 1503, Genua, Kathedrale S. Lorenzo, Cappella S. Giovanni Battista. *Statuen u. Reliefs der Casa Santa* in der Chiesa della Casa Santa in Loreto; S. war von 1513 an bis zu s. Tode mit den Entwürfen u. teilweise mit der Ausführung des plastischen Marmorschmuckes der Casa Santa beschäftigt; unter s. Leitung arbeiteten auch → Tribolo, → Bandinelli, Girol. Lombardo, Raffaello da Montelupo, Domenico Aimo u. a. Werke in Florenz, Mus. Naz. (Bargello); Berlin, ehem. K.-F.-Mus. u. a.
Lit.: P. Schönfeld, 1881. E. Mauceri (L'Arte Bd. 3) 1900. G. A. Huntley, 1935. A. Venturi X, 1, 1935. F. Baumgart, *Gesch. d. abendländ. Plastik,* 1957.

Sansovino, Jacopo, eig. Tatti, ital. Arch. u. Bildhauer, Florenz 1486–1570 Venedig, Hauptmeister der Hochrenaissance, Schüler des Andrea → S., nach dem er sich nannte, war anfangs in Florenz u. Rom tätig, seit 1527 in Venedig, wo er einen den Traditionen Venedigs angepaßten Hochrenaissancestil entwickelte. Sein künstlerischer Ausgangspunkt war die florent. Renaissance, vor allem die Kunst → Bramantes. Mit s. Hauptwerk, dem Bau der *Alten Markus-Bibliothek* (Libreria Vecchia), 1536 ff., schuf er ein Hauptwerk der Hochrenaissancearchitektur Italiens. Auch die Freilegung des Markusplatzes geht auf ihn zurück. Viele s. plastischen Arbeiten gehören zu den bedeutenden der Epoche.
Hauptwerke in Venedig als Arch.: außer der *Alten Bibliothek Pal. Cornèr,* 1537 ff.; *Zecca* (Münze), 1537–45; *Pal. Manin;* die *Loggetta* am Campanile (Markusturm), 1537–40. Kirchen: *S. Giorgio de' Greci* (von Lombardo beg., nach S.s Plänen von Chiona voll.). *S. Francesco della Vigna* (Inneres 1534 ff.; Fassade nach → Palladios Entwurf 1634 voll.). *S. Giuliano,* 1554 beg. *S. Martino,* um 1540. In Padua: *Hof der Univ.* Hauptwerke als Bildhauer: *Standbild des hl. Jakobus,* 1513, Florenz, Dom; *Marmorstatue des Bacchus,* ebda., Nat. Mus. (Bargello); Statue der *Madonna* in S. Agostino in Rom, 1518; *Statuen u. Reliefschmuck an der Loggetta* in

Venedig, 1540–45; *Grabmal des Dogen Venier*, Marmor, voll. 1561, Venedig, S. Salvatore; Kolossalstandbilder des *Mars u. Neptun* auf der Freitreppe im Hof des Dogenpalastes (Scala dei Giganti), 1554–67; *Bronzereliefs aus dem Leben des hl. Markus*, im Chor von S. Marco, Venedig (1541–42); *Bronzestatuen der 4 Evangelisten*, ebda.; *Bronzene Sakristeitür*, ebda. (beg. 1545). S. war mit Entwürfen u. Ausführung an vielen weiteren Bauten, namentlich in Venedig, beteiligt; als Bildhauer vertreten mit weiteren Werken in Florenz, Nat. Mus. (Bargello); Berlin, ehem. K.-F.-Mus.; Slg. Schloß Rohoncz, Lugano (Zuschreibung) u. a.
Lit.: L. Pittoni, 1909. H. Willich u. P. Zucker, *Baukunst der Renaiss. in Italien* (Handb. der K. W.), ¹²1929. L. Planiscig, *Venez. Bildh. der Renaiss.*, 1921. Fr. Sapori, 1928 (ital.). H. R. Weihrauch, *Studien zum bildner. Werk des J. S.*, 1935. A. Venturi X, 2, 1936 u. XI, 3, 1940. N. Pevsner, *Europ. Arch.*, 1957.

Santacroce, 2 Gruppen venez. Maler des 16. Jh. mit je einem Schulhaupt: das der einen ist → Francesco di Simone; die Mitglieder stammen anscheinend aus dem heute nicht mehr existierenden Dorf S. bei Bergamo. In ihrer Kunst vor allem von Giov. → Bellini, später von → Palma Vecchio beeinflußt. Haupt der 2. Gruppe: *Gerolamo* da S., † 1556, tätig in Venedig, um 1503 Schüler von Gent. → Bellini, darauf von Giov. → Bellini u. wohl auch von → Cima da Conegliano. Diese 2. Gruppe stammt möglicherweise aus einem S. b. Triest. Ihre Mitglieder versorgten die Kirchen von Venedig u. Umgebung u. weitere Gebiete mit Kirchenaltären.
Lit.: G. Fiocco, *I pitt. da S.* in: L'Arte 19, 1916. G. Gombosi in: Gaz.-des B.-Arts, 1932. Ders. in: Enc. Ital. 1936.

Santacroce, Girolamo, ital. Bildhauer, * Neapel um 1502, † um 1537; Schüler von B. → Ordoñez in Neapel, von toskan. Renaissance beeinflußt; Hauptwerk: *Altar der Familie Del Pezzo*, um 1524, Neapel, Chiesa di Monte Oliveto.
Lit.: Venturi X, 1935. L. Becherucci in: Enc. Ital. 1936.

Sant'Agata, Francesco da, ital. Goldschmied u. Kleinplastiker, tätig in Padua um 1520, wohl aus der Schule der → Lombardo stammender Meister, von dem die *Buchsstatuette eines Herkules*, London, Wallace Coll., bezeichnet ist. Auf stilkritischem Wege wurden angeschlossen: weitere *Herkules-Statuetten* in Oxford, Ashmolean Mus. u. Paris, Louvre. *Hl. Sebastian*, New York, Slg. P. Morgan u., in Buchsausführung, Berlin, ehem. K.-F.-Mus. *Verwundeter Jüngling*, London, Wallace Coll.; Paris, Louvre; Braunschweig, Mus.; Berlin, ehem. K.-F.-Mus. Weitere Werke in den gen. Mus. u. Florenz (Mus. Naz.) u. a.

Lit.: W. Bode in: Burl. Magaz. 5, 1904. Ders., *Ital. Bronzestatuetten*, 1909 u. ö. L. Planiscig, *Venez. Bildh. d. Renaiss.*, 1921. A. Venturi X, 1, 1935.

Sant' Elia, Antonio, ital. Arch., Como 1888–1916 gef. b. Monfalcone, propagierte theoretisch die Übertragung des Programms des Futurismus auf die Architektur; gilt heute mit s. Entwürfen einer Idealstadt u. moderner Gebäude als Wegbereiter der heutigen ital. Baukunst.
Lit.: A. Sartoris, 1930. F. T. Marinetti in: Enc. Ital. 1936. *Ausst.-Kat. sources du XXe siècle*, Paris 1960/61.

Santerre, Jean-Baptiste, franz. Maler, Magny-en-Vexin 1651–1717 Paris, Schüler von Fr. → Lemoyne u. von B. → Boullogne, schuf Porträts, bibl. u. allegor. Bilder u. a. Beisp.: *Bildnis der Herzogin von Burgund*, Versailles, Mus. *Hl. Therese*, 1709, Versailles, Schloßkapelle. *Susanna im Bade*, Paris, Louvre.
Lit.: A. Potiquet, 1876. A. Michel, *Hist. de l'Art* VII, 1, 1923.

Santi, Giovanni, ital. Maler, Urbino um 1435–1494 ebda., Vater → Raffaels, in Urbino u. Umgebung tätig, beeinflußt von → Melozzo da Forlì, dessen Schüler er vielleicht war, später auch von → Perugino u. → Justus van Gent. S. ist ein schlichter, liebenswürdiger Vertreter der umbrischen Schule, der religiöse Werke schuf, bes. Madonnen; stellte in den Gestalten der Heiligen biedere Charaktere, oft tüchtige Porträtfiguren dar.
Hauptwerke: *Fresken* in S. Domenico in Cagli; *Madonna mit Heiligen*, 1481, ebda.; *Mariä Heimsuchung* in S. Maria Nuova in Fano; *Madonna mit 4 Heiligen*, ebda., Pinac. Mehrere Werke in Urbino, Pinac. (*Hl. Sebastian; Madonna mit Heiligen* u. a.). Ferner *Madonna mit Kind, Heiligen u. Stifterfig.*, Berlin, ehem. K.-F.-Mus. *Madonna mit Kind*, London, Nat. Gall. Weitere Werke in Florenz (Gall. Corsini), Mailand (Brera), Rom (Vatik. Gal.), Urbino (Pal. Ducale) u. a.
Lit.: A. Schmarsow, 1887. Venturi VII, 2, 1913.

Santi (Sanzio), Raffaello → Raffael.

Santi di Tito → Tito.

Santini, Giovanni (eig. Johann Santin Aichel), böhmischer Arch., Prag 1667–1723 ebda., Sproß einer aus Oberitalien eingewanderten Steinmetzenfamilie, haupts. in Italien als Maler u. Arch. ausgebildet, seit ca. 1700 in Böhmen u. Mähren tätig, der hervorragendste Baumeister des böhm. Spätbarock vor → Dientzenhofer, den er stark beeinflußt hat. Er schuf zahlreiche Klosterbauten in Böhmen u. Mähren u. Palais in Prag (ungewöhnlich schöne Innendekorationen). Seine Hauptwerke sind

die *Klosterkirchen : Sedlez,* 1703 ff.; *Saar,* 1706–23; *Kladrau,* 1712 ff.; *Seelau,* 1712–20.
Lit.: M. Wackernagel, *Baukunst des 17. u. 18. Jh.* (Handb. der K. W.), 1915. J. J. Morper in: Th.-B. 1935. H. W. Hegemann, *Dt. Barockbaukunst Böhmens,* 1943. H. G. Franz, *Dt. Barockbaukunst Mährens,* 1943. Ders., *Gotik u. Barock im Werk des J. S. A.* in: Wiener Jb. f. Kunstgesch. XIV, 1950.

Santomaso, Giuseppe, ital. Maler, * Venedig 1907, bedeutender Vertreter der ital. Abstrakten; war auf der Biennale Venedig von 1952 vertreten; um dieselbe Zeit kam er zur Ungegenständlichkeit, doch ging er stets von Natureindrücken aus.
Lit.: Venturi, *Otto pittori ital.,* 1952. Ders., 1955. Read, 1953. Marchiori, 1954. W. Haftmann, *Malerei im 20. Jh.,* 1955. *Knaurs Lex. abstr. Kunst* (M. Seuphor), 1957. *Neue Kunst nach 1945,* hg. v. W. Grohmann, 1958. H. Read, *Geschichte d. mod. Malerei,* 1959.

Santvoort, Dirck van, eig. Bontepaert, niederl. Maler, Amsterdam um 1610–1680 ebda.; fast ausschließlich Bildnisse, einige Historien; beeinflußt von P. → Moreelse u. J. G. → Cuyp; später von → Rembrandt u. Th. de → Keyser. Mus. Amsterdam (*3 Gruppenbildnisse* v. 1638, 1643 u. um 1634), Rotterdam, Aachen, Basel, Hannover, Leningrad, Paris u. a.
Lit.: Wurzbach, *Niederl. Künstlerlex.,* 1910. F. Roh, *Holl. Malerei,* 1921.

Saraceni, Carlo, gen. Carlo Veneziano, ital. Maler, Venedig 1585–1620 ebda., geriet um 1602 in Rom unter den Einfluß → Caravaggios, beeinflußt auch von → Elsheimer. Um 1619 zurück in Venedig, wo sich s. Stil zu einer reizvollen Verbindung der Art Caravaggios mit der venez. Farbgebung entwickelte. Werke: mehrere *Fresken im Quirinal* in Rom. Altarwerke in Kirchen Roms: als das bedeutendste gilt: *Benno-Wunder* in S. Maria dell'Anima; ferner: *Predigt des Raimundus,* um 1614, in S. Adriano; *Tod der Jungfrau* in S. Maria della Scala. In Rom, Pal. Borghese: *Joseph deutet die Träume.* In Venedig, Redentore-Kirche: *Franziskus in Ekstase. Historienbild* im Dogenpal. (v. J. → De Clerc voll.). S. malte auch kleine Bilder auf Kupfer in der Art Elsheimers. Werke in Wien (*Judith u. Holofernes*), Pommersfelden, Schleißheim, Lille, Stuttgart, Basel, Berlin u. a.
Lit.: H. Voss, *Malerei des Barock in Rom,* 1924. N. Pevsner, *Barockmalerei* (Handb. der K. W.), 1928. G. Fiocco, *Venez. Malerei des 17. u. 18. Jh.,* 1929. W. Drost, *Elsheimer u. s. Kreis,* 1934. B. Henrich in: Th.-B. 1935.

Sargent, John Singer, amerik. Maler, Florenz 1856 bis 1925 London, galt als der bedeutendste amerik. Porträtist s. Zeit, Schüler von Carolus- → Duran in

Paris, tätig ebda. bis 1884, seitdem in London, häufig in den USA. S. ist von den franz. Impressionisten beeinflußt worden, an älterer Kunst studierte er bes. → Velazquez. Beisp.: *Bildnis Henry Marquand,* New York, Metrop. Mus. *Ellen Terry als Lady Macbeth,* London, Tate Gall. *La Carmencita,* Paris, Luxembourg. *Wandmalereien* in Boston, Public Library, 1894/95. Vertreten in den Mus. Boston, Buffalo, Chicago, Florenz (Uff. *Selbstbildnis*), London (Nat. Portr. Gall. u. Tate Gall.), New York, Philadelphia u. a.
Lit.: Mrs. Meynell, 1903. T. M. Wood, 1909. W. H. Downes, 1925. E. Charteris, 1927. E. H. Blasfield, 1927. Ch. M. Mount, 1957.

Sarrazin (Sarasin, Sarazin), Jacques, franz. Bildhauer, Noyon 1592–1660 Paris, Vertreter des franz. Klassizismus, 1608 in Paris, ging 1610 nach Rom u. kehrte 1628 nach Paris zurück. In s. Kunst beeinflußt vom röm. Barock u. vom Studium der Antike. Mitbegründer der Pariser Akad.
Hauptwerke: *Karyatiden, Ruhmesengel u. Trophäen* am Pavillon de l'Horloge des Louvre in Paris, um 1635; *Grabmal des Kardinals de Bérulle,* 1656/57, Paris, Louvre. *Grabmal Heinrichs von Bourbon, Prinzen von Condé,* 1660, Chantilly, Schloßkapelle.
Lit.: M. Digard, 1934. A. E. Brinckmann, *Barockskulptur* (Handb. der K. W.), 1919.

Sarto, Andrea del, eig. Andrea d'Agnolo, ital. Maler, Florenz 1486–1530 das. Hauptvertreter der florent. Hochrenaissance neben Fra → Bartolommeo. Seine ersten Aufträge sind große Freskenzyklen im Vorhof der SS. Annunziata, Florenz: *Darstellungen aus dem Leben des hl. Filippo Benizzi,* bis 1510. *Reise der hl. drei Könige,* 1511. *Geburt Mariä,* 1514, eines s. Hauptwerke. Im Kreuzgang: *Madonna del Sacco,* 1525. Im Hof der Scalzi: die in einfarbigem Helldunkel gemalten Fresken *Taufe Christi,* um 1512; *Darstellungen aus dem Leben Johannes d. T.,* 1522–23. Tafelbilder: Hauptwerke: *Madonna delle Arpie,* Florenz, Uff., 1517. *Caritas,* 1518, Paris, Louvre. *Beweinung,* Gal. Pitti, 1524. *Quattro Santi,* Florenz, Uff. *Madonna mit Heiligen,* 1528, Berlin, Gal. Weitere Bilder in Florenz, namentlich in der Pitti-Gal.; Dresden; London, Wallace Coll. u. Nat. Gall.; München; New York, Metrop. Mus. Bildnisse: in den Uff. s. *Selbstbildnis.* Zeichnungen namentlich in den Uff., im Louvre, im British Mus., ferner in Berlin, Hamburg, Rom, Gall. Naz. u. Albertina, Wien. S. entwickelte s. Stil aus Elementen → Raffaels, → Leonardos, Fra Bartolommeos zu neuen malerischen Wirkungen, mit denen er die Barockmalerei vorbereitet. In seiner Werkstatt arbeiteten vorübergehend → Pontormo, → Rosso Fiorentino, → Vasari.
Lit.: Fr. Knapp, ²1928. H. Voss, *Malerei der Spätrenaissance in Rom u. Florenz,* 1920. H. Leporini, *Hand-*

zeichn. gr. Meister. A. del S., 1925. J. Fraenkel, 1935. J. Rusconi, 1935. H. Wagner, 1950. G. B. Comandi, 1951 (ital.). Ders., 1952. H. Wölfflin, *Klass. Kunst*, 1899 u. ö.

Sassetta, eig. Stefano di Giovanni, ital. Maler, Siena um 1392–1451 ebda., Hauptvertreter der sienes. Malerei in der 1. Hälfte des 15. Jh.; er schuf in einem reizvollen archaisierenden Stil, der noch von got. Empfinden getragen war (Hauptvertreter dieser «neugot. Schule»: → Gentile da Fabriano, → Pisanello, → Masolino). S. war vor allem von Gentile da Fabriano beeinflußt; Einflüsse auch von Fra → Angelico. Schüler u. Nachfolger S.s: → Giovanni di Paolo u. → Sano di Pietro; auch → Vecchietta (Lorenzo di Pietro).
Werke: *Altarbild von Borgo S. Sepolcro*, 1437–44. Die Predellenstücke dieses Altars heute in London, Nat. Gall.; weitere Teile in Settignano, Slg. Berenson u. Chantilly, Mus. Condé. *Altarwerk* mit Geburt, Tod u. Begräbnis Mariä, Asciano, Collegiata. *Madonna mit Kind*, Grosseto, Dom. Weitere Werke in Rom, Gall. Vaticana; Florenz, Slg. Contini (Madonna mit Heiligen, 1430–32); Philadelphia, Slg. Johnson; New York, Metrop. Mus.; Chantilly, Mus.
Lit.: B. Berenson, 1914. Ders., *Pictures of the Renaiss.*, 1932. F. M. Perkins, *Pitture senesi*, 1933. B. Berenson, 1940. J. Pope-Hennessy, 1939. Dies., *La Peint. Sienn. du Quattrocento*, 1947. C. Brandi, *Quattrocentisti senesi*, 1949. E. Carli in: The Burlington Magaz. 93, 1951.

Sassoferrato, Giovanni Battista Salvi, gen. il S., ital. Maler, Sassoferrato 1609–1685 Rom (oder Florenz), Vertreter des hochbarocken Eklektizismus, Schüler der Bolognesen (→ Carracci), beeinflußt von G. → Reni, tätig haupts. in Urbino u. Rom, schuf religiöse Gemälde, namentlich Madonnen des immer gleich liebenswürdigen, weichen Typus. Beisp.: *Madonna del Rosario*, 1643, Rom, S. Sabina. S. ist in vielen röm. Kirchen vertreten; ferner in Rom, Gall. Doria (*Heilige Familie*); Gall. Borghese; Pinac. Vaticana; Florenz, Uff.; Mailand, Brera; Berlin, staatl. Mus.; London, Nat. Gall. u. Wallace Coll.; New York, Metrop. Mus.; Frankfurt, Städel; Karlsruhe, Kunsth.; Kassel, Gal.; Wien, Kunsthist. Mus.; Dresden, Gal.
Lit.: G. Vitaletti, 1911. L. Serra in: Enc. Ital. 1936. H. Voss, *Mal. d. Barock in Rom*, 1924. N. Pevsner, *Mal. d. 17. Jh.* (Hb. d. K. W.), 1928.

Sattler, Ernst Johann, dt. Maler, Schonungen b. Schweinfurt 1840–1923 Dresden-Hellerau, Meister aus dem Kreise um → Leibl, Schüler der Akad. Karlsruhe unter → Schirmer, seit 1867 in München bei → Piloty; 1870 Begegnung mit Leibl, dessen Kreis er bis 1872 angehörte; 1879 in Frankfurt, wo er mit → Thoma befreundet war.
Lit.: G. J. Wolf, *Leibl u. s. Kreis*, 1923.

Sattler, Joseph, dt. Zeichner, Radierer u. Illustrator, Schrobenhausen 1867–1931 München, tätig ebda., Mitarbeiter der Zeitschriften «Pan» u. «Simplizissimus», schuf graph. Blätter u. Folgen in dürerischem Holzschnittstil, illustrierte Bücher u. a. Graph. Folge: *Ein moderner Totentanz*, 1894 ([2]1912). Illustrationen zu: *Grimmelshausens Simplicius Simplicissimus;* den Dichtungen *Gottfried Kellers* u. *Storms* (Chronik v. Grieshuus) u. a.
Lit.: C. Glaser, *Graphik der Neuzeit*, 1922.

Saura, Antonio, span. Maler, * Cienca 1930, Hauptvertreter der span. Abstrakten – zus. mit → Tapiès, → Canogar, Feito; er verwandte in den letzten Jahren nur noch Weiß u. Schwarz u. warf auf großen Bildformaten mächtige Zeichen hin.
Lit.: *Neue Kunst nach 1945*, hg. v. W. Grohmann, 1958.

Savery, Roelandt, niederl. Maler, Kortrijk (Courtrai) 1576–1639 Utrecht, Meister von Landschaften in der Art von Jan → Bruegel u. → Coninxloo, von Blumenstücken u. bes. von Tierbildern (als einfache Jagdbilder oder als Orpheus- u. Paradiesesbilder). Die Werke, oft kleinen Formates, in vielen Mus.; bes. in Amsterdam, Wien, Dresden, München.
Lit.: K. Erasmus, Diss. Halle 1908. Wurzbach, *Niederl. Künstlerlex.*, 1910.

Savoldo, Giovanni Girolamo, ital. Maler, Brescia um 1480–1548 Venedig, tätig in Brescia u. vor allem in Venedig, vom → Giorgione-Kreis beeinflußter Meister, der auch lombard., florent. (Fra → Bartolommeo), röm. u. niederl. Einwirkungen verarbeitete. S. liebte silbergraue, metallisch schimmernde Töne. Er schuf religiöse Werke u. Bildnisse.
Hauptwerke: *Thronende Madonna mit Engeln u. Heiligen*, Hochaltarbild für S. Domenico in Pesaro, heute in Mailand, Brera. *Thronende Madonna mit Heiligen*, Altarbild in S. Maria in Organo in Verona, 1533. Ein Hauptwerk ist ferner: *Der junge Tobias mit dem Erzengel*, Rom, Gall. Borghese. *Verklärung Christi*, Florenz, Uff. *Beweinung Christi*, Wien, Mus.; Budapest, Mus.; Venedig, S. Maria dell' Orto; Berlin, ehem. K.-F.-Mus. Weitere *Altarbilder:* in S. Giobbe, Venedig, 1548; S. Niccolò in Treviso, 1521. Bildnisse: *Bernardo di Salla*, Paris, Louvre; *Frauenporträt*, Berlin, staatl. Gal. u. London, Nat. Gall. *Jünglingsporträt*, Rom, Gall. Borghese u. Mailand, Brera. Werke in Mailand, Brera; Turin, Pinac.; Florenz, Uff.; Venedig, Akad.; in den Mus. Paris, London, Wien, New York, Amsterdam, Hampton Court, Slg. Liechtenstein (Vaduz), Budapest u. a.
Lit.: A. Venturi IX, 3, 1928. B. Berenson, *Ital. Pictures of the Renaiss.*, 1932. W. Suida in: Th.-B. 1935. Ders. in: Pantheon 1937. G. N. Fasolo in: L'Arte 1940. L. Venturi, *Das 16. Jh.* (Skira-Bd., m. Bibliogr.).

Scamozzi, Vincenzo, ital. Arch., Vicenza 1552 bis 1616 Venedig, Meister des Frühbarock, von Jac. → Sansovino u. → Palladio beeinflußt, erbaute viele Paläste u. a. in Vicenza: Hauptwerk *Pal. Trissino-Barton,* 1577–79; ferner *Pal. Trento;* Fertigstellung des nach Plänen Palladios erbauten *Teatro Olimpico* u. a. In Venedig begann er den Bau der *Neuen Prokurazien* (Procurazie Nuove) am Markusplatz; *Pal. Contarini,* 1608 entw. u. v. a. Von ihm stammen Pläne für die Anlage der venez. Festungsstadt *Palma Nuova,* 1593; für den *Neubau des Domes von Salzburg* (in veränderter Form von → Solari ausgeführt). Bautheoretische Schrift «Idea dell' architettura universale», 1615.
Lit.: A. E. Brinckmann, *Baukunst des 17. u. 18. Jh.* (Handb. der K. W.), ⁵1931. A. Venturi XI, 3, 1940. R. Pallucchini in: Th.-B. 1935. R. K. Donin, *V. S. u. der Einfluß Venedigs auf die Salzburger Arch.,* 1948. J. v. Schlosser, *Kunstliteratur* (S. als Theoretiker), 1924.

Schadow, Gottfried, dt. Bildhauer, Berlin 1764 bis 1850 ebda., Hauptmeister des dt. Klassizismus, Schüler von → Tassaert; 1785–87 weitergebildet in Rom bei → Trippel u. unter dem Einfluß → Canovas, mit dem er befreundet war; 1788 Hofbildhauer in Berlin, 1816 Direktor der Akad. Sch. verband in s. Kunst edle Schönheit der Form mit lebensvoll-realist. Auffassung. Er schuf Grabdenkmäler, Standbilder, Bildnisbüsten u. a.
Hauptwerke: *Grabmal des 8jährigen Grafen von der Mark,* Berlin, Dorotheenkirche, 1790/91. *Gruppe der Kronprinzessin Luise u. ihrer Schwester,* Marmor, 1797, Berlin, ehem. Schloßmus. (Modelle von 1794 bis 1795 in der Nat. Gal., ebda.). Standbilder Friedrichs d. Gr. u. s. Generale: *Standbild Friedrichs d. Gr.,* 1794, Stettin. *Friedrich d. Gr. mit s. Windspielen,* Bronzegruppe, 1821, Schloß Sanssouci. *Marmorstandbild Zietens,* 1794, Berlin (Original ehem. K.-F.-Mus.). *Denkmal Blüchers,* 1819, Rostock. Ferner *Viktoria auf dem Viergespann* (Quadriga), v. Fr. Jury in Kupfer getrieben u. 1794 auf dem Brandenburger Tor in Berlin aufgestellt. Relief: *Zug des Friedens* in der Attika des Brandenburger Tores. *Lutherdenkmal,* 1821, Wittenberg. Zahlreiche Bildnisbüsten, u. a. *Marmorbüste Goethes,* 1821/22, Berlin, Nat. Gal. *Luther,* 1817, Eisleben, Andreaskirche. *14 Büsten in der Walhalla b. Regensburg.* Ein großer Teil s. Zeichnungen in Berlin, Nat. Gal. (Auswahl hg. v. Dobbert, 1886), Rad. u. Lithogr.
Lit.: K. Eggers, *G. Sch. u. Chr. D. Rauch,* 1882. H. Mackowsky, 1927. Ders., *Sch.s Graphik,* 1936. Ders., *Die Bildwerke Sch.s,* 1951. F. Nemitz, *Sch., der Zeichner,* 1938.

Schadow, Rudolf, dt. Bildhauer, Rom 1786–1822 ebda., Sohn v.Gottfr. → Sch., klassizist. Meister, Schüler s. Vaters u. seit 1810 → Thorwaldsens u.

→ Canovas in Rom. Werke: *Sandalenbinderin,* 1817, München, Glyptothek. *Achill u. Penthesilea,* von s. Vetter Emil Wolff voll.

Schadow, Wilhelm v., dt. Maler, Berlin 1789–1862 Düsseldorf, Meister der Düsseldorfer Malerschule, Sohn u. Schüler von Gottfr. → Sch., schloß sich 1810 in Rom den → Nazarenern an u. war an deren Ausschmückung der Casa Bartholdy beteiligt. 1819 Prof. der Berliner Akad., 1826 Direktor der Akad. Düsseldorf, schuf haupts. religiöse Werke. Als Lehrer bedeutend.
Werke: Wandgemälde in Casa Bartoldy: *Jakobs Segen* u. *Joseph im Gefängnis,* 1816/17. Ferner *Anbetung der Könige,* 1824, Potsdam, Garnisonkirche. *Christus unter den Pharisäern,* 1827, Naumburg, Dom. *Christus auf dem Weg nach Emmaus,* 1835, Berlin, Nat. Gal. *Die klugen u. törichten Jungfrauen,* 1843, Aachen, Paulskirche. *Bildnis Karoline v. Humboldt,* Hamburg, Kunsth.
Lit.: J. Hübner, 1869. G. Pauli, *Kunst d. Klassiz. u. d. Romantik,* 1925.

Schäfer, Karl, dt. Arch., Kassel 1844–1908 Karlsfeld b. Halle, errichtete verschiedene öffentliche Bauten u. wirkte als Restaurator. Hauptwerke: *Univ. Marburg,* 1870–77. *Pläne zur Wiederherstellung des Friedrichsbaues des Heidelberger Schlosses. Ausbau des Westturmes des Meißener Domes.*

Schäfer, Rudolf, dt. Maler, * Altona 1878, Schüler von E. v. → Gebhardt, schuf religiöse Gemälde f. viele Kirchen; illustrierte die Bibel u. viele religiöse Bücher.

Schäuffelein (Schäufelein), Hans, dt. Maler u. Zeichner für den Holzschnitt, Nürnberg um 1480 bis 1539 Nördlingen, wo er 1515 ff. Stadtmaler war, Meister aus dem Umkreis → Dürers, eine Zeitlang in Augsburg tätig, verschmolz Einflüsse Dürers, auch Jörg → Breus u. Lucas → Cranachs mit solchen der Augsburger Schule (→ Holbein d. Ä.). Bedeutend ist s. Holzschnittproduktion, in welcher zunehmende Sicherheit in der Behandlung von Renaissanceformen zeigte. Wegen der Genauigkeit des Details von Trachten u. dgl. haben sie oft kulturgeschichtlichen Wert.
Hauptwerke: als Hauptwerk gilt der *Zieglersche Altar,* 1521, Nördlingen, Mus., mit der Beweinung auf der Mitteltafel u. Heiligengestalten auf den Seitentafeln. Ferner *Kreuzigung,* 1508, Nürnberg, German. Mus.; *Hl. Hieronymus,* um 1510, ebda.; *Maihinger Altar,* um 1515, ebda.; *Altar für Kloster Christgarten im Ries,* um 1520, München, A. P.; *Christi Abschied von s. Mutter,* Berlin, ehem. K.-F.-Mus. *Anbetung des Lammes,* 1538, ebda. Bildnisse: *Sixtus Oelhafen,* Würzburg, Mus. *Männl. Bildnis,* Basel, Mus. S. lieferte rund 100 Illustrationen zu *«Theuerdank»* u. *«Weiskunig»* (den Holzschnitt-

unternehmungen Kaiser Maximilians); ca. 200 weitere Illustrationen; eine Passionsfolge (1507) u. zahlreiche weitere Einzelblätter. Werke in den Gal. Schleißheim, Hamburg, Ulm, Prag, Slg. Liechtenstein (Vaduz) u. a.
Lit.: U. Thieme, 1892. E. Buchner, *Der junge Sch.* in: Festschrift f. M. J. Friedländer, 1927. F. Winkler, *Die Zeichn. Kulmbachs u. Sch.s*, 1942. *Die 97 Einblattholzschnitte des H. Sch.*, hg. v. M. Geisberg, 1931. Glaser, *Altdt. Malerei*, 1924. E. Schilling in: Zschr. f. Kunstwiss. 9, 1955.

Schaffner, Martin, dt. Maler u. Bildhauer, Ulm um 1480 bis um 1541 ebda., Hauptmeister der Ulmer Malerei zu Anfang des 16. Jh., Schüler von Jörg Stucker in Ulm, tätig ebda.; in s. Kunst von → Holbein d. Ä. ausgehend, später von → Burgkmair u. → Dürer beeinflußt. Er war bemüht, sich die neue «renaissancemäßige» Formempfindung zu eigen zu machen. Als Bildhauer weniger bedeutend u. noch stark in der spätgot. Tradition befangen.
Hauptwerke: sog. *Hutz-Altar* (von der Familie Hutz gestifteter Sippenaltar), 1521, Ulm, Münster; *Wettenhauser Altar* (Hochaltar aus Kloster Wettenhausen), 1524: der verstümmelte geschnitzte Mittelschrein dieses Passionsaltars in Wettenhausen; die Tafeln in München, A. P. Ferner *Anbetung der Könige*, 1508, Nürnberg, German. Mus.; *Auferstehung* u. *Grablegung Christi*, 1519, Stuttgart, Staatl. Gal. 2 Altarflügel mit *Christi Geburt* u. *Darstellung im Tempel*, um 1525, Gal. Liechtenstein, Vaduz. Bildnisse: *Itel Besserer*, um 1515, Ulm, Münster, u. *Bernh. Besserer*, 1513, Berlin, staatl. Mus. *Männl. Bildnis*, Lugano, Slg. Schloß Rohoncz. Werke in Berlin, Dt. Mus.; München, A. P.; Wien, Kunsthist. Mus.; Kassel, Gal. u. a.
Lit.: Graf Pückler-Limpurg, 1899. Baum, *Ulmer Plastik um 1500*, 1911. Weil, *Der frühe Sch.* in: Monatshefte f. Kunstw. 13, 1920. Glaser, *Altdt. Malerei*, 1924. K. Feuchtmayr in: Th.-B. 1935.

Schalcken, Godfried, niederl. Maler, Made b. Geertruidenberg 1643–1706 Den Haag, Meister holl. Genrebilder, Schüler von S. van → Hoogstraeten in Dordrecht u. G. → Dou in Leiden, seit 1691 im Haag nachweisbar, war einige Jahre in London tätig, 1703 als Maler am kurfürstlichen Hof zu Düsseldorf, seit 1704 wieder im Haag. S. schuf Genrebilder in der Art von Dou; bes. beliebt für Nachtstücke bei Kerzenbeleuchtung. S. war auch ein guter Bildnismaler. Gut vertreten in Amsterdam, Dresden, London; ferner in Augsburg, Bremen, Brüssel, Darmstadt, Karlsruhe, Kassel, Dublin, Florenz, Frankfurt, Glasgow, Paris, Schleißheim, Gal. Liechtenstein (Vaduz) u. a.
Lit.: C. Hofstede de Groot, *Beschreibendes u. krit. Verz.* 5, 1912. Wurzbach, *Niederl. Künstlerlex.*, 1910. E. Trautscholdt in: Th.-B. 1935.

Schaper, Friedrich, dt. Bildhauer, Alsleben 1841 bis 1919 Berlin, das. 1875–90 Lehrer an der Akad. Plastiker von sicherem u. vornehmen Geschmack aus der Nachfolge → Rauchs; viele Denkmäler in ganz Deutschland, Büsten u. Porträtfiguren.
Hauptwerke: *Goethedenkmal* in Berlin (Tiergarten, Marmor), 1872–80. *Bronzestandbild Bismarcks* in Köln, 1879; *Lessings* in Hamburg, 1881. *Lutherdenkmal* in Erfurt, 1889. Überlebensgroßes *Standbild Blüchers* für Kaub, 1893. *Büste Schleiermachers.*
Lit.: O. Baisch, 1883.

Schardt, Johann Gregor v. der, niederl. Bildhauer, * Nymwegen um 1530, tätig in Italien u. in kaiserlichen Diensten, zuletzt in Nürnberg, schuf vor allem Bildnisbüsten in Terrakotta; zugeschrieben auch Bronzefiguren in der Art des Giovanni da → Bologna.
Hauptwerke: *Bildnisbüsten des Willibald Imhoff u. Frau* (1570 bzw. um 1580), Berlin, Staatl. Mus.; *Friedrich II. von Dänemark*, ebda. *Bronzestatue des Merkur*, Stockholm, Nat. Mus. u. Wien, Kunsthist. Mus.
Lit.: R. A. Peltzer in: Münchner Jb. d. bild. Kunst 10, 1916–17. Feulner, *Dt. Plastik des 17. Jh.*, 1926. S. Meller, *Bronzestatuetten der dt. Renaiss.*, 1928.

Scharff, Anton, österr. Medailleur, Wien 1845–1903 Brunn am Gebirge, seit 1881 Leiter der Graveur-Akad. in Wien, erneuerte mit seinem klaren, scharfen Realismus die österr. Medaillenkunst.
Lit.: M. Bernhart, *Medaillen u. Plaketten*, ²1920.

Scharff, Edwin, dt. Bildhauer u. Graphiker, Neu-Ulm 1887–1955 Hamburg, Schüler der Münchner Akad., anfangs Maler u. Radierer, begann 1912 in Paris unter dem Eindruck → Rodins als Plastiker, war 1922 ff. Prof. an der Berliner Akad., ab 1934 an der Düsseldorfer, seit 1946 an der Hamburger (Landeskunstschule). Sch. gehört zur Generation jener dt. Meister, die in ihrer Kunst von Rodin u. → Maillol bestimmt wurden (→ Kolbe, → Hoetger, → Lehmbruck). Er schuf Monumentalbildwerke, Einzelfiguren, Tierplastiken, ausgezeichnete Bildnisse, Reliefs, Radierungen, Lithographien u. Buchillustrationen.
Werke: *Große männl. Figur*, 1913, Mannheim, Kunsth. *Hockende*, Marmor, 1925, Berlin, Nat. Mus. *Kriegerehrenmal*, 1932, Neu-Ulm. Monumentalbildwerk: *Der Rossebändiger*, 1936–39, Granit, Düsseldorf. Büsten: *Heinrich Wölfflin*, 1919, München, Neue Staatsgal. *Max Liebermann*, 1923. *Lovis Corinth*, 1923. *E. Nolde*, 1947. Hauptwerk der Spätzeit: *Bronzetür für die Klosterkirche Marienthal b. Wesel*, 1945–49. Vertreten in den Mus. Berlin, Hamburg, Köln, Mannheim, München, Ulm, Danzig u. a.
Lit.: K. Pfister, 1920. K. Leonhardi, 1947. G. Sello, 1956. E. Trier, *Mod. Plastik*, 1955. Vollmer, 1958. M. Seuphor, *Plastik unseres Jh.*, 1959.

Scharl, Josef, dt.-amerik. Maler, Zeichner u. Graphiker, München 1896–1954 New York, Schüler der Münchner Akad. bei A. → Jank, wanderte 1938 nach den USA aus. In s. frühen Epoche schuf Sch. haupts. zeitkritische Holzschnitte in expressiver Formensprache, beeinflußt von G. → Grosz, später höchst realist. Bildnisse u. figürliche Darstellungen des arbeitenden Menschen; ferner Stilleben u. Landschaften. Vertreten in München, Städt. Gal. (*Selbstbildnis*, 1929) u. Staatsgal.; Nürnberg (*Bildnis A. Einstein*, 1927) u. a.
Lit.: A. Neumeyer, 1949.

Scharoun, Hans Bernhard, dt. Arch., * Bremen 1893, gehört zu den führenden Arch. des Neuen Bauens: haupts. Siedlungsbauten u. Wohnblöcke. Seit den 30er Jahren in Berlin tätig; seit 1945 als bahnbrechender Planer neuzeitlichen Städtebauwesens am Wiederaufbau Berlins schaffend. Aufsehen erregten seine *Entwürfe* für das Kasseler Staatstheater, 1954; für den Neubau der Berliner Philharmonie, 1956.
Lit.: Vollmer, 1958.

Schaumann, Ruth, dt. Bildhauerin u. Graphikerin, * Hamburg 1899. Die in München lebende Schriftstellerin war als Bildhauerin Schülerin J. Wackerles an der Kunstgewerbeschule München u. schuf religiöse Bildwerke.
Werke: *Verkündigung*, St. Louis, City Art Mus. *Tulpenmadonna*, München, Bayer. Nat. Mus. *Pietà*, Frankfurt, Frauenfriedenskirche. *Madonna*, Hagen i. Westf., Franziskanerkirche. Ferner Zeichnungen u. Entwürfe für die Berliner Porzellanmanufaktur.

Schedoni (Schidone), Bartolommeo, ital. Maler, Formigine b. Modena um 1570–1615 Parma, Meister des Frühbarock, tätig in Modena, Reggio Emila u. Parma, wo er seit 1597 als Hofmaler wirkte. In s. Stil Einflüsse der → Correggio, → Lanfranco, Lodovico → Carracci, später auch der Venezianer.
Hauptwerke: *Malereien im Rathaus zu Modena*, 1607. «*Elemosina*», Neapel, Pal. Reale. *Heilige Familie in der Werkstatt*, ebda. *Grablegung*, Parma, Pinac. *Die 3 Marien am Grabe*, ebda. Weitere Werke in Parma, Gal.; Florenz, Gall. Pitti; Mailand, Brera; Venedig, Akad.; Rom, Gall. Barberini; Paris, Louvre; Dresden, Gal. u. a. Zeichnungen in Florenz, Uff.; Paris, Louvre; Parma, Gal. u. a.
Lit.: V. Moschini in: L'Arte 30, 1927. N. Pevsner, *Barockmalerei in Italien* (Handb. der K.W.), 1928. A. Venturi IX, 7, 1934.

Scheffer, Ary, niederl.-franz. Maler, Dordrecht 1795 bis 1858 Argenteuil, seit 1812 in Paris, Schüler von → Guérin, vorübergehend von s. Mitschülern → Géricault u. → Delacroix beeinflußt, blieb der Form

nach kalter Klassizist, inhaltlich ist er ein sentimentaler Romantiker. Darstellungen aus Geschichte, christlicher Legende, aus Dantes Göttlicher Komödie, Byrons Werken u. a.
Hauptwerke: *Francesca u. Paolo*, London, Wallace Coll. (1822); Paris, Louvre (1825); Hamburg, Kunsth. (1834). *Der hl. Augustin mit s. Mutter, der hl. Monika*, 1855, Paris, Louvre. Weitere Werke in Paris, Louvre u. a. franz. Mus.; ferner in Boston, Frankfurt, Graz, London (Tate Gall. u. Wallace Coll.), Melbourne, Venedig (Mus. Corrèr), Washington u. a. Reich vertreten im Sch.-Mus. in Dordrecht.
Lit.: A. Etex, 1859. H. Grote, [2]1860. C. Hofstede de Groot, 1872.

Scheffer v. Leonhartshoff, Johannes, österr. Maler u. Graphiker, Wien 1795–1822 ebda., schloß sich in Rom (1814–16) den → Nazarenern an; er malte religiöse Darstellungen u. Bildnisse u. hinterließ eine Fülle fein empfundener Zeichnungen. Vertreten in Wien, Gal. des 19. Jh.; Berlin, Nat. Gal.; Hamburg, Kunsth.; Zeichnungen in der Albertina, Wien (*Bildnis Grillparzers*, 1820).
Lit.: P. F. Schmidt, *Biedermeiermalerei*, 1921. B. Grimschitz, *Österr. Zeichn. im 19. Jh.*, 1928. L. Grünstein in: Th.-B. 1936.

Scheibe, Richard, dt. Bildhauer, * Chemnitz 1879, studierte zuerst Malerei in Dresden u. München, ging 1900 in Rom mit s. Freund G. → Kolbe zur Plastik über, 1925 Prof. am Städelschen Institut Frankfurt u. 1935 an der Berliner Akad. Aktfiguren u. Porträts, bekannt bes. durch Ehrenmale.
Hauptwerke: *Denkmal für die Gefallenen der I. G. Farben in Höchst*, 1923. *Ehrenmal auf dem Friedhof Frankfurt-Sindlingen*, 1932. *Gedenkmal für den 20. Juli 1944*, 1953, Berlin. Bronzebüsten: *Selbstbildnis*, 1949. *Fr. Meinecke*, 1950. *W. Kolb*, 1953. Werke in Berlin (Gal. des 20. Jh.), Hamburg, Frankfurt, Hannover, Köln.
Lit.: B. Kroll, 1939. E. Redslob, 1955. E. Trier, *Moderne Plastik*, 1955. Vollmer, 1958.

Scheits, Matthias, dt. Maler, Hamburg um 1630 bis um 1700 ebda., kam nach erster Ausbildung in Hamburg nach Haarlem als Schüler von Phil. → Wouwerman. Er malte v. → Wouwerman, → Ostade, → Teniers u. a. beeinflußte Genreszenen, auch bibl. Bilder, Landschaften, Porträts u. Radierungen; tätig in Hamburg. Beisp.: *Bauernfamilie bei der Mahlzeit*, Aschaffenburg, Gal. *Weibl. Bildnis*, Braunschweig, Gal. Werke in Hamburg, Kunsth.; Schleißheim, Gal. Hauptwerk als Illustrator sind die 152 Zeichnungen für den Kupferstich der 1672 bei Stern in Lüneburg gedruckten Bibel. Zeichnungen in Hamburg, Berlin, Braunschweig, Bremen, Kiel.

Sein Sohn *Andreas* S., um 1655–1735, war Hofmaler in Hannover u. malte vor allem Porträts. Vertreten in Hamburg, Hannover, Göttingen.
Lit.: E. Bock, *Die dt. Meister*, 1921. G. Pauli in: Th.-B. 1936.

Schelfhout, Andreas, niederl. Maler, Den Haag 1787–1870 ebda., malte holl. Dünen-, Wiesen- u. bes. Winterlandschaften. Vertreten in den Mus. Amsterdam, Brüssel, Cambridge, Courtrai, Dordrecht, Frankfurt, Gent, Den Haag (Gemeente-Mus.), Haarlem, London (Wallace Coll.) u. a.
Lit.: Wurzbach, *Niederl. Künstlerlex.*, 1910.

Schellenberg, Johann Ulrich, schweiz. Maler u. Kupferstecher, gehört zu den schweiz. Kleinmeistern, ausgebildet in Basel beim Porträtisten J. R. Huber, seinem Schwiegervater. Eröffnete eine Zeichenschule in Winterthur; zu s. Schülern gehörte Anton → Graff. S. war Bildnismaler, zeichnete Prospekte u. schuf Kupferstiche.
Lit.: W. Hugelshofer, *Schweiz. Kleinmeister*, 1943.

Scheuernstuhl, Hermann, dt. Bildhauer, * Pforzheim 1894, Schüler von Bleeker in München, lehrt seit 1925 an der Kunstgewerbeschule Hannover, schuf das *Kriegerehrenmal in Nordhorn*. Vertreten im Mus. Hannover.
Lit.: Vollmer, 1958.

Scheurich, Paul, dt. Bildhauer, Maler u. Graphiker, * New York 1883, Schüler der Berliner Akad., entwarf seit 1912 für die Meißner, später auch für die Berliner u. Nymphenburger Porzellanmanufaktur graziös bewegte Figuren. Seinem dekorativen Talent lag bes. das Rokoko. Er entwarf auch Theaterausstattungen u. illustrierte Bücher: Sternes «Empfindsame Reise» u. v. a.
Lit.: F. v. Volto u. O. Fischel, 1928.

Schiavone, Andrea, eig. Andrea Meldolla, gen. S., ital. Maler aus Zara oder Sebenico in Dalmatien um 1520–1563 Venedig, wo er zumeist tätig war, Meister aus dem Kreise um → Tizian u. → Giorgione, später haupts. von → Parmigianino beeinflußt.
Werke: *Anbetung der Könige*, Mailand, Ambrosiana. *Gang nach Emmaus*, Venedig, S. Sebastiano. *Heilige Familie*, Dresden, Gal. Weitere Werke in Venedig, Akad.; Florenz, Uff.; Venedig, S. Marziale; Wien, Kunsthist. Mus.; Dresden, Gal.; Hampton Court u. a.
Lit.: N. Pevsner, *Barockmalerei in Italien* (Handb. der K. W.), 1928. A. Venturi IX, 4, 1929. L. Fröhlich-Bum in: Th.-B. 1936 (unter Meldolla). R. Pallucchini, *La giovinezza del Tintoretto*, 1940. E. Hüttinger, *Venez. Mal.*, 1959.

Schiavone, Giorgio (Gregorio), eig. Giorgio di Tomaso Ciulinovic, ital. Maler des 15. Jh., aus

Dalmatien gebürtig, * um 1436, † 1504 in Sebenico, zur Paduaner Schule des → Squarcione gehörender Meister, 1456 bis um 1459 Schüler Squarciones in Padua, seit 1463 haupts. in Sebenico tätig. Außer Squarcione hat Fra Filippo → Lippi auf ihn gewirkt. Von ihm ist ein *Altarwerk im Dom von Padua* erhalten. Ein weiteres großes *Altarwerk* in London, Nat. Gall. Vertreten ferner in Padua, Gal.; Turin, Pinac.; Berlin, staatl. Mus. Es handelt sich bei s. Bildern größtenteils um Madonnen, seltener Heiligenfiguren. In s. Stil Ähnlichkeit mit dem → Crivellis u. C. → Turas.
Lit.: A. Venturi VII, 3, 1914. A. Moschetti in: Th.-B. 1936.

Schick, Gottlieb, dt. Maler, Stuttgart 1776 bis 1812 ebda., Vertreter des dt. Klassizismus, Schüler v. → Dannecker in Stuttgart, 1798–1802 v. → David in Paris, 1802–11 in Rom tätig, wo er zeitweise stark von → Mengs beeinflußt wurde. Als Porträtist gehört der frühverstorbene Künstler zu den bedeutendsten der dt.-röm. Schule; in s. Empfinden zeigen sich erste romant. Anklänge.
Werke: *David vor Saul*, 1802, Stuttgart, Gal. *Noahs Opfer*, 1805, ebda. *Eva oder die Eitelkeit*, 1802, Köln, Wallraf-Richartz. *Apoll unter den Hirten*, 1808, Stuttgart, Gal. Porträts: *Bildhauer Dannecker*, 1798, ebda. *Bildnis der ersten Gattin Danneckers*, 1802, ebda. *Bildnisse der Familie Humboldt*, ehem. Schloß Tegel b. Berlin (heute zerstört).
Lit.: K. Simon, 1914. W. Fleischhauer, J. Baum u. St. Kobell, *Schwäb. Kunst im 19. u. 20. Jh.*, 1952.

Schickhardt, Heinrich, dt. Arch., Herrenberg 1558 bis 1634 ebda., Meister der dt. Renaissance (bzw. des Frühbarock), Schüler von Georg → Beer in Stuttgart, seit 1593 in Mömpelgard (Montbéliard) tätig, seit 1600, nach Beers Tod, 1. Arch. des Herzogs von Württemberg, begann 1599 den Bau von Freudenstadt im Schwarzwald; seit 1608 reiche Tätigkeit in Stuttgart u. v. a. württemberg. Orten. In s. Kunst hat S. – wie s. Altersgenossen → Holl, → Ridinger u. a. – an der Tradition festgehalten bei freier Verarbeitung ital. Einflüsse. Sein Hauptwerk, der «*Neue Bau*» in Stuttgart, 1600–09 (1778 abgebrochen), war ein Prachtbau der dt. Renaissance.
Werke: *Martinskirche in Mömpelgard* (Montbéliard), 1601–07. *Rathaus in Belfort*, 1596–1600. *Stadtkirche in Freudenstadt*, 1601–18 (sog. Winkelhakenkirche in got. Renaissance). *Umbau des Rathauses in Eßlingen*, 1586–89. *Stadtkirche in Göppingen*, 1617–20 u. v. a.
Lit.: J. Baum, *Forschungen über H. Sch.*, 1916. G. Dehio, *Geschichte der dt. Kunst* 3, 1926. E. v. Cranach-Sichart in: Th.-B. 1936.

Schider, Fritz, österr. Maler, Salzburg 1846–1907 Basel, studierte in München unter A. v. Wagner u. A. v. → Ramberg, befreundete sich mit → Leibl,

heiratete 1873 die Tochter von Leibls Schwester, folgte 1876 einem Ruf an die Zeichen- u. Modellierschule in Basel. S. war künstlerisch entscheidend von → Courbet u. Leibl beeinflußt worden. Beisp.: *Musikal. Unterhaltung*, 1874, München, Bayr. Staatsgal. *Kindstaufe*, 1874, Berlin, Nat. Gal. *Der Blumenkohl*, 1902, Basel, Mus. *Der chines. Turm im Engl. Garten*, Düsseldorf, Mus. Werke in den Gal. Basel, Berlin, Köln, Hannover, Düsseldorf u. a.
Lit.: M. Huggler/A. M. Cetto, *Schweiz. Mal. im 19. Jh.*, 1942.

Schidone, Bartolommeo → Schedoni, Bartolommeo.

Schiele, Egon, österr. Maler u. Zeichner, Tulln an der Donau 1890–1918 Hietzing b. Wien, Schüler der Wiener Akad., bildete sich unter dem Einfluß von G. → Klimt weiter, beeinflußt auch von → Hodler u. der ostasiat. Kunst, malte u. zeichnete vor allem Akte u. Bildnisse. Sein ornamentalgraphischer Stil verleugnet nicht die Beziehung zum Wiener Jugendstil. Er gelangte zu einem ganz persönlichen Stil, der ihn in vielen s. Werke in den frühen Wiener Expressionismus einreiht. Beisp.: *Bildnis der Frau des Künstlers*, 1917, Wien, Österr. Gal. *Herrenbildnis*, 1918, ebda. Weitere Werke in Wien (mod. Gal.), Schleißheim, Den Haag (Gemeente Mus.) u. a.
Lit.: P. Gütersloh, 1915. *Das E.-Sch.-Buch*, hg. v. F. Karpfen, 1921. O. Nierenstein, 1930. O. Benesch, *E. S. als Zeichner*, o. J. Ders., *E. Sch. u. die Graphik des Expressionismus* in: Continuum, 1957. G. Künstler, *E. Sch. als Graphiker*, 1946. *Ausst.-Kat. Graphik des Expressionismus*, Zürich 1958. *Ausst.-Kat. Bern*, 1957.

Schiestl, Heinz, dt. Bildhauer, Zell am Ziller 1867 bis 1940, Bruder v. Matth. u. Rud. → Sch., ausgebildet in der Werkstatt s. Vaters, des seit 1871 in Würzburg tätigen Zillertaler Bildschnitzers *Matthäus* Sch. (1834–1915), hat sich einen Namen gemacht als Erneuerer des katholischen kirchlichen Kunstgewerbes.
Lit.: R. Braungart, *Die 3 Brüder Sch.*, 1923.

Schiestl, Matthäus, dt. Maler u. Graphiker, Gnigl b. Salzburg 1869–1939 München, tätig das., lernte zunächst bei s. Vater, dem Bildschnitzer *Matthäus* Sch. die Bildhauerei, seit 1893 Schüler der Maler → Diez u. → Löfftz in München. Matthäus schuf in der Folge romant. stimmungsvolle Bilder einsamer Waldkapellen, Bergkirchlein, von Rittern u. Heiligen u. a. in einer den → Nazarenern nahestehenden Auffassung; auch graph. Blätter, die z. T. in Büchern herausgegeben wurden: *Bauern, Ritter u. Heilige*, 1928; *Kinderbüchlein*, 1931.
Lit.: C. Oßwald, *M. Sch.s Zeichn.*, 1924. Ders., *M. Sch.*, 1925. R. Braungart, *Die 3 Brüder Sch.*, 1923.

Schiestl, Rudolf, dt. Maler u. Graphiker, Würzburg 1878–1931 Nürnberg, Bruder v. Heinz u. Matth. → Sch., Schüler der Münchner Akad. unter Hackl u. → Stuck, seit 1908 Prof. an der Kunstgewerbeschule Nürnberg, schuf religiöse Darstellungen u. solche aus dem bäuerlichen Leben in einem altmeisterlichen Stil (Studium der alten Temperamalerei). Ferner Hinterglasmalereien, Buchillustrationen u. Gebrauchsgraphik.
Lit.: R. Braungart, *Die 3 Brüder Sch.*, 1923. L. Weismantel, [3] 1926. H. Nasse in: Die graph. Künste 49, 1926. W. Keilmann, Diss. Erlangen 1935.

Schilbach, Johann Heinrich, dt. Maler u. Kupferstecher, Barchfeld an der Werra 1798–1851 Darmstadt, Schüler von G. Primavesi in Darmstadt; 1824–28, zusammen mit E. → Fries, in Italien; seit 1828 Hoftheatermaler in Darmstadt; ital. u. heimische Landschaften.
Lit.: *Ausstell.-Kat.*, Darmstadt 1951.

Schilling, Johannes, dt. Bildhauer, Mittweida 1828 bis 1910 Klotzsche b. Dresden, Schüler u. Gehilfe v. → Rietschel, später von → Hähnel in Dresden, wo er seit 1868 als Prof. der Akad. wirkte. S. suchte den klassizist. Stil zeitgemäß zu erneuern. Sein Hauptwerk ist das *Niederwalddenkmal* bei Bingen a. Rh., 1877–83, mit dem Riesenstandbild der Germania. Ferner *Gruppen der 4 Tageszeiten* auf der Treppe zur Brühlschen Terrasse in Dresden, 1872 (Sandsteinoriginale in Chemnitz). Denkmäler in Dresden u. a. O. (Modelle im Sch.-Mus. Dresden).

Schindler, Carl, österr. Maler, Wien 1821–1842 Laab im Walde, Schüler von → Kupelwieser u. P. → Fendi in Wien, malte vor allem militärische Szenen. Am bedeutendsten die gemalten u. gezeichneten Skizzen von Schlacht,- Manöver- u. Soldatenszenen, denen er bei einem frischen malerischen Vortrag einen Zug wienerischer Gemütlichkeit zu geben wußte. Bedeutendste Slg. s. Werke in Wien, Gal. des 19. Jh.
Lit.: F. M. Haberditzl u. H. Schwarz, 1930. Dies. in: Graph. Künste 54, 1931.

Schindler, Emil Jakob, österr. Maler, Wien 1842 bis 1892 Westerland auf Sylt, Landschafter, Schüler der Wiener Akad., studierte die Meister von → Barbizon, gelangte nach ihrem Vorbild zu einer intimen Stimmungsmalerei. Sein tiefes Verständnis für das innerste Wesen eines einfachen Naturausschnittes entwickelte sich zu immer bedeutenderen Darst. der schlichten Schönheit Niederösterreichs, als er allzufrüh verstarb. Werke vor allem in Wien, Gal. des 19. Jh.; ferner in München, N. P.; Berlin, staatl. Mus.; Mannheim, Kunsth. u. a.

Schinkel, Karl Friedrich, dt. Arch. u. Maler, Neuruppin 1781–1841 Berlin, Hauptmeister der 1.

Hälfte des 19. Jh., Schüler von → David u. Fr. → Gilly, bereiste 1803–05 Italien u. Frankreich, tätig in Berlin. Er war s. Schulung nach Klassizist, wurde aber stark von der romant. Strömung ergriffen. Für ihn war dies kein Gegensatz, er schuf neben hervorragenden antikischen Säulenbauten auch bedeutende gotisierende Kirchen. Das Beste der Malerei sind s. Theaterdekorationen u. architektonischen Visionen. Mit. s. Hauptbauten in Berlin hat er das Bild der Stadt geprägt.

Hauptwerke: *Neue Wache*, Unter den Linden, Berlin, 1817/18. *Schauspielhaus*, ebda., 1818–21. *Altes Mus.*, ebda., 1822–28. *Werder'sche Kirche*, 1825–28. *Nikolaikirche* in Potsdam, 1830–37. Viele Privatpaläste u. Häuser in Berlin, *Singakad.* u. *Bauakad.*, ebda. u. v. a. Hervorragende Entwürfe waren: für ein *Königsschloß* auf der Akropolis in Athen, 1834 u. für den *Kaiserpalast Orianda* in der Krim, 1838. Ein großer Teil s. Gemälde u. Entwürfe vereinigt im Schinkel-Mus. Berlin. Eine Slg. s. architekton. Entwürfe erschien 1820–40 (Neuausg. 1858/59). Er schrieb «Grundlagen der prakt. Baukunst», 1834.
Lit.: A. Grisebach, 1924. P. O. Rave, *Das Sch.-Mus. u. die Kunstslg. Beuths*, 1931. Ders., Hrg. von: *Das Lebenswerk*, 1938ff. Ders., 1953. C. v. Lorck, 1939. E. Riehn, *Sch. als Landschaftsmaler*, Göttinger Diss., 1942. N. Pevsner, *Europ. Arch.*, 1957.

Schinnerer, Adolf, dt. Maler u. Graphiker, Schwarzenbach a. d. Saale 1876–1949 Ottersheim b. Haimhausen, Schüler der Akad. Karlsruhe unter → Schmid-Reutte, Conz u. → Trübner, Prof. der Akad. München seit 1924, beeinflußt vor allem vom franz. Impressionismus, schuf Figurenbilder, Landschaften usw., auch Wand- u. Glasgemälde, Radierungen u. Lithographien. Werke: *Wandgemälde u. Glasfenster*, Christuskirche, Mannheim, 1910/11; *Glasmalereien*, Friedenskirche, Nürnberg, 1929. Vertreten in den Mus. Essen, Freiburg, Köln, München u. a.
Lit.: L. Gorn u. H. M. Sauermann, *A. Sch. Das graph. Werk*, 1915. Vollmer, 1958.

Schirmer, Johann Wilhelm, dt. Maler, Jülich 1807 bis 1863 Karlsruhe, Meister der «idealen» Landschaft, seit 1826 Schüler der Düsseldorfer Akad. unter → Schadow u. → Lessing; zahlreiche Reisen in Deutschland, Frankreich, Schweiz, Italien. Tätig in Düsseldorf, seit 1839 Prof. der Akad. ebda., seit 1853 Direktor der Kunstschule Karlsruhe. In s. Kunst ging er von Lessing aus, schuf Landschaften in schlichter Auffassung, später in Rom von → Koch u. dessen idealem Landschaftsstil beeinflußt, den er weiterführte. Lehrer → Böcklins; eine Linie der «idealen» Landschaftskunst läuft von Koch über Sch. zu Böcklin.
Hauptwerke: *Waldkapelle*, 1829, Köln, Wallraf-Richartz. *Ital. Landschaft*, 1847, ebda. *Grotte bei*

Egeria, 1841, Leipzig, Mus. *Die 4 Jahreszeiten mit der Geschichte des barmherzigen Samariters*, 1856/57, Karlsruhe, Kunsth. *Bilder zur Geschichte Abrahams*, 1859 bis 61, Berlin, ehem. Nationalgal. *Große Kohlezeichnungen zu 26 bibl. Bildern*, 1855/56, Karlsruhe, Kunsth. *Landschaftsradierungen:* 8 Bl. von 1847. Vertreten in den Gal. Berlin, Braunschweig, Bremen, Cincinnati, Darmstadt, Düsseldorf, Essen, Frankfurt, Hamburg, Hannover, Karlsruhe, Kassel, Mannheim, München u. a.
Lit.: K. Zimmermann, Kieler Diss. 1920. A. v. Schneider, *Badische Malerei des 19. Jh.*, 1935.

Schirmer, Wilhelm, dt. Maler, Berlin 1802–1866 Nyon (Genfer See), bildete sich an der Berliner Akad. unter dem Einfluß → Schinkels, 1827–30 in Italien, seit 1839 Lehrer an der Berliner Akad., malte mit Vorliebe ital. Landschaften u. Architekturbilder. Er führte *Wandgemälde* im Albrechtsschloß in Dresden, im Kronprinzenpal. in Berlin u. in verschiedenen Sälen des Neuen Mus. ebda., aus. Beisp.: *Fischer bei Sorrent*, Berlin, Nat. Gal. Vertreten in Berlin, Nat. Gal.; Schloß Charlottenburg; Mus. Danzig, Erfurt, Halle u. a.

Schlaun, Johann Konrad, dt. Arch., Noerde (Kreis Warburg) 1695–1773 Münster i. W., Hauptmeister des dt. Spätbarock in Westfalen, trat 1719 in Paderborn in den Dienst des Kurfürsten Clemens August, lernte 1720 Balthasar → Neumann in Würzburg kennen, war 1722 in Rom, 1725–28 in Bonn tätig, seit 1729 in Münster, wo er Oberbaudirektor wurde. Seine Kunst bedeutet eine eigenartige u. selbständige Durchdringung des bodenständigen westfälischen Klassizismus mit Ziegel- u. Hausteinbau u. süddt. Barock. Sch. hatte in Rom → Bernini u. → Borromini studiert u. kannte die süddt. Barockkunst, bes. die B. Neumanns.
Hauptwerke in Münster: *Clemenskirche*, 1744–53 (unter Mitwirkung von B. Neumann); *Erbdrostenhof*, 1755–57; *Residenzschloß*, 1767–73. Weitere Werke: *Jesuitenkolleg Büren*, 1716–20; Umbau von *Schloß Brühl* b. Bonn, 1725–28; *Jagdschloß Clemenswerth*, 1740–47; sein eigenes Anwesen Hof *Rüschhaus*, 1745–48 u. s. *Wohnhaus* in Münster, 1745–55; das. auch *Clemenshospital*, 1745–53 u. a.
Lit.: H. Hartmann, 1910. Th. Rensing in: Westf. Kunsthefte 6, 1936. Ders. in: Westfalen 26, *Nachlese zum Werk Sch.s*, 1941. Ders., 1954. W. Pinder, *Dt. Barock*, o. J. (viele Aufl.).

Schleich, Eduard, dt. Maler, Harbach b. Landshut 1812–1874 München, Landschaftsmaler, der mit komponierten Stimmungslandschaften in der Art K. → Rottmanns begann, 1851 zus. mit → Spitzweg in Paris war u. unter dem Einfluß der Meister von → Barbizon u. der Kunst des «paysage intime» zu einem persönlichen Stil gelangte u. lichterfüllte

Landschaftsausschnitte aus der Umgebung Münchens u. der oberbayer. Seen malte. Er gewann entscheidenden Einfluß auf die Entwicklung der Münchner Landschaftsmalerei. Sein Sohn, *Eduard d. J.*, 1853–1893, war ebenfalls Landschafter. Vertreten in den Gal. Breslau, Bremen, Budapest, Darmstadt, Frankfurt, Hamburg, Kiel, Königsberg, Leipzig, München (N. P. u. Städt. Gal.), Philadelphia, Stuttgart, Wien, Würzburg, Wuppertal u. a.
Lit.: H. Uhde-Bernays, *Münchner Landschafter im 19. Jh.*, 1921.

Schlemmer, Oskar, dt. Maler u. Bildhauer, Stuttgart 1888–1943 Baden-Baden, 1909–19 Schüler von Adolf → Hölzel an der Stuttgarter Akad., leitete 1920–29 die Bühnenwerkstatt am Bauhaus Weimar u. Dessau, 1929–32 Prof. der Akad. Breslau, bis 1933 der Akad. Berlin u. lebte nach s. Entlassung in Eichberg u. Sehringen. Grundthema seiner Kunst ist die Figur im Raum. Die Grundlagen erhielt er von Hölzel. Wichtige Anregungen gab ihm die Zusammenarbeit mit dem befreundeten O. → Meyer-Amden; die Kunst → Cézannes, → Seurats, die franz. Kubisten u. die ital. Pittura metafisica. Sch. sehnte sich nach einer Symbolwelt großen Stils. 1923 entstanden die *Wandreliefs* im Werkstattgebäude des Bauhauses (heute zerstört), 1930 im Brunnenhof des Folkwang-Mus. in Essen (heute zerstört). In s. «Triadischen Ballett», das er für die Bühne schuf u. das 1922 in Stuttgart u. 1923 in Weimar aufgeführt wurde, taucht s. typisierte Menschenfigurine als wirkliche «Figur im Raum» auf der Bühne auf. Gemälde u. Zeichnungen in Berlin, Nat. Gal.; Mus. Breslau, Dessau, Dresden, Essen, Hannover, New York, Stuttgart u. a.
Lit.: H. Hildebrandt, 1952 (mit Werkverz.). W. Hofmann, *Zeichen u. Gestalt*, 1957.

Schlichter, Rudolf, dt. Maler, Calw 1890–1955 München, Schüler der Akad. Karlsruhe, schuf politische u. gesellschaftliche Satiren, von G. → Grosz beeinflußt, gehörte 1919 in Berlin zu den Dadaisten, schließlich vom Surrealismus und der «Neuen Sachlichkeit» beeinflußt, die er in Einklang zu bringen trachtete. War auch Zeichner u. Illustrator (Radierungen, Lithographien). Er schrieb: «Das Abenteuer der Kunst», 1949 u. a. Vertreten in den Mus. Karlsruhe u. Mannheim.
Lit.: Vollmer, 1958.

Schlüter, Andreas, dt. Bildhauer u. Arch., Hamburg 1664–1714 Petersburg, Hauptmeister des norddt. Barock, wurde nach erster Tätigkeit in Danzig u. Warschau 1694 als Bildhauer nach Berlin berufen u. führte die *Dekoration des Marmorsaales im Potsdamer Stadtschloß* aus. Auf einer ital. Reise, 1696, lernte er die röm. Baumeister kennen u. wurde darauf in Berlin auch als Arch. beschäftigt. Seit 1698 ar-

beitete er am Um- u. Neubau des *Berliner Schlosses*, dem er das endgültige Gepräge gab. Nach Einsturz des unzureichend gefestigtem Münzturmes wurde er 1706 als Schloßbaumeister entlassen; der Schloßbau wurde von → Eosander v. Göthe weitergeführt. 1713 berief ihn Peter d. Gr. nach Petersburg, wo er nichts Wesentliches mehr schuf. Der gewaltige Barockstil Sch.s ist aus niederl. u. röm. Elementen sehr selbständig gebildet; auch s. Innenausstattungen haben etwas Großartiges, sehr Persönliches. Sein Meisterwerk als Bildhauer schuf er mit dem *Reiterdenkmal des Großen Kurfürsten*, Berlin, 1698 bis 1703, das als das großartigste Reiterstandbild des absolutistischen Zeitalters gilt. Inspiriert war er von röm. u. franz. Vorbildern (→ Girardons heute zerstörtes Reiterdenkmal Ludwigs XIV.).
Weitere Hauptwerke: als Arch.: *Nikolaikirche* in Berlin, 1700. Als Dekorateur: *Innenausstattung des Berliner Schlosses*, bes. der *Paradekammern* u. des *Rittersaales. Dekorative Ausgestaltung des Zeughauses*, Berlin: vor allem die *Masken Sterbender Krieger* an den Schlußsteinen, um 1696. Als Bildh.: *Grabmal Männlich*, Nikolaikirche, Berlin, 1700. *Prachtsarkophage* für die Königin Sophie Charlotte (1705) u. König Friedrich I. (1713), Berlin, Dom. *Bronzebüste des Landgrafen Friedrich II. v. Hessen-Homburg*, 1704, Homburg, Schloßhof.
Lit.: Gurlitt, 1891. Wallé, *Sch.s Wirken in Petersburg*, 1901. Benkard, 1925. H. Ladendorf, 1935. Ders., 1937. Moeller van den Bruck, *Der preuß. Stil*, N. F. ³1931. G. Dehio, *Geschichte der dt. Kunst* 3, 1926. N. Pevsner, *Europ. Arch.*, 1957 (m. Bibliogr.).

Schmid-Reutte, Ludwig, dt. Maler, Lech-Aschau b. Reutte 1862–1909 Illenau, Schüler der Akad. Stuttgart, erstrebte unter dem Eindruck Ferdinand → Hodlers einen neuen Monumentalstil. Werke: Kreuzigungsgruppe *Consumatum est*, Karlsruhe, Kunsth. *Bäuerin* (Bildnis der Mutter), Mannheim, Kunsth. *Ruhende Flüchtlinge*, Stuttgart, Gal.
Lit.: L. Corinth in: Kunst u. Künstler 8, 1910 u. 1912, 1914.

Schmidt, Friedrich Freiherr v., dt. Arch., Frickenhofen 1825–1891 Wien, 1843–58 am Kölner Dombau beschäftigt, wo er als Steinmetz begonnen hatte, seit 1860 Prof. der Akad. Wien, seit 1863 Dombaumeister von St. Stephan ebda. (1864 Vollendung des neuen Turmhelms). Hervorgegangen aus der romant. gefärbten Neugotik der Kölner Schule übertrug Sch. in selbständiger Weise got. Bauformen auf weltliche Gebäude u. moderne Kirchen in Wien. Sein Hauptwerk ist das *Neue Rathaus*, ebda., 1872 bis 1883, in Formen der Spätgotik. Auch Denkmalpfleger u. Restaurator mittelalterlicher Bauten.
Lit.: C. v. Lützow, 1891.

Schmidt, Georg Friedrich, dt. Kupferstecher u. Radierer, Schönerlinde b. Berlin 1712–1775 Berlin,

Schüler der Berliner Akad. u. von Larmessin in Paris, 1744ff. in Berlin, 1757–62 in Petersburg tätig, dann wieder in Berlin. Sch.s Kupferstiche sind von großer handwerklicher Vollendung, die franz. Schule verratend; in den Radierungen an → Rembrandt gebildet.

Hauptblätter: *Bildnisse des Malers Quentin de Latour*, 1742; *des Malers Mignard* (nach Gemälde von Rigaud), 1744; *Friedrichs d. Gr.*, 1746; *des Malers Antoine Pesne* (nach dessen Selbstbildnis), 1752; Radierungen nach den Gemälden Rembrandts; *Vignetten* zu den *Gedichten Friedrichs d. Gr.*, 1760 u. zu dessen «Mémoires pour servir à l'histoire de Brandebourg», 1767.

Lit.: J. D. Jacobi, 1815. J. E. Wessely, 1887 (m. Werkverz.). Biermann, *Dt. Barock u. Rokoko*, 1914. Lippmann, *Der Kupferstich*, [6]1926.

Schmidt, Martin Johann, gen. *Kremser-Schmidt*, österr. Maler u. Radierer, Grafenwörth 1718–1801 Stein an der Donau; angenommen wird Schulung an der Wiener Akad., Studienaufenthalt in Venedig um 1746, wo er von der Kunst des G. M. → Crespi beeindruckt wurde u. als Zeichner von Diziani; angeregt auch durch → Rembrandt. Sch. schuf spätbarocke Deckenfresken, vor allem für österr. Klosterkirchen; Altarblätter u. kleinere Tafelbilder. Werke: Deckenfresken: im *Refektorium v. Kloster Dürnstein*, 1755; im *Stift Herzogenburg*, 1756; in der *Krypta der Klosterkirche Göttweig*, 1765; in der *Pfarrkirche in Krems*, 1787; in der *Pfarrkirche in Stein*, 1752. Altargemälde: *Taufe Christi*, Stiftskirche Melk, 1755; *Himmelfahrt Mariä*, Piaristenkirche, Krems, 1756; weitere Werke in Göttweig, Maria Taferl, Gresten. Kleinere Tafelbilder: *Urteil des Midas*, Wien, Barockmus. *Schmiede des Vulkan*, ebda.

Lit.: A. Mayer, 1879. H. Tietze, *Programme u. Entwürfe zu den gr. österr. Barockfresken*, 1911. K. Garzarolli-Thurnlanckh, *Das graph. Werk Sch.s*, 1924. Biermann, *Dt. Barock u. Rokoko*, 1914. Feulner, *Skulptur u. Malerei des 18. Jh.* (Handb. der K. W.), 1929. *Ausst.-Kat. Wien* 1951.

Schmidt-Rottluff, Karl, dt. Maler u. Graphiker, * Rottluff b. Chemnitz 1884, Hauptmeister des dt. Expressionismus, Mitbegründer der Künstlergruppe «Die → Brücke» in Dresden 1906. Tätig in Dresden; seit 1911 in Berlin, wo er mit → Feininger u. Otto → Mueller zusammentraf, seit 1947 Prof. der Akad. ebda. In s. Kunst von van → Gogh u. den franz. → Fauves beeindruckt. Vertreten in Berlin, Gal. des 20. Jh.; Hamburg, Kunsth.; Essen, Folkwang-Mus. u. a. dt. Gal.

Lit.: W. R. Valentiner, 1920. R. Schapire, *Sch.-R.s graph. Werk*, 1924. W. Grohmann, 1956 (m. Kat. der Gemälde). L.-G. Buchheim, *Die Künstlergemeinschaft «Brücke»*, 1956. J. Leymarie, *Fauvismus*, 1959 (m. Bibliogr.).

Schmitson, Teutwart, dt. Maler, Frankfurt 1830 bis 1863 Wien, bedeutender Tiermaler, gebildet in Frankfurt, Düsseldorf u. Karlsruhe. Nach Reisen in Belgien, Holland usw. 1857–60 in Berlin, seit 1861 in Wien tätig.

Werke: *Durchgehendes Ochsengespann*, Hamburg, Kunsth. *Scheuende Pferde in der Puszta*, Karlsruhe, Kunsth. *Kühe auf der Weide*, Berlin, Nat. Gal. *Marmortransport in Carrara*, ebda. Vertreten in den Mus. Berlin, Hamburg, Karlsruhe, Wien (Gal. des 19. Jh.) u. a.

Lit.: Weizsäcker-Dessoff, *Kunst u. Künstler in Frankfurt a. M.* 2, 1909.

Schmitt, Georg Philipp, dt. Maler, Spesbach 1808 bis 1873 Heidelberg, Schüler von → Cornelius in München, malte religiöse Bilder im Sinne der → Nazarener. Künstlerisch bedeutend s. stimmungsvollen, meist in Aquarell ausgeführten Landschaften u. Bildnisse. Vertreten im Mus. Heidelberg; Karlsruhe, Kunsth.; Baden-Baden, Neues Schloß; Düsseldorf, Mus.

Seine Söhne *Guido* (1834–1922), 1859–90 in England tätig u. *Nathanael* (1847–1918), waren als Bildnismaler bekannt.

Lit.: K. Lohmeyer, *Heidelberger Maler der Romantik*, 1935. Ders., 1926. G. Pauli, *Kunst des Klassiz. u. der Romantik* (Propyläen), 1925.

Schmitthenner, Paul, dt. Arch., * Lauterburg (Elsaß) 1884, 1918–45 Prof. an der Technischen Hochschule Stuttgart, von tiefgreifendem Einfluß als Vorkämpfer für eine bodenständig schlichte, an die dt. Überlieferung anknüpfende, dabei materialgerechte Bauweise.

Hauptwerke: *Reichsgartenstädte Staaken u. Plaue*, 1913 bis 1917; *Haus des Deutschtums*, Stuttgart, 1924; *Wiederaufbau des Alten Schlosses*, Stuttgart, 1933. Viele Siedlungen u. Wohnhausbauten. Er schrieb «Das dt. Wohnhaus», 1932.

Lit.: G. A. Platz, *Baukunst der neuesten Zeit*, 1927. Vollmer, 1958.

Schmitz, Bruno, dt. Arch., Düsseldorf 1858–1916 Berlin-Charlottenburg, berühmt durch machtvolle Denkmäler, die ihre Wirkung fast ohne Beihilfe des Ornaments, lediglich durch die Wucht des architektonischen Gefüges erreichen. Sein Hauptwerk: *Völkerschlachtdenkmal* in Leipzig, 1898–1913. Weitere Werke: *Siegesdenkmal in Indianapolis* (USA), 1887–93; *Kaiser-Wilhelm-Denkmäler auf dem Kyffhäuser*, 1891 bis 1896; an der *Porta Westphalica*, 1892–96; am *Dt. Eck in Koblenz*, 1894–97. Festhallen: *Tonhalle* in Zürich, 1888–92; *Rosengarten* in Mannheim, 1903 (erweitert 1913); *Weinhaus Rheingold* in Berlin (Beisp. des Stils der Gründerjahre).

Lit.: H. Schliepmann, 1913.

Schmutzer, Ferdinand, österr. Radierer u. Maler, Wien 1870–1928 ebda., hat vornehmlich als Bildnisradierer gewirkt (nahezu 300 Platten); in s. letzten Zeit auch lebensgroße Köpfe in Vernis-mou-Technik.
Lit.: A. Weixlgärtner, *Das rad. Werk v. F. Sch.*, 1922. H. W. Singer, *Mod. Graphik*, 1912.

Schmutzer, Jakob Matthias, österr. Kupferstecher, Wien 1733–1811 ebda., stach nach → Rubens, → Snyders u. a.

Schmuzer, dt. Stukkatoren- u. Arch.-Familie aus Wessobrunn (Oberbayern), tätig im 16. u. 17. Jh., neben der Familie → Faichtmayr die wichtigste der Wessobrunner Schule. Ihre Mitglieder dekorierten viele bayer. u. schwäb. Kirchen mit feinen Stuckarbeiten, meist unter Verzicht auf Farbe u. führten z. T. auch die Bauten selber aus. Die bedeutendsten:
Johann S., * 1642, † 1701 Wessobrunn.
Joseph S., * 1683, † 1752 Wessobrunn, Sohn des Johann, von J. M. → Fischer beeinflußt.
Franz S., * 1676, † 1741 Wessobrunn.
Lit.: A. Feulner, *Bayer. Rokoko*, 1923. A. Schlegel, *Weingarten*, 1924. A. Karlinger, *Bayer. Kunstgesch.* 1, 1928.

Schneider, Gérard, schweiz.-franz. Maler, * Sainte-Croix (Schweiz) 1896, kam nach kubistischen u. surrealist. Anfängen um 1944 zur abstrakten Kunst. Sch., der in Paris tätig ist, wird der jungen «école de Paris» zugerechnet.
Lit.: M. Pobé (Mus. de Poche) 1956. Seuphor, *Dict. peint. abstr.*, 1957. *Neue Kunst nach 1945*, hg. v. W. Grohmann, 1958.

Schnorr v. Carolsfeld, Julius, dt. Maler, Leipzig 1795–1872 Dresden, Hauptmeister der romant.-akad. Richtung, Schüler s. Vaters *Hans Veit* Sch., weitergebildet an der Wiener Akad. unter → Füger, schloß sich den → Nazarenern an, 1817ff. in Rom, ab 1827 Prof. der Akad. München, seit 1846 der Akad. Dresden, zugleich Direktor der Gemäldegal. In s. Kunst schloß er sich namentlich → Cornelius an. Die nazarenische Naivität verlor sich später mehr u. mehr, er wurde ein zuweilen klassizist. Akademiker. Sch. schuf große Freskenzyklen u. Tafelgemälde mit bibl. u. hist. Themen, Bildnisse u. a.
Hauptwerke: Fresken: *Wandgemälde zum Rasenden Roland*, 1820–26, Rom, Casino Massimi. *Fresken aus der Nibelungensage*, 1831 beg., München, Residenz (von Schülern voll. 1867). Tafelbilder: *Die Familie Johannes d. T. bei den Eltern Christi*, Dresden, Gal. *Der hl. Rochus*, Leipzig, Mus. *Kartons zum «Rasenden Roland»*, Frankfurt, Städel. *240 Tafeln zu «Bibel in Bildern»*, hg. in Holzschnitten, 1853–60.
Lit.: H. W. Singer, 1911. K. Gerstenberg u. P. O.

Rave, *Wandgemälde der dt. Romantiker im Casino Massimo zu Rom*, 1934. K. G. Heise, *Overbeck u. s. Kreis*, 1928. A. Schahl, *Geschichte der Bilderbibel* v. *J. Sch.*, Diss. Leipzig 1936. H. May in: Westdt. Jb. f. Kunstgesch. 12/13, 1941–43.

Schnorr v. Carolsfeld, Ludwig Ferdinand, dt.-österr. Maler, Königsberg 1788–1853 Wien, Bruder von Jul. → Sch., Schüler s. Vaters *Hans Veit* Sch. u. der Wiener Akad. unter → Füger, gewann in Wien Anschluß an die Romantiker, reiste 1834 nach München, Tirol, der Schweiz u. Paris, 1837 nach Norddeutschland, 1835 Mitglied der Wiener Akad., 1841 Kustos der Belvedere-Gal. Sch. war in Wien tätig; er schuf meist romant. Landschaften u. Porträts, auch Historienbilder. Vertreten in Wien, Österr. Gal. u. mod. Gal.; Berlin, Nat. Gal. u. a.

Schnyder, Albert, schweiz. Maler u. Graphiker, * Delsberg 1898, Darsteller der Jura-Landschaft; aber auch Figurenbilder, vorzugsweise im Innenraum. Geschult an → Cézanne, dt. Expressionisten u. a., entwickelte S. einen eigenen Stil, der mit sparsamen zeichnerischen u. farblichen Mitteln starke räumliche Wirkungen erzielt. In den meisten schweiz. Gal.
Lit.: G. Jedlicka in: Galerie u. Sammler, 1944. W. Sulser in: Kunst u. Volk, 1945. P. Hofer, 1948.

Schoch, Hans, dt. Arch., Königsbach (Baden) um 1550–1631 Straßburg, als Straßburger Stadtbaumeister von Kurfürst Friedrich von der Pfalz beauftragt, den nach ihm benannten Flügel des Heidelberger Schlosses zu bauen. Er schuf mit der Schaufront des *Friedrichsbaus* am Heidelberger Schloß, 1601–07, eines der eindrucksvollsten Bauwerke des dt. Frühbarock (nach 1900 v. K. Schäfer erneuert). Ferner der *«Neue Bau»* in Straßburg, ehem. Rathaus, jetzt Hôtel de Commerce, 1582–85; *Entwurf für Schloß Gottesau* b. Karlsruhe, 1588.
Lit.: A. Haupt, *Baukunst der Renaiss. in Frankr. u. Dtschl.*, 1923. G. Dehio, *Geschichte der dt. Kunst* 3, 1926. M. Wackernagel, *Baukunst des 17. u. 18. Jh.* (Handb. der K. W.).

Schönfeld, Heinrich, dt. Maler, Biberach an der Riß 1609 – um 1682 Augsburg, bedeutender Vertreter des süddt. Barock, bildete sich in Rom u. Neapel, wo er sich Salvator → Rosa, Aniello → Falcone, vor allem den Caravaggio-Nachfolgern Massimo → Stanzione u. dessen Schüler Bern. → Cavallino anschloß; beeinflußt auch von → Poussin, → Callot, → Lyss. Ab 1652 in Augsburg tätig. Werke in: Dom von Salzburg; Protest. Kreuzkirche in Augsburg; Mus. Dresden, Nürnberg, Graz, Hampton Court, Pommersfelden, Stuttgart u. a.
Lit.: W. Drost, *Malerei des 17. Jh.* (Handb. der K. W.), 1926.

Schönleber, Gustav, dt. Maler, Bietigheim 1851 bis 1917 Karlsruhe, Schüler von → Lier in München, hat sich durch Studium vor der Natur auf Reisen zum Maler schlichter, schön abgestimmter Landschaftsbilder ausgebildet; schuf auch einige Marinen, Architekturbilder u. Radierungen. In vielen dt. Mus. vertreten, u. a. in Berlin, Bremen, Breslau, Darmstadt, Dresden, Düsseldorf, Frankfurt, Karlsruhe, Köln, Leipzig, Mannheim, München, Stuttgart, Wien.
Lit.: A. Spier, 1909. O. Fischer, *Schwäb. Malerei des 19. Jh.*, 1925.

Schönn, Alois, österr. Maler, Radierer u. Lithograph, Wien 1826–1897 Krumpendorf am Wörthersee, Schüler der Wiener Akad. unter → Führich u. von Horace → Vernet in Paris (1850/51), unternahm viele Studienreisen in Osteuropa, Afrika u. im Orient; tätig in Wien, seit 1877 Prof. der Akad. Vortrefflicher Veduten- u. Genremaler. Beisp.: *Selbstbildnis*, Wien, Gal. des 19. Jh. *Markt in Krakau*, ebda. *Kirchweihfest in Lazia in Kärnten*, Wien, Gal. der Akad. Vertreten in Wien (Gal. des 19. Jh. u. Gal. der Akad.; Hist. Mus. der Stadt); Innsbruck, Troppau u. a.

Schöpf, Josef, österr. Maler, Telfs 1745–1822 Innsbruck, Vertreter des österr. Spätbarock, Schüler von → Knoller, bildete sich 1775–83 in Rom weiter, beeinflußt vom Klassizismus (→ Mengs). In s. Stil verbinden sich spätbarocke mit klassizist. Formen. S. schuf viele kirchliche Fresken u. Altarbilder.
Werke: Fresken in: *St. Johann in Ahrn*, 1786; in den *Kirchen Bruneck*, 1790/91 u. *Kaltern*, 1792/93; in der *Johanneskirche in Innsbruck*, 1794; in der *Pfarrkirche v. Brixen im Tal*, 1795; in der *Blutkapelle in Stams*, 1800–01; in der *Servitenkirche in Innsbruck*, 1817–20. Altäre: *Hochaltar in St. Johann in Ahrn*, 1787; *Altar in der Pfarrkirche von Brixen im Tal*, 1796; *Allerheiligenbild im Brixener Dom*, 1817.
Lit.: B. Hunold, 1875. Hammer, *Entwicklung der barocken Deckenmalerei in Tirol*, 1912. Feulner, *Skulpt. u. Malerei des 18. Jh. in Deutschl.* (Handb. der K. W.), 1929.

Scholderer, Otto, dt. Maler, Frankfurt a. M. 1834 bis 1902 ebda., Schüler des Städelschen Instituts das. unter Passavant u. Jakob Becker; von s. späteren Schwager Victor → Müller auf → Courbet hingewiesen u. zum Besuch von Paris angeregt. Dort schloß er Freundschaft mit → Fantin-Latour, traf mit → Manet u. → Leibl zus.; auf dem bekannten Bild Fantin-Latours «Atelier aux Batignolles» ist er unter den Freunden Manets mit dargestellt. Sch. stand zwischen Romantik u. Impressionismus u. vermittelte franz. Kunst nach Deutschland. Er war tätig in Frankfurt, Cronberg, Düsseldorf u. längere Zeit in London.

Werke: *Kinderbildnis*, Frankfurt, Städel. *Der Geiger am Fenster*, 1861, ebda. *Selbstbildnis*, Hamburg, Kunsth. *Schwarzwaldmühle*, Karlsruhe, Kunsth. *Küchenstilleben mit junger Frau*, Düsseldorf, Gal. *Stilleben mit Schinken*, Wuppertal, Städt. Mus. Weitere Bilder in Frankfurt, Städel; Karlsruhe, Gal.; Hamburg, Kunsth.; Düsseldorf, Gal.; München, Bayr. Staatsgal.; Paris, Louvre u. a. Gal.
Lit.: F. Herbst, 1934.

Scholle, Die, Gruppe von Münchner Malern, die seit 1899 eine Ausstellungsgemeinschaft bildeten. Sie strebten eine Erneuerung der dekorativen Malerei an, legten Wert auf großflächige Formenbehandlung, frische Farben, breit gehaltenen Vortrag. Ihr Führer war Fritz → Erler. Weitere Mitglieder R. M. → Eichler, Erich → Erler, M. → Feldbauer, W. → Georgi, A. → Münzer, W. → Püttner, L. → Putz u. a.
Lit.: G. Biermann, 1910. *Ausst.-Kat. Aufbruch z. mod. Kunst*, München 1958.

Scholz, Werner, dt. Maler, * Berlin 1898, gehört zu den Vertretern der gegenständlichen Malerei im Übergang zur Abstraktion. Entscheidenden Einfluß auf ihn hatte E. → Nolde; von der Farbe her suchte er zu einem festeren Flächenbau zu kommen.
Lit.: *Neue Kunst nach 1945*, hg. v. W. Grohmann, 1958.

Scholz, Wilhelm, dt. Zeichner, Berlin 1824–1893 ebda., Meister der Karikatur, seit 1848 Mitarbeiter des «Kladderadatsch», für den er scharf satirische Karikaturen schuf.

Schongauer, Martin, dt. Kupferstecher u. Maler, Colmar um 1430/45 bis 1491 Breisach, Hauptmeister der dt. Spätgotik; sein Vater Caspar war ein aus Augsburg stammender Goldschmied; Geburtsdatum sehr ungewiß. Wegen starker Beeinflussung durch die Niederländer wird Reise in die Niederlande angenommen; später gründete er eine Malerwerkstatt in Colmar, die bedeutendste s. Zeit in Oberdeutschland. 1489 wurde er nach Breisach berufen, um Fresken für das Münster zu malen. Der Ruhm Sch.s beruht vor allem auf s. Tätigkeit als Kupferstecher. Er schuf 115 Stiche, haupts. religiösen Inhalts, von großem Phantasiereichtum u. starker Gestaltungskraft, welche die unmittelbare Vorstufe zu den Stichen → Dürers darstellen. Ihr Einfluß in Zeit u. Raum (in Italien, Spanien usw.) war groß.
Das malerische Werk Sch.s ist stark umstritten, da es beinahe nur auf Zuschreibungen beruht; nur ein einziges voll gesichertes Werk erhalten, dies allerdings eines der hervorragendsten Werke der dt. Kunst: *Maria im Rosenhag*, Colmar, Martinskirche, 1473. Das Fresko des *Jüngsten Gerichts* im

Münster von Breisach wurde 1931 freigelegt. Der Stil Sch.s zeigt Beeinflussung durch Rogier van der → Weyden, ev. Beziehungen zu → Meister E. S. u. Niklaus von Leiden (→ Gerhaert). Von den Gemälden Sch.s scheint sehr viel vernichtet zu sein. Werke (z. T. bestrittene Zuschreibungen) in: Colmar, Mus. (Tafeln des Altars der Antoniterkirche in Isenheim u. a.); *Geburt Christi*, München, A. P. u. Berlin, staatl. Mus.; *Ruhe auf der Flucht*, Wien, Gal. *Maria mit Kind*, Paris, Louvre; Frankfurt, Städel; Leipzig, Mus. (Maria vor der Rosenhecke); Basel, Mus. Berühmte Stiche: *Versuchung des hl. Antonius* (um 1475); *Marientod; Große Kreuzigung; Passionsfolge* (12 Bl.); *Große Kreuztragung* (umfangreichster u. großartigster Stich); Doppelblatt der *Verkündigung.*
Lit.: H. Wendland, *Sch. als Kupferst.*, 1907. J. Rosenberg, *Handzeichn.*, 1923. M. Lehrs, *Kupferstiche. M. Sch. u. s. Schule*, 1925. K. Bauch, *Sch.s Frühwerke* in: Oberrhein. Kunst 5, 1932. E. Buchner, *Sch. als Maler*, 1941. E. Flechsig, 1946. J. Baum, 1948. A. Stange, *Malerei der Gotik* 7, 1955.

Schooten, Joris van, niederl. Maler, Leiden 1587 bis 1651 ebda., Meister von Bildnissen, Gruppenbildnissen, Schützenstücken, soll der Lehrer von → Rembrandt, → Lievens u. Abr. van → Tempel gewesen sein. Werke in den Mus. von: Amsterdam (Rijksmus.), Leiden, Philadelphia, Leningrad, Turin, u. a.
Lit.: A. v. Wurzbach, *Niederl. Künstlerlex.*, 1910. H. Gerson in: Th.-B. 1936.

Schor, Egid, österr. Maler, Innsbruck 1627–1701 ebda., gehört zu den Begründern der barocken Deckenmalerei in Tirol, 1656–65 in Rom nachweisbar, seit 1666 in Tirol tätig, meist in Innsbruck. Werke: *Fresken* in der *Pfarrkirche von Schabs* b. Brixen, 1687; im *Kloster Neustift* b. Brixen. Ölgemälde: *8 Bilder aus dem Leben des hl. Augustin*, Gal. des Klosters Neustift b. Brixen.
Lit.: O. v. Lutterotti in: Th.-B. 1936.

Schotel, Johannes Christian, niederl. Maler, Dordrecht 1787–1838 ebda., malte Seestücke in genrehafter Art, hart in der Farbe, aber von größter Genauigkeit im Detail. Vertreten in den Mus. Amsterdam, Den Haag, Dordrecht, Bergen, Berlin, Courtrai, Hannover, München, Nancy, Riga, Stuttgart.

Schoubroeck, Pieter, niederl. Maler, Heßheim b. Frankenthal um 1570–1607 Frankenthal, Sohn emigrierter Flamen, Landschafter, Schüler von → Coninxloo, in dessen Art er vor allem Waldschluchten u. Gebirgstäler malte, teils religiös motiviert als Johannespredigt u. a., mit zahlreichen kleinen Figürchen. Bilder in den Mus. Berlin, Braunschweig,

Budapest, Dresden, Frankenthal, Göttingen, Hamburg, Kassel, München, Wien, Würzburg u. a.
Lit.: Wurzbach, *Niederl. Künstlerlex.*, 1910. E. Plietzsch, *Frankenthaler Maler*, 1910.

Schramm, Friedrich, dt. Bildhauer (Bildschnitzer), tätig in Ravensburg um 1480–1515, der urkundlich genannte Meister des ehem. Hochaltars der Pfarrkirche zu Ravensburg, 1480. Zu diesem Altar soll – laut älteren Nachrichten – gehören: die *Schutzmantelmadonna*, Lindenholz, Berlin, Dt. Mus., ein hervorragendes Werk der dt. Spätgotik, «sie stellt das unschuldig Kindhafte, das in mancher spätmittelalterlichen Gestalt begegnet, innerhalb der dt. Plastik vielleicht am vollkommensten dar»(Schrade). Demselben Meister werden zugeschrieben: *2 Reliefs mit Gregorsmesse u. Enthauptung der hl. Katharina*, Berlin, Dt. Mus. Die *hll. Cosmas u. Damian*, Kaufbeuren, Pfarrkirche; *hll. Dominikus u. Petrus Martyr*, Wimpfen, Dominikanerkirche, u. v. a. Der Stil des Meisters zeigt Beziehungen zur Ulmer u. zur oberrhein. Plastik.
Lit.: G. Otto, *Ulmer Plastik d. Spätgotik*, 1927. Ders. in: Th.-B. 1936. H. Schrade, *Tilman Riemenschneider*, 1927 (S. 74f). W. Pinder, *Dt. Plastik des ausgeh. Mittelalters* 2, 1929.

Schreyer, Adolf, dt. Maler, Frankfurt a. M. 1828 bis 1899 Cronberg i. T., Schüler des Städelschen Instituts bei J. → Becker, 1862–70 in Paris, vorher u. nachher weite Reisen bis nach Kleinasien, malte Genreszenen von s. Reisen, vor allem aber beliebter Pferdemaler. Beisp.: *In der Walachei*, 1856, Frankfurt, Städel; *Walachische Transportkolonne*, Hamburg, Kunsth. Vertreten in Bayonne, Bordeaux, Boston, Brooklyn, Chicago, Cincinnati, Frankfurt, Hamburg, Kansas City, Köln, Lyon, Mainz, Manchester, Mannheim, Marseille, München, New York, Paris (Luxembourg), Philadelphia, St. Louis, Sheffield, Toledo (USA), Washington u. a.

Schrimpf, Georg, dt. Maler, München 1889–1938 Berlin, autodidaktisch gebildet, lehrte 1926–33 an der Kunstgewerbeschule München, seitdem an der Kunstschule Berlin-Schöneberg. Sch. schloß sich dem in Italien entwickelten Stil des Neo-Klassizismus «Valori plastici» (Zeitschrift desselben Namens), in Deutschland «Neue Sachlichkeit» gen., an. In einfachen plastischen Formen schuf er Landschaften u. Figürliches. Beisp.: *Mädchen am Fenster*, 1925, Basel, Mus. Werke in den Mus. Berlin, Düsseldorf, Leipzig, Mannheim, München u. v. a.
Lit.: O. M. Graf, 1923. C. Carrà, 1924.

Schroedter, Adolf, dt. Maler, Zeichner u. Illustrator, Schwedt a. d. Oder 1805–1875 Karlsruhe, Meister humorvoller Genrebilder u. feiner Zeichnungen, ausgebildet an der Berliner Akad. bei

Buchhorn u. Wilh. → Schadow, dem er 1829 nach Düsseldorf folgte; seit 1848 in Frankfurt, 1859–72 Prof. der T. H. in Karlsruhe. Seine humorvolle Art ist in manchem der Romantik verpflichtet, im großen und ganzen Ausdruck des dt. Biedermeier, die Zeichnungen möglicherweise von Rod. → Toepffer beeinflußt.
Werke: *Die Weinprobe*, 1832, Berlin, Nat. Gal. *Don Quijote beim Studium der Ritterromane*, 1834, ebda. *Die Waldschmiede*, 1841, ebda. *Münchhausen*, 1842, Hamburg, Kunsth. Radierungen zu *Chamissos «Peter Schlemihl»*, 1836. *Radierung Don Quijote u. die Schafherde*, 1839. Illustrationen zu *Musäus' Volksmärchen* u. v. a.
Lit.: J. A. Beringer, *Bad. Malerei 1770–1920*, 1922. K. Koetschau, *Rhein. Maler in der Biedermeierzeit*, 1926.

Schtschussew, Alexej, russ. Arch., 1873–1949, entwickelte nach historisierenden Anfängen einen strengen Monumentalstil. Werke: *Lenin-Mausoleum*, 1924, Moskau. *Marx-Engels-Institut*, *Tiflis*, 1938. *Opernhaus in Taschkent*, 1948.
Lit.: M. V. Babentschikowa, 1947 (russ.).

Schuch, Karl (Charles), österr. Maler, Wien 1846 bis 1903 ebda., Schüler der Wiener Akad., seit ca. 1870 in München, wo er sich dem Kreise um → Leibl u. → Trübner anschloß, längere Zeit in Italien, auch in Belgien u. Holland lebend, 1882–94 in Paris, seitdem in Wien, wo er die letzten Jahre in geistiger Umnachtung verbrachte. S. verband Altwiener Kultur mit den malerischen Errungenschaften → Courbets u. Leibls; er ist der feinste österr. Landschafts- u. Stillebenmaler am Vorabend des Impressionismus.
Werke: *Stilleben* in Berlin, Nat. Gal.; Hamburg, Kunsth.; Mannheim, Kunsth. (*Blumen- u. Früchtestilleben*)*;* München, Staatsgal. (*Apfelstilleben mit Zinnkrug*) u. v. a. *Straße in Olevano*, 1875, Hamburg, Kunsth. *Landschaft bei Ferch*, 1878, Hannover, Mus. *Bildnis Karl Hagemeister*, 1876, ebda. Werke in den Mus. Aachen, Berlin, Bremen, Halle, Hamburg, Helsingfors, Köln, Krefeld, Magdeburg, Mannheim, Nürnberg, Stettin, Stuttgart, Wien u. a.
Lit.: K. Hagemeister, 1913. G. J. Wolf, *Leibl u. s. Kreis*, 1923. K. Scheffler, *Europ. Kunst im 19. Jh.*, 1926. E. Waldmann, *Kunst d. Realism. u. d. Impression.*, 1927. *Ausst.-Kat. Aufbruch z. mod. Kunst*, München 1958.

Schüchlin (Schülein), Hans, dt. Maler, nachweisbar in Ulm 1469–1503, Meister des *Hochaltars der Kirche zu Tiefenbronn* in Schwaben mit Darstellungen der Passion u. aus dem Leben Mariä, 1469. In s. Stil Beziehungen vor allem zur Nürnberger Kunst (→ Wolgemut).
Lit.: F. Haack, 1905. H. Rott, *Die Kirche zu Tiefenbronn*, 1929. A. Stange, *Dt. Malerei der Gotik* 8, 1957.

Schütz, Christian Georg, d. Ä., dt. Maler, Flörsheim 1718–1791 Frankfurt a. M., gehörte dem Malerkreis um Goethes Vaterhaus an u. war – neben → Seekatz, → Trautmann u. a. – Mitarbeiter an den *Fresken für das Palais des Grafen Thoranc* in Grasse u. im *Goethehaus* in Frankfurt. Sch. schuf Landschaften, oft auch «Ideallandschaften» mit Ruinenarchitektur u. Staffage im Sinne des Rokoko (Staffage oft von → Morgenstern, Jan. → Zick u. a.). Werke in Frankfurt, Städel; München, N. P.; Schloß Aschaffenburg; Mus. Dessau, Genf, Bern, Kassel u. a.
Lit.: Donner u. v. Richter, *Die Thorancbilder in der Provence u. im Goethemus. zu Frankf.* in: Jb. d. freien dt. Hochstifts, 1914. G. Biermann, *Dt. Barock u. Rokoko*, 1914. Bamberger, *Joh. Conrad Seekatz*, 1916. A. Feulner, *Skulpt. u. Malerei des 18. Jh.* (Handb. der K. W.), 1929.

Schüz, Theodor, dt. Maler, Thumlingen 1830 bis 1900 Düsseldorf, Schüler → Pilotys in München, seit 1866 in Düsseldorf, schuf Landschaften, Genreszenen, auch Bildnisse u. Illustrationen. Beisp.: *Osterspaziergang*, um 1859, Karlsruhe, Kunsth. *Mittagsrast in der Ernte*, 1861, Stuttgart, Gal. Werke ferner in Frankfurt, Städel; Ulm, Mus. u. a.
Lit.: J. Merz, 1902. D. Koch, 1905. O. Fischer, *Schwäb. Malerei des 19. Jh.*, 1925.

Schultze, Bernhard, dt. Maler, * Schneidemühl 1915, Hauptvertreter des Tachismus in Deutschland.
Lit.: *Knaurs Lex. abstr. Malerei*, 1957 (M. Seuphor). W. Grohmann in: *Neue Kunst nach 1945*, hg. v. W. Grohmann, 1958.

Schumacher, Emil, dt. Maler, * Hagen i. W. 1912, Hauptvertreter des dt. Tachismus, besser gesagt: der eruptiven nicht figürlichen Malerei (weitere Vertreter: Fred → Thieler, Platschek, → Sonderborg). «Man denkt an Höhlenmalerei, an alte Mauern mit Rissen und anderen Spuren der Verwitterung in Grund und Farbe. . . S. ritzt und bohrt in die Malfläche» (W. Grohmann).
Lit.: *Knaurs Lex. abstr. Mal.* (M. Seuphor) 1957. *Neue Kunst nach 1945*, hg. v. W. Grohmann, 1958.

Schumacher, Fritz, dt. Arch., Bremen 1869–1947 Hamburg, tätig 1893–95 im Atelier Gabr. v. Seidls, 1899–1909 Prof. an der Techn. Hochschule Dresden, 1909 ff. Baudirektor in Hamburg; Ausbau Hamburgs zur modernen Großstadt durch Wiederbelebung des traditionellen Backsteinbaus.
Hauptwerke in Hamburg: *Das neue Krematorium*, 1930–33; *Tropeninstitut*, *Technikum*, *Gewerbehaus* u. v. a. Schriften: «Das Wesen des neuzeitl. Backsteinbaus», 1920. «Das Werden einer Wohnstadt», 1932. «Der Geist der Baukunst», 1938, u. v. a.
Lit.: E. Ockert, 1950.

Schumann, Hans Adolf, dt. Bildhauer, * Heide (Holstein) 1919, Schüler von E. → Scharff in Hamburg u. O. → Baum in Stuttgart, neigt stark der organische Urformen erstrebenden Kunst Henry → Moores zu. Bevorzugte Themen: Mutter u. Kind; bevorzugte Materialien: exotische Hölzer, schwarzer Serpentin, grauer Granit, Steinguß, Bronze. Vertreten in den Mus. Duisburg, Hagen, Hamburg, Köln, Leverkusen, Recklinghausen.
Lit.: Vollmer, 1958.

Schut, Cornelis, niederl. Maler, Antwerpen 1597 bis 1655 ebda., Meister aus dem Umkreis → Rubens', schuf zahlreiche Altarbilder für belg. u. Kölner Kirchen, auch einige hist. u. allegor. Darst. S. hat später einen persönlichen Stil entwickelt, der durch eine mit lebhaften Gegensätzen arbeitende Komposition u. kühle Farbgebung gekennzeichnet ist.
Einige Hauptwerke: *Himmelfahrt Mariä*, Kuppelgemälde der Antwerpener Frauenkirche (Kathedrale), 1647. *Enthauptung des hl. Georg*, 1643/44, Antwerpen, Mus. *Krönung Mariä*, Hauptaltar der Karl-Borromäuskirche, ebda.; St. Gereon, Köln; Wien, Kunsthist. Mus. S. hat häufig die Mittelstücke zu Blumenkränzen von Daniel → Seghers gemalt. Weitere Werke in Kirchen von Antwerpen, Brüssel u. a.; in den Mus. Antwerpen, Brooklyn, Brüssel, Glasgow, Hannover, Madrid, München, Nantes, Nürnberg, Pommersfelden, Stockholm, Wien u. a.
Lit.: K. Zoege v. Manteuffel in: Th.-B. 1936.

Schwanthaler, Franz, dt. Bildhauer, Ried 1760 bis 1820 München, Vater des Ludwig Sch., begann als Rokokobildhauer, wandte sich um 1785 dem Klassizismus zu, führender Vertreter des Frühklassizismus. Er hatte in München eine Werkstatt inne, aus der namentlich viele Grabmonumente hervorgingen; ferner Modelle für die Porzellanmanufaktur Nymphenburg u. ornamentale Arbeiten in den *Hofgartenzimmern der Münchner Residenz;* viele weitere dekorative Arbeiten.
Werke: *Grabmäler der Grafen von Törring,* München, Südfriedhof; *der Familie Rietzler,* ebda. *Grabmal des Prinzen Maxim. Jos. Friedrich,* München, Theatinerkirche. *Figur des Genius,* 1803, am Eingang zum Engl. Garten, München. Dekorative Arbeiten am Hochaltar der Peterskirche, München u. v. a. (vieles heute vernichtet).
Lit.: A. Heilmeyer, *Plastik des 19. Jh. in München,* 1931.

Schwanthaler, Ludwig v., dt. Bildhauer, München 1802–1848 ebda., Hauptvertreter des Münchner Klassizismus, Schüler der Münchner Akad. Ein Römer Aufenthalt brachte ihn in Berührung mit → Thorwaldsen, der ihm die klassizist. Richtung wies. Sein Hauptwerk ist das volkstümliche Standbild der *Bavaria,* München, 1844–50 gegossen. Weitere Werke: Monumental-dekorative Arbeiten:

Friese mit klass. Darstellungen für den Königsbau der Residenz, München. *Gruppe der Hermannschlacht* für den Nordgiebel der Walhalla b. Regensburg. Denkmäler: *Bronzestandbilder Mozarts* in Salzburg, 1842; *Goethes* in Frankfurt a. M., 1844; *Jean Pauls* in Bayreuth u. v. a.
Lit.: A. Heilmeyer, *Plastik des 19. Jh. in München,* 1931. G. Pauli, *Kunst d. Klassiz. u. d. Romantik,* 1925.

Schwartze, Johann Georg, holl. Maler, Philadelphia 1814–1874 Amsterdam, malte Genrebilder u. Bildnisse. Schüler der Düsseldorfer Akad. unter → Lessing, → Schadow u. a.; vertreten in den Mus. Amsterdam, Den Haag, Utrecht u. a.
Seine Tochter *Therese* Sch., Amsterdam 1852–1918 ebda., Schülerin ihres Vaters u. → Lenbachs in München, nahm als Bildnismalerin einen bedeutenden Rang ein: *Selbstbildnis,* 1907, Amsterdam, Rijksmus. Vertreten in den Mus. Antwerpen, Den Haag, Leiden, Rotterdam, Düsseldorf, Valenciennes.

Schwarz (Schwartz), Christoph, dt. Maler, München um 1545–1592 ebda., Schüler von Melchior Bocksberger, einem damals berühmten Fassadenmaler, später wohl in Italien (Venedig) weitergebildet (er wurde als Schüler → Tizians bezeichnet), schuf viele kirchliche Werke u. Freskenmalereien für München, Augsburg, Landshut u. a. Städte; zuletzt war er herzoglicher Hofmaler. S. war – neben → Sustris – einer der erfolgreichsten Wegbereiter der ital. Hochrenaissance in Süddeutschland, u. zwar vor allem der venez. Malerei (Tizian, → Tintoretto), war aber auch der heimischen Tradition (→ Altdorfer, der → Donauschule) verpflichtet. Auch von Sustris beeinflußt. Seine Kunst bedeutet einen Vorstoß in den Frühbarock.
Hauptwerk ist der riesige *Hauptaltar der Michaelskirche* in München mit dem Sturz Luzifers (von Raffael u. Tintoretto inspiriert). Ferner *Marter des hl. Andreas,* beg. 1586, ebda. *Maria mit Heiligen,* Augsburg, Ulrichkirche (voll. 1594 von → Candid). *Grablegung,* Wien, Kunsthist. Mus. *Maria in der Glorie* (aus St. Salvator, München), jetzt ebda., Pinak. *Die hll. Sebastian u. Dominikus* (aus der ehem. Sebastianskirche in München), jetzt Augsburg, Dominikanerkirche. Ferner Altäre in Augsburg: in der Fuggerkapelle in St. Ulrich u. Afra; in der Annakirche; in Landshut, St. Martin u. a. Große dekorative Wandmalereien an Münchner Bürgerhäusern (heute zerstört). Zeichnungen in München, Wien (Albertina), Berlin, Braunschweig, Dresden, Florenz, Paris, Stuttgart u. a.
Lit.: Feuchtmeyer in: Das Schwäb. Mus., 1926. E. Bock, *Die dt. Meister,* 1921. R. A. Peltzer in: Th.-B. 1936. G. Dehio, *Gesch. d. dt. Kunst* 3, 1926.

Schwarz, Hans, dt. Bildschnitzer u. Medailleur, * Augsburg um 1492, tätig um 1512–32 ebda. u. in

Nürnberg, einer der fruchtbarsten u. charakteristischsten Vertreter der dt. Kleinkunst zu Beginn der dt. Renaissance, schuf einige religiöse Bildschnitzereien, vor allem hervorragende Bildnismedaillen, zu denen er Modelle aus Buchsbaum schnitzte, wonach dann die Metallgüsse erfolgten. Rund 175 Bildnismedaillen der bedeutendsten Männer des damaligen Deutschlands sind erhalten. Werke: *Grablegung Christi*, 1516, Berlin, Dt. Mus. Holzreliefs der *Beweinung Christi* u. der *Hl. Anna selbdritt*, ebda. *Maria mit dem Kind*, Nürnberg, German. Mus. *Judith mit Magd*, München, Nat. Mus. *Bildnismedaillen Albrecht Dürer*, London, Brit. Mus. (Buchsmodell in Braunschweig, Mus.), *Kaiser Maximilian, Konrad Peutinger, Jakob Fugger, Kardinal Albrecht von Brandenburg* u. v. a. Vorzeichnungen zu den Medaillen, Studien nach dem Leben, in Berlin (57 Bl.); Bamberg (55 Bl.); Weimar (11 Bl.); Leipzig (1 Bl.).
Lit.: G. Habich, *Die dt. Medailleure des 16. Jh.*, 1916. Ders., *Die dt. Schaumünzen des 16. Jh.*, 1929. Domanig, *Die dt. Medaille*, 1907. E. F. Bange, *Kleinplastik der dt. Renaiss.*, 1928. P. Grotemeyer in: Münchner Jb. der bild. Kunst 12, 1937/38.

Schwarz, Rudolf, dt. Arch., * Straßburg 1897, Schüler von → Poelzig, trat bes. als Meister des neuen katholischen Kirchenbaues hervor.
Werke: *Fronleichnamskirche* in Aachen; *St. Michael* in Frankfurt, 1953 u. v. a. Kirchenbauten. Wiederaufbau v. *Köln*, nach 1945: *Gürzenich* (mit K. Band); *Wallraf-Richartz-Mus.* (mit J. Bernhard).

Schwechten, Franz, dt. Arch., Köln 1841–1924 Berlin, Schüler von → Raschdorff in Köln, 1902 ff. Vorsteher eines Meisterateliers an der Hochschule f. bild. Künste in Berlin. Beispielgebend für die monumentale Gestaltung eines modernen Zweckbaues war der Bau des *Anhalter Bahnhofs*, Berlin, 1875–80. Ferner in roman. Bauformen die *Kaiser-Wilhelm-Gedächtnis-Kirche*, Berlin, 1891–95; *Hohenzollernbrücke* in Köln, 1907–11; *Evang. Kirche* in Rom, 1911–15.

Schweigger, Georg, dt. Bildhauer, Bronzegießer u. Harnischmacher, Nürnberg 1613–1690 ebda., Schüler des Goldschmieds Christoph Ritter, beeinflußt von Giovanni da → Bologna, führte 1660 ff. unter Mithilfe Chr. Ritters den *Neptunbrunnen* in Nürnberg aus (Nachbildung auf dem Marktplatz Nürnberg; die Bronzefiguren kamen 1797 nach Peterhof b. St. Petersburg). Ferner *Bronzegrabmäler Schwanhardt u. Nützel*, Nürnberg, Johannesfriedhof; zahlreiche Bildnisplaketten in Speckstein u. Bronze.
Lit.: Erman, *Dt. Medailleure des 16. u. 17. Jh.*, 1884. Rée, *Nürnberg* (Berühmte Kunststätten) [6]1926. Planiscig, *Bronzeplastiken*, 1924. Brinckmann, *Barockskulptur* (Handb. der K. W.), [12]1920–21.

Schweizer, Otto Ernst, dt. Arch., * Schramberg 1890, seit 1930 Prof. der Techn. Hochschule Karlsruhe, schuf mit dem *Stadion* in Wien, 1930–32, die wesentlichen Grundlagen für den Stadion-Hochbau u. bearbeitete viele städtebaulichen Aufgaben.
Werke: *Planetarium*, Nürnberg, 1926. *Stadion*, ebda., 1927. Neubau des *Nationaltheaters* in Mannheim; Bebauungspläne für Bonn u. Rheinhausen u. v. a. Veröffentlichung: «Über die Grundlagen des architekt. Schaffens», 1935.
Lit.: J. Bier, 1929.

Schwind, Moritz v., österr.-dt. Maler u. Zeichner, Wien 1804–1871 München, Hauptvertreter der süddt. Romantik, 1821 Schüler der Wiener Akad., seit 1828 der Münchner Akad. unter → Cornelius, 1835 in Rom, 1839–44 in Karlsruhe, 1844–47 in Frankfurt a. M., seit 1847 als Akad.-Prof. in München. Nach schwankenden Anfängen fand Sch. seine eigentliche Berufung in der Gestaltung der dt. Märchenwelt. In diesen Darstellungen drückt sich das Wesen der süddt. Spätromantik wohl am reinsten aus.
Hauptwerke: *Ritter Kurts Brautfahrt*, 1835–40 (1931 in München verbrannt). *Der Ritt des Falkensteiners*, 1843–44, Leipzig, Mus. *Sängerkrieg auf der Wartburg*, 1844–46, Frankfurt, Städel. *Hochzeitsmorgen*, 1845–47 Berlin, Nat. Gal. *Die 7 Raben*, 1857, Weimar, Mus. Aquarell *Die Morgenstunde*, 1858, München, Schack-Gal. *Hochzeitsreise*, 1862, ebda. *Rübezahl*, ebda. Fresken: *Märchenkompositionen für den Tiecksaal*, 1833–34, u. *Kinderfries* für den *Habsburgersaal der Münchner Residenz*, 1836. Entwürfe für *Wandgemälde im Schloß Hohenschwangau. Wandgemälde in der Wartburg*, seit 1843. Als Zeichner: Holzschnittillustrationen für die «Fliegenden Blätter» u. «Münchener Bilderbogen». Illustrationen zu Scherers «Alte u. neue Kinderlieder», 1848–49. Vertreten in den Mus. Darmstadt, Dresden, Frankfurt, Halle, Hamburg, Karlsruhe, Köln, München, Nürnberg, Stuttgart, Wien (Gal. des 19. Jh.).
Lit.; O. Weigmann (Klass. d. Kunst), 1906. F. Haack, 1924. H. Elster, 1930. E. Kalkschmidt, 1943. H. Hildebrandt, *Kunst des 19. u. 20. Jh.* (Handb. d. K. W.), 1924. W. R. Deusch, *Mal. d. dt. Romantik*, 1937.

Schwitters, Kurt, dt. Maler, Hannover 1887–1948 Ambleside (England), Schüler der Dresdner Akad., beeinflußt von → Kandinsky, → Marc u. den Kubisten, schloß sich der Dada-Bewegung an u. entwickelte unter dem Kennwort MERZ ein dadaistisches «Gesamtweltbild»: Klebebilder (Collages); Montagen; Gedichte aus Urlauten; den 1924 begonnenen MERZ-Bau (ein Gehäuse in s. eigenen Haus, an dem er 10 Jahre lang arbeitete u. das im 2. Weltkrieg durch eine Bombe zerstört wurde); Zeitschrift «MERZ», 1923–32. Tätig in Hannover,

seit 1935 in Norwegen, seit 1940 in England. Vertreten in New York, Mus. of mod. Art.
Lit.: O. Nebel, 1920. H. Bergruen, 1954. C. Giedion-Welcker, *Plastik des 20. Jh.*, 1955. A. H. Barr, *Fantastic Art, Dada, Surrealism*, 1947. M. Seuphor, *L'art abstrait*, 1949. Ders., *Knaurs Lex. abstr. Mal.*, 1957. Ders., *Plastik unseres Jh.*, 1959.

Sckell, Friedrich Ludwig v., dt. Gartenarch., Weilburg a. L. 1750–1823 München, tätig in Schwetzingen, 1789 zur Anlage des *Englischen Gartens* nach München berufen, 1799ff. Gartenbaudirektor von Pfalz u. Bayern, ab 1804 Hofgartenintendant in München, gestaltete viele *Parkanlagen* im Stil des engl. Landschaftsgartens: *Schwetzingen, Landshut, München* u. v. a.
Lit.: F. Hallbaum, *Der Landschaftsgarten*, 1927.

Scorel (Schorel, Schoorle), Jan van, niederl. Maler, Schoorl b. Alkmaar 1495–1562 Utrecht, Hauptvertreter der Renaissance in den nördl. Niederlanden, Schüler des Cornelis → Cornelisz u. angeregt von Jan → Joest v. Kalkar, beeinflußt von → Dürer, den er in Nürnberg aufsuchte, tätig in Kärnten, Venedig, Rom, wo er → Raffael u. → Michelangelo studierte, 1524 wieder in Utrecht u. betrieb dort eine Werkstatt. Er hat die Anregungen der ital. Malerei selbständig verarbeitet, schuf religiöse Bilder u. vorzügliche Bildnisse.
Werke: *Altar* (*hl. Sippe*) in Obervellach in Kärnten, 1520 (Frühwerk). *Kleopatra*, Amsterdam, Rijksmus. *Kreuzigung*, Bonn, Provinzialmus., 1530. *Maria u. Kind*, Berlin, staatl. Mus. *David u. Goliath*, vor 1538, Dresden, Gal. *Maria Magdalena*, 1529, Amsterdam, Rijksmus. Bildnisse: *Agathe von Schoonhoven*, 1529, Rom, Gall. Doria. *Familienbild*, Kassel, Gal. *Bildnis eines Mannes*, Berlin, staatl. Mus.
Lit.: C. Justi in: Preuß. Jb., 1881. G. H. Hoogewerff, 1923 (franz.). M. J. Friedländer, *Altniederl. Malerei* 12, 1935. G. Glück, *Kunst d. Renaiss.*, 1928.

Scott, Gilbert, engl. Arch., Gawcott (Buckingham) 1811–1878 London, Meister des historisierenden Stils des 19. Jh.; erbaute zahlreiche Kirchen in neugot. Stil, andere Bauten in Renaissance.
Hauptwerke: *St. Mary's Cathedral*, Edinburgh, 1874 bis 1878. Neubau der *Nikolaikirche*, Hamburg, 1846 bis 1863. *Kapelle von Exeter College*, Oxford. *St. Georgskirche*, Doncaster. *Nördl. Gebäudeteile der Ministerien in London.*
Lit.: Muthesius, *Neuere kirchl. Baukunst in Engl.*, 1901. G. Pauli, *Kunst d. Klassiz. u. d. Romantik*, 1925.

Scott, Samuel, engl. Maler, London 1710–1772 Bath, malte vorzugsweise Ansichten der Stadt London u. Seestücke, der «engl. Canaletto» gen., Freund → Hogarths, der mehrfach die Figurenstaffage s. Bilder malte. Beisp.: *Old London Bridge*, 1745, London,

Nat. Gall. Vertreten in den Mus. London, Hampton Court, Dublin u. a.
Lit.: M. Osborn, *Kunst d. Rokoko*, 1929.

Scultori, Giovanni Battista, ital. Bildhauer u. Kupferstecher, Mantua 1503–1575 ebda. Schüler → Giulio Romanos u. dessen Mitarbeiter im Pal. del Te in Mantua. Als Stecher: ca. 20 Blätter nach Vorlagen Giulio Romanos u. eigenen bekannt.
Lit.: L. Servolini in: Th.-B. 1936.

Sebastiano del Piombo → Piombo, Sebastiano del.

Seekatz, Johann Conrad, dt. Maler, Grünstadt 1719 bis 1768 Darmstadt, liebenswürdiger Rokokomaler, der zum Frankfurter Malerkreis der → Trautmann, Juncker, → Schütz usw. gehörte, die in Goethes Vaterhaus verkehrten. Tätig in Frankfurt u. seit 1753 Hofmaler in Darmstadt. S. malte Bildnisse, Landschaften, Genreszenen in der Art der Holländer, auch höfische Szenen voll Rokokograzie u. kleine Bilder religiösen u. geschichtlichen Inhalts.
Werke: *Bildnis der Familie Goethe*, Weimar, Nat. Mus. *Genreszenen*, Frankfurt, Städel. *17 Supraporten* für das landgräfliche Schloß in Braunsfeld, Darmstadt, Altes Schloß. *Musizierende Kinder*, um 1758, Dessau, Mus. Vertreten in den Mus. Augsburg, Berlin, Darmstadt, Frankfurt, Nürnberg, Weimar, Würzburg, Zürich u. a.
Lit.: Bamberger, 1916. Feulner, *Skulpt. u. Mal. des 18. Jh.*, 1929.

Seele, Johann Baptist, dt. Maler u. Graphiker, Meßkirch 1774–1814 Stuttgart, das. Hofmaler u. Galeriedirektor seit 1804. Soldaten- u. Schlachtenbilder in drastisch bewegten u. im Atmosphärischen fein beobachteten Szenen; auch gute Bildnisse. Im Stil manchmal an W. v. → Kobell erinnernd. Gut vertreten in den Gal. Donaueschingen u. Stuttgart, ferner in Ludwigsburg (Schloß), Karlsruhe, München u. a.
Lit.: J. Baum, *Romant. Malerei Oberschwabens*, 1932. Schefold in: Th.-B. 1936. W. Fleischhauer, J. Baum u. St. Kobell, *Schwäb. Kunst im 19. u. 20. Jh.*, 1952.

Seewald, Richard, schweiz. Maler u. Graphiker dt. Herkunft, * Arnswalde 1889, tätig in München, seit 1924 in Köln, wo er an den Werkschulen lehrte, weilte sommers in Ronco (Tessin), wohin er 1932 ganz übersiedelte; 1954–58 Prof. an der Kunstakad. München. S. schuf Landschaften, Tierbilder, Figurendarstellungen, Glasgemälde, Wandbilder u. Buchillustrationen: zu *Kleists Penthesilea; Defoes Robinson* u. eigenen Büchern. Kirchl. Wandbilder: in den kath. Kirchen Seebach u. Friesenberg, Zürich. 1961 Auftrag zur Ausschmückung der Arkaden des Hofgartens in München mit 15 Wandbildern griech. Landschaften. Ferner Entwürfe für

Gobelins u. Porzellan. Er schrieb u. illustrierte: Tiere u. Landschaften, 1921; Reise nach Elba, 1927; Robinson, der Sohn Robinsons, 1933; Gestehe, daß ich glücklich bin, 1942. Über Malerei u. das Schöne, 1947. Giotto, 1950 u. v. a.
Lit.: H. Sädler, 1924. J. Baum in: Das Münster 3, 1950.

Segantini, Giovanni, ital.-schweiz. Maler, Arco (Prov. Trento) 1858–1899 auf dem Schafberg b. Pontresina (Oberengadin), Meister der Hochgebirgslandschaft, Schüler der Brera-Akad. Mailand, bildete sich selber weiter, war in mehreren Orten Graubündens tätig, 1885–94 in Savognin, zuletzt in Maloja. S. begann früh mit Freilichtmalen; später lernte er den Pointillismus kennen u. entwickelte eine eigene Technik der Zerlegung der Farben in einzelne, in Strichen nebeneinander gelegte Komplementärwerte. Es gelang ihm damit, das ungebrochene Licht der Hochgebirgswelt zur Darstellung zu bringen. Später wurden seine Bilder bisweilen stark mit Gedanklichem durchsetzt. Diese symbolistischen Werke u. gewisse dekorative Elemente bezeugen den Anschluß an Tendenzen des Jugendstils. Immer aber blieb er ein unerreichter Künder der Hochgebirgswelt.
Einige Hauptwerke: *An der Barre*, 1885, Rom, Gall. mod. *An der Tränke*, 1888, Basel, Mus. *Strickendes Mädchen*, 1888, Zürich, Kunsth. *Pflügen im Engadin*, 1890, München, Neue Staatsgal. *Trübe Stunde*, 1892, Berlin, staatl. Mus. *Frühlingsweide*, 1896, Wien, Gal. des 19. Jh. Triptychon *Werden, Sein, Vergehen*, St. Moritz, S.-Mus. (Entwürfe in Wien, Staatsgal.). Porträt: *Bildnis eines Freundes*, 1887, Leipzig, Mus. Vertreten in den Mus. Brüssel, Frankfurt, Den Haag, Hamburg, Leipzig, Liverpool, Mailand (Gall. mod.), Wuppertal u. a.
Lit.: F. Servaes, 1902. M. Montandon, 1906, [4]1925. Gottardo S. (s. Sohn), *G. S. Leben u. Werke*, 1913. Ders., 1919, 1925 u. 1927, 1949. Somaré, 1937. G. Delogu, *Ital. Malerei*, [3]1948. R. Calzini in: Enc. Ital. 1936.

Seghers, Daniel, niederl. Maler, Antwerpen 1590 bis 1661 ebda., Maler feiner Blumenstücke, meist als Umrahmung für Madonnen u. a. religiöse Darstellungen von der Hand anderer Meister (→ Rubens, E. Quellinus, v. Thulden); auch Blumensträuße in Vasen u. Gläsern. Werke in belg. Kirchen u. in vielen europ. Mus.
Lit.: Wurzbach, *Niederl. Künstlerlex.*, 1910.

Seghers, Gerard, niederl. Maler, Antwerpen 1591 bis 1651 ebda., Bruder von D. → S., Schüler von H. van → Balen, bildete sich in Italien weiter, namentlich von → Caravaggio beeinflußt u. war darauf einige Jahre in Spanien; seit 1620 wieder in Antwerpen, das. mit → Rubens u. van → Dyck

befreundet u. von diesen beeinflußt. S. malte haupts. bibl. Bilder.
Beisp.: *Vermählung der Maria*, um 1630, Antwerpen, Mus. *Christus im Haus Marias u. Marthas*, Madrid, Prado. *Anbetung der Könige*, Brügge, Liebfrauenkirche. Werke in weiteren belg. Kirchen; in den Mus. Amsterdam, Antwerpen, Gent, Lille, Tournai, Berlin, Köln, Madrid, Marseille, Paris, Rom (Gall. Corsini), Wien u. a.
Lit.: R. Oldenbourg, *Fläm. Malerei des 17. Jh.*, 1918. K. Zoege v. Manteuffel in: Th.-B. 1936.

Seghers, Herkules, niederl. Maler u. Radierer, * 1589, † um 1645 Amsterdam, hervorragender holl. Landschaftsmaler, Schüler von → Coninxloo, malte holl. Flachlandschaften mit hohem Himmel u. durch feine Tonabstufungen erzeugte Tiefenwirkung, aber auch Darstellungen wilder Gebirgsgegenden; s. bedeutenden Landschaftsradierungen (rund 60, z. T. in Farben) haben eine eigene Art der Stichführung, die auf die spätere Art → Rembrandts hinweist, der von S. angeregt sein könnte.
Werke in den Mus. Aachen, Amsterdam, Berlin, Florenz (Uff.), Den Haag, Philadelphia, Paris (Louvre) u. a.
Lit.: J. Springer, *Die Rad. des S.*, 1910–12. K. Pfister, 1921. W. Steenhoff, 1924. W. Fraenger, *Die Rad. des S.*, 1929. L. C. Collins, 1953. W. Bernt, *Niederl. Mal. d. 17. Jh.*, 1948.

Segna di Bonaventura, ital. Maler, tätig in Siena um 1298–1326, † ebda. 1331, Schüler → Duccios, dessen Art er getreu weiterführte. Hauptwerke: *Thronende Madonna mit Engeln, Heiligen u. Stifter* in der Collegiata zu Castiglion Fiorentino. *Madonna mit Heiligen*, Siena, Pinac. *Kruzifixe* in Arezzo, Badia; Massa Marittima, Kathedrale; Siena, Gall.; London, Nat. Gall. Vertreten in Lugano, Slg. Schloß Rohoncz; New York, Metrop. Mus.
Lit.: A. Venturi V, 1907. R. van Marle, *Italian Schools* 2, 1924. Perkins in: Th.-B. 1936. R. Oertel, *Frühzeit d. ital. Mal.*, 1953.

Segonzac, André Dunoyer de → Dunoyer de Segonzac, André.

Seidl, Emanuel, dt. Arch., München 1856–1919 ebda., baute Schlösser (*Sigmaringen*) u. haupts. *Wohnhäuser*, wie s. Bruder Gabriel unter Verwendung älterer Stilmotive (bes. bayer. Rokoko). ader auch in sachlich-modernen Formen. Den von s. Bruder beg. Bau des *Dt. Museums* in München führte er selbständig weiter. S. schrieb: «Mein Stadt- u. Landhaus», 1919.

Seidl, Gabriel v., dt. Arch., München 1848–1913 Bad Tölz, bedeutender Baumeister des historisierenden Stils, dessen Bauten sich ofl in glücklicher Weise

an ältere bayerische Stiltraditionen, bes. des Barock, anschließen. Hauptwerke in München: die *Häuser der Maler Lenbach*, 1887; *v. Kaulbach. Bayer. National-museum*, 1896–1900. *Deutsches Museum*, 1908–25. Ferner *Hist. Mus. der Pfalz*, Speyer, 1909.
Lit.: O. Doering, *2 Münchner Baukünstler*, 1924.

Seidler, Louise, dt. Malerin, Jena 1786–1866 Weimar, Bildnismalerin aus dem Umkreis Goethes, Schülerin von Vogel in Dresden, 1817ff. von P. v. Langer in München, weitergebildet in Rom, schuf außer Bildnissen religiöse Bilder u. Kopien berühmter Gemälde. Werke: *Pastellbildnis Goethes*, 1811, Weimar, Goethe-Nat.-Mus. u. a.
Lit.: *Erinnerungen u. Leben der Malerin S.*, hg. v. H. Uhde, 1874 (Neuausg. 1922). H. Grimm, *15 Essays*, 1874.

Seihô, Takeuchi (Familienname), japan. Maler, Kioto 1864–1942 ebda., arbeitete anfangs im Stil der wirklichkeitsfreudigen Shijo-Schule, wandte sich später der einfarbigen Tuschmalerei im Stil der chines. Meister der Sung-Zeit u. der japan. der Ashikaga-Zeit zu; auch von der neueren franz. Malerei beeinflußt; malte vorwiegend mit Wasserfarben auf Seide oder Papier. Beisp.: *Regentag in Suchou*, Paris, Luxembourg (Tusche).
Lit.: O. Kümmel in: Th.-B. 1936. Y. Yashiro/ P. C. Swann, *Jap. Kunst*, 1958.

Seitz, Gustav, dt. Bildhauer u. Zeichner, * Neckarau b. Mannheim 1906, tätig in Berlin 1926–32, Schüler von W. Gerstel ebda., 1928 in Paris, bes. von → Maillol u. Ch. → Despiau beeindruckt; seit 1947 Prof. an der Hochschule für bild. Künste in Berlin, seit 1950 an der Akad. Berlin-Weißensee. Im Mittelpunkt s. Kunst stehen Akt u. Bildnis; sein Stil ist stark beeinflußt von altägypt. Plastik. Vertreten in den Mus. Berlin (Gal. des 20. Jh. u. Nat. Gal.), Bremen, Halle, Karlsruhe, Krefeld, Leipzig, Mannheim, Wien u. a.
Lit.: Vollmer, 1958.

Seitz, Johannes, dt. Arch., Wiesentheid 1717–1779 Ehrenbreitstein, B. → Neumanns talentiertester Schüler u. Mitarbeiter, rückte nach Neumanns Tod an die Spitze des kurtrierischen Bauwesens. Sein Hauptwerk: das neue *Erzbischöfliche Palais* in Trier, 1761 voll., wurde später in manchem entstellt; großartige Treppenanlage; «das Band- u. Rankenwerk der Brüstungen das Äußerste, was das Rokoko gewagt hat» (Dehio). Ferner *Schloßbau in Engers a. Rh.*, 1758–62. Zahlreiche weitere Palast- u. Kirchenbauten.
Lit.: K. Lohmeyer, 1914. G. Dehio, *Geschichte der dt. Kunst* 3, 1926. Ders., *Hb. d. dt. Kunstdenkm.* IV, 1911 (Neuausg. 1935f.).

Seitz, Ludwig, dt.-ital. Maler u. Arch., Rom 1844 bis 1908 Albano, Sohn des aus Münchner Künstler-Familie stammenden Malers *Alexander Maximilian* S., München 1811–1888 Rom, der in der Art der → Nazarener malte. Ludwig S. führte die nazarenische Malweise s. Vaters fort; viele Malereien in kathol. Kirchen in enger Anlehnung an alte Vorbilder; seine Art lange Zeit maßgebend für die Kunstpflege der kathol. Kirche.
Werke: *Deckengemälde in S. Maria dell' Anima in Rom*, 1875–82. *Fresken im Dom von Treviso*, 1882–88; in der *Bonaventura-Kapelle von S. Maria in Aracoeli*, Rom; im *Dom von Sarajewo*; im *Münster zu Freiburg im Br.*, u. v. a.

Sellaio, Jacopo del → Jacopo del Sellaio.

Semper, Gottfried, dt. Arch., Hamburg 1803–1879 Rom, Hauptmeister des 19. Jh., 1827 Schüler von Gau in Paris, 1834 Prof. der Baukunst an der Dresdener Akad., mußte 1849 aus politischen Gründen Dresden verlassen, vorübergehend in London, 1855 ff. in Zürich als Prof. am Polytechnikum, ab 1871 in Wien. S. verwandte in s. Kunst zwar Renaissanceformen, doch baute er organisch-zweckgerichtet u. gehört zu den Begründern der sachlich-modernen Baugesinnung.
Hauptwerke: *Opernhaus in Dresden*, 1837–41 (1869 abgebrannt). *Gemäldegalerie*, ebda., 1847 beg. *Polytechnikum, Bahnhof u. Sternwarte*, alle in *Zürich*. In Wien schuf er die Pläne für den *Ausbau der Hofburg, des Hofmuseums* u. *des Burgtheaters*, die von s. Schüler → Hasenauer später, z. T. verändert, ausgeführt wurden. Pläne für das *South Kensington Mus.* in London. Neubau der Dresdener Oper auf Grund s. Pläne 1871–77 von s. Sohn *Manfred* (1838–1913) errichtet. Als Theoretiker einflußreich mit s. Schrift: «Der Stil in den techn. u. tekton. Künsten», 1860–63.
Lit.: H. Semper, 1880. Sommer, 1886. J. Gantner, *Revision der Kunstgesch.* (im Anhang: S. u. Le Corbusier), 1932. E. Stockmeyer, *G. S.s Kunsttheorie*, 1939. E. v. Cranach-Sichart in: Th.-B. 1936.

Senff, Adolf, dt. Maler, Halle 1785–1863 Ostrau bei Halle, war 1816–48 in Rom, wo er sich an → Thorwaldsen anschloß; Bildnisse u. a.; vor allem feine Blumenbilder. Vertreten in den Gal. von Halle, Hannover, Berlin (N. G.) Kopenhagen (Thorwaldsen Mus.).
Lit.: W. Meinhof, 1929 (Der Rote Turm, 6).

Sequeira, Domingos Antonio de, portug. Maler, Radierer u. Lithograph, Ajuda (Belem) 1768–1837 Rom, Hauptmeister der portug. Malerei an der Schwelle des 19. Jh., Schüler von F. J. da Rocha in Lissabon, weitergebildet in Rom (A. Cavallucci u. N. Lapiccola). Hauptwerke in Belem, Schloß Ajuda; Lissabon, Rathaus u. Mus.

Lit.: A. Michel, *Hist. de l'Art* 8, 1925/26. A. C. Mêna in: Th.-B. 1936.

Séraphine de Senlis, eig. Séraphine Louis, franz. Malerin, Assy (Oise) 1864–1942 Clermont (Oise), eine der bedeutendsten Laienmalerinnen, 1912 von W. Uhde entdeckt. S. malte ausschließlich Blumen, Blätter u. Früchte.
Lit.: W. Uhde, *5 primitive Meister*, 1947. Bénézit, 1954. Knaurs Lex., 1955. Vollmer, 1958.

Sergel, Johan Tobias v., schwed. Bildhauer, Stockholm 1740–1814 ebda., Hauptmeister der schwed. Bildnerei, Schüler von L'Archevêque in Stockholm, 1767–78 in Rom, tätig in Stockholm. Von einem franz. bestimmten Rokoko ging S. in Rom zum Klassizismus über. Sein sinnenhaftes Temperament gelangte in ein lebendiges Verhältnis zur Antike, s. Entwicklung ist analog etwa der Gottfried → Schadows. Es gelangen ihm Meisterwerke, die zu den besten ihrer Zeit gehören. Sein Hauptwerk ist die lebensgroße Figur des *Trunkenen Faun*, 1770–74, Stockholm, Nat. Mus. u. Helsinki, Athenäum. Sein Lebenswerk befindet sich fast ausschließlich in Schweden u. Finnland, bes. Stockholm, Nat. Mus. Weitere Werke in Stockholm: *Venus*, 1785; *Gruppe Amor u. Psyche ; Gruppe Mars u. Venus*. Viele bedeutende Porträtbüsten: *Selbstbildnis*, Stockholm, Nat. Mus. *Bildnis Joh. Pasch* (Maler), 1767, ebda.
Lit.: A. L. Romdahl, 1922 (dt.). G. Pauli, *Kunst d. Klassiz. u. d. Romantik*, 1925.

Serlio, Sebastiano, ital. Arch., Bologna 1475–1554 Fontainebleau, Meister der Renaissancearchitektur, von dem sich nur weniges erhalten hat. Sein Ruhm gründet sich auf s. architekturtheoretisches Werk, durch welches er den ital. u. den europ. Baumeistern überhaupt die Ideen Vitruvs vermittelte. Es erschien ohne einheitlichen Titel 1537 ff. in 7 Büchern. Schüler von → Peruzzi, ab 1542 Hofbaumeister in Fontainebleau.
Lit.: J. v. Schlosser, *Kunstliteratur*, 1924. A. Venturi 11, 1, 1938. G. C. Argan in: L'Arte, N. S. 10, 1932. W. B. Dinsmoor in: The Art Bull. 24, 1942. N. Pevsner, *Europ. Arch.*, 1957 (m. Bibliogr.).

Serodine, Giovanni, schweiz. Maler, Ascona um 1594–1631 Rom, wo er, seit 1615 lebend, unter dem Einfluß der Kunst → Caravaggios vor allem Altarbilder (u. a. für Kirchen Asconas) malte. Hauptwerk: *Heilige mit dem Schweißtuch der Veronika*, Ascona, Pfarrkirche (um 1625/30). Werke in Madrid, Wien (Kunsthist. Mus.), Rom (Pal. Venezia) u. a.
Lit.: S. Boranni, 1924. W. Suida in: Th.-B. 1936. R. Longhi in: Paragone 1950. Ders., 1954. Gradmann u. Cetto, *Schweizer Malerei u. Zeichn. im 17. u. 18. Jh.*, 1944. J. Gantner u. A. Reinle, *Kunstgesch. der Schweiz* 3, 1956. W. Schönenberger, 1957.

Serow, Valentin, russ. Maler, Petersburg 1865 bis 1911 Moskau, Schüler von → Rjepin, Meister stimmungsvoller Herbstbilder, vor allem aber hervorragender Porträtist; in s. Stil von Rjepin u. den Meistern von → Barbizon beeinflußt.
Lit.: I. Grabar, 1913 (russ.). M. Kovalensky, 1913 (franz.). N. Sokolova, 1935 (russ.). A. Michel, *Hist. de l'Art* VIII, 2, 1926 (S. 767 f.). O. Wulff, *Neuruss. Kunst*, 1932. Th.-B. 1937 (unter Ssjeroff).

Serpotta, Giacomo, ital. Bildhauer u. Dekorateur, Palermo 1656–1732 ebda., hat sein Bestes als Stukkateur geleistet; er hat viele Kirchen, haupts. in Palermo, aufs feinste geschmückt; auch Bildhauerei in Marmor und Bronze.
Lit.: E. Mauceri in: Th.-B. 1936.

Serra, Jaime, katalan. Maler, tätig um 1360–1375, schuf viele kirchliche Werke in Katalonien im spätgot. Stil, beeinflußt von der sienesischen Kunst (→Lorenzetti). Sein Bruder *Pedro* S., tätig um 1363 bis 1399, Haupt der katalan. Schule.

Sert y Badia, José Maria, span. Maler, Barcelona 1876–1945 Paris, schuf dekorative Fresken; die bedeutendsten: *Dekoration in der Kathedrale von Vich mit Passionsszenen ; Fresken in der Halle des Rockefeller Center*, New York.
Lit.: Vollmer, 1958.

Sérusier, Paul, franz. Maler, Paris 1863–1927 Morlaix, Schüler der Acad. Julian in Paris, vermittelte das. s. Kameraden die Theorien → Gauguins, dem er 1888 in Pont-Aven begegnet war. Es war dies die Keimzelle zur Künstlergruppe der → Nabis. S. suchte in s. Kunst eine Synthese von Impressionismus einerseits u. der Malweise Gauguins u. der s. Malerfreunde Maurice → Denis, → Bonnard u. → Vuillard anderseits. Vertreten in Paris, Luxembourg; Helsinki, Stuttgart u. a.
Lit.: Ch. Chassi, *Gauguin et le groupe de Pont-Aven*, 1921. M. Denis, 1943. J. Rewald, *Von van Gogh zu Gauguin*, 1957.

Servaes, Albert, belg. Maler, * Gent 1883, Schüler der Genter Akad., tätig in Laethem-St. Martin ab 1904, in Luzern seit 1947, gilt als Hauptvertreter des belg. Expressionismus. S. behandelte haupts. religiöse Stoffe, anknüpfend an die niederl. mittelalterliche Kunst; ferner Bauernbilder, Landschaften, Porträts. Hauptwerk: *Zyklus über das Bauernleben*, 1929, 12 Bilder, Antwerpen, Mus. Ferner 4 Bilder im Mus. Brüssel. Weitere Werke in Utrecht, Rotterdam u. a. Andere Meister der «Schule v. Laethem»: G. → Minne, V. de Saedeleer, G. van de → Woestijne, C. → Permeke, G. de → Smet.
Lit.: E. de Bruyne, 1931. U. van der Voorde, 1943. P. Haesaerts, *De School v. Sint-Martius Laethem*, 1941.

Ders., *Hist. de la peint. mod. en Flandre*, 1953. A. de Ridder, *Laethem*, 1945. Vollmer, 1958. *Ausst.-Kat. Sources du XXe s.*, Paris 1960/61.

Servandoni, Giovanni Niccolò (Jean-Nicolas), ital.-franz. Arch. u. Bühnenbildner, Florenz 1695–1766 Paris, Schüler von G. P. → Pannini u. G. J. Rossi in Rom, 1724 in Paris, wo er großartige Fest- u. Bühnendekorationen schuf; alle Hilfsmittel der ital. barocken Raumkunst wandte er auf die Gestaltung des franz. Bühnenbildes an u. hatte großen Erfolg u. Einfluß; auch in Lissabon, Dresden u. London tätig. Sein bedeutendstes Werk als Arch.: *Fassade u. Portal von St-Sulpice* in Paris, beg. 1732, voll. 1754, in üppigem Barockstil.
Lit.: M. Hammitzsch, *Der moderne Theaterbau*, 1906. A. E. Brinckmann, *Baukunst des 17. u. 18. Jh.*, (Handb. der K. W.), ⁵1931. H. Bodmer in: Th.-B. 1936.

Servranckx, Victor, belg. Maler * Dieghem 1897, Vertreter der belg. abstrakten Kunst, tätig in Brüssel, stand dem Neo-Plastizismus nahe, näherte sich gelegentlich dem Surrealismus.
Lit.: M. Seuphor, *Dict. peint. abstr.*, 1957.

Sesshû, japan. Maler, * 1420, † 1506, gilt als der größte Maler der alten japan. Kunst. Schüler des Shubun, bildete sich in China weiter u. gründete darauf eine Werkstatt in Funai, später verlegt nach Unkoku: die Unkoku-Schule. Er hat nach chines. Weise vornehmlich Tuschzeichnungen geschaffen, die zuweilen farbig leicht getönt sind. Besonders geschätzt sind seine Landschaften. Er hatte viele Schüler u. Nachfolger.
Lit.: O. Kümmel in: Th.-B. 1936. Y. Yashiro u. P. C. Swann, *Jap. Kunst*, 1958.

Sesson, japan. Maler, eig. Shakei, * 1504, erwähnt bis 1589, lebte in Ota (Provinz Hitachi), der größte Meister der → Sesshû-Schule, mit einem Hang zur barocken Phantastik.
Lit.: O. Kümmel in: Th.-B. 1936.

Sesto, Cesare da → Cesare da Sesto.

Settignano, Desiderio da→Desiderio da Settignano.

Seurat, Georges, franz. Maler, Paris 1859–1891 ebda., Begründer des Neo-Impressionismus, begann früh mit farbwissenschaftlichen Studien; der von den Impressionisten (→ Monet) noch instinktiv gehandhabten chromatischen Farbzerlegung wollte er eine auf physikalischen Erkenntnissen basierende systematische Grundlage geben. Um 1886 entwickelte er die Malweise, die Bildfläche mit Punkten unvermischter Komplementärfarben zu durchmustern. Es war das Verfahren, das man Divisio-

nismus oder Pointillismus nannte. S. u. die Gruppe um ihn stellte bei den «Indépendants» aus; sie wurden die Neo-Impressionisten genannt, eine Bezeichnung, die auch → Signac, der Theoretiker der Gruppe, in s. Schrift «D'Eugène Delacroix au néo-impressionisme», 1899, verwandte. Neben diesen Farbstudien zur Erhöhung der Leuchtkraft der Bilder strebte S. einen strengen geometrisierenden Bildaufbau an, kraft dessen er die auflösenden Tendenzen des Impressionismus überwand u. als Vertreter der klass. Kompositionskunst dasteht. S. war zu s. Zeit fast vollkommen verkannt.
Hauptwerke: *La Baignade*, 1884, London, Tate Gall. *Un Dimanche à la Grande Jatte*, 1885, Chicago, Art Inst. *La Parade*, 1888, New York, Slg. Clark. *Les Poseuses*, 1888, Philadelphia, Barnes Foundation. *Le Chahut*, 1890, Den Haag (Otterloo), Mus. Kröller-Müller. *Le Cirque*, 1891, Paris, Louvre. Außer diesen großen Figurenkompositionen schuf S. viele Landschaftsbilder: Beisp.: *Fischerboote in Port-en-Bessin*, 1888, New York, Mus. of Mod. Art.; einige Porträts, viele hervorragende Zeichnungen u. Graphik.
Lit.: L. Cousturier, 1922. G. Kahn, *Les dessins de S.*, 1929. J. Rewald, 1943, 1947, 1948 u. 1949. J. de Laprade, 1945 u. 1952. G. Seligman, *The drawings of S.*, 1947. A. Lhote, 1948. C. Einstein, *Kunst des 20. Jh.*, ³1931. L. Venturi, *De Manet à Lautrec*, 1953. J. Rewald, *Von van Gogh zu Gauguin*, 1957. H. Dorra et J. Rewald, 1959.

Severini, Gino, ital. Maler, * Cortona 1883, Hauptvertreter des ital. Futurismus; 1901 machte er in Rom die Bekanntschaft → Boccionis, des künftigen Theoretikers des Futurismus; 1906 kam er nach Paris; hier lernte er die Lehre → Seurats u. der Neo-Impressionisten kennen, auch → Picasso u. den Kubismus. 1910 Mitbegründer des → Futurismus, zus. mit → Carrà u. Boccioni. In s. Kunst versuchte er, das Element des Dynamischen mit den Bestrebungen der Kubisten zu verbinden. Später wurde er stärker von der neo-klassizist. Richtung Picassos beeinflußt; er schuf bes. religiöse Wandmalereien u. Mosaiken u. gelangte zu einer eigenen klassizist. dekorativen Formensprache.
Hauptbilder s. frühen Epoche: *Le Boulevard*, London, Slg. Estorick. *Valse* (Danza del Pan Pan al Monico), 1911, New York, Mus. of mod. Art. *Der Autobus*, 1913, Paris, Slg. Courthion. *Wandmalereien* in der Kapuzinerkirche in Sion (Schweiz); *Mosaiken* im Ehrensaal des Pal. dell'Arte, Mailand, im Justizpalast in Mailand, 1939. Weitere religiöse Werke in Schweizer Kirchen (Notre-Dame du Valentin in Lausanne, 1935 u. v. a.). Vertreten in den Mod. Gal. Rom, Turin, Paris (Jeu de Paume), Florenz, Amsterdam, Ottawa, Budapest u. a.
Lit.: J. Maritain, 1930. J. Cassou 1933. P. Courthion 1945. J. Lassaigne, *Les dessins de S.*, 1947 Knaurs Lex., 1955. Vollmer, 1958.

Seybold, Christian, dt. Maler, Mainz 1703 (oder 1697) bis 1768 Wien, wo er Mitglied der Akad. u. kaiserlicher Hofmaler wurde. Er malte feinvertriebene Bildnisse, meist auf Kupfer, in der Art Balthasar → Denners. Werke in Wien, Kunsthist. Mus.; Dresden, Gal.; Mus. Bamberg, Breslau, Budapest, Florenz (Gall. Corsini u. Uff.), Gotha, Mainz, München, Nürnberg, Stuttgart, Slg. Liechtenstein (Vaduz) u. a.

Seyfer (Syfer), Hans, dt. Bildhauer, * um 1460, † 1509 Heilbronn, bedeutender Meister der Spätgotik, in der Frühzeit in Worms, seit 1502 in Heilbronn tätig, ging von der Straßburger Kunst aus (Niklaus → Gerhaert; die Stiche von Martin → Schongauer). Hauptwerke: *Figuren des Hochaltars der Kilianskirche zu Heilbronn,* voll. 1498, mit Maria u. 4 Heiligen im Mittelschrein; Christus als Schmerzensmann u. Kirchenväter in der Predella; Reliefszenen aus dem Leben Mariä auf den Flügeln. *Kreuzigungsgruppe* hinter dem Chor der Leonhardskirche Stuttgart, 1501 (heute eine Kopie; Original in der Hospitalkirche, ebda.). *Ölberg am Dom zu Speyer* (1689 zerstört; 5 Figuren im Hist. Mus., ebda.). *Pietà* aus Neckarelz, Karlsruhe, Mus. *Christuskopf,* Heilbronn, Hist. Mus. Lit.: R. Schnellbach, *Spätgot. Plastik im unteren Neckargebiet,* 1931. L. Böhling, *Spätgot. Plastik im württemb. Neckargebiet,* 1932. W. Pinder, *Dt. Kunst der Dürerzeit,* 1953.

Shahn (Shan), Ben, litauisch-amerik. Maler, Zeichner, Illustrator, * in Litauen 1898, ab 1906 in den USA, bis 1930 als Lithograph tätig, später in Paris, dort von der «Ecole de → Paris» beeinflußt, bes. auch von → Rouault, schuf Wandgemälde (1933 zus. mit Diego → Rivera für Radio City, New York), Plakate, Illustrationen; Bilder in New York, Mus. of mod. Art u. den bedeutenderen Sammlungen in den USA. Lit.: Vollmer, 1958.

Shannon, Charles Hazelwood, engl. Maler u. Graphiker, London 1865–1937 Kew, begann mit Illustrationen für die Zeitschrift «The Dial», wurde durch die gemeinsam mit s. Lehrer C. Ricketts geschaffenen Holzschnitte für «Daphnis u. Chloe», 1893, u. «Hero u. Leander», 1894, bekannt; wandte sich in der Folge bes. der Lithographie zu. Er schuf Aktkompositionen u. Bildnisse; dieselben Themen auch als Maler. Lithographien: *Am Strand,* 1894. Als Maler: *Frauenbildnisse,* Paris, Luxembourg. Lit.: G. Derry, *The lithographs of S.,* 1920.

Sharaku, Toshusai (Künstlername), japan. Maler, tätig um 1794–95 in Edo, Meister des Farbholzschnittes, schuf rund 140 charaktervolle Bildnisse v. Schauspielern s. Zeit v. großer dekorativer Wirkung. Lit.: J. Kurth, 1910. F. Rumpf, 1932. L. V. Ledoux, *Iapanese prints of the Ledoux Collection,* 1950. J. Hillier, *Meister d. jap. Farbendruckes,* 1954.

Shaw, Richard Norman, engl. Arch., Edinburgh 1831–1912 London, gehört zu den Wegbereitern der modernen Bauweise in England. Obwohl er noch Vertreter der historisierenden Bauweise des 19. Jh. war, schuf S. in s. Landhäusern u. Villen, bei denen er sich an den Queen-Anne-Stil anlehnt, Bauwerke von großer Sachlichkeit u. Modernität. Werke: *Wohnhäuser in Queen's Gate ; Villenkolonie Bedford-Park* bei London, u. v. a. Lit.: R. Blomfield, 1940. N. Pevsner in: The Arch. Rev. 89, 1941. Ders., *Wegbereiter moderner Formgebung,* 1957. Ders., *Europ. Arch.,* 1957.

Shên-Chou, chines. Maler, Hsiang-Ch'eng-li 1427 bis 1509 Ch'angchou, gilt als der größte Meister der Ming-Zeit; Landschaften, Blumenbilder. Lit.: H. A. Giles, *Introduction to the Hist. of Chin. Pict. Art,* 1918. O. Kümmel in: Th.-B. 1936.

Sheraton, Thomas, engl. Kunsttischler u. Möbelzeichner, Stockton 1751–1806 London, Theoretiker der engl. Kunsttischlerei nach → Chippendale, veröffentlichte Vorlagebücher für Möbel, die weitreichenden Einfluß hatten. Der Name «S.-Möbel» wurde zum Gattungsbegriff, obwohl die künstlerischen Ideen nicht von S. selber, sondern von andern Klassizisten, vielfach von → Adam, stammten. Lit.: H. Huth in: Th.-B. 1936.

Shunsho, Katsugawa (Familienname), japan. Maler u. Holzschnittmeister, Kachigawa 1726–1792 Edo (Tokio), Meister der volkstümlichen Malerei (Ukiyoye), zeichnete Schauspielerbildnisse u. Darstellungen aus dem Theaterleben, beeinflußt von Harunobu. Lit.: Succo, 1922. F. Rumpf, *Meister des japan. Farbenholzschnitts,* 1924. J. Hillier, *Meister des japan. Farbendruckes,* 1954. Y. Yashiro/P. C. Swann, *Jap. Kunst,* 1958.

Siberechts, Jan, niederl. Maler, Antwerpen 1627 bis um 1703 London, malte Landschaften u. Szenen aus dem Bauernleben, zunächst in der Art von → Both u. → Dujardin, später den holl. Bauernmaler (P. → Potter u. a.), tätig in Antwerpen, ab 1672 in England. Beisp.: *Bauernhof,* 1660, Brüssel, Mus. *Viehweide mit schlafender Hirtin,* München, A. P. *Landschaft,* Brüssel, Städt. Gal. Gut vertreten in Brüssel, München, Budapest, Lille; ferner in Antwerpen, Basel, Berlin, Bordeaux, Düsseldorf, Lissabon, London, Paris, New York u. a. Lit.: H. Marcel in: Gaz. des B.-Arts 54, 1912. T. H. Focker, 1931. Z. v. M. in: Th.-B. 1936.

Sickert, Walter Richard, engl. Maler dän. Herkunft, München 1860–1942 Bath, Schüler von → Whistler, befreundet mit → Degas, lebte 1899–1905 in Paris, einer der bedeutendsten Vertreter des franz. Impressionismus in England. Vertreten in den Mus. Ottawa, Liverpool, New York (Mus. of mod. Art) u. a.
Lit.: L. Browse u. R. H. Wilenski, 1944. Vollmer, 1958.

Sie Hoh → Hsieh Ho.

Siena, Barna da → Barna da Siena.

Signac, Paul, franz. Maler u. Graphiker, Paris 1863 bis 1935 ebda., Hauptvertreter des Neo-Impressionismus, begann als Impressionist unter dem Einfluß → Monets, gehörte zu den Gründern der «Société des Artistes Indépendants»; mit → Seurat verband ihn bald enge Freundschaft. Aus ihrer Zusammenarbeit formten sich die Theorien des Neo-Impressionismus, die S. namentlich ausarbeitete u. in s. Buch «D'Eugène Delacroix au néo-impressionisme» vertrat. S. wandte sich vornehmlich der Landschaft zu u. suchte mit dem pointillistischen Verfahren feinste farbliche Reize hervorzurufen. Er durchstreifte alle Häfen Frankreichs, ging nach Holland u. Korsika u. besuchte Konstantinopel; vor allem aber malte er in Saint-Tropez u. Umgebung. Von allen Fahrten brachte er unzählige Aquarelle heim; auch in Farblithographien wandte er s. Verfahren des Pointillismus an; bedeutend als Kunstschriftsteller.
Werke in den Mus. Algier, Berlin, Brüssel, Chicago, Detroit, Elberfeld, Essen, Den Haag, Helsinki, Kopenhagen, Moskau, New York, Paris, Stettin, Stockholm, Straßburg u. a.
Lit.: C. Roger-Marx, 1924. G. Besson, 1934. W. Grohmann in: Th.-B. 1937. H. Hildebrandt, *Kunst des 19. u. 20. Jh.* (Handb. der K. W.), 1924. J. Rewald, *Von van Gogh zu Gauguin,* 1957.

Signorelli, Luca, ital. Maler, Cortona 1441–1523 ebda., Hauptmeister der Frührenaissance, Schüler des Piero della → Francesca in Arezzo, beeinflußt von Florentiner Meistern (→ Ghirlandaio, → Pollaiuolo, → Verrocchio u. a.), schuf große Freskenwerke, Altäre u. a. In s. Stil ging S. von Piero della Francesca aus u. entwickelte sich zum Meister der Darstellung des Menschen in der Bewegung, u. zwar ganz besonders des nackten Körpers, den er in voller Plastizität darstellt; Vorläufer Michelangelos. Hauptwerk s. Frühzeit: *Fresken in der Sixtinischen Kapelle* in Rom, 1482/83: Darstellungen aus dem Leben Mosis. Hauptwerk s. Reifezeit: *Fresken im Dom zu Orvieto,* voll. um 1504, mit der Darstellung der letzten Dinge: Predigt u. Sturz des Antichrist; Auferstehung der Toten; Strafe der Verdammten; Ein-

zug in das Paradies; mit vielen nackten Gestalten in energischer Modellierung, in großartiger Komposition u. von packender Überzeugungskraft.
Weitere Freskenwerke im: *Dom v. Loreto,* 1479–81; *Klosterhof von Monte Oliveto Maggiore* (Szenen aus dem Leben des hl. Benedikt), 1479–1501; *Dom v. Cortona* u. a. Kirchen ebda. Tafelwerke: *Thronende Madonnen mit Heiligen* im Dom von Perugia, 1484; in Florenz, Uff., um 1500; in London, Nat. Gall., 1515; in Arezzo, Pinac., um 1519. *Rundbilder von Madonnen:* Florenz, Uff., um 1490; München, A. P., um 1495. Ferner *Pan als Gott des Naturlebens,* um 1490, Berlin, ehem. K.-F.-Mus. (im letzten Krieg zerstört). *Männliches Bildnis,* ebda., um 1500. Weitere Werke in Florenz, Uff., Gall. Pitti, Akad., Gall. Corsini; Mailand, Brera; Urbino, Pal. Ducale; Borgo S. Sepolcro, Pinac.; Cortona, Dom; Città di Castello, Gal.; London, Nat. Gall.; Siena, Gal.
Lit.: R. Vischer, 1879. G. Mancini, 1903. L. Dussler, 1927 (Klass. der Kunst). M. Salmi, 1922. Ders., 1953. Ders., *Ausst.-Kat. Mostra di L. S.,* 1953. A. Venturi, 1922. R. van Marle, *Ital. Schools* 16, 1937. G. Delogu, *Ital. Mal.,* ³1948.

Signorini, Telemaco, ital. Maler u. Radierer, Florenz 1835–1901 ebda., Hauptvertreter des ital. Verismus, schloß sich den → Macchiaioli an, später auch von den franz. Impressionisten beeinflußt. Vertreten in den mod. Gal. Florenz, Mailand, Rom, Turin, Venedig u. a.
Lit.: U. Ojetti, *T. S. e i macchiaioli fiorentini,* 1901. Ders., 1930. E. Somaré, 1926. Ders., *Storia dei pitt. ital.,* 1928. N. Tarchiani in: Enc. Ital. 1936. G. Delogu, *Ital. Malerei,* ³1948.

Siloe, Diego de, span. Arch. u. Bildhauer, Burgos um 1495–1563 Granada, Hauptvertreter der Hochrenaissancedekoration in Spanien, angeblich Sohn des Gil de → S. Studium in Italien ist anzunehmen, bes. von → Michelangelo u. → Leonardo nachhaltig beeinflußt. Hauptwerk s. Tätigkeit in Burgos ist Entwurf u. Ausführung der Freitreppe im nördl. Querschiff der Kathedrale, der berühmten «*Escalera Dorada*», 1519–23, eines Meisterwerks der Renaissanceplastik in Spanien.
Hauptwerke s. Tätigkeit in Granada: *Kirche u. Kloster S. Jeronimo,* beg. 1525, voll. 1547 u. Vollendung der von E. de → Egas beg. *Kathedrale,* 1528–1559. Dazu kommen Altäre, Grabmäler, Chorgestühl, Plastiken, Portaldekorationen, Entwürfe für Glasfenster u. v. a. Einige Hauptwerke in Burgos: *Hochaltar* der Kathedrale, gemeinsam mit F. → Vigarni, 1523–26, eigenhändig nur in den Hauptteilen. *Grabmal des Diego de Santandér,* ebda. *Reliefs mit Johannes d. T.,* vom Chorgestühl von S. Benito in Burgos; heute Valladolid, Mus. In der Kathedrale Granada: *Portale* (Puerta del Perdón u. a.); *geschnitzter Türflügel,* 1561; Entwürfe für *Glasfenster* u. a.

Lit.: H. E. Wethey in: Th.-B. 1937. M. Gomez-Moreno, *Las águilas del Renacimiento españ.*, 1941.

Siloe, Gil de, span. Bildhauer, tätig in Burgos u. Granada Ende 15. Jh., † Burgos um 1501, Hauptvertreter der span. Spätgotik, stammte wahrscheinlich aus den Niederlanden, er hatte jedenfalls dort gelernt, von 1486 an in Burgos nachweisbar. S. schuf Grabwerke, die zu den besten des späten Mittelalters gehören, ferner hervorragende dekorative Werke. Hauptwerke: Grabmonumente: *Gräber Johanns II. u. Isabellas von Portugal*, 1489–93, in der Kartause von Miraflores. *Grab des Juan Padilla*, Burgos, Mus., um 1500–05. *Grab des Alonso de Cartagena*, Burgos, Kathedrale. Altarwerke: *Großes Retabel in der Kartause von Miraflores*, 1496–99. *Annen-Altar*, Burgos, Kathedrale, um 1500–05.
Lit.: H. E. Wethey, 1936. Ders. in: Th.-B., 1937. M. Gomez-Moreno, *Breve hist. de la escultura españ.*, 1951.

Silva, Maria Elena Vieira da → Vieira da Silva, Maria Elena.

Silvestre, franz. Künstlerfamilie des 17. u. 18. Jh.; bekannt wurden vor allem Israel u. Louis. *Israel* S., Radierer, Nancy 1621–1691 Paris, ließ sich nach mehreren Italienreisen in Paris nieder; er radierte haupts. vedutenmäßige Ansichten aus Frankreich u. Italien. Das über 1000 Blätter umfassende radierte Werk stellt eine für die Topographie Frankreichs u. Italiens jener Zeit wichtige Urkunde dar. In s. Stil übernahm er die Art → Callots, auch von Stefano della → Bella beeinflußt. Zeichnungen in Paris, Louvre u. London, Brit. Mus.
Lit.: R.-A. Weigert in: Th.-B. 1937.

Louis de, franz. Maler, Paris 1675–1760 ebda., Meister des franz. Rokoko, 1716 von August dem Starken nach Dresden berufen, das. Direktor der Akad. Schüler von → Le Brun u. → Boullogne; malte neben mythol. u. religiösen Bildern vor allem Bildnisse. 1748 kehrte er nach Frankreich zurück. Hauptwerke: *Reiterbildnis Augusts des Starken*, 1722, Dresden, Gal. *August der Starke u. Friedrich Wilhelm I.*, 1730, ebda. *Darstellungen aus dem Leben des hl. Benedikt*, Paris, Louvre; Brüssel, Mus. Weitere Werke in Paris u. Dresden; ferner in Potsdam (Sanssouci); Schloß Moritzburg; Versailles; München (Nat. Mus. u. Residenz-Mus.), Montpellier, Warschau u. a.
Lit.: R.-A. Weigert in: Th.-B. 1937. G. Biermann, *Dt. Barock u. Rokoko*, 1914.

Simone, Francesco di → Francesco di Simone.

Simone Martini → Martini, Simone.

Sinan, türk. Arch., Kaisarije in Anatolien um 1489 bis um 1587 Istanbul, Hauptmeister des osmanischen Moscheebaues, den er – ausgehend von der Hagia Sophia in Konstantinopel – ins Monumentale steigerte: geometrische Durchdringung der Raumgebilde; folgerichtige Durchführung des Zentralbaugedankens; gewaltige Kuppelanlage. Von den fast 300 Bauten seien genannt: in Konstantinopel: *Prinzenmoschee*, 1547; *Moschee der Sultanstochter Mihrimah*, 1556; *Suleimanije*, 1549–57; *Rustem Pascha*, 1561; in Adrianopel: sein bedeutendstes Werk *Moschee Selims II.*, 1574.
Lit.: C. Gurlitt, *Baukunst Konstantinopels*, 1912. F. Babinger in: Enzykl. des Islam 4, 1934. K. Dorn in: Th.-B. 1937.

Sinding, Otto, norweg. Maler, Kongsberg 1842 bis 1909 München, Bruder von St. → S., schuf religiöse, geschichtliche u. Genrebilder; in seinen Gemälden von den Lofoten hat er hochnordische Natur kraftvoll geschildert. Schüler von J. F. → Eckersberg, H. → Gude u. L. → Riefstahl in Karlsruhe u. → Pilotys in München (1872–76). Werke in den Gal. Oslo, Bergen, Kopenhagen, Stockholm, München.
Lit.: H. Alsvik in: Th.-B. 1937.

Sinding, Stephan, norweg. Bildhauer, Drontheim 1846–1922 Paris, Bruder von O. → S., lernte 1871–73 bei dem → Rauch-Schüler A. Wolff in Berlin, 1874 in Paris, das. von der zeitgenössischen franz. Plastik (P. → Dubois, → Barrias, → Mercié) nachhaltig beeindruckt, kehrte 1875 nach Kristiania (Oslo) zurück, 1880–85 in Rom, dann in Kopenhagen u. seit 1911 in Paris tätig. S.s reife Kunst, mit ihrer Verbindung von klarer Formanschauung u. tiefer seelischen Empfindung, gewann europ. Geltung. Hauptwerke: *Der Sklave*, 1875 (Marmorausführung von 1913 in Kopenhagen, Glypt.). Gruppe einer *Barbarenmutter*, die ihren gefallenen Sohn aus der Schlacht trägt, 1883 (Marmorexemplar von 1889 in Oslo, Nat. Gal.). Die *Gefangene*, die ihr Kind säugt, 1887. *Walhalla-Fries* der Glypt. in Kopenhagen, 1886/87. *2 Menschen*, Marmor, 1891, Kopenhagen, Glypt. (Bronze-Exemplar in Oslo, Nat. Gal.). *L'Offrande*, Denkmal für die im Weltkrieg gefallenen franz. Studenten, 1919, Paris, Kirche der Sorbonne. *Denkmäler Björnson*, 1898, u. *Ibsen*, 1899, in Oslo. Weitere Werke: *Mutter Erde* (Kolossalgruppe); *Anbetung;* Holzskulpturen der *Ältesten ihres Geschlechts;* ferner Grabmonumente u. v. a.
Lit.: M. Rapsilber, 1911 u. 1912. H. Alsvik in: Th.-B. 1937.

Singier, Gustave, belg.-franz. Maler, * Varneton (Flandern) 1909, seit 1918 in Paris (naturalisiert seit 1919), befreundet mit → Manessier u. → Le Moal, gehört zur Gruppe der jüngeren Vertreter der Ecole de → Paris, die über Fauvismus u. Kubis-

mus allmählich zur Abstraktion gelangten. Beeinflußt von → Miró. S. ist auch Graphiker, Entwurfzeichner für Textilien u. Glas u. a. Vertreten in Paris, Mus. mod. u. in Basel, Lüttich, Poitiers, Wien u. a.
Lit.: I. Bourniquel, *3 peintres* (*Le Moal, Manessier, S.*), 1946. Bénézit, 1954. Vollmer, 1958. G. Charbonnier, 1959 (Mus. de poche). M. Seuphor, *Knaurs Lex. abstr. Mal.*, 1957.

Sintenis, Renée, dt. Bildhauerin, * Glatz 1888, hervorragende moderne Tiergestalterin, lebte in Berlin, seit 1914 als Gattin des Malers E. R. → Weiss, schuf meist kleine Tierfiguren in Bronze, Terrakotta oder Silberguß; auch Akte u. Porträtfiguren. In den meisten dt. u. in vielen ausländischen Mus. vertreten.
Lit.: R. Crevel u. G. Biermann, 1930. H. Kiel, 1935. Dies., 1956. R. Hagelstange u. a., 1947. M. Ahlhorn-Pachenius, 1947. Trier, *Moderne Plastik*, 1955.

Siqueiros, David Alfaro, mexikan. Maler u. Graphiker, * Chihuahua 1889, bereiste 1919–22 Europa, gehört – mit → Orozco, → Rivera u. Tamaya – zu den Hauptexponenten der modernen mexikan. Kunst, die im Auftrag linksradikaler Regierungen große Freskenwerke für öffentliche Gebäude schufen, in welchen sie mit allen Mitteln des europ. expressiven Realismus u. im Anschluß an mexikan. Volkskunst monumentale Wirkungen erzielen.
Werke: *Fresken* in der Escuela preparatoria in Mexico City; in der Univ. Guadalajara; im Plaza Center in Los Angeles u. v. a. Werke in New York, Mus. of mod. Art (*Echo eines Schreies*, 1937; *Proletarieropfer* u. a.).
Lit.: A. Brenner in: Forma 3, 1927. W. S. Ruskin in: Th.-B. 1937. L. Kirstein, *The Latin-American Coll. of the Mus. of mod. Art*, 1943. Vollmer (unter Alfaro), 1952.

Sironi, Mario, ital. Maler, Sassari (Sardinien) 1885 bis 1961 Mailand, Schüler von A. Discovolo, schloß sich der futurist. Bewegung an, später der «Pittura metafisica» u. den «Valori plastici», Mitbegründer des «Novecento», schuf Fresken, Glasmalereien, Bildnisse, Figürliches u. a.
Werke: *Fresken* im Pal. dell'Arte, Mailand, 1933; im Pal. della Triennale, ebda; in der Aula der Univ. Rom. *Mosaik* im Justizpalast, Mailand. *Glasgemälde* im Pal. del Ministerio delle Corporazioni, Rom. Vertreten in den mod. Gal. Mailand, Florenz, Venedig, Rom, Triest, Berlin (Gal. des 20. Jh.), Zürich, Lausanne u. a.
Lit.: Scheiwiller, 1930 (Arte mod. ital. 18). A. Sartoris, 1946. Vollmer, 1958.

Sisley, Alfred, franz. Maler, Paris 1839–1899 Moret-sur-Loing, Hauptmeister des Impressionismus, engl. Abstammung, trat 1862 in das Atelier des

Klassizisten → Gleyre ein, wo er → Monet, → Renoir → Bazille kennenlernte, mit denen er sich befreundete. Sie alle malten viel im Wald von Fontainebleau. S., der in s. Frühzeit noch einige Interieurs u. Stilleben gemalt hatte, ging bald ganz zur Landschaftsdarstellung über. Er lebte in der Umgebung von Paris: in Louveciennes, Bougival, Voisins, Marly. In s. Kunst begann S. mit toniger dunkler Malerei, beeinflußt von → Corot, den Meistern von → Barbizon, → Courbet, → Manet. Später lernte er von Monet u. → Pissarro, seine Palette hellte sich auf, seine Frühlingslandschaften aus der Ile de France sind anmutigste impressionist. Malerei; er gehörte den Impressionisten im engsten Sinne an (mit Monet, Pissarro), doch gab er die feste Struktur der Bilder nie auf. Seine Malerei ist eine Verbindung des «paysage intime» der Schule von Barbizon mit der Licht- u. Luftmalerei Monets.
Beisp.: *Ansteigender Weg*, 1870, Lyon, Mus. *Straße bei Marly*, 1871, Mannheim, Kunsth. *Brücke bei Argenteuil*, 1872, Paris, Louvre. *Frühschnee in einem franz. Dorf*, Berlin, Nat. Gal. *Überschwemmung in Port-Marly*, 1876, Paris, Louvre. *Seine-Landschaft*, 1879, Hamburg, Kunsth. *Saint-Mammès*, 1884, Genf, Mus. S. ist reich vertreten in den Slgn. von Paris (Louvre, Jeu de Paume usw.); ferner Berlin, Boston, Brüssel, Buenos Aires, Chicago, Elberfeld, Frankfurt, Göteborg, Den Haag, Hamburg, Kansas City, Kopenhagen, London (Tate Gall.), Mannheim u. v. a.
Lit.: G. Geffroy, 1923. G. Jedlicka, 1949. M. Raynal, *De Goya à Gauguin*, 1951 (Skira, m. Bibliogr.). L. Venturi, *De Manet à Lautrec*, 1953. J. Rewald, *The History of Impressionism*, 1946 (dt. 1947). J. Cassou, *Die Impressionisten u. ihre Zeit*, 1953. R. Th. Stoll, *La Peinture impressionniste*, 1957. F. Daulte, 1959.

Sitte, Camillo, österr. Arch., Wien 1843–1903, gehört zu den Begründern des neuen Städtebaues; er entwarf die Stadtpläne für Reichenberg in Böhmen, Teschen, Mährisch-Ostrau u. Olmütz; er baute Kirchen u. Rathäuser u. hatte durch sein Werk: «Der Städtebau nach seinen künstlerischen Grundsätzen», 1889, großen Einfluß auf die Denkmalpflege.

Skarbina, Franz, dt. Maler u. Lithograph, Berlin 1849–1910 ebda., Vertreter des dt. Impressionismus der, von → Menzel ausgehend u. nach Pariser Schulung, gerne die bunte Bewegtheit des modernen Straßengetriebes malte u. mit raffinierter Technik auch in s. Graphik zur Anschauung brachte. Ferner Bildnisse u. Aquarelle; Darstellungen des mondänen Lebens in Vergnügungsstätten, Pariser Theatern, belg. Seebädern; in s. letzten Zeit große figurenreiche Gruppenbilder. Vertreten vor allem in Berlin, Nat. Gal.; ferner in Aachen, Dresden, Hamburg, Leipzig, München, Elberfeld u. a.

Skidmore, Louis, amerik. Arch., * Lawrenceburg 1897, tätig in New York, baute – meist in Zusammenarbeit mit N. A. Owings u. O. Merrill – zahlreiche Geschäftshäuser in New York: *O. Lever House* (Hochhaus aus Glas und Stahl), *Kaufhaus Marshall Field, Medizin. Kolleg* u. *Krankenhaus der Univ.*, *Bankhaus Manhattan*; ferner *Touristen-Hotel* in Istanbul u. v. a. Lit.: Vollmer, 1958. J. Joedicke, *Geschichte der mod. Arch.*, 1959.

Sköld, Otte, schwed. Maler, * Wu-tschang (China) 1894, Vertreter der modernen schwed. Malerei, wurde von des Strömungen des Kubismus u. der Neuen Sachlichkeit berührt; schuf *Fresken* für den Plenarsaal der Landesorganisation der Gewerkschaften in Stockholm; f. das Konzerthaustheater, ebda.; im Konzerthaus Göteborg. *Mosaiken* im Krematorium Malmö. Ansichten von Städten, Bildnisse, Stilleben u. a. Vertreten in den Gal. Stockholm, Göteborg, Malmö, Oslo, Helsinki, Hamburg, Lübeck, Paris (Luxembourg) u. a. Lit.: G. Paulsson, 1935. U. Hard af Segerstad, 1945. E. Cronlund in: Th.-B. 1937. Vollmer, 1958.

Skopas, griech. Bildhauer, auf Paros um 420 bis um 340 v. Chr., neben → Praxiteles u. → Lysipp der berühmteste Marmorbildner des 4. Jh. v. Chr., leitete nach 394 den *Neubau des Athenatempels zu Tegea* u. schuf die *Giebelskulpturen* dazu (einige Köpfe in Athen, Nat. Mus.); arbeitete um 350 v. Chr einen Teil der *Friese des Mausoleums zu Halikarnass* (London, Brit. Mus.); ferner einige der *Reliefsockel an Säulen des Artemistempels zu Ephesos.* Sehr viele Statuen von ihm bezeugt. Von einigen ist eine Vorstellung zu gewinnen durch röm. Kopien: eine Gruppe der *Nereiden mit den Waffen Achills* u. eine *tanzende Mänade*, nachgebildet in einer Statuette des Albertinums, Dresden. Statue des jugendlichen Jägers *Meleager*; Kopien erhalten in Neapel, Nat. Mus. u. Rom, Villa Medici u. Belvedere des Vatikans; Fogg Mus. Cambridge (USA); Rom, Villa Borghese u. a. Statue des *Herakles* in Sikyon; Nachbildungen vermutet in Statue der Slg. Landsdowne, London; im Brit. Mus., ebda.; Rom, Konservatorenpalast. Originalfragmente von S. vielleicht in Athen (Frauenkopf), Kopenhagen (Stürzender Jüngling) u. a. Lit.: K. Neugebauer, *Studien über S.*, 1913. E. Curtius, *Klass. Kunst Griechenlands*, 1938. Bieber in: Th.-B. 1937. G. Lippold in: Hb. der Archäol. III, 1, 1950. P. E. Arias, 1952.

Skovgaard, Joakim, dän. Maler, Kopenhagen 1856 bis 1933 ebda., Sohn u. Schüler von *Peter Christian S.* (1817–1875), malte ital. Landschaften u. Volksszenen, Bilder aus dem dän. Leben u. religiöse Darstellungen. In s. monumentalen *Wandmalereien im Dom zu Viborg*, 1900–13, schloß er sich dem Stil der frühen Italiener u. der byzant. Kunst an. Weitere Werke: *Apsismosaik* im Dom zu Lund. *Fresken* im Rathaus Kopenhagen, 1929–33, in mehreren Kirchen das. Entwürfe für Teppiche; für plastische Werke; Illustration zu Büchern: *Bibelske Billede* (Zeichnungen zum Alten u. Neuen Testament), 1925, u. v. a. Werke in den dän. Mus.; ferner in Göteborg, Helsinki, Malmö, Stockholm. Lit.: K. Madsen, 1918. A. Pander in: Th.-B. 1937.

Skovgaard, Nils Kristian, dän. Maler u. Bildhauer, Kopenhagen 1858–1938 Lyngby, Bruder von Joakim → S., malte geschichtliche u. mythol. Darstellungen u. Landschaften. *Altarbild* für die Immanuelkirche in Kopenhagen, 1906; Fresken, Mosaiken. Als Bildhauer zählt er zu den Bahnbrechern der modernen keramischen Kunst Dänemarks. Hauptwerke: *Grundtvigdenkmal*, Kopenhagen; *Relief Aaage u. Else*, Mus., ebda. *Meerpferdbrunnen* im Hof des Kunstgewerbemus., ebda. – Buchillustrationen.

Slavona, Maria, eig. Marie Schorer dt. Malerin, Lübeck 1865–1931 Berlin, lebte 1890–1906 meist in Paris, Impressionistin franz. Schulung; schuf Landschaften u. vor allem Blumenstilleben. Vertreten in den Mus. Berlin, Düsseldorf, Kiel, Leipzig, Lübeck.

Slevogt, Max, dt. Maler u. Graphiker, Landshut 1868–1932 Neukastel b. Landau, Hauptvertreter des dt. Impressionismus neben → Liebermann u. → Corinth, Schüler der Münchner Akad., 1888 ff. W. v. → Diez'; nach Aufenthalten in Paris u. Italien 1890–1900 in München tätig, dann in Berlin. S. malte Figurenbilder, Landschaften, vor allem Bildnisse, mit stark aufgelichteter Palette u. wußte den Zauber des flüchtigen Augenblicks u. die charakteristische Geste bei s. Porträts glänzend einzufangen. Bes. Bedeutung hat er auch als geistvoller, phantasiereicher Illlustrator. Hauptwerke: Triptychon *Der verlorene Sohn*, 1898 bis 1899. *Der Sänger d'Andrade als Don Juan*, 1902, Stuttgart, Gal.; 1912, Berlin, Nat. Gal. *Die Tänzerin di Rigardo*, 1904, Dresden, Gal. *Dame in grauem Pelz*, 1905, Bremen, Kunsth. *Trabrennen*, 1907, Berlin, Nat. Gal. *Ägypt. Landschaften* (Serie v. 20 Bildern), 1913/14, Dresden, Gal. *Pfälzische Landschaft*, 1922, Berlin, Nat. Gal. *Kreuzigungsfresko* in der Friedenskirche zu Ludwigshafen, 1932. Bildnisse: *Selbstbildnis*, 1906, Leipzig, Mus. *Der Philosoph Karl Stumpf*, 1925, Berlin, Nat. Gal. Illustrationen zu: *Ali Baba u. die 40 Räuber*, 1903; *Sindbad der Seefahrer*, 1908; *Ilias*, 1907; *Rübezahl*, 1909; *Lederstrumpf*, 1909; *Benvenuto Cellini*, 1913

u. v. a. Randzeichnungen zu: *Mozarts Zauberflöte*, 1920; *Mozarts Don Giovanni*, 1924; *Goethes Faust*, 1927; *Reineke*, 1928 u. v. a.
Lit.: E. Waldmann, 1923. *M. S. Graph. Kunst*, hg. v. E. Waldmann, 1924. W. v. Alten, 1926. K. Scheffler, 1940.

Slingeland, Pieter Cornelisz van, niederl. Maler, Leiden 1640–1691 ebda., Schüler von G. → Dou, malte Genrebilder, Bildnisse, Stilleben u. mythol. Szenen in dessen Art. Beisp.: *Die Musikprobe*, Amsterdam, Rijksmus. *Der Geflügelhandel durchs Fenster*, Dresden, Gal. *Die Familie Meerman*, Paris, Louvre.

Slingeneyer, Ernest, belg. Maler, Loochristy b. Gent 1823–1894 Brüssel, Schüler von → Wappers in Antwerpen, malte große Historienbilder: *12 Wandbilder aus der belg. Geschichte*, Brüssel, Pal. des Académies; *Seeschlacht bei Lepanto*, 1848, Brüssel, Mus. Vertreten auch in Köln, Wallraf-Richartz-Mus.
Lit.: C. Lemonnier, *L'école belge de peint.*, 1906.

Sloan, John, amerik. Maler, * Lock Haven, Pa. 1871, Vertreter des Impressionismus in Amerika, in vielen amerik. Mus. vertreten.

Slodtz, franz. Künstlerfamilie fläm. Ursprungs, 17.–18. Jh.; die bedeutendsten Mitglieder:
Sébastien, niederl.-franz. Bildhauer, Antwerpen 1655 bis 1726 Paris, Schüler von → Girardon; er schuf die Marmorgruppe *Aristeus u. Proteus*, 1723, nach Girardon, im Park von Versailles; Basrelief *Engelgruppe* im Dôme des Invalides in Paris; ebda. weitere Werke; *Hannibalstatue*, 1722, Louvre, ebda.
René-Michel, gen. Michelange, franz. Bildhauer, Paris 1705–1764 ebda., Sohn des Sébastien u. dessen Schüler, 1728–46 in Rom, zunächst stark v. → Bernini beeinflußt, doch hielt in s. späteren Werken die franz.-klassizist. Tradition dem röm. Barock die Waage. Er schuf große dekorative Arbeiten, figürliche Plastik, Porträts, Grabmäler u. a. Hauptwerke: *Marmorgruppe mit dem hl. Bruno*, 1744, Petersdom zu Rom; *Christus als Kreuzträger*, nach → Michelangelos Statue in S. Maria sopra Minerva, Paris, Dôme des Invalides. *Büste des Malers Vleughel*, Paris, Mus. Jacquemart-André. *Grabmal* desselben, 1737, Rom, S. Luigi dei Francesi; *Grabmal Capponi*, 1746, Rom, S. Giovanni dei Fiorentini; *Grabmäler der Erzbischöfe Montmorin u. O. de La Tour d'Auvergne*, 1747, Vienne, St-Maurice. *Grabmal des Languet de Gercy*, 1753, Paris, St-Sulpice. Ausschmückung des *Theatersaales* in Schloß Fontainebleau; *Ausstattung des Chores* der Kathedrale von Bourges (nur wenig davon erhalten).
Lit.: A. Michel, *Histoire de l'Art* VII, 1, 1923.

Sluter, Claus, niederl.-burgund. Bildhauer des 14. Jh., † 1406 Dijon, Hauptmeister der burgund. Spätgotik, von Philipp dem Kühnen aus Holland nach Dijon berufen, um an der Ausschmückung der Kartause von Champmol, der Grabkirche der Herzöge von Burgund, mitzuarbeiten. Das Werk S.s ist dem spätgot. «weichen Stil» verpflichtet, in s. Realismus, s. künstlerischen Größe ist es s. Zeit weit voraus. Der Einfluß S.s war groß, namentlich in Frankreich. Er beschäftigte in s. Werkstatt viele Bildhauer.
Hauptwerk ist der sog. *Mosesbrunnen* im Garten des Klosters Champmol, ursprünglich ein Kalvarienberg mit Christus am Kreuz, heute nur die 6 den Brunnen umstehenden Propheten erhalten: Moses, David, Jeremias, Zacharias, Daniel, Isaias; beg. 1395. Weitere Werke ebda.: *Portalfiguren* der Klosterkirche mit der Figur Philipps des Kühnen u. der Margarete von Flandern; *Grabmal Philipps des Kühnen*, nicht von S. voll. (auch nicht von ihm beg., sondern von Jean de Marville, 1384).
Lit.: C. Monget, *La Chartreuse de Dijon*, 1898–1902. A. Kleinclausz, *C. S. et la sculpt. bourguign.*, 1905. G. Troescher, 1932. W. Medding, *Herkunft u. Jugendwerke d. C. S.* in: Zeitschr. f. Kunstgesch. III, 1934. A. Liebreich, 1936. H. David, 1951. A. Michel, *Hist. de l'Art* 3, 1907.

Smet, Gustave de, belg. Maler u. Graphiker, Gent 1877–1943 Deurle (Schelde), lebte von 1901 an mit s. Bruder Léon, → Permeke, Van den Berghe, → Servaes in Laethem-St. Martin, 1914–18 in Holland, dann wieder in Belgien. S. begann als Impressionist u. Neo-Impressionist, später vom dt. Expressionismus u. der Kunst → Le Fauconniers berührt. S. erfuhr auch kubist. Einflüsse u. entwickelte von ca. 1918 an einen sehr persönlichen Stil, der ihn zu einem der bedeutendsten fläm. Expressionisten der 1. Jahrh.-Hälfte prägte. Vertreten u. a. in Amsterdam, Antwerpen, Basel, Brüssel, Genf, Gent, Grenoble, Den Haag, Lüttich, Rotterdam.
Lit.: W. Grohmann in: Th.-B. 1937. Bénézit, 1954. P. G. van Hecke u. E. Langui, 1945. Knaurs Lex., 1955. Vollmer, 1958.

Smirke, Robert, engl. Arch., London, 1781–1867 Cheltenham, Schüler von J. → Soane, baute in klassizist. Formen das *British Museum*, London, seit 1823; voll. 1855 von s. Bruder *Sydney*, seitdem stark erweitert. Ferner das alte *Covent Garden Theatre* (nicht erhalten); die *Londoner Münze*, 1811 (1881/82 erweitert u. verändert).

Smith, David, amerik. Bildhauer, * im Staat Indiana 1906, gehört zu den bedeutendsten Eisen- u. Drahtplastikern, die an → Gonzales anschließen. «Ein schwarzer, surrealist. gestimmter Humor nistet in diesen totemartigen, ragenden Eisenstäben» (Hof-

mann). Werke: *Der Held*, 1952; *Zisternen-Totem*, 1955–56; *Tank-Totem*, 1956.
Lit.: *Ausst.-Kat. Mus. of mod. Art*, New York 1957. W. Hofmann, *Plastik des 20. Jh.*, 1958.

Smith, John Raphael, engl. Zeichner, Schabkünstler u. Maler, Derby 1752–1812 Worcester, erlernte in London die Schabkunst, in der er es zu hervorragenden Leistungen brachte: es gibt von ihm rund 300 Blätter Bildnisse, auch Genreszenen, mythol. u. hist. Szenen, nach eigenen Zeichnungen u. nach → Reynolds, → Gainsborough, → Romney, → Lawrence, → Morland, → Zoffany u. a.; auch feine Pastellbildnisse. Sein *Selbstbildnis* in der Nat. Portr. Gall., London.
Lit.: J. Frankau, 1902.

Smith, Matthew, engl. Maler, * Halifax 1879, Schüler der Kunstschule Manchester u. der Slade-Schule, London, bildete sich in Paris unter dem Einfluß von → Matisse u. der → Fauves weiter. Vertreten in London, Tate Gall. u. Courtauld Inst.; Mus. Ottawa, Montreal u. a.
Lit.: Vollmer, 1958.

Smits, Jacob, holl.-belg. Maler, Rotterdam 1855 bis 1928 Moll, Schüler von → Portaels, weitergebildet in München u. Wien, machte sich 1889 in Moll in der Campine (Kempen) ansässig u. erwarb belg. Nationalität. Er malte die Landschaften der Campine, Interieurs, Bildnisse, religiöse Werke.
Lit.: J. Laenen u. R. de Bendere, 1923. G. Pulings, 1927. E. van den Bosch, 1930. G. Marlier, 1931. P. Haesaerts, 1942. C. Lemonnier, *L'Ecole Belge de Peinture*, 1906.

Snayers, Peeter, niederl. Maler, Antwerpen 1592 bis 1667 Brüssel, bedeutender Jagd- u. Schlachtenmaler, der auch Reisende auf Waldwegen, Dorfplünderungen u. ä. in der Art s. Lehrers Seb. → Vrancx malte, wurde Hofmaler des Statthalters in Brüssel u. bekam Aufträge für die Herrscherhäuser der Habsburger in Wien u. Madrid f. große Schlachrenpanoramen u. Darstellungen kleiner Jagdgesellschaften. Werke in den Mus. Amsterdam, Antwerpen, Brüssel, Gent, Rotterdam, Berlin, Budapest, Dresden, Dulwich, Kassel, Madrid (16 Bilder), München, Wien (17 Bilder), Slg. Liechtenstein (Vaduz) u. a.

Snyders, Frans, niederl. Maler, Antwerpen 1579 bis 1657 ebda., Schüler von Pieter → Bruegel d. J. u. Hendrik van → Balen, ging nach Italien u. kehrte 1609 nach Antwerpen zurück, wo er Mitarbeiter → Rubens' wurde. Dieser hat ihn entscheidend beeinflußt u. zum Malen v. Tieren, Früchte- u. Blumenstücken herangezogen u. seinerseits Figuren in S.s Bilder hineingemalt. Berühmt ist S.s Mitarbeit

an Rubens' «Früchtekranz» (München, A. P.) u. «Diana auf der Hirschjagd» (Berlin, staatl. Mus.). Rubens hat die Figur in S.s *Küchenstück*, München, A. P., gemalt. Werke in den Mus. Aachen, Amsterdam, Antwerpen, Berlin, Boston, Braunschweig, Bremen, Brüssel, Budapest, Cambridge, Cleveland, Dresden, Dulwich, Edinburgh, Erlangen, Frankfurt, Genf, Gent, Hampton Court, Hamburg, Hannover, Karlsruhe, Kassel, Köln, Kopenhagen, Leipzig, London, Lyon, Madrid (22 Bilder), München, New York, Wien, Windsor u. a.
Lit.: R. Oldenbourg, *Fläm. Malerei des 17. Jh.*, 1918. G. Glück, *Rubens, van Dyck u. ihr Kreis*, 1933.

Soami, eig. Shinso, japan. Maler, * um 1460, † 1525, Schüler v. Shubun, künstlerischer Berater des Shogun u. der 1. der berühmten Teemeister, malte im Stil der chines. Zenmalerei der südl. Sung-Dynastie; die Zahl s. gesicherten Werke, zarter Landschaften in weichen Tuschtönen, ist gering (Wandbilder im Daisen-in des Daitokuji in Kyoto). Lit.: K. Moriya, *Japan. Malerei*, 1953.

Soane, John, engl. Arch., Whitchurch b. Reading 1752–1837 London, Meister des Klassizismus, Schüler von G. → Dance u. H. Holland, weitergebildet in Italien 1770–80, baute in einem wuchtigen klassizist. Stil. Hauptwerk: *Erweiterungsbau der Bank von England*, seit 1788, London. Weitere Bauten in London: *St. James Palace*, 1791; *Chelsea Hospital*, 1807; *Gemäldegalerie im Dulwich College*, 1812. Seine Kunstslg. vermachte er 1835 dem Staat: Soane-Mus. in London.
Lit.: H. J. Birnstingl, 1925. A. T. Bolton, 1927. J. Summerson, 1952.

Sodoma, eig. Giov. Antonio Bazzi, gen. il S., ital. Maler, Vercelli 1477–1549 Siena, bedeutender Meister der Hochrenaissance, ausgebildet in der piemontesischen Schule des → Spanzotti in Vercelli, kam um 1500 nach Mailand, wo er die für s. Kunst entscheidende Einwirkung → Leonardos empfing. 1501 nach Siena, doch wurde sein Aufenthalt unterbrochen durch Aufenthalte in Rom u. in der Lombardei, seit 1525 dauernd in Siena. In s. Kunst von Leonardo beeinflußt, später auch von → Raffael. Gelegentlich nimmt s. Malerei manierist. Züge an. Er malte große Freskenwerke u. meist kirchliche Tafelwerke.
Hauptwerke: Fresken: in *S. Anna in Camprena* b. Pienza, 1503–07; *24 Fresken zur Legende des hl. Benedikt* im Kloster Monte Oliveto b. Asciano, seit 1505; *2 Fresken aus der Alexandergeschichte*, in der Villa Farnesina, Rom, seit 1508; in der *Kapelle der hl. Katharina* in S. Domenico zu Siena, 1525–28; im *Oratorio S. Bernardino* zu Siena, seit 1518. Tafelbilder: *Kreuzabnahme*, 1505, Siena, Akad. *Anbetung*

der hl. 3 Könige, 1528, Siena, S. Agostino. *Hl. Seba-stian*, Florenz, Pitti. *Opfer Abrahams*, Pisa, Dom, 1542.
Werke in Bergamo, Berlin, Budapest, Florenz, Frankfurt, Grosseto, London, Mailand, Monte Oliveto Maggiore, New York, Pisa, Rom (Gall. Borghese, Farnesina, Vatikan), Siena, Turin, Wien u. a.
Lit.: A. Jansen, 1870. E. Jacobsen, 1910. Gielly, 1911. A. Venturi IX, 2, 1926. B. Berenson, *Italian pictures*, 1932. C. Faccio, *G. A. Bazzi (il S.)*, 1902. Ch. Terrasse, 1925. M. T. Marciano-Agostinelli Tozzi, 1951.

Soffici, Ardengo, ital. Maler, * Rignano sull'Arno 1879, studierte an der Florentiner Akad., lebte 1900 bis 1907 in Paris, traf mit → Modigliani zus., begründete mit Giovanni Papini u. Gius. Prezzolini die Zeitschriften «La Voce» u. «Lacerba», schloß sich 1913 den → Futuristen an, kehrte aber nach kurzer Zeit zu einem traditionsgebundenen Realismus zurück. Werke: Fresken im Municipio in Prato; Bilder in den Gal. Florenz, Mailand, Rom, Turin u. a.
Lit.: C. Carrà, 1922. G. Papini, 1933.

Sogliani, Giovanni Antonio, ital. Maler, Florenz 1492–1544 ebda., Meister der florent. Hoch- u. Spätrenaissance, Schüler des Lorenzo di → Credi, beeinflußt von diesem, Fra → Bartolommeo, Andrea del → Sarto, → Albertinelli u. a.; zuletzt zu den florent. Frühmanieristen gehörend. Schuf für den Dom in Pisa: *Thronende Madonna; Opfer Noahs; Opfer Kains*. Weitere Werke: *Wunder des hl. Dominikus*, 1536, Florenz, S. Marco. *Marter des hl. Arcadius*, 1521, Florenz, Akad. *Abendmahl*, Florenz, Mus. v. S. Marco. *Madonna mit Kind u. Johannesknaben*, Brüssel, Mus. u. Florenz, Uff. Weitere Werke in S. Domenico in Fiesole; Turin, Pinac.; Florenz, Akad. u. Uff. u. a.
Lit.: Venturi IX, 1, 1925. B. Degenhart in: Th.-B. 1937. B. Berenson, *Ital. Pict. of the Renaiss.*, 1932.

Sohn, Carl Ferdinand, dt. Maler, Berlin 1805–1867 Köln, Schüler von W. → Schadow in Berlin, dem er 1826 nach Düsseldorf folgte u. mit dem er 1830 in Italien war; seit 1832 Lehrer an der Düsseldorfer Akad. Er malte Bilder aus Mythologie u. Geschichte u. Porträts, berühmt vor allem als Darsteller schöner Frauen. Sein bedeutendster Schüler war A. → Feuerbach. Vertreten in den Mus. Aachen, Berlin, Bonn, Bremen, Düsseldorf, Frankfurt, Mannheim u. a.

Sohn, Karl Rudolf, dt. Maler, Düsseldorf 1845–1908 ebda., Sohn v. Carl Ferd. → S., Schüler seines Vetters Wilh. → S., tätig in München u. später in Düsseldorf, seit 1874 Lehrer der Akad. das. Genrebilder u. Bildnisse in der Art der Düsseldorfer Schule.

Sohn, Wilhelm, dt. Maler, Berlin 1830–1899 Pützchen b. Bonn, Schüler s. Onkels Carl Ferd. → S., malte bibl. Stoffe in dessen Art.

Solario (Solari), Andrea, ital. Maler, * um 1460, † um 1522, Hauptmeister der Mailänder Schule, beeinflußt von → Antonello da Messina u. den Venezianern, später entscheidender Einfluß von → Leonardo da Vinci, tätig in Venedig u. Mailand.
Hauptwerke: *Madonna mit der Blumenvase*, Mailand, Brera. *Kreuzigung Christi*, 1503, Paris, Louvre. *Haupt Johannes d. T.*, 1507, Mailand, Mus. Poldi-Pezzoli u. Paris, Louvre. «*Vierge au Coussin vert*», ebda. *Kreuztragender Christus*, 1511, Rom, Gall. Borghese. *Ruhe auf der Flucht*, 1515, Mailand, Mus. Poldi-Pezzoli. *Himmelfahrt*, 1520, Certosa di Pavia. Bildnisse: *Lautenspielerin*, Rom, Pal. Venezia; *Girolamo Morone*, 1522, Mailand, Slg. Gallarati-Scotti. Werke in Mailand, Brera u. Mus. Poldi-Pezzoli; Bergamo, Gal.; Pavia, Mus.; Paris, Louvre; London, Nat. Gall.; New York, Metrop. Mus.; Philadelphia, Slg. Johnson u. a.
Lit.: K. Badt, 1914. A. Venturi VII, 4, 1915. W. Suida, *Leonardo u. s. Kreis*, 1929.

Solario, Antonio, gen. «lo Zingaro», ital. Maler, tätig um 1502–18 in den Marken u. in Neapel, Meister der venez. Malerschule, beeinflußt von → Bellini u. → Carpaccio.
Hauptwerke: *20 Fresken mit Szenen aus dem Leben des hl. Benedikt* in einem Klosterhof von SS. Severino e Sosio in Neapel. Ein ähnliches kleineres Werk im Hof der Badia, Florenz. Altarbild: *Thronende Madonna* in S. Maria del Carmine in Fermo. Werke in Mailand, Ambrosiana; Rom, Gall. Doria; London, Nat. Gall.; Verona, Mus.; Kopenhagen, Mus. u. a.
Lit.: A. Venturi VII, 4, 1915. B. Berenson, *Venet. Paint. in America*, 1916. Ders., *Ital. Pictures*, 1932. R. van Marle, *Ital. Schools* 18, 1936. G. Gronau in: Th.-B. 1932.

Solario (Solari), Cristoforo, gen. il Gobbo, ital. Bildhauer u. Arch., † 1527 Mailand, Bruder des Andrea → S., in Venedig, Mailand u. an der Certosa von Pavia tätig, seit 1501 am Dombau von Mailand, schloß sich im Stil der lombardischen Schule an, als Baumeister von → Bramante beeinflußt. Hauptwerke als Plastiker: *Adam u. Eva*, Mailand, Dom, 1502; *Liegefiguren des Lodovico il Moro u. der Beatrice d'Este*, 1497–99, von ihrem Grabmal in S. Maria delle Grazie in Mailand, jetzt in der Kirche der Certosa von Pavia. *Statue des hl. Sebastian*, Como, Dom. Als Arch.: *Chorneubau des Domes von Como*, 1519 (ausgeführt von T. → Rodari); *S. Maria della Passione*, Mailand, 8 eckiger Zentralbau mit Kuppel, 1520, voll. 1530.

Solario (Solari), Santino (Santini), ital. Arch. u. Bildhauer, Verna b. Lugano 1576–1646 Salzburg, Meister des Hochbarock, seit 1612 Hof- u. Dombaumeister der Erzbischöfe in Salzburg, erbaute den *Dom in Salzburg*, 1614–28, nach den Plänen → Scamozzis; *Schloß Hellbrunn* b. Salzburg, 1615, nach dem Vorbild röm. u. oberital. Villen; *Palais Lodron*, 1631, ebda.
Lit.: A. Riegl, *Salzburgs Stellung in der Kunstgeschichte*, 1904 in: Gesammelte Aufsätze, 1929. F. Martin, *Kunstgeschichte v. Salzburg*, 1925.

Solimena, Francesco, gen. l'Abbate Ciccio, ital. Maler, Canale di Serino 1657–1747 Barra (Neapel), Hauptmeister des Spätbarock in Neapel, kam früh dorthin, in s. Kunst entscheidend beeinflußt von Giov. → Lanfranco, Mattia → Preti u. Luca → Giordano. Tätig haupts. in Neapel, 1723–28 am Wiener Hof.
Werke: *Deckengemälde der Sakristei von S. Domenico Maggiore*, Neapel. Fresken: *Geschichte des Heliodor in Gesù Nuovo*, Neapel. Fresko der *4 Jahreszeiten u. Aurora*, 1715–17, für den großen Saal des Daunschen Palais in Wien. Tafelbild: *Rebekka u. Elieser am Brunnen*, Venedig, Gal.
Lit.: F. Bologna, 1958.

Solis, Virgil, dt. Kupferstecher u. Zeichner für den Holzschnitt, Nürnberg 1514–1562 ebda., tätig in Zürich u. seit ca. 1540 in Nürnberg, war äußerst fruchtbar, schuf Buchillustrationen, sittenbildliche Darstellungen, auch mythol. u. allegor., vielfach als Vorlagen für Maler, Bildhauer, Goldschmiede, Graveure, Ziseleure usw. Er gehört zu den Nürnberger → Kleinmeistern, die in Anlehnung an → Dürer arbeiteten, beeinflußt von J. Breu, → Burgkmair, Beham, Pencz, Flötner, Hirschvogel u. a. Zu s. besten Leistungen gehören Bibelillustrationen, Landschaftsdarstellungen, ornamentale Stiche, welche das dt. Renaissancekunsthandwerk beeinflußten.
Werke: *Holzschnittillustrationen zur Bibel*, 1560; *Wolffsche Bibel*, 1565; zu *Ovid*, 1563 u. *Aesop*, 1566; *Wappenbüchlein*, 1555 (51 Kupferstiche) u. v. a.
Lit.: M. Geisberg, *Der dt. Einblatt-Holzschnitt der 1. Hälfte des 16. Jh.*, 1930. Fr. T. Schulz in: Th.-B. 1937. M. J. Friedländer, *Der Holzschnitt*, [3]1926. Lippmann, *Der Kupferstich*, [6]1926.

Somer (Someren), Paul(us), van, niederl. Maler, Antwerpen 1576–1621 London, fläm. Bildnismaler, ging um 1606 nach London u. wurde der bevorzugte Maler der Königin Anna.
Werke: *Bildnis Königin Anna*, Hampton Court. *Henry, Prince of Wales*, London, Nat. Portr. Gall. Weitere Werke in Hampton Court, Oxford, Madrid, Stockholm u. a.

Son, Joris van, niederl. Maler, Antwerpen 1623 bis um 1667 ebda., Meister von Blumen- u. Früchtestilleben in der Art des Davidsz de → Heem.

Sonderborg, Kurt R. Hofmann-S., dän.-dt. Maler, * Sonderborg 1923, tätig in Hamburg, Mitglied der Gruppe «Zen 49», 1953 in Paris zus. mit S. W. → Hayter, Vertreter der abstrakten Kunst. «Für s. Bilder verwendet er mit Vorliebe Eitempera. Was entsteht, hat die Feinheit chines. Tuschpinsel-Zeichnungen u. gelegentlich ihren Charakter» (Grohmann).
Lit.: M. Seuphor, *Knaurs Lex. abstr. Mal.*, 1957. *Neue Kunst nach 1945*, hg. v. W. Grohmann, 1958.

Sonnenschein, Valentin, dt. Bildhauer, Ludwigsburg 1749–1828 Bern, Schüler Luigi Bossis in Stuttgart, wo er 1771 Hofstukkateur wurde, 1773 Prof. der Akad., ging 1775 in die Schweiz, war Modellmeister an der Züricher Porzellanfabrik, seit 1779 in Bern tätig. Meister des Übergangs vom Rokoko zum Klassizismus.
Werke: *Votivgruppe zum Andenken an R. v. Jenner*, um 1806, Basel, Hist. Mus. *Ganymed*, Statuette, ebda. *Trauernde Penelope*, Statuette, Berlin, Dt. Mus. Gut vertreten in den Mus. Zürich u. Bern; ferner Hamburg (Mus. f. Kunst u. Gewerbe), Nürnberg, Stuttgart, Winterthur u. a.
Lit.: O. Breitbart in: Anz. f. schweiz. Altertumskunde, 1911. Th.-B. 1937. J. Gantner / A. Reinle, *Kunstgesch. d. Schweiz* III, 1956.

Sorgh, Hendrik Martensz., gen. Rokes, niederl. Maler, Rotterdam um 1611–1670 ebda., Schüler von Dav. → Teniers u. W. → Buytewech, gehörte zur Gruppe der unter dem Einfluß von Teniers stehenden Genremaler in Rotterdam (C. → Saftleven, P. de Bloot u. a.). S. malte haupts. Bauernszenen u. Marktansichten, seltener Marinen, bibl. Darstellungen u. Bildnisse. In s. Interieurszenen zeigt er gelegentlich Ähnlichkeit mit → Slingeland u. → Brekelenkam. Besonders gerühmt werden s. ausführlichen Gemüsestilleben u. das liebevolle Darstellen des Geschirrs bei den Bauerninterieurs.
Beisp.: *Der Fischmarkt zu Rotterdam*, 1654, Kassel, Gal. *Der Gemüsemarkt*, 1662, Amsterdam, Rijksmus. *Die Arbeiter des Weinberges*, 1666, Braunschweig, Gal. *Kartenspielendes Paar in Schenke*, Dresden, Gal. In vielen öffentl. Gal. vertreten, besonders gut in Amsterdam, Rotterdam, Dresden, Basel, Braunschweig, Hamburg, Hannover, Paris (Louvre), Mainz; ferner in Amiens, Aschaffenburg, Bonn, Caen, Cambridge, Cheltenham, Chicago, Dublin, Dünkirchen, Elberfeld, Genf, Berlin, Bonn, Budapest, Kassel, Karlsruhe, Kopenhagen, Leningrad, London (Nat. Gall.), Utrecht u. a.
Lit.: Wurzbach, *Niederl. Künstlerlex.*, 1910. W. Martin, *Altholl. Malerei* 2, 1913–14. W. R. Juynboll in: Th.-B. 1937.

Sorolla y Bastida, Joaquín, span. Maler, Valencia 1863–1923 Cercedilla, Schüler der Akad. Valencia, weitergebildet in Paris u. Rom, malte Genrebilder, Porträts, Landschaften u. a. in einem vom franz. Impressionismus beeinflußten Stil. Beisp.: *Rückkehr vom Fischfang*, Paris, Luxembourg. *Valencianer Fischer*, Berlin, Nat. Gal. Gut vertreten in den Gal. Buenos Aires, Madrid (Mod. Mus.), New York (Metrop. Mus.), Paris (Luxembourg), St. Louis, San Francisco, Valencia; ferner Bilbao, Boston, Brooklyn, Buffalo, Chicago, Cincinnati, Philadelphia, Rom (Gall. mod.), Venedig (Gall. mod). u. v. a.
Lit.: Domenech, 1917. A. Beruete, 1920.

Sosen, Mori, japan. Maler, * 1747, † 1821, Meister realist. Tierbilder, besonders von Affen.

Sosos, griech. Mosaikkünstler der hellenist. Zeit, 3.–2. Jh. v. Chr., von dessen Arbeiten ein Fußbodenmosaik in einem Speisezimmer in Pergamon berühmt: *Der ungefegte Fußboden.*

Sotatsu, Tawaraya (Familienname), japan. Maler, 1. Hälfte 17. Jh., † 1643, Hauptmeister der frühen Edo-Periode, Meister dekorativer Malereien, namentlich auch in Tusche, auf Stellschirmen, Fächern, Rollen u. a.
Lit.: T. Tanaka u. E. Grilli, 1956. Y. Yashiro / P. C. Swann, *Jap. Kunst*, 1958.

Soufflot, Germain, franz. Arch., Irancy b. Auxerre 1713–1780 Paris, der Erbauer des *Pantheon* in Paris, eines Hauptwerks des Klassizismus, studierte 1749 in Italien die Antike, → Bramante u. → Palladio u. maß als erster die dorischen Tempel von Pästum. Für das Pantheon, ursprünglich Neubau der Kirche Sainte-Geneviève, gab ihm das röm. Pantheon des Agrippa die Anregung. Erste Entwürfe 1755, beg. 1764, voll. 1790 nach dem Tode S.s von s. Neffen *François* u. a. (Giebelreliefs von → David d'Angers).
Lit.: J. Mondain-Monval, 1918. A. E. Brinckmann, *Baukunst des 17. u. 18. Jh.* (Handb. der K. W.), ⁵1929. N. Pevsner, *Europ. Architektur*, 1957.

Soulages, Pierre, franz. Maler, * Rodez 1919, Hauptvertreter der Gruppe jüngerer rein abstrakter Künstler der «Ecole de → Paris» (→ Hartung, → Hayter); seit 1946 in Paris. Vertreten an der «Documenta II», Kassel 1959. Werke in den mod. Gal. Paris, Grenoble, Köln (Wallraf-Richartz), London, New York, Zürich u. a.
Lit.: *Ausst.-Kat.* «*Ecole de Paris 2*», Bern 1954. Ragon in: Cimaise, Jan. 1956. Seuphor, *Dict. peint. abstr.*, 1957. Ders., *Knaurs Lex. abstr. Malerei*, 1957. Vollmer, 1958. H. Juin, 1958 (Mus. de poche). *Ausst.-Kat. Documenta II*, Kassel 1959. *Neue Kunst nach 1945*, hg. v. W. Grohmann, 1958.

Soutine, Chaim, russ.-franz. Maler, Smilovitch b. Minsk 1894–1943 Paris, Meister der «Ecole de → Paris», kam 1911 nach Paris, mit → Modigliani befreundet. In s. Kunst ging er von → Courbet, → Cézanne u. den → Fauves aus. Er sucht äußerste Expressivität durch das Mittel der Farbe. 1919–21 in Céret, 1925 in Cagnes, sonst meist in Paris tätig. Vertreten in den Gal. Amsterdam, Buffalo, Chicago, Detroit, Grenoble, Kopenhagen, Moskau, New York, Philadelphia, Toledo (USA) u. v. a.
Lit.: W. George, 1928. E. Faure, 1929. W. Grohmann in: Th.-B. 1937. M. Wheeler, 1950. W. Haftmann, *Malerei des 20. Jh.*, 1954. Vollmer, 1958. W. George, 1959 (franz.).

Soutter, Louis, schweiz. Zeichner u. Maler, Morges 1871–1942 Ballaigues; zu s. Lebzeiten nur einem engen Kreis als Künstler bekannt, Schüler von B. → Constant in Paris, Zeichen- u. Musiklehrer in den USA; nach schwerer Krankheit ohne Halt im äußeren Leben, Kaffeehaus-Geiger, Gärtner, Gehilfe bei Bauern, von 1923 an in einem Asyl. Beinahe ausschließlich aus dieser letzten Periode stammen die heute erhaltenen Zeichnungen u. Gemälde, in denen der Künstler s. eigene visionäre zauberhafte Welt aufbaute.
Lit.: E. Manganel, 1961. *Ausst.-Kat. Lausanne*, 1961.

Spada, Leonello, ital. Maler, Bologna 1576–1622 Parma, Meister des Frühbarock, Schüler der → Carracci in Bologna, nachhaltig vom Frühstil → Caravaggios beeinflußt; tätig in Bologna, Rom, Reggio, Parma.
Hauptwerke: *Fresken in S. Michele in Bosco* zu Bologna; in *Madonna della Chiara* zu Reggio. Tafelgemälde: *Enthauptung des hl. Christoph*, Paris, Louvre. *Vision des hl. Franziskus*, Modena, Gal. *David mit dem Haupt des Goliath*, Dresden, Gal. *Konzert*, Paris, Louvre u. Rom, Gall. Borghese. Gut vertreten in den Mus. Bologna, Dresden, Neapel, Parma; ferner in Bordeaux, Burghausen, Chantilly, Florenz (Uff.), Glasgow, Hampton Court, Karlsruhe, Lille, Madrid, Modena, Paris (Louvre), Rom (Gall. Borghese), Turin, Warschau u. a.
Lit.: N. Pevsner, *Barockmalerei* (Handb. der K. W.), 1930. Foratti in: Th.-B. 1937.

Spadini, Armando, ital. Maler, Poggio a Caiano 1883–1925 Rom, wo er tätig war; Hauptvertreter des ital. Impressionismus, übte großen Einfluß auf die röm. Malerschule aus. Vertreten in den mod. Gal. Florenz, Rom, Mailand, Venedig, Piacenza; ferner in Paris (Luxembourg), Lima u. a.
Lit.: A. Soffici, 1924–25 (Valori plastici). Ders., 1926. A. Colasanti, 1925. A. Venturi u. E. Cecchi, 1927. M. Tinti, 1928.

Spagna, lo, eig. Giovanni di Pietro, gen. lo Spagna (wohl span. Herkunft), * um 1450, † 1528 Spoleto;

Geburtsort u. -jahr sowie künstlerische Ausbildung unbekannt, studierte jedenfalls → Perugino in Perugia, später auch von → Raffael nachhaltig beeinflußt. Noch vor 1512 siedelte er nach Spoleto über u. wurde dort das Haupt einer Malerschule. Haupts. Altäre für umbrische Kirchen.
Hauptwerke: *Altartafel mit Anbetung der Könige*, um 1500, Berlin, ehem. K.-F.-Mus. *Madonna mit Kind u. Heiligen*, 1515–16, Assisi, Mus. di S. Francesco. *Thronende Madonna mit Heiligen*, Perugia, Gal. *Madonna della Spineta*, Rom, Vatik. Gal. *Madonna mit Heiligen*, Spoleto, Gal. (um 1514–16). *Christus in Gethsemane*, London, Nat. Gall. *Krönung Mariä u. Heilige*, Trevi, Pinac. Werke in Assisi, Mailand (Mus. Poldi-Pezzoli), Perugia, Terni, Todi (Pinac.), Spoleto (Pinac. u. in Kirchen), Trevi (Kirchen), Florenz (Pitti), London (Nat. Gall. u. Wallace Coll.), Paris (Louvre), Indianapolis (USA), Wien u. a.
Lit.: A. Venturi 2, 1913. W. Bombe, *Perugia*, 1914. C. Bandini, 1928. R. van Marle, *Ital. Schools* 14, 1933. Perkins in: Th.-B. 1937.

Spagnoletto, lo → Ribera, Jusepe.

Spagnuolo, lo → Crespi, Giuseppe Maria.

Spangenberg, Gustav, dt. Maler, Hamburg 1828 bis 1891 Berlin, Schüler von → Couture in Paris, malte Historienbilder, bes. aus Luthers Leben. Berühmt war s. Gemälde *Zug des Todes*, 1876, Berlin, Nat. Gal. 1883–88 *Fresken im Treppenhaus der Univ. Halle.* Werke in den Mus. Leipzig, Berlin, Königsberg, Wittenberg (Lutherhaus).

Spangenberg, Louis, dt. Maler, Hamburg 1824 bis 1893 Berlin, Bruder von Gustav → S., seit 1858 in Berlin tätig, hat Architekturlandschaften in Griechenland u. Italien gemalt. Vertreten in Berlin, Hamburg, Breslau u. a.

Spanzotti, ital. Malerfamilie, tätig in Casale u. a. O. des Piemonts im 15.–16. Jh.; bedeutender Vertreter:
Giovanni Martino S., * um 1456, † um 1527; er schu kirchliche Werke, in s. Stil von Gaudenzio → Ferrari beeinflußt. Werke: *Fresken an der Chorwand von S. Bernardino* b. Ivrea; *Taufe Christi* in Turin, Kathedrale; *Thronende Madonna mit Heiligen*, Vercelli, S. Vittore. *Madonna mit Kind*, Turin, Pinac. Weitere Werke in Turin; Paris, Louvre; Rom, Engelsburg; Budapest, Mus. u. a.
Lit.: S. Weber, *Begründer der Piemonteser Malerschule*, 1911 (Zur Kunstgesch. des Auslandes, H. 91). E. v. d. Bercken, *Malerei der Renaiss. in Oberital.* (Handb. der K. W.), 1927.

Spazzapan, Luigi, ital. Maler, Illustrator u. Karikaturist, * Gradisca 1890, † 1958, war tätig in Gorizia (Görz), später in Turin; malte Blumen, Landschaften, Figürliches. In s. Stil von den → Fauves ausgehend, gelangte er später zu einem visionären Expressionismus. Vertreten in den mod. Gal. Rom, Florenz u. a.
Lit.: W. Haftmann, *Mal. d. 20. Jh.*, 1954.

Speckter, Erwin, dt. Maler, Hamburg 1806–1835 ebda., erste Ausbildung bei Herterich u. Rumohr in Hamburg, 1825–27 Schüler von → Cornelius in München, 1830–35 in Rom unter → Overbecks Einfluß, zur jüngeren Generation der → Nazarener gehörend, zuletzt in Hamburg tätig, malte bibl. Szenen, Landschaften, Porträts; heute interessieren vor allem letztere. Reich vertreten in Hamburg, Kunsth., ferner in Leipzig, Mus. Beisp. s. Porträtkunst: *Die Schwestern des Künstlers*, 1825, Hamburg, Kunsth. Beisp. s. religiösen Malerei: *Christus erscheint den 3 Marien am Grabe*, 1829, Hamburg, Kunsth. 1846 erschienen «Briefe eines dt. Künstlers aus Italien».
Lit.: *E. S.*, hg. v. O. Ehmcke, 1920. G. Pauli, *Kunst d. Klassiz. u. d. Romantik*, 1925.

Speckter, Hans, dt. Maler, Hamburg 1848–1888 bei Lübeck, Sohn von O. → S., Schüler von → Pauwels u. a. an der Weimarer Kunstschule, tätig 1872–74 in München, 1875–76 in Italien, dann in Hamburg, bis er in Schwermut verfiel († in einer Heilanstalt). Überraschendes Talent, das Vorzügliches leistete dort, wo er sich von der Weimarer Ateliertradition freimachte, vor allem in s. Skizzen nach der Natur aus Italien u. Werken wie: *Ital. Landschaft*, 1887, Hamburg, Kunsth. *Auf der Galerie im Hamburger Stadttheater*, um 1880, ebda. *Gang in der alten Anatomie*, ebda. Ferner Buchillustrationen. Gut vertreten in Hamburg, Kunsth.
Lit.: G. Pauli, *Hamb. Meister der guten alten Zeit*, 1925. H. Hildebrandt, *Kunst des 19. u. 20. Jh.* (Handb. der K. W.), 1924.

Speckter, Otto, dt. Zeichner u. Radierer, Hamburg 1807–1871 ebda., Bruder von E. → S., von → Overbeck u. → Cornelius beeinflußter Zeichner, dessen Bilder zu Märchen u. Büchern – in der Art L. → Richters – sehr beliebt waren. Zeichnungen zu «Fabeln für Kinder» von Johann W. Hey, 1833–37. Radierungen zum *Gestiefelten Kater*, 1844; ferner zu *Andersens Märchen, Klaus Groths Quickborn* u. a.

Spencer, Stanley, engl. Maler, * Cooksham 1891, gilt als bedeutender Vertreter der engl. Kunst der 1. Jahrhunderthälfte. Er erstrebt den naiven Realismus u. die religiöse Gesinnung der → Präraffaeliten u. der ital. Quattrocentomaler. Auch Fresken u. Entwürfe für Glasgemälde u. a. Werke in London, Tate Gall. u. Bradford Gall. usw.
Lit.: E. Rothenstein, 1945.

Spengler, schweiz.-dt. Glasmalerfamilie, tätig in Konstanz. Mitglieder: *Casper* (Kaspar) St. Gallen 1553–1604 Konstanz; *Hieronymus,* 1589–1635; *Wolfgang,* * 1624; sie schufen Wappentafeln für das Kloster Salem, Glasgemälde für das Rathaus Konstanz u. v. a. Vertreten u. a. in den Mus. St. Gallen, Konstanz, Solothurn, Zürich, Luzern, Innsbruck, Berlin, Paris (Mus. Cluny).

Spengler, Johann Jakob Wilhelm, schweiz. Porzellanmodelleur, * Zürich 1755, zog 1790 nach Derby in England, wo er einer der besten Porzellanplastiker s. Zeit wurde.
Lit.: Th.-B. 1937. J. Gantner/A. Reinle, *Kunstgesch. d. Schweiz* 3, 1956.

Sperandio, Savelli, ital. Bildhauer u. Medailleur, Mantua um 1431 bis um 1504 Venedig, Meister von Medaillen mit realist.-kraftvollen Porträtwiedergaben in der Art des → Pisanello u. von dekorativen u. Figurplastiken, oft in Terrakotta; tätig in Mantua, Ferrara, Mailand u. Bologna; beeinflußt von Niccolò dell' → Arca u. → Quercia. Beisp.: Medaille des *Federico da Montefeltro.*
Plastik: *Grabmal Alexanders V.* in S. Francesco in Bologna, voll. 1482. *Bronzene Reiterstatuette Francesco Gonzagas* in Paris, Louvre. *Terrakotta-Relief der Verkündigung* in Faenza, Dom. *Marmorbüste des Ant. Barbazzi* († 1479) an dessen Grabmal in S. Petronio, Bologna. *Büste des Ercole d'Este,* Paris, Louvre. Werke in Berlin, London (Victoria u. Albert Mus.) u.a.
Lit.: M. J. Friedländer, *Ital. Schaumünzen des 15. Jh.,* 1882. W. Bode, *Ital. Bronzestatuetten der Renaiss.,* 1923. A. Venturi VI, 1908 u. VIII, 2, 1924. Ders. in: Enc. Ital. 1936. G. F. Hill in: Th.-B. 1937.

Speranza, Giovanni, ital. Maler, Vicenza um 1480 bis um 1532 ebda., von → Montagna beeinflußt, schuf Altarbilder u. Hausandachtsbilder. Vertreten in Kirchen von Vicenza, in der Gal. ebda.; in den Gal. Mailand (Brera), Baltimore, Budapest u. a.
Lit.: A. Venturi VII, 4, 1915. B. Berenson, *Ital. Pict. of the Renaiss.,* 1932. Gronau in: Th.-B. 1937.

Sperl, Johann, dt. Maler, Buch b. Nürnberg 1840 bis 1914 Aibling, Meister aus dem Kreise um → Leibl, Schüler der Nürnberger Kunstgewerbeschule u. der Münchner Akad., lernte 1865 Leibl kennen, wurde Landschaftsmaler (haupts. des bayer. Voralpenlandes) u. arbeitete mit Leibl in Unterschondorf, in Berbling u. Aibling.
Werke: *Leibls Garten in Aibling,* München, Städt. Gal. *Landschaft in der Umgebung von Aibling,* München, Bayer. Staatsgemäldeslg. *2 Bauernhäuser,* ebda. Werke in Köln, Wallraf-Richartz-Mus.; in den Mus. Berlin, Hannover, München (Staatsgal.); in v. a. Gal., u. a. Bremen, Frankfurt, Halle, Hamburg, Leipzig, Nürnberg, Stuttgart, Venedig (mod. Gal.), Wuppertal.

Lit.: Boetticher, *Malerwerke des 19. Jh.* II, 2, 1901. H. Uhde-Bernays, *Münchner Malerei im 19. Jh.,* 1925. G. J. Wolf, *Leibl u. s. Kreis,* 1923. *Ausst.-Kat. Aufbruch z. mod. Kunst,* München 1958.

Spielkartenmeister, Meister der Spielkarten, dt. Kupferstecher oberrhein. Herkunft (Basel?), tätig um 1430–50, benannt nach s. Hauptwerk, einem zu dreiviertel erhaltenen Kartenspiel, in Kupfer gestochen. Es ist eines der hervorragendsten Erzeugnisse des frühen dt. Kupferstiches. Der Meister ist ein bedeutender, im Stil an Konrad → Witz erinnernder, selbständiger Künstler. Weitere Werke: *Folge von Szenen aus dem Leben Christi* (24 Bl.), 17 Einzelstiche.
Lit.: M. Geisberg, *Anfänge des Kupferstichs,* [2]1924.

Spinelli, Niccolò, gen. Fiorentino, ital. Medailleur, * 1435, † 1514 Florenz, bedeutender Meister der Renaissance, schuf Münzen mit den stets in Seitenansicht gegebenen Bildnisköpfen berühmter Florentiner s. Zeit: *Lorenzo Magnifico, Pico della Mirandola, Cosimo u. Giuliano Medici, Savonarola, F. Strozzi.*
Lit.: G. Habich, *Medaillen der ital. Renaiss.,* 1924. G. F. Hill, *Portr. Med. of Ital. Artists,* 1912. Ders., *A Corpus of Jtal. Medals,* 1930. Ders. in: Th.-B. 1937.

Spinello Aretino, eig. S. di Luca Spinelli, Arezzo um 1346–1410 ebda., Meister der spätgot. Malerei Toskanas, wahrscheinlich Schüler des Agnolo → Gaddi, beeinflußt von → Nardo u. Andrea di Cione (→ Orcagna). S. gilt als einer der treuesten Bewahrer der giottesken Tradition. Er schuf große Freskenwerke u. kirchliche Tafelbilder.
Freskenwerke: *Zyklus des hl. Benedikt,* Sakristei von S. Miniato in Florenz, 1384–85. *Aus der Legende der hl. Katharina,* Katharinenkapelle in Antella, um 1387. *Szenen aus Heiligenlegenden,* Pisa, Camposanto, 1391 bis 1392 (zerstört). *Wandfresken in S. Francesco,* Arezzo, 1391–92. *Szenen aus dem Leben Papst Alexanders III.,* Siena, Pal. Pubblico, 1408–10. Tafelbilder: *Altarbild vom Monte Oliveto,* 1384–85, Cambridge, USA. In den Slgn. v. Budapest, Città di Castello, Florenz (Akad.), Kopenhagen, Liverpool, London (Nat. Gall.), New York (Metrop. Mus.), Oxford, Parma, Pisa, St. Louis.
Lit.: R. van Marle, *Ital. Schools* 3, 1924. G. Gombosi 1926. Perkins in: Th.-B. 1937. A. Venturi 4, 1907. B. Berenson, *Ital. Pict. of the Renaiss.,* 1932.

Spitzweg, Karl, dt. Maler, München 1808–1885 ebda., zunächst Apotheker, wandte sich 1836 als Autodidakt der Malerei zu, war 1839 in Dalmatien, 1850 in Venedig, 1851 zus. mit Eduard → Schleich in Paris, London u. Antwerpen; sonst meist in München tätig. S. schuf Genremalereien, Landschaften, Zeichnungen. Nach selbständigen gründlichen Studien erfuhr er den Einfluß der Schule von

→ Barbizon. Sein eigenstes Gebiet fand er im Darstellen des biedermeierlichen Kleinbürgerlebens, mit liebevollem Humor präsentiert u. romantisch beseelt, mit feinster Technik meist in sehr kleinen Formaten gemalt. Auch als Zeichner von schlagender Sicherheit.
Hauptwerke: *Der arme Poet*, 1837, München, N. P. *Im Dachstübchen*, ebda. *Der Einsiedler*, München, Schack Gal. *Ständchen*, 1864, ebda. *Der Hypochonder*, 1864, ebda. *Der Abschied*, 1864, ebda. *Der Sterngucker*, Hamburg, Kunsth. *Alter Herr auf der Terrasse*, ebda. Zeichnungen für die «Fliegenden Blätter». Spitzweg-Mappe, 1887; Neue Spitzweg-Mappe, 1888.
Gut vertreten in Berlin, Hamburg, Hannover, Heidelberg, München, Stuttgart, Zürich, Vaduz (Gal. Liechtenstein); ferner in vielen Gal., u. a. Aachen, Bern, Bremen, Breslau, Chemnitz, Darmstadt, Dresden, Elberfeld-Wuppertal, Essen, Frankfurt, Freiburg, Halle, Leipzig, Magdeburg, Mannheim, Nürnberg, Ulm, Wien (Gal. des 19. Jh.).
Lit.: H. Uhde-Bernays, [10]1935. M. v. Boehn, [4]1937. E. Kalkschmidt, [2]1949. G. Roennefahrt, 1960. F. v. Ostini, 1920. Ders., 1924. H. Hildebrandt, *Kunst des 19. u. 20. Jh.* (Handb. d. K. W.), 1924. G. Pauli, *Kunst des Klassizism. u. der Romantik*, 1925.

Spranger, Bartholomäus, niederl. Maler u. Radierer, Antwerpen 1546–1611 Prag, Hauptmeister des niederl. Romanismus, Schüler von Jan → Mandyn u. Cornelis van → Dalem, weitergebildet unter dem Einfluß von Frans → Floris in Antwerpen u. des → Parmigianino. 1565 ging er nach Italien, arbeitete in Mailand, Parma u. Rom, wo er 1570 päpstlicher Maler wurde; beeinflußt vor allem von → Correggio, → Tintoretto u. a.; 1575 Hofmaler Kaiser Maximilians II. in Wien, später Rudolfs II. in Prag. S. schuf religiöse Freskenwerke u. Altäre für Kirchen in Rom, Prag u. a., vor allem aber kleinere allegor.-mythol. Bildchen, die ihm Gelegenheit gaben, den nackten menschlichen Körper in Spannung u. Bewegung vorzuführen. Seine Bilder wurden durch Stiche verbreitet u. übten großen Einfluß aus, z. B. auf die Schule von → Fontainebleau u. die Haarlemer Akad. mit → Goltzius, → Cornelis v. Haarlem, C. v. → Mander u. a. Auf dieser Breitenwirkung des internationalen Zeitstils des Manierismus beruht seine Bedeutung.
Sehr gut vertreten in Wien. Werke in Kirchen von Rom u. Prag (Kloster Strahow, Wenzelsdom), in den Gal. Arras, Antwerpen, Braunschweig, Brüssel, Budapest, Chicago, Cleveland, Florenz, Graz, Linz, Mailand (Ambrosiana), Mainz, München, Nürnberg, Oldenburg, Paris, Schleißheim, Troyes, Turin, Hampton Court, Leningrad, Stuttgart, Stockholm u. a. Zeichnungen in vielen Gal.
Lit.: E. Diez in: Österr. Jb. 28, 1909–10. A. Nieder-

stein, *Das graph. Werk* in: Repert. f. Kunstwissensch. 52, 1931. Ders. in: Th.-B. 1937. W. Drost, *Barockmalerei* (Handb. der K. W.), 1928.

Springinklee, Hans, dt. Formschneider u. Zeichner für Holzschnitt, nachweisbar in Nürnberg 1512–22, Schüler → Dürers, war bes. als Buchillustrator tätig.
Lit.: F. T. Schulz in: Th.-B. 1937.

Sprüngli, Niklaus, schweiz. Arch., Bern 1725–1802 ebda., bedeutender Frühklassizist, Schüler von J. J. Jenner in Bern, weitergebildet bei F. → Blondel u. → Servandoni in Paris (1746–54); seit 1755 in Diensten der bernischen Regierung. Hauptbauten in Bern: *Hauptwache*, 1766–67; *Hôtel de Musique*, 1768–70; *Bibliotheksgalerie*, 1770–75 (nur die Fassade erhalten als Monumentalbrunnen auf dem Thunplatz in Bern).
Lit.: Brun, *Schweiz. Künstlerlex.* 3, 1913 u. 4, 1917. J. Gantner u. A. Reinle, *Kunstgesch. der Schweiz* 3, 1956. P. Hofer, *Kunstdenkm. d. Kantons Bern* I, 1952.

Squarcione, Francesco, ital. Maler, Padua 1397 bis 1468 ebda., paduanischer Hauptmeister der Frührenaissance, bedeutend für die Entwicklung der oberital. Frührenaissance (obwohl selber nur ein mittelmäßiger Künstler), da er eine Art Akad. in Padua eröffnete, in welcher die Antike eingehend studiert wurde. Er zog zahlreiche Schüler heran, deren überragendster → Mantegna. Von S. sind nur 2 Werke sicher beglaubigt: *Madonna mit Kind*, Berlin, staatl. Gal., u. ein Altar: *Hl. Hieronymus mit Heiligen*, um 1450, Padua, Mus. Charakteristika der S.-Schule: Plastizität der Figuren als Folge des Kopierens antiker Modelle u. altröm. dekorativer Elemente. Weitere Schüler des S.: Dario da Udine, Marco → Zoppo, → Schiavone, Matteo del Pozzo u. a.
Lit.: A. Venturi VII, 3, 1914. B. Berenson, *Ital. Pictures of the Renaiss.*, 1932. R. van Marle, *Ital. Schools* 18, 1937. A. Moschetti in: Th.-B. 1937.

Stadler, Anton, gen. Toni, österr.-dt. Maler, Göllersdorf (Niederösterreich) 1850–1917 München, Landschaftsmaler, Schüler von G. → Schönleber u. A. → Stäbli in München, beeinflußt von den Meistern von → Barbizon (bes. Th. → Rousseau) von O. → Frölicher u. H. → Thoma, Mitbegründer der Münchner Sezession 1893. Er malte bes. Landschaften des oberbayr. Vorgebirgslandes, dessen freie Weite ein oft mehr als die Hälfte der Bildfläche einnehmender Himmel betont. Werke in den Gal. Berlin, Bremen, Breslau, Chemnitz, Dresden, Frankfurt, Graz, Leipzig, München, Prag, Wuppertal-Elberfeld u. a.

Stadler, Toni, dt. Bildhauer, * München 1888, Sohn von Anton St., Schüler von → Gaul in Berlin,

→ Hahn in München u. → Maillol in Paris (1925 bis 1927); Einflüsse von der griech. Archaik. Prof. der Akad. München seit 1946. Werke in den Mus. Berlin, Duisburg, Frankfurt, Hamburg, Köln, Stuttgart, München u. a.
Lit.: H. Eckstein, *Maler u. Bildh. in München*, 1946. E. Trier, *Mod. Plastik*, 1955. Vollmer, 1958.

Stäbli, Adolf, schweiz. Maler, Winterthur 1842 bis 1901 München, Landschaftsmaler, Schüler s. Vaters, des Kupferstechers *Diethelm* St. (1812–68), von R. → Koller in Zürich, J. W. → Schirmer in Karlsruhe u. A. → Lier in München, beeinflußt von den Meistern von → Barbizon; ab 1868 in München. Landschaften aus der Schweiz, aus Oberbayern, vor allem Ammer- u. Chiemsee u. aus dem Harz.
Beisp.: *Klosterfähre*, 1876, Basel, Mus. *Abziehendes Gewitter*, Winterthur, Mus. *Birkenlandschaft*, 1880, Zürich, Kunsth. *Landschaft aus Oberbayern*, München, N. P. Werke in den Gal. Basel, Berlin, Bern, Frankfurt, Genf, Lausanne, Hamburg, Hannover, München, St. Gallen, Solothurn, Ulm, Winterthur, Wuppertal, Zürich.
Lit.: W. Siegfried, 1902. H. Graber, 1916. V. Huber, *Schweiz. Landschaftsmaler*, 1949. M. Huggler / A. M. Cetto, *Schweiz. Mal. im 19. Jh.*, 1942.

Staël, Nicolas de, russ.-franz. Maler, St. Petersburg 1914–1955 Antibes, Hauptvertreter der abstrakten Kunst, kam früh nach Frankreich, das von → Cézanne, → Matisse, → Braque (mit dem er befreundet war) beeindruckt. Wandte sich um 1942 der abstrakten Kunst zu, einen eigenen unverwechselbaren kraftvollen Stil entwickelnd. Werke u. a. in New York, Mus. of mod. Art; Paris, Mus. mod.; Zürich, Kunsth.; Ottawa, Mus.
Lit.: Duthuit, 1950. Gindertael, 1951. Courthion, *Peintres d'aujourd'hui*, 1952. Seuphor, *Dict. peint. abstr.*, 1957. Ders., *Knaurs Lex. abstr. Mal.*, 1957. A. Tudal, 1958 (Mus. de poche). Vollmer, 1958. *Neue Kunst nach 1945*, hg. v. W. Grohmann, 1958.

Stahly, François, dt. Bildhauer, * Konstanz 1911, Vertreter der ungegenständlichen Skulptur.
Lit.: C. Giedion-Welcker, *Plastik d. 20. Jh.*, 1955. M. Seuphor, *Plastik unseres Jh.*, 1959.

Stalbemt (Stalbempt), Adriaen van, niederl. Maler, Antwerpen 1580–1662 ebda., Landschaftsmaler in der Art des Jan → Bruegel d. J. u. G. van → Coninxloo; auch mythol. Szenen u. a. Vertreten in Amsterdam, Berlin, Dresden, Florenz (Uff.), Frankfurt, Kassel, Leipzig, Madrid.
Lit.: Wurzbach, *Niederl. Künstlerlex.*, 1910. Z. v. M. in: Th.-B. 1937.

Stammel, Thaddäus, österr. Bildhauer, Graz 1695 bis 1765 Kloster Admont. Schuf neben kleineren Arbeiten in Holz u. Stein als Hauptwerke den *Hochaltar in St. Martin* b. Graz, 1738, u. den *Plastischen Schmuck der Bibliothek des Klosters Admont*, 1760 (allegor. Holzfiguren u. a.). Ferner *Frauenaltar der Stiftskirche Admont*, 1726 (Reste im Mus. Graz). Werke im Barockmus., Wien. S. ist der hervorragendste Vertreter des Spätbarock in der Steiermark (für Holzplastik).
Lit.: A. Mayr, 1912. Tietze-Conrat, *Österr. Barockplastik*, 1920. L. Bruhns, *Dt. Barockbildh.*, 1925. A. Feulner, *Skulptur u. Malerei des 18. Jh. in Deutschl.*, 1929. E. Hempel in: Wiener Jb. f. Kunstgesch., 1937. Ders. in: Th.-B. 1937. H. Decker, *Barockplastik in den Alpenländern*, 1943.

Stanzioni, Massimo, gen. Cavaliere Massimo, ital. Maler, Orta d'Atella 1585–1656 Neapel, Meister des neapol. Barock, ausgebildet unter dem Einfluß der → Carracci in Bologna, beeinflußt von Jusepe → Ribera u. Artemisia → Gentileschi, schuf religiöse Werke für neapol. Kirchen; auch Mythologisches u. a.
Werke: *Fresken mit Szenen aus dem Leben des hl. Bruno* in S. Martino in Neapel, 1637. Weitere Werke ebda.; in S. Lorenzo, in S. Paolo u. a. Kirchen ebda. Ferner in den Mus. Besançon, Budapest, Dresden, Florenz (Uff.), Frankfurt, London, Lyon, Madrid, Neapel, Rom (Gall. Corsini), Zürich u. a.
Lit.: N. Pevsner, *Barockmalerei* (Handb. der K. W.), 1928. G. Ceci in: Th.-B. 1937. A. de Rinaldis, *La pittura del seicento nell' Italia merid.*, 1929.

Stappen, Charles van der, belg. Bildhauer, Sint-Josse-ten-Noode b. Brüssel 1843–1910 Brüssel, ausgebildet in Paris unter dem Einfluß von → Carpeaux, beeinflußt u. a. von → Meunier, schuf eine große Anzahl für die belg. Kunst repräsentative Werke. Hauptwerke: *Der Unterricht in der Kunst*, 1887, Bronzegruppe an der Schauseite des Palais des Beaux-Arts in Brüssel; *Hl. Michael bezwingt Satan*, 1890, Bronzegruppe an der Ehrentreppe des Brüsseler Rathauses. Ferner Genrefiguren, Bildnisbüsten, Entwürfe zu kunstgewerbl. Gegenständen in Edelmetall u. a. Reich vertreten im Mus. Brüssel; ferner in Antwerpen, Berlin, Breslau, Budapest, Bukarest, Dresden, Gent, Magdeburg, Tournai, Venedig (mod. Gal.) u. a.
Lit.: M. Devigne, *Sculpture belge*, 1934.

Starnina, Gherardo, eig. di Jacopo, gen. lo Starnina, ital. Maler, tätig 2. Hälfte 14. Jh., † um 1410, bedeutender Meister monumentaler Gesinnung, von dem aber nur wenig erhalten ist. Erstmals 1387 erwähnt, unternahm Reise nach Spanien, arbeitete in Toledo u. Valencia, ist ab 1404 wieder in Florenz; dieses Datum tragen seine *Fresken der Hieronymus-Kapelle* in S. Maria del Carmine. Obwohl nur

Fragmente erhalten sind, erweist sich in ihnen der Meister als einer der bedeutendsten der nachgiottesken Zeit in Florenz; wohl Schüler Agnolo → Gaddis, aber von stärkerer statuarischer Wucht u. plastischer Fülle. Seine Art wurde wiedererkannt in den *Legendendarstellungen der Cappella Castellani* in S. Croce, Florenz u. in größeren Teilen der *Chorfresken* ebda., die unter dem Namen Agnolo Gaddis gehen, aber fast ausschließlich v. Gehilfen gearbeitet wurden (von St. im wesentlichen die *Darstellungen der Kreuzlegende*).
Lit.: U. Procacci in: Rivista d'Arte V, 1933. K. F. Suter in: Th.-B. 1937. R. Oertel, *Frühzeit der ital. Malerei*, 1953.

Stauffer-Bern, Karl, schweiz. Maler u. Radierer, Trubschachen 1857–1891 Florenz, Schüler von W. → Diez u. → Löfftz in München, zunächst in Berlin als bedeutender Porträtist; wandte sich dem Kupferstich zu, wurde von Peter → Halm in die Radierkunst eingeführt u. entwickelte erfolgreich das Verfahren des Linienkupferstichs (Verbindung von Radieren u. Stechen); er erreichte mit seiner Technik starke plastische Wirkungen. Schließlich fühlte er sich zur Plastik im eigentlichen Sinne hingezogen; 1888 ging er nach Rom, um die Bildhauerei zu erlernen; doch ereilte ihn bald darauf der völlige Zusammenbruch.
Beisp.: Bildnisse: *Die Mutter des Künstlers*, 1885, Bern, Mus. *Bildnis Gustav Freytag*, 1887, Berlin, staatl. Mus. Bildnisradierungen: *Menzel; Conrad Ferdinand Meyer; Gottfried Keller, G. Freytag*. St. ist gut vertreten in Bern, Basel, Zürich, Genf, Neuchâtel, Berlin (Nat. Gal.), ferner in Elberfeld-Wuppertal u. a. Zeichn. in Bern u. Dresden.
Lit.: M. Lehrs, 1907. O. Brahm, 1911 (Neuaufl. 1926). G. J. Wolf, 1920. F. Stöckli, hg. 1942. *K. St.-B. Rad. u. Stiche in Nachbildungen*, mit Geleitwort v. W. Singer, 1919. H. Wilm, *Veit Stoss u. K. St.-B.*, 1935.

Steen, Jan, niederl. Maler, Leiden um 1626–1679 ebda., Hauptmeister des holl. Genrebildes, ausgebildet unter dem Einfluß von → Brower u. Dirk → Hals. 1649 im Haag, später wieder in Leiden u. um 1660 in Haarlem tätig, schuf vor allem humorvolle Darstellungen aus dem Volksleben.
Beisp.: *Die Familie des Jan Steen*, um 1663, Haag, Mauritshuis. *Wie die Alten sungen, so zwitschern die Jungen*, ebda. *Das Bohnenfest*, 1668, Kassel, Gal. *Musizierendes Paar auf einer Terrasse*, London, Nat. Gall. Bilder im Haag, Mauritshuis; Amsterdam, Rijksmus.; Kassel, Gal.; München, A. P.; London, Nat. Gall.; Brüssel, Mus.; Paris, Louvre; Wien, Gal. u. a.
Lit.: C. Hofstede de Groot, *Beschreibendes u. krit. Verz.* I, 1907. W. Martin, 1924 u. 1926. A. Bredius, 1926 (holl.). E. Trautscholdt in: Th.-B. 1937.

Steenwijk, Hendrik van, d. Ä., niederl. Maler, Steenwijk um 1550 bis um 1603 Frankfurt, Meister von Architekturbildern, namentlich des Innern got. Kirchen, mit feinen Lichtwirkungen in der Art des → Vredeman de Vries, dessen Schüler er war. Als erster gibt er wirklich vorhandene, nicht konstruierte Kirchenräume wieder. Er war bahnbrechend für die niederl. Architekturmalerei des 17. Jh. Beisp.: *Das Innere von St. Peter in Löwen*, Brüssel, Mus. Vertreten in vielen Gal., u. a. Amsterdam, Braunschweig, Brüssel, Budapest, Frankfurt, Hamburg, Leningrad, Mailand (Ambrosiana), München, Nürnberg, Stuttgart, Stockholm, Turin, Wien.
Lit.: Wurzbach, *Niederl. Künstlerlex.*, 1910. Jantzen, *Niederl. Architekturbild*, 1910.

Steenwijk, Hendrik, d. J., Sohn des Vorigen, Antwerpen (?) um 1580 bis um 1649 London, schuf ebenfalls Architekturbilder, verzichtete aber auf die malerischen Raum- u. Lichtwirkungen s. Vaters u. legte den Hauptwert auf scharfe Zeichn. u. fein ausgeführte Einzelheiten. Neben Kirchenräumen malte er auch Schloßräume u. Palasthöfe; weniger bedeutend als s. Vater. Beisp.: *Innenansicht einer got. Kirche*, 1609, Dresden, Gal. Vertreten in vielen Gal., u. a. Aachen, Aschaffenburg, Bergamo, Braunschweig, Brüssel, Budapest, Cambridge, Darmstadt, Dresden, Dublin, Den Haag, Leningrad, Paris, Schwerin, Stockholm, Stuttgart, Wien.
Lit.: → St. d. Ä.

Steer, Philip Wilson, engl. Maler, Birkenhead 1860 bis 1942 ebda., neben Walter → Sickert Hauptvertreter des engl. Impressionismus, Schüler der Acad. Julian in Paris unter → Bouguereau u. der Ecole des Beaux-Arts unter → Cabanel, 1893–1930 Prof. an der Slade School of Art in London; ausgehend von → Whistler u. → Constable nahm er vielfache Anregungen auf, so vor allem von den franz. Impressionisten, von → Monticelli u. → Seurat u. namentlich auch von → Turner. S. schuf vor allem Iandschaften u. Genreszenen. Er ist gut vertreten in der Tate Gall., London. Ferner Brit. Mus. ebda.; in den Gal. Aberdeen, Bradford, Brooklyn, Cambridge, Cardiff, Dublin, Florenz (Uff.), Johannesburg, Manchester, Melbourne, New York, Ottawa, Perth (Australien) u. a.
Lit.: D. S. McColl, 1946. C. H. Collins, Baker u. M. R. James, *Brit. Painting*, 1934. Vollmer, 1958.

Stefano di Giovanni → Sassetta.

Stefano da Verona → Stefano da Zevio.

Stefano da Zevio oder *da Verona*, ital. Maler u. Zeichner, Verona (oder Zevio) um 1375 bis um 1438, Spätgotiker, Vertreter des internationalen «weichen» Stiles, dessen Werke Verwandtschaft mit süddt., böhmischen u. kölnischen Malereien zeigen; verwandt ist ihm → Michelino da Besozzo, während der Einfluß des → Altichiero nicht überschätzt werden darf.

Werke: sicheres Werk ist die *Anbetung der Könige*, 1435, Mailand, Brera. Fast allgemein zugeschrieben: *Madonna im Rosenhag*, Verona, Mus. *Madonna mit Kind*, Rom, Gall. Colonna. *2 Aposteltäfelchen*, Settignano, Slg. Berenson. *Madonnenfresko* in der Sakristei von Illasi. Zeichnungen in Florenz, Uff.; London, Brit. Mus.; Mailand, Ambrosiana; Wien, Albertina; Paris, Louvre.

Lit.: A. Venturi VII, 1, 1911. R. Brenzoni, *St. da V. ed i suoi affreschi firmati*, 1923. P. Toesca in: Enc. Ital. 1936. B. Degenhart in: Th.-B. 1937.

Steffeck, Karl (Carl), dt. Maler, Berlin 1818–1890 Königsberg, Schüler von → Krüger u. → Begas, 1839 von → Delaroche u. H. → Vernet in Paris, war bis 1880 in Berlin tätig, dann Direktor der Akad. Königsberg. Malte geschichtliche Szenen, Wandgemälde im Zeughaus Berlin, Bildnisse u. Tierbilder; tüchtiger Pferdemaler. Gut vertreten in Berlin, Nat. Gal. u. Märk. Mus.; ferner Breslau, Halle, Hamburg, Königsberg, Schloß Babelsberg b. Potsdam, Stettin; Zeichnungen in Berlin, Nat. Gal. u. Nürnberg, German. Mus.

Lit.: *C. St. Kunst u. Leben*, m. Einleitung v. M. Liebermann, 1913. E. Waldmann *Kunst d. Realism. u. d. Impression.*, 1927.

Steindl, Imre (Emmerich) v., ungar. Arch., Budapest 1839–1902 ebda., Schüler von F. → Schmidt u. von der → Nüll in Wien, erbaute das *Parlamentsgebäude in Budapest*, 1885–1902, in prunkvoll neugot. Stil. Ferner das *Neue Rathaus*, ebda., 1870–75 u. v.a.

Lit.: A. Michel, *Hist. de l'Art* 8, 1925/29.

Steinhausen, Wilhelm, dt. Maler u. Zeichner, Sorau (Niederlausitz) 1846–1924 Frankfurt, Schüler der Akad. Berlin u. der Kunstschule Karlsruhe, befreundet mit → Thoma, malte religiöse Wandbilder, Porträts, Landschaften u. schuf Zeichnungen u. Lithographien. In s. religiösen Geschichtsbildern suchte er nach einer neuen Form für religiöse Fresken. Er war von Thoma u. gelegentlich von → Böcklin beeinflußt, vor allem aber, sowohl in Malart wie in der religiösen Stimmung, den → Nazarenern verpflichtet. Erfolgreicher war St. in s. feinen Stimmungslandschaften u. beseelten Bildnissen.

Religiöse Geschichtsbilder: Fresken im Missionshaus in Wernigerode: *Kreuzigungsgruppe u. Abendmahl*, 1890; im *Mausoleum der Gräfin Lanckoronski* in St. Veit b. Wien, 1895–97; in der *Hospitalkirche* in Stuttgart, 1905; in der *Aula des Kaiser-Friedrich-Gymnasiums* in Frankfurt u. v. a. Bildnisse: *Selbstbildnis mit Gattin*, 1892/93, Köln, Wallraf-Richartz-Mus.; *Bildnis der Gattin*, 1882, Frankfurt, Städel;

Selbstbildnis, 1906, Leipzig, Mus. Gut vertreten ist S. – vor allem auch mit Landschaften – in Frankfurt, Städel; ferner in Essen, Karlsruhe, Kassel, Köln, Leipzig, Mannheim, Berlin, Chemnitz, Cincinnati, Darmstadt, Dresden, Elberfeld u. a. Zeichnungsfolge: *Geschichte von der Geburt unseres Herrn;* in Holzschnitt ausgeführt von H. Bürkner, 1872. Freilichtstudien: *Tagebuchblätter.*

Lit.: D. Koch, 1904. *Gedenkbuch zu S.s 60. Geburtstag*, hg. v. S. Balke, 1906. O. Beyer, 1921. W. Reiner, 1926. F. Lübbecke, 1929.

Steinl (Steindl, Steinle), Matthias, österr. Arch. u. Bildhauer, * um 1644, † 1727 Wien, einer der vielseitigsten u. bedeutendsten Vertreter des österr. Barock, schuf zahlreiche Bauarbeiten u. Entwürfe für Innendekorationen, namentlich von Kirchen, einschließlich Altären, Kanzeln, Gestühl; Portalarbeiten u. a.; ferner bedeutende Elfenbeinschnitzereien.

Hauptwerke: Außenbau u. innere Ausstattung der ehem. *Stiftskirche St. Dorothea* in Wien (abgerissen). *Türme der Stiftskirchen Zwettl u. Dürnstein;* Umbau u. Einrichtung des *alten Refektoriums in Klosterneuburg; Hochaltar* der Stiftskirche Klosterneuburg, 1714 in Holz ausgeführt, 1724–28 in Untersberger Marmor übertragen. Elfenbeinarbeiten: *Reiterstatuetten Leopolds I., Josephs I. u. Karls VI.*, Wien, Kunsthist. Mus. *Kruzifix*, ebda.; Gruppe *Daniel in der Löwengrube*, Mus. des Stiftes Klosterneuburg.

Lit.: J. Schlosser, *Werke der Kleinplastik in den Slgn. des Ah. Kaiserh.*, 1910. E. Tietze-Conrat, *Österr. Barockplastik*, 1920. W. Pauker in: Jb. des Stiftes Klosterneuburg 2, 1909. Ders., *Führer durch die Sehenswürdigkeiten des Stiftes Klosterneuburg*, 1934. Ders. in: Th.-B. 1937. H. Sedlmayr, *Österr. Barockarchitektur*, 1930.

Steinle, Edward v., österr. Maler, Wien 1810–1886 Frankfurt a. M., Vertreter religiöser Malerei im Sinne der → Nazarener, 1828 in Rom, durch → Overbeck in den Kreis der Nazarener aufgenommen, war tätig in Wien, seit 1839 in Frankfurt, 1850 Prof. am Städel-Inst. das. Er schuf vor allem religiöse Werke für Kirchen im Rheinland u. hist. Darstellungen.

Werke: Fresken: in der *Kirche Trinità dei Monti*, Rom, 1829; in der *Schloßkapelle von Burg Rheineck* b. Brühl, 1837–40; *Engelchöre in den Bogenzwickeln* des Kölner Domchores, 1843–46; *Wandgemälde u. Fenster* für den Dom in Frankfurt, 1880–85 u. v. a. Tafelbilder: *Altarbild* für Christuskirche in Oslo, 1853; *Madonna mit Jesusknaben*, 1874, Berlin, staatl. Mus. Bildnisse: *Seine Tochter Karoline als Kind*, 1842, Berlin, staatl. Mus.; *Seine Tochter Josephine als junges Mädchen*, 1867, Aachen, Suermondtmus. Als Zeichner u. Aquarellmaler hat S. Märchenszenen u. Bilder zu Shakespeares Lustspielen geschaffen.

Am reichsten vertreten in Frankfurt, Städel; ferner in Berlin, Karlsruhe, Mannheim, München (N. P. u. Schack Gal.).
Lit.: J. Popp, 1906. E. v. St. *Des Meisters Gesamtwerk in Abb.*, 1910. J. Kreitmaier, 1917 (Neudr. 1932).

Steinlen, Théophile-Alexandre, schweiz.-franz. Graphiker u. Maler, Lausanne 1859–1923 Paris; 1882 ff. in Paris tätig (1901 Franzose), wurde dort schnell bekannt durch s. gesellschaftskritischen Zeichnungen aus dem Leben der Arbeiter u. des Proletariats für die Zeitschriften: «Chat Noir», «Le Mirliton», «Le Croquis», «La Revue Illustrée», «La Caricature», «Le Rire». Ferner Buchillustrationen, Plakate (Lithographien) u. Radierungen. In s. Stil von → Daumier u. → Millet beeinflußt; in s. Plakatstil von → Toulouse-Lautrec u. a. Vertreten in den Mus. Brüssel, Dijon, Köln, Lausanne, Moskau, New York, Vevey, Paris (Carnavalet u. Petit Palais).
Lit.: E. de Crauzat, *L'oeuvre gravé et lithographié de St.*, 1913. J. Wintsch, 1919. Cl. Aveline, 1926. G. Auriol, 1930. Béraldi, *Les graveurs du 19ᵉ siècle* 12, 1892. C. Glaser, *Graphik der Neuzeit*, 1922.

Stella, Jacques, franz. Maler u. Radierer, Lyon 1596 bis 1657 Paris, Schüler s. Vaters *François* St. (1563 bis 1605), kam um 1619 nach Florenz, 1623 nach Rom, wo er sich → Poussin anschloß, dessen Freund u. Nachahmer er wurde. Kehrte 1635 nach Paris zurück, 1644 «premier peintre du Roy». St. schuf zahlreiche Altar- u. Historienbilder, Radierungen u. Holzschnitte. Als Radierer von → Callot beeinflußt. Vertreten in den Mus. Angers, Béziers, Caen, Epinal, Florenz (Uff.), Fontainebleau, Genf, Grenoble, Leningrad, Limoges, Lyon, Montpellier, Nantes, Paris, Philadelphia, Pommersfelden, Rouen, Toulouse, Turin, Wien u. a.
Lit.: Michel, *Hist. de l'art* 6, 1921/22. L. Dimier, *Hist. de la peint. franç.* 1, 1926. Pevsner-Grautoff, *Barockmalerei* (Handb. der K. W.), 1928. W. Weisbach, *Franz. Malerei d. 17. Jh.*, 1932.

Stengel, Friedrich Joachim, dt. Arch., Zerbst 1694 bis 1787 Saarbrücken, Hauptmeister des rhein.-fränk. Spätbarock, tätig in Gotha, Fulda u. Biebrich, seit 1733 in Saarbrücken, wo er vom Fürsten Wilhelm Heinrich von Nassau-Saarbrücken zum Baudirektor ernannt wurde, um Pläne für eine Gesamterneuerung von Stadt u. Residenz zu schaffen. Er schuf in einem von → Palladio bestimmten klassizist. Spätbarock.
Saarbrücken, wie es v. St. gebaut wurde, war eine der schmucksten Residenzen s. Zeit; heute ist vieles zerstört oder verändert: das *Schloß*, 1738 ff., wurde zerstört u. nur unvollkommen wieder hergestellt; mit der *Ludwigskirche* (Pläne von 1758, voll. 1775),

schuf St. den edelsten protestant. Kirchenbau der Zeit; die Gebäude am Schloßplatz, ebda., mit *Rathaus*, 1750 u. *Erbprinzlichem Palais*, 1760. St. wird auch die *Floravase* vor der Orangerie in Fulda, 1730–35, in Rokokostil (zugeschrieben). *Jagdschloß Neunkirchen*, 1752.
Lit.: Lohmeyer, 1911. Ders., *Baumeister des rhein.-fränk. Barocks*, 1931. Ders. in: Th.-B. 1937. M. Wackernagel, *Baukunst des 17. u. 18. Jh.* (Handb. der K. W.), ⁴1932. W. Pinder, *Dt. Barock*, o. J. G. Dehio, *Gesch. d. dt. Kunst* 3, 1926.

Stethaimer (Stettheimer), Hans, dt. Arch., * Burghausen an der Salzach um 1350/60, † 1432 Landshut, der bedeutendste Meister der spätgot. Baukunst in Bayern, Zeitgenosse → Ensingers, hat die spätgot. Form der Hallenkirche, wie sie sich in Österreich u. in der → Parlerhütte ausgebildet hatte, in kühner Weise weitergeführt u. eine malerische Verschmelzung der Raumeinheiten erreicht, wie sie dann vom Barock wieder aufgenommen wurde. Seine 7 Hauptbauten haben sich erhalten; die wichtigsten: *St. Martin* zu Landshut, beg. 1387; *Franziskanerkirche* zu Salzburg: spätgot. Chor angebaut an spätroman. Schiff, beg. 1408; *St. Jakob* zu Straubing, beg. um 1400–18. Die übrigen: *Karmeliterkirche* zu Straubing, beg. um 1378; *St. Nikolaus* in Neuötting, 1410ff.; *Spitalkirche zum hl. Geist* in Landshut, beg. 1407. *St. Jakob* zu Wasserburg, 1410 ff. Die frühen Kirchen haben einen gesonderten einschiffigen, die späten einen hallenförmigen Chor mit Umgang. St. Martin in Landshut ist ein Backsteinbau mit einem schlanken 133 m hohen Westturm.
Lit.: E. Hanfstaengl, 1911. G. Lill in: Th.-B. 1938. G. Dehio, *Geschichte der dt. Kunst* 2, 1921. Clasen, *Got. Baukunst*, 1931.

Stevens, Alfred, belg.-franz. Maler, Brüssel 1828 bis 1906 Paris, wo er meist tätig war, berühmt als der geschmackvolle, kultivierte Schilderer der eleganten Pariserin des 2. Kaiserreichs; von den Impressionisten beeinflußt.
Werke: *Junge Dame in Rosa*, 1867, Brüssel, Mus. *Salome*, 1882, ebda. *Ophelia*, ebda. *Das Atelier*, ebda. *Betrogen*, Antwerpen, Mus. *Sphinx parisien*, ebda. *Leidenschaftlicher Gesang*, Paris, Luxembourg. Vertreten vor allem in den Mus. Brüssel u. Antwerpen; ferner Den Haag, Köln, Lüttich, Marseille, München, Nancy, Nantes, Paris (Luxembourg), Tournai; in mehreren amerik. Mus.
Lit.: C. Lemonnier, 1906. P. Lambotte, 1907. G. Vanzype, *Les frères St.*, 1936.

Stevens, Alfred George, engl. Bildhauer, Blandford 1817–1875 London, Schüler → Thorwaldsens in Rom (1841–42). Hauptwerke: *Wellington-Grabdenkmal* in der St. Paulskathedrale, London (seit

1856); *Marmorkamin mit weibl. Figuren*, Dorchester House, ebda. Viele weitere kunstgew. Arbeiten: Kaminplatten, Kandelaber, Vasen, Tische u. a. Vertreten in London, Victoria u. Albert Mus.; Tate Gall.; Brit. Mus. u. a.
Lit.: W. Armstrong, 1881. H. Stannus, 1891. Ders., Hg. v. *Drawings of A. St.*, 1908. A. Michel, *Hist. de l'art* VIII, 1, 1925. E. G. Underwood, *A short hist. of Engl. Sculpt.*, 1933.

Stevens, Joseph, belg. Maler, Brüssel 1819–1892 ebda., Bruder v. Alfred → St., malte kleine, scharf beobachtete Tierbilder; bekannt s. realist. Wiedergabe von verkümmerten elenden Hunden; ein Hauptwerk: *Un métier de chien*, Rouen, Mus. Vertreten in Brüssel (11 Bilder), Antwerpen, Hamburg, Marseille, New York (Metrop. Mus.), Rouen, Stuttgart, Tournai u. a.
Lit.: P. Fierens, 1932. G. Vanzype, *Les frères St.*, 1936.

Stevenson, Robert Macaulay, engl. Maler, * Glasgow 1860, Vertreter der schottischen Malerschule von Glasgow, von den Meistern der Schule von → Barbizon (→ Corot) beeinflußter Landschafter; bevorzugte verschwimmende Abendstimmungen u. Mondscheinnächte u. ä. Vertreten in den Gal. Glasgow, Brüssel, Berlin (Nat. Gal.), Zürich, Barcelona u. a.
Lit.: D. Martin, *The Glasgow School of Painting*, 1902.

Stieler, Josef, dt. Maler, Mainz 1781–1858 München, Meister des Biedermeierporträts, begann als Bildnisminiaturmaler, kam 1800 nach Wien zu H. → Füger, weitergebildet in Paris bei → Gérard, 1810 in Italien, seit 1812 in München als Hofmaler (1816–20 in Wien) u. malte einige religiöse Bilder, vor allem Porträts. Nach den von Füger beeinflußten Anfängen ging er zu kalten glasigen Farben u. strenger Kontur über (→ Gérard u. a.).
Hauptwerke: *Bildnis Goethes*, 1828, München, N. P. *Bildnisse von 38 schönen Frauen* für die Schönheitsgalerie im Festbau der Münchner Residenz. Zahlreiche Bildnisse der bayer. Königsfamilie in der N. P. in München. Werke im Residenz-Mus. u. im Bayer. Nat. Mus., ebda.; in den Gal. Augsburg, Stuttgart, Wien (Hist. Mus.), Hamburg, Heidelberg, Berlin (Hohenzollern-Mus.), Kopenhagen (Thorwaldsen-Mus.), Mainz u. a.
Lit.: P. F. Schmidt, *Biedermeiermalerei*, 1921. R. Oldenbourg, *Münchner Malerei im 19. Jh.* 1, 1922. H. A. Thies, *König Ludwig I. u. die Schönheiten s. Gal.*, 1954.

Stijl, von → Mondrian u. → Doesburg 1917 gegründete Zeitschrift «De Stijl», die den «Neo-Plastizismus» verteidigen sollte, hatte wesentlichen Anteil an der Entwicklung der Prinzipien der ab-

strakten Kunst; ihre Mitarbeiter bildeten die *De Stijl-Gruppe;* es waren die holl. Konstruktivisten u. a. ähnlich gerichtete Künstler: außer Mondrian u. Doesburg → Vantongerloo, Vilmos Huszar, Gino → Severini, Bart van der Leck, die Arch. van't Hoff u. → Rietveld; Hans Richter u. a. Die Zeitschrift erschien bis 1928; eine letzte Gedächtnisnummer für Doesburg 1932.
Lit.: H. L. C. Jaffé, 1956.

Still, Clyfford, amerik. Maler, * Grandin (North Dakota) 1904, mit Mark → Rothko Hauptvertreter der amerik. abstrakten Malerei. Mus. of mod. Art in New York u. v. a. Mus. mod. Kunst.
Lit.: M. Seuphor, *Knaurs Lex. abstr. Malerei*, 1957. *Neue Kunst nach 1945*, hg. v. W. Grohmann, 1958.

Stimmer, Tobias, schweiz. Maler, Zeichner für Holzschnitt u. Glasmalerei, Schaffhausen 1539–1584 Straßburg, einer der fruchtbarsten Holzschnittmeister der Spätrenaissance. Von 1565 an Werkstatt in Schaffhausen, später in Straßburg, aus der umfangreiche Fassadenmalereien hervorgingen, wovon das wenigste erhalten ist, Glasgemälde u. a. Ferner erhielt St. bedeutende Bildnisaufträge, namentlich von Zürcher Persönlichkeiten. In s. dekorativen Malkunst ist St. ein Fortsetzer → Holbeins d. J., wozu Einflüsse von Italien kommen; in s. Holzschnittkunst auch von → Dürer u. a. beeinflußt; in s. Bildniskunst von H. → Asper, der vielleicht s. Lehrer war, u. v. Holbein.
Erhaltene Fassadenmalereien: am *Haus zum Ritter* in Schaffhausen, 1570 (heute durch Kopie ersetzt, das Original im Mus. ebda); *Malereien an der Astronomischen Uhr am Münster* in Straßburg, 1571–74; sein letztes u. bedeutendstes Hauptwerk waren die *Malereien für den Festsaal* im Schloß Baden-Baden, 1577 beg., 1689 zerstört; Nachzeichnungen, Vorstudien u. Beschreibungen erhalten. Hauptwerk als Illustrator: Holzschnittfolge *Neue künstliche Figuren bibl. Historien*, 1576 (170 Bl.). Als Bildnismaler: *Pannerherr Jacob Schwytzer* u. *Bildnis dessen Gattin*, 1564, Basel, Mus. *Bildnis Konrad Gesner*, 1564, Schaffhausen, Mus. Weitere Werke in den Mus. Basel u. Zürich.
Lit.: Stolberg, 1901. M. Barnass, *Die Bibelillustrationen St.s*, 1932. F. Thöne, *St.s Handzeich.*, 1936. M. Bendel, 1940 (m. krit. Werkverz. u. Bildkat.). J. Gantner u. A. Reinle, *Kunstgesch. der Schweiz* 3, 1956. G. Dehio, *Geschichte der dt. Kunst* 3, 1926. G. Schmidt / A. M. Cetto, *Schweiz. Mal. u. Zeichn. im 15. u. 16. Jh.*, 1940.

Stone, Nicholas, d. Ä., engl. Bildhauer u. Arch., Woodbury b. Exeter 1586–1647 London, Schüler von J. → James u. Hendrik de → Keyser in Amsterdam, baute die *Vorhalle der Westerkerk* in Amsterdam; die *Vorhalle von St. Mary's* in Oxford; *Vorhalle*

von Old St. Paul's, in London; *Arbeiten an königl.*
Pal. ebda; als Bildh. *Statue der Königin Elisabeth* in
der Guildhall Chapel; zahlreiche *Grabmäler* in
Westminster Abbey u. St. Paul u. a.
Lit.: A. E. Brinckmann, *Barockskulptur* (Handb. der
K. W.), 1919 (spätere Aufl.). Michel, *Hist. de l'Art*
VI. 2. 1922. K. A. E. in: Th.-B. 1938.

Stoop, Dirck, niederl. Maler u. Radierer, * Utrecht
um 1618, † um 1681, schuf vor allem Pferdebilder:
mit Reitern staffierte südl. Landschaften; Rast von
Reitern vor dem Wirtshaus; Jagdgesellschaften;
auch einige Reiterschlachten u. a. Als Graphiker:
Pferdefolgen. St. war wahrscheinlich in Italien,
1661–62 in Lissabon als Hofmaler, später in London
u. a. Vertreten in den Mus. Aachen, Amsterdam,
Bergamo, Bonn, Brüssel, Dublin, Dresden, London (Bridgewater House), Berlin (ehem. K.-F.-
Mus.), Düsseldorf, Valenciennes, Kopenhagen u. a.
Lit.: Wurzbach, *Niederl. Künstlerlex.*, 1910. E.
Trautscholdt in: Th.-B. 1938.

Stoskopf (Stosskopf), Sébastien, franz. Maler,
Straßburg 1597–1657 Idstein, Stillebenmaler, aus-
gebildet in der niederl. Tradition (bei D. Soreau in
Hanau), tätig in den Niederlanden, Paris, Venedig,
ab 1641 in Straßburg. Lehrer des J. → Sandrart.
Werke in Straßburg; Wien, Kunsthist. Mus.; Prag,
Burg, u. a.
Lit.: H. Haug, *3 peintres strasbourgeois de natures*
mortes in: Revue des Arts, 1952.

Stoss, Veit, dt. Bildhauer, Maler u. Kupferstecher,
Nürnberg um 1440–50 bis 1533 ebda., Hauptmeister
der dt. Spätgotik, folgte 1477 einem Ruf nach
Krakau, um den Hochaltar der dortigen Marienkirche zu schaffen. Er erhielt darauf weitere bedeutende Aufträge, vor allem für Arbeiten in Stein.
1496 kehrte er nach Nürnberg zurück, geriet durch
einen Verstoß gegen die Wechselordnung mit den
Behörden in Konflikt u. erhielt die entehrende Strafe
der Durchstoßung der Wangen mit glühendem
Eisen (1503). Wohl wurde er durch Kaiser Maximilian I. rehabilitiert, doch blieb er ein gemiedener
Bürger u. starb als vereinsamter verbitterter Mann.
Seine künstlerischen Anfänge sind nicht bekannt,
anzunehmen ist oberrhein. u. nürnbergische Schulung unter Einfluß vor allem Niklaus → Gerhaerts
u. des → Meisters des Nördlinger Hochaltars. In s.
Kunst mischen sich leidenschaftlicher Naturalismus
des Details mit barocker Durchwühlung der Gewänder u. Umrisse; er war der größte Vertreter der
«barocken» Phase der Gotik; meisterhaft in der
Technik des Bildschnitzens, aber auch vertraut mit
der Arbeit in Stein, mit der Malerei u. dem Kupferstich. Von bedeutendem Einfluß, vor allem in
Polen u. dem gesamten Osten.
Hauptwerk s. Krakauer Zeit: *Hochaltar der dortigen*

Marienkirche, 1477–89, der größte geschnitzte Flügelaltar der dt. Spätgotik (Höhe 13 m) mit dem Marientod im Mittelschrein. Weitere Werke der Krakauer
Zeit: *Ölbergrelief*, Krakau, Nat. Mus. *Marmorgräber*
für König Kasimir Jagiello, Krakau, Dom; für *Erz-*
bischof Olesnick (1493), Gnesen, Dom; für *Bischof*
Peter v. Buina (1494), Wloclawek, Dom. Großes
Sandsteinkruzifix in der Marienkirche, Krakau.
Werke der mittleren u. Spätzeit: *Maria* vom Hause
des Stoss in Nürnberg, um 1499; *Hl. Rochus*, Florenz, SS. Annunziata, um 1505; *Apostel Andreas*
im Ostchor der Sebalduskirche, Nürnberg um 1505
bis 1507; *Englischer Gruß*, Nürnberg, Lorenzkirche,
1517–19, mit Darstellung der Verkündigung u.
der 7 Freuden Mariä. *Großes Kruzifix*, in St. Sebald,
Nürnberg, 1520. *Hochaltar der Nürnberger Karme-*
literkirche, 1520, heute Bamberg, Dom. Als Maler:
Tafeln für den Altar Riemenschneiders in Münnerstadt, Pfarrkirche, 1504. Die wenigen Kupferstiche
stehen meist in engem Zusammenhang mit s. bildnerischen Arbeiten.
Lit.: B. Daun, 1906. M. Lossnitzer, 1912. R. Schaf-
fer, 1933. E. Lutze, *Ausst.-Kat. Nürnberg* 1933.
Ders., 1938 (1940). A. v. Reitzenstein, 1937. C. Th.
Müller in: Th.-B. 1938. G. Barthel, *Ausstrahlung*
der Kunst des St. im Osten, 1944. E. Buchner, *St. als*
Maler in: Wallraf-Richartz-Jb. 14, 1952. G. Dehio,
Geschichte der dt. Kunst 2, 1921. A. Feulner, *Dt.*
Plastik des 16. Jh., 1926. W. Pinder, *Dt. Plastik vom*
ausgeh. M. A. bis Ende der Renaiss., 1929. A. Stange,
Dt. Malerei d. Gotik 9, 1958. F. Baumgart, *Gesch.*
d. abendländ. Plastik, 1957.

Strack, Johann Heinrich, dt. Arch., Bückeburg
1805–1880 Berlin, war eine Zeitlang unter → Schinkel tätig, seit 1839 Lehrer an der Kunst- u. Baukad.
Berlin, hielt im allgemeinen an den Bauformen
der Antike fest, kam aber den Anforderungen der
Gründerjahre nach. St. schuf u. a. in Berlin die
Nationalgalerie auf der Museumsinsel, 1866–76 (Vollendung des von → Stüler beg. Baues); *Siegessäule*,
ebda., 1873; Umbau des *Kronprinzenpalais*; mehrere
Kirchen; *Hallesches Tor*, 1879; in Athen *Ausgrabung*
des Dionysostheaters, 1862.
Lit.: F. Jahn in: Th.-B. 1938.

Strang, William, engl. Graphiker u. Maler, Dum-
barton (Schottland) 1859–1921 Bournemouth, Schü-
ler von A. → Legros, schuf Radierungsfolgen u.
Illustrationen voll Kraft u. techn. Meisterschaft;
beeinflußt von Legros, → Millet, → Daumier,
→ Forain u. a.; hervorragende Bildnisköpfe.
Radierungsfolgen: *Der Tod u. des Pflügers Weib* ; *Der*
Krieg ; *Anarchie* ; Illustrationen zu *Bunyans Pilgrim's*
Progress ; *Miltons Paradise lost* ; *Monkhouses The Christ*
upon the hill ; *Don Quijote* u. v. a. Bildnisradierungen:
Stevenson, Kipling, Tennyson, Lindley, Selbstbildnisse
u. v. a.

Lit.: L. Binyon, Vorwort zu *Kat. der graph. Arbeiten*, 1906. H. W. Singer, Einleitung zu *Zeichn. v. St.*, 1912.

Straßburger Meister, *Meister der Straßburger Ekklesia u. Synagoge*, auch *Meister des Engelspfeilers* gen., dt. Bildhauer des 13. Jh., tätig in Straßburg 1. Drittel des 13. Jh., Hauptmeister der an der plastischen Ausschmückung des südl. Querschiffs tätigen älteren Bildhauergeneration. Hauptwerke sind die zu Seiten des Doppelportals der Südseite des Querschiffs stehenden *Statuen der Ekklesia u. der Synagoge* (Originale heute im Frauenhaus, ebda.), um 1220; nach Ansicht der meisten Forscher erweist sich der Meister in ihnen als aus der Schule von Chartres hervorgegangen. Ferner die *Tympanonreliefs* mit Tod u. Krönung Mariä u. der *Weltgerichts- oder Engelspfeiler* in der Kathedrale.
Lit.: O. Schmitt, *Got. Sulpturen des Straßb. Münsters*, 1924 (m. Lit.). E.Panofsky, *Dt. Plastik des 11.–13. Jh.*, 1924. H. Jantzen, *Dt. Bildh. des 13. Jh.*, 1925. G. Dehio, *Gesch. der dt. Kunst* 1, [4]1930. H. Jantzen, *Das Straßb. Münster*, 1933. H. Weigert, *Das Straßb. Münster u. s. Bildwerke*, [3]1942. W. Hager in: Die großen Deutschen 1, 1943 (Neuaufl.). Th.-B. (Meister der Ekklesia u. Synagoge), 1950. Wittmar, *Das Straßb. Münster*, 1953.

Straub, Johann Baptist, dt. Bildh., Wiesensteig (Württemberg) 1704–1784 München, der führende Bildhauer des bayer. Rokoko, ausgebildet in Wien unter Einfluß des österr. Barock, beeindruckt von der Kunst A. → Faistenbergers in München u. den → Asam, schuf Tabernakel, Altäre u. Kanzeln im ausgebildeten Rocaillestil, im Spätwerk unter Einfluß des frühen Klassizismus. Vor allem Holzplastiker; neben I. → Günther Hauptmeister der Plastik des 18. Jh. in München.
Hauptwerke sind die *Altäre von Schäftlarn* (Hochaltäre 1755–56; Seitenaltäre um 1764) u. *Ettal*, 1757 bis 1762, wo je 3 Altäre zusammenkomponiert sind u. den beschwingten Rhythmus des Raumes weiterführen. Weitere Hauptwerke: *Tabernakelfigur des hl. Joh. Nepomuk*, 1739, Wiesensteig, Stiftskirche. 2 Altäre in *Dießen*, ehem. Augustinerchorherren-Stiftskirche, 1739–41; Tabernakel (1741) u. Hochaltar (1745) in *Fürstenzell*; Altäre u. Kanzel in *Berg am Laim* (München), 1743–44; Tabernakel in *Polling*, 1764. Einzelfiguren: *Büßende Magdalena*, Weltenburg, um 1740; *David*, München, Bayer. Nat. Mus.
Lit.: C. Giedion-Welcker, *Bayer. Rokokoplastik: J.B. St.*, 1922. A. Feulner, *Skulpt. u. Mal. des 18. Jh.* (Handb. der K. W.), 1929. Ders., *I. Günther*, 1947. N. Lieb in: Th.-B. 1938.

Strigel, Bernhard, dt. Maler, Memmingen 1460/61 bis 1528 ebda., Schüler von Zeitblom (?) in Ulm, schuf Altarbilder u. Bildnisse, von Kaiser Maximilian als Porträtist bevorzugt.

Hauptwerke sind der *Sippenaltar aus St. Stephan* zu Mindelheim, um 1505, Nürnberg, German. Mus., u. die *Bildnisse Kaiser Maximilians;* das älteste von 1507; viele Wiederholungen. *Bild der kaiserlichen Familie*, um 1515, Wien, Kunsthist. Mus. *Bildnisse des Konrad Rehlinger u. s. 8 Kinder*, 1517, München, A. P. *Sibylla v. Freyberg*, um 1513, ebda. Weitere Tafeln v. Altären in Nürnberg, German. Mus.; in den Mus. Basel, Freiburg i. Br., Karlsruhe, Berlin, Stuttgart, Frankfurt, Memmingen, Sigmaringen u. a. Weitere Bildnisse in München, N. P.; in den Gal. Innsbruck, Washington, New York, Straßburg, Wien (Kunsthist. Mus.) u. a.
Lit.: Baum in: Th.-B. 1938. G. Otto in: Lebensbilder aus dem bayer. Schwaben 2, 1953. A. Schädler in: Münchner Jb. der bild. K. 31, 1954.

Strozzi, Bernardo, gen. il Cappuccino, ital. Maler, Genua 1581–1644 Venedig, tätig in Genua, wo er Kapuziner geworden war u. Erlaubnis zum Malen erhielt; als er 1630 wieder ins Kloster zurück sollte, entfloh er nach Venedig. In s. Kunst beeinflußt von → Cambiaso, → Parmigianino, → Caravaggio u. a.; in Venedig erfuhr s. Kunst eine Neubelebung; sowohl → Fetti u. → Liss wie auch → Veronese wirkten auf ihn ein. Er schuf religiöse Werke u. Genrebilder. Seine Fresken fast alle zugrunde gegangen.
Einige Hauptwerke: *Judith*, Berlin, ehem. K.-F.-Mus. *Berenice*, Bologna, Mus. u. Mailand, Castello Sforzesco. *Zinsgroschen*, Florenz, Uff. *Christus in Emmaus*, Genua, SS. Annunziata. *Heilung des Tobias*, Leningrad, Eremitage. *Segen Jakobs*, Pisa, Mus. *Hl. Katharina*, Stuttgart, Gal. *Die Köchin*, Genua, Pal. Rosso. *Der Flötenbläser*, ebda. S. ist gut vertreten in Venedig, Akad.; ferner in Genua (Pal. Rosso u. Pal. Doria), Mailand, Rom, Venedig (Mus. Civ.), Wien, Berlin, Bologna, Florenz, Pisa, Stuttgart, Budapest, Dresden, München, Neapel, New York u. v. a.
Lit.: G. Fiocco, 1921. Ders.in: Th.-B. 1938. N. Pevsner, *Barockmalerei* (Handb. der K. W.), 1928. G. Delogu, *Ital. Malerei*, [3]1948.

Stuart, Gilbert, amerik. Maler, Narragausett (Rhode Island) 1755–1828 Boston (Mass.), hervorragender Bildnismaler, kam 1775 nach London, wo er 5 Jahre in Benj. → Wests Atelier arbeitete, siedelte 1787 nach Dublin über, kehrte 1793 nach Amerika zurück, wo er nach kurzem Aufenthalt in New York in Philadelphia tätig war; seit 1805 in Boston. S. war von Benj. West, von den zeitgenössischen engl. Porträtisten der van Dyck-Tradition u. a. beeinflußt. Seine Stärke als Bildnismaler bestand in der Spontaneität seiner Auffassung; er verzichtete auf Beiwerk u. gab nur die Büste, oft nur den Kopf. Es werden 900 Porträts von ihm gezählt; bes. beliebt seine an → Reynolds erinnernden Frauenbildnisse.

Hauptwerke: *Benjamin West*, London, Nat. Gall. *Mrs. Siddons*, ebda., Nat. Portr. Gall. *George Washington*, ebda. In vielen amerik. Mus.: Washington, Nat. Gall.; Chicago, Art Inst.; Philadelphia, Acad. of F. A.; New York, Metrop. Mus.; Boston, Athen. Gut vertreten in London, Nat. Gall. u. Nat. Portr. Gall.
Lit.: G. C. Mason, 1879. L. Park, 1926. W. T. Whitley, 1932. J. H. Morgan, 1939.

Stubbs, George, engl. Maler, Liverpool 1724–1806 London, hervorragender Tierdarsteller, tätig in York, seit 1760 in London, begann als Porträtist, berühmt als Pferdemaler u. hervorragender Kenner der Anatomie des Pferdes; 1766 vollendete er das große Kupferstichwerk «The Anatomy of the Horse». Er malte viel in Email auf Kupfer u. auf Wedgwoodporzellan. Vertreten in den Gal. von London (Nat. Gall. u. Victoria u. Albert Mus.), Liverpool, Dublin, Manchester, Baltimore, Philadelphia u. a.
Lit.: W. S. Sparrow, *St. and B. Marshall*, 1929. *Ausst.-Kat. London*, 1957 (v. B. Taylor).

Stuck, Franz v., dt. Maler, Graphiker, Bildhauer u. Arch., Tettenweis (Niederbayern) 1863–1928 Tetschen, Schüler der Münchner Akad. unter → Lindenschmit, weitergebildet unter dem Einfluß von → Diez, → Böcklin, → Lenbach u. a.; Mitarbeiter der «Jugend» u. der «Fliegenden Blätter», für die er humorist. Zeichnungen schuf; 1893 Mitbegründer der Münchner Sezession u. Lehrer der Akad. St. malte repräsentative Bildnisse, allegor.-symbolist. Darstellungen mit Akten u. Fabelwesen aus einer Böcklin nahestehenden Phantasiewelt, religiöse Bilder, Radierungen, Bronzestatuetten u. v. a. Seine von ihm entworfene *Villa in München*, seit 1936 als St.-Mus. der Öffentlichkeit zugänglich.
Hauptwerke: *Die Sünde*, München, Bayer. Staatsgemäldeslg. *Der Krieg*, 1894, ebda. *Sphinx*, 1895, Budapest, Mus. *Bacchantenzug*, 1897, Bremen, Kunsth. *Selbstbildnis mit Gattin als röm. Imperatoren*, 1902, Köln, Wallraf-Richartz-Mus. *Kreuzigung*, 1913, Leipzig, Mus. *Selbstbildnis mit Frau u. Tochter*, 1909, Brüssel, Mus. Zeichnerische Hauptwerke: *Karten u. Vignetten*, 1887; *Die 12 Monate*, 1887. Gut vertreten in München, N. P.; ferner in den Gal. Breslau, Darmstadt, Dresden, Nürnberg, Stuttgart, Venedig (Gall. mod.), Wuppertal-Elberfeld, Zürich u. a.
Lit.: O. J. Bierbaum, 1899 (⁴1924). H. Vollmer, 1902. A. Weese, 1903. F. v. Ostini, Vorwort zu *Das Gesamtwerk St.s*, 1909. G. Nicodemi, 1936 (ital.). C. Glaser, *Graphik der Neuzeit*, 1922.

Stückelberg, Ernst, schweiz. Maler, Basel 1831 bis 1903 ebda., Schüler von → Wappers in Antwerpen, weitergebildet in Paris u. München (→ Schwind, → Kaulbach), lebte 1856–67 in Italien, seitdem in

Basel; er malte Bildnisse, Genreszenen, religiöse Darstellungen u. ital. Landschaften. Bekannt vor allem s. *Wandgemälde in der Tellskapelle* am Vierwaldstätter See, 1880–82. Werke in den Gal. Basel (20 Bilder), Zürich (Kunsth.), Chur, St. Gallen, Genf, Winterthur, Florenz (*Selbstbildnis* in den Uff.), Berlin, Köln (Wallraf-Richartz).
Lit.: A. Gessler, 1904. S. Rocheblave, 1931. G. Lendorff, *Kinderbildnisse v. E. St.*, 1942. M. Huggler/A. M. Cetto, *Schweiz. Mal. im 19. Jh.*, 1942.

Stüler, Friedrich August, dt. Arch., Mühlhausen 1800–1865 Berlin, Schüler von → Schinkel, Vertreter des historisierenden Stils, baute viele Kirchen u. öffentliche Gebäude, vornehmlich in roman. u. Renaissanceformen.
Hauptwerke in Berlin: *Neues Museum*, 1843–55; *Kuppel* über dem von → Eosander gebauten Portal des Schlosses, 1845–53; Pläne für den Bau der Nationalgal. (von → Strack voll.). Weitere Hauptbauten: *Univ. Königsberg*, 1844–63; *Nationalmus. Stockholm*, 1850–66; *Wallraf-Richartz-Mus. Köln*, 1855–61; *Burg Hohenzollern*, 1850–67, u. v. a.

Sturm, Der, Zeitschrift, gegründet 1910 von Herwarth Walden, gleichnamiger Verlag u., seit 1912, Kunstgal., ab 1916 Kunstschule, deren Leiter G. → Muche war. Da Zeitschrift u. Gal. von großer Bedeutung für die expressionist. Kunst waren, spricht man auch vom «Kreis des Sturm». Dazu gehörten Künstler vom Kreis der → Brücke u. des → Blauen Reiter, → Kandinsky, → Klee, → Marc, → Kokoschka, → Chagall, → Archipenko u. v. a.

Sturzenegger, Hans, schweiz. Maler u. Radierer, Zürich 1875–1943 ebda., Meisterschüler von H. → Thoma in Karlsruhe, später haupts. vom jungen → Hodler beeinflußt, schuf Landschaften, Figurenbilder u. Porträts, ferner aquarellierte u. getönte Zeichnungen. St. war 1911 u. 1913 mit H. Hesse in Hinterindien. Er ist in den meisten öffentlichen Slgn. der Schweiz vertreten, bes. im Kunsth. Zürich (*Selbstbildnis*, 1917).
Lit.: Brun, *Schweiz. Künstlerlex.*, 1913. H. Graber, *Schweiz. Maler*, 1913. Grohmann in: Th.-B. 1938. Vollmer, 1958.

Suardi, Bartolommeo → Bramantino.

Subleyras, Pierre, franz. Maler u. Radierer, Saint-Gilles-du-Gard 1699–1749 Rom, 1726 in Paris, 1728 in Rom, wo er bis zu s. Tod verblieb. Er war ein Wegbereiter des klassizist. Geschmacks u. hatte als solcher starken Einfluß auf die ital. Kunst in Rom. Er schuf große kirchliche Werke (haupts. für röm. Kirchen) u. gute Porträts.
Werke: *Großes Altarbild* für St. Peter, heute Rom, S. Maria degli Angeli; *Christus am Kreuz mit Heiligen*,

für SS. Cosma e Damiano in Mailand, 1744, heute Mailand, Brera. *Wunder des hl. Benedikt*, Rom, S. Francesca Romana. *Bildnis Benedikts XIV.*, Chantilly, Mus. Condé u. Ferrara, Pinac. Werke in Mailand, Brera; Paris, Louvre; Rom, Pal. Barberini; Mus. Bologna, Fontainebleau, Dresden, Chantilly, Turin, Toulouse, Perugia, Berlin (ehem. K.-F.-Mus.), Düsseldorf, München, Wien (Akad.), Zürich u. a.
Lit.: H. Voss, *Malerei des Barock in Rom*, 1924. E. Hildebrandt, *Mal. u. Plastik des 18. Jh. in Frankr.* (Handb. der K. W.), 1924. E. Goldschmidt, 1925. Bénézit, 1955.

Suess v. Kulmbach, Hans → Kulmbach, Hans.

Sugai, Kumi, japan. Maler * Kobe 1919, mit dem Chinesen → Zao-Wou-Ki Hauptvertreter der der Schule von→ Paris angehörenden östlichen abstrakten Künstler. «Vorliebe für große, einfache Formen, die er, hauptsächlich in Rot u. Schwarz, um ein monumentales Schriftzeichen anordnet» (M. Brion). Lit.: A. Pieyre de Mandiargues (Mus. de Poche). M. Seuphor, *Knaurs Lex. abstr. Malerei*, 1957. M. Brion in: *Neue Kunst nach 1945*, hg. v. W. Grohmann, 1958.

Sullivan, Louis Henri, amerik. Arch., Boston (Mass.) 1856–1924 Chicago, gehört zu den Wegbereitern der modernen konstruktivist. Bauweise. Er entwickelte die Theorie eines strengen Funktionalismus. Für s. Wolkenkratzerbauten sah er Stahl vor, den er auch in ästhetischer Hinsicht würdigte. Sein epochemachender Bau ist das *Wainwright Building* in St. Louis, 1890–91. In s. Dekorationen gehört er dem Jugendstil an. Weitere Hauptwerke: *Auditorium Building*, Chicago, 1887–88, gilt als schönstes Opernhaus in Amerika. *Guaranty Building*, Buffalo, 1894/95. *Gage Building*, Chicago, 1898. *Kaufhaus Carson Pirie Scott*, Chicago, beg. 1899, u. v. a. S.s größter Schüler F. L. → Wright.
Lit.: H. R. Hitchcock, *Mod. Architecture*, 1929. H. Morrison, 1935 (m. Bibliogr. u. Werkverz.). W. S. Rusk in: Th.-B. 1938. N. Pevsner, *Wegbereiter mod. Formgebung*, 1957. Ders. *Europ. Architektur*, 1957.

Surbek, Victor, schweiz. Maler, * Zäziwil 1885, tätig in Bern; hauptsächl. Landschaften; ferner Bildnisse, Stilleben, monumentale Wandbilder; vertreten in den schweiz. Mus.
Lit.: Vollmer, 1958. *V. S. Eine Monographie*, 1950.

Surrealisten, Surrealismus, erstmals 1917 von G. Apollinaire verwandter Name für eine künstlerische Richtung, die das «Überwirkliche» erstrebt; literarisch von A. Breton in s. Manifest des S., 1924, niedergelegt: das Unbewußte als Quell der künstlerischen Eingebung u. Erkenntnis, gesucht in

Traum- u. Rauscherlebnissen. Mit G. de → Chiricos «Pittura metafisica» u. den Bestrebungen Max → Ernsts trat der S. in die Malerei ein; 1925 1. Gruppenausstellung, auf der auch → Picasso, → Klee, → Arp, M. → Ray, → Tanguy, S. → Dali, → Masson u. → Miró vertreten waren. Dt. Hauptvertreter: R. → Schlichter, E. → Ende, Mac → Zimmermann. Ferner gehören ganz oder z. T. dazu: Alberto → Giacometti, Victor Brauner, Oscar Dominguez, Valentine Hugo, R. → Magritte, W. Paalen, F. → Picabia, P. → Roy, K. → Schwitters, K. Seligmann.
Lit.: *Fantastic Art, Dada, Surrealism*, hg. v. A. Barr, 1936.

Survage, Léopold, finn.-franz. Maler, * Willmanstrand (Finnland) 1879, Schüler der Kunstschule Moskau, kam 1908 nach Paris, studierte bei → Matisse, beeinflußt von den Kubisten, neigte stark zur Abstraktion, schuf die Dekoration für das russ. Ballett «Mavra» von Diaghilew; große Wandbilder für die Weltausstellung 1937. Vertreten in den Mus. Athen, Chicago, Genf, Jerusalem, S. Francisco, Moskau, Paris (Mus. mod.) u. a.
Lit.: P. Fierens, 1914. Bénézit, 1955. Vollmer, 1958.

Sustermans, Justus, niederl. Maler, Antwerpen 1597–1681 Florenz, Schüler des Frans → Pourbus d. J. in Paris, kam 1620 nach Florenz, wo er Hofmaler der Großherzoge von Toskana wurde. Bedeutender Porträtist, schuf auch einige religiöse u. allegor. Bilder; von → Rubens u. van → Dyck beeinflußt. In vielen Gal. vertreten; sehr gut in Florenz, Pitti u. Uff. (*Bildnis Galileis*, um 1636); ferner in Boston, Brüssel, Chambéry, Lucca, Padua, Parma, Paris (Louvre), Turin, Wien (Kunsthist. Mus.) u. v. a.
Lit.: Wurzbach, *Niederl. Künstlerlex.*, 1910. J. Lavalleyre in: Th.-B. 1938.

Sustris, Friedrich, niederl. Maler, Dekorateur u. Arch., * wohl in Italien 1540, † 1599 München, Sohn von Lambert S., Schüler u. Gehilfe → Vasaris in Florenz, 1568 von Hans Fugger nach Augsburg berufen, um eine Reihe von Räumen des Fuggerhauses zu schmücken, trat dann in den Dienst der Herzöge von Bayern und leitete die Ausschmückung der Burg Trausnitz in Landshut; 1579 nach München berufen, wo er eine umfangreiche Tätigkeit entwickelte u. Entwürfe für Dekorationen, plastische Bildwerke, Stuckarbeiten, Festdekorationen, Bauwerke u. a. lieferte. In s. Stil stark von der Vasari-Schule u. a. Manieristen (→ Salviati, → Zuccari) u. vom niederl. Romanismus beeinflußt. S. hatte eine außerordentliche Begabung f. das Dekorative.
Werke: Entwürfe für *Dekorationen in der Burg Trausnitz*, Landshut, 1574–80; Umbau u. dekorative Ausgestaltung von *Grottenhof* u. *Antiquarium* der

Münchner Residenz, 1581–86; der bedeutendste Bau in München, der im Entwurf auf S. zurückgeht, ist die *Michaelskirche*, 1583–97. Gemälde: *Anbetung der Hirten*, um 1570, Augsburg, prot. Kreuzkirche. Weitere Werke in Schleißheim; Florenz, Pitti; Zeichnungen in München, Wien, Berlin u. v. a. Lit.: K. Feuchtmayr in: Th.-B. 1938. Frankl, *S. u. die Münchner Michaelskirche* in: Münchner Jb. der bild. Kunst 10, 1916–18.

Sustris, Lambert, niederl. Maler, Amsterdam um 1515 bis um 1568 Padua (?), kam früh nach Italien u. war in Venedig u. Padua tätig; er wird als Schüler → Tizians genannt, von dem er jedenfalls nachhaltig beeinflußt wurde, wie auch von der → Raffael-Schule u. → Tintoretto, ohne s. nord. Grundlage je ganz zu verleugnen. S. hat Bildnisse u. Landschaften gemalt: er hat als einer der ersten eine fruchtbare Verbindung nord. u. ital. Landschaftsdarstellung angebahnt. Werke u. a. in Rom (Gall. Colonna u. Gall. Borghese), Caen, Augsburg, Lille, Kassel, Köln, München, Paris, Schleißheim, Wien.

Sutherland, Graham, engl. Maler u. Radierer, * London 1903, begann mit expressionist. Graphik, die an William → Blake u. Samuel → Palmer anschloß; suchte in der Folge pflanzliche u. mineralische Naturformen in symbolischer überrealist. Weise zu verbinden (im Anschluß etwa an H. → Bosch u. a.), erhielt 1946 den Auftrag für ein *Kreuzigungsbild* in St. Matthew in Northampton, um welches sich eine große Anzahl von Werken mit dem Dornenmotiv gruppiert. 1951 Wandbild *The Origins of the Land*, für die große Londoner Ausstellung, jetzt London, Tate Gall. Vertreten in Paris (Mus. mod.), Ottawa u. a. Zeichnungen in Wien (Albertina), *Bildnisse v. S. Maugham, Lord Beaverbrook, Winston Churchill*. Lit.: E. Sackville-West, 1943. R. Melville, 1950. W. Haftmann, *Malerei im 20. Jh.*, 1955. Vollmer, 1958.

Suys, Tielman François, belg. Arch., Ostende 1783 bis 1861 Munken b. Brügge, Schüler von → Percier u. → Fontaine in Paris, Hauptvertreter der historisierenden Baukunst des 19. Jh. in Belgien, erbaute die *Treibhäuser des Botan. Gartens* in Brüssel, 1827–29; *Josefskirche*, ebda., im Stil der ital. Hochrenaissance, voll. 1849; *Georgskirche* in Antwerpen, 1848–53; Neubau des Schlosses *Mariemont*, 1835; *Restauration von Sainte-Gudule* in Brüssel, 1839–56, u. a. Bauten in Belgien u. Holland. Lit.: M. D. Ozinga in: Th.-B. 1938.

Swanevelt, Herman van, niederl. Maler u. Radierer, Woerden b. Utrecht um 1600–1655 Paris, war lange in Italien tätig (nachweisbar 1629–38 in Rom, gen. Armanno l'Eremita), schuf haupts. ital. Landschaften mit bibl., mythol. oder Hirtenstaffage in der

Art des Claude → Lorrain. In vielen Gal. vertreten, u. a. in Bordeaux, Bremen, Cambridge, Cherbourg, Dresden, Dulwich, Florenz (Pitti), Glasgow, Hampton Court, Kopenhagen, Madrid, Montpellier, Nantes, Rom (Gall. Borghese, Gall. Colonna u. Doria-Pamfili), Venedig (Akad.), Wien. Lit.: Wurzbach, *Niederl. Künstlerlex.*, 1910.

Sweelink, Gerrit Pietersz., niederl. Maler, Amsterdam 1566–1628 ebda., mehrere Jahre in Rom; Porträts, einige religiöse Werke; Zeichnungen u. Radierungen. Lehrer von P. → Lastman. Beisp.: *Schützenstück*, 1604, Amsterdam, Rijksmus. *Anbetung der Hirten*, Utrecht, Mus.
Jan Gerrits S., * Amsterdam um 1601, Kupferstecher, war vermutlich Sohn des Gerrit P. S.

Syrlin, Jörg, d. Ä., dt. Schreiner u. Bildhauer, Ulm um 1425–1491 ebda., gilt als Meister des großartigen *Chorgestühls des Ulmer Münsters*, eines Hauptwerkes des Realismus der Spätgotik des 15. Jh.; doch kann S. nicht der Schöpfer des ganzen Werkes sein, da sich mindestens 3 Stilstufen feststellen lassen. Er war wohl der mit der Oberleitung beauftragte Schreinermeister. Der Aufbau des Ganzen ist von großem architekton. Reiz. Im einzelnen besteht der plastische Schmuck in Büsten auf den Stuhlwangen u. an den Rückwänden, welche hist. Repräsentanten der Heilserkenntnis darstellen: Weise Männer u. Frauen des Altertums, 7 Sibyllen, Propheten u. Prophetinnen; Apostel u. Märtyrer. In der Kunst dieser realistisch gesehenen, scharf charakterisierten Köpfe setzt sich die Art des Konstanzer Gestühls fort, das unter dem Namen von Niklaus→Gerhaert v. Leiden geht; heute wird vielfach den. als Meister: Michel Erhart, ein Mitarbeiter S.s. Der Werkstattbetrieb setzte sich fort unter *Jörg Syrlin d. J.*, um 1455–1521.
Weitere Werke: *Schrein des Hochaltars des Ulmer Münsters* (im Bildersturm zerstört). *Christoffelbrunnen* u. sog. *Fischkasten* (Brunnen), 1482, Ulm (Original heute im Mus.). *Evangelistenpult*, 1458, u. a. in Ulm, Mus. Lit.: Grill, 1910. J. Baum, *Ulmer Plastik um 1500*, 1911. Ders. in: Th.-B. 1938. G. Otto, *Ulmer Plastik der Spätgotik*, 1927. Pinder, *Dt. Plastik vom ausgeh. M. A. bis zum Ende der Renais.*, 1928. W. Vöge, Art. «*Meister der Ulmer Weisen u. Sibyllen*» in: Th.-B. 1950. F. Baumgart, *Gesch. d. abendländ. Plastik*, 1957.

Szinyei-Merse, Pál, ungar. Maler, Szinye-Ujfalu 1845–1920 Jernye, Schüler von → Diez u. → Piloty in München, gefördert von → Leibl, G. v. → Max, Vict. → Müller, u. → Böcklin, unter dessen Einfluß er Landschaftsbilder mit mythol. Figuren malte; später wandte er sich der Freilichtmalerei zu, deren eifrigster Vorkämpfer in Ungarn er war. Lit.: B. Lazar, 1911. S. Meller, 1935. E. Kallai, *Neuere Malerei in Ungarn*, 1925.

Tacca, Pietro, ital. Bronzegießer u. Bildhauer, Carrara 1577–1640 bei Florenz, führender florent. Bildhauer des Frühbarock, Schüler des Giovanni da → Bologna, 1609 als Nachfolger Bolognas zum großherzoglichen Hofbildhauer ernannt. Hauptwerke: *I quattro mori* (Die 4 Sklaven) am Sockel der von Giovanni → Bandini gemeißelten Marmorstatue Ferdinands I. in Livorno, 1620–23. *2 Bronzebrunnen* auf Piazza dell'Annunziata in Florenz, mit phantast. Meeresungeheuern, 1627. *Reiterstatue Philipps IV.*, Madrid, Plaza de Oriente, 1636–40.
Lit.: E. Levy, 1928. A. Venturi X, 3, 1937. A. E. Brinckmann, *Barockskulptur* (Handb. der K. W.), 1920.

Taccone, Paolo, gen. *Paolo Romano*, ital. Bildhauer des 15. Jh., † 1477 Rom, wo seit 1451 nachweisbar, schuf 1463–64 die *Kolossalstatue des Paulus* für St. Peter, heute auf dem Ponte Sant' Angelo; in einem nüchternen, von der römischen Antike bestimmten Stil. Weitere Werke: *Kolossalstatuen des Petrus u. des Paulus* am Eingang zur Sakristei von St. Peter; *Statue des Hl. Andreas* (1463), rechts vor Ponte Molle; weitere kirchliche Werke, Grabmonumente u. a. (Zuschreibungen).
Lit.: A. Venturi 6, 1908.

Tachisten, Tachismus, Bezeichnung für eine Richtung der modernen Kunst, die heute noch recht schlagwortartig u. unpräzis gebraucht wird; zuerst wurde eine Gruppe von Malern so genannt, die sich nach dem 2. Weltkrieg in Paris um → Wols (ursprüngl. Deutscher), → Pollock (Amerikaner) u. a. sammelte. Der T. beruht auf dem mehr oder weniger unbewußten Spiel mit der Farbe («psychischer Automatismus») u. dem Streben, seelische Regungen unmittelbar in Farbflecken (taches) auszudrücken. Tatsächlich ist aber der Bereich des Zufalls bei den bedeutenden Künstlern immer recht eingeschränkt; für die Mehrzahl der abstrakten Künstler ist der Ausdruck T. nicht angebracht.

Taddeo di Bartolo, ital. Maler, Siena um 1362 bis um 1422 ebda., bedeutender sienes. Meister, Nachfolger der → Lorenzetti u. Simone → Martini; in s. Schaffen vollzog sich der Übergang zum «weichen Stil», der internationalen spätgot. Stilbewegung; er schuf Fresken u. Altarwerke.
Hauptwerke: *Fresken in der Collegiata von S. Gimignano,* um 1393. *Großes mehrteiliges Altarwerk* im Dom von Montepulciano, 1401, mit Verkündigung, Krönung u. Himmelfahrt Mariä u. a. *Fresken in Pisa, S. Francesco,* 1397, mit Tod, Himmelfahrt Mariä u. a. *Anbetung der Hirten,* 1404, Siena, S. Maria dei Servi. *Kreuzigung,* Köln, Wallraf-Richartz u.

Chicago, Mus. *Altarbild in Siena, S. Carmine della Notte,* 1400. Weitere Werke in den Mus. Pisa, Neapel, Rom (Vatikan. Gal.), Grenoble, Karlsruhe, Köln, Philadelphia, Cambridge (USA), Detroit, Chicago u. a.
Lit.: F. M. Perkins, *Pitture senesi,* 1933. Ders. in: Th.-B. 1938. A. Venturi V, 1907 u. VII, 1, 1911.

Tadema, Alma → Alma-Tadema, Lawrence.

Taeuber-Arp, Sophie, schweiz. Malerin, Davos 1889–1943 Zürich, Hauptvertreterin der abstrakten Kunst, beteiligte sich neben → Arp – mit dem sie sich 1921 verheiratete – an der Dadabewegung, lebte 1927–40 in Meudon, gehörte den Künstlergruppen «Cercle et Carré» (1930) u. «Abstraction-Création» (1932 ff.) an. 1937–39 Herausgeberin der Zeitschrift «Plastique», 1941 Übersiedlung nach Grasse. T. verwandte für ihre Bilder u. Reliefs elementare geometrische Formen; sie entwarf Wandmalereien, Mosaiken, Wohnungseinrichtungen, Teppiche. Vertreten in Otterloo, Kröller-Müller-Mus.; Zürich, Kunsth.; Univ. Caracas (Wandmosaik) u. a.
Lit.: M. Seuphor, *L'Art abstrait,* 1949. Ders., *Dict. peint. abstr.,* 1957. *Ausst.-Kat. Gall. Sidney Janis,* New York 1950. G. Schmidt, 1948. *Ausst.-Kat. Bern,* 1955. Vollmer, 1958.

Taikan (Taikwan), Yokoyama, japan. Maler, 1868 bis 1958, gilt als der bedeutendste japan. Maler der Gegenwart; malte haupts. mit Tusche, vor allem Landschaften. Beisp.: *Der Gipfel des Götterlandes,* Köln, Ostasiat. Mus.
Lit.: O. Kümmel in: Th.-B. 1938. Y. Yashiro u. P. C. Swann, *Japan. Kunst,* 1958.

Takanobu, Fujiwara, japan. Maler, um 1141 bis um 1204, Schüler des → Mitsunaga, bedeutender Meister des höfischen Stils des Yamato-e, als Porträtmaler berühmt.
Lit.: O. Kümmel in: Th.-B. 1938. Y. Yashiro u. P. C. Swann, *Japan. Kunst,* 1958.

Takayoshi, Fujiwara, um 1078 bis um 1174, gilt als der eig. Schöpfer des Yamato-e-Stiles. Berühmter Bildnismaler.
Lit.: O. Kümmel in: Th.-B. 1938. Y. Yashiro u. P. C. Swann, *Japan. Kunst,* 1958.

Tal-Coat, Pierre, franz. Maler, * Clohars-Carnoët (Finistère) 1905, Vertreter der jüngeren Pariser Schule, gehörte der Gruppe «Forces nouvelles» an. Werke in New York (Mus. of mod. Art) u. Paris (Mus. d'Art mod.) u. a.
Lit.: W. Haftmann, *Malerei d. 20. Jh.,* 1954. Bénézit, 1955. M. Seuphor, *Lex. abstr. Malerei,* 1957. Vollmer, 1958.

Talenti, Francesco, ital. Arch., * um 1300, † 1369 Florenz, bedeutender florent. Baumeister, maßgeblich am Bau des Domes von Florenz u. des Campanile (voll. 1359) beteiligt. Zugeschrieben wird ihm der Bau von Or San Michele, ebda., 1336. T. hatte die Bauleitung des Domes nach Andrea → Pisano inne.
Lit.: H. Siebenhüner in: Th.-B. 1938. W. u. E. Paatz, *Kirchen v. Florenz* 6, 1954.

Tamayo, Rufino, mexikan. Maler, Lithograph u. Zeichner für Holzschnitt, * Oaxaca 1900, tätig in New York, schuf große Freskenwerke, beeinflußt vom Kubismus u. mexikan. Volkskunst: *Fresken* im Treppenhaus des Musikkonservatoriums in Mexico City, 1933; im Nat. Mus., ebda.; im Haus der Unesco in Paris, 1958 u. v. a. Vertreten u. a. in New York, Mus. of mod. Art u. Cincinnati, Mus.
Lit.: R. Cogniat, 1951. Vollmer, 1958.

Tamm, Franz Werner, dt. Maler, Hamburg 1658 bis 1724 Wien, in Rom nachweisbar 1685–95, später von Kaiser Leopold I. nach Wien berufen, wo er Hofmaler wurde; zeitweilig in Passau ansässig. T. malte anfangs Historien u. Bildnisse, spezialisierte sich aber auf Jagdstilleben u. Blumen- u. Früchtestücke in der Art der Niederländer des 17. Jh., bes. → Weenix, → Hondecoeter, Jan → Fyt u. de → Heem. Bilder in vielen Gal., u. a. Dresden, Gotha, München (Residenzmus.), Nürnberg (German. Mus.), Schleißheim, Venedig (Akad.), Wien (Akad. u. Barockmus.), Würzburg.

Tanguy, Yves, franz.-amerik. Maler, Paris 1900 bis 1955 Woodbury (Conn.), Hauptvertreter des franz. Surrealismus, dem er sich 1925 anschloß. 1939 übersiedelte er nach den USA. In vielen Gal. vertreten, u. a. in Paris, Mus. d'Art mod.; New York, Mus. of mod. Art; Buffalo, Mus.
Lit.: A. Breton, *Le surréalisme et la peinture,* 1928. J. J. Sweeney, *11 Europ. artists in America,* 1946. Vollmer, 1958.

T'ang Yin, chines. Maler, 1470–1523, gilt als einer der bedeutendsten Meister der mittleren Ming-Epoche. Er malte Landschaften, Figuren, Blumen.
Lit.: W. Speiser in: Ostasiat. Zschr. N. F. 11, 1935. O. Kümmel in: Th.-B. 1938.

Tanyu, Kano (Familienname), japan. Maler, Kioto 1602–1674 ebda., Hauptmeister der Kano-Schule, deren orthodoxen Spätstil er schuf. Von ihm stammen reichfarbige Wandbilder im Nijo-Schloß zu Kioto u. im Schloß zu Nagoya.
Lit.: O. Kümmel in: Th.-B. 1938. K. Moriya, *Japan. Mal.,* 1953.

Tapiès, Antonio, span. Maler, * Barcelona 1923, hat eine bes. Art der abstrakten Malerei inauguriert, die viele Nachfolger fand: «Das Bild sieht wie ein Mauerwerk aus u. wirkt oft wie eine Reminiszenz an verbrannte Städte. Die Farben variieren in allen Schwingungen eines trostlosen Grau, bisweilen angeräuchert durch das stumpfe Schwarz des Rußes» (W. Kern).
Lit.: M. Tapié, 1956. M. Seuphor, *Dict. peint. abstr.,* 1957. *Neue Kunst nach 1945,* hg. v. W. Grohmann, 1958. Vollmer, 1958.

Tardieu, franz. Kupferstecherfamilie, Hauptvertreter:
Nicolas-Henri, Paris 1674–1749 ebda., Schüler von → Audran, stach nach Werken von → Le Brun, → Le Sueur, → Rubens, → Coypel u. vor allem → Watteau.
Jacques-Nicolas, Paris 1716–1791 ebda., der Bildnisse, Genrebilder u. Landschaften stach.
Pierre-Alexandre, Paris 1756–1844 ebda., Neffe von Nicolas-Henri, Schüler von G. Wille, stach in klassizist. Manier nach → Raffael, → Domenichino, → David u. a.

Tassaert, Jean-Pierre-Antoine, niederl. Bildhauer, Antwerpen 1727–1788 Berlin, Schüler von → Slodtz in Paris, seit 1775 Hofbildhauer Friedrichs d. Gr., übte mit seiner Kunst einen bedeutenden Einfluß auf die Berliner Bildhauer-Schule der Folgezeit aus. Er war ein Kleinmeister, der die mythol. Genreplastik mit Anmut beherrschte. Vor allem als Lehrer bedeutend: G. → Schadow war s. Schüler.
Hauptwerke: *Marmorgruppe Venus u. Amor,* Berlin, Schloßmus. (zerstört). *Marmorstandbild des Generals v. Seydlitz,* 1781, ebda., ehem. K.-F.-Mus.; *des Generals v. Keith,* 1786, ebda. *Entwurf* (Gips) *zum Reiterdenkmal Friedrichs d. Gr.,* 1783, ebda., Akad. der Künste. Werke in Potsdam, Marmorpalais; Paris, Louvre u. a.
Lit.: H. Mackowsky, *J. G. Schadow,* 1927. Ders., 1951. R. Petras, *Berliner Plastik im 18. Jh.,* 1954. C. F. Foerster in: Th.-B. 1938.

Tassel, Richard, franz. Maler, Langres 1588 bis um 1666 ebda., bildete sich 1606–12 in Italien: in Bologna unter dem Einfluß Guido → Renis; in Rom unter dem → Caravaggios. Er schuf religiöse Bilder u. Porträts. Werke in den Mus. Langres, Dijon, Dôle, Troyes u. a.
Lit.: Ch. Sterling, *R. T. et Jean Lys* in: La Renaissance 19, 1936 (Nr. 5/6).

Tassi, Agostino, eig. A. Buonamici, ital. Maler, Perugia 1566–1644 Rom, Meister großer Dekorationen mit Scheinarchitekturen und Landschaften; auch Veduten von Häfen u. Landschaften u. a.; viell. Schüler von P. → Bril, erfuhr vielerlei Einflüsse; zeitweise Zusammenarbeit mit V. → Salimbeni in Genua u. O. → Gentileschi in Rom; Lehrer

des Cl. → Lorrain; 1612 in einen Sensationsprozeß verwickelt, weil er s. Schülerin, die minderjährige Artemisia → Gentileschi verführt hatte.
Lit.: J. Hess, 1935.

Tatlin, Wladimir E., russ. Bildhauer, * Moskau 1885, lernte den Kubismus in Paris kennen, wohl auch den Futurismus u. begründete um 1913 den russ. Konstruktivismus. Er stellte die ersten ganz abstrakten Reliefkonstruktionen aus Glas, Metall u. Holz her.
Lit.: A. Barr, *Cubism and abstr. Art*, 1936. C. Giedion-Welcker, *Plastik des 20. Jh.*, 1955. M. Seuphor, *L'Art abstrait*, 1949.

Tatti, Jacopo → Sansovino, Jacopo.

Taut, Bruno, dt. Arch., Königsberg 1880–1938 Ankara, Schüler Th. → Fischers, seit 1908 in Berlin, 1921–24 in Magdeburg, 1931–32 in Charlottenburg (Prof. der Techn. Hochschule), ging 1932 nach Moskau, seit 1933 in Japan, seit 1936 in Istanbul tätig. T. war ein Vorkämpfer des Neuen Bauens; er gewann den Baustoffen Stahl u. Glas neue künstlerische Formen ab u. war wegweisend für die Reform der Siedlungswohnungen.
Sein Bruder *Max* T., * Königsberg 1884, 1945–53 Prof. an der Hochschule für bild. Künste in Berlin, vertrat dieselben baukünstlerischen Ideen; seine Hauptwerke sind Schulen u. Bürobauten.
Lit.: G. A. Platz, *Baukunst der neuesten Zeit*, 1927. A. Behne, 1927 (Max T.). A. Kuhn, 1932 (Max T.). Vollmer, 1958.

Tchelitchew, Pawel, russ.-amerik. Maler, Illustrator, Bühnenbildner, Moskau 1898–1957 Rom, 1923ff. in Paris, während des 2. Weltkrieges in den USA. Er näherte sich in s. Kunst dem Surrealismus: Entwürfe für die Ballettgruppe Diaghilews; für den «Blauen Vogel» u. a. Im Mus. of modern Art in New York ein Ölbild (*Hide and Seek*), 7 Guaschen u. Aquarelle, 10 Zeichnungen u. 90 Ballettentwürfe. Vertreten im Metrop. Mus., ebda., in den Mus. Boston, Detroit, Philadelphia, Grenoble u. a.

Tempel, Abraham Lambertsz. van den, niederl. Maler, Leeuwarden um 1622–1672 Amsterdam, Schüler vermutlich der J. → Backer u. Joris van → Schooten, beeinflußt von Barth. van der → Helst, haupts. Bildnismaler, schuf aber auch hist. u. allegor. Gemälde. Vertreten in den Gal. Amsterdam, Berlin, Bonn, Budapest, Den Haag, Hamburg, Kassel, Leiden, Leningrad, Montpellier, Paris, Rotterdam u. a.
Lit.: Wurzbach, *Niederl. Künstlerlex.*, 1910.

Tempesta, eig. Pieter Mulier, niederl. Maler, Haarlem um 1637–1701 Mailand, nannte sich in Italien, wohin er mit ca. 30 Jahren kam, *Cavaliere Tempesta;* er schuf Landschaften u. Seestürme mit starken Lichteffekten u. hist. oder idyll. Staffage. Ferner malte er *Fresken* in einem Saal des Pal. Colonna in Rom. *Gemälde* in den Gal. Amiens, Braunschweig, Breslau, Budapest, Dresden (5 Werke), Florenz, Genua, Hannover, Innsbruck, Karlsruhe, Venedig, Weimar, Wien u. a.

Tempesta, Antonio, ital. Maler u. Kupferstecher, Florenz 1555–1630 Rom, Schüler des Jan van der Straet (Stradanus) u. des Santi di Tito, war unter → Vasari an den Malereien im Pal. Vecchio in Florenz tätig, ging jung nach Rom, wo er am Hof Gregors XIII. Beschäftigung fand, war als Freskenmaler tätig, wandte sich aber mehr u. mehr dem Kupferstich (bes. der Radierung) zu. Er schuf Folgen u. Einzelblätter von Jagd- u. Schlachtszenen; ferner religiöse Darstellungen u. Buchillustrationen. Bilder in den Gal. Augsburg, Baltimore, Bordeaux, München (Residenz), Rom (Gall. Borghese), Schleißheim, Turin u. a. Zeichnungen in Brüssel, Florenz (Uff.), Lille, London (Brit. Mus.), Stockholm (Nat. Mus.), Wien (Albertina) u. a.
Lit.: A. Bartsch, *Le Peintre-Graveur* 17, 1818. W. Weisbach, *Französ. Malerei des 17. Jh.*, 1932.

Tenerani, Pietro, ital. Bildhauer, Torano b. Carrara 1789–1869 Rom, Schüler → Canovas, beeinflußt von → Thorwaldsen, Hauptvertreter des Klassizismus, schuf religiöse Werke, Grabmäler in röm. Kirchen, Bildnisbüsten u. viele liebenswürdige Statuen u. Statuetten mythol. Figuren (am bekanntesten s. *Statuette der Psyche*, mehrere Exempl.). Hauptwerke: *Altarkruzifix* (in Silber getrieben) für die Kirche S. Stefano in Pisa, 1823. *Überlebensgroßes Standbild des Evangelisten Johannes* für die Kirche S. Francesco da Paola in Neapel, 1834. *Denkmal Bolivars* für Kolumbien, Bogotá, 1842. *Grabdenkmal Bolivars*, Caracas, 1852. *Grabmal Pius VIII.* in Rom, St. Peter, 1853–66. Weitere Werke in röm. Kirchen; Potsdam, Friedenskirche; vertreten in den Mus. Florenz (Gall. mod.), Kopenhagen, Leipzig u. a.
Lit.: Michel, *Hist. de l'art* 8, 1925. S. Vigezzi, *La scultura ital. dell' ottocento*, 1932. P. Bucarelli in: Enc. Ital. 1937.

Teniers, David, d. Ä., niederl. Maler, Antwerpen 1582–1649 ebda., war in Italien, das von → Elsheimer, später von → Rubens beeinflußt. Er malte Bilder geschichtlich-mythol. Inhalts, Landschaften u. Genrebilder; nur wenige Bilder sicher nachweisbar; viele Zuschreibungen werden heute abgelehnt.
Lit.: Z. v. M. in: Th.-B. 1938.

Teniers, David, d. J., niederl. Maler, Antwerpen 1610–1690 Brüssel, Hauptmeister des niederl. Genrebildes, Schüler s. Vaters David → T. d. Ä., tätig in Antwerpen, von 1651 an in Brüssel, wo er zum Hofmaler des Erzherzogs Leopold Wilhelm, des Statthalters der Niederlande, ernannt worden war. 1663 gründete er die dortige Akad. In s. Kunst stand T. seit den 30er Jahren stark unter dem Einfluß von → Brower, der damals nach Antwerpen kam; es entstanden vor allem die Bauernschenkstubenszenen mit Trinkern, Rauchern, Kartenspielern, die Volksfeste usw. Später hatte → Rubens einen gewissen Einfluß auf s. Kunst. Thematisch kommen hinzu: Soldatenwachtstuben, Alchimistenküchen, Versuchungen des hl. Antonius, bibl. ausgeschmückte Genreszenen u. Landschaften. Zuletzt auch Bilder aus dem höfischen Leben.

Das Werk T.s ist sehr umfangreich, er ist in fast allen größeren Gal. vertreten, sehr gut in Madrid, Leningrad, Paris, Berlin, München u. Wien; ferner Brüssel, Amsterdam. Beisp.: *Bauernfest am Wirtshaus*, 1637, Madrid, Prado. *Die Wachtstube*, 1641, Amsterdam, Rijksmus. *Versuchung des hl. Antonius*, 1647, Berlin, staatl. Mus. *Der Erzherzog auf dem Vogelschießen in Brüssel*, 1652, Wien, Kunsthist. Mus. *Selbstbildnis*, 1680, München, A. P. *Der verlorene Sohn*, 1644, Paris, Louvre.
Lit.: A. Rosenberg, [3]1901. R. Peyre, 1911 (franz.). G. Eekhoud, 1926 (holl.). L. Bocquet, 1924. R. Oldenbourg, *Fläm. Malerei im 17. Jh.*, 1918. Z. v. M. in: Th.-B. 1938.

Terborch (ter Borch), Gerard, niederl. Maler, Zwolle 1617–1681 Deventer, Hauptmeister des holl. Genrebildes, Schüler s. Vaters Gerard T. d. Ä. (1584–1662) u. des P. de → Molijn in Haarlem, war bes. beliebt für s. Genrebilder, in denen er Damen u. Herren der vornehmen bürgerlichen Gesellschaft zu zweit oder dritt in abgemessenen Bewegungen u. gewählter Kleidung in der Unterhaltung oder beim Musizieren vorführt. Raum u. Figuren in verhaltenen Farben, das Stoffliche der Kleider (Seide u. Atlas) in unübertrefflicher Weise charakterisiert. Die besten niederl. Genremaler wie → Metsu, van → Steen, → Hooch, → Vermeer sind ihm verpflichtet. Ferner schuf T. Soldatenstücke, Porträts, Einzelfiguren. Gut vertreten in Amsterdam, Rijksmus.; Den Haag, Mauritshuis; London, Nat. Gall.; Dresden, Gal.; Berlin, staatl. Mus. München, A. P.; ferner Kassel, Frankfurt, Wien, Paris.
Hauptwerke: *Der Friedenskongreß zu Münster*, 1648, London, Nat. Gall. *Die Musikstunde*, ebda; *Herrenbildnis*, ebda. *Der Brief*, ebda., Buckingham Pal. *Selbstbildnis*, Den Haag, Mauritshuis; *Die väterliche Ermahnung*, Amsterdam, Rijksmus. u. Berlin, staatl. Mus. *Junges Paar beim Wein*, ebda. *Das Konzert*, ebda. *Der briefschreibende Offizier*, Dresden, Gal. *Der Knabe mit dem Hund*, München, A. P. *Trictracspieler*, Bremen, Kunsth. *Die Depesche*, 1655, Den Haag, Mauritshuis. *Leseunterricht*, Paris, Louvre.
Lit.: E. Michel, 1887. A. Rosenberg, *T. u. Jan*

Steen, 1897. F. Hellens, 1911. C. Hofstede de Groot, *Beschreib. u. krit. Verz.* 5, 1912. E. Plietzsch, 1944. S. J. Gudlaugsson, 1959–60.

Terbrugghen (ter Brugghen), Hendrick, niederl. Maler, Deventer 1588–1629 Utrecht, neben → Honthorst u. → Baburen der bedeutendste Meister der Utrechter Schule, lernte bei A. → Bloemaert, soll in der Folge in Italien gewesen sein (angeblich 1604–14), wo er den Einfluß → Caravaggios erfuhr. Er schuf vor allem genrehafte Halbfigurenstücke in der Art Honthorsts u. Baburens, von denen ihn s. ausgesprochene Vorliebe für sehr helle, ins Silbrige gebrochene Töne unterscheidet.
Werke: *Berufung des Matthäus*, 1621, Utrecht, Mus. *Der Flötenspieler*, 1621, Kassel, Gal. *Konzert*, Rom, Gall. Borghese. *Tricktrack-Spieler*, Utrecht, Gal. *Lachendes Mädchen*, ebda. Weitere Werke in Deventer (Rathaus), Augsburg, Gotha, Basel, Schwerin, Kopenhagen u. a.
Lit.: E. W. Moes in: Th.-B. 1911 (Brugghen). H. Voss, *Malerei des Barock in Rom*, 1924. B. Nicolson, 1959.

Terechkovitch, Konstantin, russ.-franz. Maler u. Lithograph, * Nähe von Moskau 1902, seit 1920 in Paris, wo er mit → Soutine zusammentraf. Naturalisierter Franzose. Schuf Bildnisse, Figürliches, Stilleben, Landschaften.
Lit.: F. Fels, o. J. Bénézit, 1955. Vollmer, 1958.

Ternite, Wilhelm, dt. Maler, Neustrelitz 1786–1871 Potsdam, Schüler von → Gros in Paris, 1823–26 in Italien, seitdem als Hofporträtist in Berlin u. Potsdam; zeichnete die Königin Luise auf dem Totenbett in Pastell u. malte mehrere Bildnisse der Königin nach älteren Gemälden. Werke: *Bildnis der Königin Luise*, 1810, Berlin, Schloß Monbijou. Werke in Potsdam, Neues Pal.; Schwerin, Mus.; Neustrelitz, Mus.; Schloß Charlottenburg u. a.
Lit.: Pauli, *Kunst des Klassizism. u. der Romantik* (Prop. K. G.), 1925. K. Gläser, *Das Bildnis im Berliner Biedermeier*, 1932.

Tessenow, Heinrich, dt. Arch., Rostock 1876–1950 Berlin, Pionier des «Neuen Bauens», der Sachlichkeit, Klarheit, Schlichtheit bei edlen Verhältnissen, Eindämmung aller eklektischen Anwandlungen forderte. Auf dem Gebiet der Möbelformen ist s. Stil bedeutungsvoll geworden; auch als Lehrer u. Theoretiker von gr. Einfluß.
Bauten: *Tanzschule Jaques-Dalcroze* (Festspielhaus für rhythm. Gymnastik), Hellerau b. Dresden, 1910 bis 1913. *Innenraumgestaltung von Schinkels Neuer Wache* in Berlin, 1930–31, als Ehrenmal für die im 1. Weltkrieg Gefallenen. Weitere Werke: *Gartenstadt Hellerau*; *Hopfengarten* b. Magdeburg. *Landesschule Klotzsche* b. Dresden, 1925–26. *Lyzeum Kassel*,

1927–30. T. schrieb: «Der Wohnbau», 1909. «Vom Hausbau u. dergleichen», ⁴1953. «Handwerk u. Kleinstadt», 1919.

Lit.: G. A. Platz, *Baukunst der neuesten Zeit*, 1927.

Tessin, Nikodemus v., d. Ä., schwed. Arch., Stralsund 1615–1681 Stockholm, seit 1639 in Schweden, seit 1676 Hofarch., Hauptmeister des Übergangsstils von der Renaissance zum Barock in Schweden. Hauptwerk *Schloß Drottningholm* b. Stockholm, 1662–86. Weitere Bauten in Stockholm: *Pal. Bonde* u. die frühere *Reichsbank*, ferner schwed. Herrensitze.

Tessin, Nikodemus, d. J., schwed. Arch., Nyköping 1654–1728 Stockholm, Sohn von Nikod. d. Ä., bildete sich in Italien (Schüler → Berninis u. → Fontanas in Rom), Frankreich u. England, Hauptmeister des schwed. Barock, schloß sich dem röm. Hochbarock an, in der Innenraumkunst vor allem dem franz. Stil. Hauptwerk: *Schloß in Stockholm*, 1697ff.; weitere Bauten: *Schloß Steninge; Haus des Künstlers* in Stockholm, 1696–1700; Pläne für Amalienburg b. Kopenhagen; für den Neubau des Louvre in Paris.

Lit.: H. Rose, *T.s Stockholmer Schloß* in: Festschrift f. H. Wölfflin, 1924. R. Josephson, 1930–31.

Thaulow, Frits (Johan Fredrik), norweg. Maler, Kristiania (Oslo) 1847–1906 Volendam (Holland), studierte 1873–74 an der Akad. Karlsruhe unter H. → Gude, weitergebildet in Paris. T. ist Landschafter, der Freilichtbilder unter dem Einfluß der Franzosen schuf; in der Folge ging er mehr u. mehr zur Ateliermalerei über. Mit Vorliebe malte er in virtuoser impressionist. Technik Dämmer-, Regen-, Schnee- u. Nachtstimmungen. Gut vertreten in Oslo, Stockholm, Kopenhagen; ferner in vielen Gal., u. a. Bergen, Berlin, Bordeaux, Boston, Brüssel, Buffalo, Chicago, Göteborg, Hamburg, Leipzig, München, Paris, Pittsburgh, S. Francisco, Venedig.

Theoderich v. Prag, böhmischer Meister des 14. Jh., erwähnt 1359–1380, Hauptmeister der böhm. Malerschule, von unbekannter Herkunft, gehörte zu den von Kaiser Karl IV. nach Prag berufenen Künstlern. Sein Hauptwerk sind die *Malereien der Kreuzkapelle* (geweiht 1365) der Burg Karlstein: Kreuzigung u. Schmerzensmann; Brustbilder von Heiligen u. Propheten; Fresken in den Fensterlaibungen (diese wohl von anderer Hand). Die künstlerische Herkunft einerseits vom Meister von → Hohenfurth; im Unterschied zu diesem geht s. Kunst aufs Großformige, Schwere, Massige. Die stärkste Verwandtschaft zeigt sich mit → Tomaso da Modena; vielleicht war T. in Italien oder Tomaso in Böhmen.

Lit.: J. Neuwirth, *Mittelalterl. Wandgemälde u. Tafelbilder der Burg Karlstein*, 1896. A. Stange, *Dt. Malerei der Gotik* 2, 1936. K. Oettinger in: Th.-B. 1938. A. Matejcek, *Got. Malerei in Böhmen*, 1939.

Theotocopuli, Domenico → Greco, el.

Thiele, Alexander, dt. Maler, Erfurt 1685–1752 Dresden, vermutlich Schüler des L. → Agricola, weitergebildet bei → Manyoki in Dresden, seit 1738 Hofmaler Augusts III., malte große Landschaftsprospekte, oft mit Darstellungen fürstlicher Jagden oder von Festen. In s. Landschaftsstil knüpft er an die Holländer des 17. Jh. an. Beisp.: *Landschaft am Kyffhäuser*, 1748, Dresden, Gal. Vertreten u. a. in Aschaffenburg, Bamberg (Residenz), Dresden, Göttingen, Gotha, Hamburg, Magdeburg, München.

Lit.: M. Stübel, 1914. G. Biermann, *Dt. Barock u. Rokoko*, 1914.

Thielen, Jan Philip van, niederl. Maler, Mecheln 1618–1667 ebda., malte Blumenstücke in der Art seines Lehrers D. → Seghers; vertreten u. a. in den Mus. Amsterdam, Antwerpen, Brüssel, Douai, Florenz (Uff.), Grenoble, Lille, Lissabon, Madrid, Mailand, Nantes, Schleißheim, Wien, Würzburg.

Lit.: Wurzbach, *Niederl. Künstlerlex.*, 1910. Z. v. M. in: Th.-B. 1939.

Thieler, Fred, dt. Maler u. Graphiker, * Königsberg 1916, Schüler von C. → Caspar, 1951–52 Mitglied der Gruppe «Zen», Vertreter der eruptiven, nichtfigürlichen Malerei (Tachisten).

Lit.: Vollmer, 1955. M. Seuphor, *Knaurs Lex. abstr. Mal.*, 1957. *Neue Kunst nach 1945*, hg. v. W. Grohmann.

Thiemann, Carl Theodor, dt. Graphiker u. Maler, * Karlsbad 1881, Schüler der Prager Akad., seit 1908 in Dachau tätig, gehört zu den Pionieren des mod. Farbenholzschnittes; beeinflußt vom jap. Farbholzschnitt; gehört in vielen s. Werke dem Jugendstil an.

Thiersch, August, dt. Arch., Marburg 1843–1917 Zürich, Schüler von → Neureuther, Prof. an der T. H. München, war haupts. bedeutender Archäologe u. Bautheoretiker («Proportion in der antiken Baukunst» in: J. Durm, Hb. d. Architekt., ³1904). Als Arch. gehörte er dem historisierendem Stil des 19. Jh. an; er baute die an florentin. Frührenaiss.-Vorbilder sich anschließende *St. Ursula-Kirche* in München-Pasing; ferner: *Apostol. Kirche* in Zürich.

Thiersch, Friedrich v., dt. Arch., Marburg (Lahn) 1852–1921 München, Vertreter des historisierenden Stils, der in s. Hauptwerk, dem *Justizpalast München*,

1887–97, an süddt. Barockmeister anknüpfte u. eigene Baugedanken entwickelte. Hauptbeispiel s. modernen zeitgerechten Konstruktionen ist die *Festhalle Frankfurt*, 1906–09. *Kurhaus Wiesbaden*, 1904–07. *Erneuerungsbauten der Techn. Hochschule München*, 1908–18. Kirchen in got. u. barocken Stilformen u. v. a.
Lit.: H. Thiersch, 1925 (m. Bibliogr.). G. A. Platz, *Baukunst d. neuesten Zeit*, 1927.

Thiersch, Ludwig, dt. Maler, München 1825–1909 ebda., Schüler von H. → Hess u. J. → Schnorr v. Carolsfeld, malte kirchliche Fresken u. Altarbilder in einem an die → Nazarener anschließenden Stil. Werke u. v. a. in Karlsruhe, Griech. Kirche; London, Griech. Kirche; München, Markuskirche u. Kapelle des Nördl. Friedhofes sowie im Justizpalast, ebda.; in Kirchen von Wien, Athen, Paris u. a.

Thöny, Eduard, dt.-österr. Zeichner u. Maler, Brixen 1866–1950 Holzhausen (Ammersee), Schüler von → Löfftz u. → Defregger in München, seit 1897 Mitarbeiter des «Simplizissimus» ebda., schilderte in s. Zeichnungen Gestalten der eleganten Gesellschaft, bes. Offiziere, ferner des bayer. Bauerntums in derb humorist. Weise u. a. in einer dem Jugendstil verpflichteten Art.

Thöny, Wilhelm, dt.-österr. Maler u. Graphiker, Graz 1888–1949 New York, Schüler von Hackl u. A. → Jank, Mitbegründer der Neuen Sezession in München, schuf Landschaften, Figürliches, Bildnisse; als Radierer Buchillustrationen. Werke in den Mus. Graz, München, Paris, Prag, Detroit, Philadelphia, New York (Metrop. Mus.) u. a.
Lit.: P. Fierens, 1934. B. Grimschitz, 1950. Vollmer, 1958.

Thoma, Hans, dt. Maler, Bernau 1839–1924 Karlsruhe, der volkstümlichste dt. Meister s. Generation, 1859–65 Schüler von → Schirmer in Karlsruhe, 1868 mit → Scholderer in Paris, lernte durch ihn → Courbet kennen, war einige Jahre in München tätig, von 1876 an in Frankfurt a. M., ab 1899 in Karlsruhe, das. 1899–1919 Prof. der Akad. In s. Kunst ging Th. von einem starken, von Courbet beeinflußten Realismus aus, unterstand aber auch der Kunst der Neuromantiker → Böcklin, → Feuerbach, → Marées. In gewissem Sinne führte Th. die Kunst der Romantiker (etwa → Schwinds) fort. Er schuf Bedeutendes in fast allen Gattungen. Besonders hervorragend: seine Landschaften u. Lithographien mit im besten Sinne volkstümlichen Stoffen.
Hauptwerke: Landschaften: *Schwarzwaldlandschaft*, 1867, Bremen, Kunsth. *Rheinfall bei Schaffhausen*, 1876, ebda. *Der Rhein bei Laufenburg*, 1883, Frankfurt, Städel. *Berge von Carrara*, 1886, ebda. *Schwarzwaldlandschaft*, 1872, Berlin, ehem. Nat. Gal. *Der*

Rhein bei Säckingen, 1873, ebda. *Taunuslandschaft*, 1890, München, Neue Staatsgal. Porträts: *Selbstbildnis*, 1899, Frankfurt, Städel. *Die Gattin als Giardiniera*, 1881, Karlsruhe, Kunsth. *Selbstbildnis mit Gattin*, 1887, Hamburg, Kunsth. Weitere Werke: *Die Quelle*, 1895, Frankfurt, Städel. *Der Hüter des Tales*, 1893, Dresden, Gal. *Frühlingsidylle*, 1871, Dresden, Gal. *Sommerglück*, 1903, Köln, Wallraf-Richartz-Mus. Bekannte Lithographien: *Märchenerzählerin; Bildnis eines Bauern*, 1893; *Der Frühling*, 1894; *Der Mondscheingeiger; Selbstbildnis*.
Lit.: H. Thode, 1899. Ders., *Gemälde*, hg., 1900–10 u. 1909 (Klass. der Kunst). F. Servaes, 1900. A. v. Schneider, *Zeichn.*, 1932. H. E. Busse, 1936; [3]1939. Ders., *Sein Leben in Selbstzeugnissen*, 1942.

Thomas, Grosvenor, engl. Maler, Sydney (Australien) 1856–1923 London, tätig in Glasgow. Landschafter, bevorzugte die schlichten Stimmungsmotive der Londoner Umgebung; Vorliebe für Darstellung von Wald, Feld, stillen Kanälen, verträumten Weihern bei Morgen- oder Abenddämmerung; beeinflußt von den Meistern von → Barbizon (→ Corot, → Daubigny); gehörte der Malerschule von Glasgow an.

Thomire, Pierre Philippe, franz. Bronzearbeiter und Ziseleur, Paris 1751–1843 ebda., Schüler von → Pajou und → Houdon, verfertigte ab ca. 1800 kunstgewerbliche Gegenstände nach eigenen Entwürfen u. nach solchen von → Fontaine u. → Percier: Tafelaufsätze, Kandelaber, Vasen, Uhrgehäuse u. a. im Empirestil. Vertreten u. a. in: Paris (Louvre), London (Wallace Coll.), New York (Metrop. Mus.), Stockholm, Zürich (Landesmus.).

Thorak, Josef, österr. Bildhauer, Salzburg 1889 bis 1952 Hartmannsberg b. Rosenheim, 1937 Prof. der Akad. München, begann mit von → Rodin beeinflußten Bildnissen u. Wachsplastiken, strebte später nach Monumentalität u. geriet als der repräsentative Künstler der Nationalsozialisten in ein leeres Pathos. Die meisten s. Monumentalbauten (große Kriegerdenkmäler u. a.) heute vernichtet.
Lit.: W. v. Bode, 1929. A. Hentzen, *Dt. Bildh. der Gegenw.*, 1934. Vollmer, 1958.

Thornhill, James, engl. Maler, Melcombe Regis 1676–1723 Weymouth, Schüler von Th. Highmore in London, beeinflußt von ital.-franz. Barockkunst (→ Veronese, den → Carracci, → Poussin, → Le Brun), Hofmaler unter Königin Anna, Georg I. u. Georg II., zu s. Zeit als Schöpfer monumentaler Fresken berühmt. Hauptwerke: Kuppelfresken grau in grau: *Szenen aus dem Leben des hl. Paulus*, London, St. Paulskathedrale. *Deckengemälde der großen Halle im Hospital* zu Greenwich, 1707–27. Dekorative

Arbeiten im Schloß Blenheim; in Hampton Court u. a. Vertreten in London, Nat. Gall. u. Victoria u. Albert Mus.

Thorn-Prikker, Jan, holl. Maler, Den Haag 1868 bis 1932 Köln, Schüler der Akad. im Haag, lehrte seit 1904 an dt. Kunstschulen (Krefeld, Hagen, München, Düsseldorf, Köln), schuf monumentale Wandbilder, Mosaiken, Gobelins; insbesondere Glasmalereien. Aus jugendstilhaften Anfängen entwickelte sich s. ihm eigene monumentale Kunst, derentwegen er als Erneuerer der religiösen Kunst gilt; vom Expressionismus beeinflußt.
Werke: *Kain u. Abel,* Freskokarton, 1909, Essen, Folkwang; *Glasfenster im Bahnhof zu Hagen,* 1910; in *Neuss, Dreikönigenkirche; Offenbach, Erbauungshalle,* 1920; vertreten in den Mus. Krefeld, Magdeburg, **Köln** (Kunstgew. Mus.), Rotterdam, Düsseldorf u. a.
Lit.: A. Hoff, 1924. Ders., *T. u. die neuere Glasmalerei,* 1925. M. Creutz, 1925. W. Grohmann in: Th.-B. 1939.

Thornycroft, Hamo, engl. Bildhauer, London 1850 bis 1926 ebda., schuf vielerlei Standbilder, Denkmäler, Einzelfiguren u. Gruppen; in s. Stil von der franz. Kunst (→ Carpeaux, → Dalou, u. a.) beeinflußt.
Hauptwerke: Standbilder in London: *General Gordon,* 1888; *Cromwell,* 1899; *Königin Viktoria, Gladstone,* 1905. Denkmäler der *Königin Viktoria* u. *König Eduards* in Karachi, 1915. Figur des *Bischofs Creighton* in der Paulskirche, London; *Der Mäher,* Liverpool, Gal.; *Bogenschütze Teucer,* London, Tate-Gall.; *Marmorgruppe Der Kuß,* 1916, ebda.

Thorwaldsen, Bertel, dän. Bildhauer, Kopenhagen 1768-1844 ebda., Hauptmeister des Hochklassizismus, Schüler von → Abildgaard, 1797-1838 in Rom, dann in Kopenhagen tätig. Neben → Canova der größte Bildhauer des Klassizismus. Beiden schwebte als Stilideal vor, die Skulptur den ästhetischen Gesetzen der Antike, wie etwa Winckelmann sie auffaßte, zu unterstellen. Doch während Canova von der sinnenstarken Rokokokunst herkam, war T. vom bürgerlich-romant. Sehnsuchtsbild der Antike erfüllt: ein ethisch-ästhet. Vollkommenheitsideal; ein kühles Ideal, welches sich vor allem in der Umrißlinie ausspricht. Der Hauptanreger T.s war → Carstens. Sein Interesse galt vor allem der feinen, zarten Relieflinie; auch seine Freiplastik war reliefmäßig konzipiert. T. traf mit s. Kunst durchaus den Geschmack s. Zeit; er wurde als der größte Meister der Epoche anerkannt; s. Einfluß war überaus groß. Von fast allen Werken wurden mehrere Exemplare hergestellt; zahlreiche Gehilfen mußten an der Ausführung mitwirken. Noch zu s. Lebzeiten Bau des T.-Mus. in Kopenhagen (von → Bindesböll beg. 1839), das über 120 Originale T.s beherbergt u. sämtliche Werke in Nachbildungen.

Hauptwerke: berühmte Reliefs: *Entführung der Briseis,* 1803-05 (T.-Mus.); *Tanz der Musen auf dem Helikon,* 1804; *Taufe Christi,* 1805, Kopenhagen, Glypt. *Fries des Alexanderzuges* für den Quirinalpalast (heute dort Gipsmodell; Original in der Villa Carlotta am Comersee). Rundbilder: *Nacht* u. *Morgen,* 1814-15, in unzähligen Nachbildungen verbreitet. *Gruppe der 3 Grazien,* nach 1800, T.-Mus. Rundplastiken: Überlebensgroße Figur des *Jason,* 1802/03, T.-Mus., in welcher er zum 1. Male sein Stilideal darstellte; *Bacchus,* ebda.; *Apollo, Hirtenknabe,* 1817, ebda. *Der sterbende Löwe* (Denkmal der Schweizergarde), 1821, Luzern, nach T.s Modell aus der Felswand gehauen; *Grabdenkmal Pius VII.,* 1831, Rom, Peterskirche. *Schillerdenkmal* in Stuttgart, 1839. Religiöse Werke: *Ausschmückung der Frauenkirche* in Kopenhagen mit Reliefs u. Standbildern, darunter: *Christus,* 1819. In T.s späten Werken kommt ein Wandel der Stilauffassung zum mittelalterlich-romant. Stilideal zur Geltung: *Grabstatue Konradins von Hohenstaufen* für S. Maria del Carmine, Neapel, 1836 (enthüllt 1847). Weitere Werke: *Kopernikusdenkmal* für Warschau; *Poniatowskidenkmal* für Krakau; Reiterdenkmal *Kurfürst Maximilians* für München; *Merkur als Argustöter,* 1818; *Adonis,* 1831, München, Glypt. u. v. a.
Lit.: J. M. Thiele, 1852-56. Rosenberg, [2]1901. Oppermann, 1927-30 (dän.). P. O. Rave, 1942.

Thouret, Nicolaus Friedrich von, dt. Arch. u. Maler, Ludwigsburg 1767-1845 Stuttgart, Vertreter des Klassizismus, war als Maler ausgebildet, Schüler von → Regnault in Paris, war um 1792 in Rom, wo er von → Weinbrenner zum Studium der Architektur angeregt wurde; 1797 lernte er Goethe kennen, durch dessen Vermittlung er zeitweilig am Weimarer Schloßbau tätig war. Werke: wesentlicher Anteil am *Schloßbau in Weimar;* Letzter Ausbau u. Vollendung der Einrichtung des *Stuttgarter Schlosses.* Aus- u. Umbauten von württemb. Schlößchen: *Monrepos,* 1804; *Favorite; Freudenthal,* u. a.; *Thermenbau* in Wildbad, 1839-47.
Lit.: P. Faerber, 1948.

Thulden, Theodor van, niederl. Maler, Herzogenbusch 1606-1669 ebda., Schüler von → Rubens, tätig in Antwerpen, Paris, Den Haag, Herzogenbusch, malte Bilder allegor., mythol. u. religiösen Inhalts; auch einige Genredarstellungen, Zeichnungen u. Graphik (ca. 140 Radierungen u. Stiche nach eigenen u. fremden Vorlagen); beeinflußt von Rubens, aber eine markante u. selbständige Künstlerpersönlichkeit.
Hauptwerke: *Martyrium des hl. Hadrian,* Gent, St. Michael. *Die Niederlande huldigen der Madonna,* 1654, Wien, Kunsthist. Mus. *Rückkehr des Friedens,* 1655, ebda. *Entwürfe zu Glasfenstern* der Kirche Ste-Gudule, Brüssel, 1656. *Ländliches Fest,* Brüssel, Mus.

Triumph der Galatea, Berlin, ehem K.-F.-Mus. Vertreten in den Mus. Antwerpen, Berlin, Brüssel, Dessau, Herzogenbusch, Leningrad, Nancy, Pommersfelden, Wien u. a.
Lit.: Wurzbach, *Niederl. Künstlerlex.*, 1910. R. Oldenbourg, *Fläm. Mal. des 17. Jh.*, 1918. H. Schneider in: Th.-B. 1939.

Thumb, österr.-dt. Künstler, bes. Arch.-Familie des 17.–18. Jh., aus dem Bregenzerwald. Ihre wichtigsten Glieder sind Hauptmeister der sog. «Vorarlberger Bauschule», die viele barocke Kirchenbauten in Bayern, Schwaben, Elsaß u. der Schweiz aufführten. Bezeichnend für ihre Kirchenanlagen sind: tonnengewölbtes Langhaus; Emporen über den Seitenschiffen; tiefer, von Kapellen u. Emporen begleiteter Chor. Charakterist. ist auch die feine Stuckdekoration.
Die Brüder *Michael*, † Bezau 1690, u. *Christian*, † Au 1726, errichteten als Hauptbauten gemeinsam: die *Wallfahrtskirche auf dem Schönenberg* b. Ellwangen, 1682/83; die *Klosterkirche Obermarchtal* an der oberen Donau, beg. 1686, von Christian voll.; die *Schloßkirche Friedrichshafen* (ehem. Probstei Hofen), 1695 bis 1700, von Christian T. Weitere Bauten: *Chorherrenstiftskirche Wettenhausen* in Bayrisch-Schwaben, 1670–83; *Zisterzienserinnenkirche Rottenmünster*, 1662 von Michael T. erbaut.
Peter T., Bezau 1681–1766 Konstanz, Sohn von Michael T., bedeutender Kirchenbaumeister des Spätbarock im dt. Südwesten, im Elsaß u. in der Schweiz, erbaute: *Kirche u. Kloster Ebersmünster* im Elsaß, 1727; *Kloster St. Peter* im Schwarzwald, voll. 1757; dort reich dekorierter Bibliothekssaal, 1758 bis 1761. *Wallfahrtskirche Neubirnau* am Bodensee, 1746–49. *Klosterkirche St. Gallen*, 1755–66 (neben Joh. Michael Beer u. → Moosbrugger) u. v. a.
Lit.: R. Werneburg, *Peter T. u. s. Familie* in: Studien zur dt. Kunstgesch. 182, 1916. Hauttmann, *Gesch. der kirchl. Baukunst in Bayern, Schwaben u. Franken*, 1921. H. Ginter, *Barock in Südbaden*, 1924. Ders., *Birnau* (dt. Kunstf. 22) 1928. Ders. in: Th.-B. 1939. L. Birchler, *Stiftskirche u. Stift St. Gallen*, 1930. J. Hoffmann, *Süddt. Kirchenbau im Ausg. des Barock*, 1938. H. Landolt, *Schweizer Barockkirchen*, 1948 (für St. Gallen). M. Wackernagel, *Baukunst des 17. u. 18. Jh.* (Handb. der K. W.), 1932.

Tiarini, Alessandro, ital. Maler, Bologna 1577–1668 ebda., Schüler von Prospero → Fontana, beeinflußt von → Veronese, vor allem von den → Carracci, → Domenichino, Guido → Reni u. → Caravaggio. Er schuf haupts. religiöse Werke für Kirchen in Bologna; gut vertreten auch in der Pinak., ebda. (*Grablegung Christi*, 1617), in den Mus. Cremona, Mailand (Brera), Florenz (Pitti), Faenza, Modena u. a.; in den Kirchen S. Alessandro in Parma (Kuppelfresken u. a.), Madonna della Ghiara in Reggio Emilia u. a.
Lit.: N. Pevsner, *Barockmalerei in Italien* (Handb. der K. W.), 1928. H. Bodmer in: Th.-B. 1939.

Tibaldi, Pellegrino (auch Pellegrino de' Pellegrini gen.), ital. Maler, Bildhauer u. Arch., Puria 1527 bis 1596 Mailand, bildete sich nach Bologneser Anfängen als Maler in Rom im Kreise der → Michelangelo-Schule, beeinflußt vor allem von Daniele da → Volterra. Er entfaltete sodann eine reiche Tätigkeit in Bologna, zugleich auch als Baumeister (beeinflußt von → Vignola). 1561 Stadt-, 1567 Dombaumeister in Mailand; entwickelte sich zum bedeutendsten Arch. seiner Zeit in Italien (Spätrenaissance, Frühmanierismus). 1586 von Philipp II. als Bauintendant an den Escorial berufen, entfaltete er dort eine reiche Tätigkeit als Maler, Baumeister u. Bildhauer. Kurz vor seinem Lebensende kehrte er nach Mailand zurück.
Hauptwerke in Bologna als Maler: *Deckenfresken im Pal. Poggi* (der heutigen Univ.) mit Darstellungen aus der Odyssee, nach 1560. *Fresken in der Kapelle Poggi* in S. Giacomo Maggiore, 1562. Als Arch.: *Poggi-Kapelle* in S. Giacomo Maggiore u. *Fassade der Universität* (Pal. Poggi), 1560. Hauptwerke in Ancona: plastischer u. malerischer Schmuck des großen Saales der *Loggia dei Mercanti*, 1558–61. Hauptwerk in Pavia: *Collegio Borromeo*, seit 1564: der für Oberitalien maßgebende Typus des Palastbaues. Hauptwerke in Mailand (das. als Arch. u. Bildhauer): die Kirchen *S. Fedele*, seit 1569; *S. Sebastiano*, seit 1576; der vordere *Hallenhof des Erzbischöflichen Palastes*, seit 1570. Am Dom: *Entwurf zur Fassade;* Anlage der *Krypta* u. des *Baptisteriums;* Entwürfe für die *Marmorschranken* u. das *Tabernakel* des Hochaltars, 1568; für *Chorgestühl* u. *Marmorbelag*. Ferner *S. Gaudenzio* in Novara, 1577; *Domtürme* in Monza u. Pavia. Hauptwerke in Spanien: *46 große Wandfresken mit Szenen aus dem Leben Christi im unteren Kreuzgang des Escorial* u. *Fresken in der Bibliothek*, ebda. Tafelgemälde: *Anbetung der Hirten*, 1548, Rom, Gall. Borghese. *Hl. Hieronymus*, Dresden, Gal. *Hl. Cäcilie*, Wien, Kunsthist. Mus. *Altartafeln* für die Kirche des Escorial. *Enthauptung des Täufers*, Mailand, Brera. Werke in Modena, Parma, Neapel, Wien. Sein Bruder *Domenico* (1541–1583) war s. Schüler u. schuf vor allem den *Hof des Erzbischöflichen Palastes* in Bologna, um 1577. *Pal. Mattei*, ebda., 1578.
Lit.: H. Voss, *Malerei der Spätrenaiss.*, 1920. A. Venturi IX, 6, 1933 u. X, 3, 1937. G. Rocco, 1939. Bodmer in: Th.-B. 1939. G. Briganti, *Il Manierismo e T.*, 1945.

Tidemand, Adolf, norweg. Maler, Mandal 1814 bis 1876 Oslo, war 1837–41 Schüler der Akad. Düsseldorf unter Th. → Hildebrandt, W. → Schadow, C. F. → Lessing; seit 1849 dauernd in Düssel-

dorf tätig, malte vor allem Bilder aus dem norweg. Volksleben; in s. Malweise ganz der Düsseldorfer Schule angehörend. Vertreten in den Mus. von Oslo, Bergen, Göteborg, Stockholm, Düsseldorf, Karlsruhe, Leipzig, u. a.
Lit.: L. Dietrichson, 1878/79. H. Alsvik in: Th.-B. 1939.

Tieck, Christian Friedrich, dt. Bildhauer, Berlin 1776–1851 ebda., Hauptmeister des Berliner Klassizismus, Bruder des Dichters Ludwig T., war Schüler von G. → Schadow, 1798 von → David in Paris, 1801 in Weimar im Verkehr mit Goethe u. s. Kreis, 1805–09 in Italien, 1809–12 in München, dann wieder in Italien, 1819 ff. in Berlin neben → Schinkel, Schadow u. → Rauch maßgebend für die klassizist. Gesinnung der Berliner Kunst; ab 1820 Prof. der Akad.
Hauptwerke: *Plast. Schmuck des Berliner Schauspielhauses,* 1820–21; *Marmorstandbild Ifflands,* ebda., 1824–27; *Rossebändiger* auf dem Alten Mus., ebda., 1826. *Bildnisbüsten: Goethe,* 1801 u. 1820, Weimar, Goethe-Haus; *Schinkel,* 1819, Berlin, Nat. Gal. *21 Marmorbüsten* in der Walhalla b. Regensburg (*Lessing, Herder, Gneisenau, Goethe*).
Lit.: E. Hildebrandt, 1906.

Tiemann, Walter, dt. Maler, Graphiker u. Buchkünstler, Delitsch 1876–1951 Leipzig, war ab 1898 ständig für den Buchverlag tätig, bes. für den Insel-Verlag; gründete 1907 die «Januspresse» zus. mit C. E. Poeschel, war 1920 ff. Dir. der Leipziger Akad. für graph. Künste u. Buchgewerbe. Pionier für neuzeitliche Buchausstattung; Einbände; Schöpfer von ca. 20 Druckschriften (Tiemann-Mediäval, 1906–09). Als Maler bes. Landschaften, ferner Bildnis, Stilleben.
Lit.: E. Göpel, 1936. W. G. Oschilewski in: Der Bücherwurm, 1938 (Sept.). A. Windisch, 1953. G. K. Schauer, 1953.

Tiepolo, Giovanni Battista, ital. Maler, Venedig 1696–1770 Madrid, Hauptmeister des venez. Spätbarock, Schüler von Lazzarini, beeinflußt von → Piazzetta, schuf von ca. 1716 an für viele Kirchen u. Paläste Venedigs große dekorative Malereien u. Altargemälde. In den 20er Jahren arbeitete er auch in Udine, seit 1728 in Mailand u. a. oberital. Städten, 1750–53 in Würzburg; 1762 siedelte er nach Madrid über, um große Fresken im königlichen Schloß zu malen. T.s Kunst, seine aus einem Zusammenklang von lichten Farben lebende Malerei (helles, leuchtendes Blau, «Tiepolo-Blau»), bedeutet den letzten Höhepunkt der mit → Veronese einsetzenden Entwicklung des venez. Barock.
Hauptwerke: *Fresken im Erzbischöflichen Palast* in Udine, 1727; im *Pal. Dugnani* in Mailand, um 1728; *Pal. Dolfin,* Udine, um 1732; *Casino u. Gästehaus der*

Villa Valmarana b. Vicenza, 1737; *Pal. Clerici* in Mailand; an der Decke der *Scalzi-Kirche* in Venedig; in der *Scuola del Carmine,* Venedig, 1744; Ausmalung des *Kaisersaales* u. vor allem das riesige *Deckengemälde des Treppenhauses im Würzburger Schloß,* 1750 bis 1753, unter Mitwirkung s. Sohnes Domenico; im *Pal. Labia,* Venedig (Geschichte der Kleopatra), 1757; im *Pal. Rezzonico,* ebda., 1758; im *Pal. Pisani* in Strà, 1761. Altar- u. Tafelbilder: *Triumph der Amphitrite,* um 1740, Dresden, *Die Jungfrau mit weibl. Heiligen,* 1747, Venedig, S. Maria del Rosario; *Kommunion der hl. Lucia,* um 1748, ebda., Apostelkirche. *Tod des Hyacinthus,* um 1752, Melbourne, Mus. *Heilige aus dem Hause Grotta,* um 1753, Frankfurt, Städel. *Anbetung der Könige,* 1753, München, A. P. *Martyrium der hl. Agatha,* um 1758, Berlin, ehem. K.-F.-Mus. *Fürbitte der hl. Thekla,* 1759, Este, Dom. Radierungen, Rötelzeichnungen, lavierte Federzeichnungen.
Sein Sohn *Domenico* (1727–1804) war s. Schüler und Mitarbeiter; er radierte nach Gemälden s. Vaters u. eigenen Entwürfen.
Lit.: P. Molmenti, 1909. E. Sack, *Giambattista u. Domenico T.,* 1910. D. v. Hadeln, *Handzeichn. v. G. T.,* 1927. G. Fiocco, 1924. H. W. Hegemann, 1940. G. Vigni, *Disegni del T.,* 1942. Th. Hetzer, *Die Fresken T.s in der Würzb. Residenz,* 1943. A. Morassi, 1943. Ders., 1955. M. H. v. Freeden u. C. Lamb, *Fresken der Würzb. Residenz,* 1956. E. Hüttinger, *Venez. Mal.,* 1959.

Tietz, Ferdinand → Dietz, Ferdinand.

Tiffany, Louis Comfort, amerik. Glaskünstler, Maler u. Kunstgewerbler, New York 1848–1933 ebda., Vertreter des Jugendstils, Sohn des Schmuckkünstlers *Charles Lewis* T. (1812–1902), studierte in New York u. Paris, gründete die T. Glass and Decorating Comp., 1879. Er erzielte Welterfolge in der Erzeugung von irisierenden Ziergläsern (T.-Gläser; Favrile-Glas) u. schuf auch Fenster u. Mosaiken. Vertreten in New York, Mus. of Mod. Art.
Lit.: *The Art of L. C. T.,* 1914.

Timanthes, griech. Maler, Ende 5.–Anf. 4. Jh. v. Chr., zur Schule von Sikyon gehörend; am berühmtesten war seine *Opferung Iphigeneias,* mit der Steigerung des Schmerzausdrucks bei den Teilnehmern; ein Bild, wovon in der späteren Kunst Nachklänge erhalten sind.
Lit.: E. Pfuhl, *Malerei u. Zeichn. der Griechen* 2, 1923.

Timomachos von Byzanz, griech. Maler, erste Hälfte 1. Jh. v. Chr., zu s. Zeit sehr berühmt; Caesar brachte 2 s. Bilder nach Rom: *Der rasende Aias* u. *Medeia* im Kampf zwischen Mutterliebe u. rachedurstiger Eifersucht. Die Versuche, in pom-

pejan. u. a. Originalwerken Nachbildungen nach T. nachzuweisen, gelten als nicht geglückt.
Lit.: E. Pfuhl, *Malerei u. Zeichn. d. Griechen* 2, 1923. Th.-B. 1939.

Timotheos, griech. Bildhauer des 4. Jh. v. Chr., wahrscheinlich aus Epidauros, war Mitarbeiter am Skulpturenschmuck des Asklepiostempels von Epidauros (um 370 v. Chr.) u. des Mausoleums von Halikarnassos (um 350 v. Chr.). Andere Werke werden ihm zugeschrieben: Statue der Leda, erhalten in kaiserzeitl. Kopie, Rom, Kapitol. Mus.
Lit.: O. Lippold, *Griech. Plastik* in: Handb. der Archäol. 3, 1, 1950. J. F. Crome, *Skulpt. des Asklepiostempels v. Epidauros,* 1951.

Tinguély, Jean, schweiz. Bildhauer, * Basel 1925, begann als Maler, studierte später → Gabo u. → Pevsner; um 1947 erste Versuche bewegter Apparate, die in der Folge immer komplizierter wurden: aus den verschiedensten Materialien, Bewegung, Lärm, Wasser u. Feuer produzierend, oder auch explodierend. Erregte Aufsehen auf vielen Ausstellungen der ganzen Welt. Tätig in Paris.
Lit.: M. Seuphor, *Knaurs Lex. abstr. Mal.,* 1957. Ders., *Plastik unseres Jh.,* 1959. F. Deuchler, *12 junge schweiz. Künstler in Paris* in: Du, 1959 (August).

Tino di Camaino, ital. Bildhauer u. Arch., Siena um 1285–1337 Neapel, Schüler des Giov. → Pisano, dem er nach Pisa folgte u. wo er 1312–15 wirkte; 1323 von den Anjou nach Neapel berufen. Durch ihn kamen die künstlerischen Gedanken Giovanni Pisanos an den Hof Roberts des Weisen von Neapel. Hauptwerke: *Taufbrunnen* für den Dom in Pisa, 1312 (Fragment erhalten). *Grabmal Kaiser Heinrichs VII.* im Dom von Pisa, 1315; *Marias v. Ungarn* († 1323), in S. Maria Donna Regina in Neapel; *Karls von Kalabrien* († 1328) in S. Chiara, ebda.
Lit.: A. Venturi 4, 1906. E. Carli, 1934. W. R. Valentiner, 1935. H. Keller in: Th.-B. 1939. P. Toesca 2, 1951.

Tintoretto, eig. Jacopo Robusti, ital. Maler, Venedig 1518–1594 ebda., Hauptmeister des venez. Manierismus u. der ital. Kunst des 16. Jh., soll kurze Zeit Schüler → Tizians gewesen sein, beeinflußt von → Schiavone, → Bonifazio, → Carpaccio u. vor allem später von → Michelangelo, tätig beinahe stets in Venedig, wo er für S. Marco u. den Dogenpal. arbeitete, insbesondere große Freskenfolgen für die Scuola di S. Rocco, s. Hauptwerk, sowie viele kirchliche Werke, Tafelbilder, Porträts u. a. Der Stil T.s bedeutet den Höhepunkt des venez. Manierismus u. zugleich die Hinführung zum Barock. Charakteristisch für s. Stil: Wachsende Entwertung der Hauptpersonen, namentlich durch die Lichtführung; große Tiefenentwicklung der

Bilder, in die der Blick gewaltsam gezogen wird; starke Bewegung.
Hauptwerke: Fresken: *Malereien f. den kleinen oberen Saal der Scuola di S. Rocco,* mit: Christus vor Pilatus; Kreuzigung; Ecce Homo, zwischen 1560 u. 1567 entstanden. *Alttestamentliche Wunder* an der Decke des großen oberen Saales, ebda., aus den 70er Jahren. *Mythol. Darstellungen des Anticollegio* im Dogenpal., 1574 beg. *Große Gemälde des Senatssaales,* ebda., aus den 80er Jahren. *Gemälde mit Motiven aus dem Neuen Testament,* im unteren u. obern Saal der Scuola di S. Rocco, um dieselbe Zeit. Tafelbilder: *Hl. Markus,* 1548, Venedig, Akad. *Hochzeit zu Kana,* 1561, ebda., S. Maria della Salute. *Michaels Kampf,* Dresden, Gal. *Christus bei Maria u. Magdalena,* Augsburg, Gal. *Selbstbildnis,* Paris, Louvre. In Venedig: *Abendmahl,* S. Trovaso. Gemälde in S. Giorgio Maggiore (*Abendmahl* u. a.). *Jüngstes Gericht,* S. Maria dell'Orto. Weitere Werke in Kirchen u. in der Akad. Ferner in den Mus. Berlin, Bologna, Boston, Brüssel, Budapest, Cambridge (USA), Chicago, Detroit, Dresden, Escorial, Florenz (Uff. u. Pitti), Hampton Court, Kopenhagen, London, Lugano (Slg. Schloß Rohoncz), Madrid, Mailand, München, New York, Paris, Wien u. a.
Lit.: H. Thode, 1901. E. Waldmann, 1921. D. v. Hadeln, *Zeichn. von T.,* 1922. E. v. d. Bercken u. A. L. Mayer, 1923. F. Fosca, 1929. N. Barbantini in: *Ausst.-Kat. Venedig,* 1937. G. Delogu, *T. in der Scuola di S. Rocco,* 1938. L. Coletti, 1940. E. v. d. Bercken, 1942. H. Tietze, 1948. R. Pallucchini, *La giovinezza del T.,* 1950. E. Newton, 1952.

Tischbein, dt. Malerfamilie des 18./19. Jh.; die bedeutendsten Mitglieder:
Johann Friedrich August, dt. Maler, Maastricht 1750 bis 1812 Heidelberg, bedeutender Bildnismaler des ausgehenden Rokoko, Schüler s. Onkels, Joh. Heinr. T. d. Ä. in Kassel. 1771 Hofmaler in Kassel, sodann auf weiten Reisen in Rom, Neapel, Paris, Wien usw., 1800 ff. Direktor der Akad. Leipzig, 1806–09 in St. Petersburg. T.s Bildnisstil war jener internationale, gepflegte, anmutige, von den van Dyck-Nachfolgern ausgebildete Stil; seine Modelle die Mitglieder der Aristokratie.
Hauptwerke: *Bildnis der Königin Luise,* um 1796, Berlin, Schloß Monbijou. *Die Kinder des Herzogs Karl August von Sachsen-Weimar,* 1798, Arolsen, Schloß. *Bildnis der Gräfin Theresa Fries,* 1801, Hamburg, Kunsth. *Selbstbildnis mit Familie,* Leipzig, Mus. Viele Bildnisse in Privatbesitz.
Lit.: W. Pinder in: Kunstwissensch. Beiträge, 1907. A. Stoll, 1923. Landsberger in: Die Kunst der Goethezeit, 1931. H. Dingeldey, Diss. Leipz. 1931.
Johann Heinrich Wilhelm, dt. Maler, Haina 1751 bis 1829 Eutin, der wegen s. Goethebildnisses u. s. Freundschaft mit Goethe bekannteste Maler der Familie, Schüler s. Onkels *Joh. Jakob* T. in Ham-

burg, bereiste Holland, die Schweiz u. Italien, 1787 ff. in Neapel, 1789 Direktor der Akad. ebda., 1800 ff. in Hamburg, ab 1809 in Eutin tätig. T. war teils ein von der Antike begeisterter Klassizist, teils ein von den Niederländern beeinflußter Realist. Außer Bildnissen schuf er Tier-, Frucht- u. Blumenstücke, Geschichtsbilder. Sein bei weitem bedeutendstes Werk: *Goethe in der röm. Campagna*, 1787, Frankfurt, Städel. Ferner die Federzeichnung: *Goethe am Fenster*, Weimar, Goethehaus. *Bildnisse der Herzogin Anna Amalia von Sachsen-Weimar*, ebda. *Bildnis der Dichterin Christine Westphalen*, Hamburg, Kunsth. *Innenraum*, ebda. Geschichtsbilder im Mus. in Gotha. Er veröffentlichte: *Homer, nach Antiken gezeichnet*, 1801 u. 1821. Selbstbiographie «Aus meinem Leben», 1861, Neuausg. 1922.
Lit.: Landsberger, 1908. W. Sörrensen, 1910.
Johann Heinrich T. d. Ä., dt. Maler, Haina 1722 bis 1789 Kassel, Rokokomaler mytholog. Szenen u. Porträtist, 1754 Hofmaler in Kassel, 1776 Akad.-Direktor ebda. Werke: *Bildnisse in der Schönheitsgalerie* des Schlosses Wilhelmsthal b. Kassel; *Bildnis Lessings*, Berlin, staatl. Mus. Bedeutende Handzeichn.
Lit.: H. Bahlmann, 1911 (Studien z. dt. Kunstgesch. 142). E. Preime, *Handzeichnungen v. J. H.T. d. Ä.*, 1942.

Tissot, James (Jacques-Joseph), franz. Radierer u. Maler, Nantes 1836–1903 Buillon, Schüler von H. → Flandrin, beeinflußt von H. → Leys, den engl. → Präraffaeliten, der jap. Graphik, übersiedelte 1871 nach London, wo er bekannt wurde durch s. Darstellungen aus dem mondänen engl. Leben der 70er Jahre. Später – wieder in Frankreich – widmete er sich ausschließlich der Bibelillustrierung (Tissot-Bibel) «La Vie de Notre-Seigneur Jésus-Christ» (der größte Teil der dazugehörigen Aquarelle, Federzeichnungen u. Ölbilder seit 1900 im Mus. Brooklyn). Die Illustrierung des Alten Testaments unvollendet.
Lit.: Ch. Yriarte, *Eaux-fortes, manières noires, pointes sèches de T.*, 1886.

Tite, William, engl. Arch., London 1798–1873 Torquay, Spätklassizist, erbaute in London die Börse, *Royal Exchange*, 1842–44; ferner ebda. *Nat. Scott Church* in Regent's Square; *Golden Cross Hotel*, West Strand, 1832; mehrere Bahnhöfe u. a.

Tito, Ettore, ital. Maler, Castellammare di Stabia 1859–1941 Venedig, Schüler von P. Molmenti, malte Bilder aus dem venez. Volksleben, Bildnisse, Akte u. a. Vertreten in den mod. Gal. Venedig, Florenz, Mailand, Rom, Turin, Novara, Verona; ferner in Budapest, Buenos Aires, Paris (Luxembourg), Prag usw.
Lit.: V. Pica, 1912. J. Neri, 1916. F. Sapori, 1919. M. Biancale in: Enc. Ital. 1937.

Tito, Santi di, ital. Maler, Borgo S. Sepolcro 1536 bis 1603 Florenz, Schüler → Bronzinos, war 1558–61 in Rom, seit 1566 dauernd in Florenz, schuf Freskenwerke, vor allem große Altarbilder für Florentiner Kirchen. T. nimmt innerhalb der jüngeren Manieristengruppe in Florenz eine wichtige Stellung ein. Im Stil von Bronzino u. in Rom von → Salviato, → Zuccari u. → Michelangelo beeinflußt. In Rom schuf er *Wandmalereien* in der Sala Grande des Belvedere im Vatikan u. *Deckenmalereien* im Casino di Pio IV. Hauptwerke der florent. Zeit: *S. Conversazione* in Ognissanti, Florenz, um 1565; *Fresken in SS. Annunziata*, ebda., 1571; *Auferweckung des Lazarus* in S. Maria Novella, 1576, ebda., u. in Volterra, Dom, 1592; *5 Lünettenfresken im Chiostro Grande* von S. Maria Novella in Florenz, 1570–82 (schlecht erhalten). *Vision des hl. Thomas v. Aquin* in S. Marco, ebda., 1593. *Verkündigung*, S. Maria Novella, ebda., nach 1600. Werke in S. Croce u. a. florent. Kirchen; in Pisa, Mus.; Wien, Kunsthist. Mus.; Florenz, Pitti; Zeichnungen in Florenz, Uff.
Lit.: H. Voss, *Malerei der Spätrenaiss.*, 1920. Ders. in: Th.-B. 1939. G. Arnolds, 1934 (reich ill., mit Werk- u. Lit.-Verz.). N. Pevsner, *Ital. Barockmalerei* (Handb. der K. W.), 1928. A. Venturi XI, 2, 1939.

Tizian, eig. Tiziano Vecelli(o), ital. Maler, Pieve di Cadore 1476/77 oder 1489/90 bis 1576 Venedig, Hauptmeister der Hochrenaissance, kam früh nach Venedig, wo er Schüler Giovanni → Bellinis wurde. Mit → Giorgione arbeitete er an den – nicht erhaltenen – Fresken am Außenbau des Fondaco dei Tedeschi; die ganze künstlerische Laufbahn T.s spielte sich in Venedig ab. Früh schon wurde er berühmt; als Bildnismaler kam er mit allen Großen der Zeit in Berührung; 1533 von Karl V. zum Hofmaler ernannt.
Die künstlerische Entwicklung T.s begann mit der Phase der starken Beeinflussung durch Giorgione. Höhepunkte dieser Phase etwa die sog. *Himmlische u. irdische Liebe*, um 1516, Rom, Gall. Borghese. Es folgt eine Epoche der Bewegungssteigerung, eine erste «barocke» Phase: *Himmelfahrt Mariä*, 1516–18, Venedig, Frari-Kirche; *Venusfest*, 1516–18, Madrid, Prado; *Himmelfahrt Mariä*, 1525, Verona, Dom. *Madonna Pesaro*, um 1526, Venedig, S. Maria dei Frari. In den 30er Jahren folgt eine Epoche großer Kompositionen, der formalen Beruhigung, eine «klassische» Phase: *Mariä Tempelgang*, 1534–38, Venedig, Akad. *Venus von Urbino*, 1538, Florenz, Uff. Es folgt eine neue «bewegte» Phase mit dem Fresko der *Schlacht bei Cadore* im Dogenpalast, 1537 (1577 verbrannt; erhalten in einem Stich des G. Fontana). Mit einer Reise T.s nach Rom 1545 setzt eine neue Steigerung u. Vertiefung der Kunst ein: *Danae*, um 1545, Neapel, Nat. Mus. *Dornenkrönung Christi*, um 1548, Paris, Louvre; *Ecce Homo*, Chantilly, Mus. Condé; u. bes. hervorragende Bild-

nisse: *Papst Paul III. mit Ottavio u. Kardinal Farnese*, 1545, Neapel, Nat. Mus. *Karl V. zu Pferd bei Mühlberg*, 1550, Madrid, Prado. *Philipp II.*, um 1553, Neapel, Nat. Mus. Um die Mitte der 50er Jahre setzt der Alterstil ein, in dem ein Letztes an geistig-seelischer Durchdringung der Materie erreicht wird: *Grablegung Christi*, 1559, Madrid, Prado; *Mariä Verkündigung*, 1565, Venedig, S. Salvatore; *Selbstbildnis*, um 1565–70, Madrid, Prado. *Dornenkrönung*, 1570 bis 1571, München, A. P. T. ist hervorragend vertreten in den Kirchen u. Gal. Venedigs; in Florenz, Pitti u. Uff.; Paris, Louvre; Madrid, Prado; Dresden, Gal. (*Der Zinsgroschen*, um 1518); München, A. P. (*Kaiser Karl V.*, 1548; *Jupiter u. Antiope*); London, Nat. Gall., Wallace Coll. u. Bridgewater House; Mus. v. Berlin, Boston, Neapel, Rom (Gall. Borghese), Wien (Kunsthist. Mus.) u. v. a.
Lit.: Gesamtdarstellungen: E. Waldmann, 1922. O. Fischel, [5]1924. W. Suida, 1933. Th. Hetzer, 1935. Ders. in: Th.-B. 1940. H. Tietze, 1936. Ders., *Gemälde u. Zeichn.* [2]1950. N. Barbantini, *Ausst.-Kat. Venedig* 1935. Pallucchini, 1954.

Tobey, Mark, amerik. Maler, * Centerville (Wisc.) 1890, Vertreter der amerik. abstrakten Malerei, kam 1911 nach New York, studierte später in Schanghai die chines. Kalligraphie, die Einfluß auf seinen Stil hatte. Vertreten in New York, Mus. of mod. Art u. a. amerik. Mus.
Lit.: Seuphor, *Dict. peint. abstr.*, 1957. Vollmer, 1958. C. Roberts, 1959 (Mus. de poche).

Tocqué, Louis, franz. Maler, Paris 1696–1772 ebda., bedeutender Bildnismaler des 18. Jh., Schüler u. Schwiegersohn → Nattiers, schuf repräsentative Staatsporträts in gefälliger Darstellung u. bürgerliche Bildnisse in einfacher, natürlicher Haltung. Werke: *Maria Leszczynska*, Königin von Frankreich, Paris, Louvre. *Madame de Graffigny*, ebda. *Mme Danger*, ebda. *Bildnis des Malers Nattier*, Kopenhagen, Akad. Werke in Paris, Louvre; Versailles, Marseille, Amiens, Dijon, Nancy, Orléans, Brüssel, Kopenhagen, Leningrad, London (Nat. Gall.), München u. a.
Lit.: P. Dorbec in: Gaz. des B.-Arts 51, 1909. A. Doria, 1929 (mit Werkverz.).

Toepffer, Adam Wolfgang, schweiz. Maler u. Graphiker, Genf 1766–1847 Morillon b. Genf, verschiedene Reisen nach Paris (T. erteilte der Kaiserin Josephine Zeichenunterricht), London u. Italien; sonst in Genf tätig. Er malte haupts. liebenswürdige Landschafts- u. Genrebilder, in denen er sich als Vertreter des Biedermeier erweist. 1817 veröffentlichte er ein «Album de Caricature». Beisp.: *Dorfhochzeit*, 1812, Genf, Mus. *Das Äpfelpflücken*, 1820, ebda. *Selbstbildnis*, Winterthur, Mus.; mit vielen Werken vertreten in Genf, Mus.(darunter

51 Aquarellkarikaturen, 100 Zeichnungen); ferner Basel, Lyon, Narbonne, Zürich, London, Brit. Mus. (1 Zeichnung).
Lit.: D. Baud-Bovy, *Peintres genevois*, 1904. Ders., *Les caricatures d'A. T.*, 1917. C. Brun, *Schweiz. Künstlerlex.*, 1913. L. Gielly, *L'Ecole genevoise de peinture*, 1935. P. Courthion, *Genève ou le portrait des T.*, 1936. W. Hugelshofer, 1941. M. Huggler/ A. M. Cetto, *Schweiz. Mal. im 19. Jh.*, 1942.

Toepffer, Rodolphe, schweiz. Zeichner, Genf 1799–1846 ebda., Sohn von Adam Wolfgang T., Verfasser humoristischer Romane u. Erzählungen, die er mit eigenen Zeichnungen versah; ferner stellte er ganze Bilderromane zusammen, in denen er sich als höchst bedeutender Karikaturist erwies. Zeichnungen zu den eigenen Werken: «Nouvelles genevoises», 1841; «Voyages en zigzac», 1845; «Excursions d'un pensionnat en vacances», 1844; «Nouveaux voyages en zigzac», 1853. Bilderromane: *M. Jabot*, 1833; *M. Crépin*, 1837; *M. Vieux-Bois*, 1837; *Mr. Pencil*, 1840; *Le Docteur Festus*, 1840; *M. Cryptogame*, 1845; gesammelt veröffentlicht in: «Collection des histoires en estampes», 1846 ff. (dt.: Komische Bilderromane, 1887). Werke im Mus. Genf.
Lit.: Glöckner, 1891. E. Schur, 1912. P. Courthion, *Genève ou le portrait des T.*, 1936. E. Fuchs u. H. Kraemer, *Karik. der europ. Völker*, o. J. E. Korrodi, *Schweiz. Biedermeier*, 1936. P. Chaponnière, *Caricatures toepfferiennes*, 1941. M. Gagnebin, 1948.

Tol, Domenicus van, niederl. Maler, Bodegraven um 1635–1676 Leiden, malte holl. Genrebildchen in der Art s. Lehrers u. Onkels G. → Dou. Vertreten u. a. in den Gal. Amsterdam, Dresden, Kassel, Köln, Leiden, Leningrad, New York, Rennes, Stockholm.
Lit.: Wurzbach, *Niederl. Künstlerlex.*, 1910.

Toledo, Juan Bautista de, span. Arch. des 16. Jh., † 1567 Madrid, studierte in Rom unter → Michelangelos Leitung (er soll am Bau der Peterskirche mitgearbeitet haben); im Stil beeinflußt bes. von → Peruzzi, → Sansovino u. → Palladio, wirkte, nach Spanien zurückgekehrt, an vielen bedeutenden Bauwerken mit. Sein größter Auftrag war der Bau des *Escorial*; er stellte die ersten Pläne her u. begann 1563 mit dem Bau unter Beihilfe Juan de → Herreras, der die Arbeiten nach T.s Tod selbständig weiterführte. Weitere Werke: 1561 begann er den Bau des neuen Schloßes in *Aranjuez* mit der kuppelgekrönten *Real capilla publica*; in Madrid: Fassade des Klosters der *Descalzas Reales*.
Lit.: F. Chueca Goitia in: Ars Hispaniae 11, 1953.

Toma, Gioacchino, ital. Maler, Galatina 1836–1891 Neapel, malte Bilder aus dem neapol. Volksleben,

einige Bildnisse, Interieurs u. Früchtestilleben, von → Palizzi u. a. beeinflußt; oft farblich sehr reizvolle Stimmungsmalerei; vertreten in den mod. Gal. Neapel, Florenz, Rom, Mailand, Palermo u. a.
Lit.: A. de Rinaldis, 1934 (m. Bibliogr.). Ders. in: Enc. Ital. 1937. G. Delogu, *Ital. Malerei*, ³1948.

Tomaso da Modena, ital. Maler, * Modena um 1325, † 1379, tätig in Modena u. Treviso, Hauptmeister der 2. Hälfte des Trecento, Vertreter eines kräftigen Realismus; in den 6oer Jahren bekam er Aufträge Karls IV. für Burg Karlstein in Böhmen. Sei es nun, daß er selber nach Böhmen ging, sei es, daß dies nicht der Fall war, jedenfalls übte er bedeutenden Einfluß auf die «Böhmische Malerschule» aus (→ Theoderich von Prag) u. erfuhr vielleicht auch seinerseits ihren Einfluß.
Werke: *Fresken im Kapitelsaal von S. Niccolò* in Treviso, 1352. Fresken mit der *Legende der hl. Ursula*, ebda., Mus. Werke in Burg Karlstein: Triptychon mit *Madonna u. 2 Heiligen;* eine weitere *Madonna;* Darstellung des *Schmerzensmannes* (Toter Christus mit Engeln).
Werke in Modena, Pinac. u. Dom; Bologna, Pinac.; Treviso, S. Francesco; Wien, Kunsthist. Mus.; Philadelphia, Slg. Johnson (*Jungfrau mit Kind u. hl. Hieronymus*); Modena, S. Agostino; Trient, Dom; Mantua, S. Francesco u. a.
Lit.: J. Neuwirth, *Mittelalterl. Wandgemälde u. Tafelbilder in der Burg Karlstein*, 1896. J. v. Schlosser in: Österr. Jb. 19, 1898. R. van Marle, *Ital. Schools* 4, 1924. L. Coletti in: Rivista del R. Ist. d'Archeol. e Storia dell'Arte III, 1932. Ders., *L'Arte di T.*, 1933 (m. Abb.). Ders., *I Primitivi* 3, 1947. P. Toesca, *Storia dell'Arte ital.* 2, 1951. R. Oertel, *Frühzeit der ital. Malerei*, 1953.

Tomé, Narciso, span. Arch., Bildhauer u. Maler, tätig zu Anfang des 18. Jh., führender Meister des span. Hochbarock, des sog. → Churriguerastils, ausgebildet in der Churriguera-Schule, tätig in Valladolid, Toledo, Salamanca u. León. Sein Hauptwerk ist das berühmte *Transparente* in der Kathedrale von Toledo, 1721–31, ein ungeheurer Altar auf der Rückseite des Hochaltars, in Marmor, Jaspis, Bronze usw., das die Art Churrigueras in äußerster Konsequenz u. Kühnheit zeigt u. zu den bedeutendsten Schöpfungen des span. Barock gehört. Weitere Werke: *Fassadenplastik der Univ. Valladolid*, 1715. *Entwurf zum Hochaltar der Kathedrale León* (heute in der Kapuzinerkirche León, der Hochaltar ausgeführt v. Simón Tomé y Garilán).
Lit.: A. L. Mayer, *Span. Barockplastik*, 1923. T. L. Martin, *The Trasparente in Toledo Cathedral* in: Arch. Review, 1933. H. E. Wethey in: Th.-B. 1939.

Toorop, Jan, holl. Maler, Poerworedjo (Java) 1858 bis 1928 Den Haag, begann mit Bildern aus dem

Fischerleben unter dem Einfluß von → Bastien-Lepage, durchlief die franz. Kunstepochen s. Zeit, über den Impressionismus zum Pointillismus; um 1891 wandte er sich dem Symbolismus zu, beeinflußt von den engl. → Präraffaeliten u. dem Studium → Blakes; manche Werke gehören dem Jugendstil an. 1905 trat T. zum Katholizismus über; der Inhalt s. Bilder wurde vorwiegend religiös. Die Stellung, die T. als Haupt der Symbolisten in Holland einnahm, entspricht derjenigen → Khnoopffs in Belgien. Beisp.: *Die 3 Bräute*, 1897; *Geschwister; Seestück*, Amsterdam, Rijksmus.; *Der hl. Schritt*, ebda., Städt. Mus.; *Fresken* in der neuen Börse, Amsterdam; Wandgemälde (*Kreuzwegstationen*), Oosterbeek, Kirche. T. ist in den holl. Mus. vertreten; ferner in Brüssel, Bremen, Essen, Mainz, Wiesbaden, Zürich u. a.
Lit.: M. Janssen, 1920. W. Grohmann in: Th.-B. 1939. N. Pevsner, *Wegbereiter mod. Formgebung*, 1957.

Torbido, Francesco, gen. il Moro, ital. Maler, wahrscheinlich Venedig um 1482–1562 Verona, Schüler von → Liberale da Verona u. vielleicht → Giorgiones in Venedig, war jedenfalls stark von venez. Kunst beeinflußt. Er wirkte kurze Zeit in Venedig u. haupts. in Verona, wo er große Freskenwerke u. Altäre für Kirchen schuf. In s. Stil außer Veroneser Meistern wie Liberale, → Cavazzola u. a. bes. v. → Giorgione, → Tizian, L. → Lotto u. → Schiavone beeinflußt; er hat einige bemerkenswert gute Bildnisse gemalt.
Hauptwerke: Wandgemälde in der *Apsis des Domes von Verona*, 1534 (nach Entwürfen → Giulio Romanos); Gesamtschmuck der *Cappella Fontanelli* in S. Maria in Organo in Verona. *Altartafeln* in S. Zeno, ebda., um 1514; im Dom zu Salò; in S. Fermo in Verona (Pala della Trinità, 1523). *Bildnis eines Mannes mit Hut*, Verona, Mus. Werke in den Mus. Amsterdam, Boston, Florenz (Uff.), London, München, Mailand (Brera), New York (Metrop. Mus.), Princeton, Neapel, Padua, Messina, Verona, Venedig (Akad.) u. a.
Lit.: D. Viana, 1933. W. Suida in: Th.-B. 1939. Pevsner, *Barockmalerei* (Handb. der K. W.), 1928. A. Venturi IX, 3, 1928.

Torriti, Jacopo, ital. Maler u. Mosaizist, tätig in Rom Ende 13. Jh.; gesicherte Werke: die Mosaikdekorationen der Apsiden der Lateransbasilika *S. Giovanni in Laterano*, Rom; und von *S. Maria Maggiore*, ebda., beide um 1288–92. T. erweist sich in diesen Werken als ein noch stark mit der byzantin. Tradition verbundener Meister.
Lit.: R. van Marle, *Ital. Schools* 1, 1923. M. Soldati in: L'Arte 31, 1928. R. Oertel, *Die Frühzeit der ital. Malerei*, 1953.

Tosi, Arturo, ital. Maler, * Busto Arsizio 1871, † 1956 Mailand, Schüler von Vittore Grubicy,

gilt als bedeutender Vertreter des ital. Spätimpressionismus, wandte sich bes. der Landschaft zu. Vertreten in allen größeren ital. Gal.; ferner in Paris (Jeu de Paume), Athen, Budapest, Bukarest, Moskau u. a.
Lit.: U. Bernasconi, 1925. Ders. 1936. W. George, 1934. G. C. Argan, 1942, G. Scheiwiller, 1942. L. Serra in: Enc. Ital. 1937. V. Costantini, *Pitt. ital. contemp.*, 1934. D. Valeri, *Nature Morte de T.*, 1952. Vollmer, 1958. W. Haftmann, *Malerei im 20. Jh.*, 1955.

Toulouse-Lautrec, Henri de, franz. Maler u. Graphiker, Albi 1864–1901 Schloß Malromé (Gironde), entstammte dem alten Adelsgeschlecht der Grafen von Toulouse; 1882 Schüler der Pariser Akad., lebte seit 1886 auf dem Montmartre u. wurde der unvergleichliche Schilderer der Welt der Cafés u. Cabarets, der Vorstadttheater u. Tanzlokale; doch auch der des Sports, der Politik u. der Arbeit. Künstlerisch bringt er diese an u. für sich beschränkte Welt zu so starkem Ausdruck, daß er der stärkste Künder der fin-de-siècle-Stimmung wurde, zu einem der Hauptmeister vom Ende des Jahrhunderts. T.-L. interessierte sich ausschließlich für die Menschendarstellung u. wurde weniger von den eigentlichen Impressionisten als vielmehr von → Manet u. ganz bes. → Degas beeinflußt; später auch von van → Gogh; in manchem s. Generationsgenossen → Bonnard u. → Vuillard verwandt. 1892 wandte er sich der Farblithographie zu u. brachte sie – angeregt vom japan. Farbholzschnitt – zu höchster künstlerischer Vollendung: in Einzelblättern, Folgen, Illustrationen u. nicht zuletzt in Plakaten: er gehörte zu den Vorkämpfern für das künstlerisch hochstehende Plakat. T.-L. schuf über 500 Gemälde, über 3000 Zeichnungen, 368 Lithographien. Beisp. s. graph. Werkes: Lithogr. Serien: *Le Café concert,* 11 Bl., 1893; *Yvette Guilbert,* 16 Bl., 1894 u. 2. Folge 1896 (10 Bl.); *Mélodies de Désiré,* 13 Bl., 1895; *Elles,* 11 Bl., 1896; *Au pied du Sinaï,* 10 Bl., zum gleichnamigen Buch v. G. Clemenceau, 1898. Einzelbl.: *Die Goulue u. der Schlangenmensch Valentin ; Jane Avril,* 1883; *La Grande Loge,* 1894. Zeichnungen: *Au Cirque,* 22 Bl. (veröffentl. 1905). Ein Großteil des Werkes befindet sich im T.-L.-Mus. in Albi; er ist vertreten in Paris, Louvre, Luxembourg u. Petit Pal. u. v. a. Mus.; sehr gut in den USA: Boston, Brooklyn, Chicago, Cleveland, New York (Metrop. Mus.), ferner in Albi, Basel, Bremen, Kopenhagen, Dresden, Den Haag, London (Courtauld Inst.), München, Prag, São Paulo, Wien, Zürich u. a.
Lit.: H. Esswein, 1904. G. Coquiot, 1913 (dt. 1923). L. Delteil, *Le peintre-grav. ill.* 10/11, 1920. Th. Duret, 1921. M. Joyant, 1926/27. A. Astre, 1926. G. Jedlicka, 1929 (²1943). G. Mack, 1938. W. Kern, 1948. M. Raynal, *De Goya à Gauguin,* 1951 (m. Bibliogr.). H. Dumont, 1949 (dt. 1954). D. Cooper, 1955.

E. Julien, *Les dessins de L.*, 1942. Ders., *Les affiches de L.*, 1950. H. Perruchot, 1958 (Biographie, dt.). H. Landolt, *T.-L.*, *Farbige Zeichnungen,* 1954. H. Focillon, zus. m. E. Julien Hg. v. *T.-L. Dessins,* 1961.

Tour, Georges de la → La Tour, Georges de.

Tournier, Nicolas, franz. Maler, tätig haupts. in Toulouse Ende 16.– Anf. 17. Jh., Schüler von → Caravaggio und → Valentin in Rom; vermittelte den Caravaggismus nach Südfrankreich. Werke: *Das Konzert,* Paris, Louvre; und Pommersfelden, Gal. *Madonna mit Kind,* Toulouse, Mus. *Kreuzabnahme,* ebda.; *Grablegung,* ebda.; Werke in der Kathedrale v. Narbonne und in Nantes, Mus.
Lit.: W. Weisbach, *Franz. Malerei d. 17. Jh.,* 1932. Bénézit, 1955.

Toussaint-Dubreuil → Dubreuil, Toussaint.

Toyokuni, japan. Holzschnittmeister u. Maler, 1768 bis 1825, schloß sich der Utagawa-Schule an, malte Schauspieler u. Frauen u. war einer der fruchtbarsten Meister für den Holzschnitt. Als T. II. wurden 2 Meister bezeichnet: *Toyoshige,* um 1777–1835; u. *Utagawa Kumisada,* 1786–1865; beide Nachfolger T.s. Lit.: Fr. Succo, 1913/14 (2 Bde.; 2. Auflage in 1 Bd. 1924). F. Rumpf in: Th.-B. 1939.

Toyonobu, japan. Maler u. Holzschnittmeister, 1711–1785, Meister der Ukiyoë-Schule, malte Darstellungen von Schauspielern in Bühnenrollen; führend im Zweifarbendruck.

Tradate, Jacopo da → Jacopo da Tradate.

Traini, Francesco, ital. Maler des 14. Jh., tätig in Pisa u. Bologna um 1321 bis um 1365; von ihm die bezeichnete u. dat. *Altartafel aus S. Caterina in Pisa,* 1345, Pisa, Mus., mit dem hl. Dominikus u. 8 Szenen aus s. Legende. Durch Stilvergleichung werden demselben Meister die gewaltigen Fresken des Camposanto in Pisa mit *Triumph des Todes, Weltgericht, Inferno* u. *Thebais* zugeschrieben, um 1355 (im 2. Weltkrieg z. T. zerstört oder stark beschädigt); Überreste abgenommen u. im Mus. v. Pisa zu sehen). In diesen Fresken, vor allem dem Triumph des Todes, heute fast allgemein dem T. zugeschrieben, erweist sich dieser als eine der größten Künstlerpersönlichkeiten des Trecento. Sein Stil zeigt Einflüsse vor allem der sienes. Meister (→ Lorenzetti), vielleicht auch des Giov. → Pisano. Versuchsweise wird ihm noch zugeschrieben: Altartafel mit dem *Triumph des hl. Thomas von Aquin,* Pisa, S. Caterina.
Lit.: A. Venturi 5, 1907. M. Meiss, *The Problem of F. T.* in: The Art Bull. 15, 1933. G. Paccagnini in: La Critica d'Arte 8, 1949. P. Toesca, *Il Trecento,* 1951. R. Oertel, *Frühzeit der ital. Malerei,* 1953.

Traut, Wolf, dt. Maler u. Zeichner für Holzschnitt, Nürnberg um 1486–1520 ebda., Meister aus dem Umkreis → Dürers, Sohn des Malers *Hans* T. († 1516), tätig in Nürnberg, malte Altäre für Kirchen in Nürnberg u. v. a. fränkischen Orte u. erweist sich in ihnen als tüchtiger, von Dürer, H. v. → Kulmbach u. → Schongauer beeinflußter Meister. Er schuf viele Holzschnitte, bes. für Buchillustration, in welchen er mit Dürer verwechselt wurde.

Werke: Hauptwerk *Artelshofener Sippenaltar,* 1514, München, Nat. Mus. Ferner *Hochaltar der Johanniskirche,* Nürnberg, um 1511; *Taufe Christi,* 1518, Nürnberg, German. Mus. *Begegnung unter der Goldenen Pforte,* Schleißheim, Mus. Sein bedeutendster Holzschnitt: *Christi Abschied von seiner Mutter,* 1516. Weitere Werke in Nürnberg, German. Mus.; Heilbronn, Klosterkirche; Schleißheim, Mus.; New York, Metrop. Mus. u. a.

Lit.: E. Bock, *Dt. Graphik,* 1922. M. Geisberg, *Dt. Einblattholzschnitt.* Ders., *Dt. Buchillustr. der 1. H. 16. Jh.,* 1930. F. T. Schulz in: Th.-B. 1939.

Trautmann, Johann Georg, dt. Maler, Zweibrükken 1713–1769 Frankfurt a. M., gehörte zu den in Goethes Vaterhaus verkehrenden Frankfurter Malern; er schuf haupts. Genrebilder in niederl. Art. Vertreten in den Gal. Augsburg (Fugger-Mus.), Dessau, Frankfurt, Heidelberg, Köln, Venedig (Mus. Corrèr), Zweibrücken.

Lit.: R. Bangel, 1914. G. Biermann, *Dt. Barock u. Rokoko,* 1914. A. Feulner, *Skulpt. u. Mal. des 18. Jh.* (Handb. der K. W.), 1929.

Traversi (Traversa), Gaspare, ital. Maler des 18. Jh., tätig in Neapel u. Rom, † 1769, malte Bilder für Kirchen in Neapel, Rom, Parma u. Genrebilder. Vertreten in Neapel, Pinac.; Rom, Gall. Corsini; Mailand, Brera; Mus. Rouen, Straßburg, Aix-en-Provence u. a.

Lit.: N. Pevsner, *Barockmalerei* (Handb. der K. W.), 1928. *Ausst.-Kat. Ital. Malerei des 17.–18. Jh.,* Wiesbaden 1935. S. O. in: Th.-B. 1939.

Trevisani, Francesco, gen. Romano, ital. Maler, Capodistria 1656–1746 Rom, Hauptmeister der spätbarocken röm. Kunst, in Venedig ausgebildet bei Joseph Heinz d. J. u. a., kam um 1678 nach Rom, wo er die → Carracci u. → Correggio studierte u. eine sehr erfolgreiche u. fruchtbare Tätigkeit entfaltete. Er schuf große Altarwerke, kleine Andachtsbilder, Porträts u. a.

Beisp.: *Marter der hl. Lucia,* Rom, Gall. Corsini. *Geißelung Christi,* Arezzo, Pinac. *Marter des hl. Andreas,* S. Andrea delle Fratte, Rom. *Ruhe auf der Flucht,* Paris, Louvre u. Dresden, Gal. *Toter Christus mit Engeln,* Wien, Kunsthist. Mus. T. ist reich vertreten in Pommersfelden, Gal.; ferner in Rom (Gall. naz., Gall. Corsini u. Gall. Pallavicini), Florenz, Lucca,

Città di Castello, Dresden, Schleißheim, Düsseldorf, Wien, Paris, Marseille, Bordeaux u. a.

Lit.: Bodmer in: Th.-B. 1939. D. Gioseffi in: Pagine Istriane, 1950.

Tribolo, Niccolò, eig. Niccolò di Raffaello de'Pericoli, ital. Bildhauer u. Arch., Florenz 1500–1550 ebda., Schüler des Jacopo → Sansovino, Gehilfe → Michelangelos, schuf *Reliefs u. Bildwerke* an den Seitentüren u. in den Kapellen v. *S. Petronio in Bologna,* 1525/26; Mitarbeit an den Medicigräbern Michelangelos (*Tonmodelle zweier Flußgötter,* Florenz, Nat. Mus.); *Monument Hadrians VI.* in Rom, S. Maria dell'Anima (mit andern). *Reiterstatue des Giovanni delle Bande Nere,* 1539, für Piazza S. Marco in Florenz; für die Medici vielfach als Bildhauer u. Baumeister, namentlich als Gartenarch., tätig (Boboli-Gärten). Im Stil von J. della → Quercia, Sansovino, Michelangelo u. a. beeinflußt. Werke in Florenz (Mus. Naz.), London (Victoria u. Albert Mus.), Berlin (ehem. K.-F.-Mus.), Paris (Louvre) u. a.

Lit.: A. E. Brinckmann, *Barockskulptur* (Handb. der K. W.), 1919 (³1932). Planiscig, *Venez. Bildh. der Renaiss.,* 1921. Venturi X, 1, 1935. Ders. in: Enc. Ital. 1937.

Trier, Hann, dt. Maler, * Kaiserswerth 1915, Vertreter der abstrakten Kunst, seit 1957 Prof. an der Berliner Hochschule für bildende Kunst. Er gehört zur Gruppe der Maler, welche den Expressionismus mit abstrakten Mitteln fortzuführen versuchen.

Lit.: Vollmer, 1958. W. Grohmann in: Junge Künstler 1959/60, 1959 (Du Mont Schauberg). G. Hassenpflug, *Abstrakte Maler lehren,* 1959. *Knaurs Lex. abstr. Malerei* 1957, (M. Seuphor). *Neue Kunst nach 1945,* hg. v. W. Grohmann, 1958.

Trippel, Alexander, schweiz. Bildhauer, Schaffhausen 1744–1793 Rom, bedeutender Meister des Frühklassizismus, Schüler der Kunstakad. Kopenhagen, ging 1776 nach Italien u. war von 1778 an ständig in Rom tätig. Er war der bedeutendste Vorläufer → Canovas. Sein bekanntestes Werk ist die *Kolossalbüste Goethes,* 1789, Schloß Arolsen (2. Exemplar von 1790 in Weimar, Bibliothek). Ferner *Hauptrelief vom Gessner-Denkmal in Zürich,* 1791, heute im Kunsth. ebda. *Büste Herders,* 1790, Weimar, Bibliothek; *Grabmal des Fürsten Schwarzenberg* in Wittingau (Böhmen), 1793. Werke in den Mus. Schaffhausen, Bern, Basel, Zürich, Kopenhagen (Akad.), Potsdam (Marmorpal.) u. a.

Lit.: C. Brun, *Schweiz. Künstlerlex.,* 1913. G. Pauli, *Kunst des Klassizismus u. der Romantik,* 1925 (Propyl. K. G.). F. Landsberger, *Kunst der Goethezeit,* 1931. H. Hoffmann in: Zschr. f. schweiz. Archäol. u. Kunstgesch. 9, 1947. Gantner-Reinle, *Kunstgesch. der Schweiz* 3, 1956.

Tristán, Luis, span. Maler, bei Toledo 1586(?) bis 1624 Toledo, von → Greco beeinflußter Meister, der in Toledo eine bedeutende Werkstatt innehatte. T. soll Schüler von Greco gewesen sein, ist aber auch stark beeinflußt von der älteren span. (Toledaner) Tradition, erinnert mit s. Realismus, s. Helldunkel, auch an → Ribera u. → Ribalta. Hauptwerke: *Retabel der Pfarrkirche von Yepes,* 1616, mit 6 großen u. 8 kleinen Gemälden, darunter Anbetung der Hirten, Anbetung der Könige, Geißelung, Kreuztragung, Auferstehung u. Verklärung Christi. *Die Hl. Dreifaltigkeit,* 1629, Sevilla, Kathedrale. *Bildnis Kardinal Sandoval,* 1619, Toledo, Kathedrale (Sala capitular). *Enthauptung Johannes d. T.,* 1613, Toledo, Karmeliterkloster. Werke in Kirchen von Toledo u. im Greco-Mus., ebda.; in Madrid, Prado u. Akad. S. Fernando; in Paris, Louvre (*hl. Franz von Assisi, hl. Ludwig v. Frankreich*); Cambridge, Mus. (*Anbetung der Hirten*) u. a. Lit.: A. Aragones, *T. y Velazquez,* 1924. D. Fitz Darby in: Th.-B. 1939.

Trökes, Heinz, dt. Maler, * Hamborn 1913, Schüler von → Itten u. → Muche in Krefeld, seit 1941 in Berlin, seit 1950 in Paris, seit 1952 auf Ibiza, seit 1956 in Hamburg lebend; in seiner Kunst anfänglich von M. → Ernst u. P. → Klee beeinflußter Surrealist, später auf strenge Flächenwirkung ausgehend u. zur reinen Abstraktion neigend. «Vielfache Erlebnisse treten zus. zu einem evokativen Bild» (Haftmann). Zu diesen von Naturerlebnissen ausgehenden Meistern gehören auch → Gilles, → Bargheer, W. → Heldt, → Cassinari. Prof. der Hochschule für bild. Kunst Hamburg; vertreten u. a. in Berlin (Gal. des 20. Jh.), Hannover, Pittsburg. Lit.: W. Haftmann, *Dt. abstrakte Maler,* 1953. F. Roh, *Wandlungen eines Surrealisten* in: Kunst u. das schöne Heim, 1954. Seuphor, *Lex. abstr. Malerei* (Knaurs Lex.), 1957. Vollmer, 1958. *Neue Kunst nach 1945,* hg. v. W. Grohmann, 1958.

Troger, Paul, österr. Maler, Zell (Pustertal) 1698 bis 1762 Wien, bildete sich in Venedig unter dem Einfluß von → Piazzetta, Seb. → Ricci u. vor allem G. B. → Pittoni. 1728 kam er nach Österreich zurück u. schuf neben Altar- u. Andachtsbildern Fresken in monumentalen Ausmaßen, namentlich Deckenbilder der Kirchen u. Prunkräume von Klöstern in Niederösterreich, Mähren u. Ungarn. Das Auge wird in ferne Himmelshöhen geleitet, vor deren geballten Wolken sich das Geschehen aus der heiligen Geschichte oder der antiken Mythologie abspielt. *Fresken* in St. Cajetan zu Salzburg, 1728; Melk (Marmorsaal u. Bibliothek), 1731/32; Altenburg b. Horn (Stiftskirche, 1732/33; Treppenhaus, 1738; Bibliothek, 1742); Göttweig, 1739; Jesuitenkirche in Raab, 1744 u. 1747; Dom in Brixen, 1748

bis 50; in Salzburg, 1754. Vertreten in den Mus. Budapest, Frankfurt, Graz, München u. a. Lit.: R. Jacobs, 1930. J. Ringler in: Th.-B. 1939. H. Tintelnot, *Barocke Freskenmalerei in Dt.,* 1951. Feulner, *Skulpt. u. Malerei des 18. Jh.* (Handb. der K. W.), 1929.

Troost, Cornelius, niederl. Maler u. Graphiker, Amsterdam 1697–1750 ebda., malte holl. Sitten- u. Gesellschaftsbilder in einer Jan → Steen verwandten Art: geistreiche Darstellungen v. Theaterszenen; Bildnisse, in denen er die Tradition → Netschers aufnahm, Hauptvertreter eines neuen Genres, der Familiengruppe in ihrem natürlichen Milieu des Interieurs. T. erhielt auch einige größere Aufträge für Gruppenbildnisse: *Anatomie des Prof. Roell,* 1728, Amsterdam, Rijksmus.; *Vorsteher des Waisenhauses,* 1729, ebda.; *Vorsteher der Chirurgengilde,* 1731. Werke in Amsterdam (Rijksmus. u. Hist. Mus.), Düsseldorf, Dublin, Den Haag (Mauritshuis), Haarlem (Frans Hals-Mus.), Hampton Court, Ixelles, Rotterdam, Utrecht u. a. Lit.: A. Verhueil, 1873. Wurzbach, *Niederl. Künstlerlex.,* 1910. M. D. Henkel in: Th.-B. 1939.

Troy (Detroy), François de, franz. Maler, Toulouse 1645–1730 Paris, gehört – neben → Largillière u. → Rigaud – zu den bedeutendsten Vertretern der Bildnismalerei der Epoche Louis XIV.; er malte vor allem die Mitglieder des Hofes u. der adligen Gesellschaft; das Fach des «mythol. weibl. Porträts» ist von ihm geschaffen worden. Hauptschüler: Hubert → Drouais. Werke: *Herzogin de La Force,* 1711, Rouen, Mus. *Herzog von Maine,* 1716, Dresden, Gal. *Jean de Julienne,* 1722, Valenciennes, Mus. Weitere Werke in: Paris (Louvre), Versailles, Bayeux, Marseille, Rouen, Tours; Dresden, Hannover, Potsdam; Florenz (Pitti), London (Wallace Coll.), Helsinki, Moskau u. a. Lit.: J. G. Goulinat in: Art et Artistes, N. S. 10, 1924/25. L. Réau, *Hist. de la peint. franç. au 18e siècle* 1, 1925. Bénézit, 1956. H. V. in: Th.-B. 1939.

Troy (Detroy), Jean-François de, franz. Maler, Paris 1679–1752 Rom, Schüler s. Vaters François, beeinflußt von → Rubens u. → Veronese, ging 1699 für 7 Jahre nach Rom, dann in Paris tätig, ab 1738 Direktor der Franz. Akad. in Rom. T. schuf bibl. Bilder für Pariser Kirchen, bibl. u. mythol. Vorlagen für Gobelins, kleinere bibl. u. mythol. Szenen, die er genremäßig behandelte. Porträts u. a. Werke: Gobelinvorlagen: Folge v. 7 Kartons mit *Szenen aus der Geschichte der Esther,* voll. 1742, davon 2 im Louvre u. 5 im Mus. des Arts décoratifs in Paris. Kartons mit *Szenen aus der Geschichte Jasons,* in

den Mus. Brest, Clermont-Ferrand, Toulouse, Schloß zu Bruchsal u. a. O. Genreszenen: *Das Austernfrühstück*, 1737, Chantilly, Mus. Vertreten in Leningrad, Eremitage; Potsdam, Schloß Sanssouci; London, Victoria u. Albert Mus.; Lugano, Slg. Schloß Rohoncz; Basel, Mus.; Kathedrale Besançon; Florenz, Uff. (*Selbstbildnis*).
Lit.: L. Réau, *Hist. de la peint. franç. au 18ᵉ siècle* 1, 1925. G. Brière in: L. Dimier, *Les peintres franç. du 18ᵉ siècle* 2, 1930. Ders. in: Bull. de la société d'Hist. de l'art franç., 1931. A. R. Schneider in: Enc. Ital. 1937. H. V. in: Th.-B. 1939.

Troyon, Constant, franz. Maler, Sèvres 1810–1865 Paris, Hauptmeister des Tierbildes, tätig in Fontainebleau u. Paris, malte die Tiere in engem Zusammenhang mit der Natur; es sind groß gesehene Stimmungsgemälde mit feiner Licht- u. Luftmalerei. T. studierte die alten Holländer u. f. die Landschaften die Meister von Fontainebleau (→ Barbizon), bes. → Rousseau, auch → Diaz u. → Dupré.
Hauptwerke: *Ochsen auf dem Weg zur Arbeit*, 1855, Paris, Louvre. *Rückkehr zur Meierei*, 1859, ebda. Vertreten u. a. in den Mus. Amiens, Bordeaux, Boston, Hamburg, Köln, Leipzig, Le Havre, Lille, Montpellier, München, Nantes, Rouen.
Lit.: Dumesnil, 1888. Hustin, 1893. W. Gensel, *Corot u. T.*, 1906.

Trubezkoi (Troubetzkoi), Pawel (Paolo) Fürst, russ. Bildhauer; Intra (Lago Maggiore) 1866 bis 1938 Suna (Lago Maggiore), seit 1906 meist in Paris tätig, schuf in impressionist.-skizzenhafter, temperamentvoller Art fast ausschließlich Bronzebildwerke, haupts. Kleinplastiken, Tiere u. Porträts; in s. Kunst von → Rodin, wohl auch von M. →Rosso angeregt. Er schuf *Bildnisse*, u. a. von *Rodin*, *A. France, Gabriele d'Annunzio, Segantini ;* sehr bekannt seine *Büste Tolstois*, Leipzig, Mus., u. *Statuette Tolstois zu Pferde*, Paris, Luxembourg. In vielen Mus. vertreten, u. a. in Berlin, Buenos Aires, Buffalo, Chicago, Cleveland, Detroit, Dresden, Düsseldorf, Florenz, Leipzig, Leningrad, Mailand, Moskau, New York, Paris, Rom, S. Francisco, Toledo (USA), Venedig.
Lit.: R. Giolli, 1913. A. Michel, *Hist. de l' Art* VIII, 2, 1926. L. Réau, *L'Art russe*, 1922.

Trübner, Wilhelm, dt. Maler, Heidelberg 1851 bis 1917 Karlsruhe, 1868 Studien an der Kunstschule Karlsruhe u. 1869 an der Akad. München, Schüler von H. → Canon in Karlsruhe u. W. → Diez in München, lebte in München u. Umgebung u. auf Reisen bis 1896, von da an in Frankfurt u. von 1903 an als Prof. der Akad. Karlsruhe. In s. Kunst schloß sich T. zunächst an → Leibl an, zu dessen Kreis er gehörte, schuf realist., von → Courbet

beeinflußte Interieurbilder u. in den 70er Jahren hervorragende Porträts. Es folgte eine Übergangszeit mit Bildern mythol. u. erzählenden Inhalts unter dem Einfluß → Feuerbachs u. → Böcklins; um 1890 machte er eine vollständige Wandlung durch. Er begann mit Freilichtstudien u. wurde ein führender Impressionist sowohl als Landschafter wie als Bildnismaler.
Werke aus s. frühen Zeit: *Auf dem Kanapee*, 1872, Berlin, staatl. Gal. *Im Atelier*, 1872, München, N. P. *Selbstporträt*, 1873, Dresden, Gal. *Dame mit japan. Fächer*, 1873, Bremen, Kunsth. *Dame in Grau*, 1876, Essen, Folkwang-Mus. *Zimmermannsplatz*, 1876, Hamburg, Kunsth. Mythol. Bilder: *Titanenschlacht*, 1877, Karlsruhe, Gal. *Amazonenschlacht*, 1879. T. ist in vielen dt. Mus. vertreten.
Lit.: G. Fuchs, 1908. J. A. Beringer, 1917 (Kl. der Kunst). J. Elias, *Handzeichn.*, 1921. E. Waldmann, *Das Bildnis im 19. Jh.*, 1921.

Tuaillon, Louis, dt. Bildhauer, Berlin 1862 bis 1919 ebda., Schüler von R. → Begas, 1885–92 in Rom stark von A. → Hildebrand u. H. v. → Marées beeinflußt. Vertreter eines Neuklassizismus, der Bronzebildwerke u. Denkmäler von großer Formenklarheit u. doch realistisch in den Einzelheiten schuf. Sein Hauptwerk: *Amazone zu Pferde*, 1895, Berlin, vor der Nat. Gal. (ein vergrößertes Exemplar im Tiergarten, zerstört). Bronzegruppe der *Rosselenker*, 1902, Bremen. *Reiterstandbild Kaiser Friedrichs III.*, 1905, ebda. Vertreten in den Mus. Bremen, Elberfeld, Essen, Krefeld, Leipzig u. a.

Tura, Cosimo, gen. Cosmé, ital. Maler, Ferrara um 1430–1495 ebda., Hauptmeister der ferrares. Schule, tätig haupts. in Ferrara, schuf Freskenwerke, Entwürfe für Wandteppiche u. a. f. den Hof der Este in Ferrara, von denen kaum etwas erhalten ist. Ferner kirchliche u. mythol. Bilder. In s. Stil steht T., wie die übrigen Meister der ferrares. Schule (→ Cossa, → Roberti), unter dem Einfluß der Paduaner (→ Squarcione u. der junge → Mantegna) u. des Piero della → Francesca. Charakteristisch für s. Kunst: herbe, scharfe Umrisse, oft kräftiger Realismus.
Werke: *Verkündigung* u. *hl. Georg*, 1469 (wahrscheinlich Orgelflügel), Ferrara, Kathedrale (oder Mus. der Kathedrale). *Thronende Madonna mit Kind*, um 1480, London, Nat. Gall. Es ist das Mittelstück des sog. Roverella-Altares, andere Teile davon: *Pietà*, Paris, Louvre; *Bischof Roverella u. Schutzpatron*, Rom, Gall. Colonna; *hl. Georg* (Fragment), San Diego (Cal.); vielleicht gehörten noch zu diesem Altarwerk: *Flucht nach Ägypten*, New York, Metrop. Mus.; *Beschneidung*, Boston, Gardner Mus. *Anbetung der Könige*, Cambridge (USA), Fogg Art Mus. *Hl. Hieronymus*, London, Nat. Gall. 2 Rundbilder mit

Szenen aus dem Leben des Bischofs Maurelius, Ferrara, Pinac. *Pietà,* Venedig, Mus. Corrèr. Teile eines Polyptychons: *Madonna,* Bergamo, Accad. Carrara; *hl. Antonius,* Paris, Louvre; *hl. Dominikus,* Florenz, Uff.; die *hll. Christophorus* u. *Sebastian,* Berlin, ehem. K.-F.-Mus. Letzte Arbeit: *hl. Antonius,* Modena, Gall. Estense. T. ist ferner vertreten in Boston, Caen, Cambridge, London (Nat. Gall.), Mailand (Mus. Poldi-Pezzoli), Venedig (Akad. u. Mus. civ.), Wien u. a.
Lit.: Baruffaldi, hg. v. G. Petrucci, 1836. A. Venturi VII, 3, 1914. Ders. in: Enc. Ital., 1937. S. Ortolani, *C. T., Francesco del Cossa, Ercole de' Roberti,* 1941. G. Delogu, *Ital. Malerei,* ³1948. A. Neppi, 1953. R. Longhi, *Officina Ferrarese,* ²1956.

Turchi, Alessandro, gen. l'Orbetto, ital. Maler, Verona 1578–1649 Rom, Meister des verones. Frühbarock, Schüler von → Brusasorci, weitergebildet unter dem Einfluß der Bolognesen (der → Carracci, des Guido → Reni) u. des → Caravaggio; schuf große kirchliche Werke; kleine bibl. und mythol. Bildchen, u. a. Werke in Kirchen von Bologna und Rom; in den Gal. von: Florenz (Uff. und Gal. Corsini), Rom (Gal. Borghese und Doria-Pamphilij), Mailand (Brera), Venedig (Akad.); in Dresden, Kassel, Paris, München, Stuttgart, Wien, u. a.
Lit.: *Ausstell.-Kat. Malerei d. Barock,* Dresden 1933. R. Brenzoni in: Th.-B. 1939.

Turner, William, engl. Maler, London 1775 bis 1851 ebda. (Chelsea), Hauptmeister der engl. Landschaftsmalerei, begann mit Architektur- u. Landschaftszeichnungen, wandte sich um 1800 der Ölmalerei zu u. begann mit Landschafts- u. Meerbildern, die oft durch mythol. oder bibl. Figuren belebt sind; es sind pathetische Bilder, beeinflußt von → Poussin u. Claude → Lorrain, den Niederländern u. Richard → Wilson; er wurde ein Hauptmeister der engl. Romantik. Es folgten Reisen in die Schweiz, nach Frankreich, Belgien, Holland u. Deutschland. 1819 kam er zum erstenmal nach Italien; die atmosphärischen Erscheinungen der Lagunenstadt Venedig u. die venez. Kunst beeindruckten ihn in der Folge am stärksten. Er wurde zum Maler der in der wechselnden Wirkung von Licht, Luft u. Weite erscheinenden Welt, studierte die Farbwirkungen u. begann Komplementärfarben nebeneinanderzusetzen u. das Verfahren der Neo-Impressionisten vorwegzunehmen. In seiner Spätzeit lösten sich die festen Umrisse der Gegenstände immer mehr auf. Die Lichtwirkungen werden zu Visionen gesteigert. Die atmosphärischen Erscheinungen sollten symbolisch den kosmischen Kampf von Licht und Dunkel spiegeln.
Einige Hauptwerke: *Einschiffung der Königin von Saba, Nelsons Tod bei Trafalgar,* 1808, *Odysseus verspottet Polyphem,* 1828, London, Tate Gall. *Einholung des Fighting Temeraire,* 1839, ebda. *Rain, Steam and Speed,* 1844, ebda. Die Tate Gall. in London beherbergt rund 200 Ölbilder- u. Skizzen (die meisten Hauptwerke), ca. 400 Aquarelle u. Tausende von Zeichnungen; die Nat. Gall., ebda., 20 Ölbilder u. Tausende von Aquarellen; Werke in andern Londoner Mus. (Victoria u. Albert; Bridgewater usw.); in allen bedeutenden engl. u. in mehreren amerik. Gal. (Boston, Chicago, New York, Philadelphia u. a.); sonst nur sehr vereinzelt in öffentl. Gal. (Hamburg, Kunsth.; Melbourne, Mus.).
Lit.: J. Ruskin, *Modern painters,* 1888. Ch. A. Swinburne, 1902. W. Armstrong, 1902. W. G. Rawlinson, *The engraved work,* 1908–13. Ders. u. A. J. Finberg, *The watercolours of T.,* 1909. A. J. Finberg, *T.s sketches and drawings,* 1911. C. Dodgson, *Aquarelle,* 1937. J. Anderson, 1926. W. Bayes, 1932. A. Bertram, 1937. B. Falk, 1938. C. Mauclair, 1939. M. Raynal, *De Goya à Gauguin* (Skira), 1951 (m. Bibliogr.).

Tuxen, Laurits, dän. Maler, Kopenhagen 1853–1927 ebda., Schüler von → Bonnat in Paris, malte Bildnisse, Landschaften, Tierstücke, Akte u. a. Hauptwerk: *Deckengemälde* in Schloß Frederiksborg; ebda.: *Christian IX. und s. Familie,* 1886. *Königin Victoria mit Familie,* 1887, London, Buckingham Pal. Werke in: Budapest, Florenz (Uff.), Hamburg, London (Guildhall), u. a.
Lit.: V. Jastrau, 1929. A. Pander in: Th.-B. 1939.

U

Ubac, Raoul, belg.-franz. Maler, * Malmédy 1910, tätig in Paris, Hauptvertreter der jungen «école de Paris»; er gehört zu jenen Vertretern abstrakter Malerei, die – wie J. → Bazaine – von Naturformen ausgehen, die bei aller Abstraktion doch noch ahnbar bleiben.
Lit.: *Knaurs Lex. abstr. Mal.* (M. Seuphor), 1957. *Neue Kunst nach 1945,* hg. v. W. Grohmann, 1958.

Ubbelohde, Otto, dt. Maler u. Graphiker, Marburg 1867–1922 Goßfelden b. Marburg, Schüler von → Herterich u. → Löfftz, Landschaftsmaler, der s. hessische Heimat darstellte, vor allem in stimmungsvollen Bildern. Sehr bekannt wurde er als Graphiker u. Illustrator; er gab Federzeichnungen malerischer alter dt. Städte heraus (Mappenwerke) u. schuf auch Wandteppiche u. a. Kunstgewerbliches.

Ubertini, Francesco → Bacchiacca.

Uccello, Paolo, eig. Doni, ital. Maler, Florenz 1397 bis 1475 ebda., Hauptmeister der florent. Frührenaissance, half zunächst → Ghiberti bei den Arbeiten an der 2. Baptisteriumtüre in Florenz u. war 1425–32 in Venedig, wo er an den Mosaiken von S. Marco arbeitete (heute verschwunden); seitdem meist in Florenz tätig. Er griff in einer dem → Castagno verwandten Art alle Hauptprobleme der werdenden Renaissance auf: leidenschaftliches Studium der Perspektive, Bemühen um die Plastizität der Gestalten, um Monumentalität. Sein Ausgangspunkt als Maler war die Kunst → Gentile da Fabrianos u. → Pisanellos; in Venedig hatte er wohl auch Werke der → Bellini gesehen. In s. Streben nach Größe Vorläufer Piero della → Francescas. Von s. Werken ist nur wenig erhalten.
Hauptwerke: Serie v. 3 *Schlachtenbildern* (wahrscheinlich Schlacht von S. Romano, Daten der Bilder umstritten), Florenz, Uff.; London, Nat. Gall.; Paris, Louvre. *Reiterbild des John Hawkwood*, Fresko im Dom, Florenz, 1436. *Fresken* aus der Schöpfungsgeschichte u. der Geschichte Noahs *im Chiostro verde* bei S. Maria Novella, Florenz (um 1430–35?). *Jagd im Walde*, Oxford, Ashmolean Mus. *Legende vom Raub einer Hostie*, Predellatafel, um 1467, Urbino, Gal.
Lit.: A. Venturi VII, 1, 1911. M. Salmi, *P. U.*, *Andrea del Castagno, Domenico Veneziano*, 1938. W. Boeck, 1939. E. Somaré, 1946. J. Pope-Hennessy, 1950. E. Carli, 1954. W. Braunfels in: Kunstgesch. Studien f. H. Kauffmann, 1956. P. d'Ancona, 1960.

Uden, Lucas van, niederl. Maler, Antwerpen 1595 bis 1672 ebda., hat auf manchen Figurenbildern → Rubens' den landschaftlichen Hintergrund ausgeführt. In s. eigenen, meist kleinen Landschaftsbildern schilderte er das flache oder hügelige Land seiner fläm. Heimat. Die Staffagefiguren öfters von David → Teniers, Hendrik van → Balen, Gonzales → Coques u. a. Auch einige Radierungen. Werke in vielen Mus., u. a. Antwerpen, Berlin, Braunschweig, Budapest, Cambridge, Darmstadt, Dresden, Glasgow, Grenoble, Hannover, Leningrad, Madrid, Paris, Schleißheim, Stuttgart, Wien.
Lit.: Wurzbach, *Niederl. Künstlerlex.*, 1910.

Udine, Giovanni da, ital. Maler, Stukkateur u. Arch., Udine 1487–1564 Rom, trat in Rom dem → Raffael-Kreis bei u. schuf vor allem Stuck- u. Freskodekorationen: er hat die antiken Grotesken für die Renaissance neu belebt u. erwies sich als der feinste u. begabteste Dekorateur s. Zeit.
Hauptwerke: *Mitarbeit an Raffaels Loggien im Vatikan*, 1516–19; Stuckdekorationen u. Malereien der *Villa Madama*, Rom; des *Pal. Grimani* in Venedig, um

1540; des *Erzbischöflichen Palastes* in Udine. U. entwarf den *Glockenturm* u. den *Chor* des Domes von Udine.
Lit.: A. Venturi IX, 2, 1926 u. XI, 1, 1938. H. Voss, *Malerei der Spätrenaiss.*, 1920. G. A. Dell'Acqua in: Th.-B. 1939.

Uffenbach, Philipp, dt. Maler u. Radierer, Frankfurt 1566–1636 ebda., Sohn des Holzschneiders Heinrich U., Schüler des Adam Grimmer (wohl der Sohn des Grünewald-Schülers Johann Gr.), künstlerisch unter dem Einfluß → Grünewalds, → Dürers u. der Venezianer (vielleicht durch Niederländer vermittelt). Lehrer des Adam → Elsheimer.
Hauptwerke: *Himmelfahrt Christi*, Hochaltar der Dominikanerkirche zu Frankfurt, 1599, heute ebda., Hist. Mus. *Kreuzigung*, 1588, Frankfurt, Städel. *Anbetung der Könige*, 1587, Weimar, Mus. Mehrere Kupferstiche (*Auferstehung Christi*, 1588). Vertreten vor allem in Frankfurt, Hist. Mus.; ferner Städel, ebda.; Wien, Gal.; Weimar, Schloßmus.
Lit.: K. Simon in: Th.-B. 1939.

Ugolino da Siena, ital. Maler, tätig in Siena Anf. 14. Jh., wahrscheinlich identisch mit *Ugolino di Nerio*, bedeutender Schüler → Duccios, dessen Stil er weiterführte. Sein Hauptwerk: der einstige *Hochaltar von S. Croce* in Florenz, heute auf mehrere Gal. verteilt: London, Nat. Gall.; Berlin, ehem. K.-F.-Mus.; Slg. Lehman, New York; Slg. Johnson, Philadelphia; Slg. Cook, Richmond. Zuschreibungen in Budapest, Gal.; Siena, Pinac.
Lit.: R. van Marle, *Ital. Schools* 2, 1924. F. Mason Perkins, *Pitture Senesi*, 1933. Ders. in: Th.-B. 1939.

Uhde, Fritz v., dt. Maler, Wolkenburg 1848–1911 München, begann s. Studien unter dem Einfluß von → Piloty u. → Makart in München, lernte in Paris 1879/80 → Munkácsy kennen, studierte in Holland die alten Niederländer u. begann unter dem Einfluß → Liebermanns in impressionist. Technik mit aufgehellter Palette zu malen; gleichzeitig wandte er sich, seit 1884, religiösen Themen zu u. betrachtete es als s. Sendung, die Geschichte Jesu in modernem Gewande realistisch darzustellen; ideales Vorbild war ihm Rembrandt.
Werke s. frühen Epoche: *Nähstube*, 1882, St. Louis, Mus. *Bayerische Trommler*, 1883, Dresden, Gal. Beisp. s. religiösen Kunst: *Lasset die Kindlein zu mir kommen*, 1884, Leipzig, Mus. *Komm, Herr Jesu, sei unser Gast*, 1885, Berlin, staatl. Mus. *Bergpredigt*, 1887, Budapest, Gal. *Abendmahl*, 1898, Stuttgart, Gal. Porträts: *Schauspieler Wohlmuth*, 1893, Oslo, Mus. *Tochter des Künstlers*, 1898, Dresden, Gal. *Senator Hertz u. Frau*, 1906, Hamburg, Kunsth. Vertreten in den Mus. Berlin, Leipzig, Dresden, Magdeburg, Paris, München, Stuttgart, Hamburg u. a.

Lit.: Lücke, 1887. O. Bierbaum, 1908. H. Rosenhagen, 1908. F. v. Ostini, 1911. W. Waetzoldt, *Dt. Malerei seit 1870*, 1918.

Uhlmann, Hans, dt. Bildhauer, * Berlin 1900, Vertreter der abstrakten Plastik, schuf Metallplastiken (Stahl, Draht, Messing, Eisen u. a.). Prof. an der Hochschule für bildende Kunst Berlin. Werke: *Metallplastik* im Foyer des neuen Konzertsaales der Hochschule für Musik, Berlin; *Stahlkomposition* im Park des Rodin-Mus. in Paris. *Stehende*, Berlin, Gal. des 20. Jh.; *Vogel* (Kupfer), Köln, Wallraf-Richartz-Mus.
Lit.: E. Trier, *Mod. Plastik*, 1955. *Ausst.-Kat. Kat. Documenta*, Kassel 1955. Vollmer, 1958. M. Seuphor, *Plastik unseres Jh.*, 1959.

Unold, Max, dt. Maler u. Graphiker, * Memmingen 1885, Schüler der Münchner Akad. unter → Habermann, begann mit Landschaften u. figürlichen Bildern, die von → Leibl, → Trübner u. der Münchner Tradition ausgingen, war später mehrmals in Frankreich, wurde von → Cézanne beeindruckt u. näherte sich dem Stil der sog. → Neuen Sachlichkeit. U. schuf auch Buchillustrationen, Mosaiken, Bühnenbilder u. a. Er schrieb: «Über die Malerei», 1948. Vertreten u. a. in München, Städt. Gal., Stuttgart, Frankfurt, Wuppertal-Elberfeld, Detroit.
Lit.: W. Hausenstein, 1921.

Unterberger, Christoph, ital. Maler südtirol. Herkunft, Cavalese 1732–1798 Rom, geschult in Wien, Venedig u. Verona, wo er Schüler von Cignaroli war; seit 1758 in Rom, wo er mit → Mengs in Beziehung trat, der ihn in der Folge stark beeinflußte. U. schuf Monumentalfresken, Altarwerke u. Porträts. Mit dem *Freskenschmuck im Casino der Villa Borghese*, Rom, 1784–86, schuf er ein wichtiges Monument des beginnenden Klassizismus in Rom. Altarwerke: *Daniel in der Löwengrube* (oder der Hl. Pontianus?), 1787, Dom von Spoleto. Hochaltarbild mit *Madonna in der Glorie*, ebda., 1792–94. Altarbild im Dom zu Brixen.
Lit.: Voss, *Malerei des Barock in Rom*, 1924.

Unterberger (Unterperger), Michelangelo, österr. Maler, Cavalese 1695–1758 Wien, Onkel von Christoph U., österr. Spätbarockmaler, der *Altarbilder* schuf: Hochaltarbild im Dom von Brixen, 1749; in der Pfarrkirche von Kaltern; in Wien, Stephansdom, in der Klosterkirche von Wiener Neustadt, in den Mus. Innsbruck, Wien (Barockmus.), Augsburg u. v. a.

Ury, Lesser, dt. Maler, Birnbaum (Posen) 1862–1931 Berlin, Schüler von Müller in Düsseldorf, weitergebildet in Brüssel bei → Portaels u. in Paris bei → Lefebvre, begann mit schlichten Dorf- u. Arbeiterszenen, Stadtbildern, Interieurs u. ging mehr u. mehr zu eigentlicher impressionist. Technik über u. schuf Bilder v. großem koloristischem Reiz; auch viel Pastellmalereien.
Lit.: A. Donath, 1921.

Utamaro, japan. Maler u. Holzschnittmeister, 1753 bis 1806, tätig in Tokio, nächst → Hokusai der in Europa bekannteste japan. Künstler; Meister des Farbholzschnittes. Am berühmtesten s. Buch: «Seiro nenju gyoji», das die Vorgänge eines Jahres in einem Yoshiwara-Haus (aus dem Leben der Kurtisanen) schildert. Ferner Muschel-, Insekten- u. Vogelbücher.
Lit.: J. Kurth, 1907.

Utrecht, Adriaen van, niederl. Maler, Antwerpen 1599–1653 ebda., Maler von Stilleben mit Früchten u. Tieren, in der Art der → Snyders u. Jan → Fyt, mit Vorliebe Kücheninterieurs, Hühnerhöfe u. Genreszenen am Frühstückstisch, wobei die Figuren von andern gemalt sind (→ Jordaens, → Teniers u. a.). In vielen Mus. vertreten, u. a. Amiens, Amsterdam, Antwerpen, Basel, Braunschweig, Brüssel, Dresden, Gent, Karlsruhe, Kassel, Leningrad, Köln, Kopenhagen.

Utrillo, Maurice, franz. Maler, Paris 1883–1955 ebda., Sohn der Suzanne → Valadon, ging in s. Kunst von → Pissarro aus, verlegte sich mehr u. mehr auf Pariser Straßenansichten, besonders des Montmartre, die schließlich fast s. einziges Thema abgaben. Seine Kunst war eine merkwürdige Verbindung von raffinierter impressionist. Technik mit der Bildauffassung eines «peintre naïf». Seine toten Straßenfluchten strömen eine beklemmende u. doch poetische Stimmung aus, die etwas von der Zeitstimmung enthält u. U. zu einem der beliebtesten Maler der Gegenwart machten. U. ist in vielen Gal. vertreten.
Lit.: A. Basler, 1929. F. Carco, 1921. Ders., 1928. Ders., 1956 (dt. 1958). Ders., *Montmartre vécu par U.*, 1947. G. Coquiot, o. J. P. Courthion, 1947. F. Fels, 1930. M. Gauthier, 1944. R. Beachboard, *La trinité maudite. Valadon, Utter, U.*, 1952. W. George, 1958. A. Salmon, *Gouaches d'U.*, 1925. P. Pétridès, *L'oeuvre complet* 1, 1959. *Ausst.-Kat. München*, 1960.

Uytewael, Joachim → Wtewael, Joachim.

V

Vaccaro, Andrea, ital. Maler, Neapel 1598(?)–1670 ebda., Hauptvertreter der Neapeler Barockmalerei, beeinflußt von Guido → Reni, → Ribera, → Stanzione, van → Dyck; schuf Werke für Kirchen in Neapel u. a. Vertreten in den Gal. Aix-en-Provence, Besançon, Genf, Leningrad, Madrid, Nürnberg.

Vadder, Lodewyk de, niederl. Maler, Brüssel 1605–1655 ebda., Meister kleiner Naturausschnitte, die Figuren oft von andern; Kartons für Tapisserien; Radierungen. Mus.: Berlin, Brüssel, Dublin, Düsseldorf, Kopenhagen, Innsbruck, München, Stockholm, Würzburg u. a.
Lit.: Wurzbach, *Künstlerlex.*

Vaga, Pierino (Perino) del, eig. Pietro Buonaccorsi ital. Maler, Florenz 1501–1547 Rom, Vertreter der → Raffael-Schule, Schüler Raffaels, arbeitete an der Dekoration der Loggien mit, nach des Meisters Tod noch bis 1527 in Rom tätig, wandte sich dann nach Genua, wo seine *Dekorationen des Pal. Doria,* 1528 ff., den Dekorationsstil der Raffael-Schule nach Genua verpflanzten. Später wieder in Rom, wo er eine führende Stellung als Lehrer einnahm. Sein letztes Hauptwerk in Rom, die *Sala Paolina der Engelsburg,* zeigt ihn bereits als ausgesprochenen Vertreter des röm. Manierismus.
Hauptwerke: Ausmalung der verschiedenen Räume der Engelsburg in Rom, z. T. von Schülern: *Sala Paolina* oder *Salone del Consiglio*: Bilder aus der Geschichte Alexanders d. Gr. (mit dekorativen Figuren, welche den Einfluß → Michelangelos verraten); *Camera del Perseo* u. *Sala di Amore e Psiche.* Weitere Werke: *Decke der Cappella del Crocifisso* in S. Marcello, Rom; *Decke der Sala Regia im Vatikan.* Tafelbilder u. a. in Mailand, Brera; Venedig, Akad.; London, Brit. Mus., Rom, Gall. Borghese u. a.
Lit.: H. Voss, *Mal. der Spätrenaiss.,* 1920. K. Escher, *Malerei der Renaiss.* (Handb. der K. W.), 1922. B. Berenson, *Les peintres de la Renaiss.,* 1926. A. Venturi IX, 2, 1926. Pevsner-Grautoff, *Barockmalerei* (Handb. der K. W.), 1928.

Vaillant (Wallerand(t)), franz. Maler u. Kupferstecher, Lille 1623–1677 Amsterdam, viel beschäftigter Bildnismaler, malte auch viel in Pastell. Als Kupferstecher zählt er zu den frühesten u. bedeutendsten Vertretern der Schabkunstmanier, die damals aufgekommen war. V. schuf über 200 Schabkunstblätter (auch nach fremden Vorlagen). Eine vollständige Sammlung s. graph. Werkes, dazu Zeichnungen, Pastelle u. Ölbilder im Mus. Lille. Gut vertreten in Amsterdam, Rijksmus., Mainz, Dresden; ferner in Dessau, London (Nat. Gall. u. Victoria u. Albert Mus.), Chantilly u. a.
Lit.: Wessely, 1881. A. Whitman, *The masters of mezzotint,* 1898.

Valadon, Suzanne, franz. Malerin, Bessines 1867 bis 1938 Paris, die künstlerisch begabte Mutter Maurice → Utrillos, ursprünglich Malermodell von → Puvis de Chavannes, → Renoir, → Toulouse-Lautrec; von → Degas zum Malen ermutigt, begann sie mit Aktzeichnungen, wandte sich um 1909 der Malerei zu u. schuf nun auch Landschaften u. Stilleben. Sie erreichte – unter dem Einfluß von → Matisse u. den → Fauves – einen eigenen Stil präziser Zeichnung u. starker Farbkontraste. Gut vertreten in Paris, Mus. d'Art mod.; Werke in den Mus. Albi, Algier, Belgrad, Lyon, Monte Carlo, Prag u. a.
Lit.: R. Rey, 1922. A. Basler, 1929. J. Bouvet, 1947. N. Jacometti, 1947. M. Mermillon, 1950. *Ausst.-Kat. Utrillo – V.,* München 1960.

Valckenborch (Valckenburg), van, niederl. Malerfamilie des 16.–17. Jh., wichtigste Mitglieder:
Lucas van V., Löwen um 1535–1597 Frankfurt, wo er seit 1593 lebte, interessanter Landschafter aus der Zeit des Übergangs zwischen→ Patinir u. → Coninxloo, der s. kleinformatigen, sehr sorgfältig gemalten Landschaften (meist Gebirgsszenerien) kompositionell u. koloristisch in der Art → Bruegels u. Patinirs schuf. Beisp.: *Gebirgslandschaft mit Eisenhütten,* 1580, Wien, Kunsthist. Mus. Er ist im Kunsthist. Mus. Wien mit 11 Bildern vertreten, ferner in Amsterdam, Antwerpen, Berlin, Braunschweig, Brüssel, Frankfurt, Kopenhagen, Lille, Madrid, München, Paris, Venedig (Akad.) u. v. a.
Martin van V., Löwen 1535–1612 Frankfurt, malte in der Art s. Bruders Lucas Landschaften mit Staffage. Beisp.: *Der Turmbau zu Babel,* 1595, Dresden, Gal. Ebenfalls reich vertreten in Wien, Kunsthist. Mus.; ferner in Dessau, Dresden, Gotha, Poitiers, Rom (Gall. Doria-Pamfili).
Frederik van V., Antwerpen 1570–1623 Nürnberg, Sohn des Martin, war um 1590 in Rom, tätig in Frankfurt, seit 1602 in Nürnberg. Bedeutender Vertreter des Spätmanierismus; er liebte wilde Gebirgsszenerien, phantastische Berg- u. Felsformen. Am besten in Wien, Kunsthist. Mus., vertreten, ferner in Amsterdam, Braunschweig, Köln, Wuppertal-Elberfeld u. a.
Lit.: Winkler, *Altniederl. Malerei,* 1924. F. T. Schulz in: Th.-B. 1940.

Valdes Leal, eig. Juan de Nisa, span. Maler, Sevilla 1622–1690 ebda., Hauptmeister der Sevillaner Malschule, anfänglich in Cordoba unter dem Einfluß des Antonio del → Castillo y Saavedra, seit 1656 in Sevilla tätig, das. Rivale des → Murillo, von dem er nachhaltig beeinflußt wurde. Er schuf haupts. große kirchliche Werke.
Hauptwerke: *Hochaltar des Klosters El Carmen,* Cordoba, 1657. *Zyklus mit Szenen aus dem Leben des*

hl. Hieronymus, 1657/58, teils in Sevilla, Mus. (Versuchung des hl. Hieronymus), teils in Madrid, Prado, u. Grenoble, Mus. *Befreiung Petri*, Sevilla, Kathedrale. *Mariä Himmelfahrt*, 1655, Paris, Louvre. *Unbefleckte Empfängnis*, Sevilla, Mus., u. London, Nat. Gall. (1661). *Jesus unter den Schriftgelehrten*, 1686, Madrid, Prado. Werke in Sevillaner Kirchen; in Madrid, Prado; in den Mus. Barcelona, Cádiz, Sevilla; ferner in Dresden, Dublin, Grenoble, Kansas City, Leningrad, Lissabon, London, Narbonne, Richmond, New York u. a.
Lit.: A. de Beruete, 1911 (span.). J. Gestoso y Perez, 1916 (span.). C. Lopez Martinez, 1922 (span.). P. Lafond, o. J. V. v. Loga, *Malerei in Spanien*, 1923. Pevsner-Grautoff, *Barockmalerei* (Handb. der K. W.), 1928. E. Trapier, 1956. J. Lassaigne, *Peinture espagnole*, 1952 (Skira).

Valenciennes, Pierre Henri de, franz. Maler, Toulouse 1750–1819 Paris, Schüler von G. F. Doyen in Paris, weitergebildet in Italien unter dem Einfluß von → Poussin, malte histor. (heroische) Landschaften in der Art Poussins. Vertreten in Paris, Louvre, u. in mehreren franz. Mus.
Lit.: Michel, *Hist. de l'Art* VIII, 1, 1925.

Valentin de Boulogne, franz.-ital. Maler, Coulommiers 1591–1634 Rom, ital. Abstammung, seit 1614 in Rom, aus dem Kreise der → Caravaggio-Nachfolger, bes. von → Manfredi beeinflußt, malte religiöse Werke u. mit Vorliebe realist. Genrebilder in der Art Caravaggios.
Hauptwerke: *Die Wahrsagerin*, Paris, Louvre. *Die Falschspieler*, Dresden, Gal. *Das Konzert*, Paris, Louvre, *Marter der Heiligen*, Rom, Vatikan. *Das Abendmahl*, Rom, Gall. Corsini. Weitere Werke in Besançon, Köln, München, Paris, Rom (Gall. Barberini u. Gall. Spada), Toulouse, Wien u. a.
Lit.: H. Voss, *Malerei des Barock in Rom*, 1924.

Valkenauer, Hans, österr. Bildhauer, um 1448 bis nach 1518, tätig in Salzburg, das. Hauptmeister der spätgot. Plastik, beeinflußt durch Meister → E. S., schuf haupts. Grabsteine u. Epitaphien. 1514 Auftrag Kaiser Maximilians für ein umfangreiches *Denkmal für den Königschor* des Speyerer Domes; es blieb unvollendet; Fragmente im Mus. Salzburg. *Grabsteine* u. a. in Braunau, Hohensalzburg, Nürnberg (Lorenzkirche), Aussee (Pfarrkirche), Berchtesgaden (Stiftskirche).
Lit.: Ph. M. Halm in: Kunst u. Kunsthandwerk 14, 1911. Ders. in: Studien zur süddt. Plastik 1, 1926. F. Martin, *Kunstgesch. v. Salzburg*, 1925. W. Pinder, *Kunst der Dürerzeit*, 1953.

Vallée, Jean de la (auch Jean (Johan) de *La Vallée*), schwed. Arch. franz. Herkunft, * 1620, † 1696 Stockholm, kam 1637 nach Schweden mit s. Vater,

dem Arch. *Simon* de la V. († 1642), der an den schwed. Hof berufen worden war (Hofarch. seit 1639). Schüler s. Vaters, bildete sich in Frankreich u. Italien weiter u. kam 1649 nach Stockholm zurück, wo er als Hof- u. Stadtbaumeister wirkte. Er baute in den Formen der franz. u. ital. Palastarchitektur des Barock; s. Hauptwerk ist 1656 ff. die Vollendung des von s. Vater 1642 beg. *Ritterschaftshauses* in Stockholm (Riddarhus), das erste größere Palastprojekt das. in Barock; Vorbild war das Pal. du Luxembourg in Paris von De → Brosse. Ein weiteres Hauptwerk ist die *Katharinenkirche* in Stockholm, 1656 ff. Ferner Stadtpaläste, Schlösser u. a.
Lit.: G. Upmark, *Arch. der Renaiss. in Schweden* 5, 1897–1900.

Vallet, Edouard, schweiz. Maler u. Graphiker, Genf 1876–1929 Cressy-Onex b. Genf, Schüler B. → Menns, lebte seit 1910 im Wallis, dessen Landschaft u. Volk Hauptthema s. Kunst. V. bildete einen von → Hodler beeinflußten Stil strenger Einfachheit in Komposition u. Kolorit aus. Auch Radierungen u. Farbholzschnitte.
Lit.: H. Graber, *Vollständ. Verz. der Rad.*, 1917. Ders., *Verz. der Rad. 1917–28* in: Neujahrsbl. Zürcher Kunstges., 1930. Ders., *E. V.*, 1930. M. Picherau-Vallet, 1935. M. Zermatten, *E. V., peintre et graveur*, 1956.

Vallgren, Ville, finn. Bildhauer, Borga 1855–1940 Helsinki, Schüler von Sjöstrand in Helsinki, weitergebildet bei Cavelier in Paris, wo er bis 1913 lebte; dann in Helsinki tätig. V. schuf eine *Brunnenanlage* (Marmor) in Helsinki, 1908; haupts. aber gefällige Kleinarbeiten: Aktstatuetten in Bronze, Silber u. Keramik (*Spielender Faun*, 1881); Bildnisbüsten (*Strindberg*, 1884) u. a. Vertreten vor allem in Helsinki, Athenäum; Abo, Mus.; V.-Mus. in Borga; ferner Paris (Luxembourg) u. a.

Vallotton, Félix, schweiz. Maler u. Graphiker, Lausanne 1865–1925 Paris, wo er ab 1882 lebte. Schüler der Akad. Julian, bewunderte → Courbet u. → Manet; später versuchte er sich in der Malweise der Pointillisten. Zunächst widmete er sich der Graphik. Er zeichnete für die «Revue Blanche» u. a. Zeitschriften, illustrierte Bücher, entwickelte s. eigenen Holzschnittstil mit starken Schwarzweißkontrasten, unter Einfluß van → Goghs, → Toulouse-Lautrecs u. des japan. Holzschnitts. Gehörte als Maler dem Kreise der → Nabis u. Intimisten (→ Bonnard, → Vuillard usw.) an, legte aber stärkeres Gewicht auf kräftige Umrisse, Plastizität der Gestaltung, Verwendung beinahe nur der Lokalfarbe. In s. dekorativen Formgebung in vielem ein Vertreter des Jugendstils; anderseits Vorläufer der «Valori plastici», der «Neuen Sachlichkeit», von

starkem Einfluß bes. als Graphiker. V. schrieb: «La vie meurtrière» (autobiogr. Roman), 1927; Dramen u. a. Vertreten in schweiz. Mus., vor allem in Lausanne, Bern, Zürich, Winterthur; ferner in Paris (Luxembourg), Straßburg u. a.
Lit.: J. Meier-Graefe, 1898. P. Budry, 1917. H. Hahnloser-Bühler, *V. der Graph.*, 1927 (Neujahrsbl. Zürcher Kunstges.). Dies., *V. der Maler*, 1928. Dies., *F. V. et ses amis*, 1936. Ch. Fegdal, 1931. L. Godefroy, *L'oeuvre gravé*, 1932. F. Jourdain, 1953.

Vanbrugh, John, engl. Arch., London 1664–1726 ebda., studierte in Frankreich, widmete sich zeitweise dem Lustspiel, nahm 1700 s. Tätigkeit als Baumeister wieder auf u. entwickelte sich zu einem der bedeutendsten Arch. des engl. Barock mit got.-romant. Einschlag. Hauptwerke: *Castle Howard*, beg. 1701; *The Queen's Theatre* in Haymarket (London), 1705 beg.; *Schloß Blenheim* b. Oxford (für den Herzog von Marlborough), 1705 beg.; *Seaton Delaval* (Northumberland), 1720/21; er entwarf die berühmten *Gärten von Stowe* (Buckinghamshire), 1719; viele weitere Schlösser, Landsitze u. a.
Lit.: Ch. Barman, 1924. H. A. Tipping u. Ch. Hussey, 1928. L. Whistler, 1928. Ders., 1938 u. 1953. D. Green, *Blenheim Pal.*, 1952. N. Pevsner, *Europ. Architecture*, 1957 (dt. Europ. Arch., 1957).

Vandevelde → Velde, van de.

Van Dyck → Dyck, van.

Van Eyck → Eyck, van.

Van Gogh → Gogh, van.

Vanloo (Van Loo), Malerfamilie fläm. Herkunft in Frankreich; wichtigste Mitglieder:
Amédée V., Rivoli b. Turin 1719–1795 Paris, Sohn u. Schüler von Jean-Baptiste → V., war nach einem Aufenthalt in Italien (Rom, Neapel, Florenz) 1745 ff. in Paris tätig. 1748–60 Hofmaler Friedrichs d. Gr. in Berlin. A. schuf dekorative Wandgemälde, Staffeleibilder u. Entwürfe für Tapisserien. Werke: Deckengemälde in Potsdam; Bilder in Potsdam u. Berlin.
Lit.: Ch. Oulmont in: Gaz. des B.-Arts 54, 1912.
Carle (Charles-André) V., Nizza 1705–1765 Paris, bedeutender Meister des 18. Jh., in Turin und Rom tätig, bevor er zum «premier peintre du roi» unter Ludwig XV. ernannt wurde. Er schuf religiöse Bilder für Pariser Kirchen, dekorative Gemälde für Fontainebleau, allegor. Bilder u. Hofszenen, Porträts u. a.
Werke: *Jagdfrühstücke*, 1737, Paris, Louvre. *Bildnis der Maria Leszczynska*, Königin von Frankreich, 1747, ebda. *Bildnis Ludwig XV.*, Versailles, Mus. *Darstellungen aus dem Leben des hl. Augustin*, Paris,

Notre-Dame des Victoires. Werke in Pariser u. röm. Kirchen, im Schloß Versailles, in Fontainebleau, in vielen Mus. Frankreichs u. Europas, u. a. Chantilly, Dijon, Lyon, Marseille, Basel, Florenz (Uff.), New York (Metrop. Mus.), Glasgow, Leningrad.
Lit.: Dandré-Bardon, 1765 (Neuausg. 1920).
Jakob V., Sluijs b. Brügge um 1614–1670 Paris, seit 1642 in Amsterdam, seit 1662 in Paris, wo er sich dem franz. Hofstil anschloß u. große mythol. Bilder, mit Vorliebe Aktkompositionen u. Porträts schuf.
Jean-Baptiste V., Aix 1684–1745 ebda., Bruder von Carle V., war außer in Frankreich auch in Italien u. 1738–42 in London tätig. Er schuf Historienbilder u. Bildnisse.
Louis-Michel V., Toulon 1707–1771 Paris, bedeutender Bildnismaler des franz. Rokoko, Sohn von Jean-Baptiste → V., 1735–52 Hofmaler Philipps V. von Spanien, dann Hofbildnismaler Ludwigs XV. in Paris. Werke: *Familie Philipps V.*, 1743, Madrid, Prado. *Familie des Carle Vanloo*, 1757, Paris, Ecole des Arts Décoratifs.

Vanni, Andrea, ital. Maler, Siena um 1322 bis um 1413 ebda., von → Barna da Siena, Simone → Martini u. den → Lorenzetti beeinflußter Sieneser Meister; von 1353 an arbeitete er in Ateliergemeinschaft mit → Bartolo di Fredi. V. war mit der hl. Katharina von Siena befreundet u. stellte diese dar: *Fresko der hl. Katharina*, um 1396–1400, S. Domenico, Siena. Sein Hauptwerk: Altarbild mit *Madonna u. Heiligen*, S. Stefano, Siena; ferner *Kreuzigung*, Fragment, Siena, Akad. Werke in Kirchen von Siena; in den Mus. Boston, Cambridge (Fitzwilliam), Siena, Settignano (Slg. Berenson). Zuschreibung im Mus. Washington.
Lit.: F. M. Perkins in: Burlington Magaz., 1903. A. Venturi 5, 1907. G. H. Edgell, *A history of Sienese Painting*, 1932. R. van Marle, *Ital. School of Paint.* 2, 1924. C. H. Weigelt, *Sienes. Malerei im 14. Jh.*, 1930.

Vanni, Francesco, ital. Maler, Siena 1563–1610 ebda., Hauptmeister der sienes. Malerschule des 16. Jh., Stiefbruder des Malers Ventura → Salimbeni, gen. Bevilacqua; vielbeschäftigter Kirchenmaler, in s. Kunst Vertreter der → Barocci-Schule, beeinflußt vor allem von den → Carracci. Altarbilder in den Kirchen von Siena, Lucca, Pisa, Rom u. v. a. Einige Hauptwerke: *Taufe Konstantins d. Gr.*, 1586/87, Siena, S. Agostino; *Unbefleckte Empfängnis*, 1588, Montalcino, Dom; *Christus mit Heiligen*, 1591, Siena, Chiesa di Fontegiusta; *hl. Ansanus, die Sienesen taufend*, 1596, Siena, Dom. *Hl. Katharina, eine Besessene heilend*, 1596, Siena, S. Domenico; ebda. weitere Bilder. Fresken im Hause der hl. Katharina in Siena: *Szenen aus dem Leben der Heiligen*. Werke in den Mus. Siena, Florenz (Pitti), Mailand (Ambro-

siana), Parma, Turin, Berlin, Bordeaux, Dijon, Dresden, Hampton Court, Montpellier, Nancy, Paris, Richmond (Slg. Cook), Wien u. a.
Lit.: A. Venturi IX, 7, 1934. Pevsner, *Barockmalerei* (Handb. der K. W.), 1928.

Vanni, Lippo, ital. Maler u. Miniator, tätig um 1341–75 in Siena u. S. Gimignano, schuf Miniaturen u. Altarwerke. Sieneser Meister unter dem Einfluß der beiden → Lorenzetti u. des Simone → Martini.
Erhaltenes Altarwerk: *Triptychon* in der Kirche SS. Domenico e Sisto in Rom, 1358. Ferner *Fresko* im Pal. Pubblico in S. Gimignano. Diese Werke sind Ausgangspunkt für weitere Zuschreibungen, die zum großen Teil noch nicht als gesichert gelten: in den Mus. Altenburg, Baltimore (Slg. Walters), Berlin (ehem. K.-F.-Mus.), Le Mans, New York (Slg. Lehmann), Pisa, Perugia, Paris, Rom (Vatik. Mus.). Miniaturen in der Libreria des Domes von Siena, in Philadelphia (Fogg Art Mus.) u. a.
Lit.: Weigelt in: Th.-B. 1929 (unter Lippo). A. M. Ciaranfi in: Enc. Ital. 1937.

Vanni, Raffaello, ital. Maler, Siena 1587–1673 ebda., Schüler s. Vaters Francesco V. u. des Annibale → Carracci in Rom, schuf Altarbilder in Kirchen von Rom, Pisa, Siena; Werke in Florenz (Uff. u. Pitti), Rom (Gall. Borghese) u. a.
Lit.: H. Voss, *Malerei der Spätrenaiss. in Rom u. Florenz*, 1920.

Vannucci, Pietro → Perugino.

Vantongerloo, Georges, belg. Bildhauer u. Maler, * Antwerpen 1886, Meister der abstrakten, konstruktivist. Kunst, Mitarbeiter der Zeitschrift de → Stijl, befreundet mit → Doesburg u. → Mondrian, Mitbegründer der Gruppe «Cercle et Carré», Paris 1930. Er begann sehr früh mit rein abstrakten Gebilden: *Konstruktion in der Kugel*, 1917, Gips versilbert, New York, Mus. of mod. Art. Seine Kunst wurzelt im Kubismus, er ist Vertreter der von Mondrian Neoplastizismus genannten Richtung. V. schrieb: «L'Art et son avenir», 1924.
Lit.: Barr, *Cubism and abstr. Art*, 1936. Vantongerloo, *Paintings, Sculpture, Reflexions*, 1948. M. Seuphor, *Dict. peint. abstr.*, 1957. Ders., *Plastik unseres Jh.*, 1959. W. Hofmann, *Plastik des 20. Jh.*, 1958.

Vanvitelli, Gaspare → Wittel, Gaspar van.

Vanvitelli, Luigi, ital. Arch., Neapel 1700–1773 Caserta, Sohn des Malers Gaspar van → Wittel, zuerst Maler u. Schüler s. Vaters, ab ca. 1730 Arch. in Rom, ab 1751 in neapol. Diensten, führender Meister des Übergangs vom Barock zum Klassizismus; beeinflußt von → Bernini, → Borromini u.

den Meistern des franz. Schloßbaues. Sein Hauptvorbild war → Juvara.
Hauptwerk: das gewaltige *Schloß Caserta*, mit 253 m langer Fassade, großer Eingangshalle, 4 Innenhöfen u. einer Folge von 1200 Räumen. Der wichtigste kirchliche Bau: *SS. Annunziata* in Neapel, 1761–82. (von s. Sohn Carlo voll.). Weitere Bauten: *Chiesa del Gesù* in Ancona, 1743–45; *Umbau des Querschiffes von S. Maria degli Angeli*, Rom, 1749 ff.; *Erweiterungsbau des Pal. Chigi-Odescalchi* (Seitenflügel), ebda., 1750 ff. Viele Palastbauten in Neapel, der bedeutendste: *Pal. d'Angri*, 1755 u. a.
Lit.: A. E. Brinckmann, *Baukunst des 17. u. 18. Jh.* (Handb. der K.W.), 1919. F. Fichera, 1937. G. Chierici, *La Reggia Caserta*, 1937. R. Pane, *Arch. dell'età barocca in Napoli*, 1939.

Varlin, eig. Willy Guggenheim, schweiz. Maler, * Zürich 1900, Nachimpressionist, bes. von den → Fauves beeinflußt, 1923–32 in Paris, seitdem in Zürich; vor allem skizzenhaft behandelte, scharf charakterisierende Porträts, zuweilen das Karikaturenhafte streifend; eindrucksvolle Stadtlandschaften u. a.; vertreten in Zürich, Kunsth., Basel u. a.
Lit.: *Neue Kunst nach 1945*, hg. v. W. Grohmann, 1958. *Ausst.-Kat. St. Gallen,* 1961. M. Gasser in: Du, 1960 (März).

Varotari, Alessandro → Padovanino.

Vasarely, Victor, ungar.-franz. Maler, * Pécs (Ungarn) 1908, seit 1930 in Paris, Vertreter der «konkreten» Kunst (der strengen, geometrisierenden Abstraktion), beeinflußt von → Moholy-Nagy, → Malewitsch, → Mondrian, → Kandinsky, wird der jungen «école de Paris» zugerechnet.
Lit.: W. Haftmann, *Malerei im 20. Jh.*, 1955. M. Seuphor, *Knaurs Lex. abstr. Malerei*, 1957. *Neue Kunst nach 1945*, hg. v. W. Grohmann, 1958. *Ausstell.-Kat. konkrete kunst*, Zürich 1960.

Vasari, Giorgio, ital. Maler u. Arch., Arezzo 1511 bis 1574 Florenz; der berühmte Historiograph der Kunst war auch ein zu s. Zeit sehr gefeierter Maler u. bedeutender Baumeister; Schüler → Bandinellis u. → Rosso Fiorentinos, stand V. allen künstlerischen Strömungen der Zeit offen; von → Michelangelo beeinflußt schuf er große Freskenwerke, Kirchenbilder, bedeutende Porträts. In s. Stil geht er von Rosso Fiorentino aus, Vertreter des manierist. Stils, ohne auf ein überragendes Niveau zu gelangen. Seine künstlerischen Möglichkeiten zeigt am besten s. Hauptwerk: *Die Fresken im großen Saal der Cancelleria*, Rom, 1546 mit Gehilfen ausgeführt. V. war abwechselnd in Rom u. Florenz tätig. Tüchtiger, von Michelangelo inspirierter Baumeister. Hauptwerk: Bau der *Uffizien*, Florenz, 1560 beg.

Hauptwerke als Maler: größere *Freskenwerke: im Pal. Vecchio,* Florenz, 1555–71; in *den Kapellen u. in der Sala Regia des Vatikans,* Rom, 1571 u. 1571–73. Altargemälde: *Allegorie der Unbefleckten Empfängnis,* 1540–41, Florenz, SS. Apostoli u. Pal. Pitti. *Anbetung der Könige,* S. Maria della Scolca in Rimini, 1548. *Hl. Familie,* Florenz, Gall. Pitti u. Gall. Corsini; Wien, Kunsthist. Mus. *Kreuztragung,* 1572, Florenz, S. Croce. Viele weitere Bilder in Florentiner Kirchen; in Siena, Pinac. Paris, Louvre. Rom, Gall. Borghese usw. Viele Bildnisse, allegor. Bilder u. Zeichnungen. Weitere Bauwerke: *Badiakirche* zu Arezzo, um 1550; *Pal. dei Cavalieri di S. Stefano* in Pisa, 1558.

V. hatte viele Schüler, die wichtigsten: Stefano Gherardo, Stradanus, Jacopo Zucchi, Sabatini. Vasaris Lebensbeschreibungen ital. Künstler v. Cimabue bis Michelangelo in: «Vite de' più eccellenti pittori, scultori ed architetti italiani», 1550 u. 1568; viele neue Ausg. u. Übers.

Lit.: W. Kallab in: *V.-Studien,* hg. v. J. v. Schlosser, 1908. J. v. Schlosser, *Kunstliteratur,* 1924. A. Venturi IX, 6, 1933 u. XI., 2, 1939. *Il V.,* Zschr. der V.-Forschung.

Vaszary, János, ungar. Maler, Kaposvár 1867–1939 Budapest, gilt als führender Vertreter der neueren ungar. Malerei; er studierte in Budapest, München u. Paris, begann mit stilisierten Werken, etwa in der Art des → Puvis de Chavannes; vertrat später einen kräftigen Realismus mit glühenden, pastos aufgetragenen Farben.

Lit.: B. Lazar, 1923. J. Balint, 1927. E. Kallai, *Neuere Malerei in Ungarn,* 1925.

Vautier, Benjamin, schweiz. Maler, Morges 1829 bis 1898 Düsseldorf, Vertreter der im 19. Jh. so beliebten anekdotisch erzählenden Genremalerei (zu vergleichen mit → Knaus, → Defregger, → Anker), Schüler der Düsseldorfer Akad., 1856–57 in Paris, tätig in Düsseldorf, schuf naturalist. Darstellungen aus dem Leben der Bauern der Schweiz u. des Schwarzwaldes. Beisp.: *Bauer u. Makler,* 1865, Basel, Mus. *Tanzstunde,* 1868, Berlin, ehem. Nat. Gal. *Zweckessen auf dem Lande,* 1871, München, N. P. *Am Krankenbett,* 1873, Berlin, Nat. Gal. *Rückkehr des verlorenen Sohnes,* 1885, Hamburg, Kunsth. V. schuf Illustrationen zu Immermanns «Oberhof», 1865, u. a.

Lit.: A. Rosenberg, 1897.

Vecchietta, Lorenzo di Pietro, gen. il V., ital. Maler u. Bildhauer, Castiglione di Val d'Orcia 1412 bis 1480 Siena, Hauptmeister des Quattrocento in Siena, bedeutend sowohl als Maler wie als Bildhauer; tätig in Siena. Als Maler führte er den Stil s. Lehrers → Sassetta fort; als Bildhauer von → Donatello beeinflußt. Er selber hatte großen Ein-

fluß auf die sienes. Kunst der Folgezeit; Schüler von ihm: Benvenuto di Giovanni, → Neroccio, → Francesco di Giorgio, → Matteo di Giovanni.

Hauptwerke als Maler: Triptychon mit *Himmelfahrt Mariä u. Heiligen,* 1461–62, im Dom von Pienza. *Freskenfigur der hl. Katharina,* 1461, Siena, Pal. Pubblico. *Fresko der Schutzmantelmadonna,* um 1450–55, ebda. Weitere Fresken in Kirchen von Siena u. in der Pinac., ebda. Hauptwerk als Bildhauer: *Bronzeziborium* im Dom von Siena, 1467–72. Weitere plast. Werke: *Marmorstatuen der hll. Petrus u. Paulus,* 1460 bis 1462, Siena, Loggia di Mercanzia. *Der auferstandene Christus,* 1476, am Hochaltar von S. Maria della Scala, ebda. *Grabfigur des Bischofs Girol. Foscari,* Rom, S. Maria del Popolo.

Lit.: A. Venturi 6, 1908 u. VII, 1, 1911. R. van Marle, *Ital. Schools* 16, 1937. G. Vigni, 1937. J. Pope-Hennessy, *La peint. siennoise du Quattrocento,* 1947.

Veen, Otto van, niederl. Maler, Leiden 1556–1629 Brüssel, Hauptvertreter des niederl. Romanismus, 1575–80 in Italien, in Rom Anschluß an Federigo → Zuccari, in der Folge in Brüssel u. Antwerpen tätig. 1596–1600 war → Rubens s. Schüler. V. schuf große Altarwerke, hist. u. mythol. Bilder; im Stil vom ital. u. niederl. Manierismus beeinflußt, zum fläm. Barock Rubens' überleitend. V. hat umfangreiche Stichwerke herausgegeben; viele s. Gemälde wurden in Einzelstichen verbreitet.

Hauptwerke: Große Altarbilder in der Andreaskirche zu Antwerpen; in der Michaelskirche u. in St. Bavo zu Gent u. v. a. 4 Gemälde mit bibl. Geschichten: *Zachäus im Feigenbaum; Berufung des Matthäus; Taten des hl. Nikolaus,* um 1608, Antwerpen, Mus. *12 Darstellungen aus dem Kämpfen der Römer u. Bataver,* um 1612, Amsterdam, Rijksmus. Weitere Werke in den Mus. Antwerpen, Brüssel, Bamberg, Augsburg, Stockholm, Siena, Stuttgart u. a.

Lit.: Wurzbach, *Niederl. Künstlerlex.,* 1910–11. F. M. Haberditzl in: Österr. Jb. 27, 1907. Ders., *Die Lehrer des Rubens,* 1908.

Veit, Philipp, dt. Maler, Berlin 1793–1877 Mainz, Schüler von Friedrich Matthäi in Dresden, weitergebildet in Wien, war 1815–30 in Rom, wo er sich den → Nazarenern anschloß, 1830–53 in Frankfurt, dann in Mainz tätig. V. beteiligte sich an den Freskenwerken der Nazarener in der Casa Bartholdy: *Die 7 fetten Jahre,* 1816–17, u. der Villa Massimi. Er schuf haupts. bibl. Historien, bes. Fresken. Hauptwerk ist das Fresko: *Einführung des Christentums in Deutschland,* 1836, Frankfurt, Städel (1877 auf Leinwand übertragen).

Vela, Vincenzo, schweiz. Bildhauer, Ligornetto (Tessin) 1820–1891 ebda., Vertreter des «Verismo», der ital. Abart des Realismus der 2. Jahrhunderthälfte. V. schuf Denkmäler, Statuen, Grabmäler,

Büsten u. a. Hauptwerke: *Spartakusstatue*, Marmorausführung von 1850 in Genf, Mus. *Opfer des Baus des Gotthardtunnels*, Airolo. *Büsten von Cavour u. Dufour* in Genf. *Die Opfer der Arbeit*, Rom, Gall. mod. *Napoleon auf St. Helena*, Versailles. *Statue des Tommaso Grossi*, Mailand, Brera. Gut vertreten im Mus. Vela, Ligornetto u. im Mus. Turin.

Lit.: F. Sapori, 1919. M. Calderini, 1922. D. Baud-Bovy, *Cat. des oeuvres de V. V.*, 1926. F. Chiesa, 1941. A. de Rinaldis in: Enc. Ital. 1937.

Velazquez, Diego de Silva y, span. Maler, Sevilla 1599–1660 Madrid, Hauptmeister des span. 17. Jh., Schüler von F. → Pacheco, kam 1623 nach Madrid, wurde dort Hofmaler u. der bevorzugte Porträtist, erste Italienreise 1629–31, zweite 1649–51. – In s. Kunst von der in Sevilla herrschenden Helldunkelmalerei, die von → Caravaggio herkam, beeinflußt. In dieser Frühzeit malte er einige religiöse Bilder u. die damals beliebten realist. Volkstypen (bodegones). Es sind zu nennen: *Sevillaner Wasserverkäufer*, Madrid, Prado. *Das Frühstück*, Leningrad, Eremitage. *Christus im Hause der Martha*, London, Nat. Gall. Höhepunkt des Frühstils: *Los Borrachos* (Die Trinker), um 1630, Prado. Auf s. ersten Italienreise hatte er → Tizian, → Veronese u. → Tintoretto studiert. Dieser Einfluß ist ersichtlich in der *Schmiede des Vulkan*, um 1631, Prado. Das bedeutendste Werk s. mittleren Epoche: *Las Lanzas* (Übergabe von Breda), 1634–35, Madrid, Prado. In dieser Zeit entstanden zahlreiche Bildnisse von Angehörigen der königl. Familie, von span. Granden, von Hofnarren usw.: *Philipp IV.*, Madrid, Prado, u. London, Nat. Gall.; *Infant Baltasar Carlos*, Madrid, Prado; Boston, Mus.; London, Wallace Coll.; *Olivarez*, Madrid, Prado, u. Leningrad, Eremitage; viele weitere Bildnisse span. Granden im Prado, Madrid. Nach s. 2. Italienreise, 1649–51, Beginn der Hauptepoche; mit raschem Pinsel geht V. den Eindrücken der Dinge in Luft u. Licht nach u. wird zu einem der großen Vorläufer des Impressionismus. Hauptwerke dieser Epoche: *Las Meninas*, 1656 (Die Infantin Margarita mit Hofstaat in der Werkstatt des Künstlers); *Las Hilanderas* (Die Spinnerinnen der Teppichfabrik bei der Arbeit), um 1657; beide im Prado. V. ist hervorragend vertreten (mit 45 Bildern, fast alles Hauptwerke) im Prado, Madrid; gut vertreten in Wien, Kunsthist. Mus. (13 Bilder); London, Nat. Gall.

Lit.: C. Justi, 1888 (viele spätere Aufl.). R. A. Stevenson, 1895 (dt. 1904). A. de Beruete, 1898 (dt. 1909). H. Kehrer, 1920. Ders., *Des Meisters Gemälde* (Klass. der Kunst), ⁴1925. A. L. Mayer, 1925. E. Faure, 1939. E. Trapier, 1948. E. Lafuente-Ferrari, 1960 (Skira).

Velde, Adriaen van de, niederl. Maler, Amsterdam 1636–1672, Hauptvertreter der holl. Landschaftsmalerei des 17. Jh., schuf meist helle u. heitere Landschaften mit weidenden Tieren u. friedlichen Menschen, ferner mythol. u. bibl. Bilder u. Figurenstaffagen für andere Maler (Jac. v. → Ruisdael, J. van der → Heyden, J. Wijnants, Ph. → Hackaert). Hauptwerke: *Der Strand von Scheveningen*, 1658, Kassel, Gal. *Bibl. Landschaft mit der Wanderung Jakobs*, 1663, London, Wallace Coll. *Rastende Hirten*, 1664, Amsterdam, Rijksmus. Sehr gut vertreten das.

Lit.: E. Michel, *Les v. d. V.*, 1892. C. Hofstede de Groot, *Beschreib. u. krit. Verz.* 3, 1910. W. v. Bode, *Meister der holl. u. fläm. Malerschulen*, ⁶1951. K. Zoege v. Manteuffel, *Die Künstlerfamilie v. d. V.*, 1927.

Velde, Esaias van de, niederl. Maler, Amsterdam um 1590–1630 Den Haag, feiner Landschaftsmaler, bevorzugte Winterlandschaften, Soldatenstücke u. Volksbelustigungen.

Lit.: → Adriaen van de V.

Velde, Henry van de, belg. Arch. u. Kunstgewerbler, Antwerpen 1863–1957 Zürich, gehört zu den Hauptbegründern der modernen Baukunst, begann als neoimpressionist. Maler, leitete 1901–14 die Kunstgewerbeschule Weimar, 1925ff. Leiter einer Architekturschule in Brüssel, wirkte 1926ff. in Gent als Prof. für Architekturgeschichte, lebte ab 1947 in Oberägeri (Schweiz). V. kämpfte gegen die Nachahmung hist. Stile, um zu einem eigenen zeitgemäßen Ausdruck in Baukunst u. Kunstgewerbe zu gelangen. Er gehörte zu den Begründern des Jugendstils u. war schriftstellerisch tätig: «Renaissance im Kunstgewerbe», 1901; «Kunstgewerbl. Laienpredigten», 1902. Sein Aufruf «Zum neuen Stil», 1907, war epochemachend. Auswahl s. Schriften: «Zum neuen Stil», 1955.

Hauptwerke: *Innere Halle des Folkwangmus.*, Hagen, 1901. *Werkbundtheater* in Köln, 1914. *Mus. Kröller-Müller* in Otterloo. *Univ.-Bibliothek* in Gent, 1935 bis 1940.

Lit.: K. Scheffler, 1913. K. E. Osthaus, 1920. J. van de Voort, 1933. Ahlers-Hestermann, *Stilwende*, 1941; ²1956. N. Pevsner, *Wegbereiter . . .*, 1957.

Velde, Jan van de, niederl. Kupferstecher u. Maler, Rotterdam um 1593 bis nach 1641 Enkhuyzen (?), Bruder von Esaias u. Willem v. d. V.; hat 400 Blätter gestochen: Bildnisse, geschichtliche Darstellungen, Genre- u. Kostümblätter, Ansichten von Schlössern u. Städten, Landschaften u. Seestücke.

Lit.: J. G. van Gelder, 1933. Weitere Lit. → Adriaen van de V.

Velde, Willem van de, d. Ä., niederl. Maler, Leiden 1611–1693 London, Vater Adriaens u. Willems v. d. V., 1673ff. engl. Hofmaler; hat Seeschlachten seiner Zeit dargestellt.

Lit.: → Adriaen van de V.

Velde, Willem van de, d. J., niederl. Maler, Leiden 1633–1707 Greenwich, bedeutender Maler von Seeschlachten, Sohn Willems d. Ä., 1673 ff. in London, ab 1677 Hofmaler ebda. Sehr gut vertreten in Amsterdam, Rijksmus, in London, Nat. Gall. u. Schloß Hampton Court.
Lit.: → Adriaen van de V. C. Hofstede de Groot, *Beschreib. u. krit. Verz. 7, 1918.*

Veneto, Bartolomeo → Bartolomeo Veneto.

Veneziano, Agostino, eig. dei Musi, ital. Kupferstecher, Venedig um 1490 bis um 1540 Rom, Schüler des → Raimondi, stach nach Werken → Raffaels, des → Giulio Romano, → Bandinellis, der Antike; schuf viele Ornamentstiche, bes. Grotesken nach Motiven Raffaels u. der Antike.

Veneziano, Bonifazio → Bonifazio de'Pitati.

Veneziano, Domenico, ital. Maler, Venedig um 1410–1461 Florenz; in Perugia, dann in Florenz tätiger Meister der Florentiner Schule, beeinflußt von → Masolino, → Masaccio u. namentlich von den Frührenaissanceplastikern, vor allem → Donatello. Ein Hauptwerk V.s ist ein Tafelbild mit der *Thronenden Madonna u. Heiligen,* Florenz, Uff., welches von einem Altar aus S. Lucia de'Bardi stammt. Zu diesem Altar gehörte auch: *Martyrium der hl. Lucia,* Berlin, ehem. K.-F.-Mus.; *Verkündigung,* Cambridge, Fitzwilliam Mus.; *Wunder des hl. Zenobius,* ebda.; andere Teile in Privatslgn. (Hamilton, New York u. Contini, Florenz). *Madonna mit Kind,* Freskenfragment, London, Nat. Gall. Weitere Freskenfragmente ebda. *Anbetung der Könige,* Berlin, ehem. K.-F.-Mus. *Die hll. Franziskus u. Johannes d. T.,* Fresko in S. Croce in Florenz. Zugeschrieben: *Frauenbildnis,* Mailand, Mus. Poldi-Pezzoli: *Frauenbildnis* in den Uff., Florenz; *Frauenbildnis,* Berlin, ehem. K.-F.-Mus. *Madonna mit Kind,* Settignano, Slg. Berenson.
Lit.: R. van Marle, *Ital. Schools* X, 1928. G. Pudelko in: Mitt. des Kunsthist. Inst. in Florenz 4, 1934. M. Salmi, *Paolo Uccello, Andrea del Castagno, D. V.,* 1938. H. Bodmer, 1950.

Venne, Adriaen van de, niederl. Maler, Delft 1589 bis 1662 Den Haag, hat Bildnisse, geschichtliche Darstellungen, Bauernszenen u. Eisbelustigungen gemalt. Sprichwortszenen in Grisaillemalerei u. Buchillustrationen. In vielen Gal. vertreten, u. a. Aachen, Dessau, Dresden, Genf, Gent, Göteborg, Den Haag, Hamburg, Karlsruhe, Kopenhagen, Lille, Straßburg, Utrecht.
Lit.: Grosse, *Holl. Landschaftskunst 1600–1650, 1925.*

Venusti, Marcello, ital. Maler, Como um 1512–1579 Rom, Schüler u. Gehilfe des Perino del → Vaga in Florenz (laut Vasari), in s. Frühwerken von zartem, an → Lotto u. → Correggio erinnerndem Sfumato; später zunehmend von → Michelangelo beeinflußt; in vielen Gal. vertreten u. a. in Rom, Gal. Borghese (*Pietà*), Wien, Kassel, Leningrad, London (N. G.), Augsburg, Perugia, Tours.
Lit.: A. Venturi, *Storia dell'Arte* IX, 6, 1933.

Verboeckhoven, Eugène, belg. Maler, Warneton 1799–1881 Brüssel, bedeutender Tiermaler, Schüler von P. Ommeganck; auch Radierungen u. Lithographien.
Lit.: G. Eckhoud, *Peintres animaliers belges,* 1911.

Verboom, Adriaen, niederl. Maler, Rotterdam um 1628–1670 Amsterdam (?), Meister von Landschaften in der Art Jac. van → Ruisdaels, tätig in Rotterdam; um 1650–60 in Haarlem, später in Amsterdam. Die Staffagefiguren s. Bilder häufig von J. → Lingelbach, von P. G. van Os u. a. ausgeführt. In vielen Gal. vertreten, u. a. Amsterdam (Rijksmus.), Dresden, Hamburg, Kopenhagen, Rotterdam, Schleißheim, Stockholm.

Verbruggen, Hendrik Frans, niederl. Bildhauer, Antwerpen um 1655–1724 ebda., Sohn u. Schüler Peeter V. d. Ä., schuf barocke Altäre, Kanzeln, Statuen, Epitaphien, Portalschmuck u. a. für belg. Kirchen. Hauptwerk: *Holzgeschnitzte Kanzel,* ursprünglich für Jesuitenkirche Löwen, heute in Ste-Gudule, Brüssel, 1699–1702. Ferner *Kanzeln* in St.-Michael in Löwen; in der Peterskirche zu Mecheln; in der Kirche zu Grimberghen; in der Karmeliterkirche zu Antwerpen; *Hochaltar von St. Bavo* in Gent.

Verbruggen, Peeter d. Ä., niederl. Bildhauer, Antwerpen um 1609–1687 ebda., Schüler des A. → Quellinus, arbeitete haupts. für Antwerpener Kirchen: *Marmoraltar* in der Marienkapelle der Kathedrale, seit 1678, mit A. Quellinus; Holzstandbild der *hl. Cäcilie,* ebda., Orgelbrüstung.

Verbruggen, Peeter d. J., niederl. Bildhauer, Antwerpen um 1640–1691 ebda., Sohn u. Schüler von Peeter d. Ä., war mehrere Jahre in Italien, kehrte 1677/78 nach Antwerpen zurück. Werke: *Liebfrauenaltar* in St. Bavo, Gent; *Hochaltar* der Dominikanerkirche Antwerpen; *Hochaltar* der Pfarrkirche Lebbeke, 1680. Weitere Altäre, Epitaphien u. a.

Verelst, Pieter, niederl. Maler, Dordrecht (?) um 1618 bis um 1678 Hulst (?), malte Bildnisse u. holl. Genreszenen in der Art → Ostades u. G. → Dous. Beisp.: *Trinkende Bauern,* Amsterdam, Rijksmus. *Der Raucher,* Bonn, Mus. Vertreten in den Gal. Aachen, Amsterdam, Bonn, Dresden, Freiburg, Haarlem, Karlsruhe, Toulouse u. a.

Verelst, Simon, niederl. Maler, im Haag 1644–1721 London, Sohn des Pieter V., kam 1669 nach London,

wo er als beliebter Stilleben- u. Blumenmaler wirkte, «the God of flowers». Vertreten in vielen Mus., u. a. Boston, Grenoble, Den Haag, Hampton Court, München, Narbonne, Pommersfelden, Reims, Stockholm.
Lit.: Wurzbach, *Niederl. Künstlerlex.*, 1910.

Verhulst, Rombout, niederl. Bildhauer, Mecheln 1624–1698 Den Haag, bedeutender Meister des holl. Barock, Mitarbeiter des A. → Quellinus bei den Bildwerken für das Amsterdamer Rathaus, schuf Architekturreliefs, Grabmäler, Bildnisbüsten (Ton) u. a. In s. Stil von Quellinus, → Bernini, → Rubens beeinflußt.
Werke: *Relief an der Neuen Waage* in Leiden mit lebensgroßer Wägeszene, 1658. *Grabmäler: Admiral Tromp,* 1655–58, Delft, Alte Kirche; *Admiral de Ruyter,* 1677–81, Amsterdam, Neue Kirche; *Admirale Jan u. Cornelis Evertsen,* 1679–82, Middelburg, Abteikirche.
Lit.: M. van Notten, 1907. A. E. Brinckmann, Barockskulptur (Handb. der K. W.), 1920–21.

Verkade, Willibrord, holl. Maler, Zaandam 1868 bis 1946 Beuron, gehörte dem Kreise um → Gauguin in Paris u. Pont-Aven an, lernte außer Gauguin dort → Sérusier, → Vuillard, M. → Denis u. a. kennen. 1892 wurde V. katholisch, 1894 trat er in das Kloster Beuron ein u. führte die von Desiderius Lang begründete → Beuroner Kunstschule weiter. Auch literarisch tätig.

Verkolje, Jan, niederl. Maler u. Kupferstecher, Amsterdam 1650–1693 Delft, malte Bildnisse, mythol.- u. Genreszenen; schuf rund 50 Schabkunstblätter (meist Bildnisse); beeinflußt von → Metsu, → Terborch, C. → Netscher. Beisp.: *Der Trompeter u. die Dame,* Dresden, Gal. *Szene in Innenraum,* 1675, Paris, Louvre. *Bildnisse eines Herrn mit Gemahlin,* 1685 u. 1691, Amsterdam, Rijksmus.; In vielen Gal. vertreten: Amsterdam, Haarlem, Bonn, Dresden, Cambridge (Fitzwilliam), Kopenhagen, Leningrad, Paris, Pommersfelden (Schloß Weißenstein), Schleißheim, Stockholm, Utrecht, Würzburg u. v. a.

Verkolje, Nikolaes, niederl. Maler u. Kupferstecher, Delft 1673–1746 Amsterdam, Sohn u. Schüler von Jan V., setzte die Kunst s. Vaters fort, beeinflußt von → Terborch, → Metsu, A. van der → Werff; seine Schabkunstblätter (auch nach → Kneller, → Lely u. a.) werden sehr geschätzt. In vielen Mus. vertreten.

Verlat, Charles, belg. Maler, Antwerpen 1824–1890 ebda., tätig in Paris, Weimar u. ab 1873 in Antwerpen (Prof. der Akad.), Schüler von → Wappers u. von → Couture in Paris, malte Geschichtsbilder,

auch Bildnisse u. Genreszenen; besonders beliebt waren s. lebensnahen, realist. Szenen aus dem Tierleben. V. ist sehr gut vertreten in den Mus. Antwerpen u. Brüssel; ferner in Amsterdam (Rijksmus. u. Sted. Mus.), Bremen, Lüttich, Toulouse, Weimar u. a.
Lit.: *Victoire et Charles Verlat,* 1926.

Vermeer (van der Meer), Jan, gen. *V. van Delft,* niederl. Maler, Delft 1632–1675 ebda., Hauptmeister der holl. Malerei des 17. Jh., schuf haupts. gegenständlich sehr einfache Innenraumbilder, die man nicht als Genrebilder bezeichnen kann: meist nur eine einzige Figur bei oft ganz belangloser Tätigkeit. Die Wirkung der Bilder beruht auf der streng ausgeglichenen Komposition u. den aufs feinste aufeinander abgestimmten Farben, meist Komplementärfarben, besonders ein kühles Blau u. ein leuchtendes Gelb. Da das Gegeneinandersetzen der Farbflächen oft der einzige Stimmungsträger der Bilder V.s ist, hat die moderne gegenstandslose «absolute» Malerei gerne V. als einen ihrer Vorläufer angesehen. Das Gesamtwerk besteht aus knapp 40 Bildern.
Hauptwerke: *Bad der Diana,* Den Haag, Mauritshuis, vor 1656 (noch fremde Einwirkungen spürbar, haupts. → Rembrandts u. des ital. Barock). *Kupplerin,* 1656, Dresden, Gal. *Briefleserin am Fenster,* ebda. *Spitzenklöpplerin,* Paris, Louvre. *Dame mit dem Perlenhalsband,* Berlin, ehem. K.-F.-Mus. *Herr u. Dame beim Wein,* ebda. *Dame am Spinett,* London, Nat. Gall. *Das Milchmädchen,* Amsterdam, Rijksmus. *Der Künstler in s. Atelier,* Wien, Gal. Czernin. *Ansicht von Delft,* Den Haag, Mauritshuis. *Perlenwägerin,* Philadelphia, Gal. *Soldat u. lächelndes Mädchen,* Washington, Gal. *Mädchenkopf,* Den Haag, Mauritshuis. *Der Brief,* Amsterdam, Rijksmus. *Frau am Fenster,* New York, Metrop. Mus.
Lit.: G. Vanzype, 1908. B. Reifenberg u. W. Hausenstein, 1924. E. Plietzsch, 1939. A. B. de Vries, 1939 (dt. 1945). M. M. van Dantzig, 1947. P. T. A. Swillens, 1950. L. Goldscheider, 1958.

Vermeer, Jan d. Ä. → Meer Jan van der, d. Ä.

Vermeer, Jan d. J. → Meer, Jan van der, d. J.

Vermeyen, Jan Cornelisz., niederl. Maler, Beverwijk b. Haarlem um 1500–1559 Brüssel, wahrscheinlich Schüler Jan → Gossaerts in Utrecht, von diesem u. → Scorel beeinflußt, malte vor allem Bildnisse, auch Historien- u. Genrebilder. Er stellte die *Kriegstaten Karls V.* in großen Kartons dar für Teppiche, voll. 1547, Wien, Kunsthist. Mus. Werke in den Mus. Arras, Bordeaux, Brüssel, Florenz (Pitti), New York (Metrop. Mus.); Wien (Akad. u. Kunsthist. Mus.) u. a.
Lit.: Wurzbach, *Niederl. Künstlerlex.*, 1910. A. J.

Wauters, 1901. F. Winkler, *Altniederl. Malerei*, 1924. M. J. Friedländer, *Altniederl. Mal.* 12, 1935. K. G. Boon in: Th.-B. 1940.

Vernet, Carle (eig. Charles), franz. Maler u. Lithograph, 1758–1836, Sohn von Joseph V., berühmter Pferdedarsteller, malte Schlachtenbilder im Auftrag Napoleons; seine Hauptbedeutung beruht auf s. Lithographien: Pferdebilder, sportliche Vergnügungen, meist mit Pferden u. humorist. behandelten Unfällen.
Lit.: A. Dayot, 1925. H. Béraldi, *Les grav. du 19e siècle* 12, 1892. C. Glaser, *Graphik der Neuzeit*, 1922. Bénézit, 1955.

Vernet, Horace, franz. Maler u. Graphiker, Sohn von Charles V., Paris 1789–1863 ebda., 1828–35 Direktor der Franz. Akademie in Rom, ging vom Klassizismus zu einer romant.-realist. Auffassung über. Er stellte für das Hist. Mus. Versailles die großen Schlachten Napoleons u. die Taten der franz. Armee in Algier dar. Zahlreiche Reisen nach Petersburg, Algier, Palästina usw. Über 200 Lithos aus dem Soldatenleben der napoleonischen Zeit u. Holzschnittillustrationen zu «Histoire de Napoléon», von Laurent de l'Ardéche, 1839. Militär- u. Schlachtenbilder, Bildnisse, oriental. Genreszenen. Außer Versailles vertreten in Boston, Breslau, Genf, Hannover, Kopenhagen, Leningrad, Moskau, New York, Paris, Turin.
Lit.: H. Béraldi, *Les grav. du 19e siècle* 12, 1892. Michel, *Hist. de l'Art.*

Vernet, Joseph, franz. Maler, Avignon 1714–1789 Paris, 1734–53 in Rom, kam dann nach Paris, wo er den Auftrag erhielt, sämtliche Häfen Frankreichs zu malen. Er blieb dann dabei, vor allem Küstenlandschaften, Hafenansichten u. Seestücke zu schaffen. Beliebt waren vor allem s. Schiffbrüche, Gewitter- u. Nachtstimmungen. Er war von Claude → Lorrain, → Poussin, aber auch Italienern wie → Pannini beeinflußt.
Werke: *15 Ansichten von Häfen Frankreichs*, 1753–63, Paris, Louvre. Originalzeichnungen dazu im Mus. Avignon. In fast allen größeren Mus. vertreten: in Paris (Louvre), 40 Bilder; in Avignon 16; Leningrad 22; Marseille 6; New York (Hist. Soc.) 5; Wien (Gal. Harrach) 5 u. Akad. 9 usw.
Lit.: L. Lagrange, *Les V.*, 1863. A. Dayot, *Les V.*, 1898. F. Ingersoll-Smouse, 1926.

Veronese, Paolo, eig. Caliari, ital. Maler, Verona 1528–1588 Venedig, Hauptmeister der venez. Malerei des 16. Jh., von 1541 an Schüler des Antonio → Badile in Verona, von 1553 an in Venedig wirkend. In s. Kunst war V., obwohl Zeitgenosse → Tintorettos, vom Manierismus kaum berührt, sondern Hauptvertreter der die Renaissancekunst

weiterführenden Richtung, die in vielen ihrer Werke direkt zum Barock hinführt. Er begann unter dem Einfluß Badiles u. der verones. Schule, später wirkten die Venezianer, bes. → Tizian u. Tintoretto auf ihn ein. Hauptwerke der ersten Phase in Venedig: seine Arbeiten für *S. Sebastiano*. 1560 Reise nach Rom, Einwirkungen der röm. Kunst, → Michelangelo u. a. Höhepunkt s. Freskenmalerei mit leicht hingeworfenen Szenen u. perspektivisch kühnen Lösungen, an die → Tiepolo anknüpfen konnte, sind die *Fresken in der Villa Barbaro* (Giacomelli) in Masèr. Hauptwerke s. Reifezeit die großen Tafelszenen, ein Thema, welches s. festlichheiteren Kunst die größten Möglichkeiten bot; von ihnen die berühmtesten: *Hochzeit zu Kana*, 1563, Paris, Louvre, mit Porträts berühmter Zeitgenossen, u. *Gastmahl im Hause des Levi*, 1573, Venedig, Akad. Ferner gehören s. Arbeiten im Dogenpalast zu den Hauptwerken. Höhepunkt s. den Barock vorwegnehmenden Spätwerkes: *Triumph der Venezia*, an der Decke des Saales des Gran Consiglio, Dogenpalast, 1580–85.
Weitere Hauptwerke: *Vision der hl. Helena*, London, Nat. Gall. *Familie Cuccini vor der Madonna mit Heiligen*, Dresden, Gal. *Thronende Madonna mit Heiligen*, 1563, Venedig, Akad. *Hochaltarbild u. Chorwandbilder in S. Sebastiano*, Venedig, 1565. *Vermählung der hl. Katharina*, Venedig, Akad. *Familie des Darius vor Alexander*, London, Nat. Gall. *Gastmahl im Haus des Pharisäers*, 1570, Mailand, Brera; Paris, Louvre. *Gastmahl des hl. Gregor*, 1572, Vicenza, Kloster Monte Berico. *Himmelfahrt Mariä*, Venedig, Akad. *Auffindung Moses*, Madrid, Prado. *Toter Christus*, Leningrad, Eremitage.
Lit.: Ch. Yriarte, 1888. F. H. Meissner, 1897. G. Fiocco, 1928. A. Venturi, 1928. R. Pallucchini, *Cat. delle opere*, 1939 (m. Bibliogr.). Th. Hetzer, 1940 (Röm. Jb. f. Kunstgesch. 4). A. Orliac, 1941 (franz.). R. Pallucchini, 1943. G. Delogu, *Ital. Mal.*, [3]1948. E. Hüttinger, *Venez. Mal.*, 1959.

Verrocchio, Andrea del, eig. del Cione, ital. Bildhauer u. Maler, Florenz 1436–1488 Venedig, Hauptmeister der florent. Frührenaissance, zuerst Schüler des Goldschmiedes Giuliano del V., nach dem er sich nannte; die weitere künstlerische Ausbildung ist ungewiß. Jedenfalls hat sich V. in der Auseinandersetzung mit → Donatello gebildet; in der Malerei schloß er sich → Baldovinetti an. Er unterhielt ein großes Atelier u. muß als Lehrer sehr bedeutend gewesen sein; seine wichtigsten Schüler waren → Credi, → Leonardo u. wahrscheinlich → Perugino. Tätig war V. in Florenz, zuletzt in Venedig.
Hauptwerke: *Bronzestandbild des David*, ursprünglich Brunnenfigur einer mediceischen Villa, 1465, Florenz, Nat. Mus. *Sarkophag Piero u. Giovanni de Medici*, ebda., Sakristei von S. Lorenzo. *Reliefs vom Grabmal der Lucrezia Tornabuoni*, 1477, ebda., Nat.

Mus. *Relief mit der Enthauptung Johannes d. T.*, in getriebenem Silber, 1479, ebda., Mus. dell' Opera del Duomo. Große Bronzegruppe: *Christus u. Thomas*, 1483, Florenz, Or S. Michele. *Reiterdenkmal des Condottiere Bartolomeo Colleoni*, Piazza SS. Giovanni e Paolo in Venedig, seit 1479; 1496 enthüllt (nach V.s Tonmodell von Leopardi gegossen). Gemälde: die meisten sind strittig, gesichert nur die *Taufe Christi*, Florenz, Akad., unter Mitarbeit Leonardos.
Lit.: A. Mackowsky, 1901. M. Cruttwell, 1904 (engl.). N. Reymond, 1906 (franz.). P. Schubring, *Ital. Plastik des Quattrocento*, 1922. A. Bertini, 1935 (ital. L'Arte, 38). L. Planiscig, 1941.

Verschaffelt, Pierre, in Italien *Pietro Fiammingo* gen., niederl. Bildhauer u. Arch., Gent 1710–1793 Mannheim, das. Hofbildhauer seit 1752; der fläm.-ital. Barock s. Werke zeigt bereits einen klassizist. Einschlag.
Werke: *Bronzestandbild des Erzengels Michael*, 1740, Rom, Engelsburg; *Marmorstandbild Benedikts XIV.* im Kloster Montecassino; *Marmorbüste Voltaires*, 1760, Brüssel, Gal. Arenberg; *Jagdgruppen u. Bildwerke des Apollotempels im Schloßpark zu Schwetzingen*, 1769; *Grabmal des Herrn van der Noot*, 1787, Gent, St. Bavo.
Lit.: E. Beringer, 1902. P. A. v. Beisel, *V. als Arch.*, 1920. A. E. Brinckmann, *Barockskulptur* (Handb. der K. W.), 1920–21.

Verschuring, Hendrik, niederl. Maler, Gorinchem (Gorkum) 1627–1690 bei Dordrecht, Schüler des Jan → Both in Utrecht, um 1646–54 in Italien, dann in Gorinchem tätig. Malte Bildnisse, ital. Landschaften mit Figurenstaffage (Volksszenen, biwakierende Jäger u. Pferde) u. Reitergefechte. Folgt in s. Kunst den → Wouwerman, → Berchem u. a. V. ist in vielen bedeutenderen Gal. vertreten.

Verschuur, Wouter, holl. Maler, Amsterdam 1812 bis 1874 Vorden; haupts. Pferdebilder in der Art → Wouwermans; in den Mus. Amsterdam (Rijksmus.), Haarlem, Dordrecht, Chicago, New York u. a.

Verspronck, Jan Cornelisz., niederl. Maler, Haarlem 1597–1662 ebda., Bildnismaler, Schüler von Frans → Hals, später auch von → Rembrandt beeinflußt. Vertreten in Amsterdam, Antwerpen, Berlin, Budapest, Caen, Dessau, Frankfurt, München, Paris (Louvre), New York (Metrop. Mus.) u. a.
Lit.: Wurzbach, *Niederl. Künstlerlex.*, 1910.

Vertangen, Daniel, niederl. Maler, im Haag um 1598 bis um 1682 Amsterdam, Schüler u. Nachahmer des C. van → Poelenburgh, tätig in Amsterdam, Hamburg (?) u. Dänemark, malte arkad.

Landschaften mit mythol. Staffage in der Art s. Lehrers. In vielen Gal. vertreten, u. a. Bamberg, Bergamo, Boston, Danzig, Göttingen, Konstanz, Leningrad, Ludwigsburg, Mainz, Meiningen, Pommersfelden, Würzburg.
Lit.: Wurzbach, *Niederl. Künstlerlex.*, 1910.

Verwilt, François, niederl. Maler, * um 1620, † 1691 Rotterdam, Schüler → Poelenburghs, malte Landschaften mit mythol. Staffage in dessen Art, ferner Bildnisse u. bäuerliche Genreszenen. Vertreten in Amsterdam, Rotterdam, Haarlem, Budapest, Leningrad, Mainz, Paris, Wien u. a.
Lit.: Wurzbach, *Niederl. Künstlerlex.*, 1910.

Veth, Jan, belg. Maler, Radierer u. Zeichner, Dordrecht 1864–1925 Amsterdam, vor allem Bildnismaler, wurde bekannt durch ausdrucksvolle Radierungen u. Lithographien berühmter Zeitgenossen: *A. v. Menzel*, *W. v. Bode* u. a. Vertreten in Amsterdam, Rijksmus.
Lit.: J. Huizinga, 1927. H. W. Singer, *Mod. Graphik*, [3]1922.

Vibert, James, schweiz. Bildhauer, Carouge (Genf) 1871–1942 ebda., 1891 Schüler → Rodins in Paris, beeinflußt von → Hodler, schuf als s. Hauptwerk: *Rütlischwur*, vor dem Bundespalast in Bern; *4 Bronzestatuen von Landsknechten*, ebda.; *Steingruppen* im Treppenhaus des Mus. in Genf; *Hodlerbüste*, Mus. Genf. Denkmäler in Sitten, Carouge, u. a. O. Vertreten in den Mus. Genf, Paris (Jeu de Paume), Lugano, Lausanne, Biel u. a.
Lit.: L. Avennier, 1922. Ch. Baudouin, 1943. Vollmer, 1961.

Victors (Fictoor), Jan, niederl. Maler, *Amsterdam um 1620, † bald nach 1676 auf See oder in Indien, Schüler → Rembrandts; malte Bildnisse, geschichtl.-bibl. u. Genrebilder. Beisp.: *Esther u. Haman*, 1642, Braunschweig, Mus. *Das Schweineschlachten*, 1648, Amsterdam, Rijksmus. *Bildnis des Jan Appelman*, 1661, Haarlem, Mus. Sehr gut vertreten in Amsterdam, Rijksmus; Bilder in vielen Mus., u. a. Antwerpen, Amiens, Berlin, Basel, Besançon, Budapest, Dresden, Düsseldorf, Haarlem, Frankfurt, Köln, Kopenhagen, München, Paris, Stuttgart, Valenciennes.

Vieira da Silva, Maria Elena, portug.-franz. Malerin, * Lissabon 1908, Hauptvertreterin moderner abstrakter Kunst, kam früh nach Paris, wo sie als Bildhauerin begann (bei → Bourdelle u. → Despiau). In ihrer Malerei läßt sie «luftige Traumarchitekturen gleich wehenden Vorhängen zwischen sich u. der Welt aufflattern» (W. Hofmann). Wird der école de Paris zugerechnet; in Frankreich naturalisiert. In vielen Mus. mod. Kunst vertreten.

Lit.: Descargues, 1949. W. Hofmann, *Zeichen u. Gestalt*, 1967, M. Seuphor, *Dict. peint. abstr.*, 1957. Ders., *Knaurs Lex. abstr. Mal.*, 1957. *Neue Kunst nach 1945*, hg. v. W. Grohmann, 1958.

Vien, Joseph, franz. Maler, Montpellier 1716–1809 Paris, Schüler von → Natoire u. J.-F. de → Troy, war 1744–50 u. 1775–81 in Rom, begann als Rokoko-maler; begeisterte sich als einer der ersten für die röm. Antike u. wurde ein Wegbereiter des Klassi-zismus.
Hauptwerke: *Dädalus u. Ikarus*, 1755, Paris, Ecole des B.-Arts; *Raub der Proserpina*, 1757, Grenoble, Mus. *Die Verkäuferin von Liebesgöttern*, 1763, Schloß Fontainebleau. *Aufbruch des Priamus ins Lager des Agamemnon*, 1783, Algier, Mus. In vielen franz. Gal. vertreten, u. a. Paris (Louvre), Fontainebleau, Grenoble, Marseille, Montpellier, Orléans.
Lit.: E. Hildebrandt, *Mal. u. Plastik des 18. Jh. in Frankr.* (Handb. des K. W.), 1924. Bénézit, 1955.

Vigarni, Felipe de, span. Bildhauer, * Langres (Burgund), † 1542 Toledo, ab 1495 in Spanien nachweisbar, Hauptmeister des Übergangs von der Gotik zur Renaissance (frühplateresker Stil) in Kastilien; tätig in Burgos, Valencia, Toledo, Gra-nada u. a. Hauptwerke: *Chorgestühl* der Kathedrale Burgos, 1507–12. *5 größere Reliefs* mit Szenen der Passion Christi, ebda., Chor der Kathedrale. *Holz-altar* der Capilla Real in Granada, um 1521.
Lit.: A. E. Brinckmann, *Barockplastik* (Handb. der K. W.), 1919. G. Weise, *Span. Plastik aus 3 Jahrh.* 3, 1929 u. 4, 1939. B. J. Gilman, *Cat. of Sculpture 16th to 18th Centuries*, 1930. H. E. Wethey in: Th.-B. 1940.

Vigée-Lebrun, Elisabeth-Louise, franz. Malerin, Paris 1755–1842 ebda., bedeutende Porträtistin des Klassizismus, Schülerin von → Vernet u. → Greuze, floh zu Beginn der franz. Revolution ins Ausland, tätig bes. in Italien, 1795–1801 in Peters-burg, von 1802 an wieder in Frankreich, schuf viele Bildnisse von Zeitgenossen. Berühmt ihre *Selbst-bildnisse*, Florenz, Uff.; ein weiteres, *mit dem Strohhut*, 1782, London, Nat. Gall., *mit ihrer Tochter*, 1787 u. 1789, Paris, Louvre. Ferner: *Königin Marie Antoi-nette*, 1783, Versailles, Mus.; *dies., mit einer Rose*, ebda.; *dies., mit ihren Kindern*, 1787, ebda.
Lit.: P. de Nolhac, 1912. W. H. Helm, 1915 (engl.). L. Hautecoeur, 1917. A. Blum, 1920 (franz.).

Vigeland, Gustav, norweg. Bildhauer, Mandal 1869–1943 Oslo, begann mit Bildwerken voll leiden-schaftlichen Ausdrucks unter dem Einfluß → Ro-dins: Bronzerelief *Die Hölle*, 1897, Oslo, Nat. Gal.; schuf bedeutende *Bildnisbüsten* (*Sophus Bugge, Björn-son, Ibsen*), Denkmäler in Oslo, Bergen u. a. u. erstrebte Monumentalwirkungen in s. Lebenswerk, der großen *Brunnenanlage mit Skulpturen* in Oslo

(Frogner-Park): rund 100 symbolist. Figurengrup-pen u. Reliefs. Am besten vertreten in Oslo, Nat. Gal.
Lit.: M. Aikio, 1920. H. Aars, 1922. A. Michel, *Hist. de l'Art* 8, 1926.

Vigne, Paul de, belg. Bildhauer, Gent 1843–1901 Brüssel, in Paris ausgebildet, von den franz. Neo-klassizisten, sowie → Carpeaux u. → Meunier be-einflußt, schuf Denkmäler u. Bildnisbüsten.
Hauptwerke: *L'Immortalité* (Unsterblichkeit), Mar-morstandbild, 1884, Brüssel, Mus. Bronzegruppe *Triumph der Künste*, 1880, ebda., vor dem Mus.; *Denkmal Breydel u. de Coninck*, 1887, Brügge, Markt-platz.
Lit.: G. Eekhoud, 1902.

Vignola, Giacomo da, eig. Barozzi, ital. Arch., Vignola b. Modena 1507–1573 Rom, Hauptmeister des 16. Jh., ging von der röm. → Bramante-Schule aus (→ Peruzzi, Antonio da → Sangallo, → Sanso-vino). Im Unterschied zu s. Altersgenossen → Palladio ist s. Formensprache härter u. knapper. V. war in Frankreich u. Bologna, bevor er nach Rom kam, das. ab 1546 fast ausschließlich im Dienste der Farnese an allen größeren Bauunternehmen Pauls III. u. dessen Söhnen u. Enkel beteiligt. Nach dem Tode Michelangelos 1564 dessen Nachfolger in der Bau-leitung von St. Peter. V.s kirchliches Hauptwerk ist die Jesuitenkirche *Il Gesù* in Rom, beg. 1568, Wölbung u. Fassade von Giacomo della → Porta. Dieser Bau mit s. gedrungenen Basilika, von licht-erfüllter Kuppel beherrscht, wurde bestimmend für unzählige Kirchen des Barock. Mit dem *Pal. Farnese in Caprarola* schuf er 1547–59 eines der prächtigsten Fürstenschlösser der Renaissance über dem Erd-geschoß eines von Peruzzi aufgeführten Forts. Eine gewaltige Anlage war auch die des *Pal. Farnese in Piacenza*, beg. 1558 (nicht voll.). Weitreichende Wirkung hatte V. als Theoretiker mit s. Schrift: «Regola delle cinque Ordini dell' Architettura», 1562, u. a. Weitere Werke in Rom: *S. Andrea in via Flaminia*, 1554 voll.; *Villa Farnese* auf dem Pala-tin, 1555 ff.; *Nebenkuppeln der Peterskirche; S. Anna dei Palafrenieri*, 1572 beg.; Ausbau der *Villa di Papa Giulio*, 1551–55. Ferner Bauten in Bologna (*Pal. Bocchi, Pal. Buoncompagni* u. a.).
Lit.: H. Willich, 1906. Ders. in: Th.-B. 1940. W. Lotz, *V.-Studien*, 1939. A. Venturi XI, 2, 1939. G. Giovannoni in: Enc. Ital. 1937. P. Schubring, *Kunst d. Hochrenaiss.*, 1926. N. Pevsner, *Europ. Architektur*, 1957.

Vignon, Barthélemy, franz. Arch., Lyon 1762–1846 Paris, galt in der älteren Literatur als Erbauer der *Madeleine-Kirche* in Paris u. Hauptvertreter des Klassizismus; tatsächlich wurde er zusammenge-worfen mit *Pierre* V., Paris 1763–1828 ebda., den Napoleon 1807 mit der Ausführung des Baues als

Ruhmestempel betraute. Doch spielt auch er in der Baugeschichte der Madeleine eine zwiespältige Rolle; seine Pläne erfuhren später eine umgreifende Änderung.

Vignon, Claude, franz. Maler, Tours 1593–1670 Paris, bildete sich in Rom unter dem Einfluß → Caravaggios; seit 1624 in Paris, Hauptvertreter der naturalist. Richtung des franz. Barock, malte hist. u. bibl. Bilder. Radierungen in der Art → Riberas. V. schuf zahlreiche Kirchenbilder; vertreten in Notre-Dame in Paris u. in der Kathedrale Lyon; Werke in den Mus. Caen, Florenz (Gall. Corsini), Grenoble, Lille, Nantes, Paris (Louvre), Rennes, Tours u. a.
Lit.: A. Pigler, 1939. A. P. F. Robert-Dumesnil, *Le peintre-grav. franç.* 7, 1844. Michel, *Hist. de l'Art* 6, 1921. W. Weisbach, *Franz. Malerei des 17. Jh.*, 1932. Grautoff in: Pevsner-Grautoff, *Barockmalerei* (Handb. der K. W.), 1928. Ch. Sterling in: Gaz. des B.-Arts, 1934. Bénézit, 1955.

Villard de Honnecourt, franz. Arch. des 13. Jh., aus Honnecourt (Picardie), von dem eine Handschrift, entstanden um 1230–35, in der Pariser Nationalbibliothek sich befindet; sie wurde fälschlich als «Skizzenbuch» angesehen; tatsächlich handelt es sich um ein *Bauhüttenbuch*, das einzige aus hochgot. Zeit erhaltene; es besteht aus einer Mustersammlung von Zeichnungen, die, von erklärenden Beischriften u. Texten begleitet, Bauten, Figuren, Tiere, Bauwerkzeuge u. a. darstellen u. einen einzigartigen Einblick in die Arbeitsweise eines mittelalterlichen Künstlers geben. V.s Bauhüttenbuch gehört zu den wichtigsten Quellenschriften des Mittelalters.
Ausgaben: 1. Gesamtausg. von Lassus u. Darcel, 1858. Offizielle Lichtdruckausg. der Bibl. Nat. von H. Omont, 1906. Krit. Gesamtausg. mit Kommentaren, Einleitung u. dt. Übersetzung der Texte von H. R. Hahnloser, 1935 (grundlegend). J. v. Schlosser, *Kunstliteratur*, 1924.

Villegas y Cordero, José, span. Maler, Sevilla 1848–1921 Madrid, lebte 1868 ff. in Rom, 1901–18 Direktor des Prado-Mus. in Madrid; er malte Geschichts- u. Genrebilder in leuchtenden Farben, beeinflußt von → Fortuny u. ital. Realisten. Vertreten im Mus. mod., Madrid; ferner in Buffalo, Florenz (Uff.), München, New York, Stockholm, Stuttgart u. a.

Villon, Jacques, eig. Gaston Duchamp, franz. Maler u. Radierer, * Damville 1875, Hauptvertreter des Kubismus, begann als humorist. Zeichner, Entwerfer von Plakaten u. Radierer, um 1906 wandte er sich mehr u. mehr der Malerei zu, beeinflußt von → Degas, → Toulouse-Lautrec, später

von den → Fauvisten; schloß sich 1911 den Kubisten an; in V.s Atelier versammelte sich die Gruppe «Section d'Or» (→ Gleizes, → Léger, → Metzinger, → Kupka, → La Fresnaye, → Delaunay, seine Brüder Raymond u. Marcel → Duchamp, → Picabia u. a.). Gut vertreten im Mus. mod. Paris; ferner in den meisten mod. Gal. der Welt.
Lit.: J. Lassaigne, 1950. Knaurs Lex., 1955. W. Hofmann, *Zeichen u. Gestalt*, 1957.

Vincenzo da Treviso, eig. Vincenzo dalle Destre, Schüler des Giovanni → Bellini, tätig in Verona, Treviso u. Venedig 1488–1557, schuf das *Altarbild in S. Leonardo* zu Treviso; vertreten in Venedig, Mus. Civ.; Padua, Mus.
Lit.: Hadeln in: Th.-B. 1913.

Vinckeboons (Vinck-Boons), David, niederl. Maler, Mecheln 1576–1629 Amsterdam, malte Waldlandschaften mit bibl. u. mythol. Staffage in der Art des → Coninxloo; auch Darstellungen aus dem Volksleben, von P. → Bruegel d. Ä. beeinflußt. Beisp.: *Fläm. Kirmes,* 1610, Antwerpen, Mus. *Landschaft mit tanzenden Bauernpaaren,* Braunschweig, Mus. *Jahrmarkt,* Hamburg, Kunsth. *Kreuztragung,* Augsburg, Mus. u. München, A. P. V. ist in den meisten größeren Mus. vertreten.
Lit.: Wurzbach, *Niederl. Künstlerlex.*, 1910.

Viniegra y Lasso, Salvador, span. Maler, Cadiz 1862–1915 Madrid, Schüler von → Villegas, malte Geschichts- u. Genrebilder in dessen Art; beeinflußt von → Fortuny; malte mit Vorliebe riesige Prozessionen u. Szenen aus dem Stierkämpferleben.

Viollet-le-Duc, Eugène-Emmanuel, franz. Arch., Paris 1814–1879 Lausanne, bemühte sich um die Wiederbelebung des got. Stiles, stellte viele mittelalterliche Baudenkmäler wieder her (vor allem die großen franz. Kathedralen) u. wurde dadurch ein Hauptvertreter des historisierenden Stils des 19. Jh., obwohl s. eigenen Bauten ohne Bedeutung waren. Seine theoretischen Werke von großem Einfluß; Hauptwerk: «Dictionnaire raisonné de l'arch. franç.», 10 Bde., 1854–69.
Lit.: P. Gout, 1914. P. Abraham, 1934. Wasmuths Lex. der Baukunst 4, 1932.

Viscardi, schweiz. Architektenfamilie, aus dem Misox (Graubünden), die in Süddeutschland tätig war; der bedeutendste Vertreter:
Giovanni Antonio V., S. Vittore bei Roveredo 1645 bis 1713 München; um 1676 in Bayern eingewandert, beherrschte um die Jahrhundertwende das bayerische Bauwesen – neben → Zuccalli – im Sinne des ital. Barock. 1685 kurfürstlicher Hofbaumeister, an den meisten größeren Bauunternehmungen der Zeit in Bayern beteiligt. Vor allem wurde er für den

Kirchenbau wichtig, da er die Zentralbauform oberital. Prägung einführte; die Fassade der Klosterkirche Fürstenfeld ein bedeutendes Werk des ital.-pathetischen Hochbarock.

Hauptwerke: *Wallfahrtskirche Freistadt*, 1708–10: interessanter Zentral- u. Kuppelbau; *Dreifaltigkeitskirche*, München, 1711 ff.; mit ihr wurde die Kuppelkirche in dem von → Rainaldi u. → Borromini geschaffenen Typus in Bayern eingeführt. *Klosterkirche Fürstenfeld*, 1701 beg.; voll. 1736; Fassade 1747; einer der großartigsten Kirchenbauten Oberbayerns. Seitentrakte des *Schlosses Nymphenburg*, 1702–04.

Lit.: M. Hauttmann, *Gesch. d. kirchl. Baukunst in Bayern, Schwaben, Franken 1550–1780*, 1921. G. Dehio, *Geschichte d. dt. Kunst* 3, 1926 (⁴1934). Ders., *Handb. d. dt. Kunstdenkm.* 3, 1908 (neu hg. v. E. Gall, 1935 f.). A. Feulner, *Bayr. Rokoko*, 1923. N. Lieb, *Münchner Barockbaumeister*, 1941. Ders. in: Th.-B. 1940. Wackernagel, *Baukunst d. 17. u. 18. Jh.* (Handbuch d. K. W.) ⁴1932.

Vischer, Erzgießerfamilie in Nürnberg, tätig um 1440–1550, die bedeutendste Gießhütte der Zeit in Deutschland. Hauptmeister waren Peter V. d. Ä. u. s. Söhne; Hauptwerk der Werkstatt: das Sebaldusgrab in Nürnberg. Da viele Werke Gemeinschaftsarbeiten der Werkstatt waren, ist die Abgrenzung der einzelnen Hände schwierig. Wichtigste Glieder:

Hermann d. Ä., † 1488, begründete 1453 die Gießhütte. Von ihm nur ein *Taufbecken* in der Stadtkirche zu Wittenberg bekannt, 1457, u. einige *Grabplatten*. *Peter d. Ä.*, Sohn von Hermann d. Ä., Nürnberg um 1460–1529 ebda., Geselle s. Vaters, dessen Werkstatt er übernahm; 1489 selbständiger Meister; außer Reisen nach Heidelberg u. Krakau, 1506, in Nürnberg tätig. Die Gießhütte wird unter s. Leitung die erste Deutschlands. P. V. ist unter den Bildhauern die bedeutendste Erscheinung der Übergangszeit von der Spätgotik zur Renaissance (Dürerzeit). In s. Kunst wurzelt er noch ganz in der Spätgotik, nimmt aber viele Elemente der Renaissance auf u. verarbeitet sie selbständig. Seine Stellung in der dt. Kunst ist der des → Ghiberti für Italien zu vergleichen.

Sein Hauptwerk ist das *Sebaldusgrab* in der Sebalduskirche Nürnberg: ein tabernakelartiges Gehäuse für den Schrein des hl. Sebaldus. Erster Entwurf v. 1488 noch ganz in got. Formen, Wien, Akad.; 1508 Beginn der Arbeit nach dem 2. Entwurf, der sich in der Form an das got. Baldachingrab anschließt: 8 Säulen, vor denen die 12 Apostel stehen, tragen einen Baldachin. Der Unterbau mit Reliefs aus dem Leben des Heiligen, der Baldachin mit bibl., allegor. u. mythol. Gestalten geschmückt. Das Sebaldusgrab ist ein Gemeinschaftswerk der Werkstatt, in welchem P. V. s. Söhnen große Selbständigkeit ließ. Von ihm selber vor allem die *Apostelfiguren*, in welchen das got. u. das Renaissanceelement einen Ausgleich von vollendeter Schönheit finden. In der letzten Arbeitszeit, 1514 bis zur Vollendung 1519, scheint P. V. hinter dem Werk s. Söhne, vor allem Peters d. J., ganz zurückzutreten.

Übrige Werke: *Grabmal Erzbischof Ernst von Sachsen*, voll. 1495, Magdeburg, Dom. *Bronzefiguren der Könige Artus u. Theoderich* für das Grabmal Kaiser Maximilians, 1513, Innsbruck, Hofkirche. Ferner *Grabplatten* u. *Epitaphien* in Meißen, Dom; Magdeburg, Dom u. a.

Hermann d. J., Sohn Peters d. Ä., Nürnberg um 1486–1517 ebda., war 1515–16 in Italien, wo er eine Reihe architekt. Handzeichnungen fertigte (Paris, Louvre). Von ihm stammen eine Anzahl Grabplatten, vielleicht das *Grabmal Hermann von Henneberg u. Gemahlin*, um 1508, Römhild, Stadtkirche. Reliefplatte des Grabmals f. *Kardinal Friedr. Casimir*, 1510, Krakau, Dom. Vielleicht die *Figuren des großen Gitters* für die Fuggerkapelle in Augsburg, von denen einige erhalten sind (Schloß Montrottier).

Peter d. J., Sohn Peters d. Ä., Nürnberg 1487–1528 ebda., wohl der bedeutendste Sohn u. Schüler s. Vaters, der ganz in der ital. Renaissance heimisch ist u. wahrscheinlich auch Italien besuchte; der bedeutendste Kleinplastiker s. Zeit. Sein Hauptwerk ist die reiche Fülle der *figürlichen Kleinplastik des Sebaldusgrabes*, wohl ausschließlich von seiner Hand. Wahrscheinlich ist er auch maßgeblich an der freien Haltung der *Figuren für das Grabmal Kaiser Maximilians* (König Artus u. Theoderich) beteiligt. Ferner *Grabmal Herzog Friedrichs des Weisen*, 1527 voll., Wittenberg, Schloßkirche.

Hans, Sohn Peters d. Ä., Nürnberg um 1489–1550 Eichstätt, übernahm 1530 die Gießhütte. *Grabmale Kardinal Albrecht von Brandenburg*, 1525, Aschaffenburg, Stiftskirche; *Joachim der Beständige*, Wittenberg, Schloßkirche; *Kurfürst Johann Cicero*, 1530 voll., Berlin, Domkirche. *Apollo-Brunnen*, 1532, Nürnberg, Rathaushof.

Lit.: A. Feulner, *P. V.s Sebaldusgrab in Nürnberg*, 1924. S. Meller, *P. V. d. Ä. u. s. Werkstatt*, 1925. E. F. Bange, *Künstlerische Bedeutung P. V.s d. Ä.* in: Preuß. Jb. 50, 1929. G. Dehio, *Gesch. d. dt. Kunst* 3, 1926. F. Baumgart, *Gesch. d. abendl. Plastik*, 1957.

Vittoria, Alessandro, ital. Bildhauer u. Arch., Trient 1525–1608 Venedig, Schüler des Jac. → Sansovino, tätig in Venedig; schuf Bildwerke u. Grabmale für venez. Kirchen, Bildnisbüsten u. Kleinbildwerke.

Hauptwerke in Venedig: *Prophetenstatue* über der Haupttür von S. Zaccaria; die Skulpturen s. eigenen *Grabmales*, ebda. *Grabmal Giulio Contarini* in S. Maria Zobenigo; *Christusstatue* über dem Hauptportal der Frari-Kirche, 1581. *Hl. Sebastian* in S. Salvatore. Werke im Dogenpal.; in weiteren Kirchen; in der Akademie; im Mus. Corrèr. Bau-

werke: *Pal. Balbi*, 1582–90 u. *Scuola di S. Girolamo*.
Lit.: A. E. Brinckmann, *Barockskulptur* (Handb.
der K. W.), [13]1931. Ders., *Baukunst des 17. u.
18. Jh.* (Handb. der K. W.), [5]1931.

Vivarini, Alvise (Luigi), ital. Maler, Venedig um
1445–1503 ebda., Sohn des Antonio V., Neffe u.
vermutlich Schüler des *Bartolomeo* V. Bei ihm entwickelt sich der Stil der Muraneser Malerschule zur
größten Selbständigkeit u. Eigenart; von der harten
mantegnesken, etwas manierierten Gestaltungs-
weise gelangt er zur Höhe der Renaissancekunst,
unter Einwirkung vor allem der Giovanni → Bellini,
→ Cima da Conegliano u. → Antonello da Messina.
Werke: *Madonna mit Heiligen*, 1476, Monte Fiorentino, u. 1480 in Venedig, Akad. *Madonna mit Kind*,
1489, Capodistria, Mus., u. in Il Redentore, Venedig.
Madonna, 1488, Wien, Belvedere. *Auferstehung Christi*,
Venedig, S. Giovanni in Bragora, 1494–98. *Madonna
mit 6 Heiligen*, 1501, Berlin, ehem. K.-F.-Mus.
Ambrosiusaltar, in der Cappella Milanesi in der
Frari-Kirche, Venedig, 1503 beg. (von M. → Basaiti
voll.). *Madonna mit 4 Heiligen*, Berlin, ehem. K.-F.-
Mus. *Bildnis Leonardo Salla*, um 1497, Paris, Louvre.
Martyrium der hl. Lucia, Bergamo, Akad. Werke
ferner in S. Andrea in Barletta (*Madonna mit Kind*);
Neapel, Mus. Naz. (*Madonna mit Kind u. Heiligen*);
Mailand, Brera; London, Nat. Gall.; Verona, Mus.
u. a. Zeichn. in Florenz, Uff.; Frankfurt, Städel;
London, Brit. Mus.
Lit.: A. Venturi VII, 3, 1914, u. VII, 4, 1915.
V. Moschini in: L'Arte 38, 1935. Ders., 1946.
E. v. d. Bercken, *Malerei der Renaiss. in Oberital.*
(Handb. der K. W.), 1927.

Vivarini, Antonio, eig. Antonio da Murano, ital.
Maler, Murano um 1415–1470 ebda., das älteste
Mitglied der Malerfamilie V., arbeitete 1440–1450 in
Arbeitsgemeinschaft mit Giovanni d' → Alamagna
erst in Venedig, dann in Padua; später schloß er sich
häufig s. Bruder Bartolomeo an. In s. Kunst von
→ Gentile da Fabriano, → Pisanello, gelegentlich
von → Squarcione beeinflußt. Er ist – mit Giov.
d'Alamagna – der Begründer der Muraneser Mal-
schule; s. Verhältnis zu letzterem nicht ganz geklärt.
Hauptwerke: *Marienkrönung*, 1440, Venedig, Akad.
Thronende Madonna mit Heiligen, 1446, ebda. *Krönung
Mariä*, 1444, S. Pantaleone, Venedig. *3 Altäre in
S. Zaccaria*, Venedig, 1443–44. *Madonna mit Heiligen*,
1450, Bologna, Pinac. *Ecce Homo*, 1464, Rom,
Lateran. *Hl. Antonius mit andern Heiligen*, ebda.
Werke im Dom von Parenzo; Rom, Vatik. Pinak.;
Bologna, Pinak.; Padua, Gal.; Bergamo, Gal.; Mai-
land, Brera u. Mus. Poldi-Pezzoli; London, Nat.
Gall.; Wien, Kunsthist. Mus. u. a.
Lit.: L. Testi, *Storia della pitt. venez.*, 1909–15.
A. Venturi VII, 4, 1915. R. van Marle, *Ital. Schools*
17. B. Fleischmann in: Th.-B. 1940.

Vivin, Louis, franz. Maler, Hadol (Vogesen) 1861
bis 1936 Paris, Hauptvertreter der «naiven» Malerei
(Henri → Rousseau, → Peyronnet, → Bauchant
u. a.), war Postangestellter u. malte im Nebenberuf;
um 1925 wurde er von W. Uhde entdeckt. Aus s.
Bildern mit Stadtansichten – oft nur nach Ansichts-
karten gemalt – spricht eine naive Freude an den
dargestellten Bauwerken. Beisp.: *Les Halles Centrales et l'église St-Eustache*, Zürich, Kunsth.; Werke
in Paris, Mus. mod. u. a
Lit.: W. Uhde, *5 primitive Meister*, 1947. Knaurs
Lex., 1955. Bénézit, 1955.

Vlaminck, Maurice de, franz. Maler u. Graphiker,
Paris 1876–1958 Rueil-la-Gadelière (Eure-et-Loir),
Hauptmeister des → Fauvismus, lernte → Derain in
Chatou kennen, wo die beiden zus. malten u. eine
Keimzelle des werdenden Fauvismus gründeten. V.
ging in s. Kunst von van → Gogh aus, malte pastos
mit starken, reinen Farben, die er direkt aus der
Tube drückte. Er wandte sich fast ganz der Landschaft u. dem Stilleben zu; später – unter dem Einfluß → Cézannes – versuchte er sich an ausgewoge-
nen u. durchkonstruierten Kompositionen. Um
1915 wurde s. Kunst wieder stärker expressiv; die
Formen wurden summarisch hingestrichen, die
Farben oft düster u. trübe. Beisp.: *Die roten Bäume*,
1906, Paris, Mus. mod. *La Maison à l'Auvent*, 1920,
ebda. In allen größeren Gal. der Welt vertreten.
Lit.: G. Duhamel, 1927. F. Fels, 1928. W. Gaunt,
1939. K. G. Perls, 1941. M. Gauthier, 1949. F. Roh,
1947. R. Queneau, 1949. J. B. Crespelle, 1958. J.
Leymarie, 1959 (m. Bibliogr.).

Vleughels, Nicolas, franz. Maler, Paris 1668–1737
Rom, Schüler s. Vaters *Philippe* V. u. → Mignards,
weitergebildet in Rom u. Venedig (→ Veronese),
tätig in Paris, mit → Watteau befreundet; 1724
Direktor der Franz. Akad. in Rom. Er schuf vor
allem kleinformatige mythol. u. bibl. Bilder; be-
deutender Lehrer. Werke in den Mus. Angers,
Leningrad, Paris, Potsdam, Schleißheim, Toulouse,
Troyes, Valenciennes u. a.
Lit.: G. Brière in: Th.-B. 1940.

Vlieger, Simon de, niederl. Maler, Rotterdam
1601–1653 Weesp, Hauptmeister der holl. Marine-
malerei; schuf auch Wald- u. Strandlandschaften u.
als Radierer Flußlandschaften, Bäume u. Tiere.
Besonders gut hat er das sturmgepeitschte Meer
gemalt; aber auch sehr fein die ruhige See in kühl-
grauem u. silbrigem Gesamtton. Hauptwerke:
Stürmische See, Dresden, Gal. *Holl. Küste*, Kassel,
Gal. *Strom unweit seiner Mündung*, Amsterdam,
Rijksmus. *Strand bei Scheveningen*, 1643, Den Haag,
Gal. Bilder in fast allen bedeutenden Slgn.
Lit.: F. C. Willis, *Niederl. Marinemalerei*, 1911. W. v.
Bode, *Meister der holl. u. vläm. Malerschulen*, [4]1923.

Vliet, Hendrik Cornelisz van, niederl. Maler, Delft 1611–1675 ebda., malte haupts. Kircheninterieurs, die den Einfluß E. de → Wittes verraten; gelegentlich auch Bildnisse u. Genrestücke (in caravaggesker Art). Beisp.: *Inneres der Alten Kirche in Delft,* Den Haag, Mus. *Die Alte Kirche in Delft mit dem Grabmal des Pieter Hein,* Richmond, Slg. Cook. *Inneres einer Delfter Kirche,* Budapest, Mus. *Predigt in der Alten Kirche zu Delft,* 1671, Wien, Akad. In vielen Mus. vertreten, u. a. Bordeaux, Boston, Dublin, Helsinki, Kopenhagen, Tours.
Lit.: Wurzbach, *Niederl. Künstlerlex.,* 1910. H. Jantzen, *Das niederl. Architekturbild,* 1910.

Vliet, Jan Georg van, niederl. Radierer, * um 1610 in Delft, gehört zu den bedeutendsten Radierern aus der Schule → Rembrandts, in dessen Werkstatt er arbeitete.

Vogel, Hugo, dt. Maler, Magdeburg 1855–1934 Berlin, Schüler von E. v. → Gebhardt u. W. → Sohn in Düsseldorf, malte Geschichtsbilder u. Bildnisse; seit 1886 in Berlin tätig. V. suchte mit Hilfe impressionist. Mittel die überkommene Monumentalmalerei zu erneuern. Werke: *Predigt Luthers auf der Wartburg,* 1882, Hamburg, Kunsth. *Gruppenbildnis des Senates v. Hamburg,* 1901, Hamburg, Rathaus u. Wandgemälde das.; Bilder in Berlin (Nat. Gal.), Hannover (Mus.) u. a.
Lit.: R. Graul, *Wandgemälde des gr. Saales im Hamb. Rath.,* 1909.

Vogel, Ludwig, schweiz. Maler, Zürich 1788 bis 1879 ebda., gehörte in Wien dem Kreis um → Overbeck u. → Pforr an, ging 1810 nach Rom u. lebte seit 1813 in Zürich. V. malte Genrebilder, Landschaften u. Bilder aus der vaterländischen Geschichte. In s. Kunst von den → Nazarenern beeinflußt. Werke: *Schlacht bei Grandson,* 1836, Bern, Mus. *Winkelrieds Leiche auf dem Schlachtfeld von Sempach,* 1841, Basel, Mus. *Aufnahme Zürichs in den Schweizerbund,* 1851, Zürich, Mus.
Lit.: S. Vögelin, 1881/82. K. E. Hoffmann, 1921.

Vogel v. Vogelstein, Karl, dt. Maler, Wildenfels 1788–1868 München, war 1808 in Petersburg, 1813 in Rom, wo er zur katholischen Kirche übertrat, seit 1824 Hofmaler in Dresden; er vertrat in s. religiösen Bildern die Richtung der → Nazarener. Auch Bildnismaler; lebensnahe Bildniszeichnungen im Kupferst.-Kab. in Dresden.

Vogelaer, Karel van, gen. Distelbloom; in Italien Carlo dei Fiori, niederl. Maler, Maastricht 1653 bis 1695 Rom, bedeutender Blumen-, Früchte- u. Stillebenmaler, ging 1683(?) nach Rom, wo er – außer einem Frankreichaufenthalt – dauernd ansässig blieb. V. malte das Beiwerk in Bildern von →

Maratti. Vertreten u. a. in den Mus. Den Haag, Hannover, Rom (Gall. Borghese), Stockholm, Vaduz (Slg. Liechtenstein).

Vogeler, Heinrich, dt. Maler u. Graphiker, Bremen 1872–1942 Kasachstan, lebte 1894–1924 in Worpswede (andere Vertreter der Worpsweder Künstlerkolonie: Otto → Modersohn, Fritz → Macke, Hans → Ende); gehörte namentlich mit s. Zeichnungen u. Radierungen dem Jugendstil an, beeinflußt von den → Präraffaeliten: Bilder in zarten, lichten Farben; Radierungen halb ritterlicher, halb biedermeierlicher dt. Märchenszenen; dekorative Malereien, Kunstgewerbe, Buchschmuck. 1925 ging V. nach Rußland u. malte dort in der Art des «Sozialist. Realismus». Vertreten in Bremen, Kunsth. u. Dresden, Mod. Gal.
Lit.: R. M. Rilke, *Worpswede,* 1903 ([3]1910). S. D. Gallwitz, *30 Jahre Worpswede,* 1922. *Ausst.-Kat. der Dt. Akad. der Künste Berlin,* 1954.

Voit, August v., dt. Arch., Wassertrüdingen 1801 bis 1870 München, seit 1841 Prof. der Akad. das., Vertreter des historisierenden Stiles des 19. Jh., Erbauer der *Neuen Pinakothek* in München, 1846–53 (im 2. Weltkrieg zerstört). Im berühmt gewordenen *Münchner Glaspalast,* 1854, abgebrannt 1931, verwandte er die neuen Baustoffe Glas u. Eisen.
Lit.: H. Karlinger, *München u. die Kunst des 19. Jh.,* 1933.

Volkmann, Artur, dt. Bildhauer u. Maler, Leipzig 1851–1941 Geislingen, war 1876–1910 in Rom, wo er sich dem Kreise um → Marées anschloß, später in Frankfurt u. Basel tätig. V. schuf figürliche Plastik, Grabmäler, Porträtbüsten u. a.; als Maler ganz in den Bahnen von Mareés. Von ihm die *Grabdenkmäler für H. v. Mareés* u. *Karl v. Pidoll* auf dem Protestant. Friedhof in Rom. Werke in den Mus. Berlin, Breslau, Basel (*Büste Jacob Burckhardt*), Dresden, Frankfurt, Halle, Leipzig u. a.
Lit.: L. Volkmann, *Die Familie V.,* 1896. W. v. Wasielewski, 1908.

Volkmann, Hans v., dt. Maler, Halle 1860–1927 ebda., Schüler von E. v. → Gebhardt in Düsseldorf u. → Schönleber in Karlsruhe, war ebda. tätig, gehört zu den Landschaftern der Karlsruher Schule; außer s. Lehrern bes. von den Meistern v. → Barbizon beeinflußt. Er schuf Radierungen u. farbige Steindrucke, illustrierte Bücher. Beisp.: *Landschaft mit Schafherde,* 1892, Stuttgart, Mus. *Haberfeld,* 1893, München, Neue Staatsgal. *Waldtal in der Eifel,* 1895, Leipzig, Mus. *Frühlingslüfte,* 1896, Berlin, Nat. Gal. *Herbstgold,* 1896, Karlsruhe, Kunsth. Vertreten auch in Breslau, Dessau, Freiburg, Halle, Magdeburg u. a.
Lit.: J. A. Beringer, *Bad. Malerei 1770–1920,* 1922.

Vollon, Antoine, franz. Maler, Lyon 1833–1900 Paris, Schüler von Th. → Ribot, schuf Bildnisse, Landschaften, Stilleben (Blumen- u. Früchtestücke). Ausgezeichneter, von den Meistern von → Barbizon beeinflußter Kleinmeister. In vielen franz. Mus. vertreten; außerdem in Brüssel, Glasgow, Melbourne, Moskau, München, Stockholm u. a.

Volpato, Giovanni, ital. Kupferstecher, Bassano um 1733–1803 Rom, seit 1758 in Venedig tätig, Schüler von → Bartolozzi u. Jos. Wagner, stach nach ital. Meistern, bes. → Raffael.

Volterra, Daniele da, eig. Ricciarelli, ital. Maler u. Bildhauer, Volterra 1509–1566 Rom, Hauptmeister des an → Michelangelo anschließenden Manierismus, Schüler → Sodomas, beeinflußt von → Peruzzi u. Pierino del → Vaga, kam um 1540 nach Rom u. geriet dort ganz in den Bannkreis Michelangelos; in Fortentwicklung von dessen Spätstil entwickelte er einen zeichnerisch-plastischen Stil. Als Plastiker – in den letzten 10 Jahren s. Lebens war er es ausschließlich – weniger bedeutend.
Hauptwerke: *Altarfresko mit der Kreuzabnahme,* 1541, Rom, Trinita de' Monti (1811 auf Leinwand übertragen). Weitere Freskenwerke in Rom: im Pal. Farnese; im Pal. Massimo alle Colonne; in der Rovere-Kapelle in Trinità de' Monti. Tafelgemälde: *David u. Goliath,* um 1555, Paris, Louvre. *Johannes d. T. in der Wüste,* München, A. P. *Moses am Sinai,* Dresden, Gal. *Bethlehem. Kindermord,* 1557, Florenz, Uff. Von den plast. Arbeiten sind zu nennen: *Bronzebüste Michelangelos,* 1564/66, beste Exempl. in der Casa Buonarroti in Florenz u. im Louvre in Paris.
Lit.: H. Voss, *Malerei der Spätrenaiss. in Rom u. Florenz,* 1920. Pevsner, *Mal. des 17. Jh. in Italien* (Handb. der K. W.), 1928. A. Venturi IX, 6, 1933. M. L. Mez, 1935.

Voltz, Friedrich, dt. Maler, Nördlingen 1817 bis 1886 München, Schüler s. Vaters *Johann* V., weitergebildet an der Münchner Akad., beeinflußt von Albrecht → Adam, später von → Schleich u. → Spitzweg, malte Landschaften aus den bayerischen Alpen, später fast ausschließlich Landschaften mit Tierstaffage. Beisp.: *Kühe an der Tränke,* 1868, Berlin, Nat. Gal. In vielen dt. Mus. vertreten, u. a. Erfurt, Essen, Frankfurt, Hannover, Köln; ferner in Wien, Graz, New York, Philadelphia.

Vordemberge-Gildewart, Fritz, dt.-holl. Maler, * Osnabrück 1899, gehört zu den frühesten dt. Vertretern abstrakter Kunst, studierte zuerst Architektur, ging 1919 zur Malerei über u. schloß sich dem Konstruktivismus an, beeinflußt von van → Doesburg; war Mitglied der Gruppen: «Sturm» (Berlin), → «Stijl» (Amsterdam) u. «Abstraction-

Création» (Paris); naturalisierter Holländer. Seit 1955 Prof. an der Hochschule für Gestaltung in Ulm.
Lit.: Knaurs Lex., 1955. M. Seuphor, *Dict. peint. abstr.,* 1957. W. Haftmann, *Mal. im 20. Jh.,* 1954/55. G. Händler, *Dt. Maler d. Gegenw.,* 1956.

Vorsterman, Lucas, niederl. Kupferstecher, Bommel 1595–1667 Antwerpen, wo er tätig war (1624 bis um 1630 in England), gehörte zu den → Rubensstechern; er hat unter der Leitung Rubens' mit hoher Kunstfertigkeit die malerische Wirkung Rubensscher Bilder wiederzugeben gewußt. Beisp.: *Susanna mit den Alten; Anbetung der Hirten; Die große Kreuzabnahme; Die große Amazonenschlacht* (6 Bl., 1623).
Lit.: H. Hymans, *Cat. raisonné de son oeuvre,* 1893.

Vos, Cornelis de, niederl. Maler, Hulst um 1585 bis 1651 Antwerpen, malte mythol. u. bibl. Darstellungen, Gesellschaftsstücke; vor allem Bildnisse. V. war – nach → Rubens u. van → Dyck – der vorzüglichste Bildnismaler Antwerpens.
Hauptwerke: *Der Gildendiener Abraham Grapheus,* 1620, Antwerpen, Mus. *Der hl. Norbert sammelt die geweihten Gefäße,* 1630, ebda. *Die Familie des Künstlers,* Brüssel, Mus. *Die Töchter des Künstlers,* Berlin, ehem. K.-F.-Mus. *Der Waisenhausvorsteher Salomon Cock,* Kassel, Gal. In vielen Gal. vertreten.
Lit.: J. Muls, 1933 (holl.). E. Heidrich, *Vläm. Malerei,* 1913 (spätere Aufl.). E. Greindl, *Les portraits de C. de V.,* 1940. Dies. in: Th.-B. 1940.

Vos, Maerten de, niederl. Maler, Antwerpen 1532 bis 1603 ebda., Vertreter des niederl. Manierismus, Schüler s. Vaters *Pieter de* V. u. des Frans → Floris, zog nach Italien, tätig in Rom u. Venedig, wo er sich bes. → Tintoretto anschloß, 1558 wieder in Antwerpen, wo er bald zu den führenden Meistern zählte. Er malte bibl. Bilder; auch gute Bildnisse. Eine umfangreiche Tätigkeit entfaltete er als Zeichner von Stichvorlagen, die von zahlreichen Stechern vervielfältigt wurden. – In der Frühzeit warme u. leuchtende Farbgebung; später wurde s. Malweise härter, die Farben kälter u. bunter.
Hauptwerke: *Moses mit den Gesetztestafeln,* 1575, Den Haag, Mus. *Bildnisse Gilles Hoffmann u. Margarete van Nispen,* Amsterdam, Rijksmus. *Flügelaltar der Buntwirker,* 1574, Antwerpen, Mus. *Hl. Georg mit Drachen,* 1590, ebda. *Versuchung des hl. Antonius,* 1591, ebda. *Der Zinsgroschen,* 1601, ebda. V. ist vertreten in Kirchen v. Antwerpen u. im Mus. ebda.; in den Mus. Amsterdam, Den Haag, Gent, Rouen, Valenciennes, Tournai, Berlin, Paris, Schleißheim, Stockholm, Wien u. a.
Lit.: Wurzbach, *Niederl. Künstlerlex.,* 1910. V. A. Dirksen, Diss. Berlin 1914. Z. v. M. in: Th.-B. 1940.

Vos, Paul de, niederl. Maler, Hulst um 1596–1678 Antwerpen, Bruder des Cornelis de V., war namentlich als Tier- u. Jagdmaler beliebt, von → Rubens u. → Snyders beeinflußt, aber von selbständiger Art. Er schuf auch Vorlagen für Tapisserien. In vielen Gal. vertreten, u. a. Augsburg, Dresden, Berlin (ehem. K.-F.-Mus.), Braunschweig, Brüssel, Leningrad, Madrid, München, Paris, Orléans, Schleißheim, Stockholm, Wien (Kunsthist. Mus.).
Lit.: Wurzbach, *Niederl. Künstlerlex.,* 1910. M. Mannebach in: Th.-B. 1940.

Vouet, Simon, franz. Maler, Paris 1590–1649 ebda., 1612–27 in Italien, seitdem als Hofmaler Ludwigs XIII. in Paris, wo er große Aufträge für Innendekorationen, Gobelins, bibl. u. mythol. Bilder, Porträts u. a. erhielt u. einer großen Werkstatt vorstand. Er führte die ital. Barockströmungen in Frankreich ein, verarbeitete Einflüsse Caravaggios, der Carracci, der Venezianer u. a. zu einem schwungvollen, prächtig-dekorativen Stil, der sich später zu klassizist. Haltung wandelte.
Werke: die meisten großen dekorativen Werke sind zugrunde gegangen, von erhaltenen seien genannt: 2 Wandgemälde in *S. Lorenzo in Lucina,* Rom; Wandmalereien in der *Grotte des Schlosses von Wideville;* Wandgemälde im Hause Guyot de Villeneuve in Paris: *Darstellungen aus Tassos Befreitem Jerusalem;* danach eine Gobelinfolge. Ölbilder: *Allegorie des Reichtums,* Paris, Louvre. *Der hl. Karl Borromäus betet für die Pestkranken,* Brüssel, Mus. *Ruhe auf der Flucht,* Grenoble, Mus. *Darbringung im Tempel,* 1641, Paris, Louvre. Werke in fast allen franz. Gal.; ferner in Berlin (*Verkündigung*); Budapest (*Apollo*); Dresden (*Apotheose des hl. Ludwig*) u. a.
Lit.: Michel, *Hist. de l'art* 6, 1921. L. Dimier, *Hist. de la peint. franç., du retour de V. à la mort de Lebrun* 1, 1926. W. Weisbach, *Barockmalerei* (Propyl. Kunstgesch.). H. Voss, *Malerei des Barock in Rom,* 1924. W. Weisbach, *Franz. Malerei des 17. Jh.,* 1932.

Voysey, Charles F. Annesley, engl. Arch. u. Entwurfzeichner für das Kunstgewerbe, * 1857, † 1941, war als Baumeister, namentlich kleinerer Landhäuser, wegweisend für die moderne Baugesinnung; als Entwerfer von Möbel, Teppichen, Tapeten, u. a. wichtig für die Ausbildung des «modern Style» (Jugendstil) und der darauffolgenden Phase einer sachlichen schmucklosen Kunst.
Lit.: Muthesius, *Das engl. Haus* 1, 1904. J. Brandon-Jones in: Arch. Association Journal 72, 1957. N. Pevsner, *Wegbereiter moderner Formgebung,* 1957. *Ausst.-Kat. sources du 20e siècle,* Paris 1960/61.

Vrancx, Sebastiaen, niederl. Maler, Antwerpen 1573 bis 1647 ebda., Schüler des Adam van → Noort, malte kleinfigurige Gesellschaftsstücke, Volks-

szenen im Freien, Jahrmärkte u. ä.; oft sind die Bilder als Darstellungen bibl. Geschichten oder religiöser Allegorien ausgegeben, auch reine Landschaften, Innenansichten von Kirchen; ferner Reiterschlachten, Plünderungsszenen u. ä. Werke in vielen Gal.
Lit.: Z. v. M. in: Th.-B. 1940.

Vredeman de Vries, Hans (Jan), niederl. Architektur- u. Ornamentzeichner u. Maler, *Leeuwarden 1527, † um 1604, Schüler des Corn. Floris, tätig in Deutschland, Antwerpen, Amsterdam, Den Haag u. a., hat zahlreiche Perspektiven u. einige wenige Tafelbilder gemalt, in denen die perspektivische Architektur die Hauptsache ist; ferner Vorzeichnungen zu Kartuschen, Grotesken, Grabdenkmälern, Möbeln u. Gärten, die, in Stichfolgen verbreitet, wesentlich zur Ausbildung des niederl. Dekorationsstils der Spätrenaissance beitrugen. Sein Einfluß war sehr groß. V. schrieb bauwissensch. Werke: «Architectura», 1577 (viele Neuausg.); «Artis perspectivae formulae», 1568, u. v. a. Bilder in Wien, Gal. u. Kunsthist. Mus.; Turin, Pinac. u. a.
Lit.: A. Schoy, 1876. H. Jantzen, *Das niederl. Architekturbild,* 1910. R. Hedicke, *Cornelis Floris u. die Florisdekoration,* 1913. W. Drost, *Barockmalerei* (Handb. der K. W.), 1926. Ders., *Danziger Malerei,* 1938. J. Koska in: Th.-B. 1940.

Vries, Abraham de, niederl. Maler, Rotterdam um 1590 bis um 1650 Den Haag (?), von Th. de → Keyser u. → Rembrandt beeinflußter Bildnismaler. Beisp.: *Selbstbildnis,* 1621, Amsterdam, Rijksmus. *Dame in Trauerkleidung,* 1629, München, A. P. Vertreten in den Mus. u. im Waisenhaus Amsterdam; Rotterdam, Leiden, Basel, Florenz (Pitti), Köln, Pommersfelden, München, Wien u. a.
Lit.: Wurzbach, *Niederl. Künstlerlex.,* 1910.

Vries, Adriaen de, niederl. Bildhauer, Den Haag um 1560–1626 Prag, bedeutender Meister des Frühbarock (bzw. des Spätmanierismus), Schüler Giovanni da → Bolognas, war in Augsburg tätig, dann ein Jahrzehnt in Prag im Dienste Rudolfs II., sodann in Bückeburg für die Grafen von Schaumburg-Lippe; ging nach Dänemark, wo er ab 1616 den *großen Brunnen* vor dem Königsschloß Frederiksborg schuf (heute Drottningholm, Park); begab sich 1623 nach Prag zu Wallenstein u. schuf *Bronzegruppen* in dessen Pal. u. Garten (1622–27, heute Drottningholm, Park). V.'s Werke sind reich an kühnen Überschneidungen; er liebte verschlungene Gruppen, Auflockerung der Körperoberflächen durch Licht u. Atmosphäre, «er hat eigentlich schon alles vorweggenommen, worin der reife Barock exzellierte» (Dehio). V. schuf viele Kleinbronzen.
Hauptwerke: *Merkurbrunnen,* Augsburg, 1599 voll. *Herkulesbrunnen,* ebda., 1602 voll. *Büsten Rudolfs II.,*

1603 u. 1607, Wien, Kunsthist. Mus. *Relief mit Allegorie auf die Siege Rudolfs II.*, 1609, ebda. *Taufbecken* in der Stadtkirche Bückeburg, 1615. Figuren u. Reliefs für das *Grabmal des Fürsten Ernst von Schaumburg-Lippe* im Mausoleum u. in der Kirche Stadthagen, 1617–20. Gruppen: *Adonis mit Venus* u. *Mädchenraub*, 1620–22, Bückeburg, Schloßbrücke (im 2. Weltkrieg zerstört). Werke in Paris (Louvre), Stockholm, Augsburg, Wien (Kunsthist. Mus.), Braunschweig, Gotha u. a.
Lit.: C. Buchwald, 1899. E. Brinckmann, *Barockskulptur* (Handb. der K. W.), 1920/21. Ders., *Dt. Kleinbronzen um 1600* in: Preuß. Jb. 42, 1921. G. Dehio, *Geschichte der dt. Kunst 3*, 1926. A. Feulner u. Th. Müller, *Gesch. der dt. Plastik*, 1953. F. Baumgart, *Gesch. d. abendl. Plastik*, 1957.

Vries, Roelof van, niederl. Maler, Haarlem um 1631 bis um 1681 Amsterdam, malte Landschaften in der Art des Jacob → Ruisdael. Vertreten u. a. in Frankfurt, Städel (*Windmühlen bei Haarlem*). Bonn, Budapest, Cambridge (Fitzwilliam Mus.), Den Haag, Leipzig, Leningrad, Lüttich, Nantes, Oxford, Rouen, Schleißheim, Stockholm, Turin.

Vroom, Cornelis, niederl. Maler, Haarlem um 1591 bis 1661 ebda., der bedeutendste holl. Landschafter vor → Ruisdael, Sohn des Hendrik V. u. vermutlich auch dessen Schüler; stand zuerst stark unter dem Einfluß → Elsheimers u. schuf als neue Gattung stimmungsvolle Waldlandschaften; zuletzt beeinflußt von Jacob Ruisdael.
Hauptbilder: *Waldlandschaft mit kleinem Sumpf*, Berlin, ehem. K.-F.-Mus. *Waldeingang*, 2 Gegenstücke, Dresden, Gal. *Waldige Flußlandschaft mit antiker Ruine*, Haarlem, Mus. *Waldlandschaft mit Wasser u. mythol. Staffage*, Kopenhagen, Gal. In vielen Mus. vertreten, u. a. Berlin, Dresden, Haarlem, Kopenhagen, Leningrad, London (Nat. Gal.), Mannheim, Oldenburg, Schwerin.
Lit.: J. Rosenberg in: Preuß. Jb. 49, 1928.

Vroom, Hendrik, niederl. Maler, Haarlem 1566 bis 1640 ebda., gilt als Begründer der holl. Marinemalerei; er führte ein Wanderleben, das ihn nach Italien, Frankreich, Spanien u. Portugal brachte. V. war Fayencemaler u. wandte sich dann ausschließlich dem Seestück zu, wobei er den Hauptwert auf genaue Wiedergabe der Schiffe u. deren Einzelheiten legte; Bilder v. Seeschlachten, auch Kartons für Wandteppiche. Gut vertreten im Rijksmus., Amsterdam; im Frans-Hals-Mus. zu Haarlem; ferner in Alkmaar, Budapest, Florenz (Uff.), Lissabon, Schwerin u. a.
Lit.: Wurzbach, *Niederl. Künstlerlex.*, 1910. F. C. Willis, *Niederl. Marinemalerei*, 1911.

Vuillard, Edouard, franz. Maler u. Graphiker, Cuiseaux (Saône-et-Loire) 1868–1940 La Baule, Hauptmeister des Nachimpressionismus, schloß sich in Paris → Sérusier, → Bonnard, → Roussel, → Vallotton, M. → Denis an u. schloß mit ihnen den Künstlerbund der → Nabis; wie s. Kameraden stand er unter dem Einfluß → Gauguins u. des japan. Farbholzschnitts; später entwickelte er seine Interieurbildchen mit zarten, aufeinander abgestimmten Farben u. kleine Porträts; auch bei letzteren legte er den Hauptwert auf die Vergegenwärtigung des über den Bildraum hinspielenden Lichtes u. die Beziehungen der Bildgegenstände untereinander. V. wurde der Hauptmeister der «Intimisten». Sein Einfluß war überaus groß u. wirkt bis heute nach. Auch s. Beitrag zur graph. Kunst ist höchst bedeutend; s. Lithographien zeigen – ganz abgesehen von ihrem hohen künstlerischen Reiz – getreu die Zeitstimmung. Lithogr. Folgen: «Paysages et intérieurs»; «Quelques aspects de la vie de Paris»; ferner Aquarelle; in die Wand eingelassene Panneaux u. Supraporten (f. das Theater der Champs-Elysées, Paris, 1913) u. v. a.
Lit.: P. Hepp, 1912. H. Marguery, *Les lithogr.*, 1935. A. Chastel, 1946. C. Roger-Marx, 1946. Ders., *L'oeuvre gravé*, 1947. J. Mercanton, 1949. J. Salomon, *Auprès de V.*, 1953.

W

Wach, Wilhelm, dt. Maler, Berlin 1787–1845 ebda., hatte in Paris unter → David u. → Gros gearbeitet, war 1817–19 in Rom, seitdem in Berlin tätig. Er malte allegor. u. mythol. Bilder, Altarwerke u. Bildnisse u. entfaltete eine bedeutsame Tätigkeit als Lehrer. Klassizist u. – bes. in s. Bildnissen – Vertreter des Berliner Biedermeier. Hauptwerke: *Deckengemälde im Berliner Schauspielhaus; Altarwerke* in Berliner Kirchen; *Amor u. Psyche*, Berlin, Nat. Gal. Andere Werke das. u. in Königsberg, Stettin u. a.

Lit.: A. Rosenberg, *Berliner Malerschule*, 1879. P. F. Schmidt, *Biedermeiermalerei*, 1922. F. Noack, *Das Deutschtum in Rom*, 1927.

Wackerle, Josef, dt. Bildhauer, Partenkirchen 1880–1959 ebda., begann als Holzbildhauer, arbeitete 1906–09 für die Nymphenburger Porzellanmanufaktur, seit 1923 Prof. der Akad. München; schuf Figuren u. Gruppen in Porzellan u. Majolika, Einzelfiguren, Denkmäler, Gartenplastiken, Me-

daillen, monumentaldekorative Bauplastiken u. a. Beisp.: *Kreuzigungsgruppe* auf dem Hochaltar der St.-Josefs-Kirche, München; *Büste O. Gulbransson*, Holz, 1929. *Medaille für Gerhart Hauptmann.*
Lit.: A. Hentzen, *Dt. Bildh. der Gegenw.*, 1934. H. Kiener in: Th.-B. 1942.

Wächter, Eberhard Georg Friedrich v., dt. Maler, Balingen 1762–1852 Stuttgart, Schüler von → David in Paris, 1793–98 in Rom, 1798–1808 in Wien, dann in Stuttgart tätig. Er malte Szenen aus Geschichte u. Sage des Altertums sowie bibl. Stoffe; Klassizist. Hauptwerk: *Der trauernde Hiob mit s. Freunden*, Stuttgart, Gal. Ebda. weitere Werke.
Lit.: O. Fischer, *Schwäb. Malerei des 19. Jh.*, 1925. P. F. Schmidt, *Dt. Malerei um 1800*, 1928. Fleischhauer, Baum, Kobell, *Schwäb. Kunst im 19. u. 20. Jh.*, 1952.

Waderé, Heinrich, dt. Bildhauer, Colmar 1865 bis 1950 München, Schüler der Münchner Akad., ab 1900 Prof. der Kunstgewerbeschule München, schuf viele bauplastische Arbeiten, *Skulpturen an der Paulskirche* München, 1892–1906; Grabmäler, Kriegerdenkmäler, Brunnen, Bildnismedaillen, auch figürliche Einzelplastiken.
Lit.: L. Kübler, 1910. P. Breuer, *Münchner Künstlerköpfe*, 1937. H. Kiener in: Th.-B. 1942.

Wagenbauer, Max Josef, dt. Maler, Oexing 1774 bis 1829 München, Landschafter der Münchner Schule, begann mit Aquarellen, klassizist. stilisierten Veduten u. entwickelte diese Kunst zu naturnahen, farblich reizvollen Naturausschnitten; seit 1810 verlegte er sich mehr u. mehr auf die Ölmalerei. Mit Vorliebe malte er Weidevieh in der oberbayerischen Landschaft; beeinflußt von den Holländern (→ Cuyp, → Potter). Seine Palette hellte sich zusehends auf. Vorläufer der Münchner Stimmungslandschaft. Gut vertreten in München, N. P.; ferner in den Gal. Braunschweig, Bremen, Darmstadt, Frankfurt, Königsberg, Konstanz, Leipzig, Würzburg, Wuppertal-Elberfeld u. a.
Lit.: P. F. Schmidt, *Biedermeiermalerei*, 1921. Ders., *Dt. Landschaftsmalerei*, 1922.

Wagner, Carl, dt. Maler, Roßdorf 1796–1867 Meiningen, seit 1825 Hofmaler das., 1822–25 in Italien (dort mit L. → Richter befreundet), schuf romant. Gebirgs- u. Waldlandschaften; auch Landschaftsaquarelle. Längere Zeit vergessen, wurde W. als Schöpfer des Bildes *Mondaufgang*, 1821, Köln, Wallraf-Richartz, erkannt u. damit als bedeutender Vertreter der dt. Romantik. Werke in Berlin (Nat. Gal. u. Kupferst.-Kab.), Köln, Meiningen u. a.
Lit.: Noack, *Das Deutschtum in Rom*, 1927. *Ausst.-Kat. Dt. Romantik*, Stettin 1936. *Ausst.-Kat. Dt. Landschaftsmal.*, Wiesbaden 1936.

Wagner, Johann Peter Alexander, dt. Bildhauer, Kloster Theres (Unterfranken) 1730–1809 Würzburg, Würzburger Rokokobildhauer, übernahm die Werkstatt von → Auvera, die unter s. Leitung ganz Unterfranken mit kirchlichen u. weltlichen Bildwerken versorgte. Von Auvera u. P. → Egell beeinflußt, später vom Frühklassizismus der Richtung → Donner.
Werke: *Vierröhrenbrunnen* in Würzburg, 1763 (zus. mit dem jüngeren Auvera). *Stationen des Käppele*, ebda., 1767 beg.; *Figuren der Platzkolonnaden* der Residenz, 1769; im *Treppenhaus* der Residenz u. *Putten* im Hofgarten, 1771–76; *Jahreszeitenfiguren des Juliusspitals*, ebda. *Altäre:* in Gerolshofen, um 1760; im Würzburger Dom, 1785–93; *Reliefs u. Hochaltarfiguren im Kloster Ebrach*, 1785–91. *Grabmal Seinsheim*, Würzburg, Dom, 1780. Ausschmückung des *Gartens von Veitshöchheim*.
Lit.: Lempertz, 1904. Sedlmaier u. Pfister, *Die fürstbischöfl. Residenz Würzburg*, 1923. Feulner, *Skulpt. u. Mal. des 18. Jh.* (Handb. der K. W.), 1929. L. Lehmann, *Jugendwerke W.s.* Diss. Würzburg 1933. H. Schneider, *Frühklassizist. Werke des J. P. W.*, Diss. Würzburg 1936. H. Kreisel, *Rokokogarten zu Veitshöchheim*, 1953.

Wagner, Martin, dt. Arch., * Königsberg 1885, 1926–33 Stadtbaurat von Berlin, wo er mit → Taut, → Häring, → Mies van der Rohe, → Gropius, → Scharoun Wohnsiedlungen u. mit → Poelzig die Messeanlagen baute. 1936–50 Prof. für Städtebau an der Harvard Univ. (USA).

Wagner, Otto, österr. Arch., Wien 1841–1918 ebda., gehört zu den Wegbereitern des Neuen Bauens, der sich entschieden vom Eklektizismus des 19. Jh. abwandte u. dem Geist u. dem Bedürfnis der Neuzeit entsprechende Neubildungen in Stil, Konstruktion u. Material forderte. In städtebaulichen Fragen war W. in Wien maßgebend. Bedeutende Schüler (u. a. → Olbrich, Jos. → Hoffmann) haben s. Gedanken weiterentwickelt. In vielen s. Bauten Repräsentant des Jugendstils.
Hauptwerke in Wien: *Länderbank*, 1890; *Bauten der Wiener Stadtbahn*, 1894–97; *Postsparkassengebäude*, 1905; *Landesheilanstalt am Steinhof* in Hietzing mit der *Anstaltskirche*, 1904–06. W. schrieb: «Moderne Architektur», 1896.
Lit.: J. A. Lux, 1914. H. Tietze, 1922. H. Ostwald, 1948. N. Pevsner, *Wegbereiter mod. Formgebung*, 1957.

Waldmüller, Ferdinand Georg, österr. Maler, Wien 1793–1865 Helmstreitmühle b. Mödling, Hauptvertreter des Wiener Biedermeier; in vielen s. Werke Vorkämpfer des modernen Realismus u. Vorläufer des Pleinairismus in der Landschaftsmalerei, Schüler der Wiener Akad., weitergebildet durch Studium der Natur u. der alten Meister; Studienreisen nach

Italien, Paris, London u. Deutschland; seit 1818 dauernd in Wien, 1829–57 Prof. u. Kustos der Gal. an der Akad. Wien. W. malte hervorragende Bildnisse; in s. Naturstudien u. Genrebildern im Freien oft gleichgerichtet mit den Meistern der Schule von → Barbizon.
Werke: Bildnisse: *Bildnis der Mutter des Künstlers*, 1830, Wien, Österr. Gal. *Bildnis einer alten Dame*, 1834, ebda. *Selbstbildnisse*, 1828 u. 1848, ebda. (Gal. des 19. Jh.). *Bildnis der zweiten Gattin*, 1850, ebda. *Beethoven*, 1823, Wiener Städt. Slg. *Grillparzer*, 1844, ebda. Genrebilder: *Der Bettelknabe auf der hohen Brücke*, 1830, Wien, Österr. Gal. *Die Klostersuppe*, 1858, ebda. *Nach der Schule*, 1841, Berlin, Nat. Gal. Landschaften: *Blick auf Ischl*, 1838, Berlin, Nat. Gal. *Große Praterlandschaft*, 1849, Wien, Österr. Gal. *Vorfrühling im Wiener Wald*, 1864, Berlin, Nat. Gal. *Alte Ulmen im Prater*, 1831, Hamburg, Kunsth. *Heimkehr*, 1859, ebda. Sehr gut vertreten in Wien, Österr. Gal. Ferner in Berlin, Nat. Gal.; Hamburg, Kunsth.; Frankfurt, München, Nürnberg, Stuttgart u. a.
Lit.: A. Roessler u. G. Pisco, 1908. W. Kosch, 1916. K. K. Eberlein, 1938. B. Grimschitz, 1943. Waldmann, *Kunst des 19. Jh.* (Prop. Kunstgesch.). *Kat. der dt. Jahrhundertausst.*, 1906. *Ausst.-Kat. Wien*, 1943.

Walker, Frederick, engl. Maler, London 1840–1875 St. Fillians, malte Genrebilder, Landschaften, Buchillustrationen u. a. Im Stil von den Präraffeliten beeinflußt. Sein bekanntestes Werk: *The Harbour of Refuge*, 1872, London, Tate Gall.
Lit.: C. Black, 1903. A. Dayot, *La peint. angl.*, 1908.

Wallbaum, Matthias, dt. Goldschmied, Kiel 1554 bis 1632 Augsburg, das. ab 1579 nachweisbar, schuf die reichen *Silberarbeiten* für *den Pommerschen Kunstschrank*, 1605–17, Berlin, Schloß-Mus.; *Silberarbeiten* für *einen kleineren Kunstschrank*, ebda.; *Ebenholzaltärchen*, ebda. u. in der Kapelle der Wiener Hofburg; Statuetten; Silbergruppen (z. T. durch Räderwerk in Bewegung zu setzen), Hausaltärchen, Schmuckkästchen usw. (in Dresden, Hist. Mus. u. Grünes Gewölbe; Frankfurt, Hist. Mus.; München, Nat. Mus. u. Residenz u. a.).
Lit.: Lessing u. Brüning, *Der Pommersche Kunstschrank*, 1906. *Illustrierte Gesch. des Kunstgew.*, hg. v. Lehnert, 1907–09.

Wallot, Paul, dt. Arch., Oppenheim 1841–1912 Langenschwalbach, schuf als sein Hauptwerk das *Reichstagsgebäude* in Berlin, 1884–94 (heute Ruine), in klassizist. u. Renaissanceformen. Weitere Bauten: *Ständehaus* in Dresden, 1901–07; *Palais des Reichstagspräsidenten* in Berlin, 1903.
Lit.: G. Mackowsky, *P. W. u. s. Schüler*, 1912. G. A. Platz, *Baukunst der neuesten Zeit*, 1927.

Walscapelle, Jacob (Cruydenier) van, niederl. Maler, Dordrecht 1644–1727 Amsterdam, Meister von Blumen- u. Früchtestücken, beeinflußt von J. de → Heem. Werke in den Gal. Amsterdam, Basel, Berlin, Frankfurt, London (Nat. Gall.) u. a.
Lit.: Wurzbach, *Niederl. Künstlerlex.*, 1910.

Walser, Karl, schweiz. Maler u. Graphiker, Biel 1877–1943 Bern, bildete sich auf weiten Reisen (u. a. nach Japan), war seit 1902 in Berlin tätig, vor allem als Bühnenbildner u. Illustrator, ab 1914 in der Schweiz, wo er Freskenwerke schuf, die in enger Verbindung mit der architekton. Idee des umgebenden Raumes stehen; im Stil von → Cézanne beeinflußt. Beisp.: *Fresken im Lesesaal des Kunstgewerbemus.* *Zürich*, 1933/34. W. illustrierte viele Bücher. Bruder des Dichters Robert W.
Lit.: K. Scheffler u. W. Hugelshofer in: Kunst u. Künstler 12, 1914 u. 27, 1929. C. Glaser, *Graphik der Neuzeit*, 1922. W. Sulser in: Kunst u. Volk 4, 1942.

Wang Wei, chines. Maler, 699–759, malte im Geist des Zen-Buddhismus Landschaften in verhaltenen zarten Tönungen.

Wappers, Gustav, belg. Maler, Antwerpen 1803 bis 1874 Paris, Hauptvertreter der belg. Historienmalerei, schloß sich der franz. Romantik, bes. → Delacroix, an; auch Bildnisse u. Genremalerei.
Hauptwerke: *Opfertod des Bürgermeisters von Leiden*, 1829, Utrecht, Mus. *Brüsseler Revolutionsstraßenkampf 1830*, 1835, Brüssel, Mus. *Karl I. von England auf dem Weg zum Schafott*, 1870, ebda. *Grablegung Christi*, 1836, Löwen, Michaelskirche. Außer in belg. Gal. vertreten in New York (Metrop. Mus.), Wuppertal-Elberfeld u. a.
Lit.: D. van Spilbeek, 1874. H. Billung, 1880.

Ward, Edward Matthew, engl. Maler, London 1816 bis 1879 Windsor, Historienmaler, vertreten in engl. Gal. u. Hamburg, Kunsth.
Lit.: J. Dafforne, 1879. Michel, *Hist. de l'Art* 8, 1925/26.

Ward, James, engl. Maler u. Kupferstecher, London 1769–1859 Cheshunt, begann als Kupferstecher, wandte sich um 1792 der Malerei zu, anfangs in der Art s. Schwagers G. → Morland, später in s. ihm eigenen Manier als Pferde- u. Hundemaler, schließlich von Weidevieh in Landschaft u. von wilden Tieren. Als Graphiker schuf er vor allem Kupferstiche in Schabkunstmanier (Mezzotinto) nach eigenen Bildern, nach G. Morland u. Bildnisse nach → Reynolds, → Hoppner u. a. Beisp.: *Kämpfende Stiere*, London, Victoria u. Albert Mus. *Kampf zwischen Löwe u. Tiger*, Cambridge, Fitzwilliam Mus. Werke in London (Tate Gall., Victoria u. Albert Mus., Nat. Portr. Gall.), Cambridge (Fitzwilliam Mus.), Dublin, Manchester, Nottingham, Melbourne u. a.

Lit.: J. Frankau, 1904. C. R. Grundy, 1909. E. Waldmann, *Kunst d. Realism. u. d. Impression.*, 1927.

Warin (Varin), Jean, niederl.-franz. Medailleur u. Münzschneider, Lüttich 1604(?)–1672 Paris, das hervorragendste Mitglied einer Medailleurfamilie, kam 1625 nach Paris, wurde hier zu einem der vorzüglichsten Medailleure des 17. Jh. Er schuf auch Bildnisbüsten u. Standbilder. Beisp.: Medaille zur Erinnerung an die Einnahme v. La Rochelle mit *Bildnis Ludwigs XIII.*, 1629. Medaille mit dem Bild *Richelieus*, 1630 u. 1631; mit dem Bildnis *Mazarins*, 1640. *Bronzebüste Ludwigs XIII.*, Paris, Louvre. *Marmorbüste u. Marmorstandbild Ludwigs XIV.* (Modelle in Versailles, Mus.).
Lit.: F. Mazerolle, 1932.

Wasmann, Friedrich, dt. Maler, Hamburg 1805 bis 1886 Meran, Hauptvertreter des Hamburger Biedermeier, Schüler der Dresdner u. Münchner Akad. unter → Cornelius, 1832–35 in Rom, wo er zum Kreise der → Nazarener gehörte u. sich bes. → Overbeck anschloß. 1843–46 war er in Hamburg tätig, seitdem in Meran. W. schuf vor allem Porträts u. Landschaftsausschnitte, die sich durch überraschende Schärfe der Naturbeobachtung auszeichnen. Sehr gut vertreten in Hamburg, Kunsth.; Werke in den Gal. Bremen, Hannover, Innsbruck, Magdeburg, Stettin, Wuppertal.
Lit.: P. F. Schmidt, *Dt. Malerei um 1800* I, 1922 u. 2, 1928. E. Waldmann, *Kunst d. Realism. u. d. Impression.*, 1927.

Wasnezow (Wassnezoff), Viktor, russ. Maler, Gouvernement Wjatka 1848–1919 Moskau, Vertreter einer realist. Historienmalerei, schuf Darstellungen aus der russ. Geschichte, Sagen- u. Märchenwelt; *Fresken* in der Wladimirkirche zu Kiew u. in der Auferstehungskathedrale in Leningrad u. a. Zahlreiche Werke in der Tretjakoff-Gal. Moskau.
Lit.: De Baye, 1896 (franz.).

Waterloo, Anthonie, niederl. Radierer u. Maler, * um 1610, angebl. Lille, † 1690 Utrecht, schuf rund 150 Radierungen schön beleuchteter Landschaftsausschnitte, viele Zeichnungen sowie einige Gemälde, welche freundliche Waldlandschaften darstellen. Werke in Amsterdam, Bordeaux, Erfurt, Gotha, Innsbruck, Liverpool (Walker Gall.), Mannheim (Schloß), Straßburg, Wiesbaden. Zeichnungen u. Graphik in vielen Kabinetten.
Lit.: Wurzbach, *Niederl. Künstlerlex.*, 1910.

Watson, James, engl.-irischer Kupferstecher, Dublin um 1740–1790 London, Meister von Schabkunstblättern voll technischer Finesse u. Genauigkeit (ca. 290 Bl.), meist Bildnisse, bes. schöne nach → Reynolds (ca. 60).

Lit.: A. M. Hind, *A short Hist. of Engrav. and Etching,* 1911 (spätere Aufl.).

Watteau, Jean-Antoine, franz. Maler, Valenciennes 1684–1721 Nogent-sur-Marne, Hauptmeister der franz. Malerei des 18. Jh., seit 1702 in Paris, um 1704/05 in der Werkstatt des Claude Gillot, um 1708/09 in der des Grotesken- u. Arabeskenmalers Claude Audran, 1719/20 in London, sonst in Paris tätig. W. schuf Darstellungen mit Szenen aus der ital. Komödie, galanten Festen, aus dem Soldatenleben u. einige Bildnisse. In s. Kunst – W. war fläm. Abkunft – ist die Verbindung mit → Teniers u. der fläm. Bauernmalerei noch deutlich zu erkennen. Später kam dazu der Einfluß → Rubens', → Tizians, → Veroneses u. a. In s. Reife- u. Spätzeit verschmolzen die immer blühender werdenden Farben zu einem schimmernden Gesamtton. Seine berühmten Hauptwerke sind *L'Embarquement pour Cythère*, 1717, Paris, Louvre; 2. Fassung Berlin, staatl. Mus. u. das *Ladenschild f. den Kunsthändler Gersaint* (L'Enseigne de Gersaint), 1720, Berlin, staatl. Mus. Eine ganze Gruppe v. Stechern, die sog. W.-Stecher, widmeten sich der Reproduktion s. Werke. Weitergeführt wurde s. Kunst von s. Schüler Jean-Baptiste → Pater u. Nicolas → Lancret.
Weitere Hauptwerke: Ländliche Freuden (*Les plaisirs pastoraux*), Chantilly, Mus. Condé. *Venez. Feste,* Edinburgh, Nat. Gall. Die Liebe auf dem Lande (*L'Amour paisible*), Berlin, staatl. Gal. *Gesellige Unterhaltung im Freien,* Dresden, Gal. *Das Liebesfest,* ebda. *Die Musikstunde,* London, Wallace Coll. *Gilles u. die ital. Komödianten,* Lugano, Slg. Schloß Rohoncz. *Gilles,* Paris, Louvre. *Die ital. Komödie,* Dresden, Gal. u. Berlin, staatl. Mus. *Die franz. Komödie,* Dresden, Gal. u. Berlin, staatl. Mus.
Lit.: E. de Goncourt, *Cat. raisonné de l'oeuvre,* 1875. A. Rosenberg, 1896. *Handzeichn.*, hg. v. C. Gurlitt, 1909. E. H. Zimmermann, 1912 (Klass. der K.). E. Pilon 1912 (²1924). E. Hildebrandt, 1922 (²1923). K. T. Parker, *The drawings,* 1931. Ch. Kunstler, 1936 (franz.). J.-L. Vaudoyer, 1937 (dt. 1939). G. W. Barker, 1939 (engl.). A. E. Brinckmann, 1943. W. Weisbach, *Franz. Malerei des 17. Jh.,* 1932.

Watts, George Frederick, engl. Maler, London 1817 bis 1904 Limnerslease b. London, stand in s. myst.-allegor. Bildern den → Präraffaeliten nahe; vortrefflicher Porträtist; Fresken im Parlamentsgebäude London.
Hauptwerke: *Die Illusionen des Lebens,* 1849, London, Tate Gall. *Liebe u. Leben,* 1885, ebda.; *Liebe u. Tod,* 1887, ebda. *Sic transit gloria mundi,* 1892, ebda. Weitere Hauptwerke ebda.; *Bildnisse* berühmter Zeitgenossen in der Nat. Portr. Gall. in London: *R. Browning; Th. Carlyle, Tennyson* u. v. a. W. war auch Bildh.: *Reiterfigur eines nackten Jünglings* in den

Kensington-Gärten, London. Größte Slg. s. Werke in s. Atelier in Little Holland House, London.
Lit.: J. Jessen, 1901. W. K. West u. R. Pantini, 1904. O. v. Schleinitz, 1904. M. S. Watts, 3 Bde., 1912. G. K. Chesterton, 1914.

Wauters, Emile, belg. Maler, Brüssel 1846–1933 Paris, Schüler von → Portaels in Brüssel u. → Gérôme in Paris, tätig in Brüssel u. Paris, malte Bildnisse u. Historienbilder. Sein bekanntestes Historienbild: *Der wahnsinnige Hugo van der Goes im Roode-Kloster,* 1872, Brüssel, Mus. Als Porträtist hat W. viele Berühmtheiten s. Zeit aus der Hochfinanz, der Politik u. Diplomatie gemalt. Am besten vertreten in Brüssel; ferner in Antwerpen, Lüttich, Philadelphia (Slg. Johnson), Zürich u. a.

Webb, John, engl. Arch., London 1611–1674 Butleigh, Schüler u. Gehilfe von Inigo → Jones (s. Onkels), nach dessen Plänen er mehrere Bauten von diesem weiterführte; eigene Bauten in Jones' Art.

Webb, Philip, engl. Arch., Dekorateur u. Kunstgewerbler, Oxford 1831–1915 Worth (Sussex), Freund u. Mitarbeiter von → Morris, erstrebte in s. Wohn- u. Landhäusern Angleichung an den spätmittelalterlichen Stil, ohne jedoch im geringsten historisierend zu wirken; er baute aus einem modernen Gefühl heraus u. war ein Hauptvertreter der Wiederbelebung des engl. Hausbaues (Domestic Revival). W. entwarf Zimmerausstattungen, Stickereien, Schmuckstücke, Kartons für Morris-Teppiche u. v. a.
Lit.: W. R. Lethaby, 1935. H. Muthesius, *Das engl. Haus,* 1904 J. Joedicke, *Gesch. der mod. Arch.,* 1959. N. Pevsner, *Europ. Architektur,* 1957.

Weber, Max, amerik. Maler, * Bialystock 1881, seit 1891 in den USA, gehört zu den Wegbereitern der modernen Malerei in Amerika; 1905 in Paris, wo er die Bekanntschaft von H. → Rousseau machte, sich dem → Matisse-Kreis anschloß u. 1907 → Picasso kennenlernte, 1908 zurück in die USA; im Stil von den → Fauves u. den Kubisten beeinflußt; zeitweise schloß er sich auch den Abstrakten an. Vertreten in New York, Mus. of mod. Art u. a. amerik. Gal.
Lit.: A. Cahill, 1930. L. Goodrich, 1949. Bénézit, 1955.

Wechtlin, Hans (Johannes), dt. Maler u. Zeichner für den Holzschnitt, tätig zu Anfang des 16. Jh. in Nürnberg, später in Straßburg (1506–26); in Nürnberg war W. in→Dürers Werkstatt tätig, in Straßburg als Illustrator für Bücher (Holzschnitte u. eine Reihe Farbholzschnitte). Hauptvertreter der Straßburger Renaissance-Buchillustration.
Lit.: Röttinger in: Preuß. Jb. 27, 1, 1906. Friedländer, *Der Holzschnitt,* ³1926.

Wedgwood, Josiah, engl. Keramiker, Burslem 1730–1795 Etruria (Stoke-on-Trent), der bedeutendste engl. Keramiker des 18. Jh., gründete 1769 eine Fabrik in Etruria, 1770 eine weitere in Chelsea, in denen Fayence, Steingut u. a. keramische Erzeugnisse hergestellt wurden. Er erfand eine neue gelbliche Masse, die sog. «Queensware», ferner die schwarzgefärbte sog. «Basaltware» u. vor allem die «Jasperware», meist weiß auf blauem Grund. Hauptmeister für die klassizist. künstlerischen Erzeugnisse der Wedgwoodwaren war John → Flaxman.

Weenix, Jan, niederl. Maler, Amsterdam 1640 (44) bis 1719 ebda., bedeutender Maler von Tierstücken, Sohn u. Schüler von Jan Baptist W., tätig in Utrecht, 1702–12 im Schloß Bensberg b. Düsseldorf als Hofmaler des Kurfürsten von der Pfalz, zuletzt in Amsterdam; malte Bildnisse, Landschaften u. bes. Tierstücke. Vertreten in den Galerien Amsterdam, Dresden, München, Paris, Wien u. a.

Weenix, Jan Baptist, niederl. Maler, Amsterdam 1621 bis um 1663 Deutecum, Schüler von Abr. → Bloemaert in Utrecht, war 4 Jahre in Italien. Er malte mit Vorliebe ital. Landschaften mit Volksszenen; Campagnabilder mit Ruinen, Hirten u. Herden, auch Stadtansichten u. Seehäfen; ferner Stilleben u. Tierbilder (Hühnerhöfe). In vielen Mus. vertreten, u. a. Amsterdam, Basel, Berlin, Braunschweig, Dresden, Den Haag, Köln, Leningrad, London, Mannheim, München, New York, Stockholm, Utrecht, Wuppertal.

Weiditz, Christoph, dt. Medailleur, Bildschnitzer, Gold- u. Silberschmied, * wahrscheinlich Straßburg oder Freiburg i. Br. um 1500, † 1559 Augsburg, vermutlich Sohn von Hans W. d. Ä., tätig haupts. in Straßburg u. Augsburg, schuf trefflich charakterisierte Bildnismedaillen (117 Stück bekannt), ferner Kleinplastik. Seine künstlerische Entwicklung geht von einer naiv-dt. Aufnahme der Renaissanceeinflüsse bis zu einem gewandten Manierismus; Anregungen nahm er von s. Bruder Hans, von der Augsburger Porträtmalerei u. a. auf. Werke u. a. in Wien, Kunsthist. Mus.; Berlin, Schloß-Mus.
Lit.: G. Dehio, *Gesch. d. dt. Kunst* 3, 1926. G. Glück, *Kunst d. Renaiss.,* 1928.

Weiditz, Hans d. Ä., dt. Bildschnitzer, nachweisbar in Freiburg i. Br. 1497–1510, vermutlich Vater von Hans d. J. u. Christoph W., erweist sich als bedeutender Meister der beginnenden Renaissance in s. Hauptwerk, dem *Dreikönigsaltar* im Münster von Freiburg, 1505. Ferner *Adam- u. Evagruppe,* Basel, Hist. Mus.
Lit.: s. Christoph W.

Weiditz, Hans d. J., dt. Zeichner für Holzschnitt, * um 1495, wahrscheinlich Sohn von Hans W. d. Ä., vermutlich Schüler → Burgkmairs in Augsburg, 1515–22 tätig ebda. 1522–36 in Straßburg; schuf Holzschnitte für Buchillustration, im Stil von Burgkmair beeinflußt, realistisch in den Einzelheiten, im ganzen von märchenhafter Poesie. Hauptwerke: *Holzschnitte zu Ciceros Officia,* um 1520, erschienen 1531; zu *Apulejus Goldenem Esel,* 1538; zu den *Komödien des Plautus* u. a. Die Holzschnitte in *Petrarkas Trostspiegel* («Von Arzney baider Glück», 1532) werden ihm heute nicht mehr zugesprochen (→ Petrarkameister).
Lit.: H. Röttinger in: Th.-B. 1942. s. auch bei Christoph W.

Weinbrenner, Friedrich, dt. Arch., Karlsruhe 1766 bis 1826 ebda., Hauptvertreter des dt. Klassizismus, seit 1800 Bauinspektor in Karlsruhe, gab dem älteren Teil der Karlsruher Bauwerke das Gepräge. Von ihm gebaut: *Evang. Stadtkirche,* 1807–16; *Kath. Stadtkirche,* 1814 (Zentralbau, Nachahmung des Pantheons); *Rathaus,* 1821–25; *Bauten am Rondell-Platz,* 1809–11; *Münze,* 1826 u. v. a. Ferner die *Kurhäuser* in Badenweiler, 1813, u. Baden-Baden, 1821–23.
Lit.: A. Valdenaire, 1919 (²1926). Koebel, 1920. G. Pauli, *Kunst d. Klassiz. u. d. Romantik,* 1925.

Weisgerber, Albert, dt. Maler, St. Ingbert b. Saarbrücken 1878–1915 Fromelles (Frankreich), im Krieg gefallen, studierte an der Münchner Akad. unter Hackl u. → Stuck, zeichnete für die «Jugend», illustrierte Bücher u. schuf Plakate. 1906 war er in Paris u. kam durch → Purrmann in Beziehung zum → Matisse-Kreis. W. war in s. Anfängen stark dem Jugendstil verpflichtet; später suchte er eine große Form u. starken Ausdruck; mit manchen s. Werke gehörte er zu den frühesten Expressionisten. Er verarbeitete Einflüsse von → Manet, → Cézanne, → Hodler u. a.
Hauptwerke: *Selbstbildnis,* 1908, Hannover, Mus.; *Hl. Sebastian,* 1910, München, Gem. Slg.; *Absalom,* 1914, Hamburg, Kunsth. Werke in München, Saarbrücken, Bremen, Dresden, Essen, Hamburg, Köln, Leipzig, Magdeburg, Mannheim, Stuttgart u. a.
Lit.: W. Hausenstein, 1918. W. Waetzoldt, *Dt. Mal. seit 1870,* 1918. E. Waldmann, *Kunst d. Realism. u. Impression.,* 1927.

Weiss, Emil Rudolf, dt. Maler u. Graphiker, Lahr (Baden) 1875–1942 Meersburg (Bodensee), Schüler von → Kalckreuth u. → Thoma. 1907–33 Prof. an den Vereinigten Staatsschulen für bildende Künste in Berlin, Erneuerer der dt. Buchkunst (Titel, Einbände, Schriftbild usw.); schuf mehrere Schriften (Weiss-Fraktur, 1908–13 u. v. a.). Ferner Fresken, Bildnisse, Zeichnungen, Radierungen, Lithographien, Holzschnitte, Glasfenster, kunstgewerbl. Entwürfe u. a. Ölbilder in den Gal. Berlin, Bremen, Dresden, Essen, Karlsruhe, Köln, Nürnberg, Ulm, Winterthur, Zürich.
Lit.: *Festschrift E. R. W.,* 1925. E. Hölscher, *Der Schrift- u. Buchkünstler W.,* 1941. W. Zerbe, 1947.

Weitsch, Friedrich Georg, dt. Maler, Braunschweig 1758–1828 Berlin, Schüler von Wilh. → Tischbein in Kassel, tätig in Braunschweig u. ab 1798 in Berlin, wo er preuß. Hofmaler wurde. Er pflegte alle Bildgattungen u. zeichnete sich bes. als Porträtist aus. Seine Bildnisse sind inspiriert vom Biedermeier; von → Graff u. der franz. Porträtmalerei des Empire. In s. Landschaften von → Poussin u. den Niederländern (→ Berchem u. a.) beeinflußt. Werke in vielen Gal., u. a. in Berlin (Nat. Gal., Dt. Mus., Schloß Charlottenburg), Düsseldorf, Wuppertal, Hamburg, Stettin.
Lit.: G. Biermann, *Dt. Barock u. Rokoko,* 1914. K. Gläser, *Das Bildnis im Berliner Biedermeier,* 1932. A. Schulz-Stettin in: Th.-B. 1942.

Welsch, Maximilian v., dt. Arch., Kronach 1671 bis 1745 Mainz, Hauptvertreter des rhein.-fränkischen Barock, kam in den 90er Jahren nach Italien, trat 1704 in den kurmainzischen Militärdienst, wurde 1706 Generalinspektor der kurfürstlichen Festungen u. hatte die Oberleitung über viele Bauunternehmungen; doch ist s. künstlerische Persönlichkeit nicht klar umrissen, da vieles zerstört oder verändert ist. Sein Vorbild war der österr.-ital. Barock; er studierte → Borromini in Italien, → Mansart in Paris, → Fischer v. Erlach in Wien. Mit genügender Wahrscheinlichkeit kann ihm *Schloß u. Garten Favorite* in Mainz zugeschrieben werden (heute verschwunden). Beteiligt war er an den Plänen für *Pommersfelden* (die berühmte Treppe von B. → Neumann); gesichert ist für W. nur der späteste Bauteil, der Marstall. In Erfurt baute er das *Palais des Statthalters,* 1711–20, mit reichausgebildetem Treppenhaus u. Stuckarbeiten von seltener Schönheit (Zuschreibung). Ferner das *Orangerieschloß* in Fulda, «ein Prunkstück heiteren Barocks». Ein Alterswerk: *Klosterkirche Amorbach* im Odenwald, 1742 beg. (die Dekoration von J. M. → Feichtmayr, Georg Uebelher u. Matth. → Günther). Viele weitere Pläne.
Lit.: K. Lohmeyer, *Baumeister des rhein.-fränk. Barocks,* 1931. G. Dehio, *Gesch. d. dt. Kunst* 3, 1926. W. Weisbach, *Kunst d. Barock,* ²1929.

Welti, Albert, schweiz. Maler u. Radierer, Zürich 1862–1912 Bern, Schüler → Böcklins, von der dt. Romantik berührter Maler, dessen phantasiereiche Bilder jenseits von Realismus u. Impressionismus stehen. Er schuf auch Wandbilder u. ein bedeutendes graph. Werk, in welchem sich s. überquellende

Phantasie auslebte. Beisp.: *Walpurgisnacht*, 1897, Zürich, Kunsth. *Die 3 Eremiten*, 1907–08, Basel, Mus. W. ist gut vertreten in Zürich; ferner in Basel, Bern, Genf.
Lit.: Wartmann, *Vollständ. Verz. des graph. Werkes*, ²1913. A. Frey, 1921. E. Kreidolf, 1939. A. J. Welti, *Bild des Vaters*, 1962. M. Huggler/A. M. Cetto, *Schweiz. Mal. im 19. Jh.*, 1942.

Wenglein, Joseph, dt. Maler, München 1845–1919 Bad Tölz, Schüler von → Lier, malte Landschaften aus Oberbayern, «der letzte bedeutende Vertreter der alten Münchner Landschaftsschule». Bilder in München, Bamberg, Berlin, Breslau, Dresden, Frankfurt, Köln, Leipzig, Prag, Wuppertal u. a.
Lit.: R. Oldenbourg u. H. Uhde-Bernays, *Münchner Maler im 19. Jh. 2*, 1925.

Wen Tscheng-ming, chines. Maler, 1470–1567, bedeutendster Vertreter der Wu-Schule (neben → T'ang Yin), malte vor allem Landschaften, auch Tier- u. Pflanzenbilder.
Lit.: O. Kümmel in: Th.-B. 1942.

Wenzinger, Christian, dt. Bildhauer, Maler u. Arch., Ehrenstetten (Breisgau) 1710–1797 Freiburg i. Br., der vielseitige Hauptmeister des Spätbarock u. Rokoko in Freiburg, war 1731 in Rom, 1735–37 in Paris, vorübergehend in Wien, seit 1745 in Freiburg. Sein Hauptwerk ist die Ausstattung der Stiftskirche St. Gallen.
Werke: *Wandgrab für General v. Rodt*, 1743 ff., Freiburg, Münster. *Ausschmückung der Stiftskirche St. Gallen* mit Deckengemälden, Stukkaturen, Figuren u. Reliefs, 1757–61. *Ölberg*, Frankfurt, Städt. Mus. (Liebighaus). «*Haus zum schönen Eck*» in Freiburg, 1761 ff. *Taufstein*, 1768, Freiburg, Münster.
Lit.: G. Münzel in: Zschr. f. bild. K., N. F. 33, 1922. L. Noack-Heuck in: Das Münster 4, 1951. A. Feulner u. Th. Müller, *Gesch. der dt. Plastik*, 1953.

Werefkin, Marianne v., russ. Malerin, Tula 1870 bis 1938 Ascona, studierte – mit → Jawlensky – an der Akad. Petersburg bei → Rjepin; seit 1896 tätig in München. 1909 gehörte sie zu den Gründungsmitgliedern der «Neuen Künstler-Vereinigung München» (wo sich die späteren → «Blaue-Reiter»-Meister zusammenschlossen), 1912 vertreten in der Ausstellung des «Blauen Reiters».
Lit.: L.-G. Buchheim, *Der Blaue Reiter*, 1959.

Werenfels, Samuel, schweiz. Arch., Basel 1720 bis 1800 ebda., schuf haupts. große Bürgerbauten in Basel; nicht nur die reiche Architektur, auch Portale, Treppen, Gitter, Stukkaturen usw.; Vertreter des Rokoko im Übergang zum Klassizismus. Hauptwerke in Basel: *Haus zum Delphin*, 1758; *Wendelstörferhof* (das Weiße Haus) u. *Reichensteinerhof* (das

Blaue Haus), 1763–70; *Alte Post*, 1771–75; ferner *Stadthaus; Haus zum Raben; Landhaus Ebenrain* b. Sissach.
Lit.: Das Bürgerhaus in der Schweiz 23, 1931. H. Hoffmann, *Schweizer Bürgerhäuser 1450–1830*, 1938. Gantner-Reinle, *Kunstgesch. der Schweiz 3*, 1956.

Werenskiold, Erik, norweg. Maler, Kongswinger 1855–1938 Oslo, bedeutender Vertreter der sog. Durchbruchgeneration, deren Mitglieder eine nationalnorweg. Kunst erstrebten. W. war Schüler von → Löfftz u. → Lindenschmit in München, von → Bonnat in Paris; in s. Kunst vor allem von franz. Realisten u. Impressionisten beeinflußt. Er schuf Landschaften u. Bildnisse, Buchillustrationen u. Radierungen. Beisp.: *Abend in Kviteseid*, 1893; *Bildnisse: Björnson, Ibsen*, Oslo, Gal. Vertreten in den Gal. Oslo, Bergen, Kopenhagen, Göteborg, Helsinki u. a.
Lit.: A. Dresdner, *Schwed. u. norweg. Kunst seit der Renaiss.*, 1924. C. Glaser, *Graphik der Neuzeit*, 1922.

Wereschtschagin, Wassilij, russ. Maler, Tscherepowez 1842–1904 vor Port Arthur, Orient- u. Schlachtenmaler, Schüler von → Gérôme in Paris, nahm 1867–68 an der Expedition des Generals Kauffmann nach Turkestan u. 1877–78 am russ.-türk. Krieg teil, schuf Architektur- u. Genrebilder aus dem Orient, Schlachtengemälde, Bilder aus dem Feldzug Napoleons in Rußland 1812, Landschaften u. a.
Lit.: E. Zabel, 1900.

Werff, Adriaen van der, niederl. Maler, Kralinger-Ambracht b. Rotterdam 1659–1722 Rotterdam, Hauptmeister des holl. Spätbarock, Schüler von E. van der → Neer in Rotterdam, schuf meist kleinformatige Bilder von feiner Ausführung u. porzellanartigem Farbenschmelz; zeitweilig als Hofmaler des Kurfürsten Johann Wilhelm von der Pfalz in Düsseldorf tätig.
Werke: Bibl. Bilder: *Bathseba führt Abisag zu David*, 1695, Leningrad, Eremitage. *Verstoßung der Hagar*, 1699, Dresden, Gal. *Büßende Magdalena*, 1711, ebda. Mythol. Bilder: *Urteil des Paris*, 1712, ebda. Bildnisse: *Selbstbildnis*, 1699, Amsterdam, Rijksmus. *Verherrlichung des Kurfürsten Wilhelm u. s. Gemahlin*, 1716, München, A. P. In vielen Slgn. vertreten, bes. gut in München.
Lit.: K. Lemcke, 1877. C. Hofstede de Groot, *Beschreib. u. krit. Verz.* 10, 1928. M. J. Friedländer, *Niederl. Kunst d. 17. Jh.* (Prop. K. G.).

Werff, Pieter, niederl. Maler, Kralinger-Ambracht 1665–1722 Rotterdam, Bruder Adriaen W.s u. in derselben Weise tätig wie dieser, den er auch kopierte.

Werner, Anton v., dt. Maler, Frankfurt a. d. O. 1843–1915 Berlin, lange Zeit der offizielle Maler des Kaiserreichs, Schüler der Berliner Akad. u. von → Lessing u. A. → Schrödter in Karlsruhe, schuf Illustrationen zu Scheffels Werken, malte Bildnisse der dt. Heerführer des dt.-franz. Krieges, seit 1875 Direktor der Akad. Berlin. Er stellte die offiziellen Begebenheiten des Kaiserreichs in kalter Korrektheit, ohne künstlerische Intuition, dar. Sein Hauptwerk: *Kaiserproklamation in Versailles*, 1877, Berlin, ehem. Schloß. Weitere Werke: *Der Berliner Kongreß*, 1878, Berlin, Rathaus. *Eröffnung des Reichstags durch Wilhelm II.*, 1890, Berlin, ehem. Nat. Gal. Weitere Bilder ebda.
Lit.: A. Rosenberg, 1900.

Werner, Fritz v., dt. Maler u. Kupferstecher, Berlin 1827–1908 ebda., Meister aus dem Umkreis → Menzels, war Schüler v. Menzel, weitergebildet bei → Bonnat u. → Meissonier in Paris, malte mit liebevoller Sorgfalt Bildchen: Landschaftsstücke, Interieurs, friderizianische Soldaten; einige feine Kupferstiche. Von Menzel u. Meissonier beeinflußt. Beisp.: *Friedrich d. Gr. in der Bibliothek in Sanssouci*, 1880, Dresden, Gal. *Marketenderin*, 1886, Berlin, staatl. Mus. *Rückkehr des Prinzen Wilhelm v. der Parade*, 1885, ebda.
Lit.: A. Rosenberg, *Berliner Malerschule 1819–79*, 1879.

Werner, Joseph, schweiz. Maler, Bern 1637–1710 ebda. (?), Schüler von M. → Merian in Frankfurt, weitergebildet in Italien bei → Sacchi, → Maratta u. Pietro da → Cortona, spezialisierte sich auf die Miniaturmalerei (Bildnisse u. mythol.-allegor. Darstellungen), war 1662–66 in Paris am Hof Ludwigs XIV., arbeitete 1667–82 in Augsburg, München u. Innsbruck, ab 1682 in Bern. 1696–1707 Direktor der neugegründeten Akad. Berlin. Seine Miniaturen sind künstlerisch u. technisch feine Arbeiten; seine Ölbilder eklektisch; einige Radierungen. Werke haupts. in Bern, Mus. u. München, Residenz. Ferner in München, A. P.; London, Victoria u. Albert Mus.; Paris, Louvre; Wien, Belvedere; Karlsruhe, Gal. u. a.
Lit.: J. Kunze in: Th.-B. 1942. E. Gradmann/ A. M. Cetto, *Schweiz. Mal. u. Zeichn. im 17. u. 18. Jh.*, 1944.

Werner, Karl, dt. Maler, Weimar 1808–1894 Leipzig, Schüler der Leipziger Akad. unter → Schnorr v. Carolsfeld, 1832–56 in Italien, wandte sich bes. dem Aquarell zu (Ansichten berühmter Kunststätten), die wegen ihrer Treue topographisches Interesse haben; 1851 gründete er ein Meisteratelier für Aquarellmalerei in Venedig; sein bedeutendster Schüler war → Passini. Ab 1882 Prof. der Akad. Leipzig. 24 seiner Aquarelle aus Ägypten wurden in Farbendruck hg. («Nilbilder»), 1864; 30 aus Palästina «Heilige Stätten», 1866–67. Werke in mehreren dt. Mus. (u. a. in Berlin, Leipzig, Weimar).

Werner, Theodor, dt. Maler, * Jettenburg b. Tübingen 1886, Schüler der Stuttgarter Akad., 1930–35 in Paris, dort der Künstlervereinigung «Abstraction-Création» nahestehend, ging zur abstrakten Kunst über, zu deren wichtigsten Vertretern in Deutschland er gehört. Er schuf ein großes Wandbild in der Musikhochschule Berlin, 1954. Seine Gattin *Woty* (* Berlin 1903) schafft Wandbehänge mit abstrakten Kompositionen.
Lit.: Seuphor, *Dict. peint. abstr.*, 1957. Ders., *Knaurs Lex. abstr. Malerei*, 1957. *Neue Kunst nach 1945*, hg. v. W. Grohmann, 1958.

Wertinger, Hans, dt. Maler, Glasmaler, Zeichner für den Holzschnitt, Landshut um 1465–1533 ebda., schuf Altäre u. Glasgemälde für bayer. Kirchen; Zeichnungen für Holzschnitte u. – namentlich seit 1515 – zahlreiche Bildnisse von Fürsten u. Großen der Zeit. W. ging von den spätgot. Augsburger Meistern aus, war beeinflußt von N. A. → Mair (Mair v. Landshut) u. später von den Augsburger Renaissancemeistern → Burgkmair, J. → Breu. *Bildnisse* bes. in München, Bayer. Nat. Mus. *Monatsbilderzyklus* von 8 Tafeln in Nürnberg, German. Mus. Werke in Boston, London (Victoria u. Albert Mus.), Innsbruck, München, Leningrad, Wien (Kunsthist. Mus.) u. a.
Lit.: K. Feuchtmayr in: Th.-B. 1942. W. Pinder, *Kunst der Dürerzeit*, 1953.

Werve, Claus de, niederl.-burgund. Bildhauer, † 1439, Neffe u. Mitarbeiter von C. → Sluter u. dessen Werkstattnachfolger in Dijon; er vollendete das Grabmonument Philipps des Kühnen.

West, Benjamin, amerik.-engl. Maler, Springfield (Penn.) 1738–1820 London, wo er seit 1763 tätig war, 1769–1801 Hofmaler Georgs III. W. hatte in Amerika zu malen begonnen (Philadelphia u. New York), war 1760 in Rom, wo er sich → Mengs u. → Batoni anschloß, u. in Parma. Er schuf große Historienbilder, auch mit religiösen Sujets, Porträts u. dekorative Malereien in klassizist. Stil; am lebendigsten sind s. Darstellungen aus der zeitgenössischen Geschichte, wie: *Tod des Generals Wolfe*, 1768, Ottawa, Nat. Gall. (Wiederholung in Hampton Court). *W. Penns Verhandlungen mit den Indianern*, 1772, Philadelphia, Mus. Werke in den Mus. Boston, Chicago, Cleveland, Glasgow, Kansas City, Liverpool, London (Vict. u. Albert Mus.) u. a.
Lit.: A. Michel, *Hist. de l'art* VII, 2, 1923–24. J. Galt, 1816 (Neuausg. 1920). W. T. Whitby, *Art in England 1800–1820*, 1928. M. Osborn, *Kunst d. Rokoko*, 1929.

Westmacott, Richard, engl. Bildhauer, London 1775–1856 ebda., Schüler → Canovas in Rom, seit 1827 Prof. der Akad. London, Hauptvertreter des Klassizismus. Hauptwerke in London: *Bronzenes Riesenstandbild des Achilles*, Hyde Park, 1822; mehrere *Grabdenkmäler* (Lord Collingwood u. a.) in der St. Paulskathedrale. *Standbild Lockes* in der Bibliothek des University College.

Westmacott, Richard d. J., engl. Bildhauer, London 1799–1872 ebda., Sohn u. Schüler von Richard W. d. Ä., weitergebildet in Italien, schuf in klassizist. Stil: *Grabdenkmal Bischof Tomline* in der Kathedrale Winchester, 1831; *Grabdenkmal Erzbischof Howley* in der Kathedrale Canterbury, 1850; *Basrelief Predigt John Wiclifs* in der Kirche zu Lutterworth.

Westman, Carl, schwed. Arch., Uppsala 1866–1936 Stockholm, schuf, an nationale Vorbilder anschließend, vor allem Backsteinbauten: *Neues Rathaus*, Stockholm, 1909–15; *Röhsska Kunstgewerbe Mus.*, Göteborg, voll. 1914.

Westphal, Conrad, dt. Maler u. Graphiker, * Berlin 1891, Vertreter der abstrakten Kunst, lebte von 1926 an längere Zeit in Paris u. in Südfrankreich, emigrierte 1934 nach Griechenland, zuletzt in München tätig. W. kam nur ganz allmählich zur ungegenständlichen Kunst. Er schrieb: «Zur Deutung des Bildhaften» u. a.
Lit.: *Knaurs Lex. abstr. Malerei*, 1957 (M. Seuphor). G. Hassenpflug, *Abstrakte Maler lehren*, 1959.

Wet, Jacob Willemsz de, niederl. Maler, Haarlem um 1610–1671 ebda., Meister aus der Nachfolge → Rembrandts, vielleicht dessen Schüler. Beisp.: *Verstoßung der Hagar*, München, A. P. *Anbetung der Hirten*, Hamburg, Kunsth. In vielen Mus. vertreten, u. a. Aachen, Amsterdam, Braunschweig, Darmstadt, Haarlem, Hamburg, München, Schleißheim, Stockholm, Stuttgart, Würzburg.
Sein Sohn *Jacob d. J.*, Haarlem 1640–1697 Amsterdam, malte bibl. Szenen in der Art des Vaters.
Lit.: Wurzbach, *Niederl. Künstlerlex.*, 1910.

Weyden, Rogier van der, niederl. Maler, Tournai um 1400–1464 Brüssel, Hauptmeister der altniederl. Schule, Schüler von Robert Campin (→ Flémalle) in Tournai, um 1449–50 in Italien (Rom, Florenz, Ferrara, vielleicht Venedig), tätig in Brüssel, wo er Stadtmaler war u. ein größeres Atelier innehatte. Ausgangspunkt der Kunst Rogiers ist die des Meisters von Flémalle u. die Tradition der got. kirchlichen Kunst, vielleicht auch skulpturale Werke. Erst später nahm W. einiges von Jan van → Eyck auf, ist im ganzen aber dessen Antipode. Der Einfluß v. d. W.s war noch bedeutender als der der

Brüder van Eyck u. grundlegend für die weitere Entwicklung der niederl. u. auch der deutschen Kunst. Hauptwerk der Frühzeit ist die berühmte Altartafel der *Kreuzabnahme* im Escorial, um 1435 bis 1440. Etappen s. weiteren Entwicklung sind: *Madonna mit dem hl. Lukas*, mehrere Exempl., eines in München, A. P.; eines in Boston, Mus. *Marien-Altar*, davon 2 Tafeln im Dom zu Granada, 1 in New York, Metrop. Mus.; dessen Replik der sog. *Miraflores-Altar*, Berlin, Dt. Mus. Hauptwerk der mittleren Zeit: *Jüngstes Gericht* mit den Bildnissen der Stifter (Kanzler Rolin u. Gemahlin) auf den Flügeln, Beaune, Hôtel-Dieu. Spätwerke: *Anbetung der Könige*, München, A. P. *Anbetung des Kindes*, sog. Bladelin-Altar, Berlin, Dt. Mus. *Maria mit dem Kind*, ebda. Bildnisse: *Karl der Kühne*, um 1460, Berlin, Dt. Mus. *Frauenbildnis*, ebda. Werke in Antwerpen, Berlin, Boston, Brüssel, Chicago, Escorial, Granada, London, Madrid, München, New York, Paris, Turin, Washington, Wien u. a.
Lit.: P. Lafond, 1911 (franz.). F. Winkler, *Der Meister v. Flémalle u. R. v. d. W.*, 1913. W. Burger, 1923. M. J. Friedländer, *R. v. d. W. u. der Meister v. Flémalle*, 1924. A. Schmarsow, *Robert van der Kampine u. R. v. d. W.*, 1928. J. Destrée, *Roger de la Pasture*, 1930. E. Renders, *La solution du problème v. d. W.*, *Flémalle, Campine*, 1931. E. Fidder, *Von der Form R. v. d. W.s*, 1938. Th. Musper, *Untersuchungen zu R. v. d. W. u. Jan v. Eyck*, 1948. H. Beenken, 1951.

Whistler, James, amerik.-engl. Maler u. Graphiker, Lowell (Massachusetts) 1834–1903 Chelsea, Hauptmeister des amerik. Impressionismus, Schüler von → Gleyre in Paris, beeinflußt von → Courbet, seit 1859 oft, seit 1863 fast ständig in England lebend, doch immer wieder auch in Paris tätig, wo er in den 90er Jahren ein eigenes Atelier eröffnete. W. nahm in s. Kunst alle Anregungen von Courbet, den Meistern von Fontainebleau (→ Barbizon), den Impressionisten auf u. verarbeitete sie selbständig, zeitweise stark vom japan. Farbenholzschnitt berührt. Er malte hervorragende Landschaften u. Porträts, auch bedeutende Radierungen; in s. Gemälden schuf er Farbenharmonien, durch die er die Erscheinungen der Wirklichkeit in eine poetische Dämmersphäre erhob; vielfach bezeichnete er die Bilder als *Arrangement in Blau u. Rosa; Nocturno in Blau u. Silber* (London, Tate Gall.) usw. Als Meisterleistungen des Porträts gelten: *Bildnis s. Mutter*, 1872, Paris, Louvre u. *Thomas Carlyle*, 1872, Glasgow, Gal. Weitere Hauptwerke: *Das Musikzimmer*, 1861, Paris, Louvre; *Das weiße Mädchen*, 1862, ebda.; *Sinfonie in Weiß*, 1867, ebda.; *Die alte Brücke von Battersea*, 1872, London, Tate Gall. *Der Geiger Sarasate*, 1882, Pittsburgh, Carnegie Inst. *Der Schriftsteller Th. Duret*, New York, Metropol. Mus. Von s. Radierungen bes. beliebt die aus Venedig.
Lit.: T. R. Way u. G. R. Dennis, 1903. Th. Duret,

1904. E. R. u. J. Pennel, 1911. W. Kennedy, *The work of engravings of W.*, 1912. J. Laver, 1938. J. W. Lane, 1942. M. Raynal, *De Goya à Gauguin*, 1951 (Skira-Bd., m. Bibliogr.).

Wicar (Vicard), J.-B.-Joseph, franz. Maler u. Stecher, Lille 1762–1834 Rom, Schüler von → David, den er 1785 nach Italien begleitete, blieb in Florenz bis 1793; von 1800 an wieder in Italien tätig, erst in Neapel, dann in Rom. Er schuf bibl. u. mythol.-hist. Bilder großen Ausmaßes im akad. Stil. Werke in ital. Kirchen, in den Mus. Lille (W.-Mus. das.); Rom, Vatik. Gal.; Versailles, Mus. u. a.
Lit.: F. Beaucamp, 1934. Ansaldi, *W. disegnatore* in: Boll. d'arte, 1936.

Wichmann, Ludwig, dt. Bildhauer, Potsdam 1788 bis 1859 Berlin, Schüler von → Schadow in Berlin u. Bosio in Paris (1809–13), Vertreter des Klassizismus, von → Rauch beeinflußt. 1821 gründete er mit s. Bruder *Karl* W. eine Werkstatt in Berlin, in der haupts. Bildnisplastik entstand.
Beisp.: *Amor u. Psyche*, 1830, Potsdam, Marmorpalais. Bildnisbüsten: *Marmorbüste Hegels*, 1826, Berlin, Mus. u. Weimar, Goethehaus. Für die Schloßbrücke in Berlin schuf er die Gruppe der *Nike mit verwundetem Krieger*, für Stendal das *Bronzestandbild Winckelmanns*, 1848.

Widmann, Fritz, schweiz. Maler, Bern 1869–1937 Nidelbad b. Rüschlikon, Schüler der Münchner Akad. (A.→ Stäbli), längere Zeit unter → Hodlers, dann unter → Spitzwegs Einfluß stehend, in dessen Art er gerne schrullig-poetische Bildchen schuf, auch Landschaften. Gut vertreten in Zürich, Kunsth.
Lit.: G. Gamper, 1938.

Wiedewelt, Johannes, dän. Bildhauer, Kopenhagen 1731–1802 ebda., Meister des Übergangs vom Spätbarock zum Klassizismus, in Rom mit Winckelmann befreundet. Er schuf die *Grabdenkmäler Christians VI. u. Friedrichs V.* im Dom von Roskilde; die *Figuren Dänemark u. Norwegen* im Park von Fredensborg; viele weitere Statuen ebda.; Grabdenkmäler auf Friedhöfen Kopenhagens; Marmorbüsten u. a.
Lit.: F. J. Meier, 1877 (grundlegend). K. W. Tesdorpf, 1933.

Wiemken, Walter Kurt, schweiz. Maler, Basel 1907–1941 Breggia (Tessin), anfangs Landschafter, früher Vertreter des Surrealismus. Gut vertreten in den Mus. Basel u. Zürich.
Lit.: G. Schmidt u. a., 1942. Kunst u. d. schöne Heim 49, 1950/51.

Wiertz, Antoine, belg. Maler, Dinant 1806–1865 Brüssel, Vertreter des romant. Historismus des 19. Jh., Schüler der Akad. Antwerpen, weiterge-

bildet in Rom, tätig in Brüssel. W. schloß sich in s. Stil den großen Meistern der Vergangenheit an, bes. an → Rubens, dessen Kunst er weiterzuführen hoffte. Mit s. großen Kompositionen oft barocker Einfälle kann er doch nur als Eklektiker bezeichnet werden. Seine Hauptwerke sind sämtlich im Mus. W. in Brüssel vereinigt. Beisp.: *Kampf um den Leichnam des Patroklos*, Lüttich, Mus. u. W.-Mus. Brüssel. *Kampf des Guten mit dem Bösen*, 1842, W.-Mus., Brüssel.
Lit.: Labarre, 1866. M. J. Alvin, 1869. J. Potvin, 1912. H. Fierens-Gevaert, 1920. R. Bodart, 1951.

Wijnants (Wynants), Jan, niederl. Maler, Haarlem um 1630–1684 Amsterdam, holl. Landschafter, malte Waldlandschaften in der Art → Ruisdaels, Hügellandschaften, Feldwege u. ä., bei denen kleine Figuren von Ph. → Wouverman oder A. van der → Velde hineingemalt sind, später größere Landschaftsbilder mit Reitergesellschaften, die → Lingelbach beifügte. W. ist in den meisten Slgn. Europas vertreten, mit 9 Bildern im Rijksmus., Amsterdam.
Lit.: C. Hofstede de Groot, *Beschreib. u. krit. Verz.* 8, 1923.

Wijntrack, Dirck, niederl. Maler, Drenthe um 1625–1678 Den Haag, Meister von Tierbildern (Geflügel), entweder in freier Landsschaft in der Art → Hondecoeters, oder Ziegen, Enten, Hühner in Scheunen in der Art des Jan → Steen; oder Bauernhöfe in der Art → Hobbemas. Bilder u. a. in Aachen, Amsterdam, Dublin, Hamburg, Paris, Prag, Utrecht.
Lit.: Wurzbach, *Niederl. Künstlerlex.*, 1910.

Wildens, Jan, niederl. Maler, Antwerpen 1586–1653 ebda., 1612–17 in Italien, malte außer selbständigen Landschaftsbildern Vordergrund u. landschaftliche Durchblicke für Werke von → Rubens, → Jordaens, → Snyders u. v. a. Eigene Werke: *Winterlandschaft mit Jäger*, 1624, Dresden, Gal. *Ansicht von Antwerpen*, 1636, Amsterdam, Rijksmus. *Landschaft nach dem Gewitter*, 1640, Augsburg, Gal. *Landschaft mit tanzenden Bauern*, 1631, Antwerpen, Mus. Weitere Werke in Dresden, Wien u. a. (mehrere Zuschreibungen).
Lit.: M. Manneback in: Th.-B. 1942.

Wildt, Adolfo, ital. Bildhauer, Mailand 1868–1931 ebda., wirkte seit 1923 als Lehrer an der Brera-Akad. in Mailand, führendes Mitglied der Künstlergruppe «Novecento», schuf Figürliches, Denkmäler, Grabdenkmäler, vor allem Bildnisbüsten u. Medaillen, «dekorativ-stilisierend» (u. a. *Mussolini* u. *Toscanini*). Vertreten in den mod. Gal. Rom, Florenz, Mailand u. a.
Lit.: G. Nicodemi, [2]1935.

Wilhelm, *Meister W. v. Köln,* dt. Maler, nachweisbar in Köln 1358–1372. Die dt. Romantik entdeckte in der Lüneburger Chronik den Namen eines Meisters W. v. K., um den sich eine förmliche Legende bildete u. dem eine große Anzahl Malereien zugeschrieben wurden, die später dem → Meister der Veronika u. a. zugeschrieben wurden. In Kölner Urkunden jener Zeit findet sich nur ein einziger Maler mit dem Namen Wilhelm; es ist dies *Wilhelm v. Herle.* Ihm werden die Wandgemälde des Ratssaales in Köln (Bruchstücke im Wallraf-Richartz-Mus.) zugeschrieben. Mit diesen Malereien sind die ältesten Teile des Clarenaltars im Kölner Dom dem Stil nach verwandt.
Lit.: E. Firmenich-Richartz in: Zschr. f. christl. Kunst 4, 1891. Ders., *Wilhelm v. Herle,* ebda. 8, 1895. Ders., *Kölner Künstler in alter u. neuer Zeit,* 1895. H. Reiners, *Kölner Malerschule,* 1925. O. H. Förster, *Köln. Malerei u. Meister W. bis Stephan Lochner,* 1923. A. Stange, *Dt. Malerei der Gotik* 2, 1936. K. vom Rath in: Th.-B. 1942.

Wilhelm von Modena → Wiligelmus.

Wilhelmson, Carl, schwed. Maler, Fiskebäckskil 1866–1928 Göteborg, Schüler von C. → Larsson in Göteborg u. → Lefebvre in Paris, gehört zu den bedeutendsten Darstellern des schwed. Volkslebens: Szenen aus dem Fischer- u. Bauernleben; Hafenbilder, Landschaften, Volkstypen u. Bildnisse. Als Lehrer an der Stockholmer Kunsthochschule von starkem Einfluß. Werke in den Gal. Stockholm, Göteborg, Kopenhagen, Helsinki u. a.
Lit.: A. L. Romdal, 1938.

Wiligelmus v. Modena, ital. Bildhauer, tätig in Modena im frühen 12. Jh., schuf – laut Inschrift – die Bauplastik am Dom von Modena (nach 1099, wahrscheinlich nach 1117), vor allem die *Relieftafeln mit Szenen aus der Schöpfungsgeschichte* an der Westfassade des Domes u. den *Gewändeschmuck des Hauptportals.* Es handelt sich um die erste großfigurig-erzählende Plastik in Oberitalien, künstlerisch hochstehend, lange vor den Werken → Antelamis entstanden. Die Quellen dieser Kunst sind Elfenbeinplastiken Oberitaliens, aber wohl auch die Reliefkunst um 1100 in Toulouse; verwandt auch die apulische Plastik um 1100 (Bischofsthron in Bari).
Lit.: A. Venturi 3, 1904. Wackernagel, *Plastik des 11. u. 12. Jh. in Apulien,* 1911. Ders. in: Th.-B. 1947. Vitzthum-Volbach, *Malerei u. Plastik des M. A. in Italien* (Handb. der K. W.), 1914.

Wilke, Erich, dt. Zeichner, Maler u. Radierer, Braunschweig 1879–1936 München, Bruder von Rudolf W., war ständiger Mitarbeiter der Münchner «Jugend», des «Simplizissimus» u. der «Lustigen Blätter», tätig in München.

Wilke, Rudolf, dt. Zeichner u. Maler, Braunschweig 1873–1908 ebda., war 1894–95 Schüler der Akad. Julian in Paris, seit 1896 in München tätig, ständiger Mitarbeiter der «Jugend» u. des «Simplizissimus», für die er geistreiche satirische Zeichnungen mit sicherer Beherrschung der Ausdrucksmittel schuf; in vielen Werken typischer Vertreter des Jugendstils.
Lit.: L. Thoma, 1909. E. Preetorius, *Der Zeichner R. W.,* 1956.

Wilkie, David, engl. Maler, Cults (Schottland) 1785–1841 vor Gibraltar (auf der Rückreise aus dem Orient), Meister der anekdotischen Genreszene. In s. Kunst nahm er sich → Teniers u. → Ostade zum Vorbild, doch suchte er vor allem mit gehäuften stofflichen Reizen zu wirken; humorvolle Darstellungen des zeitgenössischen bürgerlichen Lebens. Der Erfolg war so groß, daß s. Art des Genrestücks die bevorzugte des 19. Jahrhunderts wurde.
Werke: *Der blinde Geiger,* 1806, London, Nat. Gall. *Das Dorffest,* 1811, ebda. *Die Testamentseröffnung,* München, N. P. Der Großteil s. Bilder in den Gal. Edinburgh u. London, Tate Gall.; ferner London, Wallace Coll.; Minneapolis, New York (Metrop. Mus.) u. a. Aquarelle u. Zeichn. in London, Brit. Mus.
Lit.: A. Cunningham, 1843. J. W. Mollett, 1881. R. S. Gower, 1902. W. Bayne, 1903. J. L. Caw, *Scottish painting,* 1908. C. Dodgson, *The etchings of D. W. and A. Geddes,* 1936. S. Cursiter, *Scottish art,* 1949.

Willaerts, Adam, niederl. Maler, Antwerpen 1577 bis 1664 Utrecht, Vertreter der Marinemalerei in der Art des → Vroom, in vielen Gal. vertreten, u. a. Amsterdam, Dresden, Hamburg, Kopenhagen, Leningrad, London (Marinemus.), Madrid, New York, Stockholm, Utrecht.

Wille, Johann Georg, dt. Kupferstecher, Obermühle b. Gießen 1715–1808 Paris, wo er ab 1736 tätig war, Hofkupferstecher des Königs, stach vor allem Genreszenen nach C. W. → Dietrich u. holl. Malern des 17. Jh.; auch Bildnisse nach → Tocqué, → Pesne u. a.
Lit.: F. Lippmann, *Der Kupferstich,* ⁶1926.

Willette, Adolphe, franz. Maler u. Graphiker, Châlons-sur-Marne 1857–1926 Paris, hat in s. Zeichnungen, Lithographien u. Radierungen vor allem die von ihm selbst erfundenen Geschichten von Pierrot u. Pierrette in eleganter, witzig-gefühlvoller Weise behandelt.
Lit.: M. Delas, 1907. H. Willette, *W. en chandail,* 1926.

Willink, Albert Carel, holl. Maler u. Graphiker, * Amsterdam 1900, Schüler von H. → Baluschek

in Berlin, anfänglich vom Expressionismus beeinflußt, gehört heute zu den bedeutendsten Vertretern der Gruppe holl. Surrealisten. Vertreten im Mus. Den Haag.
Lit.: P. H. Dubois, 1940.

Willmann, Michael, dt. Maler, Zeichner u. Radierer, Königsberg 1630–1706 Kloster Leubus (Schlesien), Hauptmeister der dt. Barockmalerei, bildete sich in den Niederlanden, war eine Zeitlang Hofmaler des Großen Kurfürsten in Berlin, zuletzt im Kloster Leubus tätig. W. war in s. Stil bes. von → Rubens, → Rembrandt u. van → Dyck beeinflußt worden. Er schuf als Hauptwerk den *Freskenzyklus in der Josephskirche* in Grüssau (Schlesien), 1692–95; ferner *12 Apostelmartyrien* für die Stiftskirche in Leubus, um 1661–62. Hochaltar *Himmelfahrt Mariä,* 1681, ebda. Weitere kirchliche Werke; Landschaften mit bibl. Staffage; gemalte Vorlagen für Graphik (*Grüssauer Passionsbuch,* gestochen von Sandrart); bedeutende Bildnisse, Zeichnungen, Radierungen. Werke in den Mus. Breslau, Nürnberg u. a.
Lit.: *Ausst.-Kat. Breslau,* 1930. Wiese in: Schles. Monatshefte 7, 1930. E. Kloss, 1934. Ders. in Th.-B. 1947.

Willroider, Joseph, österr.-dt. Maler, Villach (Kärnten) 1838–1915 München, Münchner Landschafter, malte Ansichten aus dem Hochgebirge. Vertreten u. a. in Graz, Königsberg, Sydney, Villach.

Willroider, Ludwig, österr.-dt. Maler, Villach (Kärnten) 1845–1910 Bernried (Starnberger See), Bruder von Joseph W., Schüler der Münchner Akademie, malte neben einigen heroischen Landschaften (*Die Sintflut,* 1856, München, N. P.) meist solche intimen Charakters in der Art von → Lier (*Abendstimmung,* Wuppertal, Gal.). Bilder in Berlin, München, Mainz, Cincinnati, Würzburg u. a.
Lit.: R. Oldenbourg u. H. Uhde-Bernays, *Münchner Maler im 19. Jh.,* 1925.

Willumsen, Jens Ferdinand, dän. Maler, Graphiker, Bildhauer, Kopenhagen 1863–1958 Le Cannet b. Cannes, war Schüler von → Kröyer, bildete sich in Paris weiter, schloß sich hier den Malern der Schule von Pont-Aven an (dem Kreis um → Gauguin), machte 1890 die Bekanntschaft von Gauguin, → Sérusier u. a., wurde später bes. stark vom Symbolismus (→ Redon, G. → Moreau) ergriffen; schuf dekorative Arbeiten, Keramiken u. Skulpturen, die z. T. dem Jugendstil angehören, ferner Radierungen u. Lithographien. Vertreten in den Mus. Aarhus, Essen, Göteborg, Kopenhagen, Oslo, Frederikssund (W.-Mus.), Paris (Luxembourg), Stockholm.
Lit.: H. Oehman, 1921. E. Moltesen, 1923. V. Jastrau, 1928 (dt. 1929). V. Wanscher, 1937. M. Kruse,

1946. S. Schultz, 1948 (dän.). M. Bodelsen, 1953. J. Rewald, *Von van Gogh zu Gauguin,* 1957 (m. Bibliogr.).

Wilson, Richard, engl. Maler, Penegoes (Wales) 1714–1782 Colommendy b. Llanferres (Wales), neben → Reynolds einer der Begründer der engl. Landschaftsmalerei des 18. Jh., studierte in London, war zunächst Porträtist, 1749 in Venedig u. Rom, wandte sich der Landschaftsmalerei zu, von 1755 an in London tätig, seit 1768 Mitglied der Akad. W. war von den Holländern u. Claude → Lorrain beeinflußt, später von → Zuccarelli, Salvator → Rosa u. a. u. gelangte zu einer sehr persönlichen, typisch engl. Anschauungsweise des Athmosphärischen der Landschaft.
Hauptwerke: *Flußlandschaft,* London, Nat. Gall. *Landschaft mit Ruine,* Berlin, staatl. Mus. *Villa des Maecenas,* London, Nat. Gall. Vertreten auch in Dublin, Edinburgh, Hampton Court u. a. engl. Gal.; New York, Minneapolis, Melbourne, Stockholm u. a.
Lit.: Fletcher, 1908. Meier-Graefe, *Die großen Engländer,* 1908. F. Rutter, *W. and Farington,* 1923. G. F. Hartlaub, *Große engl. Maler der Blütezeit,* 1948. B. Ford, *Drawings of R. W.,* 1951. W. G. Constable, 1953.

Wilt, Thomas van der, niederl. Maler, Piershil 1659–1733 Delft, malte Genrebilder im Stil des Jan → Verkolje, auch Bildnisse; tätig in Delft.

Wimmer, Hans, dt. Bildhauer, * Pfarrkirchen (Niederbayern) 1907, Schüler von B. Bleeker, seit 1949 Prof. der Nürnberger Akad., schuf Figürliches, Porträts, auch religiöse Plastik (*Kruzifix,* 1951), Tierplastiken u. a. Am bedeutendsten die lebensvollen Porträtbüsten: *Marmorbüste Hans Carossa,* 1947, München, Bayr. Staatsgal.; vertreten auch in Nürnberg, Berlin u. a.
Lit.: *Ausst.-Kat. Hamburg,* 1955. H. Platte, *Plastik,* 1957. Furtwangler, *Arbeitsskizzen eines Bildh.,* 1954.

Wink (Winck), Christian, dt. Maler, Eichstätt 1738–1797 München, tüchtiger u. sehr fruchtbarer Vertreter des bayer. Rokoko, malte Deckenfresken für zahlreiche bayer. Kirchen (Dorf- u. Wallfahrtskirchen), Altargemälde; Fresken u. Ölbilder allegor. u. mythol. Inhalts; Vorlagen für Gobelins u. a.
Werke: *Deckenfresken* für die Kirchen von Starnberg, 1766; Inning, 1767; Eching, 1770; Hilterfingen, 1789 u. v. a. Deckenbild im Schleißheimer Schloß, um 1770–75. Bilder in den Mus. Augsburg, München, Schleißheim, Nürnberg, Wien (Barockmus.), Düsseldorf, Frankfurt, Mainz u. a.
Lit.: A. Feulner, 1912.

Wink (Winck), Joseph Gregor, dt. Maler, Deggendorf 1710–1781 Hildesheim, Vertreter des Rokoko,

wahrscheinlich Schüler von C. D. → Asam, seit 1744 in Hildesheim, malte haupts. Fresken u. Altarbilder für Kirchen in Hildesheim u. a. Werke: *Fresken im Rittersaal des Hildesheimer Domes*, 1751; in der *Schloßkapelle von Liebenburg* b. Goslar, 1758; in der *Jesuitenkirche in Büren*, 1762 u. a.
Lit.: H. Dreyer, 1925.

Wint, Peter De, engl. Maler, Stone 1784–1849 London, Landschafts- u. Architekturmaler, von Th. → Girtin beeinflußt, malte zunächst in Öl, später fast ausschließlich in Aquarell. Vertreten in London (Nat. Gall., Victoria u. Albert Mus., Brit. Mus.), Lincoln, Birmingham, Blackburn, Boston, Bradford, Cardiff u. v. a. engl. Gal.
Lit.: W. Armstrong, 1888. G. R. Redgrave, *David Cox and P. W.*, 1891. L. Binyon, *Engl. Water-Colours*, ²1946.

Winter, Fritz, dt. Maler, * Altenbögge (Westf.) 1905, Hauptvertreter der dt. abstrakten Kunst, 1927–30 Schüler von → Klee, → Kandinsky u. → Schlemmer am Bauhaus Dessau; 1930–33 in Berlin tätig, kam 1949 aus der Kriegsgefangenschaft zurück, seit 1955 Prof. der Akad. Kassel. Seine abstrakte Ausdruckswelt etwa mit der → Hartungs zu vergleichen.
Lit.: W. Haftmann, 1951 u. 1957. Seuphor, *Dict. peint. abstr.*, 1957. Ders., *Knaurs Lex. abstr. Malerei*, 1957. *Neue Kunst nach 1945*, hg. v. W. Grohmann, 1958. G. Hassenpflug, *Abstrakte Maler lehren*, 1959.

Wintergerst, Joseph, dt. Maler, Wallerstein 1783 bis 1867 Düsseldorf, schloß sich in Wien → Overbeck an u. war Mitbegründer des «Lukasbundes», folgte Overbeck nach Rom u. gehörte dort dem Kreise der → Nazarener an; ab 1813 in Aarau (Schweiz), Ellwangen, Heidelberg u. Düsseldorf tätig; er malte Bilder mit romant.-hist. Motiven in der Art von → Pforr u. Bildnisse. Vertreten in den Mus. Heidelberg, Stuttgart (*Knabenbildnis*, 1823), Wien (Akad.) u. a.
Lit.: K. Lohmeyer, *Heidelberger Maler der Romantik*, 1935.

Winterhalter, Franz Xaver, dt. Maler, Menzenschwand 1805–1873 Frankfurt a. M., zu s. Zeit berühmter Porträtist der europ. Höfe, Schüler von → Stieler, seit 1828 in Karlsruhe, seit 1834 in Paris u. in Italien tätig, malte Bildnisse, meist repräsentative Porträts von Fürsten, u. war in diesem Fach lange der beliebteste Maler s. Zeit; beeinflußt von der engl. Bildnismalerei. Sehr beliebt waren auch s. Genrebilder, die haupts. in Italien im Anschluß an Léopold → Robert entstanden (*Röm. Genreszene*, 1833, Karlsruhe, Gal.). Werke außer in Karlsruhe in München, Versailles, New York (Metrop. Mus.) u. a.

Lit.: F. Wild, *Nekrol. u. Verz. der Gem. von F. u. H. W.*, 1894. P. F. Schmidt, *Biedermeiermalerei*, 1921. E. Waldmann, *Das Bildnis im 19. Jh.*, 1921. A. v. Schneider, *Bad. Malerei des 19. Jh.*, 1935. J. Laver in: Burlingt. Mag. 70, 1937. E. Waldmann, *Kunst d. Realism. u. d. Impression.*, 1927.

Wit, Emanuel de → Witte, Emanuel de.

Wit, Jacob de, niederl. Maler u. Radierer, Amsterdam 1695–1754 ebda., bedeutender Vertreter des holl. Rokoko, schuf bedeutende Deckenmalereien; bekannt bes. durch s. Basreliefnachahmungen in Grisaille. Ferner Altargemälde für Kirchen in Amsterdam, Leiden u. a. Werke in den Mus. Amsterdam, Rotterdam, Haarlem, Kassel, Hamburg, Frankfurt, Paris (Mus. des arts décoratifs) u. a.
Lit.: Wurzbach, *Niederl. Künstlerlex.* 2, 1910. A. Staring, 1958 (holl.).

Wit, Peter de → Candid, Peter.

Witsen, Willem, holl. Maler u. Radierer, Amsterdam 1860–1923 ebda., malte Stadtansichten, Blumenstücke, Bildnisse, auch Aquarelle; bedeutender Graphiker.
Lit.: N. van Harpen, 1924.

Witte (Wit), Emanuel de, niederl. Maler, Alkmaar 1617–1692 Amsterdam, Schüler des E. van Aelst, begann mit Bildern mythol. Szenen in der Art → Elsheimers, malte später holl. Kircheninterieurs in der Art von → Houckgeest u. wurde der Hauptmeister dieses Genres. In s. besten Arbeiten ist der Kirchenraum von warmen Lichtstreifen u. -flecken durchsetzt, die den architektonischen Aufbau stimmungsvoll zur Geltung bringen. Außerdem profane Interieurs; Landschaften, Porträts.
Hauptwerke: *Neue Kirche in Amsterdam*, 1656, Rotterdam, Mus. Boymans. *Inneres einer Renaissancekirche*, Hamburg, Kunsth. *Kirchenraum in der Abendsonne*, ebda. *Kircheninneres*, 1685, Brüssel, Mus.
Lit.: H. Jantzen, *Niederl. Architekturbild*, 1910. W. v. Bode in: Zschr. f. bild. Kunst 27, 1916. Ders., *Meister der holl. u. fläm. Malerschulen*, ⁴1923.

Witte, Gaspar (Jasper) de, niederl. Maler, Antwerpen 1624–1681 ebda., früh in Italien u. Frankreich, seit 1651 in Antwerpen; bes. Landschaften mit Ruinen. Beisp.: *Landschaft mit Ruinen*, Turin, Pinac.; *Berglandschaft mit Kuppel der Peterskirche*, 1667, Antwerpen, Mus.; Werke in den Gal. von: Antwerpen, Courtrai; Aschaffenburg, Pommersfelden; Leningrad, Turin u. a.
Lit.: Wurzbach, *Niederl. Künstlerlex.*, 1910.

Witte (Wit), Pieter de → Candid, Peter.

Wittel, Gaspar Adriaensz van, in Italien gen. *Gaspare Vanvitelli,* niederl.-ital. Maler, Amersfoort 1653 bis 1736 Rom, Vater des Arch. Luigi → Vanvitelli, kam 19jährig nach Italien u. bildete sich in Rom, Neapel u. Venedig als Maler von Stadtansichten (Veduten) aus. Er hat Plätze, Straßenperspektiven usw. – mit Figürchen belebt – in einer topographisch genauen Wiedergabe geistvoll u. genau, dabei malerisch reizvoll dargestellt. Werke in vielen Gal.
Lit.: C. Lorenzetti, 1934 (m. Werkkat. u. Lit.).

Witten, Hans, dt. Bildhauer u. Bildschnitzer, Ende 15. bis Anfang 16. Jh., tätig in Niedersachsen u. im sächs. Erzgebirge, Hauptmeister der dt. Plastik der Spätgotik, identisch mit dem *Meister H. W.* (s. Signatur), 1501 ff. in Chemnitz nachweisbar, tätig auch in Halle u. Leipzig u. ab 1508 in Annaberg. W. schuf Steinbildwerke, holzgeschnitzte Altarwerke, vielleicht auch Gemälde. W.s Stil ist sehr persönlich, s. künstlerischen Herkunft nach kaum zu bestimmen: Einflüsse der niedersächs. Bildschnitzerei des 15. Jh., der Kupferstiche → Schongauers, vielleicht Veit → Stoß'; in s. stimmungsvollen Beseelung oft an → Riemenschneider erinnernd.
Hauptwerke: sog. «*Tulpenkanzel*», um 1507, im Dom zu Freiberg: die Bühne als Blätterkelch mit den Halbfiguren der Kirchenväter, getragen von 4 ganz ins Lichte ausgearbeiteten Stengeln, zwischen deren Verschlingungen Engelskinder sich tummeln. Der Treppenaufgang imitiert Baumäste usw., alles sehr naturalistisch, künstlerisch aufs feinste durchgearbeitet. Die sog. «*Schöne Tür*» an der Annakirche in Annaberg, 1512: in klarer Komposition u. sehr persönlichem Stil. Weitere Werke: *Kanzel der Kreuzklosterkirche* zu Braunschweig. *Steinfigur der hl. Helena,* am Rathaus Halle, um 1501. *Hölzerne Marienklage* der Jakobikirche in Goslar. *Hochaltar der Jakobikirche* in Chemnitz, 1501–03. *Steinfiguren der Muttergottes u. dreier Heiliger* am Portal der Chemnitzer Schloßkirche. *Altar der Stadtkirche in Ehrenfriedersdorf. Altar der Stadtkirche in Borna,* 1511, mit Gruppe der Heimsuchung u. 14 Reliefs mit Szenen aus dem Marienleben.
Lit.: W. Hentschel, 1938. G. v. d. Osten, *Das Frühwerk des H. W.* in: Preuß. Jb. 63, 1942. W. Pinder, *Dt. Kunst der Dürerzeit,* 1953. F. Baumgart, *Gesch. d. abendl. Plastik,* 1957.

Wittingau, Meister v., böhm. Maler des 14. Jh., tätig um 1380–90, gen. nach einigen aus W. (Südböhmen) stammenden *Bildern mit Passionsdarstellungen,* Prag, Gal. Die Voraussetzungen der Kunst des Meisters v. W. sind die der böhm. Schule (Meister von → Hohenfurth), deren letzter Hauptvertreter der M. v. W. ist.
Lit.: K. Oettinger, *Der Meister v. W. u. die böhm.*

Malerei des späten 14. Jh. in: Zschr. des dt. Vereins f. Kunstwiss. 2, 1935. A. Stange, *Dt. Malerei der Gotik* 2, 1936. A. Elsen in: Pantheon 15, 1942.

Witz, Konrad, dt. Maler, Rottweil um 1400 bis um 1444 Basel (oder Genf?), tätig in Konstanz, Rottweil, Basel u. Genf, Hauptmeister der dt. Kunst der 1. Hälfte des 15. Jh. W. hat als einer der ersten dt. Meister die räumliche Existenz im dreidimensionalen Raum; die plastische Figur; das Abbild einer Landschaft, die heute noch identifiziert werden kann, mit ihrer Atmosphäre, bildhaft dargestellt. Es ist kein Zweifel, daß W. die Kunst der Niederländer, namentlich die des Jan van → Eyck u. des Meisters von → Flémalle – mittelbar oder unmittelbar – gekannt haben muß; doch ist er durchaus selbständig; oft wuchtiger u. monumentaler als die Niederländer; oft auch plastischer, so daß angenommen wird, daß W. auch Bildschnitzer war. Werke: sog. *Heilsspiegel-Altar,* von dem 9 Tafeln sich in Basel, Mus. befinden; 2 in Dijon, Mus.; 1 in Berlin, Dt. Mus. Von einem weiteren *Altarwerk* befinden sich *Joachim u. Anna an der Goldenen Pforte* in Basel; *Verkündigung* in Nürnberg; *Katharina u. Magdalena in der Kirche,* in Straßburg, Mus. *Genfer Altar,* von dem 2 beidseitig bemalte Tafeln sich in Genf, Mus. befinden, datiert 1444, mit dem berühmten *Fischzug Petri,* auf welchem die Landschaft am Genfer See dargestellt ist. Ferner der *hl. Christophorus,* Basel, Mus. *Verehrung Mariä,* Neapel, Mus. Es gibt eine ganze Anzahl weiterer umstrittener Werke, die teils dem K. W., teils s. Werkstatt oder Nachfolgern zugesprochen werden. Ferner Graphik.
Lit.: D. Burckhardt, 1901 (Festschrift der Stadt Basel). M. Escherich, 1916. H. A. Schmidt, 1920. H. Graber, ²1922. H. Wendland, 1924. H. Jantzen, 1927. O. Fischer, 1938. W. Ueberwasser, 1938. J. Gantner, 1943. M. Meng-Koehler, 1947 (Ars docta 9). H. A. Schmid in: Th.-B. 1947. P. L. Ganz, 1947. G. Dehio, *Gesch. d. dt. Kunst* 2, 1921. W. R. Deusch, *Dt. Mal. d. 15. Jh.,* 1936. G. Schmidt/A. M. Cetto, *Schweiz. Mal. u. Zeichn. im 15. u. 16. Jh.,* 1940.

Woensam, Anton, dt. Holzschneider u. Maler, * vermutlich Worms vor 1500, † 1541 Köln, wo er ab 1528 nachweisbar ist. Von W. sind 549 Holzschnitte für Buchschmuck bekannt, die die Kölner Buchschmuckkunst für ein halbes Jahrhundert bestimmen. Im Stil ist er von → Dürer, Urs → Graf, → Holbein, wohl auch von den Antwerpener Manieristen beeinflußt. Seine graph. Kunst hat auch auf s. Malstil – es sind 39 Gemälde von ihm bekannt – eingewirkt. Sie sind im Wesen noch spätgotisch mit vielen manierist. Zügen. Vertreten in Kölner Kirchen; im Wallraf-Richartz-Mus., ebda. In den Mus. Bonn, Budapest, Berlin, Darmstadt, Hannover, München, Utrecht, Worms.
Lit.: H. Kisky in: Th.-B. 1947.

Woestijne, Gustave van der, belg. Maler u. Graphiker, Gent 1881–1947 Brüssel, Schüler der Genter Akad., ließ sich 1900 in Laethem-St.-Martin nieder, wo er zus. mit George → Minne, Valerius de Saedeleer, seinem Bruder Karel W., dem Dichter, u. a. die Gruppe von Laethem gründete. Später arbeitete er in Löwen, Brüssel, Mecheln u. a. O., zuletzt wieder in Brüssel. W. schloß sich den Symbolisten an, knüpfte in s. Kunst an die engl. → Präraffaeliten an, studierte auch die alten fläm. Meister; neigte zu mystischen u. religiösen Themen; später kamen expressionist. u. kubist. Einflüsse dazu. W. ist vertreten in den Mus. Amsterdam, Boston, Gent, Grenoble, London, Lüttich u. a.
Lit.: K. van de Woestyne, 1929. R. L. Delevoy in: Th.-B. 1947.

Wolff, Albert, dt. Bildhauer, Neustrelitz 1814–1892 Berlin, Schüler → Rauchs (Mitarbeiter am Denkmal Friedrichs d. Gr. in Berlin), schuf zahlreiche Standbilder u. Büsten; Reiterdenkmäler; für die Treppenwange des Alten Museums in Berlin einen *Löwenbezwinger*, für die Schloßbrücke ebda. die Gruppe *Pallas treibt einen Jüngling zu neuem Kampf an*, 1853. Vertreten in den Mus. Berlin, Erfurt u. a.

Wolff, Emil, dt. Bildhauer, Berlin 1802–1879 Rom, Vertreter des dt.-röm. Klassizismus, Schüler von G. → Schadow, seit 1822 in Rom tätig unter dem Einfluß von → Thorwaldsen, schuf mythol. Gruppen u. Figuren; ausgezeichnete Bildnisbüsten; Denkmäler. Hauptwerke: *Grabmal R. Schadow* in S. Andrea delle Fratte in Rom, 1823; *Büste Winckelmanns*, 1851, ebda., Dt. archäol. Inst.; *Denkmal Thorwaldsens*, ebda., vor dem Pal. Barberini. *Büste Niebuhrs*, Kopenhagen, Glypt.
Lit.: W. v. Bendemann, *Fam. u. Nachfahren des Bildh. J. G. Schadow*, 1932. F. Noack, *Das Deutschtum in Rom*, 1927.

Wolff, Jacob, d. Ä., dt. Arch. u. Bildhauer, Bamberg um 1546 bis um 1612 Nürnberg, Stadtbaumeister in Nürnberg, erbaute dort das *Pellerhaus*, 1602–07, «eines der vornehmsten Privathäuser der dt. Renaissance» (Dehio). Ferner *Neubau der Feste Marienberg*, Nürnberg, 1601–05; *Echtertor*, ebda.

Wolff, Jacob, d. J., dt. Arch., Bamberg um 1571 bis 1620 Nürnberg, Sohn u. Schüler von Jacob d. Ä., errichtete 1616–20 den *Neubau des Rathauses in Nürnberg*, ein bedeutender Bau der dt. Renaissance, bei dem das Wesen der Renaissance von innen her begriffen ist, beeinflußt von H. → Schoch, niederl. u. ital. Renaissance (W. war in Italien); zu Ende geführt von s. Bruder *Hans* W.
Lit.: A. Stange, *Dt. Baukunst der Renaiss.*, 1926. G. Dehio, *Gesch. der dt. Kunst 3*, 1926. W. Tunk in: Zschr. des dt. Vereins f. Kunstwissensch. 9, 1942.

Wolgemut, Michael, dt. Maler u. Zeichner für den Holzschnitt, Nürnberg 1434–1519 ebda., Hauptmeister im vordürerischen Nürnberg, Schüler des Hans → Pleydenwurff ebda., dessen Werkstatt er 1473 übernahm u. dessen Witwe er heiratete. Während W. früher als bloßer Vorstand eines kollektivistischen Werkstattbetriebes angesehen wurde, steht heute, nachdem falsche Zuschreibungen gestrichen wurden, seine künstlerische Persönlichkeit profilierter da: als bedeutender Meister, dessen Kunst sich von der des Pleydenwurff deutlich abhebt; der die Hauptteile der zahlreichen Altäre, die von s. Werkstatt ausgingen, eigenhändig herstellte; der als einer der ersten den Holzschnitt zu künstlerischem Rang erhob. Auf ihn wirkten ein vor allem der Kreis um den Meister von → Flémalle, später → Memling, die Brügger Schule u. → Schongauer. Sein größter Schüler war Albrecht → Dürer.
Werke: *Der Hofer Altar*, 1465, München, A. P., früher als sein erstes Werk angesehen, gehört heute zu den fast allgemein abgesprochenen. Eine falsche Zuschreibung war namentlich der sog. *Peringsdörfer Altar* (Augustiner-Altar) → Meister des P. A., Nürnberg, German. Mus. Bezeugte Hauptwerke: *Hochaltar der Marienkirche* in Zwickau, 1476–79; *Hochaltar der Heiligkreuzkirche* in Nürnberg, um 1486; *Hochaltar der Schwabacher Stadtkirche*, 1506–08 (s. umfangreichstes Werk; wie auch bei andern großen Werken, nicht alles eigenhändig). Weitere Werke: Altar der Stiftskirche zu *Feuchtwangen*, 1484; *Katharinen-Altar* in St. Lorenz, Nürnberg (Zuschreibung); Hochaltar der Jakobskirche in *Straubing*, um 1475–76 (Zuschreibung) u. v. a. Weitere Werke – auch Bildnisse – namentlich in Nürnberg, German. Mus. Graphik: die Holzschnittfolgen zum «Schatzbehalter», 1491; zur Schedelschen Weltchronik, 1493 (zus. mit Wilhelm Pleydenwurff).
Lit.: W. Weisbach, *Der junge Dürer*, 1906. E. Heidrich, *Altdt. Malerei*, 1909 (spätere Aufl.). G. Dehio, *Gesch. der dt. Kunst 2*, 1921 (1930). E. Flechsig, *Albr. Dürer*, 1928. M. Weinberger, *Nürnberger Mal. an der Wende zur Renaiss.*, 1921. C. Koch in: Zschr. f. bild. Kunst 63, 1928–29. *Kat. des German. Mus.*, Nürnberg 1936. F. T. Schulz in: Th.-B. 1947. A. Stange, *Dt. Malerei d. Gotik 9*, 1958.

Wols, eig. Wolfgang Schulze, dt. Maler, Berlin 1913 bis 1951 Paris, wo er ab 1932 lebte, Hauptvertreter des Tachismus, war vertreten auf der Ausstellung «Tendances actuelles III», Bern 1955 (zus. mit Sam → Francis, → Pollock, → Mathieu, → Riopelle).
Lit.: Bénézit, 1955. M. Seuphor, *Dict. peint. abstr.*, 1957. Ders., *Knaurs Lex. abstr. Malerei*, 1957. *Neue Kunst nach 1945*, hg. v. W. Grohmann, 1958 Du Mont Schauberg).

Wood, Grant, amerik. Maler, Anamosa (Jowa) 1892–1942 ebda., Schüler des Art Inst. in Chicago,

bildete sich weiter an der Acad. Julian in Paris u. empfing entscheidende Eindrücke auf einer Reise nach München, 1928, wo er mit den Malern der Neuen Sachlichkeit zusammentraf. Angeregt von ihrer Kunstweise, entwickelte er einen Stil des Realismus, bes. für Bildnisse u. Szenen aus dem täglichen Leben, der längere Zeit einen bedeutenden Einfluß auf die amerik. Malerei ausübte. In vielen amerik. Gal. vertreten. Beisp.: *Farmerpaar*, 1932, Chicago, Art. Inst.
Lit.: D. Garwood, 1944.

Wood, John, engl. Arch., * 1704, † 1754 Bath, wohin er um 1720 kam, schuf ebda. ein klassizist., groß angelegtes Stadtbild mit breiten Straßen u. Plätzen. Sein Sohn *John d. J.*, † 1782 Bath, baute als Hauptwerk das beispielgebende *Royal Crescent*, ebda., 1767–75.
Lit.: J. Summerson, 1949. N. Pevsner, *Europ. Architektur*, 1957.

Woollett, William, engl. Kupferstecher, Maidstone 1735–1785 London, stach vor allem nach R. → Wilson (Landschaften) u. Benj. → West (Geschichtsbilder).

Wopfner, Joseph, österr.-dt. Maler, Schwaz (Tirol) 1843–1927 München, Schüler von → Piloty u. E. → Schleich, malte mit Vorliebe kleinformatige Landschaftsbilder mit Fischerstaffage aus der Chiemseegegend. Sein populärstes Bild «*Ave Maria*» hat er 25 mal wiederholt. Bilder in den Gal. Innsbruck, Lübeck, München (Städt. Gal.), Prag, Zürich u. a.

Worpswede, Schule von, eine vom Maler Fritz → Mackensen 1895 im Dorf Worpswede b. Bremen gegründete Künstlerkolonie. Die sich ihr zugesellenden Künstler stellten die Landschaft dieser Heidegegend u. das Leben der Bauern dar. Ihr Stil ist eine Verbindung von Realismus mit dem Stilbewußtsein der neuen Zeit, d. h. des «Jugendstils». Die wichtigsten Mitglieder, außer Mackensen: Otto → Modersohn, der Gatte von Paula → Modersohn-Becker, Heinrich → Vogeler, Hans am Ende, Fritz → Overbeck, Bernhard → Hoetger.
Lit.: Bethge, [2]1907. R. M. Rilke, [3]1910. Tegtmeier, 1932.

Wotruba, Fritz, österr. Bildhauer, * Wien 1907, 1925 bis 26 Schüler von A. → Hanak, lebte 1938–45 meist in der Schweiz, seit 1945 Lehrer an der Akad. Wien. W. arbeitet haupts. in Stein; schrittweise erfolgte in s. Kunst ein Prozeß der Vereinfachung der menschlichen Figur zu kantigen Blöcken, die unmittelbar aus dem Stein – an Hand einer Skizze – herausgehauen werden. Beisp.: *Denkmal der Arbeit*, 1932, Donawitz (Steiermark); *Grabmal der Wiener Sängerin*

Selma Kurz-Helban, 1935, Wiener Zentralfriedhof. *Stehende Figur*, Stein, 1956.
Lit.: J. R. v. Salis, 1948. E. Canetti u. K. Demus, 1955. E. Trier, *Mod. Plastik*, 1955. W. Hofmann, *Plastik d. 20. Jh.*, 1958. M. Seuphor, *Plastik unseres Jh.*, 1959.

Wouters, Rik, belg. Maler u. Bildhauer, Malines (Mecheln) 1882–1916 Amsterdam, tätig in Brüssel, lernte in Paris die franz. Impressionisten u. → Fauves kennen, als Bildhauer v. → Rodin beeinflußt, entwickelte sich zu einem Hauptmeister des fläm. Fauvismus. Beisp. als Bildhauer: *Büste James Ensor*, 1913, Brüssel, Mus.; als Maler: *Die Büglerin*, Antwerpen, Mus. Vertreten auch in Amsterdam (Sted. Mus.) u. a.
Lit.: A. J. J. Delen, 1947. *Ausst.-Kat. Paris* 1957. P. Haesaerts, *Hist. de la peint. mod. en Flandre*, 1959. *Ausst.-Kat. sources du 20e s.*, Paris 1960/61.

Wouwerman, Philips, niederl. Maler, Haarlem 1619–1668 ebda., Meister der Darstellung v. Reitertreffen, Jagdgesellschaften usw., in denen das Pferd im Mittelpunkt steht. Schüler s. Vaters Paulus W. u. des Jan → Wijnants, tätig in Haarlem. Die Landschaften, in die alles Geschehen eingebettet ist, gehören zu den feinsten der holl. Schule. Die Anzahl seiner authentischen Werke wird auf über 800 geschätzt. Er ist in fast allen großen Mus. vertreten, am reichsten in Amsterdam, Rijksmus.; Dresden, Gal. (60 Bilder); Leningrad, Eremitage (über 50 Bilder); Kassel, Gal. (20 Bilder); Paris, Louvre; München, A. P. In s. Art malten auch s. Brüder: *Pieter W.*, 1623–1682 u. *Jan W.*, 1629–1666.
Lit.: C. Hofstede de Grot, *Beschreibendes Verz.*, 1908. W. v. Bode, *Meister der holl. u. fläm. Malerschulen*, [4]1923. M. J. Friedländer, *Niederl. Mal. d. 17. Jh.* (Prop. K. G.).

Wrba, Georg, dt. Bildhauer, München 1872–1939 Dresden, Schüler der Münchner Akad., 1907 bis 30 Prof. der Akad. Dresden, leitete 1924–30 die plastischen Arbeiten bei der Restaurierung des Dresdner Zwingers, schuf dekorative Bauplastiken, Denkmäler, Kleinplastiken, Büsten, Medaillen, Graphik.
Hauptwerke: *Reiterfigur Ottos von Wittelsbach* für die Wittelsbacherbrücke, München, 1906. *Bronzelöwe*, *Trunkener Silen* u. *Brunnen* für das Rathaus in Dresden, 1910. Bronzewerke für den Dom in Wurzen: *Kreuzigungsgruppe*, *Kanzel*, *Chorgestühl* u. a.
Lit.: G. L. v. P.-Suchen, 1922. *Ausst.-Kat. Aufbruch z. mod. Kunst*, München 1958.

Wren, Christopher, engl. Arch., East Knoyle 1632 bis 1723 Hampton Court, Hauptmeister des Klassizismus, begann s. Tätigkeit als hervorragender Naturwissenschafter, wandte sich seit 1661 der

Baukunst zu, war 1665 für einige Zeit in Paris, lieferte 1666 nach dem Brande Londons, einen Generalbebauungsplan, der, obwohl nur zum Teil ausgeführt, das Stadtbild wesentlich beeinflußte; W. selber baute 53 Stadtkirchen (viele inzwischen abgerissen oder zerstört) u. a. Gebäude. Er führte in s. Kunst den Palladianismus s. großen Vorgängers Inigo → Jones fort, schloß sich aber auch gerne der Gotik an. Sein Hauptwerk ist die *St. Paulskathedrale* in London, 1672–1700. Weitere Kirchen das. im klassizist. Stil: *St. Lawrence*, Jewry, 1671–80; *Christ Chruch*, 1704; an das Gotische anschließend: *St. Dunstan in the East; St. Mary Aldermary*, 1681; *St. Michael* (Turm voll. 1721); weitere Kirchenbauten: *St. Magnus*, 1676; *St. Stephan*, 1672–74. Weltliche Bauten: *Pembroke College*, Cambridge, 1675–95; *Sheldontheater*, Oxford, 1664–69; *Bibliothek vom Trinity College*, Cambridge, 1675–95; *Ostflügel v. Schloß Hampton Court*, 1689 ff.; *Marlborough House*, 1709 u. v. a.
Lit.: J. Elmes, 1823. Ders., 1852. L. Weaver, 1923. Whitaker-Wilson, 1932. G. Webb, 1937. J. Summerson, 1953. E. F. Sekler, 1956. V. Fürst, 1956. Veröffentl. d. W.-Society, 20 Bde., 1924–43. N. Pevsner, *Europ. Architektur*, 1957.

Wright, Frank Lloyd, amerik. Arch., Richland Centre (Wisc.) 1869–1959 Phoenix (Arizona), einer der hervorragendsten Vertreter der Baukunst der 1. Jahrhunderthälfte, der schon Ende des vorigen Jh. zu den Wegbereitern der modernen Architektur gehörte. Er war Schüler von → Sullivan u. begann mit Villenbauten, bei denen er kühn an die Ausführung ganz neuer Ideen ging (*Winslow-House*, 1893, River Forest (Ill.); *W. R. Heath-House*, Buffalo, 1905; *Villenbauten* bei Chicago, Anf. des 19. Jh.). Seine Bauten stehen in enger Wechselbeziehung zur umgebenden Natur; im Innern Übergehen der Wohnräume ineinander. Auf W.s Stil wirkten Sullivan, der Jugendstil u. die japan. Baukunst, die er liebte u. studierte. Ein epochemachender früher größerer Bau: *Larkin Building*, 1904, in Buffalo. Wichtige spätere Bauten: *Imperial-Hotel* in Tokio, 1916; *Gebäude der Johnson Wax Co.* in Racine (Wisc.), 1938; *Falling Water House*, über einem Wasserfall, Bear Run, 1937–39; *Guggenheim Mus.*, New York, 1932. Weitere Bauten: *Millard House*, Pasadena, 1921; *Pricetower*, Bartlesville, Oklahoma, 1955. W. schrieb u. a. «Modern Architecture», 1931. Sein Einfluß, sowohl durch s. Schriften u. Bauten, wie durch s. Schüler war u. ist überragend.
Lit.: *W.s ausgeführte Bauten u. Entwürfe*, 1910. *W.s ausgeführte Bauten*, 1911. H. T. Wijdeveld, 1925. H. de Fries, 1926. H.-R. Hitchcock, *In the Nature of Materials*, 1942 (Standardwerk). N. Pevsner in: The Architect's Journal 39, 1939. G. Manson in: The Architect. Review, 113, 1953. W. M. Moser, 1952. N. Pevsner, *Wegbereiter mod. Formgebung*, 1957.

S. Cheney, *The new world architecture*, 1930. H. R. Hitchcock, *Modern archit.*, 1932. N. Pevsner, *Europ. Architektur*, 1957.

Wright, Joseph, gen. *Wright of Derby*, engl. Maler, Derby 1734–1797 ebda., Schüler von Th. → Hudson in London, schuf Bildnisse u. bes. kleine Bildchen mit Genreszenen: Forscher, Techniker, Experimente bei künstlicher Beleuchtung (Kerzenlicht) in der Art von → Honthorst; auch Landschaften mit Bränden u. ä. Beisp.: *Versuch mit der Luftpumpe*, London, Tate Gall. *Gelehrte im Planetarium*, Derby, Mus. Vertreten in London (Nat. Portr. Gall. u. Tate Gall.), Derby, Bath, Cambridge. Lit.: W. Bemrose, 1866. Ders., 1885. S. C. Kaines Smith u. H. Cheney Bemrose, 1923.

Wrubel, Michail, russ. Maler, Omsk 1856–1910 Petersburg, Vertreter der russ. Neuromantik, schuf vor allem dekorative Wandmalereien, bei denen er auf byzant. Vorlagen zurückgriff (Entwürfe für die Wladimirkirche in Kiew); Ölbilder (*Der Dämon*, Bild des gefallenen Engels, mehrere Fassungen); Illustrationen, Theaterdekorationen u. v. a. Lit.: A. Iwanow, 1912 (russ.). O. Wulff, *Neuruss. Kunst*, 1932.

Wtewael (Uytewael), Joachim, niederl. Maler, Utrecht um 1566–1638 ebda., bedeutender Vertreter des Utrechter Spätmanierismus (Hauptvertreter Abr. → Bloemaert), beeinflußt von diesem, → Spranger, von den → Bassani, die er in Padua studierte. W. schuf vor allem kleinformatige, fein gemalte mythol. Bilder, auch einige religiöse, u. Bildnisse. Beisp.: *David u. Abigail*, Amsterdam, Rijksmus. *Diana u. Aktäon*, Wien, Kunsthist. Mus. *Hochzeit von Peleus u. Thetis*, Braunschweig, Mus. Werke auch in Dresden, Den Haag (Mauritshuis), Schleißheim, Utrecht, Berlin (ehem. K.-F.-Mus.), Kopenhagen, Leningrad, Madrid (Prado) u. a. Lit.: Lindemann, 1928. Ders. in: Th.-B. 1947.

Wüger, Jacob, schweiz. Maler, Steckborn 1829 bis 1892 Montecassino, Schüler von → Kaulbach, seit 1862 in Rom, trat 1865 zum Katholizismus über (ab 1870 Pater Gabriel O.S.B.), schuf seitdem ausschließlich religiöse Gemälde. Zus. mit → Lenz u. Steiner gründete er 1868 die → Beuroner Kunstschule, welche eine Erneuerung der katholischen Kirchenmalerei anstrebte. – Ausmalung der Kirchen von Beuron, Seckau, Montecassino, Marienkirche in Stuttgart.

Würtenberger, Ernst, dt. Maler u. Graphiker, Steißlingen (Baden) 1868–1934 Karlsruhe, Schüler der Münchner Akad. unter → Herterich, 1902–21 in Zürich tätig, dann als Prof. der Kunstschule Karlsruhe. W. war vor allem Porträtist, doch schuf er

auch Figurenbilder. Er war von → Böcklin beeinflußt, bei dem er 1894/95 in Florenz malte, später auch von → Hodler. Am bekanntesten wurde er durch s. Holzschnitte von Bildnissen berühmter Männer (*Bach, Beethoven, Rembrandt* usw.) u. Holzschnittbeiträge für Kalender u. Heimatbücher. Bekannte Bildnisse: *A. Böcklin*, 1900, Basel, Mus. *Rudolf Koller*, 1904, Zürich, Kunsth. *R. Kissling*, ebda. *J. Bosshart*, ebda., Zentralbibliothek. Weitere Werke in den Gal. Basel, Freiburg i. Br., Frankfurt, Karlsruhe, Luzern, St. Gallen, Schaffhausen, Winterthur, Zürich.
Lit.: H. Kesser, 1909. F. Würtenberger, *Das graph. Werk v. E. W.*, 1938.

Wurmser, Niklaus, dt.-böhm. Maler des 14. Jh., aus Straßburg stammend, erwähnt in Prag 1357–60, Meister der böhmischen Schule, Hofmaler Kaiser Karls IV.; an den Wandgemälden in Burg Karlstein in Böhmen wahrscheinlich beteiligt; doch ist kein Werk von ihm gesichert, noch gelang es, seinen Anteil an den Fresken genauer zu bestimmen.
Lit.: J. Neuwirth, *Mittelalterl. Wandgem. u. Tafelbilder der Burg Karlstein in Böhmen*, 1896. Ders., *Gesch. d. Kunst in den Sudetenländern*, 1926. A. Stange, *Dt. Malerei d. Gotik* 2, 1936.

Wurzelbauer, Benedikt, dt. Erzgießer u. Bildhauer, Nürnberg 1548–1620 ebda., der letzte bedeutende Vertreter des Nürnberger Erzgusses, schuf als Hauptwerk den *Tugendbrunnen* in Nürnberg, 1585 bis 1589. Neffe u. Nachfolger von Georg → Labenwolf; in s. Kunst ging er von diesem aus, verarbeitete selbständig die Einflüsse des niederl. Romanismus u. des ital. Manierismus (Giov. da → Bologna). Weitere Werke: *Venusbrunnen* für Prag, 1599–1600; die Gruppe heute im Kunstgewerbe-Mus. das.; der Untersatz im Waldsteinschen Park, ebda. *Kleinbronzen* in den Mus. Braunschweig, Frankfurt, Nürnberg, München (Nat. Mus.), Wien (Österr. Mus.), Berlin (ehem. K.-F.-Mus.) u. a. *Epitaphien* im Johannesfriedhof in Nürnberg.
Lit.: E. F. Bange, *Dt. Bronzestatuetten des 16. Jh.*, 1949. M. Sauerlandt, *Kleinplastik der dt. Renaiss.*, 1927. Brinckmann, *Süddt. Bronzebildner des Frühbarock*, 1923. Ders., *Barockskulptur*, 1932. F. T. Schulz in: Th.-B. 1947.

Wu Tao-tse, chines. Maler, 1. Hälfte 8. Jh., soll 300 Fresken, bes. in den buddhistischen Tempeln von Tschang-an u. Loh-jang, gemalt haben, die aber zum größten Teil schon im 9. Jh. vernichtet wurden.

Wyant, Alexander H., amerik. Maler, Port Washington 1836–1892 New York, malte einfache, poetisch gesehene Landschaftsausschnitte, gehört – neben → Inness – zu den ersten amerik. Vertretern der Stimmungslandschaft. Werke in den größeren amerik. Mus.

Wyatt, Benjamin, engl. Arch., London 1775 bis um 1848 Camden Town (London), Schüler s. Vaters James W., erbaute in London das *Drury Lane Theatre*, 1809–12; Häuser u. Paläste ebda.

Wyatt, James, engl. Arch., Burton Constable 1748 bis 1813 Marlborough, 1762–65 in Rom, 1765–66 in Venedig, seitdem in London tätig; der bedeutendste u. meistbeschäftigte Baumeister s. Zeit in England; ursprünglich Klassizist, schloß er sich in vielen Bauwerken der Gotik an, deren vorzüglicher Kenner er war.
Werke: *Schloß Fonthill Abbey*, b. Salisbury, seit 1796, an got. Bauformen anschließend (heute Ruine). *Lee Priory*, bei Canterbury, 1782. *Downing College*, Cambridge, 1800 ff. *Pantheon* (Theater- u. Konzertsaal), London, 1772. *Royal Military Acad.*, Woolwich. *Kapelle Heinrichs VI.* in Windsor. Restauration der Kathedralen von Lincoln u. Salisbury (heute nicht mehr als sachgemäß anerkannt).
Lit.: A. Dale, 1937.

Wydyz, Hans → Weiditz, Hans.

Wynants, Jan → Wijnants, Jan.

Wynrich, Meister Hermann W. von Wesel, dt. Maler, tätig in Köln Ende 14. bis Anf. 15. Jh., von dem nur bekannt ist, daß er die Werkstatt des Meisters → Wilhelm von Köln übernahm u. ein berühmter Meister war. Gesicherte Werke nicht bekannt.

Wyspianski, Stanislaw, poln. Maler u. Graphiker, Krakau 1869–1907 ebda. Der bedeutende Bühnendichter war auch hervorragender bildender Künstler, Schüler von → Matejko, Vertreter der poln. Neoromantik, schuf umfangreiche Kirchenfresken dramatisch-visionären Charakters für Krakauer Kirchen; Kartons für Glasfenster, Bühnenentwürfe (zu s. eigenen Stücken), Bildnisse, Blumenstücke, Lithographien, Glasätzungen; Buchschmuck u. Illustrationen. Werke haupts. in Kirchen von Krakau u. im Mus. ebda.
Lit.: Zuckerkandl, *Polens Malkunst*, 1915. Michel, *Hist. de l'art* 8, 1926. T. Szydlowski, 1930. F. Kopera in: Th.-B. 1947.

Y

Yañez, Ferrando (Fernando), gen. Ferrando de Almedina, span. Maler, tätig um 1500–40 in Valencia, bildete sich – zus. mit Fernando de → Llanos – in Italien aus unter dem Einfluß → Leonardos, malte mit F. de Llanos gemeinsam den *Cosmas- u. Damian-Altar* der Kathedrale zu Valencia sowie den *Hochaltar*, ebda.; allein malte er ein *Altarwerk* der Kathedrale von Cuenca; *hl. Katharina* in Madrid, Prado u. a.

Ykens (Eykens), Frans, niederl. Maler, Antwerpen 1601–1693 ebda., malte haupts. Blumen- u. Früchtestilleben; in vielen Mus. vertreten.

Yselin (Iselin), Heinrich, dt. Bildschnitzer des 15. Jh., tätig in Konstanz wohl seit Beginn der 70er Jahre des 15. Jh., † 1513 das.; von ihm sind urkundlich gesichert *12 Büsten des Weingartner Chorgestühls*, Berchtesgaden, Schloß. Mit diesen sind eng verwandt die *Büsten des Chorgestühls von St. Katha-rinental*, 8 davon in Frauenfeld, Mus.; ein weiterer Teil in Bernard Castle, Durham. Weiter werden ihm zugeschrieben ein Teil der *Bildschnitzereien des Chorgestühls im Münster von Konstanz* u. vom Westportal des Münsters ebda. Y. erweist sich in diesen Werken als bedeutender Meister der Spätgotik, vom Realismus des Niklaus → Gerhaert stark berührt.
Lit.: W. Pinder, *Plastik vom ausgeh. M. A. bis Ende Renaiss.* (Handb. der K. W.), 1929. J. Baum, *Ulmer Plastik um 1500*, 1911. L. Fischel, *N. Gerhaert u. die Bildh. der dt. Spätgotik*, 1944. J. Eschweiler, *Konstanzer Chorgestühl*, 1949.

Yvon, Adolphe, franz. Maler, Eschweiler (Lothr.) 1817–1893 Paris, offizieller Schlachten- u. Historienmaler des 2. Kaiserreichs, Schüler von P. → Delaroche, nahm 1855 am Krimkrieg teil. Werke in den Mus. Amiens, Angers, Arras, Bukarest, Dijon, Florenz (Uff., *Selbstbildnis*), Le Havre, Manchester, Nantes, Paris (Armee-Mus.), Versailles, Moskau u. a.

Z

Zadkine, Ossip, russ. Bildh., * Smolensk 1890, Studien in London 1907 ff., in Paris 1909 ff.; hier schloß er sich den Kubisten an, übertrug, nach dem Beispiel → Archipenkos, kubist. Formideen in die Plastik. Abgesehen von einem Aufenthalt in New York, 1941–45, in Paris tätig. Ein Hauptwerk: *Erinnerungsmal* für das zerstörte Rotterdam, 1952/53. Werke in den Mus. Paris (Jeu de Paume), Antwerpen, Grenoble, Philadelphia, Tokio u. a.
Lit.: M. Raynal, 1921 u. 1924. A. de Ridder, 1929. A. M. Hammacher, 1954. E. Trier, *Mod. Plastik*, 1955. Hofmann, *Plastik d. 20. Jh.*, 1958. M. Seuphor, *Plastik unseres Jh.*, 1959.

Zahrtmann, Kristian, dän. Maler, Ronne 1843–1917 Frederiksberg (Kopenhagen), schuf hist. Genrebilder, in denen er hist. Treue mit modernem Realismus vereint; in s. Figurenbildern u. Landschaften aus Italien ging er zur Freilichtmalerei über; in s. Monumentalgemälden begründete er die dän. Neuromantik; als hervorragender Lehrer hatte er großen Einfluß auf die Entwicklung der Kunst in Dänemark u. Norwegen. Vertreten in den Mus. Kopenhagen, Oslo u. v. a. nord. Mus.
Lit.: F. Henriksen, 1919. S. Danneskjöld-Samsöe, 1942.

Zala, György, ungar. Bildhauer, Alsolendva 1858 bis 1937 Budapest, schuf Denkmäler u. Bildnisbüsten in kraftvollem, neubarocken Stil. Hauptwerke in Budapest: *Honveddenkmal*, 1893. *Millenniumsdenkmal*, 1896–1930. *Reiterstandbild des Grafen Andrássy*, 1906. *Denkmal Königin Elisabeth*, 1923. Zahlreiche Grabdenkmäler u. Büsten.
Lit.: A. Hekler, *Budapest als Kunststadt*, 1933.

Zampieri, Domenico → Domenichino.

Zandomeneghi, Frédéric, ital.-franz. Maler, Venedig 1841–1917 Paris, kam früh nach Florenz u. schloß s. dort dem Kreise der → Macchiaioli an; 1874 ff. in Paris, wo er sich den Impressionisten (→ Monet) näherte. Vertreten in den mod. Gal. Florenz, Mailand, Venedig u. a.
Lit.: E. Piceni, 1932. E. Somaré, 1935.

Zao-Wou-Ki, chines. Maler, * Peking 1920, Vertreter der der jungen Pariser Schule angehörenden östlichen Maler der abstrakten Richtung (→ den Jap. Sugai), tätig in Paris. «Bilder, in denen Kalligraphie u. freie Formen sich in dramatischem Schwung vereinigen» (M. Brion).
Lit.: M. Seuphor, *Knaurs Lex. abstr. Mal.*, 1957. M. Brion in: *Neue Kunst nach 1945*, hg. v. W. Grohmann, 1958.

Zarcillo, Francisco, span. Bildhauer, Murcia 1707 bis 1783 ebda., Sohn u. Schüler des aus Neapel stammenden Niccolò Z., schuf im Stil des span. Rokoko haupts. bemalte Heiligenfiguren, Kreuzweg- u. Pro-

zessionsgruppen, Krippenfiguren u. a. Hauptwerke: in der Kathedrale von Murcia: *Kruzifix; Hl. Antonius von Padua;* im Kloster S. Jeronimo, ebda.: *Büßender hl. Hieronymus.*
Lit.: A. L. Mayer, *Span. Barockplastik*, 1923. A. E. Brinckmann, *Barockskulptur* (Handb. der K. W.), 1931. D. Sanchez Jara u. L. Ayuso, 1929.

Zasinger, Matthäus → Meister M. Z.

Zauner, Franz Anton v., österr. Bildhauer, Untervalpataun (Tirol) 1746–1822 Wien, Hauptmeister des Klassizismus in Wien, kam 1766 dorthin, bildete sich unter dem Einfluß R. → Donners aus. In s. Anfängen noch Rokokokünstler, z. B. in s. *Brunnen im Schloßhof von Schönbrunn*, 1776. 1776–81 Aufenthalt in Rom, wo er – unter dem Einfluß namentlich → Trippels – zum Klassizisten wurde. Hauptwerk: *Reiterdenkmal Josephs II.* auf dem Josephsplatz in Wien, 1795–1806, eine der edelsten Wiener Denkmalplastiken. Weitere Hauptwerke die Grabmäler der *Grafen von Fries* in einem Gartenhaus des Schloßparkes zu Vöslau, 1788–90; für den *Feldmarschall Laudon* im Walde bei Hadersdorf, 1790/91; f. *Kaiser Leopold II.* in der Augustinerkirche in Wien, 1792–95.
Lit.: H. Burg, 1915. E. Tietze-Conrat, *Österr. Barockplastik*, 1920. Feulner, *Skulpt. u. Malerei des 18. Jh.* (Handb. der K. W.), 1929.

Zavattari, ital. Malerfamilie des 15. Jh., tätig in Mailand. Vermutlich von *Francesco Z.* u. s. Söhnen *Ambrogio* u. *Gregorio* ist die *Freskenfolge im Dom von Monza*, 1444: 40 Szenen aus der Legende der Königin Theodelinde; der größte erhaltene Bilderzyklus aus der 1. Hälfte des 15. Jh. in der Lombardei. Es sind figurenreiche Szenen mit zarten got. Architekturen u. vergoldeten Stuckhintergründen; im Stil von Michelino da Besozzo u. → Pisanello beeinflußt. Der Art der Z. nahestehend ferner: *3 Fresken* in der Casa Borromeo zu Mailand; Deckenmalerei in der *Cappella Torriani* in S. Eustorgio, Mailand u. a.
Lit.: A. Venturi VII, 1, 1911. P. Toesca, *La pittura nella Lombardia*, 1912.

Zeeman, Reinier, eig. Nooms, gen. Z., niederl. Marinemaler u. Rad., Amsterdam um 1623 bis um 1667 ebda.; in s. Kunst v. W. van de → Velde d. Ä. beeinflußt. Beisp.: *Seeschlacht bei Livorno*, Amsterdam, Rijksmus. *Blick in eine holl. Stadt*, Kassel, Gal.; in vielen Mus. vertreten.
Lit.: Wurzbach, *Niederl. Künstlerlex.*, 1910.

Zeitblom, Bartholomäus, dt. Maler, Nördlingen um 1455 bis um 1518 Ulm, Hauptmeister der Ulmer Malerei der Spätgotik, hatte eine bedeutende Werkstatt in Ulm, aus der viele große Altarwerke hervorgingen. Seine Linienführung ist großzügig, etwas spröde; am nächsten steht er der Kunst von →

Herlin, dessen Schüler er vielleicht war, u. der des Meisters des Sterzinger Altars.
Hauptwerke: *Altar aus Kilchberg*, um 1482, Stuttgart, Gal.; *Hochaltar in Bingen* b. Sigmaringen, um 1495 (die Schreinfiguren von → Syrlin d. J.); die *Flügelbilder des Hochaltars der Klosterkirche von Blaubeuren*, 1493/94, mit Mitarbeitern, u. a. B. Strigel; *Altar aus Eschach*, 1496: Flügelbilder in Stuttgart u. Berlin; *Heerberger Altar*, 1497, Stuttgart, Gal.; *Altarflügel mit den hll. Margaretha u. Ursula*, München, A. P. (um 1500); *2 Tafeln mit Bildern aus der Legende des hl. Valentin*, Augsburg, Gal. Werke im Ulmer Münster; in den Gal. Stuttgart, Karlsruhe, München, Nürnberg; Zuschreibungen in mehreren Mus.
Lit.: C. Koch, Diss. Berlin 1909. Heidrich, *Altdt. Malerei*, 1909. J. Baum, *Ulmer Kunst*, 1911. G. Dehio, *Gesch. der dt. Kunst* 2, 1921. G. Wulz in: Jb. des Hist. Vereins f. Nördlingen 18, 1936. W. Pinder, *Dt. Kunst der Dürerzeit*, 1953. A. Stange, *Dt. Malerei der Gotik* 8, 1957.

Zelotti, Giambattista, ital. Maler, Verona um 1526 bis 1578 Mantua, soll Schüler → Tizians gewesen sein, war in Venedig, Vicenza, Verona u. a. O. tätig, schuf vor allem große Freskenzyklen, von denen die meisten zugrunde gegangen sind; erhalten sind u. a. *Fresken im Dogenpalast* u. in der *Libreria di S. Marco* in Venedig. In s. Kunst war Z. vor allem von → Raffael- u. → Michelangelo-Nachfolgern des Manierismus beeinflußt, von → Giulio Romano, → Salviati, → Parmigianino; stark auch von → Tizian u. bes. → Veronese. Vertreten u. a. in den Mus. Berlin, Dresden, Florenz (Uff.), Graz, Madrid, Rom (Gall. Borghese u. Doria Pamphilij), Stuttgart, Venedig (Akad.), Verona, Wien (Kunsthist. Mus.).
Lit.: A. Venturi IX, 4, 1929. B. Berenson, *Ital. Pict. of the Renaiss.*, 1932. L. Brenzoni in: Th.-B. 1947.

Zenale, Bernardo, ital. Maler, Treviglio um 1436 bis 1526 Mailand, Hauptmeister der lombard. Malerschule, Schüler von → Foppa, schuf große Altarwerke u. kirchliche Fresken; zeitweise arbeitete er mit → Butinone gemeinsam.
Hauptwerke: Fresken: *Szenen aus dem Leben des hl. Ambrosius*, 1489–93, in der Cappella Griffo in S. Pietro in Gessate in Mailand (gemeinsam mit Butinone); Altäre: *Triptychon mit Madonna u. Kind* als Hauptbild, 1494, Mailand, S. Ambrogio; *Altarwerk in S. Martino zu Treviglio*, 1485 (gemeinsam mit Butinone); *Beschneidung*, Paris, Louvre, 1491; *Verspottung Christi*, 1502, Mailand, Gall. Borromeo.
Lit.: A. Venturi VII, 4, 1915. E. v. d. Bercken, *Malerei der Renaiss. in Oberital.* (Handb. der K. W.), 1927. P. Arrigoni in: Th.-B. 1947.

Zeuxis, griech. Maler, tätig Ende 5. Jh., aus Herakleia, war zu s. Zeit – neben → Parrhasios – der berühmteste griech. Maler. Von s. Werken ist nichts

erhalten, doch glaubt man Nachklänge in pompejan. Wandgemälden u. röm. Marmorplatten mit farbigen Umrißzeichnungen zu erkennen. Seine berühmtesten Werke waren: ein Bild der *Helena* für den Heratempel in Kroton u. eine *Kentaurenfamilie*. Es ist von ihm überliefert, daß er die Schattierung kannte.
Lit.: E. Pfuhl, *Malerei u. Zeichnung der Griechen* 2, 1923. W. Kraiker, *Das Kentaurenbild des Z.*, 1950. A. Rumpf in: Hb. der Archäol. IV, 1, 1953.

Zichy, Mihaly, ungar. Maler, Zala 1827–1906 Petersburg, Schüler von → Waldmüller in Wien, 1859ff. russ. Hofmaler, schuf Aquarelle u. Zeichnungen von Persönlichkeiten u. Begebenheiten des russ. Hofes; war auch in England u. Paris tätig.
Lit.: J. Bende, 1927.

Zick, Januarius, dt. Maler, München 1732–1797 Ehrenbreitstein b. Koblenz, bedeutender Vertreter der letzten Phase des Rokoko im Übergang zum Klassizismus, Schüler s. Vaters Johannes Z., war 1757 in Paris, 1758 in Rom von → Mengs beeinflußt, seit 1760 kurtrierischer Hofmaler in Ehrenbreitstein. Z. schuf zahlreiche Deckenfresken für bayer.-schwäb. Kirchen, aber auch in Koblenz, Mainz u. a.; in s. bedeutenden Ölgemälden von → Rembrandt u. a. Holländern sowie von → Watteau, → Mengs u. a. beeinflußt; auch einige Bildnisse.
Werke: Fresken: Hauptwerk sind die *Deckenfresken der ehem. Klosterkirche Wiblingen* b. Ulm, 1778–80; ferner in der *ehem. Klosterkirche Oberelchingen* b. Neu-Ulm, 1782–83; in der *Klosterkirche Rot* (Württemberg), 1784; in den Schlössern von Mainz u. Koblenz (beide von Bomben zerstört). Ölbilder: *Abraham u. der Engel*, um 1760/70, München, A. P. *Tanz in der Schenke*, ebda. *Bildnis der Familie Remy*, 1776, Nürnberg, German. Mus. Weitere Werke in Berlin, Stuttgart u. a.
Lit.: A. Feulner, 1920. Ders., *J. Z.s Frühwerke* in: Städel-Jb. 2, 1922. Ders., *Skulpt. u. Malerei des 18. Jh.* (Handb. der K. W.), 1929.

Zick, Johannes, dt. Maler, Daxberg b. Memmingen 1702–1762 Würzburg, Meister der Rokoko-Freskenmalerei, Schüler von Stauder in Konstanz u. → Piazzetta in Venedig, beeinflußt von → Rembrandt u. → Tiepolo. Hauptwerk: die *Fresken im Schloß Bruchsal:* Fürstensaal, 1751; Treppenhaus, 1752; Marmorsaal, 1754. Ferner Fresken in der *Pfarrkirche Amorbach*, 1753 u. v. a.

Ziebland, Georg Friedrich, dt. Arch., Regensburg 1800–1873 München, Vertreter des historisierenden Stils des 19. Jh., baute in München die *St.-Bonifatius-Basilika*, 1835–50, in frühchristlichem Stil, u. das Kunstausstellungsgebäude am Königsplatz, 1838 bis 1845, heute *Neue Staatsgalerie*, in klassizist. Stil.

Ferner Ausbau von *Schloß Hohenschwangau* als Nachfolger → Quaglios.
Lit.: W. Roetzer, *Die St.-Bonifatius-Basilika in München*, 1931.

Ziem, Félix, franz. Maler, Beaune 1821–1911 Paris, Meister der romantisierenden Landschaftsdarstellung, schuf mehrere Hundert koloristisch effektvolle Ölbilder u. Aquarelle, meist Ansichten von Venedig u. den venez. Gewässern. Werke in vielen Mus.
Lit.: L. Fournier, 1898. L. Roger-Milès, 1903. Ders., 1913.

Ziesenis, Johann Georg, dt. Maler, Kopenhagen 1716–1777 Hannover, dt. Abkunft, kam um 1740 nach Deutschland, zunächst nach Frankfurt, 1756 als Hofmaler nach Zweibrücken berufen, 1760 nach Hannover; auch für andere Fürstenhöfe tätig, gehörte zu den bedeutendsten Bildnismalern s. Zeit; stand zunächst noch ganz in der barocken Tradition, später wandte er sich – unter dem Einfluß der engl. Porträtmalerei – vom äußerlichen Prunk ab u. malte in realist.-schlichter Art bürgerliche Porträts wie auch die von Fürstlichkeiten. Als Hauptwerk gilt das Bildnis des *Grafen Friedrich Wilhelm Ernst von Schaumburg-Lippe*, Berlin, ehem. K.-F.-Mus. Eine *Bildnisskizze Friedrichs d. Gr.* auf Schloß Blankenburg (7 weitere Bildnisse Friedrichs d. Gr., nach diesem, davon 1 in Hannover, Mus.). Bilder in den Mus. Berlin, Darmstadt (Schloß-Mus.), Heidelberg, Frankfurt (Hist. Mus.), Nürnberg, Speyer u. a.
Lit.: F. F. Kuntze, Diss. Erlangen 1932. H. Vollmer in: Th.-B. 1947. Feulner, *Skulpt. u. Mal. des 18. Jh.* (Handb. der K. W.), 1929.

Zille, Heinrich, dt. Zeichner, Radeburg 1858–1929 Berlin, begann als Lithograph, war kurze Zeit Schüler von → Hosemann u. wurde seit 1900 durch seine teils humoristischen, teils satirisch-anklägerischen Darstellungen aus dem Berliner proletarischen Milieu bekannt. Er zeichnete u. a. für die «Lustigen Blätter», die «Jugend», den «Simplizissimus» u. veröffentlichte viele Mappenwerke: «Das H.-Z.-Werk», 1926. «Das große Z.-Album», 1927. «Bilder vom alten u. neuen Berlin», 1927. «Das Z.-Buch», 1929. «Z.s Vermächtnis», 1930. «Z., sein Milliöh», 1952.
Lit.: R. Danke, *H. Z. erzählt*, 1928. A. Heilborn, 1930. *Z.s Hausschatz*, hg. v. H. Oswald u. H. Zille, 1940. O. Nagel, 1955.

Zimmermann, Albert, dt. Maler, Zittau 1809–1888 München, Landschaftsmaler, Schüler der Akad. Dresden u. München, tätig ebda., 1857–60 Prof. der Akad. Mailand, 1860–71 an der Akad. Wien, lebte 1880–85 in Salzburg, seitdem wieder in München. Z. malte von → Koch u. → Genelli beeinflußte heroische Landschaftsbilder, oft aus dem Hochgebirge u. mit bibl. Staffage. Bes. reizvoll sind s.

Bilder kleinen Formates. Er ist vertreten u. a. in den Gal. München, Bautzen, Bremen, Frankfurt, Stuttgart, Wien (Kunsthist. Mus.).
Beisp.: *Sturmbewegte Landschaft aus den Tauern*, 1851, Frankfurt, Städel. *Pflügen des Ackers*, Dresden, Gal. *Sonnenuntergang im Hochgebirge*, Wien, Österr. Gal. *Gebirgssee mit bibl. Staffage*, München, Bayer. Staatsgal.
Lit.: R. Oldenbourg u. H. Uhde-Bernays, *Münchener Maler im 19. Jh.*, 1922–25.

Zimmermann, Bodo, dt. Maler u. Graphiker, Filehne (Posen) 1902–1945 bei Frankfurt/Oder gefallen, Schüler von R. → Schiestl in Nürnberg, der ihn zur Holzschneidekunst führte; er schuf Landschaftsbilder, Buchillustrationen, Gebrauchsgraphik. Vertreten in den Mus. Dortmund, Breslau, Hamburg, Würzburg u. a.

Zimmermann, Dominikus, dt. Arch., Stukkateur u. Maler, Wessobrunn 1685–1766 Wies b. Steingaden, Hauptmeister des bayrischen Spätbarock, war zunächst Stukkateur u. hat dieses Handwerk s. Leben lang ausgeübt; 1716 übersiedelte er von Wessobrunn nach Landsberg am Lech, von wo aus er architektonische Aufträge übernahm; es waren meist einfache Land- u. Klosterkirchen. Nur wenige Bauten ragen als selbständige Meisterwerke hervor: *Wallfahrtskirche Steinhausen*, 1727–33 u. vor allem die *Wallfahrtskirche in der Wies*, b. Steingaden, 1746–54. Sie bringt ein Äußerstes in der Auflösung des Raumes, der Deformierung des tektonischen Gerüstes, der phantastischen Dekoration: mit ihr erreicht der bayerische Spätbarock einen Gipfelpunkt. Bemerkenswert ferner die *Liebfrauenkirche* in Günzburg, 1736 beg.
Lit.: Muchall-Viebrook, 1912. M. Hauttmann, *Geschichte der kirchl. Bauten in Bayern, Schwaben u. Franken*, 1921. Feulner, *Bayer. Rokoko*, 1923. C. Lamb, *Die Wies*, 1937. W. Hager, *Bauten des dt. Barocks*, 1942. N. Lieb, *Münchner Barockbaumeister*, 1941.

Zimmermann, Johann Baptist, dt. Stukkateur u. Maler, Wessobrunn 1680–1758 München, Bruder von Dominikus Z., war zuerst mit diesem zus. als Stukkateur tätig, schloß sich in der Folge → Cuvilliés in München an, unter dessen Leitung er sich zu einem graziösen Meister des bayer. Rokoko ausbildete (unter Cuvilliés gehörte er zu den ausführenden Meistern der *Dekorationen der Amalienburg* im Schloßpark von Nymphenburg). Zus. mit Mirowsky u. Cuvilliés führte er die *Stuckdekorationen der Reichen Zimmer* der Residenz in München aus. Die *Dekorationen im Schloß Nymphenburg*, 1756, gehören zu den Meisterleistungen des dt. Rokoko. Ferner Dekorationen in zahlreichen süddt. Kirchen: *Deckengemälde u. Stuckdekorationen der Kirche von Prien*

(Oberbayern), 1736. *Deckenfresken der Dominikanerkirche in Landshut*, 1749. *Stuckdekoration u. Fresko in der Hofkirche St. Michael in Berg am Laim*, München, 1743.
Lit.: H. Tintelnot, *Barocke Freskenmalerei in Dtld.*, 1951.

Zimmermann, Mac, dt. Maler u. Graphiker, * Stettin 1912. Vertreter des Surrealismus, arbeitete in Hamburg für Presse u. Bühne, war 1938 in Berlin, 1946 in Dessau als Lehrer an der Kunstschule, seit 1949 in München tätig. In s. Kunst von → Dali beeinflußt.
Lit.: *M. Z. Ein Skizzenbuch*, hg. v. B. Degenhart, 1955.

Zimmermann, Reinhard Sebastian, dt. Maler, Hagnau am Bodensee 1815–1893 München, malte Dorfgeschichten u. kleine Szenen aus dem täglichen Leben, oft vor großem architekton. Hintergrund; auch Interieurs u. Bildnisse. Z. schrieb «Erinnerungen eines alten Mannes», 1884 (2. Aufl. 1922).

Zingg, Adrian, schweiz. Zeichner, Radierer u. Kupferstecher, St. Gallen 1734–1816 Leipzig, Schüler von → Aberli in Bern, nach dessen Zeichnungen er Landschaften stach; ferner nach J. → Vernet, Aert van der → Neer u. v. a.; Buchillustrationen (Kupferstiche zu «Das Eisgebirge des Schweizerlandes» [Gruner] 1760), ferner Bildnisse. 1804 kam heraus: «A. Z.s Kupferstichwerk» (47 Bl.); 1811 «Studienblätter» f. Landschaftszeichner» u. v. a.

Zitek, Josef, österr. (tschech.) Arch., Prag 1832 bis 1909 ebda., Schüler von E. v. d. Null u. Siccardsburg, Vertreter der Neurenaissance des 19. Jh., baute als s. Hauptwerke das *Tschechische Nationaltheater* in Prag, 1868–81 u. das *Rudolfinum*, ebda., 1876–84. Ferner *Museum in Weimar*, 1863–68. *Brunnenkolonnaden in Karlsbad*, 1871–78, u. a.

Zoffany, John, eig. Johann Zauffely, dt.-engl. Maler, Frankfurt 1733–1810 Kew (London), böhmischer Abkunft, kam 1761 nach London, war 1768 Gründungsmitglied der Akad.; 1781–88 in Indien, bedeutender Porträtist, bekannt vor allem s. Schauspielerbildnisse u. «Conversation Pieces», zwanglose Gruppierung mehrerer Personen im Gespräch. Im Stil von → Zick ausgehend, in England unter dem Einfluß der engl. Schule (→ Hogarth). Bilder: mehrere Porträts von *Garrick*, eines in London, Nat. Gall.; *Familiengruppe*, ebda. Werke in den Gal. Berlin, Bordeaux, Budapest, Detroit, Dublin, Florenz (Uff.), Glasgow, Oxford, Parma, Wien (Kunsthist. Mus.), Würzburg u. a.
Lit.: V. Manners u. G. C. Williamson, 1920. E. K. Waterhouse, *Paint. in Britain 1530–1790*, 1953.

Zoppo, Marco, ital. Maler, Cento 1433–1478 Venedig, Schüler des → Squarcione in Padua, beeinflußt von Cos. → Tura, später von → Vivarini u. Giov. → Bellini; tätig in Padua, Venedig, Bologna, schuf kirchliche Werke. Beisp.: Madonnen: *Thronende Madonna mit Kind u. Heiligen*, 1471, Berlin, staatl. Mus. *Madonna mit Kind*, ebda. *Madonna mit Kind*, Richmond, Slg. Cook. *Pietà*, London, Nat. Gall. u. Pesaro, Mus. *Hl. Hieronymus*, Bologna, Pinac. Weitere Werke ebda.
Lit.: A. Venturi VII, 3, 1914. E. v. d. Bercken, *Malerei der Renaiss. in Oberital.* (Handb. der K. W.), 1929. A. Moschetti in: Th.-B. 1947.

Zorn, Anders, schwed. Maler, Radierer u. Bildhauer, Mora am Siljansee (Dalarna) 1860–1920 ebda., Hauptvertreter des schwed. Impressionismus, war in Paris u. wurde von den franz. Impressionisten beeinflußt. Bes. beliebt waren s. Porträts u. Figurenstudien in keck hingestrichenen Lokalfarben; er malte Szenen aus dem Pariser Leben, aus dem schwed. Volksleben u. Landschaftsstudien. Ferner Radierungen, in denen er durch parallele Strichlagen malerische Wirkungen erzielte, u. als Bildhauer Figuren in Holz u. Bronze. Hauptwerke im Nat. Mus. u. in der Thielschen Gal., Stockholm; Göteborg, Mus.; Z.-Mus., Mora.
Lit.: T. Hedberg, 1923–24. A. Romdahl, *A. Z. als Radierer*, [2]1924. F. Servaes, [2]1925. A. Engström, 1928 (schwed.).

Zschokke, Alexander, schweiz. Bildhauer, * Basel 1894, begann als Maler, arbeitete 1919 ff. als Bildhauer in Berlin, 1930 ff. in Düsseldorf (Prof. der Akad.), kehrte 1937 in die Schweiz zurück, tätig in Zürich. Z. schuf vorwiegend ausdrucksstarke *Porträtplastiken* (von E. Heckel; Rohlfs; Campendonck; P. Klee; Auberjonois; L. Justi; J. Wackernagel); ferner *Brunnen vor dem Kunstmus.* in Basel, 1935–42; Grabmäler u. a. Vertreten u. a. in den Mus. Basel, Berlin, Essen, München, Hannover.
Lit.: W. Grohmann in: Th.-B. 1947. K. Schefold in: Universitas, 1955. U. Christoffel, 1957.

Zubiaurre, Ramón de, span. Maler, * Garay 1882, Maler von Genreszenen aus dem span. Volksleben, von Bildnissen u. Stilleben; von → Zuloaga beeinflußt. Werke in den Mus. von: Madrid, Paris (Luxemb.), Antwerpen, Bilbao, Rom (Gall. mod.) u. a.

Zuccalli, schweiz. Baumeisterfamilie aus Graubünden, tätig in Bayern im 17. bis 18. Jh.; wichtigste Vertreter:
Enrico Z., Roveredo 1642–1724 München, wurde 1673 Hofbaumeister in Bayern u. war als Nachfolger → Barellis an vielen wichtigen Bauten beteiligt (manches kam nicht zur Ausführung, anderes wurde

später verändert). Im Stil schloß er sich dem ital. Hochbarock an (→ Bernini). Er vollendete die von Barelli beg. *Theatinerkirche*, München; war als Nachfolger Barellis am *Nymphenburger Schloßbau* tätig (Innenausstattung, vermutlich auch Freitreppe vor dem Mittelbau); begann mit der Anlage von *Schloß Schleißheim*, das aber später → Effner übertragen wurde. Von Z. das *Schlößchen Lustheim* im Park von Schleißheim. Umbau von *Kloster Ettal* (nach Brand 1744 von J. → Schmuzer restaur.). Wallfahrtskapelle *Altötting*, als mächtiger Zentralbau gedacht, kam nicht zur Ausführung.
Lit.: M. Wackernagel, *Baukunst d. 17. u. 18. Jh.* (Handbuch d. K. W.), 1915 ([4]1932). M. Hauttmann, *Geschichte der kirchl. Baukunst in Bayern, Schwaben u. Franken 1550–1780*, 1921. Dehio, *Geschichte d. dt. Kunst 3*, 1926 ([4]1934). Ders., *Handb. d. dt. Kunstdenkmäler 3*, 1908 (Neuausg. v. E. Gall, 1935 f.).
Kaspar (Joh. K.) Z., Roveredo um 1667–1717 Adelholzen bei Traunstein, Neffe u. Schüler von Enrico Z., wurde 1689 Hofbaumeister in Salzburg. Hauptwerke: *Theatinerkirche St. Cajetan in Salzburg*, beg. 1685; voll. 1700., ein Zentralbau mit kurzen Kreuzarmen an querovalem Kuppelraum. *St. Erhard in Nonntal* (Vorstadt von Salzburg).
Lit.: → bei Enrico Z.; ferner: Eckardt, *Baukunst in Salzburg im 17. Jh.*, 1910.

Zuccarelli, Francesco, ital. Maler u. Radierer, Pitigliano (Toscana) 1702–1788 Florenz, Meister der «idealen» Landschaft, Nachfolger des Marco → Ricci in Venedig, zur venez. Schule zu rechnen, tätig in Venedig, London (wo er zu s. Zeit außerordentlich geschätzt wurde) u. Florenz; er hat – wie Ricci – s. idealen Landschaften eine mythol. oder bibl. Figurenstaffage gegeben. Beisp.: *Raub der Europa*, Venedig, Akad. Reich vertreten in Venedig, Akad. u. Bergamo, Akad. Carrara; ferner in den Gal. Mailand, Modena, Parma, Bamberg, Berlin (ehem. K.-F.-Mus.), Frankfurt, Hamburg, Cambridge, Hampton Court, Nottingham, Glasgow, Den Haag, Graz, Rouen, Budapest, Brooklyn (N. Y.) u. a.
Lit.: G. Rosa, 1945. G. Delogu, *Pitt. veneti minori del settecento*, 1930. H. Vollmer in: Th.-B. 1947. E. Hüttinger, *Venez. Malerei*, 1959.

Zuccari, Federigo, ital. Maler, Sant'Agnolo in Vado um 1542–1609 Ancona, Meister des röm. manierist. Spätstils, den er in Anlehnung an s. Bruder Taddeo entwickelte. Er war tätig in Rom, in Oberitalien, 1574 in England, 1585–89 in Spanien. Er schuf Freskenwerke, kirchliche Werke, Bildnisse u. war ein bedeutender Kunsttheoretiker. Sein Hauptwerk ist das *Fresko des Jüngsten Gerichtes* in der Domkuppel von Florenz, 1574–79 (von Vasari beg.). Ferner *Fresken in der Cappella Paolina des Vatikans*. In England soll er vor allem als Por-

trätist gewirkt haben. Bildnisse: *Königin Elisabeth*, *Maria Stuart* (Chatsworth). In Spanien arbeitete er Tafeln für Hochaltar u. Nebenaltäre der Kirche des Escorial. Unter s. theoret. Werken ist «Idea de' pittori, scultori ed architetti», 1608, ein bedeutendes Dokument der Kunsttheorie des Manierismus. Werke in röm. Kirchen; Mailand, Brera; Florenz, Pitti; Lucca, Dom; London, Nat. Portr. Gall.; Hampton Court; Cambridge, Mus.; Minneapolis (USA) u. a.
Lit.: s. bei Taddeo Z. Über s. Kunsttheorien: E. Panofsky, *Idea*, 1924 (Vortr. Bibl. Warburg).

Zuccari, Taddeo, ital. Maler, Sant'Agnolo in Vado 1529–1566 Rom, Hauptvertreter des röm. Manierismus, ging frühzeitig nach Rom u. bildete sich hauptsächl. an → Raffael u. den Meistern der Raffael-Schule, nachhaltig beeindruckt durch Pierino del → Vaga. Er schuf haupts. dekorative Fresken im Sinne der manierist. Raffael-Nachfolger.
Hauptwerke: die umfangreichen *Malereien im Pal. Farnese in Caprarola* (von → Vignola erbaut), bes. die Gemälde der Sala dei Fasti Farnesi; *Dekorationen der Sala Regia im Vatikan.* Ferner: Deckenmalereien in 2 Zimmern der *Villa di Papa Giulio*, ebda.: mythol. Szenen, 1556 voll.; *Fresken der cappella Mattei* in S. Maria della Consolazione in Rom; *Fresken der cappella Frangipane* in S. Marcello al Corso, ebda. u. v. a.
Lit.: H. Voss, *Malerei der Spätrenaiss.*, 1920. N. Pevsner, *Ital. Barockmalerei* (Handb. der K. W.), 1928. A. Venturi IX, 5, 1932. B. Berenson, *The Ital. Paint. of the Renaiss.*, 1932.

Zucchi, Jacopo, ital. Maler, Florenz um 1541 bis um 1590 Rom (oder Florenz), Vertreter des Manierismus, Schüler u. Mitarbeiter des → Vasari, mit dem er 1567 nach Rom kam, schuf dekorative *Freskenwerke* (im Pal. Ruspoli, Rom; im Chor von S. Spirito in Sassia, ebda.) u. Bilder bibl. u. mythol. Inhalts, beeinflußt von Fed. → Zuccari: *Allegorien des Goldenen, des Silbernen u. des Eisernen Zeitalters*, Florenz, Uff. Werke in Rom, Gall. Borghese; Wien, Kunsthist. Mus. u. a.
Lit.: A. Calcagno, 1933. H. Voss, *Malerei der Spätrenaiss. in Rom u. Florenz*, 1920. A. Venturi IX, 6, 1933.

Zügel, Heinrich v., dt. Maler, Murrhardt (Württemberg) 1850–1941 München, Meister der Tierdarstellung, der er mit Hilfe der impressionist. Technik neue Wege wies. Mit breit geführtem Pinsel malte er Kühe, Ochsen u. Schafe im prallen Licht der Mittagssonne oder im grünlich-violetten Schatten dunkler Bäume. Beisp.: *Schafe im Erlenrain*, 1875, Berlin, Nat. Gal. *Hirtin im Wald*, 1883, Düsseldorf, Gal. *Nach Sonnenuntergang*, 1898, Karlsruhe,

Gal. In vielen Mus. vertreten, u. a. Dresden, Breslau, Stuttgart.
Lit.: G. Biermann, 1910. E. Th. Rohnert, 1942.

Zünd, Robert, schweiz. Maler, Luzern 1827–1909 ebda., Meister der Landschaftsdarstellung, kam 1848 nach Genf als Schüler von → Diday u. → Calame, weitergebildet in München (Freundschaft mit R. → Koller) u. in Paris, wo er v. den Meistern v. → Barbizon beeinflußt wurde. Z. schuf bes. Waldstücke. Hauptwerk: *Die Ernte*, 1860, Basel, Mus. Werke haupts. in den Mus. Basel, Bern, Freiburg i. Ü., Luzern, Winterthur, Zürich.
Lit.: W. Uhde-Bernays, 1926 ([2]1934). P. Fischer u. M. Raeber, Hg. v. *Handzeichn.*, 1942. W. Hugelshofer, 1943. V. Huber, *Schweiz. Landschaftsmaler*, 1949 (m. Bibliogr.). M. Huggler/A. M. Cetto, *Schweiz. Mal. im 19. Jh.*, 1942.

Zürn, Jörg, dt. Bildhauer, Waldsee (Oberschwaben) um 1583 bis um 1635 Überlingen, schuf mit dem geschnitzten *Hochaltar des Münsters in Überlingen*, 1613–19, eine der Hauptleistungen des dt. Frühbarock. Der spätgot. Tradition entwachsen, hatte Z. wohl Anregungen von → Degler in Augsburg u. vom niederl. u. ital. Manierismus erhalten. Weitere Hauptwerke: *Betzaltar*, 1607–10, ebda. *Sakramentshaus*, 1611, ebda. *Relief mit Marienkrönung*, 1622, Karlsruhe, Mus. Ferner Zuschreibungen u. Werkstattarbeiten; Epitaphien; Werke in Berlin, dt. Mus.
Seine Brüder *Martin* u. *Michael Z.*, nachweisbar 1624–1665 im bayer.-österr. Innviertel, schufen, meist gemeinsam, kirchliche Werke; in ihrem Stil entwickelte sich die spätmanierist. Formensprache zur barocken: *Rosenkranzaltar*, Überlingen, Münster, 1631–40; *Hochaltar* (abgebrochen) u. *Kanzel*, Wasserburg am Inn, Pfarrkirche, 1638–39; *Hl. Katharina*, Braunau, *Pfarrkirche*, 1640; *Hochaltar*, ebda., 1649, z. T. erhalten.
Sein Neffe *Michael*, Wasserburg am Inn um 1626 bis nach 1691, seit 1681 in Gmunden tätig; Hauptwerk: *16 überlebensgroße Engelsgestalten* in der Stiftskirche Kremsmünster, Marmor, 1682–85; der leidenschaftliche Ausdruck, die virtuose Oberflächenbehandlung setzen die Kenntnis der Werke → Berninis voraus.
Lit.: A. E. Brinckmann, *Barockskulptur* (Handb. der K. W.), 1919 ([3]1931). L. Bruhns, *Dt. Barockbildh.*, 1925. A. Feulner, *Dt. Plastik des 17. Jh.*, 1926. H. Möhle in: Preuß. Jb. 51, 1930. Ders., ebda. 53, 1932. H. Bauer, *Plastik der Brüder Martin u. Michael Z.*, Diss. München 1941. H. Decker, *Barockplastik in den Alpenländern*, 1943. F. Baumgart, *Gesch. d. abendl. Plastik*, 1957.

Zuloaga y Zabalet, Ignacio, span. Maler, Eibar (Baskenland) 1870–1945 Madrid, bildete sich in

Paris aus; wurde früh vom Werke → Manets beeindruckt, war befreundet mit → Rodin, → Gauguin, → Degas. Z. schuf Darstellungen aus dem span. Volksleben mit Zigeunerinnen, Bettlern, Musikanten; aber auch aus der vornehmen Welt, bes. Damenbildnisse. In s. Kunst suchte er die ältere span. Malerei weiterzuführen (→ Velazquez, → Greco), schloß sich aber bes. → Goya an. Seine stets dekorativ gehaltenen Werke nachhaltig vom Jugendstil berührt. Bilder in allen größeren span. u. in vielen europ. u. amerik. Gal.
Lit.: L. Bénédite, 1911. G. de Frenzi, 1912. J. de la Encinas, 1917. E. Lafuente-Ferrari, 1950.

Zumbusch, Julius, dt. Bildhauer, Herzebrock in Westf. 1832–1908 München-Pasing, Bruder des Kaspar → Z., schuf Bildnisse u. Denkmäler; allegor. Figuren am Münchner Justizpalast.

Zumbusch, Kaspar v., dt. Bildhauer, Herzebrock in Westf. 1830–1915 Rimsting b. Prien (Chiemsee), Schüler von → Halbig in München, weitergebildet in Italien, Prof. der Akad. Wien, schuf bedeutende Denkmäler u. Bildnisbüsten; im Stil von → Schwanthaler u. → Rauch beeinflußt. Sein Hauptwerk ist das große *Maria-Theresia-Denkmal* in Wien mit 24 Porträtfiguren; nach 15jähriger Arbeitszeit 1888 enthüllt. Weitere Hauptwerke: *Denkmal König Maximilian II.* in München, 1866–72; *Beethovendenkmal* in Wien, 1880; *Reiterstandbild Radetzky,* Wien, 1892; *Reiterstandbild Erzherzog Albrecht,* Wien; *Standbild Kaiser Wilhelms I.* f. das Denkmal an der Porta Westphalica (von B. → Schmitz entworfen), 1896. *Bildnisbüsten R. Wagner, Gottfried Semper* u. v. a.; Grabdenkmäler, Brunnen u. a.
Lit.: M. Kolisko, 1931. H. Bitterlich, 1931.

Zumbusch, Ludwig v., dt. Maler, München 1861 bis 1927 ebda., Bildnismaler, Sohn von Kaspar v. Z., Schüler von → Lindenschmit d. J., → Bouguereau u. T. → Robert-Fleury in Paris; einer der ersten Mitarbeiter der «Jugend», schuf haupts. Porträts, bes. Kinderbildnisse u. Kinderszenen v. liebenswürdigem Humor; ferner feine Pastell-Landschaften. Vertreten u. a. in den Mus. Aachen, Bremen, Würzburg.
Lit.: F. v. Ostini, 1922.

Zurbarán, Francisco, span. Maler, Fuente de Cantos (Estremadura) 1598–1664 Madrid, Hauptmeister der span. Malerei des 17. Jh., Schüler von Juan de → Roelas in Sevilla, kam später nach Madrid, 1638 Hofmaler Philipps IV. Z. malte vor allem religiöse Bilder für Klöster, meist ganze Zyklen aus der Mönchsgeschichte; auch hervorragende Bildnisse von Mönchen. Beeinflußt von Roelas u. → Herrera d. Ä.; später in s. naturalist. Malerei vom Helldunkel → Caravaggios (doch gehörte das Helldunkel zur span. Tradition) u. zuletzt von→Murillo. Hauptwerke: *Bonaventura-Zyklus,* für die Kollegiatkirche S. Bonaventura in Sevilla bestimmt (vor 1629); heute sind die 5 Bilder in: Dresden, Berlin (vernichtet), Paris (2 Bilder), Genua. *Apotheose des hl. Thomas v. Aquin,* 1631, Sevilla, Mus. *Hl. Katharina,* Palencia, Kathedrale. *Betender Mönch,* London, Nat. Gall. *Hl. Franziskus,* München, A. P. u. Lyon, Mus. *Zyklus des hl. Hieronymus,* 11 Bilder im Kloster Guadalupe. Weitere Hauptwerke in Sevilla, Mus.; Madrid, Prado; Cádiz, Mus.
Lit.: H. Kehrer, 1918. J. Casales y Muñoz, 1911 (²1931). F. J. Sanchez Canton, 1944. F. Pompey, 1947. J. A. Goya Nuño, 1948. M. L. Caturla, 1953. M. Soria, 1955.

Gesamtherstellung Carl Gerber Grafische Betriebe KG, München